KB151650

6th Edition

부인과학

GYNECOLOGY

6th Edition
부인과학

첫째판 1쇄 발행 | 1987년 10월 15일
여섯째판 1쇄 인쇄 | 2021년 01월 07일
여섯째판 1쇄 발행 | 2021년 01월 29일
여섯째판 2쇄 발행 | 2023년 03월 17일

지 은 이 대한산부인과학회
발 행 인 장주연
출 판 기 획 최준호
출 판 편 집 한성의
편집디자인 양은정
표지디자인 김재욱
일 러 스 트 김경열
제 작 담 당 신상현
발 행 처 군자출판사(주)
등록 제4-139호(1991. 6. 24)
본사 (10881) 파주출판단지 경기도 파주시 회동길 338(서패동 474-1)
전화 (031) 943-1888 팩스 (031) 955-9545
홈페이지 | www.koonja.co.kr

ISBN 979-11-5955-6197
정가 150,000원

편집간행위원회

집필진

강우대 전남의대
고석봉 대구가톨릭의대
권상훈 계명의대
권선영 계명의대(병리과)
김계현 성균관의대
김기형 부산의대
김대연 울산의대
김미경 차의과학대
김미경 이화의대
김미란 아주의대
김미란 가톨릭의대
김민정 가톨릭의대
김병기 성균관의대
김석모 전남의대
김석현 서울의대
김선미 서울의대
김성엽 제주의대
김성훈 연세의대
김성훈 울산의대
김수녕 건국의대
김슬기 서울의대
김영아 인제의대
김영태 연세의대
김용범 서울의대
김용욱 가톨릭의대
김용진 고려의대
김윤환 이화의대
김재연 전주에덴산부인과
김재훈 연세의대
김정식 순천향의대
김종혁 울산의대
김종현 전북의대
김진주 서울의대
김철홍 전남의대
김 탁 고려의대
김태진 건국의대
김태훈 서울의대
김현철 차의과학대
나용진 부산의대
남계현 순천향의대
노주원 차의과학대
문두건 고려의대(비뇨의학과)
박상윤 국립암센터
박성남 원광의대
박준철 계명의대
박철민 제주의대
박현태 고려의대
배상욱 연세의대
배재만 한양의대
배종운 동아의대
변정미 인제의대
서동훈 서울의대
서석교 연세의대
선우재근 순천향의대
성석주 차의과학대
송용중 부산의대
송재연 가톨릭의대
송재윤 고려의대
신소진 계명의대
신정규 경상의대
신정호 고려의대
신진우 가천의대
심승혁 건국의대
안태규 조선의대
양회생 동국의대
유상영 원자력의학원
유은희 경희의대
윤보성 차의과학대
윤보현 연세의대
윤상호 동국의대
이경욱 고려의대
이근호 가톨릭의대
이기환 충남의대
이낙우 고려의대
이동윤 성균관의대
이미화 차의과학대
이병석 연세의대
이병익 인하의대
이사라 울산의대
이석환 경희의대(외과)
이성기 건양의대
이성종 가톨릭의대
이승미 계명의대
이우식 차의과학대
이윤순 경북의대
이은실 순천향의대
이정렬 서울의대
이정윤 연세의대
이정호 계명의대
이종민 경희의대
이지영 건국의대
이 찬 차의과학대
이충훈 경기도의료원 수원병원
이태화 고신의대
이택후 경북의대
임명철 국립암센터
장은미 차의과학대
전명재 서울의대
전 섭 순천향의대
전승주 가천의대
정경아 이화의대
정대훈 인제의대
정인철 가톨릭의대
조문경 전남의대
조시현 연세의대
조치흠 계명의대
조한별 연세의대
조현희 가톨릭의대
주종길 부산의대
지병철 서울의대
채희동 울산의대
최두석 성균관의대
최세경 가톨릭의대
최영식 연세의대
최원준 경상의대
최중섭 한양의대
최철훈 성균관의대
허수영 가톨릭의대
홍승화 충북의대
황경주 아주의대
황규리 서울의대
황정혜 한양의대

머리말

부인과학 제6판 출간에 붙여

부인과학 제6판 개정교과서의 편찬을 회원 여러분과 함께 축하하는 바입니다.

대한산부인과학회에서 5판을 발행한 지 어언 5년이 지나서 그동안 부인과학의 발전과 많은 연구결과를 반영한 지식의 정리가 필요하였으며 이제 그 결실을 보게 되었습니다. 그동안 뜻하지 않은 COVID-19 Pandemic과 의료계의 어려움에도 불구하고 집필진과 학회의 전폭적인 지원으로 표준용어를 적용한 알차고 깊은 내용의 교과서가 출간되었다고 생각합니다.

돌이켜 보면, 부인과학 교과서는 1987년 처음 출판된 이후 4차례에 걸쳐 개정되어 전국 의과대학생과 산부인과 전공의, 그리고 개원의들의 필독서로 자리 잡았으며, 우리나라 부인과학 발전에도 큰 기여를 하였습니다. 2015년 8월에 이루어진 마지막 개정 이후 그동안 부인과학은 학술적으로 많은 발전이 있었고, 특히 국내 연구도 매우 활발하여 많은 업적들이 국내외 저명 학술지에 발표되었으며 의료 환경의 변화와 함께 산부인과의 관심 영역 또한 많이 확대되었습니다. 따라서 이러한 여건들을 정리하고 체계화하는 작업이 필요하였습니다.

이번 개정판에도 산부인과 전공의와 전문의의 수준에 적합하게 편집하여 수련과정과 전문의가 되신 후에도 알아야 할 지식을 총망라하고자 노력하였습니다. 기본적으로 의학 용어는 다소 어색하더라도 표준화된 한글 용어를 적용하였으며, 수록된 자료는 가능한 한 우리의 발표 자료를 이용함으로써 우리의 현실에 적용할 수 있는 내용을 반영하고자 하였고, 또한 우리나라의 보건법과 국민 정서에 근거하여 집필하였습니다. 부인종양 분야는 부인종양학 출간과 함께 단원의 배치와 내용을 부인종양학회와 협의하에 충실하게 반영하였으며 내분비 분야도 표준용어집을 적용한 우리 자료를 반영하기 위하여 노력하였습니다. 세계적으로 앞서가고 있는 내시경 수술 분야의 내용과 함께 단일공 수술도 추가하여 최근의 추세를 반영하였습니다.

전반적인 내용은 우리의 현 상황과 향후 지향해야 할 목표와 방향에 맞추어 집필하고자 하였습니다. 향후 산부인과 의사들의 적극적인 참여가 기대되는 분야인 유방과 비만, 성 의학, 대체의학 및 심신의학, 비뇨부인과에 관해서 자세히 집필하고자 하였던 5판의 노력을 충실하게 반영하였습니다. 종양 분야에서는 영상진단법, 방사선치료 및 조직병리 부분에도 가장 최신 지견들이 포함되도록 하였습니다. 그러나 방대한 영역을 정리하다 보니 일부 부족하고 미흡한 부분도 있을 수 있으나 향후 의견 수렴과 함께 국내외의 연구결과가 축적되면 더욱 훌륭한 교과서가 될 수 있을 것으로 생각합니다.

끝으로 이 개정판이 나오기까지 많은 수고와 노력을 아끼지 않으신 여러분께 감사를 드립니다. 우선 바쁘신 중에서도 집필을 쾌히 맡아 주신 집필진 여러분께, 그리고 단원 책임을 맡아 수고하셨던 단원 책임자 여러분, 전폭적인 지원을 해주신 사무총장님께 감사드립니다. 특히 간사를 맡아주신 이성종 교수와 산부인과의학용어편찬 TFT를 맡아주신 김탁 교수에게 깊이 감사를 드립니다. 또한 교과서의 내용을 검토해주신 점검팀의 젊은 교수님들과 교정과 출판을 마무리해 주신 출판사 여러분들께도 감사드립니다.

가까이 두고 항상 펼쳐보는 사랑받는 교과서가 되었으면 합니다.

2020년 12월

부인과학 교과서 편집간행위원장 **류 기 성**

대한산부인과학회 이사장 **이 필 량**

목차

1단원 기초 부인과학

1장 부인과학의 기본 • 03
2장 여성 생식기의 해부학 • 15
3장 태생학 • 33
4장 생식생리 • 45

2단원 일반 부인과학

5장 여성 생식기의 양성질환 • 83
6장 골반동통 및 월경통 • 123
7장 여성 생식기 감염 • 143
8장 성병 • 157
9장 자궁외임신 • 165
10장 가족계획 • 185
11장 심신 산부인과학 • 221
12장 인간의 성 • 247
13장 부인과 수술 • 263
14장 부인과 내시경술 • 297
15장 자궁내막증 • 327
16장 자궁경부 상피내종양 • 365
17장 난소양성종양 • 401
18장 자궁내막증식증 • 411
19장 양성 외음부 및 질 질환 • 421

3단원 생식내분비학

20장 무월경 • 437
21장 내분비 이상 • 467
22장 불임증 • 515
23장 보조생식술 • 591
24장 반복유산 • 621
25장 폐경 • 639
26장 비만 • 669

4단원 부인종양학

27장 종양유전학 • 691
28장 부인암치료의 일반원칙 • 713
29장 완화요법 • 751
30장 침윤성 자궁경부암 • 771
31장 외음암 및 질암 • 805
32장 자궁내막암과 육종 • 823
33장 상피성 난소암 • 839
34장 비상피성 난소종양 • 891
35장 임신성 융모질환 • 917
36장 유방질환 • 941

5단원 소아 및 미성년 여성의학

37장 사춘기 • 997
38장 소아 및 미성년의 생식기 양성질환 • 1023
39장 선천성기형 및 성발달장애 • 1037

6단원 비뇨 부인과학

40장 골반저 해부와 생리 • 1059
41장 요실금 • 1071
42장 골반장기탈출증 • 1099
43장 항문직장 기능장애 • 1113

7단원 부인과 진료 영역에서의 윤리적·법적 문제

44장 의료윤리와 법(총론적 고찰) • 1131
45장 의료윤리와 법(각론적 고찰) • 1143
46장 진료의 의료법적평가 • 1157

색인 • 1171

01

기초 부인과학

제1장 **부인과학의 기본**
제2장 **여성 생식기의 해부학**
제3장 **태생학**
제4장 **생식생리**

제1장

부인과학의 기본

양회생 | 동국의대
박준철 | 계명의대
이택후 | 경북의대

1. 부인과 환자의 특성과 의사의 의무

1) 여성 건강관리에 대한 개념의 변화

과거의 부인과학은 여성 건강을 담당하는 의학의 한 분야로, 여성 생식기에 발생하는 다양한 질환을 치료하는데 중점을 두었다. 최근 이 영역은 빠른 발전을 이루고 있으며, 질병치료에서 건강관리로 개념이 변화되면서 산부인과 의사로서 만성 질환 진료에 개입할 뿐 아니라 이들 질환의 예방적 진료까지 그 영역이 넓게 확장되고 있다.

현대사회에서 건강에 대한 관심이 증가하고 있고, 다양한 의료 정보의 습득이 가능해지면서 보다 질 높은 의료 공급이 요구되고 있다. 그리고 인구 구조의 고령화가 가속화되어 한국의 노령 인구 역시 1990년 5.1%에서 2010년 11%로 증가하였고 2030년에는 24.3%로 예상된다. 이에 따라 우리나라도 2000년 고령화 사회로 진입하였고 2026년에는 초고령화 사회로의 진입이 예상되고 있다. 따라서 증가하고 있는 노령 인구에 대한 관리 및 치료가 절실히 요구되고 있다.

(1) 부인과 진료의 속성

전통적 개념으로서 부인과 의사의 의료 범위는 일반적인 부인과 질환의 진료였다. 그러나 지난 반세기 동안 의학 지식이 팽창함에 따라 일반 부인과학에서 생식내분비학, 부인종양학, 비뇨부인과학, 부인심신의학, 성의학 등으로 점차 세부전문화되고 있다.

의사들은 특정 분야에서 진료의 질을 높이는 것이 필수적이라고 여겨왔다. 그러나 불행히도 의료가 세부전문화될수록 개인의 건강관리는 더욱 조각나게 될 수도 있다. 환자, 즉 소비자는 전문 진료라는 개념 하에 여러 의사들 사이에서 연속성이 없는 토막 진료를 받게 되고 그 진료 내용은 비인간화될 가능성을 갖고 있다.

산부인과 영역의 세부전문화는 세계적인 추세로 주산기의학, 부인종양학, 그리고 생식내분비 및 난임 분야는 모든 국가에서 공통적인 세부 전문 분야가 되고 있다. 또한 이들과 관련된 예방의학 분야도 산부인과 영역에서 오래된 중요한 분야이며, 이것은 주산기 관리에서 산과적 합병증을 예방, 치료하는 것을 비롯해 골반내 신생물에 대한 조직적인 집단 검진과 같은 진료 체계로 널리 보급되고 있다.

(2) 의료 소비자 단위

적절한 건강관리에 대한 요구의 증가와 그에 따른 건강 분야에 대한 정부의 역할도 커져, 의료전달 체계와 의학 교육에 대한 연구가 늘고 있다. 전통적 의료의 소비 단위는 개인이었다. 어떤 특정한 질환이나 문제가 있을 때 한 사람의 의사를 찾아 진료를 받아왔다. 그러나 건강관리는 점차적으로 가족 중심으로 변하고 있어 정부는 가족 단위의 건강관리를 계속 강조해왔다. 그리고 이제는 점점 더 인구 중심적이거나 사회 구성원 중심의 건강관리에 관심을 기울이고 있다. 이러한 시대적 변화에 따라 의료 소비자(consumer)란 용어도 등장하였다.

그러나 의료는 환자를 떠나서는 있을 수 없다. 진료에 있어서 환자는 주체임과 동시에 의사와 환자는 질병 퇴치를 위한 동반자인 것이다. 어떠한 건강관리 제도도 이러한 기본을 해치지 않도록 배려되어야 할 것이다.

2) 부인과 관심 분야의 문제들

여러 종류의 골반 질환을 가진 여성 환자들에서 정상 월경과 수태능력을 유지시키고, 분만을 관리하며, 양성과 악성 종양의 진료 및 골반염의 치료 등 일반적인 산부인과 진료를 계속하는 것은 기본적으로 중요하다. 또한 첨단수술 술기나 치료 분야뿐만 아니라 여성의 생식생리학적 건강 유지와 부인과 질환의 예방에 대한 관심이 필요하다.

(1) 난임 및 생식내분비학

신경내분비학의 급격한 발전으로 인간은 생식을 인위적으로 조절할 수 있게 되었고 자궁내 태아 건강의 판단에 있어서도 충분한 지식을 얻게 되었다. 다양한 원인으로 발생할 수 있는 무월경의 감별진단 및 치료가 가능해졌고, 고안드로겐혈증, 다낭성난소증후군 등의 여러 내분비 질환에 대한 진료가 중요해지고 있다. 배란유도제의 개발과 함께 체외수정 등 보조생식술의 발달로 난임 부부의 치료가 용이해졌다. 또한 착상 전 유전 진단이나, 배아 또는 난자, 난소 등의 동결 보존이 가능해졌다. 이러한 보조생식술의 발달은 여성의 사회 참여가 증가하고 결혼 연령이 늦어지는 현대 사회에서 더욱 중요하게 되었으며, 악성종양으로 인하여 항암 치료나 방사선치료를 받아야 하는 환자의 가임력을 보존해 줄 수 있는 새로운 지평을 열었다. 최근에는 착상부전, 반복유산에 관한 연구도 활발히 진행되고 있다.

(2) 부인종양학

자궁경부암, 체부암, 그리고 난소암 등은 부인종양학 분야에서 지난 반세기 동안 꾸준한 관심사로 남아 있다. 세포검사로 대변되는 자궁경부암 검진은 그 발생률을 줄이고 조기 발견을 하는 데 지대한 공헌을 했으나, 난소암의 검진은 그렇지 못한 것이 난제로 남아 있다. 최근 유방에 대한 관심이 증가하면서 1차 진료의로서 부인과 의사의 진료 영역이 유방암으로까지 확대되고 있다. 분자유전학적 연구 업적으로 이들 종양에 대한 병인론과 진단 및 치료에 대한 유전자 연구와 조작이 큰 성과를 나타낼 것으로 기대된다. 최근에는 악성종양의 수술에 있어서도 복강경 및 로봇수술이 가능해졌으며, 그 적용 범위가 넓어지고 있다.

(3) 비뇨부인과학

기대 수명이 길어짐에 따라 여성들은 폐경 이후의 삶이 연장되는 시대에 살게 되었다. 여성 비뇨기계의 기능적, 기질적 질환이 부인과 영역에서 임상적 중요성을 갖게 되었다. 폐경 후의 여성호르몬 분비 저하는 여성 생식기계뿐 아니라, 비뇨기계의 위축과 이완을 가져오고, 배뇨 기능 이상 특히 요실금(urinary incontinence) 환자가 늘고 있다. 특히 분만 횟수가 많은 중년 이후 여성들에 대한 비뇨기계 기능검사와 치료가 새로운 부인과 영역의 관심사로 자리 잡고 있다.

(4) 청소년 및 폐경 부인과학

서구화에 따른 개방적 성문화로 인해 10대 청소년의 성장과 발달뿐만 아니라, 성교육과 성상담, 부인과 질환에 대한 검진 및 치료가 중요해지고 있다. 그러므로 소아 및 사춘기 환자의 진찰 및 상담에 대한 준비가 필요하며, 사회의학적 접근방식의 연구도 필요할 것이다.

한편 한국 여성의 평균 수명이 80세를 넘어서면서 폐경 이후 삶이 전 생애의 1/3을 넘게 되었고, 폐경 이후 삶의 질은 최근 부인과학 연구의 큰 관심사로 주요 임상 과제 중

하나이다. 호르몬요법을 통한 골다공증의 예방은 폐경 이후 여성들의 삶의 질 향상뿐만 아니라 골절로 인한 여러 질병 이환 및 사망을 감소시킬 수 있다는 점에서 중요하다. 그러나 호르몬 치료에 따른 위험성에 대한 문제는 또 다른 임상적 과제로 남아 있다.

(5) 심신부인과학

산부인과 의사들은 기질적인 원인이 분명하지 않은 심신의학적 문제로 인한 기능 이상을 호소하는 환자를 접하게 되는 경우가 늘어나고 있다.

3) 환자 진료의 원칙

의학의 모든 분야처럼 부인과도 윤리적 원칙을 따른다. 이러한 원칙과 개념이 윤리적인 결정을 내리는 근간이 된다. 환자의 권리로는 첫째, 진료 받을 권리로서 자신의 건강 보호를 위해 적절한 보건의료 서비스를 받고, 성별, 나이, 종교, 신분, 경제적 사정 등을 이유로 이를 침해받아서는 안 되며, 의료인은 정당한 사유 없이 진료를 거부하지 못한다. 둘째, 알 권리 및 자기 결정권으로서 환자는 담당의사나 간호사로부터 질병상태, 치료방법, 예상 결과(부작용 등), 진료비용에 대해 충분한 설명을 듣고 또 자세히 물어볼 수 있으며 치료방법에 대해 동의여부를 결정할 권리를 가진다. 셋째, 비밀을 보호받을 권리로서 환자는 진료와 관련된 신체상, 건강상의 비밀을 보호받으며, 의료인과 의료기관은 환자의 동의를 받았거나 범죄 수사 등 법률이 정한 경우 외에는 환자의 비밀을 누설 발표하지 못한다. 넷째, 피해를 구제받을 권리로서 환자는 권리를 침해받아 생명, 신체적, 금전적 피해가 발생한 경우 한국 의료분쟁조정중재원에 상담 및 구제 신청을 할 수 있다. 이와 함께 환자가 이행하여야 할 의무로서 첫째, 의료인에 대한 신뢰와 존중의 의무로서 환자는 자신의 건강 관련 정보를 의료인에게 정확히 알리고 의료인의 치료 계획에 대해 신뢰하고 존중하여야 하며, 둘째, 부정한 방법으로 진료를 받아서는 안 되는 의무로서 환자는 진료 전에 본인의 신분을 밝혀야 하고 타인의 명의로 치료받는 등 거짓이나 부정한 방법으로 진료를 받아서는 안 된다.

(1) 고지에 입각한 동의(informed consent)

고지된 동의는 환자에게 의학적 상태를 설명하고, 치료방법 및 대체방법에 관한 정보를 주는 환자와 의사 사이의 대화과정이다. 이 과정에서 환자의 걱정과 질문에 대해 의료진의 정중한 이해와 설명이 필요하다. 고지된 동의는 환자의 자율성을 위한 측면이 실질적으로 강조되어야 하지만, 불행히도 동의의 행동이 서류에 서명을 받는 것으로 오해되고 있고, 또한 종종 법으로부터 의사를 보호하는 것으로 이용되기도 한다. 이러한 대화의 기술을 함양하는 것 또한 의료인의 자질로서 중요하며, 좋은 역할모델의 관찰, 긍정적 동기 부여 등이 필요하다.

고지된 동의는 의학적 치료를 받을지 여부를 환자의 가치관에 따라 자유롭게 선택되어야 한다는 것에 기초한다. 그러나 의사가 바람직한 의학적 판단을 권유함에도, 환자가 옳지 않은 치료를 고집하는 경우에 의사가 이를 따라야 할 의무는 없다. 또한 환자가 너무 어리거나, 사고장애, 심한 병적 상태 등으로 인해 선택을 할 수 없다면 결정 대리인이 필요할 수 있다.

4) 부인과 환자의 특성과 부인과 의사의 임무

(1) 일반적 개요

부인과 의사와 환자의 첫 대면은 전문적이고 체계적인 태도로 이루어져야 한다. 이상적인 결과를 위해서는 환자가 진료에 적극적으로 참여하고 본인의 신체와 기능에 관한 지식과 이해가 필요하다.

그러므로 환자에 대한 교육이 환자와 의사의 대면에서 중요한 역할을 하게 되고, 건강을 유지하기 위해서는 질병을 초기에 발견하기 위한 교육이 이루어져야 한다. 예를 들어 유방암 자가검진 방법의 중요성을 이해시키고, 폐경기의 증상과 경과를 이해시켜 골다공증 예방에 관계되는 문제를 이해시킨다. 만일 환자가 난임증, 부정출혈, 골반 동통 같은 특정 질환 또는 증상으로 방문했을 때의 교육은 이런 특정 질환 및 증상에 초점을 맞추어야 하고, 환자가 자신의 질병에 대한 문제점, 위험도, 치료함으로써 얻을 이익 등을 이해하도록 교육하여야 한다.

환자와 의사 사이의 관계를 증진시키기 위해서는 다음과 같은 사항을 염두에 두고 환자를 대해야 한다. 첫째, 환자로 하여금 의사를 방문한 이유를 환자 자신이 설명할 수 있도록 충분한 시간을 주어야 한다. 또한 환자에게 친절하게 대하고 심판자적인 태도를 취해서는 안 된다. 둘째, 진료 중에는 진료와 관계없는 행위는 취하지 말아야 한다. 응급한 경우를 제외하고는 전화를 건다든지 환자의 방문과 관계없는 비전문적인 행위는 하지 않아야 한다. 환자들은 의사의 연속적인 관심을 기대하고, 환자의 시간과 자신의 질병이 중요하다는 사실을 강조하고 싶어 한다. 또한 진료는 예약한 시간에 시작하여야 한다. 셋째, 건강관리는 의사와 환자 간의 상호계약이므로 환자에게 충분히 설명하고 모든 건강관리에 관련된 결정은 환자 자신이 결정할 수 있도록 문제점, 위험도, 치료에 따른 이익에 관한 정보를 충분히 주어야 하며, 이를 위하여 환자와 충분한 의사소통이 되도록 하여야 한다. 진찰 시 다음은 어떤 검사를 시행해야 하고, 그 소견에 관한 것을 확인시켜 주는 것이 중요하다. 또한 초진 시 배우자, 가족이나 친구와 같이 동반할 것인지 아닌지를 환자로 하여금 결정하도록 한다. 때로 불편하지만 이런 행위는 의사와 환자의 신뢰를 증대시키며, 환자의 결정을 도와주어 진료 시간을 절약할 수 있다. 환자로 하여금 진찰 중 또는 후에 질문하도록 격려해 준다. 이렇게 함으로써 환자 자신이 진단, 치료방침, 그에 따른 위험도 및 이익을 이해할 수 있게 된다.

(2) 부인과 의사의 임무

부인과 의사는 세포진검사나 골반 신체검사뿐만 아니라 생식내분비 질환이나 부인암 등 특정 질환에 대해서도 진료할 수 있어야 한다.

① 1차 진료의로서 부인과 의사(primary care gynecologist)

많은 여성들이 부인과 의사를 1차 진료 의사로 생각하고 정기적인 검진을 받고 있으며 환자와 의사가 이런 것을 충분히 이해하는 것이 중요하다.

② 자문의로서 부인과 의사(gynecologist as consultant)

자문의로서는 1차 진료 의사와는 달리 환자나 환자를 의뢰한 의사에게 모두 책임감을 가지게 되며 이 경우 특정 질병에 제한되고, 평가 후에는 의뢰 의사에게 다시 돌아가 치료받도록 한다. 즉 3차 의료 기관의 전문의로서 역할을 담당해야 한다.

③ 여성 건강관리 전문가(women's health care provider)

여성 중심의 건강관리, 예방적 건강관리, 평생 여성 건강(well-being) 개념의 건강관리를 계획, 시행, 관리할 수 있는 거시적 여성 건강관리자로서 역할을 한다.

2. 부인과적 병력 청취(History)

병력 청취는 질병의 진단에 있어 가장 중요한 과정이다. 병력 청취 시에는 환자가 자유롭게 이야기할 수 있도록 하고 의사는 주의 깊게 듣는 것이 무엇보다 중요하다. 의사가 질문을 할 때는 가능한 개방형 질문으로 하고, 증상의 원인을 추정함으로써 진단의 단서를 마련한다. 호소하는 주요 증상과 현재 증상을 확인하고 환자의 내과적, 외과적 과거 병력, 월경력을 포함한 생식력(reproductive history) 및 가족력, 사회력 등을 꼼꼼히 기록하여야 한다. 이는 앞으로 환자를 치료하기 위한 계획 수립 시 중요한 정보를 제공하며 필요에 따라서는 타과로 의뢰할 사항이 있을 수 있기 때문이다. 그리고 사회사업가나 심리학자 및 성상담가 등에게 의뢰하는 것이 도움이 되기도 한다.

1) 주요 호소 증상

환자는 병원을 방문하게 된 주된 이유와 자신이 겪고 있는 한 가지 이상의 이상 징후를 자신의 표현으로 이야기하고 검사자는 이를 정확히 기록하여야 한다. 이로부터 의사는 환자의 주증상과 연관된 여러 가지 질문을 하게 되며 이는 앞으로의 치료방침 수립에 결정적인 역할을 한다.

2) 현재 증상

환자에게 현재 나타나고 있는 증상들이 언제부터 어떠한 양상으로 나타났는지 명확하게 시간 순으로 말하도록 하며 이에 동반되는 증상으로는 어떤 것들이 있었는지 자세히 말할 수 있도록 한다. 예를 들면, 특정 부위 통증이 있는 경우, 통증의 위치, 강도, 빈도 및 지속 시간 그리고 증상 악화 및 경감을 가져다주는 자세, 동반 증상 등에 대하여 꼼꼼히 기록하여야 한다. 이때 증상에 관한 환자의 생각 및 감정 등이 포함되어 있을 수 있다는 점을 의사는 염두에 두어야 한다. 또한 병원을 방문하기 전에 시행되었던 모든 검사 및 약물 복용 유무도 확인하도록 한다.

3) 과거 병력

출생 당시부터 지금까지 진단받고 치료한 모든 병력을 포함한다. 내과적 진단뿐 아니라, 수술한 기왕력, 입원력, 예방접종 유무, 복용 중인 약물 및 알레르기 여부 등을 포함한다.

4) 생식력

결혼력과 동시에 미혼인 경우에도 성경험 유무를 확인하고 성생활에 관한 사항을 확인한다. 초경이 시작된 나이와 월경 주기와 기간, 월경량과 월경통 유무, 최종월경 개시일을 기록하며 폐경이 된 경우에는 그 시기를 반드시 적어 두어야 한다. 또 월경전증후군이 있는 경우 그 증상이 무엇인지 기록해 둔다. 산과력 조사를 위해 조산을 포함한 분만 횟수와 분만 방법, 자연유산 및 인공유산의 횟수, 그리고 현재 생존하는 자녀 수 등을 자세히 순서대로 기록한다. 과거 및 현재 사용하고 있는 피임법을 기록한다.

5) 전신 기관 검토(Review of Systems)

신체 각 기관과 연관되어 일반적으로 동반되는 증상을 확인한다. 특히 부인과 질환과 관련하여 골반통, 질출혈, 질분비물 등에 대해 질문하여야 하며, 현재 환자가 호소하고 있는 증상과 흔히 동반되어 나타나는 비뇨기 및 위장관 증상으로 빈뇨, 배뇨통, 요실금, 오심, 구토, 변비, 설사 등을 기록한다.

6) 가족력

부모와 조부모의 과거 및 현재의 질병 상태를 확인하여 가계도를 파악하고 난소암이나 유방암의 가족력은 반드시 확인하여야 한다. 고혈압, 당뇨, 결핵, 간염 및 관상동맥 질환 등 특정 질환의 유무와 그 외에 유전 질환이 있는지 관심을 가져야 한다.

7) 개인력 및 사회력

직업, 교육 정도, 흡연, 음주, 식생활 습관 그리고 경제사정 등에 관한 내용을 기록하며 이러한 것들은 환자의 건강 상태를 간접적으로 반영한다.

3. 부인과적 신체검사

다른 신체 부위와는 달리 부인과적 신체검사는 매우 세심한 배려가 요구된다. 천천히 그리고 아주 부드럽게 신체검사를 해야 환자와 의사의 관계가 잘 유지될 수 있으며, 검사하는 동안 이루어지는 대화 및 설명은 환자를 안심시킬 수 있을 뿐 아니라 정확한 신체검사에도 많은 도움이 된다. 만약 의사가 남성인 경우에는 반드시 여성 보조자가 함께 하고 필요한 경우에는 보호자를 동반할 수도 있다. 무엇보다도 환자가 편안한 마음을 가질 수 있도록 도와주는 것이 가장 중요하다. 부인과 신체검사는 유방, 복부 그리고 골반 부위 신체검사로 이루어진다(Berek et al., 2012; Mark, 2000).

1) 복부진찰(Abdominal Examination)

환자가 최대한 편안한 자세로 눕게하고 복부 근육에 힘을 주지 않도록 주지시킨다. 먼저 시진과 촉진을 통하여 복부 종물, 장기 비대 및 복수나 장폐색으로 인한 팽창은 없는지 확인하고 간 비대가 의심되는 경우 타진을 통하여 그 크기를 가늠해 본다. 마지막으로 장음의 양상을 청진으로 평가한다.

2) 골반진찰(Pelvic Examination)

골반진찰 전에 환자는 방광을 비우고 골반내진자세(쇄석위, lithotomy position)로 외음부가 잘 드러날 수 있도록 눕는다(그림 1-1). 이때 의사와의 편안한 관계를 유지하기 위하여 머리 부위를 약간 들어줄 수도 있다. 진찰 부위를 제외한 나머지 부분은 적당한 천으로 덮고 검사에 필요한 도구들을 확인해 두고, 진찰할 의사는 장갑을 착용한 후, 진찰 부위에 적절한 조명을 유지하며 외음부, 질경검사, 양손 촉진의 순서로 검사한다(Carolyn, 2000; Kenneth et al., 1995).

(1) 외음부(external genitalia)

불두덩(mons pubis)의 모양과 융기, 피부의 색깔 변화 및 치모의 분포 등을 확인하고, 대음순이 대칭적인지 살펴본다. 장갑을 착용한 손의 검지와 중지를 이용하여 대음순을 벌린 후 소음순, 음핵, 요도구, 질입구, 처녀막, 회음부, 항문 순으로 표피 및 점막의 특징과 해부학적 구조를 검사한다. 질 안으로 검지를 삽입하고 요도구 방향으로 압력을 가했을 때 분비물이 나오는지 확인하고 바르톨린샘(bartholin's gland)이나 스켄샘(Skene's gland) 주위로 만져지는 덩어리가 있거나 비정상적인 분비물이 있는지 확인한다. 환자에게 힘을 주도록 하여 방광탈출증(cystocele), 직장탈출증(rectocele) 및 창자탈출증(enterocele) 등의 유무를 확인하고 자궁하수의 정도를 검사하여 골반 구조에 대한 평가가 함께 이루어지도록 한다.

(2) 질과 자궁목(vagina and cervix)

질경(vaginal speculum)은 진찰 전에 차갑지 않게 따뜻한 물에 적셔두는 것이 윤활제 역할을 함께할 수 있어 좋다. 준비된 적절한 크기의 질경을 이용하여(그림 1-2) 질후벽을 따라 삽입하는데 이때는 진찰자가 검지와 중지로 질 입구를 살짝 벌리고 질경을 45도 각도로 비스듬히 잡고 부드럽게 밀어 넣으면서 회전시켜 방향을 바꾸고 질경이 완전히 삽입되었을 때 천천히 날을 벌린다(그림 1-3).

자궁목이 잘 보이지 않을 경우는 질경을 살짝 뒤로 뺀 다음 서서히 날을 벌리면서 다양한 각도로 접근한다. 자궁목을 완전히 노출시키고 시진을 한 후 필요에 따라서는 도말검사 및 배양검사를 시행한다. 이때 출혈이나 염증 소견 및 용종 유무 이외에 종양이 의심되는 경우는 반드시 생검을 실시하여야 한다. 질벽의 이상 유무를 확인하기 위하여

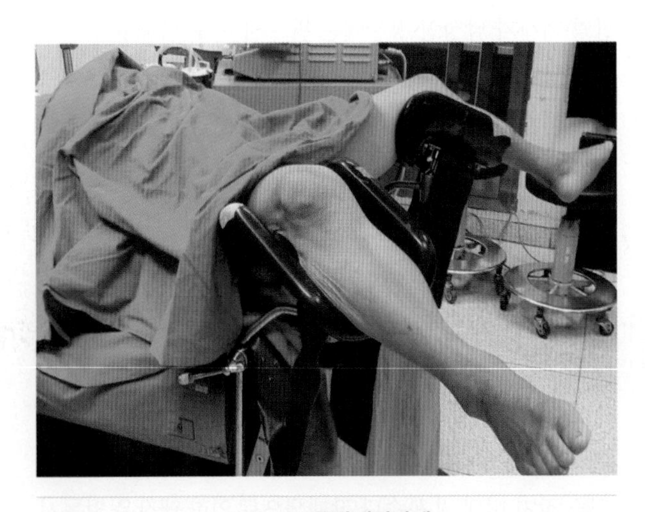

그림 1-1. 골반내진자세

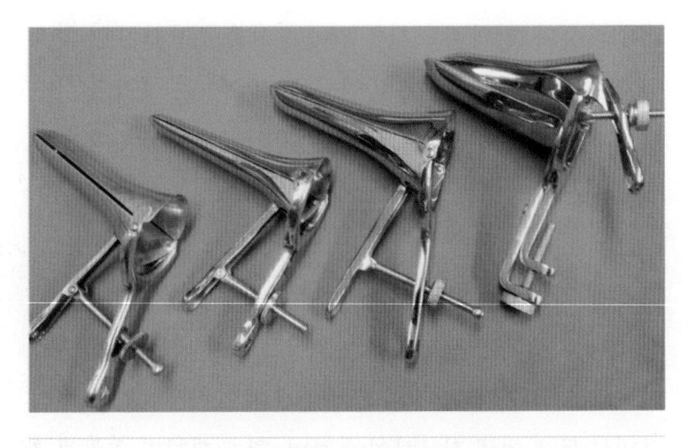

그림 1-2. 다양한 크기와 모양의 질경

그림 1-3. **질경 삽입**

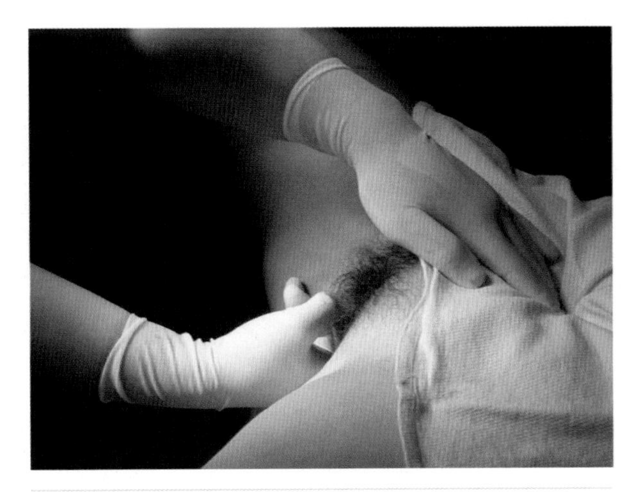

그림 1-4. **양손 진찰(bimanual examination)**

질경을 삽입 시와 같이 천천히 빼고 비스듬히 돌리면서 질 출혈의 유무, 분비물 상태, 점막의 특징 및 구조적 이상 등을 검사한다. 그리고 비정상적인 분비물로 질염이 의심되는 경우에는 균에 대한 검사를 시행하도록 한다.

(3) 양손 촉진(bimanual palpation)

골반 장기들은 보통 검사자의 장갑을 착용한 손의 두 손가락은 질 내 삽입하고 다른 한쪽 손으로 하복부를 촉지하는 방법으로 검사한다(그림 1-4). 먼저 회음부의 후벽을 따라 검사자의 검지와 중지를 질 내로 삽입한 후 자궁목에 닿을 때까지 밀어 올리면서 질벽의 구조적 이상 및 압통 유무를 확인한다. 또한 자궁목의 위치, 모양, 경도 및 운동성과 압통의 유무도 함께 검사한다. 양손을 이용하여 골반에 위치한 손은 자궁과 자궁목을 들어 올리며 복부에 위치한 손으로는 자궁의 위치, 크기, 모양, 대칭성, 종괴 유무, 압통, 이동성 등을 검사한다. 이때 반발통의 유무도 함께 확인하여야 한다. 이와 같은 방법으로 자궁이 만져지지 않는 경우 환자가 비만한지, 복부 근육에 힘을 주고 있는지를 확인하고, 그렇지 않을 경우는 후굴된 자궁인 경우가 흔하다.

양측 부속기를 촉지하기 위하여 우선 질 내 삽입된 손가락을 우측 원개부에 위치하고 우하복부를 부드럽게 눌러준다. 반대측 검사 시 같은 방법으로 손과 손가락의 위치를 바꾸어 진찰한다. 난관은 정상적으로 만져지지 않으며 정상 난소(약 4×2×3 cm 크기)도 잘 만져지지 않는 경우가 흔하다. 부속기 진찰이 끝나면 후원개부에 손가락을 위치하여 자궁 천골인대 및 더글라스와를 촉지한다. 이때 결절이 만져지거나 압통을 호소하는 경우 자궁내막증을 의심할 수 있다. 환자가 성경험이 없는 경우 곧창자-복부진찰(rectal-abdominal examination)을 시행할 수 있다.

(4) 곧창자질진찰(rectovaginal examination)

직장질 중격, 자궁 후벽, 더글라스와 그리고 직장을 평가하기 위하여 직장질진찰을 시행한다(그림 1-5). 골반진찰 중 종괴가 만져지는 경우에도 자궁에 따른 상대적인 위치, 구조 및 경도, 압통, 이동성 등을 검사한 후, 검지는 질 내에 위치하고 중지를 부드럽게 직장에 삽입한다. 진찰을 하기 전 환자에게 진찰 과정을 미리 설명하고 치질이나 치루, 치핵 등이 있는지 시진한 뒤, 곧창자 내로 삽입한 중지로부터 결절, 종괴 및 압통 유무를 확인한다. 40세 이상 여성에서 직장 병변이 동반되어 있을 가능성이 있는 경우에는 검사를 시행하여 출혈이나 이상 분비물이 손가락에 묻어나는 경우 정밀검사를 시행하고 직장내 병변을 확인하도록 한다.

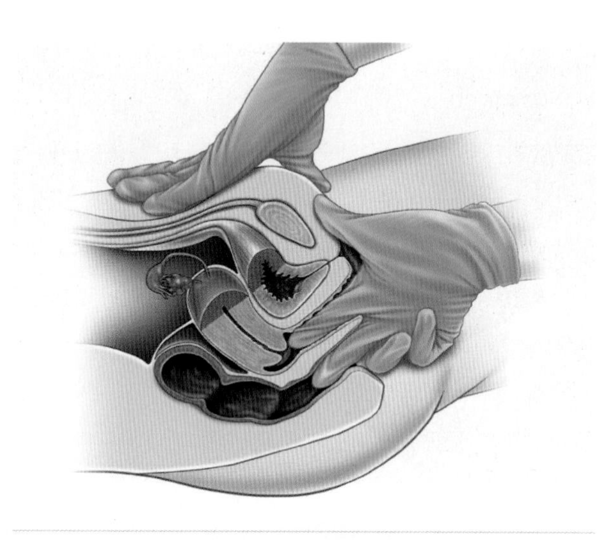

그림 1-5. **직장 질진찰**

그림 1-6. **Frog-leg position 및 골반내진자세**

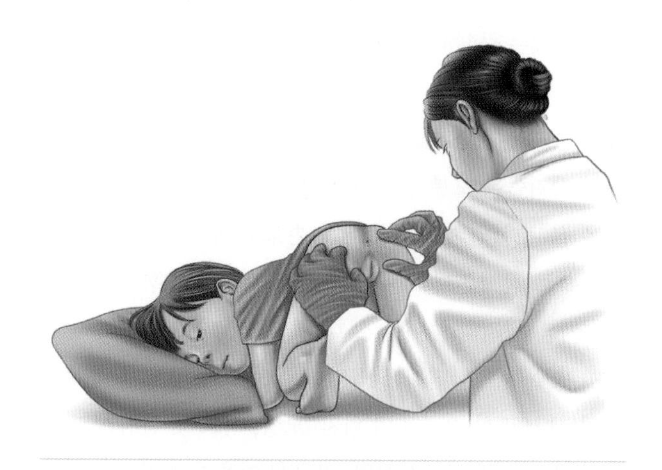

그림 1-7. **슬흉위자세**

(5) 곧창자검사(rectal examination)

항문과 괄약근을 포함한 그 주변 조직을 검사하기 위하여 검사자의 검지를 항문 내로 부드럽게 삽입한다. 직장 전방에 위치한 자궁경부의 상태를 확인하고 자궁 및 양측 부속기의 이상 유무, 더글라스와의 결절 유무 등을 검사한다. 직장 좌우벽 및 후벽을 촉진하고 잠혈 유무도 관찰한다. 처녀막이 파열되지 않은 여성은 직장검사를 통하여 골반 장기의 이상 유무를 확인한다(Lynn and Peter, 2003).

3) 소아 환자

생식기 병변이 있는 소아 환자의 진찰은 매우 주의 깊게 이루어져야 한다. 일반적으로 외음부의 시진으로 제한될 수 있다. 사춘기 전 생식기의 정상 구조와 진찰 기술에 있어 어른과 다른 점들을 잘 이해하고 있어야 선천성 기형을 조기에 발견할 수 있다. 예를 들어 신생아는 모체의 호르몬 영향으로 대음순이 커져 있고 두꺼워진 소음순이 그 사이로 돌출되어 있는 것이 정상이다. 점막은 홍조를 띠며 흰색의 분비물이 묻어 있는 것을 종종 관찰할 수 있다(Basil and Holly, 2002). 환아의 나이나 체격에 따라 골반내진자세를 취할 수 없는 경우는 보호자의 도움을 받아 frog-leg position(그림 1-6) 또는 슬흉위자세(knee-chest position)(그림 1-7)를 취한다. 무엇보다도 진찰 시 환아를 편안하게 해주어야 하며 과거 성적 학대를 받았거나 진찰을 하기 어려운 경우는 적절한 마취하에 시행하여야 할 수 있다. 출혈이 있으나 외부에서 명백한 출혈의 원인을 발견하지 못한 경우에는 마취하에 검사를 시행하여 질과 자궁 경부를 철저하게 관찰하여야 한다. 또한 자궁경이나 방광경과 같은 내시경 기기를 이용할 수 있다. 최근에는 이러한 소아 환자 진찰의 제한점을 극복하고자 내시경을 이용한 검사가 증가하고 있으며, 흔히 자궁경을 이용하여 질 안을 직접 관찰하거나 이물질의 제거도 가능하다(Bauman, 2012).

4) 사춘기 환자

환자의 신뢰를 바탕으로 앞으로 진행될 모든 진찰 과정에 대해서 자세히 설명하고, 필요한 부분만 검사하며 매우 주의 깊은 관찰과 세심한 배려가 필요하다. 비밀 보장을 위하여 보호자를 제외한 단독 문진과 보호자와 함께 진행하는 문진으로 나누어 시행하는 것이 환자 상태 파악에 도움이 된다. 환자의 특성을 고려하여 성장 속도, 월경력, 이차성징의 발달 등 사춘기 과정 전반에 관한 상담이 이루어져야 하며, 여성호르몬의 영향으로 질 분비물의 양이 많은 것은 정상임을 설명한다. 성경험이 있거나 피임을 원하는 경우, 임신 반응검사 시 양성인 경우, 복통을 호소하는 경우, 출혈이 매우 심하거나 빈혈이 심할 때는 부인과적 골반진찰을 시행하여야 한다. 골반진찰을 통하여 생식기 기형, 골반통의 원인, 임신 관련 질환, 골반염 등을 진단할 수 있으며, 초음파 등의 부가적인 검사가 필요할 수도 있다. 환자가 진찰에 협조적일 수 있도록 설명하고 격려하는 것이 중요하며, 심각한 외상이 의심되거나 너무 아파할 때는 마취하에 시행할 수도 있다. 처음 진찰을 하고 난 후에는 정신적 지지와 앞으로의 건강관리를 위한 상담이 이루어져야 한다.

5) 추적검사

환자의 건강 상태에 따라 향후 치료 계획이 수립되어야 한다. 질병이 없는 환자는 건강한 생활 태도와 정기적인 진료의 필요성에 대하여 상담하고 질병의 증상 및 징후가 있는 경우는 정밀검사와 앞으로의 치료 계획을 논의하여야 한다. 환자에게 다른 문제가 있는 경우 그 분야의 전문 의사에게 의뢰할 필요가 있는지 결정하고 이러한 의뢰가 치료에 큰 도움이 되며 앞으로의 진료의 연속성이 보장된다는 점을 이해시킨다.

4. 진단의 보조적 검사방법

부인과 영역에서 내진만으로 진단과 치료 계획을 세우기는 불가능하다. 이때 보조적인 검사방법으로 진단에 정확한 정보를 주는 여러 영상기술들이 최근 널리 사용되고 있다. 초음파, 정맥요로조영술, 자궁난관조영술, 자궁초음파조영술, 컴퓨터단층촬영, 자기공명영상 등이 사용되고 있다. 그러나 이들 영상 진단을 사용할 때는 비용, 위험성 및 필연성 등을 고려하여 결정하여야 한다.

1) 골반초음파(Pelvic Ultrasonography)

초음파검사기기는 지난 20년간 큰 발전을 이루었으며, 질식 초음파검사는 부인과 검진의 필수적인 부분으로 자리 잡았다. 복식 초음파에 비해 질식 초음파는 높은 해상도와 함께 골반장기에 더 가깝게 근접하여 검사할 수 있는 장점이 있다. 또한 적은 비용과 안전성, 빠른 기술적 진보 및 전문지식에 의한 정확한 분석이 가능하다. 따라서 초음파는 골반내 장기를 검사하는 데 가장 좋은 방법으로 중요한 역할을 하고 있다. 최근에는 3차원 영상도 가능해지면서 질식 초음파의 진단 정확도를 높이고 있다.

복식 초음파는 2-7 MHz의 probe를 이용하여 방광을 채운 후 자궁과 부속기의 형태를 파악한다. 복식 초음파는 비교적 큰 골반내 종괴를 관찰하거나, 복강 내 종괴가 있는 경우 여성 생식기와의 해부학적 관계를 설명하는 데 도움이 된다. 질식 초음파는 방광을 비운 상태에서 5-12 MHz의 probe를 사용하여 골반내 장기를 자세히 평가할 수 있다. 그러나 골반을 벗어난 종괴를 관찰하는 데는 어려움이 있다. 초음파검사 시에는 먼저 자궁의 종단면을 통하여 자궁의 전후경 길이(anteroposterial length) 및 종경(longitudinal length)을 측정하고 횡단면을 통하여 자궁 저부에서 자궁 횡경(transverse length)을 측정할 수 있다. 자궁내막의 두께는 자궁강 내의 체액 및 자궁내막하 저음영부를 제외하고 가장 두꺼운 부위를 측정한다. 양측 난소 역시 종단면과 횡단면을 통하여 세 축의 길이를 측정할 수 있다. 초음파검사를 통하여 자궁의 크기나 초음파 음영의 균질성, 자궁내의 종괴, 자궁내막의 두께와 균질성, 난소의 크기나 종괴 유무, 골반내 종괴나 더글라스와의 체액 저류 등을 관찰하고 기록하여야 한다. 초음파는 골반종양의 진단에 가장 유용하게 사용되고 있는데, 종괴는 낭종형(cystic), 복합형(complex), 고형(solid)으로 구분할 수 있으며, 단발성 또는 다발성 등에 따라 초음파에 의한 종양의 감별진단이 가능할 수 있다. 즉 초음파만으로 정확한 진단은 어려우나, 난소의 악성 및 양성종괴와 기능성 낭종을 구별하는 것 이 필요하다. 초음파를 시행하여 첫째, 종양의 벽이 두껍고 불규칙한 중격(septum)이 보일 때, 둘째, 종괴가 고형화되고 복잡한 내부 영상 구조 및 벽재성 소결절(mural nodule)이 있을 때, 셋째, 낭종 피막으로 암 조직이 침투하여 그 경계가 불분명할 때, 넷째, 골반 내에 고정되어 유동성이 없을 때, 다섯째, 복수가 차 있을 때 등의 소견을 보일 때에는 악성종괴일 가능성이 높다. 난소의 기능성 낭종인 경우 대부분 자연적으로 소실되어 수술이 필요 없다. 난포낭종(follicular cyst)은 그 크기가 10-20 mm이고 대부분 100 mm는 넘지 않으며 종종 다발성이나 대개는 얇은 벽의 단측성인 경우가 많다. 황체낭종(corpus luteum cyst)은 그 크기가 12-17 mm로 일측성이고 벽이 얇다. 또한 초음파는 자궁근종의 진단에 매우 유용하며 내진상 불분명한 근종과 난소종괴 등의 감별 진단 및 자궁근종의 이차성 변화(secondary change)에 대한 진단도 가능하다(Peter and Martine, 1987).

그 외에 자궁내막증, 자궁외임신, 난관 및 난소농양, 골반농양의 진단에 유용하게 사용되며, 또한 난소종양의 악성 유무를 파악하는 데 있어 color doppler 초음파를 이용하기도 한다(Morley and Barnett, 1985).

최근 3차원 초음파의 경우 근종절제술 시행 전에 자궁근종의 위치를 확인하거나, 자궁내 장치의 위치 확인, 자궁각임신의 진단, 자궁강의 모양의 관찰, 또는 다낭성난소증후군이나 난관 폐쇄를 동반한 난임 환자의 평가, 선천성 자궁 기형의 진단 등에도 이용된다(Armstrong et al., 2013).

2) 요로조영술(Intravenous Urography)

골반 병변 특히 검사상 수술을 요하는 종괴인 경우 요로조영술을 많이 사용하여 왔다. 이런 방법은 악성종양이나 자궁내막증 등에서 종양에 의해 요로가 한편으로 밀리거나 눌려 폐쇄된 경우 등을 진단할 수 있으며 드물지만 골반신장(pelvic kidney)과 난소 종괴의 감별에도 도움이 된다. 또한 석회화(calcification)의 특징을 나타내는 난소 기형종(dermoid cyst)의 진단에도 도움이 된다.

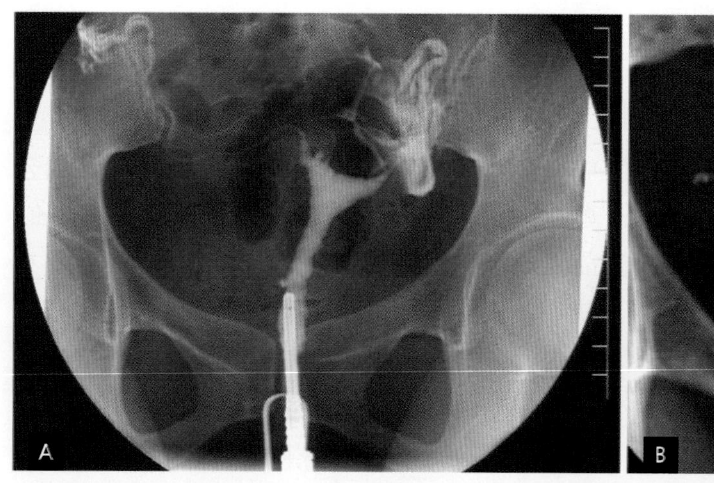

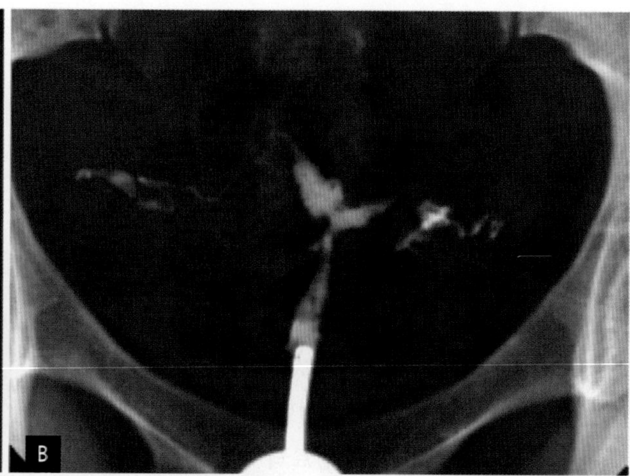

그림 1-8. **자궁난관조영술. 정상(A), 자궁내유착증(B)**

3) 자궁난관조영술(Hysterosalpingography)

자궁난관조영술은 점막하 자궁근종, 자궁내 유착과 같은 자궁강내 문제점의 확인과 난관 폐쇄, 난관 주위 유착 등을 간접적으로 확인할 수 있어 난임 환자에게는 필수적인 검사라 할 수 있다(그림 1-8). 또한 선천성 생식기 기형의 진단에도 도움이 된다(Hann, 1985).

4) 자궁초음파조영술(Sonohysterogram)

자궁초음파조영술은 다양한 소아용관(foley catheter or feeding tube)을 자궁강 내로 삽입하고 질식 초음파를 보면서 생리식염수 10-15 cc를 주입하여 자궁강 내를 팽창시켜 자궁내막의 영상을 보기 위하여 최근 발달된 기법이다(그림 1-9). 이는 점막하근종 진단에 매우 유용하며, 자궁내막의 질환 즉, 자궁내막 용종, 자궁내막증식증, 자궁내막암, 자궁내 유착 등을 진단하는 데 도움이 된다.

5) 컴퓨터단층촬영(Computed Tomography)

컴퓨터단층촬영은 복강내 질환의 진단 및 평가에 많이 사용되고 있으나, 초음파에 비해 이온화된 방사선에 노출된다는 단점을 가지고 있으며 그 외에도 사용 방법이 복잡하고 고가이며 언제든지 편리하게 사용할 수 없다는 단점이 있다. 그러나 복통이나 골반통을 호소하는 환자의 진단에 꾸준히 이용되고 있으며, 특히 부인과 암환자의 초기 병기 설정이나 치료 효과 판정에 유용하다. 최근에는 다중채널의 컴퓨터단층촬영을 시행함으로써 검사 시간이 크게 단축되었다. 그러나 이온화 방사선의 노출을 유념하여 검사 전에 임신 가능성을 확인하여야 한다.

골반내종양의 진단에 있어 골격, 혈관, 림프절 기타 후복부 구조물을 평가하는 데도 유용하며, 예전에 불가능했던 골반 및 대동맥 주변의 림프절 질환 및 후복부 질환들을 감별 진단하는 데 용이하다. 과거에 방사선 치료를 받은 경우 골반조직의 섬유화로 인하여 진단이 어려웠으나 컴퓨터단층촬영의 도입으로 진단뿐 아니라 발견된 병소의 생검도 가능해졌다. 하지만 연조직의 해상력이 그리 뛰어나지 못하여 정상 조직과의 경계를 분명히 하지 못할 수도 있다(Peter and Martin, 1987).

6) 자기공명영상(Magnetic Resonance Imaging)

자기공명영상은 부인과 환자에게 일차적 검사로는 흔히 사용하지 않지만, 초음파로 진단하기 어려운 경우 많은 도움이 되고 있다. 자기공명영상은 이온화 방사선 노출의 위험 없이 여성 생식기의 종양 진단에 유용하며, 특히 자궁

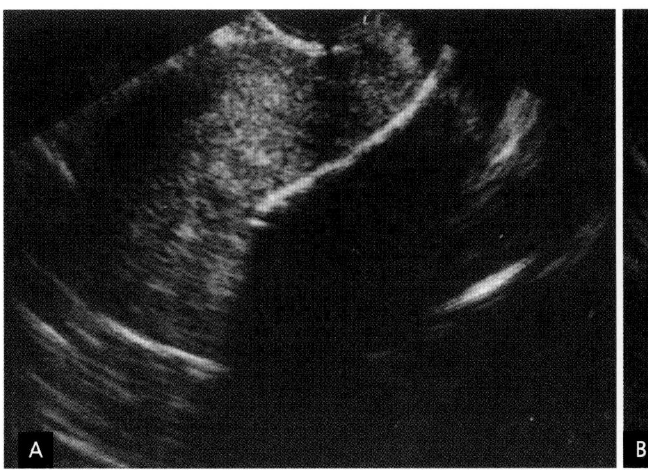

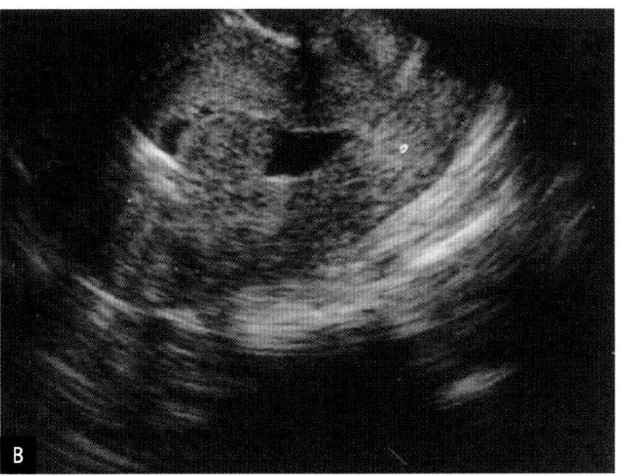

그림 1-9. **자궁초음파조영술. 소아도뇨관 삽입(A), 점막하 자궁근종(B)**

내막의 병변은 질식초음파보다 더 많은 정보를 주어 자궁내막암, 근층과 명확히 구분되지 않는 자궁내막 병변의 진단에 유용하다. 영상기법은 컴퓨터단층촬영과 유사하지만 여러 각도에서 볼 수 있고, 연조직의 해상력이 초음파나 컴퓨터단층촬영에 비해 뛰어나다는 장점이 있다. 따라서 부인과 질환이 의심되는 환자들에게는 차선으로 선택될 수 있는 검사 방법으로 특히 부인과 종양이 의심되는 환자들에게는 매우 유용한 검사방법이다(Kulkarni et al., 1985). 최근에는 생식기 기형의 진단이나 임신 기간 중의 태아의 기형이나 임산부 복통의 원인 진단을 위하여 이용이 증가되고 있다.

참고문헌

- Armstrong L, Fleischer A, Andreotti R. Three-dimensional volumetric sonography in gynecology: an overview of clinical applications. Radiol Clin North Am 2013;51:1035-47.
- Basil JZ, Holly WD. Atlas of pediatric physical diagnosis 4th ed. Mosby; 2002. p.609-18.
- Bauman D. Diagnostic methods in pediatric and adolescent gynecology. Endocr Dev 2012;22:40-55.
- Berek JS, Adashi EY, Hillard PA. Novak's gynecology 15th ed. Lippincott Williams&Wilkins; 2012. p.11-21.
- Callen PW, Ultrasonography in Obsterics and Gynecology 4th ed. WB Saunders company; 2000. p.814-7.
- Carolyn Jarvis. Physical examination and health assessment 3rd ed. WB Saunders company; 2000. p.798-837.
- Fielding JR, Brown DL, Thurmond AS. Gynecologic imaging. Elsevier Saunders; 2011.
- Hann L. Tailoring pelvic imaging to clinical question. Diagn Imag Clin Med 1985;5:94.
- Kenneth JR, Ross SB, Robert LB. Kistner's Gynecology principles and practice 6th ed. Mosby-Year Book Inc; 1995. p.571-8.
- Kulkarni MV, Shaff MI, Carter MM, Dudley S, Burks DD, Partain CL, et al. 1985;5:611-25.
- Lynn SB, Peter GS. Guide to physical examination and history taking. 8th ed. Lippincott Williams&Wilkins; 2003. p.386-408.
- Mark HS. Physical diagnosis 4th ed. WB Saunders company; 2000. p.508-22.
- Morley P, Barnett E. The principles and practice of ultrasonography in obstetrics and gynecology. In: Saunders RC, James AE, editors. The ovarian mass. Norwalk, C.T.: Appleton-Century-Crofts; 1985.
- Peter A, Martin LW. Diagnostic imaging 2nd ed. Blackwell Scientific Publications; 1987. p.249-55.

제2장

여성 생식기의 해부학

이윤순 | 경북의대
고석봉 | 대구가톨릭의대

산부인과 의사로서 여성을 진료하는 데 가장 중요하면서 기초적인 지식은 여성 생식기의 해부학을 이해하는 데 있다. 이러한 해부학적 지식은 수술 기법 또는 수술적 사고를 기르는 데 매우 중요한 역할을 한다. 이 장에서는 여성 생식기를 이해하는 데 도움을 줄 수 있는 골반구조, 여성 생식기, 여성 생식기와 연관된 구조에 대해 기술한다.

1. 골반구조(骨盤構造, Pelvic Structure)

1) 골반

(1) 골반뼈

골반구조를 구성하는 뼈는 천골(sacrum)과 미골(coccyx) 및 한 쌍의 골반뼈(hip bone)로 구성되어 있으며 양측은 전방에서 치골결합(symphysis pubis)으로 융합된다(그림 2-1).

(2) 천골(sacrum)과 미골(coccyx)

천골과 미골은 척추의 연장이며 천골은 5개의 천추골(sacral vertebrae)이, 미골은 4개의 미추골(coccygeal vertebrae)이 융합되어 치골결합을 이루고 있다. 이 부분에 포함되어 있는 주요 해부학적 구조로는 천골갑(sacral promontory), 4쌍의 전방 및 후방 천골공(sacral foramen), 천골열공(sacral hiatus)이 있다.

(3) 골반뼈 또는 관골(hip bone or os coxae)

한 쌍의 관골 또는 골반뼈는 장골(ilium), 좌골(ischium), 치골(pubis) 등 3개의 뼈로 구성되어 있다. 이 뼈는 대퇴골두(femoral head)가 삽입될 수 있게 컵 모양의 와(cavity), 즉 관골구(acetabulum)를 형성한다. 골반뼈에 행당하는 해부학적 구조 중 좌골극(ischial spine)은 대 및 소좌골절흔(sciatic notch)을 상·하로 구분하는 부위이다. 또한 이 부위는 천극인대(sacrospinous ligament)를 고정하는 곳이다. 이곳은 음부신경마취(pudendal nerve block)와 질의 천극인대지지 부위의 징표가 된다. 산과 영역에서는 태아 아두의 하강 정도 기준점이 되며 질 탈출증수술 시 질을 고정시키는 중요 해부학적 구조물이 된다.

(4) 인대(ligament) 및 공(foramen)

골반을 지지하는 데 필요한 인대 이외에 부인과 영역에서 중요한 인대는 서혜인대(inguinal ligament) 및 쿠퍼씨인대(Cooper's ligament)이다. 서혜인대는 서혜부 탈장(in-

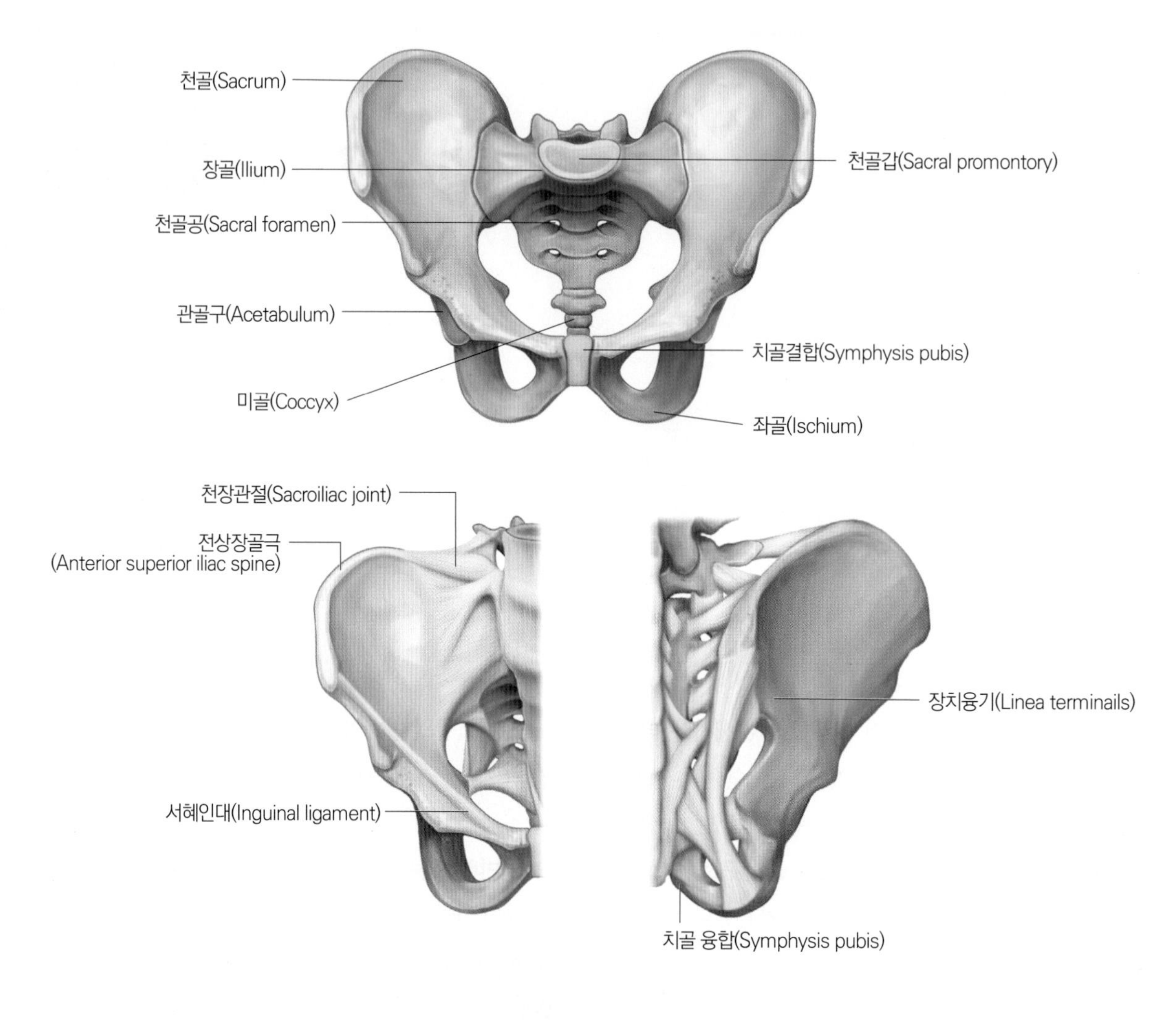
천골(Sacrum)
장골(Ilium)
천골공(Sacral foramen)
관골구(Acetabulum)
미골(Coccyx)
천골갑(Sacral promontory)
치골결합(Symphysis pubis)
좌골(Ischium)
천장관절(Sacroiliac joint)
전상장골극
(Anterior superior iliac spine)
서혜인대(Inguinal ligament)
장치융기(Linea terminails)
치골 융합(Symphysis pubis)

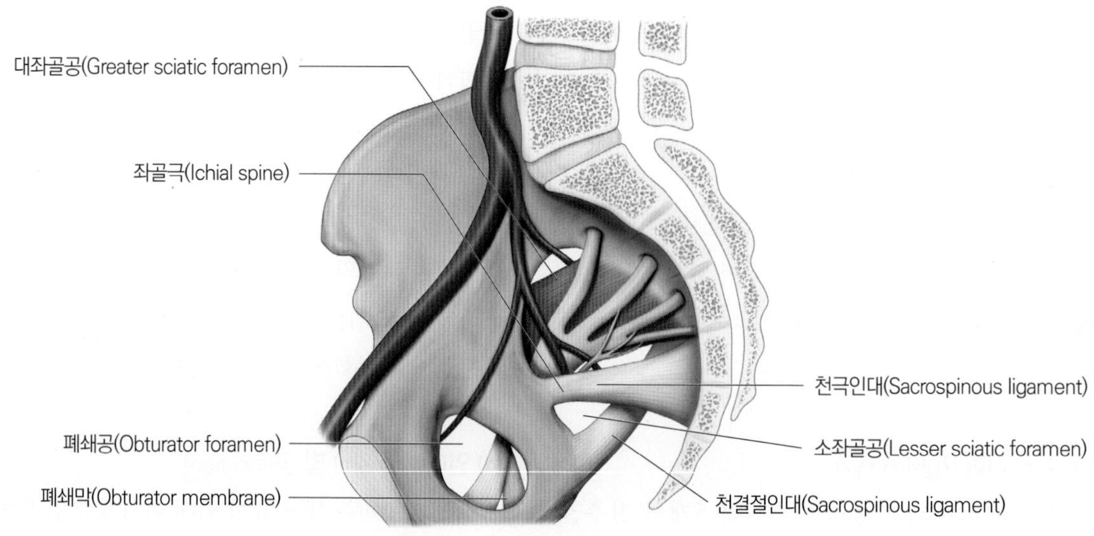
대좌골공(Greater sciatic foramen)
좌골극(Ichial spine)
폐쇄공(Obturator foramen)
폐쇄막(Obturator membrane)
천극인대(Sacrospinous ligament)
소좌골공(Lesser sciatic foramen)
천결절인대(Sacrospinous ligament)

그림 2-1. **골반뼈**

guinal hernia)을 복원하는 데 외과학적으로 매우 중요하다. 서혜인대는 외사복근(external oblique muscle)의 건막(aponeurosis)의 하경계부를 구성하고 측방으로는 장골근막(iliacus), 하측으로는 대퇴근막(fascia lata)을 형성한다. 내측으로는 열공인대(lacunar ligament) 즉 대퇴륜(femoral ring)의 내측을 형성한다.

쿠퍼씨인대는 방광의 지지에 사용된다. 치골근선(pectineal line)을 따라가는 강한 섬유성 조직으로 치골인대(pectineal ligament)라고도 한다. 외측으로는 장치골인대(iliopectineal ligament)와 내측으로는 열공인대와 융합된다.

골반 및 그 인대들은 3가지 중요한 공(孔, foramen)을 형성하며 이곳으로는 하지로 분지하는 근육, 혈관, 신경들이 관통하여 퍼져나간다.

주요 공으로는 대좌골공(greater sciatic foramen), 소좌골공(lesser sciatic foramen), 폐쇄공(obturator foramen)이 있다.

대좌골공을 통하여 나가는 구조로는 상둔부신경 및 혈관(superior gluteal nerve and vessels), 좌골신경(sciatic nerve), 하둔부 신경 및 혈관(inferior gluteal nerve and vessels), 대퇴로 가는 피부신경(cutaneous nerve), 내폐쇄근(obtuator internus)의 신경, 내측음부신경 및 혈관(pudendal nerve) 등이 있다. 소좌골공(lesser sciatic foramen)으로는 내폐쇄근의 신경, 음부 신경(pudendal nerve) 및 혈관 등이 다시 들어 오는 경로가 된다. 폐쇄공으로는 폐쇄 신경(obturator nerve) 및 혈관이 들어온다.

2) 근육(Muscles)

골반의 근육은 측벽 및 골반저(pelvic floor)를 형성하고 있다. 골반의 측벽면에 있는 근육은 둔부로 가며 대퇴의 회전(rotation)과 내전(adduction)을 도와준다. 이것에 포함되는 근육으로는 이상근(piriformis), 내폐쇄근(obturator internus) 및 장요근(iliopsoas) 등이 있다.

골반저(pelvic floor)를 구성하는 구조물로는 골반격막(pelvic diaphragm), 항문거근(levator ani), 요생식격막(urogenital diaphragm)이 있다. 골반격막은 골반내 장기를 일차적으로 지지한다. 이것은 항문거근과 미골근(ischiorectal fossa)의 천정을 형성한다(그림 2-2).

항문거근은 치골미골근(pubococcygeus), 치골질근(pubovaginalis), 치골직장근(puborectalis) 및 장골미 골근(iliococcygeus)으로 형성된다. 이러한 항문거근은 복근과 함께 하복부 및 골반장기의 지지를 도우며 질의 후방벽 및 배변 시 기능을 도와준다. 출산 시에는 자궁경관이 확대될 때 태아의 아두를 지지한다. 이러한 항문거근의 신경지배는 2-4번째 천추신경(S2-4)에서 분지되는 하부직장신경(inferior rectal nerve)에 의한다. 요생식격막의 근육은 골반격막을 전방에서 지지 해주어 질 또는 요로와 밀접한 관계가 있다.

3) 혈관계(Blood Vessels)

골반 혈관에 대한 정확한 지식은 부인과 수술 시 합병증을 줄일 수 있고 근치적 수술에서 인접 장기의 손상을 최소화할 수 있는 필수적인 항목이다.

골반혈관은 좌우 대칭되며 정맥의 분포는 동맥의 주행과 동일하며 같은 이름으로 부른다. 정맥은 말단부로 갈수록 정맥총을 형성한다. 정맥 중 난소정맥은 예외적으로 기원이 대칭적이지 않다. 골반 혈관계는 혈액의 양 및 혈류가 가임기 및 임신기간 동안에 매우 증가한다. 또한 특히 골반 혈관계는 측부순환(collateral circulation)이 매우 풍부하다(그림 2-3).

골반 혈관계의 주요 혈관들은 다음과 같다.

(1) 난소 혈관(ovarian vessel)

난소동맥(ovarian artery)은 배대동맥(aorta)에서 시작하고, 아래로 주행하여 난소걸이인대(infundibulopelvic ligament)를 지난다. 난소동맥에서 기시된 가지는 자궁넓은인대를 통하여 자궁동맥(uterine artery)과 연결된다. 정맥의 기시는 비대칭적이며 우측은 하대정맥으로 들어가고 좌측은 좌신정맥으로 들어간다.

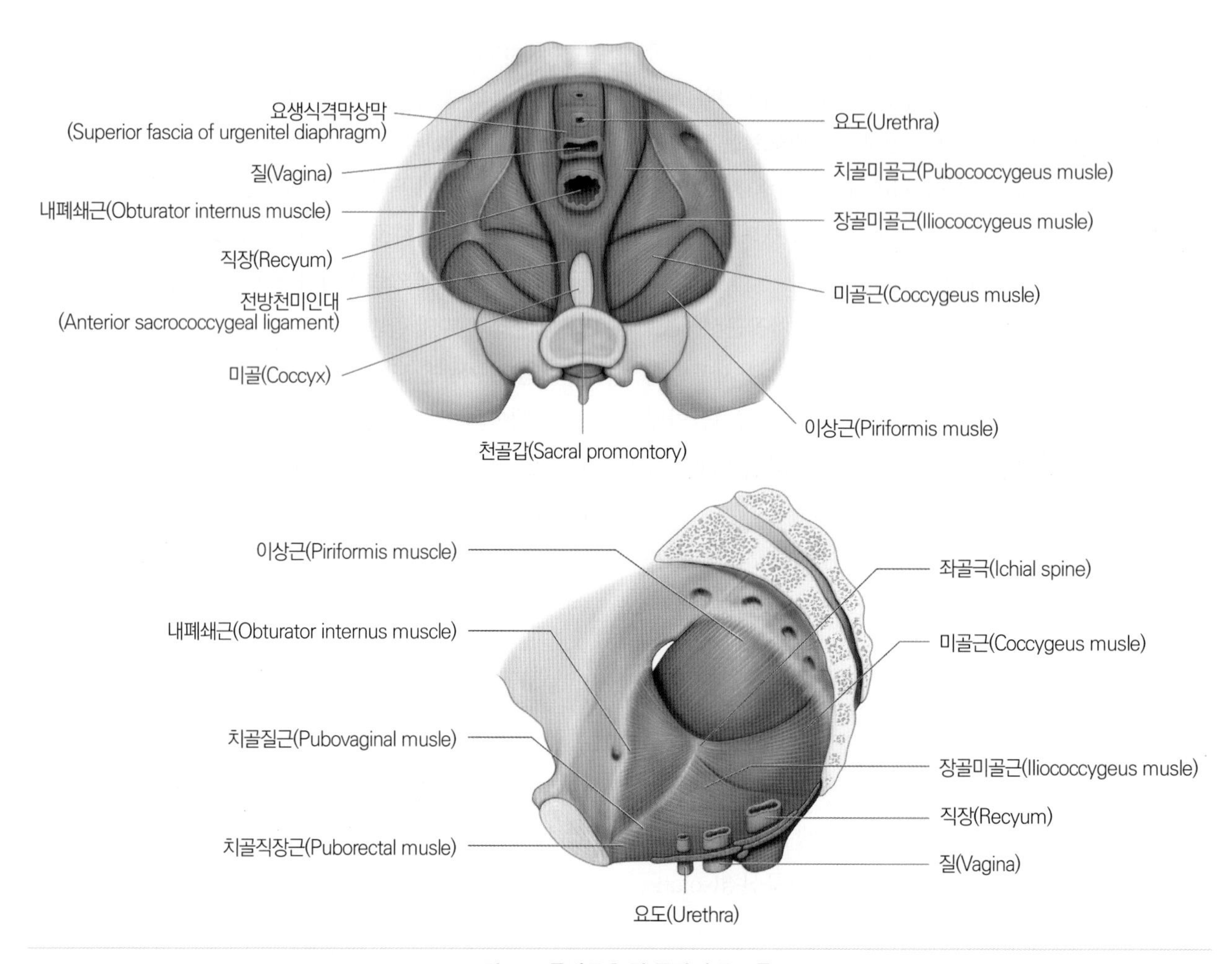

그림 2-2. **골반근육 및 골반저 구조물**

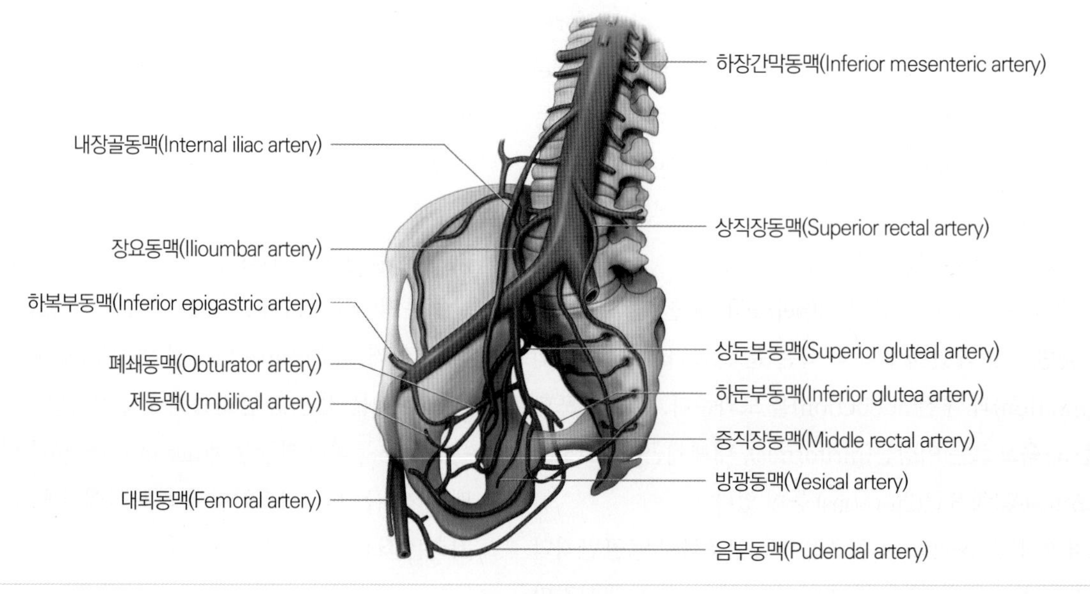

그림 2-3. **골반혈관구조**

(2) **하부장간맥동맥**(inferior mesenteric artery)

총장골동맥이 갈라지는 2-3 cm 상방, 전방에서 기시하는 동맥이다. 분지로는 좌큰창자(left colic)분지(좌횡행결장 공급), 구불창자(sigmoid)분지(구불창자 공급), 상직장(superior rectal or hemorrhoidal)분지(직장 공급)가 있다. 정맥은 비장정맥으로 들어간다.

(3) **총장골동맥**(common iliac artery)

동맥은 4번 요척추 몸체상방에서 대동맥이 갈라져 서형성되는 혈관이다. 외측으로 주행하며 대체로 길이는 5 cm 정도이다. 외장골동맥과 내장골동맥으로 분지가 된다. 정맥도 동일한 주행과 분지를 가진다. 좌측 분지는 형태학적 기형을 동반하는 경우가 있어 수술 시 주의를 요한다.

(4) **외장골동맥**(external iliac artery)

총장골혈관에서 분지되고 분지로는 표층 배벽(superficial epigastric)분지, 외음부(external pudendal)분지, 얕은엉덩뼈둘레(superficial circumflex iliac)분지, 하부배벽(inferior epigastric)분지, 깊은엉덩뼈둘레(deep circumflex iliac)분지가 있다.

(5) **내장골동맥**(internal iliac artery)

가장 분지가 많고 골반에 혈액을 공급하는 주요 혈관이다. 전방분지와 후방분지로 나누어진다. 전방분지로는 폐쇄(obturator)분지, 내음부(internal pudendal)분지, 내측배꼽건(medial umbilical ligament), 상부, 중간, 하부 방광(vesical)동맥분지, 중간직장(middle rectal)분지, 자궁동맥분지, 질분지, 하부직장분지가 있다. 후방분지로는 엉덩이허리(iliolumbar)분지, 외측천골(lateral sacral)분지, 위쪽볼기(superior gluteal)분지가 있다. 내장골동맥의 분지별 분포는 개인마다 차이가 많다.

(6) **내음부동맥**(internal pudendal artery)

회음부의 주요 혈액 공급원이다. 분지로는 하부직장 동맥, 회음부(perineal), 음핵(clitoral)분지가 있다.

(7) **중천골동맥**(middle sacral artery)

대정맥의 말단 중간부분에서 기시되고 하부 요척추, 천골, 꼬리뼈를 건너 주행한다.

(8) **요동맥**(lumbar artery)

상부 요척추 4개 주위를 지나가고 전방, 후방 분지로 나누어 진다.

4) 림프계(Lymphatics)

골반장기 림프액은 인접 림프절로 배액된다. 난소는 외측 및 앞쪽 대동맥 림프절로 배액되고 자궁경부 및 상부 질의 림프액은 옆으로는 외장골림프절(external iliac lymph node)로 후측면(postero-laterally)으로는 내장골림프절(internal iliac lymph node)로, 뒤쪽으로는 총장골림프절(common iliac lymph node)로 주로 배액된다. 자궁저(uterine fundus)의 대부분의 림프액은 난소혈관 안으로 지나가고 일부가 외장골림프절로 배액된다. 하부질의 림프액은 얕은 서혜부림프절로 배액된다.

골반림프절은 크기와 수가 다양하며 크게 천골림프절(sacral lymph node), 총장골 림프절(common iliac lymph node), 외장골림프절(external iliac lymph node), 내장골림프절(internal iliac lymph node)로 나눌 수 있다. 골반 림프계의 분류는 수술자 및 연구자에 따라 다르다(그림 2-4).

(1) **천골림프절**(sacral lymph node)

천골림프절은 천골의 앞에 외측 천골동맥(lateral sacral artery)을 따라 있는데 골반 속의 일부 장기와 볼기(buttock), 샅(inguinal region)에서 림프를 받아 장골 림프절(iliac lymph node)로 보낸다.

(2) **내장골림프절**(internal iliac lymph node)

내장골림프절은 내장골동맥의 가지를 따라 있으며 주로 동맥가지가 갈라지는 곳에 있다. 이 림프절은 해당 동맥이 분포하는 영역에서 림프를 받아 총장골림프절로 보낸다.

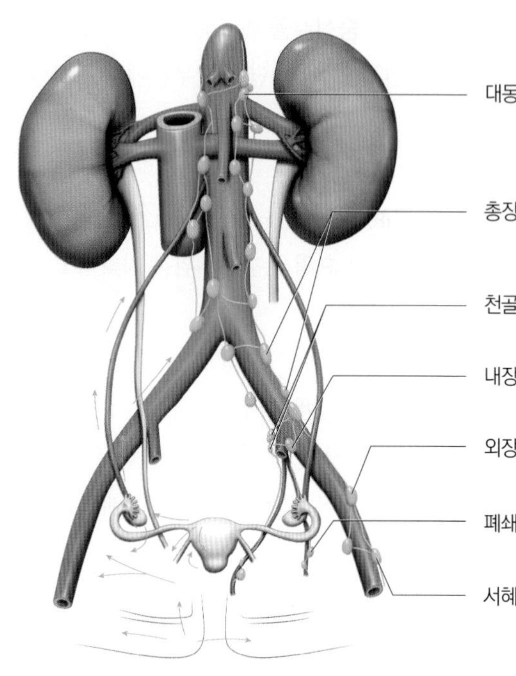

그림 2-4. **골반림프절**

(3) **외장골림프절**(external iliac lymph node)

외장골림프절은 외장골동맥(external iliac artery)을 따라 있다. 이 림프절은 얕은 및 깊은 서혜림프절(inguinal lymph node), 배꼽 아래 배벽의 깊은 부분, 일부 골반 장기에서 림프를 받아 총장골림프절로 보낸다.

(4) **총장골림프절**(common iliac lymph node)

총장골림프절은 총장골동맥(common iliac artery)의 옆과 뒤에 있으며 위에 기술한 세 림프절로부터 림프를 받는다. 대동맥과 하대정맥(inferior vena cava)을 따라 가로막 아래까지 림프절이 사슬처럼 배열되어 있는데 총장골림프절은 이 사슬로 림프를 보낸다. 이 림프절사슬의 위쪽 끝에서 허리림프줄기(lumbar trunk)가 일어나며 양쪽 것이 만나서 가슴림프관(thoracic duct)을 이룬다. 상기 기술한 림프절 이외 일정한 장소에 위치한 림프절도 있다. 폐쇄림프절(obturator node)은 폐쇄공 내에 있으며 폐쇄혈관에 밀착되어 있다. 요관림프절(ureteral lymph node)은 자궁동맥이 요관을 교차하는 부위 즉 자궁경부 근처의 광인대(broad ligament) 내에 존재한다. Cloquet's 또는 Rosenmuller 림프절은 심부 서혜림프절 중 가장 상부에 위치하는 것으로 대퇴관(femoral canal)의 입구 내에 존재하는 것을 칭한다.

여성 생식기암에서 국소적 림프절(regional lymph node)의 전이는 치료계획 및 환자의 예후 결정에 매우 중요한 인자가 된다.

5) 신경계(Nerves)

골반은 엉치신경얼기(sacral plexus), 꼬리신경얼기(coccygeal plexus) 및 내장신경얼기(splanchnic plexus)에 의해 지배를 받는다(그림 2-5).

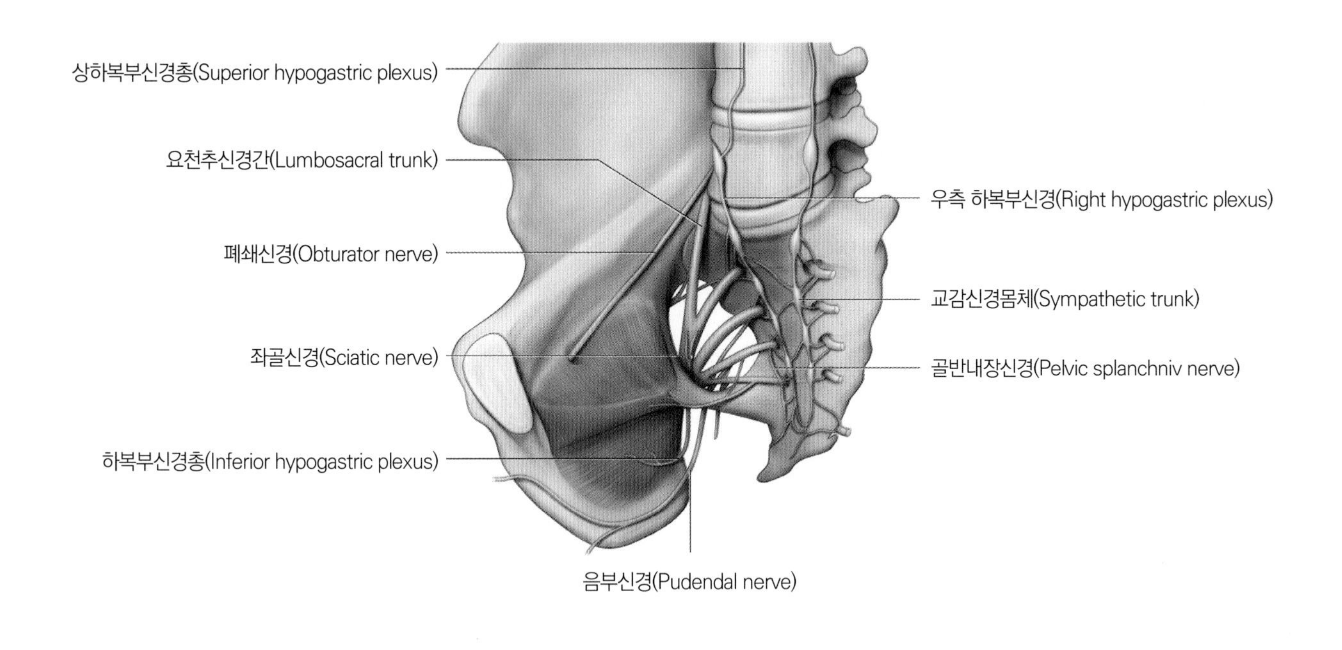

그림 2-5. **골반신경구조**

(1) **엉치신경얼기**(sacral plexus)

엉치신경얼기는 골반의 가쪽벽에 형성되어 있으며 그 가지들은 대개 근육과 혈관 사이에 있다. 엉치신경얼기는 1-4번째 천추신경(S1-4)의 앞가지와 4-5번째 허리신경(L4-5)의 앞가지로 이루어진 허리엉치신경얼기(lumbosacral plexus)로 이루어진다. 넷째 허리신경의 일부와 다섯째 허리신경의 앞갈래는 허리엉치신경얼기를 이루는데, 넷째 엉치신경을 제외하고 이 얼기를 이루는 나머지 신경은 팔신경얼기(brachial plexus)에서와 같이 앞갈래와 뒤갈래로 나누어져 각각 다리의 앞과 뒤 칸에 분포한다. 엉치신경얼기는 골반의 뒷벽에서 궁둥구멍근(piriform muscle)과 내장골혈관 사이에 있다. 이 신경들 중 대부분은 곧 골반안을 빠져나간 후 아래의 큰 궁둥구멍을 지나, 다리의 볼기부위로 들어가기 때문에, 골반의 해부에서는 관찰하기 어렵다. 엉치신경얼기의 가지는 다음과 같다.

① 넙다리네모근신경(nerve to quadatus femoris)과 아래쌍동이근신경(nerve to gemellus inferior)
② 속폐쇄근신경 및 위쌍동이근신경(nerve to obturator internus muscle & nerve to superior gemellus muscle)
③ 궁둥구멍신경(nerve to piriformis)
④ 위볼기신경(superior gluteal nerve)
⑤ 아래볼기신경(inferior gluteal nerve)
⑥ 뒤넙다리피부신경(posterior femoral cutaneous nerve)
⑦ 관통피부신경(perforating cutaneous nerve)
⑧ 궁둥신경(sciatic nerve): 이 신경은 우리 몸에서 가장 큰 신경이다. 넷째 허리신경과 셋째 엉치신경 사이에서 일어나며 큰궁둥구멍의 궁둥구멍근 아래를 통해 골반을 빠져나가 궁둥뼈결절과 큰돌기 사이를 지나 넓적다리로 들어간다. 이 신경은 무릎 위에서 온종아리신경(common peroneal nerve)과 정강신경(tibial nerve)으로 나뉘며 가지들은 모두 다리에 분포한다.

⑨ 음부신경(pudendal nerve): 이 신경은 샅에 분포하는 주된 신경이다. 궁둥구멍근 아래쪽 큰궁둥구멍(greater sciatic foramen)을 지난 후 엉치가시인대(sacrospinal ligament)의 안쪽 뒤로 달려 작은궁둥구멍(lesser sciatic foramen)을 지나 샅으로 들어가 근육과 피부에 분포한다. 음부신경에서는 3가지 즉 아래곧창자신경(inferior rectal nerve), 샅신경(perineal nerve), 음경등신경(dorsal nerve of penis)이 일어난다.

(2) 꼬리신경얼기(coccygeal plexus)

꼬리신경얼기는 넷째와 다섯째 엉치신경과 꼬리신경의 앞가지에 의해 이루어진다. 이 신경얼기에서는 엉치결절인대(sacrotuberous ligament)를 뚫고 꼬리뼈 부위에 분포하는 항문꼬리신경(anococcygeal nerve)이 나온다.

(3) 골반의 자율신경(autonomic nerve system)

골반의 교감신경은 두 길을 따라온다. 하나는 교감신경줄기가 아래로 계속된 것이고, 다른 하나는 배대동맥(abdominal aorta) 주위에 형성된 얼기가 아래로 계속된 것이다. 부교감신경(parasympathetic nerve)은 둘째에서 넷째 엉치분절(sacral segment)서 기원하는 골반내장신경(pelvic splanchnic nerve)이 분포한다. 골반의 주된 자율신경얼기는 아래아랫배신경얼기(inferior hypogastric plexus)이다.

① 교감신경줄기(sympathetic trunk)

교감신경줄기는 다섯째 허리뼈몸통의 가장자리를 따라 골반으로 계속된다. 교감신경줄기의 엉치부분은 앞엉치뼈구멍(pelvic sacral foramen)의 안쪽으로 내려가며 양쪽 것이 꼬리뼈 앞에서 만나는 곳에 홑신경절(ganglion impar)이 형성되어 있다. 교감신경줄기에 있는 엉치신경절은 대개 3-4개가 있으며 크기는 허리 교감신경절보다 조금 더 작다. 이 줄기에서 일어난 엉치 내장신경(sacral splanchnic nerve)은 아래아랫배신경얼기로 들어간다. 홑신경절(ganglion impar)은 양쪽 교감신경줄기가 아래쪽 끝에서 점점 가까워져서 꼬리뼈 앞 가운데에서 서로 만나는데, 만난 부위에 하나의 신경절을 형성한다. 신경절을 구별할 수 없는 경우도 있다(약 14%). 모양과 크기는 다양하며 암 등으로 샅부위에 통증이 심할 때 홑신경절을 마취할 때가 있다.

② 교감신경얼기(sympathetic plexus)

가. 위아랫배신경얼기(superior hypogastric plexus)

위아랫배신경얼기는 대동맥갈림 아래로 대동맥신경얼기가 계속된 것으로 다섯째 허리뼈 앞에 있다. 이 얼기는 신경절이전 및 이후교감신경섬유와 내장에 분포하는 감각신경섬유를 포함한다. 위아랫배신경얼기는 오른쪽과 왼쪽 아랫배신경으로 나뉘며 끝난다.

나. 아랫배신경(hypogastric nerve)

아랫배신경은 엉치뼈곶(promontary) 부위에서 골반의 벽을 따라 곧창자 옆으로 벌어지며 달리는데 실제로는 얼기와 비슷하다. 아랫배신경은 내림잘록창자, 구불잘록창자에 가지를 보내고 대부분은 속과 바깥엉덩동맥을 따라간다.

③ 아래아랫배신경얼기/골반신경얼기(inferior hypogastric/pelvic nerve plexus)

아래아랫배신경얼기는 아랫배신경, 골반내장신경, 엉치내장신경이 합쳐서 이루어진다. 이 얼기는 골반의 뒤가쪽과 방광바닥에 놓여 있다. 이 신경얼기에는 신경절이 있어 교감 및 부교감신경이 이곳에서 연접을 한다. 따라서 이 신경얼기에는 교감 및 부교감신경의 신경절 이전과 이후 섬유가 모두 포함되어 내장의 감각 신경섬유도 포함된다. 아래아랫배신경얼기에서는 곧창자신경얼기(rectal plexus), 자궁질신경얼기(uterovaginal plexus), 방광신경얼기(vesical plexus) 등이 분지한다.

④ 골반내장신경(pelvic splanchnic nerve)

골반내장신경은 다른 모든 내장신경이 교감신경인데 반해 척수의 엉치분절에서 일어나는 부교감신경섬유를 운반한다. 이 신경은 둘째에서 넷째 엉치분절에서 일어난다. 골반내장신경은 아래아랫배신경얼기의 형성에 참여한다. 이 신경의 내장운동섬유는 아래아랫배신경얼기에 있는 신경절이나 분포하는 장기의 벽에 있는 신경절에서 연접하며 이들은 골반 장기의 벽에 분포한다. 골반내장신경은 다음과 같은 3가지 분지로 나누어진다.

가. 방광신경총(vesical plexus)
방광 및 요로를 지배한다. 방광동맥을 따라 분지한다.

나. 중직장 신경총(middle rectal plexus)
직장을 지배한다. 중직장혈관을 따라 분포한다.

다. 자궁질 신경총(uterovaginal plexus, Frankenhauser ganglion)
자궁, 질, 음핵 및 전정전구를 지배한다. 자궁혈관을 따라 기인대 및 광인대에 분포한다. 교감신경은 제10번 흉추, 1번 요추에서 분포하고 부교감신경은 2-4번 천추에서 유래한다.

2. 골반장기

골반 안에는 생식계, 하부요로계, 하부위장관계의 장기들이 분포한다.

1) 생식계

(1) 난소(ovary)

난소는 쌍으로 된 골반 안의 가쪽 벽 근처에 위치하는 작은 기관이다. 난소는 생식세포인 난자를 생산하며, 월경 주기에 따라서 여성호르몬인 에스트로겐과 같은 스테로이드호르몬을 분비하는 기능을 한다. 정상난소의 크기는 다양하나 납작한 난원형으로 약 길이 5 cm, 폭 2.5 cm, 두께 3 cm 정도이다. 각 난소의 무게는 6-8 g이다. 난소간막(mesovarium)과 지지인대인 자궁난소인대(uteroovarian ligament)와 골반누두인대(infundibulopelvic ligament)가 난소위치를 유지하고 있다. 골반누두인대는 자궁관의 개구부를 지나 난소의 가쪽면에서 골반벽까지 이어져 있다. 주된 혈관인 난소동맥과 난소정맥은 난소로부터 골반누두인대 안으로 주행한다.

난소간막의 복막은 난소의 표면상피로서 난소에 단단하게 부착되어 있다. 난소를 절단하였을 때 바깥층은 피질이며, 내층은 결합조직과 혈관들이 발달한 수질로 구성되어 있다. 피질은 특징적인 간질과 다양한 크기의 난포를 갖고 있다.

(2) 자궁관(fallopian tube)

자궁관은 자궁의 양쪽에서 가쪽 골반벽으로 뻗어있는 약 13 cm 길이의 근육성 관구조이다. 자궁관의 기능은 난자의 수집, 수태를 위한 환경을 제공하고 수정난의 이송과 영양공급이다. 나팔모양으로 확장된 자궁관의 끝부분을 자궁관깔대기(infundibulum)라고 하며, 난소의 위 가쪽 끝 주위를 둘러싸고 있다. 자궁 관깔대기의 가장자리에는 작은 손가락 모양의 돌기인 자궁관술(fimbriae)이 있어 난자 수집에 용이하다. 자궁관깔대기의 안쪽에는 자궁관이 확장되어 팽대부(ampulla)를 형성하며, 자궁관은 다시 좁아져 자궁으로 들어가기 전에 자궁관잘룩(isthmus)을 형성한다. 자궁관잘룩은 자궁근층에 내막강 내로 개구되어 있는 간질부(interstitial)로 이어진다.

자궁관 점막은 섬모성 원주상피세포로 구성되며, 근육층은 평활근으로 내측은 윤상, 외측은 종주형으로 이루어진다. 섬모운동과 자궁관벽의 연동수축운동의 조합으로 자궁관을 따라 난자가 이동하게 된다. 수정은 일반적으로 자궁관팽대부에서 일어난다.

(3) 자궁(uterus)

자궁은 방광과 직장 사이의 정중앙에 있는 두꺼운 벽을 가진 근육성기관이다. 자궁은 체부와 경부로 구성되고, 아래로는 질과 연결된다.

① 자궁경부(cervix)

자궁의 아랫부분이며, 짧고 넓은 실린더 모양이고, 또한 좁은 중심관을 가진다. 자궁경부는 질 내로 약 1.25 cm 정도 들어와 있다. 질 안에서 자궁경부의 아래쪽 부분인 외자궁경부(exocervix)가 있고, 그 중심에 외자궁구(external os)가 위치한다. 외자궁구는 내자궁경관(endocervical canal)으로 이어지며 내자궁구(internal os)를 통해 자궁강(uterine cavity) 안으로 열린다. 내자궁 경관의 길이는 약 2-3 cm이다.

외자궁경부의 점막은 중층편평상피세포로 구성되어 있고, 내자궁경관은 점액을 분비하는 원주상피로 되어 있다. 이 두 상피가 접하는 부위를 편평원주 접합부(squamocolumnar junction)라 한다. 호르몬(임신, 사춘기, 경구피임약)에 의해 자궁경부 세포들이 성장하면서 편평원주 접합부가 자궁경부 바깥쪽으로 위치하게 되어 원주상피세포들이 편평상피세포로 변하는 화생(metaplasia)이 활발하게 일어난다. 화생세포로 덮여 있는 부분을 이행대(transformation zone)라 한다. 이 부위에서 편평세포암이 잘 생긴다(Berek, 2012).

경부점액은 세균이 질을 통해 내자궁경관으로 들어오는 것을 막는다. 경부점액은 호르몬의 영향을 받아 배란이 다가올수록 점액의 조성이 묽으며 양이 많아진다. 자궁경부는 섬유결체조직으로 구성되어 있으며 평활근은 소량이고 윤상으로 배열되어 있다.

② 자궁체부(corpus)

자궁체부는 자궁의 윗부위로, 자궁에서 가장 큰 부분이다. 자궁체부는 크게 세 부분으로 나뉜다. 자궁체 부위쪽 양측에 자궁관이 들어오는 깔대기 모양의 부분을 자궁각(cornus)이라 하며, 이 위쪽에 있는 둥근 지붕 같은 부분을 자궁저(fundus)라 하고, 내자궁경관이 자궁내막강으로 개구되는 부위를 협부(isthmus) 혹은 자궁하절(lower uterine segment)이라 한다.

자궁체부는 출생 시에는 경부와 크기가 비슷하나 성인이 되면 호르몬의 영향으로 체부가 경부보다 2-3배 커진다. 정상적으로 자궁체부는 방광의 위면에서 앞 쪽으로 굽어있고, 이것을 앞굽힘(anteflexion)이라고 한다. 또한 자궁경부는 질에 대해 앞쪽으로 각을 이루고 있고, 이것을 앞경사(anteversion)라고 한다. 굽힘(flexion)은 체부와 경부의 장축간의 각도에 의해 결정되고 경사(version)는 질상부와 자궁경부의 각도에 의해서 결정된다(Berek, 2012).

자궁체부는 바깥층에 자궁근육층(myometrium)이 있으며, 속층에 자궁내막(endometrium) 혹은 점막층이 있다. 그리고 자궁체부와 후방의 경부가 복막이 연장된 장막에 의해 덮여 있다. 자궁내막강은 역삼각형이며, 자궁내막은 기능층(funtional layer)이라는 자궁내막강에 접한층과 바닥층(basilar layer)이라는 자궁근육층에 인접한 두 개의 층으로 다시 나뉜다. 바닥층의 구조는 시간에 따라 상대적으로 일정하지만 기능층의 구조는 성호르몬의 수준에 따라 주기적인 변화를 보인다. 이러한 변화는 월경주기의 특징적인 조직학적 모습을 반영한다(인체해부학, 2010).

자궁근육층은 평활근이 세로, 돌림, 비스듬하게 배열되어 있다. 두께는 1.5-2.5 cm이지만 임신하면 태아를 담기 때문에 크게 확대되었다가 분만 시에는 태아를 내보내기 위해 수축한다.

(4) 질(vagina)

질은 자궁경부에서 외음부에 의해 형성된 공간인 질 전정(vaginal vestibule)까지 이어진 탄력적인 근육성 관이다. 질은 평균 7.5-9 cm의 길이이지만 팽창이 잘 되므로 길이나 넓이는 가변적이다. 질은 직장과 평행하게 놓여있고 두 기관은 뒤쪽으로 밀접하게 접해 있다. 앞쪽에 요도가 질의 위쪽 벽을 따라 뻗어 있으며 방광에서부터 질전정의 개구부까지 연결된다. 질의 근위부 끝에는 자궁경부가 질안으로 돌출된다. 자궁경부의 돌출부를 둘러 싸고 있는 좁은 오목부분을 질원개(fornix)라고 한다. 위치에 따라 질원개는 후 질원개, 전 질원개 및 양 옆의 측 질원개로 다시 나뉜다. 질은 후벽이 전벽보다 위 쪽에 붙어 있기 때문에 후질벽이 약 3 cm 더 길다.

후 질원개를 통한 더글라스와 천자술은 복강내 출혈, 농양, 복수 등을 임상적으로 감별 진단하고 치료하는 데 유용하다. 또한 예전부터 행해지던 후 질원개 개구술(posterior colpotomy)을 이용한 수술이 최근에는 단일공 복강경수술의 발전과 더불어 양성부속기 종괴제거, 자궁외임신수술, 자궁관 결찰술 같은 비교적 간단한 수술에 시행되고 있다(Lee et al., 2012).

질전정에는 처녀막(hymen)이라고 하는 탄력성 상피주름에 의해서 분리되어 있는데 처녀막은 부분적으로 혹은 완전히 질의 입구를 막고 있다. 처녀막은 성생활과 출산을 거쳐 불규칙한 조직으로 대체된다.

질의 속공간은 중층편평상피세포(stratified squamous epithelium)로 덮여 있어 이완된 상태에서는 질점막주름(rugae)을 형성한다. 아래의 고유층은 두꺼우며 탄력적이면서 작은 혈관, 신경, 림프절 등을 포함하고 있다. 질의 점막은 탄력성 근육층으로 둘러싸여 있는데 이 평활근은 돌림형과 세로형의 근육다발로 형성되어 자궁근육층까지 연장되어 있다. 자궁의 인접한 질부분은 골반 복막의 연장인 장막에 싸여 있다. 나머지 질의 근육층은 섬유성 결합조직인 외막(adventitia)에 싸여 있다. 질의 윤활은 주로 자궁경관선과 바톨린선의 분비액에 의하며 질 점막에는 주로 유산간균이 포함된 정상균의 세균총이 있어 산성 환경을 유지하여(pH 3.5-4.5) 병원성 미생물의 성장을 저해한다.

2) 하부요로계

(1) 요관(ureter)

요관은 신장에서 방광으로 도달하기 전까지 아래로 뻗어 있는 약 30 cm 정도 되는 한 쌍의 근육성 관이다. 요관은 신우(renal pelvis)에서 시작하여 총장골혈관의 갈림부위를 가로질러 골반 내로 들어와 자궁넓은인대(broad ligament)의 내측벽을 따라서 하강하여 방광의 뒷벽을 관통하여 비스듬히 방광벽을 통과하여 방광의 삼각부에서 끝난다. 요관은 후복막내 위치하는 기관이다.

요관은 3층 구조로 되어 있다. 이행상피로 덮여 있는 안쪽의 점막과 평활근으로 이루어진 중간 근육층(안쪽은 세로근, 바깥쪽은 돌림근), 그리고 바깥의 결합조직 층인 외막이 요관을 둘러싸고 있다.

(2) 방광(bladder)

방광은 소변을 임시적으로 저장하는 기능을 하는 속이 빈 근육성 장기이다. 방광의 크기는 다양해서 팽창된 상태에 따라 다른데, 완전히 팽창된 방광은 약 1 L의 소변을 저장할 수 있다(인체해부학, 2010).

방광을 덮고 있는 점막은 특별히 방광 주름(rugae)을 형성하는데 방광에 소변이 가득 차서 늘어나게 되면 사라진다. 두 개의 요관구와 한 개의 내요도구에 의해 경계가 되는 삼각형의 구역은 방광삼각(trigone)을 형성한다. 이곳의 점막층은 주름이 없으며, 부드럽고 매우 두껍다. 방광삼각은 방광이 수축할 때 소변을 요도로 보내는 깔대기로써의 역할을 한다.

방광은 이행상피세포로 된 점막층과 점막밑층 그리고 근육층으로 이루어져 있다. 근육층은 세 개의 층으로 서로 엇갈려 짜여 방광의 강력한 배뇨근(detrusor muscle)을 형성한다. 장막층은 방광의 윗면을 덮고 있다.

(3) 요도(urethra)

여성의 경우, 요도는 매우 짧아서 방광에서부터 질전정까지 3-5 cm 길이가 된다. 외요도구(external urethral opening)는 질의 앞벽 가까이에 위치한다. 요도의 아랫면은 질의 앞면에 붙어있다. 두 개의 작은 부요도선(paraurethral or Skene's gland)이 요도의 아래 끝에 연결되어 있고, 이 선은 관을 통해서 요도 내강으로 분비한다.

내요도구를 둘러싸는 방광부위는 방광목(neck of urinary bladder)으로 알려져 있는데 이곳에 내요도괄약근(internal urethral sphincter)이 있다. 내요도괄약근은 부교감성 신경섬유에 의해 지배되며, 배뇨의 불수의적인 조절을 담당한다.

요도는 비뇨생식가로막(urogenital diaphragm)을 통과하는데, 이 골격근의 둥근 띠가 외요도괄약근(external urethral sphincter)을 형성한다. 외요도괄약근은 부교감신경에 의해 조절되기도 하지만, 음부신경의 회음가지를 통해 수의적인 조절이 가능하다. 이 괄약근은 평소에는 수축되어 있어서 배뇨 시에 수의적으로 이완된다. 외요도괄약근의 자율신경지배는 신생아나 척수 손상 성인에서처럼 자율조절이 안 될 때 중요하게 된다(인체해부학, 2010).

요도는 안쪽은 세로근, 바깥쪽은 돌림근 형태의 평활근으로 이루어져 있고 중층편평상피세포로 구성되어 있다.

3) 하부위장관계

(1) 구불결장(sigmoid colon)

구불결장은 길이가 15 cm이며 특징적으로 S자 형태의 구역이다. 구불결장은 결장의 일반적인 특징을 모두 갖고 있다. 복막으로 싸인 지방덩어리인 복막주렁(epiploic appendices)이 있고, 세로근육으로 이루어진 세 개의 좁은 띠인 결장띠(taenia coli)가 있다. 그리고 결장벽이 작은 주머니 모양으로 나뉘어 결장팽대(haustra of colon)를 형성한다.

생식기는 복강의 하부에 위치하고 있으며 복막강과 그 내용물, 후복막강, 골반저(pelvic floor)와 연관되어 있다.

(2) 직장(rectum)

직장은 위로는 셋째 천골 수준에서 구불결장과 연결되고, 아래로는 항문관과 연결되는 부위로 대변을 일시적으로 저장하기 위한 팽창 가능한 기관이다. 대변이 직장으로 이동하면 변의감이 유발된다. 직장에는 결장에서 특징적으로 관찰되는 결장띠, 복막주렁(epiploic 또는 omental appendices), 결장팽대가 없다.

점막은 원주상피세포로 구성되며, 점막, 점막하, 돌림근 형태의 평활근으로 이루어진 세 개의 횡주름이 있다.

(3) 항문관(anal canal)

항문관은 직장팽대의 종말부에서 시작하며, 항문이 되어 끝나는 길이 2-3 cm인 기관이다. 골반바닥을 통과할 때 항문관은 내항문괄약근과 외항문괄약근에 의해 둘러싸여 있다. 항문관의 윗부분은 직장과 비슷한 점막으로 덮여있고, 항문기둥(anal column)이라는 작은 세로주름을 가지고 있다. 항문기둥의 끝가장자리는 위쪽의 원주상피세포와 아래쪽의 중층편평상피세포 사이를 경계 짓는 가로주름에 의해 붙어있다. 내항문괄약근은 돌림근 형태의 두꺼워진 평활근으로 불수의근이다. 반면 골격근 섬유뭉치로 구성된 외항문괄약근은 항문 거상근 아랫부분의 항문관을 둘러싸며 수의근에 속한다(Gray 새로운 해부학, 2007).

임상에서 흔히 접하게 되는 외음부나 질의 수술 시에 질 열상 또는 분만 시에 회음절개술을 하는 경우, 의사들이 하부장관과의 해부학적인 관계를 고려하지 않는다면 직장이나 항문괄약근에 손상을 주어 누공과 대변실금이 생길 수 있다.

4) 복벽

복벽은 복잡한 근건막 구조물이며 후방에는 척추가 있다. 전 복벽은 상부로는 검상돌기(xiphoid process)와 7번에서 10번 늑골의 연골에 부착되어 있고 하부로는 장골능(iliac crest), 상전장골극(anterosuperior iliac spine), 서혜인대 그리고 치골로써 경계된다.

(1) 피부, 피하조직, 근육

피부는 선조(striae) 또는 신전반(stretch marks)을 보이며, 경산부에서는 중심선에 색소침착이 증가되어 있다. 피하조직은 다양한 양의 지방을 가지고 있다. 복벽의 전측면에는 외복사근(external oblique muscle), 내복사근(internal oblique muscle), 복횡근(transversus abdominis), 복직근(rectus abdominis), 추체근(pyramidalis)의 5개의 근육과 이들의 건막(aponeurosis)이 있다.

(2) 근막

복벽의 근막으로는 표재근막(superficial fascia), 복직근초(rectus sheath), 복횡근 근막(transversalis fascia)이 있다. 표재근막은 두 층으로 되어 있는데 Camper 근막은 보다 표층에 있으며 다양한 양의 지방을 포함하고 있고, 회음부의 표재지방층과 연결된다. Scarpa 근막은 보다 심부에 위치하며 회음부의 표재근막(superficial perineal fascia, Colle's fascia) 그리고 대퇴부의 심부근막(fascia lata)과 연결된다.

배꼽과 치골의 중간 부위에 있는 궁상선(arcuate line)

을 중심으로 하여 그 상부에서는 내복사근의 건막이 전후 두 층으로 분리되어 복직근을 둘러싸는 전, 후엽의 복직근초가 되고, 그 이하에서는 세 근육 모두의 근막이 복직근의 앞면을 주행하여, 복직근의 후면은 복횡근 근막과 면하게 되고 이 사이로 하복벽동맥(inferior epigastric artery)이 주행하다가 복직근을 뚫고 들어간다.

복횡근 근막은 복횡근의 내면에 위치하며 복강과 골반강 전체를 연속적으로 싸고 있다. 위치에 따라 위쪽에서는 횡경막하 근막이 되고, 요근(psoas muscle) 위에서는 요근막(psoas fascia)이 되며, 아래쪽에서는 장골능에 부착된 후 장골근막(iliac fascia)과 내폐쇄근막(obturator internus fascia)을 싸고 계속 중앙, 하부로 주행하여 골반격막(pelvic diaphragm)의 상부 근막이 된다.

복횡근 근막은 복강과 골반강 내로 들어오고 나가는 혈관과 장기들을 덮고 있으며, 골반장기의 지지에 중요한 역할을 하는 내골반 장기근막(visceral endopelvic fascia)을 형성한다(Polan et al., 1980). 이 근막의 안쪽에는 복막과의 사이에 전복막지방(preperitoneal fat)이 있다. 이 층에는 배꼽의 하방에 제동맥(umbilical artery)의 흔적기관인 2개의 외측제인대(lateral umbilical ligament)과 요막관(urachus)의 흔적기관인 정중제색, 그리고 하복벽동맥이 포함되어 있다. 복횡근 근막이 약해지거나 손상을 받으면 복강내 장기의 탈출이 일어난다(Berek, 2002; Curtis, 1943).

(3) 신경과 혈관

복벽은 제7-12 흉부척수신경으로 이루어진 늑간 신경(intercostal nerve)과 제12 흉부척수신경으로 이루어진 늑하신경(subcostal nerve), 제1 요부척수신경으로 이루어진 장골하복신경(iliohypogastric nerve), 그리고 장골서혜신경(ilioinguinal nerve)의 지배를 받는다.

혈관은 외장골동맥(external iliac artery)의 가지인 하복벽동맥(inferior epigastric artery)과 심부 장골회선동맥(deep circumflex iliac artery), 그리고 내흉곽동맥(internal thoracic artery)의 가지인 상복벽동맥(superior epigastric artery)의 분포를 받는다. 하복벽동맥은 복횡근 근막을 따라 궁상선까지 상부로 주행하다가 복직근초 후 엽을 뚫고 들어가는데 복부를 절개할 때에 손상을 잘 받는다.

복부의 정맥은 복재정맥(saphenous vein)으로 들어간다. 림프계는 배꼽 상부에서는 액와쇄(axillary chain)로 그 하부에서는 서혜림프절(inguinal lymph node)로 들어간다. 피하조직의 림프계는 요부쇄(lumbar chain)로 들어간다.

5) 회음부(Perineum)

회음부는 양측 둔부의 사이 줄기의 하부에 위치한다. 골반출구의 경계와 마찬가지로 앞쪽으로는 치골의 하연, 뒤쪽으로는 미골극, 양측으로는 좌골 결절(ischial tuberosity)로 경계 지어진다. 양쪽의 좌골 결절을 잇는 선을 경계로 하여 앞쪽이 요생식 삼각대, 뒤쪽이 항문삼각대가 된다.

6) 요생식 삼각대(Urogenital Triangle)

요생식 삼각대는 외부 생식기와 요도의 개구부를 포함하고 있다.

(1) 외음(vulva)

① 치구(mons pubis)

치골 결합부 전면의 삼각형의 돌출부로써 피부밑지방조직이 많이 모여 형성되고 사춘기에는 털로 덮이게 된다.

② 대음순(labia majora)

대음순은 치구에서 시작해서 뒤쪽으로 항문에 이르는 큰 피부주름으로 양쪽에 하나씩 있다. 각 대음순은 두 면을 가지며 색소가 침착되고, 거칠고 곱슬곱슬한 털이 덮여 있는 바깥면과 매끄럽고 기름샘(sebaceous gland)으로 둘러싸인 속면이 있다. 두 면 사이에는 상당한 양의 성긴결합조직, 지방, 음낭의 음낭근육과 유사한 조직 등이 있으나 혈관, 신경이나 샘구조 등은 없다. 대음순은 남자의 음낭과 상동기관이다.

③ 소음순(labia minora)

소음순은 대음순의 안쪽에 있는 작은 피부주름으로 양쪽에 하나씩 있고, 대음순에 비해 멜라닌색소 침착이 덜하고 털과 피부밑 지방이 없으며 기질은 신경과 혈관이 풍부한 섬유탄성조직으로 되어 있다. 앞쪽에서 각 소음순은 두 부분으로 나뉜다. 윗부분은 양쪽의 소음순이 만나 음핵을 지나면서 음핵귀두(glands clitoris)를 덮는 주름을 만드는데 이것을 음핵포피(prepuce of clitoris)라고 한다. 아랫부분은 음핵 아래를 지나면서 반대쪽과 함께 음핵밑에서 결합되어 음핵소대(frenulum of clitoris)를 형성한다. 후방으로 회음부에 이르면서 점차 소실되어 대음순에 합쳐지고 그 사이에 후 음순소대(posterior fourchette)를 형성한다. 양측 소음순 사이의 공간을 전정부(vestibule)라고 한다.

④ 음핵(clitoris)

음핵은 남자의 음경과 상동기관이며 발기기관이다. 대음순의 앞음순연결(anterior commissure of labium majora) 아래에 위치하고 부분적으로 소음순의 앞끝 사이에 숨겨져 있다. 음핵은 두 개의 음핵해면체(corpus cavernosum clitoris)로 구성되어 있고 이것들은 치밀한 섬유막으로 둘러싸인 발기조직이다. 각해면체는 음핵각(crus of clitoris)으로 두덩뼈가지와 궁둥뼈가지에 붙어 있다.

⑤ 질 입구(vaginal orifice)

질 입구는 다양한 형태의 처녀막(hymen)에 의해 부분적으로 폐쇄되어 있다. 질 입구 양측 하방의 전정부(vestibule of vagina)에는 대전정선(greater vestibular gland), 바르톨린샘(bartholin's gland)의 관이 열려 있으며 뒤쪽으로는 여러 개의 소전정선(lesser vestibular gland)들이 이곳으로 열린다.

⑥ 요도 입구(urethral orifice)

음핵과 질 입구의 사이에 있으며 요도측선(paraurethral gland, Skene's gland)의 관이 요도 입구의 아래에서 열린다.

(2) 표재 회음조직(superficial perineal compartment)

표재 회음막(superficial perineal fascia)과 요생식 삼각대의 하부근막 사이에 있는 조직들을 말한다. 표재 회음근막은 표층과 심층으로 구성되어 있는데, 표층은 복부의 Camper 근막과 연결되고 심층은 Scarpa 근막과 연결되어 있으며 Colle's 근막이라고도 한다. 이러한 복부와 회음부의 연결성 때문에 한쪽에서 염증이나 출혈이 생기면 다른 쪽으로 파급될 수 있다. 그러나 이러한 파급은 옆쪽으로는 장골 치골지(ischiopubic rami), 앞쪽으로는 회음부의 횡인대, 뒤쪽으로는 표재 횡회음근(superficial transverse perineal muscle)에 의해 제한된다.

① 발기체(erectile body)

전정구(vestibular blub)는 3 cm 정도의 혈관조직으로 구해면체근(bulbocavernosus muscle)의 안쪽에 놓여 있다. 음핵체는 두 개의 음핵각에 의해 양측의 장골치골지의 안쪽에 부착되어 있으며 이 위를 좌골해면체근(ischiocavernosus muscle)이 덮고 있다.

② 근육

좌골해면체근(ischiocavernosus muscle)은 좌골 결절에서 기시하여 장골 치골지에 부착되며 음핵의 하부와 음핵각을 덮고 있으며 구해면체근(bulbocavernosus muscle)은 회음체(perineal body)에서 기시하여 음핵의 후면에 부착하고 전정구와 음핵의 배정맥(dorsal vein)을 덮고 있다. 표재 횡회음근(superficial transverse perineal muscle)은 좌골 결절에서 기시하여 중앙 회음건(central perineal tendon)에 부착되며 회음체를 고정시키는 역할을 한다.

③ 전정선(vestibular glands)

대전정선은 양측의 전정구의 뒤쪽 끝부분 아래에 위치하며 처녀막과 소음순 사이에 개구한다. 이 점액분비가 윤활 역할을 하며 이 선이 막히거나 감염되면 낭종 또는 농양(bartholin's gland cyst or abscess)을 형성한다.

(3) 심부 회음 조직(deep perineal compartment)

아래쪽으로 요생식 삼각대의 하부근막과 위쪽으로 좌골직장와(ischiorectal fossa)의 전 함요(anterior recess)와 요생식 삼각대를 구분 짓는 심부 근막 사이에 존재하는 조직을 말한다. 상하 근막을 포함하여 이 부분을 요생식 격막(urogenital diaphragm)이라고 하며 요도괄약근(sphincter urethrae, urogenital sphincter)과 심부 횡회음근(deep transverse perineal muscle)을 포함한다.

요도괄약근은 외요도괄약근(external urethral sphincter), 요도 압축근(compressor urethrae), 요도질 괄약근(urethrovaginal sphincter)으로 구성되는 연속적인 근육조직이다. 심부 횡회음근은 좌골의 내연에서 나와 요도 압축근과 평행하게 주행하여 질의 측벽에 부착된다.

비뇨기계와 생식기계는 요생식 격막과 그 주변의 구조물에 의해 상호 의존적인 관계에 놓여 있으며 생식기계의 여러 가지 이완이나 탈출증은 거의 항상 방광 또는 요도에 유사한 영향을 주게 된다. 외음에 대한 혈액공급은 표재 및 심부 회음조직을 통과하는 대퇴동맥의 가지인 외음부동맥(external pudendal artery)과 내음부동맥(internal pudendal artery)에 의해 이루어지며 정맥혈은 내음부정맥으로 들어간다. 표재 및 심부회음조직에 대한 혈액공급은 내음부동맥과 음핵의 배동맥(dorsal artery)의 분포를 받고, 정맥은 문합이 많은 내음부정맥으로 림프계는 내장골쇄(internal iliac chain)로 들어간다. 외음은 장골 서혜신경(ilioinguinal nerve)과 음부대퇴신경(genitofemoral nerve), 측 대퇴피부신경(lateral femoral cutaneous nerve)의 회음부가지(perineal branch) 그리고 음부신경의 가지인 회음신경의 지배를 받는다.

(4) 회음체(perineal body)

회음체는 중앙회음건이라고도 불리고 항문과 질 하부의 사이, 그리고 요생식 격막과 골반격막의 연결 부위에 위치한다. 질 하부의 후면을 지지하는 데 있어서 중요하며 구해면체근, 외항문괄약근, 표재횡회음근의 건이 중앙에서 합쳐져 형성된다.

(5) 항문 삼각대(anal triangle)

항문 삼각대는 앞쪽으로는 표재 회음근막, 옆쪽으로는 천골 좌골결절인대(sacrotuberous ligament)와 대둔근의 변연, 뒤쪽으로 미골에 의해 경계 지어지며, 항문 관을 포함하고 있고, 그 양쪽으로는 좌골 직장와(ischiorectal fossa)가 있다. 항문과 미골 사이에는 항문 미골체(anococcygeal body)가 있으며 직장의 하부와 항문 관을 지지하는 역할을 한다. 외항문괄약근은 회음체로부터 항문미골인대까지 세 층으로 나열되는 두꺼운 근섬유대로 되어 있다. 피하섬유는 얇게 항문을 둘러싸고 뼈에 부착되지 않는다.

좌골 직장와는 직장 항문 관과 측 골반벽 사이의 프리즘 모양의 조직강으로서 지방조직이 차 있다. 그 기저부는 회음부의 피부가 되고 위로는 골반격막이 있으며 전방에는 요생식 격막과 횡회음근, 후방에는 천골좌골결절인대와 대둔근이 있다. 이 부위에 농양이 생기면 항문 관으로 파급될 수 있으므로 즉시 배출시켜 주어야 한다. 또 이 부위에는 많은 섬유대와 혈관, 음부신경, 하직장신경이 통과하며, 제2-3 천추신경의 관통분지, 제4 천추신경의 회음분지도 지나간다.

음부관(pudendal canal)은 폐쇄근막(obturator fascia)이 좌골극으로부터 요생식 격막으로 주행할 때에 아랫부분이 분할되어 생기는 관으로써 음부동맥과 정맥, 신경이 지나간다.

7) 후복막 및 후복막강

진골반의 복막하 부분은 여러 공간으로 나누어지는데 이는 여러 기관들과 그들의 근막들로 나누어지거나 골반내근막이 두꺼워져 인대나 격막에 붙게 됨으로써 형성된다. 골반내 수술을 할 경우 이들 공간들에 대한 충분한 지식이 요구된다(Moore, 1985; Nichols, 2001; Symmonds, 1981).

(1) 방광 전강(prevesical space, retzius space)

지방으로 메워진 잠재 공간으로 앞에는 복횡근 근막이 싸고 있는 치골이 있으며 내측 배꼽동맥인대 사이를 통해 배꼽에 이르고 뒤에는 방광의 전벽이 있다. 이는 치골방광인대(pubovesical ligament)에 의해 방광측강(paravesical space)과 분리된다. 방광 경부의 거상수술(suspensory procedure)은 근막건궁과 치골요도 인대 사이의 방광전강에서 행해진다.

(2) **방광 측강**(paravesical space)

바깥으로는 내폐쇄근(obturator internus muscle)의 근막과 골반 횡격막, 안으로는 방광지지 인대(bladder pillar), 밑으로는 내골반근막, 위로는 외측 배꼽인대로 둘러싸여 지방으로 채워진 잠재공간이다.

(3) **방광-질강**(vesicovaginal space)

이 공간은 내골반근막에 의해 방광 전강과 구분된다. 앞으로는 방광 벽, 뒤로는 질 전벽, 양 옆으로는 방광격막(bladder septum)으로 둘러싸여 있다. 방광격막은 내골반근막이 두꺼워져 바깥쪽으로 근막건궁에 붙어있는 것을 말한다. 이 근막이 파열되게 되면 방광류가 생긴다.

(4) **직장-질강**(rectovaginal space)

질과 직장 사이의 공간으로써 밑으로는 회음체가 있으며 위에는 더글라스와가 있다. 앞으로는 질의 뒤에 바로 강하게 붙어 있는 질-직장 격막, 뒤로는 직장 전벽, 좌우로는 하향 직장 격막이 있어 직장-질강을 양쪽의 직장 측강과 구분시킨다. 질-직장 격막은 단단한 막성 횡격막으로서 골반을 직장부와 비뇨 생식부분의 각각 다른 기능을 가진 두 부분으로 나눈다. 이 격막의 결손 시 직장류(rectocele) 또는 직장측부 손실이 생긴다.

(5) **직장 측강**(pararectal space)

바깥으로는 항문거근, 안쪽으론 직장지지격막(rectal pillar, rectal septum), 뒤로는 천골의 바깥쪽 전벽이 경계하고 있다. 직장 후강과는 하향 직장지지격막으로 구분된다.

(6) **직장 후강**(retrorectal space)

앞으로 직장, 뒤로 천골의 전면으로 이루어져 있다.

(7) **천골 전강**(presacral space)

직장 후강의 연장으로 앞으로는 복막, 뒤로는 천골의 전면이 있다. 이 공간에는 대동맥의 분지 사이에 중앙 천골혈관(middle sacral vessels)과 하복얼기(hypogastric plexus)를 포함하고 있다. 전천골 신경절제술(presacral neurectomy)은 이 부위에서 행해진다.

8) 복강

여성의 골반 장기들은 골반강 내에 들어있는데 위쪽과 뒤쪽은 소장과 대장으로 덮여 있다. 자궁의 앞면은 방광의 후상면과 접촉하고 있는데 바깥쪽 하방으로 뻗어 내측 서혜부륜(internal inguinal ring)에 다다르는 원인대(round ligament)와 자궁경부와 질 상부를 지지하는 역할을 하는 자궁천골 인대(uterosacral ligament)와 자궁경부, 질 상부와 방광을 지지하는 역할을 하는 기인대(cardinal ligament)로 지지된다.

자궁과 방광 사이에는 자궁방광와(vesicouterine pouch), 직장과의 사이에는 자궁직장와(rectouterine pouch) 또는 더글라스와(Douglas pouch, cul-de-sac)가 있다. 자궁의 좌우로는 광인대(broad ligament)가 골반벽에 붙어 있으며 신경혈관뭉치가 이 속을 지난다. 광인대 밑은 바로 방광 측강, 폐쇄오목, 자궁천골인대와 연결이 되고 있다. 위로는 골반누두인대로 이어진다.

9) 요관(Ureter)

요관의 골반 내 주행 경로 중에는 인접 장기와의 관계상 중요한 부위가 있으며 손상을 받기 쉬운 부위가 있는데 이 부위들은 다음과 같다.

① 난소 혈관이 골반 가장자리에 가까이 갈 때 요관을 가로지르게 되고, 또 골반 내로 들어갈 때 요관의 바로 내측에 위치한다.

② 요관이 골반 내로 하행할 때 광인대 내에서 천골 자궁인대의 바로 외측에 위치한다. 이 부위에서 요관에 의해 천골자궁인대를 자궁관간막, 난소간막 및 난소와가 구분되

게 한다.

③ 좌골극의 위치에서 요관은 기인대 내에서 자궁동맥 밑으로 가로지르게 되는데 대개 자궁경부의 2-3 cm 측방에 위치한다. 또한 요관에 의해 상부요관 자궁방조직(parametrium)과 하부요관 자궁경부방조직(paracervix)으로 나누어지는데 상부요관 자궁방조직은 자궁 혈관을 감싸며 하부요관 자궁경부방조직은 질 혈관 주위에 형성되어 후방으로 천골 자궁인대 내로 뻗어간다. 이 때문에 자궁천골인대를 이용한 질 천장 거상(vaginal vault suspension)수술 시 주의를 기울여야 한다(Lawson, 1974).

④ 자궁 혈관을 지나 기인대의 터널을 통과하는 요관은 전내측으로 주행하여 방광 내로 들어갈 때 질의 전 상방을 가로지르게 된다.

요관의 의인성(iatrogenic) 손상 중 약 75%는 부인과적 시술 특히 복식자궁적출술에 의해 초래된다. 임신, 자궁근종이나 부속기종양 등의 골반종양, 자궁내막증, 그 외 골반의 유착성 질환, 자궁 탈출 등에 의한 골반의 해부학적 변화는 정상적인 해부학적 구조를 전위 또는 변화시켜 손상을 잘 받게 한다. 그러나 복강내 질환이 심하더라도 후복막 접근 방법과 기본적인 표식물 및 주위 장기와의 관계를 기억함으로써 항상 요관을 식별할 수 있다. 또한 요관의 주행 경로를 따라 가볍게 두드리면 연동운동을 관찰할 수 있다(Symmonds, 1981).

10) 골반기저층(Pelvic Floor)

골반기저층은 아래쪽의 피부에서 위쪽의 복막까지 골반 출구를 싸고 있는 모든 조직을 포함하며 골반 복막에 의하여 골반부와 회음부로 구분된다. 골반 복막은 진골반을 가로질러 그물침대 모양(hammock like fashion)으로 세로로 퍼져 있으며 중앙에 요도, 질 및 직장이 통과하는 구멍이 있다.

해부생리학적으로 골반 격막은 두 구성 부분으로 나눌 수 있다. 외구성부분은 건궁(arcus tendineus)에서 시작하는데 이것은 치골에서부터 좌골로 뻗어 있고 여기서 치골미골근(pubococcygeus), 장골 미골근(iliogoccygeus) 및 미골근(coccygeus) 등 여러 방향으로 향하는 근육을 보낸다. 내구성부분은 상부는 치골에서 중앙부인 치골 미골근의 기시부로 향하는 근육이며 작지만 두껍고 강하다. 이 근육은 시상방향으로 주행하며 두 부분으로 구성된다. 치골 질근(pubovaginalis)의 근섬유는 요도에 대하여 수직 방향으로 주행하여 질 측벽의 하 1/3과 상 2/3의 접합부에서 질 측벽을 가로질러 회음체에 붙는다. 치골 직장근(puborectalis) 상부의 근섬유는 직장 주위를 치골 쪽으로 달아매며, 하부의 근섬유는 내·외 괄약근 사이에서 직장 측벽에 붙는다.

골반 횡격막의 상부는 근막으로 덮여 있는데 이것은 복횡근 근막의 연장으로 벽측과 내장측 부분으로 되어 있다. 벽측 구성부분에는 인대, 격막 등 두꺼워진 부위들이 있어서 골반기저층의 보강과 고정을 담당한다. 내장측 근막은 가운데로 뻗어서 골반 장기를 싸서 방광, 질, 자궁 및 직장의 근막 외피를 이루며 측방으로는 골반 세포조직과 신경혈관경으로 연속된다.

근육-근막으로 구성된 내장골외막(hypogastric sheath)은 내장골동맥에서 기원하는 혈관을 따라 뻗어 있으며, 이 혈관들이 해당하는 장기에 도달한 후에는 골반 장기의 지지에 결정적인 역할을 하는 골반내 근막의 형성에 관여하는 혈관주위 외피로 연결된다.

이와 같이 벽측 근막은 내장측 근막을 고정시키며, 이것은 여러 장기 사이의 관계를 확정하고 중요한 고정(천골자궁인대 및 기인대)과 분리(방광-질 및 직장-질) 및 골반 내의 공간을 구획하고 형성한다. 골반기저층의 지지는 회음의 섬유-근육의 복합체인 골반 횡격막과 그 근막의 상호보완적인 역할에 의하며, 이 회음의 섬유-근육의 복합체는 전방으로는 회음막과 요생식 격막으로 후방으로는 외항문 괄약근에 의해 항문 미골 봉합선(anococcygeal raphe)에서 합쳐지는 회음체에 의해 지지된다. 이러한 이중의 배열은 손상을 받지않은 상태일 때 골반 장기에 적절한 지지를 하며 이들 장기를 아래쪽으로 미는 중력이나 복강내압의 증가 등의 힘에 대해서 평형을 이루게 한다(Milley, 1971; Nichols, 2001; Rock, 2003).

참고문헌

- 김항래 역. 계통별 인체해부학. 제1판. 서울: 도서출판 의학서원; 2012.
- 대한의사협회 편저. 의학용어집. 제5판. 서울: 도서출판 아카데미; 2009.
- 대한해부학회. 알기쉬운 사람해부학. 제1판. 서울: 현문사; 2011.
- 대한해부학회. 해부학 systemic anatomy. 제2판. 서울: 고려의학; 2006.
- 정인혁 등. 사람해부학 human anatomy. 제5판. 서울: 현문사; 2011.
- 조희중, 김강련, 윤호, 차정호, 김원규, 김형태 등. Gray 새로운 해부학. 1st ed. Seoul: 엘스비어 코리아 (유); 2007.
- Berek JS, Adashi EY, Hillard PA. Novak's gynecology 15th ed. Lippincott Williams & Wilkins; 2012.
- Berek JS. Berek & Novak's gynecology. 15th ed. Philadelphia: Lippincott Williams & Wilkins, a Wolters kluwer business; 2012.
- Curtis AH. A textbook of gynecology. 4th ed. Philadelphia: WB Saunders; 1943.
- Frederic H et al. (우원홍 역). Human anatomy 인체해부학. 제6판. 서울: 도서출판 한미의학; 2010.
- Korean Society of Obstetrics and Gynecology. Gynecology. 4th ed. Seoul: Korean Medical Book Publisher; 2007.
- Lawson JO. Pelvic anatomy. II. Anal canal and associated sphincters. Ann R Coll Surg Eng 1974;54:288-300.
- Lee CL, Wu KY, Su H, Ueng SH, Yen CF. Transvaginal Natural-Orifice Transluminal Endoscopic Surgery (NOTES) in Adnexal Procedures. J Minim Invasive Gynecol 2012;19:509-13.
- Leffler KS, Thompson JR, Cundiff GW, et al. Attachment of the rectovaginal septum to the pelvic sidewall. Am J Obstet Gynecol 2001;185:41-3.
- Milley PS, Nicholas DH. The relationship between the pubourethral ligaments and the urogenital diaphragm in the human female. Anat Rec 1971;170:281.
- Moore KL, Clinically oriented anatomy. 2nd ed. Baltimore: Williams & Wilkins; 1985.
- Nichols DH, Randall CL. Clinical pelvic anatomy of the living. In: Vaginal surgery. Baltimore: Williams & Wilkins; 2001;97:873-9.
- Rock JA, Jones HW. Te Linde's operative gynecology. 9th ed. Philadelphia: Lippincott Williams & Wilkins; 2003.
- Symmonds RE. Urologic injuries: ureter. In: Schaefer G, Graber FA, eds. Complications in obstetric and gynecologic surgery. Philadelphia: Harper & Row; 1981. p.412.

제3장
태생학

박성남 | 원광의대
이기환 | 충남의대

1. 인간 발달

태생기의 인간의 형태는 임신 8주 이전에는 배아(embryo), 8주 이후에는 태아(fetus)라고 한다. 배아의 형성은 정자와 난자의 수정과정부터 시작되는데, 생식자(gamate) 상태의 난자와 정자가 만나 수정이 되어 접합자(zygote)가 만들어지면 곧바로 세포분열을 시작하게 되고 접합체는 배아가 된다. 수정 직후부터 8주까지의 배아기 동안에 태아 장기의 대부분이 형성되고 8주 이후부터 만삭까지의 태아기에는 조직의 분화와 성숙이 이루어진다.

2. 성결정(Sex Determination)

인간의 체세포에 있는 46개의 염색체는 상동염색체 23쌍으로 존재하며 이를 두배수체(diploid)라 한다. 이 중에서 22쌍은 보통염색체(autosome)이며, 1쌍은 성염색체(sex chromosome)이다. 각 쌍의 염색체 중에서 하나는 어머니에게서, 나머지 하나는 아버지에게서 온 것이다. 다시 말해서, 각각의 생식자는 홀배수체(haploid)인 23개의 염색체만 가지고 있으며 수정하여 남녀의 생식자가 합쳐지면 다시 46개의 염색체를 가지게 되는 것이다.

인간의 성결정은 궁극적으로 생식자인 난자와 정자가 수정하여 결정되는 염색체적 또는 유전자적 성으로부터 시작된다. 즉, 난자(23,X)가 Y유전자를 가진 정자(23,Y)와 수정이 되면 남성(46,XY)이 되고 X유전자를 가진 정자(23,X)와 수정이 되면 여성(46,XX)이 된다. 이렇듯 수정이 되는 순간 염색체적 성은 이미 결정 된다.

그러나 이렇게 염색체적 성이 결정된 후에도 호르몬이나 기타 여러 인자에 의하여 성분화(sexual differentiation)가 달라질 수 있기 때문에 인간의 성은 염색체적 성(chromosomal sex) 외에도 생식기적 성(gonadal sex), 형태학적 성(phenotypic gender) 등으로 구별될 수 있다. 그리고 출생 후 어떻게 키워졌는지에 따라서 또 자신의 의지에 따라서도 성은 달라질 수가 있게 된다.

배아의 핵형(karyotype) 즉 46,XY 혹은 46,XX로서의 유전적 성은 원시 생식샘(primordial gonad)이 각 각 고환이나 난소로 분화되는 것을 결정한다. 임신 4-6주경 원시종자세포(primordial germ cells)가 생식샘능선(gonadal ridge)으로 이동한 후 양잠재력 생식샘(bipotential gonad)이 형성된다. 이러한 양잠재력 생식샘은 Y염색체가 있을 경우에는 임신 6-7주경 고환으로 분화되며, Y염색체가 없을 경우에는 그보다 2주 늦게 난소로 분화된다. 이러한 성 분화는 Y염색체에 존재하는 *SRY* 유전자에 의하여 영향을 받게 되는데, Y염색체가 존재할 경우 배아에서 고환이 생성되고 고환세포는 남성 성특징(sexual characteristics)의 발달을 유도하는 호르몬인 항뮐러관호르몬(anti-Müllerian hormone, AMH), 테스토스테론 등 중요한 호르몬을 분비한다. 이러한 결정적인 고환호르몬이 없을 경우 염색체상 XY형이더라도 남성 성분화가 일어나지 않게 된다.

고환의 세르톨리(Sertoli)세포에서 분비되는 AMH는 뮐러억제물질(Müllerian inhibiting substance, MIS) 혹은 뮐러억제인자(Müllerian inhibiting factor, MIF)로도 알려져 있다. 이 호르몬은 난조세포(oogonia)의 감수분열을 억제하고 고환 내림(descent)에 관여하며, 또한 뮐러관(Müllerian duct)을 퇴화시켜 여성 내부 생식기, 즉 자궁, 난관, 질의 상부의 발달을 억제한다. 고환의 라이디히세포(Leydig sell)는 테스토스테론호르몬을 생산 분비하며, 이 호르몬은 볼프관(Wolffian duct) 계통, 즉 정관, 부고환, 정낭의 분화와 성장에 영향을 미친다. 또한 테스토스테론의 대사산물인 디히드로테스토스테론(dihydrotestosterone)은 전립선과 음경 등의 남성 외부 생식기를 형성하게 한다(그림 3-1).

XX형 개체에서는 Y염색체가 없으므로 고환이 생성되지 않고 AMH와 테스토스테론도 분비가 되지 않으므로 볼프관 계통은 퇴화하며, 뮐러관은 여성의 내부 생식기로 분화되어 성장하고 외부 생식기는 여성화된다.

그러나 Y염색체에 있는 *SRY* 유전자는 난소발달을 억제하지는 않으며, 완전한 고환의 발달을 위해서는 *SRY* 유전자 이외의 다른 유전자가 관여하고, 또한 성결정에서의 여성경로(female pathway)의 개시 과정에 특정한 유전자가 역할을 한다는 주장도 있다(Sinisi et al., 2003). 따라서 여성의 성 발달이 단지 Y염색체가 없기 때문에 여성으로 분화되는, 염색체 디폴트 과정(default process)으로만 해석하기는 어렵다. 성분화에 있어서 정상적인 Y염색체가 존재하면 X염색체의 수에 관계없이 남성으로 분화되며, 완전한 난소의 발생을 위해서는 반드시 두 개의 X염색체가 있어야 한다.

성분화의 과정에서 이상이 발생할 경우에는 유전적, 생식샘 그리고 표현형 성이 일치하지 않는 불분명한 생식기를 지닌 남녀한몸(intersex)이 발생될 수 있다. 이는 성의 발

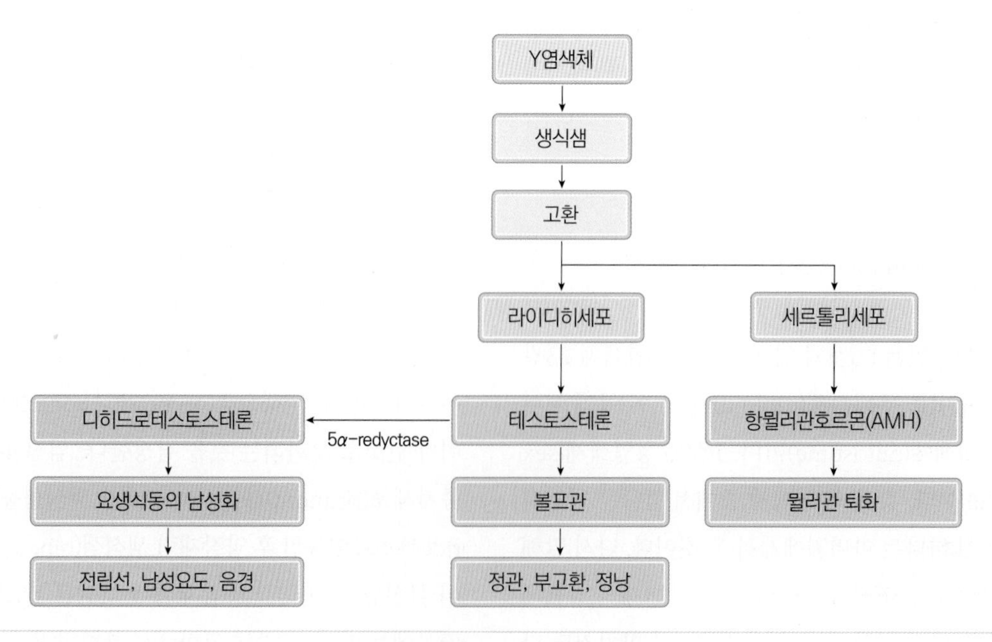

그림 3-1. **남성 생식기의 분화 과정**

육 이상(disorders of sexual development)으로 남녀 구분이 애매하여 성의 결정이 불가능하거나 모호하게 된다. 이러한 경우 성의 구분은 생식샘의 조직학적 구조에 따른다. 성염색체 이상은 X 혹은 Y염색체의 구조적 이상이나, 개수의 이상을 보이는 것으로 성염색체의 개수 이상을 비정배수체(aneuploidy)라 하며 세염색체(trisomy)나 홑염색체(monosomy)에서와 같이 성염색체 수가 추가로 더 있거나 또는 모자라는 경우를 말한다. 세염색체는 XXX, XXY, XYY 등의 조합으로 이러한 경우에는 사춘기 전까지는 잘 발견되지 않으며, 이중 성염색체 조합이 XXY인 경우를 클라인펠터증후군(Klinefelter syndrome)라 한다. 두 개의 X염색체 중 하나가 결손된 45,X의 형태를 터너증후군(Turner syndrome)이라 한다. 이러한 비정상적인 성염색체조합을 가진 경우는 정상 발달을 저해하는 유전적 불균형으로 비정상적인 내외부 생식기와 동반된 여러 선천성 기형의 특징을 보인다.

3. 생식샘의 발생

생식샘은 고환과 난소를 말하며 중배엽 상피(mesodermal epithelium)인 중피(mesothelium)와 배아성 결합 조직(embryonic connective tissue)인 중피 바로 밑의 중간엽(mesenchyme) 및 원시생식세포(primordial germ cell)로부터 기원한다. 생식샘의 초기 발달은 임신 7주에 이루어진다. 먼저 중간 콩팥(mesonephros)의 안쪽에 중피가 증식하고 그 밑의 중간엽에 생식샘능선이라는 융기 부위가 형성된다. 그 후 원시성삭(primitive sex cord)이 중간엽으로 자라 들어간다. 미분화 생식샘(indifferent gonad)은 겉질(cortex)과 속질(medulla)로 이루어져 있으며 XX성염색체를 지닌 배아에서 겉질은 난소로 분화하고 속질은 퇴화한다. XY성염색체를 지닌 배아에서는 겉질은 대부분 퇴화되고 속질은 고환으로 분화한다.

남성 표현형의 발현에 관여하는 필수적인 요소는 Y염색체의 짧은 팔에 있는 *SRY*유전자의 고환결정인자(testis-determining factor, TDF)이다. 이 고환결정인자가 미분화 생식샘의 속질에 영향을 주어 고환으로의 분화를 결정한다.

생식샘의 종류에 따라 생식관(gonaduct)과 바깥생식기관(extermal genitalia)에서 성분화의 유형이 결정된다.

1) 고환의 발생

Y염색체의 *SRY*유전자는 미분화 생식샘을 고환으로 발생시키는 일종의 스위치 역할을 한다. 고환결정인자는 원시성삭을 모아 미분화 생식샘의 속질로 확장시켜 고환그물(rete testis)을 형성한다. 성삭(정삭, spermatic cord)과 표면상피의 연결은 백색막(tunica albuginea)이라 불리는 두꺼운 섬유성 피막이 형성되면서 끊어진다. 이후 고환은 점점 커지면서 퇴화하는 중간 콩팥으로부터 분리되면서 고환 고유의 창자간막(mesenterium)인 고환간막(mesorchium)에 의해 지탱된다. 고환끈(testis cord)은 정세관(seminiferous tubule), 곧은 정세관, 고환 그물로 발달한다.

정세관은 라이디히세포를 발생시키는 중간엽에 의하여 서로 분리된다. 이 세포들은 임신 10주경에 테스토스테론과 안드로스테네디온을 분비하기 시작한다. 테스토스테론의 합성은 사람융모성생식샘자극호르몬(human chorionic gonadotropin, hCG)에 의하여 자극되며 임신 10-14주 사이에 최고치에 이른다.

고환에서 생성된 테스토스테론은 볼프관을 정관(vas deferens), 부고환(epididymis), 정낭(seminal vesicle)으로 분화시키는 역할을 한다. 그리고 디히드로테스토스테론은 비뇨생식굴(urogenital sinus)을 전립선, 음경, 요도로 분화시키는 역할을 한다(그림 3-2).

또한 고환에서 생성된 AMH는 뮐러관의 퇴화를 유도하여 남성에서는 뮐러관에서 기원하는 난관, 자궁 및 질상부 1/3이 나타나지 않는다. 이렇게 하여 임신 12주(발생 10주)가 되면 남녀의 외성기를 구별할 수 있게 된다.

정세관의 벽은 고환의 표면상피로부터 유래된 지지세르톨리세포와 원시종자세포로부터 유래된 정조세포(spermatogonia)로 이루어져 있다. 이후 발생 과정에서 고환의 표면상피는 성인 고환의 바깥표면을 덮는 중피를 이

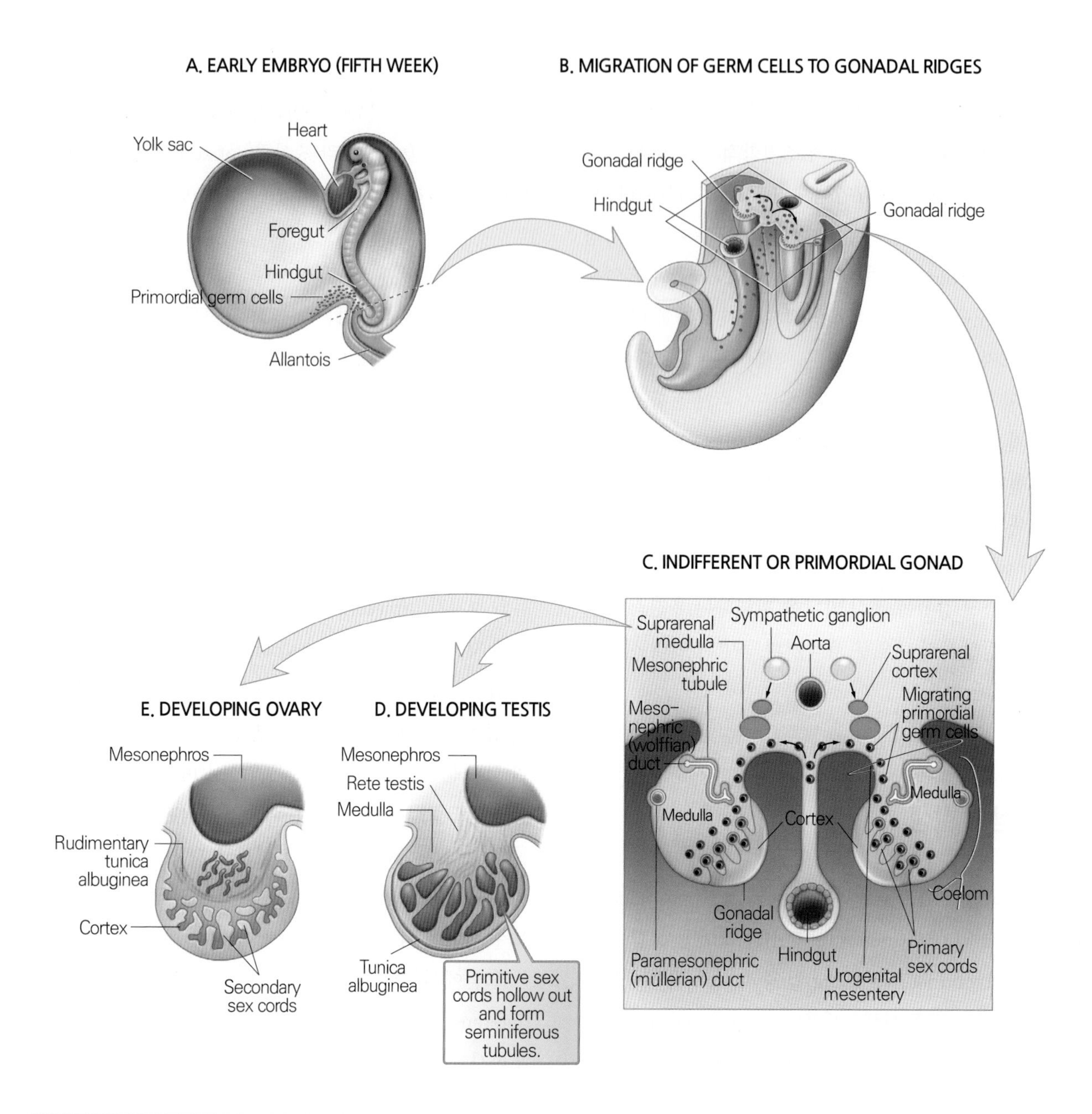

그림 3-2. **초기 생식샘의 세포이동 및 분화**

룬다. 고환그물은 15-20개의 중간콩팥세관(mesonephric tubules)과 연결되어 수출세관(efferent ductule)으로 된다. 그리고 중간콩팥관(mesonephric duct)은 부고환(epididy-inis)이 된다. 정세관은 공간이 없이 꽉 차있는 상태로 있다가 사춘기에 이르면 속공간이 생기기 시작한다. 성숙한 지지세포(supporting cell)는 안드로겐 결합 단백질(andro-gen binding protein)과 인히빈을 생성한다.

2) 난소의 발생

X염색체는 난소 발생을 위한 유전자를 지니고 있으며 여성의 성분화에서는 성염색체 말고도 보통 염색체도 중요한 역할을 한다.

여성에서 생식기가 정상으로 분화하기 위해서는 다음과 같은 두 가지 과정이 필요하다.

첫째는 테스토스테론이 존재하지 않기 때문에 볼프관이 퇴화되는 과정이며 둘째는 AMH가 존재하지 않기 때문에 뮐러관이 발달되는 과정이다.

난소는 임신 12주가 되어야 조직학적으로 식별이 가능하다. 원시성삭은 속질로 확장되어 들어가 난소그물(rete ovarii)을 이루지만 결국 원시성삭과 난소그물은 정상적으로 퇴화한다. 중피에서 유래하는 이차성삭은 태아초기에 발생 중인 난소의 표면 상피로부터 그 밑의 중간엽 속으로 확장되어 들어간다. 점차 이차성삭의 크기가 커지면서 원시종자세포가 끈(cord) 속으로 편입되어 들어간다. 임신 18주경이 되어야 끈의 형태가 끊겨 독립된 세포무리를 이루어 원시난포(primordial follicle)를 형성한다.

이 난포는 원시종자세포로부터 유래된 하나의 난조세포(oogonium)를 성삭에서 유래한 납작한 난포세포(fol-licular cell)들이 둘러싼 형태로 이루어져 있다. 종자세포는 체세포분열에 의해서 난조세포를 만든다. 난조세포는 첫 번째 감수분열에 들어갈 때 난모세포(oocyte)로 분화하고 감수분열의 전기에서 정지되어 있다. 감수분열의 진행은 임신의 남은 기간 동안에 이루어지고 출생 시에 완성된다. 난자는 난모세포가 두 번의 감수분열을 하여 이루어진다. 첫 번째 감수분열은 배란 직전에 완료되며 두 번째는 수정과정에서 정자의 침투 시에 이루어진다.

출생 후에는 더 이상 난조세포가 만들어지지 않는다. 난조세포의 개수는 태생기 16-20주경 6-7백만 개로 가장 많지만, 이후 퇴화하여 출생 직후에는 2백만 개 정도가 남으며 출생 후에 커져 일차난모세포(primary oocytes)가 된다. 난소는 퇴화하는 중간콩팥으로부터 분리되어 난소 고유의 창자간막(mesenterium)인 난소간막(mesovarium)에 의해 지탱된다.

4. 내부 생식기의 발달(그림 3-3)

유전적인 성은 수정 시 결정되지만 배아 시기의 남성과 여성 생식기는 구분할 수 없다. 이는 생식기 발달의 미분화 시기(indifferent stage)로 알려져 있다. 이 시기에는 남성과 여성 생식기 모두 두드러진 피질과 수질을 가진 생식샘을 갖고 있고, 두 개의 생식관(genital ducts)과 외관상 비슷한 외부 생식기를 갖고 있다. 임상적으로 성(gender)은 임신 12주까지는 확실하지 않으며 고환결정인자와 태아 고환에서 생성되는 AMH와 테스토스테론에 의해 좌우된다. 남성 생식기의 발달에는 테스토스테론이 필요하지만 여성 생식기의 발달에는 에스트로겐을 필요로 하는 것이 아니고 테스토스테론이 없음으로 인하여 여성이 된다는 것이다.

원시종자세포는 황(yollc sac)으로부터 후장(hind-gut)의 장간막을 통해 후방 체벽 중간엽(posterior body wall mesenchyme)으로 이동하게 되는데 이는 10번 흉추 높이 정도이며, 이후에 초기 난소가 될 위치이다. 종자세포가 여기에 도달하게 되면 중간콩팥(mesonphros)에 인접한 세포와 체강상피(coelomic epithelium)를 증식시켜 중간콩팥의 내측에 위치한 한 쌍의 생식능선(genital ridge)을 형성하게 된다. 이러한 증식이 생식샘의 발달을 절대적으로 담당하게 되는데, 이는 이 세포들이 지지세포군락인 원시성삭을 형성하고 종자세포가 되는데 이러한 과정이 없다면 생식샘이 퇴화하게 되기 때문이다. 종자세포는 난조세포(oogonium)로 분화되고 첫 번째 감수분열이 되면서 1차

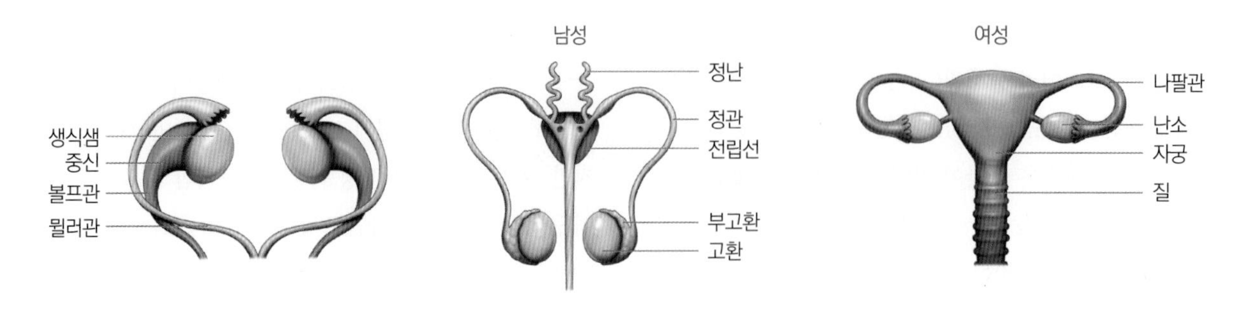

그림 3-3. **초기 배아 시기의 남성과 여성생식기의 발달**

난포세포가 된 후 사춘기까지 발달이 되지 않고 정지해 있게 된다.

1) 뮐러관(Müllerian Duct)

Caspar Wolff는 26세 때인 1759년 중간콩팥(mesonephros)에 관해 기술한 바 있고, 초기의 척추동물의 배아에서 한 쌍의 배아 구조는 볼프체(Wolffian body)라고 불리는데, 이후 19세기의 태생학자인 Rathke가 이 구조물을 Wolff가 처음 발견하고 기술했다고 생각하여 붙인 이름이다. 1830년 독일 생리학자 Johannes Müller가 생식기의 발달을 기술하였으며 중간콩팥곁관(paramesonephric duct)은 그의 이름을 따서 뮐러관이라 부른다.

신장계와 내부 생식기 간에는 긴밀한 해부학적, 발생학적인 연관관계가 있다. 신장의 발달은 앞콩팥(pronephros), 중간콩팥(mesonephros), 뒤콩팥(metanephros)의 3단계를 거친다. 신장의 발달이 후신기에 접어들 때 중간콩팥계의 쌍을 이루는 관들이 내부 생식기로 발달이 된다. 중신관(mesonehric duct)은 볼프관(Wolffan duct), 중간콩팥곁관은 뮐러관이라 부른다. 볼프관과 뮐러관은 구분이 되어 있고 발달과정 중 양성(ambisexual) 시기인 태생기 8주까지는 모든 배아에서 일시적으로 동시에 공존한다. 이후에 둘 중 하나는 정상적으로 유지되어 특이한 관(ducts)과 선(gland)을 만들어 내는 반면 다른 하나는 태아 3개월까지 기능을 하지 않는 흔적만 남기고 사라지게 된다.

내부 생식기는 근본적으로 여성화하는 성향을 가지고 있다. Y염색체가 없을 경우, 고환이 생성되지 않고 AMH가 충분하지 않음으로 인해 뮐러관 퇴화가 억제되어 나팔관, 자궁, 상부 질이 발달되게 되고 테스토스테론이 없음으로 인해 볼프관이 퇴화하게 되는 것이다. 이러한 발달과정에서 테스토스테론의 존재 유무가 중요한 역할을 한다는 것은 의심할 여지가 없지만 에스트로겐도 이러한 과정에서 중요한 역할을 할 수 있을 것이다. 에스트로겐 α 수용체가 없는 knockout 쥐의 경우에 볼프관을 가지고 있는 것으로 보아 에스트로겐이 정상적으로 작용하지 못할 경우 볼프관 시스템의 퇴화에 장애를 보인다는 것을 의미하며, 따라서 에스트로겐이 볼프관의 퇴화에 어떤 역할을 하는 것으로 생각된다(Rosenfeld et al., 2000).

영장류의 성분화(sex differentiation)에 대한 호르몬적 조절은 Alfred Jost의 고전적인 실험을 통해 확립되었는데 남성을 결정하는 인자에 의해서 성분화가 결정된다고 정의하였다. 이러한 원칙은 내부 생식기뿐만 아니라 생식샘, 외부 생식기, 심지어 뇌에도 적용된다. 어떤 관(duct)이 유지되고 사라지는가를 결정하는 결정적인 인자는 고환으로부터 분비되는 물질 즉 테스토스테론과 AMH이다.

AMH는 남성 배아에서의 뮐러관의 퇴화를 유발하고 라이디히 세포 분화의 신호가 되는 것으로 보이며, 유전자는 19번 염색체의 단완에 위치한다(19p13, 3). AMH는 두 개의 수용체를 통해 작용하는데 먼저 염색체 12q13에 위치하는 유전자에 의해 발현되는 AMH Ⅱ형 수용체에 결합한 다음, 신호 전달자(signal transducer)인 AMH Ⅰ형 수

그림 3-4. 자궁 내 태아에서 AMH와 테스토스테론의 최대 작용 시기

용체를 유도한다. 이러한 신호체계는 bone morphogenic protein (BMP)과 결합하여 SMAD 단백질을 활성화한다(di Clemente et al., 2003). AMH는 고환의 분화 직후에 세르톨리세포에 의해 합성되고 같은 쪽의 뮐러관을 퇴화시키는 역할을 한다. 이 역할은 테스토스테론이 나타나서 볼프관을 자극하기 전인 임신 10주 이내에 끝난다(Taguchi et al., 1984). 남성의 혈청에 사춘기까지 AMH가 존재함에도 불구하고 자궁이나 난관의 퇴화가 불완전하다면 이는 AMH 유전자의 변이가 있다는 뜻이다. AMH와 테스토스테론 최대 작용 시기는 그림 3-4와 같다.

이러한 발달은 이전에 중간콩팥의 발현이 전제조건이 되며 이러한 이유로 콩팥계의 이상은 자궁, 난관, 상부 질 발달의 이상과 관련되어 있는 것이다. 콩팥과 생식기조직이 해부학적으로 이어진 관들에 의해 발생하기에 콩팥 기형은 뮐러관 기형과 흔히 연관되어 있다. 몇몇 뮐러관 기형은 뮐러조직의 일부만이 없기에 자궁 무형성, 단각자궁 등과 같은 결손형 기형이 발생한다. 콩팥 기형들은 이러한 결손형 뮐러관 기형과 연관되어 더 자주 일어난다. 뮐러관 결손을 가진 여성의 50% 이상에서 콩팥 기형이 보고된다. 몇몇 가계도에서 뮐러관 및 신장 기형들은 보통 염색체 우성의 형식으로 유전된다. 난소는 난관, 자궁과 밀접히 연관되어 있으나 그 기원이 다르므로 뮐러관 기형은 난소기형을 거의 동반하지 않는다.

AMH는 또 다른 기능을 갖고 있는데 난자의 감수분열에 대한 억제작용을 하고, 고환이 하강하는 것을 돕고, 폐의 표면활성제(surfactant) 축적을 막는다(Lee et al., 1993). 고환은 여러 단계를 거쳐서 하강하는데, 고환이 후복강을 지나는 운동은 고환 길잡이(testis gubernaculum)의 빠른 성장의 결과이며, 이는 AMH의 조절을 받는다. 이후에 샅굴(inguinal canal)을 통과하는 운동은 안드로겐의 조절을 받는다. 여성에서는 태어나기 전 AMH가 발현되지 않음으로써 정상 여성으로 분화하고 사춘기가 지나면 AMH는 성장하는 작은 난포들에 의해 생산이 된다. 그리고 주변분비(paracrine) 억제 인자로 작용하여 원시난포(primordial follicle)의 과도한 동원(recruitment)을 억제함으로써 하나의 우성 난포만을 출현하게 한다(Durlinger et al., 2002).

세르톨리세포에서 분비되는 AMH는 유아, 어린이, 청소년, 성인 남자의 혈청에서 검출되며 사춘기 이후 약간 감소한다. 남성에서 AMH가 부족하면 뮐러관유존증후군(persistent Müllerian duct syndrome, PMDS)이 발생되어 자궁의 흔적이 나타날 수 있고 고환이 내려오지 않는다(Matusz- czak El, 2013).

여성에서는 과립층세포(granulosa cell)에서 AMH가 분비되며, 사춘기가 되기 전까지는 검출되지 않는다(Lee et al., 1996). 이러한 차이를 이용하여 AMH를 성분화 이상 환자에서 고환조직의 유무에 대한 민감한 표지자로 이용할 수 있다(Misra et al., 2003). 남성은 사춘기가 지나면 테스토스테론이 감수분열하는 생식세포의 도움을 받아 AMH 분비를 억제한다. 그러므로 안드로겐 불감증(androgen insensitivity syndrome) 환자는 사춘기 이후 높은 AMH 농도를 보인다(Rey et al., 1994). 태아기와 영아기에 테스토스테론이 AMH를 억제하지 못하는 이유는 세르톨리세포에 안드로겐 수용체가 없기 때문이다.

라이디히세포는 테스토스테론을 생성하고 전환 효소 5α-reductase를 이용하여 디히드로테스토스테론을 생성한다. 테스토스테론은 중간콩팥으로부터 정관, 부고환, 사정관, 정낭 등으로 발달하게 하는 역할을 하고 사춘기가 되면 정자생성과 1차 및 2차 성장을 나타나게 하는 역할도 한다. 디히드로테스토스테론은 남성 외부생식기와 전립선, 망울요도샘(bulbourethral gland)으로 분화하게 하는 역할을 한다.

테스토스테론은 라이디히세포가 형성되는 임신 10주경부터 태아의 고환에서 분비되고 임신 10-14주경에 최고에 도달한다. 남성 태아에서의 테스토스테론 농도는 라이디히세포의 발달, 전체적인 고환의 크기, 3β-hydroxysteroid dehydrogenase의 활성도, 사람융모성생식샘자극호르몬의 농도와 직접적인 연관이 있다. 사람융모성생식샘자극호르몬이 감소함에 따라 거의 임신 20주까지 태아 뇌하수체에서 분비되는 황체형성호르몬(luteinizing hormone)이 라이디히세포의 테스토스테론 분비를 조절한다. 따라서 무뇌증 또는 다른 형태의 선천성 뇌하수체 기능저하증인 경우 내부 및 외부생식기에 대한 안드로겐의 영향이 감소한다.

볼프관은 인접한 라이디히세포로부터 테스토스테론의 신호를 받는다. 이러한 국소적인 효과는 같은 쪽 부고환, 정관, 정낭으로의 분화에 필수적이다. 결국 분화는 인접 생식샘의 성상에 따라 진행된다고 할 수 있다. 볼프관은 디히드로테스토스테론을 만들지 않기 때문에 높은 농도의 테스토스테론이 정상적인 발달에 결정적인 역할을 한다. 이러한 국소적인 작용 때문에 부신이나 외인성 안드로겐에 노출된 여성에서도 남성으로의 발달은 일어나지 않는 것이다.

혈중 테스토스테론은 외부 생식기를 남성화하는 반면에 고환 근처에서의 국소적인 테스토스테론은 볼프관의 발달을 유도한다. 고환 근처의 국소적인 테스토스테론의

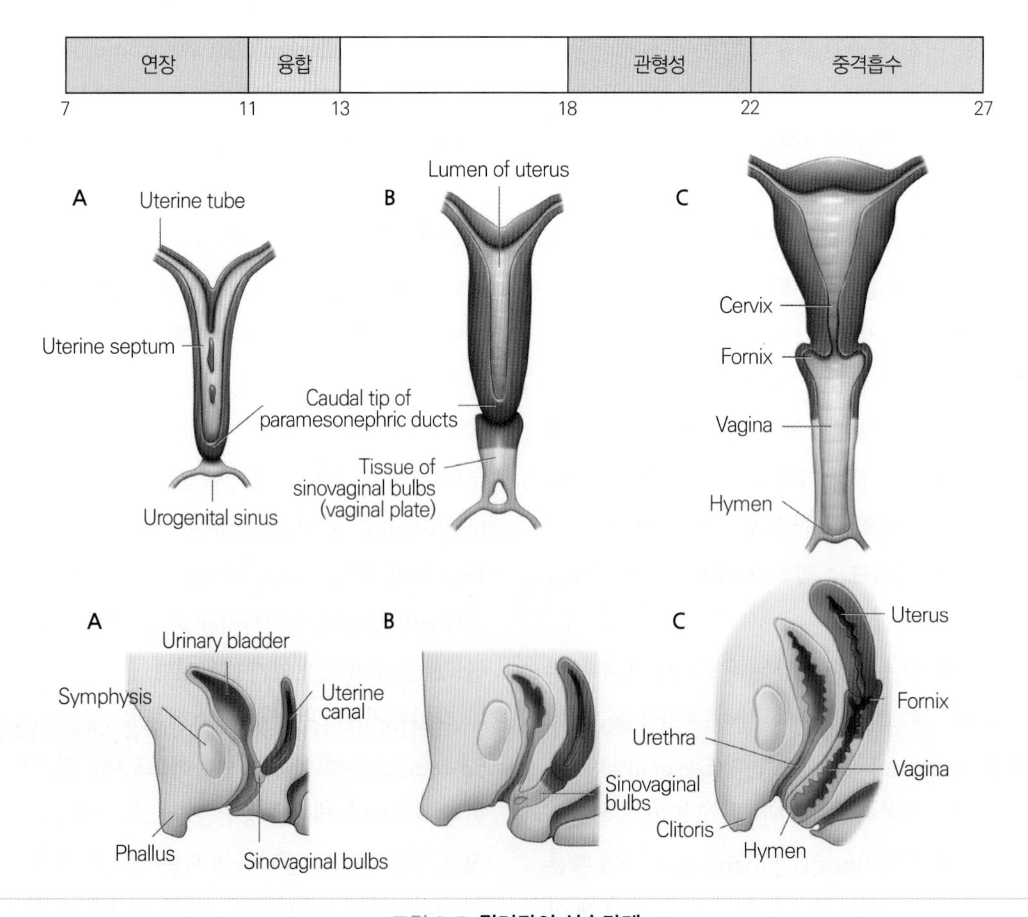

그림 3-5. **뮐러관의 성숙단계**

농도가 순환계에서 나타나는 테스토스테론의 농도보다 높은 것으로 추정된다. 선천성부신과다형성과 같이 남성화된 외성기를 가진 여성이라도 내성기의 남성화는 나타나지 않는다. 난소와 고환의 조직을 모두 가진 진성 남녀한몸증(true hermaphroditism)은 중신관 구조가 단측성으로 고환 쪽으로 발달한다. 중신관 구조는 5α-reductase가 없고 테스토스테론이 디히드로테스토스테론으로 변할 수가 없기에 정관과 정낭의 발달을 자극하는 것은 테스토스테론이다.

만약 AMH가 없다면 중신관은 퇴화하게 되지만 적어도 4분의 1 이상의 여성에서 잔유물이 발견된다. 이러한 잔유물은 난소간막(mesovarium)에 부난소(epoophoron), 난소방체(paroophoron)가 되거나 자궁이나 질의 바깥쪽 벽을 따라서 가트너관 낭종(Gartner duct cyst)이 된다.

한 쌍의 뮐러관은 중심선에서 근접하고 융합하여 Y 모양을 이룬다(Acien, 1992). 뮐러관은 4개의 기본적인 성숙한 단계가 있다. 즉, 연장, 융합, 관형성, 그리고 중격흡수이다(그림 3-5).

정상적으로 나란히 놓여 있는 두 개의 뮐러관은 중격이 흡수되어 하나의 자궁과 질강이 형성된다. 융합은 꼬리 쪽에서 머리 쪽으로 진행된다. 따라서 질과 자궁의 발달에서 융합의 결손이 생기면 뮐러관은 발생 부분부터 머리 부분 쪽으로 남아 있게 된다.

뮐러관은 아래쪽으로 자라서 중앙선상에서 융합하여 후방 요도에 위치한 비뇨생식굴(urogenital sinus)과 접하게 되는데 약간 두터워진 부위를 굴결절(sinus tubercle)이라고 한다. 이후 성분화는 고환결정인자의 유무에 의해 결정된다. 뮐러관이 아래쪽으로 융합된 부분이 자궁질관(uterovaginal canal)이 된다. 이는 이후에 자궁과 상부 질의 상피와 선이 된다. 자궁 내막기질과 자궁근층은 주위의 중간엽으로부터 분화된다. 위쪽의 융합되지 않는 부분은 체강(coelomic cavity)과 난관이 된다. 체강은 나중에 복막이 된다.

뮐러관의 융합은 복막의 두 주름이 되며 이후 광인대(broad ligament)를 형성한다. 이 광인대가 복강을 뒤쪽의 직장자궁오목(rectouterine pouch)와 앞쪽의 방광자궁오목(vesiouterine pouch), 즉, cul-de-sac으로 분리한다. 광인대의 두 가지 사이에서 중배엽이 증식하고 분화하여 이 완성의 윤문상 결체 조직(areolar connective tissue)과 평활근(smooth muscle)이 된다.

2) 질(Vagina)

질은 임신 3개월째에 형성된다. 자궁질관이 형성되는 동안 굴결절의 내배엽 조직이 증식하기 시작하여 한 쌍의 굴질망울(sinovaginal bulbs)을 형성하게 되는데 이는 이후에 하부 20%의 질이 된다. 자궁질관의 가장 아래쪽은 딱딱한 질판(vaginal plate)에 의해 차단되는데 이것의 기원은 확실하지 않다. 이 조직은 이후 2달 동안 연장되어 표피탈락(desquamation)의 과정을 통해 관을 형성하게 되고 말초세포들은 질의 상피가 된다. 질의 섬유근육층(fibromuscular layer)은 자궁질관의 중배엽으로부터 기원한다.

질의 발달에 대하여는 몇몇 가설이 있다. 전통적인 가설로는 원위 1/3은 비뇨생식굴에서 발달하고 근위 2/3은 뮐러관에서 발달된다고 되어있다. 다른 이론으로는 뮐러관이 질 입구까지 연장되고 이후 비뇨생식굴 편평상피세포가 뮐러관 잔유물이 있는 자궁경부까지 이동한다는 것이다. 질 전체가 뮐러 조직에서부터 발달했다는 다른 주장은 질의 무발생이 전형적으로 자궁과 자궁경부의 무발생을 동반한다는 사실에서 기인한다. 그러나 자궁경부나 자궁무발생 때에도 약간의 질(1-4 cm)이 가끔씩 형성된다는 사실은 비뇨생식굴이 질의 발달에 기여한다는 것을 나타낸다.

3) 부속 생식샘(Accessory Genital Glands)

여성 부속 생식샘은 요도와 비뇨생식굴의 과성장에 의해 발달한다. 요도로부터 요도곁샘(paraurethral gland), 즉 Skene샘이 생기며 비뇨생식굴로부터 대정전선(greater vestibular gland), 즉 바르톨린샘(Bartholin gland)이 생긴다. 처음에는 난소가 흉곽 근처에서 발달하지만 결국 복잡한 하강의 과정을 거쳐 골반 내에 도달하게 된다.

분화성 성장에 의한 이러한 하강은 난소 길잡이(gubernaculum ovarii)라고 불리는 인대성삭(ligamentous cord)에 의한다. 이것은 위쪽으로는 난소에 접하고 아래쪽으로는 이후에 대음순이 될 부분의 근막에 접한다. 난소 길잡이는 위쪽 융합 부위에서 부중신관에 접하게 되어 두 가지 구조로 나뉘게 된다. 난소와 난소의 장간막, 즉 난소간막(mesovarium)이 광인대의 위쪽에 위치하게 되면서 난소 길잡이의 근위부는 난소인대가 되고 원위부는 광인대가 된다.

5. 외부 생식기의 분화(Differentiation of the External Genitalia)

외부 생식기의 발달은 임신 9주까지 남녀에서 비슷하다. 임신 11주에는 성을 구별할 수 있는 특징이 나타나기 시작하며 임신 14주가 되면 외부 생식기는 완전히 분화한다.

1) 미분화 시기

외부 생식기는 임신 9주까지는 성적으로 분화되어 있지 않

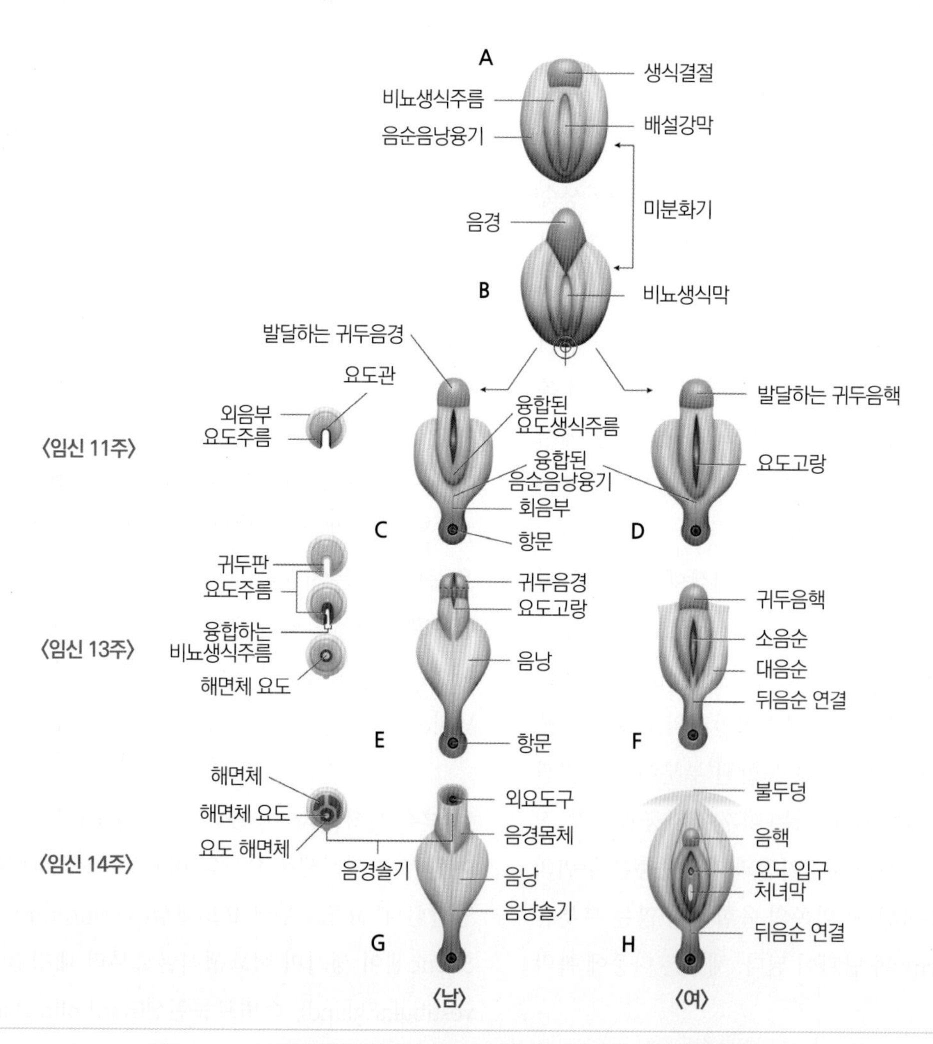

그림 3-6. A, B: 미분화시기(임신 6-9주)동안의 외부 생식기의 발생을 보여주는 그림
C, E, G: 각각 임신 11, 13, 14주의 남성 외부 생식기의 발생단계. 왼쪽은 발생 중인 음경의 가로 절단면의 표준그림
D, F, H: 각각 임신 11, 13, 14주의 여성 외부 생식기의 발생 단계

다. 임신 7주 초에는 증식중인 중간엽(mesenchyme)이 남녀에서 배설강막(cloacal membrane)의 머리쪽 끝에 생식기결절(genital tubercle)을 형성한다. 곧이어 배설강막 양쪽에 음순음낭팽창(labioscrotal swelling)와 비뇨생식주름(urogenital fold)이 발생한다. 생식결절은 곧 길어져 음경을 형성하며 비뇨생식굴은 요도구(urethral groove)를 따라 개구되어 음경에 이르게 된다. 임신 8주 말에는 비뇨직장중격(urorectal septum)이 배설강막과 합쳐져 등쪽 항문막(anal membrane)과 배쪽 비뇨생식막(urogenital membrane)으로 나뉜다(그림 3-6A,B).

2) 남성 외부 생식기의 분화

미분화된 생식기관의 남성화는 태아의 고환에서 생성된 남성호르몬에 반응하여 분화가 시작된다. 음경이 길어지고 비뇨생식주름은 음경의 배쪽 면을 따라서로 융합하여 요도해면체(spongy urethra)를 형성한다. 음순음낭융기는 융합되어 음낭을 형성한다(그림 3-6C, E, G).

3) 여성 외부 생식기의 분화

남성호르몬의 영향이 없으면 미분화 외부 생식기의 여성화가 일어나게 된다. 음경의 성장은 억제되어 음핵(clitoris)을 형성하며, 주름띠(frenulum)를 형성하는 배쪽면을 제외한 비뇨생식주름의 융합되지 않는 부분은 소음순을 형성한다. 음순음낭융기도 대부분 융합되지 않는 채로 대음순을 형성한다. 대음순은 두개의 대칭적인 피부주름으로 음낭과 상동기관이다. Skene샘과 바르토린샘 및 요도는 모두 비뇨생식굴에서 유래하며 질전정(vestibulum vaginae)에 개구한다(그림 3-6D, F, H).

참고문헌

- Acien P. Embryological observations on the female genital tract. Hum Reprod 1992;7:437-45.
- di Clemente N, Josso N, Gouedard L, Belville C. Components of the anti-Mullerian hormone signaling pathway in gonads. Mol Cell Endocrinol 2003;211:9-14.
- Durlinger AL, Visser JA, Themmen AP. Regulation of ovarian function: the role of anti-Mullerian hormone. Reproduction 2002;124:601-9.
- Lee MM, Donahoe PK, Hasegawa T, Silverman B, Crist GB, Best S, Hasegawa Y, Noto RA, Schoenfeld D, MacLaughlin DT. Mullerian inhibiting subtance in humans: normal levels from infancy to adulthood. J Clin Endocrinol Metab 1996;81:571-6.
- Lee MM, Donahoe PK. Mullerian inhibiting subtance: a gonadal hormone with multiple functions. Endocr Rev 1993;14:152-64.
- Matuszczak E1, Hermanowicz A, Komarowska M, Debek W. Serum AMH in Physiology and Pathology of Male Gonads. Int J Endocrinol. 2013;2013:128907. Epub 2013 Oct 24.
- Misra M, MacLaughlin DT, Donahone PK, Lee MM. The role of Mullerian inhibiting subtance in the evaluation of phenotypic female patients with mild degrees of virilization. J Clin Endocrinol Metab 2003;88:787-92.
- Rey R, Mebarki F, Forest MG, Mowszowicz I, Cate RL, Morel Y, Chaussain JL, Josso N. Anti-mullerian hormone in children with androgen insensitivity. J Clin Endocrinol Metab 1994;79:960-4.
- Rosenfeld CS, Cooke PS, Welsh TH Jr, Simmer G, Hufford MG, Gustafsson JA, Hess RA, Lubahn DB. The differential fate of mesonephric tubular-derived efferent ductules in estrogen receptor-alpha knockout versus wild-type female mice. Endocrinology 2000;141:3792-8.
- Sinisi AA, Pasquali D, Notaro A, Bellastella A. Sexual differentiation. J Endocrinol Invest 2003;26(Suppl 3):23-8.
- Taguchi O, Cunha GR, Lawrence WD, Robboy SJ. Timing and irreversibility of Mullerian duct inhibition in the embryonic reproductive tract of the human male. Dev Biol 1984;106:394-8.

제4장
생식생리

황정혜 | 한양의대
윤상호 | 동국의대
장은미 | 차의과학대

1. 신경내분비학(Neuroendocrinology)

신경세포가 호르몬을 분비한다는 것은 1920년대에 Scharrer가 어류와 곤충에서 처음 확인하였다. 1940년대에 Geoffery Harris는 시상하부와 뇌하수체를 연결하는 문맥순환을 처음 보고하였으며 이 혈관의 의미는 시상하부가 특수한 물질을 생산한 후 문맥혈관으로 분비하여 뇌하수체가 내분비 기능을 하도록 하는 것이라고 추측하였고, 그의 가설은 Roger Guillemin과 Andrew Schally가 시상하부에서 TRH (1969년)와 GnRH (1971년)가 분비된다는 것을 입증하면서 사실로 확인되었다(Schally et al., 1971).

본 장에서는 신경세포가 분비하는 신경호르몬(neurohormone)과 뇌하수체에서 분비되는 호르몬의 구조, 합성, 분비, 작용기전 및 임상적 응용에 대하여 기술한다. 여성의 생식기능은 시상하부(hypothalamus), 뇌하수체(pituitary gland)를 포함한 중추신경계-난소-자궁 등의 말초기관 사이에 신경전달물질과 호르몬을 통한 상호 작용의 결과로써 이루어진다. 이 축의 시발점인 시상하부는 신경호르몬을 혈류로 분비하고 그에 따라 뇌하수체가 반응하는 것이 기본 체계이다. 그리고 송과선(pineal gland)과 생식 작용의 관계에 대해서도 부분적으로 다루기로 한다.

1) 시상하부

(1) 시상하부-뇌하수체의 해부학

시상하부는 시각교차(optic chiasma)와 정중융기(median eminence) 사이에 있는 제3뇌실의 아래에 위치하며 뇌하수체줄기(stalk)를 통해 뇌하수체 후엽과 유두체(mamillary body) 쪽으로 연결된다. 시상하부는 크게 뇌실곁핵 구역(paraventricular area)과 세포핵이 풍부한 안쪽(medial) 구역, 그리고 신경섬유가 풍부한 바깥쪽(lateral) 구역의 세 부분으로 나눌 수 있으며, 기본적으로 신경세포가 밀집되어 있는 여러 개의 핵으로 구성되어 있다. 생식기능에 중요한 핵으로는 궁상핵(arcuate nucleus), 시삭상핵(supraoptic nucleus, SON), 뇌실곁핵(paraventricular nucleus, PVN), 시각교차앞구역(preoptic area), 시상하부안바닥핵(medial basal hypothalamus, MBH), 시각교차위핵(suprachiasmatic nucleus) 등이 있다. 시상하부와 뇌하수체 전엽 사이에는 직접적인 신경연결은 존재하지 않으나 시상하부-뇌하수체 문맥순환계(hypothalamohypophyseal portal system)로써 기능적 연계가 가능한데, 시상하부에서 생산되는 물질들은 일단 정중융기까지 뻗어 있는 축삭(axon) 말단에서 시상하부-뇌하수체 문맥순환계로 분비되어 뇌하수체 전엽까지 혈액을 통해 이동함으로써 뇌하수체호르몬의 분비를 조절하게 된다. 즉 이동하는 거리가 매우 짧다. 뇌하수체 후엽은 뇌하수체 동맥에서 직접 혈액공급을 받지만 뇌하수체 전엽은 이와 달리 80-90%를 긴 문맥혈관에서, 나머지 10-20%는 짧은 문맥혈관에서 공급받고 있다. 또한 정맥혈은 곧바로 해면정맥굴(cavernous sinus)로 들어가지 않고 짧은 문맥정맥을 통하여 뇌하수체 후엽 쪽의 모세관얼기(capillary plexus)로 들어간다. 이때 짧은 문맥정맥을 통하여 뇌하수체에서 정중융기 또는 안쪽 시상하부로의 역류가 발생하여 짧은 고리(short-loop) 되먹임이 가능해진다. 즉 뇌하수체에서 분비되는 호르몬은 시상하부에 직접적으로 되먹임을 줄 수 있다(Bergland와 Page, 1978; Silverman et al., 1987)(그림 4-1).

(2) 시상하부에서 분비되는 호르몬

시상하부가 분비하는 신경전달물질은 주로 뇌하수체 전엽 호르몬들의 분비호르몬들(pituitary releasing factors)로서 여기에는 난포자극호르몬(follicle- stimulating hormone, FSH) 및 황체형성호르몬(luteinizing hormone, LH)의 분비를 조절하는 생식샘자극호르몬분비호르몬(gonadotropin releasing hormone, GnRH), 부신겉질자극호르몬(adrenocorticotropic hormone, ACTH)의 분비를 조절하는 부신겉질자극호르몬분비호르몬(corticotropin-releasing hormone, CRH), 성장호르몬(growth hormone, GH)의 분비를 자극하는 성장호르몬분비호르몬(GH- releasing hormone, GHRH), 성장호르몬 분비를 억제하는 성장억제

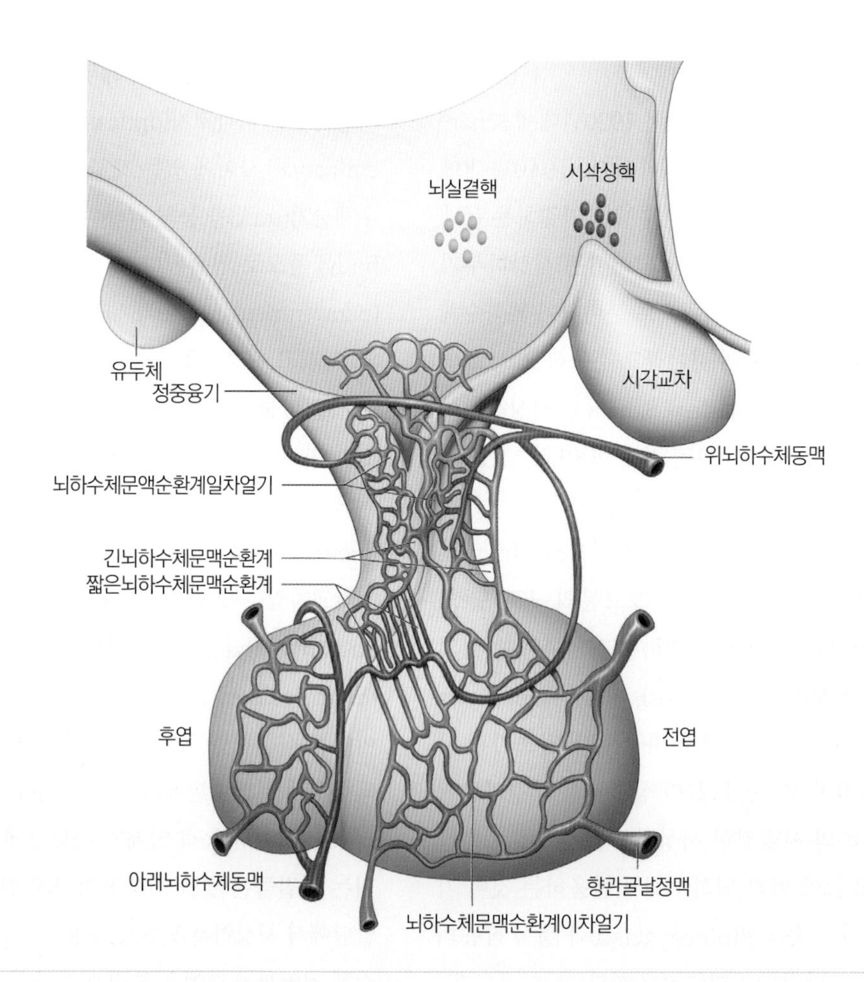

그림 4-1. **시상하부-뇌하수체 문맥순환계(hypothalamohypophyseal portal system)**

호르몬(somatostatin, SS), 그리고 유즙분비호르몬 분비를 억제하는 인자(prolactin inhibiting factor, PIF)인 도파민(dopamine)이 있다.

시상하부는 또한 뇌하수체 후엽호르몬(neurohypophyseal hormone)의 생성장소인데 뇌하수체 후엽은 뇌하수체줄기에 의하여 시상하부와 직접 연결되어 있다. 시삭상핵(supraoptic nucleus)에서 생성되는 바소프레신과 뇌실곁핵(paraventricular nucleus)에서 생성되는 옥시토신은 뇌하수체 후엽으로 이동한 후 그 곳에서 저장되며 뇌하수체 문맥계로 들어가지 않고 일반 체순환계로 직접 분비된다(Knobil, 1980).

① 생식샘자극호르몬분비호르몬(GnRH)

가. GnRH의 분비

GnRH는 10개의 아미노산(amino acid)로 이루어진 작은 peptide로 다양한 포유류 사이에 아미노산 배열 순서는 다양할 수 있다. GnRH를 분비하는 신경세포는 태생 2-3개월경에 발달하여 후각구역(olfactory area)에서 시상하부 안바닥핵, 궁상핵 쪽으로 이동한다. 현재까지의 증거에 의하면 시상하부의 시신경 앞에 위치한 여러 핵들 가운데 생식샘자극호르몬분비호르몬이 합성, 분비 되는 데 있어 가장 중요한 핵은 궁상핵이라고 생각된다(Knobil, 1990).

GnRH를 합성, 분비하는 신경세포의 수는 약 1,500개 정도이다(Wray, 2001).

사춘기 이전의 GnRH 분비는 매우 억제되어 있는데 이는 비록 성호르몬 분비가 적더라도 중추신경계에 대한 음성 되먹임 기전이 고도로 발달해 있어 되먹임에 대한 역치가 낮기 때문으로 생각된다. 사춘기 직전에 이러한 억제 작용이 서서히 풀리면서 LH 분비가 밤에 증가하는 양상이 나타난다. 사춘기 이후에는 억제 작용이 더욱 풀리면서 성인과 같은 박동성 분비가 확립된다(Dunkel et al., 1992).

FSH와 LH가 박동성으로 분비된다는 것은 1970년 Dierschke 등의 연구에 의해 알려졌고 시상하부가 망가진 원숭이에게 GnRH를 박동성으로 투여하면 월경주기가 회복된다는 사실도 입증되었다(Dierschke et al., 1970). 그러나 GnRH는 반감기가 2-4분으로 매우 짧은 호르몬이어서 문맥혈관 내의 GnRH 농도를 측정하는 것은 어려웠다. 1990년대에 들어 양의 문맥혈관 내 GnRH 농도를 30초 간격으로 측정한 실험을 통해 GnRH의 박동성 분비가 증명되었다(Clarke and Cummins, 1982).

GnRH를 분비하는 세포를 단독으로 체외에서 배양할 때도 분비는 박동성으로 나타난다(Krsmanovic et al., 1999). GnRH의 박동을 조절하는 기전에 대해서는 아직 알려진 바가 별로 없다. 전술한 것처럼 GnRH를 분비하는 세포가 직접 박동을 조절한다는 가설, 시상하부 안바닥핵(mediobasal hypothalamus)에 박동 유발을 하는 부분(pulse generator)이 있다는 가설, 키스펩틴이 박동을 조절한다는 가설 등이 있으나 확실한 증거는 없다. 정상적인 월경주기를 유지하기 위해서는 이러한 파동성 분비가 필수적이다. 정상적인 gonadotropin 분비는 critical range 범위안의 주기와 진폭이 있는 GnRH의 박동성 분비에 의해 가능하다는 것을 보여주었다. 사춘기에 arcuate activity는 낮은 빈도의 GnRH 분비와 함께 시작되고, 빈도가 증가하며 상대적 비활성화 이후에 야간의 활성화 패턴을 거쳐서 성인패턴으로 변화한다. 성인 여성에서 GnRH의 분비 횟수는 60-100분당 1회인데 파동성 분비의 횟수나 강도는 월경주기에 따라 변화한다. 난포기에는 황체기에 비해 GnRH 파동의 횟수는 많으나 강도는 작으며 황체기에는 횟수가 점점 감소하나 강도는 커진다. 그러나 강도의 변화는 그리 크지 않아서 순환되는 성호르몬의 증감은 주로 파동 횟수의 변화에 영향을 받는데, 에스트로겐과 프로게스테론 분비가 급격히 떨어지는 황체기 말기에는 파동 횟수가 다시 증가한다. 그리고 GnRH 파동 횟수의 변화는 FSH와 LH 각각의 생산에 영향을 줄 수 있는데 GnRH의 파동 횟수가 적으면 FSH의 분비를, 많으면 LH의 분비를 더욱 촉진한다고 알려져 있다(Reame et al., 1984).

설치류를 대상으로 한 실험에서, GnRH 파동의 빈도

가 FSH, LH 중 어느 생식샘자극호르몬의 subunit 관련 유전자가 우선적으로 발현될 것인지를 결정하게 된다는 것을 보여주었다(Ferris HA et al., 2006).

나. GnRH 분비의 조절

긴 고리 되먹임은 성호르몬에 의해 시상하부-뇌하수체가 영향을 받는 것을 말하며 짧은 고리 되먹임은 뇌하수체호르몬이 시상하부에 음성 되먹임으로 작용하는 것을, 그리고 초단 고리(ultrashort-loop) 되먹임은 분비된 호르몬이 자신의 합성을 억제하는 것을 말한다.

GnRH를 분비하는 신경세포에는 GnRH 수용체가 있어 이런 초단고리 되먹임에 의한 자가분비(autocrine) 조절이 가능하다(Romanelli et al., 2004).

짧은 고리 되먹임이 일어나는 이유는 해부학에서 이미 설명했다. 이 역시 GnRH를 분비하는 신경세포에 FSH/LH 수용체가 있기에 가능하다. 긴 고리 되먹임은 성호르몬이 시상하부의 다른 세포에 작용한 후 그 세포가 다시 생식샘자극호르몬분비호르몬을 분비하는 신경세포에 영향을 미치는 간접적 조절 시스템이다. GnRH는 이런 되먹임 이외에도 여러 경로에 의해 합성과 분비가 조절된다(Loucks et al., 1989).

가) 키스펩틴(kisspeptin)

2003년에 키스펩틴 수용체의 돌연변이에 의해 키스펩틴이 작용하지 못하는 남성은 사춘기 발달이 없거나 지연된다는 것이 알려지면서 생식호르몬의 분비에 키스펩틴이 결정적인 역할을 한다는 사실이 알려졌다(de Roux et al., 2003).

GnRH를 분비하는 신경세포에는 성호르몬의 수용체가 없다고 알려져 있다. 최근에는 에스트로겐 수용체의 존재가 쥐의 시상하부에서 단백질 수준에서 입증되었다는 보고가 있으나 아직 논란이 있는 상황이다(Herbison et al., 2001). 긴 고리 되먹임의 과정은 최근까지도 전혀 입증되지 못했으나 지난 10여 년간 키스펩틴에 대한 연구 결과가 축적되어 많은 부분이 설명되고 있다(Clarke, 2011).

키스펩틴은 10개의 아미노산으로 구성되며 그 수용체는 GPR54 (G protein receptor 54)이다. 포유류에서 키스펩틴이 존재하는 곳은 궁상핵과 시각교차 앞구역이다. 또 GnRH를 분비하는 신경세포에는 GPR54가 존재한다. 면역학적 검사 결과 키스펩틴은 디노르핀(dynorphin, DYN), 뉴로키닌B (neurokinin B)와 같은 위치에 존재하므로 이 세포들을 KNDy 세포라고 부른다(Cheng et al., 2010).

이들 세포에는 에스트로겐과 프로게스테론 수용체가 존재하고 여러 종류의 포유류에서 에스트로겐과 프로게스테론을 장기적으로 투여할 경우에 KNDy 세포가 감소하고 키스펩틴의 분비가 감소하는 것이 증명되었다(Foradori et al., 2005; Smith et al., 2009). 또 KNDy 세포와 GnRH를 분비하는 신경세포와의 직접적인 연결도 증명되었다(Backholer et al., 2010). 다시 말해 성호르몬은 KNDy 세포에 작용해 키스펩틴을 억제하고 GnRH를 분비하는 신경세포는 키스펩틴 감소의 영향으로 GnRH 분비가 감소되는 간접적 음성 되먹임이 가능하다. 또한 에스트로겐의 농도가 높게 유지될 때 GnRH/LH의 폭발을 유발하는 양성 되먹임에도 키스펩틴이 중요한 역할을 한다. 설치류, 조류는 물론이고 양과 영장류 원숭이에서도 에스트로겐이 충분한 농도가 되면 키스펩틴이 증가하고 이에 따라 GnRH/LH의 폭발이 유발된다는 사실이 증명되었다(Smith et al., 2010).

나) 도파민

도파민을 생산하는 신경세포핵은 궁상핵, 뇌실곁핵에서 발견되며 몇 개의 도파민 경로가 존재하는데 그 중 시상하부의 결절깔때기길(Tuberoinfundibular tract)이 유즙분비호르몬 분비를 조절하는 주 경로이다. 도파민은 궁상핵에서는 직접적으로 GnRH 분비를 억제한다.

유즙분비호르몬은 문맥순환계로 분비되는 시상하부 도파민의 억제작용에 영향받는다. 도파민이 뇌하수체 전엽의 유즙분비호르몬분비세포(lactotrope)에 직접 작용하여 유즙분비호르몬 분비를 억제하는 생리적 억제 인자로 작용한다. 또한 유즙분비호르몬 유전자 발현의 직접적인 억제뿐 아니라 분비세포의 발달과 성장도 억제한다. 이러한 도파민의 여러 가지 효과는 도파민 작용제 투여 시 유즙분비호르몬의 분비억제뿐 아니라 유즙분비호르몬 분비 뇌하수체 샘종의 성장도 억제하게 된다(Ben-Jonathan and Hnasko, 2001).

다) 내인성 아편유사제(The endogenous opiate)

내인성 아편유사제란 베타엔도르핀처럼 아편과 비슷한 작용을 하고 내인성 기원을 갖는 물질을 일컫는 말이며 모든 opiates는 다음의 세 가지 전구 펩타이드 중 하나로부터 유래된다. 현재까지 세 가지 종류가 알려져 있다. 첫째는 프로오피오멜라노코르틴(POMC)으로 엔도르핀의 전구체이고, 둘째는 프로엔케팔린(proenkephalin) A와 B로서 met-enkephalin과 leu-enkephalin의 전구체가 되며, 셋째로는 프로디노르핀(prodynorphin)으로서 디노르핀(dynorphin)의 전구체 역할을 한다. POMC는 시상하부, 뇌하수체 전엽과 중엽을 포함한 뇌조직과 교감신경계, 생식샘, 태반, 폐, 위장관계 등에서 합성되고 이중 가장 높은 농도로 존재하는 곳은 뇌하수체이다. POMC는 먼저 ACTH 중간체와 베타리포트로핀(β- lipotropin)으로 갈라지며, ACTH는 뇌하수체 중엽에서 알파멜라닌세포자극호르몬(α-MSH)과 부신겉질자극호르몬 유사 중간엽 펩티드(corticotropin-like intermediate lobe peptide, CLIP)을 형성하며 베타리포트로핀(β- lipotropin)은 베타멜라닌세포자극호르몬(β-MSH), 엔케팔린, 알파-, 감마-, 베타엔도르핀으로 나뉜다. 뇌에서는 부신겉질자극호르몬 보다는 주로 아편유사제가 생성되며, 시상하부 특히 궁상핵에서는 베타엔도르핀이 주로 생성된다. 뇌하수체 전엽에서 POMC 유전자 발현은 주로 부신겉질자극호르몬분비호르몬에 의해 조절되고 글루코코르티코이드의 되먹임에 영향을 받는 반면 시상하부에서는 성호르몬에 의해 조절된다. 뇌하수체에서는 부신겉질자극세포에서 베타엔도르핀과 부신겉질자극호르몬을 생산하며 시상하부에 비하여 1,000배 정도 높은 농도를 가진다. 베타엔도르핀은 시상하부에서 생식 기능, 체온 조절, 심혈 관계 및 호흡 기능 등 다양한 기능을 수행하고 통증 인지와 기분 조절에도 관여한다. 정상 여성에서 베타엔도르핀의 투여는 생식샘자극호르몬분비호르몬과 황체형성호르몬 분비를 억제하나 유즙분비호르몬 치는 상승시키며 성장호르몬, 코르티솔, 갑상샘자극호르몬의 변화는 없다(Reid et al., 1981). 이에 반해 엔케팔린은 유즙분비호르몬, 성장호르몬, 갑상샘자극호르몬을 상승시키나 황체형성호르몬/난포자극호르몬 및 코르티솔은 감소시킨다. 엔케팔린은 모르핀과 비슷한 역가를 가지나 베타엔도르핀은 이보다 5-10배 강한 역가를 갖는다. 프로엔케팔린은 주로 뇌조직, 뇌하수체 후엽, 척수, 위장관, 부신수질에서 생성되며 뇌 내에서 가장 광범위하게 퍼져있는 내인성 아편유사제이고 주로 자율신경계 조절의 억제 신경전달물질로 관여한다. 프로디노르핀은 뇌에서는 주로 시상하부, 그리고 위장관에서 발견되며 디노르핀을 생산하고 높은 진통효과를 가지고 있다(Rasmussen et al., 1987).

아편유사제의 강도(tone)는 월경기능과 주기 형성에 중요한 부분이며 월경주기에 따른 에스트로겐 및 프로게스테론의 변화에 민감하게 반응한다. 내인성 아편유사제는 시상하부 생식샘자극호르몬분비호르몬 분비를 억제함으로써 생식샘자극호르몬 분비를 억제한다. 월경주기 초기에 에스트로겐이 매우 낮을 때는 낮은 수준을 유지하다가 황체기에 최고치를 갖는데 결과적으로 생식샘자극호르몬분비호르몬과 황체형성호르몬의 파동 빈도를 감소시킨다. 정상 월경주기는 이렇게 순차적인 높고 낮은 주기를 필요로 하고 이러한 변화는 월경전기에 느끼는 불쾌감의 원인이 된다. 폐경 여성에서는 아편유사제의 작용이 없지만 에스트로겐을 투여하게 되면 작용이 다시 회복된다. 스트레스로 인한 무월경은 내인성 아편유사제의 증가와 관련되는데 스트레스는 부신겉질자극호르몬분비호르몬을 증가시키고 이는 내인성 아편유사제를 증가시켜 생식샘자극호르몬분비호르몬 파동 분비를 억제하는 것으로 알려져 있다.

라) 노르에피네프린, 세로토닌

노르에피네프린을 분비하는 신경세포의 핵은 시상하부에 있지 않고 주로 뇌간하부와 중뇌에 위치해 있으며 세로토닌 또한 여기에서 합성된다. 이들 축삭은 안쪽앞뇌다발(medial forebrain bundle)을 따라 시상하부의 뇌실곁핵, 궁상핵, 정중융기까지 뻗어 있다. 노르에피네프린은 GnRH 분비를 촉진시키는 작용을 하는 반면에 도파민과 세로토닌은 억제하는 효과가 있다. 뇌하수체 기능에 영향을 주는 약물 및 심리적 요인들은 이러한 인자들(catecholamine)의 합성이나 대사를 교란시켜 GnRH 분비에 영향을 미친다고 여겨진다.

마) 렙틴(leptin)과 그레린(ghrelin)

사춘기 발달에 체지방이 중요한 역할을 한다는 주장은 오래전부터 제기되었다. 1994년 지방세포가 분비하는 렙틴의 존재가 밝혀지고 렙틴이 내분비 기능이 있다는 사실이 알려진 후 많은 연구가 계속되고 있다.

현재까지 동물실험에서 척수액에 렙틴을 주입하면 LH 분비가 상승한다는 것이 증명되었고 사람에서도 다낭성난소증후군에서 LH 증가와 렙틴의 증가를 연관짓는 가설이 존재한다. 최근의 연구 결과를 보면 렙틴은 뇌하수체 보다는 시상하부에서 GnRH의 증가를 유발하고 이에 따라 FSH/LH가 증가한다고 알려지고 있다. 그리고 GnRH를 분비하는 신경세포에 직접 작용하는 것이 아니고 키스펩틴을 분비하는 신경세포를 자극하여 GnRH의 분비를 증가시킨다(Hausman et al., 2012). 그레린은 소화기관에서 항렙틴 작용을 가진다.

바) 기타

신경펩티드(neuropeptide Y)는 렙틴(leptin)과 인슐린(insulin)이 개인의 영양상태에 관한 정보를 시상하부에 전달할 때에 중요한 역할을 하는 peptide이다. 시상하부 뉴런내에서의 신경펩티드의 분비와 유전자 발현은 생식샘 스테로이드에 의해 조절된다. 신경펩티드는 일반적으로는 GnRH 분비를 증강시킨다. 글루타메이트도 GnRH 분비를 증강시킨다고 알려져 있다. 그에 반해 GABA는 GnRH 분비를 억제한다.

다. GnRH 작용제(agonist)와 GnRH 길항제(antagonist)

GnRH는 10개의 아미노산 서열을 가진 decapeptide이다. 매우 빠른 분해로 인하여 2-4분 정도의 짧은 반감기를 가지며 이때 분해가 되는 곳은 5-6, 6-7, 9-10번 사이의 아미노산 결합 부위이다. GnRH는 아미노산 구조가 단순하여 쉽게 더 큰 역가와 긴 반감기를 가진 여러 작용제가 개발되었다. 작용제가 임상에 적용된 것은 GnRH의 구조가 밝혀진 후 10년도 되지 않은 시점이었다. 5-6, 6-7번 사이가 잘 분해되므로 6번의 글리신을 다른 아미노산으로 대체하면 쉽게 반감기가 긴 작용제를 만들 수 있다. D-Leu6-GnRH는 GnRH에 비하여 9배, D-Trp6- GnRH는 10-13배 정도의 역가를 가진다. 생식샘자극호르몬분비호르몬 작용제의 투여 초기에는 혈중 황체형성호르몬, 난포자극호르몬 농도가 증가하나(불꽃효과, flare up effect), 일반적 용량으로 1주 이상 계속 투여하면 생식샘자극호르몬분비호르몬 수용체의 감소, 수용체의 분리(uncoupling)와 탈감작을 통하여 생식샘자극호르몬 분비의 하향조절을 일으켜 생식샘저하증(hypogonadism) 상태를 야기한다.

반면에 수용체에 결합하여 생물학적 작용을 하는 부위인 1-3번 아미노산을 교체하면 수용체에 결합은 하지만 작용이 없는 길항제를 만들 수 있다. 길항제도 1970년대부터 만들어졌으나 부작용이 심해 1, 2세대의 길항제는 임상적용이 되지 못했고 8번 아미노산을 교체하여 부작용을 최소화한 3세대 길항제가 임상에 적용되었다(그림 4-2). 길항제는 수용체에 GnRH와 경쟁적으로 결합하기 때문에 작용이 신속하여 투여 1시간 내에 내인성 LH 분비폭발(LH surge)을 방지할 수 있고, 초기 불꽃 효과(flare-up effect)도 없어 보조생식술을 위한 과배란유도 시에 유용하게 이용된다.

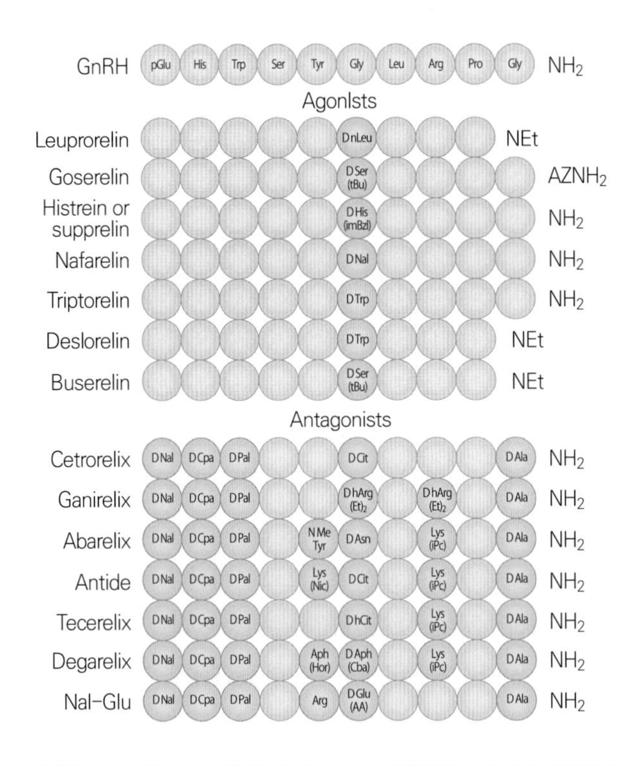

그림 4-2. **GnRH 유도체와 길항제의 종류 및 구조**

결국 지속적으로 투여하는 GnRH 작용제 및 길항제는 모두 FSH/LH의 분비를 억제하여 생식샘저하증을 일으키므로 자궁근종, 자궁내막증, 조발사춘기, 비정상자궁출혈, 전립샘암 등의 치료에 이용된다.

② 갑상샘자극호르몬분비호르몬(TRH)

TRH는 TSH 분비를 자극한다. 또 TRH 수용체가 유즙분비호르몬 분비세포에 존재하며 칼슘 의존성으로 유즙분비호르몬 분비를 유발한다.

또 TRH는 항우울 효과가 있으며 정맥주사하면 급박뇨, 오심, 머리가 텅 빈 느낌, 안면홍조 등을 유발한다.

③ 부신겉질자극호르몬분비호르몬(CRH)

CRH는 ACTH와 베타엔도르핀 분비를 촉진하는 역할을 한다. 시상하부의 뇌실곁핵에서 합성된 후 정중 융기로 이동하여 문맥순환으로 분비되며 태반, 부신수질, 간, 위장관계, 췌장에서도 발견된다. CRH 분비의 주 조절은 혈중 코르티솔에 의한 음성 되먹임 기전에 의하며 스트레스 상황에서는 뇌간 부위에서 카테콜아민이 증가하여 CRH 분비를 자극한다. 실험적으로 부신겉질자극호르몬분비호르몬의 투여는 생식샘자극호르몬 농도를 떨어뜨리며 문맥순환에서 생식샘자극호르몬분비호르몬 농도를 저하시킨다. 신경성 식욕부진, 시상하부성 무월경, 우울증, 운동유발성 무월경 환자에서 코르티솔이 상승되어 있다는 점을 감안할 때 부신겉질자극호르몬분비호르몬은 생식샘자극호르몬분비호르몬 파 발생기(pulse generator)를 억제함으로써 생식 기능에 영향을 주는 것으로 생각된다. 또한 부신겉질자극호르몬분비호르몬은 교감신경계를 자극하여 엔도르핀 매개성으로 생식샘자극호르몬분비호르몬 분비를 억제한다(Petraglia et al., 1987; Xiao et al., 1989).

④ 성장호르몬분비호르몬(GHRH), 성장억제호르몬

성장호르몬분비호르몬은 시상하부에서는 주로 궁상핵에서 합성되고 성장호르몬의 급격한 분비를 촉진한다. 성인에서는 하루 4-6회의 성장호르몬 분비 주기가 있으며 감정적 또는 신체적 자극, 고단백식이, 수면, 저혈당증에 의하여 분비가 촉진된다. 성장억제호르몬은 성장호르몬 분비를 억제하는 시상하부호르몬으로 뇌실곁핵에서 합성되며 되며 이외에도 위장관계, 태반, 췌장에서도 발견된다.

2) 뇌하수체

뇌하수체는 뇌기저부의 터키안(sella turcica) 내에 위치하고 외배엽의 라트케낭(Rathke's pouch)에서 유래하므로 신경관의 연속이 아니며, 따라서 시상하부와 직접적인 통로는 없고 뇌하수체 줄기를 통하여 시상하부와 연결된다. 뇌하수체는 기능적으로 볼 때 샘뇌하수체(adenohypophysis)라고도 불리는 전엽과 신경뇌하수체(neurohypophysis)라고도 불리는 후엽, 그리고 그 사이에 있는 중엽(pars intermedia)으로 나뉜다.

뇌하수체 전엽은 5가지 종류의 세포로 구성되어 있으며 여기에서 총 6가지의 호르몬을 생산하고 있다. 호산성

(acidophilic)을 갖는 성장자극세포(somatotrope)와 유즙분비호르몬분비세포는 각각 성장호르몬과 유즙분비호르몬을 생산하며 부신겉질자극세포(corticotrope), 갑상샘자극세포(thyrotrope), 생식샘자극세포(gonadotrope)는 모두 호염성(basophilic)을 갖는 세포이다. 부신겉질자극세포는 ACTH와 프로오피오멜라노코르틴(pro-opiomelanocortin, POMC)의 산물인 베타리포트로핀(β-lipotropin), 엔도르핀(endorphin)을 생산하며, 갑상샘자극세포는 TSH를, 생식샘자극세포는 FSH/LH를 생산한다. 이 6가지의 호르몬은 시상하부-뇌하수체 문맥순환을 통하여 운반된 여러 분비/억제 인자에 의하여 조절된다. 그러나 국소적으로 생산되는 베타엔도르핀, 혈중에 있는 에스트로겐과 같은 호르몬들도 뇌하수체호르몬 생산에 영향을 줄 수 있다.

(1) 뇌하수체 전엽호르몬

① 황체형성호르몬/난포자극호르몬(LH/FSH)

가. 구조

FSH와 LH는 각각 알파단위(α-subunit)와 베타단위(β-subunit)로 구성되며 이들은 서로 비공유결합(non-covalent bond)으로 결합되어 있다. LH, FSH, TSH, 사람융모생식샘자극호르몬(hCG)의 알파단위는 동일하며 베타단위가 서로 달라 독특한 기능을 수행한다. 알파단위는 뇌하수체 및 태반에서 모두 발현된다. hCG의 베타단위는 태반에서 발현되고, 뇌하수체에서는 극소량으로 분비된다. LH의 베타단위는 뇌하수체에서 발현되고 태반에서는 극소량만 분비된다. FSH와 LH는 아미노산에 당이 부착된 당단백이며 생물학적 활성도의 결정에 당이 중요한 역할을 한다.

개체에 따라 부착된 당의 종류가 다를 수도 있고 FSH의 혈중 농도가 같더라도 당이 다르면 활성도가 달라진다.

나. 합성과 분비

생식샘자극세포의 세포막에는 GnRH 수용체가 존재하며 GnRH가 수용체에 결합하는 과정은 칼슘과 프로스타글란딘에 의하여 촉진된다. 이후 수용체의 연결(coupling)과 이합체화(dimerization) 과정을 거쳐 GnRH-수용체 복합체는 세포 내로 유입되며 대부분은 세포 내 라이소좀에 의하여 분해된 후 수용체는 다시 세포막으로 돌아간다. 이 과정은 GnRH 자체에 의한 수용체의 상향조절(up-regulation)에 매우 중요한 기전이 되며 배란기에 일어나는 LH/FSH 폭발에 중요한 역할을 한다. FSH/LH는 세포 내 소포체(rough endoplasmic reticulum)에서 합성되어 골지체로 이동되어 당화 과정을 거친 후 과립 형태로 저장된다. 생식샘자극호르몬분비호르몬의 자극으로 과립은 세포막과 융합되고 세포외유출(exocytosis)을 통하여 모세혈관으로 분비된다.

뇌하수체에서 FSH/LH의 분비능은 기능적으로 서로 다른 두 가지 저장고에 좌우된다(Hall et al., 1992; Evans, 1999). 한 가지는 급성 분비형이고 두 번째는 일종의 저장형으로써 지속적인 생식샘자극호르몬분비호르몬의 자극에 반응하는 형태이다. 난포기 초기에 에스트로겐 농도가 낮을 때는 두 가지 저장고 모두 최소 수준에 있으며 생식샘자극호르몬분비호르몬에 대한 감수성도 극히 낮다. 그러나 난포가 자라고 에스트로겐이 증가하면서 특히 저장형이 증가하게 되다가 배란 시에는 두 가지 저장고 모두 최고 수준에 도달한다. 생식샘자극호르몬분비호르몬의 파동성 분비는 황체형성호르몬/난포자극호르몬의 파동성 분비를 유발하지만 황체형성호르몬과 난포자극호르몬은 분비 방식이 다른데 이는 이들 호르몬의 반감기와 성호르몬에 의한 되먹임 등이 차이가 있기 때문으로 생각된다. 생식샘 자극호르몬분비호르몬 혈관주사 후 황체형성호르몬의 혈중 농도는 20-25분에 최고치에 도달하고 난포자극 호르몬은 45분에 최고치에 도달하며, 난포자극호르몬의 반감기는 약 4시간인데 비해 황체형성호르몬의 반감기는 약 1시간으로 난포자극호르몬에 비하여 좀 더 짧다. 따라서 황체형성호르몬의 분비행태는 생식샘자극호르몬분비호르몬 분비의 파동형태를 그대로 나타낸다(Herbison, 1998). 따라서 LH pulse의 측정은 GnRH 박동성 분비의 지표가 되어준다(FSH는

표 4-1. 생리주기에 따른 LH 의 진폭과 주기

LH pulse 평균 진폭	
초기 난포기	6.5 IU/L
중기 난포기	5.0 IU/L
후기 난포기	7.2 IU/L
조기 황체기	15.0 IU/L
중기 황체기	12.2 IU/L
후기 황체기	8.0 IU/L
LH pulse 평균 주기	
초기 난포기	90분
후기 난포기	60-70분
초기 황체기	100분
후기 황체기	200분

긴 반감기로 인해 적당하지 않다). 생리 주기에 따른 LH pulse(가정적으로 GnRH pulse도)는 표 4-1과 같다.

다. 합성과 분비에 영향을 주는 요소

가) 성호르몬

에스트로겐과 프로게스테론은 양성 혹은 음성 되먹임 기전을 통하여 생식샘자극호르몬분비호르몬과 생식샘자극호르몬의 분비를 조절한다. 저농도의 에스트로겐은 황체형성호르몬, 난포자극호르몬의 합성과 저장을 증가시키나 황체형성호르몬 분비에는 거의 영향이 없다. 반면 고농도의 에스트로겐은 월경중기에 황체형성호르몬의 급증을 유도하여 배란을 야기하게 된다. 즉 난포자극호르몬은 주로 에스트로겐에 의한 음성 되먹임에 의해 조절되며, 황체형성호르몬은 음성 되먹임과 고농도의 에스트로겐에 의한 양성 되먹임의 두 가지 측면이 모두 존재한다. 에스트로겐의 초기 반응은 음성 되먹임이지만 200 pg/mL의 농도로 50시간 이상 지속되면 뇌하수체 전엽에서 황체형성호르몬에 대한 양성 되먹임으로 작용하고 배란기에 황체형성호르몬의 급증을 유발한다(Liu와 Yen, 1983; McCartney et al., 2002).

또한 생식샘자극호르몬분비호르몬 길항제 투여 시 황체형성호르몬 급증이 억제되는 것으로 보아 생식샘자극호르몬분비호르몬의 증가는 절대적인 요인은 아니지만 필요한 부분으로 생각되고 시상하부와 뇌하수체의 미세한 조절에 의해 이루어진다고 보인다. 하지만 배란기에 이러한 스테로이드의 작용기전은 확실하게 규명되어 있지는 않다. 저농도의 프로게스테론은 뇌하수체에 작용하여 생식샘자극호르몬분비호르몬에 대한 황체형성호르몬의 반응을 증강시키고 월경 중기에 난포자극호르몬 급증을 야기한다. 그리고 고농도의 프로게스테론은 시상하부에서 생식샘자극호르몬분비호르몬 파동성 분비를 감소시켜 뇌하수체의 생식샘자극호르몬의 분비를 억제한다. 즉 황체기에 프로게스테론은 생식샘자극호르몬에 대하여 음성 되먹임으로 작용한다.

프로게스테론의 더 중요한 역할은 배란기에 난포자극호르몬 급증을 증폭시키는 것이다. 배란기에 난포자극호르몬의 급증은 배란과 정상 황체형성을 확실하게 하는 중요한 역할을 담당한다(Herbison, 1997; McCartney et al., 2002).

나) 인히빈(inhibin), 액티빈(activin), 폴리스타틴(follistatin)

인히빈과 액티빈은 전환성장인자(TGF-β)계의 펩티드이다. 인히빈은 A와 B의 두 가지 형태가 있으며 이들의 알파단위는 같지만 베타단위는 서로 다르다. 인히빈은 난소의 과립막세포에서 분비되나 이들의 mRNA가 뇌하수체 생식샘자극세포에서 발견되며, 난포자극호르몬 분비를 억제하고 황체형성호르몬의 활동을 증강시키는 역할을 한다(Roberts et al., 1989). 인히빈은 성장호르몬, 부신겉질자극호르몬, 유즙분비호르몬의 생성에는 거의 영향이 없다.

액티빈도 과립막세포에서 합성되나 난포자극호르몬 분비를 촉진시키고 성장호르몬, 부신겉질자극호르몬, 유즙분비호르몬은 억제시키는 역할을 한다. 또 액티빈은 생식샘자극호르몬분비호르몬 수용체를 증가시켜 뇌하수체의 생식샘자극호르몬분비호르몬에 대한 반응을 증가시킨다. 인히빈의 주된 역할이 FSH 분비 억제인데 반해, 액티빈은 보다 다양한, 뼈, 뉴론, 상처 회복, 많은 기관의 autocrine-paracrine 기능을 갖는다. 폴리스타틴은 생식샘자극세포를 포함한 여러 뇌하수체 세포에서 분비되는 펩티드로서 액티빈에 결합함으로써 액티빈의 작용을 약화시켜 난포자극호르몬의 합성과 분비를 억제하고 생식샘자극호르몬분비호르몬에 대한 난포자극호르몬의 반응을 억제한다(Besecke et al., 1996).

즉, 인히빈, 폴리스타틴의 감소는 액티빈이 GnRH의 역할을 강화할 수 있게 하여 FSH 베타단위의 발현을 촉진한다. 이러한 관계로 지속적 GnRH 자극에 의한 뇌하수체 하향조절을 설명할 수 있다. GnRH 파동주기의 증가는 처음에는 FSH 생성을 증가시키나 지속되면 폴리스타틴 생성을 증가시켜 FSH의 발현을 억제한다(Wang Y, et al., 2008).

다) 생식샘자극호르몬억제호르몬(Gonadotropin-inhibitory hormone, GnIH)

GnIH는 시상하부에서 분비되며 생식샘자극호르몬의 합성과 분비를 억제하는 물질로서 조류에서 처음 발견되었다. 포유류에서는 RFamide-related pepetide (RFRP)라고 불리며 사람에서도 그 존재가 확인되었다(Ubuka et al., 2009). GnIH를 분비하는 신경세포는 정중융기에 존재하며 GnRH를 분비하는 신경세포와 연결되어 있다. GnIH의 수용체는 GPR 147이라 불리며 뇌하수체의 생식샘자극세포에 수용체가 존재한다. 또 GnRH를 분비하는 신경세포에도 GPR 147이 존재한다. 사람에서의 실험 증거는 충분하지 않으나 포유류를 포함한 동물 실험의 결과를 종합하면 GnIH는 생식샘자극세포에 직접 작용하여 FSH/LH 분비를 감소시키고 GnRH-1 신경세포에 작용하여 GnRH의 분비를 감소시키는 두 가지 기전을 가진 것으로 생각된다(Ubuka et al., 2013). 생식샘에서도 GnIH와 GPR 147이 존재한다는 것이 알려졌으나 그 작용은 아직 모른다.

라. 작용

FSH는 난포의 발달과 난자의 성숙, 그리고 에스트로겐 생성을, LH는 배란과 황체형성, 그리고 안드로겐 생성을 주 기능으로 하며 서로 보완적인 관계를 갖는다.

LH는 난포 외부의 막세포(theca cell)의 표면에 존재하는 LH 수용체와 결합한 후 세포내의 CYP 17 유전자의 발현을 증가시키고 그 결과 17알파-수산화효소(17α-hydroxalyase)와 17,20-데스몰라제(17,20-desmolase)의 활성이 강화된다. 이 두 효소는 스테로이드 합성경로에서 안드로겐을 형성하는 효소이므로 결국 막세포에서 안드로겐의 합성이 증가된다. 남자에서도 표적세포가 라이디히(Leydig)세포라는 차이만 있을 뿐 그 작용은 같아서 안드로겐의 합성이 증가된다.

FSH는 난포의 과립막세포 수용체에 결합하여 과립막세포의 증식을 유발한다. 또 과립랍막세포 표면에 FSH 수용체를 증가시키는 작용이 있다(replenishment). 또 막세포에서 생성된 안드로겐은 기저막을 넘어 과립막세포로 이동하게 된다. 이 때 FSH는 방향화효소(aromatase)의 활성을 증가시키고 그 결과 방향화효소가 안드로겐을 에스트로겐으로 변환시킨다.

② 유즙분비호르몬

유즙분비호르몬의 주작용은 유즙생성(lactogenesis)으로써 젖샘의 성장, 유즙분비의 개시, 유즙합성의 유지를 담당한다. 유즙분비호르몬은 억제인자와 분비인자의 상호작용에 의하여 유지되는데, 유즙분비호르몬이 비록 파동성으로 분비된다 하여도 지속적으로 억제인자의 작용을 받고 있다(Nikolics et al., 1985). 아기의 젖물림은 강력한 분비인자로 작용하며 이외에도 갑상샘자극호르몬분비호르몬, 혈관활성 장펩티드(vasoactive intestinal peptide, VIP), 표피성장인자(epidermal growth factor, EGF), 안지오텐신 II, 베타엔도르핀, 바소프레신과 P 물질(substance P), 생식샘자극호르몬분비호르몬 등이 유즙분비호르몬 분비를 자극한다. 그러나 유즙분비호르몬의 항상성은 도파민 분비신경의 되먹임 기전을 통한 유즙분비호르몬 자체에 의해서 주로 조절된다. 유즙분비호르몬은 도파민계(dopaminergic system)를 자극하고(유즙분비호르몬 분비감소) 에스트라디올은 이를 억제하는 작용(유즙분비호르몬 분비 증가)이 있다. 고유즙분비호르몬혈증 시 무월경은 일차적으로 시상하부에서 도파민 대사율이 증가하여 생식샘자극호르몬을 억제한 결과이다.

때로 황체형성호르몬/난포자극호르몬 분비는 유즙분비호르몬의 분비와 연관되는데 이는 생식샘자극호르몬분비호르몬에 의하여 이들의 분비가 촉진되는 것 외에 유즙분비호르몬분비세포와 생식샘자극세포가 서로 가까운 위치에 있기 때문에 측분비성(paracrine)으로 서로 작용한다고 볼 수 있다(Besecke et al., 1996).

③ 성장호르몬

성장호르몬은 하루에 4-6회 정도 간헐적으로 분비되며 사춘기에는 최고 8회까지 증가한다. 하루 생산량은 연령에 따라 다르며 사춘기 전에는 하루에 90 μg이던 것이 사춘기에는 700 μg 정도로 증가하며 성인에서는 380 μg 정도이다. 반감기는 17분으로 알려져 있고 신체 골격과 근육 성장을 도모하고 지방가수분해를 조절하는 기능을 한다. 성장호르몬의 작용은 인슐린유사성장인자(insulin-like growth factor, IGF)에 의하여 매개되는데 음성 되먹임 기전으로 성장호르몬 분비를 억제하기도 한다.

④ 갑상샘자극호르몬

갑상샘자극호르몬의 알파단위는 황체형성호르몬, 난포자극호르몬, 사람융모생식샘자극호르몬과 동일하다. 갑상샘자극호르몬분비호르몬은 뇌하수체에 작용하여 갑상샘자극호르몬 분비와 유즙분비호르몬 분비를 자극한다. 에스트로겐은 갑상샘자극호르몬에 대한 갑상샘자극호르몬분비호르몬의 반응성을 강화시키고 뇌하수체 갑상샘자극세포에서 갑상샘자극호르몬분비호르몬 수용체를 증가시키며 갑상샘자극세포는 혈중 갑상샘호르몬에도 영향을 받는다.

(2) 뇌하수체후엽 호르몬

뇌하수체후엽은 뇌하수체 줄기를 통한 시상하부의 직접적인 연장이며, 바소프레신(vasopressin)은 시삭상핵에서 옥시토신은 뇌실결핵에서 생성되어 축삭을 따라 뇌하수체 후엽으로 이동된 후 저장된다. 이들의 이동에는 뉴로피신(neurophysin)이 관여하며 뉴로피신 I 은 옥시토신을, 뉴로피신 II 는 바소프레신과 함께 이동한다. 에스트로겐은 뉴로피신 I 을 증가시키고, 출혈이나 니코틴의 투여는 뉴로피신 II 의 분비를 증가시키는 것으로 알려져 있다. 황체형성호르몬 급증 시기에 혈중 옥시토신과 뉴로피신 I 이 최고치를 보이며 이는 옥시토신과 생식샘자극호르몬분비호르몬이 시상하부 분해 효소에 경쟁적으로 작용하여 생식샘자극호르몬분비호르몬을 보존함으로써 생식샘자극호르몬분비호르몬의 작용을 좀 더 증강시켜 주는 것으로 생각된다.

① 바소프레신

바소프레신의 주요한 기능은 혈액량과 삼투압을 조절하는 것으로 강력한 혈관수축제이며 신장에서 수분 흡수를 증가시키는 항이뇨작용이 있다. 바소프레신의 농도는 삼투압, 혈액량, 공포나 통증 같은 외부 자극에 따라 변화한다. 안지오텐신 II도 바소프레신의 분비를 유도한다.

② 옥시토신

옥시토신은 자궁근육과 유방 근상피세포의 수축을 자극한다. 분만 전 산모의 혈액이나 양수에서 증가되며, 진통의 개시 인자로는 인정되지 않으나 일단 진통이 시작되면 의미 있게 증가하여 자궁 수축을 유발한다. 태아의 소변이나 태변에도 존재하고 태반을 쉽게 통과할 수 있다. 옥시토신은 젖샘에서 근상피세포를 자극하여 유즙 분비를 촉진시킨다. 수유 중 유두의 자극은 시상하부로 전달되어 10분마다 3회 정도의 주기적인 옥시토신 급증을 유발한다. 이외에도 옥시토신은 후각, 청각 및 시각 자극에 의해서도 분비되며 성행위(자궁경부나 질의 자극, Ferguson 반사)에 의해서도 분비가 자극된다(Amico et al., 1981).

3) 송과체(Pineal Gland)

송과체는 제3뇌실의 돌출부위로써 출생 후에는 뇌조직과 연결된 신경세포가 거의 존재하지 않지만 대신에 새로운 교감신경분포를 받아 신경내분비 기관으로의 작용이 가능해진다. 송과체는 특히 빛과 같은 외부 자극에 반응하는데 망막으로 들어온 빛은 시상하부 또는 송과체를 거쳐 뇌하수체 기능에 영향을 준다. 어둠은 송과체의 활동을 증가시켜 멜라토닌 합성이 증가하게 되고 생식샘자극호르몬분비호르몬의 분비를 억제하게 된다. 멜라토닌 생성에 필수효소인 아세틸세로토닌-O-메틸전이효소(acetylserotonin O-methyltransferase)가 송과체에서 주로 발견되고 이의 작용으로 멜라토닌이 생성되며, 빛의 차단으로 인한 노르에피네프린의 증가는 멜라토닌 생성을 자극한다.

생식 분야에서 송과체의 기능은 아직 완전히 알려지지 않았다. 초기에는 시상하부의 생식기능이 멜라토닌에 의해 억제된다고 알려졌지만 일부 동물은 낮의 길이가 짧을 때 교미가 활발하다. 또 송과체가 제거된 원숭이에서 수주 후에 정상 생식 기능이 되돌아오고 사춘기의 발달도 영향을 받지 않는다. 사람에서도 송과체종양이 있고 멜라토닌이 증가할 때 생식샘부전이 생기는 반면, 맹인 여성의 사춘기 발달은 정상인보다 빠르다는 점 등 상반된 증거가 존재한다(Brzezinski, 1997).

최근에는 멜라토닌이 사람에서 난포성장에 항산화작용을 통해 난자의 질을 향상시킨다는 보고가 있다. 체외수정 시 멜라토닌을 투여했을 때 임신율이 향상되고 난소예비력의 지표인 항뮐러관호르몬이 증가한다는 보고가 있다(Tamura et al., 2008). 또 중증 전자간증환자에서 멜라토닌 농도가 낮고 이는 산화작용과 관련이 있다는 주장도 제기되고 있다(Nagai et al., 2008).

2. 월경주기 생리(Menstrual Cycle Physiology)

정상 월경주기에 있어서 가임기 여성의 자궁내막은 주기적으로 분비되는 호르몬에 의하여 증식하여 배아의 착상이 쉽게 이루어지도록 한다. 이때 임신이 되지 않으면 자궁내막이 저절로 탈락되는 현상이 월경(생리)이다. 주기적인 호르몬 분비에 이상이 있는 경우에 불임, 습관성 유산 혹은 기능성 자궁 출혈 등이 나타날 수 있다.

1) 정상 월경주기(Normal Menstrual Cycle)

월경주기는 평균 28일이며, 21일에서 35일 사이의 주기이면 정상 범위이며, 80-90%의 여성이 24-35일 사이의 주기를 보인다(Vollman et al., 1977). 한국 여성에서의 평균 월경주기는 29.3일이며, 27-29일 사이가 가장 많다(박병후 et al., 1978). 월경주기는 난포의 성장 속도와 질에 의해 정해지며, 여성에 따라 주기가 다른 것은 난포기의 길이가 서로 다르기 때문으로 월경주기가 짧은 여성은 난포기의 길이가 짧다. 황체기는 초경 수년 후부터 폐경이행기(perimenopause)가 될 때까지 13-15일 사이로 일정하다(Treloar et al., 1967; Vollman et al., 1977). 가임기의 초기인 사춘기나, 폐경이 가까운 시기에는 무배란성 월경이나 불규칙한 월경주기를 갖게 되는 경우가 흔하다(Treloar et al., 1967; Collett et al., 1954).

월경은 평균 2-6일간 출혈이 있으며, 이 기간 평균 20-60 mL의 월경이 나오는 데 20 mL 이하이거나 80 mL 이상이면 비정상이다. 월경은 시작하여 24시간 안에 50% 정도가 나오며, 월경혈 내에는 자체 분해된 자궁내막 기능층(functionalis layer), 염증반응 물질, 적혈구, 단백분해효소(proteolytic enzyme) 등이 포함되어 있고, 섬유소 용해능(fibrinolytic activity)이 커서 응고되지 않은 채로 나오는 것이 일반적이다.

2) 월경주기에 따른 호르몬의 변화

월경주기는 배란 전후를 기점으로 난소를 중심으로 일어나는 난소주기와 자궁을 중심으로 일어나는 자궁주기로 나누어진다. 즉 난소를 중심으로 나누는 경우는 난포기와 황체기로 명명하고, 자궁을 중심으로 나눈 경우는 증식기와 분비기로 명명한다(그림 4-3).

월경은 자궁내막이 탈락되어 일어나는 현상이지만 자

궁내 단독으로 일어나는 현상이 아니며, 시상하부-난소-자궁에서 긴밀하게 주기적으로 일어나는 여러 호르몬의 작용에 의하여 일어난다. 시상하부에서 분비된 신경물질에 의하여, 뇌하수체에서 생식샘자극호르몬이 분비되고, 난소에서 에스트라디올(estradiol)과 프로게스테론(progesterone)이 생성되어 자궁내막에 작용하여 주기적인 변화인 월경을 일으킨다(그림 4-4). 이러한 주기적인 변화를 요약해 보면 다음과 같다.

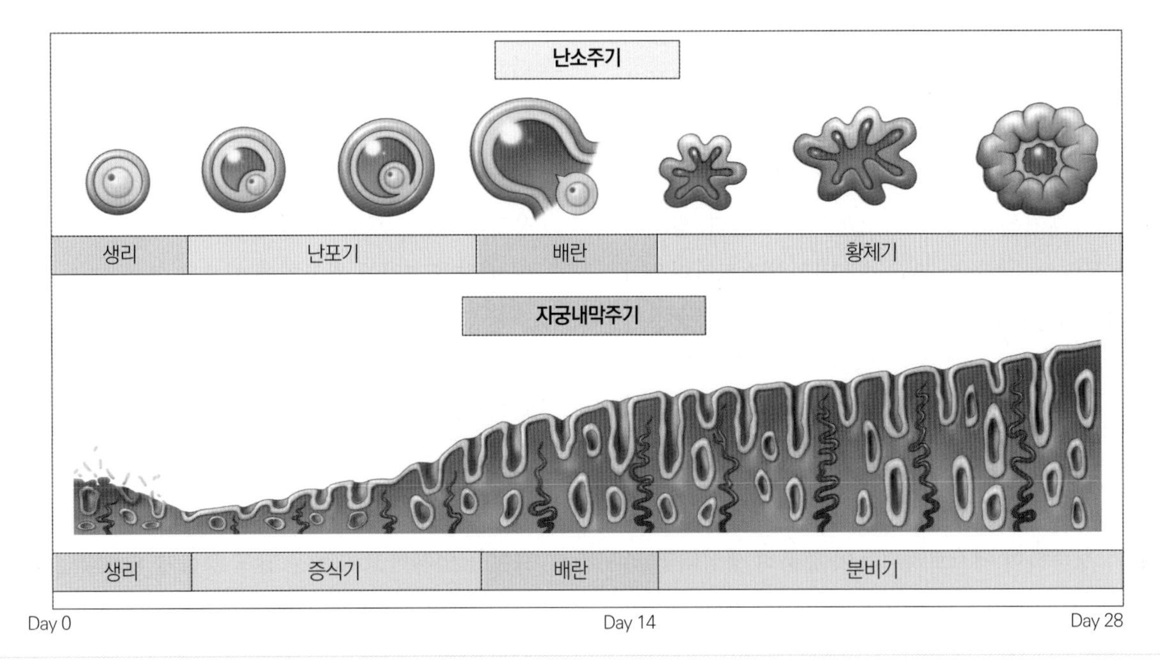

그림 4-3. 생리주기(Cycle Day): 난소 및 자궁내막 주기

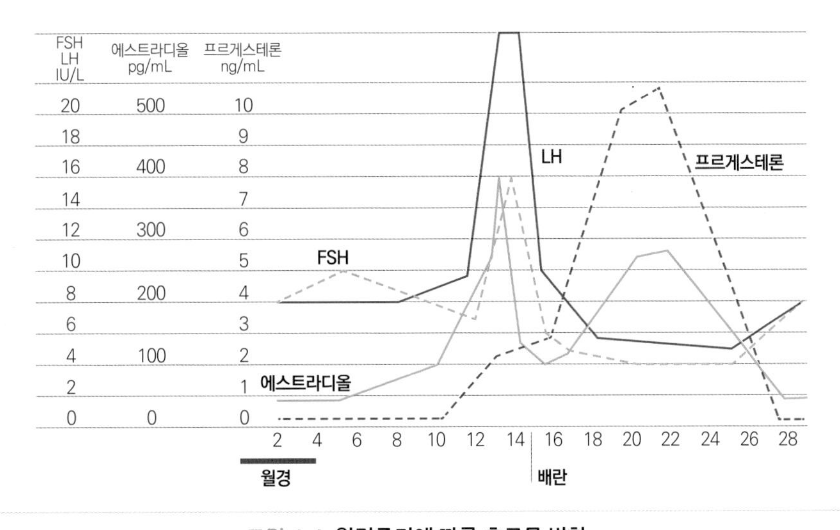

그림 4-4. 월경주기에 따른 호르몬 변화

① 이전 월경주기의 황체기 말에 황체가 소멸하면서 혈중 성선스테로이드호르몬(gonadal steroids)이 낮아져 음성 되먹임(negative feedback) 기전에 의하여 난포자극호르몬(follicular stimulating hormone, FSH)이 서서히 올라가기 시작하여 난포를 동원하고(recruitment), 난포를 성숙시킨다. 난포기 동안 난포에서 만들어진 에스트로겐호르몬은 자궁내막을 증식시킨다.

② 난포가 성숙되면서 만들어진 에스트라디올은 음성 되먹임 기전을 통하여 난포기 중기에 난포자극호르몬을 감소시킨다. 난포가 성숙하면서 분비되는 인히빈(inhibin) B도 난포자극호르몬을 감소시킨다. 난포기 초기에 비하여 후기에 난포자극호르몬이 다소 높다. 황체형성호르몬(lutenizing hormone, LH)은 에스트라디올이 증가하면서 감소하지만 후기 난포기에는 급격히 증가한다.

③ 난포기 말에 난포자극호르몬에 의해 황체형성호르몬 수용체가 과립막세포에 생겨 황체형성호르몬의 작용에 의하여 프로게스테론을 만들게 된다.

④ 난포가 성숙하여 에스트라디올이 충분히 생성되면 뇌하수체에서 LH surge가 일어나 24-36시간 후에 배란이 일어나게 된다.

⑤ 난포자극호르몬은 월경이 시작되기 2-3일 전부터 상승하여 초기 난포기에 최고치에 달한 후 난포의 성숙으로 에스트라디올과 인히빈이 증가되면서 음성 되먹임 기전에 의하여 감소한다. 난포자극호르몬은 배란직전에 다시 증가하기 시작하여 황체형성호르몬 급증과 동시에 폭발적 증가를 보이고 난포의 황체화에 따라 에스트라디올 및 프로게스테론이 다량 분비되면서 시상하부의 궁상핵 및 뇌하수체에 음성 되먹임 기전에 의하여 점차 감소한다.

⑥ 황체형성호르몬은 배란 3일 전까지 현저한 변동을 보이지 않다가 배란 2일 전 급격히 상승하여 배란일에 최고치에 이른다. 다시 배란 후 2일까지 급격히 떨어져서 배란 3일 이후부터 황체기까지 현저한 변동을 보이지 않는다.

⑦ 에스트라디올은 황체기 중기까지 감소하다가 배란 후 형성된 황체에서 에스트라디올이 분비되기 시작하면서 증가한다. 에스트라디올은 배란 5일 전까지는 현저한 변동없이 낮은 값을 유지하나 그 이후부터 급격히 증가하여 배란 1일 전에 최고치에 이르고 다시 배란 후 2일까지 급속히 감소한다. 황체기의 에스트라디올은 황체에서 생성되기 때문에 배란 후 3일부터 다시 증가하여 중기 황체기에 제2의 최고치를 보이고 배란 9일 후부터 서서히 감소한다.

⑧ 황체호르몬은 배란 후에 생성되므로 이를 배란이 일어났는지를 알아내는 추정징후(presumptive sign)로 이용할 수 있다. 프로게스테론은 배란 1일 후부터 증가하여 배란 후 7일에 최고치에 이르고 그 후 다시 점차 감소한다.

⑨ 에스트라디올과 프로게스테론은 황체가 유지되는 동안 유지되며 임신이 되지 않은 주기의 경우 황체가 소멸하면서 감소한다.

⑩ 에스트로겐, 프로게스테론, 인히빈 A는 생식샘자극호르몬을 억제하고 새로운 난포 성장에 중심적인 역할을 한다. 이들 호르몬은 황체가 유지되는 동안 유지되다가 황체 소멸과 함께 차츰 줄어들어 다음 월경주기가 시작된다.

3) 자궁내막의 주기

자궁내막 주기는 증식기와 분비기로 나누는데, 이는 난소에서 주기적으로 생성되는 호르몬의 변화에 의한 것으로 자궁선조직과 간질조직에서 주로 나타난다. 자궁내막의 표면 쪽 2/3에 해당하는 자궁내막 기능층(decidua functionalis) 부위가 주로 주기적 변화를 일으킨다. 기능층은 다시 표면 쪽의 치밀층(stratum compactum)과 중간층인 스폰지층(stratum spongiosum)으로 구분된다. 자궁내막의 가장 안쪽 1/3인 바닥쪽 탈락막(decidua basalis)은 매월 증식은 하지 않으나 월경 후 자궁내막의 재생에 관여한다(Flowers CE Jr et al., 1984). 최근 자궁내막의 줄기세포(stem cell)에 대한 연구가 진행되고 있어 아셔만(Asherman)증후군 환자에서 자궁내막 이식을 할 수 있을 가능성도 보고되고 있다(Kilic S et al., 2014).

월경주기에 따른 자궁동맥의 박동지수(pulsatility index, PI)는 난포 초기에 가장 높으며 난포 후기에 감소하는 양상을 보인 후 황체 초기에 다시 증가한 후 감소한다(권동진 등, 1996). 정상 월경주기에서 자궁내막의 탈락 조절에 bcl-2 및 bax 유전자의 상호 조절 기능이 관계된다. 정상 월경 주기의 자궁내막에서 bcl-2 유전자의 발현이 상대적으로 우세한 증식기에는 세포 소멸의 발생이 감소하고, bax 유전자의 발현이 상대적으로 우세한 분비기에는 세포 소멸의 발생이 증가하여 세포자멸지수(apoptosis index)는 후기 분비기에 최고치를 보인다(서창석과 문신용, 1999).

(1) 증식기(proliferative phase)

일반적으로 질출혈이 시작되는 첫날을 월경주기 1일로(menstrual cycle day 1) 표기한다. 자궁내막의 증식기는 월경이 시작되는 순간부터 배란이 일어나기 직전까지를 말한다. 월경주기는 증식기 기간에 따라 달라진다. 증식기는 난포에서 분비하는 에스트라디올의 영향으로 자궁내막 기능층의 유사분열 증식(mitotic growth)이 일어나 자궁내막이 두터워지는 시기로써 자궁내막 기능층이 배아의 착상을 준비하여 점차적으로 분열, 성장하는 시기이다(Ferenczy et al., 1979). 자궁내막 분비선은 좁은 직선형에서 길고 굽은 형태로 성장한다. 기질은 계속 밀도가 높고 치밀해지는 시기이며 혈관 구조는 매우 적다. 월경 후 바닥쪽 탈락막(decidua basalis)은 자궁근층에 인접하여 원시샘(primordial gland)과 치밀한 소량의 간질로 구성되어 있다.

샘조직은 증식기 초기에는 낮은 원주상피로 덮여 있어 모양이 좁고 곧으며 짧은 관 구조를 보이다가 분열이 지속됨에 따라 더 길고 구부러진 구조로 변한다. 세포분열도 증가하여 거짓중층형성(pseudostratification)을 보이면서 주변으로 길어져서 이웃하는 선조직과 연결되면서 자궁내강까지 자라게 된다. 샘, 기질세포, 내피세포 등의 증식은 에스트라디올과 수용체가 최고치에 달하는 월경 8-10일 경에 최고조에 달하게 되며, 이 때 섬모발생이 시작되며 섬모세포와 미세융모세포가 증가하게 되어 분비기 동안에 자궁내막 분비액의 움직임을 돕는다. 이는 특히 배아가 착상하는 자궁 상부 2/3의 자궁내막 기능층에서 많이 일어난다(Ferenczy et al., 1979). 증식기 초기에 0.5 mm의 자궁내막 두께가 3.5-5.0 mm까지 두꺼워진다(서창석 등, 1998).

(2) 분비기(secretory phase)

분비기는 배란이 일어난 후부터 다음 월경이 시작되는 시기까지를 말하며 대부분의 여성에서 평균 14±2일로 일정하다. 월경주기가 28일인 경우 배란은 월경일 14일째 일어나며, 배란 후 48-72시간이 지나면 프로게스테론이 분비되기 시작하여 자궁내막의 조직학적 변화가 일어나 분비기가 된다. 증식기와는 달리 에스트라디올과 프로게스테론이 함께 작용하여 자궁내막의 황체기 변화가 일어난다. 프로게스테론은 에스트라디올 수용체의 발현을 억제하고 활성도가 높은 에스트라디올을 불활성화된 형태인 황산염(estrone sulfate)로 변환시키는 17β-수산화스테로이드 탈수소효소(17β-hydroxydehydrogenase)와 sulfotransferase의 작용을 촉진함으로써 에스트라디올의 작용을 억제하여(Gurpide et al., 1973; Falany et al., 1996), 분비기 후반기에 에스트로겐에 의한 DNA 합성과 세포분열이 억제된다(Ferenczy et al., 1979).

분비기의 자궁내막은 배란 후 48시간이 지나면 선조직의 상피세포의 기저부에 특징적으로 periodic acid - Schiff가 양성으로 염색이 되는 글리코겐이 풍부한 소공이 나타나는데 이를 핵하소공(subnuclear vacuole)이라고 한다. 이러한 소공은 분비기 초기(생리주기 19-20일 사이)에는 세포내 중간 부분에서 보이다가 점점 분비기가 진행되면서 선조직의 분비 기능이 왕성해지면서 소공이 점차 표면으로 이동하여 세포 내에서 분비선 내강으로 부분분비(apocrine)를 하여 선상피세포내 호산구친화적 단백질이 풍부한 분비물(eosinophilic protein-rich secretory products)이 명백하게 나타난다(Noyes et al., 1950). 배란 후 6-7일이 지나면 분비선의 기능이 최고에 달하면서 배아 착상을 준비하게 된다.

황체기 초기 동안에 변화가 없던 간질은 수일간에 걸쳐서 서서히 변화가 일어나 배란 후 7일이 되면 에스트라디올, 프로게스테론과 프로스타글란딘의 증가에 의하여 갑자기 부종이 나타나 점차 진행된다. 부종이 최대로 나타나는 분비기 후기에는 나선 소동맥(spiral arteriole)이 간질에 나타나 점차 길어지다가 나선형이 되며 주위에는 전탈락막세포(predecidual cell)가 나타난다. 부종이 일어난 간질에 호산구가 군락을 이루어 염색이 되어 임신과 유사한 양상을 보이게 되어 이를 가성탈락막화(pseudodecidualization)라고 한다.

분비기 동안에 착상이나 태반 형성과정에서 면역보호역할을 하는 것으로 알려져 있는 과립구인 K세포(Kornchenzellen cell)가 나타나기 시작하여 임신 제1삼분기에 가장 많아진다. 배란 후 11일째에는 혈관에서 나온 염증세포가 자궁내막에 나타나기 시작하여 그 후 2-3일간 주위 혈관에서 이동한 백혈구의 침윤이 광범위하게 나타나며 간질은 탈락막화(decidualization) 된다. 월경 시작 2일 전 혈관에서 이동된 임파구가 증가되면서 백혈구의 침윤이 증가되고, 월경 하루 전에는 국소적인 괴사와 출혈이 나타난다.

(3) 월경(menstruation)

배아가 착상하여 임신이 된 경우에는 혈관주위 성장과 탈락막화가 일어나 프로스타글란딘과 사이토카인 등의 발현이 억제되면서 월경이 일어나지 않고 배아의 착상이 진행된다. 임신이 되지 않은 경우 황체가 소실되고 분비선의 분비가 중지되어 자궁내막 기능층이 불규칙하게 탈락되기 시작하면서 프로게스테론의 감소에 의해 소퇴 출혈(withdrawal bleeding)이 생긴다.

특히 황체가 소실되면서 에스트라디올과 프로게스테론이 감소하면서 자궁내막에서 프로스타글란딘과 TGF-β, TNF-α 등의 사이토카인과 플라스미노겐활성제(plasminogen activator), 조직 금속단백분해효소억제제(tissue inhibitor matrix metalloproteinase, TIMP), 혈관내피성장인자(vascular endothelial growth factor, VEGF) 등이 발현되어 나선 동맥의 혈관수축(vascular spasm)이 생겨 자궁내막에 허혈이 유발된다.

또한 프로게스테론에 의하여 안정되어 있던 리소솜 막(lysosomal membrane)이 프로게스테론이 감소되면서 파괴되어 단백질 분해효소(proteolytic enzyme)가 나와 국소적인 조직괴사가 일어나며, 기질금속 단백분해효소(matrix metalloproteinase)가 분비되어 세포외기질과 기저막의 분해도 일어나 자궁내막조직이 파괴된다. 월경이 끝나는 시기에 증가된 에스트라디올에 의하여 이들 효소의 작용이 억제된다(Fata et al., 2000; Zhang et al., 2002).

프로스타글란딘은 생리 전 주기 동안 분비되는데 월경 중 가장 높게 분비된다. 혈관 수축작용이 가장 강한 prostaglandin F2α가 소동맥의 혈관수축과 자궁내막 괴사를 유발하고 자궁근층의 수축을 일으켜서 자궁벽으로의 혈류를 억제하며 탈락된 자궁내막 조직을 내보내는 역할을 한다(Schwarz et al., 1983).

월경혈의 양은 플라스민, 플라스미노겐활성제와 억제제, 자궁내막 기질세포 조직인자(endometrial stromal cell tissue factor) 등에 의하여 조절되는 혈액 응고와 섬유소용해 작용 및 나선동맥의 혈관 수축에 의하여 영향을 받는다. 바닥쪽 탈락막에 있는 나선동맥, 노동맥(radial artery)의 혈관 수축과 조직붕괴, 혈전에 의한 울혈, 난포호르몬에 의한 치유에 의하여 월경이 끝나게 된다. 월경 시작 2-3일 후에 대부분의 자궁내막이 떨어져 나가고 바닥쪽 탈락막이 남아 자궁의 협부와 자궁난관구멍(tubal ostia)에서부터 자궁내막이 재상피화되기 시작한다. 월경 5-6일이면 자궁강 전체가 재상피화되고 간질의 성장이 시작된다.

(4) 자궁내막의 조직학적 일자(dating of endometrium)

분비기 자궁내막은 황체형성호르몬 급증으로부터 시간 경과에 따라 비교적 일정한 변화를 보이므로 자궁내막 발달이 정상적인지를 평가할 수 있다. 자궁내막의 조직학적인 날짜를 세는 것은(dating) 이전에는 주로 Noyes Hertig의 기준에 따라 평가한다(Noyes et al., 1950). 만일 조직학적 일자가 실제 배란 후 일자와 2일 이상 차이가 나는 경우 황체기 결핍증으로 진단하기도 하였다(Olive et al., 1991). 그러나 이 방법은 정확성이 부족하고, 자궁내막의 수용능 평가에도 적합하지 않아 황체기 결핍증의 진단이나 치료에 이용하기에 문제점이 있으며(Murray et al., 2004), 최근에는 불임 여성과 정상 여성에서의 차이를 구분하기에 적합하지 않다는 보고도 있다(Coutifaris et al., 2004).

분비기 자궁내막은 특징적인 당단백질, 부착분자(adhesion molecule), 사이토카인 등이 분비되므로 이들의 분비 양상을 이용하여 자궁내막의 수용성을 보다 정확하게 반영하고 자궁내막의 기능이상을 진단하는 방법들이 최근 연구되고 있다(Miravet-Valenciano et al., 2015; Ruiz-Alonso et al., 2013). 특히 인간의 자궁내막조직에서 에스트라디올과 프로게스테론 수용체, 인테그린(integrin), cyclooxygenase (COX)는 월경주기에 따라 특징적으로 발현되며 특히 착상시기인 분비기 중기에 특징적인 발현양상을 나타내므로 내막의 성숙도 지표로서 적합하다.

최근 인간의 자궁내막에서도 월경주기에 따라 Leukemia inhibitory factor (LIF)가 다르게 발현되며, 자궁내막 LIF는 자궁내막 선상피세포에서 기질세포보다 더 강하게 발현되며 배란 후 3-11일에 해당하는 황체기 자궁내막에서 LIF가 발현되는데 특히 황체기 중기인 착상기 자궁내막에서 LIF가 가장 강하게 발현되기 때문에 인간의 착상에도 중요한 역할을 할 수 있다는 가능성이 제시되었으며 원인불명의 불임환자의 경우 비정상적인 발현이 관찰되었다(송인옥 등, 2001). 이러한 생체활성 물질은 월경주기에 따라 특이적인 발현양상을 보일 뿐 아니라 다양한 질환에 따라 민감하게 변하여 기존의 Noyes Hertig 기준의 조직학적 기준을 보완할 뿐 아니라 질환 진단의 예민도를 크게 상승시킴으로써 분자생물학적, 면역조직 화학적, 병태생리학적 이해를 증진시킬 수 있다(김영아 등, 1999).

4) 난소호르몬에 의한 월경주기

임신 6주부터 난조세포(oogonia)가 나타나고 임신 8주가 되면 유사분열(mitosis)이 시작되어 세포수가 계속 증가한다(Baker et al., 1963; Gondos et al., 1971). 여성의 난포는 임신 20주에 6-7백만 개로 가장 많으며 그 후 난모세포와 난포가 급격히 퇴화되어 태어날 때 약 1-2백만 개의 난포를 난소에 갖고 태어나며 사춘기에는 30만 개 정도만이 남게 된다(Peters et al., 1978). 여성은 평생 동안 400-500개의 난포만이 배란이 된다. 폐경 후 난소에는 난포가 거의 없이 치밀한 간질만이 남게 된다(그림 4-5).

(1) 난포의 발달(follicular development)

사람의 난모세포의 생성과 분열은 태아기에만 일어나는데 체세포분열(mitosis)에 의하여 염색체의 수가 46개인 일

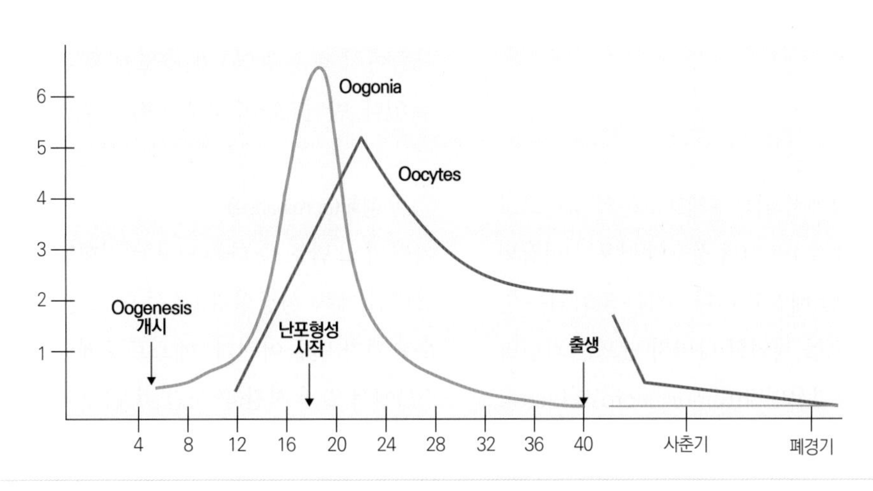

그림 4-5. 출생 시부터 폐경기부터 난자 수의 변화

차난모세포(primary oocyte)가 만들어진다. 감수분열은 prophase, metaphase, anaphase, telophase 4단계로 나누어지며 또한 제1 감수분열 전기(prophase)는 leptotene, zygotene, pachytene, diplotene, diakinesis 5단계로 나누어진다. 제1 감수분열을 하여 염색체의 수가 23개인 이차난모세포와 일차 극체가 만들어지며 태아 8주에 난모세포가 감수분열 1기의 전기가 되어 일차난모세포(primary oocyte)가 되는데 이렇게 감수분열에 들어간 난모세포만이 퇴화가 일어나지 않고, 제1 감수분열 전기 겹섬유기(diplotene stage)에서 정지된 상태로 출생하게 된다. 난포는 제1 감수분열의 상태로 태어나 사춘기가 되어 배란이 일어날 때까지 그 상태를 유지한다. 과립막세포에서 생성되는 난자성숙억제인자(oocyte maturation inhibitor, OMI)가 난포의 성장을 정지시키는데 난자와 난포세포더미(cumulus oophorus) 사이에 틈새이음(gap junction)을 통하여 이루어진다. 황체형성호르몬 급증(LH surge)이 일어나면 틈새이음이 없어지면서 제1 감수분열이 다시 시작된다.

사춘기 이후 제1 감수분열이 재개되고 황체형성호르몬의 급증까지 제2 감수분열의 중기(metaphase)에서 다시 정지되어 있다가 이차난모세포(secondary oocyte)의 상태로 배란이 되어 수정이 되면서 제2 감수분열이 완료된다.

정자 생성 과정은 두 번의 감수분열로 같은 크기의 정자세포 4개가 만들어지지만 난자 생성은 두 번의 감수분열을 하여 크기가 큰 정상의 난자 하나와 매우 작은 3개의 첨체로 분할된다.

(2) 난포 성장의 단계

난포 성장은 가임기 여성에서 뇌하수체호르몬의 영향으로 초경부터 폐경 때까지 매달 10-20개 정도의 난포가 성장되어 그 중 우성난포 한 개만 배란되고 나머지는 퇴화되는 일련의 과정이다. 우성난포를 제외한 나머지 난포는 과립막세포에서 생성되는 종양괴사인자(tumor necrosis factor, TNF)에 의해서 난포자극호르몬의 작용이 억제되어 퇴화된다(Montgomery et al., 1998). 성숙된 난포는 난소 표면으로 이동하며 직경이 18-20 mm 정도까지 커져 성숙난포가 되면 난소 표면을 뚫고 골반 내로 나오게 된다. 난포발달과 황체형성을 위한 난소의 혈류변화를 반영하는 난소동맥 박동지수는 난포 초기에 가장 높으며 황체 후기까지 감소하는 양상을 보인다(권동진 등, 1996).

① 난포 동원(recruitment)

특정 집단의 원시난포가 성장을 시작하여 전동난포(preantral follicle)로 전환되는 것으로 3개월 정도 소요된다. 원시난포는 FSH에 반응하지 않지만 난포 동원이 시작되면서 과립막세포가 FSH에 반응하기 시작한다. 이에 따라 과립막세포가 단일막(single layer)세포에서 계속 증식하여 다중막(multi layer)의 입방세포(cuboidal cell)로 바뀌게 되고 난포막세포(theca cell)가 나타나게 된다.

② 난포 선택(selection)

난포 동원이 완료된 후 몇 개의 초기 동난포(antral follicle)가 황체기 후기에 FSH 증가에 따라 급속히 성장하여 한 개의 우성난포(dominant follicle)만을 남기고 소멸되는 과정으로 황체기 후기부터 다음 난포기 중반까지 10일 정도의 기간이다. 난포기가 시작되고 몇 개의 난포에서 에스트라디올 생성이 증가되고 과립막세포에서 인히빈 B의 합성이 증가되면서 음성되먹임 기전에 의해 FSH가 감소한다. 낮은 FSH 상황에서 후보충(replenishment)으로 처음부터 FSH 수용체를 많이 가지고 있었던 난포는 계속 FSH 수용체를 만들어서 적은 양의 FSH라도 이를 흡수하여 계속 성장할 수 있다. 반면 FSH 수용체가 적은 경우는 퇴화되게 된다.

③ 우성화(dominance)

여러 개의 난포 중 다른 난포는 퇴화되며 한 개의 우성난포 하나만 계속 성장한다. 우성 난포에서만 FSH에 의해 LH 수용체가 만들어진다. 에스트로겐이 고농도(>200 pg/mL)에서 일정 시간(48시간 이상) 유지되면 시상하부-뇌하수체에서 양성 되먹임 기전이 일어나 LH 급증(surge)이 일어난다.

(3) 난포기

하나의 우성 난포가 형성되어 배란이 일어나는 시기까지를 말하며 젊은 여성의경우 평균 14-16일 정도이다. 난포 형성과정은 여러 단계로 전동난포(preantral follicle)에 속하는 원시난포(primordial follicle), 일차난포(primary follicle)와 이차난포(secondary follicle)가 있으며, 동난포(antral follicle)에 속하는 삼차난포(tertiary follicle) 및 배란전난포(preovulatory follicle)가 있다. 난포는 원시난포(primordial follicle) - 전동난포(preantral follicle) - 동난포(antral follicle) - 배란전난포(preovulatory follicle)의 순서로 성장하며 이 과정에 여러 호르몬과 자가분비-주변분비(autocrine-paracrine) 펩티드의 작용으로 이루어진다. 우성난포에서 합성되는 에스트라디올의 증가와 그에 따른 음성 되먹임(negative feedback)에 의한 FSH 감소가 나타난다. 난포기 후반에는 에스트로겐의 양성 되먹임(positive feedback)에 의한 LH surge가 있다.

① 원시난포(primordial follicle)

원시난포의 동원(recruitment)과 성장은 수개월에 걸쳐 일어난다. 초기 난포 동원은 생식샘자극호르몬에 영향을 받지 않으나 초기 동원이 끝나면 곧 난포자극호르몬이 난포의 분화와 성장을 조절하고 난포의 군집이 지속적으로 분화하도록 한다. 난자의 크기가 커지고 과립막세포가 단층의 편평한 모양에서 복층의 입방형으로 변하며 두 세포 간에 틈새이음이 생겨 영양분, 이온, 조절 물질들이 이동할 수 있게 된다. 입방형의 과립막세포가 증식하여 15개 정도가 되면 원시난포에서 일차난포(primary follicle)로 이행한다. 이전 월경주기의 황체가 점차 소멸되면서 에스트로겐, 프로게스테론, 인히빈 A가 감소하면서 난포자극호르몬이 증가하여 난포의 성장을 자극한다.

② 전동난포(preantral follicle)

이전 월경주기의 황체가 소실되고 난포자극호르몬이 증가하기 시작하면서 같이 동원된 난포가 성장하기 시작한다. 이는 난포자극호르몬 비의존성 난포 성장 단계에서 난포자극호르몬 의존성 난포 성장 단계로 진행됨을 의미한다. 난모세포와 과립막세포 사이에 당단백질이 풍부한 투명대가 나타난다. 원시난포에서 전동난포로 변화하면서 둘러싸여 있는 과립막세포의 분열이 지속된다. 과립막세포 주변에 있는 기질에 있는 난포막세포(theca cell)도 증식한다. 이 두 세포는 상호작용에 의하여 에스트라디올을 생성한다. 같이 동원된 난포들 중 우성난포가 가려지고 나머지는 퇴화가 된다.

③ 동난포(antral follicle)

월경 5-7일에 우성난포의 선택이 이루어지고 월경 7일째부터 에스트라디올의 생산이 급격히 증가하기 시작한다. 증가된 에스트라디올에 의하여 음성 되먹임이 일어나 난포자극호르몬이 감소하게 된다. 황체형성호르몬이 난포기 말부터 증가하기 시작하여 난포막세포에서의 안드로겐의 생산을 자극하고 난포의 최종적인 성숙과 우성난포의 기능에 도움을 준다. 난포자극호르몬은 과립막세포에서 황체형성호르몬 수용체의 발현을 유도한다. 생식샘자극호르몬의 작용은 다양한 성장인자와 자가분비, 주변분비 펩티드(autocrine-paracrine peptide)의 영향을 받는다.

난포가 성장함에 따라 에스트라디올이 증가하면 시상하부와 뇌하수체에 음성 되먹임이 일어나 난포자극호르몬이 감소한다. 이 시기에 난포자극호르몬의 자극에 의하여 과립막세포에서 분비된 인히빈 B는 뇌하수체에 직접 작용하여 난포자극호르몬의 분비를 억제한다. 액티빈은 뇌하수체와 과립막세포에서 만들어지며 난포자극호르몬의 분비와 작용을 강화시킨다. 인슐린유사성장인자(insulin like growth factor, IGF)는 난포자극호르몬과 황체형성호르몬의 작용을 증가시킨다.

난포가 성장하면서 난포자극호르몬이 점차 감소하게 되어 난포자극호르몬 수용체를 충분히 가지고 있는 우성난포만이 성장을 계속하고 다른 난포는 퇴화하게 된다. 난포의 초기 발달 시기에 일정기간 이상 난포자극호르몬에 노출되었던 우성난포는 과립막세포의 증식이 증가되어 난포자극호르몬 수용체가 풍부하여 난포자극호르몬 농도가 낮아져도 민감하고 강력하게 반응할 수 있어 성장이 지속될 수있다(Schipper et al., 1998).

초음파검사로 우성난포의 판정은 월경 제 7.2±2.2일에 가능하며 당시 난포의 크기는 8.3±1.2 mm이다. 난포성장의 정도는 우성난포 선정 전 보다 선정 후에 증가하며 1일 평균 1.5 mm의 성장률을 보인다. 배란은 우성난포 선정 후 7.6±0.96일에 있었으며 배란 직전 난포크기는 19.3±2.4 mm이다(조동제 등, 1988).

④ 배란전난포(preovulatory follicle)

배란전난포는 난포 내에 과립막세포의 분비물과 혈장으로 되어 있는 방(antrum)이 있는 것이 특징이다. 난자는 특수화된 과립막세포인 난포세포더미(cumulus oophorus)에 의하여 난포에 연결되어 있다. 배란전난포는 난포 발달의 마지막 단계로 20 mm 이하의 크기이다.

난포자극호르몬은 과립막세포에서 난포자극호르몬 수용체를 증가시킬뿐 아니라 황체형성호르몬 수용체를 발현시킨다. 황체형성호르몬의 작용으로 난자는 최종 성숙을 하고 적절한 난포로 성장하여 건강한 난자를 만들 수 있게 된다.

에스트로겐이 지속적으로 증가하면서 음성 되먹임에 의해 난포자극호르몬의 분비가 억제된다. 에스트라디올은 황체형성호르몬을 두 가지 방법으로 조절하는데 저농도의 에스트라디올은 음성 되먹임 작용에 의하여 황체형성호르몬을 억제하지만 난포의 크기가 15 mm 이상일 때 도달하는 200 pg/mL 이상의 고농도의 에스트라디올이 48시간 이상 지속되면 오히려 황체형성호르몬의 농도를 증가시키는 양성 되먹임 작용을 하여 급증(LH surge)을 유발한다(Young et al., 1976).

황체형성호르몬의 급증 동안에 우성난포에서 난포자극호르몬과 에스트라디올에 의하여 과립막세포에 황체형성호르몬 수용체가 생기고 황체화가 일어나 프로게스테론이 생성되고 배란이 시작된다.

프로게스테론은 에스트라디올에 대하여 양성 되먹임 작용을 한다. 적절한 에스트라디올이 시동(priming)이 된 후 에스트라디올이 황체형성호르몬 급증을 일으키기에 부족한 경우에는 프로게스테론은 뇌하수체에 직접적인 작용을 하여 양성 되먹임 작용을 촉진하여 황체형성호르몬 급증을 유발한다. 난포증식기 후반의 프로게스테론의 분비는 난포자극호르몬의 급증을 유발하여 플라스미노겐활성제(plasminogen activator)를 자극하고, 과립막세포에 황체형성호르몬 수용체 형성 촉진 및 난자의 난포벽 이탈을 유도하게 된다(Reed et al., 2000).

일반적으로 배란은 월경주기 중간의 황체형성호르몬의 급증이 시작되고 34-36시간 후, 황체형성호르몬의 절정으로부터는 10-12시간 경과 후 이루어진다(Hoff et al., 1983). 배란기에 안드로스텐디온은 15%, 테스토스테론은 20% 정도 증가하여 우성난포 이외의 난포를 퇴화시키고 배란기에 성욕을 증가시킨다.

⑤ 난포발달 관련 국소인자

가. 두 종류의 세포와 두 종류의 생식샘자극호르몬이론 (two–cell two–gonadotropin theory)

난포 발달에 의한 호르몬 생성은 two-cell two-gonadotropin theory에 의하여 설명된다. 즉 과립막세포와 난포막세포 두 종류의 세포와 난포자극호르몬과 황체형성호르몬 두 가지 생식샘자극호르몬을 이용하여 호르몬이 생성된다. 황체형성호르몬 수용체는 난포막세포에, 난포자극호르몬 수용체는 과립막세포에만 존재한다(Kobayashi et al., 1990; Erickson GF, 1986; Ryan et al., 1966; Yamoto et al., 1992; Hueuh et al., 1984).

즉 전동기 이후 난포의 과립막세포에 난포자극호르몬 수용체가 있어 난포자극호르몬이 이에 결합하여 아데닐레이트 사이클레이즈 매개 신호가 활성화되고 방향화효소가 활성화되어 에스트라디올을 만든다. 그러나 과립막세포는 안드로스텐디온과 테스토스테론으로부터 에스트로겐을 합성하는 방향화효소는 활성화되어 있으나 콜레스테롤로부터 에스트로겐 전구물질까지의 생산은 하지 못한다. 난포막세포는 황체형성호르몬의 영향으로 혈중에 있는 콜레스테롤로부터 프레그네놀론(pregnenolone)을 만들고 17-hydroxypregnenolone을 거쳐 디하이드로에피안드로스테론(dehydroepiandrosterone, DHEA)을 통해 안드로스텐디온을 생성하고 이를 다시 테스토스테론으로 전환한다. 난포막세포에서 만들어진 안드로스텐디온과 테스토스테론은 난포자극호르몬 수용체가 있는 과립막세포로 이동하여 방향화효소에 의하여 활성화되어 에스트라디올로 변환된다(Weil et al., 1998; Chabab et al., 1986; Amsterdam et al., 1987; Erickson et al., 1985)(그림 4-6).

난소에서 생산된 에스트라디올과 난포자극호르몬이 더 많은 에스트로겐을 생성하고 난포자극호르몬 수용체를 합성, 발현시키며, 과립막세포의 증식과 분화가 되도록 자극한다. 우성난포에서는 에스트로겐이 높아져서 난포가 더 성장하기에 적합한 미세 환경을 만들게 된다. 초기 난포 발달에는 난포자극호르몬만이 필요하나 난자 성숙의 마지막 단계에서는 에스트라디올 생성을 위한 안드로겐의 합성과 비우성난포의 퇴화 과정에 황체형성호르몬의 작용이 중요하다.

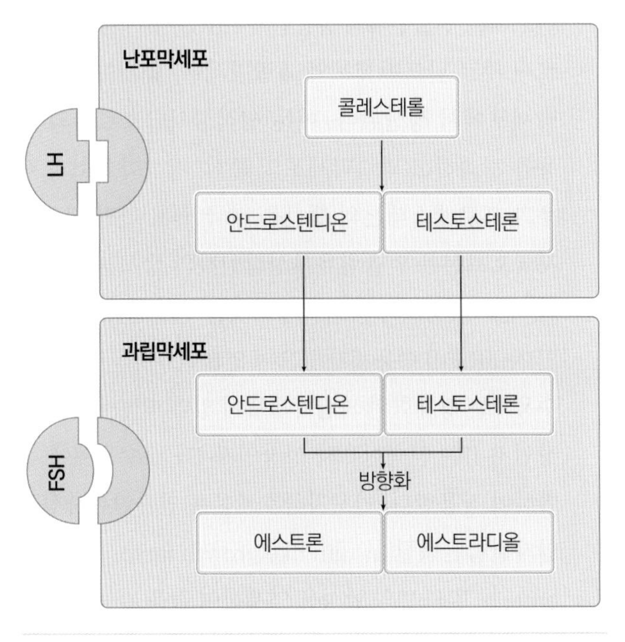

그림 4-6. **두 종류의 세포와 두 종류의 생식샘자극호르몬 이론**

나. 난포 발생에 있어서의 안드로겐의 역할

안드로겐은 두 가지 조절기능으로 농도에 따라 난포 발생에 다르게 관여한다. 안드로겐은 저농도에서 과립막세포의 수용체를 통하여 방향화효소의 작용을 자극하여 에스트라디올의 생산을 증가시킨다. 안드로겐은 고농도 상태에서 5α 환원효소(5α reductase)의 활성도를 높게 하여 더욱 강력한 안드로겐인 5α 환원형 안드로겐(5α reduced androgen)으로 전환되어 방향화효소의 작용을 억제함으로서 에스트라디올로의 전환이 적어지며 난포자극호르몬에 의한 황체형성호르몬 수용체의 생성을 억제하고 난포는 퇴화하게 된다(McNatty et al., 1979; Hillier et al., 1980; Jia et al., 1985).

한편 난포가 성장하면서 에스트로겐이 올라가면 음성되먹임 현상에 의하여 난포자극호르몬이 감소하고 난소에서 생성되는 인히빈 B에 의하여 난포자극호르몬이 더 감소하게 되어 이미 충분한 난포자극호르몬 수용체를 가지고 있는 우성 난포 외의 난포 성장이 억제된다. 난포 성장을 좌우하는 요소는 안드로겐이 우세한 환경에서 에스트라디올이 우세한 환경 쪽으로 변환시킬 수 있는 지가 중요하다(Chabab et al., 1986; Greisen et al., 2001).

다. 성호르몬 이외 난소 조절인자들의 작용

성호르몬 외에도 난소내에서 분비되는 여러 물질들이 뇌하수체의 되먹임 작용에 관여된다(Adashi et al., 1988). 뇌하수체의 난포자극호르몬 분비는 인히빈, 액티빈, 폴리스타틴(follistatin), 그리고 인슐린유사성장인자, 항뮐러관호르몬(anti-Müllerian hormone) 등에 의하여 조절된다. 액티빈과 인히빈은 생식샘자극호르몬에 대한 난포막세포와 과립막세포의 반응을 조절하여 난포의 성장 발달에 관여하며, 인히빈은 황체형성호르몬의 작용을 자극하고 액티빈은 억제한다(Demura et al., 1993).

가) 인히빈(inhibin)

인히빈은 알파단위(alpha unit)는 같으나 베타단위

(beta unit)가 서로 다른 A와 B 두 가지 형태를 만들어 난포자극호르몬의 합성과 분비를 억제한다. 인히빈 B는 난포자극호르몬의 자극에 의하여 난포기에 분비되고, 인히빈 A는 황체기에 분비된다. 인히빈 A와 B는 모두 난포자극호르몬의 합성과 분비를 억제한다.

인히빈 A는 증식기 동안 낮은 농도를 유지하다가 증식기 후기에 증가하기 시작하여 분비기 중기에 정점에 도달한 후 점차적으로 감소한다. 그러나 인히빈 B는 증식기 초기부터 증가하기 시작하여 증식기 중기에 높은 농도를 유지하다 배란 직전 일시 감소한 다음, 배란 시에 상승하여 최고 농도가 되고 배란 후 급격히 낮아져 분비기에는 계속 낮은 농도를 유지한다(그림 4-7).

황체형성호르몬의 조절에 의하여 황체가 주로 인히빈 A를 생산하며, 황체기 중기에 최고에 달하며 황체기 결함이 있는 경우 농도가 낮아 이를 황체기 결핍 진단에 활용할 수 있다. 인히빈 A는 황체기 동안에 난포자극호르몬을 억제하여 황체기에서 난포기로 이행하도록 한다. 황체기 말 황체의 퇴행과 더불어 인히빈 A가 급격히 감소하여 음성 되먹임 기전으로 뇌하수체에서 난포자극호르몬 분비를 유발하고 다음 월경주기를 준비하게 된다. 인히빈 B는 난포기에 과립막세포에서

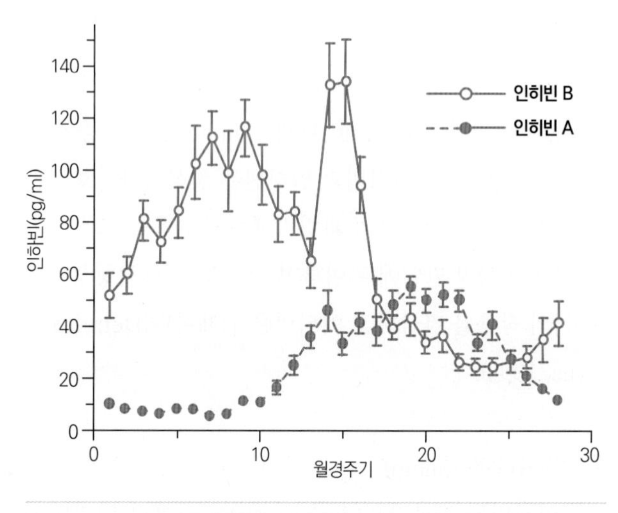

그림 4-7. **월경주기에 따른 인히빈 A와 인히빈 B 농도의 변화**

주로 분비되어 난포자극호르몬을 감소시키는 역할이 커서 우성난포를 만드는 역할을 하며 성장난포의 수, 난포의 성숙 정도와 관계가 있으므로 난소에서 직접 생산되는 인히빈 B를 측정하는 것이 난소의 잠재력을 알아보는 보다 더 정확한 지표가 될 수 있다는 연구들이 보고되고 있다(Groome et al., 1996; McLachlan et al., 1987; Buckler et al., 1989; Ling et al., 1986; 김장흡 등, 2003).

나) 액티빈(activin)과 폴리스타틴(follistatin)

액티빈은 과립막세포와 뇌하수체에서 만들어져서 난소의 작용을 강화한다. 액티빈은 난포기에 난소의 과립막세포에서 난포자극호르몬 수용체의 수를 증가시키고 난포자극호르몬의 작용을 강화하여 방향화를 촉진한다. 배란 전에 액티빈은 과립막세포에서의 프로게스테론 생산을 억제하여 황체화가 조기에 일어나는 것(premature luteinization)을 방지하는 역할을 한다. (Braden et al., 1992; Demura et al., 1993).

폴리스타틴(follistatin)은 뇌하수체 세포에서 분비되는 당단백으로 액티빈에 결합하여 그 작용을 억제함으로써 난포자극호르몬의 작용을 억제한다.

다) 인슐린유사성장인자(insulin like growth factor)

난포에는 인슐린유사성장인자-II(IGF-II)가 주된 형태로써 주로 난포막세포와 과립막세포, 황체화된 과립막세포에서 생산된다. 이는 생식샘자극호르몬의 작용을 강화하고 과립막세포의 증식, 방향화효소의 작용과 프로게스테론의 생산을 자극한다. 한편 생식샘자극호르몬은 인슐린유사성장인자의 생성을 자극한다. 난포막세포와 과립막세포에는 인슐린 유사 성장인 자-I(IGF-I) 수용체가 있으며 인슐린유사성장인자-II 수용체는 황체화된 과립막세포에 있다. 인슐린유사성장인자-II는 인슐린유사 성장인자-I과 II 수용체에 결합하여 작용한다. 난포자극호르몬은 인슐린유사성장인자결합단백질(insulin like growth factor binding protein, IGFBP)의 합성을 억제하여 작용 가능한 인슐린유사성장인자를 최대로 증가시킨다(Erickson et al.,

2001; Adashi et al., 1988).

라) 항뮐러관호르몬(anti-Müllerian hormone)

항뮐러관호르몬은 자라고 있는 일차난포와 전동난포의 과립막세포에서 분비되는 물질이다. 난포자극호르몬 수용체를 조절하여 난포자극호르몬 민감도를 감소시킴으로써 우성난포의 선택에 영향을 주며, 전동난포와 작은 동난포의 초기 선택을 억제시키는 역할을 하는 것으로 알려져 있다. 또한 난소 잠재력을 반영하는 가장 정확한 인자 중의 하나로 보고되고 있다(Hampl et al., 2011; La Marca et al., 2009; La Marca et al., 2006).

(4) 배란

LH surge가 일어나면 우성난포의 난포벽에서 프로스타글란딘과 단백용해효소가 증가하여 점차 난포벽을 약화시켜 부풀어 오른 '스티그마'를 형성하여 결국 파열되어 배란이 일어난다(Yoshimura et al., 1987).

LH 증가 시작 24-36시간 이후, LH 최고치 후 10-12시간 후에 배란이 일어난다(Fritz et al., 1992). 황체형성호르몬 급증의 시작은 배란이 가까워졌다는 가장 신빙성 있는 지표이다. 난자가 완전히 성숙하기 위해서는 역치 이상의 황체형성호르몬 농도가 14-27시간 정도 유지되어야 하며 보통 황체형성호르몬 급증은 48-50시간 유지된다. 황체형성호르몬의 급증은 난자의 감수분열을 재개시키고 과립막세포의 황체화를 유발하여 난포에서 프로게스테론과 프로스타글란딘을 합성하게 한다. 월경주기 중간(midcycle)의 난포자극호르몬의 급격한 증가는 난자를 분리하여 배란이 되게 하고 플라스미노겐을 플라스민으로 전환시켜서 난포막에서 단백분해효소의 농도를 높여 난포벽을 약화시켜 난포에 구멍이 생기게 하여 이 구멍을 통하여 난포에서 난포막을 뚫고 난자가 나오게 한다. 배란은 난자와 과립막세포로 구성된 난포세포더미(cumulus oophorus)가 나오게 되는 현상으로 난자의 최종 성숙과 난포벽의 콜라겐층의 분해가 일어나야 한다. 프로스타글란딘은 배란 전 난포액에서 최고치가 되며 난소의 평활근을 수축시켜 난자와 작은 더미세포(cumulus cell)의 탈출을 촉진하므로 불임 여성은 배란기에 프로스타글란딘 억제제를 사용하지 않도록 주의한다.

황체형성호르몬 급증은 난자의 감수분열을 재개하여 지속시키고 과립막세포를 황체화하며 난포세포더미(cumulus oophorus)를 팽창시키고 난포가 터지기 위하여 필수적인 프로스타글란딘과 다른 아이코사노이드(eicosanoid)를 합성한다. 난자의 조기 성숙과 황체화는 국소 인자와 난자에 의하여 조절된다.

(5) 황체기

배란부터 생리까지의 시기를 말하며, 배란이 일어난 후 황체기 동안 중요한 조절기능을 갖는 황체가 형성되고, 소멸되기까지 평균 14일 걸린다.

난포내 과립막세포가 커지고 지질을 흡수하면서 특징적인 황색의 황체 색소(lutein pigment)를 형성하여 프로게스테론, 에스트라디올, 인히빈 등을 분비하게 된다. 배란 8-9일 후에 혈관 생성은 최대에 달하면서 프로게스테론과 에스트라디올의 혈중치가 가장 높아지는 시기가 된다. 황체에서 생성되는 에스트라디올, 프로게스테론과 인히빈 A가 뇌하수체에서 음성 되먹임 작용을 하여 난포자극호르몬과 황체형성호르몬의 분비를 억제시킴으로써 황체기 동안의 새로운 난포들이 동원되는 것(recruitment)을 억제한다.

에스트라디올은 프로게스테론 수용체를 만드는데 중요한 역할을 하며 황체기의 에스트라디올은 배란 후 자궁내막의 황체호르몬에 의한 변화에 필요하다. 자궁 내막에 에스트라디올의 시동(priming)이 부적절한 경우 프로게스테론 수용체가 부적절하여 불임이나 유산, 황체기 결핍증 등의 증상을 보인다. 배란기에 난포자극호르몬의 농도가 낮으면 배란 전 에스트라디올의 농도와 황체기 중기의 프로게스테론의 생산이 감소하며 황체세포더미(luteal cell mass)가 감소하여 황체기 기능이 부적절하게 된다(Smith et al., 1985). 프로게스테론과 에스트라디올은 황체형성호르몬의 박동성분비(LH pulse)와 관련되어 간헐적으로(episodic) 분비되므로 황체기 중기에 측정한 프로게스테론이 정상치보다 낮은 경우에도 전체 황체기의 기능은 정상인 경우가 있다.

황체는 인체에서 가장 높은 혈류를 보이는 조직이다. 황체기 초기에는 혈관내피성장인자(vascular endothelial growth factor) 등과 같은 혈관형성인자(angiogenic factor) 등에 의하여 생긴 신생혈관이 기저막을 침습하고, 이들 혈관이 증식하여 호르몬을 전신으로 순환시킨다. 황체기에는 모세혈관이 과립막층을 통과하여 황체의 중심강까지 들어가게 된다(Anasti et al., 1998).

임신이 된 경우에는 태반에서 사람융모생식샘자극호르몬(hCG)이 분비되어 황체형성호르몬과 유사한 작용을 하여 황체에서 프로게스테론이 분비되게 한다. 임신 5주까지 황체의 기능이 유지되며 그 이후 황체로부터 태반으로 작용이 옮겨지게 되어(luteal-placental shift) 태반에서 충분한 양의 프로게스테론이 분비되게 된다(Scott et al., 1991).

황체의 기능은 황체형성호르몬의 지속적인 생성 유무에 따라 달라진다. 임신이 되지 않는 경우 황체형성호르몬의 자극이 중단되면서, 지속적으로 hCG가 자극하지 않는 한 2주만 유지되고, 대개 12-16일 후 계획된 세포사망(preprogrammed cell death)이 일어나 황체가 소멸된다(Lenton et al., 1984). 황체분해의 기전은 명확하지 않으나 국소에서 분비되는 주변분비인자(paracrine factor)들이 관여할 것으로 알려져 있는데 에스트라디올, 프로스타글란딘 농도의 변화, 산화질소(nitric oxide), 엔도세린(endothelin) 등이 관여하여 소멸된다. 또한 황체에서 생성되는 에스트라디올, 프로게스테론과 인히빈이 감소하게 된다. 황체소실 후 프로게스테론과 에스트라디올의 감소로 생식샘자극분비호르몬의 파동성 분비의 빈도가 지속적이고 급격하게 증가하게 되어 난포자극호르몬과 황체형성호르몬의 증가가 일어나 다음 월경주기의 난포의 동원을 유발하게 된다. 인히빈 A와 에스트라디올의 감소, 생식샘자극분비호르몬의 파동성 증가로 황체형성호르몬보다는 난포자극호르몬의 증가가 두드러지게 일어나 70일간 준비되어 온 난포를 계속 성장시킨다.

5) 요약: 월경주기의 조절

(1) 시상하부의 궁상핵(arcuate nucleus)에서 파동성으로 생식샘자극호르몬분비호르몬이 분비되어 문맥순환을 통하여 뇌하수체 전엽으로 분비된다.

(2) 원시난포에서 동난포로의 난포의 발달 과정은 생식샘자극호르몬 비의존적인 시기에서 의존적인 시기로 이행한다.

(3) 전 월경주기의 황체가 소멸되면서 프로게스테론과 인히빈 A의 농도가 감소하고 난포자극호르몬이 증가하기 시작한다.

(4) 난포자극호르몬의 자극에 의하여 난포가 자라고 분화하면서 에스트로겐과 인히빈 B의 양이 증가한다.

(5) 에스트로겐은 자궁내막 기능층의 성장, 분화를 자극하여 배아의 착상을 준비한다. 에스트로겐은 난포자극호르몬과 함께 난포를 발생시킨다.

(6) Two-cell two-gonadotropin theory에 의하면 황체형성호르몬은 난소의 난포막세포(theca cell)를 자극하여 안드로겐을 만들고 과립막세포는 난포자극호르몬의 자극을 받아 에스트로겐을 생산한다.

(7) 에스트로겐과 인히빈이 증가하면서 뇌하수체와 시상하부에서 음성 되먹임이 일어나 난포자극호르몬이 감소하게 된다.

(8) 에스트로겐의 농도가 높고 난포자극호르몬 수용체의 수가 많은 우성난포 하나만이 난포자극호르몬이 감소해도 난포 성장을 지속하여 배란이 된다.

(9) 고농도의 에스트로겐이 일정시간 지속되면 뇌하수체의 황체형성호르몬 급증이 일어나 배란이 되고 프로게스테론이 생산되면서 황체기로 이행하게 된다.

(10) 황체의 기능은 황체형성호르몬의 유무에 따라 달라진다. 황체에서 만들어진 에스트로겐, 프로게스테론, 인히빈 A는 생식샘자극호르몬을 억제한다. 황체형성호르몬이 지속되지 않는 경우 12-16일이 지나서 황체가 소멸되게 되며 프로게스테론 생산이 중단되어 월경을 하게 된다.

(11) 임신이 된 경우 태반에서 황체형성호르몬과 유사한 기

능을 갖는 사람융모생식샘자극호르몬이 분비되면서 황체가 유지되어 프로게스테론이 지속적으로 나와 자궁 내막의 분비를 유지하여 임신이 지속되도록 한다.

3. 수정 및 착상

난자와 정자의 수정 및 배아 발달 과정은 매우 복잡하다. 이 과정은 난관 및 자궁내에서 일어나기 때문에 연구하기 어려운 분야였으나 보조생식술의 발달과 함께 정자와 난자에 대한 이해가 높아지고 수정 및 초기 배아 성장 과정을 체외에서 관찰하게 되면서 많은 연구를 통해 그 비밀이 밝혀지고 있다.

1) 정자의 구조 및 이동

성숙된 정자는 올챙이 모양으로, 두부, 중편부, 미부로 나누어져 있다. 정자의 두부에는 핵과 이를 둘러싸는 단백분해효소가 들어있는 첨체모가 존재한다. 중편부는 1개의 중심소체와 이를 둘러싼 미토콘드리아로 구성되어 있으며 미부는 미세소관과 섬유의 복합체로 형성되어 있다(그림 4-8). 정자는 고환에서 생성이 시작된 후 약 72일 간의 성숙기간을 거쳐야 성숙 정자가 되는 데 부고환으로 이동하는 동안 운동성과 수정 능력을 갖추게 되며 부고환 원위부에 도달하면 사정 준비 상태가 된다. 사정 전 저장되어있는 동안의 적절한 온도 및 혈중 테스토스테론 농도가 정상적인 정자의 수정 능력을 유지하는데 중요하며 체온의 상승은 정자수의 감소와 연관되어 있다(Foldsey et al., 1982). 겔(gel) 형태의 사정된 정액은 전립선에서 분비된 효소에 의하여 약 20-30분 후 액화된다. 정액은 알칼리 성을 유지하여 질 내의 산성 환경에서 정자를 일시적으로 보호하는 역할을 하는데, 약 2시간 이내 대부분의 정자는 질 내에서 운동성이 없어진다. 질 내에 방출된 정자는 외 자궁경관에 도달한 후 정액의 정장 성분을 질 내에 남겨두고 자궁 내로 빠르게 이동한다. 보통 질 내로 약 2-3억 개의 정자가 방출되나 수 백마리 만이 난자 근처에 도달한다. 이러한 손실의 이유는 질 입구(introitus) 밖으로 빠져나가는 것이 가장 주된 것이며, 그 외에 질 효소나 탐식 작용(phagocytosis)에 의해 또는 자궁내막세포 안에 정자가 파묻혀(engulf) 손실되기도 하고, 나머지는 난관을 따라 복강(peritoneal cavity)으로 빠져나가 손실된다. 자궁강 내로 진입하기 위해서는 경관 점액의 미세구조를 통과 하여야 하는데 이때 정자의 모양에 문제가 있거나 운동성이 떨어지면 경관 점액을 통과하기 어렵다. 따라서 자궁경관 점액은 일종의 필터 역할을 하여 건강한 정자만이 난자와 만날 수 있도록 한다. 이러한 정자의 이동에는 정자 자체의 운동성 외에 여성의 질 및 자궁의 수축력도 기여를 한다. 자궁의 수축력과 함께 정자의 운동성으로 정자는 난관을 향해 이동하며, 빠른 속도의 정자는 자궁 내 주입된 후 약 5분 후에 난관으로 진입하지만 이렇게 초기에 난관 내로 도달한 정자는 대부분 수정 능력을 갖추지 못한다고 한다. 오히려 경관 점액 내에서 군집을 이루어 천천히 난관의 팽대부로 이동하는 정자들이 수정

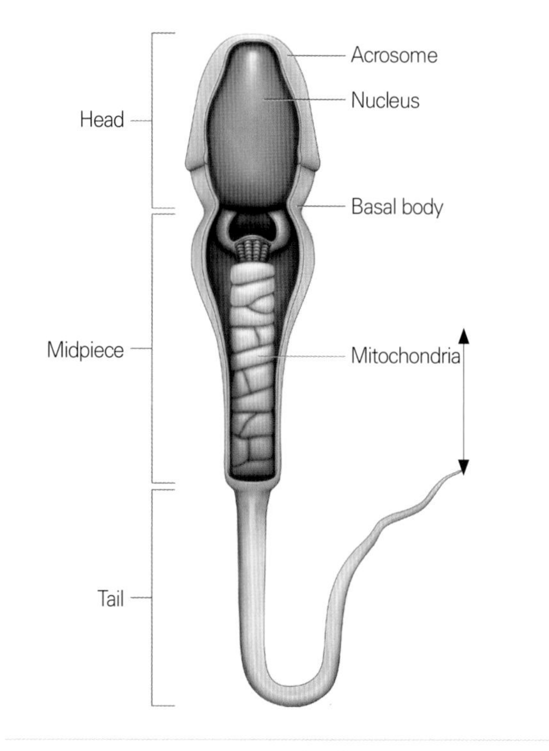

그림 4-8. **정자의 구조**

확률이 높다. 다른 동물 종에서는 난관협부가 정자의 저장소 역할을 하나, 인체에서는 자궁경부가 그 역할을 하며 약 72시간까지 정자를 공급한다(Williams et al., 1993).

사정된 직후 자궁경부에서 난관을 통과하는 동안 정자는 수정 능력이 거의 없지만 '수정능획득(capacitation)'이라는 일련의 과정을 거쳐 수정 능력을 갖게 된다. 수정능획득(capacitation)은 첨단체반응(acrosome reaction), 난자 투명대 부착 및 정자의 과운동성(hyperactivity) 획득으로 요약되는 과정이다. 먼저 정자가 사정 당시 둘러싸고 있는 막 단백질 Beta Defensin 126에서 벗어나면 혈장막 내 지질과 단백질의 구조적 변화가 일어난다(Tollner et al., 2009). 정자는 난자의 부근에 도착하면 혈장막과 혈장막 아래층인 첨체의 외막이 서로 융합되는 첨체반응(acrosome reaction)이 일어나고 첨체에 포함되어 있는 아크로신(acrosin), 히알루론산 분해 효소(hyaluronidase), 난포세포더미분산효소(cumulus-dispersing enzyme), 뉴라민분해효소유사인자(neuramidinase-like factor) 등의 단백분해 효소들이 방출되어 활성화되면서 난자 내로 침입이 용이하게 된다(Battistone et al., 2013; Signorelli et al., 2012). 첨단체반응을 통해서 정자는 난자 투명대에 대한 부착능력 및 투명대를 통과하기 위한 과운동성을 획득하게 된다. 이런 정자의 과운동성은 정자가 난관 상피세포에 유착되는 것을 막고 투명대와 난구를 쉽게 투과할 수 있도록 한다. 첨단체반응 이후 정자의 첨체 내막은 난자의 혈장막과 결합하게 된다. 이런 정자의 수정능획득은 정자를 체외에서 적절한 배지에 배양 함으로써도 이루어지며 약 2시간 정도 소요된다(Overstreet et al., 1980).

2) 난자의 구조 및 이동

난자는 인체내의 가장 큰 세포로 성숙된 난자의 사이즈는 약 200 ㎛로 눈으로 확인이 가능한 정도이다. 배란 시 과립막세포에 둘러 싸여 있는 난포세포더미(cumulus oophorus)와 함께 배출된다. 제일 바깥층은 부챗살관(corona radiata), 그 아래는 난자에서 분비되는 당단백으로 이루어진 투명대(zona pellucida)가 형성되어 있다(그림 4-9). 투명대와 난자 사이는 난황주위공간(perivitelline space)과 난구세포 사이에는 틈새이음(gap junction)을 갖추고 있어 이를 통해 과립막세포와 난자 간의 대사활동이 이어진다. 난자와 그를 둘러싸는 난구는 배란 후 15-20여 분 이내에 난관의 팽대부에 도달한다. 배란 직후 난자는 난소의 표면에 붙어 있다가 난관술(fimbria)이 그 위를 훑고 지나감으로써 난관 내로 이동하게 된다. 이후 난관 상피세포에 존재하는 섬모가 일종의 흡착 역할을 하게 되며, 섬모의 운동은 자궁강을 향해 일정한 방향성을 보이는데 이는 난관 근층의 수축작용, 난관액(tubal fluid)과 함께 난자 이동에 중요한 역할을 한다. 난자가 난관에 잔류하는 기간은 약 80시간이며 이 중 약 90% 이상을 팽대부에 머무르게 된다. 난관은 단순한 난자의 이동 통로가 아니라 수정란이 착상하기 좋은 포배기 상태가 될 때까지 그리고 자궁내막이 수정란이 착상하기에 적당한 상태가 될 때까지 수정란을 보관하는 역할을 한다. 그러나 난관 팽대부나 협부, 또는 난관술을 일부 제거하더라도 불임이 되지 않는 것으로 보아(Pauerstein et al., 1979) 난관의 어느 특정 부분이 임신에 필수적인 것은 아니며, 해부학적 변형에 바로 적응하는 것으로 보인다. 난관 근층의 수축작용은 프로스타글란 E2 (prostaglandin E2)와 프로스타글란딘 F2α (prostaglandin F2α)에 의해 활성화되며 프로게스테론이나 옥시토신(oxytocin) 및 사람융

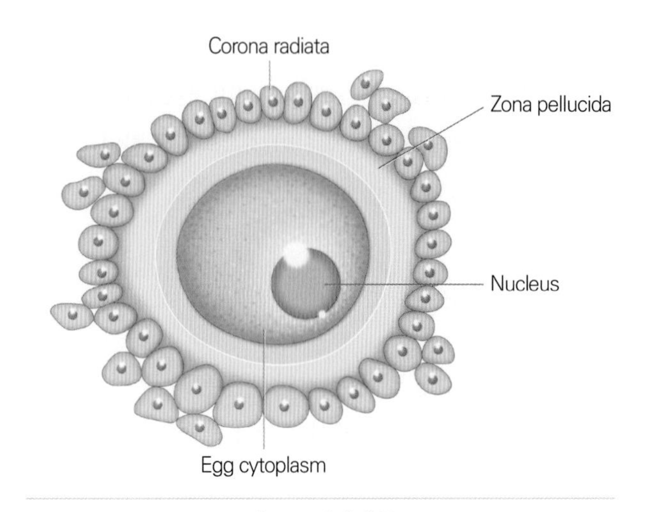

그림 4-9. **난자의 구조**

모생식샘자극호르몬(human chorionic gonadotropin)에 의하여 억제된다고 알려져 있다(Wanggren et al., 2008). 이러한 생리를 기초로 약물을 사용한 난관운동의 조절에 대해 많은 연구가 진행되었는데 용량에 따라 결과의 차이가 있지만, 통상적인 치료적 용량의 에스트로겐은 난관에서 난자의 이동을 억제 하며, 프로게스테론은 이 작용을 일부 길항하는 것으로 알려져 있다(Mahmood et al., 1998; Bylander et al., 2013).

3) 수정

난자와 정자의 수정 과정은 매우 중요하고 복잡하다. 수정이란 정자가 난포세포들(follicular cells) 사이에서 투명대(zona pellucida)를 통과하여 정자의 세포막과 난자의 세포막이 융합되고 정자의 핵이 난자 세포질 내로 들어가 난자의 핵과 만나면서 수정란(zygote)을 형성하는 과정이다(Talbot et al., 2003). 수정 및 착상은 배란 후 극히 짧은 기간 동안, 즉 수정가능기(window for fertilization)와 착상가능기간(implantation window)동안 일어나게 된다. 인간의 난자 및 정자의 수정가능기는 정확히 밝혀져 있지 않지만 배란 후 보통 난자는 12-24시간, 정자는 48-72시간 정도로 추정된다. 통상적으로 배란 직전 3일 이내에 성관계를 가졌을 때 임신률이 가장 높은 것으로 보고되고 있다. 그러나, 배란 6일 전이나 3일 후 한 번의 성관계로 임신이 되는 경우도 있으며 미성숙 난자의 경우에는 36시간 동안 체외배양 후 수정이 된 경우도 있다. 정자와 난자의 만남은 난관의 팽대부에서 무작위적으로 일어나지만 수정 과정은 우연히 이루어지는 것이 아니라, 정자의 수정능획득(capacitation) 과정 중 일어난 변화에 따라 정자-난자 간의 신호전달을 통해 체계적으로 이루어지는 것으로 알려져 있다(Wilcox et al., 1995).

난포세포더미는 배란된 난자를 둘러싸고 있으면서, 배란 전 확장되어 표면적을 넓힘으로써 정자와 만날 확률을 높이며, 정자의 통과도 용의하게 한다. 첨단체반응이 진행되면서 정자가 투명대를 통과하면 정자의 혈장막과 첨체내의 효소가 점차 소실되는데 투명대를 완전히 지나칠 즈음 정자 두부를 감싸고 있던 내막까지 벗겨지게 된다. 투명대(zona pellucida)는 수정과정에서 주요한 기능이 두 가지 있는데, 하나는 약간의 예외는 있으나, 상대적으로 종특이적(species-specific)인 정자 수용체(sperm receptor)를 갖고 있다는 것이다. 또 다른 하나는 투명대반응(zona reaction)으로 일단 먼저 수정된 정자가 통과하면 다른 정자를 받아들이지 않게 하여 다정자수정(polyspermy)를 방지해 주는 작용이 있다.

투명대에는 ZP1, ZP2, ZP3와 ZP4라는 당단백으로 이루어진 리간드(ligand)가 있는데 이것은 정자의 두부에 존재하는 수용체와 결합하여 수정을 돕는다. 이 당단백들은 난자에서 분비되는데 가장 많은 부분을 차지하는 ZP3와 ZP4가 정자와 결합하는 첫 번째 리간드이며 두부에 위치하는 첫 번째 수용체(tyrosine kinase)와 결합함으로써 첨체반응이 시작된다. 첨체반응이 일어난 후에는 ZP2가 두 번째로 정자와 결합하게 되면서 투명대반응이 시작된다. (Bonduelle et al., 1988; Wassarman et al., 2008). ZP3 유전자는 포유류에서 진화 과정 중 보존된 유전자로 동물실험에서 이 유전자의 변이는 불임과 연관된 것으로 보고되었다(Liu et al., 1996; Rankin et al., 1996). 글리코델린(glycodelin)은 자궁내막, 난관 및 난포액에서 발견되는 당단백으로 정자의 첨체반응을 억제하고 정자와 투명대 수용체를 두고 경쟁적으로 결합하여 수정을 방해한다. 배란기에 자궁내막에서는 글리코델린의 발현이 감소하고 수정기(window of fertilization)가 시작된다(Chiu et al., 2007).

정자는 투명대 통과 후 난자를 둘러싸고 있는 난황주위공간(perivitelline space)으로 비스듬한 각도로 들어가는데 이런 수정 직전의 난자는 비활성화 상태로 2차 감수분열의 중기(metaphase)에 정지되어 있다가 정자와 결합하는 순간 대사적 물리적 변화를 겪게 된다. 눈에 띄는 변화는 세포 내 칼슘 농도의 증가, 피층반응(cortical reaction) 및 제2 감수분열의 완료 등이 있다. 난자 내의 칼슘의 증가는 정자의 인지질 가수분해 효소(hydrolytic enzymes)에 의해 유도되는데 세포 내 칼슘이 적절하게 주기적 진동형태를 띠며 증가하면 난자는 활성화되어 수정과정이 가능해진다(Swan et al., 2008). 피층 반응은 난자 표면 바로 밑에 있는 리소솜유사구조(lysosome-like organelle)인 피층과립(cortical granule)으로부터 가수분해효소을 포함한 다양한 물질들이 분비되는 현상을 말한다. 이렇게 분비된 효소들은 구조 단백질(structural protein)의 교차결합(cross-linkage)을 통해 세포외층(extracellular layer)의 경화를 일으키고 정자 수용체를 불활성화 시켜 다른 정자의 투명대 통과를 막아 다정자수정(polyspermy)을 방지하는데 이를 투명대반응(zona reaction)이라고 한다. 일시적으로는 난자 내의 칼모듈린(calmodulin)에서 칼슘이 분비되어 난자 세포막의 탈극화 현상이 일어나면서 먼저 투명대가 단단해져 다른 정자의 침투를 막고, 이후 표피 미립이 방출되면서(cortical reaction) 분비된 여러 가수분해 효소에 의해 세포막 외의 침투성이 약화되고 투명대 내의 정자수용체가 비활성화되어 영구적으로 다른 정자의 침투를 막게 된다.(Sathananthan et al., 1982). 정자와 난자의 결합 이후, 정자의 두부는 난자의 세포질 내로 침투하여 핵 외피가 사라지고 응축되어 있던 염색질(chromatin)이 빠른 속도로 풀어진다. 이 때 미토콘드리아를 비롯한 핵 외의 다른 물질들은 난자 내로 합쳐지지 않고 소실된다. 정자와 난자로부터 유래된 염색질은 핵막에 싸여 전핵(pronuclei)을 형성하게 되며 하나의 정자만 수정이 된 경우 두 개의 전핵이 형성된다. 각각의 전핵은 반수성의 게놈(genome)을 포함하며, 두 전핵이 합쳐져 정자의 유전 물질이 더해짐으로써 수정된 난자는 배수 염색체를 확보하게 된다. 수정 후 약 3시간 후에 감수분열이 완료되며, 두 번째 극체가 방출된다. 난자와 정자에서 기원한 염색체가 방추를 따라 각각 줄지어 서면서 첫 번째 세포분열을 준비하게 된다. 새로운 배아의 유전자 발현은 4-8세포 주기 경부터 시작되는 것으로 알려졌으며 그 전에는 모계 메신저 리보핵산(messenger RNA)이 그 역할을 한다(Stitzel et al., 2007).

4) 착상 및 태반형성

착상이란 수정란이 자궁강 내로 진입 후 2-3일째에 자궁벽에 부착하여 태반을 형성하면서 상피 및 모체 순환계에 진입하는 과정이다. 착상은 대부분 자궁벽의 정중시상면(midsagittal)의 후상부에서 일어난다. 수정 후 배아는 복잡한 발달 프로그램을 거친 후 착상하게 된다. 초기의 세포분열과 분화가 시험관에서도 이루어지는 것으로 보아 세포분열과 분화가 난관이나 자궁강 내의 호르몬에 의존하는 것은 아닌 것으로 보인다. 수정 후 3-4일째가 되면 수정란은 투명대의 일부에 둘러싸인 둥근 공 형태가 되며(상실배, morula), 4-5일째가 되면 32에서 256세포기로 이루어진 수정란 내에 수액으로 찬 공간이 형성되는데 이 시기의 수정란을 포배(blastocyst)라 부른다(그림 4-10). 상실배가 자궁강 내로 들어간 직후, 포배가 형성되어 착상을 위한 준비를 시작한다. 동시에 착상을 위한 모체 측의 준비 단계인 자궁내막의 변화인 탈락막화(decidualization)이 일어나게 된다. 탈락막화는 자궁내막의 섬유아세포(fibroblast)가 분비기 탈락막세포(decidual cell)로 변형되는 과정으로 이는 반동종이식물(semi-allograft)인 배아가 면역관용(immune tolerance)을 통해 착상할 수 있게 하며 세포영양막(trophoblast)의 침습과정을 조절한다(Leitao et al., 2010). 증식기에서 분비기로 전환되는 과정에 중요한 역할을 담당하는 호르몬은 프로게스테론으로 착상할 시기가 되면 자궁내막의 분비력은 절정에 달하고 그 두께는 약 10-14 mm가 된다. 이때 증가된 자궁내막 분비물은 배아 생존에 우호적인 환경을 조성하며, 착상 전 배아의 영양공급에 중요한 역할을 한다. 또 자궁내막 상피세포 내에는 당과 지질이 축적되어 임신 초기의 태아 영양 공급에 기여하게 된다(Burton et al., 2002).

자궁내막의 착상기는 제한적인데 28일의 규칙적인 생리주기를 가진 여성에서는 황체호르몬 급증기(LH surge) 이후 5에서 10일째인 16일에서 22일 사이가 착상기에 해당된다(Navot et al., 1991). 월경주기 21일부터 자궁 내막에는 프로게스테론에 의해서 피노포드(pinopode)라는 돌기가 세포표면에 형성되는데 접착을 방해하는 자궁강 내의 점액을 흡수하면서 포배가 자궁내막 표면에 접촉되도록 유도하는 역할을 하는 것으로 알려져 있다(Bentin-Ley, 2000). 이때의 수정란은 부화(hatching)를 하여 착상에 가

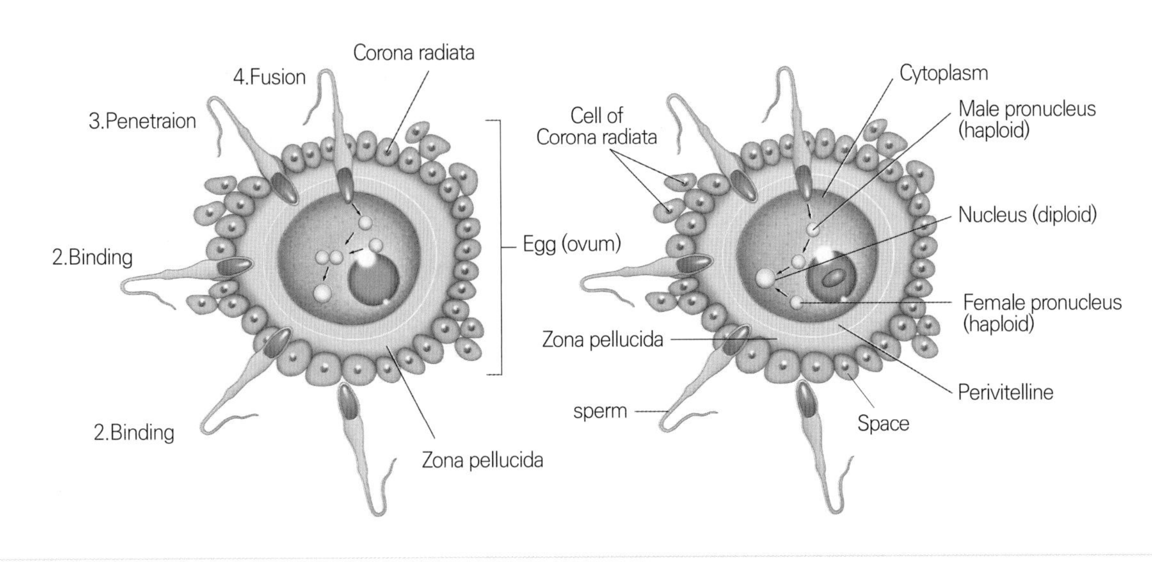

그림 4-10. **수정란의 발달 및 이동**

장 적합한 상태에 도달하게 된다.

부화 후 수정란은 사람융모생식샘자극호르몬, 혈소판 활성인자(platelet-activating factor), 프로스타글란딘 E2 등을 분비하여 착상 및 임신 유지에 중요한 역할을 하게 된다. 사람융모생식샘자극호르몬은 황체를 자극하여 에스트라디올 및 프로게스테론의 분비를 더욱 촉진하며, 혈소판 활성인자는 모체가 배아를 받아들이도록 면역 억제 기능에 일부 기여하는 것으로 알려져 있다(Stewart et al., 1993). 프로스타글란딘 E2의 농도는 증식기에 비해 분비기의 자궁내막에서 전반적으로 낮지만, 착상되는 부위에서는 국소적인 염증 반응과 유사하게 포배기 수정란이 분비하는 혈소판 활성 인자에 의해 합성이 증가되어 혈관 투과성을 증가시키는 역할을 한다(Harper, 1989; van der Weiden et al., 1991). 이 외에 자궁내막에서 분비되는 여러가지 단백질, 지질, 성장인자, 사이토카인 등이 성호르몬, 특히 프로게스테론과 상호 작용하면서 혈관 생성 및 착상에 관여하게 된다.

착상이란 배아가 자궁벽에 부착하여 태반을 형성하면서 상피 및 모체 순환계에 진입하는 과정이며 이 과정은 병치(apposition), 부착(adhesion)과 침습(invasion)의 세 단계로 이루어진다. 포배는 자궁벽에 부착하기 전, 투명대를 뚫고 나와야 하는데(hatching) 이 과정은 자궁강 내의 분해 물질에 의해서 매개되며, 수정란 자체의 움직임도 관여한다. 수정 후 6-7일째 투명대가 퇴화되면서 부화되어 수정란이 자궁내막의 상피세포와 맞닿게 된다(apposition). 부화된 배아는 보통 자궁 저부의 후벽 부위에 착상을 하게 되는데 상실배가 자궁강 내로 진입한 후 2-4일 후에 일어나게 된다. 포배 상태의 수정란은 처음에는 부착력이 없으나, 부화 후 표면에 부착력을 띄게 되며 영양막세포가 수용적인 자궁내막상피세포와 결합하게 된다(adhesion). 착상하는 영양막세포와 자궁상피세포 사이에서 일어나는 상호작용은 먼저 영양막세포들이 자궁상피를 침입하여 기저막으로 향하고, 자궁상피세포가 기저막에서 분리되면서 이로 인해 영양막세포가 상피세포 밑으로 파고들 수 있게 된다(invasion). 그리고 영양막세포들이 각각의 자궁내막상피세포들과 융합한다(그림 4-11). 이후 사람융모생식샘자극호르몬을 통해 착상 여부를 가장 조기에 모체내에서 알 수 있는 시점은 빠르게는 배란 후 6일째부터 12일째이다. 영양막세포들은 여러 종류의 세포들을 탐식(phagocytosis)하는 능력이 있으나, 인체 내에서는 주로 자궁내막의 죽은 세

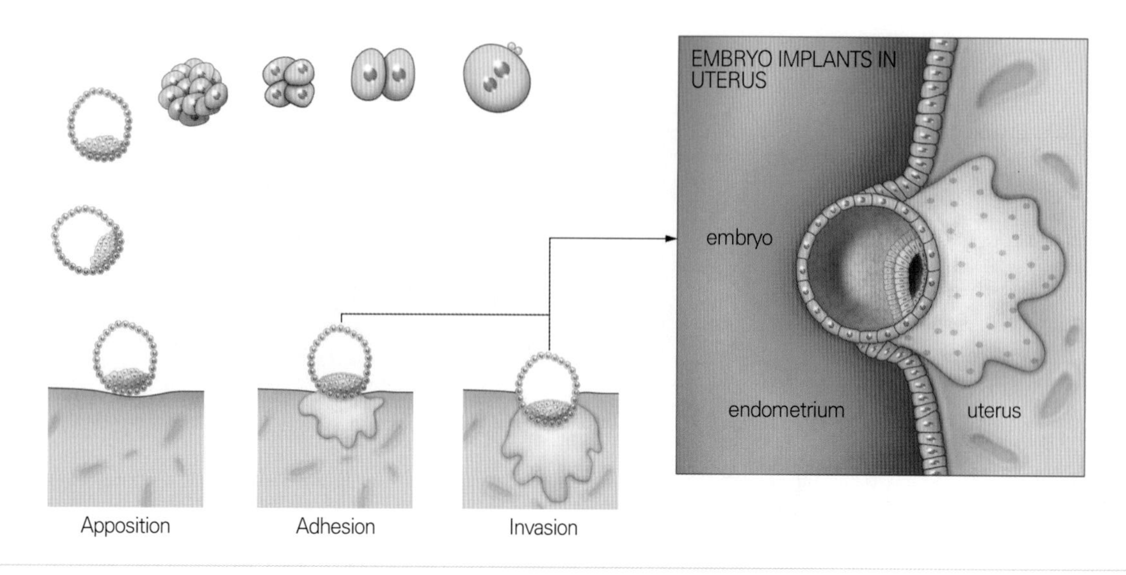

그림 4-11. **수정란의 발달 및 이동**

포나 자궁벽에서 탈락된 세포들을 처리한다. 영양배엽의 침투적 성격에도 불구하고, 배아에 의해 분비된 효소에 의한 모체세포의 파괴, 분해는 크게 일어나지 않으며, 착상에 관여하는 여러 인자들이 상피세포들을 지탱하여 주는 세포간기질(intercellular matrix)을 소화(digesting)함으로써 착상이 이루어지게 된다.

백혈병억제인자(leukemia inhibitory factor, LIF)와 세포집락자극인자(colony-stimulating factors, CSF-1) 등은 자궁내막에서 분비되어 착상을 유도하며 세포유착물질(cell adhesion molecules)인 인테그린(integrin)과 셀렉틴(selectin) 같은 결합물질들은 배아나 자궁내막에서 발현되어 라미닌(laminin)이나 섬유결합소(fibronectin)와 같은 세포외 매트릭스 성분과 결합하고 착상이 진행된다. 인테그린은 세포-세포 간, 세포-기질 간 작용에 관여하여 세포이동, 세포 분화, 조직의 구조 형성에 관여한다고 하며 착상 기간 중 인테그린이 제대로 발현되지 못하면 불임이 될 수 있다고 알려져 있다(Church et al., 1996). 이런 여러 단백질의 발현 및 호르몬 농도가 착상에 적합하다고 하더라도 초기의 배아가 자궁내막에 잘 부착하기 위해서는 표면에 특정한 구조적 변화가 이루어져야 한다. 즉 배아 표면의 융모양돌기(microvilli)는 사라지고 자궁내막의 상피세포와 세포막이 접촉하면서 연접복합체(junctional complex)가 형성되면서 착상이 일어난다.

태반이 형성되는 것은 배란 후 2주째인데, 새로운 혈관의 형성은 혈관내피성장인자(vascular endothelial growth factor, VEGF), 안지오포이에틴(angiopoietin) 및 사람융모생식샘자극호르몬에 의해 촉진된다. 먼저 자궁내 나선형동맥(spiral artery)이 파괴되고 혈관 벽을 따라 태아 영양막세포가 줄지어서 혈관내피세포를 대체하게 되며 이 과정은 셀렉틴이 매개한다(Burrows et al., 1996). 셀렉틴은 자궁내막 중 착상 부위의 혈관내피세포에만 존재하는 것으로 밝혀졌으며 사이토카인을 비롯한 여러 염증 매개 물질에 영향을 받는다. 이러한 혈관 형성인자 및 침습 유도 물질들의 이상은 전자간증(preeclampsia)의 발생 및 자궁내 발육지연과 연관되는 것으로 알려져 있다(Levine et al., 2006).

초기의 수정란의 침습은 인테그린에 의해 조절되며 인테그린 발현은 태아와 모체의 조직에서 생산되는 다양한 성장인자와 사이토카인에 의해서 조절된다. 태아 영양막세포에서 분비되는 인슐린유사성장인자-II와 자궁내막에서 분비되는 인슐린유사성장인자 결합단백-1이 인테그린의 발현을 증가시킴으로써 침습을 도와준다. 반대로 자궁내막에서 분비되는 전환성장인자 베타는 억제하는 역할을 한다. 태아 영양막세포는 식세포 능력이 있긴 하나 착상과정 중 자궁내막상피세포를 직접 포식하는 것은 아니고 여러 효소(collagenase, plasminogen activator)를 분비하여 상피세포 사이의 세포 외 기질을 녹임으로써 침습을 진행한다(Milwidsky et al., 1993; Hamilton et al., 1998). 침습 활동 중인 태아 영양막세포는 비활동성 영양막세포와는 다른 종류의 인테그린을 발현하는데 이 인테그린은 라미닌(laminin)과 결합하는 성질을 가지고 있다(Damsky et al., 1994). 이런 인테그린 발현의 변화를 조절하는 인자는 아직 알려져 있지 않지만, 태아 영양막세포 침습의 중요한 매개체일 것으로 생각되며, 이런 특정 인테그린 발현이 이동에 필요한 세포 외 기질과의 결합을 결정짓는다. 세포 표면의 인테그린 수용체는 단순히 세포 외 기질과의 결합만이 아니라, 세포 신호 체계를 활성화시켜 세포결합 및 유전자 발현을 유도하는 역할을 한다(Burrows et al., 1996). 인테그린은 기질 금속단백 분해효소(matrix metalloproteinase, MMP)를 활성화시켜 세포 외 기질의 분해를 유도하고 영양막세포의 이동을 돕는다. 기질 금속단백분해효소의 생성은 플라스미노겐활성제(plasminogen activator), 사이토카인, 기질 금속단백 분해효소의 조직억제인자(tissue inhibitor of MMP, TIMP) 등에 의해 조절되며, 기질 금속단백분해효소 조직억제인자는 영양막세포에서 분비되는 생식샘자극호르몬분비호르몬에 의해 억제된다(Raga et al., 1999).

세포영양막의 침습과정은 암세포가 조직을 침습하는 과정과는 달리 제한적으로 이루어진다. 착상과정은 염증반응에 관여하는 여러 물질에 의해서 조절이 된다. 예를 들어 자궁내막에 존재하는 임파구에서 분비되는 사이토카인은 영양막세포의 용해를 유발하여 침습의 정도를 조절한다. 착상 당시 자궁내막에 많이 존재하는 자연세포독성세포(natural killer cell)와 영양막세포내에 존재하는 사람백혈구항원(human leukocyte antigen) 간의 상호작용에 의해 적절한 사이토카인이 생산되어 영양막세포의 이동을 조절하는 것으로 추측된다(Loke et al., 1991). 또 다른 영양막세포 이동억제요인은 자궁내막의 '탈락막화(decidualization)'인데 히스타민 분비가 이 반응을 유도하는 것으로 보인다.

플라스미노겐활성억제인자-1(plasminogen activator inhibitor-1, PAI-1)는 주로 탈락막세포에서 분비되는데, 월경 기간 중에는 과다 출혈을 억제하고, 임신 초기에는 영양막세포의 침입을 억제하는 역할을 한다. 세포외 기질을 분해하는 기질 금속단백분해효소는 조직억제인자에 의해 억제 되는데, 자궁내막의 전환성장인자 베타는 조직억제인자와 플라스미노겐활성억제인자를 모두 활성화시켜 영양막세포의 침습을 억제하는 데 기여한다. 또한 전환성장인자 베타는 인테그린의 발현을 억제하고, 영양막세포가 비활성상태로 전환하는 데 기여하기도 한다(Graham et al., 1992; Irving and Lala, 1995).

착상과정에 관여하는 여러 인자들에 의해 조절되는 영양막세포들은 자궁내막상피세포나 세포간기질(glycoprotein, elastin, collagen)을 소화시켜, 서로 떨어져 나가게 하고, 이 빈 공간을 영양배엽이 퍼져 채우고 착상하는 배아가 자궁내막상피세포 안으로 들어가도록 공간을 만들어 준다. 영양막세포의 이동은 일부의 표면만이 유착성이 발현되고(adhesive), 대부분의 다른 표면은 다른 세포에 비유착적(non-adhesive)인 특성으로 가능하게 된다. 초기 배아발달 시기의 영양막조직(trophoblastic tissue)의 급속한 성장은 이미 기술한 바와 같이 모체와 배아로부터의 여러 성장인자들에 의해 조절된다. 배아의 관통과 생존은 부계항원(paternal antigen)에 대한 모체의 면역반응에 대한 억제에 달려있다. 이와 같이 착상과 태반형성과정은 매우 복잡하고 정교한 과정으로 이는 배아 및 영양막세포와 자궁내막세포사이의 여러 사이토카인, 성장인자, 효소, 단백질 등이 관여하는 체계적인 시스템에 의하여 조절되는 과정이다. 즉 수정 및 착상 과정 모두 자궁내막과 수정된 배아 사이의 긴밀한 상호작용에 의하여 이루어지며, 태반은 임신 전 기간동안 태아와 모체의 상호소통시스템(unique fetal-maternal communication system)을 매개하며 임신 유지에 적절한 환경을 유지하도록 하는 중요한 역할을 한다.

참고문헌

- 권동진, 정기욱, 김장흡, 김진홍, 이진우, 김수평. Doppler 초음파를 이용한 월경주기별 자궁동맥과 난소동맥의 혈류속도파형의 연구. 대한산부회지 1996;38:1189-94.
- 김영아, 양현원, 김진영, 권혁찬, 유희석, 주희재 등. 자궁내막의 월경주기에 따른 성호르몬 수용체, integrin, cyclooxygenase (COX)의 발현 양상. 대한산부회지 1999;42:614-21.
- 김장흡, 이윤진, 황성진, 조현희, 권동진, 김은중 등. 월경주기에 따른 인히빈 A와 B의 혈중 농도 변화. 대한산부회지 2003;46:1145-50.
- 박병후, 나종구, 최응환, 김승조. 한국여성의 월경주기에 관한 관찰 대한산부회지 1978;21:25-36.
- 송인옥, 김계현, 유근재, 송지홍, 궁미경, 전종영. 불임환자의 착상기 자궁내막에서 leukemia inhibitory factor의 발현에 관한 연구 대한산부회지 2001;44:898-903.
- 서창석, 김석현, 최영민, 김정구, 문신용, 이진용. 정상 월경주기를 가진 불임환자에서 질식초음파검사를 이용한 자궁내막 형태 및 두께의 변화 양상에 관한 연구. 불임학회지 1998;25:1287-93.
- 서창석, 문신용. 인간 자궁내막에서 apoptosis와 bcl-2 및 bak 유전자의 발현에 관한 연구. 대한산부회지 1999;42:2446-57.
- 조동제, 정우현, 송찬호. 초음파 추적검사에 의한 우월성 난포 선정 및 배란에 관한 연구. 대한산부회지 1998;1988;31:1574-9.
- Adashi EY. Putative intraovarian regulators. Semin Reprod Endocrinol 1988;7:1-100.
- Amico JA, Seif SM, Robinson AG. Elevation of oxytocin and the oxytocin associated neurophysin in the plasma of normal women during midcycle. J Clin Endocrinol Metab 1981;53:1229-32.
- Amsterdam A, Rotmensch S. Structure-function relationships during granulosa cell differentiation. Endocr Rev. 1987;8(3):309-37.
- Anasti JN, Kalantaridou SN, Kimzey LM, et al. Human follicle fluid vascular endothelial growth factor concentrations are correlated with luteinization in spontaneously developing follicles. Hum Reprod 1998;13:1144-7.
- Backholer K, Smith JT, Rao A, Pereira A, Iqbal J, Ogawa S, et al. Kisspeptin cells in the ewe brain respond to leptin and communicate with neuropeptide Y and proopiomelanocortin cells. Endocrinology. 2010;151:2233-43.
- Baker TG. A quantitative and cytological study of germ cells in human ovaries. Proc R Soc Lond B Biol Sci 1963;158:417-33.
- Battistone MA, Da Ros VG, Salicioni AM, Navarrete FA, Krapf D, Visconti PE, et al. Functional human sperm capacitation-requires both bicarbonatedependent PKA activation and-down-regulation of Ser/Thr phosphatases by Src family kinases. Mol Hum Reprod. 2013;19:570-80.
- Ben-Jonathan N, Hnasko R. Dopamine as a prolactin (PRL) inhibitor. Endocr Rev 2001;22:724-63.
- Bentin-Ley U, Relevance of endometrial pinopodes for human blastocyst implantation, Hum Reprod. 2000;15(Suppl 6):67-73.
- Bergland RM, Page RB. Can the pituitary secrete directly to the brain? (Affirmative anatomical evidence). Endocrinology 1978;102:1325-38.
- Besecke LM, Guendner MJ, Schneyer AL, Bauer-Dantoin AC, Jameson JL, Weiss J. Gonadotropin-releasing hormone regulates follicle-stimulating hormone-beta gene expression through an activin/follistatin autocrine or paracrine loop. Endocrinology.1996;137:3667-73.
- Bonduelle M, Dodd R, Liebaers I, Steirteghem A, Williamson R, Akhurst R, Chorionic gonadotropin-mRNA, a trophoblast marker, is expressed in human 8-cell embryos derived from tripronucleate zygotes. Hum Reprod 1988;3:909-14.
- Braden TD, Conn PM. Activin-A stimulates the synthesis of gonadotropin-releasing hormone receptors. Endocrinology 1992;130:2101-105.
- Brzezinski A. Melatonin in humans. New Engl J Med 1997;336:186-95.
- Buckler HM, Healy DL, Burger HG. Purified FSH stimulates inhibin production from the human ovary. J Endocrinol 1989;122:279-85.
- Burton GJ, Watson AL, Hempstock J, Skepper JN, Jauniaux E, Uterine glands provide histiotrophic nutrition for the human fetus during the first trimester of pregnancy, J Clin Endocrinol Metab. 2002;87:2954-9.
- Burrows TD, King A, Loke YW, Trophoblast migration during human placental implantation, Hum Reprod Update 1996;2:307-21.
- Bylander A, Lind K, Goksör M, Billig H, Larsson DG. The classical progesterone receptor mediates the rapid reduction of fallopian tube ciliary beat frequency by progesterone. Reprod Biol Endocrinol. 2013;11:33.
- Chabab A, Hedon B, Arnal F, et al. Follicular steroids in relation to oocyte development in human ovarian stimulation protocols. Hum Reprod 1986;1:449-54.
- Cheng G, Coolen LM, Padmanabhan V, Goodman RL, Lehman MN. The kisspeptin/neurokinin B/dynorphin (KNDy) cell population of the arcuate nucleus: sex differences and effects of prenatal testosterone in sheep. Endocrinology. 2010;151:301-11.
- Chiu PCN, Chung M-K, Koistinen R, Koistinen H, Seppala M, Ho P-C, Ng EHY, Lee K-F, Yeung WSB, Gycodelin-A interacts with fucosyltransferase on human sperm plasma membrane to inhibit spermatozoa-zona pellucida binding, J Cell Sci. 2007;120:33-44.

- Church HJ, Vicovac LM, Williams DL, Hey NA, Aplin JD, Laminins 2 and 4 expressed by human decidual cells, Lab Invest.1996;74:21-32.
- Clarke IJ, Cummins JT. The temporal relationship between gonadotropin releasing hormone (GnRH) and luteinizing hormone (LH) secretion in ovariectomized ewes. Endocrinology.1982;111:1737-9.
- Clarke IJ. Control of GnRH secretion: one step back. Front Neuroendocrinol. 2011;32:367-75.
- Collett ME, Wertenberger GE, Fiske VM. The effects of age upon the pattern of the menstrual cycle. Fertil Steril 1954;5:437-48.
- Coutifaris C, Myers ER, Guzick DS, et al. Histologic dating of timed endometrial biopsy tissue is not related to fertility status. Fertil Steril 2004;82:1264-72.
- Damsky CH, Librach C, Lim K-H, Fitzgerald ML, McMaster MT, Janatpour M, Zhou Y, Logan SK, Fisher SJ, Integrin switching regulates normal trophoblast invasion, Development .1994;120:3657-66.
- de Roux N, Genin E, Carel JC, Matsuda F, Chaussain JL, Milgrom E. Hypogonadotropic hypogonadism due to loss of function of the KiSS1-derived peptide receptor GPR54. Proc Natl Acad Sci U S A. 2003;100:10972-6.
- Demura R, Suzuki T, Tajima S, et al. Human plasma free activin and inhibin levels during the menstrual cycle. J Clin Endocrinol Metab 1993;76:1080-2.
- Dierschke DJ, Bhattacharya AN, Atkinson LE, Knobil E. Circhoral oscillations of plasma LH levels in the ovariectomized rhesus monkey. Endocrinology. 1970;87:850-3.
- Dunkel L, Alfthan H, Stenman UH, Selstam G, Rosberg S, Albertsson Wikland K. Developmental changes in 24-hour profiles of luteinizing hormone and follicle-stimulating hormone from prepuberty to midstages of puberty in boys. J Clin Endocrinol Metab 1992;74:890-7.
- Erickson GF. An analysis of follicle development and ovum maturation. Semin Reprod Endocrinol 1986;46:55-9.
- Erickson GF, Magoffin DA, Dyer CA, et al. Ovarian androgen producing cells: A review of structure/function relationships. Endocr Rev 1985;6:371-99.
- Erickson GF, Shimasaki S. The physiology of folliculogenesis: the role of novel growth factors. Fertil Steril 2001;76:943-9.
- Falany, et al. 1996·Falany JL, Falany CN. Regulation of estrogen sulfotransferase in human endometrial adenocarcinoma cells by progesterone. Endocrinology 1996;137:1395-401.
- Fata JE, Ho AT, Leco KJ, Moorehead RA, Khokha R. Cellular turnover and extracellular matrix remodeling in female reproductive tissues: functions of metalloproteinases and their inhibitors. Cell Mol Life Sci 2000;57:77-95.
- Ferenczy A, Bertrand G, Gelfand MM. Proliferation kinetics of human endometrium during the normal menstrual cycle. Am J Obstet Gynecol 1979;133:859-67.
- Ferris HA, Shupnik MA, Mechanisms for pulsatile regulation of the gonadotropin subunit genes by GnRH1. Biol Reprod 2006;74:993.
- Flowers CE Jr, Wilbron WH. Cellular mechanisms for endometrial conservation during menstrual bleeding. Semin Reprod Endocrinol 1984;2:307-41.
- Foldesy RG, Bedford JM, Biology of the scrotum. I. Temperature and androgens as determinants of the sperm storage capacity of the rat cauda epididymis, Biol Reprod. 1982;26:673-82.
- Foradori CD, Goodman RL, Adams VL, Valent M, Lehman MN. Progesterone increases dynorphin a concentrations in cerebrospinal fluid and preprodynorphin messenger ribonucleic Acid levels in a subset of dynorphin neurons in the sheep. Endocrinology. 2005;146:1835-42.
- Gondos B, Bhiraleus P, Gobel C. Ultrastructural observations on germ cells in human fetal ovaries. Am J Obstet Gynecol 1971;110:644-52.
- Greisen S, Ledet T, Ovesen P. Effects of androstnedione, insulin and luteinizing hormone on steroidogenesis in human granulosa luteal cells. Hum Reprod 2001;16:2061-5.
- Groome NP, Illingworth PG, O'Brien M, et al. Measurement of dimeric inhibin B throughout the human menstrual cycle. J Clin Endocrinol Metab 1996;81:1401-5.
- Gurpide, et al., 1973 Gurpide E, Gusberg S, Tseng L. Estradiol binding and metabolism in human endometrial hyperplasia and adenocarcinoma. J Steroid Biochem 1973;7:891-6.
- Hamilton GS, Lysiak JJ, Han VKM, Lala PK, Autocrine-paracrine regulation of human trophoblast invasiveness by insulin-like growth factor (IGF)-II and IGF-binding protein (IGFBP)-1, Exp Cell Res. 1998;244:147-56.
- Hampl R, Snajderova M, Mardesic T. Antimullerian hormone (AMH) not only a marker for prediction of ovarian reserve. Physiol Res 2011;60:217-23.
- Harper MJK, Platelet-activating factor: a paracrine factor in preimplantation stages of reproduction?, Biol Reprod. 1989;40:907-13.
- Hausman GJ, Barb CR, Lents CA. Leptin and reproductive function. Biochimie. 2012;94:2075-81.
- Hillier SG, Van den Boogaard AMJ, Reichert LE Jr, Van Hall EV. Intraovarian sex steroid hormone interactions and the regulation of follicular maturation: aromatization of androgens by human granulosa cells in vitro. J Clin Endocrinol Metab 1980;50:640-7.
- Herbison AE. Multimodal influence of estrogen upon

gonadotropin-releasing hormone neurons. Endocr Rev 1998; 19:302-30.
- Herbison AE, Pape JR. New evidence for estrogen receptors in gonadotropin-releasing hormone neurons. Front Neuroendocrinol. 2001;22:292-308.
- Hoff JD, Quigley NE, Yen SSC. Hormonal dynamics in midcycle: A re-evaluation. J Clin Endocrinol Metab 1983;57:792-96.
- Hseuh AJ, Adashi EY, Jones PB, et al. Hormonal regulation of the differentiation of cultured ovarian granulosa cells. Endocr Rev 1984;5:76-27.
- Irving JA, Lala PV. Functional role of cell surface integrins of human trophoblast cell migration: regulation by TGF-b, IGF-II and IGFBP-1. Exp Cell Res. 1995;217:419-27.
- Jia X-C, Kessel B, Welsh TH Jr, Hsueh AJW. Androgen inhibition of follicle-stimulating hormone-stimulated luteinizing hormone receptor formation in cultured rat granulosa cells. Endocrinology 1985;117:13-22.
- Kilic S, Yuksel B, Pinarli F, et al. Effect of stem cell application on Asherman syndrome, an experimental rat model. J Assist Reprod Genet 2014;31:975-82.
- Knobil E. The neuroendocrine control of the menstrual cycle. Recent Prog Horm Res 1980;36:53-88.
- Knobil E. The GnRH pulse generator. Am J Obstet Gynecol. 1990;163(5 Pt 2):1721-7.
- Kobayashi M, Nakano R, Ooshima A. Immunohistochemical localization of pituitary gonadotropin and gonadal steroids confirms the two cells two gonadotropins hypothesis of steroidogenesis in the human ovary. J Endocrinol 1990;126:483-8.
- La Marca A, Broekmans FJ, Volpe A, et al. ESHRE Special Interest GroupFor Reproductive Endocrinology-Amh Round Table. Anti-Mullerian hormone (AMH): What do we still need to know? Hum Reprod 2009;24:2264-75.
- La Marca A, Volpe A. Anti-Müllerian hormone (AMH) in female reproduction: Is measurement of circulating AMH a useful tool? Clin Endocrinol (Oxf) 2006;64:603-10.
- Leitao B, Jones MC, Fusi L, Higham J, Lee Y, Takano M, Goto T, Christian M, Lam EW, Brosens JJ, Silencing of the JNK pathway maintains progesterone receptor activity in decidualizing human endometrial stromal cells exposed to oxidative stress signals, FASEB J. 2010;24:1541-51
- Lenton EA, Landgren B, Sexton L. Normal variation in the length of the luteal phase of the menstrual cycle: Identification of the short luteal phase. Br J Obstet Gynaecol 1984;91:685-9.
- Levine RJ, Lam C, Qian C, Yu KF, Maynard SE, Sachs BP, Sibai BM, Epstein FH, Romero R, Thadhani R, et al. Soluble endoglin and other circulating antiangiogenic factors in preeclampsia, N Engl J Med. 2006;355:992-1005.
- Ling N, Ying S, Ueno N, et al. Pituitary FSH is released by heterodimer of the β-subunits from the two forms of inhibin. Nature 1986;321:779-82.
- Liu C, Litscher ES, Mortillo S, Sakai Y, Kinloch RA, Stewart CL, Wassarman PM, Targeted disruption of the ZP3 gene results in production of eggs lacking a zona pellucida and infertility in female mice, Proc Natl Acad Sci USA, 1996;93:5431-6.
- Liu JH, Yen SS. Induction of midcycle gonadotropin surge by ovarian steroids In women: a critical evaluation. J Clin Endocrinol Metab 1983;57:797-802.
- Loke YW, King A, Recent developments in the human maternal-fetal immune interaction, Curr Opin Immunol, 1991;3:762-6.
- Loucks AB, Mortola JF, Girton L, Yen SS. Alterations in the hypothalamic-pituitary-ovarian and the hypothalamic-pituitaryadrenal axes in athletic women. J Clin Endocrinol Metab 1989;68:402-11.
- MahmoodT1, SaridoganE, SmutnaS, HabibAM, Djahanbakhch O. The effect of ovarian steroids on epithelial ciliary beat frequency in the human Fallopian tube. Hum Reprod. 1998;13:2991-4.
- McCartney CR, Gingrich MB, Hu Y, Evans WS, Marshall JC. Hypothalamic regulation of cyclic ovulation: evidence that the increase in gonadotropin-releasing hormone pulse frequency during the follicular phase reflects the gradual loss of the restraining effects of progesterone. J Clin Endocrinol Metab 2002;87:2194-200.
- McLachlan RI, Robertson DM, Healy DL, et al. Circulating immunoreactive inhibin levels during the normal human menstrual cycle. J Clin Endocrinol Metab 1987;65:954-61.
- McNatty KP, Makris A, Reinhold VN, DeGrazia C, Osathanondh R, Ryan KJ. Metabolism of androstenedione by human ovarian tissues in vitro with particular reference to reductase and aromatase activity. Steroids 1979;34:429-43.
- Milwidsky A, Finci-Yeheskel Z, Yagel S, Mayer M, Gonadotropin-mediated inhibition of proteolytic enzymes produced by human trophoblast in culture, J Clin Endocrinol Metab. 1993; 76:1101-5.
- Miravet-Valenciano JA, Rincon-Bertolin A, Vilella F, Simon C. Understanding and improving endometrial receptivity. Curr Opin Obstet Gynecol 2015;27:187-92.
- Montgomery Rice V, Limback SD, Roby KF, Terranova PF. Differential responses of granulosa cells from small and large follicles to follicle stimulating hormone (FSH) during the menstrual cycle and acyclicity: effects of tumour necrosis

factor-alpha. Hum Reprod 1998;13:1285-91.
- Murray MJ, Meyer WR, Zaino RJ, et al. A critical analysis of the accuracy, reproducibility, and clinical utility of histologic endometrial dating in infertile women. Fertil Steril 2004;81: 1333-43.
- Nagai R, Watanabe K, Wakatsuki A, Hamada F, Shinohara K, Hayashi Y, et al. Melatonin preserves fetal growth in rats by protecting against ischemia/reperfusion induced oxidative/nitrosative mitochondrial damage in the placenta. J Pineal Res. 2008;45:271-6.
- Navot D, Scott RT, Droesch K, Veeck LL, Liu HC, Rosenwaks Z, The window of embryo transfer and the efficiency of human conception in vitro, Fertil Steril. 1991;55:114-8.
- Nikolics K, Mason AJ, Szonyi E, Ramachandran J, Seeburg PH. A prolactin-inhibiting factor within the precursor for human gonadotropin-releasing hormone. Nature 1985;316:511-7.
- Noyes RW, Hertig AW, Rock J. Dating the endometrial biopsy. Fertil Steril 1950;1:3-5.
- Olive DL. The prevalence and epidemiology of luteal-phase deficiency in normal and infertile women. Clin Obstet Gynecol 1991;34:157-66.
- Overstreet JW, Gould JE, Katz DF, In vitro capacitation of human spermatozoa after passage through a column of cervical mucus, Fertil Steril. 1980;34:604-6.
- Pauerstein CJ, Eddy CA, The role of the oviduct in reproduction; our knowledge and our ignorance, J Reprod Fertil. 1979; 55:223-9.
- Peters H, Byskov AG, Grinsted J. Follicular growth in fetal and prepubertal ovaries in humans and other primates. J Clin Endocrinol Metab 1978;7:469-85.
- Petraglia F, Sutton S, Vale W, Plotsky P. Corticotropinreleasing factor decreases plasma luteinizing hormone levels in female rats by inhibiting gonadotropin-releasing hormone release into hypophysial-portal circulation. Endocrinology 1987;120:1083-8.
- Raga F, Casañ EM, Wen Y, Huang H-Y, Bonilla-Musoles F, Plan ML, Independent regulation of matrix metalloproteinase-9, tissue inhibitor of metalloproteinase-1 (TIMP-1), and TIMP-3 in human endometrial stromal cells by gonadotropin-releasing hormone: implications in early human implantation, J Clin Endocrinol Metab. 1999 84:636-42.
- Rankin T, Dean J, The molecular genetics of the zona pellucida: mouse mutations and infertility, Mol Hum Reprod, 1996;2:889-94.
- Rasmussen DD, Liu JH, Wolf PL, Yen SS. Neurosecretion of human hypothalamic immunoreactive beta-endorphin: in vitro regulation by dopamine. Neuroendocrinology 1987;45: 197-200.
- Reame N, Sauder SE, Kelch RP, Marshall JC. Pulsatile gonadotropin secretion during the human menstrual cycle: evidence for altered frequency of gonadotropin releasing hormone secretion. J Clin Endocrinol Metab 1984;59:328-37.
- Reed BG, Carr BR. The normal menstrual cycle and the control of ovulation. [Updated 2015 May 22]. In: De Groot LJ, Chrousos G, Dungan K, et al., eds. Endotext [Internet]. South Dartmouth, MA: MDText.com, Inc.; 2000.
- Reid RL, Hoff JD, Yen SS, Li CH. Effects of exogenous beta h-endorphin on pituitary hormone secretion and its disappearance rate in normal human subjects. J Clin Endocrinol Metab 1981;52:1179-84.
- Roberts V, Meunier H, Vaughan J, Rivier J, Rivier C, Vale W, et al. Production and Regulation of inhibin subunits in pituitary gonadotropes. Endocrinology 1989;124:552-4.
- Romanelli RG, Barni T, Maggi M, Luconi M, Failli P, Pezzatini A, et al. Expression and function of gonadotropin releasing hormone (GnRH) receptor in human olfactory GnRHa-secreting neurons: an autocrine GnRH loop underlies neuronal migration. J Biol Chem. 2004;279:117-26.
- Ruiz-Alonso M, Blesa D, Diaz-Gimeno P, et al. The endometrial receptivity array for diagnosis and personalized embryo transfer as a treatment for patients with repeated implantation failure. Fertil Steril 2013;100:818-24.
- Ryan KJ, Petro Z. Steroid biosynthesis of human ovarian granulosa and thecal cells. J Clin Endocrinol Metab 1966; 26:46-2.
- Sathananthan AH, Trounson AO, Ultrastructure of cortical granule release and zona interaction in monospermic and polyspermic human ova fertilized in vitro, Gamete Res. 1982; 6:225.
- Schally AV, Arimura A, Baba Y, Nair RM, Matsuo H, Redding TW et al. Isolation and properties of the FSH and LH-releasing hormone. Biochem Biophys Res Commun. 1971;43:393-9.
- Schipper I, Hop WCJ, Fauser BCJM. The follicle-stimulating hormone (FSH) threshold/window concept examined by different interventions with exogenous FSH during the follicular phase of the normal menstrual cycle: duration, rather than magnitude, of FSH increase affects follicle development. J Clin Endocrinol Metab 1998;83:1292-8.
- Schwarz BE. The production and biologic effects of uterine prostaglandins. Semin Reprod Endocrinol 1983;1:189.
- Scott R, Navot D, Hung-Ching L, et al. A human in vivo model for the luteal placental shift. Fertil Steril 1991;56:481-4.
- Silverman AJ, Jhamandas J, Renaud LP. Localization of luteinizing hormone releasing hormone (LHRH) neurons that project to the median eminence. J Neurosci 1987;7:2312-9.

- Smith JT, Li Q, Pereira A, Clarke IJ. Kisspeptin neurons in the ovine arcuate nucleus and preoptic area are involved in the preovulatory luteinizing hormone surge. Endocrinology. 2009;150:5530-8.
- Smith JT, Shahab M, Pereira A, Pau KY, Clarke IJ. Hypothalamic expression of KISS1 and gonadotropin inhibitory hormone genes during the menstrual cycle of a non-human primate. Biol Reprod. 2010;83:568-77.
- Smith SK, Lenton EA, Cooke ID. Plasma gonadotrophin and ovarian steroid concentrations in women with menstrual cycles with a short luteal phase. J Reprod Fertil 1985;75:363-8.
- Stitzel ML, Seydoux G, Regulation of the oocyte-to-zygote transition, Science. 2007;316:407-8.
- Stewart DR, Overstreet JW, Nakajima ST, Lasley BL, Enhanced ovarian steroid secretion before implantation in early human pregnancy, J Clin Endocrinol Metab. 1993;76:1470-6.
- Swann K, Yu Y, The dynamics of calcium oscillations that activate mammalian eggs, Int J Dev Biol. 2008;52:585-94.
- Talbot P, Sperm penetration through oocyte investments in mammals, Am J Anat.1985;174:331-46.
- Tollner TL, Vandevoort CA, Yudin AI, Treece CA, Overstreet JW, Cherr GN, Release of DEFB126 from macaque sperm and completion of capacitation are triggered by conditions that simulate periovulatory oviductal fluid, Mol Reprod Dev. 2009; 76:431-43.
- Treloar AE, Boynton RE, Borghild GB, et al. Variation of the human menstrual cycle through reproductive life. Int J Fertil 1967;12:77-126.
- Tamura H, Takasaki A, Miwa I, Taniguchi K, Maekawa R, Asada H, et al. Oxidative stress impairs oocyte quality and melatonin protects oocytes from free radical damage and improves fertilization rates. J Pineal Res. 2008;44:280-7.
- Ubuka T, Son YL, Bentley GE, Millar RP, Tsutsui K. Gonadotropin-inhibitory hormone (GnIH), GnIH receptor and cell signaling. Gen Comp Endocrinol. 2013;190:10-7.
- Vollman RF. The menstrual cycle. In: Friedman E, ed. Major Problems in Obstetrics and Gynecology. Philadelphia, PA: Saunders, 1977:1-93.
- Wang Y, Fortin J, Lamba P, Bonomi M, Persani L, Roberson MS, Bernard DJ. Activator protein-1 and Smad proteins synergistically regulate human follicle-stimulating hormone b-promotor acitivity, Endocrinology 2008;149:5577.
- Wånggren K, Stavreus-Evers A, Olsson C, Andersson E, Gemzell-Danielsson K, Regulation of muscular contractions in the human Fallopian tube through prostaglandins and progestagens, Hum Reprod. 2008;23:2359-68.
- Wassarman PM, Zona pellucida glycoproteins, J Biol Chem. 2008;283:2485-9.
- van der Weiden RMF, Helmerhorst FM, Keirse MJNC, Influence of prostaglandins and platelet activating factor on implantation, Hum Reprod.1991;6:436-42.
- Weil SJ, Vendola K, Zhou J, et al. Androgen receptor gene expression in the primate ovary: Cellular localization, regulation, and functional correlations. J Clin Endocrinol Metab 1998;83:2479-85.
- Wilcox AJ, Weinberg CR, Baird DD, Timing of sexual intercourse in relation to ovulation. Effects on the probability of conception, survival of the pregnancy, and sex of the baby, N Engl J Med. 1995;333:1517-21.
- Williams M, Hill CJ, Scudamore I, Dunphy B, Cooke ID, Barratt CLR, Sperm numbers and distribution within the human fallopian tube around ovulation, Hum Reprod. 1993;8:2019-26.
- Wray S. Development of luteinizing hormone releasing hormone neurones. J Neuroendocrinol. 2001;13:3-11.
- Xiao E, Luckhaus J, Niemann W, Ferin M. Acute inhibition of gonadotropin secretion by corticotropin-releasing hormone in the primate: are the adrenal glands involved? Endocrinology 1989;124:1632-7.
- Yamoto M, Shima K, Nakano R. Gonadotropin receptors in human ovarian follicles and corpora lutea throughout the menstrual cycle. Horm Res 1992;37(Suppl 1):5-1.
- Yoshimura Y, Wallach EE. Studies on the mechanism(s) of mammalian ovulation. Fertil Steril 1987;47:22-34.
- Young SR, Jaffe RB. Strength-duration characteristics of estrogen effects on gonadotropin response to gonadotropin-releasing hormone in women: II. Effects of varying concentrations of estradiol. J Clin Endocrinol Metab 1976;42:432-42.
- Zhang J, Salamonsen LA. In vivo evidence for active matrix metalloproteinases in human endometrium supports their role in tissue breakdown at menstruation. J Clin Endocrinol Metab 2002;87:2346-51.

02

일반 부인과학

제5장 여성 생식기의 양성질환
제6장 골반동통 및 월경통
제7장 여성 생식기 감염
제8장 성병
제9장 자궁외임신
제10장 가족계획
제11장 심신 산부인과학
제12장 인간의 성
제13장 부인과 수술
제14장 부인과 내시경술
제15장 자궁내막증
제16장 자궁경부 상피내종양
제17장 난소양성종양
제18장 자궁내막증식증
제19장 양성 외음부 및 질 질환

제5장

여성 생식기의 양성질환

김수녕 | 건국의대 **송재연** | 가톨릭의대
김태진 | 건국의대 **이근호** | 가톨릭의대

1. 비정상 생식기 출혈

월경은 배란을 전제로 호르몬 쇠퇴에 의해 일어나는 출혈로 정상적으로는 24-38일의 주기와 4.5-8일의 출혈 기간, 5-80 mL 정도의 출혈량을 보인다. 비정상 생식기 출혈은 이러한 정상 월경의 범주를 벗어나는 경우로 정의된다. 비정상 생식기 출혈은 외래 환자의 30%, 부인과에 의뢰된 갱년기 또는 폐경 여성의 70%를 차지할 만큼 흔한 질환이다(Spencer et al., 1999). 비정상 생식기 출혈은 연령에 따라 그 원인이 다양하고 임상적 중요성이 다를 수 있으므로 환자의 연령을 사춘기 이전, 가임기, 폐경 후로 나누어서 진단 및 치료적 접근을 하는 것이 바람직하다.

1) 사춘기 이전의 성기 출혈

사춘기 이전 여아의 성기 출혈은 비정상적인 에스트로겐 자극이나 감염, 하부 생식기종양, 난소종양, 이물질, 외상 등에 의해 유발되는 현상으로 심각한 의학적 우려를 동반하는 증상이다. 원인 진단의 첫 과정인 문진에서는 출혈의 시작 시기, 현재 출혈 상태, 외상 여부, 자매나 어머니의 초경력, 에스트로겐 함유 약제 투약 가능성, 근친상간이나 성적 학대를 받고 있지 않는지를 확인해야 한다. 그 외에도 출혈의 객관적 증거가 있는지, 누가 출혈을 확인하였는지, 배뇨장애나 혈뇨 여부 등도 확인해야 한다.

이학적 검사는 외상이 없도록 조심스럽게 진행되어야 한다. 부모의 무릎에 앉은 자세 또는 내진대에 발을 올린 자세에서 시행한다. 대부분의 소아 부인과 문제는 완벽한 시진으로 진단이 이루어지므로 음순을 부드럽게 양측으로 벌려 외음부와 질구, 전정의 모든 기관을 확인해야 한다. 질분비물, 위생 상태, 성조숙증의 징후 등을 확인하고 진찰이 불가능하거나 불충분하다고 판단되는 경우, 원인불명 성기 출혈이 지속되는 경우에는 전신 마취 후 이학적 검사를 시행한다. 특히 외상이 처녀막 안쪽으로 확장되어 있는 경우, 질 열상이 직장 또는 복강까지 확장되어 있는 경우, 수술을 필요로 하는 외상이 있는 경우에는 전신 마취 후 진찰을 시행해야 한다.

(1) 원인 및 치료

① 에스트로겐 쇠퇴성 출혈

태아의 자궁내막은 재태 기간 중 모체 에스트로겐에 의해 자극을 받으므로 출생 후 에스트로겐 쇠퇴에 의해 성기 출혈이 유발될 수 있다. 이러한 출혈은 생리적 현상으로 자연 소실되며 특별한 치료를 필요로 하지 않는다. 출생 2주 후까

지 지속되는 출혈은 비정상적이므로 자궁과 난소에 대한 초음파검사, 질경 등을 통해 적절한 진찰이 이루어져야 한다.

② 외음부-질염

사춘기 이전에는 질점막이 얇고 위축되어 있으므로 장내 세균에 의한 감염이 흔히 일어난다. 이 시기에 발생하는 대부분의 질 감염은 대변 후 처리 과정에서 발생하는 회음 위생과 관련된다. 이질균, 베타 용혈성연쇄상구균, 장내 병원균 과증식은 질염과 관련된 출혈을 유발할 수 있고 요충 감염은 긁어서 생기는 피부 박탈에 의한 출혈을 일으킬 수 있다. 콘딜로마는 모체로부터 수직감염이나 성적 학대를 통한 감염으로 발생하며 무통성 출혈을 유발할 수 있다. 화농성 또는 삼출성 분비물이 있을 때에는 균동정과 치료약제 선택을 위해 반드시 균배양을 시행하고 전신 항생제를 투여하여 치료한다. 적절한 항생제에 반응하지 않는 경우나 출혈과 감염이 반복되는 경우에는 질 내 이물질이나 병변 존재 여부를 확인하기 위해 질내시경검사를 시행한다.

③ 이물질

질 내의 이물질은 국소 염증반응을 일으켜 악취가 나는 혈성 분비물을 증가시킨다. 생리식염수로 질 내를 세척하는 방법으로도 이물질 제거가 가능하지만, 이물질이 질 내에 너무 꽉 채워져 있는 경우에는 전신 마취하에서 질 내시경을 통해 제거해야 한다.

④ 피부염

태선경화증, 지루성피부염, 아토피피부염, 건선, 진균성 피부염 등은 긁은 자리의 피부탈락에 의해 출혈을 유발할 수 있다.

⑤ 요도탈

요도 점막이 요도구 밖으로 빠져나와 형성된 유약한 종물이 출혈을 일으킬 수 있다. 이런 병변이 관찰될 때에는 육종이나 내배엽동종양과의 감별진단을 위하여 환아를 변기에 앉히고 소변이 환상 부종의 중앙으로부터 배출되는지를 확인해 보아야 한다. 요도탈의 치료는 초기에는 좌욕이나 국소 에스트로겐 도포로 치료할 수 있지만 탈점막의 괴사가 일어나면 절제술을 시행한다.

⑥ 출혈과 관련된 종양

외음부의 모세혈관종이나 해면혈관종 등은 성기 출혈을 유발할 수 있는 양성종양이고 극히 드물게 자궁동정맥기형도 자궁 출혈을 일으킬 수 있다. 자궁의 동정맥기형 진단은 매우 어려운데 질경검사에서 자궁경부로부터 출혈이 확인될 경우 의심할 수 있고 조영제를 사용한 컴퓨터단층촬영이나 방사선동위원소-적혈구 주사를 통해 진단된다.

어린 소녀의 하부 생식기에서 발생하는 가장 흔한 악성 종양은 횡문근육종이다. 횡문근육종은 비뇨생식 두둑의 중간엽에서 발생하며 가장 흔한 유형은 포도 모양형태이다(sarcoma botryoides). 2세 전에 발병률이 가장 높고 90% 정도가 5세 전에 진단된다. 병변은 유약한 용종성 종물로 보이고 출혈, 질분비물, 복통, 복부 종물 등의 증상이나 징후를 나타낸다(Merritt DF, 1998).

그 외에 성기 출혈을 유발할 수 있는 종양으로는 내배엽동종양, 자궁내막선암, 혼합뮐러관종양 등이 있지만 발병 빈도는 매우 드물다. 또한 난소의 과립막세포종은 에스트로겐을 분비하여 사춘기 조발증, 질출혈을 유발할 수 있다.

⑦ 사춘기 조발증

8세 이전에 이차성징이 발현되는 것은 거의 대부분 에스트로겐 분비와 관련된다. 시상하부-뇌하수체-난소축의 조기 성숙은 중추신경계 병변이나 외상과 관련될 수 있지만 대부분의 경우는 특발성이다. 중추성 성조숙증으로 진단되면 컴퓨터단층촬영이나 자기공명영상을 통해 중추신경계 병변 유무를 배제하여야 한다. 말초성 성조숙증은 생식샘자극호르몬에 비의존적으로 에스트로겐이 생산되는 경우로 난소 또는 부신종양, McCune–Albright syndrome 등이 여기에 속한다. 동종 성조숙증 환아에서는 성장과 유방 발육, 골연령 등의 평가가 이루어져야 하고 에스트라디올, LH, FSH, TSH 혈중치검사가 시행되어야 한다. 그 외 난소

평가를 위한 초음파, 중추신경계 평가를 위한 컴퓨터단층촬영이나 자기공명영상검사가 필요하다. 만약 이중 성조숙증 징후(여드름, 다모증)가 있으면 혈중 코티솔, DHEA-S와 같은 부신기능검사와 남성호르몬 혈중수치의 확인이 필요하다.

⑧ 외음부 외상

외음부에는 혈관이 풍부하게 분포되어 있으므로 작은 외상으로도 대량 출혈을 일으킬 수 있다. 사고에 의한 외상으로는 넘어짐, 안장 외상, 열 또는 화학물질에 의한 화상, 골반 골절, 고압 액체 분사에 의한 외상 등이 있다. 병력은 외상 환아 치료에서 매우 중요하므로 환아나 보호자로부터 자세한 병력청취가 이루어져야 하고 외상의 원인이 불분명할 때는 신체적 학대 가능성을 염두에 두어야 한다. 섬세하고 완전한 이학적 검사가 필수적인데도 불구하고 소아 외음부 외상 진찰은 불충분하게 이루어지는 경향이 있다. 완벽한 진찰을 위해서는 적절한 조명과 진정 치료, 적절한 진찰 자세 확보가 필수적이다. 처녀막 안으로 외상이 있는 경우, 직장 또는 복강 내로 확장된 외상, 외상 정도를 완전히 확인할 수 없을 때, 원인을 알 수 없는 출혈이 있을 때, 수술적 치료를 필요로 하는 외상이 있을 때에는 전신 마취하에서 진찰이 이루어져야 한다.

음문외상은 대부분 장애물에 부딪힐 때 발생하는 안장외상에 의해 발생한다. 음문의 연조직이 골반 구성 뼈와 충돌 물체 사이에 끼여서 압박을 받으므로 멍이 들거나 열상이 생기거나 혈종이 형성된다. 뾰족한 물체에 부딪치는 경우는 관통상을 입을 수도 있다. 음문혈종은 극심한 통증, 해부학적 왜곡 또는 부종에 의해 종종 배뇨장애를 일으킨다. 혈종이 크지 않고 회음 구조의 손상이 없는 경우에는 즉각적인 냉찜질과 후속적인 온열찜질을 통해 치료할 수 있다. 혈종이 크고 배뇨장애가 있으면 도뇨관을 삽입하고 부종이 빠질 때까지 관찰한다. 음문혈종의 혈액은 때로는 질벽이나 치골 또는 하복벽을 덮고 있는 근막층을 따라 치밀하지 못한 그물망 조직 안으로 스며들어 그 범위가 넓게 확장될 수 있다. 확장된 혈종에 의해 발생한 압력에 의해 혈종 위 피부 괴사가 발생할 수 있다.

혈종의 제거는 통증을 경감시키고 회복을 빠르게 하며 괴사에 의한 조직 손실과 감염을 예방할 수 있다. 크게 형성된 음문혈종은 질구 근처에서 혈종의 내측 점막면에 절개창을 내어 혈액을 소개하고 괴사된 조직은 제거하고 세척한다. 출혈이 있는 혈관은 결찰하고 지혈을 위한 봉합을 한다. 수술 후 배액관 설치는 국소 압력을 줄이고 통증을 완화하며 세균 감염을 예방하는 효과가 있다.

질벽외상은 사고에 의해서도 발생할 수 있지만 어린 아이들이 질 손상을 입었을 때에는 육체적 학대 가능성을 염두에 두고 철저한 평가가 이루어져야 한다. 뭉툭한 물체에 의한 삽입외상은 통상 처녀막 후면 열상을 유발하고 흔히 질과 직장으로 확장된다. 교통사고에 의한 분쇄 외상이나 추락은 골반골절을 일으키고 골절에 의해 발생한 뼛조각이 질이나 하부 요로 기관에 외상을 일으킬 수 있다.

고압 흡입외상은 압력이 걸린 물이 질로 들어가 질점막 열상과 박리를 일으키는 외상으로 수상 놀이기구(제트스키, 물폭포 등)에서 추락하거나 낙하할 때 또는 수영장이나 목욕탕 분출구에 직접 접촉할 때 발생한다. 이러한 외상은 외부에서는 확인하기가 어려우므로 의심이 되면 전신 마취하에 진찰을 시행한다. 불행하게도 대부분의 질외상은 성폭행에 의해 발생한다. 에스트로겐에 노출되지 않은 질벽은 외상에 매우 취약하여 후방으로 처녀막 열상이 발생하고 질측벽이나 질원개 열상이 흔히 동반된다. 심한 경우에는 자궁경부가 분리되고 복강이 개방되기도 한다. 이러한 경우는 대부분 대량 출혈이 동반되어 사망률이 높아진다. 전신 마취하에서 진찰을 하고 법의학적 증거 수집과 질내시경이나 질경 등의 각종 장비를 이용하여 영상 기록을 남겨야 한다. 성인에서 사용하는 질경은 어린아이들에게는 부적절하므로 질벽외상 유무와 정도를 확인하기 위해서 주로 소아 방광경이나 소아 비검경을 이용한다. 복강 내로의 관통이 확인되면 즉시 복강경이나 개복술을 시행하여 복강 내 장기 손상 여부를 확인해야 한다. 어린 소녀들의 질강은 매우 좁으므로 질열상을 봉합할 때에는 원활한 시야 확보를 위해 가장 안쪽을 먼저 봉합하고 질구 쪽을 가장 나중에 처치하도록 한다. 직장 또는 항문 괄약근 손상 여부를 확인하고 손상이 있으면 수복수술을 해야 한다. 출혈이 없는 질 열상은 봉합 대신 젖은 거즈 습포 치료를 할 수도 있다. 수술 후에는 치유 후 상처 조직 형성을 최소화하기 위하여 국소 에스트로겐을 도포하기도 한다.

항문-성기 외상은 성교 또는 긴 물체 삽입에 의해 발생한다. 직장 손상이 없으면 항문점막과 괄약근은 바로 수복수술을 하며 때로는 인공항문 형성술이 필요할 때도 있다.

남성과는 다르게 여성의 요도는 길이가 짧고 골반저에 고정되어 있지 않으므로 보통 외상을 잘 입지 않는다. 사춘기 전 소녀들에서 발생하는 요도외상은 주로 교통사고에 의한 골반골절에 의해 발생한다. 외음 출혈, 배뇨장애, 혈뇨 등은 요도외상의 증상 또는 징후들이다. 손가락 촉진, 질경검사, 질내시경검사를 통해 질 전벽 열상과 관련된 요도외상을 확인할 수 있다. 적절한 진단과 치료가 이루어지지 않으면 요실금, 요도협착, 방광-질 또는 요도-질 누공이 발생할 수 있다.

어린이 방광은 복강내 기관이므로 방광외상이 있으면 전형적으로 치골 상부 압통, 골반통, 배뇨통 또는 배뇨장애를 호소한다. 복부외상이 있고 혈뇨 또는 요도출혈이 있는 경우에는 요도손상이 없으면 후향성방광조영술을 고려한다. 전산화 단층촬영을 이용하여 방광의 정상성과 골반골절 여부를 확인할 수 있다. 방광의 단순 열상은 도뇨만으로도 치료가 가능하다. 방광지붕의 복강내 파열은 주로 교통사고 시 둔탁한 충격에 의해 발생한다. 혈중 BUN (blood urea nitrogen) 상승은 방광 파열의 민감한 지표가 된다. 복강 내로의 파열은 시험 개복을 하여 외과적 봉합을 시행하고 도뇨관을 거치해 둔다.

2) 가임기 여성의 성기 출혈

가임 여성에서도 외음부와 질의 염증성 질환, 외상, 종양 등에 의해 비정상 출혈이 발생할 수 있지만 대부분의 경우는 자궁근원의 출혈이다. 비정상 자궁출혈의 원인은 기질적 원인과 기능적 원인으로 대별된다. 기능적 원인 중에는 불규칙하고 예측하기 어려운 출혈 양상을 보이는 무배란성 출혈과 규칙적 과다월경 양상을 보이는 배란성 출혈 등이 있다. 비정상 자궁출혈의 기질적 원인으로는 자궁근종, 용종, 자궁내막암, 임신 합병증 등이 있으며 때로는 피임 방법과 관련되어 발생하는 경우도 있다. 비정상 성기출혈을 보이는 가임 여성에서는 임신 관련 출혈이 가장 먼저 배제되어야 한다. 비임신 여성에서의 비정상 자궁출혈은 2011년 FIGO (International Federation of Gynecology and Obstetrics)에 의해 소개된 PALM-COEIN 체계(용종-Polyp, 자궁선근증-Adenomyosis, 자궁근종-Leiomyoma, 악성종양과 증식증-Malignancy, 혈액응고장애-Coagulopathy, 배란장애-Ovulatory Disturbance, 자궁내막이상-Endometrial, 인위적인 것-Iatrogenic, 미분류-Not classified)로 분류된다(Munro et al., 2012).

PALM-COEIN 체계는 비정상 자궁출혈을 기술적 용어로 표현한 출혈 양상과 원인으로 구분한다. 즉 출혈 양상을 과다월경(heavy menstrual bleeding, HMB)이나 월경간 출혈(intermenstrual bleeding)과 같이 기술적으로 묘사하고 원인을 나타내는 문자를 부기하여 비정상 자궁출혈을 다음과 같이 분류한다(표 5-1).

(1) 원인과 연령에 따른 감별진단

① 13–18세

사춘기 소녀에서 비정상 자궁출혈의 가장 흔한 원인은 시상하부-뇌하수체-난소축의 미성숙에 의한 만성무배란이며 초경 후 2년까지는 생리적 과정으로 판단할 수 있는 현상이다. 그 외의 원인으로는 경구피임약 사용, 임신, 골반염,

표 5-1. 가임 여성의 비정상 자궁출혈(FIGO 분류)

자궁병리를 가진 경우	자궁내막용종(AUB-P) 자궁선근증(AUB-A) 자궁근종(AUB-L) 자궁내막증식증 또는 자궁내막암(AUB-M)
전신적 원인	선, 후천성 혈액응고장애(AUB-C) 배란장애(AUB-O) 자궁내막(AUB-E) 인위적(AUB-I) 미분류(Not classified)

혈액응고장애, 종양 등이 있다. 초경 때부터 과다월경을 보이는 경우에는 혈액응고장애 질환이 있을 가능성이 높으므로 적절한 선별검사가 필요하다.

② 19-39세

가장 흔한 비정상 자궁출혈의 원인으로는 임신 관련 출혈, 근종, 용종 등의 구조 이상, 무배란, 경구피임약 사용, 자궁내막증식증 등이 있다.

③ 40-폐경

난소기능저하에 따른 생리적 무배란성 출혈이 가장 흔한 원인이다. 그 밖의 원인으로는 자궁내막증식증, 자궁내막암, 자궁내막 위축, 자궁근종 등이 있다.

(2) 진단

비정상 자궁출혈의 진단은 연령 관련 인자를 고려한 병력청취, 이학적 검사, 검사실 검사, 영상검사 등으로 이루어진다.

① 병력청취와 이학적 검사

병력청취에서는 월경주기, 월경량, 월경통, 비정상 자궁출혈의 가족력, 혈액질환 여부 등이 확인되어야 한다. 그 외 비정상 자궁출혈을 일으킬 수 있는 약제나 한약(와파린, 헤파린, 비스테로이드성 항염제, 경구피임약, 은행, 인삼, 익모초 등) 복용 여부에 대해서도 문진이 이루어져야 한다.

이학적 검사에서는 비만, 남성호르몬 과다 징후, 갑상샘 이상 또는 인슐린 저항성 징후 등이 확인되어야 하고 출혈성 질환을 의심할 수 있는 점상 또는 반상출혈, 관절종창, 창백 여부 등을 유심히 관찰하여야 한다. 골반검사에서는 질경을 이용한 시진을 통해 자궁경부, 질병변이 확인되어야 하고 촉진을 통해 자궁의 크기와 형태, 부속기 종물 존재 여부 등이 확인되어야 한다.

② 검사실 검사

검사실 검사에는 임신검사, 전혈검사, 갑상샘자극호르몬검사, 자궁경부암선별검사, 클라미디아동정검사 등이 포함되어야 한다. 전혈검사에서는 빈혈과 혈소판감소증 존재 여부를 확인한다. 초경부터 과다월경이 있는 경우에는 prothrombin time, partial thromboplastin time 등 혈액응고장애에 대한 선별검사와 병력에 따른 특이검사가 필요하다. 갑상샘기능 항진이나 저하 모두 비정상 자궁출혈의 원인이 되지만, 갑상샘기능저하가 더 흔한 원인이고 무증상갑상샘기능항진도 비정상 자궁출혈의 원인이 될 수 있다. 고프로락틴혈증, 조기폐경, 당뇨병, 다낭성난소증후군 등 무배란을 야기할 수 있는 질환은 무배란성 출혈을 일으킬 수 있으며 필요시 이에 대해 평가할 수 있다.

③ 영상검사

비정상 자궁출혈의 원인 진단을 위한 일차영상검사는 경질초음파이다. 자궁강 내 병변 평가에 대한 경질초음파의 진단 민감도와 특이도는 56%, 73% 정도이다(Kelekci et al., 2005). 진단을 위해 경질초음파검사가 부적절하거나 이상 소견이 있는 경우에는 자궁경이나 생리식염수주입 초음파 자궁조영술을 시행한다. 사춘기 소녀나 미혼 여성에서는 복부 또는 경직장초음파를 시행한다. 용종이나 점막하근종과 같은 자궁강 내 병변 확인에서 초음파자궁조영술은 경질초음파보다 우수한 진단율을 보인다. 자기공명영상은 다발성 자궁근종수술 전 자궁근종의 수와 위치를 확인하거나 자궁선근증의 진단, 자궁동맥색전술 또는 집속초음파 치료 전에 이용될 수 있다.

(3) 치료

비정상 자궁출혈은 흔한 증상이지만 매우 다양한 원인에 의해 발생하므로 그 치료 방법도 복잡하다. 출혈의 양상은 심한 급성출혈, 불규칙출혈, 과다월경으로 분류될 수 있다. 심한 급성출혈은 시간당 하나 이상의 패드 또는 탐폰이 사용되거나 혈량저하의 징후가 나타나는 경우로 정의된다. 자궁출혈(metrorrhagia), 불규칙과다월경(menometrorrhagia), 희발월경(oligomenorrhea), 지연출혈(prolonged bleeding), 월경간출혈(intermenstrual bleeding)은 모두 불규칙출혈 범주에 속한다. 과다월경은 7일 이상 지속되는 주기적인 과다출혈 또는 핏덩어리가 섞이거나 철결핍성 빈혈이 동반된 경우 또는 주기당 실혈량이 80 mL를 초과하는 경우로 정의된다(Ely et al., 2006).

① 심한 급성출혈

심한 급성출혈은 혈액응고장애를 동반한 사춘기 소녀 또는 점막하근종이 있거나 항응고제를 사용 중인 여성에서 주로 발생한다. 이런 환자의 관리는 혈역학적 안정도에 따라 치료가 이루어져야 한다. 우선 고용량 에스트로겐을 경구 또는 정맥 투여하고 후속적인 경구피임약 감량요법이 흔히 사용된다. 경구피임약 감량요법은 복합 경구피임약을 첫 4일간은 1정씩 하루 4회, 그 후 3일간은 1정씩 하루 3회, 2일간은 1정씩 하루 2회, 그 후 3주간은 하루 1정씩 복용하고 피임약 중단 후 쇠퇴출혈이 확인되면 최소 3개월간 경구피임약을 사용한다(표 5-2).

초기 호르몬 투여 후 출혈이 안정 상태에 접어들면 출혈의 원인을 찾기 위한 혈액응고검사와 경질초음파, 필요시 생리식염수주입 초음파자궁조영술 등을 시행한다.

② 불규칙출혈(Irregular bleeding)

초경 2년 내의 불규칙출혈은 시상하부-뇌하수체-난소축 미성숙에 의한 무배란에 기인하므로 특별한 검사나 치료가 필요하지 않다. 폐경 이행기에 21일 이하의 주기적 출혈이나 다른 불규칙출혈이 있는 경우에는 자궁내막검사를 시행하도록 한다. 가임 연령에서 며칠간 월경 전 소량 출혈을 보이는 경우에 그 출혈이 월경과 연속되는 과정이면 정상 변이로 간주할 수 있다. 폐경 후 소량 출혈은 자궁내막염에 의해서도 발생할 수 있고 월경주기 중간기의 소량 출혈은 정상적인 혈중 에스트로겐 감소와 관련될 수 있지만, 그 빈도가 높지 않으므로 35세 이상의 여성에서 중간기 출혈이 있을 때에는 자궁내막검사를 시행하도록 한다.

병력에서 자궁출혈을 일으킬 수 있는 약물 복용력이 확인되면 약을 중단하거나 대체한다. 진찰에서 자궁 압통 등 감염의 징후가 있을 때에는 만성자궁내막염을 고려하여 임질과 클라미디아세균검사를 시행하고 독시싸이클린을 투약한다. 자궁출혈은 간이나 신장 등의 만성질환에 의해서도 발생할 수 있으므로 의심되는 증상 또는 징후가 있으면 간기능, 신기능검사를 시행한다. 갑상샘기능 항진이나 저하는 자궁부정출혈의 흔한 원인이 되므로 갑상샘자극호르몬(TSH) 혈중치를 초기 선별검사로 시행한다. 고유즙분비호르몬증과 고안드로겐혈증은 비정상 자궁출혈을 일으킬 수 있는 중요한 원인이 된다. 다낭성난소증후군은 비정상

표 5-2. 심한 급성출혈의 치료

가. 입원치료: 저혈압을 동반한 대량출혈 또는 혈색소 < 10 g/dL
- 가) 프레마린 25 mg, 4시간마다 24시간 투여
- 나) 프레마린 1-2회 투여에 반응 없으면 소파수술
- 다) 혈색소 < 7.5 g/dL, 수혈
- 라) 프레마린 투여하며 경구피임약 하루 4정 4일, 하루 3정 3일, 하루 2정 2일, 하루 1정 3주간 투여, 1주 휴약 후 3주기 경구피임약 투약, 경구피임약 금기면 프로베라 10 mg을 최소 3개월간 14일 투약, 14일 휴약주기로 사용
- 마) 경질초음파, 갑상샘자극호르몬 혈중치, 전혈검사, 혈액응고검사(PT, aPTT), 혈소판기능검사 시행
- 바) 경구 철분제 투여

나. 외래 통원치료: 정상혈압이며 혈색소 > 10 g/dL
- 가) 프레마린 2.5 mg(또는 상용 용량의 에스트로겐) 하루 4회 경구투여
- 나) 프레마린 2-4회 투여에 반응 없거나 시간당 생리대를 하나 이상 사용할 정도의 출혈이면 소파수술
- 다) 급성출혈 진정되면 경구피임약 하루 4정 4일, 하루 3정 3일, 하루 2정 2일, 하루 1정 3주간 투여, 1주 휴약 후 3주기 경구피임약 투약, 경구피임약 금기면 프로베라 10 mg을 최소 3개월간 14일 투약, 14일 휴약주기로 사용
- 라) 경질초음파, 갑상샘자극호르몬 혈중치, 전혈검사, 혈액응고검사(PT, aPTT), 혈소판기능검사 시행
- 마) 경구 철분제 투여

자궁출혈의 흔한 원인이므로 진단 기준인 무배란 또는 희발배란, 남성호르몬 과다증의 증상 또는 징후가 있는지, 초음파검사에서 다낭성난소가 존재하는지를 확인해야 한다. 다낭성난소증후군과 감별되어야 할 다른 안드로겐과다증으로는 선천성부신증식증, 남성호르몬 분비종양 등이 있다. 비정상 자궁출혈이 있는 여성 연령이 35세 이상이고 자궁내막암의 위험 인자를 동반하고 있다면 자궁내막검사를 시행하도록 한다(표 5-3).

비만, 다낭성난소증후군과 같은 무배란성 주기를 가지는 여성에서는 프로게스테론 없이 에스트로겐만 분비되어 자궁내막의 병리가 발생할 가능성이 있으므로 자궁내막조직검사가 필요하다. 자궁내막조직검사는 적절한 약물치료에도 불구하고 지속적인 비정상 자궁출혈을 보일 경우 모든 연령대의 여성에서 고려되어야 한다. 외래에서 가늘고 구부러지는 흡인기를 이용한 자궁내막 흡인생검을 시행할 수 있으며, 검사 목적의 자궁내막소파술을 꼭 고집할 필요는 없다. 자궁내막소파술은 자궁내막 흡인생검이 여의치 않을 경우에는 적응증이 될 수 있다. 자궁내막 흡인생검으로 진단이 불가능한 경우의 예로 1) 조직의 양이 불충분한 경우, 2) 자궁내막 흡인생검의 결과가 정상이지만 비정상 자궁출혈이 지속되는 경우, 3) 자궁경부 협착, 환자의 불편감 등으로 인해 외래검사가 불가능한 경우 등이 있다. 또한 병변이 국소적으로 분포할 경우 자궁내막소파술로 해당 병변을 놓칠 수 있기 때문에 진단적 목적의 자궁경이 추천된다.

③ 과다월경

과다월경은 출혈량은 많지만 출혈이 규칙적이고 자궁내막 병리 가능성이 낮기 때문에 자궁내막조직검사를 시행하지 않고 치료를 하는 경우가 많다. 그러나 출혈 기간이 7일을 초과하거나 호르몬 치료에 반응하지 않는다면 경질초음파나 자궁내막검사를 시행하도록 한다. 심한 과다월경이 있거나 혈액응고장애의 징후가 보이는 경우에는 von Willebrand 질환의 선별검사로써 혈소판기능검사를 시행한다. 치료로는 경구피임약, 황체호르몬 제제, 비스테로이드성 항염제 등이 사용될 수 있다. LNG-IUS (Levonorgestrel Intrauterine System)는 과다월경 치료에서 자궁절제술에 필적하는 효과를 보인다(표 5-4). LNG-IUS는 임신계획이 없는 여성의 만성 무배란성 출혈에 효과적인 치료가 될 수 있다. 비만, 만성 무배란성 질환 등으로 인해 프로게스테론 없이 에스트로겐에만 노출되어 자궁내막 병리의 위험성이 높은 사람이나, 경구나 주사 프로게스틴요법에 대한 반응

표 5-3. 비임신 여성의 불규칙출혈의 치료

가. 희발월경이면 갑상샘자극호르몬, 유즙분비호르몬 혈중치 측정

나. 35세 이상이거나 길항되지 않는 에스트로겐 노출 병력이 있으면 자궁내막조직검사와 경질초음파 시행

다. 자궁내막염, 약물 복용력(페니토인, 항정신성 약물, 삼환계 항우울제, 부신피질호르몬 제제), 진행된 전신질환, 다낭성난소증후군 등을 감별

라. 임신을 원치 않으면 경구피임약 최소 3개월 사용, 경구피임약 금기이면 프로베라 10 mg을 최소 3개월간 14일 투여, 14일 휴약 주기로 사용한다. 출혈이 지속되면 고용량 경구피임약 또는 고용량 프로베라로 전환하고 그 후에도 출혈이 지속되면 경질초음파와 자궁내막조직검사 고려

표 5-4. 비임신 여성의 과다월경 치료

가. 갑상샘자극호르몬 혈중치, 혈색소, 혈소판기능검사. 이학적 검사에서 이상이 있으면 경질초음파검사

나. 경구피임약 사용. 경구피임약 금기면 프로베라 10 mg을 최소 3개월간 14일 투약, 14일 휴약 주기로 사용한다. 그 외 비스테로이드성 항염제(월경 시작과 함께 이부프로펜 400 mg, 하루 3회 4일 사용)

다. 반응이 부적절하면 용종, 근종, 자궁내막증식증, 자궁선근증을 배제하기 위한 경질초음파 시행

성이 떨어지는 사람, 에스트로겐 사용금기에 해당되는 사람에서 LNG-IUS는 효과적인 치료법이 될 수 있다.

④ 피임 관련 출혈

저용량 경구피임약을 사용하는 경우 파탄성 출혈이 자주 일어난다. 경구피임약 사용 3개월 후에도 비정상 출혈이 지속되면 고용량 경구피임약으로 대체해 본다. 임질과 클라미디아 감염이 관련될 수 있으므로 균동정검사를 시행한다. 데포 프로베라(Depo-Provera)에 의한 비정상 출혈에는 7일간 에스트로겐(premarin 1.25 mg, estradiol 1 mg)을 투여하고 출혈이 반복되면 동일한 약제를 반복투여한다.

자궁내장치를 사용하는 여성에서의 자궁출혈은 자궁내막염과 관련될 수 있으므로 균동정검사를 시행하고 자궁에 압통이 있으면 독시싸이클린(100 mg, 하루 두 번)을 10일 정도 투여하며 가능하면 자궁내장치를 제거하도록 한다. 자궁내막염이 없고 구리 자궁내 장치를 사용하는 경우에는 경구피임약을 한 주기 사용하든지 메드록시프로게스테론 10 mg을 7일간 투여한다. 황체호르몬 분비 자궁내 장치를 사용하는 경우에는 경구피임약을 한 주기 사용해 본다. 이러한 치료에 반응이 없으면 자궁내장치를 제거하고 다른 피임 방법을 선택한다(표 5-5).

⑤ 병리소견에 따른 치료

발견된 용종은 자궁경하절제술 또는 소파수술로 제거하든지 추적관찰한다. 폐경 전 여성에서 발견되는 용종의 1.7%만이 악성 변화를 보이지만, 비정상 자궁출혈의 증상이 동반될 경우 악성 위험도가 높아지므로 제거하는 것이 권고된다. 자궁내막검사 결과 무질서한 자궁내막, 기질 붕괴, 증식 또는 분비형 자궁내막 소견을 보이는 경우는 현재의 출혈 양상에 맞추어서 치료를 결정한다. 자궁근종이나 자궁선근증은 환자의 상황에 따라 내과 또는 외과적 치료를 선택할 수 있다. 자궁근종의 내과적 치료에는 주로 선택적 황체호르몬 수용체조절제나 생식샘자극호르몬 분비호르몬작용제가 사용되고 수술치료로는 근종절제술이나 자궁절제술이 시행된다. 선택적 황체호르몬수용체조절제는 근종과 관련된 과다 출혈에 효과적이며, UPA (ulipristal acetate) 반복사용 시 근종의 부피를 45% 정도 줄일 수 있고 90%에서 월경량 감소를 보인다. 선택적 황체호르몬수

표 5-5. 피임 관련 출혈의 치료

가. 경구피임약 파탄성 출혈 또는 무월경
가) 경구피임약 사용 3개월 내이면 계속 사용할 것을 권유
나) 경구피임약을 3개월 이상 사용했거나 환자가 불안해하는 경우에는 복용 순응도 확인, 클라미디아와 임질 감염 배제 후 고용량 경구피임약으로 교체한다.
다) 연령이 35세 이상이면 자궁내막검사를 시행한다.
라) 무월경인 경우 임신 배제 후 고용량 경구피임약으로 교체하거나 동일한 약제를 계속 사용
나. 데포 프로베라 또는 황체호르몬 단독 경구피임약 관련 출혈
가) 무월경은 예측되는 증상이므로 안심시킨다.
나) 35세 이상의 여성이나 자궁내막암 위험성을 가진 여성에서 수용할 수 없는 불규칙한 출혈이 있는 경우에는 자궁내막검사를 시행
다) 35세 이전이고 자궁내막암 위험군이 아니며 사용기간이 4-6개월 정도라면 계속 사용을 권유하거나 경구피임약을 사용하거나 황체호르몬 주사 빈도를 높인다.
라) 35세 이전이고 자궁내막암 위험군이 아니며 사용기간이 6개월 이상이면 프레마린 1.25 mg(또는 상용 에스트로겐)을 하루 한 번 7일간 투약하고 출혈이 반복되면 반복적으로 프레마린을 사용할 수 있다. 이러한 치료에 반응하지 않으면 다른 피임법을 강구한다.
다. 자궁내장치 관련 출혈
가) 자궁에 압통이 있으면 독시싸이클린 100 mg을 하루 두 번 10일 사용하고 자궁내장치 제거를 고려한다.
나) 사용 4-6개월 내라면 계속 사용을 권하고 비스테로이드성 항염제(이부프로펜)를 출혈 시작과 동시에 400 mg, 하루 세 번, 4일간 투여한다.
다) 사용 기간이 4-6개월 이상 되었으면 경구피임약을 한 주기 사용해 본다. 구리 자궁내장치인 경우는 프로베라 10 mg을 하루 한 번 7일간 투약한다. 수용하기 어려운 출혈이 지속되면 자궁내장치를 제거한다.

용체조절제의 장기간 사용은 PACE (progesterone receptor modulator-associated endometrial change)를 일으킬 수 있는데, 이것은 가역적, 양성 소견이며, 혈중 간수치 이상을 초래할 수 있어 주의가 필요하다. 국소집중에너지를 이용한 초음파집속치료는 비수술적 보존치료로 자궁 보존을 원하는 환자에서 선택될 수 있다. 자궁선근증은 자궁내장치(LNG-IUS)나 경구피임약, 생식샘자극호르몬분비호르몬작용제가 내과적 치료로 이용되고 수술적 치료로는 자궁절제술이 가장 흔히 시행되고 있지만 자궁을 보존해야 하는 경우에는 비후된 선근증층만 제거하는 조직판수술을 시행하기도 한다. 자궁내막염이 확인된 경우는 독시싸이클린 100 mg을 하루 두 번 10일간 투약한다. 샘과 기질의 비율을 반영한 종전의 단순/복합 구분방식은 WHO 2014에서 사라졌으며, 비정형세포의 여부에 따라 자궁내막증식증을 분류하는데, 이에 따라 치료 방법에 차이를 보인다. 세포 비정형성이 없는 자궁내막증식증은 주기적인 또는 지속적인 프로게스틴으로 치료(프로베라 10 mg을 14일 투약, 14일 휴약 형태로 복용)하고 3-6개월 후 추적 조직생검을 시행한다. 최근 LNG-IUS가 경구 프로게스틴요법에 비해 재발이 낮고 완치율이 높은 효과적인 치료법으로 제안되고 있다. 적극적인 프로게스틴을 사용함에도 불구하고 지속적으로 비정형 자궁내막증식증 소견을 보일 경우 자궁절제술을 고려해야 한다. 비정형 자궁내막증식증 또는 자궁내막암이 발견되면 환자의 상황에 따라 호르몬 치료, 자궁전적출, 병기결정수술을 고려한다. 가임력 보존을 원하는 여성에서 비정형 자궁내막증식증에 대한 치료가 필요한 경우 더 강력한 프로게스틴 약제를 더 오래 사용하는 방법(megestrol acetate 80 mg 하루 2회, 3-6개월)를 고려할 수 있으며, 치료에 대한 반응을 살피고 병변의 소실을 확인하기 위해 반복적 조직검사가 필요하다.

3) 폐경 후 성기출혈

폐경 후 출혈은 마지막 월경 후 12개월 이상의 시간이 경과한 후 발생하는 성기출혈로 55세 이상 여성의 10% 정도에서 발생하는 흔한 증상이다(Newell et al., 2012). 폐경 후 출혈의 대부분은 양성질환에 기인하지만 환자의 10% 정도에서 자궁내막암을 동반하므로 악성질환 존재를 배재해야 하는 중요한 임상적 의미를 가진다(Scottish Intercollegiate Guidelines Network, 2002).

(1) 원인

폐경 후 출혈을 유발할 수 있는 흔한 양성질환으로는 질 위축증, 자궁경관 또는 자궁내막용종, 자궁내막증식증 등이 있고 악성질환으로는 자궁내막암, 자궁경부암, 호르몬생산난소종양 등이 있다. 성기출혈과 감별해야 하는 비부인과 질환으로는 항문출혈이나 혈뇨 등이 있다.

(2) 진단

폐경 후 성기출혈의 원인을 찾기 위한 과정은 자궁내막암의 위험인자 동반 여부나 호르몬, 타목시펜, 항응고제와 같은 약물 투약력을 포함한 자세한 병력청취부터 시작되어야 한다. 시진과 촉진을 포함한 이학적 검사에서는 출혈 위치의 확인, 질 위축 유무, 자궁경부용종이나 악성종양 여부, 골반내 종물 존재 여부 등이 확인되어야 한다.

자궁과 자궁내막, 난소의 구조 이상이나 자궁내막 두께를 측정하기 위해서 우선 경질초음파검사를 시행하고 적응증에 따라서 자궁내막조직검사를 추가한다. 경질초음파검사는 폐경 후 성기출혈의 일차 영상검사로 받아들여지고 있다. 경질초음파검사는 자궁내막용종이나 점막하근종 같은 구조이상뿐만 아니라 자궁내막 두께까지도 쉽게 측정할 수 있는 장점이 있다. 자궁내막 두께는 폐경 후 성기출혈 여성에서 자궁내막암을 진단하는 데 도움이 되는 지표로 자궁내막 두께가 두꺼울수록 자궁내막암 가능성이 높아진다. 자궁내막 두께가 4 mm 이하인 여성에서 자궁내막암이 동반될 가능성은 0.8% 정도이다(Munot et al., 2008). 호르몬 치료를 받은 적이 없거나 1년 이상 호르몬 투여를 하지 않은 경우 또는 현재 지속적인 복합호르몬 치료를 받고 있는 여성에서 자궁내막 두께가 3 mm 이하이면 자궁내막암은 거의 배제될 수 있다. 이학적 검사가 정상이고 자궁내막 두께가 4 mm 이하이며 더 이상의 출혈이 없으면 단순 추적관찰을 권고하고 출혈 재발이 있으면 자궁경검사를 고려한다. 장기간 단독 에스트로겐에 노출되었다고 판단될 경우 자궁내막 두께가 정상범위(5-12 mm)이더라도 조직검사의 적응증이 된다.

자궁내막검사는 조직학적으로 자궁내막암을 진단할 수 있는 효과적인 검사이지만 용종과 같은 구조 이상 소견을 진단하지 못할 가능성이 크고 맹목 자궁내막검사에서는 위음성 가능성이 높아진다는 문제점이 있다. 자궁경하 직접생검 또는 소파조직검사는 최적의 진단 수단이다. 자궁경관 협착이나 통증으로 자궁 내막조직 획득이 어려운 경우, 자궁내막조직검사에서는 정상임에도 불구하고 자궁출혈이 지속되는 경우, 자궁내막 두께가 5 mm 이상인 경우, 자궁내막 구조 이상이 있는 경우에는 자궁경검사가 필요하다.

(3) 치료

질점막 위축은 주로 국소 에스트로겐으로 치료하고 전신적 폐경증상이 동반되면 호르몬 대체치료를 고려한다. 자궁경관용종은 외래 진찰 중 겸자 등을 이용하여 용종 줄기를 비틀어서 쉽게 제거할 수 있다. 자궁내막용종은 자궁경관찰하에 자궁경 겸자 등으로 제거한다. 비정형세포가 없는 자궁내막증식증은 황체호르몬 제제로 치료하고 비정형성이 동반된 복합 자궁내막증식증은 23% 정도에서 자궁내막암으로 진행되므로 자궁내막암에 준한 치료를 시행한다(Montgomery et al., 2001). 자궁내막암은 FIGO 병기 설정체계에 따른 치료를 시행한다.

2. 양성골반종괴(Benign Pelvic Mass)

골반종괴는 골반 내에 위치한 자궁, 난소, 난관 및 인대, S-자 결장, 직장, 요관 등의 장기와 관련되어 발생하는 종괴를 총칭하는 것으로, 부인과 종괴와 비부인과 종괴로 분류할 수 있다. 부인과 종괴는 연령에 따라 발생되는 종괴의 빈도 순위가 달라지는데(표 5-6) 환자의 연령, 종괴의 발생 부위 및 종류 등에 따라 적절한 치료방법이 달라져야 한다. 비부인과 종괴는 장게실, 농양, 충수돌기염, 신경막종양, 요관게실, 방광게실, 골반내신장, 위장관암, 후복막암, 전이성암 등이 있다(ACOG Practice bulletin, 2016).

특히, 가임기 여성의 경우 내분비 기능 및 향후의 임신을 고려하여야 하므로 정확한 감별진단이 요구된다. 골반종괴의 진단은 병력청취, 임상증상 및 증후, 골반내진 등으로 어느 정도 가능하며 수술 전 감별진단을 위해서 나이와 이학적 소견을 토대로 하여 초음파, CT, MRI 등을 시행한다. 최근에는 골반경을 이용하여 진단에 많은 도움을 얻을 수 있으며, 그 외 종양표지자의 검사를 통하여 종괴의 악성 가능성을 예측하는데 약간의 도움을 얻을 수 있다. 골반종괴의 증상은 일반적으로 비특이적이지만 그러한 경우에도 골반종괴가 상당히 크게 자랄 수 있음에 유의하여야 한다(윤만수 등, 2000).

1) 생식연령

(1) 사춘기 전 여성

① 감별진단

사춘기 전 여성에서 발생하는 골반종괴는 비종양성 종괴가 전체의 2/3를 차지하며, 종양성 종괴의 2/3가 양성이었다(Van Winter et al., 1944). 따라서 수술이 필요한 군을 선별하는 것이 중요하다. 사춘기 전 여성에게 발생하는 골반종괴의 진단에서 가장 중요한 것은 악성종양의 감별진단이다. 악성난소종양의 5% 이하가 사춘기 전 여성에서 나타나며 이들 연령군에서 발생하는 모든 악성종양의 약 1%를 차지한다. 1995년에서 2009년까지 골반종괴로 수술을 받은 396명의 한국 20세 이하의 소아와 사춘기 여성에 발생하는 모든 난소종양의 14.9%가 악성이었다고 하며, 특히 11세 이하의 경우가 11-20세 보다 빈도가 높아 약 30%가 악성이었으며 종양의 크기가 클수록 악성 빈도는 증가된다고 보고되었다(류의남 등, 2010). 생식세포종양(germ cell tumor)은 난소종괴로 수술을 받은 소아의 경우 약 67%를 차지하여 가장 흔한 질환이며, 상피성종양은 사춘기 이전에는 드물어서 소아의 약 16%를 차지한다(Morowitz M et al.,

표 5-6. 연령에 따른 골반종괴의 빈도

유아기 사춘기 전	사춘기	생식기	폐경전후기	폐경기
기능성 난소낭종	기능성 난소낭종	기능성 난소낭종	자궁근종	난소종괴(악성 혹은 양성)
난소생식세포종양	임신	임신	상피성 난소종양	기능성 낭종
상피성 난소종양	난소생식세포종양	자궁근종	기능성 낭종	장의 악성, 혹은 염증성 종괴
	자궁기형 혹은 폐쇄성 질구조 골반 염증성 종괴	난소생식세포종양 골반 염증성 종괴	난소생식세포종양(기형종)	전이성 종괴
	상피성 난소종양	상피성 난소종양		

2003). 난소의 생식세포종양은 20세 이하의 젊은 연령에서 발생하는 난소종양의 38%를 차지한다(류의남 등, 2010).

사춘기 전 연령군에서 난소종괴의 많은 증상들이 비특이적이며 급성 증상들은 충수돌기염과 같은 흔한 질환과 더 비슷하고 발병 예는 드물기 때문에 진단이 어렵다. 가장 흔한 증상은 복부 혹은 골반동통이며 복부종괴촉진, 복부 팽창, 질출혈 등이 있다(기은영 등, 2013).

복부촉진과 두손직장복부검사(bimanual rectoabdominal examination)의 시행은 복부나 골반징후가 저명하지 않은 소아에서는 중요하다. 사춘기 전 여성의 난소종괴는 소아에서 나타날 수 있는 윌름씨종양(Wilms' tumor), 신경아세포종(neuroblastoma) 등과 혼동될 수 있다.

② 진단과 처치

초음파는 사춘기 전 여성의 골반종괴를 진단할 수 있는 가장 훌륭한 도구이다. 대부분 성적 접촉이 없는 경우이므로 복부 초음파를 시행하며 골반내 종괴가 발견 되면 악성의 유무나 수술적 처치를 결정하기 위하여 CT, MRI 및 도플러 속도파형검사(Doppler Flow study)와 같은 추가적인 영상검사가 진단에 도움을 준다. 악성이 의심이 되면 종양표지자의 검사를 추가한다.

단방낭종(unilocular cyst)은 항상 양성이고 3-6개월 안에 자연적으로 소멸된다. 그러므로 심한 동통이나 난소의 염전으로 응급수술을 요하지 않으면 난소적출술(oophorectomy)이나 난소낭절제술(oophorocystectomy)과 같은 외과적 처치가 필요하지 않는다. 낭종흡인술(cyst aspiration) 후의 재발률은 50% 이상이다.

양성종양을 가진 환자들에서는 난소조직을 보존하도록 우선적으로 고려하여야 하며 장래의 임신뿐만 아니라 내분비학적 기능에 대한 장기적인 영향에 대해 주목해야 한다.

초음파상에서 고형성분이 발견되면 생식세포종의 위험성이 높기 때문에 외과적 평가가 필요하다. 이때도 가능하다면 근치적 수술보다는 난소의 조직을 보존하는 수술을 권장한다.

(2) 사춘기 여성

① 감별진단

가. 난소종괴

사춘기 때는 초경이 시작되면서 난소의 낭종과 복통 및 생리통 등의 골반종괴의 증상들이 생기기 시작하는 시기이다. 따라서 기능성 난소낭종이 가장 흔히 나타난다. 이것은 검사 시 우연히 발견되거나 염전 혹은 파열에 의한 동통과 함께 발견된다. 자궁내막증(endometriosis)은 사춘기 때 나타날 수 있지만 성인보다는 흔하지 않다. 그러나 만성동통을 호소하는 사춘기 여성에서 50-65%가 자궁내막증을 가지고 있다고 보고되고 있다(Chatman et al., 1987). 악성종양의 발병빈도는 유아기나 소아기에서 보다 사춘기에서 더 낮다. 상피성종양은 연령이 증가함에 따라 그 빈도가 증가되며 생리의 시작과 함께 자궁내막증의 빈도도 증가하기 시작한다. 생식세포종은 출생 후 첫 10년에서 가장 흔한 종양이나 사춘기 동안은 빈도가 감소한다. 성숙낭성기형종(mature cystic teratoma)은 소아와 사춘기에서 가장 흔히 나타나는 종양성 종괴로 난소종양의 38%를 차지한다(류의남 등, 2010).

나. 자궁종괴

자궁기형에 의한 골반종괴나 자궁근종은 이 연령군에서는 흔하게 보이지 않는다. 대부분의 폐쇄성 자궁 질기형이 사춘기, 즉 초경 때 혹은 초경이 약간 지난 후에 나타난다. 환자는 주기적인 복통, 무월경, 질분비물, 또는 복부, 골반, 질종괴를 호소한다. 질유혈증(hematocolpos)이나 자궁유혈증(hematometra)이 흔하게 나타난다.

다. 염증성 종괴

성적접촉의 경험이 있는 사춘기 연령군은 다른 연령군보다도 가장 높은 비율의 골반 염증성 질환을 갖고 있으며, 이로 인한 골반통을 가진 사춘기 여성은 염증성 종괴를 가질 수 있다. 염증성 종괴는 난관난소복합체(tubo-ovarian complex), 난관난소농양(tubo-ovarian abscess), 난관농증(pyosalpinx), 혹은 난관수종(hydrosalpinx) 등으로 구성된다.

라. 임신

사춘기 때 임신은 항상 골반종괴의 하나의 원인으로써 간주되어야 한다. 자궁외임신 때 골반동통과 자궁부속기 종괴가 나타날 수 있다. β-hCG의 정량적인 검사를 이용하여 자궁외임신이 파열되기 전에 발견되면 복강경적 수술이나 methotrexate를 사용하는 약물요법 등의 보존적인 처치를 할 수 있다.

② 진단

문진, 골반내진과 골반초음파검사는 골반종괴의 진단에 있어서 매우 중요하다. 문진 시 내진에 대한 불안감의 해소 및 성행위와 관련된 비밀유지에 대한 문제점 등을 고려해야 한다. 혈액 및 소변검사는 임신반응검사를 항상 포함하여야 하고 complete blood count (CBC)는 염증성 종괴를 진단하는 데 도움이 된다. α-fetoprotein (αFP)과 human chorionic gonadotropin (hCG)과 같은 종양표지자(tumor marker)는 생식세포종 진단 시 검사해야 하고 이것은 추적검사 시뿐만 아니라 수술 전 진단 시에도 유용하다(Bulas

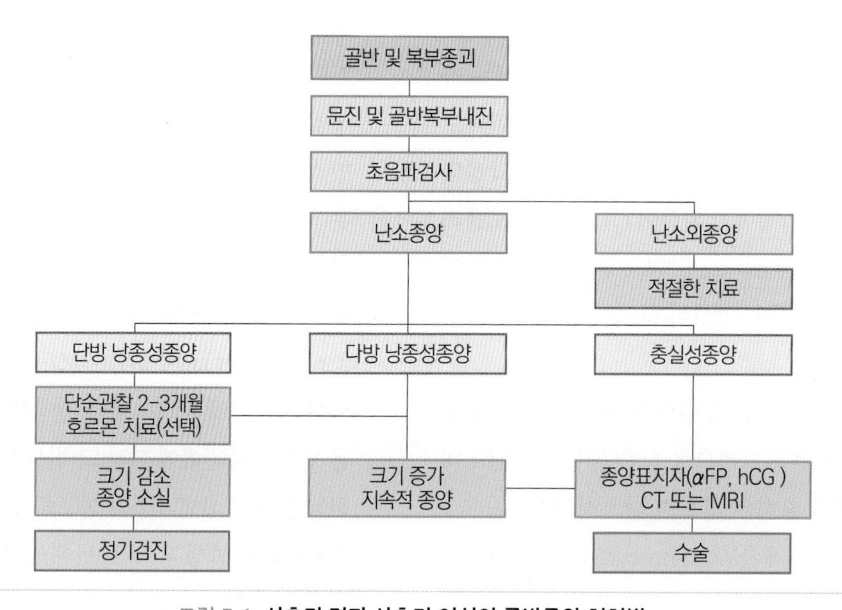

그림 5-1. **사춘기 전과 사춘기 여성의 골반종양 처치법**

et al., 1992).

골반종괴의 검사를 위해서는 경질초음파검사가 경복부초음파검사보다 더 상세하게 나타나지만 성적 접촉이 없는 여성에서는 처녀막의 파열 및 통증 때문에 경질초음파검사가 제한되어진다. 이때는 경직장초음파검사를 설명하고 시행하면 경질초음파와 유사한 검사결과를 얻을 수 있다. 초음파검사에서 정확한 진단이 어려운 경우는 CT나 MRI가 도움이 될 수 있다. 특히 자궁질기형이 있는 경우 해부학적 구조에 대한 정확한 평가가 아주 중요하며 MRI는 희귀한 기형을 평가하는 데 유용할 수 있다(Mitchell et al., 1995).

③ 처치

사춘기 때 발견된 골반종괴에 대한 처치 방법은 환자가 호소하는 증상이나 징후뿐만 아니라 의심되는 진단에 의하여 결정된다. 무증상의 단방 낭종성 종괴(asymptomatic unilocular cystic mass)는 악성일 가능성이 낮기 때문에 보존적으로 처치하며 자연소실을 기다린다. 만약 증상이나 진단의 불확실성으로 인하여 수술적 조치가 필요하다면, 진단복강경 등을 이용한 검사가 권장되며 이때 골반유착으로 인한 장래 불임의 위험도를 최소로 하기 위하여 주의를 기울여야 한다.

사춘기 때 염증성 종괴의 수술적 처치는 난관난소농양의 파열이나 내과적 처치의 실패 시를 제외하고는 드물게 이용된다. 이런 경우 골반장기 전체를 제거하기보다는 생식력을 유지하기 위해 보존적 일측성 자궁부속기절제술을 시행할 수 있다. 또한 악성종양의 수술적 치료 시에도 가능한 한 가임력 보전을 위한 노력을 기울여야 한다. 악성 일측성 난소종괴(malignant unilateral ovarian masses)의 존재 시에는 근치적 수술(radical surgery)보다는 일측성 난소적출술을 시행할 수 있다. 수술 시 난소의 악성종양의 전이가 의심되지만 확진을 할 수 없다면 일반적으로 보존적 수술이 적절하고, 난소종양의 정확한 조직학적 평가가 이루어진 후 필요하다면 2차 수술을 하는 것을 사춘기 군에서는 권장한다.

(3) 생식기 여성

① 감별진단

생식기 여성에서 가장 흔한 골반종괴는 기능성 낭종이며 대개 10 cm 미만이고 정상 CA-125 수치를 보인다. 일반적으로 73%에서 치료 없이 4-6주 내에 소실된다(DiSaia. et al., 1997). 따라서 기능성 낭종은 시간 경과 시 소실되기 때문에 급성 합병증을 유발하지 않는 한 수술을 필요로 하지 않는다. 골반종괴로 인하여 수술을 받은 여성들을 조사한 결과 생식 연령의 7-13%만이 악성 소견을 보였다. 그리고 이들 악성종양의 대부분은 경계성 난소종양을 보였다. 골반종괴로 인하여 수술을 시행했을 때 발견되는 가장 흔한 난소종양은 유피낭종과 자궁내막증이다.

가. 자궁종괴

자궁근종은 자궁에서 발생하는 가장 흔한 양성종양으로서 일반적으로 골반초음파검사로 간단히 진단될 수 있다. 자궁근종은 35세 이상의 여성의 약 반수에서 존재하고, 기본 골반초음파검사 시 우연히 발견될 수 있다.

나. 난소종괴

난소종양의 약 2/3가 가임연령에 나타나고, 대부분의 난소종양은 양성이며, 이들의 2/3은 20-44세의 여성에서 나타난다. 45세 이하의 환자에서 원발성 난소종양이 악성일 가능성은 8% 미만이다. 대부분의 종양은 특이한 증상이 없는 경우가 많다(Mahdavi et al., 2004). 다만 종양의 크기가 크거나 합병증을 유발 시 증상을 유발할 수 있는 가장 흔한 증상으로는 복부동통 및 불쾌감, 성교통 등이 있다. 종양이 여성 또는 남성호르몬을 분비한다면 그에 따른 질출혈이나 남성화 등의 증상이 유발될 수 있다. 급성 동통은 난소난관종양의 염전, 파열, 종양내 출혈 시 나타날 수 있다. 양성과 악성종양의 소견은 다르다. 일측성, 낭종성, 유동성, 그리고 표면이 매끈한 종괴는 양성 가능성이 높고 반면에 양측성, 고형성, 고정 성, 불규칙한 종괴 그리고 복수, 더글라스와 결절이 있고 빠른 성장을 보인다면 악성일 가능성이 높다. 생식기 여성에서 발생하는 난소종괴는 대부분 양성이지만 항상 악성 가능성도 고려해야 한다.

가) 기능성 난소종괴

난포낭종(follicular cyst), 황체낭(corpus luteum cyst) 그리고 난포막황체낭(theca-lutein cyst)은 기능성 난소낭종의 범주에 속한다. 이들 모두는 양성이고 보통 증상이 없거나 수술적 처치를 요하지 않는다. 가장 흔한 기능성 낭종은 난포낭종이고 증상을 유발할 수 있을 만큼 크기가 큰 경우는 드물다. 대부분 골반 진찰 시 우연히 발견되며 치료를 요하지 않으며 두 달 이내 대부분 소실된다. 황체낭은 난포낭종보다 덜 흔하다. 황체의 직경이 3 cm 이상일 때 낭종이라 부른다. 황체낭은 출혈을 유발할 수 있으나 대부분 보존적 치료를 해야만 하며 수술적 처치는 최대한 자제해야만 한다. 난포막황체낭은 기능성 난소낭종 중 가장 드물게 나타나는 것으로 주로 양측성이고 임신, 특히 기태임신(molar pregnancy)일 때 잘 나타난다. 기태임신의 25%와 융모막암종(choriocarcinoma)의 10%에서 동반될 수 있다. 이것은 또 다태임신, 당뇨, Rh 감작, clomiphene citrate와 HMG/HCG 배란유도, GnRH 유사체 사용과 관련이 있다.

나) 기타 양성종괴

자궁내막증이 있는 여성에서 난소 자궁내막종이 생길 수 있으며 크기는 다양하다. 기능성 종괴와는 달리 소실되지 않고 지속되거나 커질 수 있다. 다낭성난소증후군(polycystic ovary syndrome)은 초음파검사 시 양측성이고 다낭성 난소 소견을 보인다.

다) 종양성 종괴

양성 낭성기형종은 대부분 난소에서 발생한다. 이 종양은 대부분 가임기 연령에서 진단된다. 골반종괴로 수술을 받은 30세 이하 여성의 30%에서 유피낭종(dermoid cyst)을 발견했으며, 40세 이하의 여성에서는 수술적으로 제거된 난소종괴들 중 유피낭종이 모든 난소종양의 62%를 차지하였다. 모든 연령에서 유피낭종의 악성 변화는 1-3% 이하이었고, 이 중 3/4는 40세 이후 환자이었다(Drake et al., 1998). 유피낭종에 있어서 염전의 위험도는 약 12-16%이다. 이것은 일반적인 난소종양보다 더 빈번히 나타나는 것인데 대부분의 유피낭종은 많은 지방성분을 가지므로 복부 및 골반강 내에서 유영(floating)하게 되기 때문이다. 이 지방 성분의 결과로 인하여 골반진찰 시 유피낭종은 흔히 전방에 위치하는 경우가 많다. 유피낭종은 약 10%에서 양측성으로 나타난다. 양성종괴이기에 난소피질의 적은 양이라도 보존하는 것은 전체 난소를 제거하는 것보다 바람직하므로 비록 아주 적은 양의 난소조직이 남게 되더라도 난소낭종절제술은 가능한 한 거의 모든 경우에서 시행한다. 상피성종양 위험도는 연령이 증가할수록 높아진다. 최근 연구에서는 50세 이하의 여성에서 낭성기형종이 66%로 대부분을 차지하고 장액성종양은 단지 20%만 차지한다고 하였다. 장액성종양(serous tumor)은 일반적으로 양성이나 5-10%는 경계성 악성종양이고 20-25%는 악성이다. 장액성 낭종은 다방성이고 때때로 유두상 소견을 보인다. 표면상피세포는 장액성 액체를 분비하여 결국 낭종을 형성한다. 미세석회화 부위인 psammoma body는 종양 내에 산재할 수 있고 X-선 상 나타난다. 동결절편(frozen section)은 양성, 경계성, 악성 장액성 종양을 구별하기 위해서 필요하다. 점액성 난소종양(mucinous ovarian tumor)은 크기가 크며, 양성 점액성 종양은 분엽성(lobulated)이고 매끈한 표면상을 보이고, 다방성이며 양측성은 10% 정도이다. 점액성 난소종양의 5-10%는 악성종양이다. 이것은 조직학적으로 전이성 위장관 특히 충수에서 발생한 악성종양과 구별하기 힘들다. 다른 양성난소종양은 섬유종, Brenner tumor, 그리고 cystadenofibroma와 같은 혼합형 종양이 있다(Pejovic et al., 2001).

다. 기타 자궁부속기 종괴

이들 연령군에서는 성 생활이 왕성하기 때문에 난관을

포함한 종괴는 주로 염증성 원인과 관련이 있다. 난관난소농양은 골반염증성 질환의 합병증을 나타낸다. 이들 연령군에서 자궁외임신이 나타날 수 있는데 질출혈, 동통, 양성 임신반응, 초음파상에서 자궁내 임신의 증거가 없고 자궁부속기 주위에 종괴가 있을 때 반드시 배제되어야 한다(Paula et al., 2002). 부난소낭종(parovarian cyst)은 진찰보다는 종괴가 크지 않다면 초음파검사 시 우연히 진단되며 정상적인 일측 난소가 확인되고 낭종이 관찰될 때 진단되어진다. 비록 환자의 2%에서는 악성이라는 보고가 있지만 부난소종양에서 악성빈도는 매우 낮다(Stein et al., 1990).

② 진단

세심한 병력청취 및 직장질진찰을 포함한 철저한 골반검사가 이루어져야 하며 주된 진단은 골반초음파검사로 하게 된다. 종괴 크기의 측정은 정확하게 평가해야 한다. 자궁외임신이 배제되면 종괴가 자궁에 의한 것인지 아니면 자궁부속기에 의한 것인지를 결정하는 것이 중요하다.

가. 기타 검사

자궁내막검사나 자궁목확장긁어냄술은 골반종괴와 부정출혈이 같이 있을 때 자궁내막병변이 의심될 때 필요하다. 자궁내막암종과 자궁내막증식(hyperplasia) 같은 자궁내막병변은 자궁근종과 같은 양성종괴와 공존하기도 한다. 만약 비뇨기 계통의 증상이 있다면 요로계검사가 필요하다.

나. 검사실 검사

골반종괴가 있는 생식기 여성에 있어서 검사실 검사는 임신검사, CBC, CRP 등이 있다. 골반종괴를 갖고 있는 폐경기 전 여성에 있어서 CA-125와 같은 종양표지물질의 유용성에 대해서는 그동안 광범위하게 논의되어 왔다. 많은 양성질환, 예를 들어 자궁근종, 골반염증성 질환, 임신 그리고 자궁내막증에서도 CA-125치가 증가될 수 있으며, 이로 인해 불필요한 수술적 처치를 초래하는 경우도 있다. 그러므로 일반적으로 폐경기 전 여성에서의 CA-125 검사는 악성상피종양이 아니라면 수술적 치료를 결정하는데 의미가 적다.

다. 영상검사

골반초음파는 부인과 검사의 가장 기본적인 검사로 골반종괴의 성상에 관한 대부분의 결정적인 정보를 얻을 수 있다. 특히 경질(transvaginal) 초음파는 복부초음파검사에 비해 종괴의 자세한 내부구조에 대하여 정보를 제공하는 장점이 있다. 따라서 대부분의 골반 양성종괴는 경질초음파검사로 비교적 정확한 진단이 가능 하다. 컴퓨터단층촬영은 악성이 강력히 의심되거나 비부인과적 종양이 의심되거나 기형종과 감별을 요할 때 도움이 되고 있다. 복부 단순 X-선 촬영은 석회화를 진단하는데 도움을 주지만 종괴를 발견하는데 기본적인 진단 방법은 아니다. 자궁경검사는 점막하근종이나 자궁내 병변의 직접적인 정보를 제공한다. 자궁난관조영술은 간접적으로 자궁내막강의 양상과 근종, 외적인 종괴, 난소주위의 유착으로 인한 자궁난관 접합부의 왜곡이나 폐쇄를 알 수 있다. 자기공명단층촬영은 악성종양이 의심되거나 자궁기형진단에 있어서 도움이 될 수 있다.

③ 처치

골반종괴의 처치는 주기적 관찰, 보존적 수술 치료, 약물치료 및 근치적 수술 치료 등이 있다.

가. 자궁근종의 처치

자궁근종은 비수술적 처치와 수술적 처치로 대별할 수 있는데 일반적으로 무증상의 자궁근종은 정기적으로 추적관찰해야 하며, 급속하게 자라거나 출혈, 통증 등의 증상이 있을 때 수술적 처치가 요구된다.

나. 난소종괴의 처치

기능성 종양이 의심되는 난소종괴의 치료는 단순 추적관찰과 피임약을 통한 배란을 억제하는 방법이 있으나,

두 방법 간에 상반된 연구결과가 보고되고 있다. 그러나 피임약 복용은 배란을 억제함으로써 다음 난소낭종발생의 위험을 감소시키는 효과가 있다. 심각한 동통이나 악성이 의심되면 수술적 처치를 해야 하는데 초음파검사상 크기가 크고, 고형성 부분이 있고 다방성일 때, 격막이 두껍고 불규칙할 때, 유두상일 때, 그리고 혈류가 증가되어 있을 때 악성을 의심한다. 만약 악성이 의심되면 어느 연령이라도 복강경이나 시험적 개복술을 신속히 시행하여야 한다. 복강경적 수술은 악성의 위험도가 낮은 환자에게서 진단 목적이나 치료 목적으로 시행할 수 있다. 복강경적 수술의 분명한 장점으로 재원일수의 단축, 회복시간의 감소 그리고 수술 후 동통의 감소 등을 들 수 있으며 초기의 난소암은 복강경수술로 적절한 병기 설정술이 가능하다.

2) 폐경 이후

(1) 폐경기 여성

① 폐경기 골반종괴의 감별진단

가. 자궁부속기 종괴

임상에서 여성들의 나이와 무관하게 자주 접하는 문제가 자궁부속기의 종괴이며, 이의 진단 및 치료에서 항상 고려해야 할 사항은 악성종양의 가능성을 배제해야 한다는 점이다. 폐경 후 여성의 많은 예에서 정기적인 부인과적 진찰을 시행치 않은 경우가 많고, 또 이전에 골반종괴의 존재여부에 관한 기억이 불확실하기 때문에, 이전의 의무기록을 참조하여 현재 확인되는 종양이 이전부터 존재하였던 종양인지 여부와 그 크기의 변화에 대한 확인이 필요하다.

자궁부속기 종괴의 가장 중요한 원인이 되는 난소종양을 중심으로 보면, 대부분 비종양성 낭종이다. 그러나 난소암의 빈도가 비교적 드문 사춘기 및 가임기 여성에서와는 달리, 폐경기 이후의 여성에서는 흔히 종양성 병변이고, 약 45%의 경우에서 악성종양의 빈도를 보이며, 그 빈도는 연령이 증가할수록 높아지는 경향을 보이고 있다(Koonings et al., 1989). 따라서 정기적으로 부인과적 진찰을 받아 온 폐경 여성에 있어서 새로운 난소종양의 출현이 확인된 경우에는 악성종양의 가능성이 높기 때문에 결코 간과되어서는 안 된다.

이 연령 군에서 볼 수 있는 자궁부속기의 기타 종양으로는 부난소낭종(parovarian cyst) 및 부난관낭종(paratubal cyst), Müllerian type의 후복막낭종(retroperitoneal cyst) 등이 있다.

나. 자궁의 종괴

자궁근종이 가장 흔한 자궁의 양성종양으로, 이는 여성호르몬 의존성 종양이기에 폐경기 이후에는 그 크기가 줄어드는 것으로 알려져 있으나, 우리나라의 경우 의사의 진찰 및 처방에 의하지 않은 여성호르몬 제재 및 호르몬 유사제재의 복용에 의한 기존 자궁근종의 크기 변화를 보이는 경우가 있으므로, 세밀한 문진을 통한 약물 복용 여부의 확인도 필요하다.

② 폐경기 골반종양의 진단

가. 병력청취

환자의 과거력을 포함한 문진이 가장 기본이 된다. 자궁부속기종양이 있는 환자들의 가장 흔한 증상인 복통에 대해서도, 어떻게 아픈지, 통증의 기간과 양상 등을 자세히 문진해야 한다.

난소암의 경우 그 증상이 매우 광범위하여 초기에는 대부분 무증상인 경우가 많으나, 복부팽만이나 식욕부진, 소화불량, 변비 등과 같은 위장관 증상을 호소하는 경우가 복통을 호소하는 경우보다 흔하고, 피로 및 전신무력감, 지속적인 체중 감소, 빈뇨 및 요실금 등의 증상들이 있을 경우에도 의심을 가지고 평가를 해야 한다(Goff et al. , 2004).

난소암의 5-10%에서는 한 가계 내에서 특징적으로 난소암이 집중적으로 발생하는 가족성/유전성 난소암 증후군(familial/hereditary ovarian cancer syndrome)의 형태를 보이므로, 난소암의 위험도 증가를 규명하는 데 개인 및 가족의 병력도 중요한 사항이다.

나. 골반 진찰

부인과적 내진과 질직장수지검사는 자궁부속기 종괴의 크기, 위치, 압통 여부, 유동성 등을 알아보는 데 유익하며, 특히 직장자궁와(Cul de sac), 직장, 자궁후벽, 자궁천골인대(uterosacral ligament)의 상태를 알아보는 데 유용하다. 직장자궁와에 결절이 존재하고 자궁천골인대의 압통을 나타내는 경우 가임기 여성에서는 자궁내막증을 의심케 하는 소견이지만, 폐경 이후 여성들에서는 악성 난소종양을 의심할 수 있는 소견이 되기도 한다.

다. 영상진단

초음파검사의 도입으로 골반종괴의 진단에 많은 진전이 있어 왔는데, 특히 1980년대 말부터 발달된 질초음파검사가 가장 흔히 쓰이는 영상진단법이다. 검사 소견상 종괴의 크기, 위치, 종양 외벽 및 중격(septum)의 두께, 유두상 돌기(papillary projection)나 고형성분(solid component) 등의 종양 내벽의 구조와 모양, 종양 내용물의 초음파밀도(echogenecity) 등의 요소들을 측정하여 형태학적 계수로 점수화하여 악성난소종양을 예측하는데 유용한 지표로 사용할 수 있다는 보고들이 있었고(Granberg et al., 1989; Sassone et al., 1991; Krujak et al., 1994), 색도플러초음파검사(color doppler imaging)를 병행할 경우 난소암 진단의 특이도를 향상시켜 위음성률을 낮추고 진단율을 향상시킬 수 있다는 보고도 있다. 그러나 색도플러검사를 일반적인 선별검사로 이용하기에는 기술 및 비용상의 문제가 있어, 고령 환자나 가족력이 있는 환자에서와 같이 난소암 고위험군에서 고려할 만하다(Medeiros et al, 2009).

자궁부속기 종괴를 평가하는데 있어 통상적으로 CT나 MRI를 이용하지는 않지만, 악성종양이 의심되거나, 특히 악성종양의 경우 전이 여부를 알아보기 위하여 사용되며(Liu et al., 2007), 최근에는 PET (positron emission tomography)검사가 전이여부 및 범위의 평가에 이용되기도 한다.

라. 종양 표지자

자궁부속기 종괴가 있는 환자에서 가장 많이 시행하고 있는 종양 표지자는 CA-125이다. CA-125 검사는 상피성 난소암의 진단에 매우 유용하여 장액성 상피성 난소암의 경우 80% 이상에서 증가가 되며, 특히 폐경 이후 여성들에서 초음파검사상 골반내 종괴가 의심되는 환자들에서는 그 진단적 가치가 매우 크다. 또한 CA-125 수치의 연속적인 변화는 난소암의 치료와 추적관찰에 매우 유용한 지표가 된다(Einhorn et al., 1992). 그러나 초기 난소암의 경우 약 50% 정도에서만 증가가 되고, 비장액성 난소암의 경우에는 진행된 경우라도 20-25%에서는 정상범위를 보이며(ACOG Committee Opinion No. 280 2002), 난소암 외에 양성난소종양이나 자궁근종, 자궁샘근증, 자궁내막증, 간질환, 골반염 등의 복막자극 질환들에서도 증가할 수 있다는 점은 난소암 진단에 있어서 한계를 보이는 부분이다. The Risk of Malignancy Algorithm (ROMA)은 HE4와 CA-125, 폐경상태를 종합하여 분석하는 것으로 상피성 난소암의 고위험군과 저위험군으로 분류한다. 폐경기 여성에서는 CA-125 단독으로 검사하는 것보다 민감도(92.3%)와 특이도(75%)가 높은 것으로 보고되고 있다(Moore RG. et al., 2009).

③ 폐경기 골반종양의 치료

영상진단검사에서 난소종괴가 양성으로 예측되는 경우에는 비수술적 처치가 가능하다. 즉, 환자가 무증상이고, 종양의 직경이 10 cm 미만으로 작으며, 단방성이고, 종양외벽의 두께가 얇으며 CA-125 수치가 정상일 경우에는 악성의 위험도가 극히 낮으므로 수술을 시행치 않고 보존적으로 추적관찰을 할 수 있다(Oyelese et al., 2002; Modesitt et al., 2003; Knudsen et a.l, 2004; ACOG Practice Bulletin 2016; Greenlee et al., 2010).

지속적으로 존재하는 복합성 종괴나 크기가 점차 커지는 경우 및 악성으로 의심되는 경우에는 수술적 처치를 선택하게 되는데, 폐경 이후 자궁부속기 종괴를 갖는 여성들의 수술적 치료는 난소암의 가능성을 대비하여 충분한 시야를 확보하는 개복수술이 표준치료로 주류를 이루어 왔으며, 종양만을 절제하는 것보다는 종양을 포함한 자궁부속기 전체를 절제하여 동결절편검사를 시행하는 것이 바람직하며, 특히 난소암으로 진단된 경우에는 부인종양 전문의에 의뢰되어 철저한 병기설정 수술을 시행함이 적극 추천된다. 최근에는 수술 술기 및 기구의 발달로 복강경을 이용한 수술이 많이 이용되고 있는데, 이 경우에도 일반적인 암수술의 기본 원칙을 철저히 지켜야 하며, 난소암이 조금이라도 의심되는 경우에는 동결절편검사를 반드시 시행하여 암을 간과하지 않도록 해야 한다.

난소암이 의심되거나 난소암인 경우 가장 흔한 복강경수술의 적응증은 초기암의 복강경수술에 의한 수술적 병기설정과 이차 추시(second-look)를 위한 복강경수술이다. 복강경수술에 익숙한 의사들이 시행하는 경우에는, 초기 난소암의 복강경적 병기설정이나, 이차 추시 복강경수술은 환자의 예후에 나쁜 영향을 미치지 않으며, 이환율의 감소, 입원기간의 단축, 수술 중 합병증의 감소 등의 장점을 기대할 수 있다고 하겠다(Koo YJ et al., 2014; Aoki 2014).

3. 자궁근종(Myoma of the Uterus)

1) 서론

자궁근종은 여성에서 발생하는 종양 가운데 가장 흔한 종양으로, 가임기 여성의 20-30%에서 발생하는 것으로 보고되고 있으며, 35세 이상의 여성에서는 40-50%가 발견되는 매우 흔한 질병이다(Zaloudek and Norris, 1994; Hendrickson and Kempson, 1995; Marshall et al., 1997; Marshall et al.,1997). 자궁근종의 원인은 현재까지 그 원인이 정확하게 알려져 있지 않으나, 자궁 평활근 내에 있는 하나의 신생세포(neoplastic cell)에서부터 기인한다고 알려져 있다(Townsend et al., 1970). 이외에 가족적 경향도 있고, 임신 중에는 크기가 커지고 폐경 후에는 크기가 줄어드는 형태를 보이므로 여성호르몬의 영향을 받는 것으로 알려져 있으나 이것이 주된 원인이라 말할 수는 없다. 우리나라에서 시행되는 자궁절제의 45%에서 자궁근종을 적응증으로 시술되고 있으며(김동호 등, 1994; 이란옥 등, 1994; 서호성 등, 1996; 정진국 등, 1998; 박정규 등, 2005) 미국에서는 연간 200,000-300,000명의 환자가 자궁근종으로 자궁절제술을 시행하고 있다(Wilcox et al., 1994). 자궁근종의 역학 조사에서의 어려움은 40대에서 40% 이상의 높은 유병률을 가지면서 아무런 임상 증상 없이 나타나는 것에 있다. 즉 위험 인자가 뚜렷하지 않으므로 임상적으로 예상할 수가 없어 위험인자를 파악하는 데 어려움이 있는 것이다(Baird et al., 1998). 자궁근종을 발견하고 이후에 영향을 미치는 요인의 추적은 한계가 있으므로 유병률은 임상적으로 인식한 것보다는 더 높을 것이라 생각된다. 우리나라에서 유병률에 대한 전향적인 분석은 없으며, 수술 후에 후향적인 분석 자료만으로는 많은 한계를 보이고 있어 진정한 유병률 및 진단율이라 할 수는 없겠다. 미국의 통계는 전향적 분석으로 매년 인구 1,000명당 12.8명에서 일반적인 골반검사, 초음파, 자궁절제술을 통해 발생한다고 보고하고 있으며, 다른 나라에서는 제한적으로 시행된 연구만 보고되고 있다(Brett et al., 1997). 미국의 경우 우리나라와 마찬가지로 자궁절제술로 발견된 유병률은 거의 고정되어 있으나 계속되는 경향의 통계는 없는 실정이다. 자궁근종의 진단율이 가임기에는 증가하고, 폐경기에는 감소하는 것은 전자궁절제술을 시행한 후향적 연구로 검증되었다. 인종에 따른 빈도는 일반적으로 같은 연령의 백인과 비교해서 흑인에서 2-3배 정도 높게 보이고 있으며, 많은 경우는 9배까지의 차이를 보고하고 있다. 연령별의 빈도는 흑인에서는 35-39세, 백인에서는 40-44세의 연령에서 가장 많이 발생한다고 한다. 우리나라의 경우 후향적 분석에서 40대에 주 발생 빈도를 보이고 있다(정진국 등, 1998; 박정규 등, 2005). 많은 보고는 아니지만 인종적 차이에 있어서는 히스패닉과 아시아인은 백인과 유사한 빈도를 보이고 있다.

2) 위험인자

(1) 월경력

진단 방법에 상관없이 모든 연구에서 초경이 이르고 폐경이 늦어지면 자궁근종의 위험이 높아진다(Faerstein et al., 2001; Marshall et al., 1998). 원인은 잘 밝혀지지 않았으나 호르몬에 연관되어 있는 것으로 이해된다.

(2) 산과력

출산력이 있는 경우 20-50% 정도의 위험인자가 감소한다. 또한 4-5명의 출산력이 있는 경우에 미산부와 비교해서는 70-80%의 위험도 감소를 보고하고 있다(Ross et al., 1986; Lumbiganon et al., 1995). 이는 출산(parturition)시기에 허혈(ischemia)이 되는 것이 원인으로 생각된다. 자연유산이나 인공유산과 자궁근종과의 발생은 상관관계가 없는 것으로 보이며, 불임환자에서 자궁근종의 위험도가 높은 것으로 알려져 있으나, 연관 관계는 매우 복잡하다. 그러나 자궁근종과 불임 및 미산부 사이의 상관관계는 역학적으로 의미가 있는 것으로 알려져 있다(Faerstein et al., 2001).

(3) 호르몬 투여

자궁근종은 호르몬 의존성 종양으로 피임약, 폐경기호르몬요법, 주사용 호르몬제의 사용이 위험도를 증가 시킨다. 그러나 일부 연구에서 피임약이 자궁근종의 위험성을 낮춘다는 보고가(Ross et al., 1986)있으나, 일반적으로 크기를 증가시키는 것으로 알려져 있다(Ramcharan et al., 1981). 주사용 depot medroxyprogesterone acetate는 프로게스틴 제제로 1990년대에 미국에서 피임제로 승인을 받았으며, 태국에서 발표된 연구에서 자궁근종의 발생이 의미있게 낮아진다고 보고하였다(Lumbiganon et al., 1995). 이 경우 피임의 목적으로 5년 이상 사용하였을 때 효과가 더 우수하다고 하였다. 폐경 후 여성에서 자궁근종이 있는 경우 호르몬요법으로 인해 병원에 입원하는 경우가 치료하지 않은 경우와 비교해서 6배 증가하는 것으로 보고하였다(Ramcharan et al., 1981). 그러나 이러한 경우는 에스트로겐 단독 투여일 때가 대부분이었고 프로게스테론과 겸용하였을 때의 연구는 지금 진행 중에 있다. 최근에 항안드로겐 효과를 보이는 프로게스테론을 포함하는 피임약이 도입이 되어 생리전증후군(PMS), 생리전불쾌기분장애(PMDD)에 효과적이며, 자궁내막증이나 선근증에 관련된 통증이나 자궁근종에도 증세 완화를 보이고 있다(Schindler et al., 2013).

(4) 비만과 흡연

많은 역학조사에서 자궁근종과 신체비만지수(body mass index, BMI)와는 밀접한 관계가 있는 것으로 보고하였다. 과체중의 여성은 3배 이상의 위험 요소를 가진다고 하였다(Marshall et al., 1998). 그러므로 가임기 여성에서 비만은 자궁근종의 위험 요소이며, 이러한 소견은 자궁근종이 잠재한 비만 여성의 추적검사에서 근종의 크기가 자라는 것이지, 발생 자체를 높이는 것은 아니다. 흡연과의 관계는 흥미롭게도 대부분의 보고에서 자궁근종의 위험도를 20-50% 정도 줄인다고 하였으나(Parazzini et al., 1996), 최근에는 상관관계가 없는 것으로 밝혀지고 있다.

(5) 식생활 습관과 운동

비만 자체는 자궁근종 발생과의 관계 규명에 어려움이 있으나, 식생활 습관과 운동은 밀접한 관계를 보이고 있다. 운동선수를 대상으로 시행한 조사에서 자궁근종의 유병률이 감소한다고 보고(Wyshak et al., 1986)하였으며, 근종의 크기가 10 cm 이상으로 수술한 경우에 붉은 고기(red meat)와 햄을 주로 섭취한 군에서 2배 이상의 증가 요인이 있었으며, 반대로 채식을 주로 취한 군에서는 약 50%의 발생 감소를 보고하였다(Chiaffarino et al., 1999). 비음주군에 비하여 음주 군이 자궁근종 발생비율이 증가하며, 이는 음주량과 기간에 비례하여 증가하는 것으로 나타났다(Wise et al., 2004).

(6) 기타 위험인자들

자궁근종의 위험도는 가족력이 있는 경우에 높게 나타나고 있다(Faerstein et al., 2001). 태국에서는 가족력이 있는 경우 3.5배의 위험도 증가를 보였으나(Lumbiganon et al., 1995), 미국의 경우에는 약 50%의 약간의 증가만을 보였다(Faerstein et al., 2001). 지금까지 정황으로 명확한 증거는 없으나 가족력이 있는 경우 위험도가 증가하는 것으로 생각되어진다. 피임제 중의 하나인 루프를 하였을 때 자궁근층의 자극으로 인해 근종의 성장을 자극한다고 하나, 역학 조사에서 근종 발생과의 관계에 대해서는 증명하지 못하였다. 또한 난관결찰술 후 자궁근종의 위험도가 70% 증가한다는 연구가 있었다(Lumbiganon et al., 1995). 자궁근종과 비뇨생식기 감염 사이의 연관성에 관한 연구에서는 Ross 등(1986)은 요로 감염, 골반내 감염, 및 경부 염증시 근종과의 관계를 연관성이 없다 하였으나 최근 보고에서는 Chlamydia 혹은 반복적인 골반 감염이 계속될 때 3배의 위험도 증가를 보고 하였다(Faerstein et al., 2001). 또한 탈크를 사용하면 약 2배의 위험도가 증가한다고 하였다. 당뇨나 고혈압이 있을 때 자궁근종 발생이 인종이나 신체비만지수에 상관없이 발생의 위험이 높아진다고 하였다(Faerstein et al., 2001).

3) 분자생물학적 변화 및 유전학적 변화

지금까지 잘 알려진 자궁근종의 분자생물학적 이상소견으로는 난포호르몬과 황체호르몬 수용체의 증가, aromatase P450의 증가 및 bcl-2 단백의 증가 등이 있다(Brandon et al., 1995; Matuo et al., 1997; Sumitani et al., 2000). 이들은 자궁근종의 발생과 성장에 중요한 역할을 할 것으로 생각되고 있는데, 특히 에스트로겐은 자궁근종의 성장에 중요한 인자로 알려져 있으며 bcl-2는 세포 자멸사를 억제하는 유전자로 이 역시 근종의 성장에 관여할 것으로 알려져 있으며 이 인자는 또한 황체호르몬에 의해 발현이 증가된다. 그 외에 transforming growth factor β (TGF-β), heparin-binding growth factors, Insulin-like growth factors 등이 자궁근종의 원인 인자로 관계할 것으로 보고되었다(Klagsbrun and Dluz, 1993; Strawn et al., 1995; 김정구 등, 1999; Arici and Sozen, 2000; 권상훈 등, 2003). 이외에 자궁근종의성장과 KATP channel과의 연관성에 대한 보고도 있다(차순도 등, 2003). 최근에 Baek 등(2003)은 자궁근종에서 cyclin G1의 발현이 증가되었다고 보고하였으며, 이러한 세포주기에 관여하는 유전자의 과발현이 자궁근종의 발생에 중요한 인자로 작용할 것으로 보고하였다. 이러한 자궁근종 관련 유전자를 이용한 유전자 치료법은 세포주를 이용한 체외 실험단계에 있으며 아직 인체에는 적용되지 않고 있다.

4) 병리소견

자궁근종은 자궁의 가장 흔한 간엽성(mesenchymal)종양이며, 평활근 세포와 많은 양의 결체조직으로 이루어진 양성 평활근종이다. 많은 양의 콜라겐(collagen)과 결체조직으로 인하여 과거에는 섬유종(fibroma)으로 잘못 명명되기도 하였다.

(1) 육안 소견

자궁근종의 육안적 소견은 경계가 명확하고 둥글고 단단한 회백색의 종괴로 단면은 평활근속들이 소용돌이로 배열되어 있어 쉽게 구별이 가능하다(그림 5-2). 크기가 아주 작은 결절에서부터 골반강을 채우는 매우 큰 종양까지 다양하고 단단하며 둥근 근종이 한 개 또는 다발성으로 있으며 경계가 분명하다(그림 5-3). 큰 종양은 황갈색 내지는 적색의 연화소견을 동반하는데 이를 적색변성이라 한다(그림 5-4). 초자양(hyaline) 변성(그림 5-5), 점액성 변성, 괴사 및 석회화가 동반되기도 한다. 절단면을 보면 조직이 치밀하여 주위조직과 가성 피막(pseudocapsule)에 의해 경계가 분명하다. 육안적 소견은 부드럽고 혹은 다육질의 부위, 출혈, 괴사, 낭성 변화 혹은 이러한 부위의 혼합 형태로 나타난다. 정상 자궁근과 접한 부위도 평가되어야 한다. 자궁 근층 내로 차고 들어가는 침윤성은 보이지 않는다. 가장 흔한 감별이 필요한 것은 자궁내막 간질성 종양의 결절로 오인 하는 것이다. 크기가 5 cm 이상의 종양과 비정형적인 육안적 소견을 보이는 종양은 반드시 현미경적 평가가 따라야 한다.

FIGO에서 위치에 따라 새롭게 자궁근종을 분류하여 점막하 근종, 근층내 근종, 장막하 근종, 그리고 전층 근종으

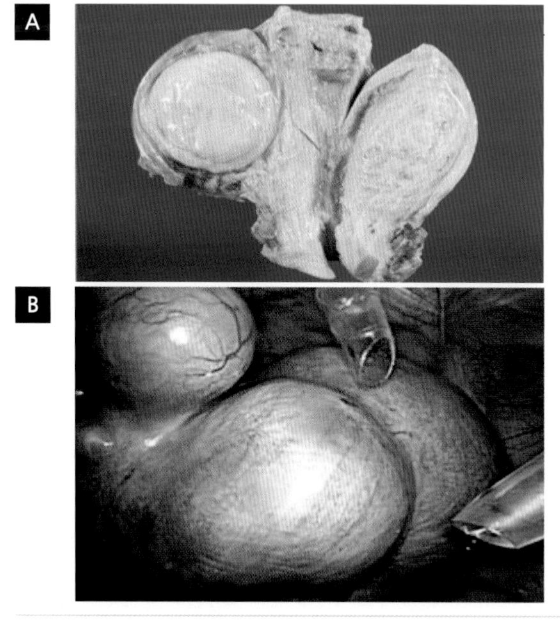

그림 5-2. 일반적인 자궁근종의 육안적 소견으로
다양한 크기의 여러 개의 장막하근종과 근층내 근종이 보인다(A).
복강경하에 관찰되는 자궁근종의 소견(B)

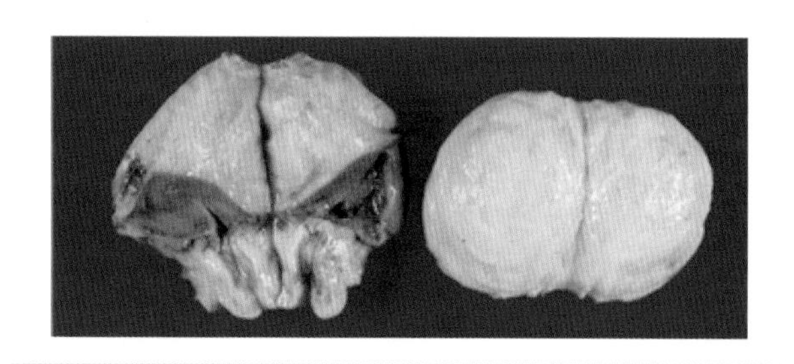

그림 5-3. 일반적인 자궁근종의 육안적 소견

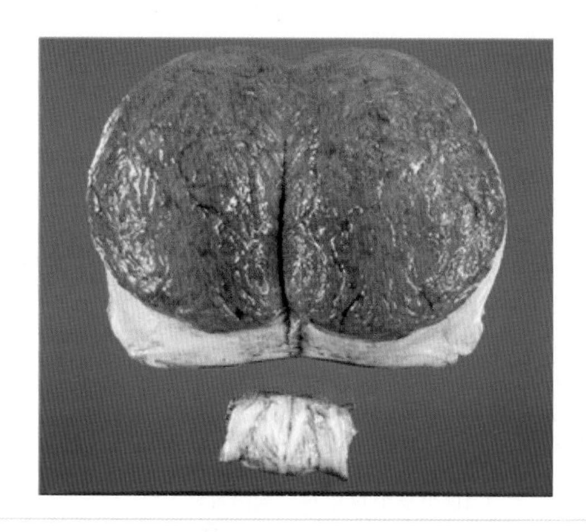

그림 5-4. 자궁근종의 적색변성의 육안적 소견

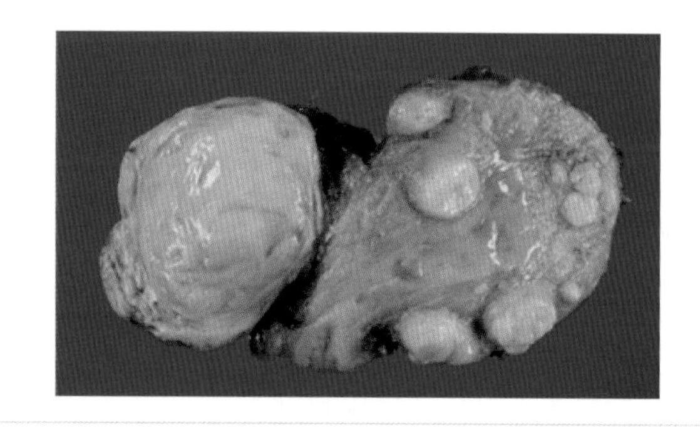

그림 5-5. 자궁근종의 초자성 변성의 육안적 소견

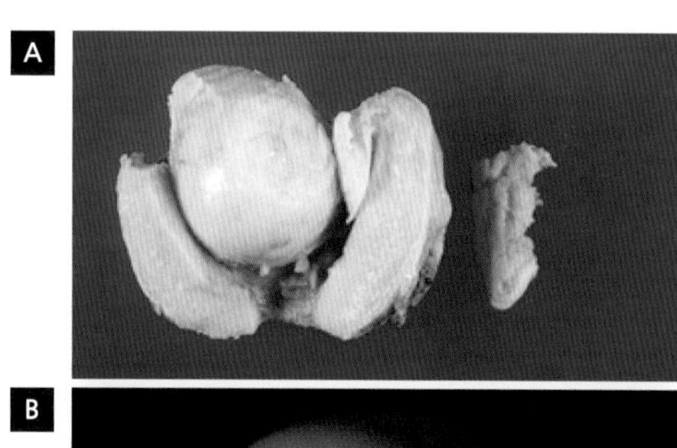

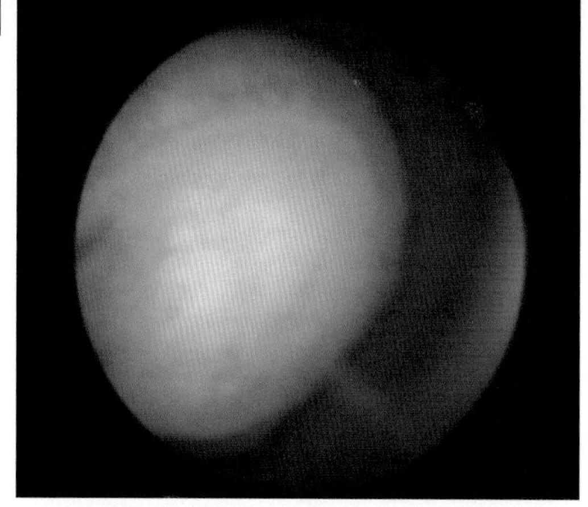

그림 5-6. 점막하 자궁근종의 육안적 소견(A),
자궁경하에 관찰되는 점막하 근종의 소견(B)

로 나누었다. 점막하 근종은 type 0부터 type 2에 해당하며, type 0은 육경성(pedunculated form) 점막하 근종의 경우, type 1과 2는 자궁 근층에 위치한 근종 직경이 50% 미만인지 이상인지에 따라서 분류하였다. type 3, 4는 자궁 근층에 근종이 위치한 것이며, 자궁내막에 닿아있는 경우 type 3라 하였다. type 5, 6, 7은 장막하 근종에 해당하며, type 5는 자궁 근층에 적어도 50%이상 위치한 경우, type 6는 50% 미만이 자궁 근층에 위치한 경우, type 7은 줄기에 의해 장막에 연결된 육경성인 경우이다. type 8은 자궁 근층과 연결이 없는 경우이며, 자궁경부나 광인대에 발생하여 직접적으로 자궁과 연결이 없는 기생성(parasitic) 근종이다. 전층 근종은 자궁내막과 장막과의 관계에 따라서 구분되어지며, type 2-5와 같이 점막하 근종 상태를 먼저 기술한다(Munro et al. 2011)(그림 5-6).

(2) 현미경적 소견

자궁근종은 일반적으로 전형적인 평활근 분화를 보인다. 또한 방추상 근육세포가(그림 5-7) 서로 얽혀 있거나 소용돌이 형태를 이루고 있으며 개개의 세포의 크기는 일정하고 염색상태도 균일하다. 근육세포 사이에는 결체조직이 산재해 있으며 가끔 자궁 근층에 포함하고 있는 비만세포가 보이나 그것은 신생세포 또는 거대세포는 아닌 것으로 판명되어있다. 저배율의 소견은 방추상 근육세포가 서로 수직으로 얽혀 있다. 때때로 평활근세포의 핵은 울타리모양(palisade)으로 펼쳐져 있다. 때로는 면역조직학적인 방법이 종양의 평활근 기원을 증명하는 데 도움을 준다. 각각의 세포는 hematoxylin and eosin (H&E) 염색에서 연분홍색의 세포질을 가지고 길게 늘어난 형태를 보이든지 혹은 긴 방추상 형태를 보인다(그림 5-8, 9). 핵은 종종 방추상 형태로 인하여 시가모양(cigar-shaped)으로 기술된다. 종양 내의 섬유조직 세포는 섬유질이 거의 없고 세포질도 거의 없다. 또한 긴 핵을 가지고 뾰족한 끝과 방추상 형태를 보인다. 섬유조직의 핵은 일반적으로 변두리에 위치하며 콜라겐 섬유의 주위에 위치한다. 반대로 평활근 세포의 핵은 세포의 중심에 위치한다. 자궁근종 내의 혈관은 일반적으로 불규칙적으로 분포되어 있고 그 혈관의 벽은 다소 두껍게 존재한다.

(3) 비정형적인 현미경적 소견

세포성 평활근종(cellular leiomyoma)은 주위 자궁근보다 더욱 많은 세포 수를 가진다. 그러나 세포와 세포 사이의 변이는 거의 없고 오히려 정상 자궁근세포에 가깝다.

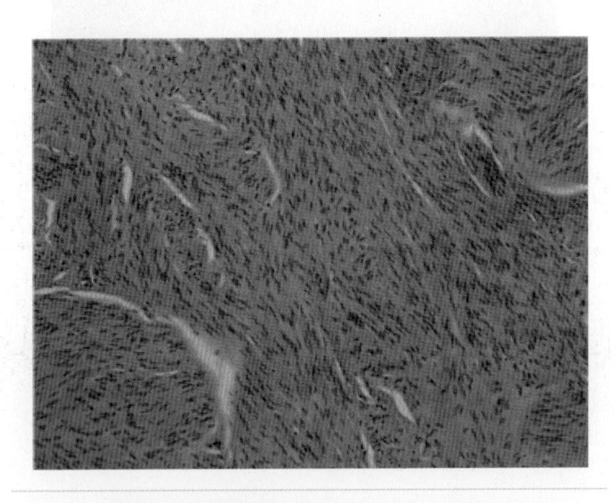

그림 5-7. 일반적인 자궁근종의 현미경적 소견(×200, H&E stain). 균일한 방추상 세포들이 다발을 형성하고 있다.

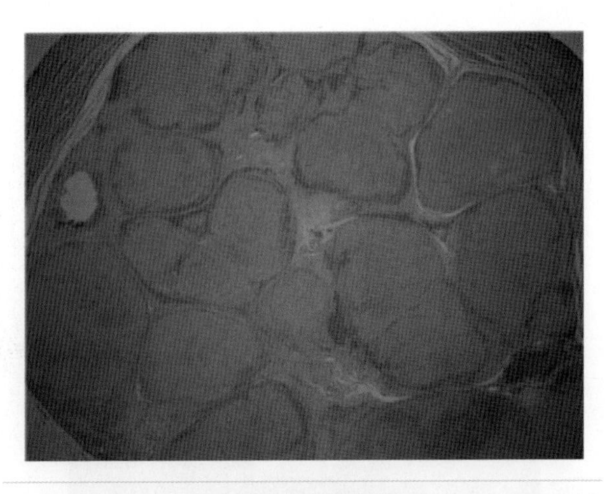

그림 5-8. 자궁근종의 초자성 변성의 현미경적 소견(×200, H&E stain)

핵분열상의 수적 증가는 없고, 괴사와 비정형세포의 증가도 없다(그림 5-10). 육안적으로 세포성 평활근종은 전형적인 자궁근종보다는 다소 말랑말랑하다. 하나의 특이적인 소견은 출혈성 경향을 보인다는 것이다. 이는 대개 경구 피임약을 복용한 경우이거나 혹은 임신에 의한 이차적인 변성인 경우가 많다(Tiltman, 1985). 핵의 분열은 출혈성 경향이 있는 주위에서 잘 보이며, 출혈성 경향이 오래 지속되는 경우에는 낭성 변화를 일으키기 쉽다. 비정형 평활근종(bizarre leiomyoma) (symplastic, pleomorphic or atypical)은 육안적으로는 전형적인 자궁근종과 유사하지만 현미경적인 특징으로 매우 비전형적인 세포를 가지고 세포질과 핵이 상당히 커져 있다. 핵은 거대세포를 보인다. 이러한 종양은 흔히 초자성 변성을 동반한다. 전체적으로 이러한 종양은 비교적 적은 세포를 가지고 괴사나 핵분열상의 수적 증가는 보이지 않는다. 지방성 평활근종(Lipoleiomyoma)은 평활근세포 사이에 혼합된 지방세포 이외에는 전형적인 자궁근종과 다르지 않다. 이러한 변화는 거의 드물지만 폐경기 여성에서 종종 관찰된다. 이러한 종양은 지방조직과 평활근조직의 비율과 관계없이 양성 종양이다. 다른 이질성 조직의 종양도 보이지만 지극히 드물다.

5) 임상 증상

자궁근종의 유병률이 높기 때문에 관련된 증상들의 발생이 꽤 높을 것이라고 예상할 수 있지만 자궁근종을 가진 모든 환자에서 증상을 나타내는 것은 아니다. 자궁근종의 임상 증상은 20-50%에서 볼 수 있으며, 종양의 수, 크기 및 위치에 따라 다양한 증상을 나타낸다. 자궁평활근종과 관련된 증상들은 매우 다양한데, 비정상 자궁출혈, 골반동통 또는 압박, 방광 용적 감소, 변비, 생식기능이상을 포함한다. 자궁근종과 관련된 증상들의 발생률와 중증도는 자궁근종의 크기, 수, 위치에 따라 다르다. 자궁근종에서 크기의 변동 또한 중요하다. 대부분의 자궁근종이 단일 세포(single cell)에서 기원하지만, 수십 킬로그램 정도의 큰 종괴도 보고되었다.

(1) 비정상 자궁출혈(abnormal vaginal bleeding)

비정상 자궁출혈이 자궁근종을 가진 여성에서 가장 흔한 증상이긴 하지만, 월경 양상은 규칙적일 수도 있고 불규칙적일 수도 있다. 자궁근종과 관련해서 가장 흔한 두 가지 비정상출혈 양상은 월경과다(menorrhagia)와 부정 자궁출혈(metrorrhagia)이다. 이 출혈 양상 중 어떤 것도 진단적이지 않으며, 자궁근종을 가진 여성에서 명백히 더 흔한

그림 5-9. 자궁근종의 적색변성의 현미경적 소견 (×200, H&E stain)

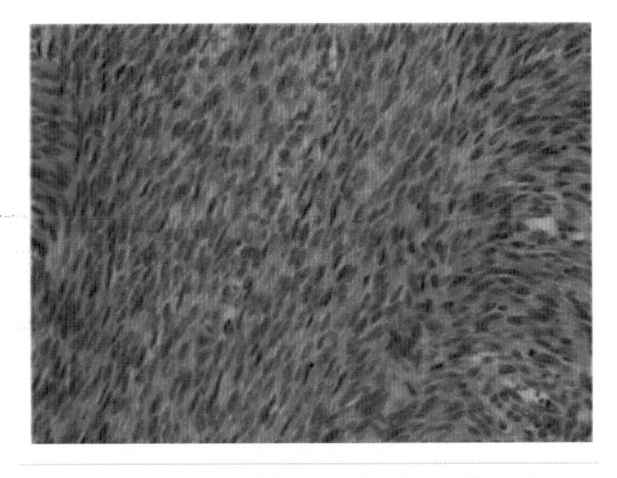

그림 5-10. 세포성 평활근종의 현미경적 소견(×400)

출혈 양상도 아니다. 많은 여성들은 보통 양자 모두(menometrorrhagia)로 표현되는 대량의 지속적인 질출혈을 경험할 수 있다. 자궁근종과 관계된 월경과다는 심한 빈혈을 초래할 수 있고, 빈혈을 유발하지 않더라도 자궁근종과 관련된 대량의 월경량은 생리대의 잦은 교체를 요하므로 여성의 사회적 생활에 대단한 지장을 초래한다. 자궁근종이 비정상 자궁출혈과 관계되긴 하지만, 자궁근종을 가진 여성에서 비정상 월경을 경험하는 비율이나 과도한 실혈을 일으키는 기전에 대한 유용한 자료는 거의 없다. 비정상 출혈이 있는 경우와 없는 경우 모두를 포함한 폐경 전 여성에 대한 최근의 연구를 보면, 무증상 여성과 비교해서 비정상 출혈이 있는 여성에서 자궁근층 내 근종(58% vs 13%) 또는 점막하 근종(21% vs 1%)이 훨씬 더 많았다(Clevenger-Hoeft et al., 1999). 비록 이 연구가 자궁근종을 가지고 있으며 비정상 출혈이 있는 여성의 비율에 대한 직접적인 평가를 하지 못했다 하더라도, 이것은 비정상 자궁출혈이 있는 여성에서 자궁근종이 더 많은 경향이 있으며 근층내 근종이든 점막하 근종이든 근종이 있는 여성에서 증상이 없을 수도 있다는 것을 증명하였다. 자궁근종과 관련된 비정상 자궁출혈의 병리 생리는 알려져 있지 않지만 비정상 출혈의 기전을 설명하는 다양한 가설은 다음과 같다.

자궁평활근종으로부터의 비정상 자궁출혈에 대한 가설
① 자궁내막 표면적의 증가
② 자궁으로의 혈류와 혈관의 증가
③ 정상 자궁수축력 방해
④ 점막하 근종 위의 자궁내막 궤양
⑤ 자궁 근층내 정맥총 압박

자궁근종에 대한 기초적 연구에 혈관 기능과 혈관생성에 직접적인 영향을 미치는 몇몇 성장 요소(growth factor)나 수용체의 조절이상을 제시하였다(Stewart and Nowak, 1996). 이러한 변화들이 혈관 이상을 일으켜서 자궁 혈관 구조의 조절이상을 초래하고 월경과다를 유발한다. 성장 요소의 변화 외에도 자궁근종의 출혈에 대한 드문 다른 원인들이 있다. 한 예로 자궁경부로 돌출되어 괴사된 육경성 점막하 근종의 경우 현저한 출혈을 일으킨다. 자궁근종은 난소 기능, 배란 또는 성호르몬 생산에 어떤 직접적인 영향도 미치지 않으며, 따라서 난소 기능이상으로 인한 비정상 자궁출혈을 유발하지 않는 것으로 생각된다.

(2) 폐경과 자궁근종

자궁근종은 성장을 위해 에스트로겐의 자극이 필요하기 때문에 일반적으로 폐경 후 퇴행한다. 크기 감소는 위축성 자궁내막과 폐경을 동반한다. 그러나 호르몬요법을 받는 폐경 후 여성은 폐경 후에도 증상이 지속될 위험성이 높아진다. 호르몬요법을 받는 폐경 후 여성에 대한 연구에서, 점막하 자궁평활근종이 있는 경우가 없는 경우와 비교하여 호르몬요법으로 비정상 쇠퇴성 출혈이 발생하는 빈도가 두 배나 높았다(Akkad et al., 1995). 따라서 점막하 근종이 있는 여성에서 호르몬요법을 시작하는 경우 비정상 출혈의 위험성이 높다고 조언해야 한다. 호르몬요법은 자궁근종의 성장을 자극할 가능성이 있다. 호르몬요법이 자궁근종에 미치는 영향에 대한 연구에서는, 무증상의 폐경 후 여성에게 호르몬요법을 시행하고 자궁평활근종의 성장을 12개월 동안 감시하였다(Sener et al., 1996). 이 연구에서는 경구가 아닌 경피 에스트로겐요법이 분명한 자궁평활근종 성장과 관련이 있었다. 그러나 자궁근종의 크기 증가는 임상 증상의 변화와 관련이 없었다.

(3) 골반동통

자궁근종을 가지고 있는 여성에서 두 번째로 흔한 증상은 골반동통 또는 압박이다. 근종을 가진 여성이 경험하는 골반 및 복부 불편감을 종종 압박감으로 표현하며 이는 여성들이 임신기간 동안 자궁 크기 증가로 인해 경험하게 되는 불편감과 유사하다. 자궁근종과 관련된 동통 또는 압박감의 심한 정도와 위치는 근종 위치, 크기와 관계 있다. 골반동통은 월경 중에 있을 수도 있고 월경과 월경 사이에 있을 수도 있다. 후벽에 위치한 자궁근종은 요통을 유발할 수 있는 반면, 광인대(broad ligament) 내에 위치하는 자궁근종은 일측성 하복부 동통을 유발하거나 좌골 신경(sciatic nerve)을 압박하여 좌골 신경통을 유발할 수 있다. 전벽에 위치한 자궁근종은 방광 압박과 불편감을 유발하거나 환자에 의해 촉지될 수 있다. 골반을 가득 채우는 자궁근종은 배변, 배뇨장애나 성교통을 유발할 수 있다. 거대 평활근종은 복부 및 골반 구조물을 압박할 뿐만 아니라 호흡 기능에 장애를 일으킬 수도 있다. 거대 근종은 혈류 공급이 이를 따라가지 못하므로 조직 허혈과 괴사를 일으킬 수 있다. 평활근의 변성(degeneration)은 보통 급성 중증 골반동통과 관계가 있다. 이러한 급성동통은 수술적 처치를 요할 수도 있다. 육경성 근종(pedunculated leiomyoma)이 염전되면 허혈 상태가 되어 급성골반동통을 일으킬 수 있다. 근종의 변성은 임신기간 중에도 나타나는 것으로 알려져 있으며 적색변성이라고 부른다. 적색변성이 있는 동안 평활근종 내에서 출혈이 있는데, 이는 급성동통을 유발한다. 임신기간 중 변성된 평활근종에 의해 생긴 동통은 보통 진통제 단독으로 치료되나, 드물게는 수술적 처치를 요하기도 한다.

(4) 생식기능이상(reproductive dysfunction)

근종이 생식기능에 미치는 영향은 평가하기 힘들다. 근종과 불임 모두 나이가 듦에 따라 증가하므로, 가임기 후반의 여성과 연관되어 있는 경향이 있다. 더구나, 모체 연령 증가가 이수성(aneuploidy)과 그에 따른 유산 위험성 증가와 관련이 있는 것처럼 근종과 초기 임신 손실에 대해서도 마찬가지다. 또한 정상 생식기능에는 배란, 나팔관 기능, 수정, 착상과 같은 수많은 요소가 관여하므로 근종과 같은 단일 인자가 생식에 미치는 영향을 어떻게 평가할 것인가에 대해 조절이 어려울 수 있다. 하지만, 근종이 있으면서 불임인 여성의 비율이 정상 생식능력을 가지고 있는 여성의 비율보다 많은지에 대해 평가한 자료가 없다. 따라서 근종의 자연사(natural history)와 생식기능이상과의 관계는 여전히 불명확하다. 자궁근종의 자연사에 관한 분명한 역학적 자료가 제한되어 있음에도 불구하고, 자궁근종이 정상 생식기능을 방해하는 몇몇 기전을 생각해 볼 수 있다.

자궁평활근종과 관련된 생식기능이상에 대한 가설
① 생식자(gamete)와 배아(embryo)의 이동 방해
② 자궁 성장에 필요한 용적 감소
③ 혈류의 변화
④ 자궁내막조직의 변화

Coutinho와 Maia (1971)는 거대 근종이 자궁으로 들어오는 정충의 운동성을 촉진시키는 규칙적인 자궁 수축에 장애를 일으킨다는 가설을 세웠다. 즉 평활근종에 의해 자궁강이 변형되어 생식기능이상을 초래한다는 기전이다. 점막하 근종이든지 근층내 근종이든지 근종은 자궁강 모양을 변형시킬 수 있다. 거대한 점막하 자궁근종은 자궁강 내에서 종괴 효과를 나타내 임신 진행을 방해하거나 양막 조기파수 또는 조기 진통을 유발할 수 있는데 이는 모두 자궁용적 감소에 기인한 것이다. 또한 근종에 의해 배아의 착상이 감소될 수 있다. Deligdish와 Loewenthal (1970)은 점막하 근종을 가진 여성의 자궁내막에 대한 조직학적 검사를 시행하였다. 이들은 근종의 위치와 관계된 자궁내막의 위치에 따라 자궁내막조직이 분명히 다르다는 것을 발견하였다. 점막하 근종을 덮고 있는 자궁내막과 근종 건너편의 자궁내막은 위축되어 있었는데, 이는 압박의 결과로 판단되며, 반대로 점막하 평활근종 주변의 자궁내막은 증식되어 있었는데, 이는 혈관이 증가되어 생기는 결과이다. 평활근종으로부터 멀리 떨어진 위치에서는 조직검사가 정상이었다. 다른 연구자들은 평활근종을 덮고 있는 자궁내막과 근종 주변의 자궁내막에서의 정맥 확장을 제시하였다. 이러한 소견은 평활근종에 의해 생긴 혈관 폐색의 결과로 가정되었다. 혈류가 감소되면 호르몬 운반이 감소되고 자궁내막이 위축되는 반면, 혈류와 호르몬 운반이 증가되면 자궁내막이 증식될 것이다. 게다가 혈류의 변화는 착상과 착상된 태아에 대한 정상 면역반응에 관여하는 시토카인(cytokine) 및 다른 혈청 인자들의 운반을 변경시킴으로써, 착상이 감소되고 유산이 증가하게 된다. 그럼에도 불구하고, 생식력장애의 원인으로 기계적 변형을 제외하고는 평활근종이 생식기능이상을 일으키는 정확한 기전은 밝혀져 있지 않다.

(5) 불임

자궁근종과 불임에 관한 대부분의 자료는 복식, 복강경하 또는 자궁경하근종절제술 후 성공적인 임신을 보고하고 있다. 각각의 연구에서 연구 중인 근종절제술 방법은 안전하고, 내시경적 근종절제술 후 임신율은 복식 근종절제술 후 임신율과 유사하다고 하였다(Garcia and Tureck, 1984; Ubaldi et al., 1995; Dubuisson et al., 1996). 하지만 이 연구들은 모두 소규모의 환자군을 대상으로 하고 있으며 비교를 위한 대조군을 가지고 있지 않다. 따라서 이 자료는 근종절제술 후 임신에 성공할 수 있다는 사실을 제시할 뿐 근종과 불임 사이의 인과관계나 명백한 연관성을 제시하지는 못한다. 근종과 생식력의 관계를 설명하는데 있어 몇몇 가능성을 제시하는 임상모델은 보조생식술, 특히 체외수정 및 배아이식(IVF & ET)의 결과에 대한 것이다. 이 모델에서 근종을 가지고 있는 여성과 가지고 있지 않은 여성으로 나누어 임신과 IVF & ET 착상률을 비교하였다. 대부분의 임상의들은 점막하 근종은 IVF & ET 시술 전 반드시 제거해야 한다고 확신하기 때문에 이러한 방법을 사용하는 데 있어 점막하 근종은 배제되었다. 자궁강 바깥쪽의 평활근종이 생식력에 미치는 영향에 대해 평가하는 연구가 발표되었다. 한 연구에서는 난관 인자 불임을 가진 여성을 대조군으로 하여 자궁평활근종을 가진 여성과 비교하였다(Farhi et al., 1995). 이 연구에서는 근종을 가진 여성은 자궁경검사를 통해 자궁강 변형이 있는 군과 없는 군으로 구분되었으며, 불규칙적인 자궁내 윤곽을 가진 여성에서 착상률과 임신 유지율이 감소하였다. 그러나 정상적인 자궁내 윤곽을 가진 여성에서는 착상률, 임신 유지율 모두 감소하지 않았다. 자궁근종이 있으면서 정상적인 자궁내 윤곽을 가지는 여성에서 보조생식술 임신율이 감소한다는 두 가지 연구가 발표되었다(Eldar-Geva et al., 1998; Stovall et al., 1998). 둘 다 비교를 위해 age-matched 대조군을 사용하여, 모두 대조군과 비교하여 현저한 임신율 감소를 보였다. 자궁평활근종이 임신율을 감소시키는지에 대해 비교적 확실히 말할 수 있으려면 더 많은 자료가 있어야 하겠다. 자궁강 내의 근종을 제거하는 것이 임신을 시도하는 여성에서 생식력을 개선시킬지에 대해 평가한 자료는 여전히 없는 실정이다.

(6) 임신기간 동안의 합병증

임신기간 동안 에스트로젠과 프로게스테론의 합성이 현저히 증가하여 혈청 농도 증가가 발생하며 이는 자궁근종 크기 증가와 관련이 있을 것으로 생각된다. 그러나 문헌을 보면 자궁근종의 20-30%만이 임신기간 중 크기가 증가하고 이 근종들은 25% 이상의 부피증가는 없는 것으로 되어 있다. 임신 초기나 임신 전에 발견된 직경 5 cm 미만의 근종은 종종 임신기간 중 발견되지 않는다. 평활근종 성장이 있다면 그것은 임신 제1삼분기 가장 흔히 일어난다. 비록 임신기간 중 평활근종의 성장이 제한되더라도 임신, 진통, 분만 기간 동안 몇몇 합병증과 관계가 된다. 문헌을 보면 평활근종과 임신합병증 간의 관계에 대해 설명하는 몇몇 연구가 있다. 하지만 대부분은 소규모의 환자군을 대상으로 하거나 3차병원의 중심의 표본을 포함하거나 혼합변수를 조절하지 못하거나 비교를 위한 대조군이 부족하였다. 다수 표본을 한 한 연구발표는 이러한 결론이 없었다. Coronado 등(2000)의 보고는 한 곳에 사는 다수의 여성을 대상으로 대조군을 포함하였으며 모성연령, 인종, 제왕절개술 기왕력, 산모의 체중증가, 당뇨, 고혈압과 같은 혼란변수들을 포함하여 근종을 가진 여성이 임신을 하였을 때 임신 제1삼분기 출혈, 양막조기파수, 태반조기박리, 둔위, 지연성 진통, 제왕절개, 낮은 Apgar 점수, 저체중아의 위험성이 현저하게 증가하였다. 게다가 근종과 태반착상부위의 근접성과 근종 크기가 산과적 합병증 비율을 증가시킨다는 보고가 있다(Rice et al., 1989).

(7) 비뇨기증상(urinary symptoms)

자궁이 방광과 요관에 가까이 붙어 있으므로 자궁증대는 중요한 비뇨기증상을 유발할 수 있다. 먼저 방광의 역동학과 방광용적이 변할 수 있다. 환자가 가장 먼저 배뇨가 임박했다고 느끼게 되는 요량과 최대방광용적이 현저히 감소하여 빈뇨가 생기게 된다. 또한 요실금도 자궁평활근종과 관련하여 생길 수 있다. 그러나 요실금이 있는 경우 배뇨근의 과활동(detrusor instability)과 복압성 요실금(stress incontinence)에 대한 평가가 필요하다. 왜냐하면 이들 질환이 자궁근종과 같이 있을 수 있기 때문이다. 근종이 있는 여성은 방광요도 연결부(UV junction)의 변화로 인해 배뇨장애를 경험할 수 있다. 배뇨를 시작하는 데나 방광을 완전히 비우는데 장애가 있을 수 있다. 자궁이 골반 전체를 가득 채울 정도로 커지면 요관이 압박되거나 막힐 수 있다. 일측 또는 양측 요관 압박은 신기능 감소를 유발한다. 평활근종이 광인대(broad ligament) 또는 fundus의 측면에 위치하는 경우 요관 압박이 더 잘 생긴다. 수술을 계획하는 경우 이러한 관련성을 고려할 필요가 있다.

(8) 평활근종 성장과 평활근육종으로의 전환(leiomyoma growth and transition to leiomyosarcoma)

평활근종은 크기가 굉장히 다양하다. 평활근종은 하나의 세포에서 기원하기 때문에 과거에는 자궁성장률은 자궁 평활근육종으로의 전환에 따른 위험인자로 생각되었다. 더 구체적으로 말하자면 평활근육종은 빠른 성장과 관계가 있는 것으로 생각되었다. 암의 가능성이 많을수록 임상의는 약물치료보다는 수술, 특히 자궁절제술을 선택하게 되므로 이러한 추측된 연관성이 임상적인 치료 결정을 유발하는 경우도 종종 있다. 최근의 자료는 근종의 빠른 성장과 암 가능성 증가와의 연관성에 부정적인 결과를 보였다(Parker et al., 1994). 평활근종으로 자궁절제술을 받은 1332 예를 연구하여 평활근육종의 전체 발생률은 대략 3/1000이었다. 빨리 자라지 않는 평활근종을 가진 여성과 비교하여 빨리 자라는 평활근종을 가진 여성에서 평활근육종이 진단되는 빈도가 더 높지는 않았다. 그러므로 성장률 단독으로는 평활근육종을 예측하는 좋은 지표가 되지는 않는다.

6) 진단

(1) 양수 골반진찰(bimanual pelvic examination)

방광이 비어 있는 상태에서 양수 골반진찰을 하여 근종의 크기와 자궁 내의 위치를 예측한다.

(2) 자궁내막소파검사(endometrial curettage)

자궁근종 환자에서 출혈이 있는 경우 자궁내막 악성종양이나 자궁내막증식증이 동반될 수 있으므로 자궁내막소파검사를 하는 것이 바람직하다.

(3) 이학적 검사

가임여성에서는 우선 임신반응검사, 자궁경부세포검사, 일반혈액검사(CBC), 대변잠혈검사를 하며, 골반종양을 감별할 종양표지물질로 CA-125를 검사할 수 있다.

(4) 자궁경검사

자궁내막의 병리 소견이나 점막하 근종을 발견하는데 도움이 된다(그림 5-6B).

(5) 복강경검사

골반 내종양의 감별로 사용할 수 있으나, 극히 제한적이다.

(6) 초음파검사

복부나 질식초음파검사는 골반 내종양을 발견하는데 가장 많이 사용되는 진단 방법 중의 하나이다. 질식초음파로 5 mm 이상 크기의 근종을 관찰할 수 있으며, 자궁근종의 크기는 근종의 경계 부위 간을 가로, 세로, 깊이의 순으로 최대 거리를 측정하고 자궁근종의 초음파 양상은 고음영상, 중등도 음영상, 저음영상, 혼합 양상으로 구분한다. 근종의 위치는 저부, 체부, 자궁경관으로 나누어 관찰한다. 근종의 경계부에 대한 초음파 양상은 불분명한 양상, 명확한 양상, 분엽된 양상으로 나누어 기술한다. 근종의 이차적 변화에 대한 초음파검사 소견은 석회화, 낭포성 변화, 초자성 변성 등을 볼 수 있다. 근종의 유형은 근층 내, 장막하, 미만성으로 구분하여 반향 양상을 관찰한다(그림 5-11). 고형성분을 많이 함유한 경우에는 고음영상을 보이고, 액상 성분이 많은 경우에는 저음영상을 보인다. 대개 근종의 크기가 5 cm 이하인 경우는 고음영상을 보여주고, 직경이

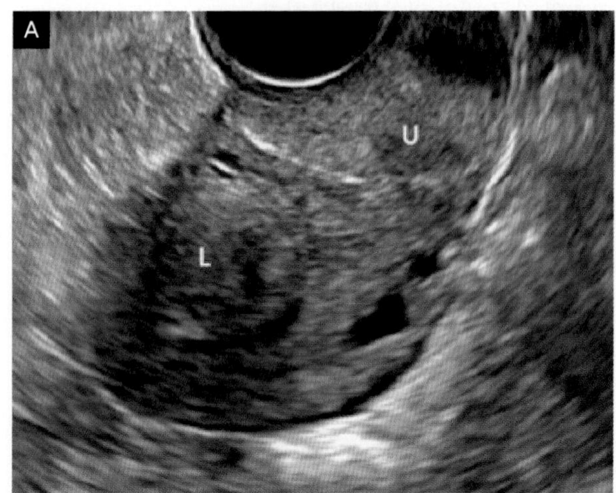

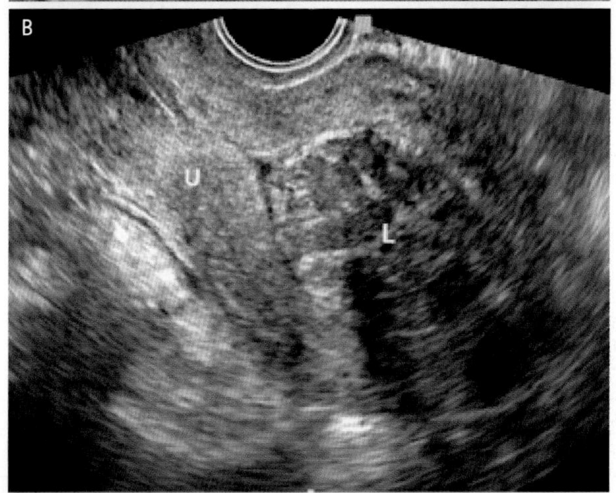

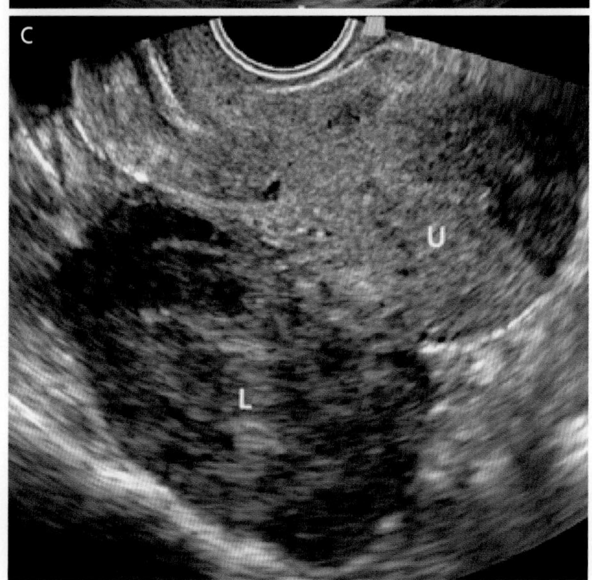

그림 5-11. **A. 근층내 자궁근종의 초음파 소견, B. 점막하 자궁근종의 초음파 소견, C. 장막하 자궁근종의 초음파 소견**(L: 자궁근종, B: 방광, U: 자궁)

10 cm 이상인 경우에는 혼합 양상을 보인다. 근종의 경계부는 초음파검사에서 명확히 구별되지 않았으며, 분엽된 양상을 볼 수 있다. 근종은 조직학적으로 가피(pseudo-capsule)로 싸여 있어, 그 구분이 매우 용이하며, 수술 소견상도 대개 그 경계부를 확실히 알 수 있는 경우가 많다. 이차적 변화 중 석회화는 초음파로 석회화된 양상을 비교적 쉽게 파악할 수 있다. 낭포성 변화는 초음파상에서 매우 빈번하게 발견된다. 초음파검사 시 근층내 근종 유형이 고음영상으로 보이는 것이 병리 소견상 소견과 부합하는 것을 볼 수 있다. 그러나 미만성 유형은 초음파검사상 정확한 반향 양상을 알 수 없다. 자궁근종은 대부분 가성피막을 갖는 저에코(hypoechoic)로 보이며, 그 이외 동등한 에코, 초자변성을 한 경우 후방으로 음향음영을 갖는 고에코로 보인다. 자궁근종의 이차적 변성은 초자질 변성, 낭포성 변화, 석회화 변화, 감염, 화농, 조직괴사, 지방성 변화, 육종성 변화 등이 있으며 그중에서 초자질 변화가 가장 흔하다. 초자질 변화가 초음파 양상을 변화시키지 못하므로 이의 사전 초음파 진단은 불가능하다. 초음파검사상 비대된 자궁은 자궁근종 이외에도 평활근육종(leiomyosarcoma)과 농자궁증(pyometra), 자궁내막암과 감별해야 한다. 초음파검사 비특이적이며 대개 임상 증상, 위치, 종괴의 밀도에 따

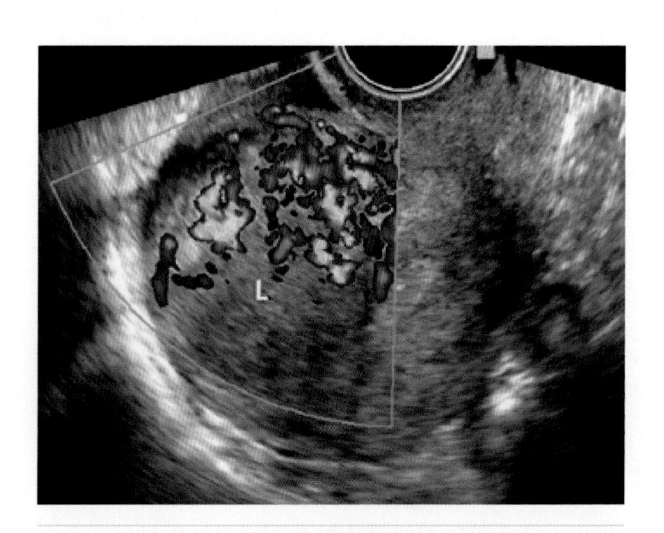

그림 5-12. **세포성 자궁근종의 초음파 소견**

라서 감별되어진다. 이상성분인 자궁종괴는 대개 자궁근종이라고 생각되지만 악성종괴와의 감별은 초음파검사 하나로는 감별하기 어렵다. 특히 골 성분을 함유한 자궁육종은 석회화 변화를 한 자궁근종과 초음파검사 하나로는 수술 전 감별이 불가능하다. 대개 자궁근종의 이차적 변화는 근종조직을 통한 초음파 침투를 촉진시킨다. 그러므로 이차성 변화를 일으킨 자궁근종의 후벽은 경계가 명확하다. 그리고 근육의 이차성 변화를 한 근종은 초음파검사로 평활근육종과의 감별이 어렵다(그림 5-12). 점막하 자궁근종은 복부 혹은 질식초음파를 통한 검사가 이용되어 왔으나 자궁근종의 초음파상의 주위 조직과의 영상의 위상차가 많이 나지 않는 경우가 많아서 실제로 진단이 어려운 경우가 많다. 그리고 자궁내막용종과의 구분도 역시 어렵고 자궁근종으로 진단된 경우도 근종의 위치가 근층 내가 아닌 점막하 근종이라고 확진을 내리기 어려워 자궁경을 통한 확진이 꼭 필요하였다. 그러나 1990년도에 들어서면서 생리식염수를 자궁 내에 넣어가면서 초음파 촬영을 하는 이른바 초음파자궁조영술(sonohysterogram)의 기술이 개발됨에 따라 이 기술을 이용하여 점막하 근종을 보다 정확히 진단할 수 있게 됨으로 인하여 자궁경검사의 필요성이 감소할 수 있는 길이 열렸다(Fukuda et al., 1993). 우리나라에서도 초음파자궁조영술에 대한 임상적 유용성이 활발하게 연구되고 있고 이춘희 등(1998)은 비정상 자궁출혈 환자에서 초음파자궁조영술이 질식 초음파보다 민감도가 높은 검사라 하였다. 점막하 근종의 경우에도 초음파검사보다 민감도와 특이도가 높아 초음파자궁조영술의 유용성을 강조하였다.

(7) 컴퓨터단층촬영 및 자기공명단층촬영

자궁근종의 1차적 진단으로는 거의 사용하지 않으며, 거대 근종으로 악성종양이 의심되거나 불임 환자나 성접촉이 없는 환자의 수술 전에 위치파악을 위해 사용할 수 있다(그림 5-13). 자기공명단층촬영은 가장 비용이 많이 드나 작은 근종까지도 발견할 수 있는 가장 민감한 방법이다. 88-93% 정도의 민감도와 66-91%의 특이도를 가지며 자궁선근증과도 구분할 수 있다(Byun et al., 1999; Ascher et al.,1994). 또한 방사선 사용을 하지 않으며, 자궁의 층을 해부학적으로 잘 구분시켜서 근종의 위치를 정확히 파악할 수 있다. 난소종괴와 구분이 힘든 장막하 근종을 구별하는데 용이하여 불필요한 수술을 방지할 수 있다(Livermore et al., 2007). 만일 자궁과 연결된 혈관이 보이면(bridging vascular sign) 골반종괴가 자궁근종에서 유래할 가능성이

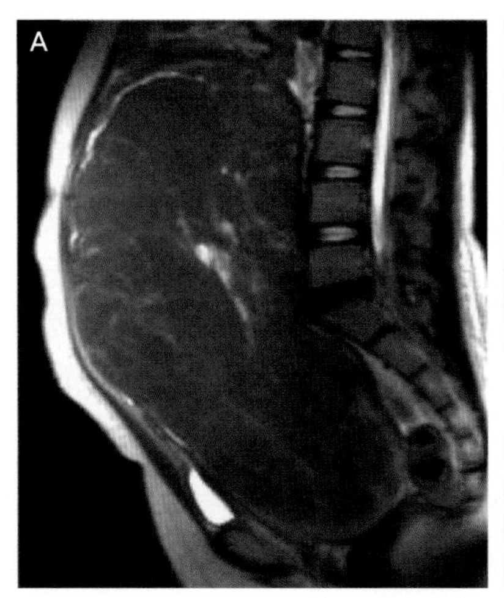

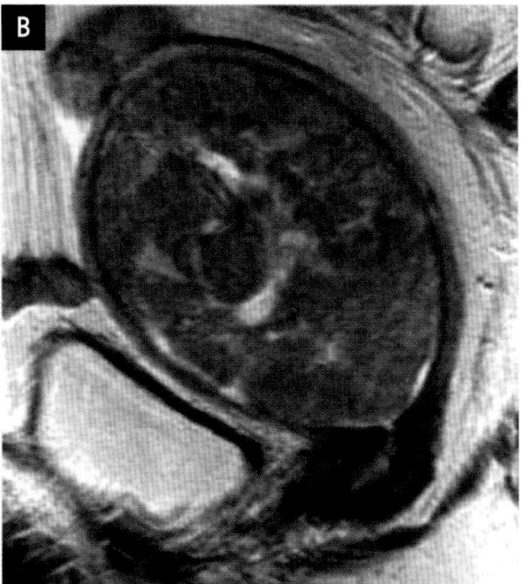

그림 5-13. **A. 거대 자궁근종의 자기공명영상 소견. B. 자궁평활근육종의 자기공명영상 소견**

높게 된다(Kim et al., 2000). 일반적으로 자궁근종은 주위 근육층에 비하여 T2W 영상에서는 낮은 신호를 T1W 영상에서는 동등한 신호를 나타낸다. 최근에는 자궁동맥색전술 치료에서 효과를 예측하고 평가하는데 이용하기도 한다. T1W 영상에서 높은 신호강도를 나타내면 이미 혈류과다로 출혈성 괴사를 보이고 있기 때문에 자궁동맥색전술에 반응이 높지 않게 된다(Wilde et al., 2009). 반대로 높은 T2W 영상에서는 반응이 높게 예상할 수 있다. 자기공명단층으로 악성을 정확히 감별할 수는 없다.

7) 치료

(1) 비수술요법

자궁근종이 빠르게 자라지 않는다면 규칙적인 검사로 지켜보는 것이 원칙이다. 이때는 근종의 크기나 위치의 정확한 기록 및 영상검사를 동반하여야 한다.

① 비스테로이드성 항염증 약물(NSAIDs)

비스테로이드성 항염증 약물은 자궁근종과 관련된 이차성 생리통 및 통증에 사용되며 월경과다치료에 사용될 수 있다. 월경과다 여성에서는 cyclooxygenase 효소발현과 prostaglanding E 신호가 증가되어 있기 때문에 이 약물이 자궁내막에서 prostaglandin E 신호를 낮추는데 효과가 있다.

② 항섬유소용해제

월경과다 여성의 자궁내막은 섬유소용해가 활성화되어 있기 때문에 항섬유소용해제가 많이 사용되어 왔다. Trenexamic acid는 월경과다 여성에서 생리기간에 최대 5일간 사용할 수 있고, 출혈량을 50% 줄일 수 있었다는 보고가 있었다(Laughlin et al., 2011). 그러나 자궁근종에서의 효과는 확실하지 않고 혈전이 있었던 여성이나 경구용 피임약을 복용하는 여성에서는 사용하지 말아야 한다. 월경과다에 대한 효과는 통증효과에 비해 높지 않은 것으로 알려져 있다.

③ 경구용 피임약

부정출혈이 있는 여성에서 많이 사용되는 경구피임약은 역학조사에서 자궁근종의 발생이나 성장에 영향을 주지는 않는 것으로 나타났다. 레보노르게스트렐 자궁내장치(LNG-IUS)와 비교한 연구에서 LNG-IUS에 비하여 출혈감소 효과가 적은 것으로 나타났지만 최근 estradiol valerate/dienogest 복합 경부용피임약을 6개월 투여 후 88%의 출혈량 감소를 보고하였다(Sayed GH et al., 2011, Fraser IS et al., 2011).

④ 프로게스테론제

고용량 경구 프로게스테론제재가 월경과다 여성의 치료에 효과가 있듯이 경구, 주사, 이식형 등 어떠한 형태의 프로게스테론제재도 자궁내막 세포 증식을 억제하여 출혈감소를 가져올 수 있다. 그러나 파탄성 출혈을 일으키거나 때때로 오히려 근종크기를 증가시킨다는 보고가 있어 증상이 있는 자궁근종에서 고용량의 프로게스테론은 적절하지 않다(Venkatachalam et al., 2004).

⑤ 레보노르게스트렐 자궁내 장치(Levonorgestrelintrauterine device, LNG-IUS)

LNG-IUS는 20 μg/일의 용량으로 레보노르게스트렐을 분비하여 국소적으로 자궁내막을 위축시키는 자궁내 삽입장치이며, 생리출혈을 감소시키는데 효과가 있어 수술적 대용으로 많이 사용되어 왔다. 3개월 사용 시에 94%의 생리양 감소를 유발하고 대부분의 여성에서 불편함 없이 사용된다. 경구 프로게스트론제보다 복부팽만, 유방압통, 감정변화 등의 부작용은 심하지 않은 것으로 보고되었다. 자궁근종을 가진 여성에서의 무작위연구는 없지만 1년간 LNG-IUS 사용 후 MRI로 측정한 자궁 크기나 자궁근종의 크기는 변화가 없었다(Maruo et al., 2001).

⑥ 생식샘자극호르몬분비호르몬작용제(gonadotropinreleasing hormone agonist, GnRH agonist)

1983년 Filicori 등(1983)은 자궁근종의 내과적인 치료의 하나로써 생식샘자극분비호르몬(GnRH) 작용제를 사용하여 저에스트로겐 상태를 유발시켜 자궁근종의 크기를 감소시키는 당시로써는 획기적인 자궁근종의 치료방법을 보고하였다. GnRH나 지속성 제제(long-acting analog)를 투여하면 뇌하수체 전엽의 생식샘자극호르몬 수용체가 탈감작되어 가성폐경 저에스트로겐 상태가 된다. 이러한 저성선 상태는 과도한 근종 크기와 관계된 증상이나 출혈을 감소시키거나 소실시킨다. GnRH 작용제 지속요법에서 항상 초기 자극기 이후 억제효과가 나타나는데 이를 초기 자극효과(flare-up effect)라 하며 치료시작 12시간 후에 나타난다. 자궁평활근종을 가진 여성에서 GnRH 작용제에 대한 많은 연구들은 비교적 단기간인 3-6개월의 치료 후 자궁근종과 자궁용적 모두 35-61% 감소한다고 보고하였다(Friedman et al., 1991; Friedman et al.,1992). GnRH 작용제 치료를 중단하면 자궁은 급속히, 종종 수 주안에 원래의 크기를 되찾게 된다. GnRH 작용제 치료를 중단하면 4-10주 후 월경이 돌아오고, 자궁근종의 에스트로겐 수용체 농도가 증가하고 난소 스테로이드 생성이 급속히 회복되어 3-4개월이 되면 종양의 급속한 재성장이 일어나게 된다. 크기가 크거나 증상이 있는 자궁평활근종을 가지고 있는 갱년기 여성에서 GnRH 작용제 단독 요법은 적절한 선택인데 이는 치료 기간 동안 자연폐경이 시작되어서 근종 재성장의 가능성이 감소될 것으로 기대되기 때문이다. 증상이 있는 평활근종을 가지고 있는 젊은 여성에서 GnRH 작용제는 단지 수술 전 요법으로만 사용된다. 빠른 재성장 때문에 장기치료는 효과적이지 못하고 저에스트로겐 상태를 유발하므로 장기간 사용하는 것은 권하지 않는다. GnRH 작용제는 또한 술 전 혈액학적 지표를 개선시킨다. 골밀도 감소가 GnRH 작용제요법의 가장 심각한 부작용인데 이는 평활근종이 있는 여성에서 6개월 이상의 장기간에 걸쳐 사용할 때 나타난다.

또 다른 흔한 부작용은 안면홍조인데 보통 자궁근종으로 이 약을 사용한 환자의 80-100%에서 치료시작 후 첫 1개월 내에 생긴다. 그 외 부작용으로는 불규칙적인 질출혈, 질건조감, 두통, 우울증, 탈모, 근골격 경화 및 불편감이 있다. GnRH 작용제요법이 대부분의 환자에서 무월경을 유발하나, 대략 30% 정도는 경하고 간헐적인 출혈 또는 드물게 즉각적인 수술을 요할 정도로 심한 출혈을 경험한다. 자궁근종 환자에서 GnRH 작용제의 사용 적응증은 다음과 같다.

가. 가임여성 중 자궁보존을 하여 임신을 원하는 경우
나. 수술 전에 있었던 빈혈 교정이 필요한 경우
다. 수술을 피하고자 하는 폐경기에 가까운 여성
라. 커다란 자궁근종의 크기를 줄여서 질식이나 복강경으로 수술을 받고자 하는 경우
마. 건강 상태의 이상으로 인하여 수술요법이 부적합한 경우
사. 개인적 또는 내과적 문제로 인해 수술을 지연하는 경우

⑦ 생식샘자극호르몬분비호르몬길항제(gonadotropinreleasing hormone antagonist)

GnRH 길항제는 생식샘자극세포의 세포막에 존재하는 GnRH 수용체를 경쟁적으로 차단하는 방법으로 작용하여 이 수용체의 미세응집(microaggregation)을 억제한다. 더구나 GnRH 작용제에서 보이는 초기의 flare-up 현상은 나타나지 않는다. 모든 처치에서 2-4주 내에 현저한 자궁축소를 보였는데 이는 GnRH 작용제 치료에서 보이는 것과 유사하였다(Felberbaum et al., 1998). 최근 GnRH 길항제를 작용제와 비교한 연구에서 길항제가 비열성하지 않았고, 출혈감소에 대한 효과는 더 빨랐다(Osuga Y et al., 2019).

⑧ 프로게스테론 수용체 조절물질

Mifepristone (RU486)은 norethindrone 유도체로 항프로게스테론, 항글루코코티코이드 작용을 가진다(Baulieu, 1989). 자궁내막에서 RU486은 주로 프로게스테론 길항제로 작용하나 프로게스테론이 없는 경우 프로게스테론 유사체로 작용할 수 있고 글로코코티코이드 길항제로 항에스트로겐 효과를 나타낸다. 자궁내막혈관, 배란 감소 등 자궁내막에 직접효과와 근종세포의 증식억제를 보여 근종 증상이 있는 폐경 전 여성에서 좋은 결과를 얻었다(Murphy et al., 1993). 낮은 용량의 RU486 연구에서도 자궁근종 크기가 50% 감소되었으며, 40-70%에서 무월경을 경험하였다(Eisinger et al., 2003). 그러나 장기요법은 자궁내막 증식이나 자궁내막암이 발생하기 때문에 많이 사용되지 않고 있다.

⑨ 선택적 프로게스테론 수용체 조절물질(selective progesteron-receptor modulators; mifepristone, ulipristal acetate)

Ulipristal acetate는 selective progesteron receptor modulator (SPRM)로, 혈청 에스트라디올 농도에 거의 영향을 미치지 않고 작용하는 약물로서, 자궁근종 세포증식 억제 및 세포사멸 유도로 자궁근종의 크기를 감소시킨다. 13주간의 Ulipristal acetate를 복용한 결과 월경과다, 빈혈이 개선되었고 자궁근종과 자궁의 크기 또한 감소하였으며, 자궁내막증식증이나 암에 대한 발생은 없었다는 보고가 있다(Donnez and Tatarchuk, 2012; Donnez and Tomaszewski, 2012). 에스트라디올 농도에 영향을 미치지 않기 때문에 GnRH 작용제 치료 시 나타나는 부작용이 없다는 장점이 있어 가임기 자궁근종 환자에서 수술 전 치료를 목적으로 사용된다. SPRM은 자궁내막에 색다른 변화를 가져오는데 자궁내막샘의 낭포성팽창, 비정상 혈관 등의 프로게스테론 수용체조절물질 관련 자궁내막변화(Progesteron receptor modulator associated endometrial change)라고 한다. 또한 지속적으로 사용하였을 때는 자궁내막을 두껍게 할 수 있으므로 3개월 이상 투여를 권유하지 않고 최근에는 간손상 위험이 보고되었다. 최근 새로운 SPRM약제인 vilaprisan에 대한 임상시험결과가 발표되었다(Bradley LD et al., 2019).

⑩ 방향화효소억제제

자궁근종은 방향화효소를 발현하기 때문에 전신으로 작용하는 GnRH 작용제와 달리 방향화효소억제제는 국소적으로 작용하여 부작용이 적으면서 근종의 부피를 감소시키는 효과를 나타낸다. Letrozol을 이용한 GnRH 작용제와 비교 연구에서 근종의 크기는 45.6% 감소시켰지만 말초혈관호르몬 변화와 골밀도 감소효과는 없었다(Parsanezhad ME et al., 2010).

(2) 외과적 치료

① 근종절제술(myomectomy)

근종절제술은 자궁을 보존하고자 하거나 임신을 원하는 환자에게 적절하다. 수술의 방법은 술자의 선호도에 좌우되나, 개복술에 의한 방법이나 최근에는 복강경이나 로봇 수술을 이용하여 치료하며, 점막하 근종의 첫 기본 치료는 주로 자궁경을 통한 절제술이 이용되고 있다. 자궁경을 이용한 근종절제술은 90% 경우에서 출혈증상이 사라졌으며, 임신 비율은 증가하고, 유산 비율은 감소되는 것으로 발표되었다(Malek-Mellouli et al., 2012; Pritts et al., 2009). 자궁경 시작 전 prostaglandin 등의 약제나 mechanical dilator 등을 이용하여 자궁경부 전처치를 하기도 하며, 수술 전 GnRHa를 사용하여 수술 시간이나 용액의 흡수량을 줄이기도 한다. 4-5 cm 크기까지의 점막하근종은 익숙한 수술자에 의해서 제거될 수 있고, 6 cm 보다 큰 경우는 2차 수술이 필요하기도 하다(AAGL, 2012). 그러나 출혈, 자궁천공, 경부열상, 수액과부하의 합병증이 발생할 수 있으며, 약 10%에서는 재발이 보고되었다(Gambadauro et al., 2012). 최근 수술 자궁경에 세절기가 도입이 되어 근종조직을 칼날로 제거하면서 진공 흡입이 쉽게 되어 수술 시간을 줄일 수 있었다. 그러나 근종이 4 cm 이상이 되거나 근층내 근종이 있는 경우에는 완전히 제거하는 데 어려움이 있다. 복강경하 자궁근종절제술은 근종의 위치와 수술자의 술기에 따라서 결정되며, 근육층 내 근종은 임신능력에 부정적인 영향을 줄 수 있으나, 근종수술 이후에는 임신 능력에 차이를 보이지 않았다(Desai et al., 2011). 근종제거수술 전에 투여하는 GnRHa는 2달 내 35%, 6개월에 최대 70% 자궁크기를 줄일 수 있다고 보고되었다(Rutgers JL et al., 1995). 또한 ulipristal acetate를 3개월 전처치하면 열성홍조없이 근종의 출혈을 줄이는데 효과가 있다고 보고되었다(Donnez J et al., 2012). 근종제거술 시에 출혈이 문제가 될 수 있고 미소프리스톨(misoprostol), 바소프레신, 부피바카인(bupivacaine)과 에피네프린, 트라넥사민산(tranexamic acid) 등이 효과적이었으나 옥시토신은 영향이 없었다(Kongnyuy et al., 2011). 로봇 자궁근종절제술은 비교적 새로운 미세침습수술방법이고 개복방법에 비하여 출혈양 감소, 수혈횟수 감소, 짧은 재원기간, 낮은 수술 중 합병증율 등의 복강경 방법과 비슷한 장점을 지니고 있다. 그러나 수술후 통증은 개복 방법과 차이를 보이지 않았고 수술 시간은 더 소요되었다(Lavazzo et al., 2016). 대체로 자궁근종의 재발은 15-30%에서 보이며 추가적 수술적 치료가 요구되는 경우는 10%로 추정된다(Smith and Uhler, 1990; Candiani et al., 1991). 시간이 지남에 따라 재발률은 계속 증가하고 단일 근종이었던 사람의 재발률이 낮다.

② 자궁절제술(hysterectomy)

수술적 치료의 대원칙은 증상이 없는 자궁근종은 수술하지 않는 것이다. 수술의 방법에는 복식, 질식 및 로봇을 포함한 복강경을 이용한 자궁절제술이 있다. 질식자궁절제술과 복식자궁절제술을 비교해보면 질식에서 합병증 감소와 입원기간 단축을 볼 수 있다. Dicker 등(1982)의 보고에서 질식자궁절제술이 빠른 회복 시간, 수혈량 감소, 입원기간 단축, 발병 이환율 감소 등을 보이는 것으로 보고했다. Dorsey 등(1996)은 임상적 특징, 결과, 비용면에서 복강경하 질식자궁절제술, 개복하 자궁절제술, 질식자궁절제술을 비교하였다. 복강경하 질식전자궁절제술이 덜 침습적이고 입원기간을 줄이지만 비용이 필요한 것으로 결론지었다. 그러나 복강경하 자궁절제술이 개복수술에 비하여 수술 후 통증과 입원기간을 줄이고 미용적인 면에서 유리하며, 정상 생활로 복귀가 빠른 장점이 있어 점차 많이 시행되어지고 있다. 자궁절제술에 대한 술기를 결정하기 위해 술기에 대한 적응증, 임상적 특징, 세절술(morcellation)의 기술에 대한 수술자의 숙련 정도, 술기와 관련된 비용과 이환율을 고려해야 한다. 수술의 적응증은 다음과 같다.

가. 호르몬 치료에 반응이 없는 빈혈을 동반한 부정 질출혈
나. 월경통, 성교통 혹은 아랫배 압통을 동반한 만성골반통이 있을 때
다. 유경성(pedunculated) 근종 혹은 점막하 근종의 탈출로 인한 급성통증
라. 신부전증(hydronephrosis)을 동반하는 비뇨기계 증상
마. 불임검사에서 자궁근종 이외의 다른 원인이 없을 때
바. 갑자기 자궁 크기의 증가로 인한 압통 및 통증의 증가 시
사. 자궁강 모양의 변형을 동반하는 반복유산력이 있을 때

③ 자궁동맥색전술(uterine artery embolization for uterine myoma)

문헌에 처음 보고된 것은 1979년 분만 후 출혈을 조절하기 위하여 골반내 색전술을 시행한 보고가 있다(Heaston et al., 1979). 그 이후 이러한 색전술은 분만 후 출혈, 제왕절개술 후 출혈, 유산 후 출혈, 자궁외임신, 자궁내 동정맥기형 등의 경우에 광범위하게 사용되고 있다. 이러한 치료의 성공률은 85-100%까지 보고되고 있다. 1980년대 후반부터 1990대 초반에 Ravina 등(1994)이 자궁근종절제술 시행 전에 색전술을 시행한 것을 보고하였다. 자궁근종의 일차적 치료로 자궁동맥색전술을 사용한 것은 1995년 처음 발표되었다(Ravina et al., 1995). 총대퇴동맥(common iliac artery)에 카테터를 삽입하여 자궁동맥에 polyvinyl alcohol particle 혹은 trisacryl gelatin microspheres 등의 색전물질을 주입하여 근종을 비가역적으로 괴사시키는 방법이다. 보통은 국소나 혈관 마취를 통하여 1시간 이내에 이루어지며 방사선 조사량도 많지는 않다. 시술 후에는 괴사로 인한 심한 통증이 지속될 수 있으므로 통증 조절이 중요하다. 입원기간이 짧고 회복에 빠르며, 수혈 가능성이 낮은 장점이 있으나, 장기추적 결과 추후 수술적 교정이 필요한 경우가 높아 비용적인 이득이 없었다(van der Kooij et al., 2010).

6개월 후 근종의 크기가 50% 정도 감소되는 것으로 알려져 있다. 임신율과 산과적 결과에 영향이 없다는 연구가 있으나, 유산, 임신시도, 태반위치이상, 제왕절개술이 증가

한다는 보고도 있다.

④ 근종 용해술(myolysis and cromyolysis)

근종 용해술은 근종의 혈류를 응고시킴으로써 결과적으로 근종의 크기를 줄이는 것이다. 50-70W의 current density를 거는 long, bipolar, needle electorde 또는 laser에 의해 시행된다. 술 후 자궁근육 상태와 술 후 유착형성에 대해 주의해야 한다. 복강경하 동결 근종 용해술은 비교적 근종 치료의 신기술이고 최근에 연구가 계속 되어지고 있다. 근종 용해술의 원리는 조직의 응고로 인한 직접적인 괴사를 유발하여 자궁근종의 임상적 증상을 해결하는 것이다. 접근 방식은 경질 ,복부를 통하여 혹은 복합적으로도 가능하다. 근종 용해술의 장점으로는 입원이 필요없고 전신 마취가 필요없다는 것이다. 시술이 비교적 간편하고, 자궁의 손상을 최소화할 수 있다. 시술의 단점으로는 완치가 아니라 증상 완화를 위한 치료라는 것이고 아직 임신에 대한 결과가 부족하다.

⑤ 고강도 집속초음파치료(high intensity focusedultrasound ablation, HIFU)

자궁근종의 고강도 집속초음파치료는 자궁근종 부위에 고강도로 집약한 초음파를 한 곳의 초점을 정하고 집중적으로 쬐어 열을 발생시킴으로써 종양의 응고괴사를 일으켜 치료하는 방법이다. 55도에서 90도로 근종내 온도를 상승시켜 빠르게 응고성 괴사를 야기한다. 치료하는 과정의 모니터 방법에 따라 초음파 유도하 고강도 집속초음파(HIFU)와 자기공명영상 유도하 고집적 초음파치료(MR-guided focused ultrasound ablation)가 있으며, MRI를 통하여 선택적으로 조직을 결정하고 온도에 대한 피드백을 할 수 있고, 지속적 감시를 통해 주위 조직 피해 없으며 비침습적인 장점이 있다(Stewart et al., 2003). 그러나 시술 후 임신에 대한 영향은 아직 명확하지 않는데, 전향적 연구에서 유산의 비율은 근종을 가지지 않는 여성과 차이가 없다고 보고하였으나 아직 일부 여성에서만을 대상으로 하는 시험적인 치료법이다(Rabinovici et al., 2010).

4. 자궁샘근증(Adenomyosis)

자궁샘근증은 자궁내막선과 간질조직이 자궁근층 내에 침윤하여 생기는 것으로서, 이소성 자궁내막조직이 다양한 정도의 평활근세포 과다형성(hyperplasia)과 연관된다. 월경주기에 따라 침윤조직이 증식하거나 월경시 오래된 조직과 혈액이 자궁근층에서 빠져나오지 못하면 매달 규칙적인 월경통이 생기게 된다. 때로는 일부의 혈액이 근층에서 빠져나와 지연된 월경으로 나타나기도 한다. 젊은 가임기 여성에서도 발생하지만 주로 가임기 후반인 40대 이후 여성에 호발하며, 다수에서 자궁근종, 자궁내막증과 동반되어 나타난다(Ferenczy et al., 1998). 발생 원인으로는 자궁절개 등으로 자궁내막세포가 직접 근육으로 파고 들어간다는 학설, 태생기 자궁이 만들어지는 시기에 이미 자궁근육에 자궁내막세포가 존재한다는 이론, 산욕기에 자궁 lining의 파괴 및 염증에 의해 자궁내막세포가 근육층으로 침투한다는 학설 등이 있다. 자궁샘근증은 최근에 MRI와 그의 세부소견으로 4가지 유형으로 나눌 수 있다고 보고된 바 있다(Kishi et al., 2012). I형은 내재형으로 자궁내막 및 접합부 등 자궁내부의 구조물들과 밀접한 연관이 있고, II형은 외재형으로 자궁의 장막을 뚫고 발생하나 자궁내부 구조물에는 영향을 미치지 않으며, III형은 자궁근층내 독립적으로 발생하며, IV형은 이들에 속하지 않아 결정되지 않은 형이다. 이 분류에 따르면, I형은 자궁내막의 직접적 침범에 의해, II형은 외부로부터의 자궁내막증의 침범으로, III형은 그 부위의 화생으로, IV형은 진행된 병의 비균질 조합으로 생긴 것으로 생각된다. 정확한 유병률은 알 수 없으나 자궁절제조직에서 약 20-30%의 빈도를 보인다고 하고, 만성골반통을 가진 여성의 자궁절제조직에서도 이와 비슷한 빈도를 보인다고 알려져 있다(Raju et al., 1988; Vercellini et al., 1995).

1) 증상과 징후

특징적인 증상은 다량의 생리 혹은 오래 지속되는 월경출혈과 성교통, 생리통, 만성골반통 등의 통증이다. 이러한 증상은 종종 월경출혈이 시작되기 2주 전부터 시작되어 월경 끝난 후에도 지속되는 경향이 있다. 그러나 50% 정도에서는 증상이 없다고 보고되었다(Azziz, 1989; Nashida 1991). 40세 이전에 증상이 나타나거나 월경과다가 보이지 않으면 자궁내막증과 감별이 쉽지 않은 경우가 많다. 골반진찰 시 흔히 압통이 동반된 비대해진 자궁이 촉지되고 자궁의 움직임은 제한되지 않으며 동반된 자궁부속기병변은 없다. 반면, 자궁근종과 동반 시에는 단단하게 만져질 수 있다.

2) 진단

자궁선근증은 임상적으로 추정진단이 가능하지만, 확진은 병리조직 소견으로만 할 수 있다. 골반초음파검사 및 MRI 등의 영상검사는 진단에 도움이 되긴 하나, 진단 정확성 및 비용 문제로 한계가 있으며, 확진을 내릴 수 없다. 전반적으로 자궁 크기가 증가된 소견과 이차성 월경통을 보이며 임신검사 음성인 경우 자궁선근증을 추정해 볼 수 있으나, 수술 전 자궁선근증으로 추정된 경우의 48%에서만 병리적 확진이 내려진다는 연구결과가 보고된 바 있다(Silva et al., 1993).

3) 치료

자궁선근증의 치료는 환자의 나이와 임신을 원하는가에 따라 달라진다. 내과적 치료로는 비스테로이드성소염제, 경구피임약, 프로게스틴, 생식샘자극호르몬분비호르몬작용제(gonadotropin releasing hormone agonist, GnRH agonist), 아로마테이스 억제제(aromatase inhibitor) 등이 있다. 비스테로이드성 소염제는 자궁의 경련성 동통을 감소시키고 월경량을 줄여주는 효과가 있다. 통증 완화 목적으로 마약성 진통제를 장기간 사용하는 것은 금해야 한다. 프로게스틴은 월경을 억제하여 증상을 완화시키는 효과가 있는데, 이에는 경구형, 주사형 혹은 자궁내장치의 형태가 있다. GnRH agonist는 임신을 원하는 경우 병변 크기를 감소시키며, 수술 시 절제부위를 줄일 수 있는 장점이 있으나 치료를 중단하면 다시 재발하는 경향이 있으며 장기간 사용할 수 없다(Ozaki et al., 1999). Aromatase inhibitor는 난소나 국소부위의 에스트로겐 생합성을 억제하여 치료효과가 있을 수 있다고 보고된다. 수술적 치료 중 자궁절제술은 더 이상 출산을 원하지 않을 때 시행하며, 속발성 월경통과 비정상적인 출혈에 약 80%의 효과가 있는 치료법이다(Hills et al., 1995). 자궁절제를 원하지 않고, 내과적 치료를 포함한 보존적 치료에 실패한 경우에는 자궁벽 쐐기절제술, 이중피판법(double flap method) 등을 시행해 볼 수 있으나 제한적이다. 과다한 출혈을 보이는 경우 자궁경하 자궁내막절제술(hysteroscopic endometrial ablation)을 시행할 수 있으며, 1회 또는 2회 시술로 67%의 성공률을 보고한 바 있다(Quemere et al., 1999). 최근에는 자궁동맥색전술(uterine arterial emboliza-tion, UAE), high intensity focused ultrasound (HIFU) 등도 시행되고 있다. UAE는 26.9개월 관찰 기간 동안 387명 중 75.7%에서 임상적, 증상적 향상을 보였다고 보고되었다(Popovic et al., 2011). HIFU는 국소적, 전반적 선근증에서 월경과다 및 월경통 경감에 효과적이라고 보고되었다(Zhang et al., 2014).

참고문헌

- 권상훈, 조치흠, 차순도, 백원기, 김문규, 김정철. DNAChip을 이용한 자궁평활근종과 정상 자궁근조직에서의 유전자발현 비교 분석. 대한산부회지 2003:46:701-6.
- 김동호, 김홍관, 선진규, 박병삼, 임헌장. 자궁근종에 대한 임상 및 병리학적 연구. 대한산부회지 1994;37:1205-12.
- 김정구, 서창석, 김서견, 최영민, 문신용, 강순범 등. 자궁근종 조직 내 인슐린유사 성장인자(IGF)Ha, IGF-lb, IGF-II 전령리보핵산 발현 양상. 대한산부회지 1999;42:777-83.
- 박정규, 윤석근, 김성욱, 이정헌. 김종현, 이승현 등. 자궁근종에 관한 임상통계학적 연구. 대한산부회지 2005;48:436-45.
- 서호성, 남철, 김창수, 장병곤, 양희동, 박세준. 자궁근종에 대한 임상통계학적 연구. 대한산부회지 1996:39:1047-57.
- 윤만수, 이영아, 배은지, 김기형, 강기주. 가임기 여성의 골반종괴에 관한 임상적 고찰. 대한산부회지 2000;43:1437-43.
- 이란옥. 박경일, 김종철, 박무실, 김철, 지정희. 자궁근종에 대한 임상통계학적 관찰. 대한산부회지 1994;37:2216-26.

- 이민용, 조치흠, 권상훈, 송대규, 정선욱, 강형옥 등. Selective Estrogen Receptor Modulator에 의한 자궁근종의 증식 억제. 대한산부회지 2004;47:1071-9.
- 이춘희. 김광수, 이동영, 박철민, 오영은, 이택후 등. 불임환자에서의 sonohysterography의 이용. 대한산부회지 1998;42:2033-7.
- 정진국, 고만석, 정병욱, 이호형, 최호준, 신승권. 자궁근종에 관한 임상통계학적 고찰. 대한산부회지 1998;41:210-9.
- 차순도, 송대규, 조치흠. 자궁근종 세포에서 ATP-민감성 칼륨 통로의 동정 대한산부회지 2003;46:2380-5.
- ACOG Committee Opinion No. 280. The role of the generalist obstetrician-gynecologist in the early detection of ovarian cancer. Obstet Gynecol 2002;100:1413-6.
- ACOG Practice bulletin. Evaluation and management of adnexal masses. Obstet Gynecol 2016;128:e210-26.
- ACOG Practice Bulletin. Management of adnexal masses. Obstet Gynecol 2007;110:201-14.
- Akkad AA, Habiba MA, Ismail N, Abrams K, al-Azzawi F. Abnormal uterine bleeding on hormone replacement: the importance of intrauterine structural abnormalities. Obstet Gynecol 1995;86:330-4.
- American Association of Gynecologic Laparoscopists (AAGL): Advancing Minimally Invasive Gynecology Worldwide. AAGL practice report: practice guidelines for the diagnosis and management of submucous leiomyomas. J Minim Invasive Gynecol 2012;19:152-71.
- Aoki D. Laparoscopic surgery for early ovarian cancer. J Gynecol Oncol 2014;25:168-9.
- Arici A, Sozen I. Transforming growth factor-beta3 is expressed at high levels in leiomyoma where it stimulates fibronectin expression and cell proliferation. Fertil Steril 2000;73:1006-11.
- Ascher SM, Arnold LL, Patt RH, Schruefer JJ, Baquley AS, Semelka RC, et al. Adenomyosis: Prospective comparison of MR imaging and transvaginal sonography. Radiology 1994;190:803-6.
- Baek WK, Kim D, Jung N, Yi YW, Kim JW, Cha SD, et al. Increased expression of cyclin G1 in leiomyoma compared with normal myometrium. Am J Obstet Gynecol 2003;188:634-9.
- Baird DD, Schectman JM, Dixon D, Sandler DP, Hill MC. African Americans at higher risk than whites for uterine fibroids : ultrasound evidence. Am J Epidemiol 1998;147:S90.
- Baulieu EE. Contragestion with RU 486: a new approach to postovulatory fertility control. Acta Obstet Gynecol Scand Suppl 1989;149:5-8.
- Bird CC, McElin TW, Manalo-Estrella P. The elusive adenomyosis of the uterus-revisited. Am J Obstet Gynecol 1972;112:583-93.
- Black LJ, Sato M, Rowley WR, Magee DE, Bekele A, Williams DC, et al. Raloxifene (LY139481 HCI) prevents bone loss and reduces serum cholesterol without causing uterine hypertrophy in ovariectomized rats. J Clin Invest 1994;93:63-9.
- Bradley LD, Singh SS, Simon J, Gemzell-Danielsson K, Petersdorf K, Groettrup-Wolfers E, et al. Vilaprisan in women with uterine fibroids: the randomized phase 2b ASTEROID 1 study. Fertil Steril 2019;111:240-8.
- Brandon DD, Erickson TE, Keenan EJ, Strawn EY, Novy MJ, Burry KA, et al. Estrogen receptor gene expression in human uterine leiomyomata. J clin Endocrinol Metab 1995;80:1876-81.
- Brett KM, Marsh JV, Madans JH. Epidemiology of hysterectomy in the United States: demographic and reproductive factors in a nationally representative sample. J Womens Health 1997;6:309-16.
- Bulas DI, Ahlstrom PA, Sivit CJ, Blask AR, O'Donnell RM. Pelvic inflammatory disease in the adolescent: comparison of transabdominal and transvaginal sonographic evaluation. Radiology 1992;183:435-9.
- Byun JY, Kim SE, Choi BG, Ko GY,Jung SE, Choi KH. Diffuse and focal adenomyosis: MR imaging findings. RadioGraphics 1999;19:s161-70.
- Candiani GB, Fedele L, Parazzini F, Villa L. Risk of recurrence after myomectomy. Br J Obstet Gynaecol 1991;98:385-9.
- Chatman DL, Zbella EA. Biopsy in laparoscopically diagnosed endometriosis. J Reprod Med. 1987;32:855-7.
- Chiaffarino F, Parazzini F, La Vecchia C, Chatenoud L, Di Cintio E, Marsico S. Diet and uterine myomas. Obstet Gynecol 1999;4:395-8.
- Cho JE, Liu C, Gossner G, Nezhat FR. Laparoscopy and gynecologic oncology. Clin Obstet Gynecol 2009;52:313-26.
- Coronado GD, Marshall LM, Schwartz SM. Complications of pregnancy, labor, and delivery with uterine leiomyomas: a population-based study. Obstet Gynecol 2000;5:764-9.
- Coutinho EM, Maia HS. The contractile response of the human uterus, fallopian tubes, and ovary to prostaglandins in vivo. Fertil Steril 1971;22:539-43.
- Deligdish L, Loewenthal M. Endometrial changes associated with myomata of the uterus. J Clin Pathol 1970;23:676-9.
- Desai P, Patel P. Fibroids, infertility and laparoscopic myomectomy. J Gynecol Enclose Surg. 2011;2:36-42.
- Dicker RC, Greenspan JR, Strauss LT, Cowart MR, Scally MJ, Peterson HB, et al. Complications of abdominal and vaginal hysterectomy among women of reproductive age in the United States. Am J Obstet Gynecol 1982;144:841-8.
- DiSaia, P.J. & W.T. Creasman. The adnexal mass and early ovarian cancer. In: Clinical Gynecologic Oncology. 5th ed. St. Louis: Mosby; 1997. p.253-281.
- Donnez J, Tatarchuk TF, Bouchard P, Puscasiu L, Zakharenco

MF, Ivanova T, et al. PEARL I Study Group. Ulipristal acetate versus placebo tor fibroid treatment before surgery. N Engl J Med. 2012;366:409-20.
- Donnez J, Tomaszewski J, Vazquez F, Bouchard P, Lemoeszczuk B, Baro F, et al. PEARL II Study Group. Ulipristal acetate versus leuprolide acetate for uterine fibroids. N Engl J Med 2012;366:421-32.
- Dorsey JH, Holtz PM, Griffiths Rl, McGrath MM, Steinberg EP. Costs and charges associated with alternative techniques of hysterectomy. N Engl J Med 1996;335:476-82.
- Drake, J. Diagnosis and management of the adnexal mass. Am Fam Physician 1998;57:2471-6, 2479-80.
- Dluz SM, Higashiyama S, Damm D, Abraham JA, Klagsbrun M. Heparin-binding epidermal growth factor-like growth factor expression in cultured fetal human vascular smooth muscle cells. Induction of mRNA levels and secretion of active mitogen. J Biol Chem 1993;268:18330-4.
- Dubuisson JB, Chapron C, Chalet X, Gregorakis SS. Fertility after laparoscopic myomectomy of large intramural myomas: preliminary results. Hum Reprod 1996;11:518-22.
- Einhorn N, Sjovall K, Knapp RC, Hall P, Scully RE, Bast RC Jr, et al. Prospective evaluation of serum CA 125 levels for early detection of ovarian cancer. Obstet Gynecol 1992;80:14-8.
- Eisinger SH, Meldrum S, Fiscella K, le Roux HD, Guzick DS. Low-dose mifepristone for uterine leiomyomata. Obstetr Gynecol. 2003;101:243-50.
- Eldar-Geva T, Meagher S, Healy DL, MacLachlan V, Breheny S, Wood C. Effects of intramural, subserosal, and submucosal uterine fibroids on the outcome of assisted reproduction technology treatment. Fertil Steril 1998;70:687-91.
- Ely JW, Kennedy CM, Clark EC, Bowdler NC. Abnormal uterine bleeding: A management algorithm. J Am Board Fam Med 2006;19:590-602.
- Faerstein E, Szklo M, Rosenshein N. Risk factors for uterine leiomyoma: a practice-based case-control study. I. African-American heritage, reproductive history, body size, and smoking. Am J Epidemiol 2001;153:1-10.
- Faerstein E, Szklo M, Rosenshein NB. Risk factors for uterine leiomyoma: a practice-based case-control study. II. Atherogenic risk factors and potential sources of uterine irritation. Am J Epidemiol 2001;153:11-9.
- Farhi J, Ashkenazi J, Feldberg D, Dicker D, Orvieto R, Ben Rafael Z. Effects of uterine leiomyomata on the results of in-vitro fertilization treatment. Hum Reprod 1995;10:2576-8.
- Filicori M, Hall DA, Loughlin JS, Rivier J, Vale W, Crowley WF Jr. A conservative approach to the management of uterine leiomyoma: pituitary desensitization by a luteinizing hormone-releasing hormone analogue. Am J Obstet Gynecol 1983;147:726-7.
- Fraser IS, Parke S, Mellinger U, Machlitt A, Serrani M, Jensen J. Effective treatment of heavy and/or prolonged menstrual bleeding without organic cause: pooled analysis of two multinational, randomized, double-blind, placebo-controlled trials of oestradiol valerate and dienogest. Eur J Contracept Reprod Health Care 2011;16:258-69.
- Friedman AJ, Daly M, Juneau-Norcross M, Rein MS, Fine C, Gleason R, et al. A prospective, randomized trial of gonadotropin-releasing hormone agonist plus estrogen-progestin or progestin "add-back" regimens for women with leiomyomata uteri. J Clin Endocrinol Metab 1993;76:1439-45.
- Friedman AJ, Daly M, Juneau-Norcross M, Rein MS. Predictors of uterine volume reduction in women with myomas treated with a gonadotropin-releasing hormone agonist. Fertil Steril 1992;58:413-5.
- Friedman AJ, Hoffman DI, Comite F, Browneller RW, Miller JD. Treatment of leiomyomata uteri with leuprolide acetate depot: a doubleblind, placebo-controlled, multicenter study. The Leuprolide Study Group. Obstet Gynecol 1991;77:720-5.
- Fukuda M, Shimizu T, Fukuda K, Yomura W, Shimizu S. Transvaginal hysterosonography for differential diagnosis between submucous and intramural myoma. Gynecol Obstet Invest 1993;35:236-9.
- Gambadauro P, Gudmundsson J, Torrejón R. Intrauterine adhesions following conservative treatment of uterine fibroids. Obstet Gynecol Int. 2012;853269.
- Garcia CR, Tureck RW. Submucosal leiomyomas and infertility. Fertil Steril 1984;42:16-9.
- Goff BA, Mandel LS, Melancon CH, Muntz HG. Frequency of symptoms of ovarian cancer in women presenting to primary care clinics. JAMA 2004;291:2705-12.
- Granberg S, Wikland M, Jansson I. Macroscopic characterization of ovarian tumors and the relation to the histological diagnosis: criteria to be used for ultrasound evaluation. Gynecol Oncol 1989;35:139-44.
- Greenlee RT, Kessel B, Williams CR, Riley TL, Ragard LR, Hartge P, et al. Prevalence, incidence, and natural history of simple ovarian cysts among women >55 years old in a large cancer screening trial. Am J Obstet Gynecol 2010;202:373e1-e9.
- Heaston DK, Mineau DE, Brown BJ, Miller FJ Jr. Transcatheter arterial embolization for control of persistent massive puerperal hemorrhage after bilateral surgical hypogastric artery ligation. AJR Am J Roentgenol 1979;133:152-4.
- Hendrickson MR, Kempson RL. Pure mesenchymal neoplasms of the uterine corpus. In: H Fox and M ells(eds.) Obstetrical and gynecological pathology. 4th ed. Edinburgh: Churchill Livingstone; 1995. p.542-73.

- Kelekci S, Kaya E, Alan M, Alan Y, Bilge U, Mollamahmutoglu L. Comparison of transvaginal sonography, saline infusion sonography, and office hysteroscopy in reproductive aged women with or without abnormal uterine bleeding. Fertil Steril 2005;84:682-6.
- Ki EY, Byun SW, Choi YJ, Lee KH, Park JS, Lee SJ, et al. Clinicopathologic Review of Ovarian Masses in Korean Premenarchal Girls. Intl J of Med Sciences. 2013;10:1061-7.
- Kim JC, Kim SS, Park JY. "Bridging vascular sign" in the MR diagnosis of exophytic uterine leiomyoma. J Comput Assist Tomogr. 2000;24:57-60.
- Knudsen UB, Tabor A, Mosgaard B, Andersen ES, Kjer JJ, Hahn-Pedersen S, et al. Management of ovarian cysts. Acta Obstet Gynecol Scand 2004;83:1012-21.
- Kongnyuy EJ, Wiysonge CS. Interventions to reduce haemorrhage during myomectomy for fibroids. Cochrane Database Syst Rev. 2011;11:CD005355.
- Koo YJ, Kim EJ, Kim YH, Hahn HS, Lee IH, Kim TJ, et al. Comparison of laparoscopy and laparotomy for the management of early stage ovarian cancer: surgical and oncological outcomes. J Gynecol Oncol 2014;25:111-7.
- Koonings PP, Campbell K, Mishell DR, Grimes DA. Relative frequency of primary ovarian neoplasm: a 10-year review. Obstet Gynecol 1989;74:921-6.
- Korean Society of Obstetrics and Gynecology. Gynecology. 5th ed. Seoul: Korean Medical Book Publisher; 2015.
- Krujak A, Shalan H, Kupesic S, Kosuta D, Sosic A, Benic S, et al. An attempt to screen asymptomatic women for ovarian and endometrial cancer with transvaginal color and pulsed doppler sonography. J Ultrasound Med 1994;13:295-301.
- Laughlin SK, Stewart EA. Uterine leiomyomas: individualizing the approach to a heterogeneous condition. Obstet Gynecol. 2011;117(2 Pt 1):396-403.
- Lavazzo E, Mamais I, Gkegkes ID. Robotic assisted vs laparoscopic and/or open myomectomy: systemic review and meta-analysis of the clinical evidence. Arch Gynecol Obstet 2016; 294:5-17.
- Liu J, Xu Y, Wang J. Ultrasonography, computed tomography and magnetic resonance imaging for diagnosis of ovarian carcinoma. Eur J Radiol 2007;62:328-34.
- Livermore JA, Adusumilli S. MRI of benign uterine conditions. Appl Radiol. 2007;36:8-18.
- Lumbiganon P, Rugpao S, Phandhu-fung S, Laopaiboon M, Vudhikamraksa N, Werawatakul Y. Protective effect of depot-medroxyprogesterone acetate on surgically treated uterine leiomyomas: a multicenter case-control study. Br J Obstet Gynaecol 1996;103:909-14.
- Lumsden MA, West CP, Hillier H, Baird DT. Estrogenic action of tamoxifen in women treated with luteinizing hormonereleasing hormone agonists (goserelin)-lack of shrinkage of uterine fibroids. Fertil Steril 1989;52:924-9.
- Mahdavi, A, et al. Laparoscopic management of ovarian cysts. In: Obstetrics and Gynecological Clinics of North America. Philadelphia: Elsevier Saunders; 2004. p.581-92.
- Malek-mellouli M, Ben Amara F, Youssef A, Mbarki M, Reziga H. Hysteroscopic myomectomy. Tunis Med. 2012;90:458-62.
- Marshall LM, Spiegelman D, Barbieri RL, Goldman MB, Manson JE, Colditz GA, et al. Variation in the incidence of uterine leiomyoma among premenopausal women by age and race. Obstet Gynecol 1997;90:967-73.
- Marshall LM, Spiegelman D, Manson JE, Goldman MB, Barbieri RL, Stampfer MJ, et al. Risk of uterine leiomyomata among premenopausal women in relation to body size and cigarette smoking. Epidemiology 1998;9:511-7.
- Maruo T, Laoag-Fernandez JB, Pakarinen P, Murakoshi H, Spitz IM, Johansson E. Effects of the levonorgestrel-releasing intrauterine system on proliferation and apoptosis in the endometrium. Hum Reprod. 2001;16:2103-8.
- Matuo H, Maruo T, Samoto T. Increased expression of Bcl-2 protein in human uterine leiomyoma and its up-regulation by progesterone. J Clin Endocrinol Metab 1997;82:293-9.
- Medeiros LR, Rosa DD, Bozzetti MC, Fachel JM, Furness S, Garry R, et al. Laparoscopy versus laparotomy for benign ovarian tumour. Cochrane Database Syst Rev 2009;2:CD004751.
- Medeiros LR, Rosa DD, da Rosa MI, Bozzetti MC. Accuracy of ultrasonography with color Doppler in ovarian tumor: a systemic quantitative review. Int J Gynecol cancer 2009;19:230-6.
- Merritt DF. Evaluation of vaginal bleeding in the preadolescent child. Semin Pediatr Surg 1998;7:35-42.
- Mitchell DG, Out water EK. Benign gynecologic disease: applications of magnetic resonance imagin. Top Magn Reson Imaging 1995;7:26-43.
- Modesitt SC, Pavlik EJ, Ueland FR, DePriest PD, Kryscio RJ, van Nagell JR Jr. Risk of malignancy in unilocular ovarian cystic tumors less than 10 centimeters in diameter. Obstet Gynecol 2003;102:594-9.
- Montgomery BE, Daum GS, Dunton CJ. Endometrial Hyperplasia: A Review. Obstet Gynecol Surv 2004;59:368-78.
- Moore RG, McMeekin DS, Brown AK, DiSilvestro P, Miller MC, Allard WJ, et al. A novel multiple marker bioassay utilizing HE4 and CA125 for the prediction of ovarian cancer in patients with a pelvic mass. Gynecol Oncol 2009;112:40-6.
- Morowitz M, Huff D, Allmen D. Epithelial Ovarian Tumors in Children: A Retrospective Analysis. J Pediatr Surg 2003;38: 331-5.
- Munot S, Lane G. Modern management of postmenopausal

bleeding. Trends Urol Gynaecol Sex Health 2008;13:20-4.
- Munro MG, Critchley HO, Broder MS, Fraser IS. FIGO classification system (PALM-COEIN) for causes of abnormal uterine bleeding in nongravid women of reproductive age. Int J Gynaecol Obstet. 2011;113:3-13.
- Munro MG, Critchley HOD, Fraser IS. The FIGO systems for nomenclature and classification of causes of abnormal uterine bleeding in the reproductive years: who needs them? Am J Obstet Gynecol 2012;207:259-65.
- Murphy AA, Kettel LM, Morales AJ, Roberts VJ, Yen SS. Regression of uterine leiomyomata in response to the antiprogesterone RU 486. J Clin Endocrinol Metab 1993;76:513-7.
- Newell S, Overton C. Postmenopausal bleeding should be referred urgently. Practitioner 2012;256:13-5.
- Osuga Y, Enya K,Kudou K, Tanimoto M, Hoshiai H. Oral Gonadotropin-Releasing Hormone Antagonist Relugolix Compared with Leuproreline Injections for Uterine Leiomyomas: A Randomized Controlled Trial. Obstet Gynecol 2019;133:423-33.
- Oyelese Y, Kueck AS, Barter JF, Zalud I. Asymptomatic postmenopausal simple ovarian cyst. Obstet Gynecol Sur 2002;57:803-9.
- Palomba S, Affinito P, Tommaselli GA, Nappi C. A clinical trial of the effects of tibolone administered with gonadotropin-releasing hormone analogues for the treatment of uterine leiomyomata. Fertil Steril 1998;70:111-8.
- Parazzini F, Negri E, La Vecchia C, Rabaiotti M, Luchini L, Villa A, et al. Uterine myomas and smoking. Results from an Italian study. J Reprod Med 1996;41:316-20.
- Parker WH, Fu YS, Berek JS. Uterine sarcoma in patients operated on for presumed leiomyoma and rapidly growing leiomyoma. Obstet Gynecol 1994;83:414-8.
- Parsanezhad ME, Azmoon M, Alborzi S, Rajaeefard A, Zarei A, Kazerooni T, et al. A randomized controlled clinical trial comparing the effects of aromatase inhibitor (letrozol) and gonadotropin-releasing hormone agonist (triptorelin) on uterine leiomyoma volume and hormonal status. Fertil Steril 2010;93:192-8.
- Paula JAH. Benign diseases of the female reproductive tract: symptoms and signs. In: Berek JS, editor. Novak's Gynecology 13th ed. Philadelphia (PA): Lippincott Williams & Wilkins; 2002. p.351-420.
- Pejovic, T, Nezhat F. Laparoscopic management of adnexal masses the opportunities and the risks. Ann. N.Y. Acad. Sci. 2001;943:255-68.
- Pritts EA, Parker WH, Olive DL. Fibroids and infertility: an updated systematic review of the evidence. Fertil Steril. 2009;91:1215-23.
- Rabinovici J, David M, Fukunishi H, Morita Y, Gostout BS, Stewart EA. Pregnancy outcome after magnetic resonance-guided focused ultrasound surgery (MRgFUS) for conservative treatment of uterine fibroids. Fertil Steril. 2010;93:199-209.
- Ramcharan S, Pelligrin FA, Ray R, Hsu JP. The Walnut Creek Contraceptive Drug Study. A prospective study of the side effects of oral contraceptives. NIH Pub. No. 81-564. Center Popul Res Monogr 1981;3:69-74.
- Ravina JH, Herbreteau D, Ciraru-Vigneron N, Bouret JM, Houdart E, Aymard A, et al. Arterial embolisation to treat uterine myomata. Lancet 1995;346:671-2.
- Ravina JH, Merland JJ, Herbreteau D, Houdart E, Bouret JM, Madelenat P. Embolisation preoperatoire des fibromes uterins. Presse Med 1994;23:1540.
- Rice JP, Kay HH, Mahony BS. The clinical significance of uterine leiomyomas in pregnancy. Am J Obstet Gynecol 1989;160:1212-6.
- Ross RK, Pike MC, Vessey MP, Bull D, Yeates D, Casagrande JT. Risk factors for uterine fibroids: reduced risk associated with oral contraceptives. Br Med J 1986;293:359-62.
- Ryoo U, Lee DY, Bae DS, Yoon BK, Choi DS. Clinical Characteristics of Adnexal Masses in Korean Children and Adolescents: Retrospective Analysis of 409 Cases. J Minim Invasive Gynecology, 2010;17:209-13.
- Rutgers JL, Spong CY, Sinow R, Heiner J. Leuprolide acetate treatment and myoma arterial size. Obstet Gynecol 1995;86:386-8.
- Sassone AM, Timor-Tritch IE, Artner A, Westhoff C, Warren WB. Transvaginal sonographic characterization of ovarian disease: evaluation of a new scoring system to predict ovarian malignancy. Obstet Gynecol 1991;78:70-6.
- Sayed GH, Zakherah MS, El-Nashar SA, Shaaban MM. A randomized clinical trial of a levonorgestrel-releasing intrauterine system and a low-dose combined oral contraceptive for fibroid-related menorrhagia. Int J Gynecol Obstet 2011;12:126-30.
- Schindler AE, Non-contraceptive benefits of oral hormonal contraceptives. Int J Endocrinol Metab 2013;11:41-7.
- Scottish Intercollegiate Guidelines Network. SIGN 61. Investigation of postmenopausal bleeding. SIGN. Edinburgh. 2002.
- Sener AB, Seçkin NC, Ozmen S, Gökmen O, Doğu N, Ekici E. The effects of hormone replacement therapy on uterine fibroids in postmenopausal women. Fertil Steril 1996;65:354-7.
- Smith DC, Uhler JK. Myomectomy as a reproductive procedure. Am J Obstet Gynecol 1990;162:1476-82.
- Spencer CP, Whitehead MI. Endometrial assessment re-visited. Br J Obstet Gynaecol 1999;106:623-32.
- Stein AI, Koonings PP, Schlaerth JB, Grimes DA, D'Ablaing G.

Relative frequency of malignant paraovarian tumors: should paraovarian tumors be aspirated? Obstet Gynecol 1990;75: 1029-31.
- Stewart EA, Austin DJ, Jain P, Penglase MD, Nowak RA. RU486 suppresses prolactin production in explant cultures of leiomyoma and myometrium. Fertil Steril 1996;65:1119-24.
- Stewart EA, Gedroyc WM, Tempany CM, Quade BJ, Inbar Y, Ehrenstein T, et al. Focused ultrasound treatment of uterine fibroid tumors: safety and feasibility of a noninvasive thermoablative technique. Am J Obstet Gynecol. 2003;189:48-54.
- Stewart EA, Nowak RA. Leiomyoma-related bleeding: a classic hypothesis updated for the molecular era. Hum Reprod Update 1996;2:295-306.
- Stovall DW, Parrish SB, Van Voorhis BJ, Hahn SJ, Sparks AE, Syrop CH. Uterine leiomyomas reduce the efficacy of assisted reproduction cycles: results of a matched follow-up study. Hum Reprod 1998;13:192-7.
- Strawn EY Jr, Novy MJ, Burry KA, Bethea CL. Insulin-like growth factor I promotes leiomyoma cell growth in vitro. Am J Obstet Gynecol 1995;172:1837-43.
- Sumitani H, Shozu M, Segawa T, Murakami K, Yang HJ, Shimada K, et al. In situ estrogen synthesized by aromatase P450 in uterine leiomyoma cells promotes cell growth probably via an autocrine/intracrine mechanism. Endocrinology 2000;141: 3852-61.
- Tiltman AJ. The effect of progestins on the mitotic activity of uterine fibromyomas. Int J Gynecol Pathol 1985;4:89-96.
- Townsend DE, Sparkes RS, Baluda MC, McClelland G. Unicellular histogenesis of uterine leiomyomas as determined by electrophoresis of glucose-6-phosphate dehydrogenase. Am J Obstet gynecol 1970;107:1169-73.
- Ubaldi F, Tournaye H, Camus M, Van der Pas H, Gepts E, Devroey P. Fertility after hysteroscopic myomectomy. Hum Reprod Update 1995;1:81-90.
- Van der Kooij SM, Hehenkamp WJ, Volkers NA, Birnie E, Ankum WM, Reekers JA. Uterine artery embolization vs hysterectomy in the treatment of symptomatic uterine fibroids: 5-year outcome from the randomized EMMY trial. Am J Obstet Gynecol. 2010;203:105.e1-e13.
- Van Winter JT, Simmons PS, Podratz KC. Surgically treated adnexal masses in infancy, childhood, and adolescence. Am J Obstet Gynecol 1944;170:1780-9.
- Venkatachalam S, Bagratee JS, Moodley J. Medical management of uterine fibroids with medroxyprogesterone acetate (Depo Provera): a pilot study. J Obstet Gynaecol 2004;24:798-800.
- Walker CL, Burroughs KD, Davis B, Sowell K, Everitt JI, Fuchs-Young R. Preclinical evidence for therapeutic efficacy of selective estrogen receptor modulators for uterine leiomyoma. J Soc Gynecol Investig 2000;7:249-56.
- Wilcox LS, Koonin LM, Pokras R, Strauss LT, Xia Z, Peterson HB. Hysterectomy in the United States, 1988-1990. Obstet Gynecol 1994;83:549-55.
- Wilde S, Scott-Barrett S. Radiological appearances of uterine fibroids. Indian J Radiol Imaging. 2009;19:222-31.
- Wise LA, Palmer JR, Harlow BL, Spiegelman D, Stewart EA, Adams-Campbell LL, et al. Risk of uterine leiomyomata in relation to tobacco, alcohol and caffeine consumption in the Black Women's Health Study. Hum Reprod. 2004;19:1746-54.
- Wyshak G, Frisch RE, Albright NL, Albright TE, Schiff I. Lower prevalence of benign diseases of the breast and benign tumors of the reproductive system among former college athletes compared to nonathletes. Br J Cancer 1986;54:841-5.
- Zaloudek CJ, Norris HJ. Mesenchymal tumors of the uterus. In: RJ Kurman(ed.). Blaustein's pathology of the female genital tract. 4th ed. New York: Springer-Verlag; 1994. p.484-94.

제6장

골반동통 및 월경통

박철민 | 제주의대
박현태 | 고려의대

여성에서 발생하는 골반통은 급성골반통, 주기적 골반통 그리고 만성골반통 세 가지로 분류할 수 있다. 급성골반통은 갑자기 시작하여 빠른 경과를 특징으로 하고, 주기적 골반통은 주로 월경주기와 연관성을 보이면서 나타나는 월경통이 가장 흔하며 원인에 따라 일차성과 이차성 월경통으로 나눌 수 있다. 만성골반통은 정상적인 생활을 힘들게 하거나 치료를 필요로 할 정도의 통증이 3개월 이상 지속되는 골반통을 말한다. 급성골반통은 오심, 구토, 발한 등의 자율신경 증상이 있거나 발열, 백혈구 증가증(leukocytosis) 등을 동반하는 경우가 많으나 만성골반통에서는 흔히 보이지 않는 것이 특징이다.

1. 급성골반통

1) 개요

갑작스럽게 시작하는 급성골반통은 여성 생식기계뿐만 아니라 소화기계 및 비뇨기계 장기의 염증, 파열, 누공, 폐쇄 혹은 허혈에 의해 발생한다. 복부 전반에 나타나는 통증은 혈액, 염증성 분비물 혹은 파열된 난소낭종의 내용물들이 복강을 자극하여 주로 나타난다. 그리고 산통(colicky pain)이나 심한 경련통(cramping pain)은 주로 위장관, 요관, 자궁 등의 근육 수축이나 폐쇄에 의한 경우가 흔하다. 복부장기의 통증은 둔감하여 처음에는 정확히 통증부위를 알 수 없이 막연히 존재하다가 시간이 지남에 따라 복부의 특정한 부위의 통증을 호소하는 연관통(referred pain)이 나타나게 된다. 여성 생식기계뿐만 아니라 소화기계 및 비뇨기계에 기인하는 통증은 유사한 연관통으로 나타나기 때문에 여성에서 발생하는 급성골반통은 반드시 정확한 감별진단이 필요하다(표 6-1). 급성골반통의 초기 진단이 지연되면 환자의 이환(morbidity)과 사망(mortality)을 증가시킬 수 있기 때문에, 정확하고 빠른 진단을 위해 무엇보다 중요한 것은 병력청취 및 복부진찰이다. 먼저 통증의 위치, 양상 및 시간에 따른 변화를 자세히 파악하여야 하며 오심, 구토, 설사 등과 같은 소화기계 증상이나 빈뇨, 배뇨통, 혈뇨 등의 비뇨기계 증상이 없는지 확인해야 한다. 최근의 월경, 성생활, 피임 방법과 부인과 및 내외과적인 병력에 대한 확인도 꼭 필요하다. 그리고 임신테스트를 포함한 기본적인 혈액 및 소변검사 등을 시행하고 필요에 따라 초음파 혹은 컴퓨터단층촬영(computerized tomography, CT)검사 등을 시행할 수 있다.

표 6-1. 급성골반통의 감별 진단

1. 여성 생식기계
(1) 자궁외임신(ectopic pregnancy)과 유산(abortion) (2) 난소낭종파열(rupture) (3) 자궁부속기염전(torsion) (4) 골반염(pelvic inflammatory disease, PID) (5) 난관난소 농양(tubo-ovarian abscess) (6) 자궁근종(uterine myoma) (7) 자궁내막증(endometriosis)
2. 소화기계
(1) 급성충수돌기염 (2) 급성게실염(acute appendicitis) (3) 장폐쇄(intestinal obstruction)
3. 비뇨기계
(1) 요로결석(ureteral lithiasis) (2) 방광염(cystitis) (3) 신우신염(pyelonephritis)

2) 급성골반통의 원인

(1) 자궁외임신(ectopic pregnancy)

모든 가임기 여성에서 급성골반통이 있는 경우 유산이나 자궁외임신과 관련된 통증은 아닌지 반드시 확인하여야 한다. 복강내 출혈로 큰 문제를 일으킬 수 있는 자궁외임신, 그 중에서도 대부분(98%)을 차지하는 난관임신(tubal pregnancy)은 반드시 감별이 필요하다(Bouyer J et al., 2002).

① 증상

난관임신의 3대 증상은 무월경, 불규칙한 질출혈, 복통이다. 난관임신은 태아가 자궁내강이 아닌 난관에 착상한 경우로 6-8주간 월경이 없으면서 월경과는 다른 부정 출혈을 동반하다가 태아가 커짐에 따라 난관이 팽창하면서 통증을 유발하게 된다. 난관의 계속된 팽창으로 파열이 일어나게 되면 국소적 통증은 일시적으로 사라지지만, 그 후 혈복강으로 인해 복부 및 골반 전체에 걸쳐 통증이 발생하게 된다. 출혈이 많을 경우 급성빈혈로 인해 어지럼과 실신 증상이 동반되고 심하면 혈압이 떨어지고 맥박수는 감소하게 되어 저혈량성 쇼크(hypovolemic shock)가 올 수도 있다.

② 징후 및 진단

복부진찰 소견에서는 복부의 일측 또는 양측에서 압통, 근육 경직을 관찰할 수 있으며 혈복강이 더 심해지면 복부가 팽창하고 통증 부위가 넓어져 복부전체에서 반발통이 나타나고 강도 역시 증가하여 우측어깨로 연관통이 발생할 수도 있다. 골반 내진소견에서는 자궁경부 운동성 압통(cervical motion tenderness)과 난관임신이 발생한 부위 주변으로 현저한 압통을 관찰할 수 있다. 가임기 여성에서 골반통을 호소하는 경우에는 반드시 소변 임신반응검사 혹은 혈청 사람융모생식샘자극호르몬(human chorionic gonadotropin, β-hCG)검사 및 초음파검사를 시행하여 난관임신을 진단 및 감별하여야 한다. 또 초음파에서 더글라스와(cul-de-sac)에 액체 저류가 보이면서 혈색소가 시간이 지남에 따라 계속 떨어지는 경우는 복강내 출혈이 지속됨을 의미하므로 혈색소검사를 활력징후와 함께 연속적으로 검사하여야 한다.

③ 치료

난관임신은 내과적 혹은 외과적으로 모두 효과적인 치료가 가능하다. 과거에는 주로 일측 난관절제수술을 시행함으로써 치료하였지만, 최근에는 초음파와 혈청 β-hCG 검사에 의한 조기 진단이 가능해짐에 따라 난관을 절제하지 않고 복강경을 이용한 난관절개수술 혹은 methotrexate를 이용한 내과적 치료를 시도함으로써 난관을 보존하여 임신능을 유지할 수 있다.

(2) 난소낭종파열(rupture)

주로 난포(follicle) 혹은 황체낭종(corpus luteal cyst)같은 기능성 낭종(functional cyst)이 파열 혹은 누출의 대부분 원인을 차지하며, 양성 혹은 악성 신생물에 비해 더 쉽게 터지는 경향이 있다.

① 배란통(mittelschmerz)

배란(ovulation) 시 난포의 파열로 인한 통증을 배란통이라고 한다. 난포의 파열로 인한 소량의 출혈과 누출된 난포액에 포함된 고농도 프로스글란딘타(prostaglandin)이 복강을 자극하여 통증을 유발하지만 보통 심하지 않고 자연소실되는 경우가 대부분이며 혈복강으로 진행되는 경우는 드물다.

② 황체낭종

주로 황체기(luteal phase)에 발생하는 황체낭종이 파열되면 복강내 출혈이 일어나 혈복강으로 인한 급성 복통이 유발될 수 있다. 소량의 출혈로 그치는 경우도 있지만 심한 경우 다량의 혈복강이 발생하기도 한다. 황체낭종은 혈복강을 유발하는 가장 흔한 난소낭종으로, 파열되면 자궁외임신과 유사한 증상을 보인다. 파열되면 통증이 갑자기 발생하고, 그로 인해 혈복강이 심해지면 복통이 점점 더 심해지면서 복부는 팽만해지고, 장음은 감소하며 어지럼과 실신 등의 증상이 나타나기도 한다. 혈복강의 가장 중요한 징후는 자궁외임신과 마찬가지로 복부전반 혹은 국소적으로 나타나는 저명한 압통과 반발통이다.

③ 농양과 양성 신생물

자궁부속기에 생기는 농양(abscess) 혹은 자궁내막종(endometrioma), 기형종(dermoid cyst)같은 양성 신생물이 파열되면 내용물의 유출로 인해 화학적 복막염(chemical peritonitis)이 발생할 수 있다. 통증은 혈복강과 유사하지만 출혈로 일어날 수 있는 저혈압, 어지럼증, 실신 등은 관찰되지 않는다. 하지만 통증이 심하거나, 유출된 양이 많은 경우 복강내 장기 유착으로 인해 추후 불임의 원인이 될 수 있기 때문에 수술적 치료를 하는 것이 좋다.

④ 진단 및 치료

정확한 진단을 위하여 임신반응검사, 전혈구 계산치(CBC), 초음파, 더글라스와 천자(culdocentesis) 등의 검사가 필요하다. 초음파 혹은 복강경의 발달로 최근에는 진단을 위한 더글라스와 천자가 많이 시행되고 있지는 않지만 추출액을 확인하면 복막염 감별진단에 도움을 줄 수도 있다. 추출액이 신선혈액(fresh blood)인 경우 황체낭종파열을, 초콜릿색인 경우 자궁내막종파열을, 지방성 피지 액체인 경우 기형종파열을, 농양성 액체인 경우에는 골반염이나 난관난소농양을 의심할 수 있다. 빈혈이 있으면서 난소낭종파열이 의심되는 환자의 초음파에서 더글라스와에 액체 저류가 보이거나 더글라스와 천자로 신선 혈액이 추출되는 경우에는 혈복강을 시사하므로 복강경에 의한 수술적 치료를 고려할 수 있다. 하지만 혈복강이 의심되더라도 소량이고 증상이 심하지 않으면 수술 없이 관찰하는 경우가 많다.

(3) **자궁부속기염전**(torsion)

염전은 난소, 난소낭종, 난관, 난관옆 낭종(paratubal cyst) 혹은 드물게 목있는 근종(pedunculated myoma)이 혈관을 포함한 줄기(pedicle)를 축으로 회전하여 꼬임으로 허혈이 발생하는 것으로, 이로 인해 급성골반통이 발생하게 된다. 기형종이 가장 흔한 원인이고 유착이 발생하는 자궁내막종이나 농양에서는 흔하지 않다. 정상 난소와 난관의 경우 염전이 거의 일어나지 않지만 다낭성난소(polycystic ovary)에서는 염전이 일어나기도 한다.

① 증상 및 징후

염전으로 인한 통증은 매우 심하고 지속적인 양상을 보이지만 염전이 부분적으로 있거나 풀릴 경우 증상은 다소 미약하고 간헐적인 통증이 발생하게 된다. 오심, 구토, 빈맥 등과 같은 자율신경 증상이 거의 항상 동반된다. 복부 진찰에서 염전이 있는 부위의 국소적 압통과 반발통이 특징적인 소견이며 내진으로 골반 종괴를 확인할 수 있다.

② 진단 및 치료

일측에 난소낭종이 있으면서 급성 통증을 호소하는 경우에는 염전을 의심해 보아야 한다. 염전은 자궁부속기의 림프액과 혈류를 차단하여 부종이 생기기 때문에 종괴의 크기가 급속히 증가하여 쉽게 촉지될 수 있고 초음파로도 진단이 용이하다. 도플러를 이용하여 난소낭종과 염전된 줄기의 혈관 꼬임을 찾는 것이 진단에 도움이 되기도 한다. 염전으로 인해 괴사가 일어나게 되면 미열, 빈맥, 혈액검사에서 백혈구 증가증이 동반되기도 한다. 하지만 염전의 진단은 증상과 징후 그리고 초음파와 같은 영상검사 등을 이용하더라도 쉽지가 않아 결국 염전 의심 하에 수술을 함으로써 확진과 치료를 동시에 할 수 있게 된다. 그러므로 치료는 수술적 요법이 필수적이다. 과거에는 난소가 괴사되어 보이는 경우에 일측 난소난관절제수술이 원칙이었지만 최근에는 괴사된 난소로 보이는 경우라도 난소의 생식능과 내분비능 유지를 위해 염전된 부위를 풀고 낭종절제수술을 시행하는 것이 주된 치료 원칙이다.

(4) **골반염**(pelvic inflammatory disease, PID)

골반염은 성적 접촉시 감염되는 미생물에 의해 발병되는 것으로, 질내 그람 양성 및 음성 혐기성, 호기성 세균의 상행성 감염이 주된 원인이다.

① 증상 및 징후

임균(neisseria gonococcus) 혹은 클라미디아(chlamydia trachomatis)에 의한 골반염은 급성골반통, 발열, 빈맥, 화농성 질분비물 등이 증상으로 나타난다. 복부진찰에서 압통과 반발통을 관찰할 수 있는데 가장 중요한 징후는 자궁경부 운동성 압통(cervical motion tenderness)과 양측 자궁부속기 압통이다. 골반염에 의한 간주위염(perihepatitis)으로 인해 우상복부 통증이 나타날 수 있는데 이것을 Fitz-Hugh-Curtis 증후군이라고 부른다.

② 진단 및 치료

자궁경부와 부속기의 운동성 압통이 있으면서 38℃ 이상의 발열, 혈액검사에서 백혈구 증가증, 백혈구침강속도(ESR)와 C-반응단백질(CRP)의 증가, 질분비물검사에서 임균 혹은 클라미디아가 검출되는 경우 골반염일 가능성이 높다. 치료는 광범위 경구용 항생제를 투여하면 되므로 외래에서 보존적 치료를 시행할 수 있다. 하지만 농양이 의심되거나, 임신, 자궁내 피임장치가 있는 경우, 진단이 불확실한 경우, 경구약 사용이 힘든 경우, 상부 복막염이 의심되는 경우, 경구용 항생제 치료에 반응이 없는 경우 등에는 입원 치료를 고려하여야 한다. 간혹 충수돌기염이나 게실염이 골반염으로 오진되기 때문에 진단이 불확실한 경우에는 복강경이 유용하다.

(5) **난관난소농양**(tubo-ovarian abscess)

난관난소농양은 급성난관염의 후유증으로 거의 양측성으로 생기지만 일측성으로 발생하기도 한다(Workowski KA et al., 2015).

① 증상, 징후 및 진단

증상과 징후는 대개 골반염과 유사하나 복부진찰에서 매우 단단하고 압통을 동반하는 고정된 종괴가 만져질 때 의심할 수 있으며, 농양이 더글라스와로 모인 경우 천자술로 농이 추출되면 진단의 중요한 단서가 된다. 보다 정확한 진단을 위해 초음파나 CT 검사를 시행하여 충수돌기주위 혹은 게실주위의 농양, 난소낭종염전 혹은 파열, 자궁외임신, 자궁내막종 등과 감별할 수 있다. 이와 같은 검사에서도 분명한 결론이 나오지 않는 경우 진단적 복강경수술을 시행해야 한다.

② 치료

농양이 진단되면 반드시 입원하여 광범위 항생제를 정맥투여하는 보존적 치료를 먼저 시행하여야한다. 농양이 크고 임상적으로 증상 호전을 보이지 않는다면 초음파나 CT를 보면서 배농시켜야 한다. 항생제 치료와 배농이 난관난소농양의 일차적 치료이지만 증상이 심하거나 배농이 힘든 경우에는 수술적 치료가 필요하다. 그리고 치료 후 며칠이 지나도 증상이 호전되지 않으면 CT 검사나 진단적 복강경으로 다른 원인이 있는지 확인하여야 한다. 농양이 파열되면 급성 미만성 광범위 복막염이 발생하여 전 복부에 압통과 반발통이 나타나게 된다. 그리고 그람 음성균에 의한 내독소 쇼크(endotoxic shock)가 발생하게 되면 저혈압과 빈맥, 핍뇨가 나타나면서 생명을 위협할 수 있으므로 응급수술로 농양과 감염된 조직을 반드시 제거해야 한다.

(6) 자궁근종(uterine myoma)

① 증상 및 징후

자궁근종으로 인한 골반통은 근종이 광인대, 방광, 직장 근처에 발생하는 경우 통증, 압박감, 월경통, 성교통, 빈뇨, 변비 등의 증상이 나타날 수 있다. 근종으로 인한 통증의 정도는 근종의 크기나 개수와 일치하지 않는다. 근종으로 인한 급성골반통은 드물지만 변성(degeneration)이나 목있는 근종(pedunculated myoma)의 염전이 있는 경우에 발생할 수 있다. 자궁근종의 변성은 혈액공급의 부족으로 인해 2차적으로 생기며, 대개 임신과 관련되어 갑작스러운 크기 증가가 원인이다. 변성이 일어나게 되면 복부 압통과 반발통이 보일 수 있기 때문에 골반염과의 감별이 어렵다. 염전이 된 경우에는 허혈이 일어나 자궁부속기염전과 유사한 증상이 나타난다. 목있는 점막하 근종(submucosal myoma)이 있는 경우에 자궁은 근종을 이물질로 인식하고 배출하기 위해 수축하여 분만진통과 비슷한 통증이 동반되기도 한다.

② 진단 및 치료

진단은 주로 복부진찰과 초음파에 의해 이루어지는데 자궁부속기종양과 감별하여야 한다. 진단이 불명확한 경우엔 자기공명영상(Magnetic Resonance Imaging, MRI) 검사가 더 정확한 정보를 줄 수 있다. 자궁근종의 변성은 관찰 또는 진통제 투여로 치료할 수 있으나 염전이 있는 경우와 점막하 근종으로 출혈과 통증이 있는 경우에는 수술로 제거해야 한다.

(7) 자궁내막증(endometriosis)

자궁내막증이란 자궁내막의 샘조직과 기질이 자궁강 밖인 난소, 더글라스와를 포함한 복강내 복막에 주로 존재하여 증식하는 질환이다.

① 증상 및 징후

자궁내막증이 있는 여성은 월경통, 성교통, 배변곤란, 부정출혈, 난임 등을 호소하는 경우가 많다. 자궁내막증으로 인한 골반통은 주로 월경 직전과 월경주기 중에 나타나는 주기적 월경통이기 때문에 월경주기와 관계없는 급성골반통이 나타나면 자궁내막종 파열을 의심하여야 한다. 또 자궁내막증에서 주기성 월경통은 주로 하복부 압통으로만 나타나지만 심한 복부 팽만과 반발통이 있는 경우에는 자궁내막종 파열을 의심할 수 있다. 이런 경우 혈복강은 드물며, 파열로 인해 누출된 초콜릿색의 액체가 화학적 복막염을 일으켜 통증을 유발하게 된다.

② 진단 및 치료

골반내진으로 고정되고 후굴된 자궁과 자궁천골인대에 압통을 동반하는 결절이 촉지될 수 있다. 자궁내막증은 임상적으로 진단이 어렵기 때문에, 진단이 명확하지 않으면 복강경으로 확진해야 한다. 파열된 자궁내막종은 복강경수술을 통해 낭종절제술 및 복강내 세척을 시행한다.

(8) 급성충수돌기염(acute appendicitis)

① 증상과 징후

골반염과 비슷하지만 오심과 구토는 충수돌기염에서 더 저명하게 나타난다. 충수돌기염의 증상은 초기에 주로 미만성 복부 통증과 배꼽주위 통증이 있으면서 식욕부진, 오심, 구토가 동반되다가 수 시간 내에 통증이 우하복부로 이동하며 발열, 오한이 나타나는 것이 특징적이다. 하지만 이러한 특징적인 증상없이 비정형적인 복부통증을 보이기도 한다. 보통 미열이 있거나 정상 체온을 보이지만 충수돌기의 파열이 일어나면 고열이 발생한다. 국소적인 압통이 우하복부, 특히 맥버니점(McBurney point) 부위를 촉지할 때 나타나며, 심한 근육강직, 복부경직, 반발통, 우하복부 종괴, 직장촉진 시 압통, 요근 징후(psoas sign), 폐쇄근 징후(obturator sign) 등이 나타난다. 하지만 골반염에서 나타나는 자궁경부 운동성 압통(cervical motion tenderness)과 양측 자궁부속기 압통은 관찰되지 않는다.

② 진단 및 치료

초음파 혹은 CT 검사에서 비정상 충수돌기를 관찰할 수 있다. 혈액검사에서 총 백혈구 수는 보통 정상이나 백혈구 증가가 동반되기도 한다. 골반내 다른 병변과 감별하기 위하여 진단적 복강경을 시행하기도 하지만, 초기 염증을 수술 중 육안으로 진단하는 것이 어렵기 때문에 진단이 불확실한 경우에는 충수돌기절제수술을 시행한다. 수술 후에 급성충수돌기염으로 진단되지 않는 경우가 종종 있지만, 파열로 인한 복막염 가능성을 고려한다면, 관찰보다는 수술을 시행하는 것이 좋다. 왜냐하면 충수돌기의 파열은 생명에 위협을 줄 뿐만 아니라 가임기 여성의 생식능력에 심각한 후유증을 남길 수 있기 때문이다.

(9) 급성게실염(acute diverticulitis)

급성게실염은 대장벽의 게실에 염증이 생긴 것으로 주로 S상 결장(sigmoid colon)에 생긴다.

① 증상 및 징후

게실증(diverticulosis)은 보통 무증상이지만, 더부룩함, 변비, 설사 등의 과민성 대장증상이 오래 있었던 환자에서 게실염이 발생하면 좌하복부의 심한 통증이 유발될 수 있다. 또 좌하복부 촉진 시 복부팽만과 좌하복부에 압통과 반발통이 있으면서 고정된 염증성 종물이 만져질 수 있다. 파열이나 복막염을 유발시킬 가능성은 충수돌기염보다는 적다.

② 진단 및 치료

병력청취, 신체 검진과 더불어 CT 검사가 진단에 유용하고, 바륨관장은 금기이다. 초기 게실염은 광범위 정맥항생제요법의 내과적 치료를 하지만 게실농양, 폐쇄, 누공, 파열이 된 경우에는 외과적 치료를 시행한다.

(10) 장폐쇄(intestinal obstruction)

여성에서 장폐쇄의 흔한 원인은 수술 후 유착, 탈장, 염증성 장질환, 장이나 난소의 악성종양이다.

① 증상 및 징후

처음에 산통성 복통이 있으면서 복부팽만, 구토, 변비 등이 나타난다. 상부의 급성폐쇄는 초기에 구토가 나타나고, 하부 대장의 폐쇄에서는 심한 복부팽만과 된변비(obstipation)가 나타난다. 구토 초기에는 위 내용물이 나오고 막힌 부위에 따라 담즙 또는 변 냄새나는 내용물이 나올 수 있다. 심한 복부팽만이 있으면서 기계적 장폐쇄 시 장음은 고음으로 들리고, 산통성 통증이 올 때 가장 커진다. 폐쇄가 진행될수록 장음은 감소하게 되고, 장음이 사라지면 허혈성 장을 의미한다. 백혈구 증가증이나 발열은 장폐쇄가 상당히 진행된 시기에 나타난다.

② 진단 및 치료

복부 방사선검사에서 특징적인 가스모양으로 늘어난 장과 공기액체층(air-fluid level)이 관찰되며, 완전 혹은 부분적 장폐쇄를 감별할 수 있다. CT 검사는 장폐쇄를 진단하는데 유용하다. 완전 폐쇄 시에는 수술적 치료가 필요하지만, 부분적 폐쇄는 정맥수액요법과 금식 그리고 코위흡인(nasogastric suction)으로 치료된다.

(11) 비뇨기계 질환

요관결석에 의한 통증은 갑작스러운 요관 내압의 상승과 연관된 염증에 의해 생기고 방광염과 신우신염 등의 요로염증도 급성통증을 초래한다. 요로 염증을 일으키는 주된 균들로는 E. coli, Proteus, Klebsiella, Pseudomonas 등이 있다.

① 증상 및 징후

결석에 의한 통증은 매우 심한 경련통으로, 늑골척추각(costovertebral angle)으로부터 서혜부(groin)까지 방사되며 흔히 혈뇨를 동반한다. 방광염은 치골상부통증, 빈뇨, 절박뇨, 배뇨통, 혈뇨를 유발하고 신우신염은 주로 옆구리와 늑골척추각 부위의 통증을 유발한다. 결석 및 신우신염 환자에서 늑골척추각 압박 시에 통증이 유발되지만 복막자극 징후는 보이지 않는다.

② 진단 및 치료

요로결석은 요검사에서 적혈구가 검출되고 초음파, CT, 경정맥신우조영술(intravenous pyelogrphy, IVP) 검사로 결석을 확인함으로써 진단될 수 있다. 요로감염은 요검사에서 세균과 백혈구 증가를 볼 수 있고, 요배양시 세균 증식을 볼 수 있다. 요로결석은 수액 공급과 통증 치료를 통한 내과적 기대요법 혹은 수술적 제거로 치료할 수 있고 신우신염과 방광염은 주로 외래에서 항생제 치료를 시행한다.

3) 급성골반통검사

급성골반통이 있는 모든 가임기 여성에서 반드시 임신반응검사, CBC, ESR, CRP, 소변검사를 시행해야 한다. 진단을 위해 초음파와 더글라스와 천자가 유용하게 사용될 수 있으며 필요한 경우엔 CT 혹은 MRI 검사를 시행할 수 있다. 진단적 복강경은 원인이 불명확한 경우, 자궁부속기 종괴의 종류를 정확히 판단해야 하는 경우, 정상 임신과 자궁외임신이 명확히 구별되지 않는 경우 등에 시행될 수 있다. 하지만 정상 초음파 소견을 보이는 급성골반통 환자는 보존적 치료만으로 대부분 좋아지기 때문에 진단을 위한 수술은 우선적으로 고려되지 않는다.

(1) 요 및 혈청의 임신검사(urine hCG, serum β-hCG)
(2) 혈액검사(ESR, CRP, CBC) 및 요검사
(3) 더글라스와 천자: 추출물 확인, 농 검출 시 배양검사
(4) 초음파검사: 자궁 및 자궁부속기 평가
(5) CT, MRI: 후복막종괴 혹은 농양, 자궁병변 평가
(6) 복부방사선검사: 위장관계 병소 배제
(7) 진단적 복강경: 원인이 불분명한 경우

2. 주기적 골반통: 일차성과 이차성 월경통

월경통은 가임기 여성의 약 60%에서 발생하는 흔한 증상이다(Burnett MA et al., 2005). 일차성 월경통은 특별한 원인 질환 없이 생기는 반면, 이차성 월경통은 특정한 골반내 병소에 의한 월경통을 의미한다.

1) 일차성 월경통

일차성 월경통은 월경기간 동안 자궁 내막에서 프로스타글란딘(prostaglandin)의 과도한 분비 또는 불균형으로 일어난다. 자궁내막의 프로스타글란딘은 증식기(proliferative phase)보다 배란 이후의 분비기(secretory phase)에 더 높은 농도로 유지된다. 분비기 후반 프로스타글란딘의 대사과정에 의해 월경통을 유발하는 프로스타노이드의 생성이 증가하게 된다. 프로스타노이드에 의한 불규칙한 리듬과 증가된 수축력으로 자궁수축이 과도하게 증가된다. 이로 인해 매우 강한 자궁수축이 나타나면서 결과적으로 나타나는 자궁혈류 감소와 말초신경의 과민성 증가 등으로 인해 통증이 유발된다.

(1) 증상 및 징후

일차성 월경통은 배란주기가 이루어지는 초경 1-2년 이내에 발생한다. 통증은 보통 월경의 시작과 동시에 혹은 수 시간 전에 시작하여 2-3일 동안 지속한다. 통증은 분만 진통과 비슷하게 주로 치골 상부의 경련통으로 나타나며, 요통, 대퇴부 방사통, 오심, 구토, 설사 등의 증상이 동반되기도 한다. 통증은 복막염이나 골반염과는 다르게 압통보다는 산통(colicky pain)으로 나타나는 경우가 많고 복부마사지, 압박, 몸의 움직임으로 호전되기도 한다. 월경통이 있는 시기에 골반내진을 시행하면 치골상부에 압통 소견을 보일 수 있으나 자궁경부 혹은 자궁부속기의 심한 압통은 발생하지 않는다. 장음은 정상이며 상복부 압통이나 반발통은 없다.

(2) 진단

일차성 월경통을 진단하기 위해서는 골반내 병변이 없는 주기적 통증인지 확인하는 것이 필수적이다. 골반내진을 통하여 자궁, 자궁부속기의 크기, 모양, 유동성, 압통 등의 유무 및 직장질 중격(rectovaginal septum) 또는 자궁천골인대의 결절을 포함한 자궁내막증의 유무를 확인해야 한다. 골반염을 감별하기 위해 자궁경부로부터 임균, 클라미디아 배양검사와 CBC, ESR, CRP 등의 혈액검사를 시행한

다. 비스테로이드소염제(nonsteroidal anti-inflammatroy drug, NSAID) 치료를 시행한 후에도 증상이 지속하면 초음파검사를 시행하고, 모든 검사에서 이상 소견이 없는 경우 일차성 월경통으로 진단할 수 있다. 그리고 사춘기 여성의 월경통은 뮐러관기형(Müllerian anomaly)이 있는지에 대한 검사도 필요하다.

(3) 치료

프로스타글란딘 합성억제제인 비스테로이드소염제 약물이 일차성 월경통의 치료에 효과적이다. 월경 시작 1-3일 전에 투여하는 것이 효과적이지만, 월경주기가 불규칙한 경우에는 약한 통증이 시작되거나 월경혈이 보일 때 투약을 시작하고 월경이 있는 며칠 동안 투약한다. 매 6-8시간마다 복용하여야 새로운 프로스타글란딘의 부산물의 재생성을 막을 수 있다. 4-6개월 이상 사용 후 효과가 없는 경우에는 약제의 용량과 종류를 바꾸어 치료 반응 여부를 확인한다. 하지만 위십이지장 궤양이 있거나 기관지 경련같은 아스피린 과민성을 가지는 환자에서는 사용하지 않는다. 피임을 원하는 환자에서는 호르몬피임제 또한 일차성 월경통에 효과적이다. 호르몬피임제는 배란을 억제함으로써 자궁내막을 프로스타글란딘의 농도가 가장 낮은 초기 증식기와 유사한 상태로 유지하여 월경통을 줄일 수 있다. 에스트로겐과 프로게스테론 복합제제의 피임약이나 프로게스테론 단일 경구용 제제뿐만 아니라 프로게스틴 주사, 피부패취, levonorgestrel (LNG)을 포함한 자궁내 피임장치(LNG-IUS, mirena) 등이 모두 효과가 있는 것으로 알려져 있다(Wong CL et al., 2009). 위의 두 가지 치료를 동시에 사용하는 것이 더 효과적이지만 여기에 모두 반응하지 않는 경우에는 정신 분석이나 진단적 복강경을 통하여 다른 원인이 없는지 확인한 후에 코데인과 같은 마약성 진통제의 사용이나 피부경유 전기신경자극(transcutaneous electrical nerve stimulation, TENS) 등의 치료를 시도해 볼 수 있으나 치료 효과는 확실하지 않다. 일차성 월경통에서 천골전신경 절제술(presacral neurectomy)과 같은 수술적 치료는 잘 사용되지 않는다.

2) 이차성 월경통

이차성 월경통이란 특정한 골반내 병소를 동반하면서 발생하는 주기적 골반통을 말한다. 초경이 지난 수 년 후에 발생되며, 무배란성 주기와 같이 일어날 수 있다. 통증은 보통 월경 1-2주 전에 시작되어 월경이 끝나고 수 일간 지속된다. 이차성 골반통을 유발하는 흔한 원인으로는 자궁내막증, 자궁샘근증 등이 있다. 진단을 위해서는 병력청취와 골반검사뿐만 아니라 원인이 되는 병변을 찾기 위한 초음파, 복강경, 자궁경 등의 검사가 필요하다. 비스테로이드소염제, 호르몬피임제에 잘 듣지 않기 때문에 치료는 월경통의 원인을 찾아내어 병소를 제거하는 것이다.

(1) 자궁내막증

자궁내막조직이 복강 내에 나타나는 것이다. 전체 여성의 10%, 불임 여성의 15-20%, 만성골반통 환자의 30% 이상에서 발견된다(Giudice LC et al., 2004).

① 증상 및 진단

월경 1-2주 전부터 시작되는 주기적 통증은 주로 하복부에 나타나지만 허리나 항문 쪽으로 나타나기도 한다. 동반 증상으로는 성교통, 난임, 부정출혈, 배변통, 빈뇨, 절박뇨 등이 있다. 골반내진을 시행하면 자궁천골인대에 압통을 동반하는 결절이 촉지되기도 하고 난소에 자궁내막종이 발견되기도 한다. 임상적인 진단이 쉽지 않아 초음파로 자궁내막종을 발견하거나 CA-125 검사로 진단에 도움을 얻기도 하지만 확진은 복강경수술 통하여 병변을 직접 확인하는 것이다. 자궁내막증으로 의심되는 병변은 모두 제거하고 조직검사를 시행한다.

② 치료

내과적 치료로 우선 비스테로이드소염제와 호르몬피임제를 사용하고 이차 치료약으로 고농도 프로게스테론이나 생식샘자극호르몬방출호르몬작용제(GnRH-agonist)를 사용할 수 있다. 단 GnRH-agonist를 사용하는 경우 홍조 현상을 포함한 저에스트로겐 증상이 나타날 수 있기 때문에 에스트로겐 호르몬보충요법(addback therapy)을 같이 시행한다. 그 외에도 LNG-IUS, 다나졸(danazol), 아로마테이즈 억제제(aromatase inhibitor) 등이 치료에 이용되기도 한다. 내과적 치료에 반응하지 않는 환자에서는 복강경을 통해 통증의 원인으로 생각되는 모든 병변의 수술적 제거가 필요하다. 섬유화되고 유착된 부분을 포함하여 자궁내막증병변으로 의심되는 모든 조직을 제거해야 하는 것이 원칙이고 자궁내막종은 반드시 피막까지 제거되어야 한다. 특히 직장질 자궁내막증은 심부 침윤된 병변으로 골반 신경을 침범하여 극심한 월경통과 만성골반통을 유발하기 때문에 반드시 수술로 제거되어야 한다.

(2) **자궁샘근증**(adenomyosis)

자궁내막 조직이 복강내 존재하는 자궁내막증과는 달리, 자궁샘근증은 자궁근육층 내에 자궁내막의 샘조직과 기질이 존재하는 것을 말하며 자궁샘근증, 자궁내막증, 자궁근종이 동시에 있는 경우가 흔하다. 나이가 40세 이상이고, 출산력이 많고, 초경이 빠르고, 월경주기가 짧을수록 잘 생기는 것으로 알려져 있다(Templeman C et al., 2008).

① 증상 및 진단

증상으로는 월경통 외에 월경량의 과도한 증가, 성교통 등이 있다. 진단은 임상적으로 내려진다. 초음파나 MRI 검사를 시행하여 자궁 비대가 관찰되는 경우 자궁샘근증의 진단에 도움을 주기는 하지만 확정적이지 못하다. 자궁전절제 혹은 샘근종절제수술(adenomyomectomy) 시행 후 조직검사 소견으로 확진한다.

② 치료

치료는 환자의 나이와 향후 임신을 원하는지 여부에 따라 달라진다. 확실한 치료는 자궁전절제 혹은 자궁샘근종절제수술이지만 LNG-IUS를 포함한 호르몬피임제, GnRH agonist 등을 통한 생리 억제를 치료에 이용할 수 있다. 자궁동맥색전술(uterine artery embolization)도 일부에서 효과적인 것으로 보고되고 있다(Kim MD et al., 2007).

3. 만성골반통

만성골반통은 간헐적 혹은 지속적인 골반동통이 4개월 혹은 6개월 이상 지속되는 것을 말하며 주로 20-40세의 생식적으로 왕성한 시기의 기혼 경산부 여성에서 잘 나타난다. 만성골반통은 여성 생식기계에 발생한 질환때문에만 생기는 것이 아니고 비뇨기계, 위장관계, 근골격계 등 여러 장기의 질환과 정신적인 원인까지 복합하여 발생하기 때문에 일반적인 간단한 치료로는 성공하지 못하는 경우가 많다. 만성통증의 상태에서 통증은 적응되지 않기 때문에 만성골반통을 겪는 많은 환자들이 결혼생활이나 성생활, 그리고 직업 및 사회생활에서도 증상과 함께 종종 불안감과 우울함을 겪는다. 따라서 다음의 각 병변의 원인에 따른 치료와 함께 정신과적 치료 및 안정, 물리치료 등이 복합적으로 이루어져야만 효과적인 치료가 가능하다.

1) 자궁내막증

15장에서 더 자세히 다루겠지만 이차성 월경통 및 만성골반통의 원인 중 가장 많은 원인은 자궁내막증이다. 자궁내막증은 특징적인 병변의 모습을 확인하고 조직학적 검사가 필요한 외과적 진단이다. 만성골반통으로 복강경수술을 시행하는 환자의 15-40%까지 확인되는 여러 연구들 있고 통증의 원인 또한 잘 확인되지 않고 있어 미국생식학회에서는 이 통증은 병기와는 연관성이 결여되어 있고 오히려 그 병변의 침범 깊이와 관련있다고 한다. 젊은 나이에는 대개 표재성이고 비전형성 병변이 많아 주로 속발성 생리통 형태로 나타나고 나이가 들어 갈수록 보다 섬유화된 전형성 병변으로 바뀌면서 만성골반통과 성교통을 일으키는 쪽으로 변환되지만 환자의 30%에서 50%는 병기에 관계없이 통증이 없다.

자궁내막증에 의한 통증은 크게 두 가지로 나눌 수 있다. 첫째는 자궁내막증병변 자체에 의한 통증으로 ① 조직의 손상, 신경 손상에 의한 신경 활성화(특히 심부자궁내막증 때) ② 자궁내막종의 급성파열에 의한 복막 자극에 의한 통증이나 작은 파열로 인한 만성통증 ③ 골반 내 반흔, 위축,

섬유화, 유착 등에 의한 통증 ④ 장관의 유착, 반흔, 위축에 의한 통증 ⑤ 더글라스와의 유착에 의한 후굴 자궁의 성교통 ⑥ 자궁천골인대의 결절의 압통 혹은 견인에 의한 통증 하부 생식기의 자궁내막증병변의 접촉성 통증 등이다. 두 번째의 자궁내막증에 의한 통증은 병변 주위의 염증성 변화에 의한 통증을 생각할 수 있다. 따라서 먼저 자궁내막증 병변에 대한 치료로 약물치료 혹은 수술적 치료 후 통증이 잔존하는 경우 염증성 변화에 대한 치료를 시행하고 그래도 남는 통증은 면역학적 치료를 시행하여 볼 수 있다.

임신 계획이 없고 부속기종괴가 없는 자궁내막증이 의심되는 환자는 복합 호르몬피임제를 사용하면서 비스테로이드소염제를 같이 사용하거나 혹은 피임제 단독으로 사용해볼 수 있고 주기적이나 연속적인 호르몬제 모두 사용 가능하다. 이에 반응이 없거나 에스트로겐 사용이 금기인 환자들에게는 이차 치료약으로 고농도 프로게스틴이나 GnRH agonist를 사용할 수 있는데 고농도 MPA (medroxyprogesterone acetate)는 GnRH agonist와 효과면에서 거의 동등하다(Somigliana, 2009). GnRH agonist를 사용시 자궁내막증병변의 크기와 통증의 유의한 감소를 보이나 가성폐경상태를 만들어 열성홍조와 같은 혈관운동증상, 질 건조, 골다공증들의 부작용이 생길 수 있어 저용량의 에스트로겐 보충요법 등을 고려해야한다. LNG-IUS나 다나졸(Danazol)이 치료에 이용되는데 다나졸은 안드로겐, 황체형성호르몬의 급증이나 스테로이드 생성을 억제하고 항 염증작용을 보이나 체내 유리 테스토스테론을 증가시켜 체중증가, 여드름, 다모증 등의 부작용을 일으킬 수 있다. 내과적 치료에 반응하지 않는 환자에게는 복강경이나 개복술을 통한 수술적 치료를 시행하고 자궁내막증병변을 모두 제거해야 하는 것이 원칙이고 자궁내막종은 반드시 피막까지 제거되어야 한다.

자궁내막증병변들이 통증을 감작하는 말초와 중추 신경계의 혈관과 신경을 침범하여 손상시킬 경우 수술 후에도 지속적인 통증을 일으킬 수 있어 자궁내막증의 통증은 치료가 어렵고 재발이 많다. 자궁내막증과 관련된 만성통증은 근막통증증후군이나 과민성장증후군, 불안장애 등과 같은 다른 만성질환과 같이 존재하는 경우가 많으므로 단계적이고 체계적으로 치료하는 것이 가장 좋은 방법이다.

2) 자궁샘근증(Adenomyosis)

만성골반통 특히 이차성 월경통을 일으키는 원인으로 자궁내막증 다음으로 흔한 질환은 자궁샘근증이다. 자궁샘근증은 자궁자체의 크기가 커짐에 따라 자궁수축이 강해지고 자궁이 커진 만큼 자궁내막의 양이 늘어나 과다월경과 심한 월경통을 일으킨다. 보다 근본적인 치료는 자궁절제 혹은 샘근종 절제수술 자궁을 보존하여야 할 경우는 비스테로이드소염제를 생리 때마다 투여하고 이에 반응하지 않는 경우는 최근 LNG를 함유한 미레나를 삽입하여 많은 생리통 감소 효과를 보고하고 있어 LNG-IUS가 좋은 치료법의 하나로 보고되고 있다.

3) 골반울혈증(Pelvic Congestion Syndrome)과 골반 정맥염주(Pelvic Varicosity)

만성골반통의 원인으로 그 다음으로 흔한 것은 골반울혈증이다. 이 상태는 확실한 진단 기준은 없으나 골반 부위 복벽 및 골반조직정맥의 울혈 즉 팽창 및 과민성 등에 의해 이들이 예민해져 오랜시간동안 서 있거나 성교통, 만성피로 및 과민성대장증후군 등으로 나타나는 하복부 통증 및 요통을 특징으로 한다. 통증은 보통은 배란 시부터 월경이 끝날 때까지 지속되고 골반초음파 및 MRI가 진단에 도움이 될 수 있다. 골반울혈증이 의심되는 경우 하루 30 mg의 MPA이나 1달 3.5 mg의 Goserelin acetate를 6개월간 사용하는 등의 호르몬억제요법이 1차 치료로 권장되고 있고 증상개선에 효과적으로 나타났다. 이에 반응하지 않는 경우 경피적 색전술을 시행하거나 카테터를 이용한 선택적 혈관색전술을 시행해 볼 수도 있으나, 가임기가 지난 여성의 경우는 자궁절제술 및 자궁부속기절제술을 시행하는 것이 합리적인 선택이 될 수 있다(Farquhar, 1989)(Kim, 2006).

4) 그 외 자궁, 난관 및 난소의 이상에 의한 만성골반통

자궁근종 등에 의해 생리통이 올 수 있고 가끔 심한 자궁

후굴에 의해서도 올 수 있다. 난관의 염증, 수술이나 자궁내막증에 의한 난관 손상에 의하여 올 수 있고 가끔 난관결찰술 후 오는 수도 있다. 치료는 각 원인 질환에 따른 적합한 치료를 시행한다. 난소종양이 압박을 받거나 염전되어 오는 수가 있고, 난소잔류물증후군(ovarian remnant syndrome)이나 잔류난소증후군(residual ovary syndrome)으로 골반통이 오는 수가 있으며 드물게는 부난소가 주위 조직을 압박하여 오는 수도 있으며 치료는 수술로 남은 난소 조직을 완벽히 제거하는 것이다.

5) 정신적인 원인에 의한 만성골반통

통증에 예민하고 일상으로의 회복이 더딘 심리적 요인들은 통증의 만성화를 촉진한다. 우울증과 만성골반통은 매우 관련이 깊어 벡 우울 척도(Beck Depression Inventory)를 통한 우울증에 대한 평가를 치료에 사용할 수 있다(Beck et al., 2006). SNRI 같은 항우울제의 사용은 우울증과 통증을 함께 완화시킬 수 있고 환자에게 심리치료를 통해 스스로 통증에 대해 적응하며 대처하도록 하면 통증이 줄어드는 경우가 종종 있기 때문에 만성골반통의 치료에는 반드시 항우울증 치료와 함께 정신과적 치료가 필요하다(Wesselmann et al., 2001).

6) 위장관계 원인에 의한 만성골반통

만성골반통 환자의 7-60%에서 위장관계질환이 발견되는 것으로 알려져 있는데 자궁과 자궁경부 및 부속기는 하부회장, S상 결장 및 직장과 내장 신경 분포를 공유하고 이들의 통증 신호는 교감 신경을 통해 동일한 척수분절로 이동하기 때문에 복부 통증이 골반장기나 장내 기원인지의 여부를 판단하기가 어렵다. 만성골반통을 일으키는 위장관계 질환 중 가장 흔한 것이 과민성대장증후군(irritable bowel syndrome, IBS)이며, 만성골반통 환자의 약 35%가 IBS 진단을 동시에 받는다. IBS의 진단은 일반적으로 병력 및 신체검사를 기반으로 하며 혈액검사, 대변 잠혈검사 및 대장내시경검사 등을 해 볼 수 있으나 대부분 정상소견을 보인다. 치료는 단독 약물요법은 효과가 별로 없고 정신적 치료가 병행하여야 효과가 있다. 따라서 안심시키고 스트레스를 감소시키면서 장 내용물 용적 확장제(bulk-forming agent)나 항불안제(anxiolytics), 저용량의 삼환계 항우울제(tricyclic antidepressants) 등을 투여한다. 그 외, 만성골반통을 일으키는 위장관계 질환에는 크론씨 질환(Crohn's disease), 궤양대장염(ulcerative colitis), 감염성 장염, 장게실, 장종양, 충수돌기염, 탈장, 허혈성 장질환, 장 자궁내막증 등이 있다. 이들 위장관상의 원인과 관련된 골반통의 관리는 각 원인을 진단하여 그에 따른 내과적 혹은 외과적 치료를 시행하고, 여기에 스트레스 관리와 보조 정신요법이 반드시 같이 시행되어야 한다.

7) 비뇨기계 원인에 의한 만성골반통

만성골반통을 일으키는 비뇨기계 질환의 대표적인 질환은 간질방광염(interstitial cystitis), 만성요도증후군(chronic urethral syndrome)이고, 그 외에 요도게실, 요석, 방사선방광염, 요도 언덕(urethral caruncle), 종양, 배뇨근 조임근 근육협동장애(detrusor sphincter dyssynergia) 등이 있다.

만성요도증후군이란 어떠한 특별한 병변을 발견 못하는데 하부 비뇨기계의 자극 증상을 계속 호소하는 경우를 말한다. 절박뇨와 빈뇨 또는 방광과 질 통증과 치골상부의 통증 등이 일반적으로 관찰되고 진단시 요로감염이나 외부생식기 감염 및 악성을 배제하기 위한 검사가 시행되고 배제되어야 한다. 무균성 농뇨에는 2주에서 3주의 독시사이클린을 투여할 수 있고 폐경기 이후 여성은 적어도 2개월 동안의 국소 에스트로겐요법을 시행하는 것이 좋다. 치료는 배뇨습관을 재교육시키고, 적은 양의 트리메토프림-설파메톡사졸이나 나이트로푸 란토인 등을 투여하거나 클라미디아 균이 의심되면 독시사이클린을 투여할 수 있다. 다이아제팜이나 사이클로 벤자프린같은 골격근 이완제를 사용하고 여기에 프라조신이나 디벤질린같은 평활근 이완제를 같이 사용하는 수도 있다. 그 외 요도 확장기를 사용하거나 폐경여성에는 호르몬치료, 요도 주위 스테로이드 주사, 안정제, 정신과적 치료 등을 시행한다.

간질방광염은 방광벽의 만성염증에 의한 반흔에 의한

방광의 용적감소로 인해 하루 종일 혹은 밤중에 빈뇨를 호소하는 질환으로 그 원인은 아직 확실하지 않으나 자가면질환(autoimmune disease)으로 알려져 있다. 일차적 치료로 방광훈련 및 스트레스 관리, 인지행동치료, 식이조절 및 골반근육훈련 등을 해볼 수 있으나, 일반적으로 약물치료로 삼환계 항우울제(tricyclic antidepressant)를 많이 사용하고 이 약제는 안정 효과뿐만 아니라 말초신경전달물질 차단과 중추신경 자극을 통하여 통증을 감소시켜 준다. 디메틸설폭사이드(dimethyl sulfoxide)를 방광 내 주입함으로써 항염증성 작용과 진통 효과를 발휘한다. 약물치료에 반응하지 않으면 수술을 하는 수도 있다. 그 외에 항염증성 제제로 부신피질호르몬이나 헤파린을 사용하기도 하고 피부경유 전기신경자극(transcutaneous electrical nerve stimulation, TENS)을 사용하기도 한다.

8) 근골격계 원인에 의한 만성골반통

근골격계의 통증은 부인과적 통증과는 쉽게 구분이 될 것으로 생각되지만, 사실은 이들도 호르몬의 영향을 받으며 내부 장기의 연관통(referred pain) 부위와 통증 부위가 겹칠 때는 매우 감별하기가 힘든 경우가 종종 있다. 그러나 복벽 근육에 의한 골반통과 연관 통증에 의한 골반통의 감별은 누운 자세에서 머리와 다리를 곧게 펴고 들어 올려서 복부 근육을 수축시키면 통증이 더 심해지고 이완 시키면 더 완화되는 것으로 감별할 수 있다. 만약 염증성 질환이 근골격계에 있으면 이를 먼저 치료하고, 그 후 잘못된 자세가 있으면 자세 교육을 통하여 교정하고 물리치료를 통하여 관절의 운동 범위를 넓히고 근육의 힘을 강화시킨다. 만성골반통을 일으키는 근골격계 질환 중 특별한 질환은 좌임신경증(nerve entrapment)과 근막통증증후군(myofascial syndrome)이다.

죄임신경증은 치골상부절개(suprapubic incision)나 복강경수술 때 복벽 신경이 결찰 혹은 손상될 때, 무거운 물건을 들어 올리거나 오토바이 사고 시 생기는 외상 등으로 발생할 수 있다. 통증은 수술 후 수 주 혹은 수 년 후에도 발생할 수 있고 관련 신경의 피부분포에 타는 듯 하거나 예리한 감각으로 시작된다. 결찰로 인한 통증은 외과적으로 완화될 가능성이 잠재적으로 존재하나 신경 손상으로 인한 통증은 수술로도 회복되기 어렵다. 국소 마취제로 신경을 차단하여 통증이 사라지는 것으로 진단에 도움을 받을 수 있으나 검사 또는 영상을 통해 신경손상과 결찰을 완전히 구별하는 것은 어렵다. 대부분의 환자들에게는 주기적인 신경차단술과 함께 신경의 압박을 유발하는 활동을 피하는 것 외에 특별한 치료는 없으나 주사나 약물로도 제한적인 완화만 보일 경우 외과적인 신경감압술이 시행될 수 있다. 근막통증증후군에 의한 통증은 복벽에 특별한 통증 유발점(trigger point)이 존재하는데, 약 89%의 만성골반통 환자에서 복벽, 질벽에 유발점이 존재한다고 한다. 이 유발점에 대해서는 뒤에 다시 자세히 설명하기로 한다.

9) 골반감염 및 복강 내 유착에 의한 만성골반통

증상과 이학적 검사에 의하여 골반감염 및 유착에 대한 진단을 내리고 항생제를 투여하여 원인균을 치료하는 것이 필요하다. 이전 수술력이나 염증성 질환 치료 후 발생한 유착에 의한 골반통에 대해선 복강경하 유착박리술이 얼마나 효과적인지는 아직 논란이 많다. 복강경수술 시 확인된 감염이나 복강내 유착은 골반통이 발생하는 동일한 장소일 수 있으나 부속기나 내장 복막 등 특정한 위치와 유착정도는 통증의 증상과 반드시 일치하지는 않기 때문에 만성적인 골반통과 유착과의 인과관계는 불확실하며 수술은 추가적인 유착형성 및 기타 장기의 손상으로 이어질 수 있다. 따라서 간헐적인 장폐색 증상이나 불임증상을 제외하고는 유착박리술은 특별히 권장되지 않는다.

10) 복벽 및 골반근막(Myofascial) 통증 유발점(Trigger point)

근막통증증후군(myofascial syndrome)은 만성골반통 환자에서 드물지 않게 나타나는 소견으로, 골격근과 근막의 과민증을 가진 통증 유발점에서 발생하는 통증을 말한다. 만성근막통증증후군(chronic myofascial pain syndrome)이 처음 기술된 것은 1953년부터이며, 만성골반통을 호소하는 환자 중 근육근막통증 유발점이 발견되는 경우가 상당히 많으며 그 빈도는 30-93%로 보고가 다양하다. 슬로컴(Slocumb et al., 1984)에 의하면 그의 연구에서 177명의 만성골반통 환자 중 133명(74%)에서 복벽의 통증 유발점을 발견할 수 있었다고 한다. 그와 함께 약 71% 환자에서 질벽 특히 프랑켄하우서 신경얼기(Frankenheuser's plexus) 부위, 자궁경부 곁부위(paracervical area)에 국소적 통증 유발점이 발견되었다고 보고하고 있다. 그러나 크레터(Carter et al., 1998)는 만성골반통 환자 500명 중 15%에서 통증 유발점을 발견하였다고 보고하고 있어 그 빈도에 있어서는 다양한 보고가 있으나 사이몬(Simons et al., 1999) 등에 의하면 20-40세 사이 여성의 30%에서 통증 유발점이 발견되고 그 중 4%에서는 치료가 필요할 정도로 심하다고 보고하고 있으므로 만성골반통의 다른 확실한 원인이 밝혀져 근본적 치료가 시작된 경우를 제외하고는 반드시 이 통증 유발점을 검사하여 이를 치료함으로써 근막통증증후군을 배제하여야 할 것으로 사료된다.

(1) 통증 유발점의 생리 및 병리 통증

통증 유발점의 생리 및 병리 통증 유발점의 주된 이상은 골격근 섬유의 신경근 작용부전(neuromuscular dysfunction)이며, 통증 유발점에 의해 발생하는 근육근막 통증은 일종의 근신경질환(neuromuscular disease)이라고 할 수 있다. 즉 통증 유발점이란 전기 생리적으로 근 섬유의 일부에서 자연 발생적으로 나타난 전기적 활성(electrical activity)에 의하여 조직학적으로 수축 결절(contraction knot)을 형성하는 것으로 정의될 수 있다. 이러한 현상의 결과 신경전달물질(neurotransmitter)의 과도한 분비가 일어나며 이들이 연관통을 발생시키면서 국소적인 특징적인 통증을 유발한다. 실제 여러 개의 현미경적인 수축 결절이 통증 유발점을 구성하고 증상을 일으킨다. 실제로 이러한 통증 유발점이 만성골반통과 관계되는 이유는 척수(spinal cord)의 안정성(integration)과 연관이 있다. 이러한 통증 유발점의 비정상 전류(impulse)가 통각수용기(nociceptor)를 감작시키고, 이 통각수용기로부터 올라오는 지속적인 비정상 전류가 척수의 중앙부 감작(central sensitization)을 일으켜 같은 부위로 올라오는 다른 부위의 인접 신경에 영향을 미쳐 연관통이 발생한다고 한다.

(2) 통증 유발점을 지속시키는 전신적 인자

이렇게 나타난 근육근막의 비정상 전류에 의한 통증 유발점은 다음과 같은 영양 결핍, 대사 혹은 내분비장애, 만성 감염, 정신적 스트레스에 의한 효소장애(dysfunction) 인자들에 의하여 계속 지속되어 만성골반통을 일으킨다.

① 비타민 결핍: 비타민 B 복합체(특히 B1, B6, B12, 엽산)
② 칼슘, 칼륨, 아연, 구리, 철, 필수 미네랄 결핍
③ 갑상선기능장애, 갑상선부전
④ 인슐린 저항성(고인슐린 혈증)
⑤ 만성바이러스, 박테리아, 기생충감염 등

(3) 각 부위 통증 유발점에 의한 연관통과 내부 장기 증상 (visceral symptoms)

통증 유발점의 통증은 실제 내부 장기의 통증과 구분하기 힘들 정도로 연관통 양상을 나타내며 심지어 내부 장기의 질환에 의한 증상과 똑같은 증상을 나타내기도 한다. 예를 들면 복부 경사근(oblique muscle)의 통증 유발점은 구토, 식욕부진, 오심, 장 경련, 설사, 방광 경련, 월경통 등의 장기 증상을 일으킨다. 통증은 하복부 측면을 통하여 사타구니까지 방사된다. 복직근, 추체근(pramidalis) 근육의 통증 유발점은 주로 월경통을 일으키며, 오른쪽 복직근(rectus abdominus)의 측면을 따라 맥버니점(McBurney's point)를 지나 전상부 장골극(anterior superior iliac spine)과 배꼽에까지 연관통(referred pain)을 일으켜 마치 충수돌기염과 같은 양상을 나타내며 가끔 방광 경련과 같은 증상을 나타내기도 한다. 요방형근(quadratus lumborum)근육의 통증 유발점은 천장관 절(sacroiliac joint)의 부위를 거쳐 하부 엉덩이로 내려가는 연관통을 나타내며, 가끔 하복부와 사타구니에 내려가는 연관통의 양상을 보이기도 한다. 장요근(iliopsoas)의 통증 유발점은 주로 같은 쪽의 척추를 따

라 흉부 부위부터 천장(sacroiliac) 부위까지 연관통이 나타나고 가끔은 상부 엉덩이 쪽에도 나타난다고 한다. 그 외에도 각 복부 근육 및 골반 근육의 통증 유발점은 여러 부위에 배부 장기의 질환 증상과 같은 다양한 연관통을 나타낸다.

(4) 통증 유발점의 치료와 관리

통증 유발점에 대한 치료 방법은 다음 여러 방법들이 알려져 있다(Simons et al., 1999; Fine et al., 1988; Feinberg et al., 1998; Hong, 1994).

① 분무기(spray)와 신장(stretch)

분무기와 신장은 간단하고 매우 효과적인 비침습적인 통증 유발점을 비활성화하는 치료법이다. 분무기에 이용하는 액체는 vapocoolant로 ethyl chloride와 Fluoro-Methane (Gebauer) 등이 사용될 수 있는데 ethyl chloride는 너무 차고 불에 위험하므로 세심한 주의가 필요하므로 Fluoro-Methane이 개발되었다고 한다.

근육을 조심스럽게 펴서 가장 긴 길이(full stretch length)가 되게 한 후 2-3회 분무기를 뿌려주면 효과적이라고 한다. 특히 이 방법은 다음에 나오는 통증 유발점 주사 후 국소 마취제 효과가 남아 있는 상태에서 주사 직후에 간이 사용하면 매우 유용하다고 한다. 분무기는 한번에 6초 이상 사용하는 것은 좋지 않다고 한다.

② 의도적 수축 및 이완법(voluntary contraction and release method)

이 방법은 통증 유발점이 존재하는 근육을 고의적으로 수축 이완을 반복시킴으로써 근육의 강직(stiffness)을 감소시켜 통증 유발점의 수축 결절(contraction knot)을 이완시키고자 하는 방법이다.

③ 통증 유발점 압박 해제(pressure release)

이 방법은 통증 유발점이 존재하는 근육 위를 손가락으로 조심스럽게 압력을 가하여 그 부위 조직의 저항이 나타날 때 까지 압력을 증가시킨 다음 그 조직의 긴장(tension)이 사라질 때까지 그 압력을 지속시키는 방법이다. 그러나 통증을 느낄 정도로 압력을 주면 안 된다고 한다.

④ 심부 두드림 마사지(deep-stroking massage) 및 기타 마사지

이 방법은 양손의 두 엄지손가락으로 통증 유발점이 존재하는 근육의 중앙에서 양쪽으로 통증 유발점의 수축 결절(contraction knot)에 의한 결절(nodularity)을 느껴가면서 근육의 끝 쪽으로 마사지하는 방법이다.

⑤ 생체되먹임(biofeedback)

이 방법은 특히 심한 만성 내부성 성교통(intercoital dyspareunia)이 있는 경우에 효과적이라고 하며 집에서 생체되먹임 도움 하에 이완골반저부(pelvic floor) 근육의 운동을 주기적으로 하는 방법이다.

⑥ 온열요법(heat)과 냉각요법(cold)

근육의 중앙에 있는 통증 유발점은 온열요법에 더 잘 반응하고, 근육 끝 쪽에 있는 통증 유발점은 냉각요법에 더 잘 반응한다고 한다.

⑦ 경피 자극(cutaneous stimulation)

통증 유발점이 있는 위쪽에서 경피 자극을 가하여 치료하는 방법으로 그 종류에는 다음과 같은 것들이 있다.

가. 초음파치료
나. 고전위 직류전기 자극(high-votage galvanic stimulation)
다. 피부경유전기신경 자극(transcutaneous electrical nerve stimulation, TENS)
라. 신경근 자극(neuromuscular stimulation)

⑧ 통증 유발점 주사

복벽이나 골반 기저부 근육의 통증 유발점에 대한 통증 유발점 주사는 근래에 들어서 매우 효과적이고 안전한 치료의 한 방법으로 인정되고 있다. 주로 주사에는 부신피질호르몬(corticosteroid)이나 아드레날린(adrenaline)은 사용하지 않고 단순히 국소마취제들만 주사하는 방법이 가장 추천되고 있다. 그러나 단순 주사침 삽입(dry needling) 만으로도 효과를 볼 수 있다는 보고도 있고 경우에 따라서는 보툴리눔 독소(botlinum toxin) 등이 이용되기도 한다. 이러한 국소마취제 주입이나 단순 주사침 삽입은 통증 유발점의 활성 부위의 비활성화 및 기계적 파괴를 얼마나 시킬 수 있느냐에 따라 그 효과가 결정된다. 그리고 한 통증 유발점에 주입하는 국소 마취제의 양은 3 mL를 넘지 않아야 한다.

슬로컴(Slocumb et al., 1984)이 가장 먼저 사용한 통증 유발점 주사는 22게이지 1/2인치의 주사 바늘을 이용하여 0.25% 부피바케인(bupivacaine)을 2-5 mL 캠퍼스 근막(Camper's fascia)까지 삽입하여 근막의 위와 아래에 주사하는 방법이다. 그러나 현재는 여러 학자들이 많은 다양한 통증 유발점 주사의 주사액 종류를 이용하고 있다. 리도케인 HCL 1% 9 mL와 중탄산염나트륨(Sodium bicarbonate) 8.4% 1 mL의 혼합액을 사용하기도 하고, 1% 리도케인만 사용하기도 한다. 그 외 0.5% 프로케인(procaine)이 이용되기도 하는데 이 약제는 사고로 2 mL 이하의 약 제가 혈관내 주입되어도 별 문제가 없어서 선호되기도 한다. 가끔 등장성 생리 식염수를 사용하여 효과를 보는 수도 있으나 부신피질호르몬(corticosteroid)은 크게 도움이 되지 않는다고 한다.

일반적으로 복벽의 통증 유발점 주사에는 22 혹은 23게이지의 2인치 일반바늘을 사용하나 복벽이 두껍지 않은 경우는 25 혹은 27게이지의 일반바늘을 사용하면 훨씬 적은 고통으로 주사를 할 수 있다. 그러나 반드시 바늘 끝이 통증 유발점의 수축 결절(contraction knot)까지 충분히 도달하여야 하며 한번 바늘을 찌른 후 점차 주위로 조금씩 주사액을 확장시키는 방법으로 주입을 한다. 질 중간 부위의 통증 유발점 주사에는 30게이지의 1인치의 주사 바늘을 이용하면 충분히 항문거근(levator ani muscle)에 도달할 수 있다고 한다. 그러나 골반 깊숙이 있는 통증 유발점을 위해서는 바늘유도기(trumpet guide)의 음부 혹은 척추 장침(pudendal or spinal needle)이 필요하며 정확한 부위의 주사를 위해서는 굽어 있는 유도기구(pipe-bending tool)을 이용하여야 한다. 질벽의 주사에 의한 불필요한 출혈을 막기 위해서는 25게이지 이상의 큰 바늘은 피하여야 한다고 한다. 슬로컴(Slocumb et al., 1984)의 보고에 의하면 90%의 환자에서 통증 유발점이 복벽에 존재하고, 70% 환자가 자궁경부 측부 및 질부(paracervical-vaginal)에 존재하고 25% 환자가 골반에 통증 유발점이 존재한다고 한다. 이러한 통증 유발점 주사 후에는 통증 유발점을 지속적으로 유지시키는 갑상선부전, 인슐린저항성(insulin resistance), 엽산 및 비타민 B 부족 등 숨어있는 인자를 교정하여 주어야 통증 유발점의 치료 성공률을 높일 수 있다.

11) 만성골반통의 진단과 치료에서의 미세복강경(Microlaparoscopy)의 응용

미세복강경이 처음 산부인과에 사용된 것은 1991년 돌시와 탑(dolsi and top)의 보고에서부터이며 초기엔 소형복강경(minilaparoscopy)으로도 지칭되었으나 요즈음은 대개 미세복강경으로 불리고 있다. 미세복강경은 발표 초기에는 2 mm 이하 직경의 작은 복강경을 지칭하였으나 복강경의 발달과 함께 미세 조작 기구(microinstruments)들의 발달이 다양하게 됨에 따라 진단 목적을 벗어나 수술에도 응용이 가능하게 되어 최근에는 각 제조 회사에 따라 2-3.5 mm로 다양하게 생산되고 있고 5 mm까지 미세복강경으로 포함하고 있다. 최근에는 2 mm 이하의 광섬유복강경(fiberoptic laparoscope)과 1.4 mm 직경의 난관경(fallopscope)도 개발되었다.

요즘 주로 사용되는 미세복강경은 2-3.5 mm이지만 2 mm 복강경은 3.5 mm에 비하여 수술 시야를 비추는 광량이 약하여 주로 진단 목적으로 사용하고 수술 목적으로 사용시는 보다 광량이 강한 3.5 mm가 사용된다. 2 mm와 3.5 mm 간의 수술 시나 수술 후 환자가 느끼는 통증이나 만족도 및 수술 상처의 미용면에서 별 차이가 없어 수술에는 3.5 mm가 더 이용이 편한 면이 있다. 특히 광섬유형

(fiberoptic type)은 화상의 격자형 음영 때문에 수술에는 부적합하고 진단에도 많이 이용되지 않는 경향이 있다.

(1) 미세복강경의 종류

① 복강경(scope)과 조작채널(operating channel) 분리형

가. 1.2 mm 유연성복강경(flexible scope): 진단 목적에 적합

나. 2 mm 경성복강경(rigid scope): 진단 목적에 적합

다. 3.5 mm 경성복강경: 수술 목적에 적합

라. 5 mm 경성복강경: 수술 목적에 적합

② 복강경과 조작채널

가. 3.8 mm 복강경 및 5F 조작 채널

나. 5.5 mm 복강경 및 5 mm 조작 채널

(2) 마취

전신마취를 통하여 수술을 시행하는 경우가 많으나, 진단은 진정(sedation) 및 국소마취(local anesthesia)로 시행하는 경향이 많고 수술도 역시 진정 및 국소마취로 외래용 복강경(office laparoscopy)으로 시행하려는 시도가 많아지고 있다.

(3) 미세복강경의 진단 목적의 이용

① 만성골반통에서 통증점 지도그리기(pain mapping)

② 복강경수술하기 전 과거의 개복수술에 의한 복강내 유착의 평가

③ 자궁내막증 진단

④ 골반염 진단

⑤ 만성골반통의 원인 진단

(4) 미세복강경의 치료 목적의 이용

① 자궁내막증병변 소작술(fuguration of endometriotic implants)

② 복강경하 자궁천골인대 소작술(laparoscopic uterosacral nerve ablation, LUNA)

③ 유착제거술(adhesiolysis)

④ 난관결찰(tubal ligation)

⑤ 수정란 및 배아 삽입술(gamete and embryo transfer)

⑥ 다낭성난소증후군 치료(ovarian drilling for PCO)

⑦ 난관폐쇄수술(operation for tubal occlusion)

⑧ 난소낭종절제술(ovarian cystectomy)

⑨ 장간막하근종적출술(subserosal myomectomy)

⑩ 비파열성 자궁외임신(unruptured ectopic pregnancy)수술

(5) 기존의 복강경에 비하여 미세복강경의 장점

① 수술 후 통증과 조직 손상이 적다.

② 작은 천공부위로 수술하므로 잔존하는 통증과 피부 반흔 형성이 적다.

③ 더 적은 기복(insufflation)으로 시술이 가능하다.

④ 비용이 더 적게 든다.

⑤ 피부 미용상 환자에게 적응이 더 잘 된다.

⑥ 합병증이 적고 불쾌감도 더 적다.

(6) 만성골반통 진단을 위한 미세복강경

만성골반통의 원인에는 자궁내막증과 유착 등이 가장 많으므로, 이들의 진단을 위한 복강경검사가 필수적이나 여러 장점을 지닌 미세복강경 시행이 더 나을 것이다. 특히 유착과 통증 사이에 밀접한 관계가 있다고 보고되고 있으며, 이를 위한 미세복강경하 통증지도 작성(pain mapping)이 많이 시행되고 있다. 두 유동성 기관들 사이의 얇은 유착이 유동성이 불가능한 고정된 두꺼운 유착에 비하여 훨씬 심한 통증을 유발한다고 알려져 있다. 특히 국소마취 하 시행하는 만성골반통 진단을 위한 외래 미세복강경에 환자들이 훨씬 잘 적응한다고 보고하고 있고 입원하는 기존의 복강경에 비하여 병원 비용을 80% 정도 낮출 수 있으나 진단 정확도는 일반적인 복강경에 비하여 손색이 없다고 보고하고 있다.

(7) 자궁천골인대 소작술(LUNA)에 대한 미세복강경의 응용

영국의 보고(Jones, 2003)에 의하면 자궁천골인대 소작술의 적응증은 만성골반통(68%), 월경통(66%), 성교통(39%)

및 자궁내막증(60%)이라고 하고, 그 테크닉은 자궁골반인대를 자궁경부의 시작 부위로부터 2 cm 이상의 거리 부위를 완벽히 완전 절제하는 것이 일반적인 방법이라고 한다. 복강경하 자궁천골인대 소작술은 자궁내막증이 없는 만성골반통에는 상당히 효과적인 것을 보고하고 있다. 특히 중앙부 월경통 때는 매우 효과적인 것으로 알려져 있다. 최근 자궁내막증 진단 및 자궁내막증병변 소작술, 복강경하 자궁천골인대 소작술, 유착제거술 등 간단한 수술 혹은 난소낭종적출술 등에 3.5 mm 미세복강경을 이용하여 수술하는 시도가 있고, 이러한 미세복강경수술에서 수술 직후 통증이 훨씬 덜한 것으로 보고 하고 있다(Giudice et al., 2004). 자렐(Jarrel et al., 2005) 등의 보고에 의하면 진단 복강경하 유착은 물론이고 조직검사만 하여도 자궁내막증 통증 치료가 된다고 보고하고 있고, 자궁내막증이 있는 경우는 없는 경우의 만성골반통에 비하여 복강경하 자궁천골인대 소작술이 통증치료에 그리 많은 효과를 보이지는 않는다고 보고하고 있다. 그러나 자궁내막증 치료에 병행하여 복강경하 자궁천골인대 소작술을 시행함은 자궁내막증 치료만 하는 경우에 비하여 더 효과적이라고 보고되고 있다.

12) 그 외 보조적 치료 및 보완 대체치료

(1) 유착박리술

복강경하 유착박리술이 얼마나 만성골반통에 효과적인지는 아직 논란이 많으나 대체적으로 효과적인 것으로 알려져 있다. 첸과 우드(Chan and Wood)는 개복술하 유착 박리 후 65%의 치료 호전을 보고하고 있고, 네자(Nezhat et al., 2000) 등은 복강경하 유착 박리 후 39%에서 완전히 통증이 없어지고 33%에서 매우 호전을 보였으며 28%에서만 통증이 약간 감소하거나 변화가 없었다고 보고하고 있다. 서튼과 맥도날드(Sutton and McDonarld)는 레이저 복강경수술하 유착 박리 후 84%의 증상 호전을 발표하고 있다.

(2) 자궁경 및 자궁소파술

진단 목적을 겸하여 특히 자궁내 폴립 혹은 유착 등이 있는 경우 생리통이 있는 여성에서 효과적인 수술 치료를 할 수 있는 경우가 많다.

(3) 자궁 걸기(uterine suspension)

자궁이 후굴인 여성에서 골반통이나 성교통이 심한 경우 우선 페사리를 사용하여 효과가 없으면, 자궁절제술을 시행하는 수도 있으나 아이를 더 원하거나 혹은 자궁절제술을 원하지 않는 경우는 자궁원인대를 전방 복직근집(anterior rectus sheath) 밑에 봉합하여 주는 자궁 걸기 방법이 있다. 요즈음은 난관결찰 링(fallope ring)을 이용하여 복강경상에서 원인대를 묶어 짧게 해주든지 복강경하에서 원인대를 전방 복직 근집에 봉합하여 주기도 한다.

(4) 복강경하 자궁천골인대 소작술(laparoscopic uterosacral nerve ablation, LUNA)

자궁 천골인대는 자궁내막증 시 흔히 침범되는 곳이다. 이곳에 병변이 침착되어 염증 및 섬유화를 일으키면 심한 월경통과 성교통 및 골반 동통을 일으키고 이들은 복부 중앙부위로 연관통증을 일으킨다. 복강경 시 이 인대를 소작시킬 때 요관이 자궁경부의 인대 부착부위에서 평행하게 가기 때문에 매우 주의하여야 한다. 만성골반통 환자에서 이러한 자궁천골인대의 절단으로 서튼과 힐(Sutton and Hill)은 70%의 동통 완화율을 보고하고 있고, 리히텐과 봄바드(Richiten and Bombard)는 81%의 동통 완화율을 보고하고 있다. 그러나 이러한 복강경하 자궁천골인대 소작술은 중앙부위 월경통 때 특히 효과가 좋다고 하지만, 자궁내막증 환자에서는 크게 효과가 없는 것으로 알려져 있다.

(5) 천골전신경절제술(presacral neurectomy, PSN)

천골전신경절제술은 과거에는 개복수술을 통하여만 시행하여 왔으나 최근 복강경수술로도 많이 시도되고 있다. 아직 그 효과에 대하여는 논란이 많으므로 중앙부 동통 등 선택된 경우에 시행하는 것이 좋을 것으로 사료된다.

(6) 자궁절제술

자궁절제술을 받는 환자의 19%는 골반통을 치료하기위해 시행되지만 실제 통증치료를 받는 환자의 30%는 자궁절제술 후에도 통증의 호전을 보이지 않는다. 자궁절제술은 자궁내막증이나 자궁샘근증 등과 관련된 만성골반통을 호소하는 여성들 중 더 이상 분만계획이 없는 경우에는 효과적일 수 있으나, 만성골반통은 자궁절제술의 수술적응증이 아니고 자궁절제술을 시행하여도 동통 완화 성공률은 77%로 비교적 실패율이 높으므로 수술 전 환자와 충분한 상의가 필요하고 신중한 선택이 필요하다(Reiter et al., 1991).

(7) 미슬토요법

미슬토(Mistletoe: 겨우살이 나무)는 전나무, 사과나무, 소나무, 밤나무 등에 기생하는 작은 상록수로, 헬릭소(Helixor) 등 이러한 미슬토의 한 종류인 비스컴 알범(Viscum album) L. 등의 추출물은 인체 면역 체계의 변화를 가져오는 작용이 있다고 알려져 있다. 이들 면역 작용은 주로 당단백(glycoproteins)인 미슬토 렉틴(mistletoe lectin) I, II, III 및 Visalb CBA 등에 의하여 일어나고 그 외 다중펩타이드(polypeptide)인 비스코톡신(viscotoxins) A1-3, 1PS, U-PS 등이나 팹티드(peptide) 500D, 다당류(polysaccharides)인 Arabinogalactane galacturonane, 올리고당류(oligosaccharides) 등도 면역 체계에 변화를 가져온다고 알려져 있다. 이러한 면역 조절효과 때문에 미슬토 추출액은 악성종양의 치료(악성림프종, 다발성 골수종, 백혈병), 악성종양 일차 치료 후 재발 방지, 전암병변(자궁경부 상피 내종양, 만성 B형 간염, C형 간염, 장의 용종치료, 일차성 골수질환 및 치료 후 골수 억제 환자의 치료, 말기 환자의 약물 등에 사용되고 있다. 최근에 자궁내막증의 통증 치료에 사용이 시도되고 있으나 아직 확실한 효과나 그 장기적 효과는 확실하게 알려져 있지 않으므로 이에 대한 정리를 해보고자 한다. 미슬토 추출액의 면역 작용은 비 특이적 면역 체계에서는 화학주성과 대식세포(macrophage)의 활동성 증가와 중성 백혈구의 증가, NK 세포(natural killer cell)의 활성도 증가, C-reative protein과 세포독성 보체의 활성도를 증가시키며, 특이적 면역 체계에서는 미슬토 렉틴(mistletoe lectin)에 대한 항체(주로 Ig G class)를 생성하여 미슬토 렉틴(mistletoe lectin)의 독성을 중화 시킨다고 한다. 또한 말초 대식세포(peripheral macrophage)와 단핵구(monocyte)의 수를 증가 시킴과 동시에 대식세포(peripheral macrophage)로 부터의 IL-1, IL-2, IL-6, TNF-alpha, GM-CSF, INF-alpha 등 각종 사이토카인(cytokines)의 분비를 증가시킨다고 한다. 특히 미슬토 추출액(mistletoe extract)의 여러 성분 중 미슬토 렉틴(mistletoe lectins) I, II, III 가 암세포에서의 리소좀의 단백질 생산을 억제하며 세포독성 작용을 유도하며, 면역 체계에서는 IL-1, IL-2, IL-6, TNF-alpha의 분비와 NK 세포와 대식작용의 활성도를 증가시키고 세포자멸사(apoptosis)를 증가시킨다고 한다. 그 외 Viscotoxins A1-3, 1-PS, U-PS는 종양 세포막의 누출을 유발하며 대식세포와 과립성 백혈구의 대식작용 활성도를 증가시킨다고 한다.

많은 연구들이 자궁내막증 때는 복강액 내에 대식세포의 수와 활성도가 증가한다는 보고를 하고 있다. 아울러 증가된 대식세포에 의하여 IL-1, IL-2, IL-4, IL6, IL-8, IL-10, 인터페론(interferon), TNF, MCP-1, PDGF, EGF, M-CSF, GM-CSF, G-CSF, VEGF 등 각종 사이토카인(cytokines)과 성장인자(growth factor)의 분비가 증가되어 복강내 자궁내막증 조직의 착상 및 성장에 관여한다고 보고하고 있다. 드모우스키(Dmowsky et al., 1981) 등에 의하면 역류된 자궁내막세포에 대한 T cell mediated cytotoxicity가 감소하여 있고, 오스터링크에 의하면 자궁내막증 환자에서는 NK 세포 활성도가 감소하여 있다고 보고하고 있다. 최근 보고에는 이러한 NK 세포 활성도의 감소는 혈중 에스트라디올(estradiol) 수치와 연관 있다고 하며, 생식샘자극호르몬방출호르몬유사체(GnRH analogue)에 의하여 에스트라디올 수치를 낮추는 경우 NK 세포 활성도가 증가한다고 보고하는 연구가 있다(Garzetti et al., 1996). 자궁내막증의 병인과 병변 진행은 이와 같이 대식세포(macrophage)의 증가 등의 염증성 변화에 의한 성장인자(growth factor)와 사이토카인(cytokines) 분비의 증가 등에 의하여 자궁내막 세포의 착상 및 증식과 NK cell activity의 감소에 의한 복강 내 자궁내막 조직의 제거의 감소가 중요한 역할을 하는 것으로 짐작되고 있다.

자궁내막증의 통증의 원인은 여러 가지로 설명되고 있으나 대별하여 자궁내막증 자체 병변의 증식에 의한 통증과 주위 염증성 변화에 의한 통증으로 나눌 수 있다. 따라서 일반적인 자궁내막증병변에 대한 치료로 조절되지 않는 통증은 비스테로이드소염제의 적절한 사용이 자궁내막증 통증 관리에 필요하다. 자궁내막증에 미슬토 추출액의 사용은 이를 사용함으로써 나타나는 염증성 세포의 증가 즉 대식세포의 증가 및 사이토카인의 분비 증가와 NK 세포 활성도의 증가 및 세포자멸사(apoptosis)의 증가의 두 가지 면에서 고려가 필요할 것으로 생각된다. 미슬토 추출액의 염증성 세포의 증가 작용은 자궁내막증의 진행을 오히려 돕는 쪽으로 작용할 수 있고 NK 세포 활성도 및 세포자멸사의 증가는 자궁내막증병변의 진행을 억제하는 쪽으로 작용하기 때문이다. 따라서 자궁내막증 환자에서의 미슬토 추출액의 사용이 자궁내막증이 진행 쪽으로 작용하는지 아니면 억제 쪽으로 작용하는지는 아직은 좀 더 많은 연구가 필요하다. 이러한 면에서 자궁내막증 환자에서의 미슬토 추출액의 일차약으로의 사용은 좀 더 신중해야 하며 보다 정확한 연구 자료가 나온 후에 시도되어야 할 것으로 생각된다. 자궁내막증 이외의 경우라도 여러 복강 내 염증성 변화에 의하여 발생하는 만성골반통에 스테로이드소염제로 치료가 잘 되지 않는 경우에는 보조적으로 시도하여 볼 수 있을 것으로 사료된다.

(8) 자기장 치료(magnet field therapy)

복부의 압통 부위에 자기판(magnet)을 붙여서 치료하여 만성골반통 환자에서 통증과 불쾌감이 의미있게 감소하였다고 보고되고 있다. 500게이지의 2개의 자기판을 압통 부위위에 붙여 치료한 결과 4주 후에 통증의 강도는 22%에서 감소하였고, 40%에서 통증의 질이 좋아졌다고 보고되고 있으나 장기적 효과는 아직 알려져 있지 않다.

(9) 그 외 만성골반통에 시도되고 있는 보완대체요법

① 피부경유전기신경자극(transcutaneous electrical nerve stimulation, TENS)

② 침술(acupuncture)

③ 아로마치료

④ 카이로프락티스(chiropractic therapy)

⑤ 연상요법(guided imagery)

⑥ 동종요법(homeopathy)

⑦ 물치료법(hydrotherapy)

⑧ 최면술

⑨ 마사지

⑩ 요가

13) 결론

만성골반통의 성공적인 치료를 위하여서는 세밀한 진단 방법을 동원하여 정확한 원인질환을 찾아내고, 아울러 정신적인 요인도 반드시 관찰하고 생활 적응 등 모든 면을 관찰하여 모든 각도에서 정신과적 치료팀 및 물리치료팀이 신체적 병변의 치료와 잘 조화되어 치료에 임할 수 있도록 하여야 한다.

참고논문

- 부인과학. 제 5판: 고려의학; 2015.
- 산부인과학 지침과 개요. 넷째판: 군자출판사; 2019.
- Beck AT. Depression: Causes and Treatment. Philadelphia, PA: University of Pennsylvania Press; 2006.
- Berek & Novak's gynecology. 16th ed. Philadelphia (PA): Lippincott Williams & Wilkins; 2020.
- Bouyer J, Coste J, Fernandez H, Pouly JL, Job-Spira N. Sites of ectopic pregnancy: a 10 year population-based study of 1800 cases. Hum Reprod. 2002 Dec;17:3224-30.
- Burnett MA, Antao V, Black A, Feldman K, Grenville A, Lea R, et al. Prevalence of primary dysmenorrhea in Canada. J Obstet Gynaecol Can. 2005 Aug;27:765-70.
- Carter JE. Surgical treatment for chronic pelvic pain. J Soc Laparoendosc Surg. 1998;2:129-39.
- Farquhar CM. A randomized controlled trial of

medroxyprogesterone acetate and psychotherapy for the treatment of pelvic congestion. Br J Obstet Gynaecol. 1989;96:1153-62.
- Feinberg BI, Feinberg RA. Persistent pain after total knee arthroplasty: treatment with mannual therapy and trigger point injections. J Musculoskl Pain. 1998;6:85-9.
- Fine PG, Milano R, Hare BD. The effects of myofacial trigger point injections are naloxone reversible Pain. 1988;32:15-9.
- Giudice LC, Kao LC. Endometriosis. Lancet. 2004 Nov;13-19;364:1789-99.
- Hong C-Z. Lidocaine injection versus dry needling to myofacial trigger point: the importance of the local twitch response. Am J Med Rehabil. 1994;73:256-63.
- Jarrell J. Laparoscopy and reported pain among patients with endometriosis. J Obstet Gynaecol Can. 2005;27:477-85.
- Jones KD, Sutton C. Patient satisfaction and changes in pain scores after ablative laparoscopic surgery for stage III-IV endometriosis and endometriotic cysts. Fertil Steril. 2003;79:1086-90.
- Kim HS. Embolotherapy for pelvic congestion syndrome: long-term results. J Vasc Interv Radiol. 2006;17(2 Pt 1):289-97.
- Kim MD, Kim S, Kim NK, Lee MH, Ahn EH, Kim HJ, et al. Long-term results of uterine artery embolization for symptomatic adenomyosis. Am J Roentgenol. 2007 Jan;188:176-81.
- Nezhat FR, Crystal FR, Nezhat CH, Nezhat CR. Laparoscopic adhesiolysis and relief of chronic pelvic pain. JSLS. 2000;4:281-5.
- Reiter RC. Availability of a multidisciplinary pelvic pain clinic and frequency of hysterectomy for pelvic pain. J Psychosom Obstet Gynecol. 1991;12:109-16.
- Simons DG. Diagnostic criteria of myofascial pain caused by trigger points. J Musculoskel Pain. 1999;7:111-3.
- Slocumb JC. Neurological factors in chronic pelvic pain: trigger point and the abdominal pelvic pain syndrome. Am J Obstet Gynecol. 1984;149:536-43.
- Somigliana E. Treatment of endometriosis-related pain: Options and outcomes. Front Biosci. 2009;1:455-65.
- Templeman C, Marshall SF, Ursin G, Horn-Ross PL, Clarke CA, Allen M, et al. Adenomyosis and endometriosis in the California Teachers Study. Fertil Steril. 2008 Aug;90:415-24.
- Wesselmann U. Neurogenic inflammation and chronic pelvic pain. World J Urol 2001;19:180-5.
- Wong CL, Farquhar C, Roberts H, Proctor M. Oral contraceptive pill as treatment for primary dysmenorrhea. Cochrane Database Syst Rev. 2009;CD002120.
- Workowski KA, Bolan GA; Centers for Disease Control and Prevention. Sexually transmitted diseases treatment guidelines, 2015. MMWR Recomm Rep. 2015 Jun 5;64(RR-03):1-137.

제7장

여성 생식기 감염

정인철 | 가톨릭의대
조문경 | 전남의대

1. 외음부 및 질 감염

비뇨생식기계 염증은 환자들이 부인과를 찾아오는 가장 흔한 질환 중의 하나이다. 이 질환에 대한 병태 생리를 이해하며 그에 따른 적절한 진단과 치료를 함으로써 장기적인 합병증을 감소시켜야 한다.

1) 정상 질

정상 질분비물은 피지선, 한선, 바르톨린샘, 스케네씨샘으로부터 나오는 분비물, 질벽에서 나오는 삼출액, 질과 자궁경부에서 떨어져 나오는 세포들, 자궁경부 점액, 자궁내막과 난관에서 나오는 액 그리고 질내 미생물과 그 대사물질로 구성되며 질분비물의 양상은 호르몬 주기에 영향을 받는다(Huggins and Preti, 1981). 질분비물은 월경주기의 중반에 자궁경부 점액의 증가로 많아지며 이러한 주기적 변화는 피임약을 복용하거나 배란이 안 될 경우에는 통상 나타나지 않는다.

질의 탈락 조직은 에스트로겐과 황체호르몬에 영향을 받는 질세포로 구성되어 있다. 에스트로겐 자극이 있을 경우 표피세포(superficial cells)가 주된 세포로 나타나며 황체기에는 중간층세포(intermediate cells)가 주된 세포로 나타나고 두 호르몬이 다 결핍되는 시기에는 방기저세포(parabasal cells)가 주로 나타난다.

질 내에는 많은 종류의 정상 세균총(normal flora)이 있고 이중 호기성 세균(aerobic bacteria)인 유산균(lactobacillus spp.)이 가장 큰 비율을 차지하고 있다. 이 세균은 유산을 분비하여 질 내를 산성 상태(pH 4.5 이하)로 유지해 주고, 질 미생물들 사이에 균형을 유지하여 병균에 대한 저항성을 지니게 하는데(Spiegel, 1991; Giorgi et al., 1987) 이러한 정상 세균군의 변화를 초래하는 상황에서는 감염의 기회가 증가한다(Larsen, 1994).

정상 질분비물은 솜 모양이며, 흰색이고 보통 낮은 부분인 후방 질정에 고인다. 질분비물은 식염수로 적셔 슬라이드에 도말한 후 분석한다. 미생물학적 검사 상 많은 상피세포, 약간의 백혈구, 몇 개의 clue 세포들이 있다. Clue 세포는 세균이 붙어 있는 질상피세를 칭하며, 보통 Gadnerella vaginalis 균이 붙어있다. 10% KOH를 슬라이드에 첨가하여 진균 감염 여부를 진단할 수 있다.

2) 질 감염

질염은 질분비물, 냄새, 작열감, 소양감, 성교통, 배뇨통 등의 증상을 특징으로 하는 질의 감염 또는 염증상태로 외래에서 산부인과 의사가 접하는 가장 흔한 부인과 질환이다.

폐경 여성을 제외한 여성에서 발생하는 질염의 90% 이상은 세균성 질증(bacterial vaginosis), 질칸디다증(vaginal candidiasis), 트리코모나스 질염(trichomonas vaginitis) 등이다. 가장 흔한 세균성 질증은 40-50%를 차지하고, 그 다음은 질칸디다증(20-25%), 트리코모나스 질염(15-20%) 순이고 비감염성 질염 등도 있다(Sobel, 1992).

(1) 세균성 질증(bacterial vaginosis)

세균성 질증은 정상 질세균총(normal vaginal flora)의 변화 때문에 발생하며 질의 주된 균주인 유산균주가 감소되고 비호기성(anaerobe) 균이 과증식되어 이들로 대체 되어 있는 경우를 칭한다.

이전에는 비특이성 질염(nonspecific vaginitis) 혹은 Gardnerella vaginitis로 지칭하였으며 1984년 Mardh 등에 의해 세균성 질증으로 정의 되었다. 이 질환을 가진 여성에서 Gardnerella vaginalis, Mycoplasma hominis 등과 같은 비호기성 균의 농도는 정상 여성에 비하여 100-1,000배 더 높으며 유산균주는 유의하게 감소하거나 거의 사라지게 된다. 이는 일반적으로 한 종류의 세균 감염에 의해 발생한다기보다는 질내 미생물군 생태계의 변화 때문에 발생한다.

이처럼 정상적인 질내 미생물군이 교란되는 기전은 잘 알려지지 않았지만 잦은 성교나 질세척(douche) 후 자주 반복되는 알칼리화(alkalinization)에 기인한 것으로 여겨진다. 정상적으로 있어야 할 유산균이 사라지면 정상 질내 상태가 유지되기 어려우며 세균성 질증의 재발이 자주 일어난다.

세균성 질증의 가장 흔한 증상은 질분비물 증가 및 악취이나, 대부분의 경우 무증상이다(Koumans et al., 2007). 세균성 질증이 발생한 경우 골반염, 자궁절제술 후 질염, 이상자궁경부 세포의 빈도가 높아지며(최순미 등, 1998) 임신부의 경우 조기양막파수나 조산, 양수내 감염, 융모양막염, 제왕절개술 후 자궁내막염 등의 빈도가 높아진다(서경 등, 1994).

① 진단

세균성 질증은 임상적 기준(Amsel's diagnostic criteria, Amsel, 1983)을 이용하거나 그람 염색을 시행한다. 임상적 기준으로는 다음의 4가지가 있다.

가. 균일하고, 얇게 질을 덮고 있으며, 생선 냄새가 나는 분비물

나. 질분비물의 색깔은 회색이고, 이 분비물의 산도가 4.5–5.0 이상인 경우(vaginal pH 4.7–5.7 정도)

다. 현미경적으로 clue 세포(작은 세균들에 둘러싸여 경계가 불분명해진 상피세포) 수가 증가하고 백혈구가 현저히 적을 경우

라. 질분비물에 KOH를 첨가하면 아민 같은 생선 냄새가 난다(whiff test). 현미경적으로 clue 세포와 whiff test 양성인 경우 무증상이라 하더라도 세균성 질증 진단에 특징적인 소견이 된다.

마. vaginalis 배양검사는 특이도가 낮아서 검사법으로 적절하지 않다.

② 치료

치료제는 metronidazole과 clindamycin을 주로 사용한다. 비임신 상태의 여성에서는 표 7-1과 같이 metronidazole 500 mg을 하루에 2번 경구로 7일 동안 복용하는 방법과 0.75% gel을 5 gm씩 하루에 1번 5일 동안 질내 주입하는 방법이 일반적이다. Clindamycin을 이용하는 방법으로는 2% cream 5 gm을 취침 전 질내 7일 동안 주입한다. 대체요법으로는 tinidazole 2 g을 하루에 1번씩 2-5일간 복용하거나(Livengood et al., 2007), clindamycin을 300 mg을 하루에 2번씩 7일 동안 경구 복용하는 방법, clindamycin 100 mg

표 7-1. 세균성 질증의 치료

Metronidazole	500 mg 경구, 1일 2회, 7일간 사용 0.75% gel 5 gm 질내 주입, 1일 1회 5일간 사용
Clindamycin	2% cream, 1일 5 gm, 질내 도포, 7일간 사용

질정을 취침 전 질내 3일 동안 삽입하는 방법(Sobel et al., 2001) 등이 있으나 임상적 뒷받침이 아직 부족한 상태이다. Metronidazole 치료 중이거나 치료 후 24시간 내에는 음주는 허용되지 않는다. 세균성 질증에서 남자 성 배우자를 치료하더라도 치료 성공률이나 재발률이 호전되지 않기 때문에 성 배우자를 항상 같이 치료하는 것은 권장되지 않는다. 임신 시 증상이 있는 세균성 질증은 조기 진통, 조기 양막파수, 저출생 체중아, 융모양막염, 분만 후 자궁내막염 등의 합병증을 일으킬 수 있기 때문에 반드시 치료를 해야 하며, 증상이 없다고 해도 조산의 고위험군에서는 세심한 주의와 적절한 치료를 요한다. 임신 중 치료효과는 비임신 시와 비슷하다. 임신 중에는 metronidazole 250 mg을 하루 세 번씩 7일 동안 경구 복용하거나, 500 mg을 하루 두 번씩 7일간 복용하는 방법을 사용할 수 있다. 다른 방법으로는 clindamycin 2% cream을 취침 전에 5 gm 질내 7일 동안 주입하는 방법은 1삼분기에 시행하여도 안전할 것으로 추측된다. 임신 16-32주에서 clindamycin cream 사용은 저체중아, 신생아 감염의 위험을 증가시키므로 삼가해야 한다(Vermeulen and Bruinse, 1999; Lamont et al., 2003; McGregor et al., 1994; Joesoef et al., 1995).

세균성 질증은 재발이 흔하므로, 증상 재발 시 재내원할 것을 교육하고 증상이 호전되었다면 재방문은 불필요하다. 표준 치료를 시행한 후 재발이 반복되는 환자에서는 metronidazole gel을 일주일에 두 번 4-6개월간 사용해 볼 수 있다(Sobel et al., 2006).

(2) 트리코모나스 질염(trichomonas vaginitis)

트리코모나스 질염은 여성 질염의 흔한 형태로 질 편모충(trichomonas vaginalis)에 의한 성병이다.

질 편모충은 3-5개의 편모를 가진 병원성 단세포 원충으로 1836년 Alfred Donnė에 의해 여성의 질분비물에서 처음 발견되었으며, 1916년 Höhne가 트리코모나스 질염의 원인균으로 보고하였다. 이는 남, 여의 성기에 잘 기생하며 요도, 방광, 신우, 장관 등에서도 발견되는데, 남성의 경우는 무증상 발현인 경우가 많다. 감염 경로는 대부분 성교에 의하여 감염되며 일부에서 목욕타올, 변기 등으로도 감염이 가능하며 구강과 장관은 감염경로가 되는 경우는 드문 편이다.

잠복기는 약 4-28일로 알려졌으며 질내 산도가 증가되어 있는 경우와 이상 세균군이 있는 경우 트리코모나스 질염이 악화되고 또 잘 감염되는 것으로 알려져 있다. 국소적 면역인자와 감염 정도에 따라 증상 발현이 영향을 받으며 가벼운 감염인 경우 무증상인 경우가 많다(Wolner-Hanssen et al., 1989).

트리코모나스 질염은 자궁절제술 후 질염의 발생을 증가시키며 또한 임신 중에는 조기파수나 조산의 위험성을 높인다. 트리코모나스 질염은 성병으로 분류되며, 다수의 성 배우자를 가지고 있거나 성병의 기왕력이 있는 여성에서는 선별검사를 고려해 보아야 한다. 또한, 이 질환을 가진 여성은 다른 성병 특히 임질(Neisseria gonorrheae)과 클라미디아(Chlamydia trachomatis)감염에 대한 검사가 필요하며 매독과 사람면역결핍바이러스(human immunodeficiency virus, HIV)에 대한 혈청검사도 같이 실시하는 것이 좋다.

① 임상 증상 및 징후

가. 질분비물: 다량의 화농성의 냄새가 나는 질분비물을 동반하며, 기포가 많은 분비물이 특징임

나. 질 소양증(가려움증), 작열통증 등을 호소

다. 심한 감염의 경우 질 점막은 부종이 있고 발적이 되어 있어 반점형 질 홍반(patch vaginal erythema), 딸기 경부(strawberry cervix) 등 관찰됨

라. 질분비물 산도는 보통 5.0 이상이며 Whiff test는 양성으로 나올 수 있음

② 진단

가. 임상 증상과 징후

나. 검사 소견: 트리코모나스균의 확인

가) 직접도말 표본법(wet smear)

움직이는 편모를 가진 서양배 모양의 트리코모나스 원

충을 관찰할 수 있으며 백혈구가 증가되어 있는 것을 볼 수 있음(Krieger et al., 1988)

나) 염색도말(gram stain)

다) 배양검사: 가장 민감도 높은 검사이나 특수 배양배지(diamond media)를 사용해야 함

라) 핵산증폭검사(NAATs), 면역발색법

마) Pap test에서 검출될 수도 있음

③ 치료

가. 질 내의 산성도 유지(pH 4.5–5.0)가 중요하다.

나. 미국의 질병통제 예방센터(Centers for Disease Control and Prevention)의 치료지침에 의하면 metronidazole 2 gm 1일 1회 요법 혹은 tinidazole 2 gm 1일 1회 요법을 권장하고 있으며 대체요법으로 metronidazole 500 mg 1일 2회 7일 요법을 사용할 수 있다. Metronidazole 1회 요법의 치료 성공률은 약 90–95%이며, tinidazole 1회 요법의 경우 metronidazole과 동일하거나 더 우월한 효과를 보이는 것으로 보고된다(Forna and Gulmezoglu, 2003). 처음 치료에 실패하였을 경우 metronidazole 500 mg, 1일 2회 7일간 다시 투여한다. 만약 그래도 반응이 없으면 metronidazole 혹은 tinidazole 1일 2 gm 요법으로 5일간 투여한다. 반응이 없는 경우 균배양검사를 하여 metronidazole에 대한 감수성검사를 하여야 한다. 임신 중 사용 시 기형 발생의 증거는 없으므로, 임신 모든 분기에서 metronidazole 2 gm 1일 1회 요법을 사용할 수 있다(Burtin et al., 1995; Piper et al., 1993; Caro et al., 1997). 그러나 tinidazole의 경우 연구가 되어 있지 않아 임산부에 있어 사용에 신중을 기해야 한다. 수유부에 있어서는 metronidazole 복용 종료 12–24시간 동안, tinidazole 복용 종료 3일간은 수유를 금한다.

다. 재감염의 가장 흔한 원인이 치료되지 않은 성 배우자와의 성관계이므로, 배우자도 함께 치료를 해야 하며, 특히 재발 시 반드시 같이 치료하는 것이 필요하다.

라. Metronidazole gel은 세균성 질증의 치료에는 매우 효과가 있으나 트리코모나스 질염에는 효과가 없는 것으로 판정되어 사용하지 않는다.

마. 재감염률이 높기 때문에(3개월 이내에 17%가 재감염) 초감염으로부터 3개월 후에 T. vaginialis에 대한 재선별검사 시행을 고려한다(Peterman et al., 2006).

(3) 외음부 및 질칸디다증(vulvovaginal candidisis)

외음부 및 질칸디다증은 1849년 Wilkinson에 의해 처음 보고된 것으로 여성 질염의 흔한 원인의 하나로서 질분비물을 호소하는 비임산부 중 10%, 그리고 임산부 중 약 1/3의 빈도를 차지하며 발생 빈도가 증가하는 추세이다(김철수 등, 1987; Sobel et al., 1998).

외음부 및 질칸디다증의 가장 흔한 원인균은 Candida albicans로 85-90%를 차지한다. 그 외 Candida glabrata, Candida krusei, Candida tropicalis 등도 질증상을 나타낼 수 있으며, 이 경우 치료에 내성을 보이는 경향이 있다. 칸디다는 형태적으로 분아포자(blastospores)와 균사체(mycelia) 두 형태로 존재하며 분아포자는 무증상 감염과 균체이식 및 증식을 일으키며, 분아포자로부터 발생한 균사체는 조직 침투를 촉진시킨다. 통상 증상을 가진 환자에서 균수가 무증상 환자에 비하여 많다. 하부 생식기관의 상피세포의 침범 정도에 비하여 소양감과 염증이 광범위한 영역에서 일어나는 것은 세포외 독소 혹은 효소(extracellular toxin or enzyme)가 이 질환의 병리에 관여하고 있음을 시사하며 과민반응도 외음부 및 질칸디다증에 관련된 자극성 증상의 원인이 될 수 있다(김재욱, 1986).

칸디다증이 발병되는 선행요인으로는 임신, 당뇨병, 면역억제상태 등이 알려져 있다.

① 증상

외음부 및 질칸디다증의 증상은 치즈 형태 질분비물, 외음부 소양감, 작열감, 성교통, 배뇨통증 등이 있으며 진찰소견으로는 질분비물, 외음부 및 질의 홍반, 부종 등이 있을 수 있다.

② 진단

가. 임상적 증상 및 소견

나. 검사 소견: 칸디다균 확인 검사

가) 칸디다균 도말검사: 10-20% KOH 도말검사는 80-90%의 민감도, 생리 식염수 도말검사는 40% 정도의 민감도, 그리고 염색도말(Gram stain)은 20-40%의 민감도를 나타낸다.

나) 배양검사: Sabouroud 배지 또는 Nicherson 배지를 사용한다.

다. 질의 산도는 보통 정상임(pH<4.5)

라. Whiff test는 음성 소견

마. 임상적 증상 및 소견이 칸디다성 질염이 의심될 경우 현미경학적인 도말검사상 음성이라도 잠정적인 진단을 내릴 수 있으며 배양검사로 확진할 수 있음

③ 치료

외음부 및 질칸디다증의 치료는 증상이 있을 때만 치료할지 또는 무증상의 질염도 치료를 해야 하는지에 대해서는 논란이 있으나, 임신부에서는 질염이 발견되면 신생아의 진균감염을 방지하기 위해서 치료가 필요하며 국소 치료를 7일간 시행한다.

치료제로는 국소치료제와 경구투여제가 있다.

가. Gentian violet

1-2% 용액을 2-3일 간격으로 질점막, 질전정, 음순에 염증이 없어질 때까지 도포하는데, 보통 2-3회면 충분하다. 이것은 숙련된 의사가 판단하고 도포하여야하며 때로는 심한 화학, 외음질염이 발생하거나, 환자 내의에 착색되는 단점이 있어 현재는 잘 사용하지 않고 있다.

나. Mycostatin (nystatin)

1955년 이래 사용되기 시작하였으며 imidazole 유도체의 약제들이 합성되기 전까지는 가장 효과적인 약으로 각광을 받았다. 크림, 연고제 또는 질정으로 되어 있으며 주로 질정이 많이 사용되고 있으며, 100,000 Unit 질정을 1일 1회씩 10-14일간 장기간 투여하여야 하는 단점이 있다. 치료율은 60-90% 정도로 보고되었으며 현재는 imidazole 제제로 대체되고 있는 실정이다.

다. Imidazole 제제

1971년 imidazole 유도체인 miconazole이 개발된 이래 현재에는 여러 종류의 imidazole 유도체가 합성되어 사용되고 있으며 이들 azole제의 치료율은 83.5-96.7%로 보고되고 있다. 이들 imidazole 유도체들은 국소 및 경구 투여 둘 다 가능하며 치료율이 높고 재발률이 낮으며 부작용도 거의 없어서 현재 광범위하게 사용되고 있다. 임신 시 질염의 증상이 없을 때는 치료가 필요 없으나, 증상이 있을 때는 태아의 선천성 기형의 가능성이 있기 때문에(Pursley et al., 1996) 경구용 fluconazole제는 피하고, 국소적 요법으로 clotrimazole, miconazole, butoconazole, terconazole, nystatin 등이 모두 이용 가능하다. 경구용제는 또한 수유부에서도 금기이다. 진균은 성교에 의해서 전염되는 성병이 아니므로 성적 파트너에 대한 치료는 일반적으로 필요하지 않다.

가) 국소요법(표 7-2)

Azole 제제들이 nystatin보다 효능이 좋으며, 사용 기간이 짧아 현재 가장 많이 사용되고 있다. 증상해소에는 보통 2-3일이 소요된다(나종구 등, 1980).

나) 경구요법: 경구용 항진균 제제

Fluconazole, 1회 150 mg 경구요법은 경-중등도 외음부 칸디다증에서 국소 azole 요법과 동등한 효과를 나타내며 2-3일 동안은 증상이 보통 사라지지 않으므로 이 사실을 환자에게 주지시켜야 한다. 증상이 심한 경우 72시간 후 150 mg을 추가로 투약이 요구될 수도 있다. Ketoconazole, 200 mg 1일 2회 경구투여는 장기투여 시 드물게 치명적인 간기능장애를 초래할 수도 있으므로 주의가 요구된다. Itraconazole (sporanox), 200 mg 1일 2회 경구투여요법도 있다(장윤석 등, 1990).

표 7-2. 외음부 및 질칸디다증 국소 azole 요법들

Butoconazole
2% cream, 1일 5 gm 질내 도포, 3일간 사용
Clotrimazole
1% cream, 1일 5 gm, 질내 도포, 7-14일간 사용 2% cream, 1일 5 gm, 질내 도포, 3일간 사용
Miconazole
2% cream, 1일 5 gm, 질내 도포, 7일간 사용 4% cream, 1일 5 gm, 질내 도포, 3일간 사용 200 mg 질정, 1일 1회, 3일간 사용 100 mg 질정, 1일 1회, 7일간 사용 1,200 mg 질정, 1일 1회, 1일간 사용
Ticonazole
6.5% onitment, 1일 5 gm, 질내 도포, 1일 사용
Treconazole
0.4% cream, 1일 5 gm, 질내 도포, 7일간 사용 0.8% cream, 1일 5 gm, 질내 도포, 3일간 사용 80 mg 질정, 1일 1회, 3일간 사용
Nystatin
100,000 unit 질정, 1일 1회, 14일간 사용

라. 국소 스테로이드 보조요법: 외음부 자극증상의 완화에 도움을 줄 수 있다.

(4) 만성 재발성 외음부 및 질칸디다증(chronic, recurrent vulvovagianl candidiasis)

재발성 외음부 및 질칸디다증의 정의는 1년에 최소 4회 이상의 임상적 및 검사상 칸디다증이 발병하는 것을 말하고 있으며, 일부 여성에서 드물게 만성 재발성 외음부 칸디다증이 발생한다.

재발은 경구피임약, 항생제, 부신피질호르몬, 항암제를 투여받는 사람 또는 임산부와 당뇨병환자 등의 소인이 있는 사람에서 잘 일어나며, 또한 칸디다증은 자가전염(autotransmission)이 잘 되는 질환으로 항문, 외음부, 피부 등에 있는 균으로부터 질로 침입하거나 외음부 심층에 균이 있어 제거하기 힘든 경우에도 재발이 잘 된다. 염색도말과 배양검사로 확진할 수 있으며, non-albicans species, 특히 Candida glabrata가 10-20%에서 발견된다(Sobel et al., 2003).

치료 방법으로 fluconazole 150 mg을 3일 간격으로 3회 사용하고 이후 유지요법으로 fluconazole 150 mg을 주 1회 6개월 사용한다(Sobel et al., 2004). 치료요법은 환자들의 90%에서 효과를 보이고, 유지요법 시행 후에는 그 중 약 50% 정도가 무증상 상태를 유지하지만 나머지에서는 다시 재발을 보인다(Sobel et al., 2004).

(5) 염증성 질염(inflammatory vaginitis)

탈락성 염증성 질염(desquamatous inflammatory vaginitis)은 광범위한 삼출성 질염(diffuse exudative vaginitis), 상피세포 탈락(epithelial cell exfoliation), 화농성 질분비물 등이 특징적이다. 원인은 잘 알려져 있지 않으나 그람염색 소견상 정상적인 긴 그람양성 세균(유산균)은 비교적 적으면서 그람양성 구균, 주로 연쇄상구균으로 대치되어 있음을 보여준다(Sobel, 1994).

① 증상

가. 화농성 질분비물
나. 외음부 따가움 및 성교통
다. 외음부 소양증
라. 질, 외음부 홍반 및 외음부 점상출혈(eccymotic spots), 질염(colpitis macularis)
마. 질 산도는 보통 4.5 이상임

② 치료

초기 치료는 질내 2% clindamycin 크림 5 g을 4주간 매일 1회 사용한다. 재발은 약 30%에서 발생하며 이 경우 질내 2% clindamycin 크림을 또는 10% hydrocortisone 크림 3-5 g을 1일 1회 6주간 사용한다. 갱년기에서 재발되면 부가적인 호르몬 치료를 고려하여야 한다.

(6) 위축성 질염(atrophic vaginitis)

에스트로겐은 정상적인 질 생태학에 중요한 역할을 한다. 에스트로겐이 감소하면 질염이 발생하고 화농성 질분비물이 증가한다. 또 성교통과 성교 후 출혈을 호소하는데 이것은 질과 외음부 피부의 위축 때문에 발생하며, 질상피가 상처 나기 쉽게 되는 경우가 있다. 치료는 국소적 에스트로겐 크림 1 gm을 질 내에 1-2주 투여하며, 경구적 에스트로겐 요법으로 재발을 방지한다.

2. 자궁목점막염(Endocervicitis)

자궁목은 편평상피와 선상피로 구성되어 있다. 원인은 어느 상피에 염증이 발생하였느냐에 따라 다르다. 외자궁목 상피의 염증은 질염을 발생시키는 균들, 즉 트리코모나스, 칸디다와 헤르페스 심플렉스 등에 의하여 발생하고 반대로 임균과 클라미디아 등은 선상피내에서만 염증을 일으켜 화농성 자궁목점막염의 원인이 된다.

1) 진단

자궁목점막염의 진단은 화농성 자궁목 분비물, 즉 노란색 또는 초록색을 보이는 "화농성 점액"의 소견이 있어야 한다.

(1) 자궁목의 분비물을 큰 면구로 제거한 후 작은 면구로 자궁목에 넣어 분비물을 묻혀서 흰색 또는검은색 배경에서 초록색 또는 노란색의 화농성 점액을 확인한다. 그리고 노출된 선상피가 연약하고 쉽게 출혈을 일으킨다.

(2) 슬라이드 위에 그람염색된 화농성 점액을 놓고보면 호중구가 증가되어 있는 것을 볼 수 있다(고배율에서 30개 이상). 세포내 그람음성 쌍구균이발견되면 임질을 진단할 수 있으며 임질균이 없다면 클라미디아로 인한 자궁목점막염으로 일단진단할 수 있다.

(3) 임질검사(Thayer-Manin media 배양)와 클라미디아검사(세포배양), 혹은 direct fluorescent antibody (Micro-Trak)검사를 시행하여야 한다. 임질이나 클라미디아가 발견되지 않는 환자의 반수에서는 자궁목점막염의 미생물학적 원인을 알 수 없다.

2) 치료

자궁목점막염의 치료에 사용하는 항생제는 합병증이 없는 클라미디아와 임질 환자에 권하는 항생제에 준하며(표 7-3) (Cohen et al., 2005; Jurstrand et al., 2007), 모든 성적 배우자도 함께 치료해야 한다. 임질과 클라미디아는 동시 감염이 많으므로 두 질환 모두에 효과적인 항생제 치료를 고려한다.

(1) 클라미디아의 경우 대체치료로 erythromycin base 500 mg 경구 1일 4회 7일간, erythromycin ethylsuccinate 800 mg 경구 1일 4회 7일간, levofloxacin 500 mg 경구 1일 1회 7일간 혹은 ofloxacin 300 mg 1일 2회 7일간 사용 등이 있다.

(2) 임질의 치료 중, cefixime 경구요법은 임질균에 대한 항생제 감수성의 감소로 인해 더 이상 1차 약제로 사용하는 것을 권장하지 않으며, cephalosporin의 주사 용법이 불가능한 경우에만 대체요법으로 사용하도록 한다 (Moran and Levine, 1995; Newman et al., 2007).

(3) 클라미디아나 임질 감염이 있는 산모에서는 신생아로의 수직감염 위험이 있으므로 cephalosporin 요법 혹은 azithromycin 1 gm 경구 1회 사용이 권장되며 치료 종료 3주 후에 재검사를 시행하도록 한다.

자궁목점막염은 세균성 질증(bacterial vaginosis)과 동반하는 경우가 많으므로 이를 동시에 치료하지 않으면 자

표 7-3. 임질과 클라미디아 염증의 치료

임균성 자궁목점막염
• Ceftriaxone 250 mg 근육 주사 1회 사용 • Cephalosporin 주사 용법 + Azithromycin 1 gm 경구 1회 사용 • Doxycycline 100 mg 경구 1일 2회 7일간 사용(cephalosporin 주사 용법이 불가능한 경우에만 cefixime 400 mg 경구 1회 용법)
클라미디아 자궁목점막염
• Doxycycline 100 mg 경구 1일 2회 7일간 사용 • Azithromycin 1 gm 경구 1회 사용

궁목점막염의 증상 및 징후가 계속될 수 있다. 세균성 질증이 의심되면 같이 치료하도록 한다.

3. 골반 염증성 질환

골반 염증성 질환은 자궁목내구 상부의 생식기에 미생물 감염에 의한 염증이 발생한 질환으로, 자궁내막염, 자궁관염, 복막염, 난소염, 자궁관난소고름집을 포괄하는 용어이다. 발열이나 복통 등의 급성증상뿐만 아니라, 난임증이나 만성골반염, 만성골반통, 자궁외임신 등과 같은 장기적 후유증을 유발할 수 있으므로 매우 중요하다.

1) 원인균

대부분의 골반 염증성 질환은 하부생식기에 존재하는 균들의 상행감염에 의해 발생 한다. 성전파성 병원균인 임균(Neisseria gonorrheae)이나 클라미디아(Chlamydia trachomatis)뿐만 아니라(Soper et al., 1992), 정상 질내 세균주인 Prevotella, Peptostreptococci, Gardnerella vaginalis에 의해서도 발생할 수 있으며, 흔하지는 않지만 Haemophilus influenza, group A streptococcus, pneumococcus도 원인균일 수 있다.

최근에는 비임균 비클라미디아 골반염의 새로운 원인균으로 Mycoplasma genitalium이 주목받고 있다. PEACH study에서는 14%, 영국의 SIMMS study에서는 13%에서 M. genitalium이 골반염의 원인균으로 보고되고 있다(Ness et al., 2002; Haggerty et al., 2006).

질과 자궁목에는 정상적으로 호기성 및 혐기성 균들이 다수 존재하여 임균이나 클라미디아 균의 성장을 억제한다. 세균성 질증이 있는 경우 질내 세균총의 복잡한 변화로 인해 자궁목의 방어작용이 변하여 병원성 세균의 상행감염이 가능하게 되고 골반 염증성 질환이 흔하게 발생하게 된다. 세균성 질증이 있으면 골반염의 위험이 2배 증가한다고 알려져 있다(Ness et al., 2005).

2) 진단

골반 염증성 질환은 증상 및 징후를 기초로 진단한다. 하복부 동통 또는 많은 질분비물, 오한, 발열, 월경과다, 구역 및 비뇨기증상 등이 대표적이나 증상의 정도가 매우 다양하여 아무 증상이 없는 경우도 있다(Wolner-Hanssen et al., 1990). 증상이 매우 경미한 경우에는 진단 및 치료가 늦어져 난임 등의 여러 가지 장기 후유증을 초래할 수 있다(Hillis et al., 1993).

골반진찰에서 골반 장기의 누름통증이나 반동압통, 자궁목 운동성 통증이 있다. 골반 장기의 누름통증은 골반 장기에 전반적으로 또는 자궁이나 자궁부속기에 국한되어 나타날 수 있다. 자궁목 운동성 통증은 복막 염증을 의미한다. 골반내 덩어리가 만져지는 경우에는 자궁관난소고름집을 의심해 보아야 한다.

질과 자궁목의 분비물검사가 진단에 도움이 된다(Westrom, 1983). 질분비물의 습식도말에서는 다핵백혈구 수가 증가된 소견을 보일 수 있다. ESR 상승, CRP 증가 등의 혈청소견도 진단에 도움을 준다. 그 외에 자궁내막조직검사를 통해 자궁내막염을, 골반 초음파와 기타 방사선검사를 통해 자궁관난소고름집을 복강경을 통해 자궁관염을 진단할 수 있다(표 7-4).

표 7-4. 골반 염증성 질환의 진단

징후
• 자궁목운동성 누름통증 및 자궁부속기 누름통증 • 질분비물 및/또는 점액고름성 내자궁목점막염
진단의 특이성을 높이기 위한 추가적 진단기준
• 자궁내막생검에서 자궁내막염의 진단 • C-반응단백질과 적혈구 침강속도 증가 • 38℃ 이상의 고열 • 백혈구 증가 • 임균, 클라미디아 양성
정밀검사
• 초음파에서 자궁관난소고름집 • 복강경하에서 진단된 자궁관염

3) 치료

감염 가능한 여러 가지 세균을 치료할 수 있는 광범위 항생제를 경험적으로 사용한다(Peterson et al., 1991). 임균과 클라미디아뿐만 아니라, M. genitalium, 그람음성균, 혐기성균 및 streptococcus까지 치료할 수 있는 약제를 선택해야 한다(표 7-5). 비경구요법을 사용한 경우 증상이 개선되면 24-48시간 내에 경구제제로 변경할 수 있다. 경구요법을 시작하고 72시간이 경과한 후까지 증상이 개선되지 않으면 진단을 확인하기 위한 추가검사를 해야 하며, 골반염이 맞다면 비경구요법으로 전환해야 한다. 치료가 완료될 때까지 성행위는 금해야 한다.

진단이 불확실하거나, 고름집이 의심되거나, 임상증상이 심하거나, 외래 치료의 효과가 의심스러울 때는 입원 치료가 필요하다(표 7-6). 체온이 24시간 이상 37.5℃ 미만으로 유지되거나, 백혈구 수치가 정상화되거나, 압통 또는 반동압통이 사라지거나, 연속된 진찰에서 골반 장기의 누름통증이 호전된 경우에는 퇴원을 고려할 수 있다(Soper et al., 1994). 환자의 성적 배우자는 클라미디아나 임균에 의한 비뇨기감염에 대한 검사 및 치료를 해야 한다.

자궁관난소고름집의 경우에는 입원하여 항생제를 주사해야 하며, 75%에서 항생제 치료에 반응한다. 항생제 치료에 실패한 경우에는 초음파나 단층촬영 유도하에 피부를 경유하여 고름집을 배액하거나, 배액술이 불가능한 경우 수술이 필요하다(Reed et al., 1991).

표 7-5. 골반 염증성 질환의 CDC 치료지침(2015)

경구요법
권고요법 Ceftriaxone 250 mg 1회 근주 또는 Cefoxitin 2 g 근주와 동시에 Probenecid 1 g 경구투여 또는 다른 3세대 cephalosporin(예, ceftizoxime 또는 cefotaxime) 비경구투여 + Doxycycline 100 mg 하루에 두 번씩 14일간 경구복용 + 필요하면 Metronidazole 500 mg 하루에 두 번씩 14일간 경구복용
대체 가능한 요법 (cephalosporin 비경구투여가 불가능하고 임균의 유병률이 낮은 경우) Levofloxacin 500 mg 하루에 한 번씩 14일간 경구복용 또는 Ofloxacin 400 mg 하루에 두 번씩 14일간 경구복용 + 필요하면 Metronidazole 500 mg 하루에 두 번씩 14일간 경구복용
비경구요법
권고요법 A Cefotetan 2 g 매 12시간마다 정맥주사 또는 Cefoxitin 2 g 매 6시간마다 정맥주사 + Doxycycline 100 mg 매 12시간마다 경구복용 또는 정맥주사
권고요법 B Clindamycin 900 mg 매 8시간마다 정맥주사 + Gentamicin 정맥 또는 근육주사로 부하용량(2 mg/kg) 투여 후 유지용량(1.5 mg/kg)을 매 8시간 마다 투여
대체 가능한 요법 Ampicillin-sulbactam 3 g 매 6시간마다 정맥 주사 + Doxycycline 100 mg 매 12시간마다 경구복용 또는 정맥주사

표 7-6. 입원치료

- 임신과 동반된 골반내 염증성 질환
- 외래치료에 반응하지 않을 때
- 38℃ 이상의 고열
- 상부 복강내 염증소견
- 골반 내 또는 자궁관난소고름집 의심 시
- 자궁 내 피임기구 사용자
- 경구요법이 힘들 정도의 구역, 구토
- 외과적인 응급상황(예, 충수돌기염)을 배제할 수 없을 때

4) 예방

골반 염증성 질환은 주로 성행위를 통해 전파되므로 감염의 원인을 사전에 차단하고 하부 생식기 감염을 적절하게 치료해야 한다. 또한, 질분비물 증가 등의 이상소견이 발생하면 즉시 검사 및 적절한 처치를 받을 수 있도록 환자들을 교육해야 한다. 또한 자궁난관조영술과 같은 골반내검사를 할 때 골반내 감염을 예방하기 위해 예방적 항생제를 투여해야 한다.

4. 골반결핵

결핵은 결핵균군(mycobacterium tuberculosis complex)의 감염에 의해 발생하는 질환으로 생활수준의 향상과 항결핵제의 도입으로 1980년대 중반까지 유병률이 감소하는 추세를 보였으나, 1990년 이후 인간면역결핍바이러스

(human immunodeficiency virus, HIV)의 감염, 약제내성균의 출현, 마약중독 같은 사회적인 문제 등으로 인해 오히려 그 빈도, 특히 폐외결핵의 빈도가 증가하고 있다(Jana et al., 1999; Miranda et al., 1996). 2012년 이후 결핵 환자수는 감소하고 있지만, 2019년 신고된 국내 결핵환자 수가 폐결핵이 18,765명(인구 10만 명당 36.6명), 폐외결핵이 5,056명(인구 10만 명당 9.8명)으로 OECD 34개 국가 중 여전히 1위를 나타내고 있다(질병관리본부, 2019). 골반결핵은 다른 장기의 감염 후 이차적으로 발생하며, 원발 부위는 대개 폐이고, 폐결핵 환자의 5-13%에서 골반결핵이 발생한다고 알려져 있다(Schaefer, 1976; Tripathy et al., 1981). 그러나, 골반결핵의 정확한 유병률은 알려져 있지 않으며 많은 수가 정확한 진단을 받지 못하고 있다. 골반결핵은 거의 100%에서 난관을 침범하며(Sutherland, 1985), 난관결핵 환자의 50%에서 내막결핵을 동반한다(Schaefer, 1976).

1) 임상 증상

골반결핵은 증상이 없거나 비특이적 증상이 매우 경미하게 나타나므로 염두에 두지 않으면 진단하기 어렵다(Margolis et al., 1992). 가벼운 식욕부진, 체중 감소, 복부 팽만감 및 불편감 등이 발생할 수 있으며, 생리불순이나 비정상자궁출혈, 불임, 하복부 및 골반 통증 등의 증상이 동반되기도 한다(Sutherland, 1997). 자궁내막결핵은 폐경 여성에서 자궁내축농(pyometra)을 형성할 수 있다(Schaefer et al., 1972). 자궁목을 침범함 경우 점액농성 분비물이 나타날 수 있다. 외음부결핵의 경우 주로 음순이나 전정부에서 결절의 형태로 시작되어 불규칙한 궤양성 병소를 만들거나 농이나 건락성 괴사(caseating necrosis) 물질을 분비하는 농루(sinus)의 형태로 나타나기도 하고 비후되어 상피증(elephantiasis)과 유사하게 보이기도 한다. 결핵성 복막염의 경우 복수가 동반될 수 있으며, 진행되면 오한, 발열, 빈맥, 반발통 등의 증상을 보일 수 있다(Marshall, 1993).

2) 진단

(1) 가족력 및 병력

증상이 비특이적이므로 결핵의 가족력 및 병력이 진단에 중요하다. 환자의 약 20%에서 가족력이 있으며, 약 50%에서는 골반외결핵의 기왕력을 갖는다.

(2) 증상 및 진찰

원인불명의 난임증, 골반통, 전신쇠약, 월경불순 및 질출혈 등을 호소하는 젊은 여성에서 부속기종괴가 촉지되거나, 통상의 항생제에 반응하지 않는 만성골반염, 복수를 동반한 부속기종괴가 있는 경우, 또는 질분비물이 지속되는 경우, 폐경 후 질출혈이 있는 경우에도 골반결핵의 가능성을 생각해 보아야 한다.

진찰에서 정상 소견을 보일 수 있으며, 싱딩수에시는 압통이 심하지 않은 부속기종괴가 촉지될 수 있다.

(3) 검사실 소견

백혈구 수는 대개 정상이나 림프구 수가 증가하는 경향을 보이고 빈혈이 흔히 나타나며, 적혈구 침강계수(ESR)의 증가와 혈청 CA-125의 현저한 증가도 보고되고 있다(Teresa et al., 2002; 권혜경 등, 1997). 결핵성 복막염 환자의 복수에서 감마 인터페론과 ADA (adenosin deaminase)의 유의한 증가가 보고되었다(Sather et al., 1995; Voigt et al., 1989). 비뇨기계의 감염을 동반한 경우는 현미경상의 혈뇨(microscopic hematuria)나 무균성 농뇨(abacteriuric pyuria)를 보이는 경우도 있다.

(4) 투베르쿨린(tuberculin)검사

투베르쿨린검사에서 음성이라 하더라도 골반결핵을 배제할 수 없다(Ylinen, 1961).

(5) 방사선 소견

흉부방사선에서 간혹 결핵성 병변과 늑막삼출을 볼 수 있지만, 흉부방사선이 정상이라 하더라도 골반결핵을 배제할 수는 없다. 단순 복부촬영이나 컴퓨터 단층촬영에서 골반 및 복강 림프절의 석회화를 관찰할 수 있으며(Lee et al., 2012), 초음파에서 주로 양측성 종괴 내에 작은 석회화 음영이 산재된 경우 결핵을 의심할 수 있다(Das et al., 1992). 자궁난관조영(hysterosalphingography)에서 난관의 여러 부위가 협착되어 염주알 모양(beaded appearance)으로 보이며 난관개구부 폐쇄, 난관수종, 다른 골반 장기와의 누공형성 및 석회화 등을 볼 수 있다(박영준 등, 1996). 자궁내강은 유착으로 인해 좁아져 있어 T자 모양 또는 단각자궁의 형태로 보일 수 있다(Grace et al., 2017). 자기공명단층촬영(MRI)은 종괴의 정확한 위치를 확인할 수 있을 뿐만 아니라 비후된 난관이나 난관수종, 두꺼워진 대망(omentum) 등을 쉽게 볼 수 있어 진단에 도움 될 수 있다(Sharma et al., 2011).

(6) 배양 및 조직검사

결핵균 분리배양이나 조직생검으로 확진이 가능하다. 월경혈과 자궁경관 분비물의 세균학적검사도 유용하며, 골반결핵의 침범률이 비교적 높은 부위인 자궁내막 생검이나 소파술도 진단에 효과적으로 이용할 수 있다. 특히 자궁각 부위의 조직을 얻는 것이 좋으며 조직검사와 함께 AFB 염색 및 배양검사를 하면 높은 양성률을 얻을 수 있다. 그러나 자궁내막검사가 음성이라 하더라도 골반결핵을 완전히 배제할 수는 없다(Klein et al., 1976).

(7) 복강경검사

불임 환자에서 잠재성 골반결핵이 의심될 때 특히 유용한 방법이다.

3) 감별진단

골반농양이나 난소암, 자궁내막암, 자궁목점막염, 자궁목암, 질 및 외음부 암과 유사하여 감별이 어려울 수 있다. 특히 결핵성 복막염의 경우 복수와 함께 복막에 광범위한 결절이 형성되므로 난소암으로 오진하는 경우가 많다. 또한, 급만성 세균성 골반염, 알코올성 간염, 간경변증, 담낭염, 급성 충수염, 난소암, 복수를 동반한 신 및 심질환 등도 감별해야 한다.

4) 치료

항결핵 약물요법이 원칙이며 95% 이상의 환자에서 치료에 좋은 반응을 보인다. 약제 투여 후 2주일 내에 전염성이 소실된다. 초기치료기 2개월과 유지치료기 4개월로 구성되는 6개월 단기처방이 추천된다. 방법은 다음과 같다.

(1) INH (isoniazid), rifampin, pyrazinamide를 2개월간 투여 후 INH와 rifampin을 4개월 동안 더 투여한다. 약제 내성균에 의한 감염이 의심되는 경우 초기 집중 치료기 동안 혹은 약제감수성검사 결과가 나올 때까지 ethambutol(혹은 streptomycin)을 추가한다.
(2) INH, rifampin에 대한 저항성이 나타나면 pyrazinamide, ethambutol에 quinolone, streptomycin을 추가하여 최소 12개월간 투여한다.
(3) 모든 일차약제에 저항성을 보이는 경우 ethambutol, quinolone, streptomycin 등의 이차 약제를 24개월간 투여한다.
(4) 모든 약제는 전 치료기간 동안 매일 혹은 간헐적으로(전기간 동안 주 3회, 또는 초기 치료기에는 매일, 그 후는 주 2회) 줄 수 있다.

내과적 치료 후 추적조사를 계속하며, 치료가 끝나는 시점에 흉부방사선촬영, 요배양검사, 자궁내막검사 등을 재시행하며 6-12개월 간격으로 수년간 반복한다.

내과적 치료 후에도 질병이 지속 또는 재발되는 경우, 골반종괴, 골반통, 비정상자궁출혈 등의 증상이 지속되는 경우, 치료에 반응이 없는 누공이 존재하는 경우, 생식기종양이 의심되는 경우 등은 외과적 치료가 필요하다(Schaefer, 1976). 수술은 생리주기 중 중간 시기가 좋고, 전자궁절제술 및 양측 난소난관절제술이 가장 좋으며 수술 1-2주 전부터 항결핵제를 투여하여 수술 후에도 6개월에서 12개월간 계속 투여한다.

5) 임신

항결핵 약물요법에도 불구하고 정상 임신주기에서 자연적으로 임신되는 예는 매우 적으며, 임신이 되어도 자궁외임신, 자연유산 등의 발생빈도가 증가된다(Schaefer, 1976; Le Coutour et al., 1984). 난관성형술의 예후 역시 매우 저조하다(Falk et al., 1980). 골반결핵 병변이 치료되면 체외수정시술(in vitro fertilization, IVF) 시 과배란유도에 대한 난소 반응 및 임신율에는 유의한 영향을 미치지 않으므로 골반결핵 불임 환자에 있어 체외수정시술은 유일하고도 매우 유용한 치료법이다(김석현 등, 1998; Sindhu et al., 2002).

참고문헌

- 권혜경, 주태림, 최순미, 이 국, 이관식, 조남훈. 혈청 CA-125 상승이 동반된 결핵성복막염 1례. 대한산부회지 1997;40:1783-7.
- 김석현, 김문홍, 지병철, 정병준, 서창석, 최영민 등. 골반결핵 불임환자에서의 체외수정시술에 관한 연구. 대한산부회지 1998;41:1046-54.
- 김재욱. 칸디다성 외음질염. 대한산부회지 1998;41:1046-54.
- 김철수, 조정현, 김재욱, 박찬규. 진균성 질염에 영향을 미치는 제 인자별 유병율 및 치유율에 관한 연구. 대한산부회지 1987;30:1697-708.
- 나종구, 남궁성은, 심명례. Candida성 질염에서의 Clotrimazole (Canesten)의 치료효과. 대한산부회지 1980:23:741-6.
- 박영준, 유중배, 황정혜, 조삼현, 이재억, 황윤영 등. 골반결핵의 초음파소견에 관한 연구. 대한산부회지 1996:39:1687-91.
- 서 경, 김세광, 박용원, 조재성, 최인철, 이 국 등. 임신부의 질세균증(Bacterial Vaginosis)이 임신결과에 미치는 영향. 대한산부회지 1994;37:260-5.
- 장윤석, 최영민, 김정훈. Candida성 질염 치료에서의 Itraconazole (Sporanox)에 대한 임상적 평가, 대한산부회지 1990;33:153-60.
- 질병관리본부 Status of notified Tuberculosis in Korea, 2012.
- 최순미, 서 경, 오연수, 박정식, 허경순, 이 국. 가임기 여성의 질세균증 진단에서 자궁경부 세포진검사의 유용성. 대한산부회지 1998;41:1323-9.
- Burtin P, Taddio A, Ariburnu O, Einarson TR, Koren G.Safety of metronidazole in pregnancy: a meta-analysis.Am J Obstet Gynecol 1995;172(2 Pt 1):525-9.
- Caro-Patón T, Carvajal A, Martin de Diego I, Martin-Arias LH, Alvarez Requejo A, Rodríguez Pinilla E. Is metronidazole teratogenic? A meta-analysis.Br J Clin Pharmacol 1997;44:179-82.
- Cohen CR, Mugo NR, Astete SG, et al. Detection of Mycoplasma genitalium in women with laparoscopically diagnosed acute salpingitis. Sex Transm Infect 2005;81:463-6.
- Das KM, Indudhara R, Vaidyanathan S. Sonographic features of genitourinary tuberculosis. AJR Am J Roentgenol 1992;158:327-9.
- Eschenbach DA, Hummel D, Gravett MG. Recurrent and persistent vulvovaginal candidiasis: treatment with ketoconazole. Obstet Gynecol 1985;66:248-54.
- Falk V, Ludviksson K, Agren G. Genital tuberculosis in women: analysis of 187 newly diagnosis cases from 47 Swedish hospitals during the ten-year period 1968 to 1977. Am J Obstet Gynecol 1980;138:974-7.
- Forna F, Gülmezoglu AM. Interventions for treating trichomoniasis in women.Cochrane Database Syst Rev. 2003;2:CD000218.
- Giorgi A, Torriani S, Dellaglio F, Bo G, Stola E, Bernuzzi L. Identification of vaginal lactobacilli from asymptomatic women.Microbiologica. 1987;10:377-84.
- Grace GA, Devaleenal DB, Natrajan M. Genital tuberculosis in females. Indian J Med Res. 2017;145:425-36.
- Haefner HK. Current evaluation and management of vulvovaginitis. Clin Obstet Gynecol 1999;42:184-95.
- Haggerty CL, Totten PA, Astete SG, Ness RB. Mycoplasma genitalium among women with nongonococcal, nonchlamydial pelvic inflammatory disease. Infect Dis Obstet Gynecol 2006:30184.
- Hillis SD, Joesoef R, Marchbanks PA. Delayed care of pelvic inflammatory disease as a risk factor for impaired fertility. Am J Obstet Gynecol 1993;168:1503-9.
- Huggins GR, Preti G. Vaginal odors and secretions. Clin Obstet Gynecol 1981;24:355-77.
- Jana N, Vasishta K, Saha SC, Ghosh K. Obstetrical outcomes among women with extrapulmonary tubercultosis. N Engl J Med 1999;341:645-9.
- Joesoef MR, Hillier SL, Wiknjosastro G, Sumampouw H, Linnan M, Norojono W, Idajadi A, Utomo B.Intravaginal clindamycin treatment for bacterial vaginosis: effects on preterm delivery and low birth weight. Am J Obstet Gynecol 1995;1527-31.
- Jurstrand M, Jensen JS, Magnuson A, et al. A serological study of the role of Mycoplasma genitalium in pelvic inflammatory disease and ectopic pregnancy. Sex Transm Infect 2007;83:319-23.
- Klein TA, Richmond JA, Mishell DR Jr. Pelvic tuberculosis. Obstet Gynecol 1976;48:99-104.
- Koumans EH, Sternberg M, Bruce C, McQuillan G, Kendrick J, Sutton M, Markowitz LE. The prevalence of bacterial vaginosis in the United States, 2001-2004; associations with symptoms,

sexual behaviors, and reproductive health. Sex Transm Dis. 2007;34:864-9.

- Krieger JN, Tam MR, Stevens CE, Nielsen IO, Hale J, Kiviat NB, et al. Diagnosis of trichomoniasis. Comparison of conventional wet-mount examination with cytologic studies, cultures, and monoclonal antibody staining of direct specimens. JAMA 1988;259:1223-7.
- Lamont RF, Jones BM, Mandal D, Hay PE, Sheehan M. The efficacy of vaginal clindamycin for the treatment of abnormal genital tract flora in pregnancy. Infect Dis Obstet Gynecol 2003;11:181-9.
- Larsen B. Microbiology of the female genital tract. In: Pastorek J, ed. Obstetric and gynecologic infectious disease. New York: Raven Press 1994;11-26.
- Le Coutour X, Delecour M, Leroy JL, Puech F. Does genital tuberculosis still exist?: recent review. J Gynecol Obstet Biol Reprod 1984;13:419-23.
- Lee WK, Van Tonder F, Tartaglia CJ, Dagia C, Cazzato RL, Duddalwar VA, et al. CT appearances of abdominal tuberculosis. Clin Radiol 2012;67:596-604.
- Livengood CH 3rd, Ferris DG, Wiesenfeld HC, Hillier SL, Soper DE, Nyirjesy P, Marrazzo J, Chatwani A, Fine P, Sobel J, Taylor SN, Wood L, Kanalas JJ. Effectiveness of two tinidazole regimens in treatment of bacterial vaginosis: a randomized controlled trial. Obstet Gynecol 2007;110(2 Pt 1):302-9.
- Margolis K, Wranx PA, Kruger TF, Joubert JJ, Odendaal HJ. Genital tuberculosis at Tygerberg Hospital-prevalence, clinical presentation and diagnosis. S Aft Med J 1992;81:12-5.
- Mardh PA, Taylor-Robinson D. Bacterial vaginosis. Uppsala. Stockholm Sweden: Almquist and Wiksell. International; 1984. p.259.
- Marshall JB. Tuberculosis of the gastrointestinal tract and peritoneum. Am J Gastroenterol 1993;88:989-99.
- McGregor JA, French JI, Jones W, Milligan K, McKinney PJ, Patterson E, Parker R. Bacterial vaginosis is associated with prematurity and vaginal fluid mucinase and sialidase: results of a controlled trial of topical clindamycin cream. Am J Obstet Gynecol 170(4):1048-59; discussion 1994;1059-60.
- Miranda P, Jacobs AJ, Roseff L. Pelvic tuberculosis presenting as an asymtpomatic pelvic mass with rising serum CA-125 levels - a case report. J Reprod Med 1996;41:273-5.
- Moran JS, Levine WC. Drugs of choice for the treatment of uncomplicated gonococcal infections. Clin Infect Dis 20 Supp 1995;1:S47-S65.
- Ness RB, Soper DE, Holey RL, Peipert J, Randall H, Sweet RL, et al. Effectiveness of inpatient and outpatient treatment strategies for women with pelvic inflammatory disease: results from the Pelvic Inflammatory Disease Evaluation and Clinical Health (PEACH) Randomized Trial. Am J Obstet Gynecol 2002;186:929-37.
- Ness RB, Kip KE, Hillier SL, Soper DE, Stamm CA, Sweet RL, et al. A cluster of bacterial vaginosis-associated microflora and pelvic inflammatory disease. Am J Epidemiol 2005;162:585-90.
- Newman LM, Moran JS, Workowski KA. Update on the management of gonorrhea in adults in the United States. Clin Infect Dis 2007;44(Suppl 3):S84-101.
- Peterman TA, Tian LH, Metcalf CA, Satterwhite CL, Malotte CK, De Augustine N, Paul SM, Cross H, Rietmeijer CA, Douglas JM Jr; RESPECT-2 Study Group.High incidence of new sexually transmitted infections in the year following a sexually transmitted infection: a case for rescreening. Ann Intern Med. 2006;17;145:564-72.
- Peterson HB, Walker CK, Kahn JG. Pelvic inflammatory disease: key treatment issues and options. JAMA 1991;266:2605-11.
- Piper JM, Mitchel EF, Ray WA. Prenatal use of metronidazole and birth defects: no association. Obstet Gynecol 1993;82:348-52.
- Pursley TJ, Blomquist IK, Abraham J, Andersen HF, Bartley JA. Fluconazole-induced congenital anomalies in three infants. Clin Infect Dis 1996;22:336-40.
- Reed SD, Landers DV, Sweet RL. Antibiotic treatment of tuboovarian abscesses: comparison of broad spectrum β-lactam agents versus clindamycin-containing regimens. Am J Obstet Gynecol 1991;164:1556-62.
- Sather MA, Simjee AE, Coovadia YM, Soni PN, Moola SA, Insam B, et al. Ascitic fluid gamma interferon concentrations and adenosine deaminase activity in tuberculous peritonitis. Gut 1995;36:419-21.
- Schaefer G, Marcus RS, Kramer EE. Postmenopausal endometrial tuberculosis. Am J Obstet Gynecol 1972;112:681-7.
- Schaefer G. Female genital tuberculosis. Clin Obstet Gynecol 1976;19:223-39.
- Sharma JB, Karmakar D, Hari S, Singh N, Singh SP, Kumar S, et al. Magnetic resonance imaging findings among women with tubercular tuboovarian masses. Int J Gynaecol Obstet 2011;113:76-80.
- Sindhu N, Satchida N. Infertility and pregnancy outcome in female genital tuberculosis. Int J Gynecol Obstet 2002;76:159-63.
- Sobel JD. Vulvovaginitis. Dermatol Clin 1992;10:339-57.
- Sobel JD. Desquamative inflammatory vaginitis: a new subgroup of purulent vaginitis responsive to topical 2% clindamycin therapy. Am J Obstet Gynecol 1994;171:1215-20.
- Sobel JD, Faro S, Force RW, Foxman B, Ledger WJ, Nyirjesy

PR, et al. Vulvovaginal candidiasis: epidemiologic, diagnostic, and therapeutic considerations. Am J Obstet Gynecol 1998; 178:203-11.
- Sobel JD, Peipert JF, McGregor JA, Livengood C, Martin M, Robbins J, Wajszczuk CP. Efficacy of clindamycin vaginal ovule (3-day treatment) vs. clindamycin vaginal cream (7-day treatment) in bacterial vaginosis, infect Dis Obstet Gynecol 2001;9:9-15.
- Sobel JD, Chaim W, Nagappan V, Leaman D.Treatment of vaginitis caused by Candida glabrata: use of topical boric acid and flucytosine. Am J Obstet Gynecol 2003;189:1297-300.
- Sobel JD, Wiesenfeld HC, Martens M, et al. Maintenance fluconazole therapy for recurrent vulvonagianl candidiasis. N Engl J Med 2004;351:876-83.
- Sobel JD, Ferris D, Schwebke J, Nyirjesy P, Wiesenfeld HC, Peipert J, Soper D, Ohmit SE, Hillier SL. Suppressive antibacterial therapy with 0.75% metronidazole vaginal gel to prevent recurrent bacterial vaginosis. Am J Obstet Gynecol 2006; 194:1283-9. Epub 2006 Apr 21.
- Soper DE, Brockwell NJ, Dalton HP. Microbial etiology of urban emergency department acute salpingitis: treatment with ofloxacin. Am J Obstet Gynecol 1992167:653-60.
- Soper DE, Brockwell NJ, Dalton HP. Observations concerning the microbial etiology of acute salpingitis. Am J Obstet Gynecol 1994;170:1008-17.
- Spiegel CA. Bacterial Vaginosis. Clin Microbiol Rev 1991;4: 485.
- Sutherland AM. Gynaecological tuberculosis: analysis of a personal series of 710 cases. Aust NZ J Obstet Gynaecol 1985; 25:203-7.
- Sutherland AM. Gynaecological tuberculosis since 1951. J Obstet Gynaecol 1997;17:119-22.
- Teresa WPC, Boon KL, Sivanesaratnam V. The masquerades of female pelvic tuberculosis: Case reports and review of literature on clinical presentations and diagnosis. J Obstet Gynaecol Res 2002;28:203-10.
- Tripathy SN, Tripathy SN. Genital manifestation of pulmonary tuberculosis. Int J Gynaecol Obstet 1981;19:319-26.
- Vermeulen GM, Bruinse HW. Prophylactic administration of clindamycin 2% vaginal cream to reduce the incidence of spontaneous preterm birth in women with an increased recurrence risk: a randomised placebo-controlled double-blind trial. Br J Obstet Gynaecol. 1991;106:652-7.
- Voigt MD, Kalvaria I, Tery C, Berman P, Lombard C, Kirsch RE. Diagnosis value of ascites adenosine deaminase in tuberculous peritonitis. Lancet 1989;1:751-4.
- Westrom L. Diagnosis and treatment of salpingitis. J Reprod Med 1983;28:703-8.
- Workowski KA, Bolan GA. Sexually transmitted disease treatment guidelines, 2015. MMWR Morb Mortal Wkly Rep. 2015; 64:1-134.
- Wolner-Hanssen P, Krieger JN, Stevens CE, Kiviat NB, Koutsky L, Critchlow C, et al. Clinical manifestations of vaginal trichomoniasis. JAMA 1989;261:571-6.
- Wolner-Hanssen P, Kiviat NB, Holmes KK. Atypical pelvic inflammatory disease: subacute, chronic, or subclinical upper genital tract infection in women. In: Holmes KK, March P-A, Sparking PF, eds. Sexually transmitted disease, 2nd ed. New York: McGraw-Hill; 1990. p.614-20.
- Ylinen O. Genital tuberculosis in women: Clinical experience with 348 proved cases. Acta Obstet Gyneceol Scand 1961;40 (Suppl.2):1-213.

제8장

성병

김성엽 | 제주의대
김진주 | 서울의대

성병(sexually transmitted infection STI, sexually transmitted disease STD)은 성관계를 통하여 전파되는 질병군을 말하는 것으로 박테리아, 바이러스, 원충류, 기생충 등 총 30여 가지 이상의 병원체에 의해 발병될 수 있다(Richard, 2005). 성병은 전염병예방법 3군에 속하며 표본감시 대상 전염병으로 전국 보건소 및 300여 개 표본의료기관을 중심으로 발생현황을 파악하고 있다(KCDC, 2018). 질병관리본부의 2018년 성매개감염병 관리지침에 따르면 성매개감염병은 2016년 한 해 24,526건이 보고되어 2015년(18,444건) 대비 32.9% 증가하였다. 클라미디아감염증 8,438건(전체의 34.4%), 성기단순포진 6,702건(27.3%), 첨규콘딜롬 4,202건(17.1%), 임질 3,615건(14.7%), 매독 1,569건(6.4%)의 빈도를 보였다(KCDC, 2018). 성병의 위험군은 성관계가 활발한 10대 후반부터 20대 중후반까지로 새로운 감염의 절반 이상이 이 연령대에 발생한다(Da Roa and Schmitt, 2008). 성병의 임상 양상은 원인 병원체에 따라 다양한 양상을 보일 수 있는데 질염, 자궁경부염, 골반염, 간염뿐 아니라 궤양성 피부질환을 초래하고 궤양성질환의 경우 특히 HIV감염 위험성이 증가된다. 그 외에도 불임증과 자궁경부암 유발에도 연관이 있다. 성 상대자에 대한 치료를 동시에 시행하는데, 이는 환자 치료 후 재감염을 줄이는 데 중요하다. 예방을 위해서는 전염경로인 감염된 사람과 성관계를 피하면 되겠으나 옴, 이, 단순포진 등은 삽입을 하지 않은 성적 접촉으로도 감염이 가능하며 질병이 없는 한 배우자와의 관계, 적절한 콘돔 사용이 예방에 효과적이며 인유두종바이러스와 A, B형 간염에 대한 예방접종은 해당 질환의 감염 예방에 유효하다.

1. 임질(Neisseria Gonorrheae)

1) 증상

임질에 감염된 남성은 배뇨통, 음경분비물 등의 증상으로 병원을 찾게 되나, 여성의 경우 대부분 증상이 없거나 있더라도 경미한 질내감염으로 오인될 수 있는 정도이다. 또한 배뇨통, 질분비물 증가, 주기중간 출혈 등과 같이 비특이적인 증상으로 나타날 수도 있다. 증상이 없어도 골반염 등의 심각한 합병증을 일으킬 수 있으므로 치료가 필요하다.

미국 CDC (Centers for Disease Control and Prevention) 2015년 권고에서는 25세 미만의 성적활동이 있는 모든 여성 및 더 높은 연령이나 고위험군(새로운 성상대자, 한 명 이상의 성 상대자, 성매개성 질환을 가진 파트너가 있는 경우)의 경우에는 매년 임질에 대한 선별검사를 권하고 있으나 통상의 여성에서는 선별검사를 권하고 있지 않다.

2) 진단

임질감염의 진단에는 여러 방법이 있으나, 내자궁경부에서 채취한 검체를 그람염색하는 것은 현재 권고되지 않고 있다. 임질균에 대한 민감도 및 특이도 모두 높은 검사를 시행하는 것을 권하고 있는데, 여기에는 배양, nucleic acid hybridization test, nucleic acid amplification testing 등이 현재 가능하다. 검체는 자궁내경관, 질 혹은 소변 검체로 시행이 가능한데, 배양 및 nucleic acid hybridization test의 경우 내자궁경부에서 채취한 검체, nucleic acid amplification testing의 경우 내자궁경부, 질 및 소변에서 채취한 검체로도 검사가 가능하다. 그러나 비배양검사의 경우 항생제에 대한 감수성 결과를 얻을 수 없다는 단점이 있으므로 초치료에 실패한 경우 배양검사가 필요할 수 있다. 임질로 진단된 경우 클라미디아, 매독, 사람면역결핍바이러스에 대한 추가검사가 필요하다.

3) 치료

(1) CDC에서 제시 중인 임질의 표준 치료

다음 표 8-1과 같다. 여러 가지 치료법 중 ceftriaxone 250 mg의 경우 높은 혈중 농도를 유지하면서 전신의 임질균 감염 치료에 99%의 완치율을 보일 정도로 매우 효과적인 것으로 알려져 있다(Moran and Levine, 1995; Newman et al., 2007). 경구 cefixime 400 mg의 경우 ceftriaxone 250 mg 주사제만큼 지속적이거나 고농도를 유지하지는 못하며 특히 인두감염의 경우에는 주사제에 비해 효과가 떨어지는 것으로 보고되었다. 임질에 대한 치료를 받는 동안에는 금욕이 필요하다.

표 8-1. 임질감염의 치료

1. 권고되는 요법
Ceftriaxone 250 mg IM in a single dose + Azithromycin 1 g orally in a single dose
2. 대체 가능한 요법
Ceftriaxone이 없으면 Cefixime 400 mg orally in a single dose + Azithromycin 1 g orally in a single dose

(2) 치료 후 추적

임질에 대한 항생제 치료 후 추적 배양검사 등은 필요하지 않다. 그러나 치료 후에도 증상호전이 없는 경우에는 임질균에 대한 배양 및 항생제 감수성 검사가 필요하다.

(3) 성 배우자에 대한 치료

임질 재감염을 막기 위해 환자의 최근 성 배우자에 대한 평가 및 필요 시 치료가 필요하다. 만약 성 배우자의 병원 방문이 용이하지 않으면 임질 및 동시 감염이 흔한 클라미디아에 대한 항생제를 환자를 통해 싱 배우자에게 전하는 것도 한 방법이 될 수 있다.

2. 클라미디아(Chlamydia Trachomatis)

클라미디아감염은 특히 25세 미만의 젊고 성생활이 활발한 연령대에서 흔한 것으로 보고되고 있다(CDC, 2015). 여성에서 클라미디아감염의 가장 큰 문제는 골반염, 자궁외임신, 불임증 등이다.

1) 증상

임질과는 달리 감염된 남녀 모두 무증상인 경우가 대부분이다. 2015년 미국 CDC에서는 25세 미만 성생활을 하는 여성의 경우 클라미디아에 대한 매년 선별검사를 시행할 것을 권하고 있다.

2) 진단

무증상인 경우가 많으나 육안상 자궁경부미란, 황록색의 화농성 분비물이 관찰되는경우 의심해 볼 수 있다. 클라미디아감염에 대한 진단은 소변 혹은 질, 내자궁경부에서 채취한 검체를 이용한다. 배양, nucleic acid hybridization test, nucleic acid amplification testing, direct immunofluorescence 등 여러 방법을 이용해 진단할 수 있으며, 최근에는 polymerase chain reaction (PCR) 검사법이 간단하면서도 정확하고 신뢰할수 있는 검사법으로 널리 이용되고 있다. 클라미디아감염이 있는 것으로 진단되면 다른 성매개성 질환에 대한 검사가 필요하다.

3) 치료

감염이 확인된 경우 치료를 지연시키면 골반염 등의 합병증이 생길 수 있으므로 성 배우자를 포함하여 즉각적인 치료가 필요하다. 임질과 클라미디아 동반감염이 흔하므로 두 가지에 대한 동시 치료가 권고되고 있다. 2015년 CDC에서 제시한 클라미디아감염에 대한 표준치료는 표 8-2와 같다.

우선 치료로 권고되고 있는 azithromycin 혹은 doxycycline의 효과는 비슷하며 치료성적은 97-98%로 매우 효과적이다(Lau and Qureshi, 2002). 치료 기간 동안에는 7일간 금욕을 권하며, 재감염을 막기 위해 성 배우자에 대한 치료가 끝날 때까지는 역시 금욕을 권하고 있다. 또한 성 배우자 역시 클라미디아에 대한 평가 및 필요 시 치료한다. 일반적으로 임산부를 제외하고는 치료 후 추적 균배양검사 등은 요하지 않는다.

클라미디아감염으로 진단된 임산부의 경우에는 azithromycin으로 치료하며(Jacobson et al., 2001; Kacmar et al., 2001; Rahangdale et al., 2006), 치료 종료 3주 뒤 균에 대한 추적검사, 이후 3개월 뒤에도 추적검사를 권하고 있다. 이는 신생아감염을 막기 위한 것이다(U.S. Preventive Services Task Force, 2007).

표 8-2. 클라미디아감염의 치료

1. 권고되는 요법
Azithromycin 1 g orally single dose 혹은 Doxycycline 100 mg orally twice a day for 7days
2. 대체 가능한 요법
Erythromycin base 500 mg orally four times a day for 7days 혹은 Erythromycin ethylsuccinate 800 mg orally four times a day for 7days 혹은 Levofloxacin 500 mg orally once daily for 7 days 혹은 Ofloxacin 300 mg orally twice a day for 7 days

3. 매독(Syphilis)

매독은 Treponema pallidum 균에 의한 전신감염증으로, 치료받지 않으면 장기간의 합병증을 유발할 수 있는 성매개질환이다. 성인의 매독은 primary, secondary, latent, 그리고 late syphilis로 나뉘며, 산부인과 의사가 대개 만나게 되는 단계는 감염부위의 궤양성 변화로 나타나는 primary stage일 것으로 사료된다. 매독은 감염자와의 직접 접촉, 즉 음경, 질, 항문, 구강 등에 직접 접촉함으로써 감염되며, 임산부의 경우에는 태반을 통한 태아 수직감염이 가능하다.

1) 증상

매독은 그 단계에 따라 다양한 증상을 보이는데, 산부인과 의사가 주로 만나게 되는 primary stage에서는 외음부에 무통성의 둥글고 경계가 분명하면서도 단단하고, 기저는 깨끗한 단일궤양을 주 증상으로 한다(chancre)(그림 8-1A). 그러나 궤양은 다발성일수도 있다. 궤양이 생기는 부위는 직접 접촉에 의해 매독이 체내에 침투한 부위이며, 무통성이므로 감염자는 감염사실을 모르고 지나칠 수 있다. 이러한 매독성 궤양은 치료 여부와 무관하게 3-6주 정도 지속된 후 사라진다.

사실 외음부 궤양증에서 가장 흔한 원인은 헤르페스감염이나, 매독감염의 경우 그 여파가 크므로 모든 종류의 외음부 궤양에서는 매독에 대한 혈청검사를 시행해야 한다.

2) 진단

대개 임상 양상에 근거하여 진단하고 치료하는 경우가 많으나 외음부에 궤양을 보이는 경우 헤르페스 바이러스에 대한 배양 혹은 PCR 검사, 매독에 대한 혈청검사 및 병변에서 채취한 검체에서 Treponema pallidum 균에 대한 암시야현미경이나 direct fluorescent antibody testing이 필요하다. 혹은 외음부 궤양을 보이는 환자에서 혈청 nontreponemal test (Venereal Disease Research Laboratories or rapid plasma reagin)에 양성을 보이는 경우에도 진단추론이 가능하다. 그러나 가양성의 비율이 높으므로 nontreponemal test에 양성인 경우 treponemal test (fluorescent treponemal antibody absorption (FTA ABS 혹은 microhemagglutinin–T. pallidum)로 확진을 하는 것이 필요하다. FTA ABS 검사결과는 영구적으로 양성으로 남는다.

한편 외음부 궤양이 있는 경우 적절한 검사를 통해서도 결국 병인이 밝혀지지 못하는 경우가 약 25%인 것으로 보고되었다(Low et al., 2006). 결국 임상가들은 외음부 궤양의 진단 및 치료에서 육안적 소견 및 증상에 기초하여 임상적 진단을 하는 경우가 대부분이므로 외음부궤양의 육안 소견 및 임상 경과에 대해 숙지할 필요가 있다. 조직검사는 대개 필요하지 않으나 적절한 치료 후에도 증상호전이 없는 경우 고려해 볼 수 있다(Workowski and Berman, 2010).

3) 치료

Primary syphilis로 진단받은 경우 치료법은 penicillin G benzathine 240만 단위 1회 근육주사이다. 페니실린에 알러지가 있는 경우 doxycycline 혹은 tetracycline을 사용할 수 있으나 이에 대한 자료는 부족한 상태이다. 매독 치료 시 Jarisch-Herxheimer reaction이 첫 24시간 내 나타날 수 있으므로 사전에 이에 대한 주의가 필요하다.

4. 헤르페스

생식기에 궤양성 병변을 보이는 경우 가장 흔한 원인은 헤르페스 감염이며 미국 CDC 보고에 의하면 14-49세 여성 6명당 1명의 비율로 생식기 헤르페스를 가지고 있다. Herpes simplex virus (HSV) type 1과 type 2 두 가지가 있으며 외음부 궤양은 대부분 HSV-2에 의한 것이다. 감염은 병변에 직접 접촉함으로써 이루어지며, 증상이 없더라도 전파가 가능하다.

1) 증상

헤르페스에 감염된 사람들 대부분은 증상이 없거나 있더라도 매우 경미하다. 증상이 있는 경우 외음부 헤르페스는 대개 하나 혹은 여러 개의 수포가 생식기, 항문, 구강 주위에 생기고, 수포가 터지면서 통증이 있는 궤양을 남기게 된다. 대개 증상은 수 주간 지속될 수 있다(그림 8-1B). 궤양이 생기기 전 약 20%에서 톡톡 쏘거나(tingling sensation) 엉덩이, 하지, 고관절 등으로 뻗치는 통증 등의 전구증상이 있을 수 있다. 첫 증상이 나타날 경우에는 열, 전신통, 국소임파선 비대 등과 같은 인플루엔자 감염과 비슷한 증상을 동반할 수 있으며, 감염 후 첫 1년 내 재발이 가장 흔하다. 대개 재발을 경험할수록 증상은 경미해지며, 시간이 지날수록 재발의 수도 줄어든다.

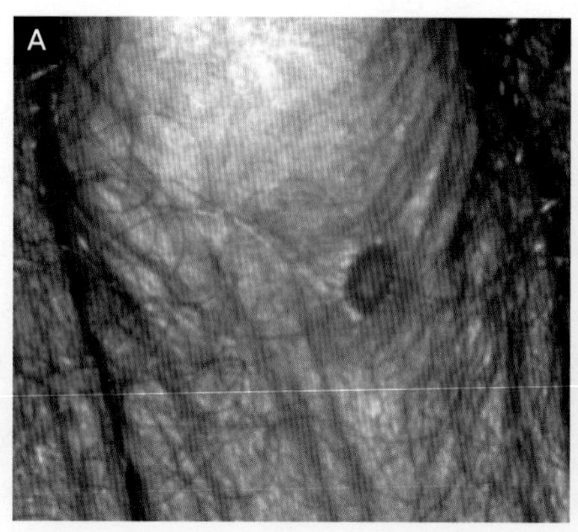

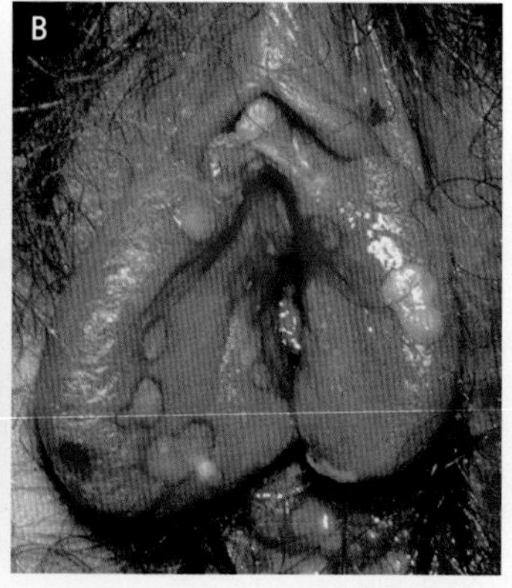

그림 8-1. A. 외음부 매독, B. 외음부 헤르페스

2) 진단

전형적인 군집화된 외음부 수포 및 궤양을 보이면서, 특히 과거에도 비슷한 증상이 있었던 경우에는 거의 진단이 가능하다. 그러나 전형적인 병변이 나타나지 않는 경우도 많아 임상적 진단이 어려운 경우도 있다. 특히 향후 환자상담 및 관리를 위해 확진을 위한 laboratory test를 시행해야 한다. 배양 및 PCR 검사가 선호된다. 그러나 배양은 PCR에 비해 민감도가 떨어지는데, 특히 재발성 병변의 경우 더 그러하다. 따라서 현재 PCR이 좀 더 광범위하게 사용되고 있다(Scoular et al., 2002; Wald et al., 2003; Van Der Pol et al., 2012). 그러나 viral shedding이 간헐적인 경우가 많아 두 가지 방법 모두에서 검출되지 않았다고 해서 헤르페스 감염이 없다고 보기는 어렵다.

2015년 CDC 권고에서 외음부 헤르페스에서 type-specific HSV serologic assay가 도움이 되는 경우는 다음과 같다고 제시하고 있다.

(1) 배양에서 음성인데, 외음부 병변이 재발하거나 증상이 전형적이지 않은 경우
(2) 다른 laboratory test 없이 임상적으로 진단한 경우
(3) 외음부 헤르페스를 가진 성 배우자

3) 치료

비록 바이러스를 없앨 수는 없으나 경구 항바이러스제제는 증상을 완화시키고, 경우에 따라 재발을 막기 위한 억제요법에 사용될 수 있다. 현재 acyclovir, valacyclovir, famciclovir 세 가지 약제가 유효하며 국소 제제의 효과는 제한적이므로 권하지 않는다. 특히 첫 발병 시에는 증상의 경중을 떠나 모두 항바이러스제를 복용해야한다. 표 8-3은 처음 발병한 경우의 치료이다.

재발성 헤르페스에 대한 치료는 단회성 혹은 억제요법이 있으며 환자들은 후자를 선호한다고 2015년 CDC지침에는 되어 있다. 단회성 요법의 경우 사용할수 있는 요법은 표 8-4에 게시하였다.

효과적인 단회성 요법은 특히 증상이 나타난지 하루내 복용하는 것이 중요하다. 그래서 환자들에게 미리 약을 주고 증상이 나타나면 바로 복용하라고 교육하는 것도 하나의 방법이 될수 있다.

표 8-3. 헤르페스 외음부 감염의 초치료*

- Acyclovir 400 mg orally three times a day for 7–10days
- Acyclovir 200 mg orally five times a day for 7–10days
- Famciclovir 250 mg orally three times a day for 7–10days
- Valacyclovir 1 g orally twice a day for 7–10days

* 10일간의 치료가 끝난 후 효과가 불충분하면 연장해서 사용할 수 있음.

표 8-4. 헤르페스 재발의 episodic treatment

- Acyclovir 400 mg orally three times a day for 5 days
- Acyclovir 800 mg orally twice a day for 5 days
- Acyclovir 800 mg orally three times a day for 2 days
- Valacyclovir 500 mg orally twice a day for 3 days
- Valacyclovir 1 g orally once a day for 5 days
- Famciclovir 125 mg orally twice daily for 5 days
- Famciclovir 1 gram orally twice daily for 1 day
- Famciclovir 500 mg once, followed by 250 mg twice daily for 2 days

(1) 재발성 헤르페스에 대한 억제요법(표 8-5)

억제요법은 재발빈도를 약 70-80% 정도 감소시키며, 많은 수의 환자들이 약 복용기간 동안에는 재발이 없었음을 보고하였다(Mertz et al., 1997; Diaz-Mitoma et al., 1998; Reitano et al., 1998; Romanowski et al., 2003). 현재 안전성 보고에서는 acyclovir의 경우 6년, valacyclovir 및 famciclovir의 경우 1년까지 보고되어 있다(Goldberg et al., 1993; Fife et al., 1994). 억제요법은 간헐적 재발 때만 치료하는 것보다 삶의 질을 개선시키는 것으로 알려져 있다.

표 8-5. 헤르페스 외음부 억제요법*

- Acyclovir 400 mg orally twice a day
- Famciclovir 250 mg orally twice a day
- Valacyclovir 1 g orally once a day
- Valacyclovir 500 mg orally once a day

* Valacyclovir 500 mg 요법은 재발이 매우 잦은 환자(년 10회 이상)의 경우 다른 요법에 비해 효과가 떨어질 수 있음.

한편 대부분의 경우 외음부 헤르페스 재발은 나이가 들수록 감소하고, 환자들도 심리적으로 적응해 가므로 억제요법을 지속하는 도중에도 주기적으로 억제요법의 필요성에 대해 환자와 상담해야 한다.

5. 트리코모나스 감염증(Trichomoniasis)

트리코모나스 질염은 Trichomonas vaginalis라는 원충이 성교에 의해 전파되는 대표적인 성매개성 질환 중 하나이다(그림 8-2).

여성에서 가장 흔한 감염부위는 외음부, 질, 혹은 요도이며, 남성에서 가장 흔한 감염부위는 요도이다. 전파력이 대난히 높아 한 번의 성교로도 약 70%가 전염되는 것이 가능한 것으로 알려져 있다. 세균성 질염과의 동반감염이 매우 흔하다.

1) 증상

트리코모나스에 감염된 경우 약 70%에서는 증상이 없다. 증상이 있는 경우 경한 자극에서 심한 염증까지 그 양상이 다양하며, 여성의 경우 소양증, 작열감, 생식기 부위의 발적 혹은 통증, 배뇨통 혹은 맑거나, 희거나, 노랗거나, 녹색의 얇고 비정상적인 냄새가 나는 분비물이 있을 수 있다.

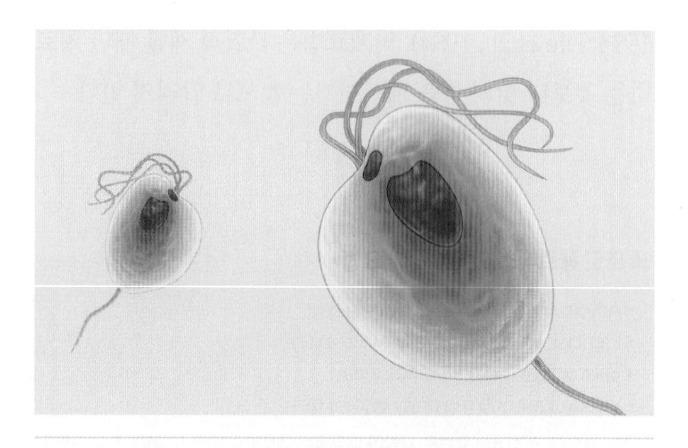

그림 8-2. **트리코모나스 원충**

2) 진단

분비물을 주소로 방문하는 여성의 wet smear에서 특징적인 원충을 확인하는 것으로 진단 가능하다. 원충의 농도가 높은 경우 'strawberry cervix'라고 부르는 특징적인 질내 변화를 관찰할 수도 있다.

상업적 용도로 만들어진 PCR kit도 현재 승인되어 있다. 민감도는 약 88-97%, 특이도는 98-99% 정도로 보고되었다(Van Der et al., 2006).

3) 치료

트리코모나스 질염은 경구 metronidazole 혹은 tinidazole을 사용한다(표 8-6).

약물치료는 효과가 좋아 metronidazole 사용 시 95%, tinidazole 사용 시에는 약 86-100% 완치되는 것으로 알려져 있다. Metronidazole gel과 같은 국소치료는 경구에 비해 효과가 떨어져 권하지 않는다.

치료가 되어도 성적으로 활발한 여성의 경우 트리코모나스 질염의 재감염률은 약 3개월 내 17% 정도로 높으므로, 이들 여성에서 3개월 뒤 추적검사를 실시하는 것을 권하고 있다(Peterman et al., 2006).

재발성 감염은 치료받지 않은 배우자로부터의 재감염이 대부분이나 간혹 metronidazole에 대한 감수성 저하에 기인하기도 한다. 이 경우에는 혈중 반감기가 metronidazole보다 길고, 생식기내 농도가 더 높게 유지되는 tinidazole 혹은 더 높은 농도의 metronidazole을 사용한다. 즉 metronidazole에 반응하지 않으면서 재감염이 아닌 경우 다음 단계로는 metronidazole 500 mg 7일 요법을 시도한다. 이 요법에도 실패하면 tinidazole을 사용하거나

표 8-6. 트리코모나스 질염의 치료 *

- Metronidazole 2 g orally single dose or 500 mg twice daily for 7 days
- Tinidazole 2 g orally single dose

* 약 복용하는 동안 금주를 권해야 하며, 특히 metronidazole은 복용 완료 후 24시간, tinidazole은 완료 후 72시간 동안 금주를 유지한다.

metronidazole 2 g을 5일간 사용한다.

감염이 확인된 경우 성 배우자에 대한 치료도 병행해야 하며, 완치가 될 때까지 금욕한다. 환자에게 약을 처방해서 배우자에게 전하는 것도 가능하다.

임신한 여성에서 질트리코모나스 감염이 있는 경우 조기양막파수, 조기진통, 저체중아 출산 등의 합병증을 일으킬 수 있다. 그러나 metronidazole로 치료해도 이와 같은 합병증의 빈도를 줄이지는 못하는 것으로 보고되었으며(Klebanoff et al., 2001), 오히려 약물치료 시 조산, 저체중아의 위험도가 증가할 수도 있음이 보고되어(Kigozi et al., 2003), 현재 이에 관해서는 명확한 결론을 내리기 어려운 상황이다. 무증상 임신부의 경우에는 치료를 37주 이후로 미룰 수도 있다. 임신 전시기에 걸쳐 metronidazole 2 g 일회요법이 가능하며 현재까지 연구에서는 기형 또는 돌연변이 발생효과는 보고되지 않았다. 그럼에도 불구하고 일반적으로 많은 연구자들은 임신초기에 metronidazole을 사용하는 것에 반대하고 있다. Tinidazole의 경우에는 아직 임신부에서의 자료가 부족한 상황이다. 수유부에서는 치료기간 동안 수유를 잠시 중단하는데, metronidazole의 경우 마지막 약 복용 후 12-24시간까지, tinidazole의 경우에는 3일간 중단한다.

6. 성병과 임신

임신한 여성도 임신하지 않은 여성처럼 성병에 감염될 수 있다. 그리고 많은 성병이 무증상이거나 증상이 미약해 감염을 모르고 있을 가능성이 있다. 그래서 임신 후 첫 진찰 때 클라미디아, 임질, 간염, HIV, 매독에 대하여 선별검사를 실시하도록 권하고 있다(CDC, 2015). 임신 중 성병은 산모뿐 아니라 임신 경과와 임신 중인 태아에도 영향을 미친다. 매독, HIV와 같은 것은 임신 중 태반을 통과하여 태아에게 감염을 초래할 수 있고 클라미디아, 임질, 성기단순포진, HPV, B형 간염 등은 출산 중 모체로부터 태아에게 감염될 수 있다. 임상 양상으로는 태아에 폐렴, 간염, 간질환, 뇌수막염, 안구감염, 실명, 뇌손상, 저체중아, 사산 등을 유발할 수 있으며 조산, 조기양막파수를 초래할 수 있다. HIV는 수유 중에도 태아로의 감염이 가능하고 궤양이 치료되지 않은 매독, 단순포진은 궤양을 통한 감염의 가능성이 있으나 임질, 클라미디아는 수유가 가능하다(CDC, 2015).

7. 성병과 불임증

클라미디아, 임질은 예방 가능한 주요 불임 원인이다. 성병이 적절히 치료되지 않으면 골반염을 일으킬 수 있으며 이로 인해 나팔관, 자궁, 난소 및 주변조직에 유착 및 손상을 초래하고 이는 불임과 자궁외임신, 만성골반통의 원인이 된다. 미국에서는 매년 286만 명의 클라미디아감염과 82만 명의 임질 감염이 보고되고 있다(CDC, 2014). 그러나 많은 수의 임질, 클라미디아에 감염된 여성이 증상이 없을 수 있다. 미국 CDC는 성관계가 활발한 25세 이하의 여성과 새로운 성 상대나 여러 성 상대를 가진 위험군의 26세 이상의 여성은 매년 클라미디아 선별검사를 받도록 추천하고 있다(CDC, 2015).

참고문헌

- CDC. Sexually transmitted diseases treatment guidelines, 2015. Available from: https://www.cdc.gov/std/tg2015/default.htm.
- Chernesky M, Freund GG, Hook E, III, Leone P, D'Ascoli P, Martens M. Detection of Chlamydia trachomatis and Neisseria gonorrhoeae infections in North American women by testing SurePath liquid-based Pap specimens in APTIMA assays. J Clin Microbiol 2007;45:2434-8.
- Da Ros CT, Schmitt CS. Global epidemiology of sexually transmitted diseases. Asian J Androl 2008;10:110-4.
- Diaz-Mitoma F, Sibbald RG, Shafran SD, Boon R, Saltzman RL. Oral famciclovir for the suppression of recurrent genital herpes: a randomized controlled trial. Collaborative Famciclovir Genital Herpes Research Group. JAMA 1998;280:887-92.
- Fife KH, Crumpacker CS, Mertz GJ, Hill EL, Boone GS. Acyclovir Study Group. Recurrence and resistance patterns of herpes

simplex virus following cessation of ≥6 years of chronic suppression with acyclovir. J Infect Dis 1994;169:1338-41.
- Forna F, Gulmezoglu AM. Interventions for treating trichomoniasis in women. Cochrane Database Syst Rev 2003;2: CD000218.
- Goldberg LH, Kaufman R, Kurtz TO, Conant MA, Eron LJ, Batenhorst RL, et al. Acyclovir Study Group. Long-term suppression of recurrent genital herpes with acyclovir: a 5-year benchmark. Arch Dermatol 1993;129:582-7.
- Jacobson GF, Autry AM, Kirby RS, Liverman EM, Motley RU. A randomized controlled trial comparing amoxicillin and azithromycin for the treatment of Chlamydia trachomatis in pregnancy. Am J Obstet Gynecol 2001;184:1352-4.
- Kacmar J, Cheh E, Montagno A, Peipert JF. A randomized trial of azithromycin versus amoxicillin for the treatment of Chlamydia trachomatis in pregnancy. Infect Dis Obstet Gynecol 2001;9:197-202.
- KCDC. Sexually transmitted infection. infectious disease [Internet]. Osong(KR): Korea Centers for Disease Control & Prevention; c2014 [cited 2014 Jul 20]. Available from: http://www.cdc.go.kr/CDC/contents.
- KCDC. Sexually transmitted infection. Stastistics [Internet]. Osong(KR): Korea Centers for Disease Control & Prevention; c2014 [cited 2014 Jul 20]. Available from: http://www.cdc.go.kr/CDC/contents.
- Kigozi GG, Brahmbhatt H, Wabwire-Mangen F, Wawer MJ, Serwadda D, Sewankambo N, et al. Treatment of Trichomonas in pregnancy and adverse outcomes of pregnancy: a subanalysis of a randomized trial in Rakai, Uganda. Am J Obstet Gynecol 2003;189:1398-400.
- Klebanoff MA, Carey JC, Hauth JC, Hillier SL, Nugent RP, Thom EA, et al. Failure of metronidazole to prevent preterm delivery among pregnant women with asymptomatic Trichomonas vaginalis infection. N Engl J Med 2001;345:487-93.
- Lau CY, Qureshi AK. Azithromycin versus doxycycline for genital chlamydial infections: a meta-analysis of randomized clinical trials. Sex Transm Dis 2002;29:497-502.
- Low N, Broutet N, Adu-Sarkodie Y, Barton P, Hossain M, Hawkes S. Global control of sexually transmitted infections. Lancet. 2006;368:2001-16.
- Mertz GJ, Loveless MO, Levin MJ, Kraus SJ, Fowler SL, Goade D, et al. Collaborative Famciclovir Genital Herpes Research Group. Oral famciclovir for suppression of recurrent genital herpes simplex virus infection in women: a multicenter, double-blind, placebo-controlled trial. Arch Intern Med 1997; 157:343-9.
- Morbidity and Mortality Weekly Report (MMWR). 2012:61; 590-4.
- Peterman TA, Tian LH, Metcalf CA, Satterwhite CL, Malotte CK, DeAugustine N, et al. High incidence of new sexually transmitted infections in the year following a sexually transmitted infection: a case for rescreening. Ann Intern Med 2006;145:564-72.
- Rahangdale L, Guerry S, Bauer HM, Packel L, Rhew M, Baxter R, et al. An observational cohort study of Chlamydia trachomatis treatment in pregnancy. Sex Transm Dis 2006;33:106-10.
- Reitano M, Tyring S, Lang W, Thoming C, Worm AM, Borelli S, et al. International Valaciclovir HSV Study Group. Valaciclovir for the suppression of recurrent genital herpes simplex virus infection: a large-scale dose range-finding study. J Infect Dis 1998;178:603-10.
- Richard LS. Chapter 19, Sexually transmitted disease. In: Bieber EJ, Sanfilippo JS, Horowitz IR. Clinical gynecology. 1st ed. Philadelphia (PA): Churchill Livingstone Elsevier; 2005. p.259-60.
- Roett MA, Mayor MT, Uduhiri KA. Diagnosis and management of genital ulcers.Am Fam Physician 2012;85:254-62.
- Romanowski B, Marina RB, Roberts JN. Patients preference of valacyclovir once-daily suppressive therapy versus twice-daily episodic therapy for recurrent genital herpes: a randomized study. Sex Transm Dis 2003;30:226-31.
- Scoular A, Gillespie G, Carman WF. Polymerase chain reaction for diagnosis of genital herpes in a genitourinary medicine clinic. Sex Transm Infect 2002;78:21-5.
- U.S. Preventive Services Task Force. Screening for gonorrhea: recommendation statement. Ann Fam Med 2005;3:263-7.
- U.S. Preventive Services Task Force. Screening for chlamydial infection: recommendation statement. Ann Intern Med 2007; 147:128-34.
- Van Der PB, Kraft CS, Williams JA. Use of an adaptation of a commercially available PCR assay aimed at diagnosis of chlamydia and gonorrhea to detect Trichomonas vaginalis in urogenital specimens. J Clin Microbiol 2006;44:366-73.
- Van Der Pol B, Warren T, Taylor SN, et al. Type-specific identification of anogenital herpes simplex virus infections by use of a commercially available nucleic acid amplification test. J Clin Microbiol 2012;50:3466-71.
- Wald A, Huang ML, Carrell D, Selke S, Corey L. Polymerase chain reaction for detection of herpes simplex virus (HSV) DNA on mucosal surfaces: comparison with HSV isolation in cell culture. J Infect Dis 2003;188:1345-51.
- Workowski KA, Berman S. Centers for Disease Control and Prevention. Sexually transmitted diseases treatment guidelines, 2010 [published correction appears in MMWR Recomm Rep. 2011;60(1):18]. MMWR Recomm Rep. 2010;59:1-110.

제9장

자궁외임신

이지영 | 건국의대
홍승화 | 충북의대

자궁외임신은 모성 사망 및 이환율과 많은 연관이 있다. 그러나 최근 진단 기법의 발달은 조기진단을 통해 보다 보존적 치료가 가능하게 되었다. 과거에는 가급적 치료시기를 놓치지 않는 응급수술이 강조되어 왔으나 최근에는 생식기능을 유지하는 방향으로 치료가 시도되고 있다. 본 단원에서는 자궁외임신에 관한 기본적 개념과 치료에 관해서 알아보고자 한다.

1. 빈도

자궁외임신은 산부인과 영역에서 가장 흔한 응급상황의 하나로, 보고되는 빈도는 1,000건의 임신당 6.4-20.7건으로 다양하다(CDC, 1995; Hoover et al., 2010). 국내의 발생률에 관한 보고로 2009년 한국 건강보험심사평가원의 자료를 분석한 바에 따르면 임신 1,000건당 16.6건의 자궁외임신이 발생하였고, 난관 또는 난소임신이 90.2%로 가장 호발하였고, 자궁각임신 6%, 자궁경부 2.8%, 복강임신 1%의 빈도를 보였다(Yuk et al, 2013).

1995년 미국 질병관리본부(CDC)의 발표로는 1992년에 임신 1,000건당 19.7건이 발생하였다고 하고 이것은 1970년도와 비교해서 5배 정도 증가한 것이라고 보고하였다(CDC 1995). 이와 같은 자궁외임신 발생 빈도 증가는

(1) 진단법의 발달: 혈청 베타사람융모막생식샘자극호르몬 (β-human chorionic gonadotropin, β-hCG)측정법의 민감도 향상 및 해상도 높은 질초음파
(2) 난관염의 증가: 특히 클라미디아 혹은 성매개 질환의 발생 증가
(3) 보조생식술의 시술 증가 등이 원인으로 보인다.

2. 자궁외임신의 종류

1) 난관 내 자궁외임신(Tubal Ectopic Pregnancy)

난관 내 자궁외임신은 전체 자궁외임신의 대부분을 차지한다. 수정된 난자는 난관의 어느 부분이라도 착상이 가능한데, 특히 난관의 팽대부에 착상되는 경우가 가장 많다. 그 다음 많이 발생하는 곳은 협부(isthmus)이며, 다음으로 자궁관술(fimbrial), 간질(interstitial) 부위의 순서로 발생한다.

난관 내 자궁외임신은 난관 내에서 유산되거나 난관이

터지는 경우가 있는데 주로 난관 내의 발생 위치에 따라 다르게 나타난다. 즉 팽대부에 자궁외임신이 생기면 자연유산이 많이 발생하고 협부에서는 파열이 많이 발생한다. 자궁외임신으로 인한 난관파열은 주로 초기 몇 주 내에 발생하는 경우가 많다. 파열은 자연적으로 발생하기도 하지만 성관계나 부인과 진찰 등의 물리적 힘으로 일어나기도 한다. 일단 난관파열이 일어나면 다량의 출혈로 인해 저혈량성 쇼크에 빠지기도 한다. 난관파열 혹은 유산으로 인해 수태산물이 복강으로 빠져나온 후 태반조직이 계속 복강 내에 착상 후 지속적으로 발달하여 드물게는 복강임신으로 진행되는 경우도 있다. 또한 난관사이막(mesosalpinx)의 파열이 일어나면 자궁 광인대(broad ligament)로 수태조직이 빠져나가서 자궁 광인대에 혈종을 형성하기도 한다.

2) 비난관성 자궁외임신(Nontubal Ectopic Pregnancy)

(1) 자궁경부임신(cervical pregnancy)

자궁경부임신은 드물게 발생하며 그 빈도는 임신 1,000건당 1례 혹은 18,000건당 1례 정도로 보고되고 있으며, 전체 자궁외임신 중 0.2% 정도 차지하는 것으로 알려져 있다(Gun and Mavrogiogis, 2002). 자궁경부임신의 원인으로는 주로 자궁경부의 손상이 있는 경우에 발생 위험이 높은 것으로 알려져 있고, 자궁경관내막의 수술적 조작, 기존의 제왕절개술, 자궁내막 유착, DES에의 노출 등이 있다. 자궁경부임신의 70% 정도는 소파수술 과거력에 의한 것이라고 한다(Pisarka and Carson, 1999). 또한 최근에는 보조생식술의 보편화로 자궁경부임신이 증가하는 양상을 보이고 있는데 이는 전체 자궁외임신 빈도 증가와 관련이 있을 것으로 보인다(Weyerman et al., 1989).

영양막세포(trophoblast cell)의 부착이 자궁경부의 어느 부위이냐에 따라 증상이 다양하게 나타날 수 있다. 자궁경부의 상부에 착상될수록 자궁내막과 가깝기 때문에 자궁경부임신의 크기가 커지고 출혈량도 많아지게 된다. 반면에 자궁경부 하부에 발생하면 혈관 생성이 용이하지 않아서 상대적으로 출혈량은 적다. 주된 증상으로 통증 없이 자궁경부로부터 출혈이 있는 경우가 대부분이다. 자궁경부임신 환자의 1/3 정도에서는 다량의 출혈도 발생하며, 1/4 정도에서는 통증과 출혈이 함께 동반된다(Ushakov et al., 1997). 진단을 위해서는 이런 유사 증상을 보이는 다른 질환과 감별이 필요한데, 감별해야 할 자궁경부의 질환으로는 자궁경부암, 점막하 자궁근종의 하강, 영양세포종양, 전치태반 등이 있다.

진단은 임상적으로 자궁경부임신이 의심되는 경우에 초음파를 이용하여 이루어진다. 일반적 초음파 소견은 자궁강은 비어있으면서, 자궁경부는 임신낭으로 인해 풍선모양/혹은 원통모양을 보이며 자궁과 함께 보면 모래시계 형태를 보이고, 임신낭이 자궁동맥 아래의 자궁경관내막(endocervix)에 위치하고, 자궁경부 내구가 닫혀있는 경우 전형적인 자궁경부임신으로 진단할 수 있다(Kligman et al., 1995). 초음파 소견으로 진단하기 어려운 경우는 자기공명영상(MRI)을 이용하거나 도플러 초음파를 이용하면 진단에 도움이 될 수 있다.

치료는 혈압 등의 생체활력 징후가 정상인 경우에는 과다출혈 방지를 위해 보존적 치료를 시도하게 된다. 보존적 치료로서 주로 methotrexate (MTX)를 투여하는데, 80%의 치료효과를 보고하고 있다(Ushakov et al., 1997). 자궁경부에서 출혈이 심할 경우는 자궁동맥색전술이나 직접 potassium chloride (KCl)를 임신낭에 주입하는 방법이 있다(Suzumori et al., 2003). 보존적 치료가 만족스럽지 않아 출혈이 과다할 경우에 지혈하는 방법으로 자궁경부를 결찰(cerclage)하거나 자궁경부에 Foley catheter 풍선을 넣어서 출혈을 막기도 한다. 출혈이 과다할 경우는 자궁 적출을 고려해야할 경우도 있는데, 특히 임신 제2, 3분기의 자궁경부임신에서는 자궁절제술을 시행하는 것이 바람직하다(Ushakov et al., 1997).

(2) 난소임신(ovarian pregnancy)

난소 조직에 국한된 자궁외임신으로 정의되는 것으로 분만 1,500건당 혹은 60,000건당 1례 정도로 다양한 빈도로 보고되고 있다(Einenkel et al., 2000). 난소임신은 난관에 생긴 자궁외임신과 달리 골반 염증성 질환과는 무관하지만,

자궁내 피임장치의 최근 사용과 관련이 있는 것으로 알려져 있다. 또한 최근에는 보조생식술 시술이 많아짐에 따라 증가하는 것으로 알려지고 있다(Tal et al., 1996).

난소임신의 증상은 다른 자궁외임신과 유사하지만, 파열된 황체와 난소임신의 구별이 쉽지 않은 경우가 많아서 진단에 어려움이 있다. 따라서 육안적 진단보다는 병리 조직검사를 통해서 진단되는 경우가 많다. Spiegelberg가 제시한 난소임신의 진단 기준은 아래와 같다(Spiegelberg, 1878; Adeniran and Stanek, 2003).

① 동측의 난관은 정상적으로 있으며, 난소와 분리되어 있어야 한다.
② 임신낭이 난소 내에 존재해야 한다.
③ 난소는 난소인대에 의해 자궁과 연결되어 있어야 한다.
④ 난소조직이 임신낭 벽에 존재해야 한다.

난소임신의 치료로써 수술적 방법으로 난소를 제거하는 것이 주된 방법으로 여겨져 왔으나, 최근에는 난소를 보존하면서 난소임신이 든 낭종만 제거하거나 난소쐐기술(wedge resection) 또는 MTX 투여가 성공적인 치료법으로 보고되고 있다(Koike et al., 1990).

(3) 복강임신(abdominal pregnancy)

복강임신은 발생 원인에 따라 원발성 혹은 속발성으로 분류할 수 있다. 속발성의 원인으로는 난관임신이 난관 내에서 유산되어 복강 내로 들어가거나 난관파열 후 복강 내로 들어가는 경우 혹은 드물게 자궁 파열에 의해 복강임신이 발생하는 경우를 들 수 있다.

복강임신은 자궁외임신의 가장 드문 타입 중 하나로 약 1-1.4%의 빈도를 보인다(Atrash et al., 1987). 복강임신은 진단이 늦어질 때 난관임신보다 7-8배, 정상 자궁내임신보다 50배 이상 높은 사망률과 이환율을 보인다.

흔한 증상으로는 복통, 오심, 구토 등의 위장관 증상이 있을 수 있고, 태동에 따른 복통이 동반될 수도 있다. 복부 촉진 시에 통증을 느끼거나 비정상적인 태위(fetal lie)를 발견할 경우, 그리고 자궁경부의 위치 이상이 있을 경우, 옥시토신 투여 후에 자궁의 수축이 없으면 복강임신을 의심할 수 있다. 초음파검사가 진단에 유용한 방법이나, 초음파상 진단이 어려울 경우에 MRI를 확진을 위해 사용할 수 있다.

복강임신의 경우에 태아의 형태 손상을 동반하게 되는데, 특히 사지의 이상이나 중추신경계의 이상을 동반하는 경우가 많다(Dubinsky et al., 1994). 태아성숙 시까지 기대요법을 주장하기도 하지만 복강내 다량 출혈 등으로 산모의 생명이 위독해지는 경우가 있기 때문에 진단 즉시 개복술을 하는 것이 원칙적인 치료이다. 개복 시에 태반조직의 제거가 문제가 되는데, 태반조직의 제거 시 과도한 출혈이 발생하므로 주된 공급혈관이 구분되고 집도의가 지혈에 관한 확신이 있을 경우에만 시도하는 것이 권고된다. 출혈 시 복강 내 거즈압박을 시행하고 24-48시간 후 제거하거나, 선택적 동맥색전술을 시행할 수 있다. 확실한 지혈이 어려울 경우 태반 가까이에서 탯줄을 최대한 가까이 제거하고 태반은 남겨둔다. 초음파와 β-hCG 검사로 태반조직의 소퇴를 추적관찰한다. 잔류태반조직에 의해서 출혈, 농양 형성, 패혈증, 장폐쇄, 저피브리노겐혈증 등의 합병증이 발생할 가능성이 있다. 태반조직이 남아 있는 경우는 선택적인 동맥색전술과 MTX를 주사하는 것이 도움이 되는 것으로 알려져 있지만 확실치 않다(Oki et al., 2008).

(4) 간질임신(interstitial pregnancy)

간질임신은 자궁각임신(cornual pregnancy)이라고도 하는데, 간질 부분이란 자궁벽 부분을 통과하는 난관의 일부분으로 길이는 1-2 cm 정도 된다. 흥미로운 사실은 시험관아기 시술로 난관임신이 되어 일측성 난관을 제거한 경우에 간질임신 발생이 증가한다는 보고가 있다(Tulandi and Al-Jaroudi, 2004).

간질임신이 발생하는 곳은 그 위치가 난관과 자궁의 사이로 흔히 임신이 되는 위치가 아니기 때문에 진단이 어려운 경우가 많다. 그러나 초음파 소견이 특징적이기 때문에 주의 깊게 관찰하면 진단이 가능하다. 초음파상 임신낭이 자궁강에서 치우쳐 있거나, 간질 부분의 임신낭이 균질하지 못하거나, 자궁근층이 얇아져 있거나, 'interstitial line'으로 불리는 두드러진 간질 부분 등이 보이면 진단이 가능하다(Ackerman et al., 1993). 초음파 소견으로 진단이 확실치 않으면 진단복강경을 통해 도움을 받을 수 있다. 간질임신은 파열 시 다량의 복강출혈을 동반하기 때문에 고식적인 치료는 개복수술하 자궁각 쐐기절제술이며, 수술자에 따라 복강경하 자궁각제거술, 자궁각절개술, 복강경하 자궁경부를 통한 흡인 소파술 등 여러 방법이 시도되고 있다. 초기진단이 된 경우에서 혈압 등이 안정된 경우는 MTX를 이용한 내과적 치료를 할 수 있다(Lau and Tulandi, 1999).

(5) 제왕절개반흔임신(cesarean scar ectopic pregnancy)

비교적 최근에 기술되기 시작한 자궁외임신으로 아직 정확한 빈도는 밝혀져 있지 않다. 위험인자로는 이전의 제왕절개술, 자궁근종절제술, 자궁선근증, 시험관아기시술, 이전의 소파술, 태반의 수기제거 등이 포함된다. 질식초음파로 비교적 용이하게 진단되며, Jurkovic 등이 제시한 진단기준은 자궁강은 비어있고, 임신낭이 자궁경부 내구 레벨에서 보이며 자궁전벽의 제왕절개상처로 덮여있고, 도플러검사상 영양막조직의 혈류가 확인되고, 경질 초음파 탐색자로 가볍게 압박하였을 때 임신낭이 움직이지 않는 음성 "미끄럼 기관 사인(sliding organ sign)" 등이다(Jurkovic et al., 2003).

(6) 병합임신(heterotopic pregnancy)

병합임신이란 자궁외임신과 정상 자궁내임신이 같이 존재하는 것을 말한다. 과거에는 드문 경우로 알려졌으나, 최근에는 많은 불임 환자들이 보조생식술 방법을 동원하여 임신을 시도하기 때문에 빈도가 증가되었다고 한다. 자궁외임신의 1.2-2.9% 정도를 차지한다고 하며 평균 4,000-7,000 임신당 한 명 정도로 빈도를 보고하고 있다(Dor et al., 1991). 병합임신의 90% 정도가 난관임신과 정상 자궁내임신이 같이 있는 경우이다(Reece et al., 1983). 병합임신은 β-hCG와 초음파만으로 진단하기가 매우 어려워 조기 발견이 쉽지 않다. 즉 자궁내임신의 정상적 β-hCG 상승이 자궁외임신의 비정상적 증가를 이용한 진단을 가로막기 때문이다. 초음파상 자궁내임신이 진단되면 추가적인 자궁외임신의 가능성을 간과하기 쉬운데, 보조생식술로 임신이 된 경우 β-hCG의 과도한 증가가 있으면 세밀한 조사가 필요하다. 그럼에도 불구하고 대부분의 병합임신은 진단이 늦어져 절반 정도는 난관파열이 발생한 후에 발견이 된다. 동반한 자궁내 정상임신 때문에 MTX를 주사하는 치료법은 시도하기 어려운데, 설사 자궁외임신 부위에 국소적인 주사를 하더라도 전신적 MTX의 효과를 막을 수는 없기 때문이다(Schiff et al., 1992). 따라서 병합임신의 가장 효과적인 치료는 수술적 방법으로 자궁외임신의 병변을 제거하는 것이라 할 수 있겠다.

3) 기타 임상적 상황

(1) 자궁외임신의 자연 소실

드물게 자궁외임신에서 수태 산물이 유산되어 난관 속에서 흡수 과정을 거쳐 자연 소실되는 경우가 있는데, 이런 경우는 내외과적 치료가 필요 없다(Garcia et al., 1987). 원인이나 빈도는 알려져 있지 않고, 단지 혈중 β-hCG 농도가 감소하는 것으로 알 수 있다. 그러나 β-hCG가 떨어지고 있더라도 자궁외임신의 파열은 나타날 수 있으므로 임상적으로 관찰하는 것이 필요하다.

(2) 지속성 자궁외임신

난관개구술(salpingostomy) 혹은 난관절개술(salpingotomy) 등 난관을 보존하는 수술을 시행한 후에 영양막세포가 그대로 존재하는 것을 말하는 것으로, 조직학적으로 배아 조직은 발견되지 않고 난관의 근육층에 융모조직이 발견된다(Lundorf et al., 1991). 발생 빈도는 보존적 수술을 많이 시행할수록 높아지게 되는데, 특히 초기 β-hCG 수준이 높을수록, 무월경 기간이 길수록, 자궁외임신의 크기가 클수록 발생 가능성은 높아진다. 치료는 내과적 혹은 외과적 방법을 시도하는데, 주로 난관절제술로 난관을 제거하게 된다.

(3) 만성자궁외임신

자궁외임신을 수술이나 내과적 치료 없이 기대요법만 시행했을 경우에 주로 나타나는 것으로서 외과적 치료의 과거력이 없다는 점이 위의 지속성 자궁외임신과 구별이 된다. 출혈이 지속되는 융모조직이 서서히 커지는 난관조직 사이에 발견이 되거나 난관팽대부에서 출혈이 지속되는 형태를 나타내게 된다. 치료는 병변이 있는 난관을 수술적 방법으로 제거하는 것이다.

표 9-1. 자궁외임신의 빈도를 높이는 위험요인

- 자궁외임신의 과거력
- 난관수술의 과거력
- 골반염 및 난관염
- 흡연
- 인공임신중절술(내과적 혹은 수술적)
- 최근 삽입한 자궁내장치
- 보조생식술
- 나이(40세 이상)
- 자궁 내 DES에의 노출
- 해부학적인 난관 혹은 자궁의 이상

3. 원인 및 위험인자

1) 원인

자궁외임신의 병인으로 공통적으로 지적되는 것은 난관 내 난자 혹은 수정란의 이동 지연이다. 특히 난관의 협부 혹은 자궁난관 접합부위를 통과하기에 상대적으로 크거나, 영양막조직이 자궁강 내로 이동하기 전에 이미 성장 및 증식을 하여 수정란의 착상이 난관 내에서 발생하면 자궁외임신이 발생할 수 있다. 난관 내피세포의 섬모운동이나 근육층의 전기적 수축 또한 수정란의 정상적인 이동에 중요하다. 난관염은 난관 섬모를 파괴하며, 흡연은 섬모의 운동성에 악영향을 미치는 것으로 알려져 있다.

2) 위험인자

가장 중요한 위험인자는 자궁외임신의 과거력으로 한번 자궁외임신을 경험한 경우는 다음 임신에서 10-15%, 두번 자궁외임신을 경험한 경우는 다음 임신에서 30% 반복 자궁외임신이 생긴다. 그 외 난관수술의 과거력, 보조생식술, 골반염 등이 자궁외임신의 빈도를 높이는 위험요인으로 알려져 있다(표 9-1).

(1) 자궁외임신의 과거력

자궁외임신 발생의 가장 연관성 있는 위험인자는 자궁외임신의 과거력이다. 이는 이미 존재하고 있던 난관의 기질적 손상으로 인해 자궁외임신이 발생하였고, 자궁외임신과 치료로 인해 난관의 손상이 더 심해졌으므로 이후의 자궁외임신 발생 위험도가 높아질 수밖에 없을 것이다. 자궁외임신의 치료로 난관절제술을 한 경우와 보존적 치료를 한 경우의 자궁강내 임신율(40%)과 자궁외임신의 발생율(15%, 4-28%)은 비슷하다.

(2) 난관수술

난관수술이 자궁외임신의 발생율을 증가시키는 것은 잘 알려져 있지만, 이것이 수술을 해야만 했던 난관 자체의 기질적 병변에 의한 것인지, 난관수술 자체에 의한 것인지는 알려져 있지 않다.

(3) 피임 실패와 관련된 경우

난관수술과 마찬가지로 피임을 목적으로 난관에 조작을 가할 경우에 자궁외임신의 가능성이 있는 것으로 알려져 있다. 2016년 한 대규모 연구에서 수술 방법에 따라 난관피임의 실패율을 발표하였는데, Filshie clip방법으로 난관피임을 한 경우 36.5/1,000 그리고, 분만 후 난관절제술과 단극성 전기소작술을 시행한 경우 7.5/1,000의 실패율을 보인다고 하였다(Lawrie et al, 2016).

자궁외임신의 발생 위험도는 난관피임술의 방법과 환자의 나이에 따라 달라지는데, 난관절제술과 단극성 전기소작술을 시행한 경우가 실패율이 가장 낮았고, 양극성 전기 소작술에 의한 난관피임술의 자궁외임신 빈도는 1.7%로 가장 높았다.

(4) 골반내 감염

골반내 감염과 난관막힘, 자궁외임신의 연관성은 잘 알려져 있다. 진단복강경을 시행받은 2,500명의 여성을 대상으로 한 연구에서 골반내 감염을 진단받은 여성의 자궁외임신율은 9.1%, 정상 골반소견을 보인 여성의 자궁외임신율은 1.4%였다(Westrom et al. 1992). 클라미디아는 난관의 손상과 난관임신을 야기하는 중요한 원인균으로 난관임신의 약 7-30%에서 검출이 가능하다.

표 9-2. 자궁외임신의 발생부위별 빈도

부위	빈도
난관	
- 팽대부	70%
- 협부	12%
- 난관술	11%
- 간질부 혹은 자궁각	2%
복강	1 %
난소	3 %
자궁경부	<1%

4. 병리

자궁외임신은 난관에서 가장 흔히 발생한다. 21년간 654건의 자궁외임신을 관찰하여 그 중 약 97.7%가 난관임신이었고 난관 중에서도 팽대부가 약 81%의 빈도를 보였다(Breen, 1970)(표 9-2).

자궁외임신을 육안적으로 볼 때 소견은 난관이 팽대되고 둥글게 변하며 장막(serosa)이 늘어지고 충혈된다. 태반 융모조직이 난관벽을 파고들어가서 결국은 난관이 파열된다. 난관 내에 융모조직의 발견은 자궁외임신 진단의 특징적 소견이며, 배아조직은 자궁외임신의 2/3 정도에서 관찰할 수 있다고 한다(Niles and Clark, 1969).

자궁외임신의 현미경적 소견은 난관 점막하 사이질 조직에서 탈락막 현상(decidual reaction)이 나타나는 것이 특징이다. 이런 변화는 자궁내막에서 나타나는 탈락막 현상과 비교할 때 미미한 정도이고, 작은 무리(nest)를 지어서 나타난다(Randall et al., 1987). 태반조직이 착상하지 않는 난관 부분은 많은 수의 백혈구가 침투해 있는 양상을 나타낸다. 배아조직은 팽대부보다 좁은 협부에 착상이 되더라도 난관 안에 발견되게 되고, 융모조직은 발견 안 될 수도 있다. 자궁외임신의 조직학적 진단은 주로 난관혈종(hematosalpinx)이며 배아조직은 잘 발견되지 않는다.

조직학적으로 자궁외임신을 관찰하면 만성난관염(chronic salpingitis), 협부 결절성 난관염(salpingitis isthmica nodosa) 등을 볼 수 있다. 난관에서 염증이 반복되면서 유착이 발생하게 된다. 이런 유착으로 인해 난관이 좁아지게 되고, 좁아진 난관 사이로 정자는 통과하지만 포배(blastocyst)는 통과하지 못하게 됨으로써 난관임신이 발생하게 된다. 난관의 곁주머니(diverticulum)는 자궁외임신 경험이 없는 여성에서는 5% 정도 발견되지만 자궁외임신의 경우는 절반 정도에서 발견된다고 한다.

5. 진단

자궁외임신은 난관파열의 위험성을 줄이고 약물요법의 성공률을 높이기 위하여 적절한 시기에 진단을 하는 것이 중요하다. 자궁외임신의 진단에 있어 문제점은 임상 양상이 무증상인 경우에서부터 급성복부통증을 호소하며 응급수술을 요하는 혈역학적 쇼크 상태까지 매우 다양하다는 것이다. 난관이 파열된 경우는 진단이 비교적 쉬우며 지혈을 우선 생각하여야 하며, 난관이 파열되지 않은 경우에는 향후 가임력(fertility)을 고려 한다. 임신의 정확한 위치를 확인될 때까지는 생존가능한 초기 자궁내임신, 생존불가능한 초기 자궁내임신, 혈역학적으로 안정된 자궁외임신, 혈역학적으로 불안정한 자궁외임신의 가능성을 고려하여야 한다.

1) 병력 및 임상 증상

자궁외임신의 임상 증상은 매우 다양하다. 일반적으로 월경 양상의 이상 혹은 자연유산의 느낌을 흔히 갖는다. 따라서 월경력, 이전 임신력, 불임의 과거력, 현재의 피임력, 자궁외임신의 위험요인 및 현 증상 등에 대한 자세한 병력청취가 우선되어야 한다. 복통, 무월경, 질출혈이 자궁외임신의 전형적인 3대 임상 증상으로 널리 알려져 왔지만 이러한 증상들이 모두 나타나는 경우는 약 50%이며 난관이 파열된 경우에 흔히 나타난다. 가장 흔한 임상 증상은 골반 혹은 복부통증으로 약 95%에서 나타나며, 통증의 심한 정도는 매우 다양하다. 이와 동반하여 어지럼증 혹은 현기증을 호소하는 경우도 있다. 자궁외임신의 진단에 특징적인 통증의 양상은 없다. 통증은 편측 혹은 양측에서 나타날 수 있고, 상복부 혹은 하복부에서도 나타날 수 있다.

또한 통증의 양상도 둔통, 예리한 통증, 혹은 경련통일 수 있고, 지속적일 수도 간헐적일 수도 있다. 초기에는 경련통이 흔히 발생하는데 이는 난관의 팽창으로 생긴다고 알려져 있으며, 이후 난관이 파열되면 일시적으로 통증의 완화를 경험하는 경우도 있다. 난관파열로 많은 양의 복강내 출혈이 야기되면 이로 인해 횡경막이 자극되어 견갑통, 흉통 또는 요통이 야기되기도 한다. 복부촉진 시 압통과 골반진찰 시 자궁경부 운동통이 파열된 난관임신의 약 75%에서 나타난다. 무월경을 동반한 적은 양의 암갈색 질출혈이 60-80%에서 간헐적 혹은 지속적으로 나타나며, 약 1/4에서는 질출혈을 정상 월경으로 오인하기도 한다. 출혈량도 다양하여 불완전유산에서처럼 많은 양의 출혈이 있을 수도 있다.

2) 이학적 검사

이학적 검사는 활력징후의 측정과 복부 및 골반진찰을 포함하여야 한다. 난관파열로 혈복강이 생기기 전에는 활력징후는 정상이며 복부 압통은 경미하고 반발통도 거의 없다. 자궁의 크기도 정상 임신에서와 같이 약간 커져 있을 수 있다. 복부 및 골반 압통이 가장 흔히 나타나는데 복부 전체에서 압통이 나타나는 경우가 약 45%, 하복부 양측에서 나타나는 경우가 25% 그리고 편측으로 나타나는 경우가 약 30% 정도이다. 자궁경부 운동통은 복막 자극에 의해서 초래되지만 자궁외임신의 특이한 소견은 아니다. 부속기 혹은 더글러스와 종괴는 약 50%에서 촉지 되지만 크기, 경도, 압통의 유무는 매우 다양하다. 난관파열로 인하여 복강내 출혈이 생기면 빈맥과 저혈압이 생기며 장음은 감소되거나 소실된다. 현저한 압통 및 반발통이 동반되는 복부팽만이 생기며 자궁경부 운동압통도 나타난다. 이런 경우 통증으로 인한 복부 강직이 초래되어 골반 진찰이 어려운 경우도 흔하다. 그 외에도 견갑통이나 미열이 나타나는 경우도 있다. 병력청취와 이학적 검사가 진단에 유용하지만 진단의 정확성은 50%에 미치지 못한다(Tuomivaara and Kauppila, 1986). 따라서 초기 자궁내임신이나 유산과 같은 이상 자궁내임신을 구별하기 위하여 다양한 검사가 필요하다.

3) 검사

(1) 혈청 β-hCG

hCG는 융합영양막(syncytiotrophoblast)에서 생성되며 임신이 되면 모체 혈청에서 배란 후 8-10일만에 검출되기 시작하고 월경예정일 무렵에는 50-100 IU/L 정도가 된다. 일반적으로 임신 초기에는 매 1.4-2.1일만에 배가 되고 임신 8-10주경에 50,000-100,000 IU/L 정도로 최고치에 이른다(Fritz and Guo, 1987). 최근 β-hCG 검사는 특이도와 민감도가 매우 높으며 검출한계가 5 IU/L 미만이다. 결과적으로 자궁외임신이 의심되던 여성에서 임신이 아닌 경우에는 검사 결과 음성 반응이 나타난다. 자궁외임신의 경우 β-hCG 위음성(Maccato et al., 1993) 및 위양성(American College of Obstetricians and Gynecologists, 2003) 결과는 매우 드물다. 위양성의 대부분은 상용 면역분석시스템에 사용되는 동물 항체에 결합하여 hCG 면역반응성을 보이는 내인성 이종친화항체에 의해서 발생한다. 드물지만 이종친화항체에 대하여 잘 알고 있어야 잘못 판단하거나 위험한 결과를 야기할 수 있는 치료를 시행하는 오류를 피할 수 있다(Rotmensch and Cole, 2000).

위양성 결과는 보통 증가하거나 감소하지 않고 장기간 같은 수치를 보인다. 따라서 임상적인 소견과 일치하지 않는 경우는 다른 검사법으로 결과를 확인하거나 소변에서 hCG를 확인하거나 hCG 표준(standard)과 환자의 혈청을 연속적으로 희석해서 평행관계를 확인할 필요가 있다.

① 단일 β-hCG 검사

같은 재태 연령이라도 정상 임신과 자궁외임신의 경우 β-hCG 농도가 많은 범위에서 중복되고 자궁외임신 크기 및 난관의 상태와 β-hCG 사이에 상관관계가 높지 않기 때문에 일회 β-hCG 측정은 자궁외임신 진단에 별로 유용하지 않다(Cartwright et al., 1987). 단지 일회 β-hCG 농도가 음성인 경우 자궁외임신을 배제할 수는 있다. 또한 보조생식술을 이용하여 임신을 한 경우 일회 β-hCG 측정으로 임신의 향후 결과를 예측하는 데 도움이 될 수 있다. 자궁강내 임신낭이 보이지 않는 경우 일회 측정치로 초음파검사 결과를 해석하는 데 도움이 될 수도 있다. 즉 식별 구역(discriminatory zone) 이상의 검사치인 경우 자궁외임신의 가능성이 높다. 하지만 유산과 자궁외임신을 완전히 구별할 수 없으므로 반복적인 검사가 필요할 수 있다.

② 혈청 β-hCG 식별구역

자궁내임신의 초음파 소견과 연관된 β-hCG 범위, 즉 초음파검사에서 임신낭이 항상 확인되는 최소 β-hCG 수치를 식별구역(discriminatory zone)이라고 한다. 혈청 β-hCG 농도와 초음파 소견을 병합한 진단의 중요성은 1981년에 혈청 hCG 식별구역의 개념을 도입한 Kadar 등에 의해 처음으로 보고되었다(Kadar et al., 1981). 이 개념에 따르면 hCG 농도가 6,500 IU/L 이상이었을 때 복부 초음파에서 자궁내임신이 확인되지 않기만 하면 자궁외임신으로 거의 진단할 수 있다는 것이었다. 그러나 많은 자궁외임신 환자들이 hCG 농도가 6,500 IU/L 미만이었기 때문에 임상적 가치에 제한이 있었다. 최근에는 hCG 검사의 정확도, 신속성의 향상과 초음파 해상도의 향상으로 식별구역의 적절한 결정값(cut-off value)은 1,000-2,000 IU/L로 낮아졌다. 초음파 소견이 명확하지 않은 자궁외임신 의심 환자 354명을 대상으로 한 전향적 연구에서 초기 혈청 hCG 결정값을 1,000 IU/L 미만으로 하였을 때 86%, 2,000 IU/L 미만으로 하였을 때 98%의 특이도를 보였다(Mol et al., 1998).

③ 배가시간(doubling time)

일반적으로 혈청 β-hCG는 재태 연령과 잘 비례한다. 특히 자궁외임신의 진단이 중요한 시기인 배란 후 2-4주 동안에는 기하급수적으로 증가하며 증가 속도가 일정하여 이 기간 동안은 초기치에 상관없이 배가시간이 비교적 일정하다. 이후 검사치가 6,000-10,000 IU/L 이상에 도달하는 임신 6주 이후에는 증가 속도가 감소하며 일정하지 않다(Daus et al., 1989). β-hCG 배가시간을 통하여 자궁내임신과 자궁외임신의 구별에 도움을 받을 수 있다. 정상 자궁내임신의 경우 48시간 후 검사에서 β-hCG가 최소한 66%(85% 신뢰구간) 증가한다(Kadar et al., 1981). 정상 임신의 약 15%에서는 β-hCG가 66% 이하로 증가하고, 비슷한 정도에서 자궁외임신임에도 β-hCG가 66% 이상 증가하는 경우도 있다. 자궁외임신을 예상할 수 있는 가장 특징적인 β-hCG 양상은 7일 이상의 배가시간을 보이면서 정점지속(plateau)에 도달하는 경우이다. β-hCG가 떨어지는 경우 반감기가 1.4일 미만이면 자궁외임신은 드물고, 7일 이상이면 자궁외임신일 가능성이 매우 높다.

④ 연속 β-hCG 검사

초기 초음파검사 소견이 애매한 경우, 즉 자궁내임신의 소견이나 자궁 밖에서 임신낭 또는 태아 심박동 소견이 확인 되지 않는 경우, 반복적인 β-hCG 검사가 필요하다. 2회 β-hCG 검사만으로는 확실하게 자궁외임신과 정상 혹은 비정상자궁강내임신(유산)을 구별할 수 없다. 정상적인 증가가 아니거나 감소하는 경우에는 생존 불가능한(nonviable) 임신임을 시사할 뿐이다. β-hCG가 2,000 IU/L 미만에서는 배가시간으로 정상적인 자궁내임신과 비정상임신을 구별할 수 있다. 정상적인 증가를 보이면서 β-hCG가

2,000 IU/L에 도달했으리라 예상이 되면 다시 초음파검사를 시행한다. 재시행한 초음파에서 불확실하고 β-hCG가 2,000 IU/L 미만이면 자궁외임신이거나 완전유산이 된 생존불가능한 임신이라고 진단을 할 수 있다. 자연유산의 경우 β-hCG가 48시간 만에 50% 이하로 급격히 감소하고, 자궁외임신의 경우에는 증가하거나 정점지속을 형성한다. β-hCG가 2,000 IU/L 이하이면서 48시간 만에 50% 이하로 비정상적으로 상승하는 경우는 생존 가능하지 않은 임신을 시사한다. 임신의 위치, 즉 자궁내임신인지 아니면 자궁외임신인지는 복강경이나 자궁소파술과 같은 수술적 방법으로 확인이 가능하다.

(2) 혈청 프로게스테론

일반적으로 자궁외임신의 경우 평균 혈청 프로게스테론 농도는 정상 자궁강내임신의 경우보다 낮다(Radwanska et al., 1978). 단일 혈청 프로게스테론 농도로는 자궁외임신을 진단할 수는 없지만 불완전유산이나 자궁외임신과 같은 비정상 임신을 예측하는 데 도움이 되기도 한다.

혈청 프로게스테론 농도는 정상 자궁내임신의 약 70%에서 25 ng/mL 이상이고 자궁외임신의 경우 이 농도 이상을 유지하는 경우는 1-2%에 불과하다(Stovall et al., 1992). 만약 자궁외임신에서 혈청 프로게스테론 농도가 25 ng/mL 이상이면, 초음파에서 자궁외임신의 위치나 심장박동을 확인할 수 있다. 혈청 프로게스테론 농도가 <5 ng/mL의 경우 임신 실패라 할 수 있고, 이 농도 이하에서 생존가능한 자궁내임신의 가능성은 1% 이하이다(Cowan et al., 1992). 이 검사는 β-hCG 검사나 초음파검사가 불가능한 경우 정상 임신 혹은 비정상 임신 여부를 가리기 위한 선별검사로 사용할 수 있다.

최근 26개의 연구를 대상으로 시행된 메타분석에서 혈청 프로게스테론 단일 측정은 추가 평가가 필요한 자궁외임신의 위험성이 있는 여성들을 확인할 수 있지만 초기 정상임신이나 유산과 자궁외임신을 진단하기에는 식별능력이 불충분하며 이러한 목적으로 사용되어서는 안 된다고 보고하였다(Verhaegen et al., 2012).

4) 초음파검사

초음파검사로 정상적인 자궁내임신을 확인할 수 있지만 자궁 밖에서 임신낭 또는 태아극 및 태아의 심박동이 확인되는 경우를 제외하고 자궁외임신을 진단할 수 있는 경우는 드물다. 따라서 초음파검사로 자궁내 임신낭이나 태아가 확인되면 자궁외임신을 배제할 수 있다. 최근 초음파 기기의 발달로 더욱 조기에 자궁내 혹은 자궁외임신을 진단할 수 있게 되었다. 하지만 β-hCG 검사의 민감도가 뛰어나 초음파검사에서 임신이 확인되기 이전에 β-hCG 검사로 임신 여부를 진단할 수 있다.

(1) 복부초음파검사

복부초음파검사로는 정상 자궁내임신은 재태연령 5-6주경이나, 배란 후 28일 정도가 지나서 β-hCG가 6,000 IU/L 이상에서 확인이 된다. 초음파검사에서 부속기종괴가 보이면 자궁외임신을 의심할 수 있으나, 태아 심박동이 확인되어야 자궁외임신으로 진단 내릴 수 있다.

(2) 질초음파검사

질초음파는 복부 초음파에 비하여 민감도, 특이도가 높은 검사로 복부초음파보다 약 1주일 전에 자궁내임신을 진단할 수 있지만, 자궁외임신의 약 10%에서는 확인되지 않는다. 다음과 같은 소견을 보이면, 즉 적어도 1-3 mm 임신낭의 확인, 자궁강 중심에서 벗어나 위치하며 주위에 두꺼운 반향성 테(echogenic ring, decidua-chorionic reaction)가 있는 임신낭, 임신낭 내 태아 극(fetal pole)의 존재 그리고 태아 심박동이 확인되면 더 조기에 높은 특이도로 자궁내임신을 진단할 수 있다. 질초음파로는 β-hCG가 1,000-2,000 IU/L 정도에서도 임신낭을 발견할 수 있다. 자궁외임신의 8-29%에서 정상 임신낭과 유사한 자궁강내 체액의 저류로 생긴 거짓임신낭(pseudogestational sac)이 보일 수 있다. 이것은 무반향성(echolucent)으로 자궁강내 중심에 주로 위치하며 탈락막 원주에 의한 자궁강내 출혈로 생긴다(Abramovici et al., 1983).

초음파 형태학적으로 이중 탈락막 주머니 징후(double

decidual sac sign)의 확인이 자궁외임신으로부터 정상 임신을 구분하는 가장 좋은 방법이다(Bradley et al., 1982).

자궁부속기에서 태아 극과 태아 심박동이 보이는 임신낭을 발견하면 쉽게 자궁외임신을 진단할 수 있지만 이와 같은 경우는 자궁외임신의 약 10-17% 정도이다(Nyberg et al., 1991, Rottem et al., 1990). 난황 주머니(yolk sac) 또는 사망한 태아가 들어 있는 부속기 테(adnexal rings, fluid sacs with thick echogenic rings)도 자궁외임신의 특이한 초음파 소견이다. 이는 복부초음파검사에서는 약 22%, 질 초음파에서 약 33-50%에서 나타난다(Nyberg et al., 1988).

자궁외임신에서 부속기종괴도 자주 발견되나 특이한 소견은 아니다. 더글라스와의 자유 체액(free cul de sac fluid)도 자궁외임신에서 흔히 동반되지만 이 또한 특이 소견은 아니며, 이 소견이 반드시 자궁외임신의 파열을 의미하는 것은 아니다. 하지만 복강내 자유 체액이 존재하는 경우에는 난관파열에 대해 주의를 요한다.

⑶ 초음파검사와 β-hCG 검사

혈역학적으로 안정적인 자궁외임신이 의심되는 환자는 진단 시 초음파검사와 함께 반복 β-hCG 검사를 시행하는 것이 바람직하다. β-hCG 농도를 고려하여 초음파검사 소견을 해석하여야 정확한 진단을 내릴 수 있다(Bernaschek et al., 1988).

고전적으로 초음파로 정상 자궁내임신을 확인할 수 있을 때의 β -hCG 농도를 식별구역(discriminatory zone)이라고 하며, 질초음파로 정상 자궁내임신을 확인할 수 있는 식별구역은 대부분에서 1,000-2,000 mIU/mL 이지만 초음파검사를 하는 검사자의 숙련도, 장비, 그리고 다태아임신 등의 상황에 따라 식별구역이 달라질 수 있고, 한 연구에서는 3,510 mIU/mL까지 식별구역의 범위를 넓혀야 한다고 하였다(Connolly A et al., 2013).

식별구역 이하의 β-hCG 농도에서 자궁강 내에 확실한 임신의 소견이 보이지 않으면 다음과 같은 경우를 고려하여야 한다.

① 초음파검사에서 아직 보이지 않는 정상 임신
② 비정상 자궁내임신
③ 최근의 유산
④ 자궁외임신
⑤ 비임신

자궁내임신에 대한 식별구역에 대해서는 많이 알려져 있지만 자궁외임신에서 이러한 범위가 없으며, 자궁외임신의 크기와 β-hCG 수치는 잘 일치하지 않는다. β-hCG 농도가 높고 낮음에 관계없이 초음파검사에서 자궁강내 임신낭이 보이면 자궁외임신은 배제할 수 있다. 식별구역 이상의 β-hCG에서 자궁내 임신낭이 보이지 않으면 자궁외임신일 가능성이 매우 높지만 치료를 시작하기 전에 다른 가능성을 고려해 보아야 한다. 불완전 유산에서는 자궁강내 임신낭이 없거나 확인하기 힘든 경우가 있으며, 최근에 완전유산이 되었다면, β-hCG는 여전히 높으면서 계속 검사를 시행하면 급격히 감소하는 양상을 보인다. 식별구역 이하의 β-hCG에서 자궁내 임신낭이 없으면 임상 증상과 징후 및 그 외의 초음파 소견 등을 참고하여 처치를 시행하여야 한다. 즉각적인 진단 및 처치가 필요한 경우가 아닐 때에는 추적 관찰 및 자궁외임신의 가능성에 대한 추가 검사를 시행한다. β-hCG 농도 변화의 양상이 절대치보다 훨씬 더 진단에 도움이 된다. 임상 증상의 뚜렷한 변화 없이 급속히 β-hCG 농도가 감소하면 자궁외임신의 가능성이 낮으므로 지속적으로 β-hCG 농도의 감소 추이를 관찰하면 된다. β-hCG가 천천히 감소하거나 정상 배가시간 범위 이하로 증가하는 경우는 생존 불가능한 임신을 시사하며, 이 경우 자궁외임신일 수도 있지만 자궁내임신의 가능성도 있다. β-hCG가 식별구역 이상으로 정상적으로 증가하더라도 초음파검사에서 자궁내 혹은 자궁외임신낭이 확인 되지 않으면 위와 같이 생각할 수 있다. 이런 경우 비교적 안전하게 약물요법을 시행해 볼 수 있지만, 자궁외임신이 아닐 가능성도 상당히 높다(Barnhart et al., 2002). β-hCG가 식별 범위 이하이더라도 정상적으로 증가하는 경우라면 초음파검사에서 자궁외임신낭이 보이지만 않는다면 지속적으로 관찰해 볼 수 있다.

5) 더글라스와천자(Culdocentesis)

자궁경부 후순(posterior lip)을 테나큘럼으로 잡고 18-20 게이지(gauge) 척추 바늘(spinal needle)로 질 후원개(posterior vaginal fornix)를 찔러 더글러스와에 고여 있는 내용물을 흡인하는 방법으로 자궁외임신의 진단에 널리 이용되어 온 방법이지만 β-hCG 검사와 초음파검사가 널리 이용되면서 요즘은 많이 이용되지 않는다.

6) 자궁소파술(Uterine curettage)

초음파검사 결과가 확정적이지 않고 β-hCG 농도가 식별구역 이상인 경우, 식별구역 미만이고 비정상적으로 증가하거나 정점지속을 보이거나 떨어지는 경우, 생존 가능한 자궁내임신의 가능성은 거의 배제할 수 있다. 초기 다태임신과 초음파검사 오류가 예외적인 경우라 할 수 있다. 자궁소파술은 생존 불가능한 자궁내임신으로부터 자궁외임신을 구별하는 데 유용한 방법이지만 주의깊게 선택적으로 시행해야 한다. 자궁소파술은 위치를 알지 못하는 생존 불가능한 임신으로 판단되는 여성에서 치료가 불필요한 생존 불가능한 자궁내임신과 치료가 필요한 자궁외임신을 구별하기 위하여 권고된다. 자궁소파술은 생존 가능한 자궁내임신의 가능성이 있으면 시행하여서는 안 되고, β-hCG 농도가 급속하게 감소하는 경우에는 불필요하다. 융모막융모의 확인은 자궁외임신을 배제할 수 있으나 병합 임신은 배제할 수 없다. 융모막융모가 없다면 자궁외임신의 가능성이 높으나 최근의 완전유산, 기술적인 문제로 채취가 되지 않은 경우 등이 있을 수 있다. 자궁외임신이 의심되더라도 자궁소파술을 시행하지 않으면 오진을 하여 불필요한 치료를 시행할 가능성이 40%나 된다(Barnhart et al., 2002). 자궁내막표본채취법(endometrial sampling method)은 융모막융모를 발견할 민감도가 30-60%로 자궁외임신이 의심되는 경우에 자궁소파술을 대체하기에는 효과적이지 않다.

채취된 조직을 생리식염수에 넣으면 영양막조직은 뜨고 탈락막조직은 뜨지 않는다. 소파술한 조직이 생리식염수에 뜬다는 것만으로 100% 정확히 자궁강내임신과 자궁외임신을 구별할 수 없으므로 조직학적 검사나 연속 반복 β-hCG 검사가 필요하다. 비정상 자궁강내임신이 완전히 배출된 경우 β-hCG는 12-24시간 내에 15% 이상 감소한다. 배출된 뒤에도 β-hCG가 평원을 형성하거나, 계속 증가한다면 이는 영양막조직이 자궁 밖에 존재한다는 의미가 된다.

7) 복강경(Laparoscopy)

초음파기기의 발전으로 조기에 자궁외임신이 진단되고 약물치료를 일찍 시작하게 되었으므로 점점 수술적 치료는 감소하게 되었다. 따라서, 더 이상 복강경이 자궁외임신 진단의 최적 표준검사(gold standard)는 아니다.

복강경검사로 쉽게 난관을 확인할 수 있지만 아주 초기의 자궁외임신은 약 3-4%에서는 진단을 못할 수 있다. 자궁외임신이 되면 난관은 보통 팽창되고 뒤틀린 모습을 하는 경우가 흔하다. 난관이 팽대되어있거나 변색된 모습을 자궁외임신으로 착각하여 불필요한 난관 절제나 난관에 손상을 가하는 처치를 하여서는 안 된다.

8) 진단 알고리듬(Diagnostic Algorithm)

임신낭의 위치를 모르는 임신 여성에서 병력, 임상검사, 질초음파 혈청 β-hCG 농도, 혈청 프로게스테론 농도, 자궁소파술 결과들을 통합한 다양한 진단 알고리듬이 사용가능하다(그림 9-1).

6. 치료

자궁외임신의 치료에는 약물요법과 수술적 치료법이 있다. 두 방법이 모두 효과적이지만, 치료법의 선택은 환자의 임상 상태, 자궁외임신의 부위, 이용 가능한 자원에 따른다. 혈역학적으로 불안정한 쇼크 상태의 환자는 가능한 빨리 응급소생술을 시행하며, 신속한 수술적 치료가 필요하

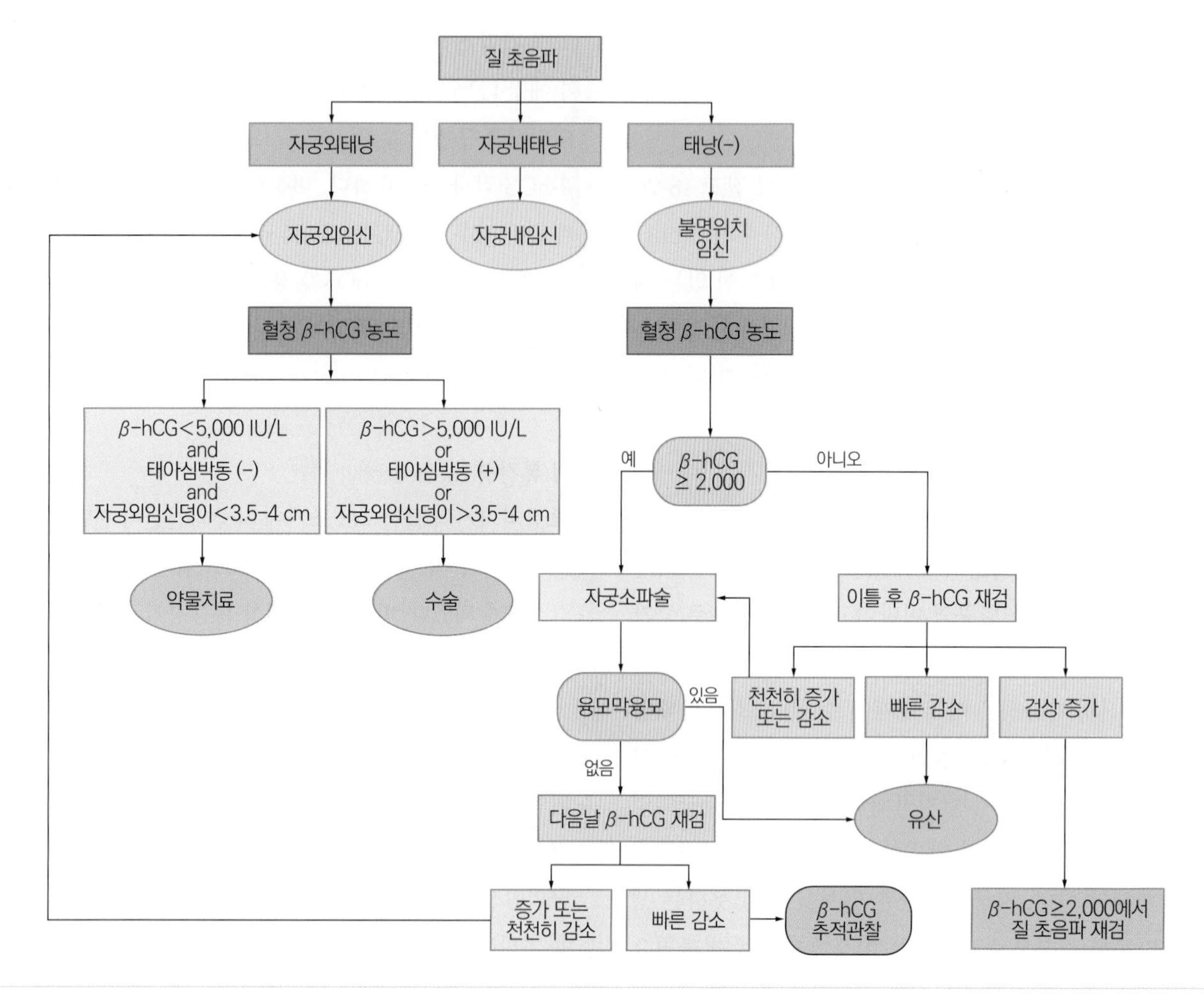

그림 9-1. **자궁외임신의 진단 알고리듬**

다. 자궁외임신의 사망률은 많이 감소하였지만 아직 모성 사망의 주요 원인 중의 하나이다. 과거에는 출혈 부위의 확인 및 지혈을 위하여 수술적 치료를 주로 하였으나, 최근에는 여러 가지 진단법의 발달로 조기 진단이 가능하게 되어 추후 임신을 원하는 환자에서는 약물치료 등 보존적 치료가 많이 시행되고 있다. 수술적 치료의 경우에도 개복술 보다는 복강경을 이용한 수술이 널리 이용되고 있다.

1) 수술적 처치

자궁외임신에서 가장 널리 이용되는 치료법이다. 어떤 수술경로 및 수술법을 적용할지의 선택은 출혈의 정도, 환자의 혈역학적 안정성, 난관 손상의 정도 및 향후 환자가 임신을 원하는지를 고려하여 선택한다.

(1) 개복술과 복강경수술

자궁외임신은 개복술 또는 복강경수술로 치료할 수 있다. 개복술은 심한 복강내 출혈로 인하여 혈역학적으로 매우 불안정한 환자에서 적절한 처치이다. 간질임신 혹은 자궁각임신은 전통적으로는 개복술이 시행되어 왔으나 최근에는 숙련된 집도의의 경우에는 복강경수술이 더 흔히 시행되고 있다. 심한 유착으로 인하여 복강경수술로는 충분한 시야가 확보되지 않거나, 이런 상황이 예상되는 경우에는 개복술을 시행하는 것이 바람직하다.

숙련된 집도의와 복강경수술장비만 가용하다면 복강경수술이 더 선호되는 수술적 치료방법으로 거의 모든 환자에서 적용가능하다. 난관파열의 경우에도 반드시 개복술을 하여야 하는 것은 아니며 환자의 상태에 따라 복강경수술이 적용된다. 복강경수술은 개복술에 비해 덜 침습적이며, 수술 중 출혈도 적고, 수술 시간도 짧고, 수술 후 회복이 빠르며, 수술 후 유착발생이 적으며, 조기에 일상생활로 복귀할 수 있다는 장점이 있다(Brumsted et al., 1988). 또한 수술 후 정상 임신율, 난관임신율과 임신 및 영양막조직의 잔존율도 개복술과 비슷하다(Vermesh et al., 1989). 하지만 심한 출혈을 처치하는 데는 어려움이 따른다는 단점도 있다. 그 외 심한 복부 비만 환자나 복부수술의 과거력이 있는 환자에서는 수술이 어려울 수 있다.

(2) 수술법

① 난관절제술(salpingectomy)

자궁외임신이 된 측의 전체 난관을 절제하는 방법이다. 출산을 마친 여성, 동측의 난관에 재발한 경우, 지혈이 되지 않는 경우 및 난관에 심한 손상이 생긴 경우에 시행한다.

② 난관개구술(salpingostomy)

자궁외임신이 된 난관에 선상의 창을 만드는 수술법으로 주로 난관 원위부 1/3 부분의 작은 자궁외임신 부위를 제거하기에 좋은 방법이다. 임신된 난관의 간막 반대편 경계면(antimesenteric border)을 따라 절개를 하여 이곳을 통하여 임신조직을 제거하고 레이저(laser)나 바늘 소작기(needle-point cautery)를 이용하여 지혈한다. 절개 부위는 봉합할 수도 있지만 대개 자연 치유되도록 남겨 둔다. 난관 협부에 발생한 자궁외임신의 경우에 부분절제술 후 재문합술을 시행한 경우와 같이 효과적이라는 보고도 있다. 비파열 자궁외임신이며 향후 임신을 원하는 환자에게 선택될 수 있는 방법이지만 난관절제술과 비교하여 어떤 방법이 더 우월하다는 근거는 없다. 최근 반대쪽 난관이 정상인 자궁외임신 환자 446명을 대상으로 수술 후 36개월 추적관찰하였을 때 자연 임신율은 난관개구술과 난관절제술 간 차이는 없었다. 자궁외임신의 재발도 차이가 없었으나 영양막세포 잔존은 난관개구술에서 유의하게 높았다고 보고되었다(Mol et al., 2014). 난관개구술은 향후 가임력을 보호하는 데 있어서는 장점이 있을 수 있지만 영양막세포의 잔존 및 반복적 자궁외임신의 위험성을 가지고 있다. β-hCG가 높은 경우에 실패율이 높은데, 이 경우 임신이 많이 진행되어 신생 혈관이 더 많이 발달하여 있기 때문이다(Milad et al., 1998). 자궁외임신이 된 쪽 및 반대쪽의 난관상태, 이전에 같은 쪽의 자궁외임신 기왕력, 향후 임신을 원하는지에 따라 난관개구술을 고려할 수 있다. 난관절제술보다 누적 자궁내임신율이 높기 때문에 반대쪽 난관이 비정상인 경우 난관개구술이 선호된다.

③ 부분 난관절제술(segmental resection or partialsalpingectomy)

자궁외임신된 부분의 난관을 잘라내는 방법이다. 절단된 부위는 필요에 따라 이차적 문합술을 시행하기도 한다. 난관 협부에 발생한 파열되지 않은 자궁외임신에 흔히 적용되는데 이 부분은 난관이 좁아 난관개구술을 시행하면 상처가 잘 생기고 더욱 좁아지는 경우가 흔히 발생하기 때문이다.

④ 난관술 짜기(fimbrial evacuation)

임신조직을 난관술 끝을 통하여 짜내는 방법이다. 원위부 난관임신에서 짜내거나(milking) 혹은 흡인해내는(suctioning) 방법은 바람직하지 않다. 난관개구술에 비해 자궁외임신의 재발률이 배나 높고, 잔존한 영양막조직에서 재출혈로 재수술의 위험이 높다.

⑤ 자궁각절제술(cornual resection)

자궁의 자궁각 부분을 절제하는 방법으로, 자궁벽 자궁관 혹은 자궁각임신인 경우에 시행한다. 수술 후 난관 절단부에서 자궁외임신의 재발을 막기 위해 사이질 외측 1/3을 자궁외임신된 부위와 함께 완전히 제거해주어야 한다.

(3) 수술적 처치의 결과

관찰연구들의 결과에서는 보존적 수술을 시행한 경우가 난관절제술을 시행한 경우보다 누적 자궁내임신율이 높으나(73% vs. 57%), 자궁외임신 재발률은 높았다(15% vs. 10%). 경산부가 미분만부보다 임신이 잘되며, 반대편 난관이 정상인 환자에서 임신율이 높고, 재발률은 낮다(Tuomivaara and Kauppila, 1988, Bangsgaard et al., 2003). 보존적 수술 후 동측의 난관개통률은 약 80-90% 정도이다.

① 지속성 자궁외임신(persistent ectopic pregnancy) 또는 지속성 영양막조직(persistent trophoblastictissue)

보존적 수술을 한 경우, 약 4-8%에서는 영양막조직이 완전히 제거되지 않는 경우가 있으므로, 수술 후 주의 깊게 관찰하여야 한다. 복강경수술 후 발생 빈도가 개복술에 비해 더 높으며, 조기(임신 6주 전)에 수술을 시행한 경우나, 아주 작은 자궁외임신(직경 2 cm 미만)을 수술한 경우에 위험이 높다(Nathorst-Boos and Rafik, 2004).

따라서, 보존적 수술을 시행한 경우에는 자궁외임신의 완전관해를 확인하기 위하여 β-hCG가 정상이 될 때까지 매주 추적검사를 시행하여야 한다. 수술 다음날의 β-hCG가 자궁외임신의 잔존 여부를 예측할 수 있는 좋은 지표가 된다. 수술 전의 수치와 비교해 많이 감소할수록 지속성 자궁외임신의 발생 가능성이 낮다(Spandorfer et al., 1997).

β-hCG 농도 50% 감소를 문턱값(threshold)으로 하여 감소 정도가 이 보다 낮은 경우는 지속성 자궁외임신 위험이 약 3배 높고, 80% 이상의 감소를 보이는 경우는 위험이 매우 낮다. 보존적 수술 후 24시간 이내에 예방적으로 약물요법을 시행한 경우 지속성 자궁외임신 위험이 의미 있게 감소하였으며 수술 다음 날 β-hCG가 50% 미만으로 떨어지지 않으면 일상적으로 약물요법을 시행하는 것이 권고되기도 한다. β-hCG 농도가 감소하지 않거나 증가되면, 환자의 상태와 β-hCG 결과에 따라 재수술을 시행하거나 일회 MTX 투여요법을 이용한 약물 치료를 시행한다. MTX는 진단 당시 혈역학적으로 안정한 환자에서 사용할 수 있다. 지속적 영양막조직은 난관에 국한되어 있지 않을 수 있어서 재수술 시에 쉽게 확인할 수 없기 때문에 MTX가 일차 치료로 쓰일 수 있다. 수술적 치료는 난관개구술을 다시 할 수도 있으나 난관절제술이 추천된다.

2) 약물요법

현재까지 가장 흔하게 성공적으로 사용되는 약물은 엽산 길항제인 MTX로 dihydrofolate reductase의 작용을 차단하여 DNA 합성을 억제하며 태아세포(fetal cells), 영양막세포(trophoblasts), 골수세포(bone marrow cells) 및 볼점막 또는 장점막세포와 같이 빠르게 분열하는 세포에 작용한다. MTX는 용량 및 사용 기간에 따라 부작용도 증가하므로 반복 사용에는 제한이 따른다. 심한 백혈구감소증, 골수무형성(aplasia), 저혈소판증, 궤양구내염(ulcerative stomatitis), 설사, 간세포 괴사 및 출혈성 장염 등의 부작용이 있다. 그 외에도 탈모(alopecia), 피부염과 폐렴 등의 부작용도 보고되어 있고 심한 경우에는 장천공으로 사망한 경우도 있다. 하지만 자궁외임신의 치료에서 저용량을 단기간 사용한 경우에는 심각한 부작용이 보고된 적은 없고, 여러 번 투여한 경우 경미한 부작용이 보고되어 있다. 폴리닌산(folinic acid, leucovorin)은 MTX의 길항제로 고용량의 MTX가 사용될 때 부작용을 줄일 수 있다.

(1) MTX 전신 투여법(표 9-3)

① MTX 치료의 적응증

이상적인 MTX 치료 대상 환자는 혈역학적으로 안정적이고, 심하거나 지속적인 복통이 없으며, 자궁외임신이 관해될 때까지 추적관찰이 가능하고 간기능 및 신장기능이 정상이어야 한다. MTX 치료의 금기는 표 9-4와 같다. MTX 투여 전에 온혈구계산(complete blood count, CBC), 간기능검사, 혈청 크레아티닌, 혈액형검사가 시행되어야 한다. 폐질환의 과거력이 있는 여성은 간질폐렴의 위험성 때문에 흉부방사선검사가 시행되어야 한다. 감작되지 않은 Rh 음성인 여성은 최소한 Rh 면역글로불린 50 μg을 투여하는 것이 권고되고 있다. 추가로 MTX의 효과를 감소시킬 수 있으므로 엽산이 포함된 종합비타민이나 엽산제 보충을 중단하도록 하며 비스테로이드소염제 및 성관계를 금하도록 한다. 지속적이거나 심한 질출혈이 있는 경우, 치료 10-14일까지는 하복부통증 및 골반통이 있을 수 있으나 통증이 지속되거나 심하게 악화되는 경우에는 병원에 알리도록 교육한다.

② 다회 투여법

다회 투여법은 영양막질환에 대한 MTX 치료의 초기 경험으로부터 비롯되었고 자궁외임신을 치료하기 위하여 최초로 사용된 투여법이다. MTX (1 mg/kg)와 leucovorin

표 9-3. Methotrexate 치료방법

일	1회 투여법	2회 투여법	다회 투여법
1	β-hCG MTX 50 mg/m^2	β-hCG MTX 50 mg/m^2	β-hCG MTX 1 mg/kg
2			leucovorin 0.1 mg/kg
3			β-hCG
4			leucovorin 0.1 mg/kg
5			β-hCG
6			leucovorin 0.1 mg/kg
7	β-hCG 4일과 7일 β-hCG 농도 감소 ≥15%: 비임신 농도가 될 때까지 매주 검사 <15%: MTX 50 mg/m^2	β-hCG 4일과 7일 β-hCG 농도 감소 ≥15%: 비임신 농도가 될 때까지 매주 검사 <15%: MTX 50 mg/m^2	β-hCG 4일과 7일 β-hCG 농도 감소 ≥15%: 비임신 농도가 될 때까지 매주 검사 <15%: MTX 1 mg/kg
8			leucovorin 0.1 mg/kg
11	β-hCG 7일과 11일 β-hCG 농도 감소 ≥15%: 비임신 농도가 될 때까지 매주 검사 <15%: 14일째 β-hCG	β-hCG 7일과 11일 β-hCG 농도 감소 ≥15%: 비임신 농도가 될 때까지 매주 검사 <15%: MTX 50 mg/m^2 또는 수술적 치료	β-hCG 7일과 11일 β-hCG 농도 감소 ≥15%: 비임신 농도가 될 때까지 매주 검사 <15%: 수술적 치료 또는 다회투여법 이차 치료
14	β-hCG 11일과 14일 β-hCG 농도 감소 ≥15%: 비임신 농도가 될 때까지 매주 검사 <15%: 수술적 치료	β-hCG 11일과 14일 β-hCG 농도 감소 ≥15%: 비임신 농도가 될 때까지 매주 검사 <15%: 수술적 치료	

MTX, methotrexate
Adapted from ACOG Practice Bulletin. Medical management of ectopic pregnancy, 2008.

표 9-4. Methorexate 치료의 금기

절대 금기증	상대 금기증
• 혈역학적으로 불안정한 환자 • 파열된 자궁외임신 • 자궁내임신 • 면역결핍 • 중등도 또는 중증의 빈혈, 백혈구 감소증 또는 혈소판 감소증 • methorexate에 과민반응 • 활동성폐질환 • 활동성소화성궤양 • 임상적으로 중요한 간기능부전 • 임상적으로 중요한 신기능부전 • 수유	• 태아심박동 있음 • 초기 hCG 농도가 높은 환자(>5,000 IU/L) • 자궁외임신 크기 >4 cm • 수혈 거부 환자 • 추적관찰이 불가능한 환자

* Adapted from Practice Committee. Medical treatment of ectopic pregnancy. Fertil Steril 2013.

(0.1 mg/kg)을 번갈아가며 투여하고 β-hCG가 이전 결과의 15% 감소될 때까지 최고 네 차례까지 투여하는 방법으로 이후 음성 결과가 될 때까지 매주 검사를 한다. 약 50% 정도에서 전체 스케줄인 8일 이전에 15% 이상 감소하여 총 4회 투여가 필요하지 않다.

③ 1회 투여법

MTX를 이용한 약물치료의 경험이 많아지면서 최근에는 MTX 1회 투여법이 많이 이용되고 있다. MTX (50 mg/m^2)를 leucovorin 없이 1회 주사하는 방법으로 투여법을 단순화하여 환자의 순응도가 좋고 비용과 부작용을 줄일 수 있는 장점이 있다. 1일째, 4일째, 7일째 β-hCG를 측정하는데 보통 4일째가 1일째보다 높다. 7일째 β-hCG 농도가 4일째보다 15% 이상 감소하면 음성 결과가 될 때까지 매주 검사를 시행한다.

자궁외임신 환자의 15-20%에서는 MTX 1회 투여법으로 혈중 β-hCG이 감소하지 않으므로 만약 β-hCG가 감소하지 않으면 같은 용량의 두 번째 MTX를 주사한다. 1회 주사에서는 70%, 2회 주사에서는 약 85%의 성공률을 보인다. 치료 당시의 β-hCG 수치에 따라 치료 성적이 달라지는데, β-hCG 수치가 5,000 mIU/mL인 경우에 치료 실패율은 14.3%이고, 5,000 mIU/mL 이하의 경우는 치료 실패율이 3.7%이다.

대부분의 환자에서 치료 중 복부 및 골반 동통이 심해지는데, 자궁외임신의 파열로 인한 통증과 구별이 힘들다. 임상 증상을 잘 관찰하여 파열의 증거가 있으면 수술적 처치를 시행하여야 한다. 초음파검사는 불필요한 처치를 할 가능성을 높이므로 필요하지 않다.

④ 2회 투여법

다회 투여법은 약 50% 정도에서 총 4회 투여가 필요하지 않고 1회 투여법은 15-20%에서 2차 투여가 필요하기 때문에 2회 투여법을 고려하는 것이 합리적이다. 2회 투여법은 MTX를 1일째와 4일째 두 번 투여하고 4일째와 7일째 β-hCG 검사를 시행하여 15% 이상 감소하지 않으면 7일재와 11일째 다시 투여한다. 한 연구에서 성공률이 87%이었으며 합병증이 적고 환자 만족도가 좋았다고 보고하였다(Barnhart et al., 2007).

⑤ MTX 치료 결과

MTX 치료의 전체적인 치료 성공률은 78-96%로 보고되고 있다(Pisarka et al., 1998). 총 1,300명이 포함된 26개의 관찰연구들을 대상으로 시행된 메타분석에서 다회 투여법의 치료 성공률이 1회 투여법보다 유의하게 높았다고 보고되었다(93% vs. 88%)(Barnhart et al., 2003). 반면 2개의 무작위 연구들을 비교한 메타분석에서는 두 치료법의 성공률에서 유의한 차이가 없었다고 보고하였다(Mol et al., 2008). 그러나 포함된 무작위 연구들에서 초기 β-hCG 농도가 3,000 mIU/mL 미만이었다는 제한점이 있다. 복강경하 난관개구술과 비교하였을 때 다회 투여법은 성공률이 유사하다. 1회 투여법에서 1차 투여 후 성공률은 복강경하 난관개구술보다 낮으나 추가 투여를 포함하면 유사하다.

MTX 투여 후 생식기능은 자궁외임신의 재발, 난관 개통여부, 임신의 결과를 통하여 평가될 수 있다. 치료 후 자궁외임신 재발률은 MTX 치료나 난관개구술에서 약 10% 정도로 유사하다. 동측 난관의 개통률(patency rate)은 복강경을 이용한 난관 개구술을 시행한 경우와 비슷하며 60-85% 정도이고(Hajenius et al., 1997; Sowter et al., 2001) 치료 후 임신 성공률도 36-64%로 유사하다(Olofsson et al., 2001). 자궁외임신 이후의 임신 여부는 자궁외임신의 치료 방법보다는 환자의 특성과 관련이 있을 수 있다.

(2) **직접 국소 주입**(direct local injection)

MTX (1 mg/kg)를 복강경 혹은 초음파하에서 자궁외임신된 임신낭에 직접 주입할 수도 있다. 이 방법은 고농도의 MTX를 착상 부위에 직접 주입할 수 있으며, 혈중 농도는 전신 투여 때와 비슷하다(Schiff et al., 1992). 직접 국소 주입을 위하여 사용된 약제들로 MTX 이외에도 염화칼륨, 고삼투압성당, 프로스타글란딘 등에 대한 보고가 있다. 성공률은 전신 투여법과 비슷하고 전신 부작용을 피할 수 있다는 잠재적인 장점이 있을 수 있지만 전신 투여법에 비해 침습적이고 비용이 많이 들며 향후 치료 후 가임력에 대한 보고가 거의 없어서 추가적인 연구 결과가 있기 전에는 권고되지 않는다.

3) 기대요법(Expectant Management)

모든 자궁외임신에서 반드시 치료가 필요한 것은 아니다. 기대요법은 단순히 관찰만 하는 것이 아니라 임상 증상, β-hCG 측정 및 초음파검사를 지속적으로 시행하면서 주의 깊게 감시하는 것을 의미한다. 이 방법은 자궁외임신이 의심은 되지만 초음파검사로는 확진을 하지 못하고 β-hCG는 식별 범위 이하인 환자에서 적용해 볼 수 있다. 임상 증상의 중요한 변화가 없으며 자궁외임신이 의심되는 환자에서는 β-hCG가 꾸준히 감소하고 있다면 기대요법을 시도해 볼 수 있다. 자궁외임신의 약 25%에서는 β-hCG가 감소하는 추세를 보이는데 이 중 70% 정도는 약물치료나 수술을 하지 않아도 저절로 소실된다(Shalev et al., 1995).

자궁 밖 임신낭이 보이지 않고 β-hCG가 비교적 낮은 경우에 성공률이 높다. 초기 β-hCG가 1,000 IU/L 미만이고 감소하는 추세인 경우, 90%에서 치료 없이 저절로 용해되어 없어진다(Trio et al., 1995). β-hCG가 2,000 IU/L 미만에서 감소하는 추세를 보이는 경우에는 60% 정도에서 성공적으로 해결이 되지만 β-hCG가 이보다 더 높은 경우에는 약 90% 정도에서 실패한다. 하지만 장기적인 치료 결과는 약물치료나 수술을 한 경우와 비교할 때 비슷한 수준이다(Rantala and Mäkinen, 1997).

난관파열 및 출혈의 위험성과 약물치료 및 수술의 확립된 효과 및 안전성을 고려하면 기대요법은 β-hCG 농도가 매우 낮고 감소하고 있는 무증상의 자궁외임신 환자에서만 제한적으로 사용되어야 하며 β-hCG 농도가 낮고 감소하는 중이라도 난관파열이 발생할 수 있다는 것을 기억하는 것이 중요하다. 기대요법 중에 β-hCG 농도가 정점 지속이 되거나 증가하면 즉각적인 약물치료 또는 수술이 시행되어야 한다.

참고문헌

- Abramovici H, Auslender R, Lewin A, Faktor JH. Gestational pseudogestational sac: a new ultrasonic criterion for differential diagnosis. Am J Obstet Gynecol 1983;145:377-9.
- Ackerman TE, Levi CS, Dashefsky SM, Holt SC, Lindsay DJ. Interstitial line: sonographic finding in interstitial (cornual) ectopic pregnancy. Radiology 1993;189:83-7.
- Adeniran A, Stanek J. Ovarian pregnancy. Arch Pathol Lab Med 2003;127:1635-6.
- Atrash HK, Friede A, Hogue CJ. Abdominal pregnancy in the United States: frequency and maternal mortality. Obstet Gynecol 1987;69:333-7.
- Bangsgaard N, Lund CO, Ottesen B, Nilas L. Improved fertility following conservative surgical treatment of ectopic pregnancy. BJOG 2003;110:765-70.
- Barnhart K, Hummel AC, Sammel MD, Menon S, Jain J, Chakhtoura N. Use of "2-dose" regimen of MTX to treat ectopic pregnancy. Fertil Steril 2007;87:250-6.
- Barnhart KT, Gosman G, Ashby R, Sammel M. The medical management of ectopic pregnancy: a meta-analysis comparing "single dose" and "multidose" regimens. Obstet Gynecol 2003;101:778-84.
- Barnhart KT, Katz I, Hummel A, Gracia CR. Presumed diagnosis of ectopic pregnancy. Obstet Gynecol 2002;100:505-10.
- Bell RJ, Eddie LW, Lester AR, Wood EC, Johnston PD, Niall HD. Relaxin in human pregnancy serum measured with an homologous radioimmunoassay. Obstet Gynecol 1987;69:585-9.
- Bernaschek G, Rudelstorfer R, Csaicsich P. Vaginal sonography versus serum human chorionic gonadotropin in early detection of pregnancy. Am J Obstet Gynecol 1988;158:608-12.
- Bradley WG, Fiske CE, Filly RA. The double sac sign of early intrauterine pregnancy: use in exclusion of ectopic pregnancy. Radiology 1982;143:223-6.
- Breen JL: A 21-year survey of 654 ectopic pregnancies, Am J Obstet Gynecol 1970;106:1004-19.
- Brumsted J, Kessler C, Gibson C, Nakajima S, Riddick DH, Gibson M. A comparison of laparoscopy and laparotomy for the treatment of ectopic pregnancy. Obstet Gynecol 1988;71:889-92.
- Cartwright PS, Moore RA, Dao AH, Wong SW, Anderson JR. Serum beta-human chorionic gonadotropin levels relate poorly with the size of a tubal pregnancy. Fertil Steril 1987;48:679-80.
- Centers for Disease Control and Prevention (CDC). Ectopic 90.1 992. MMWR Morb Mortal Wkly Rep 1995;44:46-8.
- Check JH, Nowroozi K, Winkel CA, Johnson T, Seefried L. Serum CA 125 levels in early pregnancy and subsequent spon-

taneous abortion. Obstet Gynecol 1990;75:742-4.

- Chow W, Darling JR, Cates W, Greenberg RS. Epidemiology of ectopic pregnancy. Epidemiol Rev 1987;9:70-94.
- Cowan BD, Vandermolen DT, Long CA, Whitworth NS. Receiver-operator characteristic, efficiency analysis, and predictive value of serum progesterone concentration as a test for abnormal gestations. Am J Obstet Gynecol 1992;166:1729-34. discussion 1734-7.
- Daus K, Mundy D, Graves W, Slade BA. Ectopic pregnancy. What to do during the 20-day window. J Reprod Med 1989;34:162-6.
- Dor J, Seidman DS, Levran D, Ben-Rafael Z, Ben-Schlomo I, Mashiach S. The incidence of combined intrauterine and extrauterine pregnancy after in vitro fertilization and embryo transfer. Fertil Steril 1991;55:833-4.
- Dillon EH, Feyock AL, Taylor KJ. Pseudogestational sacs: Doppler US differentiation from normal or abnormal intrauterine pregnancies. Radiology 1990;176:359-64.
- Dubinsky TJ, Guella F, Ivankovic M, Robert A, Gonzalez P, Espinoza R, et al. Normal pulmonary development in two anhydramniotic abdominal pregnancies. J Ultrasound Med 1994;13:412-5.
- Einenkel J, Baier D, Horn LC, Alexander H. Laparoscopic therapy of an intact primary ovarian pregnancy with ovarian hyperstimulation syndrome: case report. Hum Reprod 2000;15:2037-40.
- Fritz MA, Guo SM. Doubling time of human chorionic gonadotropin (hCG) in early normal pregnancy: relationship to hCG concentration and gestational age. Fertil Steril 1987;47:584-9.
- Garcia AJ, Aubert JM, Sama J, Josimovich JB. Expectant management of presumed ectopic pregnancies. Fertil Steril 1987;48:395-400.
- Grosskinsky CM, Hage ML, Tyrey L, Christakos AC, Hughes CL. hCG, progesterone, alpha-fetoprotein, and estradiol in the identification of ectopic pregnancy. Obstet Gynecol 1993;81:705-9.
- Guillaume J, Benjamin F, Sicuranza BJ, Deutsch S, Seltzer VL, Tores W. Serum estradiol as an aid in the diagnosis of ectopic pregnancy. Obstet Gynecol 1990;76:1126-9.
- Gun M, Mavrogiorgis M. Cervical ectopic pregnancy: a case report and literature review. Ultrasound Obstet Gynecol 2002;19:297-301.
- Hajenius PJ, Engelsbel S, Mol BW, Van der Veen F, Ankum WM, Bossuyt PM, et al. Randomised trial of systemic methotrexate versus laparoscopic salpingostomy in tubal pregnancy. Lancet 1997;350:774-9.
- Hofman Hm, Urdlw, Höfler H, Hönigl W, Tamussino K. Cervical pregnancy: case reports and current concepts in diagnosis and treatuent. Arch Gynecol Obstet 1987;241:63-9.
- Ho PC, Chan SY, Tang GW. Diagnosis of early pregnancy by enzyme immunoassay of Schwangerschafts-protein 1. Fertil Steril 1988;49:76-80.
- Hoover KW, Tao G, Kent CK. Trends in the diagnosis and treatment of ectopic pregnancy in the United States. Obstet Gynecol 2010;115:495-502.
- Jurkovic D, Hillaby K, Woelfer B, Lawrence A, Salim R, Elson CJ. First-trimester diagnosis and management of pregnancies implanted into the lower uterine segment Cesarean section scar. Ultrasound in Obstetrics and Gynecology 2003;21:220-7.
- Kadar N, DeVore G, Romero R. Discriminatory hCG zone: its use in the sonographic evaluation for ectopic pregnancy. Obstet Gynecol 1981;58:156-61.
- Kligman I, Adachi TJ, Katz E, McClamrock HD, Jockle GA, Barakat B. Conserving fertility with early management of cervical pregnancy: A case report. J Reprod Med 1995;40:743-6.
- Koike H, Chuganji Y, Watanabe H, Kaneko M, Noda S, Mori N. Conservative treatment of ovarian pregnancy by local prostaglandin F2 alpha injection. Am J Obstet Gynecol 1990;163:696.
- Lau S, Tulandi T. Conservative medical and surgical management of interstitial ectopic pregnancy. Fertil Steril 1999;72:207-15.
- Lavie O, Beller U, Neuman M, Ben-Chetrit A, Gottcshalk-Sabag S, Diamant YZ. Maternal serum creatine kinase: a possible predictor of tubal pregnancy. Am J Obstet Gynecol 1993;169:1149-50.
- Lipscomb GH, McCord ML, Stovall TG, Huff G, Portera SG, Ling FW. Predictors of success of methotrexate treatment in women with tubal ectopic pregnancies. N Engl J Med 1999;341:1974-8.
- Lundorff P, Hahlin M, Sjoblom P, Lindblom B. Persistent trophoblast after conservative treatment of tubal pregnancy: prediction and detection. Obstet Gynecol 1991;77:129-33.
- Maccato ML, Estrada R, Faro S. Ectopic pregnancy with undetectable serum and urine beta-hCG levels and detection of beta-hCG in the ectopic trophoblast by immunocytochemical evaluation. Obstet Gynecol 1993;81:878-80.
- Meunier K, Mignot TM, Maria B, Guichard A, Zorn JR, Cedard L. Predictive value of the active renin assay for the diagnosis of ectopic pregnancy. Fertil Steril 1991;55:432-5.
- Milad MP, Klein E, Kazer RR. Preoperative serum hCG level and intraoperative failure of laparoscopic linear salpingostomy for ectopic pregnancy. Obstet Gynecol 1998;92:373-6.
- Mol BW, Hajenius PJ, Engelsbel S, Ankum WM, Van der Veen F, Hemrika DJ, et al. Serum human chorionic gonadotropin

measurement in the diagnosis of ectopic pregnancy when transvaginal sonography is inconclusive. Fertil Steril 1998;70:972-81.
- Mol F, Mol BW, Ankum WM, van der Veen F, Hajenius PJ. Current evidence on surgery, systemic methotrexate and expectant management in the treatment of tubal ectopic pregnancy: a systematic review and meta-analysis. Hum Reprod Update 2008;14:309-19.
- Mol F, van Mello NM, Strandell A, Strandell K, Jurkovic D, Ross J, et al. Salpingotomy versus salpingectomy in women with tubal pregnancy (ESEP study): an open-label, multicentre, randomised controlled trial. Lancet 2014;383:1483-9.
- Nathorst-Boos J, Rafik Hamad R. Risk factors for persistent trophoblastic activity after surgery for ectopic pregnancy. Acta Obstet Gynecol Scand 2004;83:471-5.
- Niles JH, Clark JFJ. Pathogenesis of tubal pregnancy. Am J Obstet Gynecol 1969;105:1230-4.
- Nyberg DA, Hughes MP, Mack LA, Wang KY. Extrauterine findings of ectopic pregnancy of transvaginal US: importance of echogenic fluid. Radiology 1991;178:823-6.
- Nyberg DA, Mack LA, Harvey D, Wang K. Value of the yolk sac in evaluating early pregnancies. J Ultrasound Med 1988;7:129-35.
- Olofsson JI, Poromaa IS, Ottander U, Kjellberg L, Damber MG. Clinical and pregnancy outcome following ectopic pregnancy; a prospective study comparing expectancy, surgery and systemic methotrexate treatment. Acta Obstet Gynecol Scand 2001;80:744-9.
- Oki T, Baba Y, Yoshinaga M, Douchi T. Super-selective arterial embolization for uncontrolled bleeding in abdominal pregnancy. Obstetrics and Gynecology 2008;112:427-9.
- Pisarska MD, Carson SA, Buster JE. Ectopic pregnancy. Lancet 1998;351:1115-20.
- Pisarka MD, Carson SA. Incidence and risk factors for ectopic pregnancy. Clin Obstet Gynecol 1999;42:2-8.
- Practice ACOG. Avoiding inappropriate clinical decisions based on false-positive human chorionic gonadotropin test results. Int J Gynaecol Obstet 2003;80:231-3.
- Radwanska E, Frankenberg J, Allen EI. Plasma progesterone levels in normal and abnormal early human pregnancy. Fertil Steril 1978;30:398-402.
- Randall S, Buckley CH, Fox H. Placentation in the fallopian tube. Int J Gynecol Pathol 1987;6:132-9.
- Rantala M, Mäkimen J. Tubal pregnancy and fertility outcome after expectant management of ectopic pregnancy. Fertil Steril 1997;68:1043-6.
- Rotmensch S, Cole LA. False diagnosis and needless therapy of presumed malignant disease in women with false-positive human chorionic gonadotropin concentrations. Lancet 2000;355:712-5.
- Reece EA, Petrie RH, Sirmans MF, Finster M, Todd WD. Combined intrauterine and extrauterine gestations: a review. Am J Obstet Gynecol 1983;146:323-30.
- Rottem S, Thaler I, Levron J, Peretz BA, Itskovitz J, Brandes JM. Criteria for transvaginal sonographic diagnosis of ectopic pregnancy. J Clin Ultrasound 1990;18:274-9.
- Rubin GL, Peterson HB, Dorfman SF, Layde PM, Maze JM, Ory HW, et al. Ectopic pregnancy in the United States: 1970 through 1978. JAMA 1983;249:1725-9.
- Schiff E, Shalev E, Bustan M, Tsabari A, Mashiach S, Weiner E. Pharmacokinetics of methotrexate after local tubal injection for conservative treatment of ectopic pregnancy. Fertil Steril 1992;57:688-90.
- Shalev E, Peleg D, Tsabari A, Romano S, Bustan M, Spontaneous resolution of estopic tubae Pregnansy: natural history. Fertil Steril 1995;63:15-9.
- Sowter MC, Farquhar CM, Petrie KJ, Gudex G. A randomized trial comparing single dose systemic methotrexate and laparoscopic surgery for the treatment of unruptured tubal pregnancy. BJOG 2001;108:192-203.
- Spandorfer SD, Sawin SW, Benjamin I, Barnhart KT. Postoperative day 1 serum human chorionic gonadotropin level as a predictor of persistent ectopic pregnancy after conservative surgical management. Fertil Steril 1997;68:430-4.
- Spiegelberg O. Zur Casuistic der Ovarialschwangerschaft. Arch Gynaekol. 1878;13:73.
- Stovall TG, Ling FW, Andersen RN, Buster JE. Improved sensitivity and specificity of a single measurement of serum progesterone over serial quantitative beta-human chorionic gonadotrophin in screening for ectopic pregnancy. Hum Reprod 1992;7:723-5.
- Suzumori N, Katano K, Sato T, Okada J, Nakanishi T, Muto D, et al. Conservative treatment by angiographic artery embolization of an 11-week cervical pregnancy after a period of heavy bleeding. Fertil Steril 2003;80:617-9.
- Tal J, Haddad S, Gordon N, Timor-Tritsch I. Heterotopic pregnancy after ovulation induction and assisted reproductive technologies: a literature review from 1971 to 1993. Fertil Steril 1996;66:1-12.
- Taylor KJ, Ramos IM, Feyock AL, Snower DP, Carter D, Shapiro BS, Meyer WR, De Cherney AH. Ectopic pregnancy: duplex Doppler evaluation. Radiology 1989;173:93-7.
- Trio D, Strobelt N, Prcciolo C, Lapin ski RH, Ghidini A, Prognostic factors for successful expectant management of ectopic pregnancy Fertil 1995;63:469-72.
- Tulandi T, Al-Jaroudi D. Interstitial pregnancy: results

generated from the Society of Reproductive Surgeons Registry. Obstet Gynecol 2004;103:47-50.
- Tuomivaara L, Kauppila A. Radical or conservative surgery for ectopic pregnancy? A follow-up study of fertility of 323 patients. Fertil Steril 1988;50:580-3.
- Tuomivaara L, Kauppila A, Puolakka J. Ectopic pregnancy-an analysis of the etiology, diagnosis and treatment in 552 cases. Arch Gynecol 1986;237:135-47.
- Ushakov FB, Elchala U, Aceman PJ, Schenker JG. Cervical pregnancy: Past and future. Obstet Gynecol Surv 1997;52:45-59.
- Verhaegen J, Gallos ID, van Mello NM, Abdel-Aziz M, Takwoingi Y, Harb H, et al. Coomarasamy A. Accuracy of single progesterone test to predict early pregnancy outcome in women with pain or bleeding: meta-analysis of cohort studies. BMJ 2012;345:e6077.
- Vermesh M, Silva PD, Rosen GF, Stein AL, Fossum GT, Sauer MV. Management of unruptured ectopic gestation by linear salpingostomy: a prospective, randomized clinical trial of laparoscopy versus laparotomy. Obstet Gynecol 1989;73:400-4.
- Vermesh M, Graczykowski JW, Sauer MV. Reevaluation of the role of culdocentesis in the management of ectopic 1990;62:411-3.
- Vermesh M, Presser SC: Reproductive outcome after linear salpingostomy for ectopic gestation: A prospective 3-year follow-up, Fertil Steril 1992;57:682-4.
- Weyerman PC, Verhoeven AT, Alberda AT. Cervical pregnancy after in vitro fertilization and embryo transfer. Am J Obstet Gynecol 1989;161:1145-6.
- Yuk JS, Kim YJ, Hur JY, Shin JH. Association between socioeconomic status and ectopic pregnancy rate in the Republic of Korea. Int J Gynecol Obstet 2013;122:104-7.

제10장

가족계획

김미란 | 아주의대
김영아 | 인제의대

1. 서론

1) 피임의 역사

피임의 역사는 오래되어 기원전으로 거슬러 올라간다. 원시적인 '근대 이전의 피임(premodern-era contraceptives)'을 사용하던 시기에서부터, 1709년 찰스 2세에게 콘돔(condom)을 사용한 이후로 '근대 피임(modernera contraception)'을 사용한 시기로 넘어 간다. '피임약 이전의 근대 피임(prepill modern-era contraceptives)'은 콘돔, 살정제, 피임용질격막, 자궁경부 캡, 자궁내장치 등이 사용되었다(Connell EB, 1999). 20세기 최고의 발명품의 하나로 꼽히는 피임약이 1960년 미국에서 시판되고 난 후 피임약의 보급으로 많은 여성들이 남성의 도움이 없이도 임신을 피할 수 있으므로 자녀의 수, 출산시기, 출산간격을 쉽게 조절할 수 있게 되었고, 이로 인한 여성의 사회참여도 급속히 높아졌다.

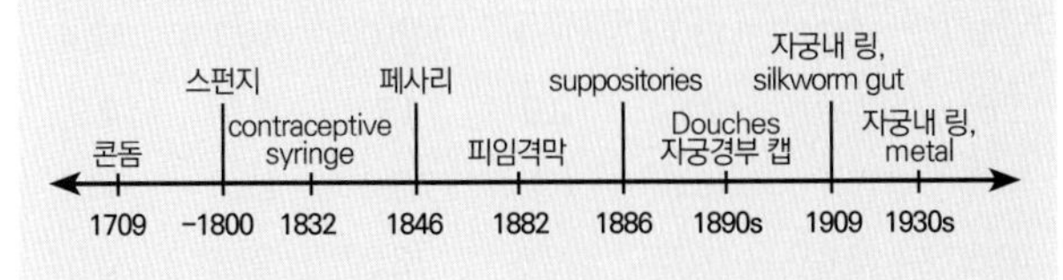

1952년 세계의 관계국들에 의해 국제가족계획연맹(International Planned Parenthood Federation, IPPF)이 발족되어 각국의 가족계획의 보급, 요원의 훈련, 기술지원, 필요한 재정의 원조 등을 하였으며, 우리나라는 1961년 4월 1일 대한가족계획협회(현재 인구보건 복지협회)가 발족되었다. 대한가족계획협회는 국제가족계획연맹의 회원국으로서 정부의 지도와 협조 하에 가족계획에 관한 계몽교육, 요원의 훈련, 피임기구 및 약재의 보급, 조사연구 등 많은 부문에서 가족계획사업의 보급에 힘써왔으며, 우리나라는 가족계획사업에 성공한 대표적인 나라가 되었다.

2) 피임의 실태

우리나라 기혼 여성의 피임실천율은 1976년 44.2%에서 1985년 70.4%, 1997년 80.5%, 2009년 80.0%, 2018년 82.3% 로 높은 수준의 피임실천율을 보이는 것으로 나타났다. 15-44세 기혼여성의 인공임신중절 경험률은 1980-1990년 초반에는 52-54% 수준이었으나 2002년에는

40.0%, 2008년에는 26.0%, 2015년에는 18.2%로 감소 추세에 있다. 인공임신중절의 원인으로는 원하지 않는 임신인 경우가 35.3%로 가장 많았으며, 그 외 터울조절을 위해서가 16.1%, 혼전 임신이 12.4% 순이었다. 이렇게 원하지 않는 임신인 경우가 63.8%로 절반을 넘었는데, 이것은 효과적인 피임이 제대로 이루어지지 않는 결과로 생각된다. 또한 우리나라의 15-44세의 기혼여성 중 24.6%가 한 번 이상의 인공유산을 경험하였고, 인공유산을 2회 이상 반복 경험한 기혼여성도 15.8%나 되는 것으로 나타났다(김승권 등, 2004).

이렇게 피임실천율이 높고 피임방법이 다양화되고 있음에도 불구하고 아직도 인공유산율이 높고 원치 않는 임신이 많은 이유는 한국 여성들이 선택한 피임방법의 효과가 떨어지거나, 피임방법을 지속적으로 사용하지 않았거나, 피임에 대한 부적절한 교육 때문인 것으로 추정된다.

최근에는 청소년들의 성경험이 증가 추세에 있고, 이로 인한 청소년들의 임신, 인공유산, 성병 등에 대한 관심이 높아지고 있으며 이를 예방하기 위하여 성교육 및 피임교육의 필요성이 꾸준히 요구되고 있다. 청소년들의 피임실천율을 보면, 2007년 25.0%, 2009년 26.7%, 2016년 51.9%, 2018년 59.3%로 성인에 비해 크게 떨어져 있어 청소년 대상의 적절한 피임교육이 필요한 실정이다.

우리나라의 피임방법별 실천율의 특징은 1991년을 정점으로 뚜렷한 변화양상이 나타난다. 난관수술은 1988년까지 큰 폭으로 증가를 하다가(37.2%) 1991년부터 감소하였으며, 2009년까지 계속 감소하고 있다(7.3%). 경구피임약의 실천율은 지속적으로 감소하여 1997년에는 1.8%까지 떨어졌으나, 2000년에는 2.1%로 증가하였고 2009년에는 2.7%이었다. 이는 영국, 독일, 스웨덴, 미국 등 서구 선진국의 경우 경구피임약이 가장 많이 사용되고 있는 것과는 대조적이다. 한편 정관수술은 1994년에 일시적인 감소를 보인 외에 계속 상승하여 2009년에 21.0%까지 증가하였으며, 콘돔의 사용은 꾸준히 증가하여 2000년에는 16.5%까지 증가하였고 2009년에는 25.0%까지 증가하였다. 자궁내장치와 기타방법 등은 1988년까지 계속 감소하다가 1991년부터 난관수술과 경구피임약 사용이 감소하면서 늘기 시작하여 2009년에는 각각 16.1%와 18.2%의 실천율을 보였다. 이는 여성들이 점차 과거에 정부 정책에 따라

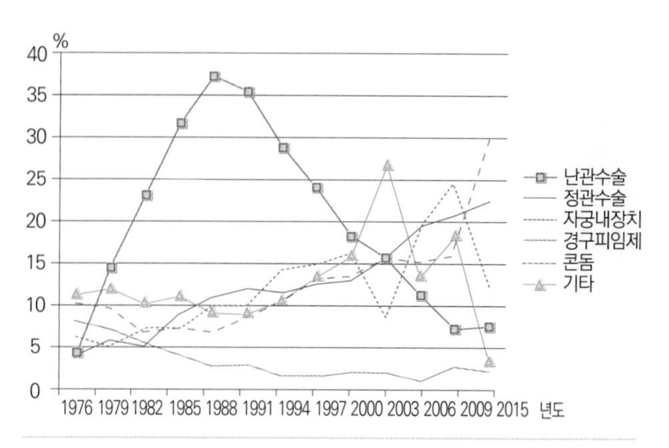

그림 10-1. **국내의 피임방법별 피임실천율**

표 10-1. 15-44세 국내의 피임방법별 피임실천율(%) (1976-2015년)

피임방법	1976	1979	1982	1985	1988	1991	1994	1997	2000	2003	2006	2009	2015
난관수술	4.1	14.5	23.0	31.6	37.2	35.3	28.6	24.1	18.3	15.6	11.3	7.3	7.6
정관수술	4.2	5.9	5.1	8.9	11.0	12.0	11.6	12.7	13.0	15.7	19.7	21.0	23.0
자궁내장치	10.5	9.6	6.7	7.4	6.7	9.0	10.5	13.2	13.7	16.1	15.0	16.1	12.4
경구피임약	7.8	7.2	5.4	4.3	2.8	3.0	1.8	1.8	2.1	2.0	1.1	2.7	2.9
콘돔	6.3	5.2	7.2	7.2	10.2	10.2	14.3	15.1	16.5	8.5	19.2	25.0	30.2
기타	11.3	12.1	10.3	11.0	9.2	9.9	10.6	13.6	15.7	26.6	13.3	18.2	3.5
합계	44.2	54.5	57.5	70.4	77.1	79.4	77.4	80.5	79.3	84.5	79.6	90.3	60.9

서 권장되었던 난관수술 등의 영구적인 피임방법에서 일시적인 피임방법을 선호하는 추세로 변하고 있음을 보여준다(표 10-1, 그림 10-1).

3) 피임의 효과

피임실패율을 나타내는 데 사용되는 'Pearl index'는 여성 100명이 1년간에 임신한 임신율을 나타낸다. 각 피임법에 따라 첫 1년간의 피임 실패율이 다르다(표 10-2).

또한, 피임을 실천한 연속 몇 달 간의 임신 가능성을 계산하는 life-table method로도 좀 더 정확한 정보를 얻을 수 있다.

임신에 영향을 미치는 인자로는 남녀의 생식능력, 성교 시 배란기의 여부, 피임방법, 사용한 피임법의 효과와 사용방법의 피임방법의 정확성 등이다.

각 피임법은 피임실패율, 안전성, 편리성, 비용 등이 다르므로 각각의 장단점을 잘 따져서 피임기간, 건강상태, 성교빈도, 연령 등에 따라 자신에게 꼭 맞는 피임법을 선택할 수 있도록 전문가의 상담이 필요하다.

4) 피임의 중요성

모든 피임 방법은 임신-출산과 연관된 문제들을 고려하면 더 안전하다. 적절한 피임법으로 청소년에게 임신의 시기를 늦추고 원치 않은 임신을 줄이면서 학교를 그만두는 교육의 중단이 없게 하며 안전하지 않은 인공유산 시술과 연관된 비용 및 건강의 해로움을 줄일 수 있다. 피임법으로 다음 임신의 시기를 조절하는 것도 피임의 중요한 목적이다. 이러한 분만간격의 차이가 영아사망률에도 영향이 있다. 첫 아기 분만 후 2년이 채 안 된 아기의 영아사망률이 3년 간격 이후에 태어난 아기보다 2배 높다. 콘돔은 원하지 않은 임신과 HIV를 포함한 성전파성질환을 예방한다.

단, 35세 이상의 흡연여성이 피임약을 복용하는 것은 예외이다. 대부분의 피임방법은 피임과 더불어 피임 이외의 건강상 이점을 가지고 있다. 피임약은 난소암, 자궁내막암, 자궁외임신의 위험성을 줄이고, 차단피임법은 성전파성질환, 자궁경부암, 난관요인의 난임증을 예방한다.

표 10-2. 피임법에 따른 첫 1년간의 피임실패율(%)

	최저 실패율	일반실패율
피임 안함	85	85
호르몬피임제		
복합경구피임약	0.3	8
프로게스틴단일경구피임약	0.3	8
피임패취	0.3	8
질 링	0.3	8
주사용피임제	0.3	3
피하이식제	0.05	0.05
자궁내장치		
구리자궁내장치	0.6	0.8
레보놀게스트렐 분비 자궁내시스템	0.1	0.1
남성용 콘돔	2	15
여성용 콘돔	5	21
피임격막	6	16
자궁경부 캡	26	32
피임스펀지	20	32
살정제	18	29
질외사정	4	27
월경주기조절법	9	25
불임수술		
난관불임수술	0.5	0.5
정관불임수술	0.1	0.15

2. 호르몬 피임법

1) 에스트로겐-프로게스틴 복합피임법(Estrogen-Progestin Combined Contraceptives)

(1) 복합경구피임약(combined oral contraceptives)

복합경구피임약는 에스트로겐과 프로게스틴이 함유되어 있다. 1960년 피임 목적으로 미국 식품의약국(Food and Drug Administration, FDA)의 승인을 받아 최초의 경구피임약인 Enovid® (norethynodrel 9.85 mg + mestranol 0.15 mg)가 시판되었고 이듬해에 영국에서 허가되었다. 최초의 경구피임약는 혈전정맥염과 심각한 폐색전증의 위험도가

표 10-3. 복합경구피임약의 분류

	에스트로겐	프로게스틴
저용량 경구피임약	에티닐 에스트라디올(ethinyl estradiol) 50 mcg 미만	
초저용량 경구피임약	에티닐 에스트라디올 20 mcg 미만	
1세대 경구피임약		노르에틴드론(norethindrone) 노르에틴드론 아세테이트(norethindrone acetate) 노르에티노드렐(norethynodrel) 에티노디올 이초산연(ethynodiol diacetate) 프레그난(pregnane)
2세대 경구피임약		레보노르게스트렐(levonorgestrel) 노르게스트렐(norgestrel)
3세대 경구피임약		데소게스트렐(desogestrel) 게스토덴(gestodene) 노르게스티메이트(norgestimate) 에토노게스트렐(etonogestrel)
4세대 경구피임약		드로스피레논(drospirenone) 다이에노게스트(dienogest) 네스토론((nestrone) 트리메게스톤(trimegestone) 노메게스트롤 아세테이트(nomegestrol acetate)

증가하는 것이 보고되었다(Tyler, 1963). 이러한 심각한 부작용을 줄이기 위하여 1980년대 말 이후에는 호르몬 함량을 최소화한 저용량 경구피임약이 개발되어 사용 중이다. 복합경구피임약은 함유된 에스트로겐의 용량과 프로게스틴의 종류에 따라 다음과 같이 분류한다(표 10-3).

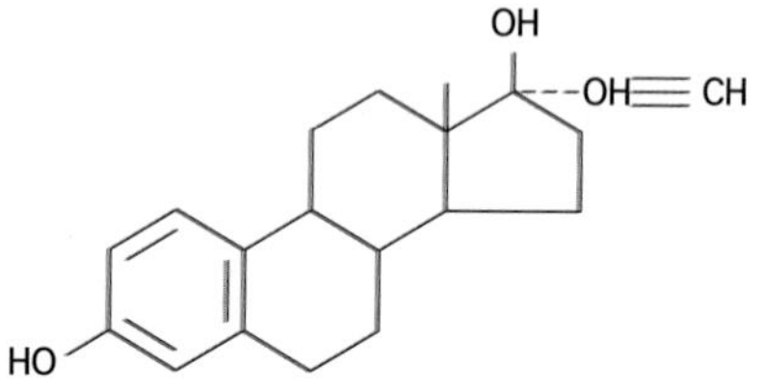

OH
OH≡CH
HO
에티닐 에스트라디올(Ethinyl estradiol)

그림 10-2. **복합경구피임약에 사용되는 합성 에스트로겐**

① 약리학

1938년 에스트라디올에 에티닐기를 첨가하면 강력한 에스트로겐 효과를 가진 경구섭취가 가능한 약이 만들어지는 것을 발견하였고 이것이 에티닐 에스트라디올이며 거의 모든 복합경구피임약에 쓰여지고 있다(그림 10-2).

이후 테스토스테론에 에티닐기를 치환하면 경구복용이 가능한 에티스테론(ethisterone)이 됨을 알게 되었다. 에티스테론의 19번째 탄소기(C-19)를 제거한 것이 19-노르테스토스테론(nortestosterone) 유도체로 분류되는 프로게스틴들이다. 노르에틴드론(norethindrone), 노르에틴드론 아세테이트(norethindrone acetate), 레보노르게스트렐(levonorgestrel) 등이 여기에 속한다. 17-히드록시프로게스테론(17- hydroxyprogesterone)에서 17과 6위치에서 치환기를 가지면 프로게스테론 효과가 강해지고 대사가 억제되어 널리 사용할 수 있는 메드록시프로게스테론 아세테이트(medroxyprogesterone acetate)가 있으며, 클로마이논(chlormadinoe)과 사이프로테론 아세테이트(cyproterone acetate)가 여기에 속한다. 테스토스테론에서 유도된 프로게스틴은 안드로겐 수용체와 결합하여 일정 수준의 안드로겐 효과가 나타난다. 새로운 프로게스틴은 이러한 안드로겐 효과를 최소화시켜 체내 콜레스테롤 및 지질단백질 등의 지방 대사에 영향을 미치지 않는 약리학적 이득도 얻게 되었다. 새로운 프로게스틴은 성호르몬결합글로불린이 증가하고 자유테스토스테론 농도를 감소시켜 여드름이나 다모증의 치료도 기대할 수 있다. 4세대 경구피임약의 프로게스틴 중 디에노게스트(dienogest)는 19-노르테스토스테론(nortestosterone) 유도체로 항안드로겐 효과를 가진다. 드로스피레논(drospirenone)은 스피로노락톤(spironolactone) 유도체로 생화학적 기능이 프로게스테론과 매우 유사하다. 드로스피레논은 스피로노락톤처럼 항안드로겐 효과와 항광물부신겉질호르몬 활성을 갖고 있어 신기능, 부신기능 그리고 간기능의 이상이 있는 경우는 혈청 칼륨수치의 주의를 기울여야 한다(loughlin et al., 2008)(그림 10-3).

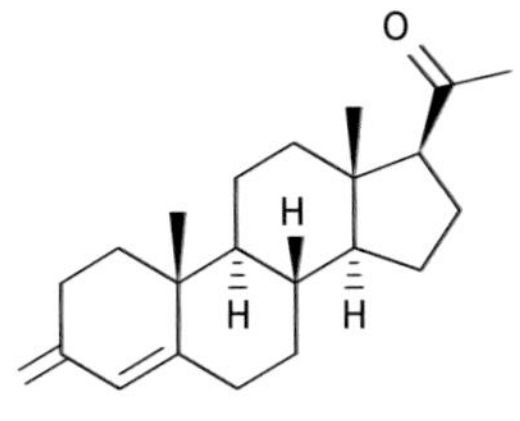

프로게스테론(Progesterone)

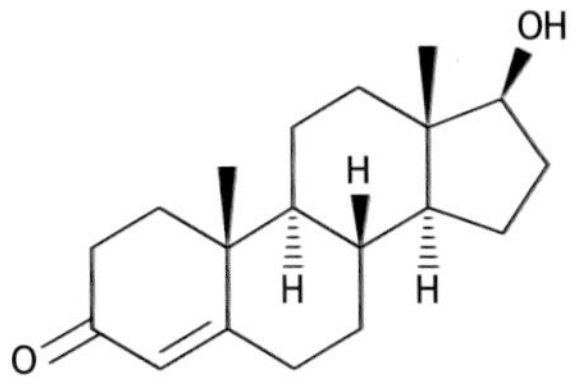

테스토스테론(Testosterone)

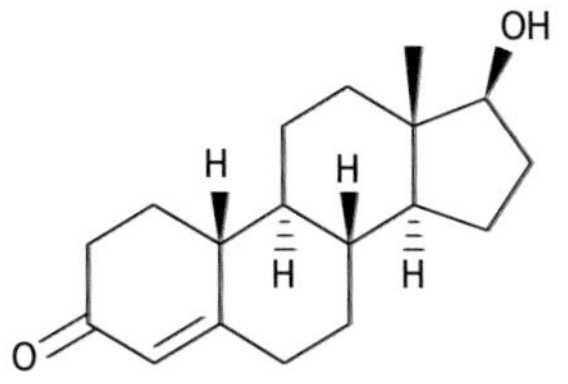

19-노르테스토스테론(Nortestosterone)

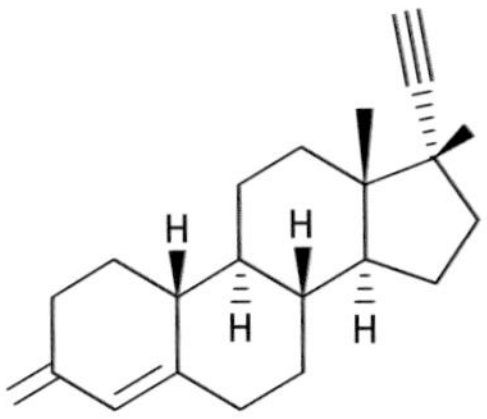

노르에틴드론(Norethindrone)

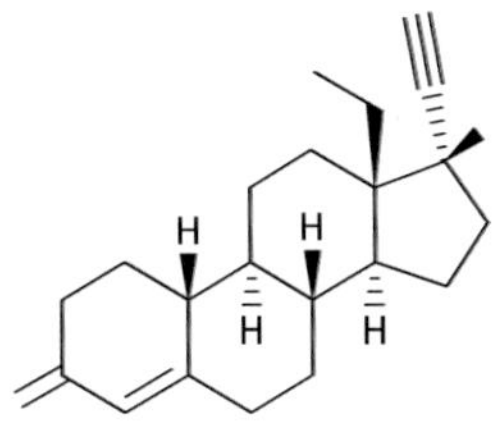

레보노르게스트렐(Levonorgestrel)

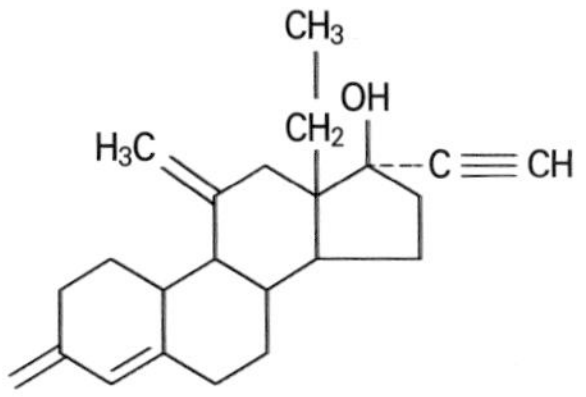

데소게스트렐(Desogestrel)

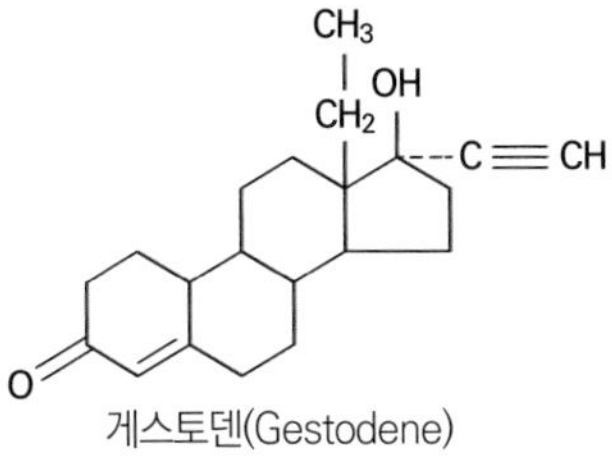

게스토덴(Gestodene)

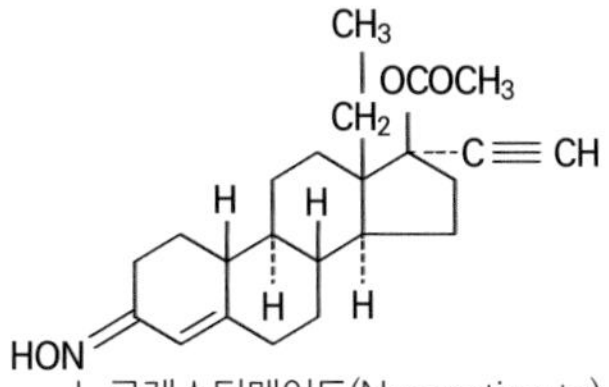

노르게스티메이트(Norgestimate)

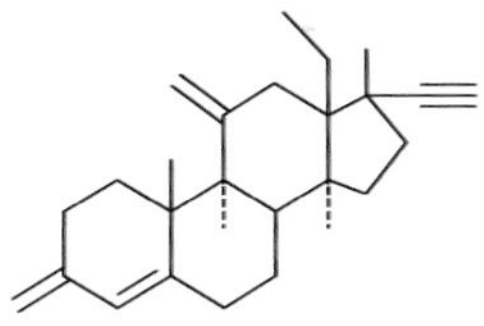

에토노게스트렐(Etonogestrel)

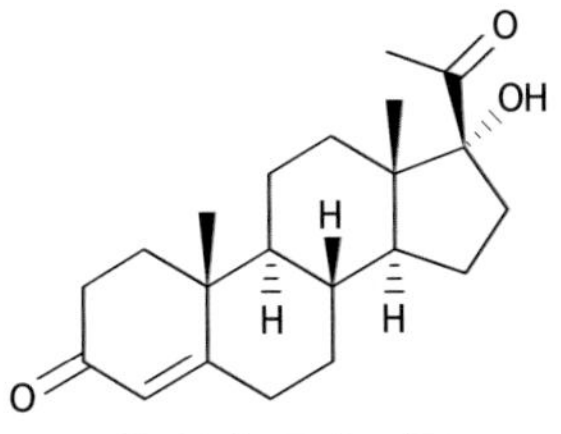

7-히드록시프로게스테론
(17-hydroxyprogesterone)

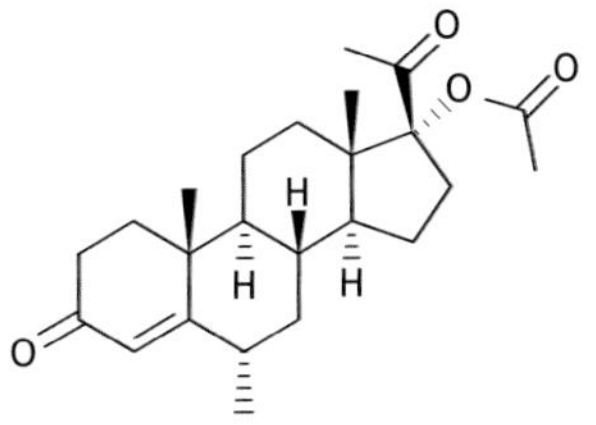

메드록시프로게스테론 아세테이트
(Medroxyprogesterone acetate)

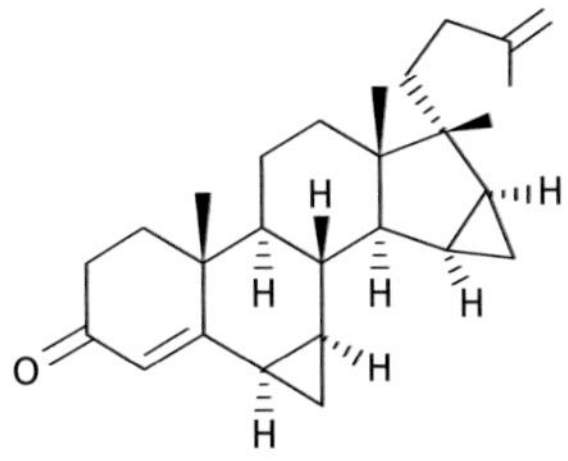

드로스피레논(Drospirenone)

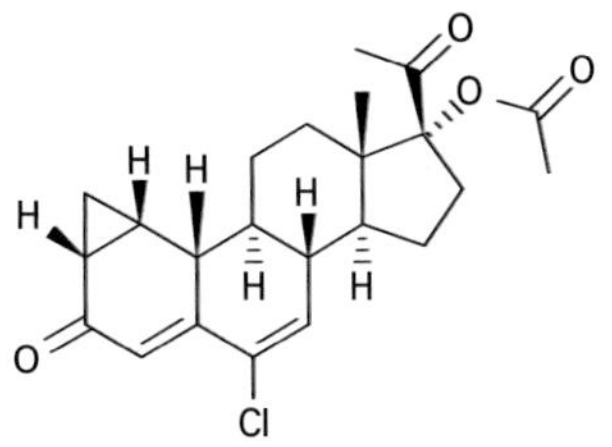

사이프로테론 아세테이트(Cyproterone acetate)

그림 10-3. **피임약에 사용되는 프로게스틴**

② 효과

가. 피임

복합경구피임약은 배란을 억제하여 피임효과를 나타낸다. 시상하부에서 생식샘자극호르몬방출호르몬(gonadotropin releasing hormone, GnRH)과 뇌하수체에서 생식샘자극호르몬(gonadotropin) 분비를 억제하고, 월경주기 중 황체형성호르몬 최고분비를 억제하여 배란을 방해한다. 또한 난소에서 성호르몬 생성이 되지 않아 뇌하수체에 영향을 주지 못하게 된다. 이러한 현상은 프로게스틴 단일경구피임약에서는 관찰되지 않는다. 고용량 피임약에 비하여 최근의 저용량 피임약은 기저 난포자극호르몬과 황체형성호르몬을 완전히 억제하지 못하여 복용을 중간에 빠뜨리거나 피임약의 효과를 감소시키는 약제와 같이 복용한 경우 배란이 되어 피임에 실패할 수 있다.

프로게스틴은 자궁경관점액을 끈끈하게 만들어 정자의 통과를 막고, 자궁내막을 위축된 탈락막으로 변화시켜 수정란이 착상할 수 없게 하며, 자궁관 운동성을 저하시켜 피임효과를 유발한다.

나. 피임 이외의 이점과 치료

저용량 경구용 복합경구피임약은 피임을 목적으로 사용하면서 얻게 되는 다양한 이점이 있고 피임약은 부인과적 증상 및 질병을 치료하기도 한다(표 10-4).

복합경구피임약은 다낭성난소증후군과 같은 안드로겐과다증 치료에 사용할 수 있다. 이 경우 안드로겐 효과가 적은 프로게스틴을 함유한 경구피임약을 선택하는 것이 바람직하다. 프로게스틴의 안드로겐 효과의 정도는 다음과 같다(표 10-5).

복합경구피임약은 생식샘자극호르몬 분비를 억제하여 난소에서의 안드로겐 분비가 감소되고, 성호르몬결합글로불린이 증가하여 자유테스토스테론 농도가 감소하며, 부신에서의 안드로겐 분비를 감소시켜 안드로겐과다증에 효과를 낸다.

표 10-4. 복합경구피임약의 피임 이외 이점

피임 이외 이점
• 효과적인 피임-인공유산의 감소, 수술적 불임시술 감소 • 규칙적인 월경-양 감소, 통증 감소, 빈혈 감소 • 자궁내막암 감소 • 난소암 감소 • 결장직장암 감소 • 자궁외임신 감소 • 난관염 감소 • 양성유방질환 감소 • 골밀도 증가 • 류마티스 관절염의 감소 가능성 • 죽상경화증에 대한 보호효과 가능성 • 난소낭종의 감소 가능성
치료 목적
• 비정상 자궁출혈 • 월경통 • 배란통 • 자궁내막증 예방 • 여드름, 남성형 다모증(hirsutism) • 시상하부성 무월경의 호르몬 치료 • 월경 포르피린증(porphyria) 예방 • 출혈 조절
가능한 이익(possibly beneficial)
• 기능성 난소낭종 • 월경전증후군

표 10-5. 프로게스틴의 안드로겐 효과 정도

안드로겐 효과 정도	프로게스틴 상품명
강함	놀게스트렐(Norgestrel) 레보놀게스트렐(Levonorgestrel)
중간	노레틴데론(Norethindrone) 노레틴데론 아세테이트(Norethindrone acetate)
낮음	에티노다올(Ethynodiol) 놀게스티메이트(Norgestimate) 데소게스트렐(Desogestrel) 드로스피레논(Drospirenone) 디에노게스트(Dienogest)

③ 복용 방법

경구피임약을 처음 복용할 때는 임신이 아님을 반드시 확인하여야 한다. 복용 전 특별한 검사는 필요 없으나 혈압은 측정하도록 한다. 복합경구피임약은 월경이 시작한 날로부터 5일 이내에 복용하여 매일 한 알씩 약의 종류에 따라 21일 혹은 28일 동안 먹는다. 21일 동안 먹는 약을 중단하면 대개 7일 이내에 월경을 시작한다. 28일 먹는 약은 마지막 4일치를 먹을 때 혹은 새로운 약을 복용할 때 월경을 시작한다. 월경의 시작과 상관없이 7일의 휴약 이후, 8일째 다시 새로운 약으로 복용한다. 처음 복용을 시작할 때 월경 5일 이내 복용했다면 다른 피임을 병행할 필요는 없다. 그러나 일요일부터 시작하거나 혹은 처방 받자마자 바로 복용한 경우는 첫 1주일동안 차단피임법을 병행해야 한다. 응급피임약을 복용한 경우라면 그날부터 바로 경구피임약을 복용하도록 권유하고 2주 후에 임신검사가 음성이라면 계속 복용하게 한다. 또 다른 방법은 월경이 시작한 주 일요일부터 먹는 방법이다. 이렇게 하면 다음 월경을 주말에 시작하지 않으므로 편리할 수 있다. 그러나 이것도 월경 시작 5일 이내부터 복용하도록 한다. 월경 시작 첫날부터 복합경구피임약을 복용하면 피임효과가 극대화되어 처음 7일 동안 다른 피임법을 병행하지 않아도 된다.

복합경구피임약을 다른 상표로 바꾸고 싶을 때는 에스트로겐의 함량이 동일하거나 더 높은 것으로 바꾼다면 보통대로 휴약기를 맞춰서 바로 복용을 시작한다. 그러나 에스트로겐이 더 낮은 피임제로 바꿀 때는 휴약 기간 없이 새 피임약을 계속 먹도록 한다. 유산 후에는 바로 경구피임약을 시작하며 출산 후 수유를 하지 않는다면 3주 후부터 피임을 시작한다.

약 복용을 중단하면 소퇴성 출혈이 일어난다. 소퇴성 출혈 기간 동안 두통과 골반통 등의 호르몬 소퇴성 증상이 나타날 수 있다. 이러한 소퇴성 증상을 줄이기 위하여 한 달 혹은 그 이상 꾸준히 피임제를 복용할 수도 있다. 건강한 비흡연 여성은 폐경 때까지 경구피임약을 복용할 수 있다. 정기검사는 다른 일반적 건강검진과 동일하게 시행한다. 피임을 하고 있는 여성들에게 더욱 특별하게 정기검사를 권하지는 않는다.

가. 경구피임약을 빼먹었을 때의 지침

세계보건기구(World Health Organization, WHO)는 경구피임약을 빼먹었을 때의 지침을 다음과 같이 새롭게 발표하였다(표 10-6).

표 10-6. 경구피임약을 빼먹었을 때의 지침

Ethinyl estradiol 30-35 mcg 포함된 경구피임약을 복용하는 여성
1. 1-2일 빼먹었거나 1-2일 늦게 복용을 시작한 여성 • 가능한 빨리 빠진 날수만큼의 호르몬피임제를 복용하고 이후 한 알씩 복용한다. • 추가 피임은 권장하지 않는다. 2. 3일 이상 빼먹었거나 3일 이상 늦게 복용을 시작한 여성 • 가능한 빨리 빠진 날수만큼의 호르몬피임제를 복용하고 이후 한 알씩 복용한다. • 호르몬이 포함된 피임제를 먹는 7일 동안 콘돔이나 금욕을 권장한다. • 복용 3주째에 빼먹었다면 금번 주기의 호르몬피임제를 즉시 중단하고 새로운 경구피임약을 다음 날부터 새로 복용한다. 이때 호르몬이 없는 약은 먹지 않는다. • 복용 1주째에 빼먹고 다른 피임을 하지 않고 성관계를 하였다면 응급피임법을 고려한다.
Ethinyl estradiol 20 mcg 이하로 포함된 경구피임약을 복용하는 여성
1. 1일 빼먹었거나 1일 늦게 복용을 시작한 여성 • 가능한 빨리 빠진 날수만큼의 호르몬피임제를 복용하고 이후 한 알씩 복용한다. • 추가 피임은 권장하지 않는다. 2. 2일 이상 빼먹었거나 2일 이상 늦게 복용을 시작한 여성 • 가능한 빨리 빠진 날수만큼의 호르몬피임제를 복용하고 이후 한 알씩 복용한다. • 호르몬이 포함된 피임제를 먹는 7일 동안 콘돔이나 금욕을 권장한다. • 복용 3주째에 빼먹었다면 금번 주기의 호르몬피임제를 즉시 중단하고 새로운 경구피임약을 다음 날부터 새로 복용한다. 이때 호르몬이 없는 약은 먹지 않는다. • 복용 1주째에 빼먹고 다른 피임을 하지 않고 성관계를 하였다면 응급피임법을 고려한다.
Ethinyl estradiol 30-35 mcg 혹은 20 mcg 이하로 포함된 경구피임약을 복용하는 여성
• 호르몬이 포함되지 않은 피임제는 버린다.

World Health Organization. Selected practice recommendations for contraceptive use. 2nd ed. Geneva: WHO, 1994.

나. 확장요법(extended regimen)

전통적으로 복합경구피임약은 4주 단위로 3주간 매일 복용하는 총 21일간 복용하는 방법이다. 그러나 다양한 피임 작용에도 불구하고 현재 많이 사용하는 저용량 피임제의 경우 몇 개인에서 빠르게 대사되어 휴약기 4일 이후에 난포자극호르몬(FSH)의 상승되고 난포발달이 보이기도 한다(Willis et al., 2006). 반면에 저용량 복합경구용피임제로 24일간 복용하는 경우 출혈과 난소 활성(ovarian activity) 모두가 감소된다. 이렇게 감소한 난소의 난포 활성은 내재성 에스트로겐 생성변동을 적게 만들어 결과적으로 안정적인 내막을 만든다. 확장요법은 이제 더 길게 복용해서 일년에 4회 정도로 월경의 횟수를 줄이는 84일간 복용하는 요법도 있다(Anderson et al., 2003).

다. 연속 복용(continuous dosing)

복합경구피임약을 복용하는 경우 소퇴성출혈(withdrawal bleeding)을 꼭 경험해야 할 필요는 없다. 이제는 매달 월경을 하거나 주기적으로 월경을 조절하거나 월경을 하지 않은 것을 여성의 선택으로 생각한다. 휴약기를 없애면 월경관련 두통, 월경통, 복부팽만감 등이 감소하고 연속 복용하면 난소 억제가 더 잘되며 배란의 가능성을 감소시킨다(Sulak et al., 2007). 이러한 연속 복용은 피임약 복용을 단순화하여 피임의 실패를 낮출 수 있다. 이런 연속 복용은 질링과 피임 패치로 적용가능하며 사용 중단 후에 배란 및 임신이 늦춰지지는 않는다.

확장하거나 연속 복용하는 것은 기존의 21일 요법과 비교하여 월경관련 불편, 두통, 복부팽만의 감소가 보고되었다(Miller et al., 2001; Kwiecien et al., 2003; Miller et al., 2003).

④ 암발생 위험도

가. 유방암

기존의 연구결과들은 아직 명확한 결론을 내리고 있지 않다. 대규모로 진행된 전향성 집단연구에서 경구피임약을 과거에 복용하였거나 현재 복용하고 있는 여성은 한 번도 복용하지 않은 여성보다 유방암 발생이 증가하였다(Hankinson et al., 1997; Hannaford et al., 2007; Vessey et al., 2013).

그러나 모집단기반 사례조절연구에서 유방암 발생률이 에스트로겐의 용량, 복용기간, 복용을 시작한 나이, 인종에 관계없이 증가하지 않았다(Marchbanks et al., 2002). 전향적 집단연구메타분석에서도 경구피임약을 전혀 복용하지 않은 여성과 복용한 적이 있는 여성들 간 유방암 발생률 차이는 없었다(Moorman et al., 2013).

BRCA 유전자와 유방암에 대해서는 연구결과가 아직 명확하지 않다. 환자-대조군연구에서 *BRCA1* 돌연변이 보인자에서 최소 5년을 사용하거나 30세 이전에 사용한 경우 유방암의 위험이 증가하였으나(Narod et al., 2002), 다른 환자-대조군연구에서는 복합경구용 피임약을 최소 5년 사용한 경우 50세 이전 유방암의 위험이 *BRCA2* 보인자에서 2배가 되나 *BRCA1* 보인자에서는 보이지 않았다(Haile et al., 2006). *BRCA* 보인자에 대한 국가간 코호트 연구의 후향적분석(retrospective analysis of international cohort)에서 첫 만삭임신 이전에 4년 이상 사용한 경우에서 *BRCA1* 혹은 *BRCA2* 보이자인 경우 유방암의 위험이 증가하였으나, 저용량 경우피임제에서는 연관성을 찾지 못하였다(Brohet et al., 2007). 추가적인 연구가 나오기까지 복합경구 피임약과 *BRCA* 보인자의 유방암 위험은 확실하지 않다.

나. 자궁경부암

경구피임약을 복용하는 여성은 자궁경부암 발생률이 증가하였다. 진행성 자궁경부암 발생은 경구피임약 복용기간이 길수록 증가하였다(Smith et al., 2003)(표 10-7). 그러나 복용을 중단하면 위험도가 감소하여 10년 후에는 피임제를 먹지 않은 여성들과 위험도가 동일하였다(International Collaboration of Epidemiological Studies of Cervical Cancer et al., 2007). 이러한 현상은 고위험도의 인유두종바이러스에 감염된 여성에서도 비슷한 경향을 보였다. 그러나 인유두종바이러스에 감염된 여성이 여러 이유로 경구피임약을 복용하는 기회가 많아질 것이므로 경구피임약과 자궁경부암의 관계를 단정하기는 어렵다(Smith et al., 2003).

인유두종바이러스에 감염되지 않은 경구피임약 복용

표 10-7. 경구피임약 복용 기간과 자궁경부암 발생

5년 미만	상대 위험도 1.1 (95% 신뢰구간 1.1, 1.2)
5–9년	상대 위험도 1.6 (95% 신뢰구간 1.4, 1.7)
10년 이상	상대 위험도 2.2 (95% 신뢰구간 1.9, 2.4)

여성은 자궁경부암 발생이 증가하지 않았다(de Villiers 2003; Smith et al., 2003). 경구피임약이 자궁경부암을 발생하는 기전은 에스트라디올의 대사물인 16알파-하이드록시에스테론(16 alpha-hydroxyestrone)이 자궁 경부암세포를 증식시키는 역할을 할 것이라고 하였다.

다. 난소암과 자궁내막암

지금까지의 모든 연구결과는 복합경구피임약이 난소암 발생을 감소시키는 것으로 나타났다(Vessey et al., 2006). 21개국에서 시행된 45개의 역학분석에 의하면 저용량과 고용량에 상관없이 복합경구피임약은 난소암 발생을 현저하게 감소시켰다(RR 0.73, 95% CI 0.70-0.76). 이러한 예방효과는 복합경구피임약을 중단한 후에도 30년간 지속되었다(Collaborative Group on Epidemiological Studies of Ovarian Cancer et al., 2008).

복합경구피임약을 12개월 이상 복용한 여성은 복용하지 않은 여성에 비하여 자궁내막암 발생률이 감소하였다(RR 0.6, 95% CI 0.3-0.9) (The Cancer and Steroid Hormone Study, 1987). 이러한 효과는 약을 중단하여도 최소 15년 동안 지속되었다. 복합경구피임약에 포함된 프로게스틴이 자궁내막의 증식을 억제하여 나타나는 현상으로 생각된다.

라. 간종양

복합경구피임약은 양성간선종 발생을 유발하는 것으로 보고되었다. 약을 중단하면 위험도는 감소하였고 오랫동안 복용한 여성에서 발생이 증가하였다. 그러나 과거 고용량경구피임약과 관련된 간종양은 백만 명당 30명 정도로 매우 드물며, 아마도 최근의 저용량 경구피임제는 그 위험도가 적을 것으로 생각된다(Rooks et al., 1979). 경구피임약과 간세포암종과의 연관성은 아직까지 자료가 제한적이다. 유럽의 보고에 의하면 경구피임약과 간세포암종은 관계가 없다고 하였다(MILTS, 1997). 그러나 이미 간질환의 위험도가 있는 여성에서는 경구피임약이 악영향을 미친다고 하였다(Kapp et al., 2009).

⑤ 사망률

흡연하는 35세 이상의 여성이 복합경구피임약을 복용하면 심혈관질환으로 사망할 확률이 증가한다. 그러나 전체적으로 복합경구피임약의 복용은 사망률을 증가시키지 않으며 실제로 감소시키는 것으로 보고되었다. 영국의 보고에 의하면 대규모의 가임기 여성을 대상으로 32년간 추적검사한 결과 경구피임약을 복용한 여성의 사망률이 상대위험도 0.89 정도로 감소하였다(Vessey et al., 2003). 미국의 연구에서도 복합경구 피임약의 복용이 전체적으로 장기적 사망률에 영향을 미치지 않는다고 하였다(Colditz, 1994). 최근의 연구에서도 모든 암과 심혈관질환과 관상동맥성심질환을 포함하여도 복합경구피임약의 복용은 사망률을 상대 위험도 0.88까지 감소시켰다(Hannaford et al., 2010). 연구에 참여한 대부분의 여성들은 과거의 고용량 경구 피임약을 복용한 군이다. 비교적 젊고 흡연하지 않는 여성은 복합경구피임약 복용이 사망률을 낮추는 효과가 있을 것으로 기대된다.

⑥ 피임 이외 효과

가. 당대사와 지질대사

고용량 복합경구피임약을 복용하는 여성은 일반적으로 비정상 포도당내성을 보이나 실제 당뇨병으로 진행되는 경우는 드물다. 저용량 복합경구제는 정상 포도당내성을 보이나 약간의 포도당저항성이 나타난다(Krauss et al., 1992). 경구피임약으로 인한 고혈당증은 그 정도가 심하지 않고 가역적이므로 경구피임약 자체가 당뇨병을 유발하지는 않으며 당뇨병에 이환될 위험요소를 가지고 있는 여성에서도 마찬가지이다. 임신성당뇨병을 가진 여성들을 대상으로 한 연구에서도 저용량 복합경구피임약을 6-13개월 동안 복용한 군과 대조군 간에 당뇨병 발생률에 차이가 없었다(Kjos et al., 1990).

경구피임약이 지질대사에 미치는 영향은 함유된 에스트로겐 용량과 프로게스틴의 안드로겐 효과와 연관이 있다. 일반적으로 에스트로겐은 고밀도지질단백질(HDL) 콜레스테롤과 중성지방을 높이고 저밀도지질단백질(LDL) 콜레스테롤을 감소시킨다. 그러나 피부에 붙이는 패치는 중성지방을 증가시키지 않는다(Kiriwat et al., 2010). 프로게스틴은 대개 LDL 콜레스테롤 증가와 HDL 콜레스테롤 감소를 유발하는데 특히 놀게스트렐(norgestrel)이나 레보놀게스트렐(levonorgestrel) 같은 안드로겐 효과가 강한 프로게스틴의 경우 더욱 그러하다. 그러나 저용량의 놀에틴드론(norethindrone)이 포함된 경구피임약은 LDL 콜레스테롤을 감소시키고 HDL 콜레스테롤 농도를 증가시킨다. 이러한 현상은 프로게스틴의 안드로겐 효과가 상대적으로 낮아져 에스트로겐 효과가 더욱 커지기 때문이다(LaRosa, 1989). 데소게스트렐(dosogestrel) 같은 새로운 프로게스틴도 LDL 콜레스테롤을 감소시키고 HDL 콜레스테롤 농도를 증가시키는 경향을 보인다(Lobo et al., 1996). 에스트로겐은 중성지방을 증가시켜 고중성지 질혈증과 동반된 췌장염을 유발할 수 있으므로 중성지방이 너무 높은 여성은 복합경구피임약을 피하는 것이 좋다(Goldenberg et al., 2003).

나. 결합단백질

경구피임약의 에스트로겐은 혈중 티록신결합글로불린(thyroxine-binding globulin), 코시솔결합글 로불린(cortisol-binding globulin), 성호르몬결합글로불린(sex hormone-binding globulin)을 증가시킨다. 결과적으로 혈중 전체 티록신, 삼요오드티로닌(triiodothyronine), 코티솔, 에스트라디올, 테스토스테론이 증가한다. 그러나 실제 유리 티록신, 삼요오드티로닌, 코티솔, 에스트라디올, 테스토스테론 농도는 변하지 않는다. 이러한 현상은 에스트로겐 성분을 복용하는 모든 여성에서 일어나므로 해당되는 성분의 기능검사를 할 때 고려해야 한다.

다. 태아기형과 가임력

1998년 미국 식품의약국(FDA)은 경구피임약 설명서에서 태아기형에 대한 주의사항을 삭제하였다. 임신 중에 의도하지 않게 경구피임약을 복용하더라도 태아기형은 증가하지 않는다. 경구피임약이 태아의 선천성기형 특히 심장기형을 유발한다는 주장이 1970년 처음 제기되었으나 이러한 주장을 뒷받침할 만한 증거를 발견할 수 없었고(Simpson et al., 1990), 사지변형과도 연관성이 없었다(Bracken, 1990). 프로게스틴을 사용한 절박유산을 경험한 산모와 대조군 간에서도 태아기형 발생률은 증가하지 않았다(Katz et al., 1985). 경구피임약이 생식세포에 변화를 일으켜 나중에 기형을 갖는다는 증거는 없다(Bracken et al., 1990). 임신 전에 산모가 복합경구피임약을 사용한 경우 어린이를 3년 추적 관찰한 연구에서 체중, 빈혈, 지능과 발달에 차이가 없었다(magidor et al., 1984)

경구피임약을 중단하면 대부분 수개월 이내에 배란이 돌아온다. 그러나 6개월 이상 월경이 없으면 무월경에 합당한 전반적 검사를 시행하여야 한다. 특히 뇌하수체 프로락틴분비샘종을 검사할 필요가 있다. 경구피임약 자체가 프로락틴분비샘종의 발생을 증가시키지는 않으며 이미 천천히 커지고 있는 종양이 있는 경우 월경이 불규칙해지므로 경구피임약을 복용했을 가능성이 높다(Shy et al., 1983; Mansour et al., 2011). 경구피임약을 중단한 여성이 12개월 이내에 임신할 확률은 다른 피임법을 중단한 여성들과 차이가 없었다(Barnhart et al., 2009). 5년 이상 경구피임약을 복용한 여성에서도 결과는 같았다(Farrow et al., 2002).

이란성쌍태아임신(dizygous twinning)은 경구 피임이 중단된 후 바로 임신된 여성에서 2배(1.6% vs. 1.0%) 증가하고 이 효과는 사용기간이 길수록 컸다. 복합경구피임약 중단 후 한 달 또는 두 달 후에 임신을 시도하는 것을 권장하는 유일한 이유는 마지막 월경기간을 정확하게 식별함으로써 임신 주수를 정확히 알기 위함이다.

라. 성기능

복합경구피임약이 혈중 테스토스테론 농도를 감소시키나 이것이 성욕에 악영향을 준다는 절대적 근거는 없다. 여성은 월경주기 중 배란기에 성적 행동이 증가하나 경구피임약을 복용하는 여성에서는 이러한 현상이 나타나지 않았다(Adams et al., 1978). 일반적으로 성적욕구는 시간이 지날수록 감소하나 이것이 피임방법에 영향을 받지는 않는다고 하였다(Martin-Loeches et al., 2003). 드로스피레논 프로게스틴을 포함한 경구피임약은 성기능과 행복감을 향상시켰다(Caruso et al., 2005; Skrzypulec et al., 2008).

마. 다른 약제와의 상호작용

Phenytoin, carbamazepine, barbiturate, primidone, topiramate, oxcarbazepine 등을 복용하는 여성은 경구피임약을 사용하지 않는 것이 좋다. 이러한 항경련제는 미세소체의 효소작용을 증가시켜 경구피임약의 대사를 증가시켜 피임효과가 감소하기 때문이다. 그러나 gabapentin, lamotrigine, levitracetam, tiagabine 등의 2세대 항경련제는 경구피임약의 효과를 감소시키지 않았다(Wilbur et al., 2000).

항생제 중에서는 rifampin만이 경구피임약과 같이 복용할 경우 혈중 에티닐에스트라디올과 프로게스틴의 농도를 감소시켜 피임효과를 저하시킨다. 따라서 rifampin을 복용하는 여성은 비호르몬피임법을 선택하도록 한다(ACOG, 2006). 기타 다른 항생제들이 경구피임약 효과를 저하시킨다는 보고들이 있으나 이들과 에티닐에스트라디올 간의 약리학적 대사과정이 명확히 증명된 바는 없다(FDA, 2000; Dickinson et al., 2001; Archer et al., 2002).

HIV 치료제 중 nonnucleoside reverse transcriptase inhibitor인 efavirenz는 동시 복용 시 경구용 피임제의 효과를 떨어뜨리는 것으로 나타났고, protease inhibitors인 atazanavir와 nelfinavir는 CYP3A4 유도제(inducers) 및 억제제(inhibitors)로서 작용한다. 따라서 이들 HIV 치료제들을 복용하는 환자들의 경우에는 적절한 주의 및 대처가 필요하다(Curtis KM, et al., 2016).

⑦ 심혈관질환

고용량 복합경구피임약의 에스트로겐을 투여하면 factor V, factor VIII, factor X 및 섬유소원(fibrinogen)과 같은 응고 인자 생성이 증가한다(Meade et al., 1982). 프로게스틴 성분 또한 응고 인자 반응에 영향을 미친다. 그러나 이러한 변화는 본질적으로 모두 정상 범위 내에 있다(Fruzzetti et al., 1994). 정맥성 혈전색전증은 심부정맥혈전증과 폐색전증이고 동맥성 혈전증은 급성심근경색과 뇌졸중(stroke)이 있다.

가. 관상동맥성 심장병

초기의 고용량 복합경구피임약은 심혈관질환의 이환율과 이로 인한 사망률을 증가시켰다. 그러나 에스트로겐 용량이 낮아지면서 안전성은 상당히 증가하였다. 실제로 젊고 건강한 여성에서 관상동맥질환에 의한 심근경색증이 생길 확률은 지극히 낮다. 대개의 역학조사들에 의하면 35세 이상의 흡연 여성이 복합경구피임약을 복용하면 심혈관질환에 의한 사망률이 증가하였다(Stadel, 1981). 이러한 결과는 에스트로겐의 용량과는 상관없이 나타났다(Rosenberg et al., 2001). 그러나 저용량 복합경구피임약을 복용하는 비흡연 여성은 심근경색증의 위험도가 매우 낮았다(Lidegaard et al., 2012; Petitti, 2012). 젊은 여성은 흡연을 하더라도 혈전색전증의 가족력이 없다면 경구피임약의 이점이 위험성보다 크다고 할 수 있다. 과거에 경구피임약을 복용하였더라도 후에 관상동맥성심장병 발생의 위험도가 증가하지 않는다(Stampfer et al., 1988).

나. 고혈압

과거 고용량 복합경구피임약을 복용한 여성은 고혈압 발생이 5%에서 보고되었다. 그러나 현재의 저용량 경구피임약을 복용한 여성은 한 번도 복용하지 않은 여성보다 상대위험도가 1.8, 과거 복용한 여성보다 상대위험도가 1.2 정도이다(Chasan-Taber et al., 1996).

혈압에 영향을 미치는 기전은 레닌-안지오텐신과 관련이 있다고 여겨진다. 고용량 복합경구피임약의 경우 레닌 기질(substrate)인 혈장 안지오텐시노겐이 정상 수치의 8배까지 증가한다. 고혈압이 발생해서 복합경구피

임약을 중단하면 레닌-안지오텐시노겐 변화가 사라지는데 3-6개월이 걸린다

고혈압을 가진 여성이 복합경구피임약을 복용하면 심근경색증이나 뇌졸중의 위험도가 높아질 수 있으므로 정기적으로 혈압을 측정하는 것이 바람직하다.

다. 뇌졸중

복합경구피임약이 뇌졸중의 발생을 증가시킨다는 주장과(WHO, 1996; Gillum et al., 2000) 그렇지 않다는 주장이(Petitti et al., 1996; Chan et al., 2004) 모두 존재한다. 대규모 역학분석에 의하면 저용량 에스트로겐이 포함된 경구피임약을 복용하여도 뇌졸중 발생률이 1년 에 10만 명당 4.4명에서 8.5명으로 증가하였다(Gillum et al., 2000). 이러한 현상은 프로게스틴의 종류가 바뀌어도 같은 경향을 보인다. 그러나 다른 모집단 연구에서는 교차비가 0.95로 증가하지 않았다(Chan et al., 2004). 뇌졸중이 발생한 적이 있는 여성은 즉시 경구피임약을 중단하고 재복용을 금지하여야 한다.

출혈성 뇌졸중과 경구피임약은 서로 관련이 없는 것으로 보인다(Peragallo Urrutia et al., 2013). 그러나 이 경우에도 복합경구피임약이 아닌 다른 방법의 피임을 권하는 것이 좋겠다.

고령, 흡연, 고혈압, 조짐을 동반한 편두통, 비만, 이상지질혈증, 프로트롬빈 돌연변이 등을 가진 여성이 복합경구피임약을 복용하면 뇌졸중의 위험도가 증가한다(Kemmeren et al., 2002; Bushnell et al., 2014).

라. 정맥혈전색전증

에스트로겐이 포함된 경구피임약은 용량에 상관없이 정맥혈전색전증 위험도를 증가시킨다(Vandenbroucke et al., 2001; Gomes et al., 2004). 그러나 건강한 여성에서 정맥혈전색전증의 발생률 자체가 매우 낮으며 경구피임약 복용으로 인한 정맥혈전색전증 위험도보다 원치 않은 임신으로 인한 정맥혈전색전증 위험도가 더욱 높음을 주지하여야 한다.

비만한 여성은 비만하지 않은 여성에 비하여 색전증 위험도가 2배에서(Sidney et al., 2004) 24배 증가하였다(Pomp et al., 2007). 여성의 나이가 증가할수록 정맥혈전색전증 위험도가 증가하는데 특히 39세가 넘으면 위험도가 급격하게 상승한다(Nightingale et al., 2000).

Desogestrel과 gestodene 같은 3세대 프로게스틴을 함유한 복합경구피임약이 levonorgestrel이 포함된 경구피임약보다 정맥혈전색전증 발생을 증가시킨다는 관찰연구들이 1990년 중반부터 보고되었다(WHO,1995; Spitzer et al., 1996; Lidegaard et al., 2009). 메타분석에서도 같은 결과가 나타났다(Kemmeren et al., 2001). 이와는 반대로 정맥혈전색전증과 프로게스틴의 종류와는 상관없다는 역학조사도 있다(Farmer et al., 1997; Suissa et al., 1997). 최근의 대규모코호트연구에서는 레보놀게스트렐 같은 2세대 프로게스틴이 데소게스트렐 같은 3세대 프로게스틴보다 혈전예방에 효과가 있다고 보고하였다(Lidegaard et al., 2011). 3세대 프로게스틴은 활성단백질 C에 대한 저항성을 유발하여 정맥혈전색전증의 위험도를 증가시키고 각기 다른 항응고과정에 관여하는 것으로 보여진다. 그러나 3세대 프로게스틴이 유발하는 정맥혈전색전증의 위험도는 임신 때의 그것에 비하여서는 여전히 낮은 정도이다.

드로스피레논(drospirenone)은 항안드로겐효과와 항광물부신겉질호르몬 효과를 가진 프로게스틴이다. 드로스피레논이 정맥혈전색전증 발생빈도를 높인다고 보고되고 있으나 그렇지 않다는 결과들도 존재한다. 대규모전향적연구에서 드로스피레논이 포함된 경구피임약은 다른 경구피임약과 비교하여 색전증이 증가하지 않았다(Dinger et al., 2007; Seeger et al., 2007). 두 개의 관찰연구에서는 드로스피레논이 함유된 경구피임약이 3세대 프로게스틴만큼 정맥혈전색전증 발생을 증가시킨다고 하였다(Lidegaard et al., 2009; van Hylckama Vlieg et al., 2009). 유전적으로 혈전성향(thrombophilia)이 있는 여성은 복합경구피임약을 복용하면 혈전증의 위험도가 증가한다.

저용량 복합경구피임약과 연관된 정맥 혈전증의 위험은 2배 정도 증가하지만 주로 사용 첫 해에 나타나고 과체중 여성에게 집중되어 있다. 체중과 연령의 증가로 증가하는 위험은 주로 에스트로겐 용량에 큰 영향을 받고 프로게스틴 제제의 차이는 여러 인자에 영향을 받는다. 정맥 혈전증의 위험에 대한 흡연의 영향은 동맥 혈전증의 위험보다 적지만 흡연, 특히 흡연 양이 많은 경우는 복합경구피임약과 함께 상승작용이 있다.

역학연구를 통하여 복합경구피임약을 사용함에 적절한 환자를 선별하는 것이 중요하다. 혈전증은 흡연 혹은 심혈관 위험인자가 있는 고연령 여성에게 제한되게 생긴다. 부모 혹은 형제-자매의 혈전증 가족력 또는 이전에 특발성 혈전색전증 에피소드가 있는 경우는 혈액응고 체계에 이상은 없는지 검사가 필요하다(표 10-8). 또한 이런 혈액학적 검사는 추적검사가 필요하고 비정상 결과는 혈액 전문가에게 의뢰하는 것이 좋다. 선천성 결핍이 진단되면 다른 가족도 선별검사를 해야 한다.

복합경구피임약은 이전에 특발성 정맥혈전색전증 병력이 있거나 특발성 정맥혈전색전증의 가족력이 있는 여성에게 금기이다. 또한 혈전색전증의 다른 위험 요인으로는 루푸스 항응고인자(iupus anticoagulant)가 있거나 악성종양 및 움직임이 없거나 외상과 같은 후천적 소인도 고려해야 한다.

결론적으로 저용량 복합경구 피임약은 건강하고 젊은 여성에게 매우 안전하다. 흡연과 고혈압과 같은 심혈관 위험인자가 있는지를 35세 이상 여성에서 효과적으로 선별함으로써 저용량 복합경구피임약의 혈액학적 위험을 최소화 할 수 있다. 그리고 장기간 사용해도 심혈관 질환의 위험이 증가하지 않는다. 대규모 코호트 연구에서, 복합경구 피임약 사용자와 비 사용자를 비교하는 전체 사망률의 위험은 동일하다(Lidegaard et al., 1993; Lawson et al., 1977). 이러한 결론은 경피 및 질 에스트로겐-프로게스틴 피임에도 같이 적용될 수 있다.

표 10-8. 정맥 혈전 색전증의 상대적 위험과 발생수

	상대적 위험	발생수(10,000/년)
젊은 여성	1	5-10
임산부	12	60-120
고용량 경구피임약	6-10	30-100
저용량 경구피임약	2	10-20
Leiden 돌연변이 보균자	6-8	30-80
Leiden 보균자+경구피임약	10-15	50-100
Leiden 돌연변이 동형접합자	80	400-800

⑧ 금기증

미국 질병관리본부(Centers for Disease Control, CDC)에서 2010년 피임법에 대한 새로운 기준을 제시 했다. 이것에 기반하면 복합경구피임약의 금기증은 다음과 같다(표 10-9).

표 10-9. 복합경구피임약의 금기증

절대 금기증
• 혈전정맥염, 혈전색전증 혹은 정맥혈전의 유전적 감수성을 의심하는 가족력(부모 혹은 형제자매) • 뇌혈관질환, 관상동맥질환 혹인 과거력 • 35세 이상 흡연자 • 심한 고콜레스테롤혈증 또는 중성지방이 높은 경우 • 조절되지 않은 고혈압 • 조짐있는 편두통 • 심한 간기능 손상 혹은 간암 • 알고 있는 혹은 의심되는 유방암 • 진단되지 않은 질출혈 • 분만 후 21일 이전의 모유수유 중 • 장기간 움직이지 못하는 수술 • 산욕기 심장근육병증(cardiomyopathy) 과거력
임상적 판단이 요구되는 상대적 금기증
• 조짐 없는 편두통 • 조절되는 고혈압 • 임신성당뇨 • 당뇨 • 발작이상(seizure disorders) • 임신 중 폐쇄성 황달 • 낫적혈구병(sicklecell disease) 혹은 헤모글로빈S-C병 (sickle-hemoglobin C disease) • 담낭질환 • 승모판탈출증(mitral valve prolapse) • 전신홍반루푸스(SLE) • 고지혈증 Hyperlipidemia • 35세 이하의 흡연자
간 질환
• 고지혈증 Hyperlipidemia • 35세 이하의 흡연자

(2) 경피형 복합호르몬 피임-피임패치

피부에 붙여서 피임효과를 보이는 피임패치(Ortho Evra™)는 0.75 mg ethinyl estradiol (EE)과 6.0 mg norelgestromin이 함유되어 있으며 크기는 4.5×4.5 cm 표면적 20 cm² 이다. 피부로 흡수되어 간대사 과정이 생략되어 매일 20 mcg EE와 150 mcg의 norelgestromin이 방출되며 2002년 FDA 공인을 받았다. 월경주기 첫날부터 1주일에 한 장씩 3주간사용하고 1주간의 휴약기를 가지며 이때 소퇴성 출혈이 일어난다. 복합경구피임약보다 EE 함량이 적으나 35 mcg EE이 들어있는 경구피임약보다 에스트로겐 효과가 60% 증가하여(Devineni et al., 2007) FDA에서 정맥혈전증의 위험도가 증가할 수 있음을 경고하였다. 최근 개발된 새로운 피임패치는 30 mcg EE이 함유된 경구피임약과 비슷한 에스트로겐 노출 정도를 보였다(Foegh et al., 2013). 패치는 둔부, 복부, 상완 바깥쪽, 몸통 상부 등에 붙이며 2-5%에서 패치가 떨어지는 현상이 있었다. 그러나 일상생활에서 심한 운동이나 수영, 목욕, 사우나 등은 패치 분리율이나 혈중호르몬 변화에 큰 영향을 주지 않는다. 패치는 처음 2주기에서 높은 빈도의 불규칙 출혈을 보이나 이후 경구피임약과 비슷한 양상을 나타낸다. 경구피임약보다 유방통, 월경통, 복통이 많이 나타난다. 순응도가 떨어지는 것이 경구피임제의 가장 큰 실패의 원인이다. 이에 일주일에 한 번씩 붙이는 패치피임은 상대적으로 단순하며 덜 빼먹게 된다. 실제로 모든 연령에서 복용제보다 순응도가 좋다. 피임실패율은 1% 전후로 경구피임약과 비슷하다. 여성의 체중이 90 kg 이상이면 피임실패율이 증가하므로 주의하여야 한다.

(3) 질 링

질 링은 매일 15 mcg의 ethinyl estradiol과 120 mcg의 etonogestrel이 분비되는 호르몬 피임기구이다. 월경 시작 1-5일째에 질에 삽입하여 3주 동안 유지한 후 제거하고 1주 동안 휴약기를 가진다. 월경 1일째에 질 링을 삽입하면 다른 피임을 병행하지 않아도 되나 2-5일째 삽입한 경우에는 1주 동안 콘돔 같은 다른 피임을 사용하도록 한다. 피임효과는 경구피임약과 비슷하여 1% 이내의 피임실패율을 보이고 Pearl index는 0.65이다. 복합경구피임약보다 불규칙출혈이 적게 나타난다. 질 링은 일반적으로 성교 시 큰 불편감을 주지 않으나 일부 여성은 성교 시 질 링을 제거하는 경우도 있다. 이런 경우 피임효과를 보기 위해서는 반드시 3시간 이내에 다시 삽입하도록 교육한다. 질 링과 혈전증과의 관계는 명확하지 않으나 다른 복합호르몬피임제와 유사한 정도의 위험도를 가지고 있을 것으로 예측된다.

(4) 에스트로겐-프로게스틴 주사제

일부 국가에서 에스트로겐-프로게스틴 주사제가 피임 목적으로 사용되고 있으나 국내에는 없다. Estradiol cypionate와 medroxyprogesterone acetate가 함유된 주사(Cyclofem™)와 estradiol valerate와 norethisterone enathate가 함유된 주사(Mesigyna™) 등이 있으며 28-30일 간격으로 맞는 근육주사이다. 프로게스틴 단일피임주사제와는 다른 양상의 출혈과 포기율을 보이나 더 많은 장점이 있거나 단점이 있지는 않다(Gallo et al., 2008).

2) 프로게스틴 단일 경구피임약

프로게스틴 단일피임법은 에스트로겐이 포함된 피임법을 사용할 수 없거나 다른 건강상의 목적을 위하여 사용한다.

프로게스틴 성분만 들어있는 경구피임약으로 norethindrone 0.35 mg 혹은 desogestrel 75 mcg 함유되어 있으며 휴약기 없이 계속 복용한다. 국내에서는 시판되고 있지 않아 간단히 소개하고자 한다. 이 약은 자궁경부점액을 탁하게 하여 정자가 자궁경부를 통과하지 못하게 하고, 자궁내막을 얇게 하여 착상을 방해하여 피임을 유발한다. 이러한 작용은 20시간 동안 지속된다. 배란을 억제하는 작용이 있기는 하나 복합경구피임약에 비하여 효과가 매우 낮으며 피임 실패율은 8% 정도이다. 대개 수유하는 여성이나 나이가 많은 여성이 사용한다. 월경 시작 첫 날부터 복용하는 것을 권하며 반감기가 짧아 매일 같은 시간에 복용하여야 피임효과를 기대할 수 있다

프로게스틴 단독제제는 월경 첫 날 복용해야한다. 비록

첫 7일 동안 예비방법(backup method)이 권장되지만 필요하지 않다. 그러나 빠른 시작 또는 일요일 시작으로 복용하는 경우는 7일 동안 차단피임법을 병행해야만 한다. 복용 시간이 3시간 이상 늦었거나 약을 하루 이상 빼먹었다면 복용 후 적어도 2일 동안 다른 피임법을 병행하여야 한다. 이것은 복합경구피임약을 사용할 수 없거나 수유 중에도 사용할 수 있으며 부작용으로 부정기적 질출혈과 난포낭이 흔하다.

3. 장기 작용 가역적 피임법(Long-Acting Reversible Contraceptives, LARC)

호르몬 피임방법과 차단피임법은 일반적인 사용으로 상대적으로 높은 피임실패율을 갖는다. 특히 일관되게 꾸준한 피임방법을 유지하기 어려운 문제가 있기에 피임의 지속적 사용이 떨어진다. 이에 한 번의 처치로 오랜 기간 피임효과가 있고, 가역적 피임방법에 대한 요구가 많아지고 있다. 이러한 피임방법을 장기 작용 가역적 피임법로 정의하고 여기에는 삽입형 피임법인 임플라논과 자궁내장치 그리고 데포메드록시프로게스테론 아세테이트 주사가 해당된다. 장기 작용 가역적 피임법은 자궁강불임법과 대등한 피임효과가 있고 가역적인 방법이다.

1) 자궁내장치

역사적으로 자궁내장치의 기원은 사막의 대상들이 여행 중 낙타의 임신을 막기 위해 작은 돌을 낙타의 자궁에 넣어 두었던 것에서 유래되었다고 한다. 자궁내장치는 1962년 Jack Lippes가 개발한 리페스 루프가 현대 자궁내장치의 시작이며 아무런 첨가물이 없는 것이 특징이다(un-medicated IUD). 이것이 1세대 자궁내장치라 할 수 있다. 1970년대 미국에서 Dalkon Shield가 개발 판매되었으나 수백 가닥의 섬유가 플라스틱으로 싸여있는 독특한 형태의 꼬리를 가지고 있어 질내 박테리아가 상행감염을 유발하여 골반염의 빈도를 증가시키는 것이 발견되어 사용이 중단되었다. 중국에서 널리 사용되어지는 유연성 있는 스테인레스스틸로 만들어진 원형의 자궁내장치 혹은 실이 없는 자궁내장치 등이 이러한 비활성 자궁내장치에 속한다. 2세대 자궁내장치로 T자 형태의 플라스틱 혹은 금속 몸체에 구리선을 추가하여 미세 이온이 방출되도록 제작된 CuT-200(노출된 구리선의 표면적이 200 mm²)이 개발되었다. 구리자궁내장치는 구리의 함량을 증가시키고 피임효과와 사용기간을 늘리기 위하여 구리선을 감는 대신 관 형태의 구리 덩어리를 사용하는 등 다소 모양과 성분이 변하였다. CuT-380A (ParaGard™), Multiload-375™, Nova-T™ 등이 전 세계적으로 널리 사용되는 구리자궁내장치이다(그림 10-4). 3세대 자궁내장치는 구리 대신 프로게스틴호르몬을 함유하여 자궁 내로 매일 일정량을 분비하도록 고안되었고 이것은 호르몬 피임법의 한 종류로 분류하여 기술하였다.

(1) 구리자궁내장치

① 작용기전

구리자궁내장치의 작용기전은 완전히 알려져 있지 않으나 주된 기전은 수정과 착상을 방해하는 것으로 여겨지며 배란에는 영향을 미치지 않는다. 자궁내장치는 국소적으로 자궁내막에서 무균성 염증반응을 유발하여 정자와 난자에 해를 주어 수정을 방해하고 결과적으로 착상을 못하게 한다. 세포독성 단백질과 활성화된 효소는 정자의 운동성, 수정능획득, 생존, 포식 작용을 방해하고 저하시킨다. 구리자궁내장치의 주된 피임 기전이 수정을 방해한다는 증거들은 다음과 같다.

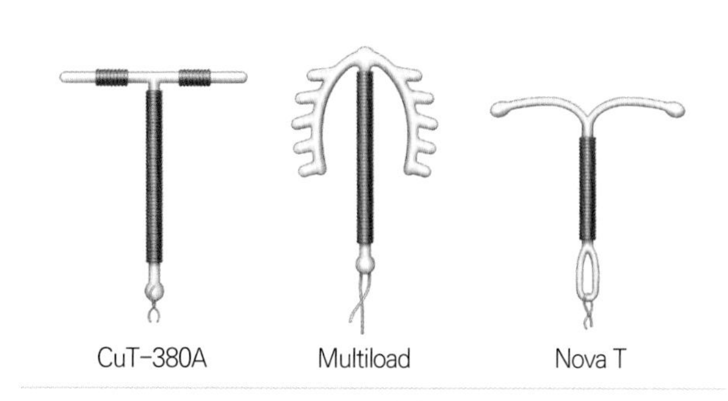

그림 10-4. 구리자궁내장치

- 화학적 임신을 측정하기 위하여 민감한 사람융모생식샘 자극호르몬검사를 하여도 측정되지 않았다(Segal et al., 1985; Wilcox et al., 1987).
- 구리자궁내장치를 한 여성에서 자궁관에서 역류된 체액을 분석한 결과 정자나 수정된 난자는 발견되지 않았다. 오히려 피임을 하지 않은 여성에서는 쉽게 발견된다(Ortiz et al., 1996).
- 구리자궁내피임장치를 한 여성은 피임을 하지 않은 여성보다 자궁내임신과 자궁관임신의 발생률이 낮다.

이러한 결과는 자궁내장치가 응급피임법에 사용되고 있으나 유산유도제는 아니라는 것을 의미한다(Alvarez et al., 1988). 자궁내장치는 배란에 영향을 주지 않으며 분만 후 유산 후 그리고 월경주기 중에 언제든지 안전하게 삽입할 수 있다.

② 피임효과

구리자궁내장치는 10년 동안 피임효과가 있다. 그러나 12년까지 사용해도 피임효과가 있는 것으로 나타났다. 35세 이상의 여성이라면 폐경 때까지 사용하는 것도 가능하다(Wu and Pickle, 2014). 피임효과는 100명의 여성 당 0.6-0.8건의 피임실패를 보여 매우 우수하다. 자궁내장치를 한 여성은 하지 않은 여성에 비하여 50% 정도 자궁외임신이 감소하였고 특히 CuT-380A의 경우 90%의 감소를 보인다. 그러나 배란 자체를 억제 하는 경구피임약보다는 감소 정도가 적다. 따라서 자궁내장치를 하고 있는 여성이 임신이 될 경우 자궁외임신의 확률이 증가한다. 그러나 자궁내장치를 한 상태에서의 자궁외임신의 빈도는 매우 드물기 때문에 자궁외임신의 기왕력이 자궁내장치의 금기증은 아니다.

③ 적응증과 금기증

구리자궁내장치는 매우 효과적이고 안전하고 장기적 효과를 보이며 제거 후 가임력이 재빨리 회복되며 만족도도 매우 우수하다. 따라서 최소 1년 이상의 장기적 피임을 원하면서 가역적 피임방법을 원하는 모든 여성에서 사용이 가능하다. 금기증은 다음과 같다.

가. 자궁의 해부학적 이상

쌍각자궁, 자궁경부협착증, 자궁근종으로 인하여 자궁강이 심각하게 비틀려 있는 경우는 자궁내장치의 삽입도 어렵고 저절로 빠질 위험성이 높다. 자궁강이 너무 작거나 너무 커도 자궁내장치를 사용하지 않는 것이 좋다. 자궁강이 비틀려 있지 않은 자궁근종을 가진 여성은 금기증이 아니다.

나. 현재 골반염이 있는 여성

자궁내막염, 점액고름자궁경부염, 골반결핵 등의 골반염이 있는 여성이 구리자궁내장치를 사용하면 이물질 반응이 활성화되어 골반염 치료를 방해할 수 있다. 임질이나 클라미디아 감염을 치료하였거나 유산한 경우에는 적어도 3개월이 지난 후에 구리자궁내장치를 삽입할 것을 권유한다.

다. 임신이 의심되거나 확인된 경우

임신 중 구리자궁내장치를 삽입하면 유산과 패혈유산의 위험성이 증가한다.

라. 윌슨병 혹은 구리알레르기

구리자궁내장치에 함유된 구리양이 일반적으로 섭취되는 구리양보다 적기는 하나 윌슨병이나 구리알레르기가 있는 경우에는 구리자궁내장치보다는 호르몬분비자궁내장치를 권유한다.

마. 진단되지 않은 비정상 질출혈

④ 부작용

가. 골반염

WHO에서 전 세계 23,000명의 자궁내장치 사용자를 대상으로 시행한 대규모 메타분석에 의하면 골반염 위험도는 매우 낮으며(1년간 1,000명의 사용자 중 1.6명, 이것은 일반인의 빈도와 같다), 삽입 후 처음 20일동안 골반염이 증가하나(1,000명 사용자 중 9.7명) 이후 감소하여 안정된 상태를 유지하며 특히 8년 이상 사용한 경우에도 비슷하였다(Farley et al., 1992). 예방적 항생제를 사용하여도 첫 3개월 내에 발생하는 골반염을 줄이는 데 효과가 없었다. 자궁내장치와 골반염의 관계는 성매개병원균에 노출되는 정도가 더욱 중요한 요인으로 보인다. 실제 과거 6개월 동안 성 파트너가 한 명만 있는 기혼 여성은 골반염이 증가하지 않았다(Lee et al., 1988). 임상의는 자궁내장치를 삽입하기 전 임질과 클라미디아검사를 할 수 있다. 자궁내장치 삽입 후 시행한 검사에서 양성이라면 자궁내장치를 제거하지 않고 치료한 후 적어도 3주 후에 다시 검사를 하여 치료 여부를 확인할 것을 권유한다. 그러나 치료를 시작하고 72시간 후에도 증상이 계속되면 자궁내장치를 제거하고 골반농양이 있는지 초음파검사로 확인한다.

자궁내장치와 명백하게 관련이 있는 골반염은 방선균증(actinomycosis)이다. 방선균(actinomyces)은 그람양성 혐기성 막대균의 일종으로 위장관과 질에 존재하는 정상균무리(normal flora)이다(Persson et al., 1983). 방선균증의 발생 빈도는 자궁내장치의 삽입 기간이 길수록 증가한다. 자궁내장치를 하고 있는 여성의 자궁경부질세포진검사에서 7%까지 방선균이 발견되는데 비활성자궁내장치의 경우 30%, 구리자궁내장치의 경우 1%에서 나타난다(Duguid et al., 1980). 방선균증이 있더라도 대부분 여성에서 무증상이며 자궁내장치가 없는 여성에서도 발견된다. 증상이 있는 방선균증은 자궁내장치를 제거하고 경구 페니실린-G 500 mg을 하루 4회 한 달간 투여한다.

나. 통증과 출혈

자궁내장치를 하고 있는 여성이 과거에 없었던 복통이나 출혈이 있다면 골반염, 자궁외임신, 유산, 혹은 자궁내장치 만출이나 천공을 의심해야 한다. 자궁내장치 삽입 직후 처음 몇 주기 동안 월경통이 심해질 수 있으나 이로 인하여 제거하는 경우는 0.1-2.4% 정도이다. 경미한 월경통은 비스테로이드항염증약을 월경 시작 처음 3일 동안 복용하도록 한다. 월경통이 점점 심해진다면 다른 피임방법을 고려한다.

⑤ 자궁내장치와 임신

자궁내장치를 지닌 여성이 자궁내임신이 확인되면 즉시 자궁경부에서 자궁내장치의 실을 확인하여 제거함으로써 패혈유산, 조기양막파수, 조산 등을 예방하도록 한다. 자궁내장치의 실이 자궁경부에서 확인되지 않으면 초음파를 보면서 자궁내장치를 제거할 수 있으며, 만약 여성이 임신 유지를 원한다면 자궁내장치를 그대로 둔 채 임신을 지속할 수 있다.

(2) 레보놀게스트렐분비 자궁내장치

① LNG20

T자 모양의 polyethylene 튜브 안에 52 mg의 레노놀게스트렐이 들어있고 5년 동안 하루에 20 mcg씩 분비되는 피임기구이다(그림 10-5). 분비된 레보놀게스트렐은 주로 자궁 내에 국소적으로 작용하여 자궁내막의 LNG 농도가 프로게스틴이 함유된 피하이식피임보다 1,000배 정도 높으나 혈중 LNG 농도는 낮게 유지된다. 삽입 수 주 이내에 혈

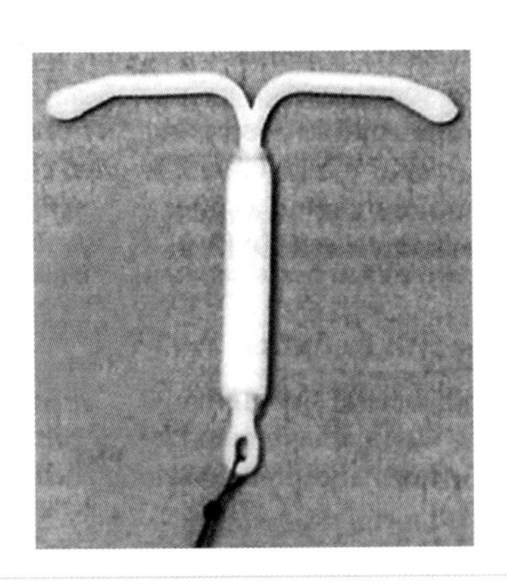

그림 10-5. 미레나

중 LNG 농도는 100-200 pg/mL에 도달하며 이후 서서히 감소하는데 이는 피하이식피임(350 pg/mL)이나 프로게스틴 단일경구피임약(1,500-2,000 pg/mL)보다 훨씬 낮은 정도이다. 그러나 일부 여성에서는 전신효과에 의한 유방통, 두통, 여드름 등이 나타나고 45-75% 정도에서 배란도 일어난다. 혈중 에스트라디올 농도에는 영향이 없다.

LNG20은 5년 동안 강력한 피임효과를 나타내어 피임 실패율은 0.1-0.2% 정도이며 이는 불임시술과 비슷한 성적이다. LNG20은 5년 동안 피임효과를 인정받았으나 7년까지도 10-14 mcg의 LNG가 분비되어 피임 효과를 기대해 볼 수 있다. LNG20은 강력한 내막억제 작용을 나타내어 95% 이상에서 월경량의 감소를 보이며 약 20% 정도에서는 무월경이 되기도 한다. 월경시작 7일 이내에 자궁 내에 삽입되며 월경주기 중 어느 때라도 새로운 것으로 교체될 수 있다. 임신 초기 3개월 이내 유산된 경우에 즉시 삽입할 수 있다. 산후에 삽입할 경우 자궁이 원상태로 회복될 때까지 기다려야 하며 분만 후 6주 이후에 실시해야 한다. 자궁의 회복이 상당히 지연된다면 분만 후 12주까지 기다리는 것을 고려해야 한다. 일반적으로 시술 후에 흔하게 나타나는 부작용은 처음 2-3개월 동안 자궁내막이 안정화될 때까지 불규칙 출혈이다. 이 현상이 미레나를 5년 이내에 제거하는 주원인이므로 시술 전에 이러한 현상이 일어날 수 있음을 충분히 설명하여 순응도를 높이는 것이 좋다. 필요하다면 불규칙 출혈을 조절하기 위하여 한시적으로 에스트로겐을 사용할 수 있다. 일반적으로 전신효과에 의한 부작용은 3-6개월 후에 완화되거나 없어진다.

② LNG14

레보놀게스트렐이 13.5 mg 포함된 자궁내피임장치는 2013년 미국에서 허가되었다. 매일 14 mcg의 LNG가 3년 동안 분비되며 3년 이후에는 매일 5 mcg씩 분비된다. 기존의 LNG20보다 크기가 작아져서 자궁 크기가 작은 여성이나 자궁경부협착증이 있는 여성에서도 삽입이 가능하다. 은이 포함된 링이 부착되어 일반 엑스선검사뿐 아니라 초음파에서도 LNG14의 확인이 가능하다. 함유된 LNG 용량이 적어 피임효과는 3년으로 인정되었다. 사용 처음 1년 동안 Pearl index는 0.41, 3년 동안 누적임신율은 0.9%로 우수한 피임효과를 보인다. 부작용은 LNG20과 비슷하나 무월경의 빈도가 덜하다(3년 후 무월경 13% vs. 24%) (Gemzell-Danielsson et al., 2012).

③ 피임 이외의 효과

가. 월경통과 월경량 감소

LNG20은 다양한 원인에 의한 월경통과 과다월경을 감소시키며 혈색소를 증가시킨다. 특히 항응고제 치료를 받는 여성에서 월경량을 줄이는 데 효과가 있다. LNG14도 월경통을 줄이는 것으로 나타났다. LNG20은 무월경이 나타나기도 하는데 2년 동안 관찰한 결과 50%에서 무월경이 발생하였다(Hidalgo et al., 2002).

나. 자궁내막증식증 치료

LNG20은 비정형성이 아닌 자궁내막증식증 치료에 있어 경구 프로게스틴을 대체할 수 있는 효과적 치료법이다(Buttini et al., 2009). 비정형자궁내막증식증에도 효과가 있는 것으로 보이고 초기 자궁내막암에서도 LNG20을 사용하여 효과가 있다는 보고는 있으나 더 많은 연구가 필요하다(Dhar et al., 2005).

다. 자궁내막증 치료

LNG20을 자궁내막증수술 후 삽입하면 만성골반통과 월경통 재발 방지 효과가 생식샘자극호르몬방출호르몬 효능제만큼 있다(Petta et al., 2005; Bayoglu Tekin et al., 2011).

라. 골반염 예방

LNG20은 프로게스틴을 포함하므로 자궁경부점액을 끈끈하게 하여 상행감염을 막는 역할을 통하여 골반염 발생을 예방할 수 있다(Toivonen et al., 1991).

(3) 테없는 자궁내장치

국내에는 없지만 몇몇 나라에서 테없는 자궁내장치를 사용하고 있다. GyneFix330TM은 구리가 포함된 여러 개의 원통이 일자 형태로 구성된 모양이다. 테없는 레보놀게스트렐분비자궁내장치도 있다(FibroPlantTM). 1996년 전에 생산된 것은 처음 1년 이내에 빠지는 경우가 많았으나 새로 고안된 것은 장치가 자궁근육층에 고정되어 이러한 단점을 보완하였다.

2) 프로게스틴 단일피하이식제

전 세계적으로 다양한 프로게스틴 단일피하이식제가 사용되고 있으나 현재 국내에서 사용되는 것은 기존의 ethylene vinyl acetate에 barium sulfate를 혼합해서 X-ray로 확인되는 형태의 임플라논(Implanon NXT®)이다.

임플라논은 etonorgestrel (ENG) 68 mg를 함유한 4 ㎝ × 2 ㎜ 크기의 하나의 유연한 막대로 구성되어 있으며 사용기간은 3년으로 처음에는 하루에 67 ㎍씩 분비되다가 2년 후에 30 ㎍ 속도로 일정하게 분비된다. 삽입 후 8시간 내에 배란을 억제할 수 있으며 4개월 후에 안정적인 상태를 유지한다. 임플라논은 피하에 일회용 삽입기를 이용하여 삽입하며 2.5년 동안 배란을 억제하고 최소 3년간 효과적인 피임 효과를 낸다.

주로 상완의 안쪽 피하 부위에 삽입한다. 피임효과는 프로게스틴이 시상하부와 뇌하수체에 작용하여 배란을 억제하며 혈중 난포자극호르몬과 에스트라디올 농도에는 큰 영향을 주지 않는다. Pearl index가 0.1 이하로 피임 효과가 탁월하며 제거한 후에는 바로 수태능력이 회복된다. 장기간 가역적 피임을 원하는 여성, 다른 피임법에 부작용이나 금기증이 있는 여성 등에 적절하다. 금기증으로는 활동성 정맥혈전질환, 프로게스틴 의존성 종양, 간기능이상, 임신이 의심되는 경우, 원인불명의 질출혈, 과민반응 등이다

시술 시기는 임신만 배제된다면 월경주기 언제나 가능하다. 호르몬 피임법을 사용하지 않았다면 월경 처음 5일 이내 삽입해야 한다. 이 시기를 넘겼다면 삽입한 후 7일까지 차단피임법을 사용해야 한다. 복합경구피임약을 복용하는 경우 마지막 복용 다음날 이식해야 하며 늦어도 휴약기 다음 날까지는 삽입해야 한다. 질링 혹은 피임 패취를 사용 중이면 제거일에 삽입하고 늦어도 휴약기 다음 날까지 삽입한다. 이런 권장 기간을 넘기면 7일간 차단피임법을 사용한다.

프로게스틴 주사제는 주사 예정일, 이식형 피임제나 레보놀게스트렐분비 자궁내장치를 제거하는 같은 날 삽입한다. 유산 후 처음 5일 이내에 혹은 모유수유를 하지 않는 여성에서 산욕기 3-4주 사이에 삽입하고, 모유수유를 하는 여성에서 출산 4주 이후에 이식한다. 권장 시기에 이식하게 되면 추가적 피임법이 필요 없다. 이식을 다른 시기에 한다면 차단피임법이 필요하며 삽입 후 7일까지 시행한다. 부작용으로 삽입 90일 이내에 불규칙출혈이 가장 흔하며 여드름, 두통, 정서적 불안정 등이 가능하며 제거 시 개인에 따라 흉터가 남을 가능성이 있으므로 시술 전 상담이 필요하다.

3) 데포 메드록시프로게스테론 아세테이트(Depot-Medroxyprogesterone Acetate, DMPA)

미국에서 1992년 피임주사로 허가된 DMPA는 프로게스틴 단일주사제로 매우 효과적이고 오래 지속되는 가역적 피임법이며 다음과 같은 여성에게 권할 만하다.

- 최소 1년간 피임을 원할 때
- 성교 상관없이 오랫동안 작용하는 효과적인 피임법을 원할 때
- 개인적이며 성교와 상관없는 피임법을 원할 때
- 에스트로겐이 없는 피임을 원할 때
- 모유수유 중
- 낫적혈구빈혈 질환
- 경련질환이 있을 때 프로게스테론이 진정 효과가 있어 역치를 높일 수 있다.

(1) 약리작용(vaginal ring)

주사요법은 150 mg/1 mL를 3개월 마다 근육주사하거나 104 mg/0.65 mL을 피하주사 할 수 있다. 합성 프로게스틴

미세결정이 주사부위에서 매우 느린 속도로 용해되어 약 3개월(13-14주) 동안 피임효과를 나타낸다(Mishell, 1996). 근육주사를 하면 며칠 이내에 프로게스틴 농도가 7 ng/mL까지 도달하며 3주 동안 농도가 증가한다. 이후 농도가 서서히 감소하며 주사 후 120일에서 200일 정도면 약물이 측정되지 않는다. 그러나 이러한 약리작용은 개인차가 있다. 배란은 DMPA 농도가 0.1 ng/mL 미만일 때 일어난다. DMPA를 주사하면 배란이 일어나지 않으므로 혈청 프로게스테론 농도는 0.4 ng/mL 미만으로 유지된다. 에스트로겐 농도는 10-92 pg/mL(평균 40 pg/mL) 정도로 나타난다. 자궁내막은 위축되나 혈관운동 증상은 거의 없으며 질 기능은 잘 유지된다. 피하주사는 2004년에 피임주사로 허가를 받았다. 피하주사는 스스로 주사할 수 있고 주사 시 통증이 덜하며 그 외 내용은 근육주사와 비슷할 것으로 기대된다(Jain et al., 2004).

(2) 작용 기전

피임의 주요 기전은 높은 농도의 프로게스테론으로 인해 LH surge가 억제되어 배란이 일어나지 않는다. 또한 다른 프로게스틴 제제와 같은 효과가 자궁경부점액과 내막, 난관에 나타난다. 경구피임제만큼 난포자극호르몬을 억제하지 못하기 때문에 에스트로겐 농도가 유지되어 초기 난포기 때 나타나는 에스트로겐결핍 증상이 나타나지 않는다.

(3) 효과

DMPA는 매우 효과적인 피임주사제이다. 임상연구 결과 피임실패율은 0-0.7/100명/1년 정도이다. 이것은 자궁내피임장치나 피하이식피임법과 유사하게 좋은 결과이다(Trussell, 2004). 주사하는 동안 프로게스틴이 매우 높은 농도로 유지되어 비만 여성과(Segall- Gutierrez et al., 2010) 다른 약제를 병용 투여하여도(Best 1999) 피임효과는 우수한 것으로 나타났다.

(4) 사용법

주사 전 골반진찰, 유방진찰, 혈압측정, 실험실 검사 등은 필요하지 않다. 다음의 경우에는 DMPA를 사용하지 않는다.

- 현재 aminoglutethimide를 사용하고 있는 여성. 이 약제는 주로 쿠싱증후군 혹은 전이성 유방암에서 사용되며 프로게스틴 대사를 촉진시킨다.
- 1-2년 이내에 임신을 계획하는 여성
- 골절에 취약한(fragility fracture) 여성, 골다공증이 있는 여성, 강력한 골절 위험인자가 있는 여성(예, 시상하부무월경, 거식증, 류마티스관절염, 만성글루코코티코이드 사용자 등)

근육주사는 볼기근육이나 어깨세모근에 주사하며 피하주사는 앞넓적다리나 배에 주사한다. 임신이 아닌 것이 확인되면 처음 주사 시기는 상관이 없으나, 월경 시작 후 7일 이내에 시작하는 것이 가장 이상적이다. 이 시기는 여성이 임신이 아님을 확인할 수 있고 주사 첫 달부터 피임이 억제되어 처음 7일 동안 다른 피임법을 사용하지 않아도 되는 장점이 있다. 대부분의 여성에서 주사 후 24시간 이내에 약물학적 효과를 보이는 농도에 도달하며 자궁점액이 정자를 통과할 수 없게 변한다. 임신 중에 DMPA를 주사하여도 태아기형의 빈도를 높이지 않는 것으로 나타났다(Borgatta et al., 2002; Brent, 2005).

월경 시작 7일 이후에 DMPA를 처음 주사하였다면 주사 후 7일 동안 다른 방법의 피임을 병행할 것을 권유하고 2-3주 후에 임신검사가 필요함을 알려주어야 한다. 주사는 3개월마다 반복한다. 다른 호르몬 피임법을 사용하고 있다면 주사 후 7일 이후에 중단하도록 하고 자궁내장치를 삽입하고 있다면 주사 후 7일 후에 제거하도록 한다.

가. 다음 주사 예정일보다 늦게 온 경우

DMPA 150 mg은 주사 후 14주까지 피임 효과가 있다. 그래서 3개월마다 주사를 권유한다. 그러나 주사 후 15주 이상 지났다면 반드시 임신검사를 한 후에 임신이 아님을 확인하고 주사를 한다. 피임이 가능한 유예기간이 4주까지도 가능하다는 보고도 있다(Steiner et al., 2008).

나. 다음 주사예정일보다 빨리 온 경우

필요하다면 주사예정일보다 빨리 주사하여도 된다. 이후 3개월마다 주사한다.

(5) 주사 중단 후 효과

DMPA 피임법은 가역적 방법이나 가임력이 돌아올 때까지 시간이 걸린다. 약 50%의 여성은 10개월 이내에 임신이 되나 일부에서 18개월 이후에도 임신이 되지 않았다(Schwallie et al., 1974). 피임을 중단한 여성의 50%는 6개월 이내에, 75%는 1년 이내에 규칙적 월경이 회복되었고 임신을 원하는 여성의 70%가 12개월 이내에 90%가 24개월 이내에 임신되었다(Pardthaisong, 1984). 마지막 주사 후 배란이 돌아오는 기간은 주사를 사용한 기간과는 상관이 없고 체중과 관련이 있다. 비만한 여성보다 체중이 적은 여성이 주사 후 가임력이 빨리 회복된다. 따라서 1-2년 이내에 임신계획이 있는 여성은 다른 피임방법을 권유하는 것이 좋다. 다른 피임방법으로 바꾸고자 할 때는 DMPA 마지막 주사 후 14주 이내에 시작하도록 한다.

(6) 부작용

DMPA의 장점과 단점은 다음과 같다(표 10-10).

표 10-10. DMPA의 장점과 단점

장점	단점
• 가역적 • 사생활 보호 • 3개월 효과 지속 • 비만 여성 사용 가능 • 자궁외임신 감소 • 월경 횟수 감소하거나 없어짐 • 월경곤란증과 월경 관련 증상 감소 • 다른 약물과 상호작용 거의 없음 • 간질발작 감소 • 낫적혈구병에서 낫적혈구병 위기 감소 • 자궁내막증에서 골반통증 감소 • 자궁근종으로 인한 대량 비정상 질출혈 감소 • 골반염증 위험도 감소	• 불규칙 질출혈 증가 • 체중 증가 • 우울기분 증가 • 골밀도 감소(대부분 가역적) • 알러지 반응 • 긴 가임력 회복기간 • 3개월마다 병원 방문

① 월경이상

비정상 질출혈이나 무월경 등의 월경이상은 DMPA를 중단하는 가장 큰 이유이다. 대부분의 여성이 월경이상에 대하여 민감하게 반응하므로 사용 전 충분한 설명과 상담이 필요하다. 그럼에도 불구하고 월경이상에 대하여 염려한다면 다른 피임법으로 바꾸는 것이 좋다. 주사 후 일주일 혹은 그 이상 기간 동안 비정상 질출혈이 매우 흔하게 나타나지만 빈혈을 유발하지는 않는다. 지속적으로 사용할 경우 3개월 후 12%, 1년 후 46%의 여성에서 무월경이 나타난다(Hubacher et al., 2009). 처음 1년 이내에 월경이상으로 인하여 DMPA를 중단하는 여성은 25%에 달한다. 월경이상을 줄이기 위한 여러 방법이 시도되었으나 결과적으로 DMPA의 지속 사용을 향상시키지는 못하였다(Abdel-Aleem et al., 2007). 시도해 볼 수 있는 방법은 다음과 같다.

가. 에스트로겐

에스트로겐에 금기증이 없는 여성에게 경구에 스트로겐(1.25 mg conjugated estrogen 혹은 2 mg micronized estradiol)이나 에스트로겐 패치(0.1 mg/24 hours)를 7-14일 동안 사용할 수 있다. 에스트로겐을 투여하여도 피임효과에는 영향이 없으나 에스트로겐에 의한 부작용은 증가할 수 있다. 저용량 경구피임약의 효과를 보고한 결과는 없으나 이론적으로 DMPA의 비정상 질출혈에 효과가 있을 것으로 생각된다. 비록 비정상 질출혈이 DMPA를 중단하는 가장 큰 이유이긴 하나 DMPA를 처음 사용하는 여성에게 질출혈 예방 효과를 기대하고자 에스트로겐을 추가하는 것은 바람직하지 않다. 에스트로겐을 중단하며 다시 출혈이 지속될 수 있다.

나. Mefenamic acid

비교적 소량의 비정상 질출혈에서 비스테로이드항염증약을 5일에서 7일 정도 사용하는 것이 하나의 치료법이다. Mefenamic acid 500 mg을 하루 두 번 5일 동안 복용하면 비정상 질출혈이 줄어들었으나 4주 이후에는 효과가 없었다(Tantiwattanakul et al., 2004).

다. Tranexamic acid

Tranexamic acid는 주로 혈우병 환자에서 수술 중에 투여하는 항섬유소용해제이다. 이 약 250 mg을 하루 네 번 5일 동안 복용하여 비정상 질출혈이 치료되었다고 하였다(Senthong et al., 2009).

라. Mifepristone

DMPA는 자궁내막의 에스트로겐 수용체를 하향 조절하여 비정상 질출혈이 발생된다. Mifepristone 50 mg을 2주 간격으로 투여하면 에스트로겐 수용체가 증가하여 비정상 질출혈이 감소하였다(Jain et al., 2003). 이 경우에도 DMPA의 피임효과에는 영향이 없었다.

마. Doxycycline

Doxycycline이 기질금속단백질분해효소(matrix metal-loproteinase, MMP) 생성을 억제하여 자궁내막의 탈락현상을 억제하는 것에 착안하여 이 약물을 비정상 질출혈의 치료에 사용한 연구들이 발표되었다(Weisberg, Hickey et al., 2006). 그러나 Doxycycline 100 mg을 하루 두 번 5일 동안 복용한 결과는 DMPA에 의한 비정상 질출혈을 감소시키지 않았다(Abdel-Aleem et al., 2012).

② 체중증가

체중증가는 DMPA를 중단하는 또 다른 주요 부작용이다. 관찰 연구들은 이 둘의 상관관계에 대하여 명확한 답을 제시하지 못하고 있다. 그러나 가장 최근의 체계적 문헌고찰에 의하면 프로게스틴 단일피임법을 사용하여 증가되는 체중은 12개월 이내에 2 kg 미만인 것으로 나타났다. 그 내용을 정리하면 다음과 같다(Lopez et al., 2013).

- DMPA와 에스트로겐-프로게스틴 복합피임제 간에 체중증가의 차이는 없다.
- DMPA는 피임하지 않은 여성과 비교하였을 때 체지방을 증가시키고 지방뺀체중(lean body mass)을 감소시킨다.
- DMPA와 비호르몬 자궁내피임장치를 비교하였을 때 체중 증가가 1년 2.28 kg, 2년 2.71 kg, 3년 3.17 kg 보고되었으나, 다른 연구에서는 10년 동안 체중증가에 차이가 없었다.

시간이 지나면서 체중 증가에는 다른 많은 원인이 있을 수 있다. 예컨대 다양한 피임법에 있어서 흑인여성이 흑인이 아닌 여성에 비하여 체중 증가가 많았다(Vickery et al., 2013). 또한 DMPA 주사 6개월 이내에 5% 이상 체중 증가가 있던 여성이 3년 이후에 더 많은 체중 증가가 있었다(Steenland et al., 2013).

③ 두통

프로게스테론과 경구 프로게스틴이 편두통의 빈도를 감소시킨다고 하나 DMPA는 두통에 취약한 여성에게 증상을 유발시킬 수 있다(Martin et al., 2006). 그러나 두통 자체가 DMPA의 금기증은 아니다.

④ 기분 변화

대부분의 관찰연구들은 DMPA가 기분변화에 지속적으로 영향을 미치지 않는다고 하였다(Civic et al., 2000). 그러나 임상적으로 프로게스틴은 월경전증후군이나 기분장애를 가진 특정 여성에서 우울기분을 유발하거나 악화시키는 것으로 생각된다(Bjorn et al., 2000). 그러므로 이러한 여성에서 DMPA를 사용할 경우에는 조금 더 상세한 진찰이 필요하다. 그러나 우울증이 DMPA의 금기증은 아니다.

(7) 기타효과

① 골밀도 감소

DMPA는 저에스트로겐 상태를 유지함으로써 골흡수가 골생성보다 빨라져 골밀도의 감소를 초래한다. 골밀도의 감소 정도는 처음 1년에서 2년 사이에 최고로 감소하며 이후에는 더 이상 감소하지 않고 그 상태가 지속되는 경향을 보인다(Scholes et al., 2002). 골반과 척추 골밀도가 DMPA를 사용하면 1년에 0.5-3.5%, 2년에 5.7-7.5%, 3년에 5.2-5.4% 감소하였다. 이러한 골밀도의 감소로 인하여 장기 사용자들 중 특히 아직 골밀도가 최고치에 도달하지 않은 젊은 여성과 DMPA 중단 후 바로 폐경이 되어 골밀도가 회복할 시간이 부족한 폐경이행기 여성과 장애가 있어 휠체어 신세를 지는 청소년이나 성인 여성은 골절의 위험도가 증가하였다(Westhoff, 2003).

전향적 연구에서 DMPA에 의한 골밀도의 감소는 DMPA를 중단하면 골량이 다시 회복되었다(Cundy et al., 1991). 이러한 현상은 수유 중에 일어나는 현상과 매우 비슷하다. 대부분의 골량은 20세에 완성되므로 청소년들에게 DMPA를 사용할 경우가 문제가 될 수 있다. 청소년에게 DMPA를 사용하면서 에스트로겐 주사를 같이 하여 골밀도 감소를 예방할 수 있었다(Cromer et al., 2005). 또한 장기연구 결과에 의하면 DMPA 중단 후 허리엉치 골밀도는 60주 후에 회복되기 시작하여 180주째에 충분히 증가하였다. 엉덩이 골밀도는 중단 240주째에 충분히 증가하였다(Harel et al., 2010). 그러나 이러한 대부분 연구의 종점이 골절이 아니므로 이러한 골밀도 감소가 궁극적으로 골절을 증가시키는지는 밝혀진 바가 없다(Lopez et al., 2009). 그럼에도 불구하고 미국 FDA에서는 DMPA 사용설명서에 다른 적당한 피임방법이 없는 한 사용기한을 2년으로 제한할 것을 권고하고 있다.

② 피임 이외 장점

월경과다와 이로 인한 철결핍성 빈혈과 월경통을 감소시킨다. 프로게스틴은 자궁내막조직의 증식을 직접적으로 억제하고 탈락막화시킨다. 프로게스틴은 복합 경구피임약이나 다나졸보다 자궁내막증에 더욱 효과적이며 자궁내막증과 동반된 통증치료에도 생식샘자극호르몬방출호르몬효능제만큼 효과적이다. 혈액응고장애가 있는 여성에서 출혈성 황체낭종의 발생을 예방할 수 있다. 증식기 자궁내막을 분비기 자궁내막으로 변화시켜 자궁내막증식증을 예방할 수 있다. 자궁경부점액의 변화와 월경량의 감소로 인하여 골반염증을 감소시킨다. 지적장애 혹은 신체장애가 있는 여성에서 월경 횟수를 줄이거나 무월경을 유발하여 위생 상태를 좋게 할 수 있다. 낫적혈구질병 여성에서 통증 발생 빈도가 감소하였다(Manchikanti et al., 2007). DMPA는 항경련제의 효소반응에 영향을 받지 않아 경련치료에 도움을 줄 수 있다(Mattson et al., 1984). 그리고 에스트로겐치료를 할 수 없으면서 혈관운동 증상이 있는 폐경 전 여성에서 대량 질출혈을 줄일 수 있다.

③ 알러지 반응

매우 드물기는 하나 DMPA에 의한 아나필락시스 반응이 보고되었다(Lestishock et al., 2011).

④ 암 발생

DMPA는 자궁내막암에 대한 예방효과가 경구피임약보다 우수하여 유병률을 80%까지 감소시켰다(WHO, 1991). 또한 자궁경부암과 간암 발생을 증가시키지 않았다(WHO, 1991; WHO, 1992). 최근의 연구에서 DMPA는 상피성난소암 발생도 감소시킨다고 보고되었다(OR 0.61, 95% CI 0.44-0.85) (Wilailak et al., 2012). 난소암에 관한 관찰연구에서는 DMPA 사용이 난소암 발생을 증가시키지 않았다(WHO, 1991; Shapiro et al., 2000; Strom et al., 2004). 그러나 두 개의 연구에서 DMPA가 난소암 발생을 증가시킨다고 하였다. 코스트리카 여성을 대상으로 한 연구에서 DMPA를 사용한 여성의 유방암 유병률이 증가하였으나 (RR 2.6, 95% CI 1.4-4.7) 대상 수가 적고 투여 용량과의 관계가 명확하지 않아 결론을 내릴 수 없다고 하였다(Lee et al., 1987). 다른 연구에서는 현재 DMPA를 12개월 이상 사용하고 있는 여성에서만 유방암 유병률이 증가하였다(RR 2.2, 95% CI 1.2-4.2) (Li et al., 2012).

⑤ 심혈관 질환

미국 산부인과학회와 질병관리본부는 DMPA를 복합호르몬피임제에 금기증이면서 단순한 정맥혈전색전증이 있는 여성에게 제공할 수 있는 피임법이라고 하였다. 그러나 사용설명서에는 정맥혈전색전증의 기왕력은 금기사항으로 되어있다. 동맥심혈관질환의 위험성이 있는 여성, 예를 들어 혈관질환이 조절되지 않으면서 흡연, 고령, 당뇨병, 고혈압 등이 있을 때에는 DMPA는 득보다는 실이 많으므로 사용하지 않는다.

⑥ 당 대사
DMPA를 3년 이상 사용하면 공복 인슐린(4단위)과 당(3 mg/dL)이 약간 증가하나 임상적으로 중요하지는 않다. 오히려 사용 중 체중증가가 많은 여성이 당뇨병의 유병률이 높은 것으로 나타났다(Berenson et al., 2011).

4. 차단피임법

1) 남성용 콘돔
남성용 콘돔은 남성의 발기한 음경에 착용되는 현태로 정자가 여성의 생식기로 이동하는 것을 물리적으로 차단한다. 대부분의 콘돔이 라텍스 고무로 만들어져 있으며 일부에서 폴리우레탄이나 동물의 조직으로 만들어지고 있다. 콘돔은 단독으로 혹은 수용성 윤활제나 살정자제와 함께 사용된다. 매 성교 시마다 바르고 일관되게 사용하는 사용자는 처음 1년 동안 2%의 실패율을 보이나 전형적 사용자는 18%의 실패율을 보인다.

콘돔은 임신뿐 아니라 후천성면역결핍증을 포함한 성매개성질환을 예방할 수 있다. 메타분석결과에 의하면 콘돔을 지속적으로 사용하면 후천성면역결핍증을 예방하는 효과가 80-95%라고 하였다. 지속적으로 콘돔을 사용하면 커플 중 한 사람만 사람면역결핍바이러스(human immunodeficiency virus, HIV)에 감염된 경우에도 효과적으로 예방하여 비감염자의 HIV 감염을 예방할 확률이 80%이다(Weller et al., 2001). 그러나 완벽하게 사용하지 않으면 보호 효과를 기대할 수 없으며 동물조직 또는 천으로 만들어진 과거의 콘돔은 보호 효과가 없다.

HIV 감염을 예방하는 유일한 입증된 피임법으로 콘돔 사용의 세 가지 구체적인 목표는 정확한 사용, 꾸준한 사용, 쉽게 이용가능하게 하는 것이다.

WHO에서는 임신과 성전파성질환의 위험성이 높은 커플의 경우, 적절한 보호조치 없는 성접촉의 위험이 라텍스 알레르기 위험보다 크므로 반드시 콘돔을 사용할 것을 권고하고 있다.

피임 효과를 위해서 콘돔의 올바른 사용이 중요하다. 콘돔의 상태가 불량이거나 올바른 사용 방법을 지키지 않은 것이 피임 실패의 원인이 된다. 콘돔의 착용 방법은 정액이 모이는 끝 부분에 공기가 차지 않도록 손가락으로 누른 상태에서 남성의 성기 아래까지 충분히 덮도록 착용한다. 끝부위에 공기가 찰 경우 성관계 시 콘돔이 파열되어 정액 누출이 생길 수 있다. 윤활액이 필요하면 수용성 제제를 사용하며 바셀린 같은 지용성 오일은 콘돔을 약하게 할 수 있으므로 사용하지 않는다. 사정을 한 후에는 발기 상태가 소멸되면서 질 내로 정액이 흐를 수 있기 때문에 발기가 소멸되기 전에 빨리 콘돔을 빼야한다.

꾸준하지 않은 사용이 가장 흔한 콘돔 실패의 원인이며 부정확한 사용도 추가적인 실패 원인이며 손상을 입는 것도 해당된다. 파손율(breakage rate)은 질식 성교 100건당 1-8건이며, 벗겨지는 경우(slippage)는 1-5% 정도이다. 안정적으로 한 사람과 성관계를 갖는 여성이 아니라면 피임과 성 전파성 질환의 예방을 위해 이중피임이 권유된다.

콘돔의 사용과 자궁경부암의 연관성에 대한 연구로 콘돔 혹은 피임격막을 사용한 군과 사용하지 않은 군에서 자궁경부암의 위험을 비교하니 비교위험도(RR)가 0.4로 낮아 이런 차단피임법이 자궁경부를 보호하는 효과가 있다고 여겨진다(Parazzini et al., 1989).

살정자제인 nonoxynol-9을 윤활제 대신 콘돔에 첨가한 것은 가격이 더 비싸고 유통기한이 일반 콘돔에 비하여 짧고 보호 효과가 더 많지는 않다. 특히 젊은 여성에서 비뇨감염을 유발할 수 있고(Fihn et al., 1996), 항문성교의 경우 직장점막을 탈락시켜 HIV 감염이 증가할 수 있으므로 사용하지 않는 것이 좋다. 임상적으로 알려진 라텍스 장갑 등에 대한 알레르기처럼 라텍스 콘돔에 대한 알레르기 반응도 일어날 수 있으며 때로는 치명적인 반응도 가능하다. 특히 라텍스 장갑에 노출이 많은 의료업계에 관련된 그룹에게는 상세한 문진을 하도록 한다.

2) 여성형 콘돔

여성용 콘돔은 성교 전 미리 질 안에 삽입하여 자궁경부를 막아 임신과 성매개감염을 예방할 수 있다. 1997년 페미돔이 영국에서 처음 판매되어 주로 유럽과 미국에서 사용되고 있다. 재질은 라텍스가 아니라 폴리우리탄이므로 얇고 강한 점이 특징이다. 윤활제가 발라진 상태로 판매되며 처음 착용 시에 정확한 사용 방법을 익혀야 한다(그림 10-6).

남성용 콘돔보다 파손 위험이 적고 이물감이 적으며 삽입 후에도 평소와 차이를 느끼지 못한다. 일반적으로 남성용 콘돔이 질에 삽입되면 차갑게 느끼지만 여성용 콘돔은 열전도율이 높아 착용하지 않은 상태에서의 느낌을 가질 수 있으며, 남성용 콘돔과 달리 성기에 밀착되는 형태가 아니고 부드러우며 성교 중 빠질 염려가 없다. 남성용 콘돔은 성관계 중이나 사정 후 성기의 크기가 줄어들었을 때 정액이 새어 나오거나 콘돔이 벗겨질 우려가 있지만 여성용 콘돔은 그렇지 않으며 남성은 사정 후에도 성교를 중단할 필요가 없다.

이와 같은 장점에도 여성용 콘돔은 질 안에 손가락을 삽입하여 착용해야 하므로 성관계 경험이 별로 없는 여성에게는 삽입이 쉽지 않으며 거부감이 생길 수 있고 바깥쪽 링의 일부가 질 밖에 보이게 되므로 거부감을 느끼는 커플이 많다. 또한 가격이 남성용 콘돔보다 비싸고 성행위 시 소음이 생긴다는 단점이 있다. 피임실패율은 남성용 콘돔보다 높아 처음 1년 동안 5-21% 정도이다. 2012년에 WHO에서 여성용 콘돔에 대한 지침서를 발표하였다(http://www.who.int/reproductivehealth/publications/family_planning/female_condom_specification.pdf).

3) 피임격막과 자궁경부 캡

피임격막은 라텍스 고무로 만들어지며 직경이 50-150 mm로 다양하며 보통 65-80 mm 것이 많이 사용된다(그림 10-7). 사용하기 전에 첫 번째로 해야 할 가장 중요한 것은 적절한 크기의 격막을 선택하는 것이다. 환자를 내진하여 후방더글라스와로부터 치골결합까지의 길이를 잰 뒤 적절한 직경의 피임격막을 선택한다. 피임격막을 삽입한 후에는 직접 내진하여 제 위치에 있는지 확인한다. 자신에게 맞는 격막을 올바로 삽입하였을 때는 남성은 물로 여성도 거의 착용감을 느끼지 못한다. 만약 불편을 느낀다면 크기가 맞지 않거나 삽입이 제대로 되지 않아서 발생하는 현상이 대부분이다.

피임격막은 성교 수 시간 전에 미리 삽입하여도 된다. 만약 삽입 후 한 번 이상 반복된 성교를 하였다면 피임격막은 그대로 두고 피임효과를 높이기 위해서 살정자제가 포함된 젤리나 크림을 함께 사용하도록 한다. 피임격막은 정자가 움직이지 않을 때까지 성교 후 적어도 6시간 후에 제거하며 24시간은 넘기지 않아야 한다. 제거 후에는 비눗물로 씻고 건조하여 다시 사용할 수 있다. 이때 물을 이용하여 작은 구멍이 있는지 확인하는 것이 좋다. 질의 직경은

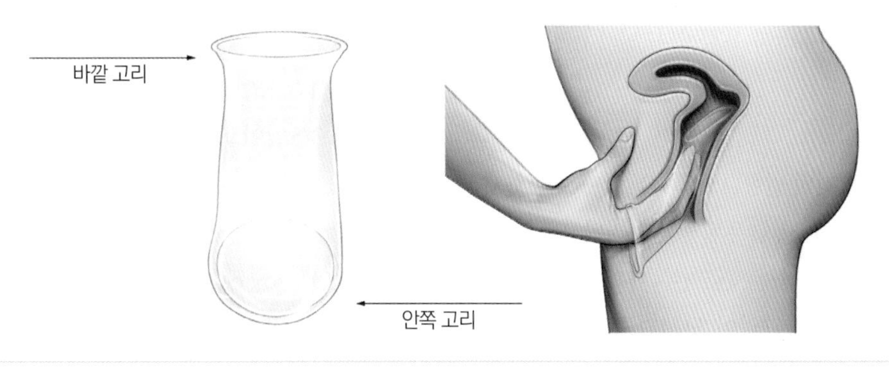

그림 10-6. **여성용 콘돔**

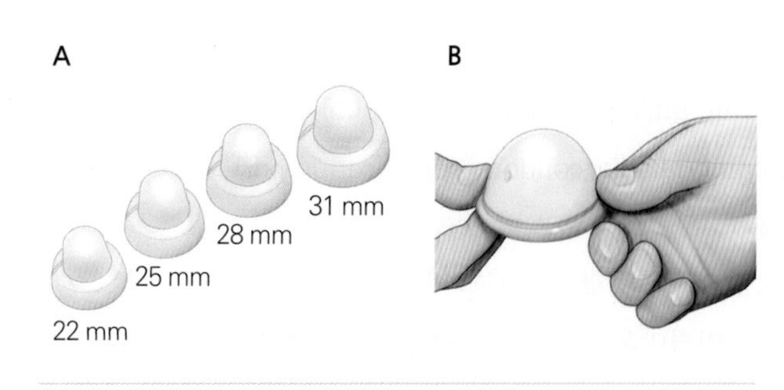

그림 10-7. **여성형 차단피임기구**
A: 자궁경부 캡(Prentif), B: 피임격막(All-Flex)

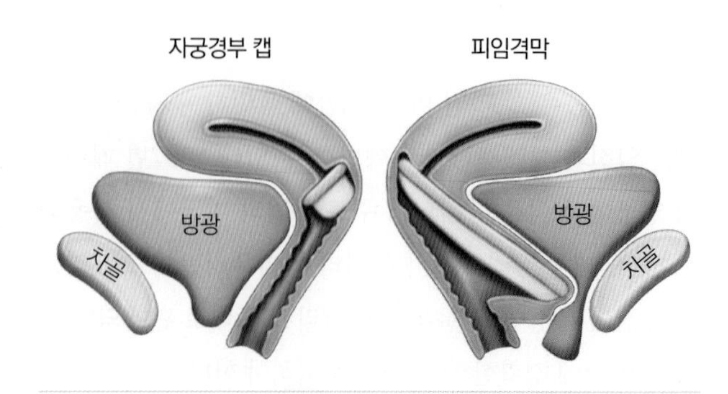

그림 10-8. **자궁경부 캡과 피임격막의 비교**

체중 변화, 출산 또는 성교 등에 의하여 변할 수 있으므로 매년 병원을 방문하여 적절한 크기인지 확인하고 적어도 2년에 한 번씩은 새 것으로 교환해야 한다. 피임실패율은 6-12% 정도이다.

피임격막은 비교적 부작용이 적은 피임방법이나 1% 미만의 사용자들이 라텍스 살정자제 성분에 의한 질자극감으로 사용을 중단한다. 1주일간의 성교 횟수가 많을수록 방광염이 증가하였다(Hooton et al., 1996).

자궁경부 캡은 피임격막과 유사한 피임효과를 가지며 피임격막보다 크기가 작고 종류가 적다. 적절한 크기를 맞추기 어렵고 자궁경부에 꼭 맞게 끼워야 하므로 삽입이 다소 어려우며, 출산력이 있는 경우 자궁경부가 커지고 변형이 생겨 피임효과가 다소 감소한다. 피임격막에 비해 48시간까지 계속 사용이 가능하여 반복된 성교 시에도 살정자제를 사용하지 않아도 된다. 그러나 살정자제를 같이 사용하면 피임효과가 증가한다. 피임실패는 성교 시 자궁경부에서 캡이 이탈되는 경우가 가장 흔하다. 성매개감염질환에 대한 예방효과는 피임격막과 유사하다(그림 10-7, 8).

4) 피임스펀지

피임스펀지는 2인치 크기의 원형디스크 형태이며 살정자제인 nonoxynol-9이 1,000 mg 함유된 폴리우리탄으로 만들어져 있다. 스펀지를 물에 적셔 자궁경부 가까이에 밀착시켜 사용하면 성교 횟수에 상관없이 24시간 동안 피임효과가 있다. 성교 후 6시간이 지난 후에 제거한다. 피임스펀지는 일반적으로 한 가지 크기로 만들어져 있어 분만력이 있는 여성에서 피임효과가 다소 떨어질 수 있으며 피임격막에 비하여 높은 중도포기율을 보인다(Kuyoh et al., 2013).

차단피임법은 성교의 자연스러움을 방해하는데 피임스펀지는 24시간 동안 지속적으로 피임효과가 있고 성교의 자연스러움을 방해하지 않는다. 부작용은 사용자의 4%에서 과민 반응이 있고 8%에서 질 건조감, 쓰라림, 가려움을 호소한다. Nonoxynol-9가 포도상구균 번식과 독소생성을 억제시켜 독성쇼크증후군의 위험은 없다.

5. 월경주기조절법

월경주기조절법에 의한 피임은 건강이나 개인적 이유로 호르몬 피임법이나 다른 피임법을 사용할 수 없거나 사용하고 싶지 않을 때 이용할 수 있다. 이것은 가임기를 알아내어 가임기 동안 성행위를 하지 않는 것이다. 월경주기조절법은 매월경주기당 하나의 난자가 배란되고, 배란된 난자는 12-24시간 동안 수정 능력이 있으며, 사정된 정자의 생존기간은 3-5일이고, 여성이 스스로 월경주기를 파악하고 증상과 증후를 알 수 있다는 근거 하에 사용할 수 있다.

여성의 가임기간은 배란 전 5일째부터 배란 후 24시간까지이다(Wilcox et al., 1998). 임신 가능성은 배란 5일 전 4%, 배란 2일 전 25-28%, 배란 후 24시간까지 8-10%, 그 외 기간에서는 임신 가능성이 없는 것으로 나타났다. 결과적으로 여성의 가임기간은 최대 6일 정도이다. 가임시기는 월경주기 간격과 자궁경부점액과 기초체온을 측정하여 예상할 수 있다. 피임실패율은 0.4-24% 정도이다.

1) 캘린더 방법

과거 6개월 동안의 월경주기를 기록하는 것이 필요하다. 6개월 동안 가장 짧았던 주기에서 21을 빼어 이 날짜를 가임기의 첫째 날로, 가장 길었던 주기에서 11을 빼어 가임기의 마지막 날로 추정한다. 결정된 가임기 동안 금욕하도록 한다. 예를 들어 지난 6개월간 가장 짧았던 주기가 26일이고 가장 길었던 주기가 32일이라면 월경주기 5일째부터 21일째까지 가임기간이다.

2) 자궁경부점액 관찰법

여성의 월경주기 중 자궁경부점액은 배란이 가까워지면 에스트로겐의 영향을 받아 양이 많아지고 묽고 맑아지고 길게 늘어난다. 배란 후에는 프로게스테론의 영향을 받아 양이 줄고 건조해진다. 여성이 질분비물의 상태를 관찰하여 월경 이후 점액이 관찰되는 날부터 금욕하여 점액의 양이 최고점을 지난 후 4일까지 금욕하도록 한다.

3) 기초체온 측정법

기초체온은 분비기에 증식기보다 보통 0.5℃ 상승한다. 황체화호르몬치 최고치에 도달한 후 1-2일 후부터 기초체온이 상승하기 시작하여 프로게스테론 농도가 상승하면서 체온이 상승하는데 보통 10일 이상 기초체온 상승이 지속된다. 기초체온이 상승하고 3일째까지 금욕한다.

4) 증상체온법

이상의 방법을 병행 사용하는 것이다. 보통 자궁경부점액과 기초체온 측정법을 같이 이용하며, 유방통, 요통, 복통, 가벼운 배란기 출혈 등 배란의 다른 증세 등도 관찰한다. 자궁경부점액이 관찰되는 첫째 날이나 6개월 동안 가장 짧았던 주기에서 21을 뺀 날부터 금욕을 시작하여 기초체온이 상승하고 3일째 되는 날까지 금욕한다.

6. 질외사정

성교 중 남성이 사정하기 직전에 음경을 질에서 빼내어 질밖에서 사정하여 임신을 피하는 방법이다. 효과적인 피임을 위해서는 남성이 사정이 임박하였을 때 음경을 완벽하게 빼냄으로써 정액이 여성의 자궁경부점액이 있을 수 있는 질이나 외부생식기와 접촉이 없도록 해야 한다. 이 방법은 언제든지 사용할 수 있고 비용이 들지 않는 장점이 있으나 피임실패율은 4-27% 정도로 높은 편이다. 또한 HIV 감염이나 다른 성매개감염질환에 대한 예방 효과가 없다.

7. 수유 중 피임

수유 중에는 아기가 젖을 빠는 것에 의하여 혈중 젖분비호르몬이 상승되어 시상하부에서 GnRH 분비가 억제되어 황체형성호르몬과 난포자극호르몬이 감소하여 난포성장이 억제되어 배란이 일어나지 않아 피임의 효과가 있다. 수유만으로 피임을 기대하려면 다음의 세 가지 조건을 모두 갖추어야 한다.

- 출산 후 6개월 미만
- 완전한 수유(분유나 이유식을 먹이지 않아야 함)
- 무월경

피임효과가 우수하려면 적어도 4-6시간 간격으로 수유를 해야 하며 모유수유 이외의 섭취 정도가 10%를 넘지 않는 것이 좋다. 6개월 동안의 수유로 인한 피임실패율은 0.45-2.45% 정도이다. 출산 후 6개월이 지났거나 월경이 돌아오면 피임을 하여야 한다(Van der Wijden et al., 2003). 한국 여성에서 수유는 유방암 발생률을 낮추는 것으로 나타났다(Lee et al., 2003).

이상의 세 가지 기준을 충족하지 못하거나 다른 피임법을 사용하기 원한다면 비호르몬피임법이 좋은 선택이 된다. 복합호르몬피임법은 젖의 양을 감소시키기 때문에 수유 중에 권하지 않는다. 프로게스틴만 함유된 피임법은 젖의 양과 질에 영향을 미치지 않아 수유 중에 초기부터 사용할 수 있다.

8. 자궁관불임법

1) 역사적 배경

불임시술은 자궁관이나 정관의 통로를 절단 혹은 차단하여 난자와 정자의 만남을 차단하는 영구적 피임방법이다. 여러 안전하고 효과적인 가역적 피임방법이 개발되어 왔으나 세계적으로 가장 많이 사용되는 피임 방법은 비가역적인 불임시술이다.

여성 불임시술의 역사적 배경은 1823년 James Blundell이 제왕절개술 시에 산모의 사망률이 높았기 때문에 반복 제왕절개술을 피하고자 시술한 이후 Baird에 의해 가족계획을 위한 개념이 처음으로 제시 되었고 매들리너(Madlener), 포메로이(Pomeroy), 어빙(Irving), 우치다(Uchida) 등에 의하여 다양한 시술 방법이 소개되었다. 1970년대 초반 복강경수술과 최소개복술(minilaparotomy)이 도입되면서 불임시술로 인한 통증, 시술비용, 입원기간이 획기적으로 감소되어 건수가 급격히 증가하였다.

남성 불임시술은 19세기 후반 진화론으로 유명한 Charles Dawin의 사촌인 Francis Galton이 출생 전에 사람의 질적 향상을 추구하는 과학을 뜻하는 우생불임법(eugenic sterilization)을 주장하였다. 그는 저능아, 정신병자, 알코올 중독자 그리고 범죄자들의 증가를 막기 위하여 이들에게 우생불임법을 시술하여 출산을 억제해야 한다고 하였다. 1930년대 미국에서 우생불임법은 최고조에 달했는데 이를 반대하는 법적 소송으로 1960년대에 강제적 정관절제술은 사라지게 되었다. 20세기 초반에 전립선비대증의 치료, 전립선수술 후 부고환염 발생 예방 또는 젊음의 유지 등의 목적으로 시행되기도 하였다. 그러나 20세기 중반에 접어들면서 정관절제술은 결국 피임을 위한 하나의 방법으로만 자리 잡았다.

2) 개복술을 이용한 불임시술

개복술은 제왕절개술이나 다른 개복수술 시 혹은 질식분만 후 초기 산욕기 때 최소개복술을 통하여 불임 시술을 할 수 있다.

(1) 포메로이법(Pomeroy procedure)

가장 많이 사용되며 제일 간단한 방법으로 자궁관을 하나의 흡수사로 결찰한 후 자궁관 매듭을 절제한다. 결찰 부위는 단시일 내에 흡수되어 자궁관의 근위부와 원위부가 떨어지게 된다(그림 10-9).

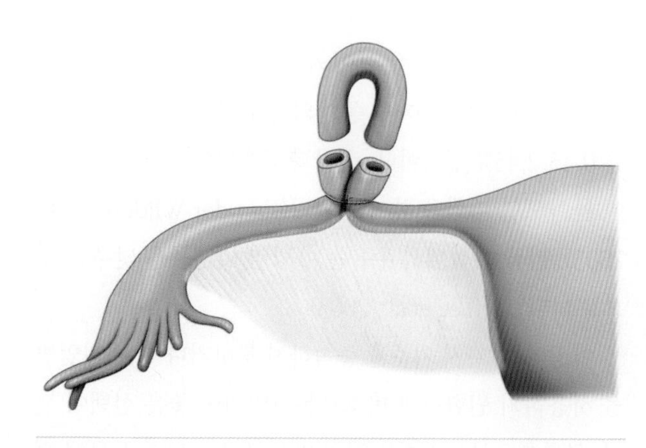

그림 10-9. **포메로이법**

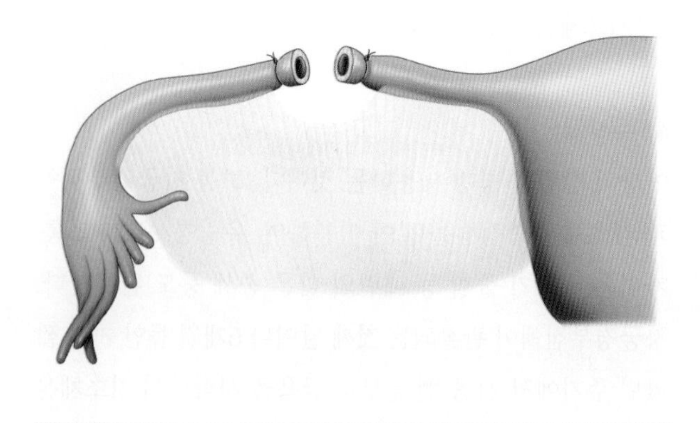

그림 10-10. **변형포메로이법**

(2) 파크랜드법, 변형포메로이법(Parkland method and modified Pomeroy procedure)

포메로이법과 비슷하나 자궁관의 자른 끝이 초기에 가까이 접근하는 것을 방지하기 위해 고안되었고 자궁관각막(mesosalpinx)의 혈액 공급 차단을 가능한 한 적게 해주는 방법이다. 자궁관각막의 무혈 부위에 구멍을 낸 후 자궁관각막을 자궁관으로부터 분리시킨 후 분리된 자궁관의 근위부와 원위부를 흡수사로 결찰한 후 자궁관을 절제한다(그림 10-10).

(3) 어빙법(Irving procedure)

자궁관을 결찰한 후 절단하여 근위부는 자궁벽 후면의 근육층에 묻히게 하고 원위부는 자궁관각막 안에 묻히게 한다. 가장 실패율이 낮으며 상당한 노출이 필요하므로 수술시야가 넓어야 한다(그림 10-11).

(4) 우치다법(Uchida procedure)

생리식염수와 희석된 에피네프린 용액을 자궁관각막에 주입한 후 자궁관을 박리하여 절단한 후 근위부를 자궁관각막 안에 묻히게 한다(그림 10-12).

(5)최소개복술

치골 상부를 조금 개복한 후 자궁과 자궁관을 자궁 내에 위치시킨 자궁거상기(uterine elevator)를 이용하여 들어 올려 자궁관결찰을 시행하는 방법으로 간편하고 안전하며 입원치료가 필요 없으나 선진국에서는 복강경을 통한 불임시술이 증가하여 많이 시행되지는 않는다. 자궁관결찰의 방법으로는 밴드나 클립을 사용하기도 하나 포메로이법이 가장 많이 사용되고 있다. 최소개복술은 비만 여성이나 골반내 수술을 받은 기왕력이 있거나 골반염을 앓은 경우와 같이 자궁 주변에 유착이 되어 있는 경우에는 시행이 어렵다.

질식분만 후 최소개복술을 이용한 자궁관결찰은 분만 후 72시간 이내에 시행된다. 이 시기에 자궁관은 배꼽 바로 아래 복벽으로 접근하기 쉬우며 자궁거상기는 필요하지 않다.

3) 복강경을 이용한 불임시술

복강경을 이용한 자궁관결찰술은 시술 상처가 작고 통증이 적으며 입원이 필요하지 않고 시술 시 골반이나 복강 내 장기의 이상 여부를 살펴 볼 수 있는 장점이 있으나 고가의 시술 장비, 일정 수준의 시술자 훈련이 필요하고, 시술 시 장, 혈관 등의 손상 위험성이 있다.

(1) 전기소작술

단극전기응고법은 유도된 전자들이 여성의 몸에 화상을 일으키지 않고 몸 밖으로 빠져나가게 하기 위해서 넓은 접촉

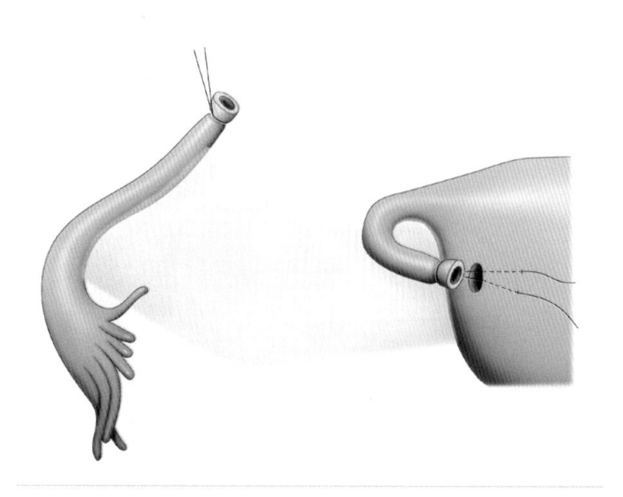

그림 10-11. 어빙법

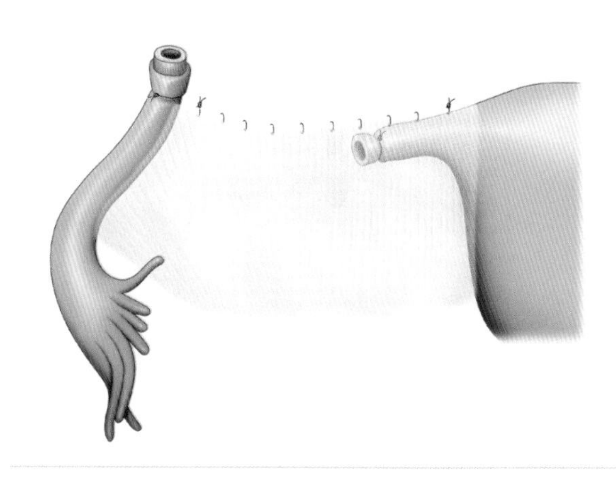

그림 10-12. 우치다법

면을 가진 접지판이 필요하며 전자의 전도에 의하여 주변 장기에 손상을 입힐 수 있어 근래에는 양극전기응고법이나 비전기소작법으로 대치되고 있다.

양극전기응고법은 겸자의 한 쪽 끝이 전극 역할을 하고 다른 쪽은 접지판의 역할을 하게 되므로 몸에 부착하는 접지판이 필요 없다. 주변 장기 손상의 위험은 줄어드는 반면 전자의 전도가 감소하여 동일한 길이의 자궁관을 응고시키기 위해서 단극전기응고법보다 더 많은 겸자의 사용이 필요하다. 소작된 부분의 전기적 저항이 증가하여 자궁관내막(endosalpinx)이 완전히 소작되지 않을 수도 있어 다른 자궁관결찰 방법에 비하여 실패율이 높으나 근래에는 기술의 향상과 적절한 응고법으로 실패율이 낮아지고 있다(그림 10-13).

(2) 실리콘 밴드

1970년대 초에 윤 등에 의하여 개발된 실리콘 고무 밴드로 특수하게 고안된 기기를 사용하여 자궁관에 끼워 넣어 허혈성 괴사를 유발한다. 자궁관각막출혈이 가장 흔한 합병증이며 자궁관뿐만 아니라 자궁관각막의 혈관부위까지 포함되었을 때 자주 발생하며 출혈이 링 삽입으로 멈추지 않거나 링 삽입이 실패한 경우 전기소작법으로 전환한다(그림 10-14).

(3) 스프링 클립

두 개의 톱니 모양의 플라스틱이 핀에 의하여 고정되어 있고 톱니가 서로 맞물리도록 되어 있으며 자궁관 협부 부위에 90도 각도로 장치시킨다. 3 mm 정도의 자궁관이 파괴되며, 합병증의 대부분은 기계적인 실수로 인한 것이다(그림 10-15).

(4) 티타늄 실리콘 클립(Filshie clip)

내부에 실리콘 고무로 덮인 티타늄 소재로서 1996년 FDA에서 승인받았다. 실패율은 0.5% 정도로 스프링 클립(Hulka-Clemens spring clip)이나 실리콘 밴드보다 낮다. 4 mm 정도의 자궁관이 파괴되며 스프링 클립보다 길기 때문에 늘어나 있는 자궁관에도 효과적으로 적용할 수 있다(그림 10-16).

4) 불임시술의 합병증 및 실패

불임시술을 후회하는 여성은 3-25% 정도이나 실제 자궁관 복원술을 하는 경우는 1-2% 정도이다. 후회의 주된 원인은 결혼 상태가 바뀌거나 시술 당시 결혼 생활에 불화가 있었던 경우이다. 젊은 나이에 불임시술을 받는 경우 산과력이나 결혼 상태에 상관없이 후회하는 경우가 더 많았다.

불임시술은 대부분 안전하나 합병증의 위험인자로는

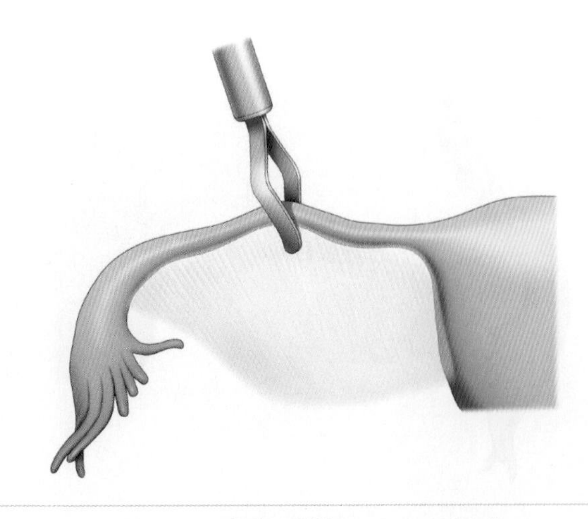

그림 10-13. **전기소작법(electrical method)**

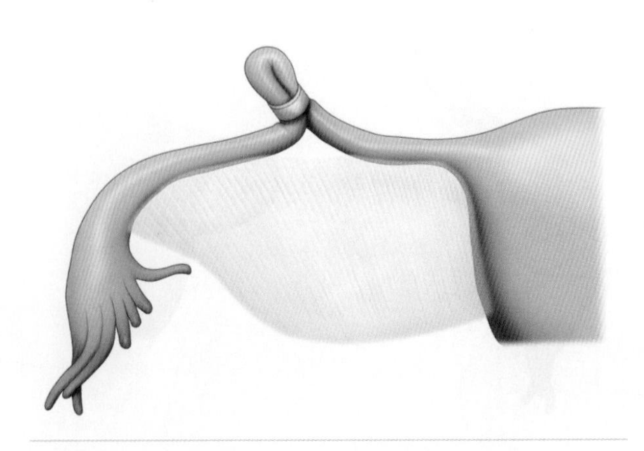

그림 10-14. **실라스틱 링(Yoon's ring)**

표 10-11. **불임시술 후 임신율과 자궁외임신율**

방법	1,000명당 임신 5년/10년	1,000명당 자궁외임신
단극전기응고법 (unipolar coagulation)	6.3/7.5	3.8
산후난관부분절제술 (postpartum partial salpingectomy)	2.3/3.7	1.5
실리콘 밴드(silicone band)	10.0/17.7	7.3
간헐기자궁관부분절제술 (interval partial salpingectomy)	15.1/20.1	7.5
양극전기응고법 (bipolar coagulation)	16.5/24.8	17.1
스프링 클립(spring clip)	31.7/36.5	8.5
전체	13.1/18.5	7.3

Peterson et al., 1996; 1997

전신마취, 골반 및 복부수술의 기왕력, 골반염, 비만, 당뇨병 등이며 합병증으로는 예정되지 않은 개복술, 난관염, 혈종 등이 있다.

불임시술의 실패는 시술 전 임신 가능성에 대한 문진 및 이학적 검사를 하지 않고 황체기에 시술한 경우와 불임시술 후 발생한 자궁외임신이 있다. 황체기임신을 방지하기 위하여 시술 전 한 달 이전부터 불임시술 후 다음 월경이 시작될 때까지 피임을 하는 것을 권유한다. 자궁외임신의 가능한 기전으로는 자궁복막누공, 자궁관복막누공, 난관 재소통 등이며 다시 연결된 자궁강 내로 정자는 통과할 수 있으나 수정된 배아는 통과할 수 없어 결국 자궁관에 자궁외임신이 발생한다고 알려져 있다.

미국의 연구결과에 의하면 가장 효과적인 불임시술방법은 단극전기응고법과 산후자궁관절제술이었다. 양극전기응고법과 스프링 클립법은 실패율이 높았다. 불임시술 후 발생한 임신의 1/3 정도가 자궁외임신이었으며 대부분 시술 후 3년 이상 경과하였을 때 발생하였다(Peterson et al., 1996; 1997).

5) 자궁경을 이용한 불임시술

자궁경을 이용한 불임시술 방법으로 FDA는 2002년 Essure™, 2009년 Adiana™을 허가하였다. Adiana™는 2012년 제조사 사정으로 시장에서 철수되었다. 시술 방법은 자궁경을 보면서 자궁에서 자궁관으로 이어지는 통로 근위부에 특수하게 고안된 코일을 넣어 주는 것이다(그림 10-17). 안쪽 코일은 스테인리스강과 polyethylene terephthalate (PET) 섬유질로 이루어져 있고 바깥 코일은 니켈-티타늄(nitinol)으로 구성되어 있다. 자궁관에 위치한 코일은 PET 섬유질이 주위 조직을 자라게 자극하여 새살이 나면서 결국 자궁관이 막히게 되어 피임 효과를 나타낸

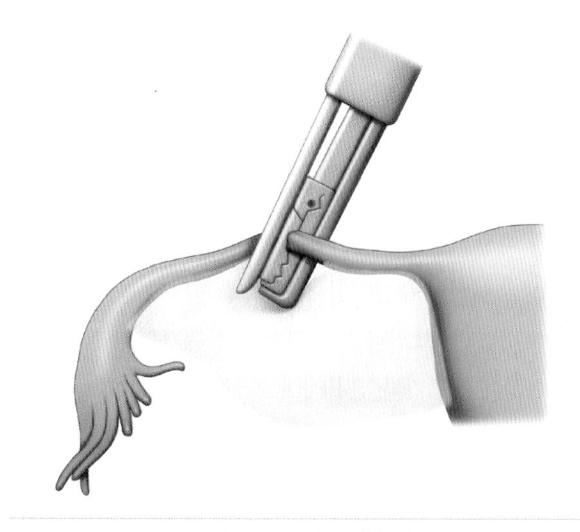

그림 10-15. **스프링 클립**

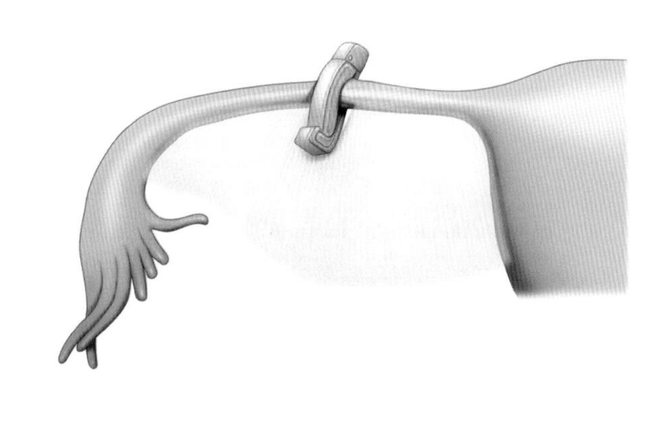

그림 10-16. **티타늄 실리콘 클립**

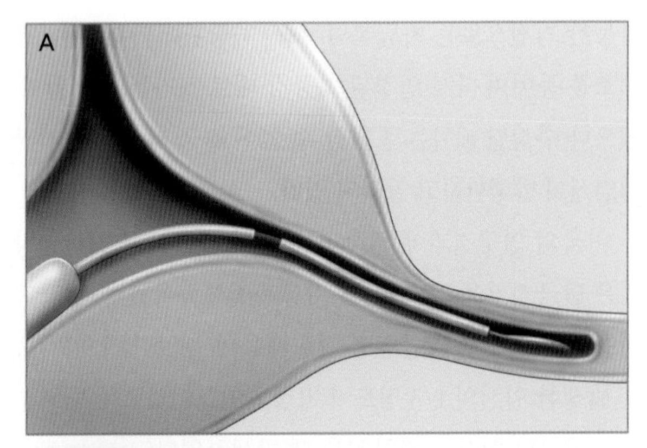

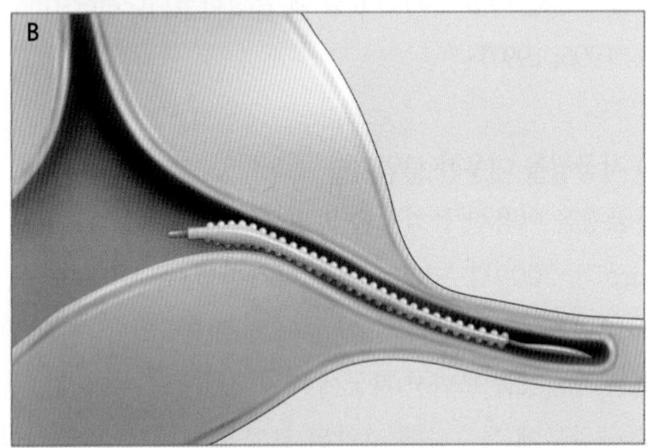

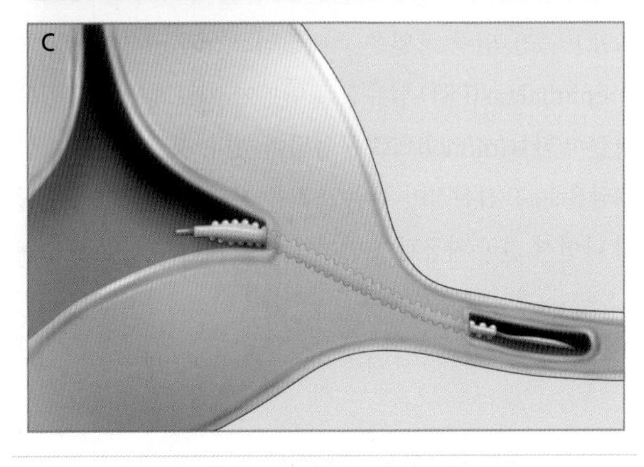

그림 10-17. **자궁경을 이용한 불임시술**

다(Valle et al., 2001). 시술 12주 후에 자궁자궁관조영술을 통하여 자궁관이 막혔음을 확인할 수 있다. 양측 자궁관이 막힌 것을 확인할 때까지 다른 피임방법을 사용하여야 한다.

자궁경을 이용한 불임시술은 다른 불임시술에 비하여 피부절개가 필요 없고 시술 후 통증이 덜하며 골반 유착이 심한 여성이나 복강경이나 개복술이 불가능한 여성에서도 가능하다는 장점이 있다. 또한 국소 마취 만으로도 시술이 가능하다. 단점으로는 피임효과가 시술 후 3개월 후부터 가능하며 자궁관이 막힌 것을 확인하기 위한 영상검사가 필요하며 한쪽 자궁관만 막힐 가능성이 있다는 것이다. 삽입된 코일은 금속이므로 자기공명영상검사를 할 때 주의하여야 한다. 1.5 테슬러 자력에는 안전하며 3 테슬러 자력은 연구 중에 있으며 인공음영이 나타날 수 있다. 골반수술 중 단극성 전기소작수술은 사용하지 말아야 한다.

합병증으로 자궁관천공 혹은 자궁천공이 1-3% 정도 발생하고 코일이 빠지거나 골반통감염 등이 있을 수 있다.

피임 효과는 5년 누적임신율이 1,000명당 2.6 정도로 나타났다. 피임 실패의 원인은 시술 당시 임신이 되어 있거나 코일이 적절한 위치에 있지 않거나 수술 후 난관 막힘이 확인될 때까지 다른 피임을 하지 않거나 영상검사를 하지 않은 경우, 그리고 영상검사를 잘못 판독한 경우 등이다.

Essure 시술은 비가역적 영구불임시술이다. 시술 후 임신을 원한다면 체외수정을 하여야 한다. 피임과는 관련 없지만 자궁관수종이 있는 불임 여성에서 자궁관에서 해로운 체액이 자궁내막으로 들어오는 것을 막기 위하여 체외수정 전에 자궁경을 이용한 불임시술을 시행하여 자궁관을 막기도 한다(Galen et al., 2011). 자궁관 불임시술이 체외수정의 임신율을 감소시키지 않는다.

6) 불임수술 후의 변화

자궁관결찰술 후에 비정상 질출혈이나 통증이 증가 할 수 있으나 이것은 시술 자체가 원인은 아니다. 불임시술을 받은 9,514명의 여성과 남편이 정관절제술을 받은 573명의 여성을 대상으로 5년 동안 전향적 연구를 한 결과 불임시술을 받은 여성이 출혈기간이 적고, 출혈량이 적고, 월경통이 감소하였다. 그러나 불규칙한 월경주기는 불임시술을 받은 여성에서 증가하였다(Peterson et al., 2000).

불임시술 후 여성의 성기능은 시술 전과 비슷하거나 약간 증가한다. 여성들은 원하지 않는 임신에 대한 걱정이 없어지므로 성생활에 도움이 된다고 하였다.

7) 불임시술 복원

자궁관결찰술 후 복원을 하는 경우에는 전기소작법 보다는 기계적 결찰술을 한 경우가 성공률이 높다. 복원수술은 자궁관의 손상이 적을수록 좋은 결과가 있다. 임신률은 남아 있는 자궁관의 길이(최소 4 cm 이상)와 복원수술 시 나이와 연관성이 높다. 30세 미만이면서 클립 혹은 실리콘 밴드로 자궁관불임법을 받은 경우 임신률이 88%이나 40세 이상에서 전기소작술로 받은 경우 36%까지 떨어진다. 후향적 연구결과에 의하면 체외수정과 복원술의 임신 가능성이 같았으나 정상출산 비율은 체외수정이 높았다. 복원술 후 임신의 10% 정도는 자궁외임신일 수 있다(Hirth et al., 2010). 불임시술 복원이 불가능한 경우에는 체외수정이 임신할 수 있는 유일한 방법이다.

8) 남성 불임시술

정관절제술은 남성피임 중 가장 효과적인 방법으로 피임성공률은 98%에 달한다. 시술은 안전하고 경제적이며 여성 불임시술보다 회복기간이 짧다. 시술 후 무정자증이 되었는지 확인하기 위한 정액검사는 3-4개월 후에 하는 것이 좋으며 정관절제술 후 적어도 20회 이상 사정을 하도록 하여야 한다.

정관절제술이 심혈관질환, 전립선암, 고환암이나 면역질환을 유발한다는 증거는 없다.

정관절제술은 비가역적 시술이다. 복원술을 할 경우 임신 확률은 50-70% 정도이다. 정관결찰술 상태가 오래 지속된 경우일수록 복원술의 성공률이 낮다.

9. 응급피임법

응급피임법이란 성교 후 수일 이내에 임신을 예방할 수 있는 방법이다. 난자는 수정 후 6일째 착상이 되며 이론적으로 이 기간 동안 임신을 막을 수 있다. 응급피임으로는 호르몬 용법과 자궁내피임장치를 이용할 수 있다. 이것은 원치 않는 임신으로 인한 여성들의 심각한 모성 사망률과 이환율을 감소시킬 수 있는 유용한 방법으로 작용기전을 이해하는 것은 이미 사용되고 있는 피임방법을 효과적으로 활용하고 새로운 피임을 개발하는데 필수적이며 종교적, 문화적, 개인적 접근의 제한점을 극복할 수 있게 할 것이다.

1) 적응증

방어할 수 없는 성관계를 경험한 경우에 있어 치료의 목적으로 쓰일 수 있다. 예컨대 콘돔이 찢어지거나 벗겨진 경우, 성적 폭력을 당하거나, 피임격막 혹은 자궁경부 캡이 제자리에서 벗어난 경우 등의 부적절한 피임 효과가 의심되는 경우, 피임법을 사용하지 않은 무방비 성교 등이다. 이는 자의에 의한 성교, 강간 혹은 강제적인 성교의 경우 모두에서 일어날 수 있다.

2) 응급피임의 효과

응급피임은 임신 예방에 매우 효과적으로 임신의 위험성을 75%까지 감소시킨다. 이 수치는 100명의 여성이 생리주기 2주나 3주째에 피임을 하지 않고 성교를 한 번 했을 경우 약 8명이 임신할 수 있으나 응급피임약을 복용하면 오로지 2명만이 임신할 수 있다는 의미이다(Trussell et al., 2004).

무방비 성교와 응급피임약 복용 사이의 시간이 증가 할수록 치료의 효과가 감소하여 가장 성공적인 피임효과를 얻기 위해서는 성교 후 24시간 이내에 치료하는 것이 좋으며 대개 72시간 이내에 복용하면 응급피임의 효과를 기대할 수 있다(Rodrigues et al., 2001).

3) 응급피임의 종류 및 사용법

응급피임은 주로 응급피임약과 구리자궁내장치 두 가지 종류를 많이 사용한다. 응급피임약은 복합 응급피임약(Yuzpe 방법), 황체호르몬 단일응급피임약 그리고 황체호르몬 길항제 단일응급피임약이 있다. 황체호르몬제는 levonrgestrel 단일제제(포스티노-1®, 노레보®-1)이며 황체호르몬길항제는 울리프리스탈 아세테이트(ulipristal acetate, UPA, ellaone)와 미페프리스톤(mifepristone, RU486)이 있다.

응급피임약의 효과를 높이려면 여성들에게 정확한 정보가 있어야하며 약을 구하기 쉬워야 한다. 최근 미국FDA는 레보놀게스트렐 응급피임약을 처방전 없이 쉽게 살 수 있는 일반의약품(over-the-counter)으로 승인하였다. 가능한 한 성교 후 곧 복용하여야 하며 약제에 따라 72-120시간 이내에 복용할 것을 권고하고 있다.

(1) 복합응급피임약

복합응급피임약은 에스트로겐과 프로게스틴이 함유 되어 있음을 뜻한다. 우리나라에는 현재 시판되지 않고 있다. 100 mcg of ethinyl estradiol and 0.5 mg of LNG (or the equivalent) (by uptodate)로 용량이 낮아져서 복용한다. 응급피임약을 복용한 여성의 약 50%는 메스꺼움을, 20%는 구토 증세를 경험한다. 복용한 지 2시간 이내에 구토를 한다면 약을 다시 복용할 것을 권유한다. 항오심제를 응급피임약 복용 1시간 전에 복용하면 오심, 구토를 줄일 수 있으나 졸린 증상은 두 배 정도 증가한다(Raymond et al., 2000).

(2) 프로게스틴 단일응급피임약

이 방법은 에스트로겐이 포함되어있지 않고 프로게스틴 종류인 levonorgestrel만이 함유되어 있다. 복용 방법은 1.5 mg의 levonorgestrel이 함유된 프로게스틴 단일응급피임약(포스티노-1®, 노레보®-1)을 성교 후 72시간 이내에 복용한다.

Levonorgestrel 단독 용법은 Yupze 용법과 비교하여 그 효과가 동등하거나 우위인 것으로 보이며 오심, 구토 증상을 많이 감소시킨다. WHO에서 실시한 무작위 표본 조사에 의하면 프로게스틴 단독응급피임약은 임신율을 88% 감소시키며 복합응급피임약보다 오심, 구토를 현저히 줄일 수 있다고 하였다. 성교 후 빨리 복용할수록 더욱 효과적이며(Piaggio et al., 1999; von Hertzen, 2002), 작용기전은 배란 전 시기에 복용한다면 LH surge를 방해하면서 배란을 억제한다.

(3) 프로게스틴 길항제 단일응급피임약(antiprogestin, selective progesterone receptor modulators)

황체호르몬 길항제는 난포성장을 억제하고 자궁내막의 성숙을 지연시키는 기전으로 응급피임 효과가 있고 울리프리스탈 아세테이트(ulipristal acetate, UPA)와 미페프리스톤(mifepristone, RU486)이 있다. UPA 단독 용법은 30 mg을 성교 후 120시간(5일) 이내 복용한다. Levonorgestrel 단독 용법과 비교하여 72시간 내 피임효과가 약간의 차이로 조금 더 우수하며(pregnancy risk, 1.2-1.8% vs. 1.7-2.6%) (Creinin et al., 2006; Glasier et al., 2010). 부작용은 levonorgestrel과 거의 유사하며 심하지 않다. 프로게스틴이 포함된 피임제를 시작할 때 levonorgestrel 단독요법은 이어서 바로 시작할 수 있으나 UPA 단독요법인 경우 UPA의 작용을 방해할 수 있어 복용 후 5일 동안 사용하지 않아야 한다.

미페프리스톤은 국내에서 사용되어지고 있지는 않으나, 프로게스테론 길항제로써 응급피임에 우수한 효과가 있으며 부작용은 거의 없다. 유산을 위한 용량은 200 mg이나 응급피임의 목적으로는 10 mg으로도 충분하다. 치료시기가 Yupze 방법이나 levonorgestrel 단독 용법과는 달리 성교 후 120시간까지 연장될 수 있으며 시간에 따른 피임효과의 감소는 없는 것으로 보인다. 그러나 미페프리스톤은 강력한 유산유도제로도 사용되어 인공유산에도 적용될 수 있기 때문에 현재 많은 논쟁을 불러일으키고 있다.

(4) 구리자궁내장치

구리자궁내장치를 착상기 이전에 사용하여 응급피임을 기대할 수 있다. 이 방법은 호르몬응급피임약보다 더욱 효과적이며 임신 예방 효과는 무방비 성교 후 5일 이내 삽입하면 거의 100%이고 7일까지도 기대할 수 있다(Wu et al., 2010). 이러한 놀라운 효과는 착상을 방해하는 것에 기인하므로 수정 후라도 임신을 예방할 수 있다. 피임장치는 또한 계속적인 피임 목적으로 사용 가능하다. 그러나 자궁내장치가 모든 여성에게 적합한 것은 아니다. 성병에 노출될 위험성이 많은 여성은 골반염증을 조장할 수 있고 제대로 치료하지 않으면 불임증까지도 야기할 수 있기 때문에 이 방법을 되도록 선택하지 않는 것이 합당하다. 그러나 과거에 성병에 노출되지 않은 여성들에게 있어 기구의 장치로 인한 골반염의 위험성은 매우 적다(Trussell et al., 2004).

4) 부작용 및 안정성

응급피임약은 기존의 임신에 악영향을 미치지 않는다. 이러한 사실은 FDA와 미국산부인과학회(The American College of Obstericans and Gynecologists, ACOG)에서 착상 시기에서의 안정성을 정의한 바 있다.

응급피임약 복용 첫 24시간 동안 가장 흔한 부작용은 오심, 구토, 두통, 어지럼증, 피로, 유방통이다(표 10-12).

이러한 부작용의 발생률은 levnonorgestrel 단독 사용보다 Yuzpe 방법에서 2배 이상 높다. 응급피임약을 복용한 여성의 약 50%는 메스꺼움을 20%는 구토 증세를 경험한다. 만약, 약을 복용한 지 2시간 이내에 구토를 한다면 응급피임의 효과를 저해할 수 있기 때문에 다시 복용할 것을 권유한다.

응급피임약을 사용한 거의 모든 여성들은 안전하다. WHO에 의하면 복합 응급피임약의 절대적 금기증은 임신이 확인된 경우이다. 또한 현재 편두통이 있거나 뚜렷한 신경학적 증상이 있거나 점점 심해지는 편두통이 있는 경우에도 적합하지 않다.

응급피임용으로 단기간 복합 호르몬피임약을 복용한 경우 정맥혈전증의 발생이 증가하지 않으며 혈액응고인자에 아무런 영향을 주지 않는다 하더라도, 뇌경색이나 폐 혹은 하지에 혈전이 있었던 기왕력이 있는 환자에게는 프로게스틴 단독 응급피임약이나 구리자궁내장치(copper IUD)를 사용하는 것이 선호되고 있다. 또한 경구피임약에 금기증이 되는 여성에게는 응급피임용으로도 경구용 피임약을 쓰지 않는 것이 좋다고 본다. 일차성 혈액응고장애의 현병력, 혹은 가족력이 있는 여성은 고용량의 에스트로겐이 함유된 응급피임법은 사용하지 말아야 한다. 대신 프로게스테론 단독 용법인 levonorgestrel이 적합하다.

응급피임 후 3주 후에는 반드시 병원을 방문하여 임신 여부 등을 확인하여야 하며, 계속적인 차후 피임방법에 대해서도 상의하여야 한다.

응급피임법을 통상적인 피임방법으로 사용하면 임신율은 20-35% 이상으로 매우 높다. 그러므로 응급피임법은 원래의 목적대로 응급상황에서만 사용되어야 하면 일반적인 피임방법으로는 적합하지 않다.

표 10-12. 응급피임약 복용법에 따른 부작용의 빈도

	Yupze 방법	197LNG* (0.75 mg×2)	LNG* 0.75 mg×2 (WHO, 2002)	LNG* 1.5 mg (WHO, 2002)
오심	50.5%	23.1%	15.0%	14.0%
구토	18.8%	5.6%	1.0%	1.0%
어지럼증	16.7%	11.2%	9.0%	10.0%
피로감	28.5%	16.9%	13.0%	14.0%
두통	20.0%	16.8%	10.0%	10.0%
유방통	12.1%	10.8%	8.0%	8.0%
하복부 통증	20.9%	17.6%	15.0%	14.0%
기타	16.7%	13.5%		

LNG*: 레보노게스트렐(levnonorgestrel)

참고문헌

- Curtis KM, Tepper NK, Jatlaoui TC, et al. U.S. Medical Eligibility Criteria for Contraceptive Use, 2016. MMWR Recomm Rep. 2016;29;65:1-103.
- Anderson FD, Hait H; the Seasonale-301 Study Group. A multicenter, randomized study of an extended cycle oral contraceptive. Contraception 2003;68:89.
- Bracken MB. Oral contraception and congenital malformations in offspring: a review and meta-analysis of the prospective studies. Obstet Gynecol 1990;76:552.
- Brohet RM, Goldgar DE, Easton DF, Antonious AC, Andrieu N, Chang-Claude J, et al. Oral ontraceptives and breast cancer risk in the international *BRCA1/2* carrier cohort study: a report from EMBRACE, GENEPSO, GEO-HEBON, and the IBCCS Collaborating Group. J Clin Oncol 2007;25:3831.
- Creinin MD, Schlaff W, Archer DF, Wan L, Frezieres R, Thomas M, Rosenberg M, Higgins J. Progesterone receptor modulator for emergency contraception: a randomized controlled trial. Obstet Gynecol 2006;108:1089.
- Farmer RD, Lawrenson RA, Todd JC, Williams TJ, MacRae KD, Tyrer F, Leydon GM. A comparison of the risks of venous thromboembolic disease in association with different combined oral contraceptives. Br J Clin Pharmacol 2000;49:580.
- Glasier AF, Cameron ST, Fine PM, Logan SJS, Casale W, Van Horn J, Sogor L, Blithe DL, Scherrer B, Mathe H, Jaspart A, Ulmann A, Gainer E. Ulipristal acetate versus levonorgestrel for emergency contraception: a randomised non-inferiority trial and meta-analysis. Lancet 2010;375:555.
- Haile RW, Thomas DC, McGuire V, Felberg A, John EM, Milne R, et al. ConFab Investigators, Ontario Cancer Genetics Network Investigators, Whittemore AS. *BRCA1* and *BRCA2* mutation carriers, oral contraceptive use, and breast cancer before age 50. Cancer Epidemiol Biomarkers Prev 2006;15:1863.
- Harris RW, Brinton LA, Cowdell RH, et al. Characteristics of women with dysplasia or carcinoma in situ of the cervix uteri. Br J Cancer 1980;42:359.
- Jick SJ, Kaye JA, Russmann S, Jick H. Risk of nonfatal venous thromboembolism with oral contraceptives containing norgestimate or desogestrel compared with oral contraceptives containing levonorgestrel. Contraception 2006;73:566.
- Kwiecien M, Edelman A, Nichols MD, Jensen JT. Bleeding patterns and patient acceptability of standard or continuous dosing regimens of a low-dose oral contraceptive: a randomized trial. Contraception 2003;67:9.
- Lidegaard Ø. Oral contraception and risk of a cerebral thromboembolic attack: results of a case-control study. Br Med J 1993;306:956.
- Lawson DH, Davidson JF, Jick H. Oral contraceptive use and venous thromboembolism: absence of an effect of smoking. Br Med J 1977;2:729.
- Loughlin J, Seeger JD, Eng PM, Foegh M, Clifford CR, Cutone J, Walker AM. Risk of hyperkalemia in women taking ethinylestradiol/drospirenone and other oral contraceptives. Contraception 2008;78:377.
- Magidor S, Poalti H, Harlap S, Baras M. Long-term follow-up of children whose mothers used oral contraceptives prior to contraception. Contraception 1984;29:203.
- Miller L, Notter KM. Menstrual reduction with extended use of combination oral contraceptive pills: randomized controlled trial. Obstet Gynecol 2001;98:771.
- Miller L, Hughes JP. Continuous combination oral contraceptive pills to eliminate withdrawal bleeding: a randomized trial. Obstet Gynecol 2003;101:653.
- Meade TW. Oral contraceptives, clotting factors, and thrombosis. Am J Obstet Gynecol 1982;142:758.
- Narod S, Dube MP, Klijn J, Lubinski J, Lynch HT, Ghadirian P, Provencher D, et al. Oral contraceptives and the risk of breast cancer in *BRCA1* and *BRCA2* mutation carriers. J Natl Cancer Inst 2002;94:1773.
- Parazzin F, Negri E, La Vecchia C, et al. Barrier methods of contraception and the risk of cervical neoplasia. Contraception 1989;40:519.
- Sulak P, Willis S, Kuehl TJ, Coffee A, Clark J. Headaches and oral contraceptives: impact of eliminating the standard 7-day placebo interval. Headache 2007;47:27.
- Willis SA, Kuehl TJ, Spiekerman AM, Sulak P. Greater inhibition of the pituitary-ovarian axis in oral contraceptive regimens with a shortened hormone-free interval. Contraception 2006;74:100.
- Wu S, Godfrey EM, Wojdyla D, Dong J, Cong J, Wang S, et al. Copper T380A intrauterine device for emergency contraception: a prospective, multicentre, cohort clinical trial. BJOG 2010;117:1205.

제11장

심신 산부인과학

조현희 | 가톨릭의대
김윤환 | 이화의대
최세경 | 가톨릭의대

심신의학(mind-body medicine)은 보완대체의학(complementary and alternative medicine)의 한 부분을 구성하고 있으므로 먼저 보완대체의학에 관하여 대략 설명한 후에 심신의학의 개요에 대하여 알아보고 나서 심신의학의 부인과적·산과적 이용에 관하여 살펴본다.

1. 보완대체의학(Complementary and Alternative Medicine)

1) 정의 및 개요

주류의학의 외곽에서 기원하여 계속 사용되고 있거나, 역사적으로 건강관리에 오랫동안 사용되어 오던 방법으로서, 한 나라의 주류를 이루는 의료체계의 외곽에 존재하는 치료법 또는 건강관리 접근법이라고 할 수 있다. 보완대체의학을 실제로 정의하기는 어려운데, 이는 어떤 종목이 다른 사람들에게는 전혀 다른 의미가 될 수도 있기 때문이다.

대한의사협회에서는 이러한 보완대체의학을 '보완의학'이라는 용어로 통일하여 사용하기로 하고 2005년 9월 "보완요법 근거수준 결정 방법론 개발과 적용"에 대한 요약본을 발표한 바 있다. 대한의사협회 및 대한의학회의 보완의학 실무위원회는 다음과 같이 보완의학을 정의하였다. "현재 우리나라 사회에서 인정되는 정통의학(conventional medicine, allopathic Medicine), 주류의학(mainstream medicine), 제도권의학(orthodox medicine), 정규의학(regular medicine)에 속하지 않은 모든 보건의료체제 및 이와 동반된 이론이나 신념, 그리고 진료나 치료에 이용되는 행위와 제품 등의 치료자원 전체를 통칭한다." 단 우리나라 상황에서 한의학(韓醫學)은 주류의학, 제도권의학, 정규의학에 속하므로 위의 정의에 의하면 보완의학에 포함되지 않는다(협의의 보완의학). 하지만 우리나라 의학을 서양에서 도입된 의료체제라고 규정하면 보완의학에 포함될 수도 있다(광의의 보완의학). 또한 의료와 비의료의 경계선상에 위치한 행위 또는 제품(예를 들어 선식과 같은 것)이 치료, 예방, 건강증진 등과 같은 의학적인 목적으로 이용되는 것은 보완의학의 영역에 포함시킨다(대한의학회, 2005).

보완대체의학이란 명칭 이외에도 보완의학(complementary medicine), 대체의학(alternative medicine) 혹은 통합의학(integrative medicine)이라고 하는 용어의 의미에 대하여 잠깐 살펴보자.

2) 보완의학과 대체의학

흔히 사람들이 비주류의학을 얘기할 때 '보완의학'과 '대체의학' 용어를 종종 같은 의미로 사용하지만 두 용어는 서로 다른 개념을 의미한다. '보완의학'이란 일반적으로 종래의 주류의학과 함께 시도되는 비주류적인 접근을 말한다. '대체의학'이란 종래의 주류의학을 대신해서 사용되는 비주류적인 접근을 말한다. 진정한 대체의학은 그리 흔하지 않고, 대부분의 사람들은 종래의 주류의학적 치료와 함께 비주류적인 접근 방법을 추가로 사용한다. 그리고 보완의학과 종래의 주류의학 사이의 경계는 중복되기도 하고 모호할 수도 있다. 한 예로 보완대체의학 종목인 심상유도법(guided imagery)과 안마요법(Massage therapy) 같은 것이 미국의 어떤 병원에서는 통증치료에 정식 종목으로 활용되기도 한다.

3) 통합의학(Integrative Medicine)

종래의 주류의학과 동시에 비주류적 접근 방법을 추가로 사용하면서 치료 효과를 향상하려고 하는 것이 통합의학이다. 예를 들면 어떤 암치료센터에서는 통합건강관리 프로그램으로 기존의 항암 치료를 받고 있는 환자에게 침술과 명상요법을 함께 제공하여 항암제에 대한 증상과 부작용을 관리하는 데 도움을 주기도 한다.

이런 통합의학에 대해서는 다양한 정의가 있을 수있다. 그런 의료동향은 점점 증가하고 있으며 다음 몇 가지는 분명한 사실이다. 첫째, 점점 많은 의료서비스 제공자들과 건강관리 시스템이 종래의 주류의학의 외곽에 있던 각종 치료법들을 환자의 치료와 건강증진이란 목적으로 주류의학에 접목하고 있다는 사실이다. 둘째, 그러한 통합추세는 의료 제공자와 건강관리 시스템에서 증가하고 있다. 건강관리 제공자들은 더 좋은 것을 추구하는 소비자에게 통합적 건강관리를 마켓팅하고 있고, 또한 통합관리가 실제적으로 더 혜택이 되고 의미도 있다는 증거도 조금씩 나오고 있다. 셋째, 그렇지만 과학적인 증거는 제한적이다. 많은 경우, 통합적 건강관리를 사용하는 데 대하여 사람들이 결정을 내릴 수 있도록 충분한 정보를 줄 만큼 신뢰할 만한 증거는 부족하다.

4) 전통적 분류

종래에 보완대체의학은 5개의 대분류로 나누어 설명을 해오고 있다.

(1) 대체의학체계(alternative medical systems) (2) 심신의학(mind-body interventions) (3) 생물학적 요법(biological based therapy) (4) 수기요법(manipulative and body based methods) (5) 에너지요법(energy therapies) 및 (6) 미분류(unclassified) 등의 대분류로 나뉜다. 심신의학은 바로 보완의학의 두 번째 대분류이며, 다시 수많은 종류로 나눠진다.

(1) 대체의학체계(alternative medical systems)

① 전통 중국 의학(traditional chinese medicine)

침술과 한약 등을 포함하는 중국의 전통의학이다.

② 아유르베다 의학(ayurvedic medicine)

인도에서 시행되고 있으며 사람의 몸과 마음, 영혼을 같은 비중으로 보고 개인을 치유하는 데 있어 자연적 조화를 강조하는 방법이다.

③ 동종요법(homeopathy)

어떤 물질이 다량으로 존재하면 질병을 유발하지만 약간만 있으면 치료 효과를 나타내므로 질환의 원인 물질을 소량 투여하여 치료효과를 유도하는 방법이다.

④ 자연요법(naturopathy)

우리 몸은 원래의 형태에서 변화되었을 때 질병이 발생하는 것이므로 변화를 치료하는 것이 아니라 원래의 모습을 회복하는 데 중점을 두어 치료하는 방법이다.

(2) 심신의학(mind-body interventions)

① 명상요법(meditation)

② 이완요법(relaxation technique)

③ 호흡요법(breathing exercises)
④ 심상유도법(guided imagery)
⑤ 기도요법(prayer therapy)
⑥ 최면요법(hypnotherapy)
⑦ 영성치유(spiritual healing)
⑧ 생체되먹임(바이오피드백)요법(biofeedback therapy)
⑨ 인지행동요법(cognitive behavioral therapy)
⑩ 신경-언어 프로그램요법(neuro-linguistic programming, NLP)
⑪ 예술(미술)치료(art therapy)
⑫ 무용요법(dance therapy)
⑬ 음악치료(music therapy)
⑭ 시치료(poetry therapy)
⑮ 웃음치료(laughter therapy)
⑯ 꿈치료(dream therapy)
⑰ 태극권(tai chi)
⑱ 요가(yoga)

(3) **생물학적 요법**(biological based therapy)

① 영양요법(nutritional therapy)

분자교정요법(orthomolecular therapy), 주스요법, 효소요법 등이 있다.

② 약초요법(herbal medicine)

익모초(leonurus japonicus), 홍차 및 녹차, 자주개자리(alfalfa), 에키네시아(echinacea), 컴프리(comfrey), 캐모마일(chamomile), 화란국화(feverfew), 마늘(garlic), 생강(ginger), 은행(ginkgo), 인삼(ginseng), 승마(black cohosh), 산사나무(hawthorn), 쥐오줌풀(valerian), 톱야자(saw palmetto), 골든실(goldenseal), 우엉(burdock), 감초(liquorice), 달맞이꽃 오일(evening primrose oil), 물레나물(st. John's Wort, hypericum perforatu, 성 요한초) 등이 있다.

③ 아로마요법(aromatherapy)

캐모마일, 유칼립투스, 제라늄, 라벤더, 로즈, 로즈메리, 센달우드, 마조람, 재스민, 네롤리 등이 있다.

④ 기타

해독요법(detoxification), 영양제 사용, 효소요법, 킬레이션, 산소치료 등

(4) **수기요법**(manipulative and body-based methods)

침술(acupunture), 척추 교정(spinal manipulation), 척추지압요법(chiropractic therapy), 정골요법(osteopathic therapy), 두개천골요법(craniosacral therapy), 안마요법(massage therapy), 필라테스(pilates), 발반사요법(reflexology), 근자극요법(intramuscular stimulation therapy, IMS), 보니프루덴 근치료(bonnie prudden myotherapy), 아스톤패터닝(aston-Patterning), 인대증식요법(prolotherapy), 테이핑요법(taping therapy), 응용근운동학(applied kinesiology), 알렉산더 테크닉(alexander technique), 로젠 방법(rosen method), 펠덴크라이스 방법(feldenkrais method), 트래거 심리적통합(trager psychological integration), 롤핑 구조적통합(rolfing structural integration), 헬러워크 구조적통합(hellerwork structural integration), 경락·경혈 지압요법(finger-Pressure therapy)

(5) **에너지요법**(energy therapies)

음향요법(sound therapy), 광선요법(light therapy), 저출력레이저요법(low level laser therapy), 자기장요법(magnetic field therapy), 기치료(qi therapy), 치료적접촉(therapeutic touch)

(6) **미분류**(unclassified)

① 진단적 요법
② 치료적 요법

5) 최근의 분류

보완대체의학이란 그 사회의 주류의학에 포함되어 공식적으로 교육되거나 시술되지는 않지만 질병과 고통을 치유하거나 건강을 향상시키기 위한 목적으로 여러 사람들이 사용하고 있는 물질과 방법을 모두 포함한다고 볼 수 있다. 그래서 미국의 국립보완대체의학센터(National Center for Complementary and Alternative Medicine, NCCAM)에서는 이것을 성향별로 분류하기보다는 자연에서 얻을 수 있는 천연제품(natural products)과 사람의 마음과 기술과 행위로 이루어지는 것, 즉 심신실행(mind and body practice)으로만 나누어 설명하고 있다. 심신실행은 다른 말로 심신치료 또는 심신의학이라고도 할 수 있다.

(1) 천연 제품(natural products)

식물성의 허브, 비타민과 미네랄, 프로바이오틱스(유익균) 같은 제품을 포함하며, 흔히 건강보조식품으로 널리 판매되고 소비자들이 쉽게 구할 수 있다. 지난 십여 년간 천연 제품에 대한 관심과 사용은 상당히 성장했다. 2012년 미국의 건강면접조사(NHIS)에 따르면, 미국 성인의 17.7%가 비타민 미네랄 제제가 아닌 추가적인 건강보조식품을 사용하고 있다고 조사되었다. 성인에서는 생선유/오메가3 제품이 가장 많이 사용되었으며 어린이들에게는 echinacea와 생선유/오메가3 제품이 가장 많았다. 일부 천연 제품들은 대규모 위약대조 임상시험을 해오고 있지만 대부분 기대효과를 보여주지는 못하고 있다. 어떤 것은 효능과 안전성에 대한 연구가 진행되고 있다. 이들 제품에 관한 인체 내에서의 효과, 안전성, 기존 약물이나 다른 천연물질과의 잠재적 상호작용 등에 관한 연구가 더욱 필요한 실정이다.

(2) 심신실행(mind and body practice)

심신실행은 수련된 시술사 또는 교사에 의해 시행되거나 가르쳐지는 광범위하고 다양한 그룹의 시술 또는 기술을 모두 포함하며 아래의 방법들이 흔히 사용되고 있는 것들이다. 현재 미국에서는 침술, 요가, 척추교정, 명상 부분에서 많은 연구가 이뤄지고 있으며 이들 몇 종목들은 실제로 임상에서 통증완화에 꽤 사용되고 있다.

① 침술(acupuncture): 시술자가 얇은 바늘로 피부를 뚫고 들어가 신체의 특정 부위를 자극하는 기술이다.

② 안마요법(massage therapy): 시술자가 신체의 연부조직을 손으로 조작하는 기술이다.

③ 명상(meditation): 마음챙김명상(mindfullness meditation) 또는 초월명상(transcendental med-itation) 같은 기술로, 관심을 집중하는 법을 배우는 것이다.

④ 운동요법(movement therapies): 신체의 움직임에 기반한 동양과 서양의 다양한 접근법이 광범위하게 포함된다. 예를 들면 다음과 같다. 펠덴크라이스 방법(feldenkrais method), 알렉산더 테크닉(alexamder technique), 필라테스(pilates), 롤핑 구조적 통합(rolfing structural integration), 그리고 트래거 심리적 통합(trager psychological integration) 등

⑤ 이완요법(relaxaton technique): 신체의 자연적인 이완반응을 생성하도록 고안되었으며, 호흡요법(breathing exercises), 심상유도법(guided imagery), 그리고 점진적인 근육이완(progressive muscle relaxation) 등이 있다.

⑥ 척추 교정(spinal manipulation): 카이로프랙틱(chiropractic therapy) 치료사, 정골요법(osteopathic therapy) 의사, 자연요법 의사(naturopathic physician), 물리치료사, 일부 의사 등 의료 전문가에 의해 실행된다. 힘의 양은 사용되는 기술의 형태에 따라 달라지지만, 자신의 손이나 장치를 사용하여 척추 관절에 적절한 힘을 가하며 척추관절을 조작하는 시술이다.

⑦ 태극권(tai chi), 기공(qi gong): 중국의 전통의학에서 유래된 시술로서 호흡을 조정하고 정신 집중을 하면서 특정 움직임이나 자세를 취하는 방법이다.

⑧ 요가(yoga): 다양한 스타일의 요가가 의료 목적으로 사용되며, 전형적으로는 호흡 기법과 명상을 함께하면서 독특한 신체 움직임을 구현한다.

⑨ 그 외의 심신 시술로 치유 터치(healing touch)와 최면치료(hypnotherapy)가 있다.

(3) 그 외의 보완의학적 건강접근

대부분의 보완의학적 건강접근 기법이 천연 제품과 심신실행의 영역에 부합되지만 그 외의 것으로서 다음과 같은 것이 있다. 예를 들어, 전통 치료사(traditional healers), 인도의 아유르베다 의학(ayurvedic medicine), 전통의 중국의학(traditional chinese medicine), 동종요법(homeopathy) 및 자연요법(naturopathy) 등이다.

6) 보완대체의학의 국내외적 이용현황

(1) 외국의 보완의학 이용현황

유럽의 보완대체의학은 현대의학과 더불어 오래전부터 자연스럽게 공존양상을 보였다. 네덜란드에서는 의사의 40%가 임상진료에 동종요법을 응용하며, 독일의 경우 통증클리닉의 70%에서 통증완화에 침 등을 사용한다는 보고도 있다. 미국에서도 보완대체의학은 많이 사용되고 있다. 미국 조산사 대상의 한 조사에서는 90% 이상의 조산사가 임신부 진통 유발과 진통 완화 목적으로 보완대체의학을 이용한다(Allaire et al., 2000). 미국의 경우 기존 의료비가 비싸기 때문에 상대적으로 비용대비 효과가 있는 보완대체의학 시장을 넓히는 시도가 있다. 미국의 국민건강면접조사(NHIS) 2012년 보고서에 의하면 성인들이 즐겨 사용한 '보완의학적 건강접근 10가지가 있는데 표 11-1과 같다. 이 보고서에서는 18세 이상 성인의 33%, 4-17세 아동의 11%가 과거 1년 동안 보안대체의학을 이용한 것으로 조사되었다.

표 11-1. most common complementary health approaches among adults (2012, USA)

1	Natural products	17.7%
2	Deep breathing	10.9%
3	Yoga, Tai Chi, or Qi Gong	10.1%
4	Chiropractic & Osteopathic manipulation	8.4%
5	Meditation	8.0%
6	Massage	6.9%
7	Special Diets	3.0%
8	Homeopathy	2.2%
9	Progressive relaxation	2.1%
10	Guided imagery	1.7%

(2) 국내의 보완의학 이용현황

우리나라 환자들이 어느 정도 보완의학을 이용하고 있는지에 대해서 전국적인 자료는 아직 없으나 일부 환자군에서의 조사는 있다. 즉, 암 환자 53%, 당뇨 환자 65%, 류마티스 질환 환자 34%가 보완요법을 받은 적이 있었다. 의사를 대상으로 한 조사에서는 가정의들의 상당수는 환자가 보완의학에 대하여 질문할 때 긍정적으로 답변한다고 하였다. 그러나 아쉽게도 아직 산부인과 환자들을 대상으로 보완의학이 사용되고 있는 구체적인 조사가 이루어진 적이 없으며 이것은 산부인과 의사들에게도 마찬가지이다. 특히 임신 중 분만유도나 촉진 혹은 진통 경감을 위하여 보완의학을 사용한 연구결과는 대단히 드물며 그 효능과 안전성에 대한 과학적 문헌도 충분치 않은 실정이다. 한의학이 주류의학으로 인식되는 우리나라 상황에서 보완의학에 대한 일반 국민들의 인식이 상당히 긍정적일 수 있다는 주장이 있으나 실제로 조사된 바는 없다.

2. 심신의학

1) 서론

심신의학(mind-body medicine)은 현대의학에서 사용하는 정신육체의학(psycho-somatic medicine)과는 전혀 다르다. 정신육체의학에서의 '정신(psycho)'은 뇌 세포에서 일어나는 전기적 혹은 생화학적 작용의 부산물로 나타나는 3차원적인 존재라는 의미인 데 비하여, 심신의학에서는 몸과 마음이 별개로 존재하나 서로 밀접한 연관성을 가지며 이때 '심(mind)'은 4차원적인 존재를 의미한다. 기존의 심신의학은, 개념 자체가 정신육체의학에서 크게 벗어나지 못하는 범주로, 폐경 후에 우울증이 심해진다거나 거식증에 의해 무월경이 온다거나 등의 범주에서 크게 벗어나지 않았다. 자궁절제수술이나 암 치료 후에 우울증의 발생이나 성생활 장애 등 치료 후에 발생 가능한 정신적인 문제들도 많이 다루어졌다. 즉 어떠한 특정 질환이나 치료로 인해 발생되는 신체내의 생화학적 변화들이 정신적인 문제를 유발한다고 여겼으며, 이때의 정신적인 문제들과 신체적인 문제는 유기적인 연관성은 없다고 여겼다. 이와는 달리, 최근 발달되고 있는 심신의학에서는 몸과 마음은 서로 다른 차원에서 존재하나 유기적으로 연결되어 있다고 주장하였다. 이때 가장 이슈가 되는 것이 3차원적인 몸과 4차원적인 마음이 어떻게 연결이 가능할 수 있는가이다. 바로 이 문제 때문에 심신의학을 설명하는 이론은 하나의 통일된 이론이 없이 아주 모호하게 여겨졌으며, 과학적인 배경이 없는 사이비 의료나 허황된 주장으로 여겨지기도 하였다. 심신의학의 중요성을 강조하는 의사들은, 난소낭종은 개인의 창조력을 억눌러 생겨나는 것이며, 개개인의 능력을 제한 없이 발휘하는 환경에서 난소낭종이 없어지는 케이스들을 발표하기도 하였다. 그러나 이를 뒷받침해 줄 이론적인 배경이 없는 상태에서, 이러한 주장은 우연의 일치나 비의료적인 주장으로 생각되었다. 이 문제에 대해서 미국의 내과의사 Dossey (1991, 1993, 1996)와 신경외과 의사 Pribram (1991) 등이 비교적 잘 설명하고 있다. 이들은 17세기 이후 모든 학문의 첨단 과학은 물리학이었으며 그래서 모든 학문들은 물리학의 개념을 바탕으로 발달하였다고 하였으며, 현대의학도 17세기 이후에 뉴턴물리학 개념을 바탕으로 발전하였다고 하였다. 그런데 1900년 초에 양자 역학이라는 새로운 물리학이 등장하였으니 이 새로운 이론으로 의학의 패러다임을 다시 짜야 한다고 주장하였다. 양자역학과 의학을 결합시킨 이러한 새로운 이론은 양자의학이라고 불린다. 따라서 이 장에서는 양자역학과 양자의학의 이론과 원리에 대해 종합적으로 정리하고자 하며, 심신의학의 부인과적 측면과 산과적 측면에 대해서도 논하고자 한다.

2) 양자역학의 주요 개념

(1) 상보성 원리(complementarity principle)

양자역학에서 상보성 원리란 양자역학의 기초 이론을 정립하는 데 중추적 역할을 한 Bohr (1922)가 제창한 이론이다. 즉 전자는 입자(particle)이면서 동시에 파동(wave)인데, 이 둘이 마치 동전의 앞면과 뒷면과 같은 구조로 되어 있다는 개념이 상보성 원리이다.

(2) 비국소성 원리(non-locality principle)

전자는 하나의 입자로 관찰되며, 다른 전자와 떨어져 독립된 알갱이로 존재하지만, 전자의 뒷면인 파동은 서로 연결되어 있어 '하나의 에너지장'으로 연결된다는 개념이다.

(3) 마음 에너지(mind energy)

전자는 입자와 파동의 두 가지 성질을 모두 가지고 있는데, 관찰자에 따라 입자로 보이기도 하고 파동으로 보이기도 한다. 그래서 과학자의 관찰이 어떤 작용을 하여 입자 혹은 파동을 결정한다고 생각하였으며 이를 '관측의 문제'라고 하였다. '관측의 문제'에 대한 많은 물리학자들의 해석은 관찰하는 순간 과학자의 '마음'이 마치 '에너지'처럼 전파되어 '전자'에 가서 작용함으로써 입자 혹은 파동을 만든다는 것이다. 여기서 '마음 에너지'라는 개념이 등장하였다.

3) 양자역학의 개념과 의학과의 접목

(1) 상보성 원리와 의학의 접목

상보성 원리란 전자, 양성자, 중성자, 혹은 광자 등과 같은 양자는 입자와 파동의 이중구조를 하고 있는데 이때 입자와 파동은 마치 동전의 앞면과 뒷면과 같이 상보성 구조로 존재한다는 개념이다. 따라서 양자로 구성된 원자도 동일한 원리에 의하여 입자와 파동의 이중구조, 원자로 구성된 분자도 입자와 파동의 이중구조, 분자로 구성된 세포도 입자와 파동의 이중구조, 세포로 구성된 조직도 입자와 파동의 이중구조, 조직으로 구성된 장기도 입자와 파동의 이중구조, 나아가 장기로 구성된 육체도 입자와 파동의 이중구조로 되어 있다.

즉 러시아 과학 아카데미의 Poponin (1995) 박사는 DNA 분자에 레이저를 비추어 회절 패턴을 연구하는 과정에서 DNA에 비추어 생긴 DNA의 회절상이 여러 주일 동안 남게 된다는 사실을 발견하고 이것을 DNA의 환영 현상(phantom effect)이라고 불렀다. 이와 같이 DNA의 환영 현상이 생기는 것은 DNA에 에너지장이 존재하기 때문이라고 하였다. 그리고 프린스톤 대학의 신경외과 교수인 Pribram (1991)은 원숭이를 이용하여 기억에 관하여 7년 동안 연구하였는데 그는 결론적으로 말하기를 기억은 뇌의 고형 조직에 저장되는 것이 아니라 눈에 보이지 않는 '주파수 영역(frequency domain)'인 홀로그램에 저장된다고 하였다. 여기서 프리브람이 말하는 뇌의 '주파수 영역'이란 에너지장을 말하는 것이다.

(2) 비국소성 원리와 의학의 접목

비국소성 원리란 양자의 뒷면 구조에 해당되는 파동들은 하나로 연결되어 있다는 개념이다. 따라서 양자로 구성된 원자, 원자로 구성된 분자, 분자로 구성된 세포, 세포로 구성된 조직, 조직으로 구성된 장기 그리고 장기로 구성된 육체의 뒷면 구조에 해당되는 파동들은 하나로 연결되어 있다. 비국소성 원리에 의하여 몸은 몸끼리 서로 연결되어 있게 되는데 예를 들면 이렇다. UCLA의 재활의학 교수 Hunt (1980)는 심전도검사, 뇌파검사 혹은 근전도검사를 할 때, 카오스 프로그램으로 해석하면, 심장, 뇌 혹은 근육의 정보만 얻는 것이 아니라 인체의 모든 부위로부터의 정보를 얻을 수 있다고 하였다. 이것은 인체의 각 조직 및 장기의 에너지장은 하나로 연결되어 있기 때문이라고 하였다. 비국소성 원리에 의하여 몸과 마음은 서로 연결되어 있게 되는데 예를 들면 이렇다. 미국의 내과의사 Chopra (1992)는 의과 대학생들을 대상으로 한 연구에서, 시험기간 중에는 시험이라는 불안이 interleukin-2의 생성을 감소시킨다고 하였다. Interleukin-2는 DNA의 지령에 의하여 생성되는 것이므로 불안이 또한 DNA에 작용하여 interleukin-2의 생성을 억제하는 것이 된다. 따라서 마음은 DNA와 연결되어 있다고 하였다. 또 Laskow (1992)는 "사랑으로 치료하기(Healing With Love)"라는 책에서 다음과 같은 연구를 발표하였다. 즉, 사랑의 감정에 집중한 다음, 시험관에 넣어둔 DNA를 향하여 "DNA야 풀려라!"하고 마음먹으면 실제로 두 개의 가닥으로 구성된 DNA가 풀리게 되고, 반대로 "DNA야 감겨라!"하고 마음먹으면 실제로 두 개의 DNA 가닥이 감기게 되어 하나가 된다고 하였다. 그래서 마음은 DNA와 연결되어 있다고 하였다.

(3) 마음 에너지와 의학의 접목

마음 에너지 개념이란 마음은 아주 미세한 입자(粒子)로 되어 있어 물리적 입자와 동일하다는 개념이다. 따라서 마음은 입자일 때는 일정한 공간을 차지하고 있지만 그것이 파동으로 변하면 시공간을 초월하여 이동할 수 있다. 예를 들면, 미국의 내과의사 Dossey (1996)는 기도치료(prayer Therapy)에 관하여 많은 연구를 했는데, 그는 기도치료에 대하여 미국 샌프란시스코 종합병원 내과 의사 Byrd의 연구를 자세하게 소개하였다. Byrd는 중증의 심장병 환자가 종합병원에 입원했을 때, 입원하는 순서에 따라 기도군(200명)과 대조군(200명)으로 나누고, 심장병 치료는 기도군이나 대조군이나 동일한 의사에 의해서 동일한 방법으로 치료하였다. 이때 기도군은 환자가 입원하면 환자 자신은 모르지만 미국의 전역에 살고 있는 신앙심이 돈독한 여러 사람의 기독교인으로 하여금 퇴원할 때까지 빨리 치유될 수 있게 기도를 해주도록 부탁하였다. 그리고 6개월 후 두 그룹의 병록지를 비교한 결과, 기도군에서는 항생제 투여량이 대조군의 5분의 1에 불과하였으며, 폐렴의 합병증은 3분의 1에 불과하였고, 기도삽관은 한 사람도 하지 않았고, 사망한 환자도 없었다고 하였다. Dossey는 이와 같이 기도치료가 가능한 것은 사람의 마음은 몸 밖으로 방사하여 원거리까지 작용할 수 있기 때문이라고 하였다.

(4) 종합적 견해

이상을 종합하면 양자의학에서는 사람은 몸과 마음의 이중구조로 되어 있으며, 몸은 다시 동전의 앞면 구조와 뒷면 구조로 된 상보적 구조로 되어 있다. 그리고 비국소성 원리에 의하여 몸을 구성하는 분자, 세포, 조직, 장기의 뒷면 구조들은 하나로 연결되어 있고, 뿐만 아니라 비국소성 원리에 의하면 마음은 몸의 구석구석과 연결되어 있다. 그리고 마음은 '미세한 에너지(subtle energy)'이기 때문에 일정한 공간을 차지하고 있지만 때로는 파동처럼 멀리 전파될 수 있는 것이다. 즉, 마음과 몸은 모두 입자이면서 동시에 파동이며 이 파동은 서로 유기적으로 연결이 되어있어 영향을 주고 받을 수 있다는 것이 양자의학의 핵심 이론이다. 따라서 현대의학과 양자의학은 많은 차이가 있음을 알 수 있다. 즉 현대의학은 3차원적, 유물론적, 기계론적, 환원 및 분석주의적, 국소적 그리고 의사 중심인 데 비하여, 양자의학은 4차원적, 유물론과 유심론을 통합하며, 유기체적, 전일론적, 통합적 그리고 환자 중심이다. 과거 현대의학에서 다루어졌던 심신의학의 개념 역시 3차원적, 유물론적, 분석주의적, 국소적인 시각에서 벗어나지 못한 반면, 최근의 심신의학은 양자의학의 개념을 흡수하면서 좀 더 통합적이며 환자 중심적으로 다루어지고 있다. 심신의학의 이러한 진화는 전 인체적인 치료라는 면에 있어서 매우 바람직한 변화라고 할 수 있다. 이 책의 나머지 부분에서 다루어지는 심신의학이라는 용어는, 양자역학의 발달 이후에 사용되는 양자의학의 개념을 흡수 통합한 광의의 개념으로 이해해야 할 것이다.

4) 심신의학의 이론

(1) 나쁜 마음(슬픔, 불안, 공포, 분노 등)은 육체적 질병을 일으킬 수 있다.

캐나다의 내분비학자 Selye (1978)는 스트레스를 받으면 다음과 같은 2가지 통로를 통하여 말단 장기에 그 영향이 전달하게 된다고 하였다. 즉 내분비계 통로와 자율신경계 통로로 전달된다고 하였다. 이러한 두 가지 통로를 통하여 스트레스에 반응하여 다음과 같은 스트레스호르몬이 분비된다고 하였다. 즉 부신피질자극호르몬, 유즙분비자극호르몬, 항이뇨호르몬, 노르에피네프린, 알도스테론, 인슐린, 갑상선자극호르몬, 성장호르몬, 에피네프린, 코티솔, 갑상선호르몬 등이 증가한다. 그리고 이들 스트레스호르몬(stress hormone)에 의하여 혈당 상승, 유즙 분비, 혈압 상승, 맥박 상승, 간 및 근육 층에 저장된 에너지의 소모, 혈액내 지방질의 증가, 비장에 저장된 혈구의 손실 등이 발생하며, 또 스트레스에 반응하여 자율신경이 항진하기 때문에 이로 인하여 말초혈관의 수축, 혈압 상승, 맥박 상승, 피부 혈액 감소, 수의근육 수축, 기관지의 확장과 호흡의 빨라짐, 동공 확장, 신경 예민, 입속에서 침이 마름, 진땀 분비 그리고 소화기관 기능미약 등이 발생한다고 하였다. 이와 같이 나쁜 마음(슬픔, 불안, 공포, 분노 등), 즉 스트레스와 여러 가지 질병과의 관계를 주로 연구하는 의학 분야를 스트레스 의학(stress medicine)이라고 부르며, 오늘날 이 분야가 매우 발전하고 있다(대한심신스트레스학회, 1997).

(2) 나쁜 마음은 면역계 질환을 일으킬 수 있다.

① 슬픔은 자연살해세포(natural killer cell)의 활성을 저하시킨다. 미국의 연구에 의하면 폐암으로 남편을 잃은 10명의 여성과 건강한 남편과 함께 살고 있는 여성을 비교하면 남편을 잃고 슬픔에 잠긴 여성은 자연살해세포의 활성이 낮다고 보고하였다.

② 별거 및 이혼은 자연살해세포의 활성을 저하시킨다. 오하이오 주립대학 연구에 의하면 행복한 결혼 생활을 하는 여성 16명과 별거 혹은 이혼한 여성 16명을 비교하면, 별거 혹은 이혼한 경우에는 자연살해세포의 활성이 약 2배 감소한다고 하였다.

③ 시험 불안은 자연살해세포의 활성을 저하시킨다. 일본에서의 연구에 의하면 의과대학 학생 10명을 대상으로 졸업 시험 전후 자연살해세포의 활성을 검사한 결과, 시험 기간 중에 활성이 감소했다가 시험 2주 후 정상으로 회복되었다고 하였고, 또 미국 오하이오 주립대학의 연구에 의하면 의대생 75명을 대상으로 시험 1개월 전의 자연살해세포의 활성과 시험 기간 중 자연살해세포의 활성을 비교한 결과, 시험 기간 중에는 현저하게 낮았다고 하였다. 이와 같이 나쁜 마음(슬픔, 불안, 공포, 분노 등), 즉 스트레스와 면역계와의 관계를 주로 연구하는 의학 분야를 정신-신경-면역학(psycho-neuro-immunology)이라고 부른다(Ader, 2001).

(3) 나쁜 마음은 암을 일으킬 수 있다.

① Evans (1926)에 의하면 100명의 암 환자의 실태를 분석한 결과, 환자 대부분이 암이 발병하기 전에 사랑하던 사람의 상실과 관계가 있었다고 하였다.

② Leshan (1977)에 의하면 500명 이상의 암 환자의 생활상을 조사한 결과, 배우자나 가장 사랑하던 사람과 이별하거나, 퇴직 및 중요한 역할의 상실 등에 부딪치게 되면 암이 생긴다고 하였다.

③ 피츠버그 대학암 연구소의 Levy (2006)에 의하면 유방암 환자가 무관심 및 무감각 등과 같이 비관적 입장을 취하면 암세포를 죽이는 역할을 하는 자연살해세포의 활력이 감소되고 따라서 암의 전이가 빠르게 진행된다고 하였다.

④ 미국 미네소타대학병원은 백혈병 환자 중 골수이식이 예정되어 있는 환자 100명을 대상으로 우울증과 백혈병의 경과를 조사했는데, 우울증이 있는 13명은 1명을 빼고는 1년 내에 모두 사망하였고, 우울증이 없는 87명은 모두 2년 이상 살았다고 하였다.

⑤ 미국의 종양학자 Simonton (1980)에 의하면 말기 암 환자가 기적적으로 살아남는 경우가 종종 있는데, 말기 암이 기적적으로 살아남은 사람들의 공통점은 암에 걸려도 비관하지 않고 신념을 가지고 전향적으로 살아가는 사람이라고 하였다.

⑥ 영국의 외과 의사의 연구에 의하면 유방암 환자를 수술한 후 환자의 심리 상태와 5년 생존율을 조사한 결과, "단호히 암과 싸우겠다"는 의지를 가진 그룹은 10명 중 9명이 생존했으나 "이제 내 인생은 끝장이다"라고 생각하는 그룹에서는 5명 중 4명이 사망하였다고 하였다. 이와 같이 나쁜 마음(슬픔, 불안, 공포, 분노 등), 즉 스트레스와 암과의 관계를 주로 연구하는 의학 분야를 정신-종양학(psycho-oncology)이라고 부른다(Lissoni, 2003).

(4) 임신 중 스트레스는 태아에 중대한 영향을 미칠 수 있다.

① Hansen (2000)은 임신 중 스트레스(stress)가 태아에 미치는 영향을 관찰하기 위하여 임신 직전 혹은 임신 4개월 이내에 심한 스트레스를 받은 3,500명과 스트레스를 받지 않은 대조군 20,000명과 비교하였다. 여기서 심한 스트레스란 남편에 의한 학대, 임신 중 자녀의 암 진단, 임신 중 자녀의 사망 등을 말한다. 그리고 태어난 아기의 기형을 비교한 결과, 스트레스를 받은 군에서의 태아 기형 발생률은 1.18%로 스트레스를 받지 않은 대조군의 0.65%에 비하여 80% 증가하였다고 하였다. 따라서 산모의 만성적인 분노, 공포는 태아에게 전달되어 태아의 유전자를 변형시키고, 태아기형을 유발할 수 있다고 하였다.

② 평생을 태아의 스트레스를 연구한 산부인과 의사 David (1992)은 임신 중 태아가 만성스트레스를 받으면 태아 혈중 스트레스호르몬이 2-5배 증가하며, 이로 인하여 스트레스가 심하면 태아는 스스로 조산하는 것을 결정한다고 하였다. 만약 조산을 하지 않는다 하더라도 태아는 체중이 늘지 않아 저체중아로 태어난다고 하였다.

③ WHO 연구지원에 의하여 스웨덴, 핀란드 및 노르웨이와의 3개국 공동 연구에 의하면 원치 않는 임신으로 임신 내내 태아가 엄마로부터의 스트레스를 받고 태어난 아기를 출생 후 25년간, 즉 25살이 될 때까지 추적한 결과, 스트레스를 받고 태어난 아기는 출생 시 저체중아가 많았고, 생후 1년까지 사망률이 높았으며, 뇌성마비가 많았고, 초등학교 성적이 떨어졌으며, 14세 IQ가 평균 86밖에 되지 않았고, 학교 성적이 저조하고 자퇴율이 높았으며, 병의 이환율이 높았고, 23세에 범죄율이 높았으며, 이성과의 관계가 파탄적이었고 담배와 술을 많이 하였다고 하였다.

(5) 좋은 마음은 육체에 좋게 작용한다.

① 샌프란시스코 마운트 시온 병원의 연구에 의하면, 초조심과 적개심으로 가득 차 있는 환자를 타인에 대한 배려와 사랑의 기분으로 전환시킴으로써 심장경색의 재발률이 유의하게 감소하였다고 하였다.

② 미국의 HeartMath 연구소에서는 심전도를 이용하여 사람의 감정을 측정하는 장치를 개발하였다. 그래서 사람

이 분노를 느낄 때 마음의 파동을 보면 불규칙적인 파형을 보이는데, 사랑의 감정을 가질 때의 마음의 파동을 보면 규칙적인 깨끗한 사인곡선을 보인다고 하였다. 그래서 암 환자가 수술이나 방사선 등으로 치료한 후에 마음의 파동을 검사하여 '매우 불규칙적인' 사람을 대상으로 '사랑의 감정'을 갖도록 교육시켰는데, 이러한 연습에 의하여 정말로 마음의 파동이 '사랑의 파동'과 같은 '규칙적인 파동'으로 전환되면 그 환자는 암으로부터 회복될 확률이 높다고 하였다. 반대로 아무리 연습을 해도 '사랑의 파동'과 같은 '규칙적인 파동'으로 변하지 않으면 그 환자는 암으로부터 회복될 수 없다고 하였다. 그래서 사랑의 감정을 연습하여 사랑에 능숙하면 암도 치료할 수 있다고 하였다.

③ 명상을 규칙적으로 하면 좋은 마음을 촉진하게 되어, 혈중 코르티솔이 감소하고, 혈압이 하강하며, 동맥경화증이 완화되며, 관상동맥질환의 증상이 완화되는 것으로 밝혀져 있다.

④ 이완 반응(relaxation response)을 규칙적으로 하면 좋은 마음을 촉진하게 되어, 조기진통, 임신고혈압, 불임 및 갱년기 증상이 완화되고, 수술 후 진통제 양을 줄이고, 통증을 완화하며, 불안을 줄일 수 있는 것으로 밝혀져 있다.

⑤ 호흡법을 규칙적으로 하면 좋은 마음을 촉진하게 되어, 고혈압, 심장질환, 천식, 편두통 및 스트레스 등을 완화할 수 있는 것으로 밝혀져 있다.

(6) 임신 중 산모의 좋은 마음은 태아에 좋은 영향을 준다.

① 미국의 심리학자 Logan (1993)은 BabyPlus라는 태교 프로그램을 개발하였다. 이는 어떤 산모에게 아기 낳기 몇 시간 전에 자궁 내에 녹음 장치를 삽입하여 자궁 내에서 아기가 듣는 모든 소리를 녹음한 다음, 엄마의 심장 소리만 별도로 분리하여 녹음한 장치이다. 베이비 플러스 프로그램을 사용하여 러시아에서 1992년부터 1999년까지 태교에 관한 연구를 하였다. 즉, 임신 5-6개월부터 15주간, 아침 1시간 그리고 저녁 1시간씩 태교를 하였다. 비교를 하기 위해 태교 그룹을 3그룹으로 나누어 실시하였는데 베이비 플러스 프로그램을 사용하는 그룹, 음악으로 태교를 한 그룹 그리고 아무것도 안 한 대조그룹 등이었다. 그 결과, 베이비 플러스 프로그램으로 태교를 한 그룹의 아기는 태어난 순간 여러 가지 측정치에서 그리고 6세의 학교 성적 등에서 유의하게 좋은 성적을 얻었다고 하였다.

② 베네수엘라의 심리학자 Manrique (1989)는 680명의 임산부를 대상으로 태교(prenatal training)를 연구하였는데, 태교를 한 아기는 청력 발달, 시력 발달, 언어 능력, 운동 능력, 기억력 등이 대조군에 비하여 유의하게 향상되었으며, 특히 지능지수(IQ)는 대조군의 어린이보다 14점이 더 높았고, 또한 정서적으로도 온순하고, 잘 웃고, 활동적이며, 긍정적이고, 협동적이었다고 하였다.

5) 심신의학의 종류

심신의학은 바로 보완의학의 두 번째 대분류로 특성에 따라 수많은 종류로 나뉘지며, 각종 질환과 영역에 응용될 수 있다.

(1) 명상요법(meditation)

명상이란 집중, 사색, 추상 등 여러 방법으로 이루어지는 사적인 예배나 정신훈련(kabat-Zin, 2002), 자기 스스로의 수행을 통하여 의식에 변화를 가져오는 것으로, 그 수행의 주요한 특징은 주의를 비분석 방식으로 집중하는 것(김정호, 1997), 혹은 마음을 고요히 가다듬어 맑은 정신과 건강한 몸을 추구하기 위한 것(박문일, 1999) 등으로 정의한다. 명상은 인류역사와 함께 매우 오랜 세월을 통하여 여러 문화, 철학, 혹은 종교의 전통 속에서 수행되고 발전되어 왔으며, 명상의 목적 혹은 수행하는 역할 역시 다양하여 한 마디로 정의하기는 어렵다. 동양적인 요가(Yoga)나 선(Zen) 혹은 서양의 기독교나 회교 같은 종교에서도 명상은 여러 형태로 수행되어 왔다. 요가나 선은 호흡을 정돈하고 자세를 바로 잡으면 마음이 정돈된다는 일종의 자기 제어 방법이다.

이를 과학적인 측면에서 설명하면 명상 시 신경생리학적, 신경영상학적인 변화가 나타남을 functional MRI에서 증명한 바도 있다(Afonso, 2020). 명상을 하면 뇌의 기본상태 네트워크 활성도가 감소하면서 인지와 감정조절을 담당하는 부분의 뇌는 활성화가 된다. 뇌파검사에서는 알파파가 증가되는데, 이는 뇌 안에서 분비되는 엔돌핀 분비를 증가시킨다. 그런 의미에서 명상은 스트레스로부터 심신을 지켜주며 몸의 무너진 균형을 회복시켜주는 생리학적인 방법이라 할 수 있다(서림능력개발자료실, 1997).

산과적으로 임신부가 느끼는 스트레스는 임신부의 부신에서 스트레스호르몬이 분비하게 되어 태반을 통하여 태아에게 전달되어 태아에게 영향을 미친다. 이는 태아에 가는 혈액의 감소로 이어지고 태아의 뇌의 발육에도 영향을 줄 수 있다. 또한 쥐를 대상으로 한 동물실험에서 임신한 쥐가 스트레스로 인하여 분비되는 면역조절물질로 유산, 조산, 사산성이 되었다는 연구결과도 있어 임산부에게는 스트레스를 줄여주는 노력이 필요하다. 이러한 스트레스를 줄여주는 노력이 태교(taigyo)라고 생각할 수 있다(박문일, 1999).

그 외에도 명상은 고혈압과 동맥경화, 건선(psoriasis), 심근경색, 청소년 범죄 감소효과에 사용될 뿐만 아니라 불면증, 두통, 소화기 관련 증상과 노인층의 근육골격이상 치료에도 제시되고 있다(Astin, 2000; Luskin, 2000). 그리고 폐경증상의 하나인 안면홍조에도 다소 도움을 줄 수 있다고 한다(Susan, 2000).

(2) 이완요법(relaxation technique)

이완요법은 일반적으로 생체되먹임요법과 함께 사용된다. 또한 최면을 통해 이완을 이끌어 내는 방법들도 있다. 뇌에서는 동통을 억제하는 물질 즉 엔돌핀(endorphin)을 직접 생성하는데 이 엔돌핀은 동통이나 스트레스가 심할 때 이를 제거하기 위해서 분비되는 것으로 임신 10-12주부터 엔돌핀의 생성이 증가하여 진통 중 가장 증가하는 것으로 알려져 있다. 또한 엔돌핀은 긍정적인 사고를 가지게 함으로써 산모와 태아 사이를 좋게 하고 분만에 대한 성취감을 이루어 자신을 존중하는 감정을 가지게 할 뿐 아니라 분만진통 중의 좋지 않았던 기억을 잃어버리게 하여 다시 임신하여 분만을 시도할 수 있게 해준다. 이러한 엔돌핀의 분비가 호흡자율훈련에 따른 골반근육의 이완을 하는 경우 현저히 감소되는 것을 볼 수 있어 이러한 이완법이 진통 시의 동통을 감소시킴을 알 수 있다. 또한 진통 시의 스트레스로 인하여 모체의 카테콜아민(catecholamine)의 분비가 증가되는데 이러한 카테콜아민은 자궁수축에 영향을 미칠 수 있어 자궁수축을 억제하는 효과를 보인다(Read, 1979; Cunningham et al., 1997; Rowlands and Permezel, 1998). 진통을 감소시키기 위한 방법을 사용한 경우 epinehrine의 분비가 감소하여 의미 있게 자궁수축의 강도가 증가하는 것이 관찰되어 진통 중 통증을 경감시키는 것 단순히 통증의 감소라는 의미 외에도 분만의 과정을 원활히 할 수 있다는 것을 보여준다(Segal et al., 1998). 반면에 이완법은 교감신경계를 변화시켜 산소의 소모량을 감소시키고 맥박, 혈압, 호흡수를 감소시켜 효과적인 자궁수축을 유발함과 동시에 통증의 감소도 일으킬 수 있다. 이외에 산전에 교육을 시킴으로써 교육의 효과가 잠재해 있어 기억력, 주의력을 활용하여 자극이 뇌에 전달될 때 이미 습득한 분만과정의 지식이나 호흡법에 의한 자극으로 통증에 대한 자극을 억제하므로 분만진통을 적게 느낄 수 있다(이은옥, 1981).

(3) 호흡요법(breathing exercises)

호흡요법에는 흉식호흡과 복식호흡이 있다. 흉식호흡은 숨을 쉴 때 가슴이 움직이는 호흡법이며, 복식호흡은 숨쉴 때 복부가 올라갔다 내려갔다 하는 호흡을 말한다. 단전호흡은 단전에 모든 기운을 모으도록 하는 호흡법이다. 이처럼 단전을 향한 깊은 복식호흡을 수시로 하게 되면 폐 하단이 횡경막을 아래로 깊이 밀어내는 것 때문에 좋은 영향을 끼친다. 깊은 복식호흡으로 횡경막을 내려 내장을 움직이면서 내장 구석구석까지 기운과 피가 흐르도록 해주기 때문에 내장 건강에 좋은 것이다(임경택, 2002). 라마즈 분만법에서는 흉식호흡, 소프롤로지 분만법에서는 복식호흡이 각각 응용되고 있으며, 결과적으로 진통 중 분만시간과 분만통증 완화에 도움을 주는 것으로 알려지고 있다. 그 밖에 임신 중 각종 스트레스 완화에도 도움이 된다.

(4) 심상유도법(guided Imagery)

완전한 이완에 이른 상태에서, 마음의 힘을 빌어 마치 질병이 몸에서 빠져나가는 것처럼 상상함으로써 실제로 병이 없어지는 것을 기대하는 심신의학이다. 즉 특정 이미지(각종 자신이 원하는 상황 및 상태)에 깊은 관심을 두게 하여 궁극적으로 기대하는 상황에 이르도록 도움을 주는 요법이다. 이 방법으로 수술 후 장운동의 회복이 촉진되고, 수술 후 통증 및 불안을 완화할 수 있는 것으로 알려져 있다. 산과적으로는 각종 스트레스로 인하여 발생되는 상황에서 응용 가능하다. Feher (1989) 등은 심상유도법으로 분만 후 젖의 분비를 촉진시킬 수 있다고 하였다. 또한 Gruber 및 Hall (1988)은 전이성 유방암 환자의 면역 활성을 증강시키는 효과가 있다고 하였다. 그 외에도 천식 치료, 삶의 질을 개선하는 효과 등에 대한 연구가 이루어지고 있다.

(5) 기도요법(prayer therapy)

인간은 옛날부터 질병을 치료하기 위하여 위대한 존재로부터 도움을 구하려고 기도를 사용해 왔다. 17세기 뉴턴물리학의 출현으로 과학이 종교를 압도한 가운데, 1993년 내과의사 Larry Dossey는 기도요법에 관한 치료효과와 기전을 발표하여 큰 반향을 일으키고 사회적으로도 많은 지지를 받게 되었다. 환자가 자신을 위해서 하는 기도를 자신의 기도요법이라고 하며, 인간의 몸은 마음과 긴밀하게 연결되어 있기 때문에 기도의 내용은 환자의 몸에 전달되어 치작용을 일으킬 수 있게 된다. 치료사의 기도요법이 작용하는 원리는 양자물리학의 양자장이론으로 설명한다. 기도의 내용은 시공간을 초월하여 거리에 상관없이 치료가 가능하며, 이것은 마음이 뇌에 부속되어 있는 것이 아니고 독립된 에너지 단위이기 때문이다.

(6) 최면요법(hypnotherapy)

최면요법의 기원은 1800년대로 거슬러 올라가는데 보완의학과 대증요법(allopathy)에 있어서 중요한 역할을 한다. 최면은 암시에 매우 민감한 무아지경 비슷한 상태로 이해하면 된다. 최면은 '인위적으로 유도된 마음 상태'로 피암시성이 증가되는 특징을 보이며, 보통 이완 및 가수면 상태의 의미가 포함된다. 최면은 스스로 유도할 수도 있고 치료자에 의해 유도될 수도 있는데 결국 이러한 최면유도, 암시 등을 통해 증상을 완화시킨다. 최근 최면요법은 인지행동요법의 효능 증대를 위하여 부가적인 요법으로 활용되는 경향이 많다. 환자의 신념과 기대치에 따라 기존 치료의 효과를 증대시킬 수 있다는 가설 때문이다. 최면은 이완운동과 분명한 연관성이 있으며, 심상유도법(guided imagery)을 폭넓게 이용한다. 산과적으로 최면은 오래전부터 분만진통에 관한 연구가 있어왔다. 최면은 잠든 것과 유사하나 잠들지 않고 오히려 집중된 상태로서 치유적 암시를 받아 진통의 통증에 대한 수용을 감소시킨다는 이론이다. 최면의 성공을 위해서는 진통이 오기 전에 미리 준비를 해야 하는데 이 준비와 교육이 미리 잘 된 상태라야 최면의 효과를 볼 수 있다고 전해진다. 실제 무작위로 시행된 한 임상실험에서는 임신기간의 연장과 분만 중 통증완화에 있어서 효과가 없었다.

(7) 정신치유(mental healing)/영성치유(spiritual healing)

전통의학적 수단을 사용하지 않고 마음만으로 환자의 생리적 조건에 영향을 미쳐 질병을 치유하는 것을 정신치유라고 한다. 정신치유는 마음이 몸의 병을 고치는 힘을 갖고 있다고 전제하기 때문에 초심리학의 관심사가 된다. 정신치유의 가장 오래된 형태는 신앙요법이다. 신앙요법에서는 영을 중심으로 치료에 접근한다. 영 속에 생명의 근원이 있기 때문에 영이 살아야 정신과 육체도 회복될 수 있다는 개념이다. 따라서 심신의 건강에 정신 치료가 중요하다는 것이다. 그러나 영적 치유가 중요하다고 해서 영적 치유만을 강조해서는 안 된다. 인간은 영과 함께 정신과 육체를 가진 전인적 인격체이기 때문이다. 간혹, 영적 치유를 한다고 하며 때로 육체와 정신을 학대하며 괴롭히는 경우가 있는데 일시적으로는 회복이 될 수는 있지만 전인적인 회복이 되지 않음으로써 다시 악화되는 경우도 있다. 육신과 마음이 아프게 되면 영도 또 다시 눌리고 아프게 되기 때문이다. 그래서 영적 치유는 시간이 걸리더라도 사랑 안에서 육신과 정신을 같이 돌보면서 인격적으로 시행할 때 좋은 결과를 얻을 수 있다. 또 하나의 정신치유의 예는 심령요법이다. 심령요법은 한 사람이 심령능력으로 다른 사람의 생리적 상태에 영향을 미치는 치료법이다. 심령요법에서는 모든 생명체가 특유의 에너지를 몸에 지니고 있으며, 이러한 에너지가 결핍되거나 불균형 상태가 되면 질병이 생긴다고 본다. 심령술사들은 이러한 에너지가 치료자로부터 환자에게 전달되기 때문에 질병이 치료된다고 생각하며 이러한 에너지를 일컬어 심령에너지, 생물에너지(bioenergy) 또는 만유생명력(universal life force)이라고도 한다. 신앙요법에 의한 수많은 치유 사례가 소개되고 있지만 의학적으로 충분히 설명되지 않고 있다. 부흥회의 경우 거의 모든 전도사들은 하느님으로부터 환자의 병을 치유하는 재능을 부여받았다고 주장한다. 그러나 과학자들은 전도사들이 위약(僞藥), 즉 플라시보 효과(placebo effect)를 이용했기 때문에 환자들이 일시적으로 치유된 것처럼 보였을 따름이라고 설명한다. 심령요법에서 사용하는 '만유생명력'은 여러 문화에 서 다양한 명칭으로 그 존재가 인정되었다. 중국인은 기(氣), 하와이 사람은 마나, 힌두교도는 프라나라고 부른다. 기는 말하자면 생명에너지이다. 기가 막히면 병의 원인이 된다. 기는 몸 안에서 경락을 따라 흐른다. 경락은 몸 안에 있는 기의 통로이다. 초심리학자들은 심령요법으로 질병이 치유되는 이유를 만유생명력으로 설명하지만 대부분의 과학자들은 인체 내부의 자연치유력으로 풀이한다. 의학자들에 의해 인체가 질병과 싸워 스스로 치유하는 능력을 놀라울 정도로 다양하게 갖고 있음이 발견되었다.

(8) **생체되먹임**(바이오피드백)**요법**(biofeedback therapy)

생체되먹임요법은 자기의 생각이나 행동을 나타내는 정보의 자각을 통하여 자율신경계의 신체 기능을 제어할 수 있는 훈련방법이다. 즉 생리적인 변화를 스스로 조절할 수 있도록 모니터하면서 자신의 몸을 통제할 수 있도록 훈련하는 방법으로써 이를 통한 이완을 통해 통증 등을 관리할 수 있게 하는 방법이다. 생체되먹임요법은 일반적으로 이완요법(relaxation technique)과 함께 적용된다. 바이오피드백은 폐경기 증상, 오심 및 구토, 고혈압, 레이노즈 질병, 대변 및 요실금, 과민성대장염, 근육의 재교육, 과잉 행동, 간질, 폐경기 증상, 그리고 만성통증 등에 치료 효과가 있는 것으로 알려져 있다. 산과적으로는 라마즈(lamaze) 분만이나 소프롤로지(sophrology) 분만에 응용되고 있다. 분만진통 중 생체되먹임요법을 단독으로 또는 다른 방법과 함께 복합적으로 응용하여 분만을 수월하게 하고 통증을 완화시킨다.

(9) **인지행동요법**(cognitive-behavioral therapy)

인지행동요법은 자기 통제감을 강화하는 데 목적을 두는 요법이다. 인지행동요법에는 인지 재구성, 이완, 심상유도(guided imagery), 시각화 및 주의력 변환 등이 있다. 인지행동요법이라는 개념에는 이완요법, 바이오피드백, 최면 등과 같은 비 약물적인 보완요법과 정신사회개입(psycho-social intervention), 심리교육치료(psychoeducational treatment) 등이 포함되고 있다. 내용은 단순하지만 치료 효과는 상당히 좋아서 심혈관 질환, 호흡기 질환, 위장 질환, 비뇨생식기 질환, 골근육계 질환, 내분비 및 대사 질환, 신경 질환 그리고 정신과 질환 등에 효과가 있는 것으로 알려져 있다. 산과적으로는 진통의 두려움과 통증을 실질적으로 경감시키는 목적으로 사용될 수 있다. 기타 암 환자를 대상으로 인지행동요법 관련 통증완화에 대한 효과 등이 발표되었는데 대한의학회는 이완요법, 심상유도 및 최면 등을 조합한 인지행동요법을 기존의 약물 또는 방사선 치료 등에 추가로 권고할 것을 고려해 볼 수 있다고 하였다(대한의학회, 2005).

(10) **신경-언어 프로그램요법**(neuro-linguistic programming, NLP)

인간이 경험하는 느낌이나 생각과 행동이 신경감각작용과 뇌의 유기적인 프로그래밍 기능에 의해서 일어나며 언어를 활용하여 내면의 느낌과 생각을 표현하게 된다는 점에 착안하여 개발된 심리적 치료요법이다. 이 요법은 보고 듣고 느끼는 신경감각계에 영향을 주어 감각 기능을 조정하여 신체생리적 변화를 체험케 하며 그 후 따라오는 정서감정의 변화를 유도하며 표현하는 언어와 단어 선택을 피드백하여 통찰과 의식화과정을 촉진시킨다. 임산부의 불안과 갈등을 해소하는 데에 응용될 수 있으며 분만 중 진통의 공포에서 벗어나는 용법으로 활용될 수도 있다. 그러나 프로그램 자체의 구성과 실행이 그리 용이하지 않으므로 산과적 적응증에서는 이 요법 보다 쉬운 다른 심신의학들이 사용되고 있다(한국상담학회, 2006).

(11) **예술**(미술)**치료**(art therapy)

Art therapy는 예술 중에서도 미술치료를 근간으로 발전하여왔다. 미술치료라는 용어는 1961년에 발간된 "Bulletin of Art therapy" 창간호에서 처음 언급되기 시작하였다. 다양한 미술매체를 이용하여 색깔, 이미지가 구현되는 과정과, 그 결과로 생성되는 미술품을 이용하여 치료자(때로는 치료자가 없는 경우에도 가능함)는 치료대상자(환자)의 반응을 관찰 또는 대응하면서 심리치료, 다양한 목적의 교육 등에 이용할 수 있다. 즉 미술치료는 다양한 상황에서 여러 가지 목적을 위하여 미술표현을 활용할 수 있도록 지도하면서 그 작품성이나 예술성을 고려치 않고, 과정 그 자체에 의미를 두면서 심리적인 접근이 가능하도록 하는 치료법이다(장연집, 2001). 산과적으로 임신 중 스트레스, 입덧, 임신성 고혈압, 산후우울증, 태교 등에서 응용될 수 있다.

(12) **무용치료**(dance therapy)

춤은 심신적으로 흥미를 유발하며, 또한 춤추는 동작에서 저절로 동반되는 적절한 호흡기능의 활성화를 기대할 수 있다. 즉, 인간의 육체적 및 심리적 변화를 유도하기 위하여 몸의 율동을 이용하는 치료법으로 이해되며, 일반적으로 정신장애 시 잘 사용되는데, 육체적 장애 때 사용하기도 한다. 산과적으로는 분만진통 시의 심한 두려움이 있는 경우 가벼운 춤동작을 이용해 볼 수 있다. 몸을 움직여서 진통이 경감되는 경험이 있는 임산부에게는 권장해도 된다. 실제로 분만 제2기(second stage of labor)의 연장이 있을 경우 몸을 세우는 동작 등은 분만진행에 도움을 주는 근거가 제시되기도 하였다(Roberts et al., 2005).

(13) **음악치료**(music therapy)

음악은 1900년대 초부터 수술실의 안정을 위해 사용된 이래 1940년에는 재활치료에 사용되기 시작하였다. 음악 치료사는 환자의 기력을 평가하여 필요에 맞추어 음악을 만들고 노래하고 혹은 듣기도 하였다. 음악은 환자의 육체적 정신적, 인지적, 혹은 사회적 요구를 잘 반영하는 치료도구로 등장하고 있다. 이미 오래 전부터 음악이 정신적, 육체적 질환의 치료영역에 사용되어 왔으며, 20세기 중반부터는 다양한 분야에서 좀 더 구체적으로 음악치료가 적용되어왔다. 예를 들면, 병원과 재활센터, 특수학교 등에서 연령, 지식정도에 상관없이 적용시켜 정신질환, 신체장애자, 청각장애자, 뇌손상 환자, 말기암 환자에게까지 음악치료가 사용되고 있다.

(14) **시치료**(poetry therapy)

문학치료의 일종으로, 문학치료에는 독서치료, 시치료, 글쓰기치료 등이 포함된다. 책이 치료의 효과가 있다는 사실은 고대로부터 알려져 왔으며 현대에 들어 다양한 이름으로 불리며 학문적으로 연구되었다. 독서치료는 정서적 문제들과 정신적 질환을 가진 사람들을 치료하는 데 독서를 사용하는 것으로, 치료기관에 입원해 있는 사람들뿐만 아니라 외래 환자들, 그리고 개인적인 성장과 발전의 수단으로 문학작품을 나누기 원하는 건강한 사람들에게도 효과가 있다고 보고된다. 치료자는 환자가 독서를 하는 과정에서 '책과 환자' 상호작용의 연결고리를 찾아내어 이를 응용할 수 있다. 즉 특정 질환에서 환자가 어떤 책을 읽은 후 병세의 호전이 있었다면 그 책을 목록화할 수 있고 이를 같은 질환을 앓고 있는 다른 환자에게도 응용할 수 있다는 아이디어에서 출발한 것이다. 특히 시(詩)치료의 원리는 다음과 같이 설명된다. 시는 이미지, 리듬, 운율 등의 요소들이 있는데 이는 인간의 무의식을 들어가는 문과 같아서 프로이드가 말하는 꿈의 기능과 가장 비슷하다고 본다. 문학에서 시의 창작은 심미성을 강조하지만 시치료에서는 자기표현의 수단임을 강조한다. 본래 사람은 시적이어서 누구든지 자신의 시어를 표현할 수 있고 쓸 수 있다. 그렇게 하는 가운데 감정적인 카타르시스가 일어나고 문제를 객관화시킬 수 있다는 것이다. 또한 독서 행위를 입력(읽기/듣기), 생각하기, 표현하기 등 세 가지 영역으로 나누어 볼 때 표현을 강조하는 독서치료로서 글쓰기치료가 소개되고 있다(미국 시치료협회, 2006). 산과적으로는 태교의 한 가지 방법으로 응용이 가능하다. 물론 임신 중 각종 스트레스로 인한 증상을 완화시킬 수 있다.

(15) **웃음치료**(laughter therapy)

웃음에는 마음과 마음을 통하게 하고 스트레스를 해소시켜 인간관계를 부드럽게 하는 오묘한 힘이 잠재되어 있다. 웃음은 환경과 대상 인물 등과의 친화작용이 있고 체내 독소 배출의 정화작용이 있으며 병에 대한 고민으로부터의 해방작용이 있다. 웃을 때는 얼굴 근육이 이완되어 뇌로 가는 혈류량이 증가되고 엔돌핀의 분비가 증가되고 자연살상세포가 증가된다. 폭소는 상체운동이 될 뿐만 아니라 위장과 가슴근육, 그리고 심장까지 운동하게 만든다. 즉 몸과 마음, 모두에 직접적인 영향을 주는 훌륭한 심신의학이다. 사람이 쾌활하게 웃을 때에는 우리 몸에 있는 650개의 근육 중에 231개의 근육이 움직인다. 이처럼 많은 근육이 활동함으로써 심신활력을 되찾아 준다. 또한 웃고 난 후에는 근육의 긴장이 이완돼 편안함을 느끼며 소화기가 왕성해 지며 정신적인 긴장도 완화된다. 뇌와 근육에도 산소공급을 증가시키며 혈압을 일시적으로 낮추기까지 하는 등 다양한 건강효과가 확인되고 있다. 따라서 임신 중 스트레스로 인한 다양한 질환에서 응용될 수 있다.

(16) **꿈치료**(dream therapy)

인간이 수면 중에 꾸는 꿈은 자기인식(self realization)의 한 형태로써, 각각의 꿈의 내용을 잘 기억해서 깨어 있는 의식세계와 연결시켜 행동하고 훈련함으로써 건강을 증진시킨다는 이론이다.

(17) **태극권**(tai chi)

태극권은 중국의 전통무술로써 오랫동안 많은 사람들이 수련해 왔다. 태극권의 많은 기능적 동작은 부드럽고 느리게 움직이며 심호흡과 이완을 가져오도록 구성되어있다. 퇴행성 질환이 있거나, 인지기능장애가 있는 노인에게서 균형기능(balance) 향상을 위하여 도움이 되며, 아마도 낙상방지에까지 긍정적인 효과를 줄 것이라는 보고들이 있다. 이 요법에 대하여 대한의학회는 "노인에게서 균형향상을 통한 낙상방지를 위하여 태극권을 권고할 수 있다"고 하였다(대한의학회, 2005).

(18) **요가**(yoga)

요가는 매우 다양한 수행방법에 대한 총칭으로 하타(hatha) 요가, 라자(raja) 요가, 갸나(jnana) 요가, 카르마(karma) 요가, 박티(bhakti) 요가 등이 있으며 이들 요가의 유형은 마음을 개발 혹은 수양한다는 동일한 목표를 향한 서로 다른 길 혹은 방법이라고 볼 수 있다. 요가에서의 단전호흡은 체감각인 호흡에 집중하는 명상이며 호흡을 의도적으로 통제한다. 특히 호흡이 단전이라고 불리는 아랫배 부위를 중심으로 이뤄지도록 하며 여기에 기가 축적되도록 한다. 따라서 감각, 심상, 행위에 집중하는 방법이 종합적으로 갖춰져 있으며 단전호흡의 유파 중 국선도와 단학은 한국의 전통적인 명상 수행으로 여러 가지 자세나 동작과 함께 단전호흡을 행한다. 산과적으로 분만통증의 완화 등을 목적으로 임신 중기 이후에 실시할 수 있다.

6) 심신의학의 실제 적용

다시 한 번 강조하거니와 심신의학의 요점은 육체적 질병을 치료할 때, 육체만을 대상으로 치료하면 완치가 되지 않거나 혹은 치료 후에 재발이 생길 수 있다는 점이다. 그 이유는 육체의 뒤에는 마음이 존재하고 있고, 마음이 병들고 난 다음에 육체적 병이 발생하는 것이므로 반드시 마음의 병도 치유가 되어야 육체적 질병도 치유가 된다는 사실이다.

(1) 스트레스의 측정

위와 같은 맥락에서 환자의 마음의 병의 유무를 검사하는 것은 매우 중요하며 그래서 스트레스를 측정하여야 한다.

① 심박동변이

심전도를 기록하고 주파수 대역(frequency domain) 특수한 수학 처리에 의하여 가공하면 스트레스 정도를 측정할 수 있다.

② 조직 미네랄검사

Watts (1997)는 모발을 채취하여 유도결합 플라즈마 질량 분석기(ICP-MS)라는 장치를 이용하여 모발의 미네랄을 분석할 수 있는데 이때 모발 내의 Na/K의 비를 측정하면 스트레스 정도를 알 수 있다고 하였다.

(2) 나쁜 마음 청소하기

다음과 같은 방법으로 원한, 분노 그리고 슬픔 등은 마음속으로부터 청소하여야 한다.

① 원한을 제거하는 방법에 대하여 미국의 종양학자 Simonton (1980)은 나를 가슴 아프게 했거나 화나게 했거나 혹은 나로 하여금 원한을 갖게 했던 사람을 마음속으로 천천히 떠올리면서 그 사람에게 "당신을 용서 합니다"라고 조용히 말하면서 웃으라고 하였다.

② 분노를 제거하는 방법에 대하여 미국의 자연의학자 Weil (2004)은 나에게 화나게 했던 사람을 마음속으로 천천히 떠올린 다음 마음속의 그 사람에게 "지난 날 당신은 나에게 행동으로, 말로, 생각으로 나에게 고통을 주었지만 이제 당신을 용서 합니다"라고 조용히 말하면서 이때 절반쯤 미소를 지으라고 하였다. 이와 같이 분노의 족쇄를 없애면 마음의 에너지는 자연 치유력으로 하나로 뭉치게 될 것이라고 하였다.

③ 슬픔을 제거하는 방법에 대하여 일본의 내과의사 하루야마 시게오는 부모가 세상 떠났을 때나 가까운 가족이 세상을 떠났을 때, 슬픔을 빨리 해결하는 방법으로 "모든 사람은 죽게 마련이다. 아버지도 세상에 태어났으니까 돌아가시는 것은 당연하다"라고 생각하라고 하였다. 뼈가 부러졌을 때도, "살다 보면 다치기도 하고 다치면 아픈 게 당연하지"라고 생각하라고 하였다. 입학시험에 떨어졌을 때, "어떤 의미가 있겠지, 나를 가르쳐 주기 위한 어떤 신호일 수도 있을 것이다"라고 생각하라고 하였다. 자동차 사고가 났을 때, "누구나 차를 타면 사고를 당할 수 있어, 당연한 일이다", 혹은 "중상이 아닌 것만 해도 다행이지", 혹은 "정신 차리라는 하늘의 경고이겠지"라고 생각하라고 하였다. 여기서 중요한 점은 스트레스의 주범은 '내 마음'이라는 사실이다. 외적인 어떤 원인이 나에게 불편이나 마음의 고통을 주는 것이 스트레스라고 할 때, 외적인 원인 때문에 우리가 스트레스를 받는다는 것은 순전히 '나의 마음'이 그렇게 받아들인 것뿐이다. 그러므로 외적인 원인을 해석하고 받아들이는 방법을 부정적인 것으로부터 긍정적인 것으로 바꾸면 되는 것이다.

(3) 스트레스 해소하기

다음과 같은 방법들 마음에 저장된 나쁜 마음을 제거할 뿐만 아니 좋은 마음을 촉진함으로써 병의 예방이나 질병의 치료에 도움이 된다. 명상요법(meditation), 이완요법(relaxation technique), 호흡요법(breathing exercises) 등이 사용 된다.

(4) 마음을 적극적으로 이용하여 질병을 치료하기

다음과 같은 방법은 마음과 정신을 적극적으로 이용하여 병의 예방이나 질병의 치료하고자 하는 것이다. 심상유도법(guided imagery), 최면요법(hypnotherapy), 인지행동요법(cognitive-behavioral therapy), 생체되먹임(바이오피드백)요법(biofeedback therapy), 웃음치료(laughter therapy) 등이 있다.

⑸ 마음 에너지를 적극적으로 이용하여 질병을 치료하기

다음과 같은 방법은 마음과 정신을 에너지처럼 보내고 이용하여 질병을 치료하고자 하는 것이다, 기도요법(prayer therapy), 정신치유(mental healing)/영성치유(Spiritual healing) 등이 있다.

7) 결론

심신의학은 이미 선진 외국에서 과학적으로 입증된 의학이다. 뿐만 아니라 저비용에 비하여 치료 효과가 높고 또한 부작용이 없다는 점에서 앞으로 매우 각광을 받을 분야라고 생각다. 심신의학은 앞으로 의학의 지평을 넓히는 역할을 할 것이고, 치료의 주체를 의사로부터 환자로 옮아가게 하는 역할을 할 수 있어, 환자 자신이 혼자서 치료를 해야 한다는 개념이 부각될 것이며, 나아가 다른 직종에 비하여 스트레스 때문에 의사의 수명이 단축되어 있는 현실을 인식할 때, 의사 자신들이 스트레스를 해소하는 방법 또한 강구하여야 할 것으로 생각한다.

3. 부인과적 심신의학

산부인과 영역에서의 심신의학 개념은 지난 수십 년 동안 발달되어 왔으며 특히 여성 생식 기관은 감정적 또는 정서적 갈등과 같은 생리적 변화를 포함한 다양한 스트레스에 쉽게 반응하는 내분비적 기능이 주된 역할을 하므로 비록 여러 질병들이 신체를 통해 표현된다 할지라도 산부인과적 질환의 발생, 경과 및 결과에 정신발생적 인자들의 적절한 상호관련이 개입한다는 심신의학적 개념이 더더욱 필요하다. 심신질환 또는 정신신체질환(주로 정신과 영역에서 많이 사용됨)이란 근본적으로는 신체의 질병이지만 '육체적 상태에 영향을 미치는 심리적 상황'을 의미한다. 즉 신체적 질환이 반드시 또는 단순히 심리적 원인에 의해서만 발생하는 것이 아니라 질병의 원인에 심리적인 소인도 포함된다는 개념이다. 따라서 시상하부-뇌하수체-난소로 구성되는 복합적 내분비축은 다양한 스트레스 유발인자들의 주표적기관으로 월경전증후군 및 월경곤란증과 같은 월경관련 질환 외에 기능성 자궁출혈, 만성골반통, 폐경, 불임, 성기능장애들은 특히 심신적 측면에서의 고찰 및 접근이 요구되고 있으며 치료에 있어서도 표준적인 방법 외에 다양한 대체의학적 방법이 시도되고 있다.

1) 월경전증후군에 대한 심신의학적 접근

월경 전 유방 긴장감, 하복부 통증, 초조, 우울이라는 신체, 정신 증상 외에 집중력, 의욕 저하, 작업 능률의 저하라는 사회적 행동상의 변화에 이르기까지 광범위한 증상이 발생되는데, 이를 월경전증후군이라 부르고 있다. 주로 월경 전 3-10일간 계속되는 정신적 혹은 신체적 증상이 월경 시작과 함께 감퇴 내지 소실하는 것으로 정의 되는데, 월경전증후군의 중증형인 월경전불쾌장애는 월경 전의 정신 증상에 의한 대인관계의 악화나 작업 효율의 극단적인 저하에 의해 사회 생활이 불능이 되는 정신 질환으로 분류된다. 가벼운 월경 전 변화는 여성의 75% 이상에서 경험하는 것으로 보이며 월경전증후군은 20-50%, 보다 심한 월경전불쾌장애는 그보다 낮은 빈도로 알려져 있다.

월경전증후군의 증상은 매우 다채로우며, 빈도가 높은 신체적 증상은 복통, 유방긴장감, 요통, 신체적 피로, 식욕항진, 여드름 등이며, 정신, 사회적 증상으로는 초조, 피곤함, 수면욕, 의욕 감퇴, 불안감 등이다. 월경전증후군의 원인으로는 다양한 가설이 있지만 아직 불명확하다. 주로 황체기에 반복해서 출현하는 특징으로부터 난소호르몬의 영향이 가장 유력한 가설로 제시되나, 신경전달물질의 대사이상, 자율신경 활동의 변조가 그 원인으로 주목되기도 한다.

월경전증후군은 발현 시기와 증상이 개인에 따라 다르고, 어느 증상이 중증감을 부르는 지에 대해서도 개인에 따라 다양하기 때문에, 시간을 들여 충분한 문진하는 것이 매우 중요하다. 아직 확립되어 있는 치료법은 없으나 식사나 운동의 조절, 카페인이나 알코올 섭취의 제한, 금연, 스트레스 해소 등 기본적인 생활습관의 개선은 매우 중요하다. 약물요법으로는 통증에 대한 소염진통제, 월경주기를 조절하는 경구피임약, GnRH agonist, Danazol, 항불안제나 항우울제가 사용되며, 한방이나 허브제재를 사용해 볼 수도 있다.

월경전증후군은 유병율이 매우 높으나 생명에 영향을 미치는 일이 거의 없기 때문에 적절한 진료를 받는 경우가 많지 않다. 그러나 다양한 증상 발현으로 환자 자신에게 고통을 줄 뿐 아니라, 사회적 기능이나 인간관계에 영향을 미치는 신체-정신-사회적 문제를 일으키기 때문에 심신의학적 접근을 통해 적절한 치료를 시행하는 것이 필요하다.

2) 불임환자에 대한 심신의학적 접근

불임시술이 보편화 됨에 따라 불임부부의 절반 가까이가 불임시술로 임신이 가능해졌지만, 아직까지 모든 불임부부에게 임신이 가능한 상황은 아니다. 현재 불임시술은 임신이라는 결과만을 중시한 나머지 불임이라는 마음의 상처를 안은 부부의 심리상태와, 치료로 태어나게 되는 아기의 심리적, 육체적 영향을 고려하는 데에는 미흡한 부분이 없지 않다.

불임 자체는 강력한 스트레스 유발인자로 작용하며, 역으로 스트레스 자체가 생식능력을 저하시킬 수 있다. 불임여성들은 감정적으로 매우 불안정하거나 자존감의 부족, 죄책감, 우울, 자신의 여성성에 대한 자신감 결여 등을 경험할 뿐 아니라(Kraft et al., 1980) 비불임군에 비해 두배가량 높은 자살률을 보고하기도 하였다(Mai et al., 1972). 특히 불임의 원인을 찾을 수 없는 경우 부부치료를 하면 임신율이 증가하는 경우도 불임 유발의 심신 측면의 하나라고 할 수 있겠다(Sarrel & De Cherney, 1985). 몇몇 원인불명의 불임여성군에서 비정상적 프로락틴 분비 양상을 보이거나 우울 척도검사에서는 낮은 점수를, 반응도에서는 높은 점수를 보인 불임여성군에서 혈중 코르티솔치가 높은 사례가 보고되기도 한다. 이 호르몬들은 스트레스의학에서 매우 중요할 뿐 아니라 수정을 방해 하는 분비물질이다.

따라서, 불임환자를 치료하는 의료인은 불임부부가 결과적으로 임신이 되든 되지 않든 지속되는 스트레스, 불안, 우울, 소외 등에 대해 심신의학적 접근을 통해 정신적 지지와 심리치료서비스를 제공할 수 있어야 하며, 이를 통해 궁극적으로 임신 성공률을 높이는 결과를 기대해 볼 수 있을 것이다.

3) 만성골반통에 대한 심신의학적 접근

만성골반통증은 6개월 이상 지속하는 만성적인 불쾌한 하복부 또는 골반내의 통증증상으로 신체뿐 아니라 정신적 고통을 수반하며 현저하게 삶의 질을 저하 시킬 수 있다. 부인과 영역에서 골반통증은 크게 월경 또는 배란 주기에 따른 주기적인 골반통증과 주기적이지 않은 만성통증으로 나누어 볼 수 있다. 주기적인 골반통증은 배란통, 생리통, 자궁내막증, 자궁근종으로 인한 통증, 자궁경부협착 또는 폐쇄성 자궁 또는 질의 기형, 자궁내 피임장치 등에 기인하며, 주기성을 갖지 않는 만성골반통증은 외음부염, 질전정염증후군, 골반염, 골반 울혈, 골반내 유착 등 부인과적 원인뿐 아니라, 간질성 방광염, 만성방광염, 만성요도염, 과민성대장증후군, 게실염, 만성변비, 항문통증, 요통, 섬유근증, 척추측만증, 대상포진 후 신경통 등 부인과 이외의 원인이 있는 경우도 있다.

만성적인 골반통증은 통증증상으로 인해 우울증이나 불안장애를 유발할 수 있고, 반대로 성적, 신체적 학대 등의 외상후 스트레스장애나 사회적 스트레스에 의해 통증증상이 유발 또는 악회되는 경우가 있어 심신의학적 접근이 필요하다. 만성골반통증은 다양한 원인이 있고 통증의 발생기전 또한 불명확한 경우가 많아 난치성인 경우가 많고, 환자는 닥터쇼핑을 반복하는 경우가 많다. 많은 만성통증 환자가 자신의 증상에 대해 납득할 수 있는 설명이 없는 것에 불안을 느끼기 때문에, 환자의 증상 호소를 충분히 듣고, 가능한 알기 쉽게 설명하는 것이 매우 중요하다.

통증이나 동반된 증상의 성질이나 발현 상황에 대해 진지하게 문진하고, 여러 가능성 있는 질환을 감별하기 위해 병력, 수술력, 감염력뿐만 아니라, 생활습관, 알코올이나 흡연, 약물사용력도 청취해야 하며, 성적, 신체적 학대나 사회적 스트레스 등 심인적 요인도 파악하도록 노력해야 한다. 또한, 진단을 위해 신체검진, 감염에 대한 검사, 혈액검사, 초음파검사, 방사선검사, 소화관검사, 내시경검사 등 필요한 폭넓은 검사를 시행한다.

통증은 환자의 삶을 현저히 저하시키고 있으므로 치료에 있어서는 조속한 증상완화를 우선적으로 고려해야 하며, 이후 심리요법적 접근도 병행하도록 한다. 통증조절에는 소염진통제가 가장 먼저 사용될 수 있으나, 장기 복용에 대한 부작용에 주의해야 하고, 되도록이면 마약성 진통제의 사용은 삼가는 것이 좋다. 우울, 불안 등의 증상을 완화하기 위해 항우울제 등 정신과 약물 투여도 고려해 보아야 하며, 외상후 스트레스장애 등 심인성 요인에 대해서는 카운슬링, 인지행동요법 등 정신요법을 시행한다. 이 외에도 여성호르몬대체요법, 항알러지약, 소화기능조절약, 항생제 등이 경우에 따라 효과적일 수 있으며, 아로마요법, 요가요법, 온열요법, 한방요법 등 다양한 보완대체의학이 증상완화에 도움이 되는 경우도 있다. 필요하다면, 외과적 치료로 진단적 복강경, 유착박리술, 자궁절제술, 천골자궁인대절제술 등이 통증 완화에 큰 도움이 될 수 있다.

4) 여성 성기능장애에 대한 심신의학적 접근

성, 섹슈얼리티는 인간의 신체적, 정서적, 심리적, 사회적 상황의 모두와 연관되어 있기 때문에 심신의학적 접근이 매우 중요하다. 성기능의 장애는 크게 성적욕구장애, 흥분장애, 오르가즘장애, 통증장애로 구성되는데, 기질적 요인 외에도 심인성 요인이 복합되어 나타나게 된다.

성욕은 성행위를 요구하는 욕망이나 충동으로 성반응의 시작점이다. 여성에게 있어 성욕장애는 노화나 질병, 수술에 의한 신체 이미지의 저하, 복용하는 약물, 폐경이나 난소기능의 저하, 고프로락틴증에 동반하는 테스토스테론 결핍 등의 기질적 원인 외에도 성교통이나 반복적인 오르가즘장애와 같은 다른 성기능장애, 우울증 등 정신질환, 그리고 부모의 부부관계, 성적학대의 트라우마, 파트너와의 친밀도 등 개인적 심리요인도 큰 원인이 된다.

성적흥분은 성욕을 전제로한 자극에 생리적으로 골반내의 혈류가 증가하고 성기가 충혈 팽창하며, 질벽으로부터 윤활액이 분비되는 일련의 과정으로 좋은 기분과 성적인 쾌감이 동반되는 과정이다. 에스트로겐의 결핍, 질점막의 위축으로 인해 질윤활액이 감소하거나, 성교통이 동반되는 경우, 또는 만성질환 또는 수술로 성기에 혈류장애나 신경마비가 합병되는 경우 기질적 흥분장애가 발생하는데, 성에 대한 부정적 가치관, 임신이나 성병감염에 대한 우려, 파트너와의 문제 등 심인성 문제도 흥분장애를 일으킬 수 있는 주요 원인이다.

오르가즘은 성적흥분의 최고조에 달한 골반저근의 긴장이 리드미컬한 운동과 함께 해방되는 교감신경반사인데, 남성에게는 음부신경, 척수, 하복신경으로 전해지는 기전이 잘 밝혀져 있으나 여성에게서는 분명하지 않다. 골반근육의 약화, 신경손상, 혈류장애, 노화 등이 기질적인 오르가즘장애를 일으킬 수 있으나, 흥분이 고조되면 잡념이 일어나 집중이 끊어지는 무의식적 억제과정이나, 컨트롤 상실에 대한 두려움 등 심인성 기전 역시 중요한 오르가즘 장애 원인으로 알려져 있다.

성교통증은 크게 외음부 혹은 삽입 시의 성교통과 골반내 심부 성교통으로 나누어 볼 수 있는데, 외음부 성교통은 염증성 질환이나, 질점막 위축, 출산시 회음부 절재반흔의 자발통 등이 원인이 될 수 있고, 골반내 성교통은 골반장기의 염증이나, 유착, 종양이 있는 경우 그 원인이 된다. 그러나 성교통에는 기질성 질환만으로 설명할 수 없는 경우가 있는데, 골반저근의 과도한 긴장, 울혈, 질윤활액의 과소분비, 질의 불수의 수축에 의한 질경련 등은 불안, 공포 등 심인성 원인이 배경이 되는 경우가 있다. 특히 삽입에 대한 공포, 과거의 성적 학대의 트라우마 등과 연관되어 있을 수 있어 주의를 요한다.

이와 같이 여성 성기능장애는 기질적 원인 외에도 심인성 원인이 크게 작용하므로 심신의학적 접근이 매우 필요한 영역이다. 기질적 원인이 있는 경우, 그 원인에 따라 우울증, 당뇨 등 만성질환에 대한 치료를 실시하고, 호르몬치료나 여성윤활제 투여, 골반저 근육의 재활 등을 실시한다. 그리고 심인성 원인에 대해서는 적절한 상담과 올바른 성지식에 대한 교육, 그리고 핵심적인 행동요법을 시행해야 한다. 필요하다면 성치료 전문가에게 의뢰하는 것이 필요하다.

5) 갱년기 여성에 대한 심신의학적 접근

갱년기는 생식기에서 노년기로 이행하는 시기이며 폐경 전후 5년씩 약 10년이 해당된다. 한국 여성의 평균 폐경 연령은 약 50세 정도로 45-55세 정도가 갱년기라 볼 수 있다. 갱년기에는 갱년기장애라 총칭되는 여러가지 증상이 발생할 수 있다. 난소기능의 쇠퇴에 따른 에스트로겐의 감소로 시상하부, 뇌하수체의 기능에 변화가 오고, 자율신경기능 이상을 비롯, 내분비계나 면역계의 기능 감소 및 정신신경증상 등 다양한 증상이 일어날 수 있다. 이 시기는 특히 '빈둥지(empty nest)'라는 말처럼 인간관계나 생활환경의 변화가 함께 동반되며 가치관의 혼란과 상실감이 고조되는 시기여서 우울이나, 불안 등 정신신경증상 발생이 더욱 촉진되는 시기이기도 하다. 따라서 갱년기 여성의 치료에 있어서는 심신의학적 접근이 매우 중요하다고 하겠다.

갱년기 여성의 증상으로는 여성호르몬의 감소로 인한 증상과 심리사회적 요인을 배경으로 하는 증상, 두 가지로 크게 나누어 볼 수 있다. 여성호르몬 감소와 관련된 신체적 증상으로는 안면홍조, 발한 등 혈관운동증상이 대표적이며, 비뇨생식기의 위축으로 인한 증상도 뒤따르게 된다. 심리사회적 증상으로는 사회적 환경요인과 환자의 성격적 요인이 상호작용하여 발생하는 우울기분이나 불안감, 의욕저하등이 대표적이다. 환자의 주 증상은 이 두가지가 다양한 비율로 복합적으로 나타나므로, 문진에서는 환자가 호소하는 증상을 크게 둘로 나누고 호르몬요법과 더불어 정신요법을 병행을 고려해야 한다.

일반적으로 갱년기장애의 첫 치료로 여성호르몬대체요법을 사용하는데, 혈관운동증상과 그로 인해 속발되는 정신신경증상에는 효과적이다. 그러나, 호르몬대체요법으로 호전되지 않는 증례가 많이 있는데, 이러한 경우 우울증이나 불안증 등 이 시기에 병발하기 쉬운 정신질환을 반드시 염두해 두어야 한다. 산부인과 의사로서 우울증 등 정신질환을 진단하고 치료하는 것은 어려운 경우가 많으며 간단한 설문지를 이용하거나 정신과 전문의의 자문을 구하는 것이 도움이 된다. 약물요법으로는 항우울제, 항불안제, 수면제 등을 사용해 볼 수 있으며, 정신요법으로 일반심리요법, 인지요법 등이 도움이 될 수 있다.

6) 부인암 환자에 대한 심신의학적 접근

암의 치료법이 개발됨에 따라 암은 더 이상 '죽음의 병'이 아니며, 치료율도 상당히 높아졌지만 언제나 암은 '죽음'을 연상시키는 치명적인 질환중의 하나다. 암 진단 이후 상당수의 암 환자에게는 적응장애, 우울증 등의 정신질환이 병발하게 되며 치료 종료 후에도 불안증, 우울증 등의 정신적 부하에 시달리게 된다.

특히 부인암의 경우에 있어서는 암치료로 생기는 생리적, 기능적인 문제가 정신증상에 미치는 영향이 상당하다. 부인암은 성의 문제, 생식의 문제와 관련된 장기라는 점에서 타인에게 이야기 하기가 어렵고, 창피함, 당혹감, 죄책감 및 고독감을 안고 생활하는 경우가 많다. 또한 가임기의 여성의 경우 치료로 임신, 출산의 가능성이 상실되는 것은 암진단과 또 다른 고통을 안겨준다. 가임력 상실은 여성의 가치를 상실한 것으로 느껴지고 자존감도 저하되며, 주변에서 결혼, 임신, 출산을 접할 때마다 반복적인 고통을 경험하게 만든다. 난소를 적출하는 경우는 조기 인공폐경상태가 되는데 갑작스런 상실감과 함께 폐경에 수반되는 안면홍조, 발한 등 혈관운동증상은 심리상태의 악화를 촉진한다. 부인암의 치료 과정에서 수반되는 문제도 무시할 수 없는데, 수술은 골반저에 영향을 미쳐, 배뇨, 배변, 성기능 등에 장애를 일으키고, 방사선 치료는 방사선 방광염, 방사선 장염 등으로 인한 반영구적인 기능장애를 유발하며, 백금 및 탁세인계 항암요법은 장기적인 말초신경염을 유발시켜 삶의 질을 저하시킨다. 이러한 기능적 장애는 일상생활에 악영향을 끼치고 우울증 등 정신증상을 일으키는 원인이 된다.

따라서, 부인암 환자에게는 특별한 심신의학적 접근이 필요하고 환자의 치료내용, 경과를 파악하고, 정신적 고통을 포함한 전신 상태를 모두 고려하여 면밀한 상담을 해야 한다. 정신상태를 평가하기 전에는 신체 통증 조절을 먼저 시행하는데, 통증을 치료함으로써 정신 증상이 경감, 소실되는 경우도 드물지 않다. 우울 및 불안이 심한경우에는 적절한 정신과약물과 정신과 전문의와의 면담을 주선하는 것이 필요하다.

4. 산과적 심신의학

산부인과 영역의 질환들 중에서 심신의학을 고려하게 되는 경우는 주로 그 질환이 다양한 심리적, 정신적 요인으로 인한 스트레스가 원인이 되어 발생하는 것들이다. 임신과 관련하여 많은 여성들은 생리적, 사회적 변화를 겪게 되며 이러한 변화에 적응하려고 노력한다. 그러나 준비되지 않은 변화된 상황은 정신적, 감정적 문제를 유발할 수 있으며, 임신과 관련된 호르몬의 영향 또한 이러한 문제를 가중시킬 수 있다. 따라서 임신과 관련된 정신적 문제는 여성에서 발생하는 가장 흔한 문제일 뿐 아니라, 중요한 건강문제 중 하나임을 인식하여야 한다.

이 단원에서는 분만과 관련된 임신부의 심신의학적 문제와 임신기간 및 분만 후에 발생할 수 있는 주산기 정신장에 대해서 기술하기로 한다.

1) 분만방법에 따른 임신부의 심리 상태

분만공포(Fear of childbirth, FOC)는 임신 중 매우 흔하게 나타나는 현상이다. 1990년대까지는 불안척도의 관점에서 연구되었으나, 이후에는 그 자체가 중요한 개념으로 여겨지고 있다. 이는 스칸디나비아 지역을 중심으로 한 유럽에서 관심을 갖기 시작하였으며, 최근에는 호주 등지에서도 연구가 진행되고 있다(Wiljma K, 2003; Toohil J et al., 2014). 분만공포는 분만을 앞둔 상태에서 발생하는 두려움을 말하며, 그 정도는 무시할만한 수준에서 극한에 이르기까지 개인마다 매우 다양하게 나타난다(Wijma K et al., 1998, 2003). 분만공포는 임신과 분만과 관련된 심리상태에 영향을 줄 뿐 아니라, 분만방법을 결정짓는 데에도 큰 영향을 준다. 제왕절개는 일반적으로 의학적 이유에 의해 시행되어 왔으나 최근 의학적 이유없이 임신부의 요구에 따라 제왕절개가 이루어지는 경우가 많아지고 있고, 이는 국가간 차이가 있기는 하나 제왕절개율이 세계적으로 지속적 증가를 보이고 있는 추세를 설명하는 것 중 하나이다. 의학적 이유가 없는 제왕절개는 모성의 건강에 악영향을 주고, 심각한 합병증과도 관련이 있을 뿐 아니라, 의학적 사회비용의 차원에서도 자연분만보다 부정적이므로, 모성 요구의 의한 제왕절개의 증가는 간과해서는 안 될 현상이다. 분만공포는 이렇게 비의학적 원인에 의해 제왕절개를 선택하는 것과 밀접한 관련이 있으므로 관심을 가져야 할 문제이다(Laursen M et al., 2009; D'Souza R, 2013).

분만공포의 발생빈도는 공포의 정의, 측정방법, 문화적 인식에 따라 매우 다양하게 보고되고 있으며, 서구사회에서는 대략 10% 안팎으로 추정되고 있다. 최근 유럽 6개국을 대상으로 한 보고에 의하면, 평균 발생빈도는 11%였으나, 국가에 따라 4.5%에서 11.4%까지 다양한 빈도를 보였다. 이는 분만공포가 세계적인 현상이기는 하나, 각 국가의 사회적 문화적 차이가 반영됨을 보여주는 결과이다(Mirjam L et al., 2014).

(1) 분만공포에 영향을 주는 인자

초산모의 경우 경산모보다 분만공포를 더 심하게 갖을 수 있다(Fenwick J et al., 2009). 그 외에도 분만공포는 여러 가지 요소와 관련이 있을 수 있는데, 분만 시 통증과 이전 분만의 경험, 응급제왕절개의 기왕력과 같은 이전 분만의 합병증, 불안, 낮은 자존감, 배우자에 대한 불만족과 같은 개인적 특성, 사회적 지지의 결여, 유년 시절에 겪은 정신적, 육체적, 성적 학대 등이 분만공포에 영향을 줄 수 있는 인자들이다(Storksen HT et al., 2013; Saito T et al., 2001). 초산모는 사회적인 환경에 더 영향을 받으며, 경산모의 경우 그들의 이전 분만 경험에 더 영향을 받는다고 한다(Nilsson C et al., 2011; Hildingsson I et al., 2011). 또한 임신부의 나이 및 교육수준, 직업, 결혼 상태도 분만공포와 연관이 있다는 보고도 있다. 나이와 교육수준에 대해서는 상반된 결과들이 보고되기도 하였으나, Raisanen S 등은 788,317명의 산모를 대상으로 한 대규모 연구에서 임신부의 나이가 많고 사회경제적 위치가 높을수록 우울감이 많으며, 분만공포도 더 많이 느낀다고 보고하였다(Raisanen S et al., 2014).

임신부가 아닌 젊은 여성을 대상으로 한 연구에서는 임신과 분만에 따른 신체적 변화를 걱정하는 경우 분만공포를 갖는 것으로 보고하였다. 또한 이 연구에서는 스스로의 지식수준에 의해 자긍심이 많을수록 분만공포를 적게 갖게 되며, 분만에 대한 정보가 많을수록 역시 분만공포를 적게 갖는 것으로 보고하였다. 이는 분만에 대해 막연한 두려움이 있을 때 공포로 느껴지기 쉬우나, 객관적 정보를 정확하게 알고 있는 경우에는 오히려 분만에 대해 긍정적으로 반응할 수 있다는 것으로 이해될 수 있다(Katherin S et al., 2015).

(2) 분만공포에 따른 분만 예후

많은 연구들에서 분만공포와 주산기 합병증의 연관성이 언급되었다. 분만공포는 제왕절개율을 증가시킬 뿐 아니라, 특히 응급 제왕절개율과도 관련이 있는 것으로 보고되었다. 분만을 준비하는 임신부뿐만 아니라, 임신 전 단계에서도 분만공포를 갖게 되는 경우 제왕절개를 선호하는 경향을 보이고 있다. 또한 분만 공포를 가지는 여성들은 분만 진행 장애를 경험하게 되는 경우도 더 많은 것으로 보고되었다(Sydsjo G et al., 2013). 그 외에도 분만 동안 극심한 공포를 경험하는 경우, 추후에 산후우울증이나 외상후 스트레스 장애와 같은 정신적 이상상태를 겪게 되기도 한다.

동물 실험을 통한 연구에서는 분만 전에 스트레스와 불안에 노출되게 될 경우 조산, 태아성장지연, 신생아의 발달저하, 성인기에 당뇨와 같은 만성질환 발생 등 불량한 주산기 예후와 연관이 있다고 발표하기도 하였다. 그러나 이러한 것은 실제 불안장애를 가지고 있는 사람에서는 명확한 인과관계가 있다는 근거는 미약하다(Lesage J et al., 2004).

(3) 분만공포의 관리

분만이 자연스러운 과정이라는 믿음을 갖도록 도와주는 것은 분만공포를 줄이는 방법 중 하나이다. 최근 10년간 분만을 앞둔 산모에게 사회적 지지를 제공하여 분만공포를 치료하고 자연분만을 돕는 서비스가 늘어나고 있다. 분만공포를 치료할 경우 제왕절개율을 낮춘다는 보고도 있어, 스웨덴이나 노르웨이 같은 국가에서는 대부분의 산과 진료에서 이러한 카운셀링이 이루어지고 있다(Rouche H et al., 2013). 원활한 분만을 준비하기 위해 임신 초기부터 의료진들이 분만공포의 유무나 정도에 대해 관심을 갖고 접근하는 것이 중요하다. 분만공포는 기존에 가지고 있던 불안장애나 우울증과도 연관이 있을 수 있으므로, 분만공포에 관해 대화를 하면서 또 다른 기존의 정신심리적 문제를 발견할 수도 있다(Storksen HT et al., 2012). 분만 전에 카운셀링을 시행하는 것만큼 중요한 것은 분만 진행 중의 지지적 도움이다. 일반적으로 조산사나 간호사에 의해 행해지는 이러한 행위들은 육체적, 정신적 지지와 분만 진행에 대한 교육, 정보 제공, 조언 등 여러가지 다양한 방면으로 제공될 수 있다. 이는 분만 진행 중 산모에게 안락함을 제공하고 분만 진통과정을 긍정적으로 기억할 수 있도록 해준다.

따라서 분만을 앞두고 있는 임산부를 대상으로 분만공포와 관련한 관리를 하는 것은 임신 기간부터 시작되어 분만 진행 기간까지 지속되어야 한다. 이러한 과정을 통해 분만공포를 갖는 임산부가 분만에 대해 인지적, 감정적으로 모두 준비를 하도록 도와주는 것이 의료진에게 주어진 역할이라고 하겠다.

2) 주산기 정신장애

주산기 정신장애는 임신 중과 분만 후에 발생하는 우울, 불안, 공포, 또는 신체적 증상 등을 특징으로 하는 질환이다. 그러나 주산기 여성을 대상으로 한 정신장애에 관한 연구들은 대부분의 경우 주산기 정신장애라는 개념보다는 산후우울증에 국한되어 있다(Matthey S et al., 2003). 최근 보고에 의하면 우울증상을 포함한 주산기 정신장애는 산욕기

보다 임신 중에 더 발생하기 쉬우며, 그 빈도는 20%까지 보고되고 있고, 이는 약 11%로 알려진 산후우울증의 발생률의 두 배에 해당되는 것이다(De Tychey C et al., 2005). 이처럼 발생 빈도가 높음에도 불구하고 임신 중 발생하는 정신장애는 이에 대한 연구의 부족으로 인해 그 특징적인 임상양상과 적절한 평가방법뿐 아니라 예방과 치료에 대해서도 명확히 알려진 바가 없다. 그러나 치료되지 않은 임신 중 심리적 문제는 산후우울증 발생의 위험요소로 작용할 수 있으므로 이에 대한 중요성을 보다 심각하게 인지할 필요가 있다.

(1) 임신 중 우울증의 증상

임신은 그 자체로 식욕, 체중 변화, 수면, 신체적 불편감과 같은 우울증의 일반적 증상을 유발할 수 있다. Rodriguez 등은 60% 이상의 산모가 병적인 단계가 아니더라도 신체적 피로감을 자주 호소하며, 30%에서는 1주에 3회 이상 이러한 증상들을 경험한다고 하였다(Rodriguez A et al., 2001). 또한 졸림이나 피곤함 등 에너지 부족과 같은 신체적 증상은 정신과 병력이 없는 임신한 여성에서 나타나게 되는 가장 흔한 정신적 증상이며, 이는 임신하지 않은 상태에서 우울증상이 있는 여성들과 비교해 보았을 때 임신한 여성에서 특징적으로 나타나는 우울증의 형태라고 할 수 있다(Coble PA etal., 1994; Salamero M et al., 1994).

(2) 임신 중 정신장애의 유발 인자

임신 중 정신장애의 발생에 영향을 줄 수 있는 인자로는 경제적 궁핍상태, 불안정한 결혼 형태, 가족의 정신적 지지 부족, 이전의 정신과 병력 등이 있다. 이 외에도 임신의 계획 여부와 이전 임신 시 사산이나 태아의 선천성 기형 등 산모의 비정상적 임신력과도 연관성이 있다는 보고도 있다(Hanlon C et al., 2007). 원하지 않은 임신은 예기치 않은 출산과 육아, 사회적 고립에 대한 두려움을 가중시킬 수 있으므로 임신한 여성이 임신에 대해 처음부터 부정적인 반응을 보이게 되어 우울증 발생에 영향을 줄 수 있다. 또한 이전 임신에서 문제가 있었던 경우에는 임신 유지나 태아의 안녕에 대한 불안감이 정신적 안정 상태에 위협적인 요소로 작용하여 심리적 불안정 상태를 조장하게 된다(Senturk V et al., 2011).

임신 중 정신장애의 발생빈도는 각 연구마다 매우 다양하게 보고되고 있는데, 이는 특히 연구대상군에서 고위험 임신이 차지하고 있는 정도에 따라서도 다르게 나타날 수 있다. 고위험 임산부의 경우 더 많은 우울감과 불안에 직면하게 되고, 특히 병원에 입원하게 되면 이들에게 고위험임신에 대한 스트레스와 부담이 가중되게 된다(Littleton HL et al., 2007; Heaman M et al., 1992). 따라서 임신 중 우울증은 유산, 조산 및 저체중아 분만, 임신중독증 등과도 밀접한 연관이 있다(Grote NK et al., 2010),

(3) 임신에 미치는 예후

임신한 여성은 그렇지 않은 여성보다 신체적 증상과 관련된 우울증상을 특징적으로 보인다. 이러한 우울증상은 낮은 자존감과 연관이 있을 뿐 아니라, 임신 초기에 우울증상의 수준이 높았던 경우일수록 임신 후반기에 비만이 될 확률이 높아 신체적 만족도가 떨어지게 된다는 보고가 있다. 이는 우울증상과 자존감 사이에 상호연관성이 있다는 것을 의미한다(Skouteris H et al., 2005).

임신부의 불안한 정신상태는 산후우울증 발생과도 깊은 연관성을 보이고, 이를 제대로 치료하지 않을 경우, 조산, 태아발육지연, 임신중독증, 유산 등과 같은 임신의 합병증을 유발할 수도 있다고 한다(Da Costa D et al., 2000; Bonari L et al., 2004). 또한 우울증상이 있는 여성에서 제왕절개분만이나 겸자 및 흡입분만의 빈도가 더 증가한다는 보고도 있다. 신생아의 예후 측면에서 본다면, 단기적으로는 우울증상이 있는 산모가 분만한 신생아가 신생아 중환자실 입원의 빈도가 더 높다. 이는 이러한 산모의 임신합병증이나 분만방법과 연관이 있는 결과라고 생각된다(Chung TK et al., 2001). 신생아의 장기적인 예후에 대한 보고들은, 임신 중 우울증상이 있는 여성에서의 감정적, 행동학적 변화는 분만 후 신생아의 인지 및 신체 발달에 부정적인 영향을 주기도 한다고 언급하고 있다(Hollins K et al., 2007).

(4) 임신 중 정신장애의 관리

모든 임신한 여성은 우울증상과 같은 정신과적 문제의 발생 위험에 대해 자유로울 수 없다. 따라서 이러한 주산기 정신장애가 있는 임신부를 감별하는 것은 매우 중요하다. 미국산부인과학회(the American College of Obstetricians and Gynecologists, ACOG)에서는 산전검진을 시행하는 동안 최소한 한번은 표준화화된 진단도구로 우울증 및 불안감에 대한 선별검사를 하도록 권유하고 있다(ACOG, 2015). 임신 중에 발생하는 정신장애의 빈도와 주산기 예후에 미치는 영향을 고려해 볼 때, 이에 보다 더 많은 관심을 가질 필요가 있다. 이러한 선별검사는 임산부를 진료하는 의료진이 우울증 등의 정신적 문제가 발생할 위험도가 높은 환자를 인지하고 적절한 예방적 처치를 제공하게 하는 기능을 갖는다.

그러나, 불행히도 이러한 과정들이 제대로 수행되지 않아 많은 임산부들이 임신기간 중에도 여러가지 정신적 문제로 고통을 받고 있다. 주산기 정신장애에 대한 선별은 진단과 치료로 연계가 되어야만 그 의미를 갖게 된다. 실제로 산부인과에서 우울증상이 있다고 의심되는 산모가 정확한 분석과 치료를 위해 정신건강의학과로 보내지는 경우가 많지 않다고 한다(Goodman JH et al., 2010). 임신한 여성의 정신과적 증상 발생 가능성을 조기에 선별하고, 고위험인 임신부가 적절한 상담과 치료를 받도록 정신건강의학과와의 연계도 적극적으로 고려하는 것이 임신부를 지속적으로 관리하는 산부인과 의사에게 요구되는 역할일 것이다.

참고문헌

- 대체의학의 이론과 실제. 강길전, 이기환, 홍달수, 서울: 도서출판;(주)가본의학; 2008.
- 대한심신산부인과학회, 일본여성심신의학회. 여성심신의학. 서울: 군자출판사; 2009.
- 대한심신스트레스학회. 스트레스 과학의 이해. 신광출판사; 1997.
- 박문일. 태교는 과학이다. 서울: 한양대학교 출판부; 1999.
- Ader R, Cohen N, Felten DL. Psychoneuroimmunology. 3rd ed. Plenum US; 2001.
- Afonso RF, Kraft I, Aratanha MA, Kozasa EH. Front Biosci (Schol Ed). 2020 Mar 1;12:92-115. Neural correlates of meditation: a review of structural and functional MRI studies.
- Bohr NH. The Theory of Spectra and Atomic Constitution. 2nd ed. Cambridge:University Press; 1922.
- Bonari L, Pinto N, Ahn E, Einarson A, Steiner M, Koren G. Perinatal risks of untreated depression during pregnancy. Can J Psychiatry. 2004 Nov;49:726-35.
- Chopra D. Qauntum healing; Expanding the frontier of mind/body medicne. New York: Bantum Books; 1992.
- Chung TK, Lau TK, Yip AS, Chiu HF, Lee DT. Antepartum depressive symptomatology is associated with adverse obstetric and neonatal outcomes. Psychosom Med. 2001 Sep-Oct;63:830-4.
- Coble PA, Reynolds CF 3rd, Kupfer DJ, Houck PR, Day NL, Giles DE. Childbearing in women with and without a history of affective disorder. I. Psychiatric symptomatology. Compr Psychiatry. 1994 May-Jun;35:205-14.
- D'Souza R. Caesarean section on maternal request for non-medical reasons: putting the UK National Institute of Health and Clinical Excellence guidelines in perspective. Best Pract Res Clin Obstet Gynecol 2013;27:165-77.
- Da Costa D, Larouche J, Dritsa M, Brender W. Psychosocial correlates of prepartum and postpartum depressed mood. J Affect Disord. 2000 Jul;59:31-40.
- David BC. Fetal Perception and Memory.IRM Conference Plenary Address; 1992.
- de Tychey C, Spitz E, Briançon S, Lighezzolo J, Girvan F, Rosati A, Thockler A, Vincent S. Pre- and postnatal depression and coping: a comparative approach. J Affect Disord. 2005 Apr;85:323-6.
- Dossey L. Healing Words: The Power of Prayer and the Practice of Medicine. San Francisco: Harper Collins; 1993.
- Dossey L. Meaning & Medicine. New York:Bantam Books; 1991.
- Dossey L. Prayer is good medicine. Harper Collins Co.; 1996.
- Evans E. A Psychological Study of Cancer. New York: Dodd Mead & Co.; 1926.
- Fenwick J, Gamble J, Nathan E, Bayes S, Hauck Y. Pre- and postpartum levels of childbirth fear and the relationship to birth outcomes in a cohort of Australian women. J Clin Nurs 2009;18:667-77.
- Goodman JH, Tyer-Viola L. Detection, treatment, and referral of perinatal depression and anxiety by obstetrical providers. J Womens Health (Larchmt). 2010 Mar;19(3):477-90.
- Grote NK, Bridge JA, Gavin AR, et al. A meta-analysis of depression during pregnancy and the risk of preterm birth, low birth weight, and intrauterine growth restriction. Arch Gen

Psychiatry 2010;67:1012–24.
- Hanlon C, Medhin G, Alem A, Araya M, Abdulahi A, Hughes M, Tesfaye M, Wondimagegn D, Patel V, Prince M. Detecting perinatal common mental disorders in Ethiopia: validation of the self-reporting questionnaire and Edinburgh Postnatal Depression Scale. J Affect Disord. 2008 Jun;108:251-62. 2007 Dec 4.
- Hansen D, Lou HC, Olsen J. Serious life events and congenital malformations: a national study with complete follow-up. Lancet 2000;356:875-80.
- Heaman M. Stressful life events, social support, and mood disturbance in hospitalized and non-hospitalized women with pregnancy-induced hypertension. Can J Nurs Res 1992; 24:23-37.
- Hildingsson I, Nilsson C, Karlstrom A, Lundgren I. A longitudinal survey of childbirth-related fear and assocated factors. J Obstet Gynecol Neonatal Nurs 2011:40:532-43.
- Hollins K. Consequences of antenatal mental health problems for child health and development. Curr Opin Obstet Gynecol. 2007 Dec;19:568-72.
- Hunt V. Infinite Mind: The Science of Human Vibrations. Malibu, CA: Malibu Publishing Co.; 1980.
- Kabat-Zin J. Mindfulness Meditation, Simon & Schuster Audio/ Nightingale-Con; 2002.
- Katherin S, Joyce Katheryn E, Wendy A. Fear of childbirth and preference for Cesarean delivery among young American women before childbirth: a survey study. Birth 2015;42:270-6.
- Kraft AD, Palombo J, Mitchell D, Dean C, Meyers S, Schmidt AW. The psychological dimensions of infertility. Am J Orthopsychiatry. 1980;50:618-28.
- Laursen M, Johansen C, Hedegaard M. Fear of childbirth and risk for birth complications in nulliparous women in Danish National Birth Cohort. BJOG 2009;116:1350-5.
- Lesage J, Del-Favero F, Leonhardt M, Louvart H, Maccari S, Vieau D. Prenatal stress induces intrauterine growth restriction and programmes glucose intolerance and feeding behavior disturbances in the aged rat. J Endocrinol 2004;181:291-6.
- Levy SM. Biobehavioral interventions in behavioral medicine an overview. Cancer 2006;50:1928-35.
- Lissoni P, Malugani F, Manganini V, et al. Psychooncology and cancer progression-related alterations of pleasure-associated neurochemical system: Abnormal neuroendocrine response to apomorphine in advanced cancer patients. Neuroendocrinol Lett 2003;24:50-3.
- Littleton HL, Breitkopf CR, Berenson AB. Correlates of anxiety symptoms during pregnancy and association with perinatal outcomes: a meta-analysis. Am J Obstet Gynecol 2007;196:424-32.
- Logan B. Biological measurements of prenatal stimulation.In: prenatal Perception, Learning and Bonding, Leonardo Publishers 1993.
- Mai F. Fertility and psychiatric morbidity. Aust N Z J Psychiatry. 1972;6:165-9.
- Manrique B. Pregnancy and early stimulation of babies, http://www.makewayforbaby.com, 1989.
- Matthey S, Barnett B, Howie P, Kavanagh DJ. Diagnosing postpartum depression in mothers and fathers: whatever happened to anxiety? J Affect Disord. 2003 Apr;74(2):139-47.
- Mirjam L, Berit S, Elsa LR. Prevalence sand associated factors of fear of childbirth in six European countries. Sex Reprod Healthc 2014;5:99-106.
- Nilsson C, Lundgren I, Karlstrom A, Hildingsson I. Self reported fear of childbirth and its association with women's birth experience and mode of delivery: a longitudinal population-based study. Women Birth 2011;16:16.
- Poponin V. The DNA phantom effect: Direct measurement of a new field in the vacuum substructure. 1995 http://www.rialian.com/rnboyd/dna-phantom.htm 1995.
- Pribram KH. Brain and perception In: Laurence Erlbaum Associates. Holonomy and structure in figural processing, New Jersey Hove and London: Hillsidale; 1991.
- Raisanen S, Lehto SM, Nielsen HS, Gissler M, Kramer MR, Heinonen S. Fear of childbirth in nulliparous and multiparous women: a population-based analysis of all singleton birth in Finland in 1997-2010.BJOG 2014;121:965-70.
- Rodriguez A, Bohlin G, Lindmark G. Symptoms across pregnancy in relation to psychosocial and biomedical factors. Acta Obstet Gynecol Scand. 2001 Mar;80:213-23.
- Rouche H, Salmena-Aro K, Toivanen R. Obstetric outcome after intervention for severe fear of childbirth in nulliparous women-randomized trial. BJOG 2013;1201:75-84.
- Saito T, Salmela-Aro K, Nurmi JE, Halmesmaki E. Psychosocial characteristics of women and their partners fearing vaginal childbirth. BJOG 2001;108:492-8.
- Salamero M, Marcos T, Gutiérrez F, Rebull E. Factorial study of the BDI in pregnant women. Psychol Med. 1994 Nov;24: 1031-5.
- Sarrel PM, DeCherney AH. Psychotherapeutic intervention for treatment of couples with secondary infertility. Fertil Steril. 1985;43:897-900.
- Selye H. The Stress of Life. New York: McGraw-Hill 1978.
- Senturk V, Abas M, Berksun O, Stewart R. Social support and antenatal depression in extended and nuclear family environments in Turkey: a cross-sectional survey. BMC Psychiatry. 2011 Mar 24;11:48.
- Simonton OC, Matthewa-Simonton S, Creighton J. Getting Well Again. Bantam Doubleday Dell Publishing Group; 1980.
- Skouteris H, Carr R, Wertheim EH, Paxton SJ, Duncombe D.

A prospective study of factors that lead to body dissatisfaction during pregnancy. Body Image. 2005 Dec;2:347-61. 2005 Nov 21.

- Storksen HT, Eberhard-Gren M, Garthus-Niegel S, Eskild A. Fear of childbirth: the relation to anxiety and depression. Acta Obstet Gynecol Scand 2012;91:237-42.
- Storksen HT, Garthus-Niegel S, Vangen S Everhard-Gren M. The impact of previous birth experiences on maternal fear of childbirth. Acta Obstet Gynecol Scand 2013;92:318-24.
- Sydsjo G, Angerbjorn L, Palmquist S, Bladh M, Sydsjo A, Josefsson A. Secondary fear of childbirth prolongs the time to subsequent delivery. Acta Obstet Gynecol Scand 2013;92:210-4.
- The American College of Obstetricians and Gynecologists. Screening for Perinatal Depression. Committee Opinion. May 2015.
- Toohil J, Fenwick J, Gambie J, Creedy DK. Prevalence of childbirth fear in an Australian sample of pregnant women. BMC Pregnancy Childbirth 2014;14:275.
- Watts DL. Trace elements and other essential nutritients. 2nd ed. Writer's BLOCK, Dallas 1997.
- Weil AT. Natural Health, Natural Medicine: The Complete Guide to Wellness and Self-Care for Optimum Health, Paperback 2004.
- Wijma K, Wijma B, Zar M. Psychometric aspects of the W-DEQ: a new questionnaire for the measurement of fear of childbirth. J Psychosom Obstet Gynecol 1998;19:84-97.
- Wiljma K. Why focus on "fear of childburth'? J Psychosom Obstet Gynecol 2003;24:141-3.

제12장

인간의 성

이은실 | 순천향의대
김계현 | 성균관의대

1. 인간의 성(Sexuality)

1) 인간의 성을 이루는 요소 및 개념

인간의 성이란 생물학적인 성(sex), 성별정체성(gender identity)과 성역할(gender role), 성적지향(sexual orientation), 에로티즘(eroticism), 쾌락(pleasure), 친근감(intimacy) 및 생식을 모두 내포하는 총체적인 표현이다(WHO 2006). 따라서 이는 생물학적인 성(natal sex), 성별정체성(gender identity), 성별표현 및 성역할(gender expression & gender role)로 구분되는 성별(gender), 성적지향(sexual orientation), 성행동(sexual behavior/sexual activity)으로 크게 구분하여 설명할 수 있다.

(1) 생물학적인 성(biologic sex)

출생 시 나타나는 신체의 특성에 따라 남자, 여자로 구분되며, 예외적으로 간성(intersex)이 있다.

(2) 성별정체성(gender identity)

자신의 내부에서 자신의 성별을 어떻게 인지하고 느끼는지를 의미하며 생물학적인 성과 일치하는 시스젠더(cisgender)와 생물학적인 성과 일치하지 않는 트랜스젠더(transgender)로 구분된다. 트랜스젠더는 생물학적인 성과 성별정체성이 일치하는 않는 사람을 칭하는 광범위한 용어이며 출생 시 성은 남성이나 여성으로서의 정체성을 가지는 트랜스여성, 출생 시 성은 여성이나 남성으로서의 정체성을 가지는 트랜스남성으로 지칭한다.

한편 대부분의 사람들은 자신의 성별을 남성 혹은 여성으로 이분법적으로 인식하지만 일부에서는 자신의 성별을 두 가지 범주 중 하나에 특정하지 않기도 하는데 이를 젠더퀴어라고 지칭한다. 성역할은 눈으로 보이는 부분을 의미하는 데 비해 성별정체성은 눈으로 볼 수 없는 정신적인 면이라 할 수 있다. 과거에는 생물학적인 성과 성별정체성이 일치하지 않는 경우 성별정체성장애(gender identity disorder)라고 진단하였으나 최근에 DSM-V에서 성별정체성장애라는 표현을 삭제하고 성별위화감(gender dsyphoria)이라는 진단으로 수정하면서, 출생 시 지정된 성과 성별정체성이 일치하지 않음으로 인해 생활에 지장 및 스트레스가 초래되는 경우로 정의하였다. 즉 성별불일치감이 있을지라도 모든 사람들이 불쾌감을 느끼는 것은 아니라는 것을 강조하였다. WHO에서도 ICD-10을 ICD-11으로 개정하면서 성별정체성장애라는 진단을 삭제하고 성별불일치감(gender incongruence)이라는 진단으로 수정하였다.

ICD -10에서는 트랜스섹슈얼이 진단명에 있었는데, 트랜스섹슈얼은 신체를 여성화 혹은 남성화시키는 의학적 개입(호르몬요법 혹은 수술)을 통해 일차성징 혹은 이차성징을 바꾸고자하거나 이미 바꾸었으며, 통상 성역할도 영구적으로 바꿔버린 사람을 지칭하였으나, ICD-11에서는 삭제되었다.

(3) 성별표현(gender expression)

성별표현은 자신의 이름, 의복, 머리스타일, 행동, 목소리, 신체적 특성 등을 포한한 자신의 성별(gender)을 외부로 표현하는 방식을 의미한다. 트렌스젠더의 경우 자신의 성별표현을 자신의 생물학적인 성보다는 자신의 성별정체성과 부합하도록 표현하고자 한다.

성역할(gender role), 혹은 성별표현(gender expression)은 특정 문화권이나 시대에서 남성적이거나 여성적이라고 규정된, 즉 전형적인 남성이나 여성의 사회적 역할이라고 여겨지는 성격, 외모, 행동 등에서 보이는 특징을 말한다. 대다수의 사람들은 사회적으로 명백히 남성다운, 혹은 여성다운 성별을 표현하지만 일부 사람들은 전통적인 방식과 다른 성역할을 표현하기도 하며, 실제 모든 사람들은 다양한 방식과 다양한 정도로 남성 및 여성의 특징을 표현하고 있다.

(4) 성적 지향(sexual orientataion)

자신이 이끌리는 이성, 동성, 혹은 복수의 성 또는 젠더를 나타내며, 이 때의 끌림은 감정적이거나, 낭만적인, 성적인 끌림일 수도 있고 이러한 것들이 복합적으로 일어나는 것일 수도 있다. 성적 지향의 분류에는 반대 성에 이끌리는 이성애, 같은 성애 이끌리는 동성애, 두 성 모두 또는 때에 따라 둘 중 한 성에 이끌리는 양성애, 이분법적인 남성과 여성 외에도 모든 성에 이끌릴 수 있음을 의미하는 범성애, 성적 이끌림이 없는 무성애 등으로 구분한다.

동성끼리의 성적인 접촉은 19세기 말까지 범죄행위로 여겨지다가 20세기 중반 이후 동성애가 범죄나 질환의 개념에서 벗어나게 되었다. 미국정신의학회(American Psychiatric Association, APA)에서는 1952년 정신질환의 진단 및 통계편람(Diagnostic & Statistical Manual of Mental Disorder, DSM) 제1판을 출간하면서 동성애를 '사회병질적(sociopathic) 성격장애' 범주내의 성적 이탈의 한 영역으로 분류했다. 이후 1973년 12월 DSM-II에서 동성애의 일반분류를 없애는 대신 이를 '성적 지향(sexual orientation) 장애'로 바꾸었다. 이는 동성애 자체가 개인에게 주관적으로 방해가 되는 경우, 즉 자신의 성적 지향 때문에 장애를 보이면서 동성애에서 탈피하기를 원하는 경우에만 한정해서 정신질환으로 간주한다는 의미이다. 1974년 수많은 동성애자들이 자신들의 성적 지향에 잘 적응하면서 살아가고 있으며, 그들로부터 정신병리학적인 흔적을 찾을 수 없다는 입장을 발표하면서 공적이든, 사적이든 동성애자들에 대한 차별을 금지할 것을 촉구하였고 이후 1976년 미국심리학회도 성적 정체성이나 성적 지향에 따른 차별을 금지할 것을 촉구하였다. 이후 DSM-III에서는 '자아 이긴장성(ego-dystonic)동성애'라는 새로운 조항만을 수록하였다. 이러한 조항의 수록은 동성애를 병리학적으로 보았던 기존의 입장에서 이성관계를 바라고 있지만 이를 유지 또는 개시하는 데 장애를 받으며, '이성에 의해서 흥분을 느끼지 못하며, 또한 동성애 관계를 원하지 않음에도 불구하고 이를 유지하기 때문에 근심의 원인이 되며, 그런 관계가 끊임없이 지속되는 것 등'만을 정상범주에서 벗어났다고 진단하는 차원으로 바뀌었다. 1987년 DSM-III 개정판(DSM-III-R)에서는 미국심리학회의 요청에 의하여 자아 이긴장성 동성애라는 조항도 삭제되었다. 1994년에 발간된 DSM-IV에서는 동성애에 대한 단어가 사라졌다. 이와 같은 학술단체의 변화에 힘입어 미국의 여러 주에서는 동성애 행위를 법적으로 구속했던 내용을 수정하게 되었다.

(5) 성행동(sexual acitivty, sexual behavior)

인간이 자신의 성을 경험하고 표현하는 방식으로, 인간은 다양한 방식의 성행동 즉, 혼자서 하는 행위(자위행위)부터 다른 사람과의 행위, 다양한 빈도, 다양한 이유를 보인다. 이러한 성행동은 성욕구와 생리적 변화를 유발하게 된다.

2) 여성의 성반응 4단계

마스터즈(Masters)와 존슨(Johnson)은 성 반응 패턴을 흥분기, 상승기, 성적절정기, 해소기의 4단계로 구분한 EPOR 모델을 제시하였다.

(1) **흥분기**(E, excitement pahse)

흥분기는 생리적 성자극과 정신적 성자극 또는 그 밖의 다른 자극에 의하여 일어나며 자극이 시작된 지 20-30초 사이에 나타난다. 이 단계에서는 질강의 내부 2/3에 신장과 확장이 일어남과 동시에 질벽으로부터 질점액이 분비된다. 흥분기는 생리적 또는 심리적 방해로 오래 끌거나 순간적으로 중단되기도 하며, 이와는 반대로 적절한 자극과 기교로 단축될 수 있다.

(2) **상승기**(P, plateau phase)

흥분기는 곧이어 상승기로 이행한다. 이 단계에서는 긴장된 성교 반응이 나타나는데 유방 및 음순과 질 등이 부풀어오른다. 클리토리스나 소음순에도 동일한 생리적 변화가 일어나며 질점액의 분비량이 증가한다. 특히 이 단계에서는 외적인 영향에 대하여 어느 정도 의식하지 않게 되며, 상승기에서 성적절정기로의 이행은 비교적 용이하게 일어날 수 있다. 여성의 상승기 지속 시간은 성적 자극의 유효성에 좌우된다. 그러나 다른 연구자들에 의하면 자극 방법과는 큰 상관관계가 없다고도 한다.

(3) **성적절정기**(O, orgasm phase)

성적절정기는 짧고 폭발적이며 3-10초 정도 계속된다. 연구자들에 의하면 지속 시간은 오르가즘에 도달하는 방법에 영향을 받지 않는다고 하는데 자신이 스스로 자극을 할 수도, 이성에 의해 자극을 할 수도 있다. 여성은 한 번 오르가즘에 도달하고 나서 상승기로 되돌아가고 난 후 다시 오르가즘을 느낄 수 있다.

성적절정기는 질강의 외부 1/3에서 일어나는 규칙적인 수축과, 항문 괄약근이나 경직된 아래쪽의 복근조직을 포함한 전골반상의 불수의적 수축에 의해서 인지된다. 이러한 수축은 여성에 따라 다를 뿐만 아니라 같은 여성이라도 각각의 경우에 따라 변화된다.

(4) **해소기**(R, resolution phase)

해소기는 완만한 역행 현상으로 이 때 질은 정상적인 크기로 복원되며 자궁은 하강한다.

이 모델에 따르면 남성, 여성, 모두 성적 긴장이 점진적으로 증가하였다가 오르가즘을 통해 해소된다고 한다. 또한 약 15-20%의 여성은 해소기에 도달하기 전에 다중 오르가즘을 경험할 수 있다. Masters와 Johnson의 모델은 현재까지 널리 수용되었고, 성 반응을 개념화하는 데 기초가 되었다. 그러나 Masters와 Johnson의 모델은 성 반응의 생리학적 측면에 주로 초점을 맞추기 때문에, 성 반응의 주관적, 심리학적, 대인관계적 측면의 중요성을 반영하지 못한다.

Masters와 Johnson에 의한 4단계 성반응은 이후에 Helen Kaplan에 의해 성욕기가 추가되고 흥분기와 상승기가 통합되어 흥분기, 그리고 절정기의 3단계로 수정되었다. Kaplan은 과거에 고려 대상이 아니었던 성교를 하고 싶거나 성적이고자 하는 욕구가 전제되어야 성적인 흥분이 발생한다고 제시하였다. Kaplan 모델의 첫번째 단계인 성욕기는 성적 욕구 또는 욕망의 생리학적, 심리적 부문의 2가지로 구성된다. 성적 욕구 또는 욕망은 두뇌의 변연계(limbic system)에 의해 주로 조절되며, 호르몬과 심리적인 부문에 의해 부분적으로 영향을 받는다. 성욕기는 남성과 여성에서 적절한 성적 흥분과 이어지는 오르가즘으로 진행되기 위해 반드시 필요한 전 단계로 여겨진다.

3) 여성의 성기능장애

Kaplan 모델은 DSM에서 남성 및 여성 성기능 장애의 진단분류 체계의 기초로 사용되었고, DSM-IV 및 DSM-IV-TR에서 성기능장애는 성반응의 주기에 따라 성욕구장애, 흥분장애, 오르가즘장애, 성통증장애 및 질경련으로 분류되었다. 이후 많은 연구에서 남녀 모두 성욕기와 성흥분이 공존하므로 성욕구장애와 흥분장애를 구분하는 것이 인위적이라는 주장이 제시되어 2013년 DSM-V에서는 성욕구장애 및 흥분장애를 하나로 통합하고, 성통증장애 및 질경련을 골반생식통증/삽입 장애로 통합하여 최종적으로 3가지 기능장애 즉, 성욕구/흥분장애, 오르가즘장애 및 생식기골반통증/삽입장애로 분류하였다.

(1) 성욕구/흥분장애(female sexual interest/desire disorder)

DMS-IV의 성욕구장애와 성흥분장애가 DSM-V에서 하나로 통합된 형태로, 의학적, 정신적 상태 및 약물에 기인하지 않은 성욕감퇴로 인해 고통받는 경우의 성흥분장애와, 충분한 성적자극에도 불구하고 생식기 흥분상태에 도달하지 못하거나 유지하지 못하는 상태가 반복되는 경우의 성흥분장애를 포함한다. 여성의 성기능장애 중 가장 흔한 형태이다.

(2) 오르가즘장애(female orgasmic disorder)

성적 행동을 통하여 오르가즘에 도달하기 어렵거나 불가능한 상태로 인해 고통받는 경우를 말하며 여성성기능장애 중 두 번째로 흔하다.

(3) 생식기골반통증/삽입장애(genito-pelvic pain/penetration disorder)

DSM-V에서 새로이 명명된 형태로 과거의 질경련과 성교통을 통합하여 질삽입과 관련된 성통증장애로 명명하였다. 주요 증상은 성교 시 발생하는 통증인 성교통, 불수의적인 외음부 혹은 항문거상근의 수축으로 인해 삽입이 불가능하거나 어려운 질경련, 질내삽입 시 혹은 접촉 시 질전정부위의 심한 통증을 느끼는 질전정부통증 및 신체접촉과는 별개로 외음부에 신경통과 같은 통증을 만성적으로 느끼는 여성외음부통 등이 있다.

2. 성폭력(Sexual Assault)

현대 사회에서는 여러 가지 각종 폭력과 마찬가지로 성폭력 역시 중대한 범죄로 인식되고 있다. 그러나 성폭력은 그 범죄의 개인성과 피해자를 범죄의 공범자로 치부하는 한국사회의 잘못된 세태로 인해 여전히 음지에 파묻혀 있어 정확한 실태 파악이 힘든 상황이다.

성폭력(sexaul assault)의 정의는 성을 매개로 상대방의 동의 없이 피해자에게 가해지는 모든 신체적, 언어적, 정신적 폭력을 포괄하는 개념이며 상대방이 원하지 않는데도 일방적으로 음란한 눈짓, 말, 포옹, 신체 접촉, 입맞춤, 성교 등의 강제적인 성행동을 하는 것을 통틀어서 말한다(예: 강간, 강간미수, 성추행, 성희롱, 성기 노출, 음란전화 등). 성추행(molestation)이란, 성적인 흥분, 자극, 만족을 목적으로 하는 행위로 성적 수치와 혐오의 감정을 느끼게 하는 일체의 행위를 말한다.

성폭력은 전세계적으로 주요 공중보건 문제로 남아있으며, 미국의 경우 발생률은 10만 명당 27.3건으로 약 18.3%의 여성이 평생동안 성폭력을 경험한 것으로 보고되었고, 국내에서는 성폭력과 관련하여 상담을 받은 사람은 2017년도 한 해 11만 1,123명으로 보고되었다.

성폭력의 경우, 범죄가 일어난 장소가 매우 개인적이거나 은폐된 장소인 경우가 많아 성폭력의 객관적 증인을 확보하는 데 어려움이 있어 수사 시 피해자의 증언에 많은 부분을 의지한다. 따라서 성폭력이 발생하였을 때 객관적인 증거를 수집하는 과정은 피해자의 증언을 증거하고 위증을 판별할 수 있는 매우 중요한 과정이다. 따라서 처음 환자를 접하게 되는 산부인과 의사의 역할이 중요하다. 정부에서는 성폭력 환자의 진료를 건강 보험의 급여 범위 안에 넣고 있으며, 비보험 항목 중 필수 항목들에 대해 꾸준한 지원을 하고 있다. 성폭력 환자를 첫 대면하는 산부인과 의사는 이에 대한 법률적 지식에 대한 이해와 동시에, 성폭력으로 큰 충격을 받은 피해자의 신체적, 정신적 고통을 이해하고 이로 인한 추후의 문제를 예방, 치료하고자 노력해야 한다.

1) 성폭력 범죄의 유형

법률상 성폭력 범죄 가운데 대표적인 유형은 표 12-1과 같다.

표 12-1. 성폭력 범죄의 유형

성폭력 범죄의 유형	내용
강간(형법 제297조) 유사강간(형법 제297조의2) 강제추행(형법 제298조)	폭행 또는 협박으로 간음, 유사성교, 추행하는 것 ※ 강간죄 등에 있어 폭행, 협박은 '상대방이 반항할 수 없거나 곤란할 정도의 물리력 행사를 의미하기 때문에 완력을 이용하는 경우도 범죄에 해당한다. ※ 강제추행의 경우에는 추행행위가 기습적으로 이루어져 폭행행위 자체가 추행행위라고 인정되는 경우도 범죄에 해당한다. ※ 흉기를 소지하거나 2인 이상이 합동하여 범행하면 특수강간, 특수강제추행으로 가중처벌이 되지만 이러한 경우에만 성폭력 범죄가 되는 것은 아니다. ※ 아동·청소년, 장애인, 친족 대상 각 강간, 추행 범죄는 가중처벌이 된다.
준강간(형법 제299조) 준강제추행(형법 제299조)	폭행 또는 협박을 수반하지 않고 술이나 약물, 깊은 잠에 빠져 정신기능의 장애로 정상적인 판단능력이 없는 심신상실상태이거나 심리적·육체적으로 반항이 불가능하거나 현저히 곤란한 상태에 있는 피해자를 간음, 추행하는 것
위계, 위력에 의한 간음 또는 추행 (형법 제302조,제303조, 제305조; 성폭력범죄의 처벌 등에 관한 특례법 제6조 제5항, 제7조 제5항 제6항, 제10조 제1항; 아동· 청소년의 성보호에 관한 법률 제7조 제5항)	미성년자, 심신미약자, 장애인, 업무상 피감독자 등 성적 자기결정권을 행사하기 어려운 상태에 있는 상대방에게 착각, 오인, 부지를 일으켜 범행(위계)하거나, 사회적·경제적·정치적인 지위나 권세를 이용하여(위력) 간음 또는 추행하는 행위 ※'폭행'이나 '협박'이 없더라도 강간죄, 강제추행죄와 동일하게 평가하여 처벌한다. ※ 폭행, 협박, 위계, 위력 유무를 불문하고 피해자와 합의하에 성행위를 하였더라도, 피해자가 '성행위 합의'에 대한 정상적인 의사결정능력이 없다고 보아, 강간, 강제추행에 준하는 것으로 평가하여 처벌한다.
공중밀집장소에서의 추행 (성폭력범죄의 처벌 등에 관한 특례법 제11조)	대중교통수단, 공연·집회 장소, 그 밖에 공중(公衆)이 밀집하는 장소에서 사람을 추행하는 것
성적 목적을 위한 다중이용장소 침입행위 (성폭력범죄의 처벌 등에 관한 특례법 제12조)	성적 욕망을 만족시킬 목적으로 화장실, 목욕탕, 탈의실 등 불특정 다수가 이용하는 다중이용장소에 침입하거나 같은 장소에서 퇴거의 요구를 받고도 불응하는 것
통신매체를 이용한 음란 (성폭력 범죄의 처벌 등에 관한 특례법 제13조)	자기 또는 타인의 성적 욕망을 유발, 만족시킬 목적으로 전화, 우편, 컴퓨터 등 통신매체를 통하여 성적 수치심이나 혐오감을 일으키는 말, 음향, 사진, 영상, 물건을 상대방에게 도달하게 할 경우
카메라 등을 이용한 촬영 (성폭력 범죄의 처벌 등에 관한 특례법 제14조)	카메라 등 기계장치를 이용하여 성적욕망 또는 수치심을 유발할 수 있는 다른 사람의 신체를 그 의사에 반하여 촬영하거나, 그 촬영물을 유포하는 경우

2) 성폭력 환자의 진료

(1) 진료 시 유의 사항과 담당 의사의 역할

출혈, 골절상 등 구급 처치를 요하는 손상을 진단하고 치료한다. 나이가 어린 환자일수록 성폭행과 동반된 신체적 외상이 있는 경우가 많으며, 외상 여부 및 정도에 대한 객관적 소견 수집에 충실하도록 한다.

병력청취 및 신체 검진을 시작하기 전 피해자 또는 피해자의 법정대리인으로부터 필수적으로 의료지원에 대한 동의 및 응급키트에 대한 서면동의를 받고, 피해자가 원할 경우, 피해자가 원하는 사람이 동석할 수 있도록 하는 동석에 대한 서면동의를 받아야 한다. 이 때 친족성폭력인 경우 보호자(양육자)가 가해자로 의심되는 상황이면 진료실에 동석시키지 않는다. 아동, 청소년 피해자의 경우 보호자(양육자)가 함께 하는 것이 좋으나, 청소년 피해자의 경우 의향을 물어본 뒤 보호자(양육자)를 동석시킨다. 특히 의료진은 경찰서를 포함한 수사 기관에 성폭력 사건의 발생 사실을 알리는 것이 의료진의 법적 의무 사항임을 알려야 한다.

병력청취와 피해상황청취와 기록은, 보호자 혹은 증인의 참관하에 피해자가 구술한 언어대로 피해 당시 상황을 기록한다. 면담을 위한 특별한 설비(이면 거울 혹은 비디오 녹화장치 등)이 있는 장소에서 면담을 시행하는 것이 좋다. 피해 시각, 장소, 가해자의 수, 성적인 접촉의 방법(성기 삽입 여부, 사정 유무, 사정을 어디에 했는지, 콘돔 사용 유무, 구강성교 혹은 항문성교 여부, 기구 사용 여부 및 기구의 종류, 가해자와의 접촉 부위 - 구강, 손, 옷, 머리 카락 등), 의식 여부, 폭력 및 흉기 사용 여부 등을 기록한다. 환자가 성적인 접촉의 부분에 대해 감추고 싶어할 수도 있으므로 그 부분에 대해서는 상세하게 질문하여 답하도록 하는 것이 좋다. 특히 어린이의 경우 유도성 질문이나 해석이 필요한 질문에 대해 잘못 이해할 우려가 있으므로,행동 특이적인 질문을 하는 것이 더 정확하면서 많은 정보를 얻을 수 있다(Flicker et al., 2003)(표 12-2). 내원 전 목욕, 샤워, 칫솔질, 뒷물, 배변, 배뇨를 했는지, 옷을 갈아입거나 털어내는 행위 등을 했는지 여부를 확인하여 기록해야 하며, 마지막으로 정상적인 성교를 한 일시, 월경력, 피임 여부, 임신 여부, 성병 감염력 등을 기록한다. 피해자가 보여주는 정서적 태도와 행동 양태에 대해서도 관심을 가지며 이를 객관적으로 상세히 기록해 두어야 한다.

(2) 성폭행 환자의 문진

피해자의 병력청취 목표는 처치가 필요한 손상 부위를 확인하고 증거물 채취를 돕기 위한 정보를 획득하기 위함이다. 병력청취한 정보는 피해자의 사생활 보호를 위해 피해자 동의 혹은 법적으로 허용된 범이 외에는 보안을 유지해야 한다. 증거채취 및 법의학적 검사는 사건 발생 후 72시간 이내에 시행할 것을 권고하며 그 이유는 사건 발생 후 72시간까지 여성 생식기 내에서 정자의 유전자를 안정적으로 채취 및 분석할 수 있기 때문이다. 하지만 최근에는 DNA 분석 기술 등의 발전으로 사건 발생 72시간 이후에도 법의학적 근거를 확보할 가능성이 있으므로 의료인의 판단에 따라 필요한 경우 시행한다(표 12-3).

(3) 진찰과 증거 수집

성폭행 피해자가 진찰과 증거수집에 동의한 상태에서 시행해야 하며, 보호자 혹은 증인이 될 수 있는 제3자에게 진찰을 참관하도록 한다. 검사자는 가루가 없는 장갑을 착용한다.

피해자가 폭행 당시 입고 있었던 옷은 피해자가 직접 벗어 따로 표시된 종이가방에 보관한다. 젖은 의류는 DNA의 파괴를 막기 위하여 건조시킨 후 보관한다. 제3자가 옷을 만지는 경우에는 가루가 없는 장갑을 착용한다.

멍이나 열상 또는 다른 외상의 징후의 경우 신체 그림을 그려서 자세히 기록하거나 피해자 동의하에 신체 그림 대신 신체 촬영한 사진을 의무기록용으로 이용할 수 있다. 생식기 이외의 외상이 발생하는 경우가 20-50%에서 동반되며, 두경부나 팔 등의 멍이나 벗겨진 상처가 흔하다. 음부에는 홍반이나 음문, 회음부, 질 입구의 작은 열상이 흔하고, 만일 항문 성교가 이루어졌다면 항문 주변에 출혈, 점막열상, 홍반, 혈종, 항문 괄약근 손상 등을 확인한다. 질확대경이나 toluidine blue 염색 등이 작은 상처의 확인에 도움이 된다. 이때, toluidine blue는 정자를 죽이므로 법의학적 증거의 수집 후에 사용해야 한다. 유방이나 음부 쪽으로 교흔(bite mark)이 있는 경우도 있으며, 자외선 촬영 시 손상 부위를 더 자세히 확인할 수 있다. 질, 항문, 요도에 이물질을 넣는 경우도 있다. 구강성교가 이루어진 경우, 구강 내부와 인두 쪽의 상처 여부를 확인한다.

① 손상의 기록과 분류

가. 찰과상(abraisions): 긁힌 상처
나. 긁힘(scratches): 손톱이나 가시에 의해 생김
다. 자국(imprint): 흉기의 모양에 따라 피부에 특징적인 자국을 남김
라. 마찰(friction): 카펫이나 시멘트 바닥 등에 접촉할 때 스쳐서 벗겨짐
마. 멍(bruises): 피하조직의 출혈, 악력이나 무기를 사용했을 때 나타날 수 있으나 무기의 모양을 반드시 반영하지 않으며, 가해진 힘의 양과 비례하지 않음. 교흔(bite mark)과 동반되어 나타나기도 함
바. 열상(lacerations): 찢어진 상처, 둔탁한 외상에 의해 피부나 피하조직이 불규칙하게 찢어지거나 갈라짐
사. 절창(incised wounds): 베인 상처, 길이가 상처 깊이보다 더 긴, 날카롭고 날이 있는 물건에 의해 발생한 상처로, 무기의 종류 확인에 도움이 됨
아. 자창(stab wound): 찔린 상처, 피부에 상처의 길이보다 깊이가 깊은 절창

② 법적 증거물 수집

법적 증거물의 수집은 여성가족부에서 배포하는 성폭력 응

표 12-2. 성폭력 환자 진찰 시 유의 사항과 담당 의사의 역할

진료 시 유의 사항
1. 조용하고 편안한 느낌을 주는 독립된 공간에서 진료한다. 2. 가능한 한 신속히 진찰하고 부득이 지연되는 경우에는 지연되는 이유를 설명한다. 3. 진찰자가 남자 의사일 경우에는 간호사나 상담원 등 여성을 입회시킨다. 4. 피해자가 원한다면 믿을 만한 사람을 함께 있도록 주선한다. 5. 의사는 객관적 자세를 유지하고 무비판적인 태도로 임해야 한다. 6. 진찰에 앞서 피해자에게 자신을 소개하고 진료과정을 설명한다. 7. 피해자가 기꺼이 진술할 때까지 미뤄두는 것이 좋으나 증거 소멸을 방지하기 위해 검진을 해야 할 경우에는 충분한 설명으로 납득시킨다. 8. 법적 조치를 취할 것인지 여부를 결정하도록 도와주고 동의를 얻어 경찰에 연락한다. 당장 고발할 의사가 없다 하더라도 추후 마음이 변할 수도 있으므로 증거를 확보해 두는 것이 바람직하다. 9. 검진 시에 피해자와 가족으로부터 동의서를 받도록 한다. 10. 피해자의 나이와 배경에 맞는 용어를 사용한다. 성을 연상시키는 단어는 피하여 사용하고 진찰 결과 정상일 때도 양호(good)라는 말보다는 건강, 전형적, 정상 등의 용어를 사용한다. 11. 매 검사마다 피해자의 두려움을 줄여주기 위하여 설명을 곁들이고, 검사에 필요한 시간이나 통증 유무 등에 대해서도 솔직하게 알려준다. 12. 교차 감염을 예방하기 위하여 한 손은 진찰하고 나머지 한 손은 기구를 다룬다. 진찰자의 손톱은 짧게 하고 불필요한 접촉은 금한다. 13. 질경은 사용 전 따뜻한 물에 적셔 사용하며 오염을 방지하기 위해 윤활제는 사용하지 않는다. 14. 진찰 후 피해자에게 출혈, 상처, 성병, 임신 등의 문제로 의학적 상담이 필요하다면 피해자에게 솔직하고 조심스럽게 알린다.

담당의사의 역할	
1. 의학적 역할 1) 구급처치 및 생명을 위협하는 손상에 대한 진단과 치료 2) 부인과 병력 및 기타 의학적 병력에 대한 문진 3) 임신과 성병, 기타 감염에 대한 검사 및 예방조치 4) 피해자와 그 가족에 대한 상담제공 5) 추적 관찰 및 정신과적 상담에 대한 안내	2. 법적 역할 1) 성폭력 피해 상황 문진과 기록 2) 법적 증거물채취 및 기록 3) 피해부위 파악 및 기록과 치료 4) 법적으로 적합한 보고 용지 작성

표 12-3. 성폭력 환자의 병력청취 획득 정보(원본: 해바라기 의료업무매뉴얼 표 8)

구분	획득 정보	
성폭력 사건 관련사항	사건 지점	- 언제 성폭력 사건이 발생하였는가? ※ 응급피임은 사건 발생 후 72시간 내에 수행해야 가장 효과적임. 단, 피임의 경우 피임 약물에 따라 차이가 있을 수 있음
	사건 장소	- 성폭력 사건은 어디에서 발생하였는가?
	가해자 관련정보	- 피해자가 가해자를 알고 있는가? - 가해자가 1인 또는 다수였는가? - 가해자의 신원을 알고 있는가?
	사건 경위	- 피해자가 신체적인 폭력을 당했는가? - 어느 부위에 무엇으로 폭력을 당했는가? - 가해자가 질, 항문, 구강 접촉을 시도하였거나 시행하였는가? - 가해자가 사정을 했는가? 했다면 어느 부위에 했는가? - 피임기구를 사용하였는가? - 이물질을 성폭력 과정에서 사용하였는가?
	사건 전후부터 내원 전까지 피해자의 상황	- 성폭력 사건 발생 후에 피해자가 소변, 대변, 구토를 하였는가? - 성폭력 사건 발생 후에 피해자가 샤워, 목욕, 질세척, 뒷물 또는 의복을 탈의하였는가? - 성폭력 사건 발생 후에 양치 또는 구강 가글을 하였는가? - 피해 후 24시간 이내에 약물이나 마약 복용, 음주를 하였는가? - 사건 발생 전후 72시간 이내에 자의에 의한 성관계가 있었는가?
피해자의 과거력		- 마지막 월경 시점이 언제인가? - 피해 전 과거에 성관계 경험이 있었는가? - 알레르기 및 관련 과거력은 어떠한가? - 평소 사용하는 피임방법 및 현재 사용 여부는 어떠한가?

급키트(Rape Kit, Emergency Kit)를 사용하면 체계적으로 수집이 가능하다. 수집 전 피해자의 동의서를 반드시 받도록 한다(표 12-4). 키트 내에는 진료 시 유의 사항, 동의서뿐만 아니라 법적 증거물의 수집을 수월하게 할 수 있도록 종이봉투와 면봉, 손톱깎이, 빗, 슬라이드 등이 포함되어 있다(표 12-5). 모든 병원에 무상으로 공급되고 있으며 전국 구청, 시청에 문의한다. 응급키트 사용 후 겉옷 등 부피가 큰 것을 제외한 증거물은 다시 상자에 담는다. 이 때 사용되지 않은 단계와 구성물품, 전담의료기관에서 사용하기 위해 채취한 검체, 상해부위를 촬영한 사진 등이 응급키트 상자 안에 포장되지 않도록 주의한다. 상해부위를 촬영한 사진은 응급키트와 별도로 경찰에 인계한다. 성병 등의 검사를 위한 내용도 있으나 병원 내 자체 검사를 위한 샘플은 따로 해야 한다.

④ 신체검사의 구체적 방법

가. "머리에서 발끝까지" 신체검사

가) 피해자의 일반적인 외모와 태도를 관찰하며 손을 검진한다. 피해자를 안심시키기 위해 피해자의 손을 잡는 것부터 시작하고, 활력증후(혈압, 맥박, 호흡, 체온)을 측정한다. 양 손목에 묶인 자국이 있는지 관찰한다.

표 12-4. 성폭력 증거채취 응급키트 단계(원본: 해바라기 의료업무매뉴얼 표 8)

구분	내용
1단계	**성폭력 피해자 동의서 및 관계인 동의서 작성** 성폭력 피해자 동의서는 피해자로 하여금 기재사항을 작성하고 서명하게 한다. 관계인 동의서는 선택사항으로 피해자 또는 피해자의 성적 관계인이 원하는 경우에 성적 관계인 본인이 기재사항을 작성하고 서명하게 한다.
2단계	**성폭력 피해자 진료기록 작성** 담당 의사가 필요한 사항을 기재하고 입회자와 함께 서명한다.
3단계	**겉옷, 속옷, 이물질 수집** 봉투 겉면의 사용지시서 확인 후 실시한다.
4단계	**성폭력 피해자 신체의 부스러기 채취(DEBRIS COLLECTION)** 봉투 겉면의 사용지시서 확인 후 실시한다.
5단계	**가해자의 얼룩 및 타액 채취(STAIN COLLECTION)** 봉투 겉면의 사용지시서 확인 후 실시한다.
6단계	**가해자가 흘린 음모 채취(PUBLIC HAIR COMBINGS)** 봉투 겉면의 사용지시서 확인 후 실시한다.
7단계	**생식기 증거 채취(GENITALIA SWABS AND SMEARS)** 봉투 겉면의 사용지시서 확인 후 실시한다.
8단계	**항문 및 직장 내 증거 채취(ANORECTAL SWABS)** 봉투 겉면의 사용지시서 확인 후 실시한다.
9단계	**구강 내 증거 채취(ORAL SWABS)** 봉투 겉면의 사용지시서 확인 후 실시한다.
10단계	**혈액 채취(BLOOD SAMPLE)** 봉투 겉면의 사용지시서 확인 후 실시한다.
11단계	**소변 채취(URINE SAMPLE)** 봉투 겉면의 사용지시서 확인 후 실시한다.
12단계	**성폭력 증거채취 응급키트 체크리스트 작성** 해당 유무를 기록한다.

표 12-5. 성폭력 증거채취 응급키트 단계별 구성물품 목록(원본: 해바라기 의료업무매뉴얼 chapter 5. 5-1)

구분	구성물품 목록	수량
1단계	성폭력 피해자 동의서(3장)	1부
	관계인 동의서(3장)	1부
2단계	성폭력 피해자 진료기록(3장)	1부
3단계	겉옷(outer clothing)봉투	2개
	속옷(inner wear)봉투	2개
	이물질(foreign material)봉투	1개
	종이보	1개
	종이팬티	1개
	비닐소독장갑	1세트
4단계	성폭력 피해자 신체의 부스러기 채취 (DEBRIS COLLECTION)	
	종이봉투	1개
	손톱깎이	1개
	스크럽 도구	1개
	손톱수거 표시용 왼쪽·오른쪽 라벨(주황색)	각 1개
	종이보	2개
	비닐소독장갑	1세트
5단계	가해자의 얼룩 및 타액 채취(STAIN COLLECION)	
	종이봉투	1개
	증류수	1개
	멸균면봉(DNA-Free 멸균팩)	4세트
	면봉보관함(고정테이프 포함)	4개
	비닐소독장갑	1세트
6단계	가해자가 흘린 음모 채취(PUBLIC HAIR COMBINGS)	
	종이봉투	1개
	빗	1개
	종이수건	1개
7단계	생식기 증거 채취(GENTALIA SWABS AND SMEARS)	
	종이봉투	1개
	멸균면봉(E.O GAS 멸균팩)	4세트
	면봉보관함(고정테이프 포함)	4개
	슬라이드글라스	1개
	슬라이드글라스보관함	1개
	비닐소독장갑	1세트
8단계	항문 및 직장 내 증거 채취(ANORECTAL SWABS)	
	종이봉투	1개
	멸균면봉(E.O GAS 멸균팩)	2세트
	면봉보관함(고정테이프 포함)	2개
	비닐소독장갑	1세트
9단계	구강 내 증거 채취(ORAL SWABS)	
	종이봉투	1개
	멸균면봉(E.O GAS 멸균팩)	4세트
	면봉보관함(고정테이프 포함)	4개
	비닐소독장갑	1세트
10단계	혈액 채취(BLOOD SAMPLE)	
	종이 봉투	1개
	EDTA Tube	3개
	비닐소독장갑	1세트
11단계	소변 채취(URINE SAMPLE)	
	종이봉투	1개
	소변통	2개
	부착테이프	2개
	지퍼백	1개
	비닐소독장갑	1세트
12단계	성폭력 증거채취 응급키트 체크리스트(3장)	1부
기타	경찰보관용 봉투(상자 뚜껑 겉면 하단 부착)	1부
	수술용 고무장갑(Latex Surgical Gloves, Gamm 멸균, 진찰용)	1개
	일회용 질경(7단계에서 사용)	1개
	증거물(EVIDENCE) 표시 라벨(주황색)	3개
	생물학적 위험(BIOHHAZARD) 표시 라벨(주황색)	1개
	마스크	2개
	사용안내서	1부
	포장 상자	1개

나) 전완(forearm, 팔꿈치부터 손목까지의 부분) 검진: 방어 손상(타박상, 찰과상, 열상, 예리하게 베인 상처) 등이 있는지, 붓기와 압통, 정맥주사 흔적이 있는지 관찰한다.

다) 상박(upper arm, 어깨에서 팔꿈치까지의 부분)의 안쪽 면과 겨드랑이 검진: 멍이 있는지, 점상출혈반이 있는지, 손가락 모양의 억제당한 흔적이 있는지 관찰한다.

라) 얼굴 검진: 눈 주위의 멍, 코피, 입에 멍, 찰과상, 점막 열상, 치아 손상을 관찰한다.

마) 귀 검: 귀 뒷부분에 멍자국이 있는지, 고막 손상이 있는지 관찰한다.

바) 두피 검진: 두피의 압통과 부기, 머리가 뽑힌 흔적이 있는지 관찰한다.

사) 목 검진: 목의 멍자국은 생명을 위협하는 지표이므로 의학적으로 중요한 부위이다. 물었던 자국이 있다면 만지기 전에 타액을 면봉으로 채취한다.

아) 가슴과 몸통 검진: 등부터 시작하여, 어깨, 가슴 등을 관찰한다.

자) 복부 검진: 피 해자를 눕힌 상태에서 복부를 검사하고, 복부촉진을 통해 복부내의 손상 및 임신을 확인한다.

차) 다리 검진: 누운 자세에서 차례로 다리의 앞쪽, 무릎, 발목, 발 등, 발바닥을 관찰한다.

타) 가능한 선 자세에서 등과 다리를 검진하고 엉덩이의 시진은 피해자가 서 있을 때 가장 좋다.

나. 생식기-항문검사 과정

가) 엉덩이와 허벅지뿐만 아니라 생식기와 항문 주위를 검진한다.

나) 혈액이 보이면 출혈 부위를 찾기 위해 부드럽게 면봉으로 닦아야 한다.

다) 질경으로 관찰하여 질벽의 찰과상, 열상, 멍 등의 손상을 확인하고, 정액, 이물질, 털과 같은 증거물을 수집한다.

라) 산부인과 진찰 자세인 쇄석위(lithotomy position) 또는, 좌측 측와위(left lateral position)로 눕히고 항문을 검진한다. 항문가장자리(anal verge)를 약간 누르면 멍, 열상, 찰과상 등을 확인할 수 있다.

마) 항문 안쪽에 이물질이 있을 것이 의심되면 직장수지검사(digital rectal examination)를 실시한다.

바) 항문출혈이나 심한 항문통증이 있을 때, 혹은 직장 내 이물질이 의심될 때에만 선택적으로 직장경검사를 시행한다.

(4) 성매개감염 질병검사, 치료 및 임신의 예방

피해자가 어느 정도 안정되면, 성병과 임신을 예방하는 조치를 한다. 임신 가능 연령층의 강간피해자 중 약 5% 정도가 강간으로 인해 임신을 하게 된다. 피해자가 이미 임신을 하고 있을 수도 있으므로, 응급피임약을 사용하고자 한다면 반드시 β-hCG를 확인하여 임신 상태 여부를 확인해야 한다.

① 응급피임 방법

성폭행 시간과 응급피임 시행 시기 사이에 시간이 짧을수록 높은 성공률을 보이며, 5일 이내에 시행하였을 때, 효과가 있다. 응급피임약에는 용량이 높은 호르몬이 포함되어 있어 복용 후 오심과 구토, 질출혈 및 피로감을 유발하기도 한다. 부작용을 완화하기 위하여 항구토제를 복용하기도 한다. 만약 피임약 복용 후 2시간 이내에 구토를 하였을 경우에는 첫 용량부터 다시 복용하여야 한다. 피해자에게 약을 복용하기 전에 실패율과 태아기형 유발에 대한 설명을 해야 한다. 응급피임약을 복용한 경우, 다음 생리 예정일에서 3일 이내에 생리를 하게 되므로, 날짜가 늦어지는 경우 임신검사를 해야 한다.

가. 고용량 프로게스테론(levonorgestrel) 사용

사건 발생 후 72시간 이내에 1.5 mg의 levonogestrel을 한 번 복용하거나 0.75 mg의 levonogestrel이 들어있는 응급피임약 한 알을 복용하고, 12시간 후 다른 한 알을 추가 복용한다.

표 12-6. 피해자의 증거물 확보를 위한 권고기한(원본 : 해바라기 의료업무매뉴얼 표 11)

채취 부위	권고 기한
겉옷, 속옷, 이물질 수집	의류에 부착된 가해자의 인체분비물은 잘 건조된 상태라면 기한 제한이 없이 의뢰
신체의 부스러기(손톱)	48시간 이내 채취 가능함(손톱의 세척 여부에 따라 다름)
가해자의 얼룩 및 타액	대개는 48시간 이내에 증거 채취가 가능함. 단, 피해자가 씻지 않는 경우 7일까지 증거 채취할 수 있음.
여성 생식기	강간이 있었을 경우 72시간까지 증거 채취가 가능함. 질로 손가락 삽입: 48시간 이내 채취 가능함.
남성 생식기	강간이 있었을 경우 72시간까지 채취 가능함.
항문직장 내	항문성교를 당했다면 72시간 이내에 채취 가능함. 항문으로 손가락 삽입: 48시간 이내 채취 가능함.
구강 내	구강 성교를 당했다면 48시간 이내에 채취 가능함. 구강성교를 당한 경우에만 채취하는 것이 바람직함.

나. 선택적 프로게스테론수용체조절제(ulipristal) 사용

사건 발생 후 120시간 이내에 ulipristal 30 mg을 한 번 복용한다.

다. 경구복합피임약 사용

Yuzpe와 Lancee가 1977년에 도입한 경구복합피임약을 이용한 응급피임은 사건 발생 후 72시간 이내 복용시 효 과가 있다. 경구복합피임약(50 μg ethinyl estradiol + 0.5 mg norgestrel) 두 알을 복용하고, 같은 용량의 피임약 두 알을 12시간 후에 추가로 복용한다.

라. 구리자궁내장치 삽입

120시간 이내에 사용시 가장 효과적인 응급피임법으로 99% 이상의 효과를 보인다. 기타 응급피임약을 사용할 수 없는 금기 사항이 있는 경우나, 응급피임약 복용 후 2시간 이내에 토한 경우, 응급피임 이후에도 지속적인 피임을 원하는 경우 사용한다.

② 전염병의 예방

성폭력 피해자가 성매개질환에 감염될 확률은 43% 정도로 매우 높다. 성폭행 후 성매개질환에 감염률은 임질 6-12%, 트리코모나스 12%, 클라미디아 2-12%, 매독 5%로 보고되고 있다. 성병의 경우, 성폭력 과정에서 새로 감염된 것인지 아니면 이미 가지고 있던 것인지 구별하기 힘들기 때문에, 모든 피해자들에게 예방 조치를 취하는 것이 좋다. 많은 수의 성폭력 피해자들은 병원을 재방문하기를 꺼리기 때문에 첫 방문 때 시행하는 것이 매우 중요하다. 임질, 클라미디아, 트리코모나스, 매독, B형간염, HIV에 대한 초기 검사 및 예방조치가 이루어져야 한다(표 12-7).

가. 모든 성폭행 피해자들은 성매개 질환에 대한 예방적 치료가 필요하다. 이때 사용하는 약물은 임질, 클라미디아, 트리코모나스, 세균성 질염, 매독, 사람면역결핍바이러스(HIV)감염에 효과적인 것이어야 한다(표 12-8).

나. 피해자가 질, 구강 혹은 항문성교를 당했다면 B형간염에 대한 예방 접종을 시행해야 한다. 성교로 B형간염이 전염될 확률은 HIV의 20배 정도 된다. 그러므로 맨 처음 병원을 방문했을 때 피해자에게 B형간염 항체가 없다면 백신을 주사하고, 1-2개월, 4-6개월 후 재접종을 실시한다. 피해자가 이전에 백신을 투약했다면 백신은 한 번만 투약하고 추가접종은 하지 않는다.

다. 깊은 상처가 있거나 물린 상처가 있으면 파상풍 예방주사를 실시한다(0.5 mL 근주). 물린 상처가 있는 피해자는 항생제(Augmentin; Amoxicillin/clavula875 mg 하루 2회)를 3일간 복용하도록 한다.

표 12-7. 성매개감염 질병검사

1. 성매개감염 질환검사 및 응급키트 시행 시기: 피해 보고 직후
가급적 72시간 이내에 시행하는 것이 효과적이며, 72시간 이후라도 의료인의 판단에 따라 필요한 경우 가능함. 피해자의 상황에 따라 성기삽입 강간 대상자의 경우 자궁경부 채취는 7일까지도 가능함.

2. 피해자 검체물
- 클라미디아, 임질: 자궁경부, 직장, 인후 또는 구강검체물 세균배양검사 or/and PCR
- 트리코모나스, 세균성질염: wet smear & 세균배양검사
- B형간염, HIV, 매독: 혈액
- HPV: 이전 성관계가 없는 여성이나 청소년의 경우 시행
- 유사강간의 경우 성기, 항문에 손가락 등의 신체 일부 또는 도구를 삽입한 피해의 경우에는 B형간염, HIV, 매독검사를 생략 가능
- 소변 핵산증폭검사: 남성 성폭력 피해자의 클라미디아, 임질의 진단적 평가시 유효

3. 피해자가 예방적 치료를 거부하는 경우: 1주 후 성병검사를 반복

4. 예방적 치료를 하지 않은 경우, 첫 번째 추적검사는 1주 이내 진행
- 초기검사 결과 양성: 피해자 상담 후 즉시 치료 제공
- 초기검사 결과 음성: 1-2주 안에 성매개감염질환검사 반복

5. 예방적 치료를 한 경우
- 피해자가 무증상이면: 추적검사 필요 없음
- 피해자가 증상이 있으면: 검사 필요, 치료 제공

6. 깊은 상처가 있거나 물린 상처가 있을 때는 파상풍 예방접종을 실시한다.

표 12-8. 성매개감염 질환에 대한 예방적 치료 지침

임질	Ceftriaxone 250 mg 근주 plus
클라미디아	Doxycyclin 100 mg 하루 두 번 일주일간 경구 또는 Azithromycin 1 g 경구 한 번 (임산부는 Azithromycin만 사용 가능) plus
트리코모나스, 세균성질염	Metronidazoe 2 g 경구 한 번 또는 Tinidazone 2 g 경구 한 번
B형간염	- 가해자가 B형간염 보균자인 경우 B형간염 면역글로불린 투여 - 피해자가 이전에 백신을 투약하지 않은 경우 B형간염 백신 주사하고 1-2개월, 4-6개월 후 추가접종 필요 - 피해자가 이전에 백신을 투약했던 경우 B형간염 백신은 한 번만 투약하고 추가접종은 필요없음.
HIV	상황을 판단하여 경우에 따라 예방 권고안을 따른다.
HPV	이전에 백신을 투약하지 않은 9-26세 여성 또는 9-21세 남성에서 백신 주사, 게이 남성 피해자는 26세까지 백신 주사하고 1-2개월, 6개월 후 추가접종 필요

라. 피해자가 HIV에 감염될 가능성은 약 0.1-0.3% 정도이며 이는 의료인들이 HIV에 감염된 혈액을 다루다가 직업적으로 노출되었을 때 감염되는 정도와 유사하다. 남성 피해자들의 경우는 항문을 통한 성기의 접촉이 있어 HIV의 감염률이 여성 피해자보다 높다. 전염의 가능성은 피해 유형, 외상 유무, 사정 장소, 사정액 속의 HIV 바이러스의 양, 동반 성병의 유무 등에 따라 다르다. HIV 감염자는 세계적으로 점차 늘어나고 있으며, 감염의 위험도가 직업적 노출 시와 유사하므로 예방 권고안이 필요하다. 피해자가 어린 경우 질벽이 얇기 때문에 HIV 전염의 위험이 더 높다. 항레트로바이러스 치료 약제의 독성을 고려하여 피해자의 HIV 전염 위험도에 따라 치료를 시작하는 것이 바람직하다.

성폭행 피해자 중 전염의 가능성이 매우 낮은 경우 혹은 성폭행 후 72시간 이상 경과하여 HIV의 전염을 막기에 시간이 너무 오래 경과했다고 생각되는 경우에는 HIV 예방을 권고하지 않는다. HIV에 대한 예방 조치 유무와 상관 없

표 12-9. **성매개감염 질환에 대한 예방적 치료 지침**

고위험군	• HIV 감염자와 안전조치 없이 항문으로 성교한 경우 • HIV 감염 여부는 알려져 있지 않으나, 30% 이상의 HIV 감염 위험도를 가진 인구 집단에 속하는 가해자와 안전조치 없이 항문으로 성교한 경우
중등도위험군	• HIV 감염자와 안전조치 없이 질로 성교한 경우 • HIV 감염 여부는 알려져 있지 않으나, 10-30% 정도의 HIV 감염 위험도를 가진 인구 집단에 속하는 가해자와 안전조치 없이 항문으로 성교한 경우
저위험군	• HIV 감염 여부는 알려져 있지 않으나, 낮은 HIV 감염 위험도를 가진 인구집단에 속하는 가해자와 안전조치 없이 질로 성교한 경우 • HIV 감염 여부는 알려져 있지 않으나, 낮은 HIV 감염 위험도를 가진 인구 집단에 속하는 가해자와 안전조치 없이 항문으로 성교한 경우 • 사정하지 않은 구강 성교

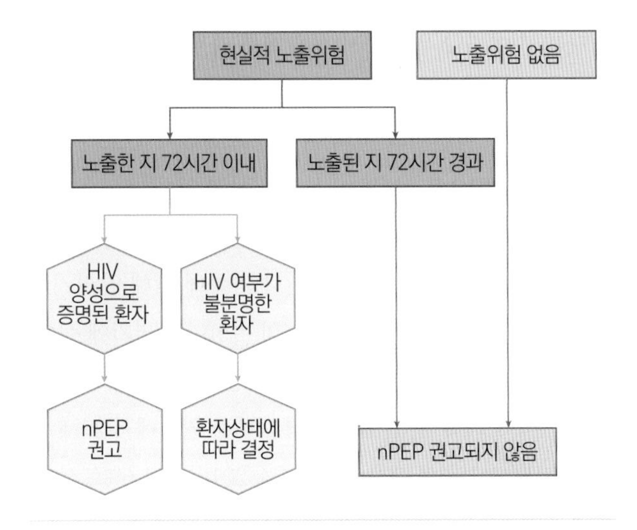

그림 12-1. **성폭력 피해로 인한 HIV 노출 시 치료 및 평가 알고리즘**

이 성폭행 피해자는 초기 방문 시와 1개월, 3개월, 6개월째 HIV에 대한 검사를 실시해야 한다.

이 외에 외상의 유무나 조직 손상의 유무, 혹은 가해부위의 출혈 유무와 상관없이 질, 또는 항문을 통한 성기의 접촉이 있고, 72시간 이내 병원에 내원한 모든 성폭행 피해자는 HIV 예방 치료를 받아야 하며 노출 후 예방적 치료가 고려되는 경우에는 감염내과로 의뢰한다(표 12-9, 그림 12-1).

③ 정신과 치료

첫 진찰 시 피해자에게 강간이라는 충격적인 사건으로 인한 정신적인 영향이 장기간 지속될 수 있으며 이를 회복하는 데에는 오랜 기간이 걸릴 수도 있음을 알려주어야 한다. 또한 현재 피해자가 겪고 있는 여러 정신적인 변화들이 이상한 것이 아님을 알려 안심시켜야 한다. 치료진은 정신과적 문제(정신과 질환의 과거력, 현 병력, 자살에 대한 과거력 및 현재 위험도)에 대해 평가하고 지속적인 정신과 추적 진료를 권유하도록 한다.

첫 진찰 후 퇴원 시, 피해자가 거주하는 현재 환경이 안전한지를 검토하고 집까지 동행해 주고 같이 있어 줄 사람이 있는지, 피해자의 현재 계획은 무엇이며 현실성이 있는가를 확인한다. 심하게 불안해하는 피해자에게는 항불안제 혹은 진통제(다이아제팜 5 mg 경구 복용 혹은 아티반 1 mg 경구 복용)를 투여할 수 있다. 가능한 한 약은 피해자의 가족에게 준다. 또한 피해 후 나타날 수 있는 정신적인 증상에 대해 설명하고 재방문을 격려한다. 어린이 피해자에게는 소아정신과 전문 의료진의 진찰을 받도록 해야 한다.

대부분의 성인 성폭행 피해자들은 성폭행 후 죄책감과 부끄러움, 비탄 등의 감정 상태를 보인다. 성폭행을 당하게 된 것에 대해 자기 자신을 비난하기도 하는데, 특히 약물이나 술에 취했거나 폭행 전 자발적인 성행위가 있었던 경우에 더 심하다.

면식범에 의한 강간이나 데이트 강간인 경우, 피해자는 자신의 대인관계로 인해 그러한 문제가 유발되었기 때문에 인간에 대한 기본적인 신뢰를 가질 수 없게 된다. 피해자가 되도록이면 자신의 감정을 자유롭게 이야기할 수 있도록 심리적으로 지지해 주어야 한다.

강간 피해자들은 '강간생존자증후군(Rape trauma survival syndrome)'이라는 감정 변화를 겪기도 한다. 첫 번째 시기는 급성기로 감정의 분열기이다. 피해자는 강간이라는 사고에 대한 정신적 쇼크와 비탄에 잠기게 되며 두 가지 상반된 반응을 보인다. 표현하는 스타일인 경우, 피해자는 마구 화내거나 두려워하고, 분노와 울음 등으로 감정을 표시한다. 감정을 조절하는 스타일의 피해자는 극히 침착하게 감정을 드러내지 않는다. 그러나 이런 경우에도 자신의 감정을 말로 표현하도록 지지해 주는 것이 좋다. 이 시기는 약 6주에서 수개월간 지속된다. 두 번째 시기는 재형성 시기로 외부자극에 적응하고 자아를 되찾으며 회복되어가는 기간이다. 피해자에 따라 수개월에서 수년이 걸리기도 한다(Burgess and Holmsrom, 1974).

어떠한 극심한 정신적인 쇼크 뒤에 생길 수 있는 외상후증후군 역시 강간 피해자들에게서 나타날 수 있다. 이 증후군은 다음과 같은 특징을 보인다.

가. 강박적인 생각이나 꿈, 회상 등으로 충격의 순간을 반복하여 경험한다.
나. 전에 즐겨 했던 여러가지 유쾌한 활동들을 기피한다.
다. 성폭행이 이루어졌던 장소를 회피한다.
라. 정신운동의 각성이 과다해지면서 잠을 자거나 기억하는 데 장애가 생긴다. 불면증, 수면장애, 식욕변화, 심한 감정기복, 우울증 등을 보이기도 한다. 강간 피해자는 사고 후 적어도 1-2주 이내에 정신과적인 추적 면담을 실시해야 한다.

3) 아동성폭력

아동성폭력이란 '아동에게 가해지는 성폭력'으로 넓게 보면 법상 미성년자인 20세 미만의 아동과 청소년에 대한 강간, 추행 등의 성폭력이라고 할 수 있고, 좁게 보면 13세 미만의 아동에 대한 성적인 행위라고 할 수 있다. 법적으로는 형법에서 20세 미만 미성년자나 장애 등으로 인한 심신미약자를 속이거나 위협해서 성관계를 가질 경우 '미성년자 간음죄'로 규정하고 있고, 13세 미만의 어린이와 성적인 접촉을 할 경우 어린이의 동의 여부와 관계없이 무조건 강간이나 강제추행으로 처벌하도록 규정하고 있다.

아동 성폭행(13세 미만 미성년자)은 인생 전체에 영향을 미치는 상황이며 대부분 본인이나 가족에 의해 알려지지 않고 있지만, 미국에서는 약 30%의 여성이 유년기에 성 학대를 겪는 것으로 추정되고 있다. 대검찰청(2017)의 2016 범죄 분석에 의하면, 전체 성폭력 피해자 연령에서 20세 이하는 2014년 35.1%, 2015년 32.6%, 2016년 31.6%로서 지속적으로 30% 이상을 차지하는 것으로 나타났다.

아동 성폭력은 일상 생활에서 접촉하기 쉬운 사람(예: 동네 사람, 유치원 원장, 통학버스 기사, 교사, 경비원 등)이나

표 12-10. 아동성폭력 피해징후

행동적 지표	신체적 지표
성적 지표 • 부적절한 성적인 행동 • 특정 사람, 물건에 대한 두려움 비성적 지표 • 급성 외상성 반응 • 행동, 학습수행, 발달과업달성에서의 퇴행 • 수면장애 • 섭식장애 • 학교 부적응 • 사회적 관계 문제 • 우울 및 불안 행동 • 낮은 자존감	• 설명할 수 없는 생식기 손상 • 재발성 외음부질염 • 생식기의 분비물 • 나이에 맞지 않는 야뇨증 및 배변장애 • 항문의 불편감(열상, 통증, 출혈 등) • 배뇨 시 통증 • 요로감염증 • 구강증후 • 성병, 임신, 정액이 존재

친족(예: 계부, 삼촌, 이모부, 사촌, 형제, 할아버지 등)에 의해서 발생하는 경우가 많고 위계나 권력을 이용하여 성폭력 사실에 대한 비밀유지를 강요하는 경우가 많기 때문에 피해 사실이 알려지기 어렵고, 피해가 오랫동안 지속될 수 있다. 아동 성폭력은 연령의 차이, 신체적 힘의 차이, 성별의 차이, 지식의 차이 등 힘의 차이를 이용하는 경우가 많지만, 또래 아동들 사이에서도 호기심에서 또는 놀이 과정에서 상대방이 원하지 않는 성적 접촉을 하는 경우도 있다.

아동 대상 성폭력으로는 가슴, 엉덩이, 성기 등 신체를 만지는 것, 구강이나 항문 등 신체의 일부에 성기나 기타 도구를 삽입하는 것, 아동에게 자신의 성기를 만지게 하는 것 등이 있다. 신체적 접촉이 없더라도 아동에게 자신의 성기를 노출하여 보게 하는 것, 아동 앞에서 자위행위를 하는 것, 아동에게 음란물을 보여주는 것 등도 성폭력이라 할 수 있다. 아동기의 성학대는 신체 학대, 물질 남용과 동반되는 경우가 많다.

아동을 대상으로 한 성폭력이 성인의 경우와 차별화되어 다루어져야 하는 가장 큰 이유는 성폭력 피해자가 정신적으로나 신체적으로 발달하는 과정에 있기 때문이다. 즉, 아동은 자아가 완전하게 확립되어 있지 않고 판단 능력이 미숙하다. 따라서 이들이 겪는 충격이 성인에 비해 훨씬 심각한데, 만일 성폭력 피해 이후 즉각적이면서도 적절한 치료가 이루어지지 못한다면 발달적인 여러 측면에서 치명적인 피해를 입고, 비행, 정신적, 신체적 건강 문제, 물질 남용 등 장기적인 부정적인 영향을 받게 된다.

유년기에 성학대의 경험이 있었던 청소년기 여성(14세에서 19세)들은 조기에 원치 않은 임신, 성매개감염질환, 매춘, 반사회적 성향, 가출, 거짓말, 절도, 섭식장애, 다양한 신체장애 등의 위험도가 높아진다. 무기력감, 무력감 등을 느끼며 만성적으로 우울해지기도 하며, 외상후스트레스장애(posttraumatic stress disorder, PTSD)의 가능성도 성인 피해자보다 높게 나타나며, 자살의 위험도 높다(표 12-10)

가해자들은 아이가 성폭행 당하는 것을 유도했다거나 원했다, 혹은 자신을 유혹했다는 등의 말로 자신의 행동을 정당화하기도 하여 이로 인해 피해자들의 이차적인 정신적 피해가 유발될 수도 있다. 피해자들은 성인이 되어서도 정상적인 연인관계를 이루기 힘들며 성관계에 대한 공포를 느낀다. 피해자를 진료하는 산부인과 의사는 피해자의 감정을 존중하고, 검사를 진행하는 데 있어 동의를 얻어야 하며, 언제든지 피해자가 원하면 검사를 중단할 권리가 있음을 알려 주어야 한다. 의료인이 성폭력 피해사실을 알게 되면 반드시 수사기관에 신고해야 한다. 피해아동의 부모 등 보호자가 신고를 망설이는 경우가 있으나, 어떤 경우에도 반드시 신고의무를 다해야 한다. 단, 피해아동의 충격 및 응급치료 필요 등 '정당한 사유'가 있을 경우 일단 ONE-STOP 지원센터 등 아동성폭력 피해자 치료 전문기관에 연락하여 필요한 조치를 취한 후 신고 관련한 도움을 받을 수 있다.

참고문헌

- 강동우. 통합적 성치료의 최신지견. J Korean Neuropsychiatr Assoc 2010;49(Suppl 1):S77-S86.
- 경기남부해바라기센터. 성폭력 피해자 전담의료기관 의료업무 매뉴얼. 2019.
- 경기남부해바라기센터. 성폭력 피해자를 위한 산부인과 진료 표준안. 2015.
- 경기해바라기센터(아동). Available from: http://sunflower1375.or.kr
- 고상균 등(2014). 인간의 성 8판. 서울: ㈜바이오사이언스
- 김수정. 아동 성폭력 피해 경험이 자살 행동 유형에 미치는 영향: 잠재계층분석을 중심으로. 보건사회연구 2018;38:227-50.
- 김재엽 등. 2010 성폭력 실태조사. 서울: 여성가족부, 연세대학교 사회복지대학원. 2010.
- 대한응급의학회. 응급의학. 제2판. 파주: 군자출판사; 2019.
- 서울해바라기센터. 아동성폭력 대응 매뉴얼. Available from: http://help03656.or.kr/board.php/bo_table=pds&sca=&sop=and&sfl=wr_content&stx=성폭력
- 윤가현. 성 반응주기 모델의 발달과 여성의 성. Korean J Sex Health 2014;1:1-9.
- 윤원식, 권인, 이귀세라, 허수영, 김사진, 최보문. 성폭행에 대한 임상적 연구. 대한산부학회지 2003;46:283-6.
- 이예자. 여성장애인의 성폭력 피해 실태 및 정책적 대안. 1999.
- 이찬, 선우태원, 구병삼. 한국청소년기 여성의 성경험 실태에 관한 연구. 대한산부회지 1999;42:307-20.
- 임문환. 성폭행 피해 환자에 대한 사례연구. 대한산부회지 1995;38:

1211-8.

- 조경훈, 윤연정, 이신애, 김종우, 원형섭. 소아 성폭행의 부인과적 고찰. 대한산부회지 2004;47:132-7.
- 질병관리본부 국가건강정보포털. 성폭력. Available from: http://health.cdc.go.kr/health/HealthInfoArea/HealthInfo/View.do?idx=3430&subIdx=2&searchCate=&searchType=&searchKey=&page=&sortType=&category_code=&dept=#tagID0
- 추영국 등. 신경향 성의 과학. 4판. 월드사이언스; 2015.
- 최인광. 인간의 성 반응에 대한 모델. Korean J Biol Psychiatry 2013;20:66-73.
- 한국여자의사회, 한국여성변호사회. 성폭력 피해자 지원을 위한 의료, 법무 실무지침서. 도서출판지누; 2014.
- Boiron G, Maleville J. School girl's outbreak of gonorrhea, Dermatol Venereol 1979;106:717-8.
- Burges AW, Holmstrom LL, eds. Rape: victims or crisis. Bowie, MD Robert J. Brady 1974;37-50.
- Centers for Disease Control and Prevention. 2015 Sexually Transmitted Disease Treatment Guidelines. Available from: http://cdc.gov/std/tg2015/sexual-assault.htm.
- Clayton AH, Juarez MVE. Female sexual dysfunction. Med Clin N Am. 2019;103:681-98.
- Dahlke MB, Cooke C, Cunnane M, Chawla J, Lau P, Identification of semen in 500patients seen because of rape. Am Clinic Pathol 1977;68:740-6.
- Eckstrand KL, et al. Lesbian, gay, bisexual and transgender healthcare. Springe; 2016.
- Gordon S, Snyder CW. Personal issues in human sexuality. 2nd edn. Allyn and Bacon; 1989.
- Hanson RF. Effect of content and question type on endorsement of childhood sexual abuse. Trauma Stress 2003;16:265-8.
- Kohen DP. Neonatal gonococcal arthritis: three cases and review of the literature. Pediatrics 1974;53:436-40.
- Muram D. Child sexual abuse-genital tract findings in prepubertal girl. The unaided medical examination. Am J Obstet Gynecol 1989;160:328-33.
- Myles JE, Hirozawa A, Katz MH, Kimmerling R, Bamberger JD. Postexposure prophylaxis for HIV after sexual assult. JAMA 2000;(284):1516-8.
- Reynolds MW, Peipert JF, Collins B. Epidemiologic issues of sexually transmitted diseases in sexual assult victims. Obstet Gynecol Surv 2000;55:21-7.
- Santucci KA, Nelson DG, McQuillen KK, Duffy SJ, Linakis JG. Wood's lamp utility in the identification of semen. Pediatrics 1999;104:1342-4.
- T'Sjoen G, Arcelus J, Gooren L, Klink DT, Tangpricha V. Endocrinology of transgender medicine. Endocr Rev 2019;40;97-117.
- WHO, Reproductive health in adolescent, MCH division of family health position paper, WHO, Geneva, Switzerland, 1986.
- Wiebe ER, Comay SE, McGregor M, Duccesche S. Offering HIVprophylaxis to people who have been sexually assaulted: 16 months' experience in a sexual assault service. CMAJ 2000;162:641-5.
- World Professional Association for Transgender Health. Standards of care for the health of transsexual, transgender, and gender nonconforming people (7th edn). Minneapolis: WPATH; 2012.
- Yuzpe AA, Lancee WJ. Ethinyl estradiol and alnorgestrel as a postcoital contraceptive. Fertil Steril 1977;28:932-6.

제13장

부인과 수술

남계현 | 순천향의대
김정식 | 순천향의대
전 섭 | 순천향의대

1. 수술 전 평가 및 수술 후 관리(Preoperative Evaluation and Post-operative Management)

부인과 수술 시 환자의 과거 수술력, 현재 전신 상태, 수술의 종류 그리고 그에 따른 위험인자를 종합적으로 고려하여 수술 전 평가를 시행하고, 수술을 받았을 때 발생하는 위험, 이익, 수술에 따른 합병증 등을 환자에게 충분히 설명하고 동의를 구하는 것이 성공적인 수술을 위한 첫걸음이다.

1) 병력 및 신체검사(Medical History and Physical Examination)

(1) 환자의 나이, 인종, 이전의 내·외과적 질환 그리고 장기 이상(organ system dysfunction)에 관한 정확한 정보가 필요하다. 골반내 질환이 발견되어 부인과적 수술을 시행하는 환자의 대부분은 건강하겠지만, 다른 주요장기에 대한 이학적 검사를 빠뜨려서는 안 된다. 심잡음이나 폐기능 감소와 같은 이상 소견이 있으면 수술 중 또는 수술 후의 합병증을 최소화하기 위해 추가적인 검사나 진찰을 시행하여야 한다.

(2) 가족력을 통하여 수술의 합병증을 초래할 수 있는 가족 특성을 찾아낼 수 있다. 수술 중 또는 수술 후의 출혈, 악성 고열, 정맥혈전 색전증, 갑상선중독 위기 그리고 잠재적인 다른 유전병에 대한 가족력을 조사하여야 한다.

(3) 현재 복용하고 있는 약물 그리고 수술 몇 개월 전에 복용을 중단한 약물에 대하여도 질문하여야 한다. 수술 전에 아스피린, 항혈소판제, 피임약 등은 복용을 중단할 필요가 있고, 심장약, 항고혈압제 등은 수술에 관계없이 지속적으로 복용해야 한다는 점을 환자에게 교육하여야 한다. 또한 비처방 약품 및 건강식품 등도 조사 대상에 포함시켜야 하는데 이런 약품들은 수술 경과에 미치는 영향에 대해 증명된 바가 미미하나 대개는 수술 전에 복용을 중단하여야 한다.

(4) 설파제나 페니실린 등 항생제를 비롯한 약물이나 음식 또는 환경인자에 대한 알레르기가 있는지 질문하여야 한다. 조개류에 대한 과민반응은 요오드에 대한 과민반응의 단서로 삼을 수 있으며 이는 신우조영술, 조영증강 컴퓨터 단층촬영, 정동맥조영술에 있어 사용되는 정맥내 요오드화 조영제의 사용과 관련된다.

(5) 환자의 과거 수술력을 조사하는 것은 이전 수술로 인한 합병증을 알아내고 이를 피하기 위함이다. 환자에게 특별한 합병증, 예를 들어 심한 출혈, 상처부위 감염, 심부

정맥혈전증, 복막염, 혹은 장폐색 같은 병력을 반드시 물어보아야 한다. 특히 부인과 의사들은 이전 골반 부위 수술 기왕력을 자세하게 살펴보아야 하는데 이는 해부학적 구조의 변화 가능성과 이미 존재하고 있는 인접 장기의 손상이 있을 가능성이 있기 때문이다. 컴퓨터단층촬영 같은 영상검사로 이미 존재하고 있는 이상소견을 확인하는 것이 매우 중요하다. 이전 수술의 술기와 범위, 수술 중 소견의 상세한 부분까지 명확히 알기는 어렵다. 그러므로 이전 골반 부위의 수술기록을 반드시 찾아서 이전의 수술적 조작과 수술 소견의 세부적인 부분을 확인하여야 한다. 이러한 것은 골반내 염증, 골반 내 농양, 자궁내막증, 혹은 골반 내 악성종양에 대한 수술을 받은 환자에 있어서 특히 중요하다.

(6) 방광류, 요실금 등의 수술이 필요한 다른 동반된 질환을 수술 전에 확인하는 것도 중요하다.

2) 수술 전 검사(Laboratory Evaluation)

수술 전 검사의 목적은 아직 진단되지 않은 질환을 조기에 선별함과 동시에 수술 결과에 영향을 주는 주요 질환을 평가하기 위함이다. 적절한 수술 전 검사의 선택은 예상되는 수술의 범위와 환자의 상태에 따라 결정되는데 전신마취를 시행할 환자의 경우 백혈구 수, 혈색소 및 헤마토크리트 그리고 혈소판 수를 포함하는 일반 혈액검사를 정규적으로 시행한다(표 13-1). 혈청 화학검사와 간기능검사는 약물 복용력이 없거나 특별한 내과 병력이 없는 무증상의 환자에게서는 이상이 나타나는 경우가 거의 없다. 특별한 내과 병력이 있는 경우를 제외하고는 혈액응고검사는 거의 의미가 없다.

추가적인 방사선학적 검사는 인접한 장기와의 연관성을 알아보는 데 도움이 된다. 다음과 같은 경우 반드시 시행하여야 한다.

(1) 일반적으로 골반수술을 시행하는 대부분의 환자에 있어서 정맥내신우조영술(Intravenous pyelogram)은 큰 의미가 없다. 그러나 정맥내신우조영술은 특히 골반내 종괴, 부인암, 혹은 선천성 뮐러관기형이 있을 경우에 요관의 통관성과 경로를 아는 데 도움을 준다.

(2) 위장관 내시경, 대장내시경, 바륨관장 혹은 소장기능 평가를 포함한 상부위장관 조영술은 일부 환자에 있어서는 골반부수술 시행 전에 특별한 가치가 있는데, 일부 여성생식기 양성질환(자궁내막증 혹은 골반내염증 등)과 악성 부인과 질환은 하부 위장관인 S자결장과 직장을 침범할 수도 있기 때문이다. 반대로, 골반 내 종괴는 위장관에서 기원한 질환들, 예를 들어 게실농양, 혹은 염증성 소장질환의 종괴(크론씨병)들도 포함될 수 있기 때문이다. 따라서 분명한 위장관 증상을 가진 모든 환자는 소장 및 대장에 대한 평가가 추가로 이루어져야 한다.

(3) 초음파, 컴퓨터단층촬영, 또는 자기공명단층촬영 등을 포함하는 다른 영상검사들은 골반종물을 검사하는 데 유용하다.

3) 수술 전 설명 및 동의서 작성(Preoperative Discussion and Informed Consent)

수술 전 설명의 목적은 환자의 불안과 공포를 경감시키고 환자의 의문에 대한 답을 하는 것으로 최초 면담 시에 의사는 환자에게 진찰소견, 검사결과, 질병의 일반적인 진행, 그리고 수술의 목적에 대해 상세한 부분까지 설명하여야 한다.

수술 동의서는 다음의 항목들은 반드시 설명하여야 하며, 각 항목의 설명 후 환자와 보호자에게 의문사항에 대한 질문을 할 것을 반드시 권유하여야 한다.

(1) 질병 진행의 특징과 범위
(2) 수술의 목적을 자세히 기술
(3) 수술의 위험성과 발생 가능한 합병증
(4) 실제적인 수술의 범위와 수술 중 소견에 따른 잠재적인 수술의 변경 가능성
(5) 예상되는 수술의 이익과 성공적인 결과
(6) 치료를 받지 않았을 때에 생길 수 있는 결과
(7) 대체할 수 있는 다른 치료법 및 그것에 따른 위험성 및

표 13-1. 수술 전 검사를 위한 제안(임상적으로 중요한 질환 또는 약물, 어두움=90일 이내; 밝음=30일 이내에 검사를 진행해야 하는 질환)

검사	고혈압	흡연	비만	뇌졸중 (Stroke)	종양	경련약복용 (Seizure medications)	심혈관질환 (Cardio vascular)	호흡기 질환	당뇨	간 질환	신장 질환	전해질 이상	자가 면역 질환	쿠싱 증후군	부갑상선 질환	갑상선질환	혈액 응고 질환
심전도 (EKG)	○	○	○	○	○		○	○	○	○	○	○	○	○	○	○	
전혈구검사 + 혈소판검사 (CBC+platelet)			○	○	○	○	○	○	○	○	○	○	○	○	○	○	○
전해질검사 (Electrolyte)	○		○	○	○		○	○	○	○	○	○	○	○	○	○	
혈중요소질소/ 크레아티닌 (BUN/Cr)	○			○	○		○	○	○	○	○		○	○	○	○	
글루코스 (Glucose)			○	○	○		○	○	○	○	○			○	○	○	
간기능검사 (LFT)					○	○				○							
칼슘 (Calcium)																	
혈액응고검사 (PT/PTT)										○	○		○				○
소변검사, 소변배양검사 (U/A, culture)																	
가슴 X-선검사 (CXR)					○			○									
호르몬검사																○	
출혈시간 (Bleeding time)																	○
체내 약물 농도						○											
암 표지자검사					○												

* Adapted from Halaszynski TM, Juda R, Silverman DG:Optimizing postoperative outcomes with efficient preoperative assessment and management. Crit Care Med 32:S76-S86,2004.BUN, Blood urea nitrogen; CXR, chest x-ray; LFTs, liver function tests; PT/PTT, prothrombin time/partial thromboplastin time; U/A, urinalysis
* 밝은 부분: 수술 전 30일 이내에 시행되는 것이 가장 좋다.
* 어두운 부분: 검사의 시기가 보통 중요치 않다. 90일 이내(180일도 가능할 수 있다)가 가능하다.
* (1) 시기와 검사는 제안이다; 이들은 절대적이지 않으며 이들 상태에서 다른 검사를 제한하지는 않으며, 마취의와 외과의가 적절하다고 여기는 케이스를 막지는 않는다.
(2) 주어진 질환에 대한 검사는 계획된 수술의 종류와 질환의 중증도에 따른다.

결과
(8) 수술집도자 이외의 수술팀의 역할에 대해서 기술

대부분의 환자는 수술 절개선의 형태와 마취시간에 대한 설명을 듣기 원한다. 수술로 인해 기대되는 결과에 대해 반드시 설명하여야 한다. 만약 수술이 진단적 목적으로 행하여 진다면 수술 이전에는 알 수 없었던 질환이나 또는 병리학적 소견에 따라 그 결과가 달라지게 된다. 해부학적 결함이나 병을 치료하기 위해 수술을 할 경우는 치료로 인한 기대되는 성공뿐만 아니라 잠재적인 실패의 가능성까지 설명하여야 한다. 이러한 설명에는 다음 같은 실패에 대한 가능성도 포함되어야 한다. 암을 치료할 때는 병이 더 진행된 상태로 발견될 가능성과 그에 따른 보조적 치료(예를 들어 수술 후 방사선 치료 또는 화학요법)의 가능성에 대해서도 언급하여야 한다. 그 외 임신능력의 상실과 난소기능 상실에 대해서도 설명하여야 한다. 수술에 따른 위험성과 합병증의 가능성은 반드시 설명되어야 한다. 대부분의 부인과 수술에는 수술 중 또는 수술 후 출혈 및 감염, 정맥내 혈전, 그리고 주위 인접장기에 대한 손상과 같은 위험들이 존재한다. 만약 환자에게 기존의 내과질환이 있다면 추가로 발생할 수 있는 위험들과 수술 중에 예상하지 못했던 소견이 나타날 수 있음도 언급하여야 한다. 일반적으로 수술 후 경과는 날짜가 지남에 따라 어떻게 될 것인지를 환자로 하여금 충분히 이해할 수 있게 설명하여야 한다. 입원 및 퇴원 후의 예상되는 회복기간에 대해서도 알려주어야 한다.

4) 수술 전 항생제 사용(Antimicrobial Prophylaxis in Gynecologic Surgery)

예방적 항생제요법은 수술 중에 세균 감염을 막아서 환자 조직에 면역기전을 향상시킬 수 있다는 믿음으로 시행되고 있다(Tanos et al., 1994).

수술 부위의 감염은 부인과 수술 후 이환율이 증가하는 원인이 된다. 감염을 증가시키는 원인들로는 수술시간의 지연, 수술 전 입원의 지연, 동반된 감염 그리고 암 등이 있다. 이런 감염들은 재원 일수의 연장, 재입원의 증가 그리고 동반되는 비용상승 등의 문제를 초래할 수 있다. 부인과 수술 도중에 병원균에 오염될 수 있으며 이는 여성 생식기의 상재균인 경우가 많다. 그람양성, 그람음성 호기성 균 및 혐기성 균 등이 원인이 될 수 있다. 일차적인 세균성 박테리아는 대장균(escherichia coli), 스트렙토구균(streptococcus), 푸소 박테리아(fusobacteria), 박테로이드 등이 있다. 질식자궁절제술 시에는 예방적 항생제의 투여가 효과적이라고 알려져있으나 복식자궁절제술 시의 투여에 대해서는 논란이 많다. 질식자궁절제술의 경우, 예방적 항생제 투여 시 열성 이환율은 15%로 투여하지 않은 군의 40%에 비하여 현저히 낮았으며 골반감염의 비율도 각각 5%와 25%로 투여군에서 현저한 감소효과를 보였다. 이러한 결과를 볼 때 예방적 항생제 투여는 질식자궁절제술을 받는 환자와 복식자궁절제술을 받는 환자 중 고위험군에 속하는 환자에게는 반드시 투여하여야 한다(Mittendorf et al., 1993). 복식자궁절제술을 받는 환자 중 사회 경제 수준이 낮거나, 수술이 2시간 이상 소요되는 경우, 암수술, 여러 가지 수술을 동시에 시행하여야 하는 경우 등이 고위험군에 속하며, 비만, 폐경 여부, 예상 출혈량 등은 제외된다. 선택된 항생제는 질내 세균에 광범위하게 작용하여야 한다. 세팔로스포린이 감염예방에 매우 중요한데 유해반응이 상대적으로 적고 광범위한 스펙트럼을 갖기 때문이다. 세파졸린 1 g이 널리 사용되고 있고 BMI가 35 kg/m^2 이상, 체중이 100 kg 이상인 환자에게는 2 g을 사용한다. 세파로스포린계 항생제 외에도 그람양성, 음성 및 혐기성 균에 효과적인 클린다마이신, 메트로니다졸 등도 유용하다(표 13-2). 항생제의 투여시기는 매우 중요한데 박테리아에 의한 세포감염이 일어나기 전에 이미 조직 내에 항생제가 충분히 침투되어 있어야 하기 때문이다. 예를 들면 자궁절제술의 경우 질구개를 열기 전에 항생제가 적절히 조직에 침투되어 있어야 하며 이를 위해서는 수술 30분 전에 투여하는 것이 가장 효과적이다. 만일 수술시간이 길어지거나 약제의 반감기가 짧은 경우에는 수술 중 항생제를 재투여해야 한다. 예방적 항생제는 단기간(24시간 이내) 동안만 투여하여야 하며 일반적으로 한 번 투여로 가능하다(Bratzler, 2013). 단일 투여의 장점으로는 비용의 절감, 독성의 감소, 정상 숙주균상의 최소 변화, 그리고 저항 병원균의 발생률의 감소 등이 있다. 1회 투여 광범위 스펙트럼 항생제는 clostridium difficile에 의한 위점막 결장염(pneudomembranous colitis)을 일으킬 수 있다. 설사는 베타 락탐계 항생제를 사용한 입원 환자의 15%에서 발생한다(McFarland LV et al., 1995). 이러한 항생제로 인한 위장관 합병증에 대해서 수술자는 숙지하고 처치할 수 있어야 한다.

(1) 아급성 세균성 심내막염 예방(subacute bacterial endocarditis prophylaxis)

심장판막질환이 있거나 다른 심장질환 환자들은 부인과 혹은 위장관 시술 전에 세균성 심내막염의 예방을 위해서 항생제치료가 필요하다. 미국심장학회 2007년 권고안에 따르면 자궁절제술을 포함한 부인과 수술에서 심내막염의 예방을 위한 항생제 사용은 필요없고 고위험 환자가 고위험 수술을 받을 경우엔 고려해야 한다고 권고한다(Wilson W et al., 2007)(표 13-3).

표 13-2. 시술에 따른 예방적 항생제요법

시술	항생제	투여량
자궁절제술 메쉬를 사용하는 비뇨부인과 수술	Cefazolin[a] Clindamycin[c] + Gentamicin 또는 Quinolone[d] 또는 Aztreonam Metronidazole[c] + Gentamycin 또는 Quinolone[d]	1 or 2 g 정맥 투여[b] 600 mg 정맥 투여 1.5 mg/kg 정맥 투여 400 mg 정맥 투여 1 g 정맥 투여 500 mg 정맥 투여 1.5 mg/kg 정맥 투여 400 mg 정맥 투여
자궁난관조영술 또는 난관개통성검사	Doxycycline[e]	100 mg 하루에 2번 5일간 경구 투여
유도유산/자궁긁어냄술	Doxycycline Metronidazole	100 mg 수술 1시간 전에 경구 투여 200 mg 시술 후 경구 투여 500 mg 하루에 2번 5일간 경구 투여

[a] Cefotetan, cefoxitin, cefuroxime, ampicillin-sulbactam 등도 투여가능
[b] BMI가 35 이상이거나 몸무게가 100 kg 이상인 여성에게는 2 g을 투여
[c] 페니실린에 알러지가 있는 여성에게 투여
[d] Ciprofloxacin, levofloxacin, moxifloxacin
[e] PID의 과거력이 있거나 난관 팽창의 소견을 보일 때
출처) American College Of Obstetricians and Gynecologists Practice Bulletin No. 104, May 2009

표 13-3. 세균성 심내막염 예방을 위한 권고안

고위험환자	Agents	용법(수술 시작 후 30-60분 이내)
표준요법	Amoxicillin Ampicillin 또는 Cefazolin 또는 ceftriaxone Cephalexin	2 g PO 2 g IM 또는 IV 1 g IM 또는 IV 2 g
페니실린알레르기(경구)	Cephalexin Clindamycin Azithromycin 또는 Clarithromycin	2 g 600 mg 500 mg
페니실린알레르기(비경구)	Cefazolin or ceftriaxone Clindamycin	1 g IM 또는 IV 600 mg IM 또는 IV

출처) Wilson W, Taubert KA, Gewitz M, et al., Prevention of infective endocarditis: guidelines from the American Heart Association: a guideline from the American Heart Association Rheumatic Fever, Endocarditis, and Kawasaki Disease Committee, Council on Cardiovascular Disease in the Young, and the Council on Clinical Cardiology, Council on Cardiovascular Surgery and Anesthesia, and the Quality of Care and Outcomes Research Interdisciplinary Working Group. Circulation 2007;116:1736-1754

5) 수술 후 감염(Postoperative Infections)

감염은 수술 후 유병률 증가의 주된 원인이며 그 위험인자들로 수술 전, 후 예방적 항생제의 미사용, 수술 부위 오염, 면역력이 약한 환자, 영양상태 불량, 만성중증질환, 수술 술기 불량, 그리고 기존의 국부 혹은 전신적 감염 등이 있다. 수술 환자의 열성 유병률(febrile morbidity)의 정의는 수술 후 첫 2시간 이후에 적어도 4시간 간격으로 측정한 체온이 2번 이상 38℃ 이상인 경우를 말하는데(Lyon et al., 2000), 수술 환자의 절반 정도에서 생기며 첫 2일 이내에 잘 생기고 치료 없이도 자연 소실되는 경우가 많다. 이럴 때는 대개 사이토카인과 관련이 있는 경우가 대부분이다. 열이 48시간을 지나서도 지속될 경우에는 다른 검사가 필요하다(O' Grady NP. 2008). 점검해야 할 진찰소견은 인두의 시진, 완벽한 폐진찰, 신장 촉진, 늑척추각 압통, 복부창상의 시진과 촉진, 정맥내삽관부위, 사지의 심부정맥 혈전 혹은 혈전성정맥염, 질 상부의 시진과 촉진 그리고 골반부 진찰로 골반부의 혈종이나 농양 혹은 봉와직염을 알아보는 것이다. 혈액 배양은 체온이 38.3℃ 이상이 아니면 큰 의의가 없으며, 늑척추각압통이 있으면 요로 감염을 의심하나 요로 감염의 소견이 없을 경우에는 수술로 인한 요로 손상이나 폐쇄를 확인하기 위해 경정맥신우촬영술을 시행한다. 확연한 국부 원인이 없으면서 지속성의 열이 있으면 복강내 농양을 감별하기 위해 컴퓨터단층촬영을 실시하며, 장수술을 한 경우 수술 후 첫 주 말기에 열이 지속되면 해부학적 누출이나 누공을 확인하기 위해 바륨 관장이나 상부위장관촬영을 해보아야 한다.

(1) 요로계감염

요로계감염은 수술 후 감염의 가장 흔한 원인이며 일반적으로 항생제를 투여하지 않는 군의 수술 후 요로감염은 약 40%이나, 항생제가 단 1회라도 투여가 되면 약 4%로 감소한다. 증세는 빈뇨, 급뇨, 배뇨통이며 신우신염이 있으면 두통, 전신쇠약, 오심, 구토도 동반된다. 진단은 소변 배양에서 1 mL당 10^5 이상의 균의 증식이 있어야 하고, 대부분 coliform 간균, 그 중에서도 대장균(escherichia coli)이 가장 흔하며, 그 외에 klebsiella, proteus 그리고 enterobacter species가 있으며 포도상 구균은 10% 이내이다. 대부분 하부 요로에 국한되고 신우신염은 드물게 발생하므로 심각한 상태의 감염은 거의 없다(Boyd, 1987). 배뇨관 관련 세균이 그람 음성 균혈증의 가장 흔한 원인이다. 따라서 배뇨관 삽입은 최소화해야 하며 배뇨관 관련 감염을 치료할 때는 제거해 주어야 한다(Kunin CM, 2009). 요로감염의 치료는 수액요법과 항생제 치료가 있으며 페니실린, 설파제, 세팔로스포린, fluoroquinolones, nitrofurantoin 등이 사용된다. 배양균의 감수성 검사에 기초를 두어야 하지만 대장균의 40% 이상이 암피실린에 내성이 있음을 염두에 두고 합병증이 없는 요로감염에는 배양과 감수성 결과를 기다리는 동안 대장균에 좋은 효과가 있는 항생제를 투여한다. 그러나 요로감염의 재발력이 있거나 오랜 기간 카테타를 사용하는 경우, 그리고 인조 방광(urinary conduit)의 경우에는 klebsiella와 녹농균에 효과적인 항생제를 사용하여야 하며 fluoroquinolones은 내성균이 잘 나타나므로 장기간 투여는 삼가야 한다.

(2) 폐감염

부인과 환자는 연령이 낮고 건강 상태가 양호하기 때문에 자궁절제술 후 폐합병증은 대체로 빈도가 낮다. 위험 인자로는 광범위한 혹은 장기간의 무기폐, 기존의 만성폐쇄성 폐질환, 혹은 중증의 전신 쇠약성 질환, 중추신경질환, 그리고 경비위흡인이다. 수술 후 조기 보행과 무기폐에 대한 적극적 처치가 매우 중요한 예방 방법이지만 예방적 항생제의 역할은 확실하지 않다.

(3) 정맥염

정맥내카테터 관련 감염은 25-35%로 흔하다. 카테터 관련 정맥염은 72시간 이후부터 증가하기 때문에 72시간 이후에는 정맥내 카테터를 교체하는 것이 좋다. 동통이나 발적, 경화(induration)가 있으면 카테터를 바로 제거한다. 불행하게도 정맥염은 혈관 주입 부위를 면밀히 관찰함에도 불구하고 발생할 수 있다. 정맥염은 대개 3-4일 내에 호전되는데 치료는 따뜻하고 습한 것으로 가압을 하고 즉시 카테터를 제거한다. 카테터 관련 패혈증이 발생하면 포도상 구균에 대한 항생제를 투여한다.

(4) 창상감염

수술 전 입원기간이 길거나 수술시간이 길었거나 그리고 우발적 충수돌기절제술을 시행한 경우 증가하며, 수술 전 입원기간이 짧거나 수술 전 hexachlorophene 샤워를 한 경우, 상처 부위의 최소한의 면도, 섬세한 수술 기법, 짧은 수술시간, 수술 창상 이외로의 배액, 그리고 각 집도의에게 창상감염률을 통보하는 것 등은 창상감염률을 낮추는 요인들이다. 대부분의 부인과 수술의 경우 창상감염률은 5% 이하이며, 이는 깨끗한 수술임을 시사한다. 증세는 수술 후 4일 이후에 발열, 발적, 압적, 압통, 경결 그리고 농성 배액이다. 창상감염은 수술 후 1-3일째에 대개 streptococcus나 clostridia 감염에 의한다. 감염 부위를 근막층 윗부분까지 개방시키고 상처를 깨끗이 한 후 사멸조직 제거(debridement)를 실시하는데, 육아 조직의 성장을 촉진시키기 위해 이러한 창상 치료를 하루에 2-3회하며 마른 거즈로 채워 넣는 것이 좋다. 오염된 수술의 경우 창상감염의 빈도를 낮추기 위한 지연성 일차 창상봉합술이 있는데, 이는 처음 수술 시 근막층 위까지 개방시킨 채 3 cm 간격으로 피부와 피부하 조직까지를 수직으로 비연속성 매트리스로 봉합하고 매듭을 짓지는 않는다. 그 이후 창상 치료를 계속하여 육아조직이 자라기 시작할 때 매듭을 짓고 피부층을 stapler로 보강시키는데 이렇게 하면 23%의 빈도를 2.1%까지 낮출 수 있다.

(5) 골반봉와직염

질 상부(cuff) 봉와직염은 자궁절제술 후 발적, 경결, 그리고 압통을 동반하지만 간혹 자연 소실되기도 한다. 발열, 백혈구 증가, 그리고 골반부 동통이 있으면 봉와직염의 확산을 시사하므로 광범위 항생제 투여를 시작하여야 하며, 농양 같은 종물이 보이면 질 상부를 개방시켜 배농시키거나 배농기구를 삽입한 후 증세가 사라진 다음에 제거해야 한다.

(6) 복강내 골반농양

부인과 수술에서는 농양이 생기는 경우가 흔하지 않으나 오염된 수술의 경우나 혈종의 이차 감염으로 발생한다. 호기성 균은 대장균, klebsiella, 연쇄상구균, proteus 그리고 enterobacter이며 혐기성 균은 bacteroides가 있다. 진단은 어렵지만 백혈구 상승을 동반한 지속성 발열이 있으면 의심을 한다. 복부 양 진단에는 영상검사가 필요하고, 골반부농양은 골반부진찰과 직장진찰로 촉진할 수 있다. 초음파검사도 액체상을 볼 수 있지만 복부 중앙인 경우 장내 가스 때문에 잘 보이지 않으므로 전산화단층촬영이 민감하고 특이적인 일차적 검사이다. 치료의 첫째는 외과적 제거 및 배농이며, 둘째는 항생제 투여이다. 골반 심부의 농양을 경회음부 또는 경직장배농을 통해 제거하는 것 또한 매우 성공적이며, 90-93%의 성공률을 보인다(Nelson et al., 2000). 영상의학적 배농이 어려운 환자에게는 수술적 처치를 고려한다. 다음의 항생제, piperacilin-tazobactam 혹은 clindamycin과 ceftriaxone 혹은 metronidazole과 ceftriaxone 혹은 ertapenem 혹은 ticarcilin-clavulanate 혹은 aztreonam과 clindamycin(페니실린 알러지 환자) 등을 사용할 수 있다.

(7) 괴사성근막염

근육은 포함되지 않고 피하 조직과 근막에 발생하여 급속히 퍼지는 세균 감염으로 그람양성균, coliform 그리고 혐기성 균도 추가되어 이들의 효소인 hyaluronidase와 lipase가 피하 공간으로 나와 근막과 지방조직을 파괴하여 지방성 괴사나 비염증성 혈관내응고 혹은 혈전을 유발한 후 피부와 피하층에 허혈과 괴사가 생긴다. 또 말기에는 표재성 신경이 파괴되어 피부 마비가 오며, 균과 균의 독소가 전신 혈관으로 들어가 패혈성 쇼크, 산염기 불균형, 다기관 장애가 발생된다. 초기에는 봉와직염보다 큰 통증이 있으나 말기에는 통증이 없다. 균 독소나 패혈증으로 인한 고온과 저온이 있으며 초기에는 피부에 압통, 발적, 부종이 있으나 발적이 산재되어 명확한 경계나 경결이 없는 것이 특징이다. 피하 미세 혈관의 혈전 때문에 허혈이 되어 청색증을 보이다가 결국은 괴사가 되고 탈락이 된다. 대부분 백혈구 증가가 있으며 피하 가스가 방사선검사에 나타나는데 이에 해당되는 균으로 clostridia, enterobacter, 녹농균, 혐기성 연쇄상 구균, bacteroids가 있다. 위험인자로는 당뇨, 알코올 중독, 면역저하 상태, 고혈압, 말초혈관 질환, 정맥주사 약물 남용, 비만증이 있으며 호발 부위는 사지이지만 두경부, 체부, 회음부에도 올 수 있다. 노령, 진단의 지연, 첫 수술 시 부적절한 변연절제술, 그리고 첫 내원 시 심하게 퍼진 경우에 그 사망률이 높다(Eltorai et al., 1986; Kaiser and Cerra, 1981). 수술 방법은 근막층까지 절개하고 손가락으로 피부와 피하 조직이 박리되는지를 보고 건강한 조직이 나타날 때까지 여러 번 절개를 하여 감염조직을 절제한 후 그 상처를 충전하고 매일 사멸조직을 제거한다. 개방창에 대한 치료로는 피부 이식, 피부조직판이 있다.

6) 수술 후 위장관 합병증(Postoperative Gastrointestinal Complication)

(1) 장폐색(ileus)

개복이나 복강경수술 후 대부분의 환자에서 정도의 차이는 있지만 장폐쇄를 경험한다. 장을 만지거나 장시간 수술을 한 경우 장폐쇄가 잘 일어날 수 있다. 감염, 복막염 및 전해질의 불균형도 장폐쇄를 일으킨다. 복강경을 이용한 최소침습수술을 한 경우 장폐색이나 소장폐쇄 증상이 있으면, 개복수술과는 다르게 생각해야 한다. 최소침습수술인 경우 장폐쇄는 위장관 손상일 가능성이 크고, 즉시 전산화단층촬영 등을 검사하는 것이 좋다. 계속 장음이 감소되어 있거나, 복부팽만, 오심, 구토가 지속되면 장폐쇄를 의심해야 한다. 복부내 종물이 만져지거나, 압통 및 반발통이 있으면 심각한 장천공, 골반농양 혹은 혈종을 의심해야 한다. 복부 방사선검사를 누워 찍고, 다시 일어난 채 찍어서 위장관 팽창이나 폐쇄 부위를 확인해야 한다. 부인과 수술 후 7-10일간 복부 방사선검사에 공기가 정상적으로 복강 내에 보일 수 있다는 것을 참조한다. 수술 후 장폐쇄의 치료 원칙은 위장관 감압과 정맥을 통한 수액투여 및 전해질 정상교정이다. 오심과 구토가 계속되면 비위관을 삽입하여 위내용물을 관찰한다. 비위관은 흡입한 공기를 제거하여 준다. 대개는 며칠 지나면 좋아지는데, 점차 복부팽만이 줄어들고, 장음이 정상화되며, 방귀나 대변이 나오게 된다. 48-72시간 내 좋아지는 기미가 없으면, 다른 원인을 찾아봐야 한다. 대개의 원인은 요관 손상, 골반감염에 따른 복막염, 확인이 안된 위장관 손상 및 위장관 내용물 복강내 배출, 저칼륨혈증과 같은 전해질 이상 등이다. 이때는 수용성 상부위장관촬영이 도움을 준다.

(2) 소장폐색

주요 부인과 수술 후 소장폐쇄는 약 1-2%에서 일어나는데, 가장 흔한 원인은 수술 부위 소장의 유착이다. 소장이 꼬인 상태로 유착이 되면 부분 혹은 완전 폐쇄가 온다. 다음으로 흔한 원인은 절개 부위 장탈장으로 장이 폐쇄되는 경우이고, 다른 경우는 대장이나 소장의 장간막 결손이다. 초기 치료는 장폐쇄의 일반적인 원칙과 같다. 장간막 혈관이 막혀서 발생하는 장의 괴사나 천공은 복통, 점차적인 복부 팽만, 체온 상승, 백혈구 증가 혹은 산증을 초래한다. 이런 경우에는 즉각적인 수술을 요한다. 부인과 수술 후 대부분의 소장폐쇄는 부분 폐쇄이므로 증상이 보존적 치료로 없어지게 된다. 비위관을 삽입하여 치료하면, 장벽의 부종이나 염좌가 풀릴 시간을 준다. 폐쇄가 오래가면 총비경구 영양공급(total parenteral nutrition, TPN)을 시행한다. 폐쇄가 풀리지 않으면, 수술을 하게 되는데 유착부위 절제가 필요하고 드물게는 소장 절제 및 재문합이 필요하다.

(3) 결장폐색

부인과 수술로 결장폐쇄는 드물고, 대개 진행된 난소암과 관련이 된다. 골반종괴에 의한 외부 압박이 원인이다. 대장이 팽창되거나 맹장이 커지는 경우 바륨 관장과 대장내시경검사가 필요하다. 맹장 직경이 10-12 cm 이상 팽창해 있으면 즉시 외과적 감압술을 시행해야 한다. 결장폐쇄는 보존적 치료 없이 진단이 되는대로 즉시 수술을 시행해야 한다. 결장천공은 높은 사망률을 동반하기 때문이다. 수술을 하기에 너무 열악한 환자는 맹장우회술이나 결장스텐트를 시행한다.

(4) 설사

복부나 골반수술 후에 장기능과 장운동이 돌아오는 동안 설사가 일어날 수 있다. 지속되거나 자주 일어나면, 소장폐쇄, 결장폐쇄, 위점막결장염 등을 의심해야 한다. 또한 기생충검사나 균배양이 도움을 줄 수도 있다. Clostridium difficile와 관련된 위점막결장염은 항생제 노출에 의해 일어날 수가 있으므로, 사용 중인 항생제를 중지해야 한다. Vancomycin보다 저렴한 경구 metronidazole이 적절한 치료이다.

(5) 누공

위장관 누공은 부인과 수술 후에는 흔하지 않으나 악성종양, 방사선치료 경력, 장절제 및 장문합과 관련이 있고, 수술 중 부적절한 문합이나 인지하지 못한 장손상이 원인이다. 수술 후 열이 나면서 장기능이 원활하지 않으면, 즉시 위장관 통관기능을 조사해야 한다. 누공이 의심되면, 수용성 조영제를 사용한 위장관검사를 해야한다. 누공이 복벽이나 질말단부로 배액이 되지 않으면 복강 내 누공은 즉각적인 수술을 요한다. 소장에서 생긴 장피부 누공은 복벽으로 배액을 하면서 내과적 치료를 시행할 수 있다. 감염이 잘 조절되고, 복막염의 증상이 없으면, 약 2주간 치유되기를 기다릴 수 있다. 일부에서는 somatostatin을 사용하여 장관 분비를 감소시켜, 빠른 치료를 유도하기도 한다. 보존치료로 누공이 치유되지 않으면 장절제 혹은 재문합과 같은 수술적 치료를 요한다. 자궁내막증이나 골반염과 관련된 심한 유착으로 부인과 수술 후에 생긴 직장질누공은 크기가 작은 경우 자연 치유를 기대하며, 보존 치료를 한다. 이 경우 골반염증 반응이 해소되기를 기다리며, 수개월이 소요될 수 있다. 누공이 큰 경우는 우회 장개구술을 시행하고, 염증이 가라앉기를 기다려서 누공을 수술한 후 완전히 회복되면, 개구한 장을 다시 복귀시킨다.

7) 혈전색전증(Thromboembolism)

(1) 위험인자

부인과 수술 후 사망의 약 40%가 폐색전증에 의한 사망으로 자궁암, 자궁경부암 환자의 수술 후 가장 흔한 사망원인이다. 원인인자로는 주요수술(major surgery), 고령, 유색인종, 악성종양, 심부정맥혈전의 과거력, 하지부종, 그리고 정맥류, 과체중, 골반방사선 치료과거력 등의 정맥 정체를 일으키는 상태와 Factor V Leiden, 임신, 경구용피임제, 에스트로겐 혹은 타목시펜 같은 과응고상태를 일으키는 경우가 정맥혈전의 원인인자들이다. 수술 후에 정맥혈전을 일으키는 인자는 긴 마취시간, 수혈을 요하는 대량 출혈이 있다. 따라서 이러한 위험인자들을 상기하고 정맥혈전 예방을 위한 적절한 처치를 하는 것이 중요하다. 미국 흉부의사협회(American College of Chest Physicians, ACCP)에서는 Caprini가 창시한 혈전색전증 위험도 점수를 이용하여 환자 상태에 따른 개별적인 예방을 권유하였다(표 13-4).

(2) 예방법

질수술(악성종양수술 제외), 질과 방광수술, 진단적 복강경수술뿐만 아니라 몇몇 치료적 복강경수술들은 골반내 공간에 큰 영향을 미치지 않고 또한 술기 시간이 길지 않으며, 조기보행이 가능하여 심부정맥혈전증에 대한 위험 요소가 크지 않기 때문에 심부정맥혈전증에 대한 예방조치가 반드시 필요하지는 않다. 반면에 복잡한 자궁적출술이나 몇몇 난소와 난관술기를 비롯한 대부분의 부인과종양수술은 심부정맥혈전증의 위험성을 증가시키는 것으로 생각된다. 긴 수술시간과 함께 큰 골반내 정맥 근처에서 절개와 봉합이 이루어지고, 수술 후 침상안정이 조기 보행을 늦어지게 하기 때문이다. 주요 부인과 수술 전에 헤파린을 사용한 경우 의미있게 심부정맥혈전증이 감소한다(Oates-Whitehead et al., 2003). 대부분의 가이드라인에서는 압박치료를 권장한다. 압박치료의 경우 헤파린을 사용할 수 없는 환자, 입원 기간이 짧을 것으로 예상되는 환자나 수술 범위가 비교적 작은 경우 추천된다. 압박치료와 압박 스타킹의 경우 가능한 빨리 시행하는 것이 좋으며, 조기 보행이

표 13-4. 혈전증의 위험도(Caprini Risk Score)

1 Point
• 나이 41-60세 • 소수술 • BMI>25 kg/m^2 • 다리부종 • 하지정맥류 • 임신 중 또는 산욕기 • 설명되지 않는 또는 3회를 초과하는 반복적인 유산 • 경구용 피임약 또는 폐경기호르몬치료 • 1달 이내의 패혈증 • 1달 이내의 폐렴을 포함한 심각한 폐질환 • 폐기능이상 • 울혈성 심부전 • 염증성 장질환의 과거력 • 침상 안정
2 Point
• 나이 61-74세 • 45분을 초과하는 개복수술 • 45분을 초과하는 복강경수술 • 암 • 72시간을 초과하는 침상안정 • 캐스트 고정 • 중심정맥도관
3 Point
• 나이 74세 초과 • 정맥혈전색전증의 과거력 • 정맥혈전색전증의 가족력 • 선천적 또는 후천적 혈전성향증(i.e., Factor V Leiden, anticardiolipin antibodies, elevated homocysteine, prothrombin 20210A) • 헤파린유발혈소판감소증
5 Point
• 1달 이내의 뇌졸중 • 관절성형술 • 고관절 또는 다리 골절 • 1달 이내의 급성 척수 손상

가장 중요하다고 할 수 있다. 압박 장치의 경우 퇴원 시에 중단하게 된다. 표준 헤파린을 사용할 경우 전형적으로 하루에 2-3번 정도 피하주사로 5,000 unit을 사용한다. 저분자량 헤파린을 사용할 때에는 대부분 enoxaparin 30 mg을 피하주사로 사용한다. 위의 용량은 예방적 사용 시의 용량이며, 심부정맥혈전증이나 폐색전증을 치료할 경우에는 이보다 더 높은 용량을 사용해야 한다. 또한 표준 헤파린을 사용할 경우 부분 트롬보플라스틴 시간(PTT) 모니터링이 필요하다는 것을 알고 있어야 한다. 헤파린 예방요법을 시행할 때 심부정맥혈전증의 고위험군(부인암 환자 등)에 있어서는 수술 후 3-5일 동안 계속 헤파린 사용을 유지하고 이후 와파린으로 변경 후에 4주 동안 추가적으로 치료하기를 권장한다(Lassen et al., 2004).

① 저용량 헤파린(low-dose heparin)

수술 2시간 전에 헤파린 5,000 unit을 피하주사로 처음 투여하고 수술 8-12시간마다(하루 2-3회) 추가로 투여한다. 저용량이므로 혈액응고수치에 이상을 일으키지는 않아 aPTT 모니터링을 할 필요가 없으나, 10-15%의 환자에서 aPTT의 증가를 보였으며 창상 혈종 등의 출혈 합병증을 보이기도 하였다. 비록 적은 수이지만 헤파린 유발 혈소판 감소증(6%) 또한 발생 가능하여, 4일 이상 사용한 경우에는 혈소판 수를 체크해 보는 것이 좋다.

② 저분자량 헤파린(low-molecular-weight heparin)

저용량 헤파린과 비교하였을 때 출혈 합병증이 더 적어 사용이 가장 추천되는 약제이다. 수술 2시간 전에 enoxaparin 40 mg (1 mg/kg)를 피하주사로 처음 투여하고, 이후 하루 1회 투여하여 색전증의 위험도가 줄어들 때까지 7-10일 정도 사용한다. 반감기가 길어 하루 1회 투여가 가능하여 사용이 편리하고, 약물 농도가 일정하게 유지되어 모니터링이 필요하지 않은 장점이 있으나 고령 및 신기능 저하 시에 용량 감량이 필요하다. 헤파린 유발 혈소판 감소증은 미분획 헤파린에 비해 덜 발생한다.

③ 물리적방법(mechanical methods)

수술 중과 수술 후 기간 동안 하지 정맥 혈류의 정체가 발생하며, 수술 중 장딴지(calf)의 확장능이 있는 정맥(capacitance vein)에 생기는 저류와 수술로 야기된 과응고 상태가 수술 후 심부정맥혈전증 발생의 주요 원인으로 생각된다. 주로 발생하는 곳은 장딴지 부위 정맥이고 수술 24시간 내에 대부분 발생한다(Clarke-Pearson et al., 1984). 효과가 아주 크지는 않지만 짧은 입원 기간과 수술 후에 빨리 걷게 하는 것이 정맥 저류를 줄여준다. 다리 쪽 침대를 올리거나 장딴지를 심장보다 올리는 것도 중력을 이용하여 더욱 정맥 저류를 줄여준다. 더 적극적인 방법으로 탄력 압박 스타킹과 공기백을 이용한 하지 압박이 있다.

가. 탄력 스타킹(graduated compression stocking)
잘 사용하면 어느정도 효과를 볼 수는 있으나 불량하게 잘 밀착이 안 되면, 오히려 무릎이나 허벅지에 토니켓(Tourniquet) 효과를 내어 위험을 줄 수도 있다. 간단히 착용할 수 있고, 부작용이 없다는 장점으로 수술 후에 많이 사용되고 있다. 허벅지까지 가는 긴 스타킹과 장딴지 정도까지 가는 짧은 스타킹과의 효과 차이는 정맥혈전색전 예방에 차이가 없는 것으로 나타났다.

나. 외부 공기 압박(external pneumatic compression)
수술 중과 수술 후에 사용하는 장딴지 압박은 저용량의 헤파린과 거의 비슷하게 심부정맥혈전 발생을 줄여준다. 정맥 혈류를 증가시키고, 장딴지 정맥을 주기적으로 비워줌으로써 내혈관 혈전 용해(endogenous fibrinolysis)를 가속시키는 것으로 나타났다. 이러한 기전은 임상적으로 증상이 나타나기 전 혈전 생성 초기에 용해 효과가 있다. 수술 중과 수술 후 약 첫 5일간 사용 시 수술 후 정맥혈전색전 합병증을 거의 1/3로 줄일 수 있다(Clarke-Pearson et al., 1984). 외부 공기 압박은 약물을 이용한 예방과 비교 시 부작용이나 위험이 없고 비용면에서 저렴하다. 중등도의 수술 후 정맥혈전색전증 위험이 있는 환자에게는 저용량 헤파린 혹은 저분자량 헤파린을 사용하거나 간헐적 공기백 압박이 좋은 예방책이다. 고위험 환자에서는 주기적인 외부 공기 압박과 함께 약물요법을 고려해야 한다. 간헐적 공기 압박(intermittent pneumatic compression, IPC)(그림 13-1), 점진적 공기 압박(gradual pneumatic compression, GPC), 풋펌프(venous foot pump, VFP) 등의 방법이 있고 그 중에서 간헐적 공기 압박(IPC)이 가장 많이 사용된다. Caprini 위험 점수를 이용하여 미국 흉부의사 협회에서는 환자 개인의 위험도에 따른 다양한 예방법을 권장하고 있다(표 13-5).

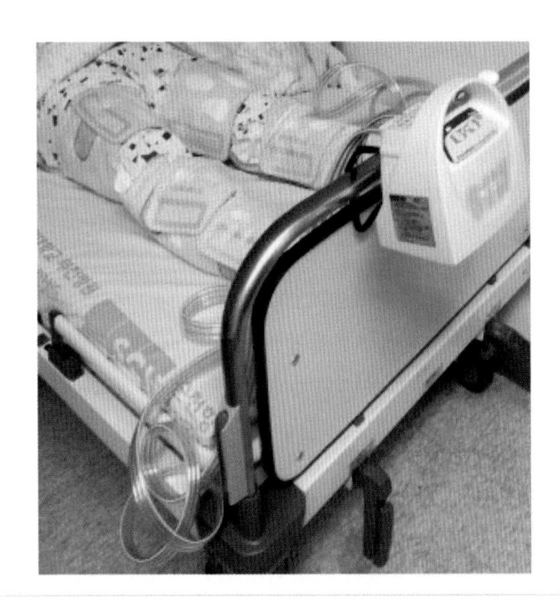

그림 13-1. **간헐적 공기 압박 장치 처치 모습**

표 13-5. Caprini Risk Score에 따른 정맥혈전색전증의 예방적 요법

Score
0: 조기보행
1: 저위험군: 압박스타킹과/또는 간헐공기다리압박
3-4: 중증도위험군: 간헐공기다리압박 또는 저용량 헤파린 또는 저분자량 헤파린
>4: 고위험군: 간헐공기다리압박과 저용량 헤파린 또는 저분자량 헤파린. 28일 동안의 지속적 예방 고려

(3) 수술 후 심부정맥혈전과 폐색전증의 치료

폐색전증은 부인과 수술 후 주된 사망원인으로 고위험 환자를 확인하여 예방을 하는 것이 매우 중요하다. 또한 발생했을 때 조기 진단과 즉각적인 치료는 필수적이다. 대부분의 폐색전증은 부인과 수술 후 하지의 심부정맥순환계에서 발생한다. 골반 정맥은 치명적인 폐색전의 주된 근원이다.

① 진단

가. 하지혈관 도플러 초음파(doppler ultrasound)
B-mode duplex 도플러 초음파는 현재 증상이 있는 심부정맥혈전증의 진단에 가장 많이 사용되는 방법으로,

특히 대퇴부정맥 같은 근위부 심부정맥에서 혈전이 잘 보이며 초음파 탐침으로 정맥을 압박하였을 때 정맥의 압박이 소실됨을 관찰할 수 있다. 그러나 장딴지나 골반의 정맥에서는 결과가 부정확할 수 있다.

나. 정맥조영술(venography)

정맥조영술이 심부정맥혈전증의 확진에 가장 정확한 검사이지만, 다른 진단검사 방법들의 발전으로 최근에는 정맥조영술 시행을 대체하고 있다. 정맥조영술은 불편하며, 환자들 1%에서는 조영제 주입으로 인해 알러지 반응이나 신손상, 혈관염을 유발할 수 있다. 비침습적인 다른 검사들의 결과가 확정적이지 않으면서 임상적으로 진단이 의심이 될 때에는 확진을 위해 정맥조영술을 고려해 볼 수 있다.

다. 자기공명정맥조영술(magnetic resonance venography, MRV)

자기공명정맥조영술은 기존의 정맥조영술과 비교하여 민감도 및 특이도는 비슷하면서, 정맥조영술에서 보이지 않는 골반정맥의 혈전을 찾아낼 수 있는 장점이 있다. 그러나 시간과 비용이 상대적으로 많이 소요되는 문제가 있다.

② 치료

가. 심부정맥혈전

수술 후 심부정맥혈전증이 발견되었을 경우 발견 즉시 항응고치료(저분자량 헤파린 또는 미분획 헤파린)를 시작하여 혈전의 재발 및 근위부로의 확장을 방지하고 내인성 혈전용해 기전이 가동되게 한다. 이후 3-6개월 동안 경구 항응고제 치료(와파린)를 유지한다.

가) 미분획 헤파린

처음 80 units/kg(약 5,000 units)를 일시 정주(Bolus IV)하고, 18 units/kg/hr(약 1,000-2,000 units/hr)를 지속 정주한다. 6시간마다 aPTT를 체크하여 정상의 1.5-2.5배의 치료적 수치로 유지하도록 헤파린 정주 속도를 조절한다.

나) 저분자량 헤파린

Enoxaparin과 dalteparin 두 가지 약제가 정맥혈전색전증의 치료로 효과적이며 정맥주사 헤파린에 비해서 외래에서 사용가능하며 비용 효과적으로 이점이 있다. 대규모 임상 연구들의 메타 분석에서 재발성 혈전색전증을 방지하는 데 저분자량 헤파린이 미분화 헤파린에 비해 훨씬 더 효과적이고, 안전하며, 비용 효과적임이 입증되었다(van Dongen et al., 2004). 저분자량 헤파린은 생물학적 유용성이 높아 하루 2회 투여가 가능한 편리함이 있다. Enoxaparin 1 mg/kg을 12시간 간격으로 하루에 두 번 피하 주사한다. 경구 와파린의 투여도 헤파린 정주를 시작한 당일부터 시작한다. 치료적 농도는 정상치의 2-3배로 유지되도록 INR (international normalized ration) 수치를 매일 확인하며 와파린 투여 용량을 조절한다. 와파린 투여 초기 protein C 농도 저하로 인해 과응고 상태가 야기되므로, INR이 치료적 농도에 도달한 지 적어도 1-2일 정도는 와파린과 헤파린 투여를 병용하여야 하며, 보통 INR 농도를 맞추기까지는 5일 정도의 병용이 필요하다. 활성화 응고인자 X억제제인 rivaroxaban과 직접 트롬빈억제제인 dabigatran가 최근 개발되어 있다(국내에서는 아직 rivaroxaban만 승인됨). 와파린과 비교하였을 때 빠른 혈중 농도 도달로 헤파린과의 병용치료가 필요 없고, 모니터링 없이 고정 용량으로 사용할 수 있는 간편

표 13-6. Non-Vitamin K Antagonist 경구용 항응고제의 치료적 용량

투약-일반적인 신기능을 가진 환자의 경우
Rivaroxaban, 15 mg 하루에 2회(첫 3주일간)
Apixaban, 10 mg 하루에 2회(첫 1주일간)
Edoxaban, 60 mg 하루에 1회(creatinine이 30-50 mL/min이거나 몸무게가 60 kg 이하인 경우에는 30 mg 을 하루에 1회)
Dabigatran, 150 mg 하루에 2회

함이 있다. 그러나 약제의 주된 배설 경로가 신장으로 GFR 30 mL/min 미만의 신기능저하 환자에서는 사용이 권고되지 않으며, 출혈 합병증이 발생하였을 때 해독제가 없는 단점이 있다. 또한 혈역학적으로 불안정한 혈전색전증의 초기 치료로서는 아직 효과가 입증되지 않았다(표 13-6).

나. 폐색전증

대표적인 소견은 흉막흉부통증, 객혈, 빠른 호흡, 빈맥이 있으며 이러한 증상이 있을때는 폐색전증의 가능성을 의심해야 한다. 폐색전증의 치료는 아래와 같다.

가) 발견 즉시 항응고치료(저분자량 헤파린 또는 미분획 헤파린)를 시작하여, 이후 경구항응고제치료(와파린)를 유지하는 것은 심부정맥혈전증의 치료와 동일하나, 수술로 야기된 일시적 유발인자가 있는(provoked) 혈전색전증에 이어서 폐혈전색전증이 발생하였을 경우는 심부정맥혈전증만 있을 경우의 3개월 유지 치료에 비해 3개월을 더 연장하여 6개월 정도로 유지 치료가 필요하다.

나) 산소 공급 및 집중 관찰하의 호흡보조치료가 필요하다.

다) 대량 폐혈전색전증의 중증(혈역학적으로 불안정)일 경우 대개 급속히 사망이 가능하므로, 전신 혈전용해제의 투입이 필요하나 수술 후 환자에서는 출혈 합병증 때문에 시행이 어려우므로, 수술 또는 카테터를 이용한 폐색전 제거술을 시도해 볼 수 있다.

라) 폐동맥 카테터 삽입하 혈전 용해제 투여에 대해서는 더 연구가 필요하며, 대량 폐혈전색전증일 경우(우심부전은 있으나 혈압은 안정적인 경우) 고려해 볼 수 있다.

마) 하대정맥 차단은 항응고치료가 혈전 재발 방지에 비효과적이거나, 하지나 골반으로부터 반복적인 색전이 발생할 경우, 항응고치료의 금기, 항응고치료 후 심한 출혈 합병증 시에 필요할 수 있다. 대량 폐혈전색전증일 경우 치명적인 추가 색전 발생을 방지하기 위해 고려할 수 있다.

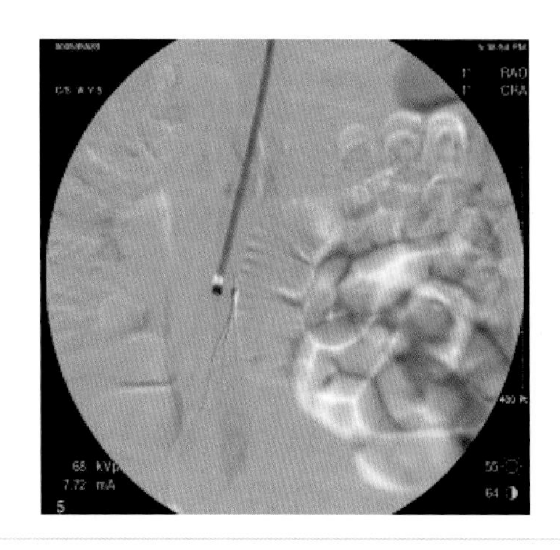

그림 13-2. **우산 필터 삽입 모습**

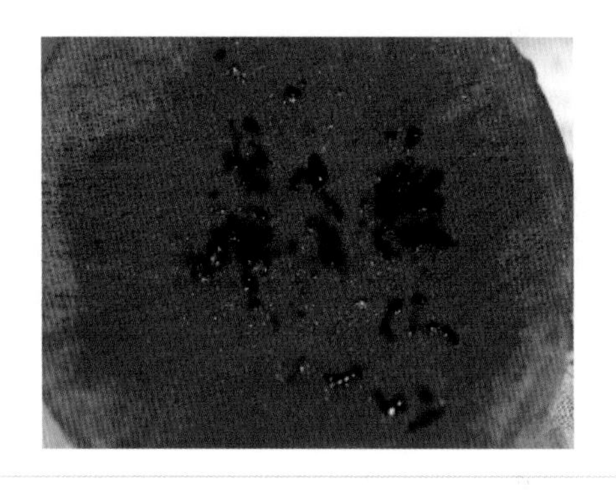

그림 13-3. **제거된 혈전**

하대정맥 우산 혹은 필터를 혈전 부위의 상방의 신정맥 하부의 하대정맥에 경피적으로 삽입한다(그림 13-2, 3).

8) 수술 후 회복력 향상(Enhanced Recovery After Surgery, ERAS)

(1) ERAS 이론적 해석

외과적 기술이 발전함에 따라 외과적 관리에 대한 개념도 발전하고 있다. 전통적인 수술 전후 관리에는 자정 이후의 금식과 수술 중 수액 투여, 수술 후 통증에 대한 마약성 진통제에 대한 의존도가 포함되어 있다. 그러나 1990년대에 유럽의 의사들은 수술 후 생리적 스트레스와 수술 후 이환율 사이의 연관성을 더 잘 이해하기 시작했다(Kehlet H, 1997). 스트레스는 면역억제, 저산소증, 인슐린 저항성, 이화작용(catabolism)을 증가시킨다(Schricker T et al., 2015). 최적의 수술 전후 관리 전략은 이환율을 최소화하기 위해 이러한 각 요인을 대상으로 하며, 2000년대 초반에 초기의 회복력 향상 프로토콜이 개발되었다(Ljungqvist O et al., 2017). ERAS는 처음에 대장내과 의사들에 의해 받아들여졌지만, 전 분야로 퍼져나가고 있다(Gustafsson UO et al., 2013).

회복력 향상 프로토콜은 포괄적이며 환자가 주소로 외래에 처음 왔을 때부터 수술 후 퇴원할 때까지의 범위를 모두 다룬다. 수술 전 상담, 탄수화물 로딩, 항구토제 투여(수술 전 스테로이드 포함), 장기간의 금식 회피 등이 그것이다. 수술 중에는 정상체온유지, 균형잡힌 수액, 배액관 삽입 자제, 최소 침습적 접근법, 가능하면 부위마취를 포함한 복합통증관리에 초점이 맞춰져 있다. 수술 후, 목표는 조기 보행 및 식이, 수액의 신속한 중단, 다양한 진통제, 요로카테터의 적절한 중단, 국소 마취 등이다(Barber EL et al., 2015).

(2) 수술 전후 영양

수술 전후 영양과 관련하여 ERAS 프로토콜에 대한 중요한 고려사항이 있다. 장기간의 수술 전 금식과 흡인 위험성의 관련성에 대한 증거는 부족하며 금식은 인슐린 저항성을 증가시켜 수술 후 이환율을 증가시키는 것으로 알려져 있다(Brady M et al., 2003). 임의량을 수술 전 6시간까지 섭취한 후 수술 전 2시간까지 맑은 액체를 섭취하는 것이 미국 마취학회에 의해 권장된다(Anesthesiology, 2017). ERAS 프로토콜의 또 다른 독특한 특징은 수술 전 탄수화물 로딩이다. 수술 2-3시간 전부터 12.5%의 maltodextrin이 함유된 음료는 인슐린 저항성을 높이고 재원 기간을 줄이는 것으로 나타났다(Nygren J et al., 2001). 실제로 수술 전 2-3시간 동안 12온스 게토레이를 섭취하는 것이 권장된다. 수술 후 목표는 조기 식이인데, 이는 조기 식이가 문합부 누출에 연관성이 없기 때문이다(Lewis Sj et al., 2001). 수술 후 수액 투여에 관해서는 가능한 한 빨리 또는 늦어도 수술 다음날에 중단하는 것이 목표다.

(3) 장전처치(bowel preparation)

일부 외과의들이 수술 전 장전처치를 권할 수도 있다. 장전처치는 환자의 불만족, 전해질장애, 탈수증과 관련이 있다. 따라서 ERAS 프로토콜은 장전처치를 피하는 것을 권장한다.

(4) 구역, 구토의 관리

수술 후 오심과 구토증은 안타깝게도 환자들에게 흔하다. 최소 2개의 항구토제를 활용하는 다양한 예방적 접근법이 채택되었다. 이용 가능한 약제로는 NK-1길항제, phenothiazines, anticholinergics 등이 있다(Gan TJ et al., 2014). 수술 후 오심이 있을 경우 다른 기전의 항구토제를 복합적으로 사용해야 한다. Scopolamine 패치는 수술 후 오심과 구토를 개선시키는 것으로 나타나므로 고려할 수 있다(Antor MA et al., 2014).

(5) 수술 전후의 수액

① 체액 및 전해질의 유지

신체는 혈장긴장성의 변화에 의해 더 많거나 혹은 더 적은 섭취량에 적응한다. 혈장긴장성의 변화는 항이뇨호르몬(ADH) 수치의 조정을 유도하는데, 이는 궁극적으로 신장의 원위세뇨관에 남아 있는 수분의 양을 조절한다. 수술 전후 초기에는 보통 나트륨과 칼륨만 보충하면 된다. 염화물은 나트륨과 칼륨의 균형을 맞추기 위해 사용되는 일반적인 음이온이기 때문에 나트륨과 칼륨과 함께 자동으로 보충된다. 시중에 40 mmol의 염화나트륨과 이보다 적은 양의 칼륨, 칼슘, 마그네슘이 포함된 수액이 있으며, 하루에 3L의 정맥 투여를 받고 있는 환자의 요구 사항을 충족시키도록 설계되어 있다.

② 수액 및 전해질 교체

일일 평균을 초과하는 체액 및 전해질 손실은 적절한 수액으로 보충되어야 한다. 수액의 선택은 손실된 체액의 구성에 따라 달라진다. 폐, 피부 또는 위장관의 손실이 높은 환자에게는 수분 손실을 측정하는 것이 어려운 경우가 많다. 이러한 환자들에게는 체중측정이 유용할 수 있다. 매일 300 g까지의 체중 손실은 금식중인 환자에게서 단백질과 지방의 감량 형태에 의해 일어날 수 있다(Pestana C, 2000). 이 수준을 초과하는 모든 손실은 체액 손실을 나타낸다. 고열이 있는 환자는 폐와 피부에서의 체액 손실이 증가되며, 때로는 하루에 2-3 L를 초과하기도 한다. 이러한 손실은 D5W 형태의 수액으로 보충되어야 한다. 손실이 과도할 경우 D5/0.25 식염수로 대체할 수 있다.

급성 출혈 환자는 적절한 등장액이나 혈액 또는 둘 다로 보충해야 한다. Albumin, dextran, hetastarch 용액 등 대규모 분자량 입자(<50kDa 분자량)를 함유한 수액이 있다. 이 입자들은 혈관 내 공간을 빠져나가는 속도가 느리고, 24시간 후에도 입자의 약 1/2이 남아 있다. 합성 콜로이드 용액으로 가능한 부작용으로는 지혈에 대한 부작용, 심각한 과민성 반응, 신장 기능의 손상 등이 있다(Boldt J, 2000). 이러한 수액들은 비싸며 대부분의 경우 0.9 생리식염수 또는 lactated ringer 용액으로 간단히 대체하면 충분하다. 이들의 3분의 1은 일반적으로 혈관 내 공간에 남아 있고 나머지는 간질에 분포한다.

③ 수술 후 수액 및 전해질 관리

수술 후의 호르몬 및 생리학적 변화는 수액과 전해질 관리를 어렵게 할 수 있다. 수술의 스트레스는 높은 수준의 순환 ADH를 유도한다. 순환 알도스테론 수치가 증가하며, 수술 중 또는 수술 후 지속적으로 저혈압이 발생한 경우, 순환성 ADH와 알도스테론의 수치가 높아짐에 따라 수술 후 환자는 나트륨과 수분 보유에 취약해진다. 수술 후 기간 동안 체액 및 전해액 균형을 올바르게 유지하려면 수술 전 평가부터 시작하여 수술 전 정상 체액 및 전해질에 대한 정보가 강조된다. 수술 후 체중, 소변량, 혈청 헤마토크리트, 혈청 전해질, 혈역학 파라미터를 면밀히 살피면 정질액 보충 시 정확한 조정을 위해 필요한 정보를 얻을 수 있다. 정상적인 일일 체액 및 전해질 요건은 반드시 충족되어야 하며 위장관, 폐 또는 피부에서 나온 체액 및 전해질 손실을 포함하여 모든 체액 및 전해질 손실을 보충해야 한다. 수술 후 처음 며칠이 지나면 제3공간의 체액이 혈관 내 공간으로 돌아오기 시작하고 ADH 및 알도스테론 수치가 정상으로 되돌아간다. 남아 있는 과다한 체액은 신장을 통해 배설된다. 정맥 내 체액이 적절하게 감소되지 않는 경우, 심혈관 또는 신장 기능이 불충분한 환자들은 체액 과부하가 발생하기 쉽다. 금식 중인 환자에게서는 하루 300 g 정도의 체중 감량을 유도해야 한다. 하루 150 g을 초과해 체중이 늘고 있는 환자는 체액 과잉 상태에 있다. 단순 수액 제한으로 이상이 시정되지만 필요할 때 이뇨제를 사용하여 배뇨를 증가시킬 수 있다. 탈수 상태는 드물지만 체액의 일일 손실이 큰 환자에게서 발생할 수 있다. 위장 손실은 적절한 수액으로 보충되어야 하며 발열이 심한 환자들은 적절한 수액 공급을 받아야 한다. 왜냐하면 하루에 최대 2 L의 체액을 땀과 과호흡을 통해 잃을 수 있기 때문이다. 이러한 손실은 측정하기 어렵지만 체중 측정을 통해 근사치를 얻을 수 있다.

④ ERAS의 수액처치에 관한 주의점

수술 중 환자에게 이상적인 체액 관리는 euvolemia이다. 이를 달성하기 위해 ERAS 프로토콜은 정질액 투여를 최소화하고 필요할 때 콜로이드와 바소프레서 사용을 우선하는 것으로 구성된다. 정질액을 사용할 때는 균형 잡힌 수액(lactated Ringer액 등)이 선호된다.

(6) 수술 후 통증 관리

① 일반적인 원칙

적절한 통증 관리는 다양한 방법으로 쉽게 달성될 수 있지만, 환자는 수술 후 통증에 불필요하게 시달린다. 한 연구에서는 환자의 25-50%가 수술 후 중증도에서 심각한 통증을 겪는 것으로 나타났다(Apfelbaum JL et al., 2003). 통증 관리에 있어 현존하는 관리방법이 불충분한 몇 가지 이유가 있다. 첫째, 통증 완화에 대한 환자의 기대치가 낮다. 둘째, 통증 관리에 대한 교육이 부족하다. 셋째, 수술 후 기간에 마약류를 사용하는 것이 의존도를 초래한다는 오해에 의한 것이다. 많은 효과적인 통증 조절 패러다임이 존재한다. 소량의 마취제를 필요 시에 자가 투여할 수 있는 PCA 기법은 정상 상태의 약물 농도를 유지함으로써 보다 철저한 진통효과를 제공할 수 있다. 혈청 마취제 용량은 기존의 근육내 주사제와 비교하여 PCA를 사용하는 환자의 변동성이 현저히 낮다(Etches RC et al., 1999). PCA를 사용하는 환자들은 진통증이 개선되었고, 수술 후 폐 합병증의 발병률이 낮았으며, 근육내 투여에 비해 착란이 적었다(Egbert AM et al., 1990). PCA를 사용한다고 해서 마약성 진통제의 부작용이 없어지는 것은 아니다. 호흡기 억제는 PCA를 사용하는 환자의 약 0.5%에서 나타난다. 노인 환자와 기존 호흡기 질병이 있는 환자들은 호흡기 억제가 생길 걸릴 위험이 있다.

요컨대, PCA의 사용은 통증 시작과 통증 약물의 투여 사이의 시간을 단축시키고 진통제에 보다 지속적으로 접근할 수 있게 하며 전체적으로 안정된 통증 조절 상태를 가능하게 한다.

② 경막외마취 또는 척수마취

경막외 공간 또는 경막내 투여된 마취제는 가장 강력한 진통제 중 하나이다. 이러한 진통제의 효능은 정맥 PCA 기법에 의해 제공되는 것보다 더 크다. 중추신경계 감염과 두통의 위험 때문에, 경막내 투여는 보통 단 한 번으로 제한된다. 경막 외 투여와 비교했을 때, 뇌척수액에 높은 농도의 약물이 있어 작용 지속시간이 증가하지만 중추신경계와 호흡기 우울증, 전신저혈압의 위험이 증가한다. 경막내 진통제에 필요한 적은 양의 마약성 진통제로도 호흡기 우울증 위험 증가와 연관될 수 있다(Rawal N et al., 1987). 경막외 투여는 선호되는 접근법이며 수술 후 기간 동안(>24시간) 개선된 통증 제어를 제공한다. 상대적 금기증은 응고병증, 패혈증, 그리고 저혈압이다. 마취제 약물 중에서는 bupivacaine이 가장 인기가 많다. 경막외성 진통제는 하복부와 하지의 통증 조절에 가장 적합하다. 경막외 마취제의 잠재적 부작용으로는 요정체, 운동 능력 약화, 저혈압, 중추신경계 및 심장 기능 저하 등이 있다. 마취제와 대조적으로, 마약성 진통제는 지속시간이 훨씬 긴 경향이 있으며, 저혈압은 드물다는 장점이 있지만 메스꺼움과 구토, 호흡 곤란, 가려움증 등의 발생률이 높다.

근육 내 또는 정맥 주사로 투여되는 진통제와 비교하여, 경막외 진통제는 수술 후 폐 기능 개선, 폐 합병증 발생률 감소, 수술 후 정맥 혈전증 합병증 감소, 위장 부작용 감소와 관련이 있다(Rawal N, 1999). 하지만 1% 미만의 환자에게서 발생하는 심각한 호흡기 억제는 가장 심각한 잠재적 합병증이다. Fentanyl은 척수 내에 빠르게 흡수되어 중추신경계 호흡조절장치로 확산될 가능성이 적다. 가려움증, 메스꺼움, 그리고 요정체는 흔하지만 쉽게 관리할 수 있고 대개 임상적으로 거의 의미가 없다. 비용은 아마도 경막외 진통제의 가장 큰 단점일 것이다. 경막외 진통제의 안전한 관리를 위해서는 간호사의 면밀한 모니터링이 필요하지만 집중적인 치료 환경은 필요하지 않다. 경막외 진통제는 경막외 진통제의 처음 8시간 동안 매시간 호흡기검사를 통해 호흡기 모니터링을 통해 긴밀한 간호 감독 하에 병원 병동 환경에서 안전하게 투여할 수 있다.

③ 비스테로이드성 소염 진통제(NSADIs)

수술 후 통증 조절을 위한 현재 치료 전략은 마약성 진통제와 비스테로이드성 항염증제(NSAIDs)를 사용한 다양한 요법에 크게 의존하고 있다. 비선택적 NSAID ketorolac은 구강 또는 정맥으로 투여할 수 있는 강력한 약물이다. Ketorolac은 fentanyl보다 활동 시작은 약간 느리지만 모르핀에 버금가는 진통 효과를 가지고 있다. 마약성 진통제에 비해 NSAIDs은 호흡억제 부재, 낮은 남용 가능성, 진정 효과 감소, 메스꺼움 감소, 장 기능의 조기 복귀, 빠른 회복 등 많은 장점을 가지고 있다. 임상연구에서 ketorolac은 수술 후 정형외과 환자의 모르핀과 유사한 진통 효과를 가지고 있으며 PCA와 함께 사용하면 마약성 진통제의 투약이 현저히 감소하는 것으로 밝혀졌다(DeAndrade JR et al., 1994).

수술의 종류에 따라 ketorolac은 평균 36%의 마약성 진통제 투여 감소효과가 있으며, 적용 후 24시간 동안 중등도에서 심한 통증까지 효과가 있다(Macario A et al., 2001). 산부인과 영역에서 ketorolac의 정맥내 사용은 제왕절개 후 수술 후 마취제 사용을 줄이는 데 효과적이다(Lowder JL et al., 2003). 미국식품의약국(FDA)은 ketorolac을 수유 중 사용하는 것을 승인하지 않았지만, 모유에는 이부프로펜보다 낮은 수치로 검출된다(Wischnik A et al., 1989). NSAID의 사용과 관련된 잠재적 부작용으로는 신장 손상 위험 증가(특히 급성 저혈당증을 앓고 있는 환자에게서), 위장 부작용, 과민반응, 출혈 등이 있다. Ketorolac이 출혈에 미치는 영향은 일관성이 없다. 건강한 일반인을 대상으로 한 ketorolac 연구는 출혈 시간이 일시적으로 증가하고 혈소판 집적량이 감소하는 것으로 나타났지만, 이러한 변화는 임상적으로 유의미하지 않았다(Greer IA, 1990). 한 후향적 코호트 연구는 ketorolac을 고용량으로(하루에 105-120 mg) 투여 받는 노인 환자들의 위장 및 수술 부위 출혈 위험이 증가했음을 보여주었다. 위장 출혈에 대한 위험 증가는 ketorolac을 5일 이상 투여한 경우에 증가하였다(Strom BL, 1996).

위장 독성이 적고 항혈소판 효과가 없다는 이점으로 선택적 사이클로옥시겐효소-2 (COX-2) 억제제는 수술 후 통증 관리에 있어 중요한 옵션이다(Gajraj NM et al., 2005). COX-2 억제제와 관련된 심각한 심혈관 사건의 위험이 증가했다는 증거가 존재하지만, 기존 심혈관 질환이 없는 저위험 환자에서 단기적으로 사용하는 것을 고려할 수 있다(Bresalier RS et al., 2005). NSAIDS 외에도 마약성 진통제 사용의 부작용을 최소화하기 위해 다른 진통제에 대한 연구가 계속되고 있는데 capsaicin은 비마취제로 고통과 열을 위한 신경전달물질인 substance P의 방출을 촉진시켜 처음에는 작열감을 주지만 결국 substance P의 고갈과 통증 감소로 이어진다. Ketamin은 N-methy-D-aspartate 통증 수용체를 억제하며, 낮은 용량에서는 수술에 의한 중추 탈감작을 감소시키고 마약성 진통제로 인한 통각과민증을 예방할 수 있다. 하지만 더 높은 용량에서는 환각, 현기증, 메스꺼움, 구토를 일으킬 수 있다. Gabapentin과 pregabalin은 통증 신호를 전달하는 흥분성 신경전달물질의 분비를 막는 비마취제다. 그것들은 마약성 진통제의 요구를 감소시키는 효과적인 항통각제다(Vadivelu N et al., 2010).

④ ERAS의 통증 제어에 관한 주의

수술 후 통증 조절은 ERAS 프로토콜의 중요한 관심사다. 마약성 진통제는 위장 기능을 저하시키고 메스꺼움과 구토를 증가시키며 때로는 환자의 착란(confusion)을 유발하는 것과 관련이 있다. 성공적인 진통제 접근방식은 복합적이어야 하며 마약성 진통제에 의존하지 않아야 한다. ERAS 프로토콜은 종종 NSAIDs, GABA 작용제 및/또는 근육 이완제를 포함하는 수술 전 약물들을 포함한다. 많은 프로토콜들은 통증 조절을 위한 국소 마취의 사용을 포함하며, 특히 개복술의 맥락에서 그러하다. 경막외 진통제는 수술 후 통증 조절 및 위장 기능의 측면에서 마약성 진통제 PCA보다 이점을 갖는다(Ferguson SE et al., 2009). 하지만 또한 ERAS 프로토콜의 목표에 반하는 조기보행의 어려움과 소변 저류와 관련이 있다(Nelson G et al., 2014). 절개 부위 봉합 후 국소 부피바카인 사용을 권장한다. 수술 후 다른 중요한 진통제는 NSAIDs(예: 케토롤락)의 사용을 포함한다.

(7) 배액관

예방적 배액관 삽입은 1800년대부터 수술 직후 체액이 차는 것을 방지하거나 출혈이나 문합부 누출을 확인하기 위해 사용되어 왔다. 하지만 배액관이 누출을 감지하는 데에는 민감도가 낮다는 연구 결과가 나왔다(Hoffmann J et al., 1987). 골반수술에서는 예방적 배액관 삽입에 관한 데이터가 제한되어 있고 일관성이 없다. 예방적 배액관의 일상적인 사용은 권장되지 않지만 환자 위험 요인의 설정에서 고려할 수 있다. 이와 유사하게 코위영양관은 일반적으로 문합성을 보호하기 위해 수술 후 기간에 이용되었다. 여러 연구들에서 예방적 코위영양관 삽입의 뚜렷한 이점이 발견되지 않았다. 약 5,000명의 환자를 메타 분석한 결과, 코위영양관이 없는 환자들의 장 기능 복구 시간이 더 짧았고 입원

기간도 줄어들었다. 문합부 누출의 비율은 두 집단이 차이가 없었다(Nelson R et al., 2007). 일상적인 코위영양관 삽입은 추천되지 않는다.

(8) 완화제

장 기능의 신속한 복귀를 장려하기 위해, 설사제가 자주 사용된다. 그 동안 나온 데이터는 명확한 장점을 보여주지는 않지만, 사용 시 부작용은 거의 없었다. 따라서 의사의 판단 하에 수술 후 기간에는 완화제를 사용할 수도 있다.

(9) ERAS 프로토콜의 결과

ERAS 프로토콜의 도입에 따라 수술 경과에 따른 치료의 많은 영역에서 유의한 개선을 보여주었다. 메타분석결과에서 ERAS 프로토콜에 따른 환자들은 재입원 기간 증가 없이 평균 1.14일의 입원 기간 감소를 보였다(Nicholson A et al., 2014). 또한 합병증은 절반으로 줄었다(Varadhan KK et al., 2010). 캐나다에서는 ERAS 프로토콜에 따라 수술 중 합병증과 재입원이 감소되어 환자 한 명당 최대 7,000달러의 의료 비용 절감의 효과를 나타냈다(Nelson G et al., 2016). ERAS 프로토콜의 또 다른 장점은 환자들이 삶의 질을 향상시키고 통증 점수를 감소시켰다는 것이다(Greco M et al., 2014). ERAS 프로토콜의 시행에는 팀워크와 표준화가 프로토콜의 성공에 결정적이기 때문에 협력적인 분위기가 꼭 필요하다. 여기에는 환자 본인, 외과의사, 마취과 의사, 간호사, 영양사, 연수생, 병원 관리자 등이 모두 포함된다. 이것은 쉬운 일은 아니지만, ERAS 프로토콜의 시작과 도입을 통한 큰 이점을 고려할 때, 이것이 가장 중요하다.

2. 자궁절제술

자궁절제술은 부인과 영역에서는 가장 흔하고, 산부인과 전체로는 제왕절개술 다음으로 많이 행해지는 수술적 처치이다. 최근 보고에 의하면(Wright et al., 2013) 1998년부터 2010년까지 미국에서 총 7백5십만 건의 자궁절제술이 시행되었는데, 1998년에 543,812건에서 매년 증가양상을 보여 2002년에 681,234건으로 최고치를 기록하였다가 이후 매년 감소하는 경향을 보여 2010년에 433,621건이 시행되었다고 한다.

이렇게 자궁절제술이 감소하는 경향을 보이는 것은 최근 가능하면 보존적이고 비수술적인 방법이 개발되고 시행되고 있기 때문일 것이다. 미국에서는 현재 로봇을 포함하는 복강경수술이 주로 시행되며, 다음으로 개복이나 질식 자궁절제수술 방법이 시행되고 있다. 1998년에서 2011년 사이에는 자궁절제술하면서 난소와 나팔관 전체를 동시에 절제하는 수술보다는 좌우 나팔관만 절제하는 수술이 증가하고 있음을 보여주었다(Mikhail E et al., 2015).

1) 적응증

2008년에 보고된 미국(Merrill, 2008)의 자궁절제술의 적응증은 표 13-7과 같다. 거의 대부분의 연구에서와 마찬가지로 자궁근종이 가장 많은 적응증이 되고 있다. 대부분의 자궁절제술은 통증과 출혈의 증상을 완화시키기 위해 시행된다. 환자 연령은 40-49세에 가장 많이 행해지며 그 평균은 46.1세라고 하였다.

환자의 연령대에 따라 적응증의 차이가 있는데, 18-44세까지에서는 자궁근종(29.4%)과 자궁출혈(22.4%)이 가장 많았으며, 45-64세까지에서는 자궁근종(41.4%)이 월등히 높았으며, 65세 이상에서는 자궁탈출증(35.3%)과 암(34%)의 비율이 높았다. 본 단원에서는 양성질환에서 시행되는 자궁절제술에 대해 다루기로 한다.

(1) 자궁근종

자궁근종은 가장 흔한 골반종양으로 가임기 여성의 약 30%에서 존재한다고 하며 자궁절제술의 가장 많은 빈도를 차지한다(Merrill, 2008). 자궁근종에 의한 자궁절제술은 수태를 원하지 않는 경우에만 고려되어야 하고 임신을 원하는 경우에는 근종절제술이 적응증이다.

자궁근종에 의한 수술적응증은 출혈, 골반통증, 골반압박증상, 빠르게 커지는 경우, 요관압박증상, 폐경 후 크기

표 13-7. 2001-2005년간 미국에서 행해진 자궁절제술의 적응증 및 연령대별 비교(Merrill, 2008) (*; 1,000명당 개수)

적응증	No	비율*	%	18-44세		45-64세		65세 이상	
				비율*	%	비율*	%	비율*	%
자궁근종	1,007,642	1.8	32.4	1.7	29.4	2.9	41.4	0.2	9.0
자궁출혈	515,401	0.9	16.6	1.3	22.4	0.9	12.8	0.0	0.1
자궁탈출증	379,444	0.7	12.2	0.4	6.5	1.0	14.3	0.9	35.3
자궁내막증	369,117	0.7	11.9	0.9	16.4	0.6	8.2	0.1	2.6
암	239,272	0.4	7.7	0.1	2.1	0.6	8.9	0.9	34.0
통증	219,853	0.4	7.1	0.6	11	0.2	3.3	0.0	1.6
전암단계	132,871	0.2	4.3	0.2	3.9	0.3	4.4	0.2	5.8
염증	127,888	0.2	4.1	0.3	4.9	0.2	3.2	0.1	3.6
기타	121,076	0.2	3.9	0.2	3.4	0.3	3.6	0.2	7.9

증가 등이다. '빠르게' 커지는 것에 대한 정확한 기준은 없는데 이러한 환자에서 확실한 악성의 가능성이 나타나지 않았기 때문이다(Parker et al., 1994). 자궁의 크기에 따라 자궁절제술의 시행 여부를 결정하는 것은 논란이 있다. 과거에는 증상이 없더라도 임신 12주 이상의 크기이면 자궁절제술을 시행하였다. 그 근거로서 내진상 양측 난소를 촉진할 수 없고 자궁의 크기가 증가함에 따라 자궁절제술의 이환율이 증가한다는 것이다. 그러나, 폐경 전 정상 크기의 난소를 가진 많은 여성에서 내진상 부속기 촉지가 불가능하며 자궁절제술 시 임신 12주 크기와 임신 20주 크기의 자궁에서 수술적 이환율에 차이가 없었으므로 추후에 크기가 증가할 것을 예견하여 수술에 따른 위험을 줄이기 위해 예방적으로 자궁절제술을 시행하는 것은 지양해야 한다(Reiter et al., 1992). 따라서, 원칙적으로 자궁근종에 의한 자궁절제술은 임신을 원하지 않고 내과적이나 보존적 치료에 반응하지 않는 증상이 있는 경우에만 고려하여야 한다. 자궁절제술 전 자궁의 크기를 감소시키기 위해 생식샘자극호르몬분비호르몬작용제(GnRH agonist)를 수술 전에 처치하는 경우도 있다.

폐경 이전 여성의 임신 16주에서 18주 크기의 자궁근종은 약 2개월간의 생식샘자극호르몬분비호르몬작용제를 사용하여 크기를 감소시키고 혈색소 수치를 증가시켜 재원기간과 회복기간을 단축시킬 수 있다(Stovall et al., 1991).

(2) 기능성 자궁출혈

기능성 자궁출혈은 전체 자궁절제술의 15-20% 정도를 차지한다. 기능성 자궁출혈에 대한 검사는 자궁경부용종, 자궁내막암, 임신과 관련된 출혈 등과 같이 생식기에 관련된 질환이나 출혈 소인을 가진 기타 전신 질환을 배제하여야 한다. 자궁경검사가 자궁내막 용종이나 점막하근종의 진단에 특별히 유용할 수 있으며, 이것은 외래 조직검사나 소파술로도 가능하다. 대부분의 기능성 자궁출혈은 다낭성 난소증후군과 연관된 무배란성 출혈이므로 progestin이나 복합 경구피임약으로 조절된다. 배란성 비정상 자궁출혈의 경우에는 NSAID나 호르몬, tranexamic acid, 또는 Mirena로 치료가 가능하다. 대부분의 경우 빈혈이 있거나 출혈이 과다한 경우, 삶의 질에 영향을 미치는 경우가 아니면 특별한 치료가 필요치 않다. 자궁절제술은 내과적 치료를 하지 못하거나, 내과적 치료에 반응이 없는 경우에만 시행되어야 한다. 35세 이상의 경우에는 자궁절제술 전 자궁내막생검을 시행한다. 소파술은 출혈을 조절하는 효과적인 방법이 아니고 자궁절제술 전 필수적인 것은 아니다. 질환의 정도, 환자의 나이, 문화적인 신념 등을 충분히 고려하여 자궁내막소작술이나 자궁절제술을 선택하여야 한다. 내과적이거나 자궁절제술을 대치할 수 있는 방법, 즉 자궁내막소작술이나 자궁경에 의한 내막절제술 등의 보존적 치료가 실패했을 경우 자궁절제술의 만족도가 높아진다고 한다(Rannestad et al., 2001).

(3) 골반이완증

최근 미국에서는 증상이 있는 골반이완증 환자에서 행해지는 자궁절제술이 전체 자궁절제술의 12.2%에 해당한다. 골반이완증에 의해 나타나는 증상은 밑이 빠지는 듯한 느낌, 회음부의 불편감, 요실금, 직장 불편감과 외부 점막의 자극에 따른 불편감 등이 있다.

수술적 치료의 주요 목적은 이러한 증상을 개선시키고 골반지지조직의 재건 및 정상 해부학적인 구조로의 회복이다(Carlson et al., 1993). 자궁을 제거하는 것은 골반이완증의 수술적 치료의 한 부분일 뿐이며 질구조의 회복을 위해 동반되어 있는 방광류나 직장류도 동시에 교정되어야 한다. 수술 전 복부와 골반내 병변은 없는지 확인하고 골반이완증의 정도 및 요실금의 유무에 대해서도 더불어 파악해야 한다. 골반이완증이 경증인 경우에는 에스트로겐 여성호르몬치료, 골반저 근육운동, 페사리 등이 사용될 수 있으나, 이러한 보존적 치료의 한계에 대해서는 환자와 충분한 상의를 해야 한다. 페사리를 장기간 사용하면 질점막의 미란이 동반될 수 있으므로 정기적인 진찰을 통해 주의 깊게 확인하여야 한다. 중증의 골반이완증은 자궁절제술과 골반저 근육의 교정과 같은 수술적인 방법이 고려된다. 자궁탈출증이 없이 방광류만 있는 경우에 자궁절제술을 동반으로 실행하는 것은 특별한 이득이 없다(Carlson et al., 1993). 복벽절개를 요하는 다른 조건이 없다면 질식자궁절제술이 자궁탈출증에 권유되는 방법이다.

(4) 자궁내막증

자궁내막증은 만성골반통, 월경통, 성교곤란증을 일으키는 흔한 부인과 질환이다. 자궁내막증에 의한 통증의 내과적 치료로는 경구피임제, 황체호르몬, 다나졸, 생식샘자극호르몬분비호르몬작용제(GnRH agonist) 등과 같은 유효한 약물이 있다. 보존적인 수술적 방법으로는 주로 복강경을 이용한 자궁내막증병변의 절제 혹은 소작술을 시행한다. 자궁내막증 환자에서 자궁절제술은 자궁내막증으로 인한 골반통이 내과적 치료나 보존적 수술치료에 반응하지 않고 임신을 원하지 않는 환자에서만 고려되어야 한다. 다른 원인은 임신을 원하지 않으면서 요관이나 대장 등 다른 골반장기까지 파급된 경우이다. 양측부속기절제술이 때때로 자궁내막증으로 인한 자궁절제술 시 동반된다. 그러나, 부속기절제와 상관없이 자궁절제술은 대부분의 환자에서 의미 있는 통증의 감소를 제공하므로 자궁내막증의 자궁절제술 시 정상 난소를 보존하는 것을 염두에 두어야 한다.

(5) 월경통

월경통은 특발성으로 나타나는 일차성 월경통과 기저질환에 의해 나타나는 이차성 월경통으로 나눌 수 있다. 이차성 월경통을 유발하는 것으로 알려진 것은 자궁내막증, 자궁선근증, 자궁근종 등이 있다. 성인 여성의 약 10% 정도는 월경통으로 한 달에 3일 정도 일상 생활이 불가능하다. 월경통은 NSAID 단독, 복합경구피임제 혹은 다른 기타 호르몬제와 조합하여 치료될 수 있다. 레보노르게스트렐 자궁내 장치(Mirena)가 월경통의 증상을 효과적으로 감소시킨다. 일차성 월경통은 거의 자궁절제술의 적응증이 되지 않으며 이차성 월경통 환자에 있어서는 기저 원인(자궁근종, 자궁내막증 등)의 치료가 우선되어야 한다. 자궁절제술은 약물치료에 실패하고 더 이상 임신을 원하지 않는 경우에만 고려해야 한다(Bulletins-Gynecology, 2004).

(6) 만성골반통

만성골반통은 다양한 원인의 복합적인 상황이기 때문에 자궁절제술을 고려하기 전 신중하게 검사되어야 한다. 검사는 통증으로 나타나는 증상들에 대한 부인과적인 진찰, 골반초음파와 비뇨기계, 위장관계, 근골격계 등의 원인 조사를 포함하는 다학적인 접근이 필요하다. 정신과적인 검사도 제공되어야 하는데, 우울증, 수면장애와 같은 심신적인 요인과 함께 성적 학대의 과거력과도 연관이 있기 때문이다. 약물 치료는 NSAID와 경구피임제, 다나졸, 고용량의 황체호르몬 혹은 생식샘자극호르몬분비호르몬작용제 등이 있다. 자궁에서 기인하는 통증이라고 생각되는 만성공반통의 104명을 자궁절제술을 시행한 결과 평균 21.6개월 후에 78%에서 통증에 대한 증상의 호전이 있었으며 22%에서는 호전이 없거나 악화되었다는 보고가 있다(Stovall et al., 1990). 따라서 자궁절제술은 통증이 부인과적인 원인에서 기인하고 비수술적인 치료에 반응하지 않는 경우에만 시행되어야 한다.

(7) 자궁경부 상피내종양

과거에는 자궁절제술이 자궁경부 상피종양의 일차적인 치료로서 시행되었다. 하지만, 최근에는 자궁경부 상피내종양 그 자체로는 자궁절제술의 적응증이 되지 않는데, 그 이유는 편평원주상피 결합부(squamocolumnar junction)에서 이형성의 최대 깊이는 5.2 mm이고 자궁경부 상피내암을 포함하여 이형성의 99.7%는 상피표면에서 3.8 mm 내에 위치하게 되므로, 냉동요법, laser 또는 환상절제술(LEEP) 등과 같은 좀 더 보존적인 치료가 상기 병변의 치료에 있어서 효과적으로 이용될 수 있다. 이러한 보존적인 치료에 실패하고, 임신을 원하지 않으면서 재발하는 고도의 이형성증에서만 자궁절제술이 적절한 방침이다. 자궁절제술 후에도 상기 병변의 환자들은 질상피내암의 고위험군이다.

(8) 자궁내막증식증

자궁내막증식증의 가장 중요한 병리적 소견은 세포의 비정형성 유무이다. 세포 비정형성이 없는 환자의 대부분은 황체호르몬 형태의 호르몬제에 반응한다. 세포 비정형이 있는 자궁내막증식증 환자는 황체호르몬이나 자궁절제술이 최초 치료로 고려될 수 있다. 황체호르몬치료가 선택되었다면 6개월에 한 번 정도의 반복적인 자궁내막조직검사가 필요하다. 이 경우 계속적인 자궁내막증식증이나 지속적인 자궁출혈이 있을 때는 자궁절제술이 권유된다(Mills & Longacre, 2010). 비정형세포가 없더라도 황체호르몬의 치료에도 불구하고 계속적으로 자궁내막증식증이 존재할 경우에는 자궁절제술로 치료될 수 있다.

(9) 골반염

골반염은 일반적으로 항생제로 성공적으로 치료될 수 있다. 골반염 환자에서 정맥항생제에 반응한다면 자궁, 나팔관, 난소 등을 제거할 필요는 없다. 농양배액 같은 보존적인 수술적 치료를 할지 장기적출을 할지는 전적으로 수술의의 개인의 판단이다. 어떤 골반농양은 초음파나 컴퓨터단층촬영(CT scanning) 하에서 경피카테터에 의해 성공적으로 배액될 수 있다. 수술적 치료는 난소난관농양의 파열이 있으면서 복막염과 패혈증의 징후가 있을 때 시행 될 수 있다. 임신을 원할 경우에는 일측 자궁부속기절제술이나 임신이 가능하도록 부분적인 양측 자궁부속기절제술을 시행한다. 양측 부속기절제술이 필요한 환자는 난자공여에 의한 체외수정의 가능성을 위해 자궁을 남겨두어야 한다.

(10) 산과적 응급

대부분의 응급절제술은 분만후 자궁이완증에 의한 산후 출혈 때문에 시행된다. 다른 적응증은 복구될 수 없는 자궁파열이나 내과적 치료에 반응하지 않는 골반농양 등이 있다. 유착 태반이나 감입태반 등으로도 자궁절제술이 필요할 수 있다.

(11) 암종

부인과 외적인 부위에서 전이된 경우 자궁절제술이 필요한 경우가 있다. 대장 및 직장암의 경우는 일차적 시술방법으로 자궁절제술과 양측부속기절제술을 동시에 시행하는데 이는 동반된 골반암종이나 육안으로 보이지 않는 전이의 위험 때문이다.

(12) 양성난소낭종

지속되거나 증상이 있는 난소종양은 수술적 치료를 요한다. 임신을 원하는 경우는 반드시 자궁을 보존해야 하나 임신을 원하지 않거나 갱년기나 폐경기 환자인 경우에는 자궁을 보존할지 말지에 대해 신중히 고려해야한다.

2) 자궁절제술의 술식에 대한 선택

자궁절제술은 접근하는 술식에 따라 크게 복식자궁절제술, 질식자궁절제술, 복강경하 자궁절제술의 세 가지 그룹으로 나누어질 수 있다. 수술방법은 다음의 몇 가지 기준을 고려하여 결정되어야 한다.

- 자궁절제술이 필요한 질환의 치료에 가장 적절한 방법은 무엇인가?
- 수술 중 추가적인 다른 수술적 조치가 필요한가? 그렇다면 가장 좋은 방법은 무엇인가?
- 어떤 방법이 환자에게 가장 안전하고 합병증의 발생률을 낮출 수 있는가?
- 어떤 방법이 환자의 수술 후 빠른 회복에 가장 도움이 될 것인가?
- 정보를 제공받은 환자가 선호하는 방법이 있는가?

2000-2004년 미국에서 시행된 자궁절제술의 통계에서(Whiteman et al., 2008) 68%가 복식, 32%가 질식으로 시행되었는데 질식자궁절제술의 1/3은 복강경하에서 시행되었다. 최근의 다른 미국의 보고에 의하면(Wright et al., 2013) 자궁절제술 술식 중 1998년에 65%에 달하던 복식자궁절제술이 2002년에 68.9%로 최고치를 보였으나 2010년에는 54.2%로 감소하였으며, 질식자궁절제술은 1998년 24.8%에서 2010년 16.7%로 감소하였다. 복강경하 자궁절제술은 2006년에 15.5%로 최고치를 보였다가 2010년에는 8.6%로 감소하였고, 로봇복강경하 자궁절제술은 2008년 0.9%에서 2010년 8.2%로 증가하는 양상을 보였다(그림 13-4). 최근 Cochrane review 보고에서는(Nieboer et al., 2009) 전체적으로 질식자궁절제술이 가장 좋은 결과를 보였으며, 자궁외 병변이 존재하여(자궁내막증, 골반내염증, 악성이 의심되는 자궁부속기병변, 만성골반통, 알려진 골반내 유착 등) 질식자궁절제술이 불가능할 때는 복강경하 자궁절제술이 복식자궁절제술보다 장점이 있다고 하였다. 질식자궁절제술은 복식자궁절제술에 비해 조기에 정상활동으로의 복귀가 가능하고, 재원 일수 감소 및 수술 후 감염과 발열이 적다고 한다. 복강경하 자궁절제술은 복식자궁절제술에 비교하여 질식자궁절제술에 비해서는 확실한

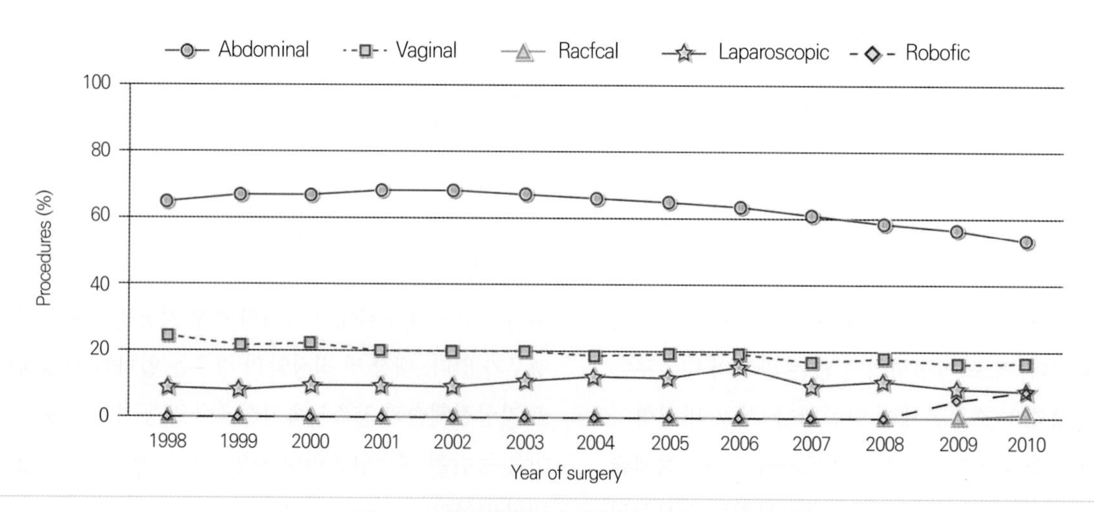

그림 13-4. 매년 시행된 자궁절제술의 술식에 대한 비율

이득이 없으며 잠재적으로 높은 출혈의 위험성과 연관이 있도록 수술시간이 길다고 하였다. 최근에는 질식자궁절제술 외에도 단일공 복강경하 자궁절제술과 로봇 복강경하 자궁절제술이 점차 늘고 있다. 한편 자궁절제술의 방법에 따라 비용-효과 대비측면에서도 고려해야 할 부분이 있으며 위에 언급한 사항과 더불어 환자와 충분한 상의 후 적합한 술식이 결정되어야 할 것이다.

(1) 복식과 질식, 복강경하 자궁절제술의 비교

1999년에 the Society of Pelvic Reconstructive Surgeons에서 자궁절제술 술식의 선택에 대한 권고안을 발표한 이후 여러 가지 장점이 있는 질식자궁절제술로의 전환이 활발해졌으며, 이러한 권고 방침이 더욱 많은 질식자궁절제술이 성공적으로 시행되게 하는 결과를 낳았다(Olah and Khalil, 2006).

질식자궁절제술은 복식자궁절제술에 비해 여러 가지 장점이 많지만 자궁근종의 크기가 크거나 심한 골반내 유착, 자궁경부암 등의 질환에서는 실행하기 어려운 제한점이 있어서, 예전에는 보편적으로 복식자궁절제술이 시행되었다. 질식자궁절제술은 복식에 비해 수술부위의 흉터가 없고, 수술 후 빠른 회복 및 조기 음식섭취, 수술시간의 단축, 복강경술식에 비해서 저렴한 의료비 등의 많은 장점이 있음에도 불구하고 미국이나 혹은 우리나라에서 많이 이루어지지 않고 있는 이유는 질식수술 시 시야의 협소 및 복강 전체를 관찰할 수 없으며, 자궁과 주변조직의 유착 등으로 유동성 결여 시 수술이 어려우며, 자궁부속기종괴 시 치료가 완벽하게 이루어지기 어려운 문제점 등이 있다. 실제 가장 큰 이유는 전체적으로 복식에 비해 통계적으로 낮은 합병증을 보임에도 불구하고 술자의 경험미숙과 이로 인한 중요한 합병증의 우려이다. 최근에 질식자궁절제술에 또 다른 접근방법으로 복강경을 이용한 자궁절제술이 이루어지고 있으나 질식자궁절제술이 가능한 경우에서는 복강경의 이점이 없으며 그 이유로는 경제적 측면과 복강경을 이용한 질식자궁절제술 후 이환율이 질식자궁절제술보다 더 낮지 않다는 데 있다.

질식자궁절제술을 기피하는 원인 중 하나가 자궁이 큰 경우 협소한 질을 통하여 자궁의 부피를 줄여서 적출하는 것에 대한 두려움, 즉 출혈로 수술진행을 지연하고 정확한 해부학적인 지식의 결여로 요관의 손상이나 골반내 유착에 의한 방광 및 직장 손상의 두려움 및 혈관결찰의 부적절 시 대량 출혈의 공포일 것이다. 이런 수술에 대한 선입견은 수술의 정확한 교육과 축적된 경험으로 쉽게 줄어들 것으로 생각되고 이로 인해 수술의 적응증을 넓혀갈 수 있는 중요한 점이라 사료된다. 자궁의 크기는 복식수술과 질식수술의 선택을 결정하는 데 있어 중요 요인으로 여겨졌으나 실제로 크기 자체는 질식수술의 금기증도 아니며 합병증을 증가시키는 요인도 아니다. 자궁내 양성질환인 경우 질식수술에 대한 편견, 즉 시야협소 및 골반 유착 시 유착박리가 질식수술할 때 어렵다는 편견과 수련부족, 경험부족 등으로 개복수술이나 복강경수술을 무분별하게 선호하는 것은 환자의 정신적, 육체적, 금전적 부담의 경감에 도움을 주지 못한다. 그렇지만, 질식자궁절제술은 수술 후 빠른 회복, 수술 후 통증 감소에 따른 조기 보행과 퇴원, 개복술보다 낮은 이환율 등의 장점이 있으므로, 술기의 개선 및 수술자의 풍부한 경험등을 통해 적응증이 더욱 다양해지고 있다.

(2) 아전자궁절제술(subtotal hysterectomy), 상자궁경부 자궁절제술(supracervical hysterectomy)

1940년 이전에는 미국에서의 자궁절제술의 95%는 아전자궁절제술(subtotal hysterectomy)로 시행되었다.

그 이후 자궁절제술을 요하는 많은 자궁병변은 자궁체부만의 문제로 국한하여 일반적으로 자궁경부절제술은 필수 사항이 아닌 것으로 간주되었으며, 이러한 복식아전자궁절제술은 전자궁절제술에 비하여 50% 정도 수술 사망률이 적다고 하였다(Benrubi, 1988). 최근의 보고에 의하면(Merrill, 2008) 근래 상자궁경부 자궁절제술의 비율이 의미있게 증가하는 경향을 보인다.

상자궁경부 자궁절제술의 적응증은 다소 모호하다. 가능성이 있는 적응증으로는 더글라스와 폐쇄를 동반한 자궁내막증, 자궁경부의 만개대 후 제왕절개 자궁절제술을 하는 경우, 성 기능에 대한 염려 등이 있을 때 시행될 수 있다. 자궁경부를 보존해야 한다는 의견을 제시하는 학자들에 의하면 자궁경부의 제거로 인하여 수술시간의 증가, 성적인 기능 감소, 수술 중 또는 수술 후 유병률의 증가, 질 길이의 감소, 질원개 탈출, 질원개의 육아종 증가, 난관 탈출 위험 등이 증가한다고 한다. 한편 자궁경부를 보존하는 것이 추후 약 1-2%에서 자궁경부를 제거하기 위한 재수술이 필요할 수 있으며, 이러한 자궁경부절제술이 수술 중 합병증의 발생위험이 높다는 것을 환자에게 알려주어야 한다(Ghomi et al., 2005). 따라서, 자궁절제술 시 자궁경관을 남기는 어떠한 경우에도 수술 전 자궁경부 세포검사가 정상이어야 하며, 이후 자궁경부암이나 자궁경부질환의 발생 위험성에 대해서 충분한 설명이 필요하다.

최근의 Cochane review (Lethaby et al., 2012)에서는 상자궁경부 자궁절제술이 전자궁절제술과 비교하여 수술시간이 짧고 실혈량이 적기는 하지만 비뇨기계적, 성적(sexual), 위장관계적으로 향상된 결과를 보여주지는 못한다고 하였으며, ACOG (ACOG Committee Opinion No. 388 November 2007: supracervical hysterectomy, 2007)에서는 수술자에 의해 상자궁경부 자궁절제술이 전자궁절제술에 비해 우수하다고 권유되어서는 안 된다고 하였다. 상자궁경부 자궁절제술은 이러한 사실을 바탕으로 환자에게 충분한 정보를 제공하고 상담을 거친 후 시행되어야 할 것이다.

3) 복강경의 역할

부인과 수술에서 복강경을 이용한 최소침습수술법은 작은 수술절개, 통증 감소, 상처의 빠른 회복, 일상생활로 빠른 복귀 등의 장점으로 인해서 널리 사용되고 있다. 1989년 Reich 등에 의하여 최초로 복강경을 이용한 자궁절제술(LAVH)이 시행된 이후, 과거에 복식으로 시행되던 대다수의 자궁절제술이 복강경수술로 대체되었으며, 수술이 시도된 초기에는 임신 3개월 이상 크기의 자궁근종이나 중증의 침습적인 자궁내막증, 골반 내 유착, 자궁부속기 종괴와 동반된 경우, 확진되지 않은 골반종괴 등에 있어서 주로 복식자궁절제술이 시행되었으나, 수술 기구의 발달과 술기의 향상으로 인하여 복강경하 자궁절제술로 수술할 수있는 범위가 넓어졌다. 이러한 복강경하 전자궁절제술(total laparoscopic hysterectomy, TLH)은 적은 수술 이환율로 전통적으로 복식 또는 질식자궁절제술로 시행되어 왔던 광범위한 부인과 양성질환의 수술을 대체하고 있다.

(1) 복강경하 질식자궁절제술(laparoscopic assisted vaginal hysterectomy, LAVH)과 복강경하 전자궁절제술(total laparoscopic hysterectomy, TLH)

복강경하 질식자궁적출술(LAVH)이란 개복하 전자궁적출술의 적응증이 되는 환자들 중에서 질식전자궁적출술의 시행을 가능하게 하기 위한 보조적인 술기였지만, 최근에는 급속한 내시경의 장비 및 술기의 발전으로 이러한 많은 제한점들이 극복되었다. 현재는 복식전자궁적출술을 받아야 했던 많은 환자들이 질식으로 수술을 받을 수 있게 되었고 심지어 난관성형술과 자궁경부암 환자에 대한 광범위 자궁적출술까지 복강경을 이용하여 시행하고 있는 상황이다. LAVH는 복강경을 통해 양측 자궁동맥부위 이전까지를 처리한 후 나머지 부분은 질식으로(vaginal approach) 자궁을 절제하는 방법으로 과거 골반수술 기왕력, 자궁내막증, 골반내염증, 의미 있는 자궁비대, 자궁부속기병변 등의 경우와 같이 질식전자궁적출술이 어려운 경우에서도 복강경하 질식전자궁적출술이 가능하며 자궁경부를 모두 절제하기 때문에 수술적응증이 자궁경부병변인 경우 더 선호되는 경우가 있다. 복강경하 전자궁절제술(TLH)은 LAVH에서는 질식으로 시행되는 자궁동정맥의 결찰과 절단, 자궁 하부로부터의 방광의 박리, 양측 기인대와 자궁천골인대의 절단, 전후 질벽절개술 및 질로부터 자궁경부의 분리, 질 원개의 봉합 등의 모든 방법이 복강경하수술적 술기로 행해지는 자궁절제술을 말한다. LAVH에 비해서는 자궁혈관의 결찰과 요관박리, 정확한 copotomy 및 colpotomy 시 기복(pneumoperitoneum) 유지의 어려움, 자궁제거 후 질원개의 봉합 시 복강경을 통한 술기 조작의 어려움이 있다고 할 수 있다. 최근 복강경수술의 발전으로 대부분의 복강경하 전자궁절제술이 안전하고 유용하게 시행되고 있으나, 2009년 Cochrane review (Nieboer et al., 2009)에 의하면 복강경하 전자궁절제술에서 수술시간이 길어지고 실혈량이 많기 때문에 질식자궁절제술(VH)을 능가하는 장점이 없다고 하였는데, 특히 TLH군에서 LAVH군에 비해 의미있게 발열과 비특이적인 감염, 요로계 손상과 연관되어 있다고 하였다. Drahonovsky 등(2010)도 TLH, LAVH, VH의 결과를 비교하는 무작위 비교연구에서 LAVH와 VH가 일반적인 부인과 수술자에게 선호되는 수술법이며, 특히 VH가 가장 짧은 수술시간과 적은 혈색소치의 감소를 보였다고 하였다. LAVH는 질식과 복강경의 장점을 동시에 가지고 있는 다목적 방법이며 특히 난소절제술이 필요할 때 유익하다고 하였다.

(2) 복강경하 상자궁경부 자궁절제술(laparoscopic supracervical hysterectomy, LSH) **또는 복강경하 근막하 아전자궁절제술**(classic intrafascial semm hysterectomy, CISH)

상자궁경부 자궁절제술에서 제시되는 장점을 복강경을 이용한 수술에서도 동일하게 적용할 수 있다. 자궁경부를 보존함으로써 수술시간의 감소, 성적인 기능 보존, 수술 중 또는 수술 후 유병률의 감소, 질 길이의 보존, 질원개 및 난관 탈출위험 감소, 질원개의 육아종 위험 감소 등의 긍적적 효과를 주장하는 연구자들이 있으나, 그렇지 않다는 의견이 있으며, 앞서 언급한 상자궁경부 자궁절제술에서와 같은 권고사항이 적용될 수 있을 것이다. 한편 1991년 독일의 K. Semm (Semm, 1991)은 TLH와 LAVH의 근본 이념인 감염의 최소화와 장기보존의 측면을 보완한 수술방법인 CISH (classic intrafascial semm hysterectomy)를 고안하였는데, 이 방법은 SEMM (serrated edged macromorcellator) set 및 CURT (calibrated uterine resection tool) set를 이용하여 자궁체부를 절제하고 편평원주상피 결합부(squamocolumnar junction)를 포함한 내자궁경상피(endocervical epithelium)만을 제거하여 자궁경부를 남겨두는 방법으로(그림 13-5) 상자궁경부 자궁절제술의 장점을 포함하여 내자궁경부(endocervical) 부위를 제거함으로써 주기적 출혈과 자궁경부암의 발생을 감소시키는 효과도 있다. 특히 상자궁경부 자궁절제술의 경우 자궁경부암의 발생위험에 대한 우려가 있는데, 1992년 Storm 등은 10년간 부분자궁절제술을 시행한 환자에서 자궁경부암 발생의 위험도를 연구해보니, 전체 위험도의 증가는 없었고 자궁경부암이 발생한 경우 이는 내자궁경주위(endocervical lesion)나 남은 자궁조직으로부터 기인했을 가능성이 있을 것이라고 하였으며, 남은 자궁경부(cervical stump)에서 발

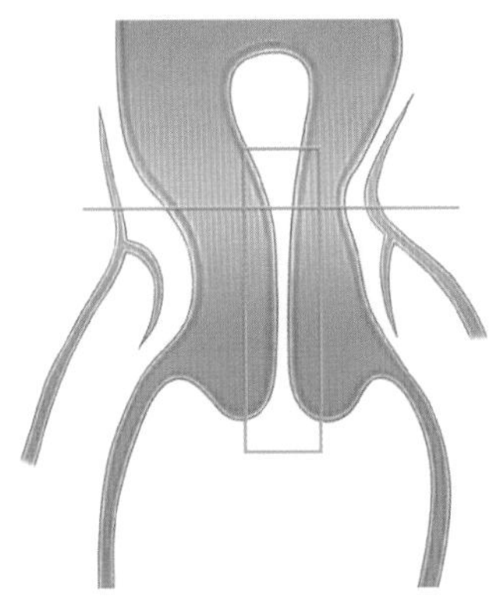
복강경하 근막하 아전자궁절제술

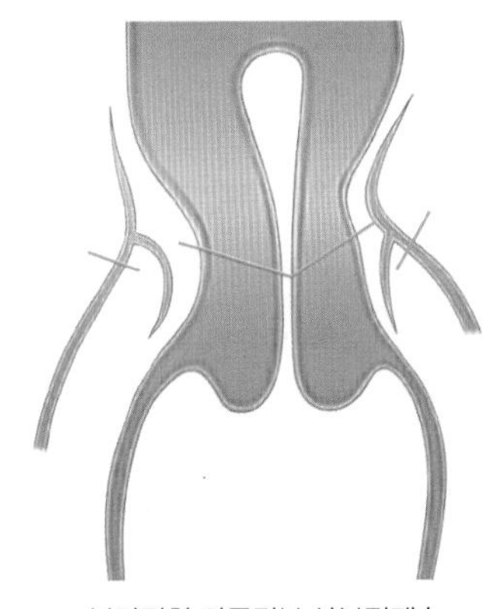
복강경하 자궁경부 상부절제술

그림 13-5. **복강경하 근막하 아전자궁절제술과 복강경하 상자궁경부 자궁절제**

생한 암의 경우 치료가 더 어렵다는 점을 발표하였다. 하지만, CISH에서는 자궁경부의 이형성부위를 포함한 대부분의 내자궁경상피조직이 CURT set에 의해 제거되기 때문에 대부분 문제가 없으리라 보인다. 또한 Kim 등(Kim, Lee, & Bae, 1996)은 CISH 수술이 LAVH에 비해 성감뿐 아니라 출혈, 입원기간 및 정상활동으로의 회복기간 등에 상당한 개선효과가 있었음을 보고하였으며 기술적인 면으로 볼 때 CISH는 LAVH 보다 시술하기가 더 쉽다고 할 수 있다. 일반적으로 복강경하 자궁절제술에서 초래할 수 있는 가장 큰 문제점은 요관 손상인데, CISH 방법에서는 요관과 자궁동맥이 교차하는 부위가 수술범위에 해당하지 않으므로 요관 손상의 위험이 거의 없다. 또한 개복하 전자궁절제술에 비해서는 환자에게 물리적인 압박이 적고 입원일수가 줄어들며 미용적인 효과가 있다고 알려져 있다. 이와 같이 고찰해 본 결과 CISH 방법은 기존의 TLH와 LAVH의 장점인 회복기간의 단축, 미용상의 이점, 수술 후 유착 등 합병증 감소, 수술로 인한 출혈이나 감염증의 감소 등을 유지하면서, 수술 후 원인대 및 자궁천골인대와 골반저부를 보존함으로써 회복기간을 더욱 단축시키며 방광기능 및 성기능의 유지라는 장점과 질에 절개를 하지 않고 자궁을 제거함으로써 감염의 기회를 더욱 줄일 수 있는 장점이 있다고 하겠다. 하지만, 현재 우리나라에서 CISH는 비용-효과적인 측면과 더불어 수술 과정이 다소 복잡하고 CURT set 및 morcellator 등의 특수한 기구가 필요하며 자궁의 크기가 클 경우 복벽을 통하여 세절하는 데 소요되는 시간이 긴 것 등의 단점으로 인해 현재 널리 시행되고 있지는 않다.

(3) 로봇 복강경하 전자궁절제술(robot assisted hysterectomy)

최근 다빈치수술시스템(The Da Vinci Robotic Surgical System; Intuitive Surgical., Inc., Sunnyvale, CA, USA)이 소개되어 전 세계적으로 활발하게 외과 분야에 적용이 되고 있다. 이 시스템에서는 수술자가 복강경수술기구를 로봇시스템을 이용하여 원격으로 조정함으로써 장시간의 수술로 인한 피로도가 덜하며, 3차원적인 입체시야하에서 마치 수술자가 일반 수술장에서 시행하는 손목동작과 유사한 동작을 구현할 수 있으므로 기존의 복강경수술에서는 할 수 없었던 동작이 가능하게 되었고, 각도가 벗어난 힘든 외과적인 수술동작도 아주 쉽게 할 수 있는 등의 장점이 있다. 로봇을 이용한 전자궁절제술이 고식적인 복강경하 자궁절제술과 비교하여 비슷한 수술 결과를 보였는데 실혈량이 적고 개복술로 전환하는 비율이 낮았으며 기타 합병증에 관련된 사항도 비슷한 양상을 보였으나, 비용적인 부분에서는 더 비싸다고 하였다.

2012년 Cochrane review (Liu et al., 2012)에서는 부인과 양성질환에 대한 로봇을 이용한 자궁절제술이 아직 효과나 안정성 부분에서 환자들에게 이득을 보여주지 못하고 있다고 하였으며, 추후 잘 설계된 무작위 비교연구가 더욱 필요할 것이라고 하였다.

(4) 단일공 복강경하 자궁절제술(laparoscopic single port surgery)

1991년 Pelosi가 배꼽만을 절개한 단일공법 복강경 자궁절제술을 시행한 이후, 흉터의 감소와 수술 후 통증을 줄이기 위하여 3개 혹은 4개의 포트로 진행되는 기존의 복강경수술을 대체하여 다양한 형태의 단일공법 복강경수술이 최근 부인과 분야에서 시행되고 있다. 최근 여러 연구에서 부인과 영역의 단일공법 복강경수술은 적합한 것으로 보이는데, 첫째, 질을 통한 접근이 가능하여 수술적 한계를 극복할 수 있고 질식자궁절제술이 용이하게 시행되며, 둘째, 수술을 용이하게 자궁 조작기를 이용할 수 있고, 셋째, 대부분의 부인과 수술은 제거수술로 광범위한 봉합이나 문합이 필요하지 않고, 넷째, 모든 환자가 여자로 미용적 결과에 관심이 많아 명백한 미용효과의 장점이 있기 때문이라고 한다. 단일공을 통한 복강경수술은 기존에 존재하는 수술기구를 거의 그대로 이용할 수도 있으며, 또한 글러브와 상처견인기를 이용한 방법부터 Uni-X System, Tri-port, Octo-port, Gell port와 같은 다양한 포트 시스템들과 굴절이 가능한 수술도구 등이 개발되어 이용되고 있다. 단일공에 의한 수술은 현재 보편화되는 추세라 할 수 있지만 일반 복강경에 익숙한 술자라도 단일공 복강경수술에 익숙해지는 데는 어느 정도의 시간이 걸리는 것으로 보고되었다(Paek et al., 2011). 최근에는 유착이 심하거나, 종괴 크기가 배꼽부위 위쪽까지 큰 경우, 부인과 암질환에도 점차 적용 분야를 넓혀가고 있다.

4) 동반 가능한 수술적 조치

(1) 예방적 난소절제술

양측난소절제술은 40세 이상의 여성에서 시행되는 자궁절제술의 40-60%에서 시행되며 주로 난소암의 예방을 위해서이다. 자궁절제술 시 예방적 난소절제술을 시행하는 것은 환자의 나이, 암발생의 위험, 폐경여부, 골다공증이나 심혈관질환의 위험, 환자의 추후 호르몬요법 수용여부 등에 의해 결정되는데, 난소암의 발생을 줄이는 데 효과적이며 추가적인 수술의 이환율을 증가시키지도 않는 것으로 보인다(Andrew, 2007).

최근에는 어떠한 여성이 유전적으로 난소암 발병위험군에 속해 있는지를 확인하는 것이 예방적 난소난관절제술의 시행대상을 선별하는 데 중요한 과정이라 할 수 있다. 유전성 난소암은 전체 상피성 난소암 환자의 약 10%로 추산되며 상염색체 우성의 양식을 따른다. 따라서 50%의 확률로 자녀에게 유전자 변이가 전달될 수 있다. 그렇지만 실제 변이를 가진자가 임상적인 질환을 나타낼 확률 즉 투과도(Penetrance)는 그보다 낮아, 이러한 사람들이 일생 동안 실제 난소암이 발생할 가능성은 *BRCA1* 변이의 보인자의 경우 70세 까지 생존했을 때 약 40% 내외, 많게는 62%까지 보고된 바 있으며, *BRCA2*의 경우 약 11%에서 많게는 27%까지 보고하고 있다. 일반적인 유전성 난소암의 특징은 발생 연령이 단발성(sporadic) 난소암보다 약 10세 정도 빠르며, 한 여성에서 유방암과 함께 발병한 경우가 많은 것이 특징이다. 남성에게도 이론적으로 이 유전자가 전달될 수 있으며, 특히 *BRCA2* 유전자의 경우 남성에서 유방암의 발생 가능성을 높이는 것으로 알려져 있으며 췌장암 및 전립선암의 발생위험도 증가한다고 알려져 있다. 2008년에 개정된 American College of Obstetricians and Gynecologists (ACOG) 권고안을 요약하면 다음과 같다(ACOG Practice Bulletin No. 89. Elective and risk-reducing salpingo-oophorectomy, 2008).

- *BRCA1/2* 돌연변이가 확인된 여성에서는 출산이 종료된 이후 예방적 난소난관절제술이 권고되어야 한다.
- 난소암의 위험이 증가되어 있는 여성에서 난소난관절제술을 시행할 때는 골반강 내의 시진, 세척과 난관의 제거 및 난소동맥의 골반륜 위치에서의 절제가 포함되어야 한다.
- 난소암의 위험이 증가되어 있지 않은 폐경 전 여성의 경우 자궁적출술 시 난소기능의 보존이 강력히 권유된다.
- 난소암의 위험을 고려할 때 폐경 후 여성의 경우에는 자궁적출술 시 양측 난소난관 절제가 권유된다.

예방적 난소절제술을 반대하는 의견이 있는데 그 요지는 보다 일찍 그리고 더 오랫동안 호르몬대체요법이 필요하다는 점이다. 환자가 호르몬대체요법에 잘 따르고 증상완화에 효과적일지라도 정상적인 난소기능만큼 효과적일 수 없고 장기간의 호르몬대체요법에 대한 충분한 연구가 부족한 실정이다. 그러므로 자궁절제술 시 난소를 보존하느냐 예방적으로 제거하느냐에 대해 환자에게 충분한 장단점을 설명하고 이해시키는 것이 중요하다. 최근에는 자궁절제술시 양측 나팔관만을 절제하는 경우 난소암 발생율을 감소시킨다고 보고하였으므로 수술 전에 환자와 충분히 상담하여야 한다.

(2) 충수절제술

충수절제술은 충수염의 실제 존재 혹은 예방목적으로 자궁절제술과 동반되어 시행될 수 있다. 하지만 이는 제한적인 가치를 가지는데 충수염의 최고 호발 연령대는 20대에서 40대인데 반해 자궁절제술이 가장 많이 시행되는 연령대는 10년에서 20년 더 늦기 때문이다. 자궁절제술과 동반해서 충수절제술 시행 시 수술 시간이 10분 정도 더 걸리지만 이환율의 증가는 없었다(Salom et al., 2003).

(3) 담낭절제술

담낭질환은 남성에 비해 여성에서 4배 정도 흔하게 발생하고 호발연령대가 자궁절제술이 가장 흔하게 시행되는 50대에서 70대 사이이다. 자궁절제술과 담낭절제술을 동시에 시행하였을 경우 열성 유병률과 입원기간의 증가는 없었다(Murray et al., 1980).

(4) 복부성형술

복부성형술은 자궁절제술 시 동시에 시행될 수 있는데 각각의 수술을 따로 하는 것보다 짧은 재원 기간, 짧은 수술시간, 적은 실혈량 등의 이점이 있다. 지방흡입술 또한 질식자궁절제술 시 안전하게 시행될 수 있다.

(5) 자궁조직 추출(tissue extraction) 방법

복강경으로 자궁절제후 복강내에서 자궁조직을 꺼낼 때 수술칼로 조금씩 잘라서 꺼내거나, 동력 세절기(power morcellator)를 이용한다. 그러나, 자궁근종수술 시 예기치 못한 자궁육종을 동반할 확률이 10,000회 수술 중 1-13예 정도로 매우 드물고, 육종 자체가 매우 나쁜 예후를 나타내는 암종이므로 동력 세절기의 사용이 환자의 생존율에 영향을 준다는 것에 대해서는 명확하지 않다. 복강경수술 시 세절기로 자궁조직을 꺼낼 때 육종 조직이 복강내로 퍼지는 가능성을 줄이기 위하여, 비닐 용기에 전체 조직을 복강내에서 담은 후, 그 안에서 조직을 꺼내는 방법을 추천하고 있다(Clark NV et al., 2018).

5) 자궁절제술의 합병증

자궁절제술과 관련된 합병증의 발생률은 보고에 따라 0.5%에서 4.3%로 다양하다. 수술 후 발열과 감염이 경도의 합병증의 대부분이다. 중증의 합병증은 주변 장기의 손상이나 재수술을 한 경우를 의미하는데, 발생 비율은 3-4% 정도였으며 사망률은 십만 명당 0-6명 정도이다(Myers and Steege, 1999), 가장 흔한 자궁절제술의 합병증은 출혈(2.4%)이며 골반이완증, 요 정체, 비뇨기계 손상과 같은 부인비뇨기계 합병증(1.9%), 비뇨기계 감염(1.6%), 기타 장기 감염(1.6%) 등이라고 하였다.

(1) 출혈

자궁절제술 직후에 다음 두 가지 방법으로 확인할 수 있다. 첫 번째는 질로부터 출혈을 확인하는 방법이고 질원개부위 또는 결찰부위에서 출혈된 경우이다. 두 번째는 후복막에서 출혈이 된 경우인데 매우 드문 일이며, 질로부터 출혈은 거의 없이 혈압 저하, 빈맥, 혈색소치 저하, 옆구리와 복부의 통증 등이 나타난다. 일반적으로 자궁절제술 이후에는 활력징후의 점검과 출혈량에 관심을 기울여야 한다. 질식자궁절제술 후 소량의 출혈은 있을 수 있으나 2-3시간 후까지 지속되는 출혈은 지혈조작이 부족했음을 의미한다. 이 경우 바로 검사가 가능한 곳으로 옮겨 밝은 조명하에 큰 질경을 이용하여 수술부위를 관찰하여야 한다. 출혈량이 많지 않다면 질원개부가 관찰되고 대부분의 경우 원개부 절단면의 출혈을 관찰할 수 있다. 질점막을 통해 한두 번 봉합으로 지혈될 수 있다. 출혈량이 많거나 질원개부 상방에서 출혈될 때, 또는 적절한 검사 중에 환자가 참을 수 없을 정도로 힘들어 할 때에는 수술실에서 전신마취 후 수술부위를 철저하게 검사하여 출혈 부위를 결찰이나 봉합해 준다. 질원개부 상방에서 출혈되면 위험할 정도의 출혈일 때는 질 쪽으로의 접근으로는 조절되지 않는다. 이때에는 진단적 복강경을 시행하여 골반저를 충분히 검사하고 출혈되는 혈관을 분리해서 지혈해 준다. 난소동정맥과 자궁동정맥은 대량 출혈의 흔한 원인이기에 철저히 검사한다. 골반으로 가는 특별한 혈관의 출혈일 때는 내장골 동맥의 결찰이 필요할 때도 있다. 활력징후는 악화되는데 질출혈이 거의 없는 경우는 후복막출혈을 의심해 보아야 한다.

수액공급과 소변 배출량을 감시하고 즉시 혈액교차반응과 함께 적혈구용적률을 파악해야 한다. 이학적 소견으로 옆구리의 압통을 보일 수 있다. 복강내 출혈인 경우 복부팽만이 있을 수 있다. 방사선과검사를 통해 후복막출혈과 복강내 출혈을 진단할 수 있다. 초음파검사로 골반혈종을 확인할 수 있다. 후복막출혈인 경우 컴퓨터단층촬영이

보다 좋은 영상을 얻을 수 있고 혈종의 윤곽을 확인할 수 있다. 수액공급으로 환자의 상태가 빨리 안정되면 2가지 치료가 가능하다. 첫째는 수혈을 하고 적혈구용적률, 활력 징후를 계속 감시하는 것이다. 많은 경우 후복막출혈은 주위조직의 압박에 의해 저절로 멈추게 되고 혈종을 형성하고 결국에는 흡수된다. 이 방법은 나중에 혈종이 감염되어 외과적 배농이 필요할 수도 있다. 환자의 상태가 안정적이면 방사선적 색전술을 고려할 수도 있다. 다른 방법으로는 환자의 상태가 안정화되었을 때라도 시험적 개복술을 시행하는 것이다. 이는 이차적 시술로 인해 이환율이 증가할지라도 처치가 지연되어 환자의 상태가 악화되거나 골반농양 형성의 예방을 위해서이다. 충분한 시야를 확보한 후 혈종을 덮고 있는 복막을 절개하여 혈액을 제거한다. 출혈하는 혈관들을 확인하고 결찰해 준다. 마찬가지로 지혈이 힘든 경우 편측 혹은 양측 내장골 동맥의 결찰을 고려한다. 지혈 후 폐쇄시스템에 의한 배액을 실시한다.

(2) 골반이완증

자궁절제술 이후 골반이완증으로 다시 수술을 할 가능성이 있는데, 특히 자궁절제술 당시 골반이완증이 있었을 경우 더욱 그러하다. 자궁절제술 후 골반이완증의 가능한 기전은 결합조직의 변화와 골반저근육의 신경과 혈관 구조에 대한 수술적 손상 때문일 것이다. 자궁절제술을 시행한 2,233명을 대상으로 약 8년간 전향적으로 관찰한 결과, 수술 당시 골반이완증이 있었던 경우 이후에 재수술을 하는 경우가 5.5배에 달하였다. 비슷하게 초기 수술 당시 골반이완증이 있었던 경우, 대규모 38년간의 인구기반 코호트 연구(Blandon et al., 2007)에서 동시에 골반이완증의 다른 교정시술이 행해졌는가와 상관없이 이후 재수술의 가능성이 그렇지 않은 경우에 비해 2.5배 높았다는 보고도 있다.

골반이완증이 없는 경우의 자궁절제술이 추후 골반이완증의 위험 요소인지는 확실하지 않다. 또한 질식자궁절제술이 복식자궁절제술에 비해 추후 골반이완증의 발생 위험이 높아보이지만 그 원인과 기전도 확실하지 않다.

(3) 요로계 합병증

방광과 요관의 손상이 가장 흔한 중증 합병증의 원인이다(Harkki et al., 2001). Harkki 등(2001)은 13,885의 자궁절제술을 시행 후 요관 손상의 발생률이 복강경적 접근에서 가장 흔했고(2.2%), 질식 접근에서 가장 낮았다(0.04%)고 보고하였다.

① 요정체와 요실금

자궁절제술 후 요정체는 드물게 나타난다. 요도가 폐색되지 않고 요정체가 생긴다면 대개는 통증이나 마취에 의한 방광이완 때문인데 두 경우 모두 일시적이다. 수술 후 도관을 삽입하지 않았다면 우선 12시간에서 24시간 동안 Foley 카테터를 삽입함으로써 해결될 수 있다. 대부분의 환자는 다음날 Foley 카테터를 제거 후 배뇨가 가능하다. 여전히 배뇨가 힘들고 요도연축이 의심될 경우 디아제팜 등의 골격근이완제로 해결된다. 대부분의 경우 기다리면 저절로 배뇨에 성공한다. 자궁절제술 후 골반저의 신경과 지지구조의 손상으로 인해 골반저근육의 기능장애가 생길 수 있다. 한 대규모 후향적 연구에서(Altman et al., 2007) 자궁절제술을 받은 군이 자궁절제술을 받지 않은 군에 비해 추후 요실금에 관련된 수술을 받은 비율이 약 2.4배이고, 이것은 자궁절제술의 술식에 상관없이 또한 이전에 요실금에 관한 수술을 받은 적이 있던 사람, 골반이완증으로 수술 받은 사람들을 제외하더라도 의미있는 차이가 존재한다고 하였다.

② 요관손상

환자가 자궁절제술 직후 옆구리통증을 호소한다면 요관손상을 의심해보아야 한다. 복식자궁절제술보다 질식자궁절제술이 요관손상의 빈도가 낮다. 골반 골 바깥으로 요관이 당겨 내려가는 전자궁탈출증이 한 위험인자이다. 옆구리통증을 호소하여 요관손상이 의심되는 환자는 정맥신우조영술과 요검사를 시행한다. 경정맥조영상 관찰되는 흔한 폐쇄부위는 요관방광이음부(ureterovesical junction)이다. 먼저 시행해야 하는 조치는 방광경 감시하에 카테터를 요관으로 통과시켜 보는 것이다. 카테터가 요관으로 통과된다면 카테터를 둔 채로 적어도 4주에서 6주 동안 봉합이 흡수되고 폐쇄나 꼬임이 풀리도록 기다린다. 카테터가 요관으로 통과하지 않는다면 개복이나 복강경을 실시하여 폐쇄 부위를 복구한다.

③ 방광질루

양성질환으로 자궁절제술을 받은 군과 그렇지 않은 연령 대비 대조군을 비교하는 인구기반 후향적 코호트 연구(Altman et al., 2007)에서 자궁절제술을 받은 군이 골반장기질루가 4배(연 100,000명당 24 vs 6) 정도 많이 생겼으며, 비뇨기계의 질루가 가장 흔하였고, 복강경하, 복식, 질식, 상자궁경부절제술의 순으로(각각 연 100,000명당 96, 28, 20, 14) 많이 발생하였다. 수술 중 방광질루를 예방하는 방법은 방광과 자궁경부 사이의 고유면(proper plane)을 식별하여 방광을 비절개박리(blunt dissection)보다 절개박리(sharp dissection)를 이용하고 질원개를 클램핑, 결찰 시 주의를 기울이는 것이다. 자궁절제술 후 방광질루가 생기는 경우는 드물고 빈도는 0.2% 이하이다. 방광질루가 생기면 수술 후 10일에서 14일 후 물 같은 질분비물을 보이게 된다. 어떤 경우에는 수술 후 48시간에서 72시간 후에 발견되기도 한다. 질경을 통한 검사 후 질에 탐폰이나 거즈를 넣은 후 경요도카테터를 통해 메틸렌 블루나 인디고 카민 염색약을 주입하여 진단할 수 있다. 탐폰이 푸르게 염색되면 방광질루가 존재하는 것이다. 염색이 되지 않는다면 인디고카민 염색약 5 mL를 정맥 주사하여 방광질루를 배제할 수 있다. 20분 후 탐폰이 염색된다면 방광질루가 존재하는 것이다. 또한 요관폐쇄를 배제하기 위해 경정맥신우조영술을 시행해야 한다.

방광질루가 진단되면 지속적인 배액을 위해 Foley 카테터를 삽입해야 한다. 방광질루의 15% 정도는 방광의 지속적인 배액을 통해 4주에서 6주 후 저절로 막힌다. 6주가 지나도 방광질루가 막히지 않는다면 수술적인 치료를 요한다. 진단 후 염증 감소와 혈류 증가를 위해 3개월에서 4개월후 수술적 복원을 시행한다. 질식자궁절제술 시는 방광질루가 방광삼각부 상부에 그리고 요관에서 멀리 떨어져서 잘 생긴다. 대개 질식으로 복원을 시행한다. 수술적으로 4층 방광점막, 장근층(seromuscular layer), 내골반근막(endopelvic fascia), 질점막을 봉합해 준다. 자궁절제술 시 우연한 방광의 절개는 방광질루보다 흔하고, 제대로 복원되면 거의 누공(fistula)을 만들지 않는다.

(4) 창상감염

창상감염은 복식자궁절제술 후 4-6%에서 발생한다. 창상감염을 줄일 수 있다고 생각되는 방법들로는 수술 전 샤워, 제모과정의 생략, 제모가 필요할 시 수술실에서 가위를 이용하는 것, 부착성 수술포의 사용, 예방적 항생제의 사용 등이다.

(5) 장 손상

소장 손상은 부인과 수술중 가장 흔하게 손상받는 부위이다. 장막(serosa)이나 근층의 손상은 3-0 흡수성 봉합사로 결찰하면 된다. 손상부위는 장의 방향과 수직으로 봉합해야 한다. 손상부위가 클 경우에는 장을 자르고 잘린 부위 양쪽을 재봉합하면 된다.

6) 정신신체적 측면

여러 문헌상 대부분의 여성에서 자궁절제술이 정신과적 후유증을 유발하지 않고 성기능의 저하도 가져오지 않는다고 보고하고 있다(Kjerulff et al., 2000; Rhodes et al., 1999). 자궁절제술의 결정은 환자와 담당의사의 공동으로 내려져야 하는데, 대개 많은 환자에서 수술결정은 갑자기 이루어지고 마취와 수술의 위험을 직면하게 된다. 폐경 전인 환자는 생리와 출산능력의 상실과도 마주하게 된다. 많은 여성들이 수술로 인해 그들의 여성스러움과 성적만족도를 잃지 않을까 염려하고 배우자와 인간적인 문제점들이 증가하지 않을까 고민한다. 일반적으로 생식기관의 상실에 대한 염려는 다른 복강내 장기의 상실에 대한 것보다 훨씬크다. 안좋은 결과를 최소화하기 위해서 수술 전 상담과 준비가 필수적이다.

(1) 성적 관점

자궁절제술 후 성적 기능장애의 빈도는 10%에서 40% 정도이다. 연구에 따라, 문화에 따라, 그리고 진단 기준에 따라 추정치는 다양하다. 어떤 연구에서는 자궁절제술이 성욕을 감소시킨다고 보고한 반면 다른 연구에서는 원치 않는 임신에 대한 두려움으로부터의 해방이 성욕을 증가시킨다고 보고하였다. Rhodes 등(Rhodes et al., 1999)은 수술 전과 수술 6, 12, 18, 24개월 후의 성적 기능을 평가하여 성관계율이 수술 전 71%에서 수술 후 12, 24개월 후에는 77%로 증가하였고 성교통은 19%에서 4%로 감소하였으며, 절정을 경험하는 비율은 92%에서 95%로 증가하였다고 하여 수술 후 성적인 기능이 긍정적으로 보인다고 하였다. 자궁절제술 후 만족도의 가장 좋은 예측자는 수술 전에 환자가 얼마나 수술에 대해 잘 이해하고 있는가이다. 수술 전 담당의는 환자와 이 문제에 대해 상의해야 하고 수술에 동반되는 두려움과 불안을 감소시키기 위해 환자의 궁금증과 염려에 대해 이야기하여야 한다.

(2) 우울증

자궁절제술 후 여성이 보이는 반응은 다양하다. 대부분의 연구에서 자궁절제술 후 우울증의 위험을 증가시킨다는 증거는 거의 없다. 수술 전 우울증이 있던 사람에게서 수술 후 성교통, 질건조증, 감소된 성욕 등을 더욱 경험한다고 한다(Kjerulff et al., 2000). 일부의 연구자는 자궁절제술 후 우울증의 출현과 정신과적 증상이 증가하였다고 보고하였지만, 다른 연구자들은 이러한 연관성을 찾지 못하였는데, Kjerulff 등은 자궁절제술 후 우울증은 28%에서 12%로, 불안증은 65%에서 25%로 감소하였다고 보고하였다. 자궁절제술이 우울증의 발생에 미치는 효과는 잘 알려져 있지 않은데 이는 대부분의 연구가 후향적이고, 수술 전 우울증에 대한 비교가 잘되지 않기 때문이다. 수술 전 적당히 불안을 가졌던 환자가 거의 불안을 느끼지 않거나 과도하게 반응한 환자보다 수술 후 상황이 좋았다.

7) 퇴원지시

퇴원에 앞서서 교육이 필요한데 인쇄된 지시물이 도움을 줄 수 있고 다음 사항을 포함하여야 한다.

- 수술 후 약 7-10일 후에는 신체적 급성불편감이 완화되어 가벼운 일상생활로의 복귀가 가능하다. 이후에도 심하게 계속되거나 악화되는 양상의 통증이 있다면 담당의와 상의한다.
- 질분비물이나 질출혈은 수술 후 약 2주까지 있을 수 있으며 회복을 위한 정상 반응임을 설명한다. 단 과도한 출혈이나 악취, 발열 등의 증상과 동반되면 담당의와 상의한다.
- 2주 정도는 격한 활동을 피하고 활동강도는 서서히 올려야 한다.
- 담당의의 지시가 있을 때까지 무거운 것을 든다든지 뒷물이나 성교 등은 피한다.
- 수술 후 단백질 등의 충분한 영양분을 공급하도록 하고 철분이나 섬유질이 많은 음식물 섭취를 권장한다.
- 규칙적인 배변습관을 가지고 적절한 운동을 하도록 하며 변비에는 배변완화제를 사용할 수 있다.
- 자궁절제술로 인하여 성관계에는 지장이 없음을 설명하고 성교는 대개 6-8주 후에 가능하다.
- 담당의와 다음 내원 시간을 예약한다.

처음 방문 즈음에는 보행이 자유로워야 하고 질분비물이나 출혈은 소량이어야 한다. 질경을 이용한 질원개의 검사는 부드럽게 하여야 한다. 마지막으로 환자의 질문에 대해 대답해 주고 성생활, 일, 집안가사를 포함해 활동 정도를 올리라고 조언해준다.

참고문헌

- Altman D, Granath F, Cnattingius S, Falconer C. Hysterectomy and risk of stress urinary-incontinence surgery: nationwide cohort study. Lancet 2007;370:1494-9.
- Andrew E. General Gynecology: The Requisites in Obstetrics and Gynecology 2007.
- Antor MA, Uribe AA, Erminy-Falcon N, et al. The effect of transdermal scopolamine for the prevention of postoperative nausea and vomiting. Front Pharmacol 2014;5:55.
- Apfelbauum JL, Chjen C, Mehta SS, et al. Postoperative pain experience: results from a national survey suggest postoperative pain continues to be undermanaged. Anesth Analg 2003;97:534-40.
- Barber EL, Van Le L. Enhanced Recovery Pathways in Gynecology and Gynecologic Oncology. Obstet Gynecol Surv 2015;70:780-92.
- Benrubi GI. History of hysterectomy. J Fla Med Assoc 1988:75:533-8.
- Blandon RE, Bharucha AE, Melton LJ, Schleck CD, Babalola EO, Zinsmeister AR, et al. Incidence of pelvic floor repair after hysterectomy: A population-based cohort study. Am J Obstet Gynecol 2007;197:661-7.
- Bulletins-Gynecology. ACOG Committee on Practice. ACOG Practice Bulletin No. 51. Chronic pelvic pain. Obstet Gynecol 2004;103:589-605.
- Boldt J. Volume replacement in the surgical patient-does the type of solution make a difference? Br J Anaesth 2000:84:783-93.
- Boyd, M. E. Postoperative gynecologic infections. Can J Surg, 1987;30:7-9.
- Brady M, Kinn S, Stuart P. Preoperative fasting for adults to prevent perioperative complications. Cochrance Database Syst Rev 2003;4:CD004423.
- Bratzler DW, Delinger EP, Olsen KM, et al. Clinical practice guidelines for antimicrobial prophylaxis in sugery. Surg Infect (Larchmt) 2013;14:73-156.
- Bresalier RS, Sandler RS, Quan H, et al. Cardiovascular events associated with rofecoxib in a colorectal adenoma chemoprevention trial. N Engl J Med 2005;352:1092-02.
- Carlson KJ, Nichols DH, Schiff I. Indications for hysterectomy. N Engl J Med 1993;328:856-60.
- Clark NV, Cohen SL. Tissue extraction techniques during laparoscopic uterine surgery. J Minim Invasive Gynecol 2018;25:251-6.
- Clarke-Pearson, D. L., Synan, I. S., Colemen, R. E., Hinshaw, W., & Creasman, W. T. The natural history of postoperative venous thromboemboli in gynecologic oncology: a prospective study of 382 patients. American journal of obstetrics and gynecology 1984;148:1051-4.
- Clarke-Pearson, D. L., Synan, I. S., Hinshaw, W. M., Coleman, RE., & Creasman, W. T. Prevention of postoperative venous thromboembolism by external pneumatic calf compression in patients with gynecologic malignancy. Obstetrics & Gynecology, 1984;63:92-8.
- DeAndrade JR, Maslanka M, Maneatis T, et al. The use of ketorolac in the management of postoperative pain. Orthopedics 1994;17:157-66.
- Egbert AM, Parks LH, Short LM, et al. Randomized trial of postoperative patient-controlled analgesia vs intramuscular narcotics in frail elderly men. Arch Intern Med 1990;150:1897-903.
- Eltorai, I. M., Hart, G. B., Strauss, M. B., Montroy, R. & Juler G. L. The role of hyperbaric oxygen in the management of Fournier's gangrene. Int Surg, 1986;71:53-8.
- Etches RC. Patient-controlled analgesia. Surg Clin North Am 1999;79:297-312.
- Ferguson SE, Malhotra T, Seshan VE, et al. A prospective randomized trial comparing patient-controlled epidural analgesia to patient-controlled intravenous analgesia on postoperative pain control and recovery after major open gynecologic cancer surgery. Gynecol Oncol 2009;114:111-6.
- Gajraj NM, Joshi GP. Role of cyclooxygenase-2 inhibitors in postoperative pain management. Anesthesiol clin 2005;23:49-72.
- Gan TJ, Diemunsch P, Habib AS, et al. consensus guidelines for the management of postoperative nausea and vomiting. Anesth Analg 2014:118:85-113.
- Ghomi A, Hantes J, Lotze EC. Incidence of cyclical bleeding after laparoscopic supracervical hysterectomy. J Minim Invasive Gynecol 2005;12:201-5.
- Greco M, Capretti G, Beretta L, et al. Enhanced recovery program in colorectal surgery: a meta-analysis of randomized controlled trials. World J Surg 2014;38:1531-41.
- Greer IA. Effects of ketorolac tromethamine on hemostasis, Pharmacotherapy 1990;10:71S-76S.
- Gustafsson UO, Scott MJ, Schwenk W, et al. Guidelines for perioperative care in elective colonic surgery: Enhanced Recovery After Surgery Society recommendations. World J Surg 2013;37:259-84.
- Harkki P, Kurki T, Sjoberg J, Tiitinen A. Safety aspects of laparoscopic hysterectomy. Acta Obstet Gynecol Scand 2001;80:383-91.
- Hoffmann J, Shokouh-Amirik MH, Damm P, et al. A prospective controlled study of prophylactic drainage after colonic anastomoses,. Dis Colon Rectum 1987;30;449-52.
- Kaiser, R. E. & Cerra, F. B. Progressive necrotizing surgical

infections-a unified approach. J Trauma, 1981;21:349-55.
- Kehlet H. Multimodal approach to control postoperative pathophysiology and rehabilitation. Br J Anaesth 1997;78: 606-17.
- Kim DH, Lee ES, Bae DH. Comparison of Pelviscopic Classic Intrafascial Semm Hysterectomy with Total Laparoscopic Hysterectomy and Laparoscopic-Assisted Vaginal Hysterectomy. J Am Assoc Gynecol Laparosc 1996;3:S21-22.
- Kjerulff KH, Langenberg PW, Rhodes JC, Harvey L.A, Guzinski GM, Stolley P D. Effectiveness of hysterectomy. Obstet Gynecol 2000;95:319-26.
- Lethaby A, Mukhopadhyay A, Naik R. Total versus subtotal hysterectomy for benign gynaecological conditions. Cochrane Database Syst Rev 2012.
- Kunin CM. Catheter-associated urinary tract infections: a syllogism compounded by a questionable dichotomy. Clin Infect Dis 2009;48:1189-90.
- Lassen, M. R., Colwell, C. W., Ray, J. G., Geerts, W. H., Pineo, G. F., Heit, J. A., & Bergqvist, D. Prevention of venous thromboembolism. Chest 2004;126:338S-400S.
- Lewis SJ, Egger M, Sylvester PA, et al. Early enteral feeding versus "nil by mouth" after gastrointestinal surgery: systematic review and meta-analysis of controlled trials. BMJ 2001;323: 773-6.
- Liu H, Lu D, Wang L., Shi G, Song H, Clarke J. Robotic surgery for benign gynaecological disease. Cochrane Database Syst Rev 2012.
- Ljungqvist O, Scott M, Fearon KC. Enhanced Recovery After Surgery: a Review. JAMA Surg 2017;152:292-8.
- Lowder JL, Shackelford DP, Holbert D, et al. A randomized, controlled trial to compare ketorolac tromethamine versus placebo after cesarean section to reduce pain and narcotic usage. AM J Obstet Gynecol 2003;189:59-62;discussion 1562.
- Lyon, D. S., Jones, J. L., & Sanchez, A. Postoperative febrile morbidity in the benign gynecologic patient. Identification and management. J Reprod Med, 2000;45:305-9.
- Macario A, Lipman AG. Ketorolac in the era of cyclo-oxygenase-2 selective nonsteroidal anti-inflammatory drugs: a systematic review of efficacy, side effects, and regulatory issues. Pain AMed 2001;2:336-51.
- McFarland LV, Surawicz CM, Greenberg RN, et al. Prevention of beta-lactam-associated diarrhea by Saccharomyces boulardii compared with placebo. AM J Gastroenterol 1995;90: 439-48.
- Merrill R.M. Hysterectomy surveillance in the United States, 1997 through 2005. Med Sci Monit. 2008;14:CR24-31.
- Mikhail E, Salemi JL, Mogos MF,Hart S, Salihu HM, Imudia AN. National trends of adnexal surgeries at the time of hysterectomy for benign indication, United States,1998-2011. Am J Obstet Gynecol 2015;213:713.e1-13.
- Mills, A. M., & Longacre, T. A. Endometrial hyperplasia. Semin Diagn Pathol, 2010;27:199-214.
- Mittendorf, R., Aronson, M. P., Berry, R. E., Williams, M. A., Kupelnick, B., Klickstein, A., Chalmers, T. C. Avoiding serious infections associated with abdominal hysterectomy: a meta-analysis of antibiotic prophylaxis. Am J Obstet Gynecol 1993;169:1119-24.
- Murray JM, Gilstrap L.C, Massey, FM. Cholecystectomy and abdominal hysterectomy. JAMA 1980;244:2305-6.
- Myers ER, Steege JF. Risk adjustment for complications of hysterectomy: limitations of routinely collected administrative data. Am J Obstet Gynecol 1999;181:567-75.
- Nicholson A, Lowe MC, Parker J, et al. Syustematic review and meta-analysis of enhanced recovery programmes in surgical patients. Br J Surg 2014;101:172-88.
- Nelson, A. L., Sinow, R. M., & Oliak, D. Transrectal ultrasonographically guided drainage of gynecologic pelvic abscesses. Am J Obstet Gynecol, 182:1382-88. doi: 10.1067/mob.2000.106177, 2000.
- Nelson G, Kalogera E, Dowdy SC. Enhanced recovery pathways in gynecologic oncology. Gynecol Oncol 2014;135:586-94.
- Nelson G, Kiyang LN, Chuck A, et al. Cost impact analysis of Enhanced Recovery After Surgery program implementation in Alberta colon cancer patients. Curr Oncol 2016;23:e221-e227.
- Nelson R, Edwards S, Tse B. Prophylactic nasogastric decompression after abdominal surgery. Cochrane Database Syst Rev 2007;3:CD004929
- Nieboer TE, Johnson N, Lethaby A, Tavender E, Curr E, Garry R, et al. Surgical approach to hysterectomy for benign gynaecological disease. Cochrane Database Syst Rev 2009.
- Nygren J, Thorell A, Ljungqvist O. Preoprative oral carbohydrate nutrition: an update. Curr Opin Clin Nutr Metab Care 2001;4:255-9.
- Oates-Whitehead, R., D'Angelo, A., & Mol, B. Anticoagulant and aspirin prophylaxis for preventing thromboembolism after major gynaecological surgery. The Cochrane Library 2003.
- O'Grady NP, Barie PS, Bartlett JG, et al. Guidelines for evaluation of new fever in critically ill adult patients: 2008 update from the American College of Critical Care Medicine and the Infectious Diseases Society of America. Crit Care Med 2008; 36:1330-49.
- Olah KS, Khalil M. Changing the route of hysterectomy: the results of a policy of attempting the vaginal approach in all cases of dysfunctional uterine bleeding. Eur J Obstet Gynecol Reprod Bio 2006;125:243-7.

- Paek J, Kim SW, Lee SH, Lee M, Yim GW. Nam EJ, Kim YT. Learning curve and surgical outcome for single-port access total laparoscopic hysterectomy in 100 consecutive cases. Gynecol Obstet Invest 2011;72:227-33.
- Parker WH, Fu YS, Berek JS. Uterine sarcoma in patients operated on for Presumed leiomyoma and rapidly growing leiomyoma. Obstet Gynecol 994;83:414-8.
- Pestana C. Fluids and Electrolytes in the Surgical Patient. Baltimore, MD: Williams & Wilkins; 2000.
- Practice guidelines for preoperative fasting and the use of pharmacologic agents to reduce the risk of pulmonary aspiration: application to healthy patients undergoing elective procedures: an updated report by the American Society of Anesthesiologists Task Force on preoperative fasting and the use of pharmacologic agents to reduce the risk of pulmonary aspiration. Anesthesiology 2017;126:376-93.
- Rannestad T, Eikeland OJ, Helland H,Qvarnstrom U. The quality of life in women suffering from gynecological disorders is improved by means of hysterectomy. Absolute and relative differences between pre- and postoperative measures. Acta Obstet Gynecol Scand 2001;80:46-51.
- Rawal N, Arner S, Gustafsson LL, et al. Present state of extradural and intrathecal opioid analgesia in Sweden. A nationwide follow-up survey. Br J Anesth 1987;59:791-9.
- Rawal N. Epidural and spinal agents for postoperative analgesia for pain after intra-abdominal surgery. Cochrane Database Syst Rev 2005;(1):CD004088.
- Rhodes JC, Kjerulff K H, Langenberg PW, Guzinski GM. Hysterectomy and sexual functioning. JAMA 1999;282:1934-41.
- Reiter RC, Wagner PL, Gambone JC. Routine hysterectomy for large asymptomatic Uterine leiomyomata:a reappraisal. Obstet Gynecol 1992;79:481-4.
- Schricker T, Lattermann R. Perioperative catabolism. Can J Anaesth 2015;62:182-93.
- Salom EM, Schey D, Penalver M, Gomez-Marin O, Lambrou N, Almeida Z, et al. The safety of incidental appendectomy at the time of abdominal hysterectomy. Am J Obstet Gynecol 2003;189:1563-7; discussion 1567-8.
- Semm K.Hysterectomy via laparotomy or pelviscopy. A new CASH method without colpotomy. Geburtshilfe Frauenheilkd 1991;51:996-1003.
- Stovall TG, Ling FW, Carwford DA. Hysterectomy for chronic pelvic pain of presumed uterine etiology. Obstet Gynecol 1990;75:676-9.
- Stovall TG, Ling FW, Henry LC, Woodruff MR. A randomized trial evaluating leuprolide acetate before hysterectomy as treatment for leiomyomas. Am J Obstet Gynecol 1991;164: 1420-3.
- Strom BL, Berlin JA, Kinman JL, et al. Parenteral ketorolac and risk of gastrointestinal and operative site bleeding. A postmarketing surveillance study. JAMA 1996;275;376-82.
- Tanos V, Rosansky N. Prophylactic antibiotics in abdominal hysterectomy. J Am Coll Surg 1994;179:593-600.
- Van Dongen, C. J., Van den Belt, A., Prins, M. H., & Lensing, A. Fixed dose subcutaneous low molecular weight heparins versus adjusted dose unfractionated heparin for venous thromboembolism. Cochrane Database Syst Rev, 4:2004.
- Vadivelu N, Mitra S, Narayan D. Recent advances in postoperative pain management. Yale J Biol Med 2010:83:11-25.
- Varadhan KK, Neal KR, Dejong CH, et al. The enhanced recovery after surgery (ERAS) pathway for patients undergoing major elective open colorectal surgery: a meta-analysis of randomized controlled trials. Clin Nutr 2010;29:434-40.
- Whiteman MK, Hillis SD, Jamieson DJ, Morrow B, Podgomik MN, Brett KM, Marchbanks PA. Inpatient hysterectomy surveillance in the United States, 2000-2004. Am J Obstet Gynecol 2007;198:e31-7.
- Wischnik A, Manth SM, Lloyd J, et al. The excretion of ketorolac tromethamine into breast milk after multiple oral dosing. Eur J Clin Pharmacol 1989;36:521-4.
- Wilson W, Taubert KA, Gewitz M, et al. Prevention of infective endocarditis:guidelines from the American Heart Association: a guideline from the American Heart Association Theumatic Fever, Endocarditis and Kawasaki Disease Committee, Council on Cardiovascular Disease in the Young, and the Council on Clinical Cardiology Council on Cardiovascular Surgery and Anesthesia, and the Quality of Care and Outcomes Research Interdisciplinary Working Group. J Am Dent Assoc 2007;138:739-45, 747-60.
- Wright JD, Herzog TJ, Tsui J, Ananth CV, Lewin SN, Lu YS, et al. Nation Wide trends in the performance of in patient hysterectomy in the United States. Obstet Gynecol. 2013;122:233-41.

제14장

부인과 내시경술

최중섭 | 한양의대 김성훈 | 연세의대
김대연 | 울산의대 김용욱 | 가톨릭의대

부인과 영역에서의 내시경술(endoscopy)은 복강경(laparoscope)을 이용하여 복강 내 상태를 진단하거나 수술하는 복강경술(laparoscopy)과 자궁경(hysteroscope)을 이용하여 자궁 내 상태를 진단하거나 수술하는 자궁경술(hysteroscopy)로 구분된다. 첫 내시경 술기가 선보이게 된 것은 100여 년 전임에도 불구하고 이 방법의 잠재성과 임상적 적용범위는 공학기술의 발달과 더불어 극대화되고 있다. 최근 복강경수술은 난관임신부터 난소암의 수술에 이르기까지 다양한 부인과 분야에서 이용되고 있다. 이미 여러 논문들에서 보고된 대로 복강경수술은 기존의 개복수술보다 수술 후 통증의 감소, 미용적인 효과, 전체 사회적 비용의 감소, 그리고 빠른 회복의 장점을 가지고 있다.

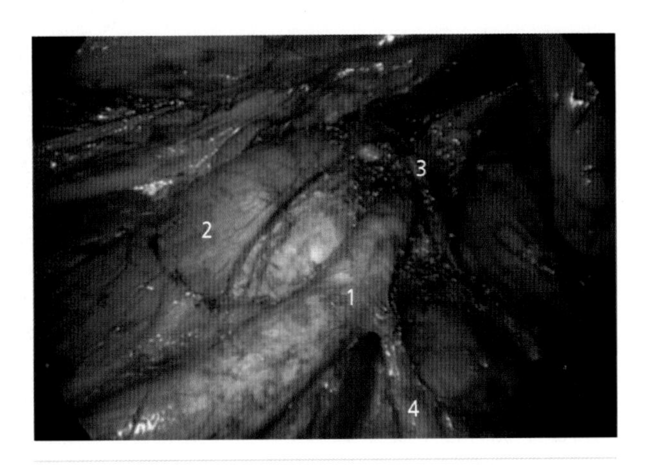

그림 14-1. Laparoscopic image after laparoscopic para-aortic lymphadenectomy. 1. abdominal aorta, 2. inferior vena cava, 3. left renal vein, 4. inferior mesenteric artery.

1. 복강경술(Laparoscopy)

최근 50여 년간 부인과적 복강경술은 빠른 기술적인 발전을 보여 왔다. 수술적인 복강경술은 1970년대에 비약적으로 발전하였고, 1980년대 초에는 진행된 병기의 자궁내막증의 치료를 위하여 레이저와 고주파 전기에너지가 처음으로 사용되었다. 최근에 들어서는 고해상도, 고선명도 비디오카메라를 복강경수술에 사용함으로써 복잡한 과정의 수술 시 골반이나 후복막의 해부학적 구조물을 더 잘 볼 수 있게 되었다. 자궁외임신과 난소종양절제술과 같은 자궁부속기 수술, 치골 뒤 요도고정술과 치골뒤질걸이술 등의 골반의 재건술 등을 포함하여 과거에 전통적인 방법으로 행해졌던 대부분의 수술법들이 복강경술로 실현이 가능해졌다. 1990년대 초반부터 시행 된 부인과 악성종양분야에서의 복강경수술 또한 눈부시게 발전하여 초기 자궁내막암 뿐만 아니라 후기 자궁경부암의 수술에 있어서도 그 유용성이 보고되었다. 최근에는 초기 난소암뿐만 아니라 잘 선택된 진행성 난소암 환자에게도 복강경수술을 적용해서 부인종양학 분야의 난이도 높은 수술 중 하나인 좌측 신정맥까지의 대동맥 림프절절제술을 시행하여 좋은 임상적 결과를 보고하고 있다(그림 14-1).

마이크로프로세서를 이용하여 수술자의 손 조작을 특수 설계된 기구에 의해 복강 내의 자연스러운 움직임으로 변환하는 이른바 "로봇"을 통해 앉은 자세로 수술장에서 원격으로 복강경수술을 시행할 수 있다. 연구에 따르면 로봇 복강경수술은 일반 복강경수술과 비슷한 임상결과를 보이지만 고가의 장비로 인하여 비용이 많이 든다. 로봇 복강경수술은 피부절개의 개수, 길이, 위치와 같은 미용적인 면에서는 일반 복강경수술이나 심지어 최소절개 개복수술보다 환자들이 덜 선호하기도 한다. 하지만 숙련된 복강경 수술자가 로봇 복강경수술을 시행한다면 비용을 제외한 면에서는 일반 복강경수술과 비교해서 임상 결과에 영향이 없는 것으로 나타났다.

1) 진단적 복강경술

복강경술 시 사용하는 카메라 렌즈는 넓고 크게 복강 내를 보여줄 수 있다는 장점이 있다. 광학적인 선명도와 조명은 눈으로 직접 보는 것보다 더 자세한 정보를 제공하여 준다. 예를 들어, 복강경술은 자궁내막증과 골반 유착을 진단하는 표준 방법으로, 이는 다른 영상학적 방법으로는 같은 수준의 민감도와 특이도를 가질 수 없다. 하지만 복강경 시야에도 단점이 존재하는데, 시야가 제한적일 수 있고, 만약 조직 부산물이나 혈액, 액체가 렌즈에 묻었을 때, 시야가 수술하는 데 일시적으로 불편할 수 있는 단점이 있다. 또한 연부조직, 근층 내 근종, 자궁이나 방광 같은 속이 빈 장기의 내부는 복강경으로 보이거나 만져질 수 없다. 부속기 내부의 연부조직을 검사하는 데에는 복강경술보다 초음파 검사가 더 유용하다. 최근 영상의학적 진단 방법의 발달로 진단적 복강경술을 적용하는 경우가 급격히 감소하고 있다. 경험 많은 수술자들은 진단적 복강경검사를 치료적 복강경수술로 바로 변환하여 치료하기도 한다. 과거에는 자궁외임신을 진단하기 위한 방법으로 이러한 복강경검사가 많이 시행되기도 하였다. 하지만, 초음파 진단 기술의 발달과 영상의 발전과 더불어 혈청 β-hCG와 프로게스테론을 이용하여 자궁외임신을 감별해낼 수 있고, 내과적인 치료를 복강경적인 확진 없이 하고 있다. 결론적으로 혈액검사와 영상의학적 이미지 기술과 경험의 축적으로 진단적 복강경수술은 예전만큼 첫 진단에 자주 이용되지는 않고 있다. 그러나 진단적 복강경검사로 환자가 호소하는 문제점과 꼭 연관되지 않는 다른 병변을 발견할 수도 있다.

2) 치료적 복강경술

복강경술의 역할은 부인과적 수술적 응용에서 많은 발전을 이루고 있다. 많은 과거의 전통적인 복부와 질식수술들이 복강경수술로 실현이 가능하게 되었고, 심지어 복강경수술이 더 손쉽게 가능할 수 있게 되었다. 수술적인 복강경술은 입원기간이 단축되고, 수술 후 통증이 경감되며, 더 빠른 일상생활의 복귀에서 장점을 보인다. 일반적으로 복강경술은 빠른 직장 복귀, 퇴원 후 관리 등 수술과 관련된 '간접적인 비용'을 절감할 수 있게 한다. 복강경수술의 일반적인 장점에 추가하여 복강경수술은 개복술에 비해 유착 가능성이 적다. 수술용 스펀지가 사용되지 않기 때문에 직접적인 복막의 손상이 줄어들고 복강 내의 오염 또한 최소화된다. 복강경수술에서는 수술방의 공기에 덜 노출되기 때문에 복막을 촉촉하게 유지할 수 있어 손상에 덜 민감하다. 따라서 개복술에 비하여 유착의 생성이 적어지게 된다. 이러한 장점에도 불구하고 한계가 늘 지적되고 있다. 즉, 수술하는 부위의 시야가 제한적일 수 있다. 기구가 작고 고정된 곳을 통해서만 움직일 수 있고 골반 장기의 조종 능력이 제한되기 때문이다. 만약 수술자가 경험과 교육이 부족하다면 복강경수술의 효과가 감소할 수 있다. 몇몇 환자에서는 복강경수술 합병증의 위험도를 증가시킬 수도 있다. 이는 복강경수술 자체의 한계와 수술 전문성의 수준이 모두 연관될 수 있다. 하지만 충분한 능력, 수련 그리고 경험의 조합으로 수술시간은 점점 짧아지고 있으나, 복강경수술의 난이도가 점점 증가함으로써 높아지는 합병증 발생 빈도에 대한 수술자의 주의가 더 필요해지는 현실이다.

(1) 난관수술

① 불임수술(sterilization)

복강경 불임수술은 1960년대부터 확산되기 시작했다. 난관을 봉합하거나, 실라스틱링이나 전기응고술로 결찰을 하였다. Yoon's ring을 이용하는 경우 배꼽에 단 한 개의 투관침을 이용하여 시행되기도 했다. 최근에는 양극성 전기소작기를 이용하여 배꼽에 카메라를 넣고 보조적인 투관침을 삽입하여 기구를 사용하였다. 환자는 대체적으로 전신마취를 할 시 당일 퇴원이 가능하며, 수술 후 통증은 대체로 미미하다. 환자가 호소하는 통증의 대부분의 원인은 복강 내에 남아있는 가스와 연관이 있다. 또한 투관침의 삽입으로 인한 피부통증과 약간의 연관은 있다. 이 수술의 실패율은 1,000명 중 5.4명이다. 난소암, 복막암과 같은 암이 난관에서 발생할 수 있으며, 난관절제술이 이들 암의 위험을 감소시켜준다는 연구들을 증거로 양쪽난관절제술은 널리 사용되는 수술이 되었다. 복강경적 나팔관 불임술은 외래 정관수술, 자궁내 피임, 그리고 외래 기반의 자궁경 불임술의 발달에 영향을 받았다. 자궁경 불임술에 관해서는 자궁경술 파트에서 더 논의될 것이다.

② 자궁외임신

난관임신 시 methotrexate에 대한 금기증이 없다면, 다음 기준을 충족하는 경우에 methotrexate의 내과적 사용이 첫 번째로 고려된다. 혈류역학적 안정 상태, 심장박동이 없을 때, 초음파상 난관 종괴의 크기가 4 cm보다 작을 때, 그리고 β-hCG 농도가 낮을 때이다. 수술적인 치료가 필요하게 되면, 자궁외임신은 복강경 난관절개술, 난관절제술이나 난관의 부분절제를 통해 성공적으로 치료될 수 있다. 난관절개술은 가위나 고주파 바늘전극을 이용하여 시행되는데, 먼저 난관간막에 희석된 바소프레신을 주입한 상태여야 수술이 용이하게 이루어진다. 난관절개술은 방법에 상관없이 약 5% 정도의 확률로 수태부산물이 남게 된다. 그런 경우 수술 후 추가적인 methotrexate 치료를 시행하게 된다. 난관을 잘라 내는 난관절제술 시에는 혈관들을 대개 양극성 또는 단극성 전기소작기를 이용하여 지혈한다. 복강경적 봉합이나 수술용 클립을 사용하는 것도 가능하다.

(2) 난소수술

① 난소종양

선택적 난소종양의 복강경 제거술은 높은 수준의 근거를 가지고 있는 확실히 인정받은 술기이다. 악성종양의 예후에 있어서 복강경수술의 가능한 부작용들 때문에 적절한 환자의 선택은 자궁부속기종양을 복강경으로 관리할 때 중요한 사항이다. 수술 전 초음파는 필수적이다. 얇은 벽을 가진 음파투과성의 병변과 고형의 부위가 없는 병변은 악성도의 가능성을 낮게 반영하는 소견들이다. 이는 부인종양학적 경험과 교육을 받지 않은 수술자들도 안전하게 복강경적 제거를 할 수 있음을 뜻한다. 환자의 나이, 폐경 상태, 초음파적 소견 및 점수, 그리고 혈청 CA-125의 농도를 조합하여 "악성 위험도"를 계산하는데, 이는 상피성 난소암의 고위험군의 감별에 효과적이다. 초음파소견에서 성숙기형종, 자궁내막종이나 출혈 혹은 꼬임이나 다른 이유로 급성 통증을 일으키는 난소종양은 복강경적인 치료가 적합하다. 난소종양은 조금이라도 악성종양이 의심된다면 반드시 응급냉동조직절편검사로 검사하여야 한다. 만약 악성종양이 의심된다면 부인종양전문의와 적극 상의하여야 한다. 낭종절제술(난소종양절제술)에선 복강경 가위로 난소 껍질에 절개선을 내고 난소종양이 터지지 않게 조심스럽게 박리해서 종양이나 낭종을 정상 난소에서 분리해 낸다. 만약 난소절제술을 시행할 때에는 혈관들을 막고 절단하기 위해 전기소작기나 봉합, 수술용 클립, 스테이플러 같은 자동봉합기를 이용한다. 어떤 기구를 사용하든지 지연성출혈의 위험도를 줄이기 위하여 확실한 지혈과 동측 요관주행의 확인이 필수적이다. 종양의 완전한 절제 후 내시경주머니(endo-bag)를 이용하여 안전하고 완전하게 체외로 제거하여야 한다. 수술 중 의도하지 않게 파열이 되었거나 체외로 제거 시 종양 내용물이 복강 내로 유출이 되었다면 철저한 사후관리가 필요하다. 만약, 악성종양으로 확인되면 항암치료가 필요하기도 하다. 일부 수술자들의 경우 미니복강경 기술이나 단일공 절개술을 통하여 제거하기도 한다. 난소는 낭종절제술 이후 벌어진 정상 난소 부위를 봉합하기도 하고, 하지 않기도 한다. 일부에서는 이 과정이 불필요하고, 유착 발생의 원인이 된다고 주장한다. 아직 논란의 여지가 있는데, 적어도 한 개 이상의 무작위비교연구에 의하면 복강경적 봉합으로 난소를 봉합하는 것이 전기를 이용하는 방법보다 유착발생의 빈도가 적다고 한다. 또한 복강경적 봉합의 경험을 쌓을 수 있는 것은 부정할 수 없는 사실이다.

② 기타 난소수술

난소 염전은, 이전에는 개복술과 난소적출술로 수술하였으나, 종종 복강경수술이 가능하게 되었다. 육안적으로 눈에 띄는 괴사가 있는 경우라도 꼬임을 풀어 혈액의 흐름 여부를 확인하여 무조건적인 난소절제술을 피할 수도 있다. 다낭성난소증후군은 복강경적으로 전기소작술이나 레이저를 이용하여 난소를 "드릴링"함으로써 증상의 호전을 기대할 수 있다. 이 방법은 난소의 기질 조직의 크기를 줄이고, 일시적으로 정상 배란으로 돌아가는 것을 유도한다. 이 방법이 많은 수의 무작위 실험에서 성공을 거두었지만, 수술 후 유착이 15-20%의 환자에서 발견되어 우선적인 치료로는 고려되지 않고 있다.

(3) 자궁수술

① 자궁근종절제술

복강경 자궁근종절제술은 적절한 자궁근층의 봉합이 필요하므로 다른 복강경적 수술법보다 더 많은 경험과 기술이 필요하다. 또한 절제된 근종을 작은 포트 자리를 통해서 체외로 꺼내는 세절술이 필요하다. 다수의 질 높은 연구들에서 복강경 자궁근종절제술은 개복술과 비교하여 수술 후 통증과 발열이 감소하고 입원기간을 단축시킨다고 보고하였다. 반면에 로봇복강경을 사용하면 자궁근층을 봉합하는데 좀 더 용이한 점은 있을 수 있겠으나, 숙련된 복강경 수술자가 복강경 자궁근종절제술을 시행할 경우 측정 가능한 로봇 복강경수술의 이점이 없는 것으로 나타났다.

복강경 자궁근종절제술의 적절성에 관한 일부 논쟁은 절제된 근종의 복강내 세절과 관련이 있다. 특히 점막하 근종의 이차적인 증상으로 여겨지는, 불임과 생리과다의 치료에 있어서 복강경의 효과에 의문이 제기되어 왔다.

자궁에서 제거된 근종을 체외로 꺼내기 위한 세절은 복부절개를 통해서 이루어지거나 복강 내에서 전기세절기(electromechanical morcellating system)를 이용하여 근종을 갈아서 꺼내는 방법을 통해서 이루어진다. 이러한 세절방법 특히 전기세절기는 예상치 못한 자궁육종을 가지고 있는 환자의 예후에 영향을 줄 수 있다. 이러한 악성종양에 자궁근종 세절이 부정적인 영향을 미친다는 확실한 증거는 없다. 그러나, 근종절제술을 받는 여성은 자궁육종의 위험은 1만 명당 4명에서 1천 명당 2명으로 극히 낮으며, 어느 특정 근종 세절의 방법이 종양학적 예후와 관련하여 더 낫다는 증거는 없다. 다만, 근종 세포가 세절술 전에 이미 복강내에 존재하고 있다는 증거는 있으며, 이는 어떤 방법으로 근종절제술을 시행하는 것과 관련 없이 이미 근종절제술 전에 질병이 퍼져있음을 시사한다.

몇몇 잘 구성된 RCT에서 복강경과 개복술의 불임정도를 비교한 결과를 내놓았지만, 대상의 크기가 여전히 상대적으로 작았고, 크기와 제거된 병변의 숫자 등이 제한되었다. 이 연구에서, 가임능력의 회복은 복강경술과 개복술이 비슷하였다. 이것과 다른 연구에서 입원기간, 수술통증, 그리고 수술 합병증 등 수술외적인 결과에 대해 평가가 되었는데, 복강경적 접근이 우수하게 평가되었다.

성공적인 복강경 자궁근종절제술을 시행하기 위해서는 다음과 같은 세 가지의 기본적인 시술이 필요하다. 자궁근종을 정상 자궁에서 절제하는 것이며, 절제된 자궁근종이 안전하게 체외로 제거하는 것이며, 자궁근종이 절제된 정상 자궁이 완전하게 향후 임신기간에도 안전하도록 봉합하는 것이다. 이 모든 과정이 유기적으로 시행될 때 성공적인 복강경 자궁근종절제술을 시행한다고 할 수 있다. 자궁근종절제술에서 적절한 환자의 선택은 수술 성공 여부에 매우 중요하다. 50세까지의 연령에서 자궁근종 이환율은 백인에서 70%, 아프리카계 후손에서 80%를 보였다. 자궁근종이 자궁내막공간을 침범함에도 불구하고, 그것이 꼭 과도한 생리양의 증가나 불임과 연관이 있는 건 아니다. 자궁근종의 크기가 커서 압박증상이 있거나, 큰 혈관구조 근처에 있는 자궁근종들은 복강경적 접근에 어려움이 있다고 알려져 있지만, 많은 의사들의 경험 축적으로 이러한 제약들은 점점 없어지고 있다. 장막형자궁근종으로 인해 신경이 쓰여지는 불편감이나 꼬임에 의한 고통을 가지고 있는 환자는 복강경절제술의 좋은 수술대상이다.

② 자궁절제술

복강경 자궁절제술은 복강경술로 질식자궁절제술을 보조하는 복강경보조 질식자궁절제술, 복강경술로 자궁 전체를 절제하는 복강경 전자궁절제술, 자궁경부를 남기고 자궁의 나머지 부분을 절제하는 복강경 상자궁경부(아전)자궁절제술로 구분된다. 일반적으로 복강경 자궁절제술은 전기소작기를 이용하여 혈관들을 차단하고 기계적인 절단을 하는 시스템으로 진행되며, 하나의 기구에 이러한 기능들을 모두 갖춘 기구들이 사용되기도 한다. 때로는 봉합, 클립, 스테이플러가 혈관들을 차단하고 절단하는 데 사용된다. 복강경 자궁절제술은 질식자궁절제술과 비교하여 합병증의 위험도가 약간 더 높다고 하지만, 이 위험도는 복부(개복) 자궁절제술보다는 낮은 정도이다. 복강경 자궁절제술의 경험을 쌓음으로써, 질식자궁절제술의 결과와 비슷해지고 있다. 대부분의 연구에서 복강경 자궁절제술이 복부 자궁절제술에 비하여 수술 후 통증이 없고, 병원 입원기간이 짧으며, 수술 후 회복속도 또한 빠르다고 되어있다. 통증점수와 QOL 측정의 증거도 있는데, 이는 성생활과 물리적 그리고 정신적 기능이 포함되어 있고 복강경 자궁절제술을 시행한 여성에서 복부 자궁절제술의 여성보다 좋은 점수를 받았다. 이 차이점은 수술 후 6개월 추적과 12개월째의 방문 시에 조사를 하였다. 직장에 더 빨리 돌아갈 수 있다는 사회적인 이득과 가족들을 고려해 보았을 때, 복강경적인 수술의 비용은 오히려 다른 수술보다 확연히 줄어들게 된다. 자궁절제술 방법의 선택은 해부학적 구조, 환자의 질환의 상태, 환자의 바람, 그리고 수술자의 수련과 경험 정도에 의하여 결정되게 된다. 질식이나 복강경 자궁절제술이 불가능한 여성에만 개복술을 통한 자궁절제술을 고려한다. 그 경우는 환자의 의학적인 상태, 예를 들면 심폐질환과 전신마취를 했을 때의 위험, 복강경수술 시 복강내압의 상승을 견디기 어려운 상태 등이 있거나 자궁근종이 악성종양을 시사하는 경우이다. 또한, 자궁질환이나 유착에 의해 해부학적으로 복잡한상황일 때 질식 혹은 복강경적 접근이 전문가가 볼 경우에 안전 혹은 타당해 보이지 않을 시에 시행한다. 수술자의 경험이나 기술이 적을 시, 수련을 위해 다른 곳의 부인과에 파견을 가는 것을 고려해야 한다.

(4) 불임치료수술(infertility surgery)

불임이 2차적으로 염증의 진행에 의해 정상 해부학구조, 혹은 해부학적인 연관성이 무너져서 발생하게 된 경우, 복강경적으로 직접 수술을 통하여 난관성형술, 유착박리술, 그리고 원위부 폐쇄에 의한 난관개구술 등의 방법을 사용하여 해부학적으로 교정할 수 있다. 난관성형술은 난관개구술과 이전에 원위부의 폐쇄가 있었냐 없었냐의 분류로 구분이 가능하다. 자궁내막증은 자궁부속기의 해부학적 구조의 변형과 연관이 있고, 복강경적 유착박리술로 치료가 가능하다. 공존하는 활동성의 자궁내막증에는 알려진 의학적 치료에 대한 이득이 없는 반면, 최소의 혹은 약한 자궁내막증이 섞여있을 시의 절제에 대해서는 메타분석의 결과 복강경적 절제 시 임신에서의 이득이 있다고 분석되었다. 유착박리술은 복강경 가위와 초음파절삭기, 단극성 혹은 양극성 전기소작기를 이용한 비절개박리와 절개박리로 이루어져 왔다. 레이저 기기가 다른 저비용의 기술에 비해 갖는 이득은 근거가 없다. 유착박리술을 위한 적절한 방법은 아직 논란 중이나, 집도의의 숙련도 혹은 기술에 따라 이 방법들은 동일한 효과를 나타낼 것이다. 해부학적인 불임의 치료를 위한 복강경적 수술은 개복술과 유사한 과정을 거치면 동일한 효과를 보인다. 광범위한 유착이 있는 환자에선 접근법과 상관이 없이 성공 결과를 보인다. 결과적으로, 시험관아기나 수정란이식 등의 생식기술이 이러한 상황에서 도움이 된다.

⑸ 자궁내막증

복강경적인 자궁내막종의 수술적 관리는 자궁 부속기의 종양처럼 초음파영상의 복잡성 때문에 수술 전에 악성종양과 구분하기가 어려워서 때때로 쉽지 않다. 자궁내막종의 난소 피질이나 수질과의 접합은 수술적인 절개평면의 구성과 불완전한 절제로 인한 재발의 위험성을 증가시키기도 한다. 이러한 상황에선 난소를 완전 절제를 해낼 것이냐, 아니면 자궁내막종의 재발 위험성을 남겨놓고 난소를 남겨놓을 것이냐의 타협이 필요하다. 코크런의 논문리뷰에서 자궁내막종의 수술적인 절제는 재발률을 감소시키고, 통증의 재발도 감소하며, 생식능력이 저하된 여성에서 자연임신의 확률을 올린다는 좋은 근거가 있다. 결과적으로, 가능한 한 수술적인 절제가 목표가 되어야 한다. 다낭성의 자궁내막증은 기계적인 절제에 의해서 치료가 되고, 응고나 기화는 전기 혹은 레이저에너지를 사용한다. 적절한 사용으로 각각의 에너지소스는 같은 정도의 열적손상을 가져온다. 자궁내막증은 때때로 처음 인지한 것보다 깊이 있고, 많은 상황에서 전문적인 절제기술이 필요하다.

⑹ 골반 저부 질환

복강경수술은 후질벽탈장봉합술과 장류 탈장, 질 원개탈출증, 질주위의 복구 등의 골반 지지부의 질환에도 응용이 가능하다. 이러한 상황들을 질식으로 처치할 수 있음에도 불구하고, 특히 치골 뒤 요도고정술에서 복강경적인 접근이 이득이 있다. 복강경수술은 같은 수술적 원칙을 전통적인 골반강의 해부학적 구조의 복구에 적용하고, 복강경은 더 나은 해부학적 랜드마크의 접근을 보이고, 더 정밀한 봉합 장소를 찾게 된다. 맨 끝과 전면부의 질환은 복강경을 통하여 보기 가장 좋고, 치료도 잘 할 수 있는 반면, 뒤쪽과 회음부의 질환은 질식 술기를 통하여 가장 잘 보이면서 치료도 잘 할 수 있다. 장류탈장와 질 원개탈출증에서의 복강경적인 치료는 이전 질식수술에서 실패를 하여 복부를 통한 접근을 해야 하는 환자들에게 유용하게 사용될 수 있다. 해부학적으로 골반 요관과 자궁천골인대와 질의 전외측이 가깝기 때문에, 양측 요관의 통로는 복강경적인 질원개탈출증, 장류 탈장의 복구, 후질벽탈장봉합술, 질주위의 복구 등을 마치고 반드시 확인해 보아야 한다.

⑺ 부인과 악성종양

부인과 악성종양에 대한 복강경적 처치의 안전성에 관하여는 아직까지 명확하게 확립되지 않았다. Gynecology Oncologic Group에서 실시한 연구결과 1기의 자궁내막암에 대한 복강경적 관리가 실현 가능할 것으로 추정되었다. 대규모의 연구에서 복강경적 접근을 치료받은 여성에게서 개복술을 받은 환자들에 비해 더 나빠진 것이 없다는 추측을 했다. 복강경적 림프절절제술의 가능성은 1기 자궁경부암에 대한 질식 근치적 자궁절제술의 관심을 다시 조성시켰다. 복강경적 치료는 조기 난소암과 2차적 관찰에 대한 치료로 생각되고 있다.

3) 환자의 준비와 의사소통

수술의 근본적인 이유, 대안, 위험도, 그리고 잠재적 이익들에 관하여 환자와 적극적으로 상의하여야 한다. 또한, 환자는 수술을 받지 않을 시의 예상되는 결과와 처치법에 대해 관심을 갖고 조언을 받아야 한다. 복부를 통한 같은 방법의 수술법과 위험도, 회복도를 비교하는 것도 도움이 될 것이다. 복강경술의 위험도는 마취, 감염, 출혈, 그리고 복부와 골반 장기의 손상 등과 연관된 것을 포함하여야 한다. 합병증이 발생하거나, 복강경적인 수술로 만족스런 결과를 얻을 수 없을 때 개복술로의 전환 가능성에 대해 설명이 되어야 한다. 감염은 복강경술에서는 드문 합병증이다. 넓은 부위의 복강경적 절개를 포함한 수술로 인한 장기 손상의 위험 또한 설명되어져야 한다. 복강경 광범위 전자궁절제술을 시행하는 major 수술은 수술시간에 4시간 이상이 필요한데, 병원에 입원이 필요하고, 불편감을 갖는 날은

10-14일 정도이다. 수술 전 기계적 장 준비가 대장수술의 합병증을 낮추지 않는다는 좋은 근거는 많이 있다. 그렇더라도 아직은 수술 전 장 준비를 버리는 것은 시기상조로 생각되고 있다.

4) 장비와 기술

수술의 전 과정을 다음과 같은 중요 부분으로 나누어 복강경수술의 장비, 기구, 그리고 술기에 대한 설명을 하기로 한다.

(1) 환자의 자세
(2) 수술방의 구조
(3) 복강 내 진입
(4) 시각적 확인
(5) 조직과 액체의 취급
(6) 자르기, 지혈, 그리고 조직 봉합
(7) 조직 배출
(8) 절개 관리

(1) 환자의 자세

적절한 환자의 자세는 환자의 안전, 수술자의 편안함 그리고 최적의 골반 장기의 관찰 및 수술적 접근을위하여 필수적이다. 환자가 깨어있을 때 자세 잡는 것은 자세 연관성 합병증의 발생 빈도 감소에 도움이 된다. 수술테이블은 기울여질 수 있고, 머리를 낮추는 자세가 가능하게 하여 장기를 골반에서 나오게 하여 시야확보를 하는 데 도움을 준다. 환자는 낮은 쇄석위의 자세를 하고 있고, 발은 복강경수술 전용 기구에 지지하고 있으며, 둔부는 테이블의 낮은 쪽 모서리의 밖으로 살짝 튀어나와 있게 된다. 허벅지는 대개 천장관절각을 보존하는 자연자세를 유지하고 있으며 장이 회음부 공간으로 들어가려는 경향을 감소시키게 된다. 발은 평행하게 쉬게 하여야 하고, 무릎의 바깥쪽 방향은 반드시 보호대를 대어 보호하거나, 특별한 스터럽을 사용하여 비골 신경의 손상을 방지하여야 한다. 무릎은 약간 굽힘을 유지하여 궁둥신경의 폄을 막고, 트렌델렌버그 자세를 유지하는 데 도움을 주게 된다. 팔은 환자의 옆에 내전시켜서 붙여놓아 수술자가 움직이기 편하게 하고, 팔신경얼기의 손상을 방지하여야 한다. 환자의 발쪽을 높이거나 낮출 시 환자의 손가락과 팔을 부상에서 방지하는 것이 중요하다. 환자가 적절한 자세를 잡게 된다면, 방광을 도뇨관으로 비워야하고, 자궁내막공간에 자궁거상기를 위치시켜야 한다.

(2) 수술방의 구조

기구와 장비의 준비는 안전과 효율성에 있어 중요하다. 그 방향은 수술에 따라, 기구의 사용, 그리고 수술자가 오른손잡이인지 왼손잡이인지에 따라서도 달라진다. 오른손잡이의 수술실 방향은 그림 14-2에 있다. 골반수술을 위하여, 모니터는 보통 환자의 발과 테이블을 건너 환자의 발이 이루고 있는 각에 위치시킨다. 만약 두 개의 모니터가 가능하다면, 하나는 환자의 각 발에 위치시켜 수술자와 조수가 머

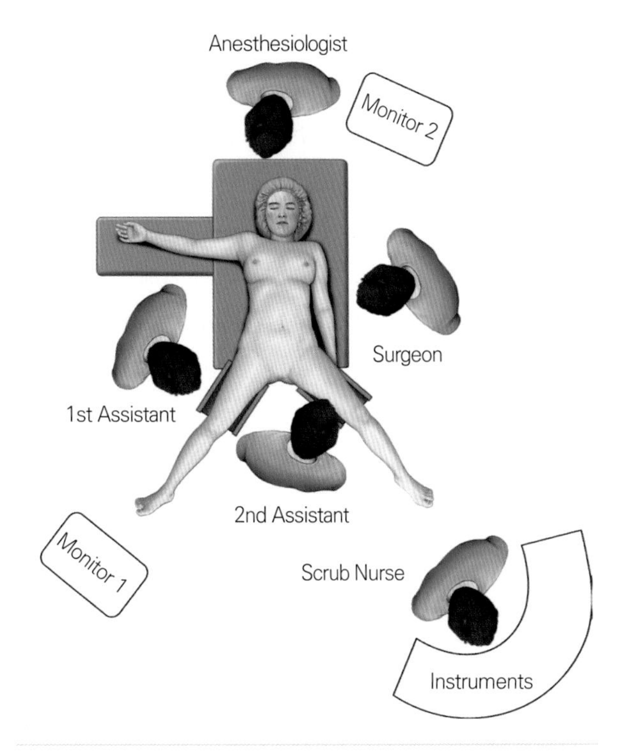

그림 14-2. Operation room setup and patient positioning

리를 돌릴 필요 없이 수술상황을 볼 수 있게 설치되어야 한다. 수술자는 대개 환자의 왼쪽 편에 서게 되고, 바라보는 방향은 몸 반대쪽의 발을 향해 서게 된다. 간호사나 기술자와 기구 테이블은 발 근처에 위치하면서 비디오 모니터를 가리지 않게 한다. 기체주입기는 환자의 오른쪽에, 수술자의 앞에 놓아져서 환자 복부의 압력과 부풀려지는 빈도 등을 계속적인 확인할 수 있게 한다. 에너지 공급원은 환자의 오른쪽에 놓아 파워 공급을 볼 수 있게 한다.

⑶ 복강 내 진입

복강경을 삽입하기 전에, 첫 번째 투관침은 반드시 복벽을 통하여 그 끝이 복강 내에 위치하여야 복막강에 접근을 가능하게 한다. 안전하게 첫번째 투관침을 삽입하는 방법은 몇 가지의 방법이 제안되고 있다. 배꼽에 작은 피부 절개를 통하여 직접적으로 투관침을 삽입하는 직접적인 방법과 복벽에 작은 절개선을 통하여 개복수술과 같은 방법으로 복막까지 절개 후 투관침을 삽입하는 방법으로 나뉜다. 대부분의 부인과 의사들은 전자의 방법을 선호한다. 후자의 경우 투관침의 고정을 위한 또 다른 조치가 필요하게 된다. 이런 방법들을 통하여 첫 번째 투관침을 안전하게 삽입한 후 이산화탄소를 복강내 주입하여 수술에 필수적인 기복을 형성한다. 이산화탄소의 주입이 끝난 후 복강경용 카메라를 삽입하여 복강내 구조물과 유착 여부를 확인하며, 기복형성 시 발생할 수도 있는 합병증 유무도 확인한다. 특히 후복막의 큰 혈관들에 대한 정상구조의 이해를 바탕으로 이루어진다. “안전 지역”은 천골갑의 아래쪽에 존재하며, 이곳은 대동맥의 나뉨이 있는 곳의 머리부위에 닿아 있고, 뒤쪽은 엉치뼈, 옆쪽은 장골의 혈관들이 존재한다. 트렌델렌버그 자세의 여성에서, 대혈관들은 좀 더 머리쪽으로, 앞쪽으로 위치하며 이는 혈관들을 적절한 삽입각도의 조절을 하지 않으면 손상받기 쉽게 되어있다. 그러므로 첫 투관침의 삽입은 위치가 바뀌지 않는 반듯이 누운 자세에서 하는 것이 좋다. 이 접근법은 상복부에 대한 평가를 가능하게 하는데, 상복부는 머리를 낮춘 자세에서는 복막강의 장기들이 밀려서 평가에 제한이 걸리는 곳이다.

① 적절한 바늘

사실상 모든 기복형성을 위한 바늘은 Dr. Verres에 의하여 상용되어진 바늘을 변형시킨 것이다. 골반수술 이전에 삽입 부위는 배꼽의 아래부위, 복막이 가장 얇고 대개 혈관이 없는 부위로 선택하게 된다. 배꼽 아래쪽의 중앙선에 절개선을 메스로 바늘을 넣기에 충분하게 내고 복벽은 최대한 손과 기구를 사용하여 들어올린다. 공기주입을 위한 바늘의 안전한 삽입은 수술자가 장골혈관들의 사이와 엉치뼈의 앞쪽에 중앙 사상선에 바늘 끝을 위치시켰을 때에 가능하다. 하지만, 대동맥의 분기점의 아래쪽과 대정맥의 근위면의 아래에 위치시켜야 한다. 천골갑은 일반적으로 좌측 총장골정맥의 일부분에 가려지기 때문에, 혈관손상은 분기점 아래의 중앙선에서도 일어날 수 있다. 복막전공간에 의도치 않는 공기주입의 경우를 최소로 하며 복막후의 혈관 손상을 줄이기 위하여 여성의 경우에는 환자의 척추와 45도의 각도로 바로 삽입한다. 비만의 환자는 이 각도가 90도 정도까지 증가하게 되어야 하고, 복막의 두께가 증가하고, 복부둘레의 증가에 따라 배꼽의 중력에 따른 머리쪽으로의 쏠림이 심해진다. 바늘의 몸통은 손가락 끝으로 잡고, 복강 내로 바늘 끝을넣기 위해 진행시켜야 한다. 촉각과 시각의 되먹임 과정으로 바늘의 향하는 방향을 느낄 수 있고, 복막의 층은 너무 공격적인 삽입을 막는 유도층이 된다. 이런 고유감각 되먹임은 고전적인 Verres 바늘보다 일회용바늘을 사용하면 잘 알 수가 없다. 전자의 경우, 수술자는 반드시 바늘이 배곧은근의 근막과 복막을 투과할 때 들리는 “클릭” 소리를 들어야 한다. 기술에 상관없이, 복막후의 기저 혈관들은 공기주입바늘의 삽입 깊이의 한계 때문에 잘 보호가 된다. 배꼽 주변의 복부안에 유착이 있을 것으로 알려지거나, 예상되는 경우 첫 번째 투관침의 삽입을 위하여 대체위치를 선정해야 한다. 이 위치들은 왼쪽 상복부; 대부분은 왼쪽 갈비뼈각을 사용, 직장자궁오목, 그리고 자궁저 등이 있다. 왼쪽 상복부는 간비종대가 없는 환자에서 이 부위의 수술 경험이 없을 경우 선호된다. 이러한 환자들은 바늘을 삽입하기 전 위를 반드시 비위관이나 입위관을 통하여 감압시켜야 한다. 이 부위의 피부와 후복강의 거리는 대개 11 cm이고, 사람에 따라서는 7 cm만큼 짧을 수도 있기 때문에 삽입각도를 반드시 재야 한다. 바늘은 반드시 안쪽으로 10-15도의 각도로 신장과 신동맥을 피하여 들어가야 한다. 상대적으로 BMI가 높은 여성에선 90도의 각도로 접근하고, 마른 여성에선 이를 45도로 줄여야 한다. 이산화탄소 주입 전, 수술자는 반드시 공기주입기가 장막이나 창자간막, 혈관, 위나 장 같은 속이 빈 장기에 잘못 위치하지 않았는지 확인하여야 한다. 가장 직접적인 접근은 특별히 제작된 공기주입바늘을 사용하는데, 이때 2 mm의 작은 지름의 복강경은 가상의 진입점을 통합 캐뉼라를 통하여 지날 수 있다. 이것과 달리, 간접적 방법도 필요하다. 공기주입기를 부착한 주사기를 사용하여 혈액이나 위장관의 물질을 빨아들인다. 이 방법이 가능하게 하기 위하여, 적은량의 식염수를 주사기에 넣어둔다. 만약 바늘이 적절하게 위치된다면, 이 음압은 식염수를 빨아들임으로써 바늘 끝에 있음을 증명이 가능하며, 디지털 압력기를 설치하기도 한다. 적절한 위치의 추가적인 사인은 공기주입을 시작한 후에 찾을 수 있다. 복부 내의 압력을 읽는 것은 낮을 것이 분명하고 CO_2의 흐름에 대한 전신 저항만을 반영하게 된다. 결과적으로, 기본라인 측정으로부터의 약간의 편차이 있는데, 이는 10 mmHg보다 작다. 이 압력이 다른 것은 호흡과 뚱뚱한 정도에 따라 다르다. 가장 빨리나오는 안심스런 신호는 간의 무뎌짐이 없어지는 것으로, 이는 오른쪽 갈비뼈각의 가쪽에서 측정된다. 이 신호는 이 부위에 이전 수술 등에 의한 밀도 높은 유착이 있으면 없어진다. 대칭적인 확장은 바늘이 복강 외에 있으면 생기지 않게 된다. 이산화탄소가 복강으로 전송되는 양은 복강 내의 압력과 연관이 있지만, 부풀리는 가스의 부피와 연관이 있지는 않다. 복강 내의 부피 용적은 개개인마다 크게 다르다. 많은 수술자는 25-30 mmHg의 압력을 캐뉼라의 위치선정을 위하여 선호한다. 이 레벨은 대개 추가부피를 제공하고, 충분한 배막에 대항하는 역압력을 주며, 캐뉼라를 쉽게 들어올 수 있게 한다. 그리고 장과 후복벽과 혈관의 손상을 줄인다. 캐뉼라를 설치한 이후, 압력은 반드시 10-15 mmHg로 떨어뜨린다. 이를 시행함으로써 근본적인 고탄산혈증의 감소와 피하의 공기주입의 위험성을 감소시키며, 정맥환류량을 감소시킨다.

② Access cannula

복강경 캐뉼라(laparoscopic cannulas or ports)들은 팽창가스에 의해 만들어지는 압력을 이용해서 복강 내로 복강경 기구들이 들어올 수 있도록 하는 역할을 한다. 캐뉼라들은 그 끝에 밸브나 봉합기구를 가진 구멍이 뚫린 튜브이며, 이산화탄소주입기와 연결되도록 설계되어 있다. 더 직경이 큰 캐뉼라(8-15 mm)는 어댑터나 특별한 밸브를 이용해서 복강내 압력의 소실 없이 더 작은 직경의 기구를 주입하도록 만들어졌다. Obturator는 직경은 작고 긴 기구로서 투관침을 통과해서 그 끝이 튀어나온다. 대부분의 obturator는 적절한 크기의 피부절개 후에 그 끝이 복강 벽을 뚫을 수 있도록 만들어졌다. 많은 일회용 트로카-캐뉼라(trocar-cannula) 구조는 안전한 방법으로 설계되었다. 일반적으로 압력에 민감한 스프링이 트로카를 잡아당기거나 복강벽을 뚫은 후에 끝을 둘러싸는 보호덮개를 가지고 있다. 이러한 보호장치들 중 어떤 것도 더 안전하게 삽입을 안전하게 하지 못하고 그들은 장비의 가격을 증가시켰다. 첫 번째 캐뉼라는 복강경 카메라가 들어갈 수 있도록 충분한 직경을 가지고 있어야 하며 배꼽의 아래 경계 또는 배꼽 안으로 삽입된다. 피부절개는 캐뉼라가 들어갈 수 있을 정도로만 되어야 한다. 그렇지 않으면 덮개 주위로 가스가 새어 나갈 수 있다. 첫 번째 투관침이 삽입되는 동안 환자는 앙와위 자세로 고정되어야 한다. 만약 유착이 절개부위 아래에 있는 것이 확인되면 이차 캐뉼라의 적절한 위치는 유착박리술을 할 수 있는 적절한 위치로 정하여 수술 기구의 삽입이 용이하게 해야 한다. 보조 캐뉼라들은 대부분의 진단적, 수술적 복강경수술에 필수적이다. 최근 사용되는 일회용 보조 캐뉼라들은 일차 캐뉼라를 삽입하기 위해 제작된 것과 동일하게 만들어졌다. 몇몇의 연구자들은 단일 포트를 통해서 여러 개의 캐뉼라를 삽입하는 구조를 평가하고 있다. 이 방법은 절개부위의 숫자를 줄임으로써 수술 후의 미용적 효과를 높일 수 있는 장점이 있다. 이러한 보조 캐뉼라의 적절한 위치는 복벽의 혈관분포에 따라 달라진다. 두 번째 구멍을 내기 위해 환자는 머리쪽을 아래로 내리고 복강 내 구조물들이 절개 부위로부터 떨어지도록 하여 두 번째 캐뉼라를 삽입한다. 보조 캐뉼라도 장이나 주요 혈관에 손상을 입힐 수 있기 때문에 항상 직접 보면서 삽입되어야 한다. 삽입하기 전에 방광은 요도관을 넣어 소변을 빼낸다. 삽입 부위는 수술 과정, 질병, 환자의 체형, 수술자의 선호도에 따라 달라진다. 성공적인 복강경수술을 위해서는 보조 캐뉼라의 위치가 가장 유용하면서 미용적으로 좋은 위치로 하복부의 중심선, 치골의 2-4 cm 상방이 적절하다. 보조 캐뉼라는 cul-de-sac에 접근하는 것이나 다른 보조 기구들의 움직임이 제한될 수 있기 때문에 치골에 너무 가까이서 삽입하는 것은 좋지 않다. 캐뉼라는 수술 과정에서 제자리에서 벗어나거나 미끄러질 수도 있다. 이러한 미끄러짐을 방지하기 위해 겉에 나삿니가 있거나 풍선을 끝에 두어 고정하는 방법 등 다양한 모양의 캐뉼라들이 만들어지고 있다. 캐뉼라를 하복부의 가쪽에 삽입하는 것은 수술적 복강경에 유용하지만 얕은 아래배벽혈관(superficial inferior epigastric vessels)이 손상되지 않도록 주의해야 한다. 또한 충수절제술의 피부절개나 탈장수술 등으로 인한 ilioinguinal nerve와 iliohypogastric nerve의 손상 가능성도 있다. 대부분의 여성은 복벽에 카메라를 비추면서(transillumination) 얕은 아래배벽혈관의 주행을 확인할 수 있다. 깊은 아래배벽 혈관(deep inferior epigastric vessel)들은 위치가 배곧은근집(rectus sheath) 깊은 곳에 위치하기 때문에 이러한 방법으로 확인할 수 없다. 보조 캐뉼라들을 배곧은근의 바깥쪽 경계에서 3-4 cm 떨어진 바깥쪽으로 위치시켜야 한다. 보조 캐뉼라들은 서로 너무 가깝게 위치시키지 않는 것이 좋다. 이런 경우 수술기구들이 서로 가려 접근성이나 기동성이 떨어질 수 있다. 이러한 투관침이나 케뉼라의 위치는 수술자마다 환자의 상태에 따라 결정하는 것을 권유한다(그림 14-3). 피부절개는 기구들이 피부를 통해 쉽게 들어갈 수 있도록 적절한 길이로 해야 한다. 기구의 직경이 1 cm라면 절개의 길이는 1 cm로 해서는 안 된다. 일반적으로 포트를 만들기 위해 캐뉼라의 바깥쪽 직경이 안쪽 직경보다 크다는 것을 알아야 한다. 몇 가지 예를 보면 기구에 2 mm 이상 추가적으로 직경이 더 있으므로 필요한 절개의 길이도 더 늘어난다.

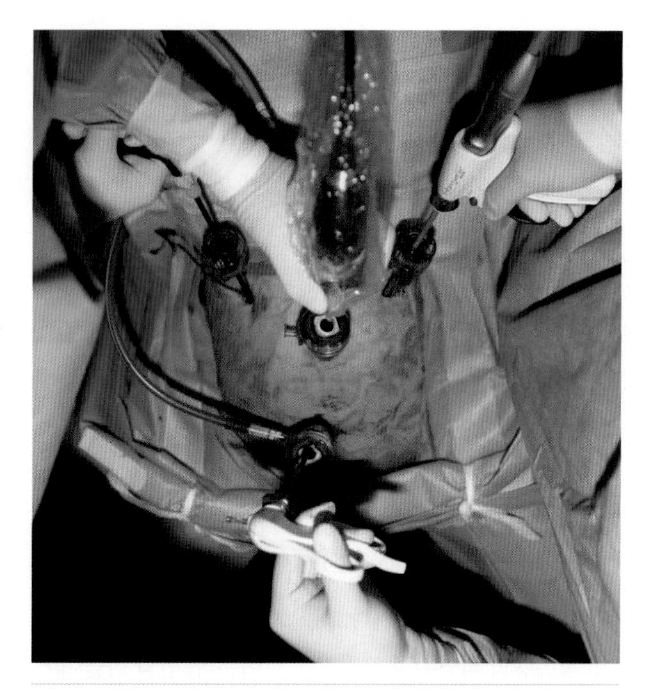

그림 14-3. Port-placement system

(4) 시각적 확인

① 복강경(laparoscope)

복강경수술을 하는 동안 영상은 optical system을 통해 전송된다. 비록 직접 보는 것이 더 정확하고 진단적 목적에는 필요하지만, 실제 모든 수술적 복강경 과정은 모두 비디오 영상을 통해 이루어진다. 복강경 카메라는 어둡고 막혀 있는 복강 내에 빛을 조사하고 수술부위의 영상을 제공하는 두 가지 역할을 한다. 빛은 일반적으로 차가운 광원이 복강경에 결합되어 있는 광섬유 케이블을 통해 전달되며 이것은 바깥쪽에 나란하게 위치하는 광섬유 다발들을 통해 빛이 망원경의 끝으로 전달되게 한다. 영상은 원위부에 있는 렌즈를 통해 얻어지며 막대 모양의 렌즈들의 연속적인 배열로 접안렌즈로 전달된다. 접안렌즈는 복벽 구조를 직접

보거나 디지털 비디오 카메라가 결합된 곳을 볼 수 있게 해준다. 몇 가지 복강경들은 영상을 광섬유에 밀도 있게 압축하여 전송함으로써 해상도는 떨어지지만 복강경의 유연성을 증가시키고 망원경의 직경을 작게 하거나 기구의 끝을 인공적으로 만들 수 있도록 하기도 한다. 다른 방법으로 흔히 "chip-on-a-stick"라 불리는 것이 있다. 이는 기구의 끝에 디지털 칩을 넣어서 카메라로서 기능을 하게하고 영상을 전송하기 위한 렌즈나 섬유들의 필요성을 없애는 것이다. 광학축과 나란하게 통합된 곧은 채널을 가진 복강경 카메라는 그 채널을 통해서 수술 기구들이 들어갈 수 있기 때문에 수술용 복강경(operating laparoscope)라고 불린다. 수술적 복강경은 상대적으로 일반 복강경보다 직경이 크며 시야가 더 좁고 단극 전기적 수술 기구들을 사용하기에 위험도가 증가할 수 있다. 보편적이고 시야만 볼 수 있는 복강경이 주어진 직경하에서 더 나은 시야를 제공한다. 일반적으로 복강경 카메라의 직경이 더 넓어지면 더 많은 빛과 더 넓은 렌즈로 인해 영상이 더 밝아지고 수술자가 보는 시야를 향상시킨다. 좁은 직경의 복강경은 일반적으로 복강 안팎으로 빛의 전달을 감소시킨다. 따라서 더 민감한 카메라와 적절한 밝기를 위해 더 강력한 광원을 조사시켜야 한다. 과거에는 이상적인 빛은 10 mm 진단적 복강경이 제공하는 빛이었지만 현재는 광학의 발달로 인해 많은 수술방에서 5 mm 직경의 복강경이 표준으로 사용된다. 시각은 복강경 카메라의 축에 대한 시야의 각도로서 일반적으로 수평선에 대해 0도에서 45도 범위에 있다. 0도 복강경 카메라가 부인과 수술의 표준이다. 30도 복강경 카메라는 복강경을 통한 천골 질고정술, 근종적출술과 근종이 더 큰 경우 전자궁적출술과 같은 수술에 사용되기도 한다.

② Imaging systems

비디오 카메라는 일반적으로 복강경의 접안렌즈에 붙어 있다. 이것은 영상을 찍고 수술 시야 밖에 존재하는 카메라의 몸체로 전달하며, 영상을 처리하여 모니터로 전송하며 필요한 경우에는 녹화장비로도 전송한다. 광학로가 없는 복강경을 삽입하는 경우, 복강경의 끝에 센서를 위치시키고 카메라를 먼 거리에 위치하도록 만들어야 한다. 모니터의 해상도는 최소한 카메라에서 제공하는 것과 동등해야 한다. HD 시스템이 1080 horizontal lines이 있는 것과 비교해 대부분의 모니터는 약 800 horizontal lines의 해상도를 갖으며, 4K 장비는 2160 lines까지 가능하다. 복강경으로 더 많은 빛이 전달되면 비디오의 시야는 더 나아진다. 가장 적절한 출력은 250-300 와트이며, 이는 제논이나 금속 할라이드 전구를 이용하여 얻는다. 대부분의 카메라는 요구되는 노출 정도에 따라서 자동적으로 다양한 빛을 낼 수 있는 광원들이 들어가 있다. 광도체나 케이블은 밀집된 광섬유 다발을 통해 광원으로부터 복강경까지 빛을 전달한다. 광섬유케이블은 시간이 지나면 기능이 없어지며 일반적으로는 조작을 잘못하여 섬유다발이 부러지며 이차적으로 기능을 잃는다.

③ Creation of a working space

복강은 유일한 잠재적 공간으로 공기를 안에 채워서 수술 환경을 만들어 주어야 하며 일반적으로 이산화탄소가 사용된다. 다른 접근 방법으로는 기계적으로 들어올려서 수술방 안의 공기가 복강 내로 들어가도록 할 수 있다. 이산화탄소는 주입기라고 불리는 기계를 통해 압력을 주어 복강 내로 주입된다. 주입기는 이산화탄소를 캐뉼라의 한쪽에 있는 접속기로 연결된 튜브를 통해 공기통에서 환자의 복강 내로 이동시킨다. 대부분의 주입기는 미리 측정된 복압을 유지할 수 있도록 세팅된다. 고속의 기류(분당 9-20 L)는 연기나 액체성분을 빨아들이면서 생기는 복강 내 가스의 부피 소실을 유지하기 위해 필요하다. 복벽견인기는 공기를 이용하거나 기계적으로 들어올리는 기계와 결합되어 텐트처럼 복강 내 공간을 만들어준다. 공기 없이 또는 등압기술은 기복에 비해 특히 심폐질환이 있는 환자들에서 몇 가지 장점을 갖는다. 밀폐된 캐뉼라는 필수는 아니며, 기구들을 모두 일정하며 좁고 원통형의 모양으로 만들 필요는 없다. 결론적으로 몇 가지 보편적인 기구들이 절개 부위를 통해 직접적으로 사용되는 것이다.

5) 단일공 복강경수술(Single-Port Laparoscopic Surgery)

단일공 복강경수술이란 복부에 여러 개의 구멍을 뚫고 시행하는 기존 복강경수술과는 달리 배꼽 또는 그 외의 부위에 1.5-2.0 cm 크기의 절개창 하나만을 내고 시행하는 복강경수술이다(그림 14-4). 1991년 미국의 Pelosi 등이 최초로 배꼽을 통한 단일공 복강경보조 질식자궁절제술 및 양측 부속기절제술을 보고하였으며(Pelosi et al., 1991), 2008년 김용욱 교수가 단일공 복강경 전자궁절제술을 최초로 시행하여 보고하였다(김용욱, 2009). 2009년에는 단일공 복강경 자궁근종절제술이 처음 보고되었고(Kim, 2009), 같은 해 자궁경부암 환자를 대상으로 단일공 복강경 근치자궁절제술 및 골반 림프절절제술이 국내 의료진에 의해 최초로 시행되었다(Hahn and Kim, 2010).

수술이 필요한 거의 모든 부인과 질환에서 단일공 복강경수술이 시행될 수 있으며, 특히 우리나라에서 활발히 행해지고 있다. 산부인과의 단일공 복강경보조 질식자궁절제술로부터 시작된 단일공 복강경수술은 외과 및 비뇨기과의 충수절제술, 담낭절제술, 대장절제술, 신장절제술 등의 수술에도 적용되어 시행되고 있다. 개복 수술에 비해 수술 부위 통증이 적고 회복이 빠른 기존 다공(multi-port) 복강경수술의 장점을 살리면서 수술 흉터를 최소화한 단일공 복강경수술이 행해지면서 환자의 만족도가 향상되었다.

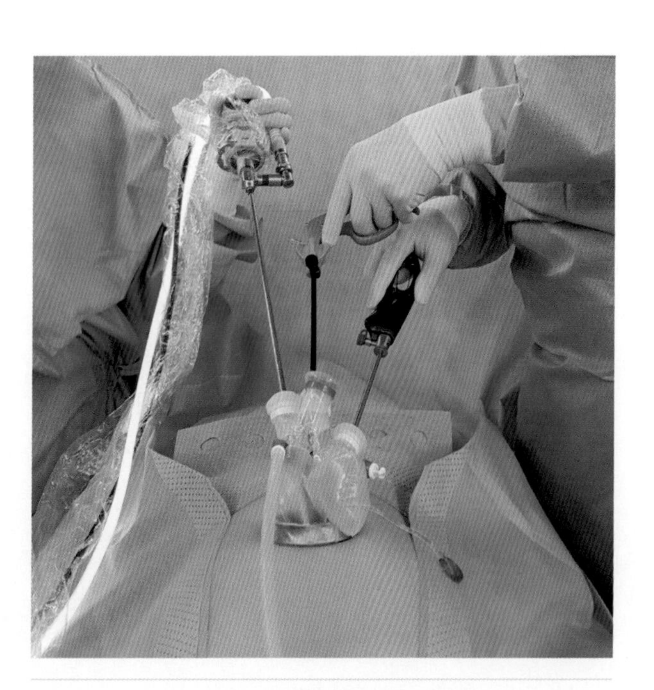

그림 14-4. **단일공 복강경수술 장면**

(1) 단일공 복강경수술의 특징

단일공 복강경수술은 배꼽이나 복벽의 한 곳만을 뚫고 수술을 시행하기 때문에 수술 흉터가 거의 보이지 않는 장점이 있다. 또한 기존 다공 복강경수술에 비해 배꼽의 절개창이 상대적으로 커서 배꼽을 통한 조직의 세절 및 배출이 용이하다. 그러나 수술 장기에 접근하는 통로가 하나뿐이므로 수술기구들의 부딪힘이 잦아 기구 조작이 어려운 단점이 있다. 기존 다공 복강경수술에 익숙한 수술자라도 단일공 복강경수술에 익숙해지기까지 어느 정도의 시간이 걸리며, 자궁절제술의 경우에 숙달되는 데 25-40건 정도가 필요하다고 보고되고 있다(Song et al., 2011; Paek et al., 2011). 단일공 복강경수술의 합병증은 기존 복강경수술의 합병증과 비슷하다. 전기소작에 의한 주위 장기의 화상, 배꼽 절개 부위를 통한 탈장, 장시간 쇄석위에 의한 신경손상 등의 합병증이 발생할 수 있다(Pontis et al., 2016).

(2) 장비 및 기구

단일공 복강경수술은 좁은 공간 안에 여러 수술기구들이 삽입된 상태에서 수술이 진행되기 때문에 수술기구들 간의 충돌 등으로 조작이 어려운 문제가 있다. 따라서 단일공 복강경수술을 시행할 때 다음과 같은 장비와 기구를 사용하여 수술의 편의성을 높일 수 있다.

① 복강경(laparoscope)

단일공 복강경수술에서도 기존의 복강경수술에서 사용하는 경직성 복강경을 사용할 수 있으며, 수술자의 선호도와 경험에 따라 직경 5 mm, 10 mm, 각도 0도, 30도, 45도 등의 다양한 복강경 중에서 선택할 수 있다. 복강경의 굵기가 굵을수록 수술 시야가 더 선명해지는 장점이 있지만, 한정된 공간 안에 여러 기구를 동시에 넣어 사용하는 단일공 수술의 경우 굵기가 가는 복강경이 다른 기구와의 충돌을 줄일 수 있다. 또한, 수술자의 경험과 편의에 따라 기존의 경직성 복강경 대신 꺾이는 관절을 갖는 복강경을 사용하여 충돌을 줄일 수 있다(그림 14-5).

② 단일공 복강경수술용 포트

하나의 포트에 여러 수술기구들을 삽입할 수 있게 만들어진 다양한 종류의 단일공 복강경수술용 포트가 사용되고 있다(그림 14-6). 수술자의 경험과 편의에 따라 적절한 포트를 선택하여 사용한다.

③ 단일공 복강경수술에서 사용되는 다양한 장비 및 기구들

기존 복강경수술에 사용되는 대부분의 장비와 기구들을 단일공 복강경수술에서 사용할 수 있다. 경직성 수술기구들을 단일공 복강경수술에 사용하는 데 익숙한 수술자의 경우에는 경직성 기구들만으로도 대부분의 부인과 수술을 무리 없이 시행할 수 있다. 단일공 복강경수술은 수술기구들이 나란하게 위치하여 삼각망(triangulation) 형성이 어렵다. 따라서 수술자의 손과 손의 충돌과 복강 내 기구들의 충돌이 잦다. 이러한 문제는 수술자의 경험과 관절을 갖는 수술기구들의 활용으로 극복이 가능하며 기존 복강경수술과 유사한 정도의 수술 범위와 안전성을 가질 수 있다(Gill et al., 2010; Song et al., 2013). 현재 관절을 갖거나 구부러진 기구들이 다양하게 개발되어 단일공 복강경수술의 어려움을 극복하는 데 도움을 주고 있다(그림 14-7). 또한 수술기구들이 하나의 채널을 통해 복강 내에 들어가 펼쳐지는 SPIDER(Single Port Instrument Delivery Extended Reach) 수술 시스템도 개발되었다(Kim et al., 2013)(그림 14-8).

(3) 수술 준비 및 방법

① 수술방의 구성

수술방의 구성은 기존 복강경수술과 동일하며 수술자의 경험과 편의에 따라 수술 장비를 배치하고 준비한다.

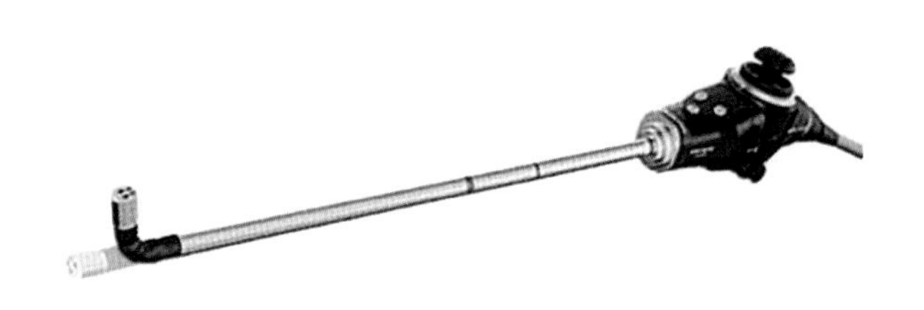

그림 14-5. **끝부분이 휘어지는 복강경**

그림 14-7. **관절을 갖는 기구와 구부러진 기구**

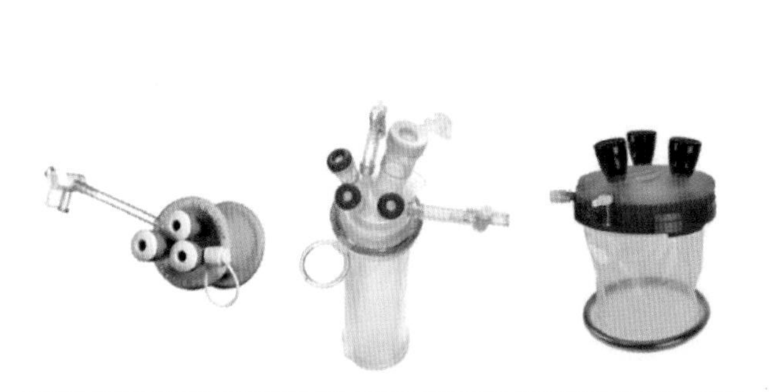

그림 14-6. **다양한 단일공 복강경수술용 다채널 포트들**

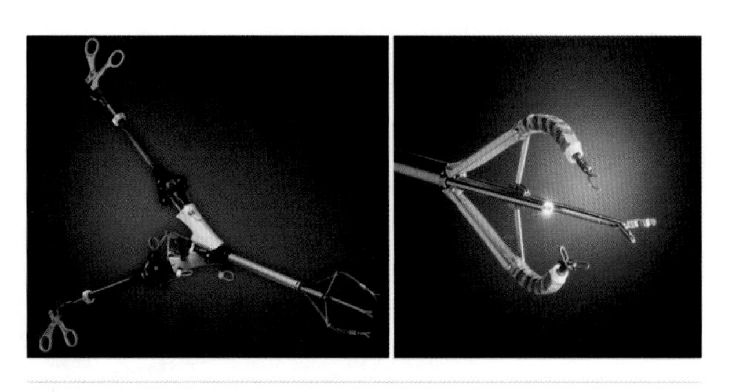

그림 14-8. **SPIDER (Single Port Instrument Delivery Extended Reach) 수술 시스템**

② 환자의 자세

부인과 단일공 복강경수술의 기본적인 환자 자세는 기존 복강경수술처럼 환자의 무릎을 구부리고 넓적다리를 벌리는 쇄석위이다. 골반 부위의 시야 확보를 위해 포트가 삽입된 후 환자의 머리 쪽을 낮추어 복강 내 장기를 몸의 상부로 이동시킨다. 환자가 성경험이 없거나 자궁이 없는 경우 등으로 자궁거상기를 질을 통해 삽입하지 않을 때에는 쇄석위 대신 앙와위 자세를 취한다. 이때에도 포트 삽입 후 환자 머리 쪽을 낮춘 트렌델렌버그 자세를 취하여 시야를 확보한다. 단일공 복강경수술은 기존 다공 복강경수술 시의 하복부 포트보다 배꼽의 포트에 기구들을 삽입하기 때문에 기존 복강경수술보다 환자 몸의 상부에 수술자가 위치하게 된다. 따라서 환자의 양팔을 옆으로 벌리지 않고 되도록 환자의 몸에 붙이는 자세를 취하면 수술자가 환자의 팔에 방해받지 않고 수술을 진행할 수 있다(그림 14-9). 수술자는 환자의 좌측이나 우측에 서서 수술기구를 조작한다. 보조자는 일반적으로 술자의 반대편에 서서 복강경을 조작하고 또 다른 보조자는 환자 양측 다리 사이에서 자궁거상기를 조작한다.

③ 복강 내 진입 및 포트와 기구의 삽입

기존 다공 복강경수술에서는 복강 내 진입 방법으로 개복법(Hasson technique) 혹은 폐쇄법(preinsufflation, direct entry)이 수술자의 편의에 따라 사용되는데 단일공 복강경수술의 경우에는 개복법이 사용되며 배꼽 중앙을 1.5-2.0 cm 절개하여 복강 내로 진입한다. 일반적인 방법으로 먼저 수술자와 보조자가 손가락이나 기구(towel clip, Allis clamp)를 이용하여 배꼽 좌우 옆의 복벽을 잡는다. 그 후 복벽을 들어 올리면서 배꼽의 피부를 몸의 장축 방향으로 1.5-2.0 cm 절개한다. 미용적인 만족도를 높이기 위해 되도록 배꼽 바깥으로 절개가 연장되지 않도록 한다. 피부 절개 후 근막과 복막을 절개하여 복강 내로의 통로를 만든 후 포트를 끼운다. 그 후 복강경을 삽입하는데 가늘고(직경 5 mm) 끝이 각이 진(30° 등) 복강경을 삽입하면 다른 수술기구와의 충돌을 줄일 수 있다. 수술자의 경험과 편의에 따라 견고성 기구 또는 관절을 갖는 기구를 사용한다. 단일공 복강경수술은 동일한 통로를 통해 복강 내 가스의 주입과 배출이 이뤄지기 때문에 기존 복강경수술에 비해 수술 중 발생하는 연기를 제거하는 데 더 많은 시간이 소요된다.

④ 포트 제거 및 봉합

배꼽으로부터 포트를 제거한 후 배꼽 절개 부위를 봉합한다. 근막을 봉합할 때 굵은 봉합사로 봉합하는 것이 배꼽 부위 탈장을 예방하는 데 도움이 된다. 피부는 봉합사 또는 피부 접착제로 봉합한다. 수술 후 복강 내 출혈에 대비하거나 고인 액체를 배출하기 위해 배액관을 삽입할 수 있다. 배액관은 복강 내에 고여 있는 혈액에 의한 유착을 예방하는 데에도 도움이 된다. 배꼽의 포트를 통하여 배액관을 삽입하고, 삽입 된 배액관을 피부 봉합 시 봉합사 등으로 고정한다(Kim et al., 2010)(그림 14-10). 배꼽이 아닌 복벽 부위를 추가로 뚫고 배액관을 삽입할 수도 있다.

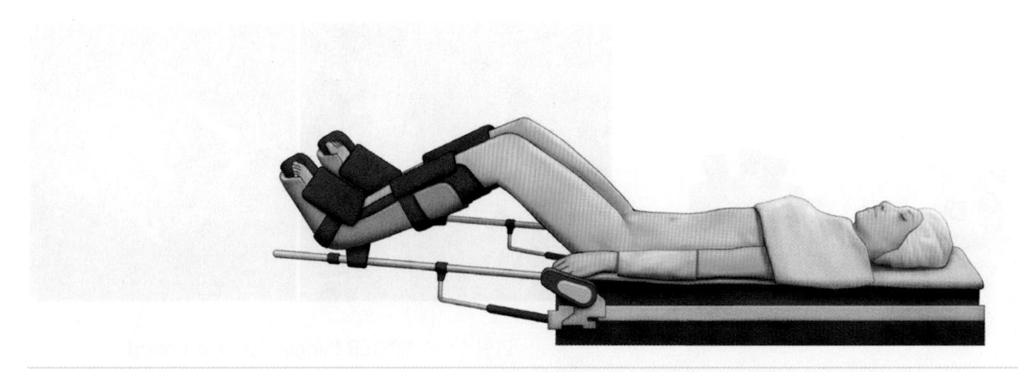

그림 14-9. **단일공 복강경수술 시 양팔을 몸에 붙여 고정한 자세**

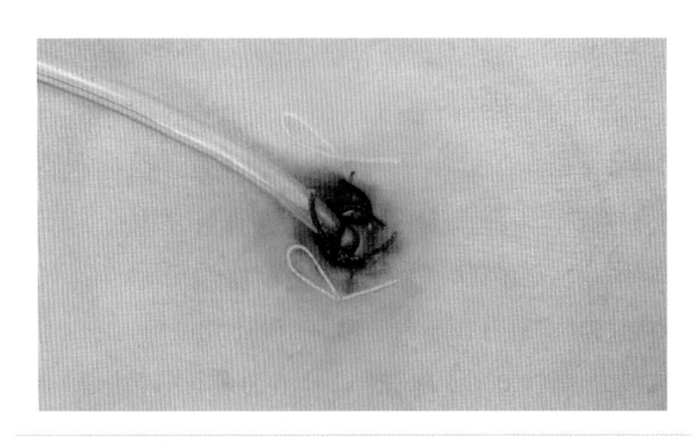

그림 14-10. 단일공 복강경수술 후 배액관 삽입 상태

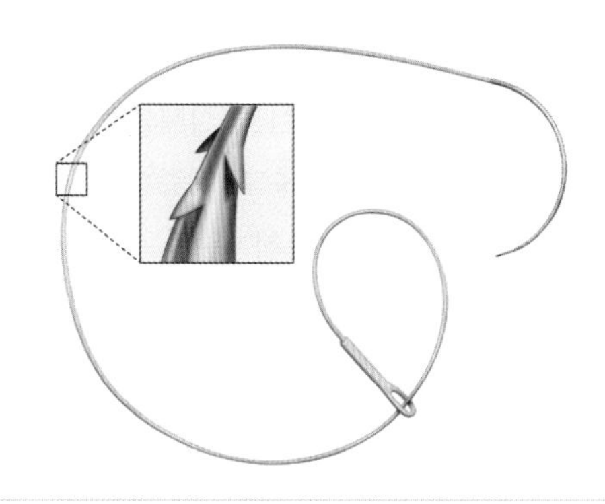

그림 14-11. 미늘봉합사

(4) 부인과 단일공 복강경수술: 양성 및 악성 질환

① 단일공 복강경 자궁부속기수술

양성 부속기종양은 복강경수술과 같은 최소침습수술이 권장되며 출산을 완료하지 않은 폐경 전 여성을 수술할 때에는 가임력 보존에 세심한 주의를 기울여야 한다. 자궁부속기 수술 종류로는 난관난소절제술, 난소낭종절제술, 난관절제술 등이 있다. 난소낭종절제술은 난소낭종의 바깥층을 절개하고 난소낭종을 박리하는 과정이 있어 다른 부속기수술에 비해 수술 난이도가 높다. 더욱이 단일공 복강경 난소낭종절제술은 기구의 충돌로 인해 높은 숙련도를 요구한다. 난소낭종을 박리한 후에 남게 되는 정상 난소조직을 지혈할 때에는 전기소작을 최소로 하면서 지혈제를 사용하거나 봉합하는 것이 난소 기능의 감소를 줄일 수 있다. 단일공 복강경수술이 기존 복강경수술에 비해 배꼽 절개창이 더 크기 때문에 배꼽을 통해 절제된 조직을 꺼내기가 더 용이하다. 이때 조직을 되도록 수술용 주머니에 넣어 수술칼로 절단하면서 꺼낸다. 악성 난소종양의 경우에도 조직을 수술용 주머니에 넣은 후 배꼽 통로로 꺼내면 수술 시 발생할 수 있는 복강 내 암 파종을 예방할 수 있다.

② 단일공 복강경 자궁절제술

단일공 복강경 자궁절제술도 기존 다공 복강경 자궁절제술처럼 복강경 전자궁절제술과 복강경수술로 보조적인 절제를 하고 질을 통해 자궁을 절제하는 복강경보조 질식자궁절제술로 나뉠 수 있다. 단일공 복강경 전자궁절제술은 절단된 질 상단부의 봉합을 포함한 모든 자궁절제술 술식을 질을 통하지 않고 배꼽의 포트를 통해서만 진행한다. 배꼽 포트를 통한 질 봉합에 익숙하지 않을 때에는 질을 통하여 봉합할 수도 있으나 엄밀한 의미의 복강경 전자궁절제술은 복벽의 포트를 통하여 봉합해야 한다.

매듭결찰을 하지 않아도 실에 있는 돌기(barb)에 의해 봉합이 풀리지 않는 미늘봉합사(barbed suture material)를 사용하면 좀 더 쉽게 질을 봉합을 할 수 있다(Zhang et al., 2016)(그림 14-11). 2018년 5월에 캐나다 연방보건부에서 미늘봉합사로 인해 장폐색이 생기는 합병증(Lee and Wong, 2015)과 관련하여 의료인 및 환자를 대상으로 권고사항을 발표하였고, 우리나라 식품의약품안전처에서도 2018년 6월 권고사항을 발표하였다. 미늘봉합사로 봉합할 때에는 미늘봉합사로 인한 합병증을 예방하기 위해 잘린 미늘봉합사 끝부분의 복강 내 노출에 주의를 기울여야 한다. 미늘봉합사가 노출되는 것을 막기 위해 유착방지제 또는 출혈방지제를 봉합 부위에 부착하기도 하지만 장폐색을 방지할 수 있는지가 명확하게 증명되지 않았기 때문에 미늘봉합사를 사용할 때에는 유념해야 한다.

③ 단일공 복강경 자궁근종절제술

자궁근종은 여성에서 발생하는 양성종양 중 가장 흔하며 자궁근종에 대한 치료로서 자궁절제술과 더불어 자궁근종절제술이 시행되고 있다. 자궁근종절제술 방식 중 복강경 자궁근종절제술이 개복 자궁근종절제술에 비해 출혈량이 적으며, 입원기간이 짧고, 수술 후 통증이 적다(Jin et al., 2009). 단일공 복강경 자궁근종절제술은 이러한 복강경수술의 장점을 살림과 동시에 수술 흉터를 최소화하여 미용적인 효과를 극대화하였다. 경직성 기구들만으로도 단일공 복강경 자궁근종절제술을 무리 없이 시행하는 것이 가능하다. 그러나 기구들이 하나의 통로만을 통해 복강 내로 삽입되기 때문에 기구들이 평행으로 움직이고 기구들의 충돌이 잦아 경직성 기구들 사용에 익숙해져야 한다. 관절형 기구를 사용하게 되면 여러 개의 포트를 통하여 수술하는 것과 유사한 삼각망이 형성되어 기구들의 충돌이 줄어든다.

단일공 복강경수술의 순서와 방법은 기존 복강경수술과 거의 같다. 자궁근층을 절개하여 노출된 자궁근종을 자궁으로부터 분리한다. 그 후 자궁근층을 단층 또는 여러 층으로 봉합한다. 단일공 복강경 자궁근종절제술을 시행할 때 어려운 술기 중의 하나가 봉합과 매듭결찰(knot tying)이다. 매듭결찰은 체외매듭결찰과 체내매듭결찰로 나뉘는데 체내매듭결찰을 할 때 관절형 기구를 사용하면 이중 매듭결찰(double tying)도 용이하다(Lee et al., 2014)(그림 14-12). 또한 봉합의 편의를 위해 미늘봉합사가 사용되는데 매듭결찰을 하지 않고도 봉합할 수 있어 수술 시간이 단축된다. 단일공 복강경수술에서는 복강 내 장기의 굴곡면을 이용하여 바늘을 잡는 각도를 조절하고 자궁거상기를 이용하여 자궁 위치를 조절하면 좀 더 쉽게 봉합할 수 있다.

자궁근층을 봉합한 후 자궁으로부터 분리된 자궁근종을 복강 밖으로 꺼낸다. 자궁근종을 수술용 주머니에 넣어 수술칼로 세절하면서 배꼽을 통해 꺼내면 자궁근종 조각을 복강 내에 남기지 않고 꺼낼 수 있다(Kim et al., 2010)(그림 14-13). 단일공 복강경수술이 기존 복강경수술에 비해 배꼽의 절개창이 크기 때문에 수술칼을 사용한 조직세절과 배출이 용이하다. 기존 다공 복강경수술에서 사용하는 전동식 세절기(electromechanical morcellator)를 단일공 복강경수술에서도 사용 가능하다(Kim et al., 2010). 전동식 세절기를 사용하게 되면 세절기의 날이 잘 보이도록 시야를 확보해야 하며 자궁근종 조직이 복강 내에 퍼지지 않도록 주의해야 한다.

④ 단일공 복강경수술에서의 세절술(morcellation)

최초의 복강경 세절기(laparoscopic morcellator)는 1995년에 미국 식품의약국(Food and Drug Administration) 승인을 받았고 전동식 세절기는 1990년대 말에 등장하였다. 전동식 세절기를 사용하면 피부 절개를 확대하지 않고도 효과적으로 자궁근종을 체외로 빼낼 수 있다. 그러나 2014년에 미국 식품의약국이 전동식 세절기를 사용할 때 잠재암(occult cancer) 세포가 복강 내에 퍼질 위험이 있

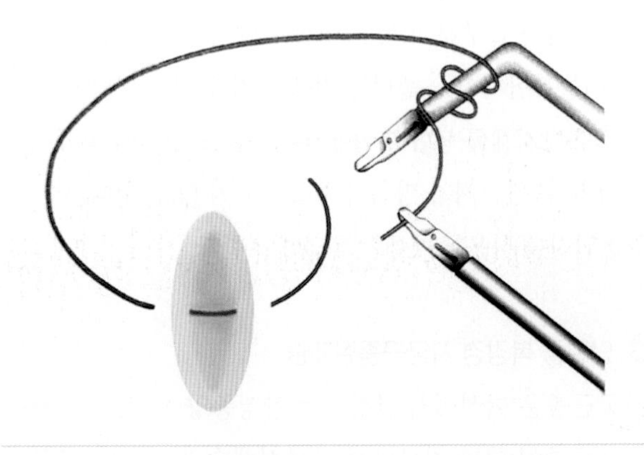

그림 14-12. **관절형 기구를 이용한 매듭결찰**

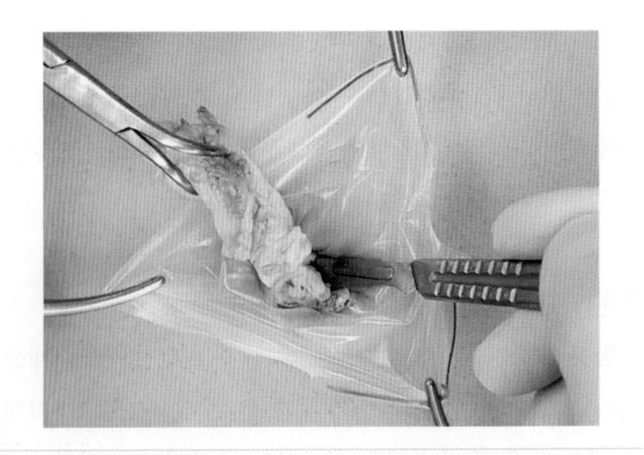

그림 14-13. **수술칼을 사용하여 배꼽 절개창을 통한 조직 배출**

기 때문에 자궁근종절제술을 시행할 때 전동식 세절기를 사용하지 말 것을 권고한 이후 논란이 되고 있다. 자궁육종은 미국에서 10만 명의 여성 가운데 0.9 내지 4.7명의 발생을 보이며, 자궁에 발생하는 악성종양의 3%를 차지하는 드문 질환이고 특히 가임기 여성에서는 더욱 드물게 발생한다(Cho et al., 2016). 따라서 수술 전 환자에게 전동식 세절기를 사용할 때의 문제점을 알려 사전동의(informed consent)를 받고 근종 조직이 복강 내에 퍼지지 않도록 주의하면서 체외로 꺼내면 큰 문제가 되지 않을 수 있다. 또한 다공 복강경수술 시 변형된 수술용 주머니에 조직을 넣어 전동식 세절기를 사용하여 꺼낼 수도 있다(Paul et al., 2016)(그림 14-14).

단일공 복강경수술에서 수술용 주머니에 조직을 넣어 꺼내는 방법으로 다음과 같은 방법들이 있다. 첫째, 수술용 주머니 안에 조직을 담고 배꼽의 단일공 포트 삽입 부분을 통해 수술칼을 사용하여 세절하여 꺼낸다(Kim et al., 2010)(그림 14-13). 둘째, 자궁절제술 시 절단된 자궁을 수술용 주머니에 넣어 질절개술(colpotomy) 자리를 통해 수술칼로 세절하여 꺼낸다. 셋째, 자궁을 절제하지 않을 경우 자궁근종, 난소낭종 등의 조직을 수술용 주머니에 넣어 직장자궁오목절개술(culdotomy) 자리를 통해 수술칼로 세절하여 꺼낸다(그림 14-15). 넷째, 단일공 복강경수술에서도 전동식 세절기의 사용이 가능하며(Kim et al., 2010) 조직을 수술용 주머니에 담아 전동식 세절기로 세절하여 꺼낸다(Won et al., 2018).

⑤ 단일공 복강경 근치자궁절제술 및 림프절절제술

단일공 복강경 근치자궁절제술 및 림프절절제술의 수술 방법은 기존 다공 복강경수술과 비슷하지만 술식이 양성 질환의 수술보다 어렵고 수술기구들 간의 충돌을 피하면서 수술을 진행해야 하기 때문에 단일공 복강경수술에 대한 많은 경험을 요한다. 경직성 기구들만으로도 수술을 시행하는 것이 가능하며 수술 부위 주변 장기들을 젖히기 위해 배꼽의 포트에 추가로 수술기구를 삽입할 필요가 있는 경우가 있다. 특히 대동맥 림프절절제술을 시행하는 경우 후복막강의 시야 확보를 위해 추가로 수술기구를 삽입할 필요가 있을 수 있고, 많은 기구들이 삽입됨에 따라 기구들 간의 충돌이 더 잦을 수 있다. 반면에 절제된 림프절 조직 등을 다공 복강경수술에 비해 상대적으로 큰 배꼽 절개창을 통해 쉽게 꺼낼 수 있는 장점이 있다.

(5) 단일공 로봇수술(single-port robotic surgery)

단일공 복강경수술의 발전과 더불어 단일공 로봇수술이 시작되었다. 2009년 Kaouk 등이 최초로 단일공 로봇 전립선 절제술과 신장절제술을 보고하였으며(Kaouk et al., 2009) 산부인과 영역에서는 단일공 로봇 전자궁절제술이 같은 해

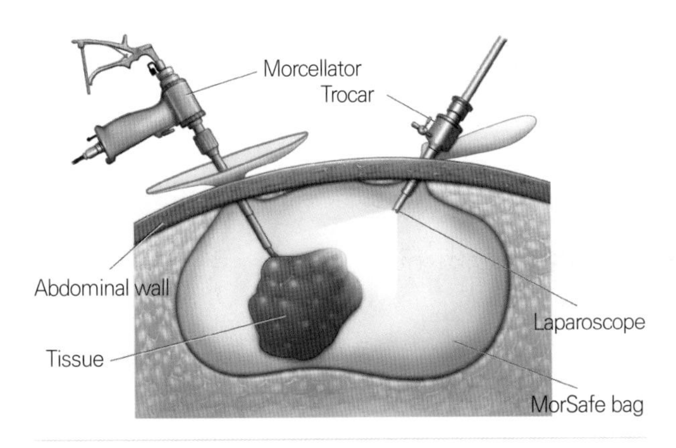

그림 14-14. 수술용 주머니 안에서의 전동식 세절기 사용 모식도

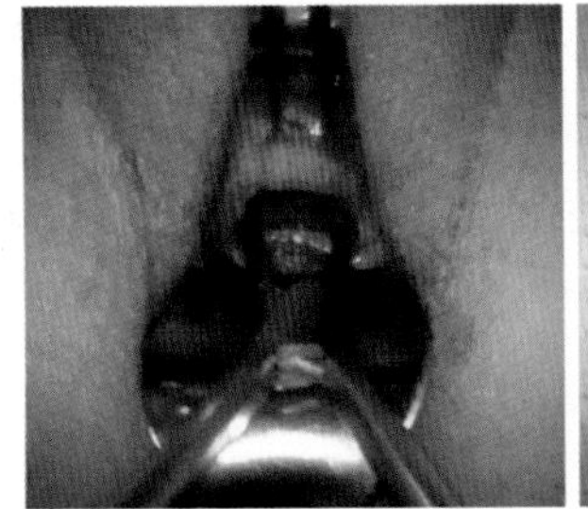
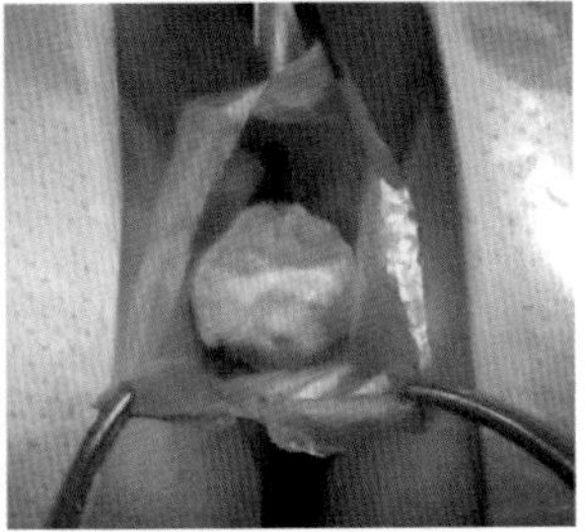

그림 14-15. 직장자궁오목절개술 후 질을 통한 조직(난소난종) 배출

최초로 보고되었다(Fader and Escobar, 2009). 이후 국내에서도 2010년 단일공 로봇 전자궁절제술이 처음 시행되었다(Nam et al., 2011). 단일공 로봇수술의 가장 큰 장점으로는 미용적 만족도가 높다는 것이며 단점으로는 절개 하나만을 통하여 수술하기 때문에 기구들 간의 충돌이 잦고 수술 범위의 제한이 있다는 것이다. 그러나 단일공 복강경수술에 비하면 삼각망 형성이 쉬우며 기구들의 움직임이 좀 더 자유롭다. 배꼽 절개 부위에 하나의 관(cannula)만을 삽입하고 복강경과 수술기구들이 그 관을 통과한 후 복강 내에서 펼쳐지는 '다빈치 SP 로봇수술 시스템' 또한 개발되어 사용되고 있으며, 이 시스템은 기구들 간의 충돌 없이 복잡한 수술을 시행할 수 있게 한다.

(6) 자연개구부 내시경수술

몸에 자연스럽게 존재하는 입, 항문, 질, 요도 등을 자연개구부라고 일컫는다. 자연개구부 내시경수술(natural orifice transluminal endoscopic surgery, NOTES)이란 자연개구부들 중의 하나에 내시경을 삽입하여 내부 장기의 병변을 치료하는 수술을 의미한다(Flora et al., 2008). 배꼽을 통한 단일공 복강경수술은 배아 자연개구부 내시경수술(embryonic NOTES, E-NOTES)로 불릴 수 있으며 자연개구부 내시경수술의 일종으로 볼 수 있다. 또한 자연개구부 내시경수술 중 절개 하나만으로 시행하는 수술들은 넓은 의미의 단일공 복강경수술 범주에 포함될 수 있다. 입이나 항문에 내시경을 삽입한 후 위나 대장의 절개창을 통하여 복강 내 병변을 치료하는 자연개구부 내시경수술은 절개 부위의 봉합이 어렵고, 봉합된 부위가 열렸을 때 위나 대장의 내용물이 복강 내로 누출되는 심각한 합병증의 위험이 있어 거의 시행되지 않고 있다. 질을 통한 자연개구부 내시경수술(transvaginal NOTES, vNOTES)은 질 절개 부위를 통해 내시경과 수술기구들을 복강 내에 삽입하여 시행하는 수술이다. 자궁이나 자궁부속기를 수술할 때 주로 시행한다(Lee et al., 2012; Ahn et al., 2012).

2. 자궁경술(Hysteroscopy)

자궁경술은 1869년 Pantalioni가 직경 11 mm의 자궁경을 이용하여 자궁내막용종의 제거에 성공한 이후, 1970년대에 들어서 광원, 내시경 광학 시스템, 확장매체 및 수술기구 등의 발달로 대중화되었다. 자궁경술은 자궁을 적출하기보다는 보존하기 위한 최소침습수술로 자궁강 내에서 효과적인 수술을 시행하기 위해서는 자궁경과 자궁경 덮개, 광케이블과 빛 전달 시스템, 카메라 시스템, 자궁확장매체와 전달시스템, 보조기구, 절제경 등이 필요하며, 자궁 내강을 잘 관찰하기 위해서는 이러한 기구들이 자궁의 해부학적 특성에 맞도록 고안되어야 한다. 자궁경술은 자궁내강의 국소적인 병변을 확인하고, 병변의 중증도를 평가할 수 있는 동시에 치료적 시술이 가능하여, 현재 기능장애성 자궁출혈(dysfunctional uterine bleeding), 용종(polyp), 자궁근종(uterine myoma), 중격자궁(septate uterus), 자궁내유착(intrauterine adhesion)의 진단 및 치료에 널리 사용이 되고 있으며 자궁내막의 조직검사, 자궁내장치 또는 이물의 제거, 불임검사에도 유용하게 사용된다.

1) 장비 및 기구

(1) 자궁경과 자궁경 덮개

자궁경(그림 14-16)은 외부 덮개를 통해 자궁강 내로 들어가며 이 덮개를 통해 자궁경 기구들과 자궁확장 매체가 들어간다. 진단용 자궁경 덮개는 이산화탄소 가스가 새지 않도록 자궁경에 꼭 맞게 설계되어 있고 직경은 3.5-5 mm이다.

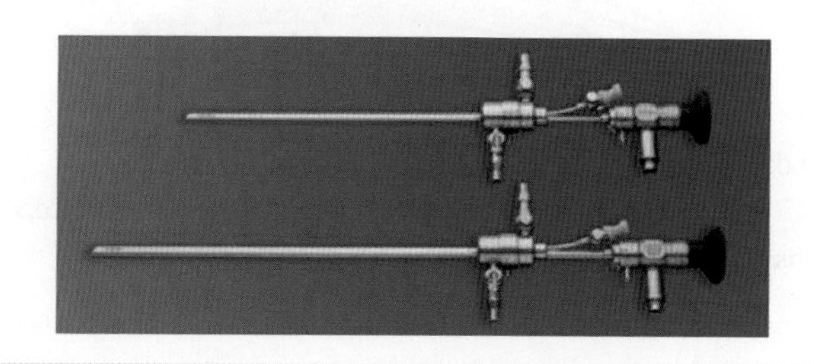

그림 14-16. 자궁경(hysteroscopes)

수술용 자궁 덮개는 직경이 8.5 mm이고 사용 시 자궁경부 개대가 필요하며 4.5 mm 통로에는 자궁경이 들어가고 다른 통로를 통해서는 자궁확장매체가 들어가며, 2.5 mm 통로를 통하여 자궁확장매체와 조직 파편이 배출된다.

자궁경은 대안렌즈, 스테인레스 스틸로 이루어진 통, 대물렌즈의 세 부분으로 구성되고, 대부분의 렌즈는 60-90도의 광각 시야가 가능하다. 대물렌즈가 내시경의 장축 정중앙에 위치하면 0도 scope이고 자궁경이 회전하여도 상은 변하지 않아 방향감각을 유지하기에 가장 좋다. 그러나 대물렌즈가 자궁경의 장축에 대하여 비스듬히 12도, 25도 30도로 경사를 이루면 회전에 의하여 확장된 시야를 얻게 됨으로써 기기 주변부에 위치한 자궁강 내 병변을 관찰함에 있어 있어 더 넓은 시야가 확보할 수 있다. 대안렌즈는 자궁경에 하나 밖에 없으므로 깊이의 측정은 불가하고, 초점이 무한대로 설정되어 있어 대안렌즈와 병변의 거리에 따라 영상의 크기가 확대 혹은 축소되기 때문에 병변의 크기를 측정하는 것은 불가능하다.

자궁경에는 기본적으로 강직형과 굴곡형이 있다. 강직 자궁경은 수술적 자궁경의 가장 흔한 형태로 광학 기계를 포함하고 있어 단독으로 사용이 불가능하고 확장매체를 통과시키기 위한 외부 덮개가 필요하다. 0도에서 30도까지의 다양한 각도와 크기를 가지고 있으며 광각 시야기능이 있고 선명도가 우수하다. 굴곡 자궁경은 광섬유를 이용한 자궁경으로 보통 진단 목적으로 사용하나 직경이 큰 제품의 경우 수술적 사용이 가능하다. 90도에서 100도 사이의 시야를 확보할 수 있고 내시경의 끝을 굽힐 수 있는 바가 손잡이에 부착되어 있어 기구로부터 최대 90도에서 110도까지 위, 아래로 굽히는 것이 가능하지만 선명도가 떨어진다. 이외에 광각 시야(panoramic view)나 접근된 영상을 얻을 수 있는 다목적 자궁경, 대안렌즈를 바꾸어 150배의 확대된 영상을 얻음으로써 생체 내 세포조직검사를 할 수 있는 미세 질확대 자궁경 등이 있다.

(2) 광케이블과 빛 전달시스템

광케이블은 광원으로부터 자궁경으로 빛을 전달하는 역할을 하며, 섬유성광학 광케이블과 유체 광케이블이 있다. 섬유성광학 광케이블의 길이는 180 cm 정도가 적당하며 소독은 EO gas를 사용한다. 유체 광케이블은 유동성 매개체를 이용하여 더 많은 양의 빛을 전달할 수 있으나 유연성이 떨어지며, 소독은 glutaraldehyde (Cidex®) 용액으로 한다. 빛의 전달을 위하여 굴곡내시경에는 50 와트 할로겐이 충분하지만 자궁내강이 적색이며 적색은 빛을 흡수하기 때문에 자궁출혈이 있는 환자에서는 250와트의 텅스텐 할로겐 램프가 사용되며, 그 외 자궁경을 이용한 수술에는 300와트 제논 램프가 주로 사용된다.

(3) 카메라 시스템(그림 14-17)

자궁경술에 사용되는 카메라는 복강경에 사용되는 것과 동일하다. 카메라의 헤드 부분은 자궁경의 대안렌즈 부위에 부착되고 케이블에 의해 비디오 조절기에 연결된다. 자궁경술 중 좁은 자궁강 내에서 미세한 카메라의 위치 변화가 큰 폭의 시야 변화로 나타나기 때문에 시술자가 방향 감각

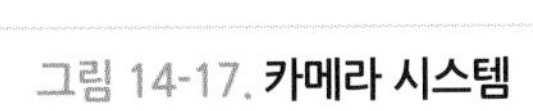
그림 14-17. **카메라 시스템**

그림 14-18. **자궁확장매체 전달시스템**

을 잃지 않도록 카메라의 헤드가 고정된 자세로 있는 것이 매우 중요하다. 모니터를 사용하여 수술함으로써 선명한 이미지를 제공받아 시술자의 피로도를 줄이고 보조자의 도움을 쉽게 얻을 수 있다.

(4) 자궁확장매체와 전달시스템

자궁경술에서 자궁확장매체 전달시스템(그림 14-18)과 자궁내 압력 조절은 매우 중요하다. 자궁내강의 압력은 적어도 30 mmHg의 압력을 유지하여야 자궁내강의 전, 후벽의 분리가 이루어질 수 있으며, 자궁경수술을 위해서는 더 높은 압력이 필요하기 때문에 자궁확장매체를 사용하는 자궁내막강의 확장이 필요하다.

이산화탄소는 공기와 굴절률이 동일하여 수술 시야확보가 용이하여 진단적 목적의 시술에서 자궁내강 확장제로 많이 사용되지만 혈액 및 찌꺼기의 배출이 용이하지 않아 치료의 목적이나 출혈이 있을 때는 부적절하다. 이산화탄소 사용 시에는 색전증을 막기 위하여 유입량이 미리 고정된 형태의 가스 주입기가 바람직하며 자궁확장매체의 주입량과 배출량을 측정하여 혈관 혈액 내 유입을 줄여야 하며, 자궁내강 압력을 100 mmHg 이하로 유지하여야 한다. Matty (2002) 등은 가스 유입량이 50 mL/min 이면 체온에서 1분 이내에 용해될 수 있으므로 25-35 mL/min으로 맞추고, 자궁 내압을 70-80 mmHg로 유지할 것을 권고하였다.

덱스트란 70은 굴절률이 공기와 거의 유사하며 점도가 높아 혈액과 섞이지 않아 출혈 시에 사용할 경우 수술 시야 확보에 좋다. 단점으로는 과민반응, 수액 과부하 및 전해질 불균형, 자궁경에 엉겨 붙는 성질 등이 있다.

저점성 용액으로는, 전해질 불균형을 일으키지 않는 전해질을 포함하는 용액(생리식염수, 1/2 생리식염수와 5% 포도당 혼합액, 유산 링거 용액)과 전해질 불균형을 일으킬 수 있는 전해질을 포함하지 않는 용액(1.5% 글리신, 3% 솔비톨, 5% 만니톨, 5% 포도당)이 있다. 저점성 용액은 혈액량과다증, 저나트륨혈증, 삼투압 저하증이 유발될 수 있으므로 주입량과 유출량의 세심한 감시가 필요하다.

자궁경술에서 자궁내강을 확장하기 전에 내강의 찌꺼기를 제거하기 위하여 삽입된 카테터로 관류를 하여 관류액이 맑아질 때 카테터를 막아 자궁내강을 확장하는 방법이 있고, 일정한 압력으로 지속적으로 관류를 하는 방법이 있다. 자궁경술 시 자궁내강의 지속적인 팽창과 발생한 혈액의 제거가 동시에 필요한데, 정수압을 위해 자궁확장매체를 포함한 용기를 자궁 위로 1.0-1.5 m 높여서 70-100 mmHg의 압력을 얻을 수 있고, 압력계를 사용하여 인위적으로 자궁내압을 높일 수 있다.

지속적 자궁팽창기는 자궁 내의 압력을 최고 200 mmHg 정도, 액체주입속도는 최고 400 mL/min로 적절히 조절할 수 있는 장치가 개발되었다. 그러나 자궁경술 시에는 항상 자궁확장매체가 혈관을 통해 과다하게 흡수되는 합병증이 발생할 수 있다.

(5) 보조 기구

자궁경술을 위해서는 가위, 생검 겸자, 파악 겸자, 응고용 전극, 흡입 카테터 등 많은 종류의 보조 기구들이 필요하며, 이러한 보조 기구들은 길이가 길고 튼튼하지 못하여 조심스럽게 다루어야 한다. 보조 기구들은 굴곡형, 반강직형, 강직형으로 분류되며, 굴곡형의 경우 섬세하고 정교한 동작에 사용될 수 있으나 수동으로 위치 변경에는 한계가 있다. 반강직형에는 가위, 집게, 생검 겸자 등이 있으며 굴곡형에 비해 강하지만 강직형에 비해 약하여 비교적 작은 용종 제거 혹은 생검용으로만 사용 가능하다. 굴곡형과 반강직형 기구의 경우 자궁경 덮개로부터 흘러나오는 용액의 배출을 막기 위한 stopcock을 가진 working channel을 통해 사용된다. 강직형 기구의 경우 크기가 좀 더 크기 때문에 사용 시 큰 직경의 channel이 요구되며, 큰 용종이나 깊숙히 파묻힌 자궁내 장치의 제거와 같이 강한 힘이 요구될 때 유용하게 사용된다.

최근에 소개된 양극성 전극 기구로는 spring, twizzle, ball 형의 세 가지로 구성되어 있으며, 직경이 1.5 mm로 얇아서 5 Fr 수술 통로를 가진 5 mm 진단용 자궁경에 사용할 수 있어 진단과 동시에 수술이 가능하도록 고안되었다.

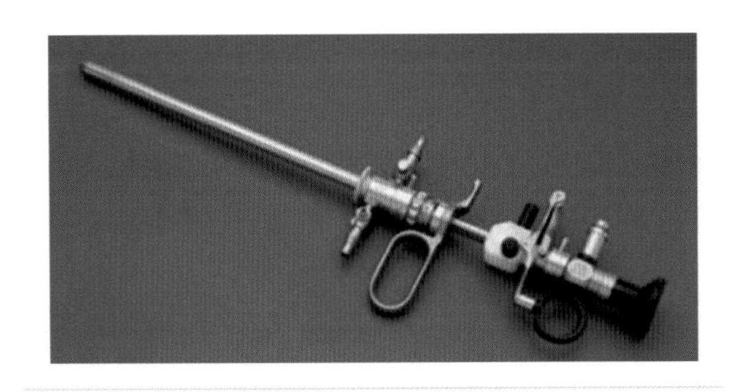

그림 14-19. **단극성 절제경**

(6) 절제경

절제경은 비뇨기과 의사들에 의해 방광 또는 전립선 수술에 사용된 기구로 1990년대 이후로 부인과 의사들에 의해 점막하 근종, 자궁내막용종 등의 제거와 자궁내 유착 또는 중격 절제 및 자궁내막소작술 등의 수술적 술기에 사용되었다. 절제경은 술자의 엄지를 후면 손잡이에 넣고 세 손가락을 전면 손잡이에 넣은 후 밀고 당기면 전극이 절연된 절제경 덮개 밖으로 기구가 나왔다 들어가면서 병변을 절제하는 기구이다(그림 14-19).

최근에는 27 Fr의 양극성 절제경이 소개되어 안전성과 효율성을 극대화하였다. 양극성 전극의 장점은 생리적인 확장매체인 생리식염수를 사용할 수 있어 이론적으로 저나트륨혈증의 위험성을 낮출 수 있다.

(7) 에너지원

전기수술용 발전기와 Nd: YAG 및 다이오드 레이저 등이 있어 특정 병변을 간편하게 제거하기 위하여 사용되고 있다.

2) 진단 자궁경술

이전의 진단 자궁경술은 자궁경부의 확장 및 시술로 인한 통증으로 수술실에서 마취하에 시행되었고, 검사 결과 수술이 필요한 병변 발견 시 바로 수술적 자궁경술을 시행하기도 하였다. 최근 들어 직경이 작은 자궁경이 개발되면서 시술로 인한 통증이 줄어 외래에서 마취없이 진단 자궁경술을 시행하게 됨으로써 환자는 입원 및 마취에 대한 부담을 줄일 수 있게 되었다. 진단 자궁경술은 비정상적인 자궁출혈, 비정상 자궁난관조영술의 확인, 습관성 유산 등의 평가 등에 많이 이용되고 있다.

(1) 장점

자궁내부의 관찰에 있어서 초음파나 자기공명영상에 비해 자궁내부를 직접 관찰할 수 있다는 장점이 있다. 또한 생검과 치료도 시도할 수 있으며 영상기록을 남길 수 있다. 그 외에도 진료실이나 외래에서 마취 없이 시행할 수 있는 장점이 있어 시간과 비용이 절감된다.

(2) 단점

적절한 마취가 이루어지지 않음으로써 오는 통증 및 불편감이 있을 수 있고, 국소마취법의 한계가 있을 수 있다.

(3) 금기증

절대적 금기증으로 경험 부족, 불충분한 장비, 비협조적인 환자 외에 자궁경부암, 급성 골반염, 심한 자궁경부의 감염 등이 있다. 상대적 금기증으로 질염이나 자궁경부염, 임신, 자궁출혈, 중증 자궁경부 협착, 중증 심폐질환, 자궁내막암 등이 있다.

(4) 적응증

일반적으로 비정상적 자궁출혈의 진단, 점막하 자궁근종, 또는 자궁내막 용종, 자궁내막유착증 등의 자궁내 질환의 진단 및 치료, 자궁내피임장치 등의 이물질의 위치 확인, 불임 환자에서 자궁난관조영술이 이상 소견을 보이는 경우와 보조생식술 전 검사, 그리고 습관성 유산 등의 경우, 자궁의 선천성 기형 진단, 난관 개구술 등에도 이용될 수 있다. 이 외에도 자궁내막암과 수술 전, 후의 자궁내부검사 등에도 쓰인다.

(5) 시술 방법

진통제, 안정제를 사용하기도 하며, 질식초음파술을 적절히 이용하기도 한다. 환자는 배부 쇄석술 위의 자세를 취하

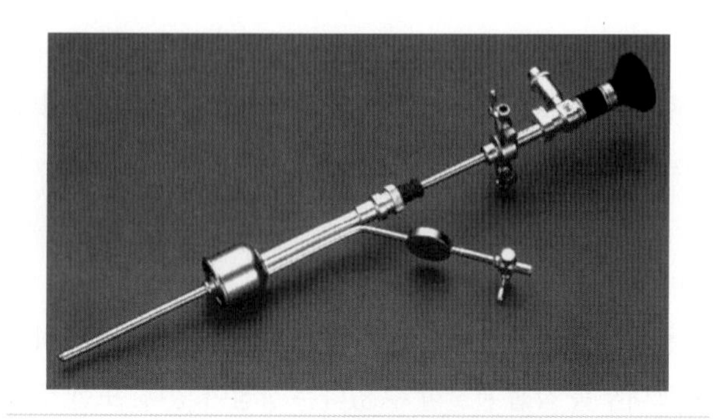

그림 14-20. **자궁확장매체의 역류를 방지하기 위한 방지캡이 부착된 자궁경**

며 적절한 소독을 시행한다. 자궁경부가 약 5.0 mm 확장시키면 시술에 편리하지만 때로 자궁경부를 laminaria로 확장시켜야 할 때도 있다. 그러나 과팽창되어 자궁 확장매체가 흘러나올 수도 있음을 생각하여야 한다. 따라서 자궁 확장매체의 역류방지 장치가 사용되기도 한다(그림 14-20). 마취는 필수적인 것은 아니지만 경부주위 차단마취나 경부내 차단마취가 시행된다. 적절한 자궁확장 매체인 이산화탄소는 횡격막 신경을 자극하여 어깨부위의 통증이 유발될 수 있으나 일시적이다. 자궁경부를 단구로 잡고 이산화탄소가 새지 않도록 주의하면서 자궁경을 삽입한다. 시야확보가 좋지 않은 경우 내시경을 계속 진행시키면 자궁천공의 위험성이 있다. 자궁경을 통하여 직접 보면서 시술하기도 하지만 카메라, 비디오 등을 통하여 영상을 기록할 수 있다.

3) 수술 자궁경술

(1) 자궁근종절제술

1976년 Neuwirth와 Amin에 의해 자궁경을 이용하여 자궁근종을 절제한 이후, 개복을 하지 않고 최소 침습적으로 자궁근종을 제거할 수 있어 회복이 빠르며, 출혈량과 수술 후 유착 형성을 줄이고, 수술 후 임신이 되었을 때 질식분만이 가능한 장점이 부각되면서 자궁근종 특히 점막하 자궁근종의 치료에 있어 자궁경을 이용한 자궁근종절제술은 각광을 받고 있다. 그러나 자궁경을 이용한 자궁근종절제술 시에는 시술 이전에 초음파나 자기공명영상, 자궁난관조영술을 통하여 자궁근종의 위치와 크기, 자궁근층으로 침범하고 있는 정도를 고려하여 수술 방법을 결정하여야 한다. 만일 근층 내로의 침투 정도가 심하면 자궁근종의 완전한 절제가 어려워 자궁근층의 부분을 전기응고 시키거나 2회에 걸쳐서 수술하기도 한다. 무리하게 시도할 경우 자궁파열의 우려가 있으므로 주의해야 한다.

유경성 자궁근종은 자궁경 가위로 절제한 후 겸자를 이용하여 체외로 끄집어낸다. 일반적으로 절제경을 통하여 절제용 루프를 사용하여 조각으로 절제하며, Nd: YAG 레이저로 자궁근종의 경부를 절제할 수 있다. 절제경을 사용할 때는 자궁확장매체가 지속적으로 주입되어 다시 밖으로 흘러나오는 체계가 필요하다. 절제용 루프의 사용 시 각도는 90도가 적당하다.

시술은 대부분 전신 마취하에서 시행한다. 자궁확장매체로는 자궁내부의 파편, 점액, 또는 혈액 등을 씻어내는데 유용한 저점도 용액이 주로 쓰인다.

(2) 자궁내막유착증

습관성 유산과 불임, 무월경 등의 원인이 되는 질환으로, 소파술에 의한 자궁내막의 손상이 중요한 원인이다.

자궁내막유착증의 진단을 위하여 진단 자궁경술, 자궁난관조영술 등이 이용된다. 수술용 미세가위, 절제경, 레이저 등이 사용될 수 있고, 유착을 제거 또는 박리하는 방법이 이용된다. 수술 후 재유착의 방지를 위해 도뇨관의 ballooning을 수일간 자궁 내에 삽입하기도 한다. 치료 후에 다음 임신을 위하여 자궁내부의 관찰을 위하여 진단 자궁경술의 시행이 필요하다.

(3) 월경과다증 환자에서의 자궁내막절제술

월경과다, 이상 자궁출혈의 치료로 호르몬 투여나 소파술이 시행되지만 이에 반응하지 않을 경우 자궁경관경유 자궁내막절제술이 유용하다. 무월경을 위하여 자궁경을 사용하여 자궁내막을 절제하는 경우 그 성공의 빈도가 높은 편이며, 자궁내막 전처치의 필요성이 없는 장점이 있다.

월경이 끝난 직후에 자궁내막이 가장 얇을 때 시행하거나 수술 전에 다나졸 또는 프로제스토젠, 생식샘자극호르몬분비호르몬을 투여하여 자궁내막이 얇아지게 하여 수술을 용이하게 할 수 있다. 절제경과 절제용 루프를 사용하여 자궁내막의 병변을 절제해 나가며, 천공의 위험성에 주의하여야 한다. 그러나 충분한 절제가 이루어지지 않으면 자궁내막샘이 그대로 남아 치료 효과가 감소한다. 출혈 부위가 보이면 루프나 롤러 볼을 사용하여 소작한다.

전신마취는 필요한 경우에만 시행하며 정맥마취와 국소마취의 병용하에 수술이 가능하다. 수술 후 절제경을 통하여 자궁강 내를 확인한다.

환자가 월경을 하기를 원하면 부분절제술을, 그렇지 않은 경우에는 완전절제술을 시행하도록 한다. 시술 시 자궁천공이 일어나면 수술을 중단해야 하고, 잘린 조직들이 유출구를 막거나 자궁강내에 떠다녀 시야를 방해할 수 있으므로 주의하여야 한다. 자궁이 잘 팽창되지 않는 문제점이 발생할 수 있으나 과팽창되어 자궁 내막확장매체가 과도하게 흡수될 위험성에도 주의하여야 한다.

4) 합병증

자궁경술의 합병증은 0.95-12%로 보고되고 있으며, 진단적 자궁경술은 수술적 자궁경술보다 합병증의 발생이 적다. 자궁경술과 관련된 초기 합병증으로는 자궁경술 자체와 관련된 합병증 및 자궁내강 확장제와 관련된 합병증이 있으며, 후자의 경우 중증도가 심하여 생명을 위협할 수 있는 심각한 합병증을 초래할 수 있다. 후기 합병증으로는 복강내 농양, 자궁 혈종, 임신 시 태반유착 및 자궁파열의 위험성, 재수술 등이 있을 수 있다. 그러므로 이러한 합병증을 예방하고 즉각적으로 진단할 수 있도록 주의를 기울여야 하며 합병증이 발생하였을 때 효과적으로 대처할 수 있어야 한다.

(1) 자궁천공

자궁경술의 가장 흔한 합병증 중의 하나로 미국부인과내시경학회(American Association of Gynecologic Laparoscopists, AAGL)의 보고에 의하면 1991년에 자궁경술 중 자궁천공의 발생빈도는 1.1%이었으며 이 중 50%는 자궁경부의 확장 시에 발생하였고 나머지 50%는 내시경의 부적절한 사용과 밀접하게 관련이 있었다. 진단적 자궁경술의 경우 수술적 자궁경술보다 자궁천공의 발생이 유의하게 낮으며 자궁중격절제술, 자궁근종절제술, 유착박리술 중에 가장 흔하게 발생한다.

자궁천공이 발생하면 자궁내강 확장제가 천공된 부위를 통하여 복강 내로 유출됨에 따라 자궁 내 압력이 갑자기 감소하게 되어 영상이 사라지며 자궁내강이 확장되지 않게 된다. 자궁천공이 의심된다면 즉시 시술을 중단하고 복강경검사를 실시하여 천공의 위치와 크기, 복강 내 다른 장기의 손상 여부 등을 확인하여야 하고 필요한 경우 개복술을 비롯한 적절한 조치를 취하여야 한다.

자궁천공을 예방하기 위해서는 다음의 사항에 유의하여야 한다. 첫째, 자궁경의 삽입 시에 자궁경부와 자궁내부입구를 잘 관찰하며 무리한 힘을 주지 않으면서 자궁내강으로 진입하여야 한다. 둘째, 자궁경부의 협착이 심할 경우 laminaria 또는 misoprostol 등을 사용하여 충분히 자궁경부를 확장시켜야 한다. 셋째, 자궁내강 확장제의 유입과 유출을 적절하게 조절함으로써 시야를 충분히 확보한 상태에서 시술을 하여야 한다. 넷째, 전기 수술기구는 전 방향으로 이동 시에는 사용하지 않고 자궁경부 쪽으로 빼면서 사용하여야 한다. 가장 위험한 자궁천공은 전기수술기구 사용 시 발생하는 경우인데 자궁천공이 발생하면서 장, 방광, 요관, 혈관 등의 손상이 동반되기 쉽기 때문이다. 다섯째, 필요한 경우 복강경에 의한 모니터링을 하면서 자궁경술을 시행하면 얇아진 자궁벽을 통하여 빛의 강도가 강해지는 것을 확인함으로써 사전 예방이 가능하고 수술 중 초음파를 이용한 모니터링도 도움이 될 수 있다.

(2) 출혈

자궁경술 중 출혈은 0.16%에서 발생한다. Agostini 등(2002)은 출혈의 위험도는 자궁내막소작술(0.48%), 용종절제술(0.47%), 근종절제술(0.37%), 중격절제술(0%)보다 유착 박리술(2.51%) 시에 출혈의 발생이 유의하게 더 높았다고 보고하였다.

일반적으로 시술 중 출혈은 혈액을 흡인하고 동맥압을 넘도록 자궁내압을 높여서 자궁벽을 압박함으로써 막을 수 있다. 출혈되는 혈관은 30-40 와트의 응고력(coagulation power)에서 3 mm 볼 전극이나 20-30 와트의 양극성 전극을 이용하여 전기 소작하여 지혈할 수 있다. 시술을 끝내면서 자궁내압이 낮아져 출혈이 지속되면 2-5 mL 자궁내 풍선을 삽입하여 지혈을 시도할 수 있으며 지혈이 안 되면 출혈이 멎을 때까지 10 mL까지 확장시킬 수 있고, 확장이 더 필요한 경우에는 자궁천공이 발생할 수 있으므로 주의하여야 한다. 풍선은 6-8시간 정도 경과 후 압력을 낮추어 6시간 동안 유지하고 이후 완전히 압력을 낮춘 후 출혈 여부를 확인하고 제거한다. 박동성의 출혈이 있으면 정맥 출혈보다는 동맥 출혈이고 풍선 압박이나 전기 소작술로 지혈이 안 되면 자궁절제술이 필요할 수 있다. 수술 이후의 지연된 출혈은 자궁내막의 소작술 후 슬러프(slough), 만성자궁내막염, 제거된 점막하 근종의 근육층 내 부분이 빠져 나오는 것과 관련이 있다. 자궁경술 후 늦게 출혈이 있는 환자에서는 혈액응고 장애에 대한 검사가 필요할 수 있다.

Phillips 등(1996)은 자궁경술 시 출혈을 감소시키는 방법으로 수술 전 자궁 경부에 바소프레신(vasopressin)을 주입하여 출혈을 감소시켰다고 보고하였으며, 수술 전 GnRH 효능제 또는 다나졸을 6-8주 동안 투여하여 자궁근종의 크기를 감소시키고 자궁내막의 두께와 혈액 공급을 줄인 후 출혈을 감소시켰다는 보고 등이 있다.

(3) 감염

자궁내막은 감염에 대한 저항력이 있어 자궁경술의 합병증으로 감염은 흔하지 않은 것으로 알려져 있으며 발생빈도는 0.25-1%이다. 자궁경부염, 자궁염, 난관염이 있는 경우는 자궁경술을 피하는 것이 좋으며 이러한 감염이 없는 경우에 감염 합병증은 흔하지 않다. 대부분 시술 후 72시간 이내에 발열을 동반한 질분비물, 골반통을 호소하며 감염의 발생 시 항생제 투여로 대부분 치료가 가능하다. 자궁경술 후 발생한 감염은 향후 자궁내강 유착, 골반 유착, 불임 등 만성합병증의 원인이 될 수 있다. 예방적 항생제의 사용이 도움이 될 수 있으나 류마티스 심염의 과거력, 선천성 심질환, 만성자궁내막염이 의심되는 경우에 제한적으로 사용할 것이 권고된다.

(4) 열에 의한 손상

열에 의한 손상은 대부분 자궁천공과 동반되어 발생하며, 특히 자궁각 부위의 시술 시에는 근육층이 얇으므로 주의하여야 한다. 열에 의한 손상은 시술 중에 진단되는 경우가 상대적으로 드물며 시술 수일 후에 발열, 복통과 같은 복막염의 임상 증상 및 징후로 나타나기도 한다. 시술 중에 전기기구로 인한 천공이 발생하면 즉시 시술을 중단하고 복강경검사, 개복술 등을 통하여 주위 장기의 손상여부를 확인하여야 한다. 자궁천공 시 대부분의 경우 치료가 필요 없지만 반드시 방광, 장 등의 주변 장기를 잘 관찰하여 손상여부를 확인하여 적절한 조치를 취하여야 한다.

(5) 자궁내강확장제와 관련된 합병증

① 이산화탄소 색전증

이산화탄소 색전증은 자궁내강확장매체로 이산화탄소를 사용하는 경우 발생하는 가장 심각한 합병증으로 발생 빈도는 0.017% 정도이다. 주로 주입된 이산화탄소의 양이 너무 많거나 속도 및 압력이 너무 높을 때 발생한다. 자궁강내로 이산화탄소를 주입할 때 주입속도가 100 mL/min 이상인 복강경용 장비를 사용한다든지 부적절한 방법이 사용될 때 발생할 수 있으나 적절한 자궁내시경용 장비를 사용할 때도 발생할 수 있다.

이산화탄소 색전증은 호기 시 이산화탄소가 급격하게 감소하면서 cog-wheel 심잡음이 들리면 진단이 가능하다. Brundin 등(1989)은 이산화탄소를 사용한 자궁경술을 시행한 환자 70명 중 10%에서 cog-wheel 심잡음이 관찰되었으나 자궁경술을 중단하면 심잡음이 소멸된다고 보고하였다. Corson 등(1988)은 양을 이용한 실험에서 분당 90 cc의 속도에서 PCO_2가 감소하지만 더 낮은 속도에서는 일시적으로만 감소한다고 보고하며 이산화탄소는 혈중 용해성이 좋아 체내에서 제거가 효율적이라고 보고하였다.

자궁경술 중 가스의 주입 압력은 100 mmHg, 주입속도는 100 mL/min, 자궁강내 압력은 80 mmHg 미만으로 엄격하게 제한하여야 하며, 수술적 자궁경술 시에는 이산화탄소의 혈관내 유입이 색전증을 일으킬 수 있으므로 자궁내강 확장제로 이산화탄소는 사용하지 않는다. 또한, 자궁경술 중 평균 동맥압, 심박동수, 혈액가스분석, 가스압력, 자궁내 압력에 대한 철저한 감시가 필요하며 이산화탄소 색전증이 의심이 되는 경우 기관 삽관, 헤파린 투여 등이 필요하며 중환자실 치료가 필요하다.

② 액체 자궁내막 확장제의 혈관내 유입

자궁내막강의 압력이 평균 동맥압보다 크면 액체 자궁내막 확장제의 혈관내 유입이 증가한다. 이로 인하여 혈액량 과다증, 저나트륨혈증, 삼투압저하증 등이 유발된다. 특히 덱스트란 70은 드물게 아나필락시스반응을 일으킬 수 있으며, 신부전, 횡문근 용해, 폐부종, 심부전 등을 일으킬 수 있다. 글리신은 혈관 내 과다유입 시 혈액량 과다증과 저나트륨혈증을 유발하며 대사 물질의 독성작용도 보고되고 있다. 치료는 저나트륨혈증이 진단되면 수분 공급을 제한하고, 만니톨 등의 이뇨제 투여 및 고장성 식염수의 사용을 고려하여야 한다.

예방을 위해서는 먼저 자궁경술의 시행 전에 혈중의 전해질 기저농도를 측정하여야 하며, 시술 중에도 일정한 간격으로 측정하도록 한다. 심폐 기능의 이상이 있는 경우에 특히 주의를 기울여야 한다. 생식샘자극호르몬분비호르몬 등을 사용하여 시술 시간을 줄이는 것도 한 방법이 될 수 있다. 자궁 내막확장제의 유입량과 유출량을 조절하여 그 차이가 1,000 mL를 넘지 않도록 주의하며 1,500 mL 이상의 차이를 보이면 시술을 중단하여야 한다. 덱스트란 70은 그 사용량을 300 mL 미만으로 제한하여 심부전이나 폐부종을 예방하여야한다. 수술시야를 위하여 자궁내막강의 압력이 유지되어야 하지만 평균 동맥압보다 낮은 70-80 mmHg를 유지하는 것이 중요하다.

(6) 마취에 의한 합병증

국소마취에 사용되는 리도카인이 정맥 내로 주입되거나 과량으로 주입되면 신경학적 증상, 심혈관계 증상, 알레르기 증상 등의 부작용이 유발될 수 있으며 사망할 수도 있다. 신경학적 증상으로는 불안, 초조, 경련, 심혈관계 증상으로는 저혈압, 서맥, 부정맥, 심혈관 허탈, 알레르기 증상으로는 피부 발적, 기관지 수축, 천식 등이 유발될 수 있다. 치료로는 산소 공급, 기관 확장제 투여와 기계적 환기를 고려해 볼 수 있다.

(7) 후기 합병증

① 자궁경 자궁내막 소작술 후 자궁내막암

자궁내막 소작술 후에도 정상 자궁내막 조직이 존재할 수 있는데 자궁내막 소작술 또는 절제술로 치료받은 환자에서 자궁내막암의 발생이 보고된 바 있으며 자궁내막 소작술 후에는 자궁내종양의 중요한 징후인 자궁출혈 증상이 없을 수 있어 종양의 진단 및 치료가 지연될 수 있다. 또한, 자궁내막암이 자궁내막 소작술이나 절제술 중에 발견되기도 한다. 자궁내막 소작술 후 자궁내막암이 진단되거나 또는 소작술 시 자궁내막암이 진단되는 것을 최소화하기 위하여 고위험 환자에서 수술 전 검사, 세밀한 술기, 수술 후 추적관찰이 필요하다. Valle 등(1998)은 자궁내막 소작술 또는 절제술 후 5개월에서 5년 사이에 진단된 자궁내막암 8례가 보고된 바 있는데 모든 환자에서 비만, 고혈압, 당뇨, 미산부, 폐경의 지연, 만성무배란 등을 포함하여 자궁내막암의 위험인자를 가지고 있었고 8례 중 5례는 이미 수술 전에 자궁내막증식증으로 확인된 환자들이었다고 보고하며 자궁내막암의 고위험군에 속하는 비정상 자궁출혈이 있는 여성들은 자궁내막 소작술보다 자궁절제술이 더 적절하다고 주장하였다.

② 자궁혈종

자궁경 자궁내막 소작술 또는 절제술 후 자궁혈종은 1-2%에서 발생한다. 흔히 자궁경술 후 첫 16개월 내에 주기적인 경련성 통증을 호소하는데 대부분 경부의 확장만으로도 치유가 되지만 일부에서는 자궁경 유착 박리술이 필요할 수 있다. 자궁경 자궁내막 소작술 및 절제술 시 반흔 형성, 자궁경부의 내구 폐색을 막기 위하여 자궁체부의 하부분절(lower uterine segment) 부분을 피하는 것이 예방법이다.

③ Postablation tubal sterilization syndrome (PTSS)

1993년 Townsend 등이 처음 보고하였는데 자궁내막 소작술 후 폐쇄된 난관으로 월경혈이 역류되어 국소적인 자궁각 혈종이 발생하여 통증을 유발하는 것이다. 자궁내막 소작술 후 자궁각의 내막조직이 존재하거나 재생이 되는 경우에 발생하는데 자궁각은 천공의 위험성이 있어서 완전히 소작하기 어렵기 때문에 자궁내막 조직이 남게 될 위험성이 있다.

PTSS는 자궁내막 소작술 두 달 이후에 주기적인, 양측성 또는 일측성의 골반통을 호소하는 경우 의심해 보아야 하며 질출혈이 동반될 수 있다. 진찰 소견상 조기 자궁외임신과 유사한 자궁부속기 압통을 호소하고 덩이는 촉지되지 않는 경우가 흔하다. 초음파 소견상 자궁각 근처에 자궁내 액체저류 소견이 보일 수 있으며 복강경에서 근위부 난관의 부종이 확인되면 확진할 수 있다.

치료는 복강경 난관절제술 및 자궁경하 유착의 박리로 구성된다. 반대쪽에서 재발 가능성이 있으므로 양측 난관절제술이 추천되며 자궁경으로 잔존 자궁내막을 소작하거나 절제하여야 한다. 위와 같은 치료가 어려운 경우에는 자궁절제술이 필요할 수 있다.

④ 자궁내막 소작술 후 임신

자궁내막 소작술은 기저 자궁 내막층을 손상시킴에도 불구하고 피임방법이 되지는 못한다. 자궁내막 소작술 후 임신의 빈도는 0.65%이며, 많은 환자들이 폐경 후 상태이거나 수술 후 피임을 한다는 점을 고려하면 비교적 높은 편으로 피임을 하지 않는 가임 여성에서는 더 높을 것으로 추측할 수 있다. 자궁내막 소작술 후 임신이 의심되는 경우 즉각적인 임신반응검사를 요하며 자궁외임신을 배제하기 위하여 조기 초음파검사가 필요하고 임신 합병증이 증가하므로 산전진찰에 주의를 기울여야 한다.

⑤ 수술적 자궁경술 후 임신 시 자궁파열

Sentilhes 등(2006)은 수술적 자궁경술 후 임신 중 자궁파열이 보고된 18례를 분석한 결과 16례(89%)는 자궁경하 중격절제술, 유착박리술 후 자궁파열이 있었고 10례(55%)는 수술 중 자궁천공이 있었고 14례(78%)에서 단극성 전류를 사용하였고 보고하였다. 자궁파열은 임신 19주에서 41주 사이에 발생하였고 분만진통이 없었던 경우가 12례(66.5%)이었으며 4명의 태아 및 1명의 산모가 사망하였다. 자궁천공, 단극성 전류의 사용 이외에도 자궁에 형성된 반흔으로 인하여 임신 중 자궁의 확장이 제한되는 것이 자궁파열의 원인이 될 수 있다.

참고문헌

- 김용욱. 배꼽만을 통한 단일공법 복강경 전자궁절제술: 한국최초 임상보고. 대한산부회지 2009;52:480-6.
- Agostini A, Cravello L, Bretelle F, Shojai R, Roger V, Blanc B. Risk of uterine perforation during hysteroscopic surgery. J Am Assoc Gynecol Laparosc 2002;9:264-7.
- Agostini A, Cravello L, Desbriere R, Maisonneuve AS, Roger V, Blanc B. Hemorrhage risk during operative hysteroscopy. Acta Obstet Gynecol Scand 2002;81:878-81.
- Ahn KH, Song JY, Kim SH, Lee KW, Kim T. Transvaginal single- port natural orifice transluminal endoscopic surgery for benign uterine adnexal pathologies. J Minim Invasive Gynecol 2012;19:631-5.
- Aydeniz B, Gruber IV, Schauf B, Kurek R, Meyer A, Wallwiener D. A multicenter survey of complications associated with 21, 676 operative hysteroscopies. Eur J Obstet Gynecol Reprod Biol 2002;104:160-4.
- Bae JW, Lee JH, Choi JS, et al. Laparoscopic lymphadenectomy for gynecologic malignancies: evaluation of the surgical approach and outcomes over a seven-year experience. Arch Gynecol Obstet 2012;285:823-9.
- Baggish MS, Valle RF, Guedj H. Hysteroscopy: Visual Prspectives of Uterine Anatomy, Physiology and Pathology. 3rd ed. Piladelphia: Lippincott Williams & Wilkins; 2007. p.201-12.
- Baggish MS. Instrumentation for hysteroscopy in diagnostic and operative hysteroscopy, a Text and Atlas. Mosby-Year Book Inc; 1989. p.58-65.
- Baxter A, Beck B, Philips K. A randomized prospective trial of rigid and fleible hysteroscopy in an outpatient setting. Gy-

necol Endosc 2002;11:357-64.

- Bedient CE, Magrina JF, Noble BN, et al. Comparison of robotic and laparoscopic myomectomy. Am J Obstet Gynecol 2009;201:566 e1-e5.
- Bennett KL, Ohrmundt C, Maloni JA. Preventing intravasation in women undergoing hysteroscopic procedures. AORN J 1996;64:792-9.
- Berek JS. Berek & Novak's gynecology. 14th ed. Lippincott Williams & Wilkins; 2007. p.787-99.
- Blanc B, Marty R, Montgolfier R. Office and operative Hysteroscopy: surgical hysteroscopy: equipment and technique. New York: Springer; 2002. p.87-91.
- Brundin J, Thomasson K. Cardiac gas embolism during carbon dioxide hysteroscopy: risk and management. Eur J Obstet Gynecol Reprod Biol 1989;33:241-5.
- Cho HY, Kim K, Kim YB, No JH. Differential diagnosis between uterine sarcoma and leiomyoma using preoperative clinical characteristics. J Obstet Gynaecol Res 2016;42:313-8.
- Choi JS, Kyung YS, Kim KH, et al. The four-trocar method for performing laparoscopically-assisted vaginal hysterectomy on large uteri. J Minim Invasive Gynecol 2006;13:276-80.
- Choi KM, Choi JS, Lee JH, et al. Laparoscopic ureteroureteral anastomosis for distal ureteral injuries during gynecologic laparoscopic surgery. J Minim Invasive Gynecol 2010;17:468-72.
- Chris S. Hysteroscopic surgery. Best Pract Res Clin Obstet Gynaecol 2006;20:105-37.
- Corson SL, Hoffman JJ, Jackowski J, Chapman GA. Cardiopulmonary effects of direct venous CO_2 insufflation in ewes. A model for CO_2 hysteroscopy. J Reprod Med 1988;33:440-4.
- De Iaco P, Marabini A, Stefanetti M. Acceptability and pain of outpatient hysteroscopy. J Am Asso Gynecol Laparosc 2000;7:71-5.
- Donnez J, Nisolle M. An Atlas of Operative Laparoscopy and Hysteroscopy. 2nd ed. New York: Parthenon Publishing; 2001. p.1-13.
- Eom JM, Choi JS, Choi WJ, et al. Does single-port laparoscopic surgery reduce postoperative pain in women with benign gynecologic disease? J Laparoendosc Adv Surg Tech A. 2013;23:999-1005.
- Eom JM, Choi JS, Ko JH, et al. Surgical and obstetric outcomes of laparoscopic management for women with heterotopic pregnancy. J Obstet Gynaecol Res 2013;39:1580-6.
- Eom JM, Hong JH, Jeon SW, et al. Safety and clinical efficacy of laparoscopic appendectomy for pregnant women with acute appendicitis. Ann Acad Med Singapore 2012;41:82-6.
- Eom JM, Ko JH, Choi JS, et al. A comparative cross-sectional study on cosmetic outcomes after single port or conventional laparoscopic surgery. Eur J Obstet Gynecol Reprod Biol 2013;167:104-9.
- Escobar PF, Bedaiwy MA, Fader AN, et al. Laparoendoscopic single-site (LESS) surgery in patients with benign adnexal disease. Fertil Steril 2010;93:2074e7-e10.
- Fader AN, Escobar PF. Laparoendoscopic single-site surgery (LESS) in gynecologic oncology: technique and initial report. Gynecol Oncol 2009;114:157-61.
- Flora ED, Wilson TG, Martin IJ, O'Rourke NA, Maddern GJ. A review of natural orifice translumenal endoscopic surgery (NOTES) for intra-abdominal surgery: experimental models, techniques, and applicability to the clinical setting. Ann Surg 2008;247:583-602.
- Galinier P, Carfagna L, Delsol M, et al. Ovarian torsion. Management and ovarian prognosis: a report of 45 cases. J Pediatr Surg 2009;44:1759-65.
- Gardner FM. Optical principles of the endoscope in diagnostic and operative hysteroscopy, a Text and Atlas: Mosby-Year Book Inc; 1989. p.58-65.
- Ghezzi F, Cromi A, Siesto G, et al. Laparoscopy staging of early ovarian cancer: our experience and review of the literature. Int J Gynecol Cancer 2009;19(Suppl 2):S7-S13.
- Ghezzi F, Cromi A, Uccella S, et al. Laparoscopic versus open surgery for endometrial cancer: a minimum 3-year follow-up study. Ann Surg Oncol 2010;17:271-8.
- Gill IS, Advincula AP, Aron M, Caddedu J, Canes D, Curcillo PG 2nd, et al. Consensus statement of the consortium for laparoendoscopic single-site surgery. Surg Endosc 2010;24:762-8.
- Giorda G, Scarabelli C, Franceschi S, Campugnatta E. Feasibility and pain control in outpatient hysteroscopy in postmenopausal women: a randomized trial. Acta Obstet Gynecol Scand 2000;79:593-7.
- Gomel V, Tayler PJ, Yuzpe AA, Rioux JE. Indications, contraindications, complications. In Laparoscopy and Hysteroscopy in Gynecologic Practice, Edited by V Gomel, PJ Tavlor, AA Yuzpe, JE Rioux. Chicago: Tear book Medical Publishers; 1986. p56.
- Hahn HS, Kim YW. Single-port laparoscopic pelvic lymph node dissection with modified radical vaginal hysterectomy in cervical cancer. Int J Gynecol Cancer 2010;20:1429-32.
- Hamou IE. Hysteroscopy and Microcolpohysteroscopy. Norwalk: Appleton & Lange; 1991. p.182-5.
- Hare AA, Olah KS. Pregnancy following endometrial ablation: a review article. J Obstet Gynaecol 2005;25:108-14.
- Hart RJ, Hickey M, Maouris P, et al. Excisional surgery versus ablative surgery for ovarian endometriomata. Cochrane Database Syst Rev 2008;2:CD004992.
- Hong JH, Choi JS, Lee JH, Bae JW, et al. Laparoscopic

lymphadenectomy for isolated lymph node recurrence in gynecologic malignancies. J Minim Invasive Gynecol 2012;19:188-95.
- Hong JH, Choi JS, Lee JH, et al. Can laparoscopic radical hysterectomy be a standard surgical modality in stage IA2-IIA cervical cancer? Gynecol Oncol 2012;127:102-6.
- Hong JH, Choi JS, Lee JH, et al. Comparison of survival and adverse events between women with stage IB1 and stage IB2 cervical cancer treated by laparoscopic radical vaginal hysterectomy. Ann Surg Oncol 2012;19:605-11.
- Hong JH, Choi JS, Lee JH, et al. Laparoscopic management of large ovarian tumors: clinical tips for overcoming commonconcerns. J Obstet Gynaecol Res 2012;38:9-15.
- Hulka JF, Peterson HB, Phillips JM, Surrey MW. Operative hysteroscopy. American Association of Gynecologic Laparoscopists 1991 membership survey. J Reprod Med 1993;38:572-3.
- Istre O. Fluid balance during hysteroscopic surgery. Curr Opin Obstet Gynecol 1997;9:219-25.
- Jacobson TZ, Duffy JM, Barlow D, et al. Laparoscopic surgery for subfertility associated with endometriosis. Cochrane Database Syst Rev 2010;1:CD001398.
- Jansen FW, Vredevoogd CB, van Ulzen K, Hermans J, Trimbos JB, Trimbos-Kemper TC. Complications of hysteroscopy: a prospective, multicenter study. Obstet Gynecol 2000;96:266-70.
- Jeon SW, Choi JS, Lee JH, et al. Is laparoscopic surgery safe in women over 70 years old with benign gynecological disease? J Obstet Gynaecol Res 2011;37:601-5.
- Jin C, Hu Y, Chen XC, Zheng FY, Lin F, Zhou K, et al. Laparoscopicversus open myomectomy-a meta-analysis of randomized controlled trials. Eur J Obstet Gynecol Reprod Biol 2009;145:14-21.
- Jung US, Lee JH, Kyung MS, Choi JS, et al. Feasibility and efficacy of laparoscopic management of ovarian cancer. J Obstet Gynaecol Res 2009;35:113-8.
- Kaouk JH, Goel RK, Haber GP, Crouzet S, Stein RJ. Robotic single-port transumbilical surgery in humans: initial report. BJU Int 2009;103:366-9.
- Kim JY, Kim KH, Choi JS, et al. A prospective matched casecontrol study of laparoendoscopic single-site vs conventional laparoscopic myomectomy. J Minim Invasive Gynecol 2014;21:1036-40.
- Kim MK, Kim JJ, Choi JS, et al. Prospective comparison of single port versus conventional laparoscopic surgery for ectopic pregnancy. J Obstet Gynaecol Res 2015;41:590-5.
- Kim SD, Landman J, Sung GT. Laparoendoscopic single-site surgery with the second-generation single port instrument delivery extended reach surgical system in a porcine model. Korean J Urol 2013;54:327-32.
- Kim YW, Park BJ, Ro DY, Kim TE. Single-port laparoscopic myomectomy using a new single-port transumbilical morcellation system: initial clinical study. J Minim Invasive Gynecol 2010;17:587-92.
- Kim YW. Single port transumbilical myomectomy and ovarian cystectomy. J Minim Invasive Gynecol 2009;16:S74.
- Kremer C, Duffy S, Moroney M. Patient satisfaction with outpatient hysteroscopy versus day case hysteroscopy: randomized controlled trial. BMJ 2000;320:270-82.
- Kyung MS, Choi JS, Lee JH, et al. Laparoscopic management of complications in gynecologic laparoscopic surgery: a 5-year experience in a single center. J Minim Invasive Gynecol 2008;15:689-94.
- Lee CL, Wu KY, Su H, Ueng SH, Yen CF. Transvaginal Natural-Orifice Transluminal Endoscopic Surgery (NOTES) in adnexal procedures. J Minim Invasive Gynecol 2012;19:509-13.
- Lee ET, Wong FW. Small bowel obstruction from barbed suture following laparoscopic myomectomy-A case report. Int J Surg Case Rep 2015;16:146-9.
- Lee JH, Choi JS, Hong JH, Does conventional or single port laparoscopically assisted vaginal hysterectomy affect female sexual function? Acta Obstet Gynecol Scand 2011;90:1410-5.
- Lee JH, Choi JS, Jeon SW, et al. A prospective comparison of single-port laparoscopically assisted vaginal hysterectomy using transumbilical GelPort access and multiport laparoscopically assisted vaginal hysterectomy. Eur J Obstet Gynecol Reprod Biol 2011;158:294-7.
- Lee JH, Choi JS, Jeon SW, et al. Laparoscopic incidental appendectomy during laparoscopic surgery for ovarian endometrioma. Am J Obstet Gynecol 2011;204:28.e1-5.
- Lee JH, Choi JS, Jeon SW, et al. Single-port laparoscopic myomectomy using transumbilical GelPort access. Eur J Obstet Gynecol Reprod Biol 2010;153:81-4.
- Lee JH, Choi JS, Lee KW, et al. Immediate laparoscopic nontransvesical repair without omental interposition for vesicovaginal fistula developing after total abdominal hysterectomy. JSLS 2010;14:187-91.
- Lee JH, Jung US, Kyung MS, et al. Laparoscopic systemic retroperitoneal lymphadenectomy for women with lowrisk early endometrial cancer. Ann Acad Med Singapore 2009;38:581-6.
- Lee JH, Jung US, Kyung MS, et al. Laparoscopic-assisted staging surgery for Korean women with endometrial cancer. JSLS 2008;12:150-5.
- Lee JH, Kyung MS, Jung US, et al. Laparoscopic management of adnexal tumours in post-hysterectomy women. Aust N Z J Obstet Gynaecol 2008;48:96-100.
- Lee JR, Lee JH, Kim JY, Chang HJ, Suh CS, Kim SH. Single

port laparoscopic myomectomy with intracorporeal suturetying and transumbilical morcellation. Eur J Obstet Gynecol Reprod Biol 2014;181:200-4.
- Lindemann HJ, Mohr J. CO_2 hysteroscopy diagnosis and treatment. Am J Obstet Gynecol 1976;124:129-33.
- Lipscomb GH, Gomez IG, Givens VM, et al. Yolk sac on transvaginal ultrasound as a prognostic indicator in the treatment of ectopic pregnancy with single-dose methotrexate. Am J Obstet Gynecol 2009;200:338 e1-e4.
- Litta P, Bonora M, Pozzan C, et al. Carbon dioxide versus normal saline in outpatient hysteroscopy. Hum Reprod 2003; 11:2446-9.
- Lo JS, Pickersgill A. Pregnancy after endometrial ablation: English literature review and case report. J Minim Invasive Gynecol 2006;13:88-91.
- Medeiros LR, Rosa DD, Bozzetti MC, et al. Laparoscopy versus laparotomy for benign ovarian tumour. Cochrane Database Syst Rev 2009;2:CD004751.
- Michael SB, Jacques B, Rafael F. Diagnostic and Operative Hysteroscopy. Chicago: Year Book Medical Publishers 1989. p.89-93.
- Munro MG, Parker WH. A classification system for laparoscopic hysterectomy. Obstet Gynecol 1993;82:624-9.
- Nam EJ, Kim SW, Lee M, Yim GW, Paek JH, Lee SH, et al. Robotic single-port transumbilical total hysterectomy: a pilot study. J Gynecol Oncol 2011;22:120-6.
- Nathanson MH, Ezeh U. Carbon dioxide embolism following diagnostic hysteroscopy. Br J Obstet Gynaecol 1995;102:505.
- Nezhat FR, Ezzati M, Chuang L, et al. Laparoscopic management of early ovarian and fallopian tube cancers: surgical and survival outcome. Am J Obstet Gynecol 2009;200:83. e1-e6.
- Overton C, Hargreaves J, Maresh M. A national survey of the complications of endometrial destruction for menstrual disorders: the MISTLETOE study. Minimally Invasive Surgical Techniques-Laser, EndoThermal or Endorescetion. Br J Obstet Gynaecol 1997;104:1351-9.
- Paek J, Kim SW, Lee SH, Lee M, Yim GW, Nam EJ, et al. Learning curve and surgical outcome for single-port access total laparoscopic hysterectomy in 100 consecutive cases. Gynecol Obstet Invest 2011;72:227-33.
- Pantaleoni DC. On endoscope as an aid in the diagnosis and treatment of disease. Dublin Q J Med Sci 1865;39:329-63.
- Parazzini F, Vercellini P, De Giorgi O, Pesole A, Ricci E, Crosignani PG. Efficacy of preoperative medical treatment in facilitating hysteroscopic endometrial resection, myomectomy and metroplasty: literature review. Hum Reprod 1998;13: 2592-7.
- Park SH, Park MI, Choi JS, et al. Laparoscopic appendectomy performed during pregnancy by gynecological laparoscopists. Eur J Obstet Gynecol Reprod Biol 2010;148:44-8.
- Park SY, Lee JH, Choi JS, et al. Laparoscopically assisted vaginal hysterectomy for women with anterior wall adherence after cesarean section. JSLS 2014;18:pii:e2014.00315.
- Paschopoulos M, Polyzos NP, Lavasidis LG, Vrekoussis T, Dalkalitsis N, Paraskevaidis E. Safety issues of hysteroscopic surgery. Ann N Y Acad Sci 2006;1092:229-34.
- Pasic RP, Levine RL. A Practical manual of hysteroscopy and endometrial ablation technique: A Clinical Cookbook. Tayor & Francis; 2004. p.13-24.
- Paul PG, Thomas M, Das T, Patil S, Garg R. Contained Morcellation for Laparosoopic Myomectomy Within a Specially Designed Bag. J Minim Invasive Gynecol 2016;23:257-60.
- Paek J, Kim SW, Lee SH, Lee M, Yim GW, Nam EJ, et al. Learning curve and surgical outcome for single-port access total laparoscopic hysterectomy in 100 consecutive cases. Gynecol Obstet Invest 2011;72:227-33.
- Pelosi MA, Pelosi MA 3rd. Laparoscopic hysterectomy with bilateral salpingo-oophorectomy using a single umbilical puncture. N J Med 1991;88:721-6.
- Phillips DR, Nathanson HG, Milim SJ, Haselkorn JS, Khapra A, Ross PL. The effect of dilute vasopressin solution on blood loss during operative hysteroscopy: a randomized controlled trial. Obstet Gynecol 1996;88:761-6.
- Pierre SA, Ferrandino MN, Simmons WN, et al. High definition laparoscopy: objective assessment of performance characteristics and comparison with standard laparoscopy. J Endourol 2009;23:523-8.
- Pontis A, Sedda F, Mereu L, Podda M, Melis GB, Pisanu A, et al. Review and meta-analysis of prospective randomized controlled trials (RCTs) comparing laparo-endoscopic single site and multiport laparoscopy in gynecologic operative procedures. Arch Gynecol Obstet 2016;294:567-77.
- Possover M, Krause N, Plaul K, et al. Laparoscopic paraaortic and pelvic lymphadenectomy: experience with 150 patients and review of the literature. Gynecol Oncol 1998;71:19-28.
- Rafael FV. Development of hysteroscopy: From a dream to reality, and its linkage to the present and future. J Minim Invasive Gynecol 2007;14:407-18.
- Rafael FV. Office hysteroscopy. Clin Obstet Gynecol 1999;42: 276-89.
- Reich H, McGlynn F. Laparoscopic repair of bladder injury. Obstet Gynecol 1990;76:909-10.
- Rhode JM, Advincula AP, Reynolds RK, et al. A minimally invasive technique for management of the large adnexal mass. J Minim Invasive Gynecol 2006;13:476-9.
- Rock JA, Johns HW. TeLinde's Operative Gynecology. 10th ed.

Philadelphia: Lippincott Williams & Wilkins; 2008. p.342-9.
- Roy KH, Mattox JH. Advances in endometrial ablation. Obstet Gynecol Surv 2002;57:789-802.
- Sagiv R, Sadan O, Boaz M. A new approach to office hysteroscopy compared with traditional hysteroscopy: A randomized controlled trial. Obstet Gynecol 2006;108:387-92.
- Savasi I, Lacy JA, Gerstle JT, et al. Management of ovarian dermoid cysts in the pediatric and adolescent population. J Pediatr Adolesc Gynecol 2009;22:360-4.
- Sentilhes L, Sergent F, Berthier A, Catala L, Descamps P, Marpeau L. Uterine rupture following operative hysteroscopy. Gynecol Obstet Fertil 2006;34:1064-70.
- Shirk GJ, Kaigh J. The use of low-viscosity fluids for hysteroscopy. J Am Assoc Gynecol Laparosc 1994;2:11-21.
- Son CE, Choi JS, Lee JH, et al. Laparoscopic surgical management and clinical characteristics of ovarian fibromas. JSLS 2011;15:16-20.
- Song T, Kim TJ, Lee YY, Choi CH, Lee JW, Kim BG, et al. What is the learning curve for single-port access laparoscopic-assisted vaginal hysterectomy? Eur J Obstet Gynecol Reprod Biol 2011;158:93-6.
- Song T, Kim ML, Jung YW, Yoon BS, Joo WD, Seong SJ. Laparoendoscopic single-site versus conventional laparoscopic gynecologic surgery: a metaanalysis of randomized controlled trials. Am J Obstet Gynecol 2013;209:317.e1-9.
- Stefano B, Luigi N, Oronzo C, Giovanni P, Lauro P, Luigi S. Hysteroscopy and menopause: past and future. Curr Opin Obstet Gynecol 2005;17:366-75.
- Sullivan B, Kenney P, Seibel M. Hysteroscopic resection of fibroid with thermal injury to sigmoid. Obstet Gynecol 1992; 80:546-7.
- Sutton C, Diamond M. Endoscopic surgery for gynaecologists: Initiating a hysteroscopic programme and hysteroscopic instrumentation. London: WB Saunders; 1993. p.253-62.
- Sutton C. Hysteroscopic surgery. Best Pract Res Clin Obstet Gynaecol 2006;20:105-37.
- Tahir MM, Bigrigg MA, Browning JJ. A randomised controlled trial comparing transvaginal ultrasound, outpatient hysteroscopy and endometrial biopsy with inpatient hysteroscopy and curettage. Br J Obstet Gynaecol 1999;106:1259-64.
- Townsend DE, McCausland V, McCausland A, Fields G, Kauffman K. Post-ablation-tubal sterilization syndrome. Obstet Gynecol 1993;82:422-4.
- Valle RF, Baggish MS. Endometrial carcinoma after endometrial ablation: high-risk factors predicting its occurrence. Am J Obstet Gynecol 1998;179:569-72.
- Valle RF. Indications for hysteroscopy. In: Slegler AM, Lindemann HJ, eds. Hysteroscopy: Principles and Practice. Philadelphia, PA: J13 Lippincott Co; 1986. p.21-4.
- Van den Akker PA, Aalders AL, Snijders MP, et al. Evaluation of the Risk of Malignancy Index in daily clinical management of adnexal masses. Gynecol Oncol 2010;116:384-8.
- Van Herendael BJ. Hysteroscopy: instrumentation in hysteroscopy. Obstet Gynecol Clin N Am 1995;22:391-408.
- Walsh CA, Walsh SR, Tang TY, et al. Total abdominal hysterectomy versus total laparoscopic hysterectomy for benign disease: a meta-analysis. Eur J Obstet Gynecol Reprod Biol 2009;144:3-7.
- Wie HJ, Lee JH, Kyung MS, et al. Is incidental appendectomy necessary in women with ovarian endometrioma? Aust N Z J Obstet Gynaecol 2008;48:107-11.
- Wieser F, Tempfer C, Kurz C, et al. Hysteroscopy in 2001: a comprehensive review. Acta Obstet Gynecol Scand 2001;80: 773-83.
- Won YB, Lee HJ, Eoh KJ, Chung YS, Lee YJ, Park SH, et al. In-bag power morcellation technique in single-port laparoscopic myomectomy. Obstet Gynecol Sci 2018;61:267-73.
- Xia EL, Duan H, Zhang J, Chen F, Wang SM, Zhang PJ, et al. Analysis of 16 cases of uterine perforation during hysteroscopic electro-surgeries. Zhonghua Fu Chan Ke Za Zhi 2003;38:280-3.
- Yoon HJ, Kyung MS, Jung US, et al. Laparoscopic myomectomy for large myomas. J Korean Med Sci 2007;22:706-12.
- Zhang Y, Ma D, Li X, Zhang Q. Role of Barbed Sutures in Repairing Uterine Wall Defects in Laparoscopic Myomectomy: A Systemic Review and Meta-Analysis. J Minim Invasive Gynecol 2016;23:684-91.

제15장

자궁내막증

나용진 | 부산의대
황경주 | 아주의대

1. 원인, 역학 및 병태생리

자궁내막증은 "샘(gland)과 기질(stroma)을 포함한 자궁내막조직이 자궁강(endometrial cavity) 이외의 부위에 위치하는 것"으로 정의되며, 월경주기에 따라 병변에서 주기적인 출혈이 일어나 염증을 일으키고 반흔과 유착을 남겨 다양한 임상 증상을 나타내는 질환이다. 가장 빈발하는 장소는 난소 등의 골반장기와 복막이지만 신체의 다른 어떤 부위에서도 발생할 수 있다. 임상 양상은 무증상에서부터 월경통, 성교통, 부정기 출혈 등이 있으며 불임증의 원인이 되기도 한다.

자궁내막증의 육안 소견은 매우 다양하여 복막에 여러 개의 반흔의 형태로 나타나거나 난소에 낭종을 형성하기도 하며 장, 방광 등 여러 장기를 침범하여 광범위한 유착을 일으켜 외과적 절제가 필요한 상태로 진행되기도 한다. 주로 가임기 여성에서 나타나지만 폐경기 여성에서 발견된 사례도 있다. 자궁내막증은 아직까지 확실한 원인, 병태생리, 치료 방법이 밝혀져 있지 않고 보존적 치료 후에도 재발이 흔한 질환이다.

1) 유병률

자궁내막증의 유병률은 연구자마다 다양하게 보고되고 있는데 자궁내막증을 의심하지 않고 다른 이유로 수술받은 환자의 2-18%(Moen, 1987; Strathy et al., 1982), 불임증으로 수술받은 환자의 5-50%, 골반통으로 수술받은 환자의 5-21%였다(Liston et al., 1972; Hanson, 1976; Marc et al., 2010). 청소년기 여성에서는 진단적 복강경을 시행하여 자궁내막증으로 진단된 경우가 62%에 달하였는데, 치료에 잘 반응하지 않는 만성골반통 환자의 75%, 월경통 환자의 70%, 치료에 잘 반응하는 만성골반통 환자의 49%에서 진단적 복강경으로 자궁내막증이 진단되었다. 청소년기 환자에서 중등도-중증 자궁내막증의 비율은 치료에 잘 반응하지 않는 만성골반통 환자의 16%, 치료에 잘 반응하는 만성골반통 환자의 57%로 보고되고 있다(Janssen et al., 2013).

미국의 경우 15-49세 백인 여성 중 자궁내막증의 연간 발생률은 0.3%로 이환 기간이 10년이라 가정할 때, 이 기간 동안 유병률은 2.5-3.3%로 추정할 수 있다(Mangtani and Booth, 1993). 한국 여성을 대상으로 한 경우 자궁내막증을 의심하지 않고 다른 이유로 수술한 환자 중 1.03-6.7%(박종설 등, 1984; 조숭 등, 1989; 이정호 등, 1990; 정혜원과 김승철, 1995), 골반통으로 수술받은 환자 중 2.5-45.4%(김정구 등, 1984; 김동호 등, 1996)의 빈도를 보여 연구방법에 따라 유병률은 다양하게 보고되고 있다. 보험공단 자료에 따르면 국내 자궁내막증의 유병률은 2002년 1,000명당 1.2명에서 2013년 3.5명으로 증가하였다(Kim et al., 2018).

이렇게 유병률이 다양하게 나타나는 원인으로는 세 가지를 생각해 볼 수 있다. 첫째, 진단 방법에 따라 진단율이 달라질 수 있다는 점으로 개복술보다 복강경에서 경증 또는 중등도의 자궁내막증이 더 잘 진단된다고 알려져 있다(박종설 등, 1984; 정혜원과 김승철, 1995; 김미연 등, 2008). 둘째, 자궁내막증을 의심하게하는 증상이 있는 환자에서는 시술의가 더욱 관심을 갖고 자궁내막증병변을 찾아내므로 진단율이 높아지게 된다. 셋째, 비전형적인 병변을 가진 환자에서는 시술의의 숙련도에 따라 진단율이 달라질 수 있다. 1970년대에 비해 최근 보고되는 유병률은 점차 증가 추세를 보이고 있는데(박종설 등, 1984; 조주연 등, 1982),이는 자궁내막증의 유병률이 실제 증가하는 양상일 수 있으나 자궁내막증에 대한 관심이 고조되면서 진단율이 증가하여 나타나는 현상일 수도 있다. 자궁내막증의 정확한 유병률을 알기 위해서는 건강한 여성에서 자궁내막증의 유무를 판별해야 하는데 진단을 위해 필요한 복강경과 조직학적 검사의 시행이 어렵다는 문제가 있다. 부검소견을 통한 유병률은 보고된 바가 없다.

2) 역학

자궁내막증의 호발연령은 30대이며, 평균 25-35세에 처음 진단되는 것으로 보고되고 있으며(Kuohung et al., 2002), 35세 이후 급격히 감소하는 추세를 보인다(Houston et al., 1987). 한국인에서는 보험공단 자료에 따르면 20대에 급격히 증가하여 30-34세에 1,000명당 3.6명으로 가장 호발하는 것으로 알려져 있다(Kim et al., 2018) 이렇게 자궁내막증이 가임기 여성에서 주로 나타나는 현상은 자궁내막증이 에스트로겐의 영향을 받는다는 것을 의미한다. 자궁내막증은 흑인보다 백인에서 흔하고(Scott과 TeLinde, 1950) 동남아시아인이 가장 높은 유병률을 보인다고 알려져 있다(Hasson, 1976). 그리고 초경연령이 빠를수록(김동호 등, 1999; Moen and Schei, 1997), 월경주기가 짧을수록(Moen과 Schei, 1997) 빈도가 증가한다. 그 외 체질량지수가 정상보다 낮거나 높을 경우 감소하고(Darrow et al., 1993), 알코올과 카페인의 과다 섭취는 발병 위험도를 증가시키고(Cramer et al., 2002), 일주일에 두 시간 이상 운동을 하거나 하루 한 갑 이상 흡연을 하는 경우 감소한다고 알려져 있다(Gramer et al., 1986; Missmer et al., 2004). 한국 여성을 대상으로 시행한 역학 연구에 의하면 30대 여성에서 유병률이 가장 높으며, 미혼인 경우, 체중이 56-63 kg인 경우, 최근 흡연력이 있는 경우, 초경 연령이 12세 미만인 경우, 임신과 분만 횟수가 적은 경우 등에서 자궁내막증의 위험도가 높으며 가족력이 있는 경우 위험도가 2.3배로 증가하였다고 한다(김동호 등, 1998).

3) 원인, 병태생리

자궁내막증의 원인과 병태생리는 아직 확실히 밝혀지지 않았으며 제시된 여러 가설 중 어느 한 가지만으로 모든 경우의 자궁내막증의 발생을 설명하지는 못한다(표 15-1).

(1) 월경혈의 역류 및 착상(retrograde menstruation and implantation)

자궁내막세포를 포함한 월경혈이 난관을 통해 역류하여 복강 내에 착상하여 월경주기에 따라 증식과 출혈을 반복하면서 자궁내막증을 일으킨다는 가설(Sampson, 1927)이다. 이 가설을 뒷받침하는 증거로는 첫째, 월경 중인 여성의 76-95%에서 복강 내 혈액을 육안적으로 관찰할 수 있다(Halme et al., 1984). 둘째, 월경 중 복강액에서 분리한 자궁내막세포가 복막에 부착하고 침투할 수 있다(Ridley and Edwards, 1958). 셋째, 자궁기형을 가진 환자들 중 월경혈의 배출 경로가 막힌 경우에 자궁내막증이 더 많이 발생한다(Olive et al., 1985). 넷째, 초경이 빠르고 월경주기가 짧은 여성일수록, 즉 월경혈에 노출이 많을수록 자궁내막증의발생 위험이 증가한다(Moen과 Schei, 1997). 다섯째, 자

표 15-1. 자궁내막증의 병인론

- 월경혈의 역류 및 착상(retrograde menstruation and implantation)
- 체강상피화생(celomic metaplasia)
- 유도설(induction theory)
- 혈액성파종설 및 직접 이식(vascular dissemination theory and direct transplantation)
- 유전적 요인 (genetic predisposition)
  단일 뉴클레오티드 다형성(single nucleotide polymorphism)
  유전자 발현(gene expression)
- 면역학적 인자(immunologic factor)
- 환경적 인자(environmental factor)
- 감염(infection)
- 줄기세포(stem cell)
- 혈소판응집반응(platelet aggregation)

궁내막증은 난소와 자궁천골인대, 광인대의 후측, 자궁의 후방 등에 호발한다(Jenkins et al., 1986). 여섯째, 동물실험에서 자궁의 통로를 인위적으로 막을 경우 자궁내막증이 발생한다(Scott과 TeLinde, 1950)는 점 등을 들 수 있다. 그러나 월경혈의 역류가 흔하게 발견되지만 자궁내막증은 일부 환자에서만 발생하는 것을 설명할 수 없는 단점이 있다.

(2) 체강상피화생(celomic metaplasia)과 유도설(induction theory)

체강상피는 뮐러관(Müllerian duct)의 상피세포를 형성하는데 난소의 상피 외에도 복막이나 흉막으로 분화하게 된다. 따라서 체강상피에서 기원한 세포가 화생을 거쳐 자궁내막증을 일으킬 수 있다는 가설로 자궁내막증이 복강외의 장소, 즉 흉강 내에서 발견되는 것을 설명할 수 있는 가설이다(Novak, 1931). 실제로 인간 난소 상피세포를 이용한 실험에서 화생에 의한 자궁내막증병변의 발생이 보고된 바 있다(Matsuura et al., 1999). 이러한 체강상피 화생이 저절로 일어나는 것이 아니라 어떤 특별한 자극이 복막세포의 화생을 유도하여 자궁내막증세포를 발생시킨다는 가설이 유도설이다. 체강상피 화생설을 뒷받침하는 증거로는 첫째, 초경을 시작하지 않은 소녀에서도 자궁내막증이 발생한다(Clark, 1948). 둘째, 복강에서 멀리 떨어진 흉막이나 폐(Foster et al., 1981), 손가락, 허벅지, 무릎에서도 (Das Gupta et al., 1985; Gitelis et al., 1985; Patel et al., 1982) 자궁내막증이 발생한다. 셋째, 고농도의 에스트로겐에 노출된 남성의 방광과 복벽에서 자궁내막증이 발생한다(Oliker와 Harris, 1971). 넷째, 난소의 상피세포를 에스트라디올과 함께 배양할 경우 자궁내막조직이 발생한다(Matsuura et al., 1999). 다섯째, 자궁내막증병변에서 발견되는 자궁내막세포가 자궁내 자궁내막세포와 구조적, 기능적 특성이 다르다는 점 등을 들 수 있다.

(3) 혈액성 파종설(vascular dissemination theory)과 직접 이식(direct transplantation)

자궁내막세포가 혈액이나 림프계를 통해 파종되어 자궁내막증의 병변을 만든다는 가설로 체강상피화생설과 더불어 자궁으로부터 멀리 떨어진 위장관이나 비뇨기계, 서혜관(inguinal canal), 배꼽 등의 부위에 발생한 자궁내막증을 설명할 수 있는 가설이다(Halban, 1924). 자궁내막증이 직접 이식된다는 가설은 제왕절개술 후 수술 부위에 자궁내막증이 발생하거나(강무삼 등, 2002) 분만 후 외음절개술(episiotomy)을 시행한 부위에 자궁내막증이 발생한 예(이인호 등, 2004)로 설명될 수 있다.

(4) 유전적 요인(genetic predisposition)

자궁내막증이 어떤 유전적 소인이 있는 여성에서 발생된다는 가설로 이를 지지하는 증거는 인구학적 연구, 후보유전자내 단일 뉴클레오티드 다형성 및 자궁내막증의 발생에 영향을 주는 유전자 발현 등의 연구에서 찾아볼 수 있다.

① 인구학적 연구(population study)

Simpson 등(1980)에 의하면 자궁내막증 환자의 가족에서 자궁내막증이 발생할 확률은 7%인데 비해 가족 중 자궁내막증 환자가 없는 여성의 경우는 1%에서만 자궁내막증이 발생한다고 하였다. 자궁내막증과 가족력의 연관성은 이후 여러 연구에서도 확인되었고(Moen과 Mangus, 1993), 쌍둥이를 대상으로 한 역학 연구에서는 일란성 쌍둥이에서 동시 발생률은 87%이며(Hadfield et al., 1997), 이란성

쌍둥이에 비해 동시 발생 가능성이 2배 많다(Treolar et al., 1999)는 보고가 있다.

최근 11개의 Genome-wide association study (GWAS)를 메타 분석에서 기존 GWAS에서 확인된 WNT 신호 전달, 에스트로겐 반응 유전자 및 액틴 세포 골격 및 세포 부착에 관여하는 유전자와 5개의 새로운 성스테로이드호르몬 경로에 관여하는 유전자((FN1, CCDC170, ESR1, SYNE1, FSHB)가 자궁내막증과 연관됨을 확인하여 자궁내막증과 관련된 19개의 단일 뉴클레오티드 다형성(single nucleotide polymorphism)을 확인하였다(Sapkota Y, et al., 2017).

② 단일 뉴클레오티드 다형성(single nucleotide polymorphism)

자궁내막증의 발생에 관여할 수 있는 유전자를 찾기 위한 연구들, 특히 사이토크롬 p450 1A1, N-아세틸전이효소(N-acetyl transferase) 2, 글루타티온-S-전이효소(glutathione-S-transferase) M1, 갈락토스-1-포스페이트우리딜전이효소(galactose-1-phosphate uridyl transferase), 에스트로겐 수용체, 프로게스테론 수용체, 안드로겐 수용체, p53, 과산화소체증식제활성 수용체(peroxisome proliferator-activated receptor), $\gamma 2$ pro-12-Ala 대립유전자(allele), 세포 간 부착분자-1(intercellular adhesion molecule-1, ICAM-1) 등의 유전자 다형성에 대한 연구가 진행되었으나 연구자마다 다른 결과를 보여 향후 연구가 더 필요하다. 대표적인 연구로는 자궁내막증의 감수성과 연관되는 것으로 여겨지는 에스트로겐 수용체-알파 다형성이 있는 경우 자궁내막증의 예후가 더 불량하고 재발률이 높다는 보고가 있다(Augoulea et al., 2012). 그 외에도 자궁내막증이 있는 여성에서 열충격 단백질(heatshock protein), 섬유결합소(fibronectin), 엘라스타아제(elastase), Toll-like receptor (TLR)를 포함한 몇 개의 유전자가 발현에 차이를 보이는 것으로 생각되며, 최근 연구들에 따르면 Toll-like receptor-4 A896G (D299G) 다형성이 자궁내막증과 관련되어 있고(Augoulea et al., 2012), 열충격 단백질인 Stress-induced phosphoprotein (STIP1)의 rs4980524 다형성이 자궁내막의 STIP1 발현을 촉진하고 matrix metalloproteinase-9 (MMP-9)를 증가시켜 세포의 이동을 조절함으로써 자궁내막증의 발생에 관여한다고 한다(Tsai et al., 2018). 한국 여성에서는 에스트로겐 수용체 유전자 dinucleotide 반복 다형성(Kim et al., 2005), VEGF 유전자(Kim et al., 2005)와 사람 $\alpha 2$-Heremans Schmidt glycoprotein (AHSG) 유전자 다형성(Kim et al., 2004)이 자궁내막증과 관련된 인자였으며 글루타티온 S전이효소 M1 유전자 다형성(김정구 등, 2003), 에스트로겐 수용체 PvuII 및 XbaI 다형성(최영민 등, 2003), N-아세틸전이효소 2(최영민 등, 2003) 유전자의 다형성은 관련이 없었다.

③ 유전자 발현(gene expression)

자궁내막증 환자에서는 자궁내막세포가 복강 내에서 살아남아 복막에 부착되어 증식하며, 신생혈관을 형성하고 염증 반응을 일으키는 데 관여하는 유전자가 비정상적으로 발현될 가능성이 보고되고 있다. 그 예로 정상적으로 월경 주기에 따라 자궁내막세포가 탈락되고 교체되는 과정인 세포자멸사(apoptosis)에 자궁내막증 환자의 자궁내막세포는 저항성을 나타낸다. 여기에는 bcl-2/bax와 fas-fas 리간드(ligand) 시스템이 관여하는 것으로 알려져 있다(Garcia-Velasco와 Arici, 2003). 이러한 세포자멸사에 대한 저항성으로 복강으로 들어온 자궁내막세포는 생존 가능성이 증가하고 거대세포에 의한 면역 반응에 저항을 나타내어 제거되지 않고 자궁내막증을 일으킬 수 있는 것으로 생각되고 있다. 또한 자궁내막증 환자의 자궁내막세포에서 세포 부착물질이 비정상적으로 발현된다는 보고도 있다(Rodgers et al., 1994). 기질 금속단백분해효소(matrix metalloproteinase, MMP)는 세포외기질(extracellular matrix)을 분해하여 정상적으로 월경주기에 따른 자궁내막의 탈락에 관여하는 효소이다. MMP의 발현은 분비기(secretory phase) 동안 프로게스테론에 의해 억제되는데(Rodgers et al., 1994), 자궁내막증 환자에서는 프로게스테론에 의한 억제에 저항성을 보여 MMP가 계속 발현하게 되는 현상을 보이게 된다.

자궁내막증의 발생은 에스트로겐의 영향을 받는데, 에스트로겐의 생성과 대사이상(Zeitoun et al., 1998), 자궁내막증 환자의 자궁내막세포와 자궁내막증병변의 방향화효소의 발현 증가(Kitawaki et al., 1997), 프로게스테론 수용체의 이상 발현(Attia et al., 2000) 등이 관련이 있는 것으로 생각된다.

최근에는 프로게스테론 저항성(progesterone resistance)과 에스트로겐 우세(estrogen dominance)가 자궁내막증의 발생을 촉진시킨다는 보고가 있는데, 자궁내막 조직이 프로게스테론에 적절히 반응하지 못하는 프로게스테론 저항성(progesterone resistance)의 발생에 따라 자궁내막증병변의 성장이 촉진되고 자궁내막의 수용성은 손상된다. 또한 자궁내막증병변에서는 국소적으로 에스트라디올 수치가 증가하는 에스트로겐 우세증(estrogen dominance)이 발생하는데, 일반적으로 프로게스테론에 의해 에스트라디올을 생성하는 p450 방향화효소는 감소하고 에스트라디올을 에스트론으로 전환하는 제2형 17β-수산화스테로이드탈수소효소(17βHSD)가 증가하는데, 프로게스테론 저항성 상태에서 이들 효소의 발현이 역으로 발생하여 자궁내막세포의 에스트라디올 농도가 더 증가하게 되어 자궁내막증 발생에 관여할 것으로 생각되고 있다 (Marquardt et al., 2019).

④ 기타

자궁내막증병변에서 11, 16, 17번 염색체의 홀배수체 (aneuploid)가 발견되었고(Shin et al., 1997), 17번 염색체의 이질성(heterogeneity)이 증가하였다고 한다(Kosugi et al., 1999). 갈락토스-1-포스페이트우리딜전이효소, p53, 아포지단백(apolipoprotein) A-2 유전자좌(locus)(Kosugi et al., 1999)에서는 이형접합체(heterozygosity) 소실 현상이 관찰되었다.

(5) 면역학적 요인(immunologic factor)

대부분의 여성에서는 역류된 월경혈을 통해 복강 내로 들어온 자궁내막 조직이 무력화(incapacitation)되고 파괴되어 제거되는데 이때 작용하는 면역계에 이상이 생길 경우 자궁내막증이 발생한다는 가설이다. 자궁내막증 환자의 복강액에는 면역세포의 수가 증가되어 있지만 자궁내막세포를 제거하기보다는 오히려 자궁내막증의 발생을 조장하는 역할을 하는 것처럼 여겨진다. 면역학적 변화가 자궁내막증의 원인 또는 결과인지는 확실하지 않으나 자궁내막 착상물의 유지 및 발달에 중요한 역할을 할 것으로 생각되고 있다.

① 자궁내막증 환자에서 세포성 면역계의 변화

Haney 등(1981)이 처음으로 자궁내막증이 있는 난임 여성의 복강액에서 대식세포(macrophage) 수의 증가를 관찰하였고, 이후 여러 연구를 통해 확인되었다. 대식세포 수의 증가는 자궁내막 조직을 제거하는 역할을 할 것으로 여겨졌으나 실제로는 성장인자로 작용하는 시토카인(cytokine), 성장인자(growth factor), 프로스타글란딘 (prostaglandin)의 분비를 통해 자궁내막세포의 증식을 돕는다(Lebovic et al., 2001). 최근 연구에서는 대식세포가 이소성 자궁내막 조직을 상처로 인지하여 상처 치유를 위해 자궁내막 조직을 생존케 하며, 혈관신생을 야기하여 자궁내막증의 발생에 관여하는 것으로 보고하였다 (Capobianco and Querini, 2013). 대식세포에 의한 국소적인 염증은 자궁내막증에서 발생하는 통증과도 관련이 있어서, 염증은 말초신경의 말단을 자극하고, 활성화된 신경 섬유는 다시 전염증성 신경조절물질(proinflammatory neuromodulator)을 분비하는 말초 신경염증(peripheral neuroinflammation)을 통해 염증 및 통증의 발생과 악화에 기여하는 것으로 생각된다(Jinjie et al., 2017).

한편, 자연살해세포(natural killer cell, NK cell)의 활성이 저하되어 자궁내막세포의 제거에 이상이 생겨 자궁내막증이 발생한다는 가설도 제기되었다.자궁내막증 환자의 복강액 또는 혈액에서 자연살해세포의 수가 감소(Kikuchi et al., 1993), 무변화(최두석 등, 1998; Oosterlynck et al., 1991), 증가(Hill et al., 1998) 등 다양한 결과가 보고되었으나 자연살해세포의 활성 도는 언제나 감소해 있다고 하였다(Oosterlynck et al., 1991). 또한 자궁내막증을 가진 난임 여성에서 자궁 내 미성숙 자연살해세포 수의 증가(Lynch et al., 2007) 등이 보고되었다.

Dmowski 등(1981)이 원숭이를 이용한 실험에서 자궁 내막세포에 대한 T-림프구 매개성 면역 반응이 저하된 것을 관찰한 이래로 T-세포에 의한 세포독성 저하가 자궁내막증의 원인이 된다는 가설이 제시되었다. 그러나 자궁 내막증 환자의 혈액에서 T-림프구 수와 조력/억제T-세포(helper/suppressor T cell)의 비율에 큰변화가 없다는 보고들(최두석 등, 1998; Hill et al., 1998)도 있으며, 자궁내막증이 있는 여성에서 활성화된 조절 T 세포(regulatory T cell)의 수가 감소되어 있고 생쥐모델에서 조절 T세포를 감소시킴으로써 자궁내막증 유사 병변이 진행된다는 것을 확인한 연구(Yukiko et al., 2017) 등도 있어 아직 명확한 결론을 내리기는 어렵다.

② 자궁내막증 환자에서 체액성 면역계의 변화

자궁내막증은 환자에서 B-세포 기능이 증가하여 각종 자가항체의 발현 빈도가 증가하고, 자가면역성 질환과의 연관성 등으로 자가면역성 질환의 하나로 여겨지기도 하였다(Startseva, 1980). 2002년 Sinaii 등은 자궁내막증 환자 3,680명을 대상으로 자가면역성 질환과의 연관성을 연구하였는데, 자궁내막증 환자에서 통계적으로 유의하게 갑상선저하증, 류마티스관절염, 전신홍반성낭창, 쇼그렌병의 유병율이 높았고 천식 및 알레르기도 증가하는 것으로 보고하였다. 2019년 Shigesi 등이 시행한 체계적 문헌고찰(systematic review) 및 메타분석(meta-analysis)에서도 이러한 상관관계가 확인되었으며 추가로 다발성경화증(multiple sclerosis), 셀리악병(celiac disease), 염증성장질환(inflammatory bowel disease), 에디슨병(Addison's disease)과의 연관성도 제시되어 추가적인 연구가 필요할 것으로 생각된다.

실제로 Mathur 등이 항자궁내막항체를 자궁내막증 환자에서 처음으로 검출한 후(Haney et al., 1981) 여러 방법을 통해 항자궁내막항체를 검출하려는 연구들이 있었다(Kim et al., 1995; 김정구 등, 1998; 김정구 등, 1999). 그러나 자궁내막단백에 대해 자가항체를 생성하는 기전이 아직 명확하지 않고, 동물실험에서 자가항체를 유도해 낼 수 없으며, 이들 자궁내막단백으로 동물에서 자궁내막증이 발생하지 않는다는 한계점에 의해 아직 추가적인 연구가 필요한 상태이다. 자궁내막증과 연관된 불임증에 자가항체가 관여할 수 있으나 아직 그 중요성에 대해서는 논란이 있다(Seli와 Arici, 2003).

③ 시토카인(cytokine)과 성장인자(growth factor)의 양상

시토카인과 성장인자는 화학주성(chemotaxis), 유사분열(mitosis), 혈관신생(angiogenesis), 분화(differentiation)에 작용하며 자궁내막증에서는 자궁내막세포의 착상과 복막으로의 침투, 증식에 작용한다.

인터루킨-1(IL-1)의 경우 자궁내막증 환자의 복강액에서 발견되고 자궁내막증병변에서 IL-1에 대한 수용체 발현이 증가한다(Oosterlynck et al., 1991). IL-1은 혈관생성에 관여하는 혈관내피성장인자(vascular endothelial growth factor, VEGF), IL-6, IL-8의 분비를 촉진시키고(Arici et al., 1996) 자연살해세포나 기타 면역세포에 의한 인식을 방해하는 세포 간 부착분자-1(ICAM-1)의 분비를 촉진시켜(Vigano et al., 1998) 자궁내막증세포의 증식을 돕는다. 또한 IL-1은 동물실험에서는 고농도인 경우 배아(embryo)의 발달을 저해하고 인간 세포 실험에서는 정자가 난자를 관통하는 것을 방해하는 것으로 알려져 있다(Sueldo et al., 1990). IL-8은 자궁내막증 환자의 복강액에서 농도가 증가되어 있는데 이는 염증반응으로 인해 증가된 IL-1과 종양괴사인자(tumor necrosis factor, TNF)-α가 복막의 중피세포(mesothelial cell)에서 IL-8의 분비를 촉진하는데 기인한다. 복강액의 IL-8 농도는 특히 자궁내막증의 중증도와 관련이 있다(Ryan et al., 1995). IL-8은 자궁내막세포의 세포외 기질단백과의 결합과 기질 금속단백분해효소(MMP)의 활성을 자극하며, 자궁내막기질 세포가 증식하는 것을 촉진하여 결과적으로 이소성 자궁내막 조직의 증식을 돕는 것으로 알려져 있다(Arici et al., 1998). 또한 자궁내막증 환

자의 복강액 내 IL-6 및 IL-6 수용체 농도가 증가되어있으며, 복강액 내 활성화된 대식세포가 IL-6를 분비할 뿐만 아니라 대식세포는 IL-6의 주된 표적세포로 작용함으로써 자궁내막증의 발생에 관여하는 것으로 생각된다(Shihui et al., 2017). 대식세포 외에도 성숙한 활성 T세포, 이소성 자궁내막 기질세포(stromal cell), 상피세포 역시 IL-6 분비를 촉진하는 것으로 알려져 있다.

단핵구화학주성단백-1(monocyte chemotactic protein-1, MCP-1)과 RANTES (regulated on activation, normal T-cell expressed and secreted)도 자궁내막증 환자의 복강액에서 높게 측정된다(최두석 등, 1998; 김동호 등, 2000). 이들 시토카인은 복강 내로 대식세포를 유인하는 화학유인물질(chemo-attractant)로 작용하며 자궁내막증의 중증도와 연관이 있다. 자궁내막증 환자의 단핵구, 호중구, T 림프구는 자궁내막증이 없는 환자보다 MCP-1, RANTES, MIP (macrophage inflammatory protein)-1a의 분비가 많은 것으로 알려져 있다(Na et al., 2011).

또한 자궁내막증 환자의 복강액에서 TNF-α의 증가가 관찰되었으며(Overton et al., 1996), 자궁내막증의 중증도에 따라 증가하는 경향을 보인다. TNF-α는 자궁내막세포의 복막 부착에 관여할 수 있으며(Zhang et al., 1993), 고농도에서는 정자의 운동성을 저하시키고 배아 자체에도 독성을 나타내어 불임을 야기하는 인자로 작용할 수 있다(Hill et al., 1987a; Hill et al., 1987b). 이와 같은 다양한 시토카인이 자궁내막증의 진단 표지자(biological marker)로써 유용한지에 대한 연구가 진행중이며 특히 IL-8, MCP-1, RANTES가 유력한 후보로 제시되고 있다(Borrelli et al., 2013).

혈관내피성장인자는 이소성 자궁내막 조직의 복막부착 후 생존 및 성장에 중요한 혈관투과성과 혈관신생에 중요한 역할을 하는 성장인자로 주로 단핵세포와 거대세포에서 생성되며, 자궁내막증 환자의 복강액 내에서 중증도에 따라 높게 측정된다. 호중구에서 기원한 혈관내피성장인자를 자궁내막증의 진단 표지자로 사용하는 것의 효용성에 대한 연구(Na et al., 2006)뿐만 아니라 항혈관내피성장인자 제제를 사용하여 난소 기능에 아무런 영향없이 자궁내막증의 성장을 억제하는 치료에 대한 연구(Liu et al., 2016)도 진행 중에 있다.

인슐린유사성장인자-I(insulin-like growth factor-I)은 자궁내막증 환자의 복강액에서 높게 측정되는데(Kim et al., 2000), 체외에서 자궁내막 기질세포의 분화 및 증식에 관여하여 자궁내막 조직의 성장에 관여한다고 알려져 왔으나 최근 상관관계가 없다는 연구도 있어(Fan et al., 2015) 추가적인 연구가 필요한 실정이다.

(6) **환경인자**(environmental factor)

다이옥신(dioxin)은 일반적으로 소각에 의해 환경으로 유입되어 토양 침전물에 들어가고 먹이사슬에 통합된다. PCB (polychlorinated biphenyl), PCDD (polychlorinated dibenzo-p-dioxins), PCDF (polychlorinated dibenzofurans)와 같은 다이옥신류 모두 최근 연구에서 자궁내막증과 상당한 연관성이 있다고 보고되었다(Heilier et al., 2005). 최근에는 bisphenol A 및 프탈산(phtalate)에 대한 연구가 광범위하게 이루어지고 있다. Bisphenol A는 플라스틱 제조 및 통조림의 에폭시수지 코팅에 이용된 페놀계 화학물질로 일상생활에 광범위하게 사용되어 왔는데, 내인성 에스트로겐과 비슷한 작용을 하여 에스트로겐 수용체와 상호작용을하고, 에스트로겐 생성을 자극하여 생식샘자극호르몬의 분비에 혼란을 가져오는 것으로 알려져 있다. 프탈산은 플라스틱 생성에 관여하는 물질로 플라스틱에 유연성과 탄성을 더해주는데 항안드로겐 효과를 나타내어 테스토스테론 생성을 감소시키며, 고용량에서는 에스트로겐 생성을 감소시킨다. Bisphenol A 및 몇몇 프탈산의 경우, 과도하게 노출된 여성에서 자궁내막증의 유병률이 높았다는 보고가 있다(Buck et al., 2013).

2, 3, 7, 8-tetrachlorodibenzo-p-dioxin과 같은 환경호르몬에의 노출 역시 프로게스테론 반응성을 감소시키고, 전-염증성(proinflammatory) 자극에 과민반응을 나타내어 자궁내막증으로 진행하는 매개체가 될 수 있다는 보고가 있으나(Herington et al., 2011) 지속적인 연구가 필요한 실정이다.

(7) **감염**(infection)

자궁내 미생물들이 자궁내막증의 개시에 결정적인 역할을 한다는 "세균감염가설"이라는 새로운 개념도 소개되고 있다. 미생물의 자극에 의해서 병원균 인식 수용기가 활성화됨에 따라 전염증성 경로와 선천성 면역(innate immunity)의 활성화를 가져온다는 것이다. 골반염을 가진 여성은 대조군 여성에 비해 10년 이내에 자궁내막증이 발생할 위험이 3배 증가하고(Tai et al., 2018), 만성자궁내막염은 월경혈 역류를 증가시킬 수 있는 자궁 수축성과 관련있으며(Pinto et al., 2015), 하부 생식기 감염은 자궁내막증을 유발하는 독립적인 위험 요인으로 생각된다(Lin et al., 2016). 박테리아, 바이러스 및 기타 미생물은 자궁내막세포와 복막강 세포에서 유전적, 후생유전적 변화를 일으킬 수 있다. 이러한 직접적인 유전적 또는 후생유전적 영향 외에도 증가된 내독소(endotoxin)는 세포성 및 면역학적 스트레스를 증가시키고 역류된 월경혈과 병변 내 출혈 부위에서 산화적 스트레스를 증가시킨다(Kobayashi et al., 2014). 또한, Toll-like receptors (TLRs)는 넓은 범위의 내인성 danger-associated molecular patterns (DAMPs)를 인식하는데, DAMPs의 농도가 증가하면 NF-kB (nuclear transcription factor-κB) 의존성 무균염증의 과정에 관여할 것으로 생각된다. 월경혈의 역류에 의한 철분 유입에 따른 이차적 산화 스트레스도 자궁내막증의 진행에 관여할 것으로 생각된다(Kobayashi et al., 2013). 이러한 이유들로 미루어 세균내독소, TLR4, NF-kB에 대한 표적 치료는 골반 염증의 억제와 자궁내막증의 성장 억제에 유용할 것으로 여겨지며, 지속적인 연구가 진행 중이다(Khan et al., 2013).

(8) **줄기세포**(stem cell)

자궁내막에 줄기/전구세포가 존재한다는 증거들이 나타나면서 자궁내막증의 발생에 관여한다는 가설 및 연구들이 진행되고 있다. 자궁내막의 줄기/전구세포에는 표피 전구세포와 중간엽 줄기세포가 있는데, 자궁내막증병변에서는 자궁내막에 비해 중간엽 줄기세포의 발현이 높았으며, 증식 잠재력 또한 더 큰 것으로 조사되었다. 자궁내막증병변의 중간엽 줄기세포는 침습력과 이동력이 자궁내막의 줄기세포보다 좋으며, 혈관 신생을 자극하는 것으로 보고되고 있다. 자궁내막증 환자에서는 자궁내막 기저층의 탈락이 더 많으며, 기저층에는 더 많은 자궁내막 줄기/전구세포가 포함되어 있어 줄기/전구세포가 골반강에 축적된다. 이렇게 축적된 자궁내막 줄기/전구세포의 돌연변이와 골반강의 면역청소 이상이 함께 발생하면 줄기세포의 생존이 증가하게 되고, 자궁내막증이 발생할 수 있다(Gargett et al., 2014).

(9) **혈소판응집반응**(platelet aggregation)

자궁내막증의 특징 중 하나는 반복적인 출혈이며 이는 상처 치유나 조직 손상의 복구를 필요로하는 혈관손상이 동반됨을 나타낸다. 출혈이 동반된 자궁내막증병변으로 활성화된 혈소판을 응집시킴으로써 응고작용이 시작되는데 이러한 과정이 자궁내막증의 발생에 중요한 역할을 한다는 가설이다. 또한 혈관내피성장인자(vascular endothelial growth factor, VEGF) 발현과 미세혈관의 밀도가 높아질 뿐만 아니라, 혈소판과 함께 자궁내막의 기질세포를 함께 배양하면 세포 증식이 촉진되고 COX-2, MMP-9, VEGF와 Bcl-2의 발현이 증가한다(Ding et al., 2015). 자궁내막증이 있는 생쥐에게 TXA2 합성억제제를 투여한 결과 자궁내막증병변의 성장을 억제하였으며 이 외에도 세포 증식, 혈관생성, 염증 및 섬유화반응에 관여하는 물질 생성을 감소시킴으로써 치료에 효과를 보이는 것으로 알려지고 있다(Guo et al., 2016).

2. 자궁내막증의 진단

자궁내막증의 진단을 위한 혈액학적 검사 및 영상진단법의 발전에도 불구하고 효과적인 비침습적인 진단검사법은 아직 없다. 그러나 고위험군 환자들에서 이러한 혈액학적 검사와 영상진단법을 사용하면 임상 진단을 하는 데 도움이 될 수 있다. 대부분의 자궁내막증환자는 복강경검사 및 절제된 병변의 조직학적 진단으로 확진이 되며, 이는 치료 계획의 수립에 필수적이다.

조직학적 진단 없이 수술 시 보이는 형태학적 소견만으로 진단이 가능할 수 있지만 숙련도 및 경험의 정도에 따라 진단의 정확도에 차이가 있다(Dunselman et al., 2014).

1) 임상 양상

자궁내막증의 임상양상은 매우 다양하고, 질병 특유의 증상이나 징후는 없지만 자세한 병력 청취 및 세밀한 신체검진을 통해 자궁내막증을 시사하는 증상이나 징후를 확인할 수 있다.

(1) 병력 청취

임상적 측면에서 자궁내막증의 가장 중요한 증상은 임신율의 저하와 만성골반통이다. 중등도 및 중증의 자궁내막증은 난소를 침범하고 자궁부속기의 유착을 일으킴으로써 난관의 운동성 및 난관채의 난자 포획의 장애를 가져와 임신율의 저하를 유발한다. 그러나 경미하거나 경증의 자궁내막증과 불임증과의 연관성은 논란이 있으며 비정상 난자, 불완전한 배아 또는 착상 실패의 높은 빈도와 관련이 있을 수도 있다. 경증의 자궁내막증 환자에서 불임증의 원인에 대한 많은 연구들이 있었다. 자궁내막증 환자에서는 복강액의 양이 많고, 복강액내 활성화된 대식세포(macrophage)의 농도가 높고 프로스타글란딘, IL-1, TNF가 고농도로 존재하여 정자의 기능을 방해하여 임신율을 감소시키고 이러한 복강 내 환경의 변화가 생식세포(gamete), 배아, 난관의 기능을 저해할 수 있다. 자궁내막증이 난포성장, 배란 및 배아 발달에 나쁜 영향을 준다는 보고도 있다. 난포가 파열되지 않아 난자가 복강 내로 나오지 않는 비파열성난포황체화증후군(luteinized unruptured follicle syndrome) 역시 자궁내막증이 원인으로 알려져 있으나, 불임증과 관련이 있다는 확실한 증거는 아직 없다.

자궁내막증에 의한 골반통은 전형적으로 월경통, 월경 간 통증(intermenstrual pain), 성교통의 형태로 나타난다. 특히 성교통이나 월경통이 어느 정도의 무증상 기간 이후 시작될 경우는 자궁내막증의 가능성을 강력히 시사한다(Fedele et al., 1992). 월경통은 흔히 진행성이며, 월경과 함께 시작하거나 종종 월경이 시작되기 전부터 시작하여 월경의 전 기간 동안 지속되며, 월경이 끝난 며칠 후까지도 지속되는 경우가 있다. 통증은 하복부와 심부 골반에 국한되며 양측성이고, 등이나 넓적다리로 방사되기도 하며, 종종 둔한 통증이나 쑤시는 듯한 통증으로 표현되고 직장압박(rectal pressure), 오심, 설사가 동반되기도 한다(Davis et al., 1993). 월경 간 통증은 월경통의 연장일 수 있으며, 자궁내막증과 통증을 가지고 있는 환자의 57-68%에서 보고된다(Gruppo Italiano per lo Studio dell'Endometriosi, 1999). 심한 경우 환자들은 월경주기 내내 통증으로 고통받기도 하지만 주기성이 없는 통증의 경우에는 자궁내막증 이외의 다른 원인이 있을 수 있다(Williams와 Pratt, 1977). 자궁내막증 환자에서는 성교통이 종종 나타나며 이는 유착된 골반의 긴장, 이환된 난소나 자궁천골인대의 압박 등에 의하여 발생한다고 알려져 있다. 자궁내막증과 관련된 성교통은 흔히 병변의 위치와 관련이 있어서 복막(88%)이나 직장질 중격(100%)의 자궁내막증에 비해 난소의 자궁내막증(77%)의 경우는 덜 흔한 것으로 알려져 있다. 성교통은 자궁내막증병변의 깊은 침윤이 있는 경우 및 월경 시작 전에 가장 심하며, 통증으로 성교가 불가능한 경우도 있다.

통증과 자궁내막증의 병기나 위치와의 관계는 논쟁의 여지가 있다. 진행된 병기를 가진 환자들이 증상이 없을 수도 있는 반면 경미하거나 경증의 자궁내막증을 가진 환자들이 극심한 통증을 호소할 수도 있다. 자궁내막증의 병기와 월경통의 심한 정도와의 관련성을 보고한 연구도 있으나(Muzii et al., 1997) 월경통의 정도가 병기와 관련이 없다는 연구들도 있다(Fedele et al., 1990; Vercellini et al., 1996). Perper 등(1995)은 월경통의 정도가 병기보다는 자궁내막증병변의 수와 관련이 있다고 보고하였으나 Muzii 등(1997)은 월경통의 정도가 자궁내막증병변의 수뿐만 아니라 형태와도 관련이 없음을 보고하였다. 즉 통증의 정도와 병변의 수, 형태학적 특징 사이의 연관성은 아직 결론에 이르지 못하였고 논란이 있다.

자궁내막증과 관련된 통증은 가임기간 동안 지속될 수도 있는데 병기가 통증의 지속성과 직접적으로 관련되어 있다는 보고가 있다(Stovall et al., 1997). 또한 깊이 침윤된 자궁내막증은 골반통과 강한 연관성이 있고 이러한 통증은 침윤의 깊이, 부피와 관련이 있다는 연구들도 보고된 바 있다(Koninckx et al., 1991; Porpora et al., 1999).

6개월 이상 통증이 있었던 469명의 자궁내막증 여성을 대상으로 한 다기관 연구에서는 직장질 중격의 자궁내막증은 빈번한 성교통과 관련이 있었지만 통계적으로는 경계적(borderline) 유의성을 보였고, 병기나 부위가 월경통, 비월경성 통증, 성교통의 정도와는 관련이 없었다고 하였다(Gruppo Italiano per lo Studiodell' Endometriosi, 2001).

자궁내막증에서 통증이 일어나는 기전은 아직 확실하지 않으나 국소염증, 조직파괴를 동반한 깊은 침윤, 유착 형성, 섬유화를 동반한 조직의 비후, 자궁내막증병변 내로 탈락된 월경혈의 저류 등으로 인해 발생할 것으로 추측하고 있다. 드물게 자궁내막증 환자가 급성 골반통을 호소할 수 있는데 전형적으로는 월경기간근처에 일어나고 혈복막, 자궁내막종의 파열, 비틀림(torsion)에 의해 발생할 수 있다.

자궁내막증은 골반 외 부위에서 발견되어 비전형적인 증상을 보일 수 있으며 소화기계, 비뇨기계, 수술반흔, 호흡기계, 말초신경계, 중추신경계 등을 침윤할 수 있고, 결과적으로 다양한 주기적 출혈과 염증을 반영하는 월경과 관련된 증상을 보인다. 제왕절개술을 받았던 여성의 0.1%에서 자궁내막증과 관련하여 주기적으로 복벽 통증을 호소하고 기침이나 복벽의 긴장에 의해 악화되는 소견을 보일 수 있다. 수술 후 반흔에 발생하는 자궁내막증은 주로 복벽의 반흔에 자궁내막종으로 나타나며, 외음절개술 부위에서도 발생할 수 있다. 그러나 수술의 기왕력이 없었던 경우에서도 복벽의 자궁내막종이 발생한 증례가 보고된 바 있다(Dwivedi et al., 2002).

위장관을 침범한 경우에는 장기능의 저하, 배변곤란, 주기적인 혈변, 또는 장폐색을 보일 수 있다(Macafee와 Greer, 1960; Shah et al., 1995; Azzena et al., 1998). 요관을 침범한 경우에는 배뇨통, 긴박뇨, 빈뇨 등을 보일 수 있으며, 방광 배뇨근을 침범한 경우에는 간질성 방광염과 유사한 증상을 보이기도 한다(Donnez et al., 2000; Skor et al., 1977). 드물지만, 신장을 침범한 경우에 부분 또는 완전 요관폐쇄에 의해 옆구리 통증이나 엉덩뼈오목(iliac fossa) 부위 통증을 호소할 수 있으며, 직장질 중격에 자궁내막증이 있는 환자의 4.4%에서 요관의 자궁내막증이 발견된다고 알려져 있다(Donnez et al., 2002). 폐와 흉막의 자궁내막증은 각혈, 흉통, 호흡곤란 등의 증상을 보일 수 있고 횡격막의 자궁내막증은 만성적으로 주기적인 어깨 통증을 유발할 수 있다(이광수와 오성택, 2004; Elliot et al., 1985; Rychlik와 Bieder, 2001). 말초신경을 침범하는 경우 근골격계 질환과 유사한 증상을 보여 좌골신경통처럼 주기적인 통증을 유발할 수 있고, 대뇌를 침범하는 경우 월경 무렵의 두통을 유발할 수 있으며 심한 경우 발작(seizure)을 일으킬 수 있다(Fedele et al., 1999; Thibodeau et al., 1987).

(2) 신체검진

자궁내막증 환자의 신체검진에서는 다양한 소견을 볼 수 있으나 경증의 자궁내막증인 경우 부인과적 검진에서 이상소견을 발견하지 못할 수도 있다. 신체검진은 환자가 증상이 있을 때, 특히 월경 중에 시행하는 것이 좋은데 자궁내막증으로 의심되는 부위를 발견하기 쉽기 때문이다(Koninckx et al., 1996). 환자가 부인과 장기 외의 자궁내막증을 시사하는 주기적 증상을 호소하지 않는다면 일반 신체검진에서 이상소견이 발견되는 경우는 드물다. 복부 진찰소견에서 종종 압통을 보이지만 대개 부위가 명확하지 않고 심부 압통인 경우가 흔하다. 드물지만 수술 반흔에 생긴 자궁내막종에서 통증을 동반한 팽창과 부분적인 압통이 나타나 혈종, 육아종, 농양 등과의 감별이 요구되기도 한다.

골반 내진소견에서 외부생식기와 질 표면은 특이 소견이 없는 경우가 많다. 질경(vaginal speculum)을 통한 시진에서 자궁내막증의 전형적인 청색 병변(bluish lesion)이나 건드리면 쉽게 출혈하는 적색 병변(red lesion)이 보일 수도

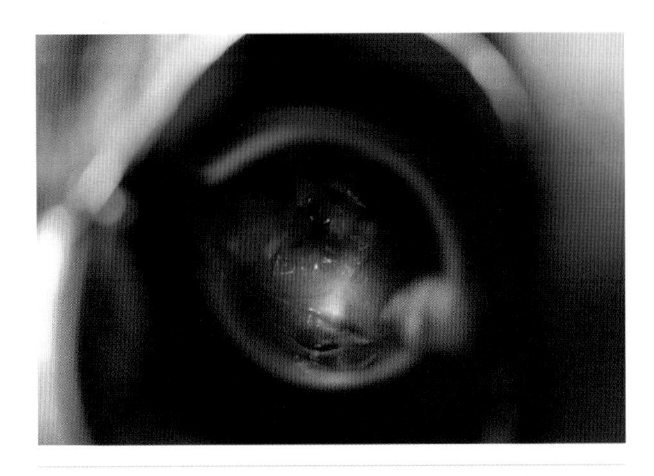

그림 15-1. 질후원개에서 관찰되는 청색 병변

있다(그림 15-1). 이는 질후원개(posterior fornix)에서 잘 관찰되며 질경의 뒷 날(posterior blade)에 의해 병변이 가려질 수 있으므로 질경의 각도가 후방을 향하도록 해야 한다.

조직학적으로 확인된 깊은 침윤을 보이는 자궁내막증 160예를 분석한 후향적 연구에서는 질경검사를 통해 병변을 확인할 수 있는 경우는 14.4%, 내진으로 병변의 촉진이 가능한 경우는 43.1%라고 보고하였다(Chapron et al., 2002). Propst 등(1998)은 동측의 자궁천골인대의 반흔에 의해 자궁경부가 측방으로 이동된 소견이 자궁내막증을 시사한다고 보고하였고, Barbieri (1998)는 만성골반통 환자에서 자궁경부 협착과 자궁내막증의 연관성을 보고한 바 있다. 신체검진에서 이상소견은 골반장기에 대한 양손직장질검사(bimanual rectovaginal exam)를 통해 가장 흔히 발견되며, 자궁을 촉진할 때 자궁 후굴, 자궁 이동성의 감소, 압통이 나타날 수 있다. 자궁내막종은 자궁이나 골반측벽에 국한된 압통을 수반한 종괴로 발견되지만 종종 압통이 없을 수도 있다. 압통을 수반한 종괴, 결절 및 섬유화가 질 상부, 더글라스와(culdesac), 자궁천골인대 및 직장질 중격에서 촉진될 수 있다. 환자-대조군 연구에서 불임증 환자의 자궁내막증을 시사하는 유일한 소견은 자궁천골인대 부위의 결절이나 압통이라는 보고도 있다(Matorras et al., 1996). 국소적인 압통은 자궁내막증의 존재뿐만 아니라 병변의 부피 및 깊이와도 관련이 있다. Konincks 등(1992)은 월경 중에 주의 깊은 촉진을 하는 경우에는 그 외의 시기에 시행할 때에 비해 심부 자궁내막증, 자궁내막종, 더글라스와 유착의 발견율이 5배 이상 높았다고 보고한 바 있다.

그러나 임상적인 진찰소견이 정상일지라도 자궁내막증의 진단을 배제하지는 못한다. 수술적 진단과 비교할 때 골반 검진은 민감도, 특이도, 양성 및 음성 예측도가 낮다고 보고되고 있다. 자궁내막증의 비수술적 진단의 유효성을 확인하기 위한 전향적 연구에서 골반 검진이 난소의 자궁내막종 진단에는 신뢰할 만한 예측인자였으나 난소 이외의 병변에는 유용하지 못하였다(Eskenazi et al., 2001).

2) 검사실 검사

자궁내막증의 믿을 만한 선별검사로 혈청표지자(serum marker)를 이용하기 위한 많은 시도가 있었다. 그러나 현재까지 연구된 혈중 단백질 중 어느 것도 선별검사로 사용하기에 민감도와 특이도가 적절하다고 밝혀진 것은 없다. 따라서 아직까지는 선택된 환자군에서 치료효과의 추적 관찰 및 재발의 감시를 위해 선택적으로 사용되고 있다.

(1) CA-125

CA-125는 자궁경관내막(endocervix), 자궁내막, 난관, 복막, 흉막 및 심장막을 포함하여 체강상피(coelomic epithelium)의 유도체에 의해 발현되는 세포표면항원으로 고분자량 당단백의 항원결정인자는 OC-125 단클론항체(monoclonal antibody)에 의해 검출된다. 1990년대 중반 저농도에서도 더 정확하고 변이성이 적은 2세대 CA-125 검사가 도입되었다.

CA-125 검사는 포획항체(capture antibody)로 M11 생쥐 단클론항체가 사용되고 OC-125 항체가 표지항체(tracer antibody)로 사용된다(Hornstein et al., 1995; Pittaway, 1989). 본래 CA-125는 상피성 난소암, 특히 비점액성 난소암 환자에서 증가하는 것이 관찰되었으나 자궁선근증, 자궁근종, 골반결핵, 월경 중에도 증가하기 때문에 감별이 필요하다.

CA-125는 진행된 자궁내막증에서는 종종 증가하지만, 낮은 민감도로 인하여 경미하거나 경한 자궁내막증의 경우에는 유용성이 감소하여 선별검사로는 부적합한 것으로 알려져 있다. 대부분의 연구에서 CA-125 검사의 특이도는 20-50%로 자궁내막증의 진단에는 한계가 있는 것으로 보고되고 있다. 자궁내막증의 고위험군에서 수행된 연구에서 혈중 CA-125 검사의 특이도는 86-100%로 높지만 민감도는 13%로 매우 낮다고 보고하고 있다(Patton et al., 1986). 한편 골반 내 결절이 촉진되며 혈중 CA-125의 증가가 있는 경우에는 민감도가 87%까지 향상된다는 보고도 있으나(Koninckx et al., 1996), 골반내 결절의 촉진 같은 임상적인 척도와 검사의 연관성에 대한 연구는 부족한 실정이다.

1986년부터 1997년까지 혈중 CA-125와 복강경을 통해 확인된 자궁내막증을 비교한 연구들의 메타분석(meta analysis)에서 receiver operating curve (ROC)에 의하면 CA-125 검사의 진단적 가치가 낮다고 하였다. 예를 들어 기준치(cutoff)에 따라서 90%의 특이도를 가지면 민감도는 28%에 불과하였고, 민감도를 50%로 증가시키면 특이도는 72%로 감소하였다고 보고하였다. CA-125는 중등도 및 중증의 자궁내막증의 진단에 더 유용한 선별검사로 ROC에서 89%의 특이도, 47%의 민감도를 보였고 민감도를 60%로 증가시키면 81%의 특이도를 보였다(Mol et al., 1998). 그러나 이 메타 분석은 월경주기의 영향을 감별해내지 못했다는 단점이 있다.

CA-125 검사를 위한 채혈시기는 검사 결과에 유의하게 영향을 줄 수 있다. 건강한 여성이나 자궁내막증을 가진 여성에서 CA-125는 월경 중 가장 높은 농도를 보이고 난포기 중기나 배란기 동안에 가장 낮은 농도를 보이는 것으로 알려져 있다(Bon et al., 1999). Hornstein 등(1992)은 월경 중 검사나 난포기 중반의 검사 모두 민감도와 특이도는 유사하다고 보고하였다. 연속된 월경주기에 CA-125의 재현성에 대한 전향적 다기관 연구에서 난포기 중기에 검사하는 경우 대조군이나 자궁내막증 환자군에서 모두 재현성이 좋았으나 월경 중에 검사한 경우에는 재현성이 낮고 질병의 심한 정도와 관련이 없어서 난포기 중기에 검사를 시행하는 것이 가장 진단적 정확도가 높다고 하였다(Hompes et al., 1996). O'Shaughnessy 등(1993)은 자궁내막증을 예측하기 위한 가장 좋은 검사로 월경 중과 난포기 중기의 CA-125 비율(menstrual/midfollicularratio)을 제시하였고 1.5를 기준치로 하여 62.5%의 민감도와 75%의 특이도를 보고한 바 있으나 이후 Hompes 등(1996)의 연구에서는 일치된 결과를 얻지 못하였다. 민감도가 낮음에도 불구하고 혈중 CA-125치가 자궁내막증의 심한 정도와 관련이 있고 내과적, 외과적 치료에 대한 반응을 예측할 수 있다는 주장들이 있었다(Cheng et al., 2002; Pittaway and Douglas, 1989). 자궁내막증으로 수술적 치료를 받은 불임 여성에서 수술 후 지속적인 혈중 CA-125치의 상승은 자궁내막증의 병기를 고려하여도 독립적으로 불량한 예후와 관련이 있었다(Pittaway et al., 1995). 그러나 Chen 등(1998)은 혈중 CA-125가 내과적 치료의 효과 확인에 신뢰할 만한 지표가 아니며, 다나졸(danazol) 치료 후에 혈중 CA-125치가 정상으로 감소했음에도 불구하고 복강경검사에서 지속적인 자궁내막증병변을 발견하였다고 보고하였다.

CA-125 혈중 농도 측정에 따른 단점을 보완하기 위하여 복강액에서 CA-125 농도를 측정하기도 하는데 Barbati 등(1992)은 복강액 내 농도가 혈중 농도의 100배 이상으로 자궁내막증의 진단에 도움이 된다고 하였으나 임상적 유용성에 대해서는 아직까지 논란의 여지가 있다(Muyldermans et al., 1995).

(2) 기타 검사실 검사

자궁내막증의 신뢰할 만한 표지자를 찾기 위하여 자연적으로 자궁내막에서 분비되는 단백질이나 자궁내막이나 자궁내막과 관련된 조직의 면역반응 과정에서 생산되는 단백질에 대한 연구가 있어 왔다. 자궁내막증의 진단을 위해 연구된 표지자들로 CA-72, CA-15-3, TAG-72 등이 있으나 대부분의 연구들에서 모두 민감도가 너무 낮았다(Muscatello et al., 1992; Molo et al., Abrao et al., 1999).

하지만 CA 19-9은 CA-125에 추가하면 중등도 및 중증의 자궁내막증 환자를 진단하는 데 도움이 된다고 한 보고들이 있다(Watanabe et al., 1990; 강태정 등, 2000; 최영민 등, 2002). 다른 표지자로는 분비기 후반 자궁내막의 산물인 태반단백(placental protein, PP)-14가 있는데 자궁내막증에서 증가되고, 자궁내막증의 중증도와 관련이 있으며, 59%의 비교적 양호한 민감도를 가진다고 보고된 바 있으나(Telimaa et al., 1999) 이후의 연구들에서는 입증되지 못했다. 또한 전향적 연구를 통하여 혈중종양연관트립신억제제(tumor associated trypsin inhibitor, TATI)가 자궁내막증 환자에서 증가되어 있고, 자궁내막증의 병기와 관련이 있다고 보고된 바 있다. TATI는 유용한 선별검사는 아니지만 CA-125 검사와 함께 사용할 경우 민감도가 모든 병기에 대하여 59%이며 Ⅲ, Ⅳ기에 대해서는 89%로 추가적인 진단 수단이 될 수 있다(Medl et al., 1997). C-반응단백(C-reactive protein, CRP)이나 아밀로이드(amyloid) A 같은 급성 염증반응 단백의 증가가 중증 자궁내막증에서 입증되어 왔으나 이러한 검사의 유용성은 아직 명확히 밝혀져 있지 않다(Abrao et al., 1997).

자궁내막증 환자에서 혈중 항자궁내막항체의 증가가 관찰되지만(김정구 등, 1999; Wild et al., 1991) 다른 연구에서는 차이를 발견할 수 없었고, 항체역가와 질병의 중증도와의 관련성도 좋지 않았다(Switchenko et al., 1991; Fernandez-Shaw et al., 1996).

Kitawaki 등(1999)은 자궁내막 조직검사에서 방향화 효소 단백의 발견이 자궁내막증이나 자궁선근증과 관련이 있으며 91%의 민감도와 100%의 특이도를 보여 자궁내막증의 선별검사로 사용할 수 있다고 보고한 바 있다. 그러나 Dheenadayalu 등(2002)은 자궁내막에서 방향화효소 messenger RNA의 발현이 자궁내막증뿐만 아니라 자궁근종, 자궁선근증 및 근위부 난관질환과도 관련이 있고, 골반내 질환의 존재를 예측하는 데 도움은 되지만 위음성률이 높고 특이도가 낮아서 임상에 적용하기는 어렵다고 하였다.

혈중 IL-6의 기준치를 2 pg/mL로 설정하여 자궁내막증 환자를 구분할 수 있었다는 주장이 있었고, Matarese 등(2002)은 자궁내막증 환자에서 혈중 및 복강액 내 렙틴(leptin) 농도가 증가한다고 보고하며 지방조직에서 유도된 나선형 시토카인의 염증반응 및 신생혈관생성에 관여하여 자궁내막증의 병태생리에 기여한다고 하였으나 추후의 연구(Vigano et al., 2002)에서는 입증되지 못하였다.

3) 영상 진단법

영상 진단법의 선택적인 사용은 자궁내막증의 진단에 도움이 될 수 있다. 광범위한 자궁내막증병변이나 자궁내막종은 경질초음파검사와 자기공명영상에 의해 진단될 수 있고 컴퓨터단층촬영(CT)은 병변의 위치를 파악하는 데 도움이 될 수 있으나 종종 비특이적 소견을 보이기도 한다.

(1) 초음파검사(그림 15-2A)

초음파검사는 자궁내막증이 의심되는 환자를 평가하기 위하여 가장 흔하게 사용되는 방법으로 자궁내막종의 진단에 특히 유용하지만 유착이나 표층 자궁내막증의 진단에는 한계가 있다(Friedman et al., 1985). 고주파(high frequency) 탐색자(probe)를 사용하는 것이 선호되며, 색도플러(color doppler)검사를 병용하는 것이 도움이 되고, 복벽이나 방광의 자궁내막증은 복식 초음파검사가 도움이 될 수 있다(Alexiadis et al., 2001).

자궁내막종의 초음파 소견은 다양한데 흔히 내부에 미만성 저에코(diffuse low-echogenecity)를 띤 낭성 구조로 보이고, 종종 격막이 있으며, 낭종의 벽이 두껍거나 결절을 보이기도 한다(Athey and Diment, 1989). 초음파검사는 자궁내막종의 진단에 92%의 민감도와 99%의 특이도를 가지며, 진단적 정확성은 색도플러검사에 의해 향상될 수 있다(Guerriero et al., 1996; Mais et al., 1993). 자궁내막종의 혈류는 흔히 낭종 주위에서 보이고, 문 부위(hilar region)에서 현저하며, 일정 간격을 둔 혈관들이 관찰된다. Kurjak과 Kupesic (1994)은 임상척도, CA-125, 초음파 및 색도플러검사 소견에 근거한 점수화 체계(scoring system)를 적용하여 좋은 결과를 얻었다고 보고한 바 있으나 이후 다른 연구자들에 의해서는 일치된 결과를 얻지 못하였다

(Alcarzar et al., 1997).

자궁내막종에서 혈관 신생의 존재 여부는 31-98%로 다양하게 보고되고 있으며, Alcarzar (2001)는 골반통을 가진 환자의 난소 자궁내막종에서 혈관 신생이 더 많고, 박동지수(pulsatility index)가 무증상 환자보다 더 낮다고 보고하였다. Guerriero 등(1998)은 파워(power) 도플러의 도입으로 진단적 정확성이 향상되고 저속 혈류의 발견도 가능해졌다고 보고하였다.

유피낭종(dermoid cyst), 출혈성 낭종 및 낭성 신생물은 자궁내막종과 유사한 소견을 보일 수 있기에 감별 진단으로 고려되어야 한다. 삼차원 초음파를 사용하면 낭성 난소종양의 혈관뿐만 아니라 표면과 내부에코의 국소 해부학적 구조를 더 잘 볼 수 있게 되어 다른 양성 및 악성종괴와 자궁내막종의 감별에 도움을 준다고 하였다(Hata et al., 1999; Kurjak et al., 2000).

경직장(transrectal) 초음파검사는 침윤성 자궁내막증의 진단에 유용한 수단이라 보고된 바 있는데, 6.5-Mhz 양평면 볼록(biplane convex) 탐색자를 사용하여 직장-질 자궁내막증을 97%의 민감도, 96%의 특이도로 진단 가능하며 자궁천골인대 침윤의 진단에는 80%의 민감도, 97%의 특이도를 보였다고 한다(Fedele et al., 1998). 자궁내막증에 의한 장관벽 침윤은 내시경적 경직장 초음파검사에 의해 진단할 수 있으며 직장 및 주변 부위의 환형 영상을 얻을 수 있어 직장벽 침범의 진단 시 100%의 양성 예측도를 보였다(Chapron et al., 1998).

(2) 자기공명영상(그림 15-2B~D)

자기공명영상은 비용이 많이 드는 단점이 있으나 자궁내막증의 진단에 특히 도움이 되는데 종종 고형성 자궁내막증 병변이나 유착을 발견할 수 있어서 선택된 고위험군 환자에서 비침습적인 검사로 유용하다.

자궁내막증병변은 종종 크기가 작고 신호강도(signal

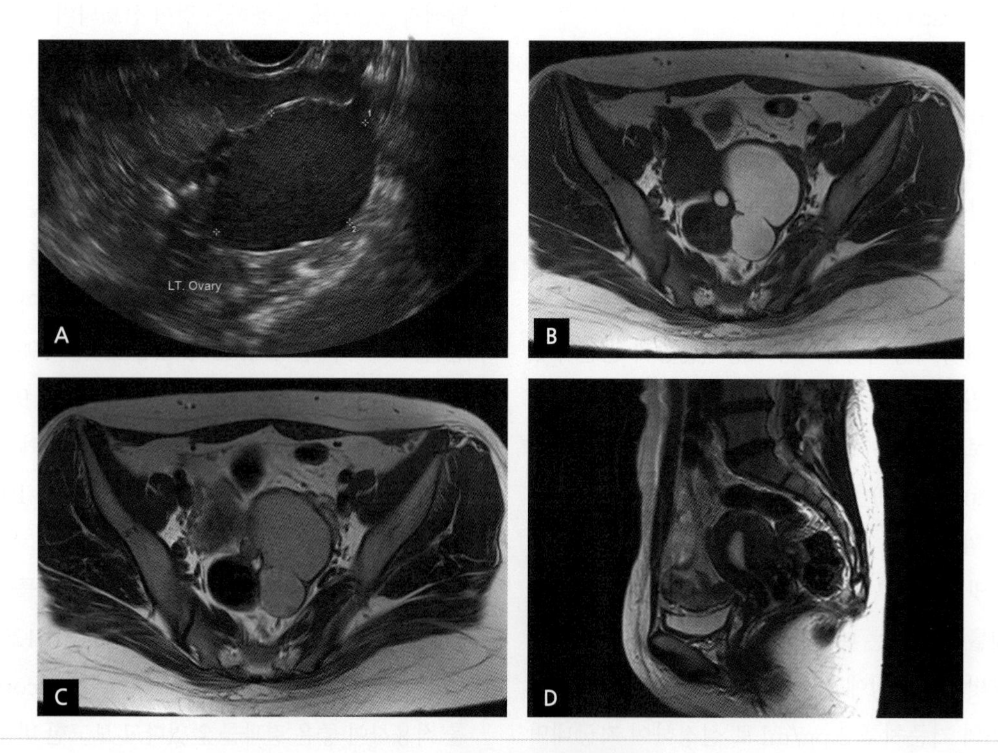

그림 15-2. **자궁내막종의 영상 소견**
A: 초음파 소견, B: MRI T1 강조영상, C: MRI T2 강조영상, D: MRI 자궁-직장 유착 소견

intensity)가 다양하다. 정상 자궁내막처럼 T1 강조영상(weighted image)에서 저신호강도(low signal intensity)를 보이고 T2 강조영상에서 고신호강도(high signal intensity)를 보이지만 T1 , T2 강조영상에서 모두 고신호강도를 보이거나 저신호강도를 보일수도 있고, 크기가 작은 자궁내막증병변은 자기공명영상에 의해 발견하기 어렵다(Arrive et al., 1989).

자기공명영상은 자궁내막종을 진단하는 데 가장 유용한 방법으로 질식 초음파와 유사하거나 더 좋은 민감도와 특이도를 가진다. 그러나 동일한 환자군에서 자기공명영상과 초음파의 직접적인 비교연구는 시행된 바가 없다. 자기공명영상에 의한 자궁내막증의 진단은 색소화된 출혈성 병변의 확인에 달려있다. 자궁내막종은 메트헤모글로빈(methemoglobin)과 탈산소헤모글로빈(deoxyhemoglobin)을 포함한 변성된 혈액 때문에 T1 강조영상에서 비교적 균일한 고신호강도를 보이며 특징적인 소견으로 T2 강조영상에서 저신호강도를 보인다. 자궁내막종 안에 축적된 고농도의 철과 단백질의 교차결합이 일어나고 T2 휴지기에 신호강도의 감소가 일어난다. 자궁내막종에서 신호강도의 특징은 출혈 후 경과된 시간에 따라 다양하여 혼합된 스펙트럼을 가질 수 있다. 아급성 출혈은 T1, T2 강조 영상에서 고신호강도를, 급성출혈은 저신호강도를 보이며 오래된 출혈은 T1, T2 강조영상에서 자궁내막종의 변연부(periphery) 테두리(rim)가 저신호강도를 보일 수 있는데 섬유화된 낭종의 벽과 혈철소포획대식세포(hemosiderin-laden macrophage)의 결합에 기인한다.

기본영상에 추가로 T1 강조영상 지방억제 기법을사용하는 경우 진단적 정확성을 향상시킬 수 있다(Sugimura et al., 1993). 가돌리늄을 사용한 자궁내막종의 조영증강은 영상 소견 양상이 다양하여 다른 낭종과의 감별에 도움이 되지 않는다.

골반 자기공명영상은 자궁내막종을 가진 환자에서 치료 시작에 앞서 치료 효과를 예측하는 것뿐만 아니라 내과적 치료 효과를 추적 관찰하는 경우에도 유용하다(Zawin et al., 1990; Sugimura et al., 1996).

자기공명영상은 직장질 중격 자궁내막증의 진단에도 가치가 있는 것으로 보고된 바 있으며, Kinkel 등(1999)은 병리조직학적으로 입증된 심부 자궁내막증 환자에서 자기공명영상 진단의 유용성에 대해 연구하였는데 100%의 민감도로 T2 강조영상에서 자궁천골 인대의 침윤을 발견할 수 있었다고 하였다.

(3) 기타 영상 진단법

자궁내막증의 진단에 다양한 영상 진단법이 유용하게 사용될 수 있다. 컴퓨터단층촬영은 흉막, 뇌 및 다른 흔치 않은 부위의 자궁내막증병변을 발견하는 데 도움이 될 수 있고, 이중조영을 이용한 바륨관장(barium enema)으로 장관 침윤을 진단할 수 있다(Shah et al., 1995). 방광이나 요관 침범이 의심되는 경우에는 정맥신우조영술(IVP), 방광경검사, 요관경검사 등이 시행될 수 있다. 그러나 이러한 검사들의 소견은 비특이적이고 흔히 다양한 염증 과정이나 신생물 같은 상황에 대한 감별 진단이 필요하다.

4) 복강경검사

복강경검사와 절제한 병변의 조직학적 검사는 자궁내막증 진단의 표준검사이다. 진단 복강경검사에서는 골반 및 복강에서 자궁내막증의 존재 유무를 체계적으로 검사해야 한다. 이때 시계방향 또는 시계반대방향으로 장관, 방광, 자궁, 난관, 난소, 더글라스와 및 광인대에 자궁내막증병변의 존재 유무를 주의 깊은 시진, 촉진으로 확인해야 한다. 모든 병변과 유착의 형태, 위치, 정도를 수술기록지에 기록하여야 하고 검사 소견을 비디오나 DVD를 사용하여 저장하는 것이 이상적이다. 월경주기 중 특정 기간에만 복강경을 시행하라는 권고 사항은 없으나 자궁내막증 진단율을 높이기 위해 호르몬 치료 시작 시기부터 치료 후 3개월까지는 시행하지 않는 것이 좋다(Kennedy et al., 2005). 자궁내막증이 발생하는 가장 흔한 위치와 병변의 형태에 대한 충분한 지식이 있어야 골반과 복강 내의 정확한 시각적 검사가 가능하다. 복강경검사에서 자궁내막증의 각각 다른 세 가지 병변을 고려해야 하는데 복막에 착상된 병변, 자궁내막종, 직장질 중격의 침윤성 병변이다. 자궁내막증의 다양한 소견에 대한 충분한 이해를 통하여 자궁내막증의 진단율을 2배 정도 높일 수 있었다는 보고도 있다(Martin et al., 1989).

(1) 복막에 착상된 자궁내막증(peritoneal implant)

복막에 착상된 자궁내막증은 자궁천골인대, 더글라스와 난소오목(ovarian fossa), 골반 측벽에서 가장 흔하고 방광이나 직장, S자 결장, 충수돌기, 맹장 등의 장표면뿐 아니라 상복부에서도 발견될 수 있다. 따라서 전체 복강 내를 세밀하게 관찰하여야 한다.

복강경검사를 통해 얻는 확대 이미지는 복강경과 관찰부위 사이의 거리에 의존하는데 예를 들어 1 cm 와 2 cm 거리에서 확대율은 대략 3.2배와 2.7배 정도이고(Murphy et al., 1989) 확대를 통하여 적색 병변(redlesion)의 경우 400 μm, 투명 병변(clear lesion)의 경우 180 μm 크기까지 관찰할 수 있다(Martin et al., 1989). 전형적인 병변은 다양한 정도의 색소화 및 주위 섬유화 그리고 검푸른 powder-burn 양상으로 보인다(그림 15-3A). 전형적인 흑색의 병변은 월경조직 파편(menstrual debris)내 혈철소 침착물에 의해 나타나지만 복막에 착상된 자궁내막증의 대부분은 색소화되지 않은 비전형적(atypical, subtle) 병변으로 보이며 흔히 적색이나 백색을 띤다. Jansen과 Russell (1986)은 다양한 자궁내막증병변에서 형태학적, 조직학적 특징 사이의 관계를 연구하여 자궁내막증으로 진단되는 비색소 침착성 병변으로 혼탁한 백색 병변이 81%, 적색의 불꽃모양(red flame-like) 병변은 81%, 샘모양 병변(glandular lesion)은 67%가 조직학적으로 자궁내막증으로 진단되었다고 하였다. 또한 비교적 드물게 난소하부유착(subovarian adhesion)을 보이는 경우는 50%, 황갈색 복막반(peritoneal patch)을 보이는 경우는 47%, 윤상복막결손(circular peritoneal defect)을 보이는 경우는 45%에서 자궁내막증을 조직학적으로 확진할 수 있었다고 보고하였다.

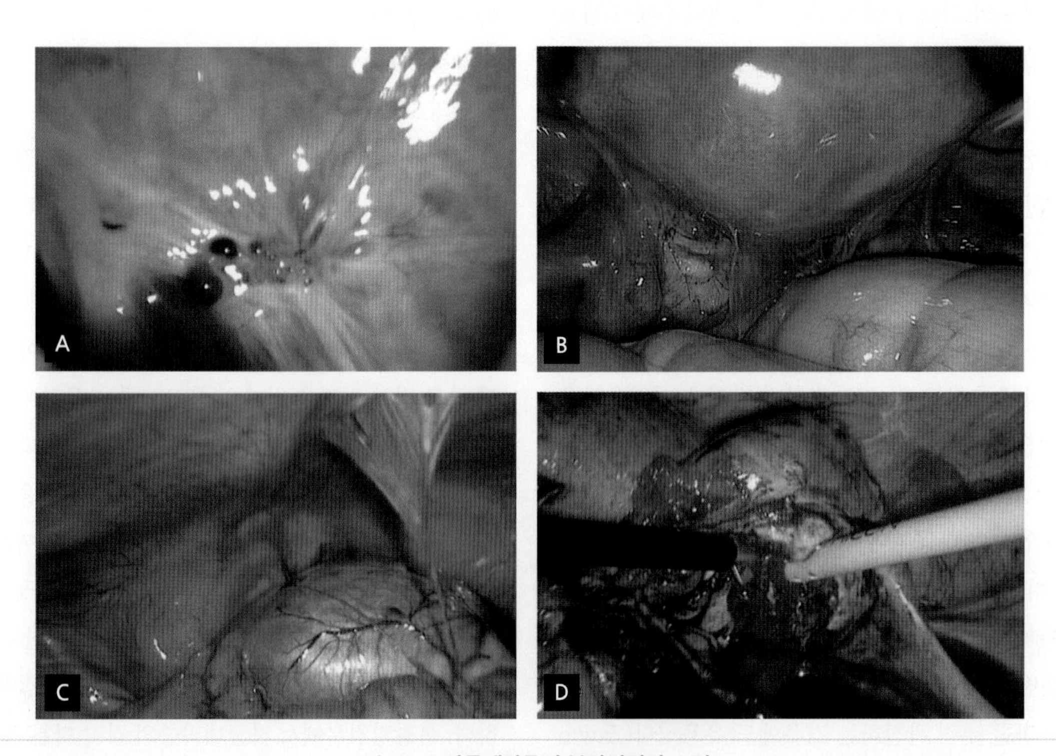

그림 15-3. **자궁내막증의 복강경검사 소견**
A: 자궁내막증의 전형적인 병변, B,C: 자궁내막증에 의한 유착 소견 , D: 자궁내막종과 그 내부의 초콜릿 색깔 액체

Nisolle과 Donnez (1997)에 의해 입증된 것처럼 적색 병변은 혈관형성이 많고 증식기 상태로 흔히 자궁내막증의 초기 단계를 나타내는 반면에 백색 병변은 섬유조직을 포함하며 혈관 형성이 적어 대사적으로 불활성기 상태로 이미 치유되었거나 잠복 병변(latent lesion)인 것으로 알려져 있다. 흑색 색소침착은 질병이 진행된 단계에 있음을 나타내고 조직학적으로 76-93%에서 자궁내막증이 진단된다.

경증의 자궁내막증을 가진 불임 환자에서 다양한 병변의 생화학적 활성과 임상적 특징에 대한 전향적 연구 결과 백색의 복막 자궁내막증은 흑색이나 적색의 병변보다 통증과의 연관성이 적으며, 흑색과 적색의 병변은 프로스타글란딘 F2α 생산과 관련하여 유사한 능력을 가지고 있다고 알려졌다(Muzii et al., 2000). Wiegerinck 등(1993)은 내과적 치료 전 및 치료 후 6개월에 시행한 복강경검사 소견을 비교한 결과 복강내 병변의 변화가 있었으나 질병의 병기 변화는 없었다고 보고하였다.

Redwine (1987)은 복막의 자궁내막증병변이 "자연 진화(natural evolution)"의 과정을 거친다고 주장하였고 이러한 개념은 적색 병변이나 투명 병변이 환자의 나이가 증가함에 따라 감소되고 7-10년의 기간에 걸쳐 흑색으로 변하고 결국 백색의 반흔 병변을 형성한다는 관찰에 의해 지지 를 받고 있다. 물론 이러한 자궁내막증병변에는 중복이 있을 수도 있으며 같은 환자에서 모든 형태의 병변이 존재할 수도 있다.

자궁내막증은 광학현미경이나 전자현미경에 의해서만 발견될 수도 있다(Murphy et al., 1986; 1989). 육안적으로는 정상적으로 보이는 복막에 자궁내막 샘과 기질 조직이 관찰되는 경우를 현미경적 자궁내막증(microscopic endometriosis)이라고 하는데 무증상 환자에서 현미경적 병변을 포함한 자궁내막증의 유병률은 45-50%로 추정된다(Balasch et al., 1996). 복강경검사에서 정상적으로 보이는 복막에서 채취한 1-3 cm의 복막 조직생검 결과 13-15%에서 미세자궁내막증병변을 진단하였다는 보고가 있으며, 전자현미경검사를 시행할 경우 25%의 진단율까지 보고된 바가 있다. 현미경적 자궁내막증이 가지는 임상적 의의는 명확하지 않으나 대다수의 여성에서 존재하며 일부에서 증상이 있는 자궁내막증으로 진행한다(Balasch et al., 1996).

자궁내막증병변은 다양한 양상을 보이기 때문에 검사자의 경험과 숙달 정도가 조직검사 부위의 선택에 영향을 주며 결국 자궁내막증의 진단율에도 영향을 준다. Walter 등(2001)은 만성골반통을 가진 환자 44명에 대한 전향적 연구에서 조직학적 진단과 복강경검사에 의한 자궁내막증의 진단을 비교한 결과 36%에서 육안적으로 자궁내막증이 진단되었으나 엄밀한 조직학적 기준을 사용하여 확진된 경우는 18%에 불과하다며 조직학적 검사를 통한 확진을 주장하였다.

복막의 자궁내막증은 과다혈관형(hypervascularization)이나 유착 형성과 같은 병리학적 변화와 관련될 수 있다. 유착은 막성(filmy), 혈관성(vascular), 치밀성/섬유화(dense/fibrosis) 등 조밀도(density)에 대한 평가가 골반장기의 운동성에 대한 평가와 함께 이루어져야 한다. 자궁부속기 주위 유착 정도에 대한 평가는 불임 여성에서 유착의 정도가 예후와 관련이 있기 때문에 특히 중요하다(그림 15-3C,D).

(2) 자궁내막종(endometrioma)

복강경검사에서 자궁내막종은 매끈한 벽을 가진 갈색의 낭종으로 흔히 유착을 동반하며, 절개하면 농도가 짙은 갈색의 초콜릿과 같은 액체가 흘러 나온다(그림 15-3B). Vercellini 등(1991)이 보고한 바와 같이 난소의 면밀한 육안적 검사만으로도 97%의 민감도와 95%의 특이도로 자궁내막종을 진단할 수 있다. 직경 3 cm 이상 크기의 자궁내막종은 다방성(multilocular)인 경우가 흔하고 8%에서는 황체낭종이 함께 발견된다. Redwine (1999)은 1,785명의 자궁내막증 환자에서 난소에 자궁내막종을 가진 환자는 난소 침범이 없는 환자보다 골반과 장관 부위 침윤이 더 흔하다고 보고한 바 있다.

(3) 심부 침윤성 자궁내막증(deep-infiltrating endometriosis)

심부 결절성 자궁내막증은 흔히 직장질 중격과 자궁방광인대, 자궁천골인대 같은 섬유근성 골반 구조물의 근육성 벽에 위치한다. 복막과 난소의 자궁내막증과는 다르게 직장질 결절은 조직학적으로는 평활근, 자궁내막샘, 기질로 구성된 자궁선근증과 유사하며, 직장질 중격에 존재하는 뮐러관 잔존물(Müllerian rest)로부터 기원하는 것으로 추정된다(Donnez et al., 1997; Nisolle와 Donnez, 1997).

심부 자궁내막증은 표층 복막의 침범 없이 주로 후 복막에 있을 수도 있다. 통증이나 불임증과 관련하여 이러한 병변이 복막 표면 밑으로 5 mm 이상 침윤되었을 경우에 심부 침윤성 자궁내막증으로 분류되어왔다(Cornilie et al., 1990). 결절의 크기와 깊이에 대한 검사는 복강경검사에서는 어려울 수 있지만 탐색자(probe)를 사용한 세심한 촉진으로 이러한 병변을 확인할 수도 있다.

(4) 복벽의 자궁내막증

수술반흔 부위에서 자궁내막종이 의심될 때는 미세침흡인(fine needle aspiration)검사가 조직병리학적 진단에 도움이 될 수 있다(Simsir et al., 2001).

5) 자궁내막증의 현미경적 소견

현미경검사에서 자궁내막증병변은 혈철소가 함유된 대식세포를 가지거나 혹은 가지고 있지 않은 정상 자궁내막에서와 같은 샘세포 및 기질세포로 이루어져있다. 그러나 자궁내막증병변은 샘조직보다는 기질조직이 보다 특징적인 양상을 보이고 이러한 기질의 자궁내막증은 혈철소를 함유한 대식세포나 출혈 양상을 지니고 있음이 보고된 바 있다.

각기 다른 병변은 서로 다른 증식기 또는 분비기에 있는 샘조직을 가질 수 있다. 깊은 침윤성 병변은 골반 내 자궁내막증병변 중에서 특수한 형태로 빽빽한 섬유소 및 평활근조직 내에 샘조직과 기질조직의 증식이 관찰되는 특이한 양상으로 나타나지만 이러한 평활근은 복막, 난소, 직장질 중격, 자궁천골인대에 존재하는 자궁내막증의 흔한 구성요소이다(Anaf et al., 2000). 직경 3 cm 이상인 난소 자궁내막종이나 심부 침윤성 병변의 경우는 자궁내막증을 확인하고, 드물지만 악성종양의 가능성을 배제하기 위하여 조직학적 검사가 시행되어야 한다(Kennedy et al., 2005).

6) 자궁내막증의 자연경과(Spontaneous Evolution)

자궁내막증은 30-60%의 환자에서 진행성 병변을 보인다. 6개월간 치료 없이 자각증상의 변화를 관찰한 결과 47%에서는 증상의 악화, 30%에서는 호전, 23%에서는 소실을 관찰할 수 있었고, 또 다른 연구에서는 12개월의 관찰기간 동안 64%의 악화, 27%의 호전 및 9%의 무변화를 보고하였으나 복강경검사 결과 병기의 호전은 없었던 것으로 보고하였다(Mahmood와 Templeton, 1990). 많은 연구들에서 자궁내막증의 신생병변과 진행된 병변의 많은 형태들을 보고하고 있는데 최근의 연구에 의하면 시간이 경과함에 따라 비전형적 병변은 점차 감소하고 전형적인 병변은 증가한다고 하였다.

임신 첫 삼분기에는 자궁내막증의 병변이 약간 진행되었다가 그 후 호전된다는 보고가 있으나, 첫 두 삼분기에는 변화가 없었다는 보고도 있다. 에스트로겐과 프로게스틴을 투여하여 가임신상태를 만들어 자궁내막증 증상의 호전을 도모하는 치료방법은 임신 동안 증상의 호전이 자궁내막증 병변의 탈락막화에 기인한다는 믿음에 근거하고 있다.

자궁내막증은 상피성 난소암의 특정 조직형과 연관이 있다는 것이 알려져 있다. 8,000명 이상의 상피성 난소암 환자를 대상으로 시행한 대규모 메타분석에 의하면 자궁내막증의 병력이 있는 환자에서 투명세포(clear cell), 자궁내막양(endometrioid), 저등급 장액성(low grade serous) 형태의 난소암의 위험성이 통계적으로 유의하게 높은 것으로 보고되고 있다(Pearce et al., 2012). 최근의 한 연구에 의하면 자궁내막증 세포가 투명세포, 자궁내막양 난소암으로 발전하는 것은 ARID1A gene의 mutation과 연관이 있다고 하였다(Wiegand et al., 2010).

7) 자궁내막증의 병기분류

현재 사용하고 있는 병기분류는 1996년 개정된 미국생식의학회(American Society for Reproductive Medicine, ASRM) 분류이다(ASRM, 1997)(그림 15-4).

이 분류법은 병변의 모양, 크기, 복막 및 난소 병변의 깊이, 자궁부속기 유착의 여부, 범위, 형태, 더글라스와의 폐

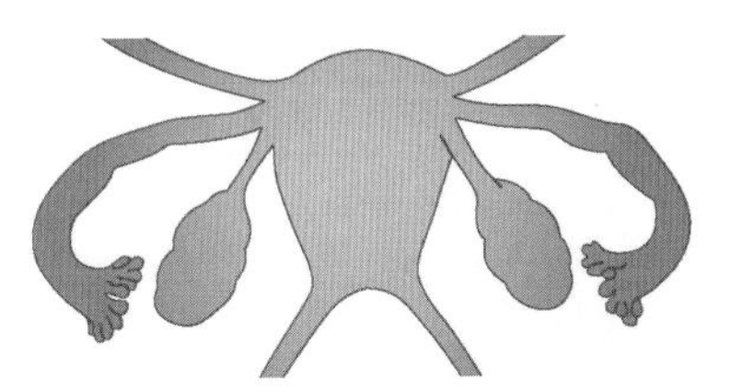

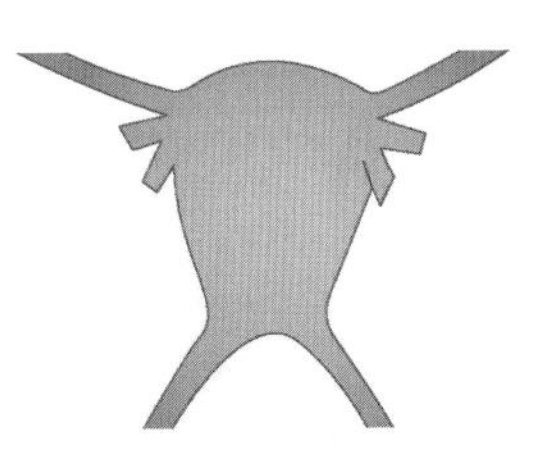

Patient's Name ____________
Stage I(Minimal) - 1~5
Stage II(Mild) - 6~15
Stage III(Moderate) - 16~40
Stage IV(Severe) - >40
Total ____________

Date ____________
Laparoscopy ________ Laparotomy ________ Photography ________
Recommended Treatment ____________

Prognosis ____________

	ENDOMETRIOSIS		<1 cm	1-3 cm	>3 cm
PERITONEUM		Superficial	1	2	4
		Deep	2	4	6
	R	Superficial	1	2	4
		Deep	4	16	20
	L	Superficial	1	2	4
		Deep	4	16	20
	POSTERIOR CULDESACOBLITERATION		Partial		Complete
			4		40
	ADHESIONS		<1/3 Enclosure	1/3-2/3 Enclosure	>2/3 Enclosure
OVARY	R	Filmy	1	2	4
		Dense	4	8	16
	L	Filmy	1	2	4
		Dense	4	8	16
TUBE	R	Filmy	1	2	4
		Dense	4*	8*	16
	L	Filmy	1	2	4
		Dense	4*	8	16

Denote appearance of superficial implant types as red [(R) red, red-pink, flamelike, vesicular blobs, clear vesicles], white [(W) opacification, peritoneal defects, yellow-brown], or black [(B) black, hemosiderin, deposits, blue]. Denote percent of total described as R____ %, W____ % and B____ %. Total should equal 100%.
* If the fimbriated end of the fallopian tube is completely enclosed, change the point assignment to 16.

Additional Endometriosis : ____________

Associated Pathology : ____________

To Be Used with Normal Tubes and ovaries To Be Used with Abnormal Tubes and/or ovaries

그림 15-4. **미국생식의학회 개정 자궁내막증 병기분류(American Society for Reproductive Medicni e Revised Classification of Endometriosis)**

쇄 정도에 근거를 두고 있다. 난소 자궁내막종과 더글라스와의 폐쇄정도에 대해 다시 규정하면서 복막 및 난소 병변의 형태학적 소견에 따라 적색, 백색, 흑색 병변으로 범주화하여 각각 차지하는 비율을 표시하도록 하였다. 이 분류는 주관적이고 통증의 정도와 병기가 종종 일치하지 않는다는 제한점 등이 있지만 난임의 예후나 추적관찰에는 가치가 있다고 여겨진다(Damario MA, et al., 1997). 2005년 제안된 ENZIAN 분류법은 rASRM 분류법에 심부자궁내막증, 후복막 침범 및 타장기 침범에 관한 내용을 보완한 분류체계이다(Tuttlies F, et al., 2005). 이 분류는 상대적으로 좋은 형태학적 묘사를 제공하지만, 역시 임신율과 난임과 같은 임상적인 문제들에 관한 정보를 제공하거나 예측

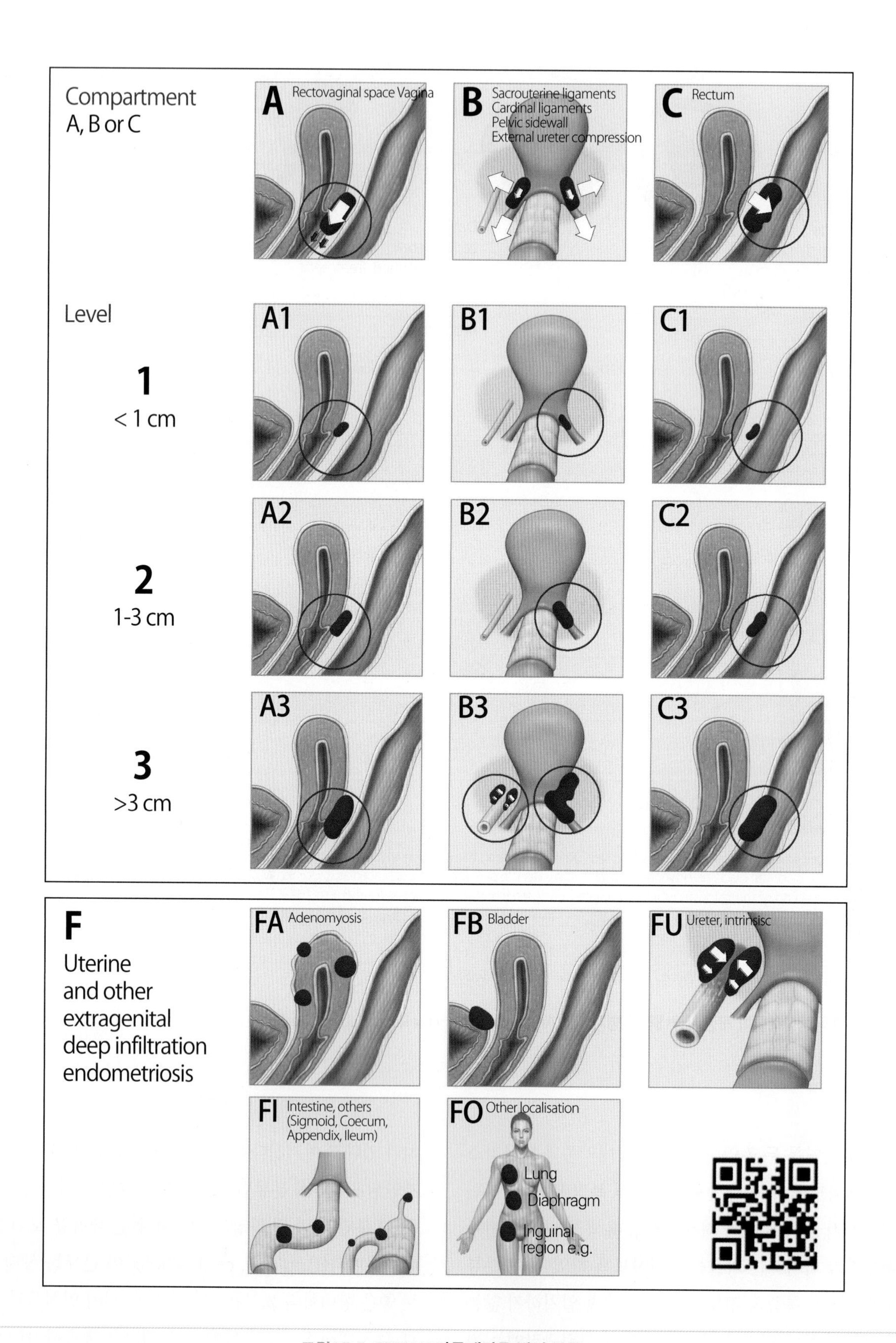

그림15-5. ENZIAN 자궁내막증 병기 분류

할 수 없다. 2010년 Adamson과 Pasta가 개발한 Endometriosis Fertility Index는 자궁내막증수술을 통한 병기 설정 이후 환자들에게 자연임신 가능성을 예측할 수 있다고 알려져 있다. 이 체계는 나이, 난임기간, 과거 임신 등의 인자를 추가하고 rASRM 점수 중 유착을 제외한 점수와 전체 점수, 수술 마지막에 난관, 난소의 가장 낮은 기능으로 생각되는 점수를 매기어 계산한다(Adamson GD, et al., 2010). 2017년 World Endometriosis Society에서는 더 나은 분류 체계가 개발될 때까지 우리는 r-ASRM ,ENZIAN, EFI 등의 분류시스템을 병용하여 최대한의 정보를 얻을 것을 권고하였다(Johnson NP, et al., 2017)(그림 15-5, 6).

ENDOMETRIOSIS FERTILITY INDEX (EFI) SURGERY FORM

LEAST FUNCTION (LF) SCORE AT CONCLUSION OF SURGERY

Score	Description
4	= Normal
3	= Mild Dysfunction
2	= Moderate Dysfunction
1	= Severe Dysfunction
0	= Absent or Nonfunctional

	Left	Right
Fallopian Tube		
Fimbria		
Ovary		

To calculate the LF score, add together the lowest score for the left side and the lowest score for right side. If an ovary is absent on one side, the LF score is obtained by doubling the lowest score on the side with the ovary.

Lowest Score: ☐ Left + ☐ Right = ☐ LF Score

ENDOMETRIOSIS FETILITY INDEX (EFI)

Historical Factors			Surgical Factors		
Factor	Description	Points	Factor	Description	Points
Age			LF Score		
	If age is ≤35 years	2		If LF Score = 7 to 8 (high score)	3
	If age is 36 to 39 years	1		If LF Score = 4 to 6 (moderate score)	2
	If age is ≤40 years	0		If LF Score = 1 to 3 (low score)	0
Years Infertile			AFS Endomertriosis Score		
	If years infertile is ≤3	2		If AFS Endometriosis Lesion Score is ≤16	1
	If years infertile is >3	0		If AFS Endometriosis Lesion Score is ≥16	0
Prior Pregnancy			AFS Total Score		
	If there is a history of a prior pregnancy	1		If AFS total score is <71	1
	If there is no history of a prior pregnancy	0		If AFS total score is ≥71	0
Total Historical Factors			Total Historical Factors		

EFI = TOTAL HISTORICAL FACTORS + TOTAL SURGICAL FACTORS: ☐ Historical + ☐ Surgical = ☐ EFI Score

ESTIMATED PERCENT PREGNANT BY EFI SCORE

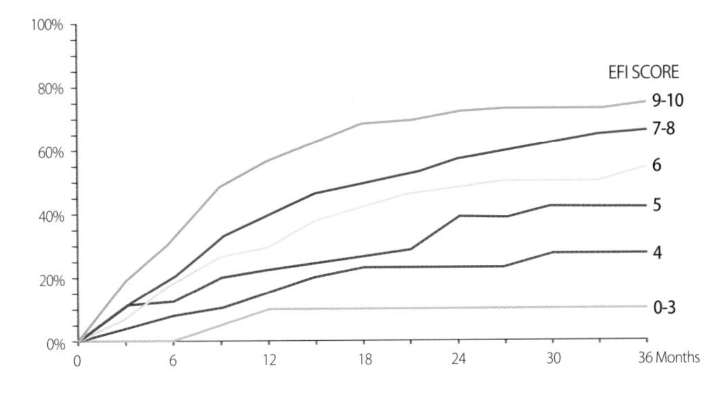

그림 15-6. **Endometrial fertility index (EFI) 병기 분류**

3. 자궁내막증의 치료

1) 치료의 원칙

자궁내막증 치료는 반드시 개별화되어야 한다. 치료 전 환자의 개인별 증상 및 진단 연령, 가임력 보존 여부, 재발에 대한 고려가 필요하다. 하지만, 자궁내막증 환자의 상당수가 골반통과 불임 증상을 동시에 가지고 있으며, 통증 감소 이후에는 임신을 원하는 경우가 많아서 이에 따른 치료 계획을 잘 세우는 것이 중요하다. 가임여성의 3-10%에서 자궁내막증을 보이며 치료 후에 재발이 잘 되는 특성과 함께 자궁내막증 자체가 불임의 원인이 되는 경우가 많아 치료 시 또는 이후에 재발을 최대한 막으면서도 동시에 난소 기능을 최대한 보존하는 쪽으로 치료 방향을 결정해야 한다(Kennedy et al., 2005). 보통 골반통이나 불임이 있을 경우 치료가 이루어지는 것이 대부분이나, 자궁내막증으로 진단받은 환자의 30%에서 60%가 1년 내에 악화되고 진행 여부의 대한 예측인자를 알 수 없으므로, 증상의 발현 유무에 상관없이 자궁내막증은 치료를 하는 것이 바람직하다(Mahmood et al., 1990).

2) 자궁내막증의 치료 방법

자궁내막증의 치료 방법으로는 외과적 치료, 내과적 약물 치료, 불임증을 위한 치료, 그리고 경화요법과 이들 치료를 조합한 병합요법이 있다(표 15-2).

표 15-2. 자궁내막증의 치료방법

- 수술요법
  - 복강경수술
  - 개복수술
- 약물요법
  - 비스테로이드항염증제
  - 경구피임제
  - 프로게스테론 제제
  - 생식샘자극호르몬분비호르몬 작용제
  - 생식샘자극호르몬분비호르몬 길항제
  - 프로게스테론길항제와 선택적 프로게스테론 수용체 조절제
  - 다나졸
  - 방향화효소억제제
- 경화요법
- 병합요법

(1) 자궁내막증의 외과적 치료

자궁내막증 환자의 대부분은 가임기 여성이며 불임증으로 수술하는 경우도 많다. 따라서 자궁내막증수술은 병변의 완벽한 제거가 원칙이지만 더 나아가 생식능력의 보존이 고려되어야 한다. 모든 수술적 술기는 생식기능의 향상과 교정을 충족해야 하며(Zegers-Hochschild et al., 2009) 이를 위해 가장 덜 침습적이면서도 재발이 적고 생식능력을 보존하는 방향으로 수술적 술기가 결정되어야 한다. 이에 따르면 자궁을 보존한 상태에서 자궁내막증의 병변과 자궁내막증에 의한 골반 유착 제거술 등을 시행하여 정상적인 골반의 해부학적인 구조를 갖출 수 있도록 하는 복강경수술이 기본이다. 하지만, 자궁내막증이 너무 진행되어 복강경수술이 불가능하다면 개복술을 고려해 볼 수 있으며 더 이상 수태 능력을 필요로 하지 않거나 근치적 수술의 적응증이 되는 다른 병변이 존재할 경우, 또는 증상이 심할 때는 자궁절제를 기본으로 하는 근치적 수술을 고려해 볼 수 있다(Dunselman et al., 2014).

① 보존적 수술

가. 복강경수술

복강경수술이 개복수술에 비해 수술 후 임신율 및 통증 치료 성적이 비슷하거나 더 좋으면서, 최소 침습적 수술의 장점들이 있으므로 자궁내막증의 수술요법으로는 복강경수술이 적합하다.

가) 복강경수술 시기

일상생활에 지장을 초래하는 월경통, 만성골반통, 성교통, 천골 동통 등은 심부 자궁내막증병변 혹은 자궁내막증이 진행되고 있음을 의미한다. 자궁내막증이 의심되는 여성에서 자궁내막증 연관 자각 증상으로 불편감을 느끼기 시작할 때에는 자궁내막증 진단 및 치료 목적의 복강경수술을 시행해야 한다.

나) 복강경수술의 장점

자궁내막증의 수술적 치료는 많은 경우에서 복강경수술을 활용한다. 개복수술에 비해 수술 후 동통의 감

소, 빠른 회복, 짧은 재원 일수, 입원비용의 감소, 수술 창상의 극소화 및 수술 후 유착 감소 등의 이점이 있다. 또한, 지혈이 용이하고 자궁내막증 조직을 정확하게 소작 또는 파괴시킬 수 있으며 골반강 내의 주요 장기 및 주위 조직의 손상을 최소화할 수 있는 장점이 있다. 복강경수술은 동일한 환자에서 반복적으로 시술할 수 있는 장점도 있는데 이는 재발이 비교적 흔한 자궁내막증에 적합하다. 중요한 것은 전신마취하에서 복강경수술을 시행하는 경우에는 진단과 치료가 동시에 시작될 수 있다는 것이다. 자궁내막증에 의한 난소 낭종은 낭종절제술을 시행하는 것이 일반적이다(Hart et al., 2008). 낭종 벽의 양극소작, 레이저증기요법(laser vaporization) 또는 낭종 일부의 절제술과 레이저 증기요법의 병합 시행도 가능하지만 낭종절제술에 비해 난소 기능의 보존은 향상되나 재발률이 높다(Healey et al., 2010). 복강경수술이 개복수술에 비해 수술 후 임신율 및 통증 치료 성적이 비슷하거나 더 좋으면서, 최소 침습적 수술의 장점들이 있으므로 자궁내막증 수술요법으로는 복강경수술이 적합하다(Redwine, 1999).

나. 보존적인 개복수술

일반적 수술 원칙인 복강경수술이 안 되는 경우에 자궁내막증병변을 제거하여 정상적인 해부학적 구조의 생식기관으로 복원시켜 수태 기능의 정상화를 도모하게 되는 수술 방법이다.

② 근치적 수술

가. 자궁절제술

근치적 자궁절제술의 적응증은 약물치료 및 보존적 수술요법에도 반응하지 않는 극심한 통증이 있으면서 향후 임신을 원하지 않는 경우와 자궁절제술을 요하는 자궁질환을 동반하는 경우로 국한하여야 한다. 자궁절제술과 함께 난소절제술을 시행할 것인지의 여부는 신중한 선택을 필요로 한다. 자궁내막증 환자에서 자궁절제술과 양측 난소절제술은 완전한 치료가 되지 못하여 재발될 수 있다는 보고가 있으며(Dmowski et al., 1988; Redwine, 1994), 가임기 여성의 근치적 수술에서 자궁내막증 병소가 없는 난소는 보존하는 것을 권장하고 있다. 양측 난소절제술 후 여성호르몬요법을 시행할 경우, 가능성은 낮지만 자궁내막증이 재발될 수 있으므로 적어도 수술 3-6개월 이후에 시작하게 된다. 에스트로겐 단독(unopposed estrogen)요법에서는 수술 후 잔존 자궁내막증병변에서 자궁내막샘암이 드물게 발생할 수 있으므로 황체호르몬 제제의 병합 투여도 고려할 수 있다.

③ 경화요법(sclerotherapy)

경화요법은 95% ethyl alcohol과 5% tetracycline solution, MTX (methotrexate: 30 mg mix with 3 mL saline), 혹은 재조합 interleukin-2를 이용하는데 초음파 유도 단순 낭종흡입술의 재발률이 28-100%인 것과 비교하여 6개월 누적 재발률이 15-20%로 낮다(Zhu et al., 2011; Hsieh et al., 2009). 자궁내막종의 수술은 그 자체가 난소예비능을 감소시킬 수 있는 우려가 있으며(Raffi et al., 2012), 양측 난소에 발생한 자궁내막종에 대한 치료 후 2.4%의 여성에서 조기난소부전이 온다는 보고도 있다(Busacca et al., 2006). 따라서 경화요법은 난소예비능이 낮거나, 수술 후 난소예비능이 현격하게 떨어질 것으로 예상되는 환자에서도 적용할 수 있으며(Na et al., 2012), 불임시술 전 재발성 자궁내막종의 치료에도 이용될 수 있다.

④ 수술요법에 따른 치료 성적

가. 골반통

골반통의 치료 결과는 환자의 성격, 우울증, 결혼 생활 및 성적인 문제 등의 정신적인 인자들에 따라 많은 영향을 받을 수 있으며 자궁내막증병변의 완전한 제거술을 시행하지 않는 진단적 복강경수술만으로도 환자의 50%에서는 위약 효과를 관찰할 수 있다(Sutton et al., 1994). 경증의 자궁내막증 환자의 경우 레이저를 이용한 복강경수술 시에 60-80%에서 골반통의 완화를 관찰할 수 있는 것으로 알려져 있다(Feste, 1996).

나. 수태 능력

자궁내막증으로 골반강 내의 생식기관에 해부학적인 변형이 있는 경우에는 수술요법이 필수적이며 중등도의 자궁내막증과 연관된 불임증의 경우 임신 성공률은 60%이며 중증의 자궁내막증과 연관된 불임증의 경우는 임신성공률이 35%인 것으로 알려져 있다(Olive and Schwartz, 1993). 자궁내막증의 병기와 보존적 수술 이후 누적 자연임신율과의 관계는 음의 상관관계가 있다는 보고가 있다(Guzick et al., 1997; Osuga et al., 2002). 경증의 자궁내막증과 불임증 간의 연관성에 대해서는 논란이 있다. 경증의 자궁내막증에서 진단적 복강경수술만 실시한 군에 비해 전기소작 및 낭종절제를 시행한 군에서 임신율이 높았다는 보고(Marcoux et al., 1997)와 이와는 반대로 수술이 불임개선에 별 영향이 없다는 보고도 있다(Parazzini, 1999).

직경 3 cm 이상의 자궁내막종의 복강경 낭종절제술의 경우 낭종제거술이 전기소작술에 비해서 자연임신율을 향상에 도움이 된다는 보고들도 있으나 수술 후의 난소기능 저하에 대한 충분한 면담이 이루어져야 하며 이전에 난소에 수술을 받은 경우 더욱 세심한 주의가 필요하다(Hart RJ et al., 2008; Dunselman GA, et al., 2014).

(2) 자궁내막증에 대한 내과적 치료

자궁내막증에 대한 약물요법은 근치적인 치료 방법이라기보다는 혈중 에스트로겐 농도를 일시적으로 억제하는 일시적인 억제 치료(suppressive therapy)이다. 자궁내막증에 의한 통증은 충분한 내과적, 외과적 치료 후에도 여전히 남아 있을 수 있다. 따라서 통증 조절에 대한 치료 계획을 세울 때 통증 클리닉도 같이 포함하거나 카운셀링이 고려되어야 한다.

① Non-steriodal anti-inflammatory drugs (NSAIDs)

자궁내막증이 만성 염증성 질환이라는 것을 고려하면 항염증제의 사용은 자궁내막증 관련 통증의 치료에 효과적일 것으로 생각된다. NSAIDs가 자궁내막증 관련 통증의 일차적 치료로 광범위하게 사용되고 있으나 확실한 근거는 없다. Naproxen과 위약군과의 이중 맹검 연구에서 자궁내막증 연관 통증의 완전한 감소 또는 일부 감소가 naproxen군에서 85%, 위약군에서 41% 관찰되었다는 보고가 있으나, 코크란 분석에서는 통증경감에 대한 naproxen의 효과는 확인할 수 없다고 결론지었다(OR 3.27; 95% CI. 0.61-17.69)(Allen et al., 2009).

자궁내막증 연관통은 통각이지만 오랜 기간의 지속된 통각은 체성 통각과민에 의한 central sensitization과 더불어 연관통을 증가시킨다. 따라서 NSAIDs의 자궁내막증 연관통의 통증 감소는 항염증 효과와 더불어 국소적인 통각저해 및 central sensitization과도 연관이 있을 것으로 생각된다. NSAIDs는 여전히 일차적 생리통뿐 아니라 자궁내막증 연관 통증 치료의 일차약제로 널리 사용되고 있다(Marjoribanks et al., 2010).

② 호르몬 치료제

에스트로겐이 자궁내막증의 성장을 자극하므로, 호르몬 치료는 에스트로겐 합성을 억제하는 치료이다.

이소성 자궁내막 조직 이식편은 정상 자궁내막 조직과 비슷하게 성호르몬에 반응한다. 그러나 자궁샘의 활동성, 효소 활성 및 성호르몬 수용체 등에서 정상 자궁내막 조직과 조직학적, 생화학적 차이가 존재한다. 복합경구피임제, 다나졸, gestrinone, medroxyprogesterone acetate, 생식샘자극호르몬분비호르몬작용제(GnRH agonist) 등의 약제별 효과의 큰 차이는 없으나 각각의 부작용은 다르다. Aromatase inhibitors, estrogen receptor modulators, progesterone antagonists 등도 새로운 호르몬 치료의 선택이 될 수 있다.

가. GnRH agonist

GnRH agonist는 뇌하수체의 GnRH 수용체를 하향 조절함으로써 시상하부-뇌하수체-난소를 축으로 하는 여성 생식 내분비 체계를 억제하게 된다. 따라서, 에스트로겐에 의한 자궁내막증병변의 증식을 방지함으로써 난포호르몬 의존성 종양인 자궁내막증의 병변을 소멸 혹은 위축 상태에 이르게 하여 자궁내막증을 치료하는 제제이다. 현재 사용 중인 GnRH agonist로는 루프롤리드(leuprolide), 부세렐린(buserelin), 나파렐린(nafarelin), 고세렐린(goserelin), 데스로렐린(deslorelin) 및 트립토렐린(triptorelin) 등이 있다. 이 제제들은 경구 투여를 할 수 없으며 근육, 피하 및 비점막을 경유하여 투여하게 된다. Depot 제제의 경우 자주 투여할 필요가 없어 편한 이점이 있다. GnRH agonist로 3개월간 치료했을 때 6개월간 통증이 개선되는 데 효과적이다. 적절한 치료 효과는 혈중 에스트로겐의 농도가 20-40 pg/mL인 경우이며(Barbieri, 1992), 난포호르몬 농도의 저하로 인한 부작용으로 안면 홍조, 두통, 질 건조감, 성욕의 감퇴, 6-8%의 골밀도 감소 등이 있을 수 있다. 치료 후 골 감소의 회복은 모호하기 때문에 6개월 이상 치료가 필요할 경우에는 주의를 해야 한다.

장기간의 GnRH agonist 치료 동안 발생한 골밀도 저하는 치료 후 6년이 지나도 완전히 회복되지 않았다는 한 연구도 있었다. 난포호르몬의 혈청 농도는 자궁내막증을 억제하면서 난포호르몬 저하로 인한 부작용도 피하기 위해서 30-45 pg/mL를 유지하는 것이 좋다. 난포호르몬의 농도 저하로 인한 부작용을 감소시키기 위하여 '부가지지 요법(add-back regimen)'이 도입되었으며 사용되는 제제로는 접합 에스트로겐 0.625 mg/일 및 초산메드록시프로게스테론 2.5 mg/일(또는 노르에치스테론(norethisterone, 1.2 mg/일), 초산노르에체드론 5 mg/일 또는 티볼론(tibolone) 2.5 mg/일 등이 사용되고 있다(Surrey, 1999). 최대 골량에 이르지 못한 16세 미만의 사춘기 여성에서는 GnRH agonist를 처방하지 말아야 한다.

진단적 복강경수술 결과 자궁내막증으로 진단된 환자 군에서 GnRH agonist 중 월 1회요법의 서방형인 트립토렐린(triptorelin) 및 비점막 살포형의 나파렐린(nafarelin)을 6개월간 임상 연구한 결과 적은 수의 환자에서는 약물치료에도 불구하고 자궁내막증병변이 진행되었으며 대다수의 환자에서는 임상적 자각증상의 소실에도 불구하고 자궁내막증병변이 잔존하고 있음을 관찰할 수 있었다(임용택과 김승조, 1991).

나. 경구피임제

가) 주기적 경구피임제

경구피임제의 자궁내막증에 대한 치료제로서의 역할은 난소 스테로이드호르몬 제제의 지속적인 투여는 자궁내막증병변의 쇠퇴를 일으킨다는 관찰에 근거를 두고 있있다. 따라서 자궁내막증의 진전을 둔화 혹은 중지시킬 수 있을 것으로 생각된다. 자궁내막증 연관 통증의 감소에 경구피임제와 GnRH agonist 간의 차이는 없는 것으로 보고된다(Moore et al., 2004; Prentic et al., 2004).

나) 지속적 경구피임제

지속적인 경구피임제의 복용은 가성임신 상태를 만들어 자궁내막 조직의 탈락막화 현상과 무월경을 초래한다. 이러한 상태는 자궁내막증 관련 통증을 경감하는 데 효과적이다. 또한 경구피임약의 복용으로 초래되는 무월경은 월경혈의 역류 또한 방지하여 자궁내막증의 진행을 막는다. 지속적으로 경구피임제를 6-12개월간 사용할 경우에 월경통 및 골반통 등의 자각증상의 완화 정도는 60-95%인 것으로 알려져 있으며 지속적인 경구피임의 복용은 주기적 복용에 비해 순응도 또한 높다.

중등도 이상으로 완전한 제거 수술을 받지 못한 재발성 심부자궁내막증 환자의 무작위 실험에서 지속적으로 경구피임제를 12개월간 복용했을 때 월경통, 성교통 및 복통의 감소를 보였으며 만족도는 73%였다(Vercellini et al., 2005).

다. 프로게스틴

프로게스틴는 자궁내막 조직의 소퇴에 의해서 탈락막화 변화를 일으키는 효과를 지닌다. 다나졸이나 GnRH agonist와 같이 효과적이고 경제적이며 부작용이 적어 첫 번째 약제로 간주된다. 이들 중 특별히 효과가 뛰어난 약제가 있는 것은 아니며 대부분의 연구에서 치료 효과는 3개월에서 6개월 후에 나타난다.

가) 초산 메드록시프로게스테론(medroxyprogesterone acetate, MPA)

초산 메드록시프로게스테론은 하루 30 mg 복용으로 시작하여 치료 반응 및 출혈경향에 따라 양을 증가 시키는 것이 효과적이다. 부작용으로는 체중 증가, 체액 저류, 부정기 자궁출혈 및 우울증 등이 있을 수 있다.

초산 메드록시프로게스테론 데포(MPA depot, DMPA) 150 mg은 월경통의 경감에 더 효과적이며, leuprolide acetate에 비해 골밀도 감소를 포함한 에스트로겐 감소로 인한 부작용은 적었지만 많은 부정출혈이 보고되었다(Schlaff et al., 2006). DMPA는 자궁내막증 관련 통증에 효과적이나 불임여성에서는 사용되지 않는데 무월경과 무배란을 일으키고 치료 종결 후 배란재개까지의 기간이 다양하기 때문이다.

나) 디에노게스트(dienogest)

Dienogest는 19-nortestosterone 유도체로써 자궁내막에 매우 강한 프로게스테론 효과를 지니고 있으며 다른 유도체와 달리 안드로겐 효과가 적다. 매일 2 mg dienogest 경구 투여는 성교통, 생리통, 골반통에 유의한 개선효과를 보이며(Kohler et al., 2010), dienogest와 leuprolide acetate 비교연구에서도 통증 감소에 같은 효능이 있는 것으로 나타났으며, 골 감소, 홍조 및 부정기 출혈 등의 부작용은 더 적었다(Strowitzkie et al., 2010).

다) Intrauterine progesterone

Levonorgestrel intrauterine system (LNG-IUS)은 매일 levonorgestrel 20 μg을 방출하여 자궁내막을 위축시키고, 가성탈락막화를 촉진시키는 것으로 알려져 있다. 자궁내막증 연관 통증에 GnRH agonist와 유사한 효과가 있으며 특히 심부자궁내막증에서 성교통의 개선과 직장-질 자궁내막증병변을 감소시키는 효과가 있다(Fedele et al., 2001). 자궁내막종 수술 후 재발률에 있어서도 LNG-IUS 사용 시 경구피임제 사용과 유사한 효과를 보인다고 한다(Cho et al., 2014).

라. 프로게스테론 길항제와 선택적 프로게스테론 수용체 조절제

프로게스테론 길항제와 선택적 프로게스테론 수용체 조절제는 자궁내막 조직의 성장을 방해하여 자궁내막증을 억제한다. 이들은 자궁내막조직에 직접 작용하기 때문에 안면홍조, 골밀도 감소등과 같은 부작용이 생식샘 자극호르몬 분비호르몬 작용제에 비해 적은 것으로 보고되고 있다(Fu J et al., 2017).

가) Mifepristone

미페프리스톤은 자궁내막세포의 프로게스테론 수용체에 프로게스테론 보다 강력하게 결합하여 수용체의 특성을 변화시켜 기능을 억제하므로 프로게스테론 길항제 작용을 하게 된다. 프로게스테론이 없을 때는 부분적인 프로게스테론 작용제 역할을 하며 과량 사용 시 항당질코르티코이드 활성(antiglucocorticoid activity)이 있으며 약한 항안드로겐 활성(antiandrogenic activity)도 보인다(Murphy AA et al., 2000).

미페프리스톤의 자궁내막증 치료를 위한 용량이 정해진 것은 아니지만 무작위 대조군 연구에서 5 mg 또는 10 mg으로 매일 복용하는 것이 5 mg을 매일 복용하는 것보다 자궁내막증 관련 통증 감소에 더 높은 효과가 있는 것으로 나타났다. 무월경과 안면홍조 같은 부작용은 복용군이 위약군에 비해 더 흔하게 나타났지만 생식샘 자극호르몬 분비호르몬 작용제(GnRH agonist)에 비해 더 적었다(Fu J et al., 2017).

나) Gestrinone

게스트리논은 안드로겐, 항프로게스테론, 항에스트로겐, 항생식샘호르몬 특징을 가지는 19-nortestos terone 유도체로이다. 작용기전은 유리테스토스테론(free testosterone)을 증가시키고 성호르몬결합글로불린을 줄이고, 초기 난포기 수준으로 에스트라디올의 농도를 낮추며, LH와 FSH surge를 방해한다.

과거에는 흔히 사용되었으나 안드로겐과 관련된 부작용으로 인해 최근에는 거의 사용되지 않는 약물이다. 또한 임신 중 사용은 태아의 남성화를 일으키므로 금기이다.

마. 다나졸(danazol)

치료제로서 1971년 이후부터 1980년대 말까지 유일한 자궁내막증 치료제로 인정되어 사용되어 왔으나 이후 자궁내막증에 효과적인 약제의 출현으로 다나졸의 전성기는 지나간 것으로 사료된다. 다나졸은 17-이속사졸 테스토스테론(isoxasol testosterone) 제제로 여성의 생식 내분비 체계를 가성 폐경 상태로 전환시켜 자궁내막증병변을 쇠퇴시키는 것으로 알려져 있다. 그러나 여성으로서 받아들이기 어려운 피부 발진, 쉰 목소리, 체중 증가, 안면 색조의 변화, 안면 여드름 및 기미, 간기능 장애 등의 부작용으로 인하여 최근에는 GnRH agonist가 많이 활용되고 있는 실정이다. 임상적인 증상의 완화 및 추적 복강경수술 소견의 호전은 GnRH agonist와 유사한 것으로 보고되고 있으며 한국에서의 임상 연구 결과도 동일한 결과를 관찰할 수 있었다. 다나졸은 혈중 유리테스토스테론의 증가와 에스트로겐 농도의 감소를 초래하여 자궁내막증병변을 위축시키며, 무월경으로 인하여 골반강 내로 자궁내막 조직이 착상되는 것을 일시적으로 저지하게 된다. 다나졸의 표준 용량은 1일 600 mg이며, 1일 400 mg에서 시작하여 무월경 및 증상의 완화 정도에 따라 1일 800 mg까지 사용할 수 있다. 다나졸의 흔한 부작용은 체중 증가, 체액 저류, 여드름, 지루성 피부, 모발의 증가, 유방의 위축, 성욕의 감퇴, 피로감, 오심, 위축성 질염, 안면 홍조, 근육 경련 및 감정의 잦은 변화 등이 80%의 환자에서 관찰되며 10%의 환자에서는 이러한 부작용으로 인하여 약물치료를 중단하게 된다. 다나졸은 골반통이 있는 자궁내막증 환자의 90%에서 동통의 완화를 관찰할 수 있었으며(Selak et al., 2007), 금기증으로는 다나졸이 주로 간에서 대사되기 때문에 간질환이 있는 환자에서는 사용할 수 없으며 고혈압, 울혈성 심부전증, 신장 기능의 저하가 있는 환자에서는 다나졸로 인한 체액 저류 현상으로 사용할 수 없다(임용택과 김승조, 1991).

바. 방향화효소억제제(aromatase inhibitor)

폐경 전의 중증 자궁내막증 환자를 대상으로 시행한 연구에서 GnRH agonist와 방향화효소억제제를 함께 투여한 군이 GnRH agonist 단독 투여군보다 2년간의 추적기간 중의 재발률에서 각각 7.5%(N=3/40), 35%(N=14/40)로 통계적인 유의성을 보여 자궁내막증 약물치료에서 새로운 복합요법으로서의 가능성을 보여주었다(Soysal et al., 2004). 방향화효소억제제는 배란을 촉진할 뿐 아니라 지속적인 투여는 기능성 난소낭종을 발전시킬 수 있기 때문에 사용에 주의를 요한다. 총 137명의 자궁내막증 환자를 대상으로 한 8개의 연구를 분석한 계통연구에서는 방향화효소 억제제가 자궁내막증 관련 통증의 감소에 효과적이라고 하였다(Nawathe et al., 2008).

사. 생식샘자극호르몬분비호르몬길항제(GnRH antagonists)

생식샘자극호르몬분비호르몬길항제는 뇌하수체의 수용체에 경쟁적으로 결합하여 내인성 생식샘자극호르몬분비호르몬의 신호전달을 억제함으로써 황체형성호르몬, 여포자극호르몬 등을 억제하고, 이를 통해 난소의 성호르몬을 급격히 감소시킨다. GnRH antagonist 형태는주사제(ganirelix, cetrorelix)와 경구비펩타이드(elagolix) 형태가 있다.

두 개의 무작위, 이중 맹검, 3상 임상(Elaris Endometriosis I and II [EM-I and EM-II])연구에서 외과적으로 자궁내막증 진단을 받고 이와 관련된 중등증-중증의 통증이 있는 환자를 대상으로 각각 elagolix 1 일 1회 150 mg(저용량 군) 또는 1일 2회 200 mg(고용량 군), 위약(위약군)을 투여하였다. 고용량군과저용량군에서 6개월간 월경통과 비월경성 골반통을 개선시키는데 효과가 있었으나 위약 대비 일과성 열감(대부분 경증 또는 중등증)이 더 많은 비율로 나타났으며, 혈중 지질 농도가 높고

baseline 대비 골밀도가 감소하였다. 자궁내막의 다른 이상 소견은 발견되지 않았다(Taylor HS et al., 2017).

③ 비호르몬 치료제

자궁내막증은 에스트로겐 의존성 종양으로 뇌하수체 억제로 혈중 에스트로겐 농도를 폐경 상태와 비슷하게 만들거나 프로게스테론이 우세한 환경을 만드는데 주력하여 왔으나 이들 제제만으로는 불충분하고 일시적인 성과만을 얻을 수 있었다. 따라서 자궁내막증의 병인 혹은 병태생리에 기초하여 자궁내막증병변의 생성과 유지에 관계되는 물질과 연관하여 새로운 치료방법이 개발되고 있으며, 향후 이러한 약제를 이용할 경우 약물치료의 적응증이 더욱 더 세밀하게 나누어 질 것으로 추정된다.

가. 종양괴사 인자 α (tumor necrosis factor-α, TNF-α)에 대한 선택적 억제제

동물실험에서 재조합 인간 TNF-α 결합 단백질이 자궁내막증의 복강내 병변의 크기를 64% 감소시킨다는 연구결과가 있었다(D'Antonio et al., 2000).

나. Pentoxifylline

본래 항염증 효과를 가진 pentoxifylline의 자궁내막증에 대한 4개의 연구를 분석한 systemic review에서는 통증경감 및 불임의 개선, 자궁내막증 재발 방지 등에 효과가 없다고 하였다(Lv et al., 2009).

④ 월경의 중지 및 회복

대개의 경우 약물치료는 월경 제1-5일 사이에 시작하게 된다. 임신의 가능성이 없는 경우에는 진단 및 치료 목적의 복강경수술 후에 약물투여를 시작하게 되며 치료 개시 후 1-2회의 월경 혹은 소량의 출혈을 경험한 후에는 월경이 치료 기간 동안 멈추게 된다. 월경이 있을 경우에는 치료 전과 마찬가지의 자각증상들을 경험할 수 있으나 치료 기간이 경과함에 따라 완화되는 것을 관찰할 수 있다. 간혹 치료경과 중에 자궁근종 등이 있는 여성에서는 지속적으로 매월 자궁출혈이 있을 수 있다. 치료기간이 경과함에 따라 자궁내막증으로 진단받은 당시의 자각증상은 현격하게 완화되는 것을 관찰할 수 있으며 환자에 따라서는 자각증상의 완화가 치료 개시 3-4개월부터 관찰되는 경우도 있을 수 있다. 이는 자궁내막증이 발생하는 데에는 수년 내지는 십 수 년의 기간이 걸렸을 것으로 사료된다는 점과 환자에 따른 약효의 차이 때문인 것으로 사료된다. 월경의 회복은 약제에 따라 다르나 GnRH agonist의 경우에는 치료를 마치고 3-4개월 이후에 있게 된다.

⑤ 자궁내막증 약물요법의 효능

가. 골반통

자궁내막증은 재발하기 쉬운 질환으로 치료 후의 재발률은 매년 5-20%에 이르며, 치료 5년 후에는 40% 정도에 이르는 것으로 알려져 있다. GnRH agonist 치료 후의 재발률은 다나졸요법의 경우와 비슷하여 경증의 자궁내막증의 경우 37%, 중증의 경우는 74%이며, 7년 후의 재발률은 56%인 것으로 알려져 있다(Waller & Show, 1993). 재발하는 이유로는 자궁내막증 수술 당시 병변을 발견하지 못하였거나 불완전한 치료를 한 경우가 주된 원인이며, 치료 후 월경혈의 역류 현상으로 새로운 자궁내막증병변이 생길 수도 있을 것으로 생각된다. 자궁내막증이 실제 재발하기까지에는 상당 기간이 소요되며, 재발된 경우에는 약물요법이 기본적인 치료방법으로 고려되는데 자궁내막증 연관 자각증상의 완화 혹은 소실을 가져올 수 있다. 당뇨는 완치할 수 있는 방법은 없지만 조절 가능한 질환으로 사료되는 것처럼 자궁내막증의 경우 일부 고질적인 환자에서도 병합요법을 사용한다면 자각 증상의 조절이 가능하며, 상당수에서는 재발 없이 만족스러운 생활을 영위할 수 있다.

나. 불임 및 수태능

불임 여성의 30-70%에서 자궁내막증병변이 관찰되는 것으로 알려져 있으며, 이 중 60-70%에서는 자궁내막증의 치료 결과와 연관되어 임신될 수 있다. 그러나 이러한 수

치는 자궁내막증과 불임이 공통 요인일 수 있다는 점을 지적하는 것이지 자궁내막증 자체가 반드시 불임을 유발한다는 의미는 아니며, 특히 자궁내막증 제1기 및 제2기의 경우에는 부인과 전문의들 사이에서도 많은 논란이 되고 있는 실정이다. 그러나 자궁내막증 제3기 및 제4기에서와 같이 자궁내막증으로 인한 심한 유착이 있는 경우에는 임신을 기계적인 기전으로 방해 혹은 저해할 수 있으며, 이러한 중증 자궁내막증의 경우에는 병합요법과 인공수태기법을 이용하여 60-70%의 임신율을 달성할 수 있다. 따라서 자궁내막증은 불임의 원인이라기보다는 수태율을 감소시키는 질환이라고 생각할 수 있다.

(3) 자궁내막증과 연관된 불임증의 치료

자궁내막증과 연관된 불임증 환자의 진료에서 난소, 난관 주위의 심한 유착이 동반된 경우, 양측 혹은 일측의 난소낭종을 동반하는 경우, 자궁선근증(adenomyosis)이 동반된 것으로 추정되는 경우, 자궁천골인대 부위 혹은 더글러스와 부위의 완전한 유착이 있는 경우 및 자궁내막증 병기 1, 2기에 해당되는 복강경수술 소견과는 맞지 않는 자각증상을 보이는 경우에는 임상적 처치에 어려운 점이 있을 것으로 사료된다. 이러한 경우에는 복강경수술로 자궁내막증 병변을 최대한 제거한 후에 자궁내막증의 병기, 환자의 연령, 불임 기간, 난소-난관 침습 정도, 이전의 치료 방법, 자궁내막증 연관 자각 증상 정도, 환자의 치료에 대한 우선 순위 등에 따라 기대요법, 과배란유도 및 인공수정 등의 보조생식술을 선택하여 시행하는 것이 타당할 것으로 사료된다. 즉, 자궁내막증의 병기가 경증이고, 환자의 연령이 30세 미만이며 다른 불임의 원인이 없는 경우에는 12-36개월 정도의 기대요법을 시행할 수 있고, 중등도 이상의 병변이 있거나 환자의 연령이 30세 이상인 경우에는 수술적 치료 또는 보조생식술 등의 인공수태시술이 수태능 향상에 도움이 된다. 자궁선근증이 동반되는 경우와 자궁내막증의 병변이 자궁내막증 1, 2기에 해당되나 복강경 소견과는 맞지 않는 자각 증상을 보이는 경우에는 약물치료를 3-6개월간 시행한 후에 자궁내막증의 병기, 환자의 연령, 불임 기간 등에 따라 기대요법, 과배란유도 및 인공수정, 보조생식술 등을 선택적으로 시행하는 것이 타당할 것으로 사료된다.

자궁내막증에 대한 적극적인 치료는 연관된 증상이 있거나 자궁내막증의 악화로 수태능에 위험을 줄 것으로 관찰되는 환자에서 시행하여야 한다.

미혼여성에서 경증의 자궁내막증이 진단되는 경우가 흔한데 당장의 수태능력이 문제가 되는 것은 아니지만 자궁내막증의 진행으로 저하될 수 있는 향후 수태능력의 보존을 위하여 복강경수술 당시 자궁내막증병변을 제거한 후 재발 방지를 위하여 주기성저용량 복합경구피임제(cyclic low dose combined oral contraceptive)를 투여한다. 임신을 원하는 경증의 자궁내막증 환자들에서는 불임증에 대한 검사를 시행하고 원인불명의 불임증에 준하는 치료를 받도록 하는 것이 타당하다. 중증의 자궁내막증과 연관된 불임 여성의 경우에는 복강경수술로 자궁내막증병변을 최대한 제거한 이후에 치료방법을 개별화하는 것이 타당할 것으로 사료된다.

(4) 자궁내막증의 재발

내과적 호르몬 치료는 자궁내막증의 활동을 억누르는 개념이므로 완치는 아니다. 이에 따라 약물적 치료 종결 이후 6개월에서 2년 내 거의 모든 환자에서 자궁내막증의 재발이 관찰되며 이는 자궁내막증의 중증도에 비례한다. 또한 보존적 수술에서는 병변의 완전한 제거를 하지 못한 경우 재발하는 경향이 있다. 5년 내 통증의 재발은 복강경수술에서 보이는 병변을 완벽하게 제거한 경우에도 5명 중 1명이 경험하였다는 보고가 있다. 자궁내막증의 재발률은 1년에 약 5%에서 20%에 이르고 5년 동안 약 40%의 누적재발률이 보고 되었다. 이러한 재발을 막기 위해 수술 후 보조적 내과적 치료를 병행할 수 있다.

① 재발의 위험인자

자궁내막증의 재발은 수술적 제거가 완벽하게 이루어지지 않을 경우 증가하는 경향이 있다. 자궁내막종은 병의 단계에 따라 절개배농술에서 레이저소작술 및 전기적 응고술, 절제술까지 다양한 수술 방법이 적용될 수 있다. 복강경하 자궁내막종절제술과 자궁내막종응고술 및 레이저소작술에 대한 메타분석이 있으며(Hart et al., 2008), 낭종절제술이 다른 수술법에 비해 재발률 및 재발로 인한 재수술률이 낮은 결과를 보였다. 그러나 불임으로 자궁내막종 수술을 한 환자들의 비교에서는 수술적 치료방법에 따른 임신율에 차이가 없었다. 또한, 수술 당시 자궁내막증의 병변이 왼쪽에 위치하는 경우는 29%에서 재발하였으나 오른쪽에 위치하는 경우는 7.3%의 재발을 보여 병변의 위치에 따라서도 재발률의 차이를 보였다(Ghezzi et al., 2001).

발병연령이 낮을수록 재발률이 높았으며(Tandoi et al., 2011), 수술 당시 ASRM 병기가 높을수록, 자궁내막종의 크기가 클수록 재발의 위험이 높았다고 한다(Moini et al., 2014).

② 재발 방지

수술 후 장기간 추적검사를 하면서 꾸준하게 규칙적인 내과적 치료를 병행해야 한다. 수술 후 규칙적으로 경구피임제를 복용한 경우, 전혀 먹지 않거나 가끔 먹는 군에 비해 자궁내막종의 재발을 효과적으로 막을 수 있다고 하였다. 수술 후 자궁내막종의 재발을 막기 위한 경구피임제의 효과에 대한 메타분석연구에서 수술 후 경구피임제를 복용하지 않은 환자군은 34%의 재발률을 보인 반면에 복용한 환자군은 8%의 재발률을 보였다(Vercellini et al., 2013). 재발 방지를 위한 연령과 효과적인 재발 방지를 위한 치료 기간을 알기 위해 167명의 환자를 대상으로 이루어진 한 연구에서는 수술 당시의 연령이 32세 이하가 재발하기 쉬운 연령이며, 수술 후 치료받지 않은 환자의 5년간 누적재발률은 50%에 이른다고 하였다. 가임력 보전의 측면에서 최소한 32세 이하에 수술적 치료를 받은 환자에서 수술 후 지속적인 호르몬치료가 필요하며, 그 추적 기간은 최소한 5년이라고 하였다(Ouchi et al., 2014).

자궁내막증으로 수술 받은 여성의 경우, 자궁내막증-연관 월경곤란증의 이차예방을 위한 한 가지 대안으로서, 수술 후 레보노르게스트렐 분비 자궁 내 장치(LNG-IUS) 또는 combined hormonal contraceptive를 적어도 18-24개월 동안 사용하는 것이 권장된다. 그러나 비월경성 골반통이나 성교통의 이차예방을 위한 용도는 아니다(Dunselman GA, et al., 2014).

(5) **병합요법**

자궁내막증의 치료를 위하여 수술적 치료와 약물치료를 병행하여 사용할 수 있다(그림 15-7). 즉, 수술 전 또는 수술 후에 GnRH agonist를 투여할 수 있다. 통증의 완화 및 재발 방지를 위한 치료인 경우에는 수술 후 최소한 6개월의 치료 기간이 추천된다. 수술 후 불임증의 치료가 필요한 경우에는 환자에 따라 약 2-4개월의 약물 치료를 시행할 수 있고, 수술 후 즉시 보조생식술 등의 인공수태시술을 시행할 수도 있다.

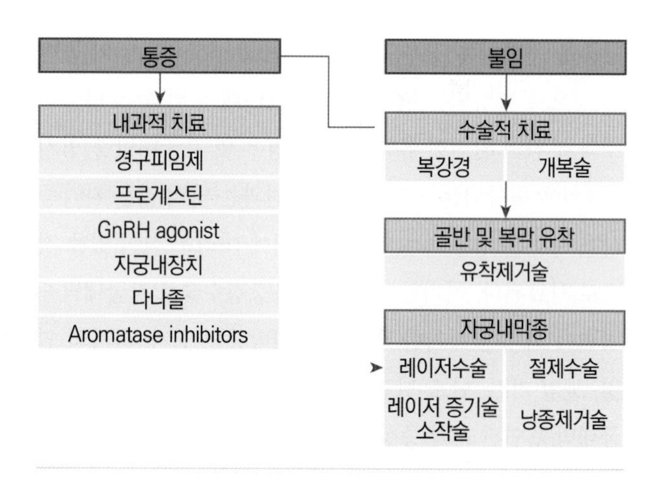

그림 15-7. **자궁내막증의 병합 치료**

참고문헌

- 강무삼, 정원호, 강정진, 김문홍, 김성일, 최석철 등. 제왕절개술 후 복벽 반흔에 발생한 자궁내막증 1예 및 폐실질의 자궁내막증 1예. 대한산부학회지 2002:45:2031-4.
- 강태정, 문혜성, 정경아, 정혜원, 안정자. 자궁내막증에서 혈청 CA-125와 CA19-9의 임상적 의의. 대한산부학회지 2000;43:2140-5.
- 김동호, 김태철, 강규현, 허민, 박언섭, 김대원 등. 자궁내막증에서 mcp-1의 면역조직화학적 특징. 대한산부학회지 2000:43:2140-5.
- 김동호, 김태철, 허민, 이미경, 박애가, 김정구 등. 자궁내막증 발생

에 있어서 유전적 요인: 자궁내막증의 발생과 HLA 항원과의 관계. 대한산부학회지 1999;42:842-8.

- 김동호, 지정석, 김정구, 김대원. 자궁내막증 발생에 있어서의 환경적 인자에 관한 연구. 대한산부학회지 1998;41:746-56.
- 김미연, 최민혜, 배진영, 김미주, 조영래, 박일수, 이윤순. '자궁절제술' 환자의 자궁내막증 유병률. 대한산부학회지 2008;51:1121-7.
- 김정구, 강순범, 이진용, 장윤석. 자궁내막증에 관한 임상적 고찰. 대한산부학회지 1984;27:1551-60.
- 김정구, 김동호, 최두석, 김대원, 문신용, 강순범, 이진용. 자궁내막증 환자의 복강액내 항자궁내막항체에 관한 연구. 대한불임학회지 1998;25:17-24.
- 김정구, 김석현, 최영민, 문신용, 이진용. Glutathione S transferase M1 유전자 다형성과 자궁내막증의 연관성. 대한산부학회지 2003;46:581-6.
- 김정구, 서창석, 김석현, 최영민, 문신용, 이진용. 자궁내막증 환자의 복강액 내 IGF가 자궁내막 기질세포 증시에 미치는 영향. 대한불임학회지 1999;26:331-8.
- 박종설, 황일천, 문형, 김두상. 자궁내막증의 임상적 고찰. 대한산부학회지 1985;27:1237-42.
- 이광수, 오성택. 폐실질의 자궁내막증 3예. 대한산부학회지 2004;47:1819-23.
- 이인호, 백준길, 우혁준, 홍재식, 전이경, 홍준식. 회음절개 부위에 발생한 자궁내막증 1예. 대한산부학회지 2004;47:1232-5.
- 이정호, 이태성, 이탁, 차순도, 서영욱. 자궁내막증의 임상적 고찰. 대한산부학회지 1990;33:770-4.
- 임용택, 김승조. 골반성 자궁내막증 환자에서의 Nafarelin (Synarel) 및 Danazol의 임상적인 치료 효과. 대한산부학회지 1991;34:1716-24.
- 임용택, 정기욱, 김미란, 권동진, 김장흡, 김은중 등. 자궁내막증 환자에서의 Gonadotropin Releasing Hormone Agonist (Decapeptyl-CR)의 임상적인 치료효과. 대한산부내시경학회지 1999;11:106-11.
- 정혜원, 김승철. 자궁내막증의 임상적 고찰. 대한산부학회지 1995;38:1201-10.
- 조숙, 양명자, 고광덕, 유영옥, 임용택, 나종구 등. 골반성 자궁내막증에 관한 임상적 연구. 대한산부학회지 1989;32:407-20.
- 조주연, 최동희, 송찬호, 곽현모. 자궁내막증에 관한 임상적 고찰. 대한산부학회지 1984;27:1802-11.
- 최영민, 구승엽, 황규리, 임용택, 박성효, 전종관 등. 자궁내막증 환자에서 에스트로겐 수용체 유전자 Pvu II 및 XbaI 다형성 양상. 대한산부학회지 2003;46:1531-6.
- 최영민, 손유경, 김태준, 구승엽, 배광범, 서창석 등. 자궁내막증 환자에서 혈중 CA 19-9 농도. 대한산부학회지 2002;45:2231-5.
- 최영민, 윤지성, 구승엽, 이규섭, 박성효, 장은란 등. 자궁내막증 환자에서 N-acetyl transferase 2 유전자 다형성 양상. 대한산부학회지 2003;46:2113-7.
- Abrao MS, Podgeac S, Filho BM, Ramos LO, Pinotti JA, de Oliveira RM. The use of biochemical markers in the diagnosis of pelvic endometriosis. Hum Reprod 1997;12:2523-7.
- Abrao MS, Podgeac S, Pinotti JA, de Oliveira RM. Tumor markers in endometriosis. Int J Gynecol Obstet 1999;66:19-22.
- Adamson GD, Pasta DJ. Endometriosis fertility index: thenew, validated endometriosis staging system. FertilSteril 2010;94:1609-15.
- Alcazar JL, Laparte C, Jurado M, Lopez-garcia G. The role of transvaginal ultrasonography combined with color velocity imaging and pulsed Doppler in the diagnosis of endometrioma. Fertil Steril 1997;67:487-91.
- Alexiadis G, Lambropoulou M, Deftereos S, Giatromanolaki A, Sivridis E, Manavis J. Abdominal wall endometriosis-ultrasound research: a diagnostic problem. Clin Exp Obstet Gynecol 2001;28:121-2.
- Allen C, Hopewell S, Prentice A, Gregory D. Nonsteriodal anti-inflammatory drugs for pain in women with endometriosis. Chochrane database Syst Rev 2009;15:CD004753.
- Anaf V, Simon P, Fayt I, Noel J. Smooth muscles are frequent components of endometriotic lesions. Hum Reprod 2000;15:767-71.
- Arici A, Seli Em zeyneloglu HB, Senturk LM, Oral E, Olive DL. Interleukin-8 induces proliferation of endometrial stromal cells: a potential autocrine growth factor. J clin Endocrinol Metab 1998;83:1201-5.
- Arici A, Tazuke SI, Atter E, Elkiman HJ, Oliver DL. Interleukin-8 concentration in peritoneal fluid of patients with en- dometriosis and modulation of interleukin-8 expression in human mesothelial cells. Mol Hum Reprod 1996;2:400-5.
- Arrive L, Hricak H, Martin NC, pelvic endometriosis: MR imaging. Radiology 1989;171:687-92.
- Athey PA, Diment DD. The spectrum of sonographic findings in endometriomas. J ultrasound Med 1989;8:487-91.
- Augoulea A, Alexandrou A, Creatsa M, Vrachnis N, Lambrinoudaki I. Pathogenesis of endometriosis: the role of genetics, inflammation and oxidative stress. Arch Gynecol Obstet 2012;286:99-103.
- Azzena A, Litta P, Ferrara A, Rerin D, Brotto M, Chiarelli S, et al. Rectosigmoid endometriosis: diagnosis and surgical management. Clin Exp Obstet Gynecol 1998;25:94-6.
- Balasch J, Creus M, Fabregues F, Carmona F, Ordi J, Martinez-Roman S, et al. Visible and non-visible endometriosis at laparoscopy in fertile and infertile women and in patients with chronic pelvic pain: a prospective study. Hum Reprod 1996;11:387-91.
- Barbati A, Cosmi EV, Spaziani R, Ventura R, Mantanino G. Serum and peritoneal fluid CA 125 levels in patient with endometriosis. Fertil Steril 1994;61:438-42.
- Barbieri RL Hormone treatment of endometriosis: the estrogen

threshold hypothesis. Am J Obstet Gynecol 1992;166:740-5.
- Beretta P, Franchi M, Ghezzi F, Busacca M, Zupi E, Bolis P. Randomized clinical trial of two laparoscopic treatments of endometriomas: cystectomy versus drainage and coagulation. Fertil Steril. 1998;70:1176-80.
- Bon GG, Kenemans P, Dekker JJ, Hompes PG, Verstaeten RA, van Kamp, et al. Fluctuations in CA-125 and CA 15-3 serum concentrations during spontaneous ovulatory cycles. Hum Reprod 1999;14:556-70.
- Borrelli GM. Abrao MS. Mechsner S. Can chemokines be used as biomarkers for endometriosis? A systematic review. Hum Reprod. 2014;28.2:253-66.
- Buck Louis GM, Peterson CM, Chen Z, Croughan M, Sundaram R, Stanford J, Varner MW, et al. Bisphenol A and phthalates and endometriosis: the Endometriosis: Natural History, Diagnosis and Outcomes Study. Fertil Steril 2013;100:162-9.
- Busacca M, Riparini J, Somigliana E, Oggioni G, Izzo S, Vignali M, et al. Postsurgical ovarian failure after laparoscopic excision of bilateral endometriomas. Am J Obstet Gynecol 2006;195:421-5.
- Capobianco A, Rovere-Querini P. Endometriosis, a disease of the macrophage. Front Immunol 2013;28:9.
- Chapron C, Dubuisson JB, Pansini V, Viera M, Fauconnier A, Barakat H, et al. Toutine clinical examination is not sufficient for diagnosing and locating deeply infiltrating endometriosis. J Am Assoc Gynecol Laparosc 2002;9:115-9.
- Chapron C, Dumontier I, Dousset B, Fritel X, Tardif D, Roseau G, et al. Results and role of rectal endoscopic ultrasonography for patients with deep pelvic endometriosis. Hum Reprod 1998;13:2266-70.
- Chapron C, Vercellini P, Barakat H, Vieira M, Dubuisson JB. Management of ovarian endometriomas. Hum Reprod Update 2002;8:6-7.
- Chen FP, Soong YK, Lee N, Lo SK. The use of serum CA-125 as a marker for endometriosis in patients with dysmenorrheal for monitoring therapy and for recurrence of endometriosis. Acta Obstet Gynecol Scand 1998;77:665-70.
- Cheng YM, Wang ST, Chou CY. Serum CA-125 in preoperatice patients at high risk for endometriosis. Obstet Gynecol 2002; 99:375-80.
- Cho S, Jung JA, Lee Y, Kim HY, Seo SK, Choi YS, et al. Postoperative levonorgestrel-releasing intrauterine system versus oral contraceptives after gonadotropin-releasing hormone agonist treatment for preventing endometrioma recurrence. Acta Obstet Gynecol Scand. 2014;93:38-44.
- Clark AH. Endometriosis in a young girl. JAMA 1948;136:690.
- Cornillie Fj, Oosterlynck D, Lauweryns JM, Koninckx PR. Deeply infiltrating pelvic endometriosis: histology and clinical significance. Fertil Steril 1990;53:978-83.
- Cramer DW, Wilson E, Stillman RJ, Berger MJ, Belisle S, Schiff I, et al. The relation of endometriosis to menstural characteristics, smoking, and exercise. JAMA 1986;25:1904-9.
- Cramer DW, Missmer SA. The epidemiology of endometriosis. Ann N Y Acad Sci 2002;955:11-22.
- D'Antonio M1, Martelli F, Peano S, Papoian R, Borrelli F. Ability of recombinant human TNF binding protein-1 (r-hTBP-1) to inhibit the development of experimentally-induced endometriosis in rats. J Reprod Immunol 2000;48:81-98.
- Damario MA, Rock JA. Classification of endometriosis.SeminReprodEndocrinol 1997;15:235-44.
- Darrow SL, Vena JE, Batt RE, Zielenzny MA, Michal DL AM, Selman S. Menstrual cycle characteristics and the risk of endometriosis. Epidemiology 1993;4:135-42.
- Das Gupta S, Pal SK, Saha RK, Dawn CS. Endometriosis in the thumb. J indian Med Assoc 1985;83:122-3.
- Davis GD, Thillet E, Lindemann J. Clinical characteristics of adolescent endometriosis. J Gynecol Obstet 1998;26:93-103.
- Dheenadayalu K, Mak I, Gordts S, Campo R, Higham J, Puttemans P, et al. Aromatase P450 messenger RNA expression in eutopic endometrium is not a specific marker for pelvic endometriosis. Fertil Steril 2002;78:825-9.
- Dmowski WP, Radwanska E, Rana N. Recurrent endometriosis following hysterectomy and oophorectomy: The role of residual ovarian fragments. Int J Gynecol Obstet 1988;26:93-103.
- Dmowski WP, Steele RW, Baker GF. Deficient cellular immunity in endometriosis. AM J Obstet Gynecol 1981;141:377-83.
- Donnez J, Nisolle M, Gillerot S, Smets N, Bassil S, Casanas-RouxF. Rectovaginal septum adenomyotic nodules: a series of 500 cases. Br J Obstet Gynaecol 1997;104:1014-8.
- Donnez J, Nisolle M, Squifflet J. Ureteral endometriosis: a complication of rectovaginal endometriotic (adenomyotic) nodules. Fertil Steril 2002;77:32-7.
- Donnez J, Spada F, Squifflet J, Nisolle M. Bladder endometriosis must be considered as bladder adenomyosis. Fertil Steril 2002;74:1175-81.
- Dunselman GA, Vermeulen N, Becker C, Calhaz-Jorge C, D'Hooghe T, De Bie B, et al. ESHRE guideline: management of women with endometriosis Hum Reprod. 2014;29:400-12.
- Dwivedi AH, Agrawal SN, Silva YJ. Abdominal wall endometriomas. Dig Dis Sci 2002;47:456-61.
- Eliot Dl, Barker AR, Dixon LM, Catamenial hemoptysis. New nethods of diagnosis and therapy. Chest 1985;87:687-8.
- Eskenazi B, Warner M, Bonsignore L, Olive D, Samuel S, Vercillini P. Validation study of nonsurgical diagnosis of endo- metriosis. Fertil Steril 2001;76:929-35.
- Fan M. Susan EH. Eva S. Michael NP. Stacey AM. A prospective

study of insulin-like growth factor 1, its binding protein 3, and risk of endometriosis. Am J Epidemiol. 2015;182.2:148-56.

- Fedele L, Bianchi S, Bocciolone L, Di Nola G, Parazzini F. Pain symptoms associated with endometriosis. Obstet Gynaecol 1992;79:767-9.
- Fedele L, Bianchi S, Portuese A, Borruto F, Dorta M. Transrectal ultrasonography in the assessment of rectovatinal en- dometriosis. Obstet Gynaecol 1998;91:444-8.
- Fedele L, Bianchi S, Raffaelli F, Zanconato G, Zanette G. Phantom of endometriosis of the sciatic nerve, Fertil Steril 1999;72:727-9.
- Fedele L, Bianchi S, Zanconato G, Portuese A, Raffaelli R. Use of a levonorgestrel releasing intrauterine device in thetreatment of rectovaginalendometriosis. Fertil Steril 2001;75:485-8.
- Fedele L, Parazzini F, Bianchi S, Arcaini L, Candiani GB. Stage and localization of pelvic endometriosis and pain. Fertil Steril 1990;53:155-8.
- Fernandez-Shaw S, Kennedy SH, Hicks BR, Demonds K, Starkey PM, Barlow DH. Anti-endometrial antibodies in women measured by an enzyme.linked immunosorbent assay. Hum Reprod 1996;11:1180-4.
- Feste JR. Laser laparoscopy. A new modality. J Reprod Med. 1996;41:307-12.
- Foster DC, Stem JL, Buscema J, Rock JA, Woodruff JD, Pleural and parenchymal pulmonary endometriosis. Obstet Gynecol 1981;58:552-6.
- Fredman H, Vogelzang Rl, Mendelson EBm Neiman HL, Cohen M, endometriosis detection by US with laparoscopic cor- relation. Radiology 1985;157:217-20.
- Fu J, Song H, Zhou M, et al. Progesterone receptor modulators for endometriosis. Cochrane Database syst rev 2017;78; CD009881.
- Garcia-Velasco JA, Arici A. Apoptosis and the pathogenesis of endometriosis. Semin Reprod Med 2003;21:165-72.
- Ghezzi F, Beretta P, Franchi M, Parissis M, Bolis P. Recurrence of ovarian endometriosis and anatomical location of the primary lesion. Fertil Steril. 2001;751:136-40.
- Gitelis S, Petasnick JP, Tuner DA, Ghiselli RW, Miller AW 3rd. Endometriosis simulationg a soft tissue tumor of the thigh: CT and MRI evaluation. J Comput Assist Tomogr 1985;9:573-6.
- Gruppo Italino per lo Studio dell' Endometriosi. Relationship between stage, site and morphological characteristics of pelvic endometriosis and pain. Hum Reprod 2001;16:2668-71.
- Gruppo Italino per lo Studio dell' Endometriosi. Risk factors for pelvic endometriosis in women with pelvic pain or infertility. Eur J Obstet Gynecol Reprod Biol 1999;83:195-9.
- Guerriero S, Ajossa S, Mais V, Risalvato A, Lai MP, Melis GB, The diagnosis of endometriosis using colour Doppler energy imaging. Hum Reprod 1998;13:1691-5.
- Guerriero S, Ajossa S, Paoletti A, Mais V, Angiolucci M, Melis GB. Tumor markers and transvaginal ultrasonography in the diagnosis of endometrioma. Obstet Gynecol 1996;88:403-7.
- Guzick DS, Silliman NP, Adamson GD, Buttram VC Jr, Canis M, Malinak LR, et al. Prediction of pregnancy in infertile women based on the American Society for Reproductive Medicine's revised classification of endometriosis. Fertil Steril. 1997;67: 822-9.
- Hadfield RM, Mardon HJ, Barlow DH, Barlow DH, Kennedy SH, Endometriosis in monozygomatic twins. Fertil Steril 1997; 68:941-2.
- Halban J. Hysterpadenosis metaplastica. Wien Klin Wochenschre 1924;37:1205-6.
- Halme J, Hammond MG, Hulka JF, Raj SG, Talbert LM. Retrograde menstruation in healthy women and in patients with endometriosis. Obstet Gynecol 1984;64:151-4.
- Hart RJ, Hickey M, Maouris P, et al. Excisional surgery versus ablative surgery for ovarian endometriomata. Cochrane Data- base Syst Rev. 2008 16;(2):CD004992. doi: 10.1002/ 14651858. CD004992.pub3.
- Hata T, Yanagihara T, Hayashi K, Yamashiro C, Ohnishi Y, Akiyama M, et al. Three-dimensional ultrasonographic evaluation of ovarian tumours: a preliminary study. Hum Reprod 1999;14:858-61.
- Haney AF, Muscato JJ, Weinberg JB. Peritoneal fluid cell populations in infertility patients. Fertil Steril 1981;35:696-8.
- Hart RJ, Hickey M, Maouris P, Buckett W. Excisional surgery versus ablative surgery for ovarian endometriomata. Cochrane Database Syst Rev 2:CD004992, 2008.
- Hasson HM. Incidence of endometriosis in diagnositc laparoscopy. J Reprod Med 1976;16:135-40.
- Healey M, Ang WC, Cheng C. Surgical treatment of endometriosis: aprospective randomized double-blinded trial comparing excision andablation. Fertil Steril 2010;94:2536-40.
- Heilier JF. Nackers F. Verougstraete V. Tonglet R. Lison D. Donnez J. Increased dioxin-like compounds in the serum of women with peritoneal endometriosis and deep endometriotic (adenomyotic) nodules. Fertil Steril. 2005;84.2:305-12.
- Herington JL, Bruner-Tran KL, Lucas JA, Osteen KG. Immune interactions in endometriosis. Expert Rev Clin Immunol 2011;7:611-26.
- Hill JA, Haimovici F, Anderson DJ. Products of activated lymphocytes and macrophages inhibit mouse embryo development in vitro. J Immunol 1987;139:2250-4.
- Hill JA, Haimovici F, Politch J, et al. Effect of soluble products

of activated lymphocytes and macrophages (lymphokines and monokines) on human sperm motion parameters. Fertil Steril 1987;47:460-5.
- Hompes PG, Koninckx PR, Kennedy S, Van Kamp GF, Verstraeten RA, Cornille F. Serum CA-125 concentrations during midfollicular phase, a clinically useful and reproducible markers in diagnosis of advanced endometriosis. Clin Chem 1996;42:1817-4.
- Hornstein MD, Harlow BL, Thomas PP, Check JH. Use of a new CA-125 assay in the diagnosis of endometriosis. Hum Reprod 1995;10:932-4.
- Houston DE, Noller KL, Melton LJ 3rd, Selwyn BJ, Hardy RJ. Incidence of pelvic endometriosis in Rochester, Minnesota, 1970-1979. Am J Epidemiol 1987;125:959-69.
- Hsieh CL, Shiau CS, Lo LM, Hsieh TT, Chang MY. Effectiveness of ultrasound-guided aspiration and sclerotherapy with 95% ethanol for treatment of resurrent ovarian endometriomas. Fertil Steril 2009;91:2709-13.
- Janssen EB, Rijkers AC, Hoppenbrouwers K, Meuleman C, D'Hooghe TM. Prevalence of endometriosis diagnosed by laparoscopy in adolescents with dysmenorrhea or chronic pelvic pain: a systematic review. Hum Reprod Update 2013;19:570-82.
- Jansen RP, Russell P. Nonpigmented endometriosis: clinical, laparoscopic, and pathologic definition. Am J Obstet Gynecol 1986;155:1154-9.
- Jenkins S, Olive DL, Haney AF. Endometriosis: pathogenicmimplication of the anatomic distribution. Obstet Gynecol 1986;67:335-8.
- Johnson NP, Hummelshoj L, Adamson GD, et al. World Endometriosis Society consensus on the classification of endo- metriosis.Hum Reprod. 2017;32:315-24.
- Kennedy S, Bergqvist A, Chapron C, D'Hooghe T, Dunselman G, Greb R, Hummelshoj L, Prentice A, Saridogan E; on behalf of the ESHRE Special Interest Group for Endometriosis and Endometrium Guideline Development Group. ESHRE guideline for the diagnosis and treatment of endometriosis. Hum Reprod 2005;20:2698-704.
- Kettel LM, Murphy AA, Morales AJ, Yen SS. Preliminary report on the treatment of endometriosis with low-dose mifepristone (RU 486). Am J Obstet Gynecol 1998;178:1151-6.
- Khan KN, Kitajima M, Fujishita A, Nakashima M, Masuzaki H.Toll-like receptor system and endometriosis. J Obstet Gynae- col Res 2013;39:1281-92.
- Kikuchi T, Ishikawa N, Hirata J, Imaizumi E, Sasa H, Nagata I. Changes of peripheral blood lymphocyte subsets before and after operation of patients with endometriosis. Acta Obstet Gynecol Scane 1993;72:157-61.
- Kinkel K, Chapron C, Balleyguier C, Fritel X, Dubuisson JB, Moreau JF. Magnetic resonance imaging characteristics of deep endometriosis. Hum Reprod 1999;14:1080-6.
- Kim JG, Kim CW, Moon SY, Change TS, Lee JY. Detection of antiendometrial antibodies in sera of patients with endometriosis by dual-cloored, double-labeling immunohistochemical method and western blot. Am J Reprod Immunol 1995;34:80-7.
- Kim JG, Kim H, Ku SY, Kim SH, Choi YM, Moon SY. Association between human α2-Heremans Schmidt glycoprotein (AHSG) polymorphism and endometriosis in Korean women. Fertil Steril 2004;82:1497-500.
- Kim JG, Suh CS, Kim SH, Choi YM, Moon SY, Lee JY, Insulinlike growth factors (IGFs), IGF-binding proteins (IGFBPs), and IGFBP-3 protease activity in the peritoneal fluid of patients with and without endometriosis. Fertil Steril 2000;73:996-1000.
- Kim M, Hwang H, Namkung J. The estimated prevalence and incidence of endometriosis with administrative data in Korean women: a national population based study. Fertility and Sterility. 2018;110:e393-e4.
- Kim SH, Choi YM, Jun KM, Kim SH, Kim JG, Moon SY, Estrogen receptor dinucleotide repeat polymorphism is associated with minimal or mild endometriosis. Fertil Steril 2005;84:774-7.
- Kim SH, Choi YM, Choung SH, Jun JK, Kim JG, Moon SY. Vascular endothelial growth factor gene +405 C/G polymorphism is associated with susceptibility to advanced stage endometriosis. Hum Reprod 2005;20:2904-8.
- Kitawaki J, Kuski I, Koshiba H, Tsukamoto K, Hongo H. Expression of aromatase cytochrome P450 in eutopic endometrium and its application as a diagnostic test for endometriosis. Gynecol Obstet Invest 1999;48(Suppl 1):21-8.
- Kobayashi H. Yamada Y. Morioka S. Niiro E. Shigemitsu A. Ito F. Mechanism of pain generation for endometriosis-associated pelvic pain. Arch Gynecol Obstet. 2014;289.1:13-21.
- Köhler G, Faustmann TA, Gerlinger C, Seitz C, Mueck AO. A dose-ranging study to determine the efficacy and safety of 1, 2, and 4 mg of dienogest daily for endometriosis. Int J Gynaecol Obstet.
- Koninckx PR, Meuleman C, Oosterlynck D, Cornille FJ. Diagnosis of deep endometriosis by clinical examination during menstruation and plasma CA 125 concentraion, Fertil Steril 1996;65:280-7.
- Koninckx PR, Muyldermans M, Moerman P, Meuleman C, Deprest J, Cornillie F, CA-125 concentrations in ovarian "chocolate" cyst fluid can differentiate an endometriotic cyst from a cystic corpus luteum. Hum Reprod 1992;7:1314-7.
- Kosugi Y, Elias S, Malinak LR, Nagata J, Isaka K, Takayama M,

et al. Increased heterogeneity of chromosome 17 aneuploidy in endometriosis. Am J Obstet Gynecol 1999;180:792-7.
- Kuohung W, Jones GL, Vitonis AF, Cramer DW, Kennedy SH, Thomas D, et al. Characteristics of patients with endometriosis in the United States and the United Kingdom. Fertil Steril 2002;78:767-72.
- Kurjak A, Kupesic S, Anic T, Kosuta D. Three-dimensional ultrasound and power Doppler improve the diagnosis of ovarian lesions. Gynecol oncol 2000;76:28-32.
- Kurjak A, Kupesic S. Scoring system for prediction of ovarian endometriosis based on transvaginal color and pulsed Doppler sonography. Fertil Steril 1994;62:81-8.
- Lin WC. Chang CY. Hsu YA. Chiang JH. Wan L. Increased risk of endometriosis in patients with lower genital tract infection: A nationwide cohort study. Medicine. 2016;95.10:e2773.
- Liston WA, Bradford WP, Downie J, Kerr MG. Laparoscopy in a general gynecologic unit. Am J Obstet Gynecol 1972;113:672-5.
- Liu S. Xin X. Hua T. Shi R. Chi S. Jin Z. Efficacy of anti-VEGF/VEGFR agents on animal models of endometriosis: A systematic review and meta-analysis. PLoS One. 2016;11:11.
- Lv D, Song H, Li Y, Clarke J, Shi G. Pentoxifylline versus medical therpies for subfertile women with endometriosis. Cochrane Database Syst Rev. 2009;3:CD007677.
- Lynch L. Golden-Mason L. Eogan M. O'Herlihy C. O'Farrelly C. Cells with haematopoietic stem cell phenotype in adult human endometrium: relevance to infertility? Hum Reprod. 2007;22.4:919-26.
- Macafee CH, Greer HL. Intestinal endometriosis: a report of 29 cases and a survey of the literature. J Onstet Gynaecol Br EMp 1969;67:539-43.
- Mahmood TA Templeton A, The impact of treatment on the natural history of endometriosis. Hum Reprod. 1990;5:965-70.
- Mahmood TA, Templeton AA, Thomson L, Fraser C. Menstrual symptoms in women with pelvic endometriosis. Br J Obstet Gynaecol 1991;98:558-63.
- Mangtani P, Booth M. Epidemiology of endometriosis. J Epidemiology and community Health 1993;47:84-8.
- Mais V, Guerriero S, Ajossa S, Aniolucci M, Paoletti AM, Melis GB. The efficiency of transvaginal ultrasonography in the diagnosis of endometrioma. Fertil Steril 1993;60:776-80.
- Marcoux S, maheux R, Berube S, et al. laparoscopic surgery in infertile women with minimal or mild endometriosis. N Engl J Med 1997337:217-22.
- Marjoribanks J, Proctor M, Farquhar C, Derks RS. Nonsteroidal anti-inflammatory drugs for dysmenorrhoea. Cochrane Database Syst Rev. 2010;20:CD001751.
- Marquardt RM. Kim TH. Shin JH. Jeong JW. Progesterone and estrogen signaling in the endometrium: What goes wrong in endometriosis? Int J Mol Sci. 2019;20.15:3822.
- Martin DC, Hubert GD, Vander Zwaag R, el-Zeky FA. Laparoscopic appearances of peritoneal endometriosis. Fertil Steril 1989;51:63-7.
- Matarese G, Alviggi C, Sanna V, Howard JK, Lord GM, Carravetta C, et al. Increased leptin levels in serum and peritoneal fluid of patients with pelvic endometriosis. J Clin Endocrinol Metab 2000;85:2483-7.
- Matorras R, Rodriguez F, Pijoan JI, Soto E, Perez C, Ramono, et al. Are there any clinical signs and symptoms that are related to endometriosis in infertile women? Am J Obstet Invest 1999;47:18-20.
- Matsuura K, Ohtake H, Katabuchi H, Okamura H. Celomic metaplasia theory of endometriosis: evidence from in vivo studies and an in vitro experimental model. Gynecol Obstet Invest 1999;47:18-20.
- Medl M, Ogris E, Peters-Engl C, Mierau M, Bucbaum P, Leodolter S. Serum levels of the tomour-associated trypsin ingi- bitor in patients with endometriosis. Br J Obstet Gynecol 1997;104:78-81.
- Missmer SA, Hankinson SE, Spiegelman D, Barbieri RL, Marshall LM, Hunter DJ. Incidence of laparoscopically con. rmed endometriosis by demographic, anthropometric, and lifestyle factors. Am J Epidemiol 2004;160:784-96.
- Moen MH, Schei B. Epidemiology of endometriosis in a Norwegian country. Acta Obstet Gynecol Scand 1997;76:559-62.
- Moen MH. Endometriosis in women at interval sterilization. Acta Obstet Gynecol Scand 1987;66:451-3.
- Moini A, Arabipoor A, Ashrafinia N. Risk factors for recurrence rate of ovarian endometriomas following a laparoscopic cystectomy. Minerva Med. 2014;105:295-301.
- Mol BW, Bayram N, Lijmer JG, Wiegerinck MA, Bongers MY, van der Veen F, et al. The performance of CA-125 measurement in the detection of endometrosis: a- meta-analysis. Fertil Steril 1998;70:1101-8.
- Molo MW, Kelly M, Radwanska E, Binor Z. Preoperative serum CA-125 and CA-72 in predicting endometriosis in infer- tility patients. J Reprod Med 1994;39:964-6.
- Moore J, Kennedy SH, Prentice A. Modern combined oral contraceptives for pain associated with endometriosis. Cochrane review. Cochrane library, issue3, UK: wiley; 2004.
- Murphy AA, Green WR, Bobbie D, Dela Cruz ZC, Rick JA. nsuspected endometriosis: a meta-analysis. Fertil Steril 1986; 46:522-4.
- Murphy AA, Guzick DS, Rock JA. Microscopic peritoneal endometriosis. Fertil Steril 1989;51:1072-3.
- Murphy AA, Zhou MH, MalkapuramS, et al. RU486-induced

growth inhibition of human endometrial cells FertilSteril. 2000;74:1014-9.
- Muscatello R, Cucinelli F, Fulghesu A, Lanzone A, Caruso A, ancuso S. Multiple serum marker assay in the diagnosis of endometriosis. Gynecol Endocrinol 1992;6:265-9.
- Muyldermans M, Cornillie FJ, Koninckx PR, CA-125 and endometriosis. Hum Reprod Update. 1995;1:172-87.
- Muzil L, Marana R, Pedulla S, Catalano GF, Mancuso S. Correlation between endometriosis-associated dysmenorrheal and the presence of typical or atypical lesions. Fertil Steril 1997;68:19-22.
- Na ED, Cha DH, Cho JH, Kim MK. Comparison of IVF-ET outcome in patients with hydrosalpinx pretreated with either sclerotherapy or laparoscopic salpinectomy. Clin exp reprod med 39:182-6.
- Na YJ, Yang SH, Baek DW, Lee DH, Kim KH, Choi YM, et al. Effects of peritoneal fluid from endometriosis patients on the release of vascular endothelial growth factor by neutrophils and monocytes. Hum Reprod 2006;21:1846-55.
- Na YJ, Lee DH, Kim SC, Joo JK, Wang JW, Jin JO, Kwak JY, Lee KS. Effects of peritoneal fluid from endometriosis patients on the release of monocyte-specific chemokines by leukocytes. Arch Gynecol Obstet 2011;283:1333-41.
- Nawathe A1, Patwardhan S, Yates D, Harrison GR, Khan KS. Systematic review of the effects of aromatase inhibitors on pain associated with endometriosis. BJOG 2008;115:818-22.
- Nisolle M, Donnez J. Peritoneal endometriosis, ovaran endometriosis, and adenomyotic nodules of the rectovaginal septum are three different entities. Fertil Steril 1997;68:585-96.
- Novak E. Pelvic endometriosis. Am J Obstet Gynecol 1931; 22:826-37.
- Oliker AJ, Harris AE. Endometriosis of the bladder in a male patient. J Urol 1971;106:858-9.
- Olive DL, Schwartz LB. Endometriosis. N Engl J Med. 1993; 328:1759-69.
- Olive DL, Weinberg JB, Haney AF. Peritoneal macrophages and infertility: the association between cell number and pelvic pathology. Fertil Steril 1985;44:772-7.
- O' Shaughnessy A, Check JH, Nowroozi K, Lurie D. CA-125 levels measured in defferent phases of the menstrual cycle in screening for endometriosis. Obstet Gynecol 81:99-103.
- Osuga Y, Koga K, Tsutsumi O, Yano T, Maruyama M, Kugu K, et al. Role of lapaorscopy in the treatment of endometriosis-associated infertility. Gynecol obstet Invest 2002;53(Suppe 1): 33-9.
- Ouchi N, Akira S, Mine K, Ichikawa M, Takeshita T. Recurrence of ovarian endometrioma after laparoscopic excision: risk factors and prevention.J Obstet Gynaecol Res. 2014:40:230-6.
- Overton C, Fernabdez-Shaw S, Hicks B, Barlow D, Starkey P. Peritoneal fluid cytokines and the relationship with endometriosis and pain. Hum Reprod 1996;11:380-6.
- Parazzini F. Ablation of lesions or no treatment in minimal mild endometriosis in infertile women: a randomized trial. Gruppo Italiano per lo Studio dell'Endometriosi. Hum Reprod 1999;14:1332-4.
- Patel VC, Samuel H, Abeles E, Hirjibedin PF. Endometriosis at the knee.A case report. Clin Orthop 1982;171:1404.
- Patton P, Field C, Harms R, Coulam C, CA-125 levels in endometriosis, Fertil Steril 1986;45:770-3.
- Peper MM, Nezhat F, Holdstein H, Nezhat CH, Nezhat C. Dysmenorrhea is related to the number of implants in endometriosis patients, Fertil Steril 1995;63:500-3.
- Pinto V. Matteo M. Tinelli R. Mitola PC. De ZD. Cicinelli E. Altered uterine contractility in women with chronic endometritis. Fertil Steril. 2015;103.4:1049-52.
- Pittaway DE, Douglas JW. Serum CA-125 in women with endometriosis and chronic pelvic pain. Fertil Steril 1989;51: 68-70.
- Porpora MG, Koninckx PR, Piazze J, Natili M, Colagrande S, Cosmi EV. Correlation between endometriosis and pelvic pain, J Am Assoc Gynecol Laparosc 1999;6:429-34.
- Prentice A, Deary AJ, Goldbeck-Wood S, Farquhar C, Smith SK. Gonadotropin releasing hormone analogues for pain associated with endometriosis. in cochrane library, issue 3, UK Weiley; 2004.
- Propst AM, Storti K, Barbieri RL. Lateral cervical displacement is associated with endometriosis. Fertil Steril 1998;70:568-70.
- Raffi F, Metwally M, Amer S. The impact of excision of ovarian endometrioma on ovarian reserve: a systematic review and meta-analysis. J Clin Endocrinol Metab. 2012;97:3146-54.
- Redwine DB. Age-related evolution in color appearance of endometriosis. Fertil teril 1998;48:1062-3.
- Redwine DB. Endometriosis persisting after castration: clinical characteristics and results of surgical management. Obstet Gynecol 1994;83:405-13.
- Redwine DB. Ovarian endometriosis: a marker for more extensive pelvic and intestinal disease. Fertil Steril 1999;72: 310-5.
- Ridley JH. Edwards IK. Experimental endometriosis in the human. Am J Obstet Gynecol 1958;76:783-9.
- Rodgers WH,Matrisian LM, Giudice LC, Dsupin B, Cannon P, et al. Patterns of matrix metalloproteinase expression in cycling endometrium imply differential functions and regulation by steroid hormones. J clin Invest 1994;94:946-53.
- Ryan IP, Tseng JF, Schriock ED, Khorram O, Landers DV, Taylor RN. Interleukin-8 concentration in peritoneal fluid of

women with endometriosis. Fertil Steril 1995;63:929-32.
- Rychlik DF, Biever EJ. Thoracic endometriosis syndrome resembling pulmonary embolism. J Am Assoc Gynecol Laparosc 2001;8:445-8.
- Samson JA. Peritoneal endometriosis due to the menstrual disseminatio of endometrial tissue to the peritoneal caviy. Am J Obstet Gynecol 1927;14:422-69.
- Sapkota Y, Steinthorsdottir V, Morris AP, et al. Meta -analysis identifies five novel loci associated with endometriosis highlighting key genes involved in hormone metabolism. Nat Commun. 2017 May;24;8:15539.
- Schlaff WD, Carson SA, Luciano A, Ross D. Subcutaneous injection of depot medroxyprogesterone acetate compared with leuprolide acetate in the treatment of endometriosis-associated pain.Bergqvist A. Fertil Steril 2006;85:314-25.
- Scott RB, TeLinde RW. External endometriosis-the scourge of the private patient. Ann Surg 1950;131:697-720.
- Selak V, Farquhar C, Prentice A, Singla A. Danazol for pelvic pain associated with endometriosis. Cochrane Database Syst Rev. 2007;17:CD000068.
- Seli E, Arick.A. Endometriosis: interaction of immunes and endocrine systems. Semin Reprod Med 2003;21:135-44.
- Shah M, Tager D, Feller E. Intestinal endometriosis masquerading as common digestive disorders. Arch Intern Med 1995;155:977-80.
- Shigesi N. Kvaskoff M. Kirtley S. Feng Q. Fang H. Knight JC. The association between endometriosis and autoimmune diseases: a systematic review and meta-analysis. Hum Reprod Update. 2019;25.4:486-503.
- Shihui L. Xiaoxia F. Tingting W. Liwei Y. Changchang H. RuiJin W. Role of Interleukin-6 and its receptor in endometriosis. Med Sci Monit. 2017;23:3801-7.
- Shin JC, Ross HL, Elias S, Nguyen DD, Mitchell-Leef D, Simpson JL, et al. Detection of chromosomal aneuploidy in endometriosis by multicolor in situ hybridization. Hum Genet 1997;100:401-6.
- Simpson JL, Elias S, Malinak LR, Buttram VC Jr. Heritable aspects of endometriosis. I: Genetic studies. Am J Obstet Gynecol 1980;137:327-31.
- Simsir A, Thorner K, Waisman J, Cangiarella J. Endometriosis in abdominal scars: a report of three cases diagnosed by fine-needle aspiration biopsy. Am Surg 67:984-6.
- Skor AB, Warren MM, Mueller EO Jr. Endometriosis of bladder. "Urology 9" 1997;689-92.
- Soysal S, Soysal ME, Ozer S, Gul N, Gezgin T. The effects of post-surgical administration of goserelin plus anastrozole compared to goserelin alone in patients with severe endometriosis: a prospective randomized trial. Hum Repord 2004;19:160-7.
- Startseva NV. Clinicoimmunological aspects of genital endometriosis. Akush Ginekol Mosk 1980;3:23-6.
- Stovall DW, Bowser LM, Archer DF, Guzick DS. Endometriosis. associated pelvic pain: evidence for an association between the stage of disease and a history of chronic pelvic pain. Fertil Steril 1997;68:13-8.
- Strowitzki T, Marr J, Gerlinger C, Faustmann T, Seitz C. Dienogest is as effective as leuprolide acetate in treatingthe painful symptoms of endometriosis:a 24-week, randomized, multicentre, openlabel trial. Hum Reprod 2010;25:633-41.
- Sueldo CE, Kelly E, Montoro L, Subias E, Bacccaro M, Swanson JA, et al. Effect of interleukin-1 on gamete interaction and mouse embryo development. J reprod Med 1990;35:868-72.
- Sugimura K, Okizuka H, Imaoka I, Kaji Y, Takahashi K, Kitao M, et al. Pelvic endometriosis: detection and diagnosis with chemical shift MR imaging. Radiology 1993;188:435-8.
- Sugimura K, Okizuka H, Kaji Y, Imaoka I, Shiotani S, Mukumoto H, et al. MRI in predicting the response of ovarian endometriomas to hormone therapy. J. Comput Assist Tomogr 1996;20:145-50.
- Surrey ES. Add-back therapy and gonadotropin-releasing hormone agonists in the treatment of patients with endometriosis: can a consensus be reached? Add-Back Consensus Working Group. Fertil Steril 1999;71:420-4.
- Sutton CJ, Ewen SP, Whitelaw N, Haines P. Prospective, randomized, double-blind, controlled trial of laser laparoscopy in the treatment of pelvic pain associated with minimal, mild, and moderate endometriosis. Fertil Steril. 1994;62:696-700.
- Switchenko AC, Kauffman RS, Becker M. Are there anti-endometrial antibodies in sera of women with endometriosis ? Fertil Steril 1999;56:235-41.
- Tai FW. Chang CY. Chiang JH. Lin WC. Wan L. Association of pelvic inflammatory disease with risk of endometriosis: A nationwide cohort study involving 141,460 individuals. J Clin Med. 2018;7.11:379.
- Tanaka Y. Mori T. Ito F. Koshiba A. Takaoka O. Kataoka H. Exacerbation of endometriosis due to regulatory T-cell dysfunction. J Clin Endocrinol Metab. 2017;102.9:3206-17.
- Tandoi I, Somigliana E, Riparini J, Ronzoni S, Vigano' P, Candiani M. High rate of endometriosis recurrence in young women. J Pediatr Adolesc Gynecol 2011;24:376-9.
- Taylor HS, Giudice LC, Lessey BA, et al. Treatment of Endometriosis-Associated Pain with Elagolix, an Oral GnRH Antagonist. N Engl J Med. 2017;377:28-40.
- Telimaa S, Kauppila A, Ronnbery L, Suikkari A, Seppala M. Elevated serum levels of endometrial secretory protein PP14 in patients with advanced endometriosis: suppression by

treatment with danazol and high-dose medroxyprogesterome. Am J Obstet Gynecol 1989;161:866-71.
- Thibodeau LL, Prioleau GR, Manuelidis EE, Merino MJ, Heafner MD. Cerebral endometriosis. Case report. J neurosurg 1987;66:609-10.
- Treolar SA, O'Connor DT, O'Connor VM, Martin NG. Genetic influences on endometriosis in an Australian twin sample. Fertil Steril 1999;71:701-10.
- Tsai CL. Chao AS. Jung SM. Lin CY. Chao A. Wang TH. Stressinduced phosphoprotein 1 acts as a scaffold protein for glycogen synthase kinase-3 beta-mediated phosphorylation of lysine-specific demethylase 1. Oncogenesis 2018;7.3:1-17.
- Tuttlies F, Keckstein J, Ulrich U, Possover M, Schweppe KW, Wustlich M, et al. [ENZIAN-score, a classification of deep infiltrating endometriosis]. Zentralbl Gynakol 2005;127:275-81.
- Vercellini P, DE Matteis S, Somigliana E, Buggio L, Frattaruolo MP, Fedele L. Long-term adjuvant therapy for the prevention of postoperative endometrioma recurrence: a systematic review and meta-analysis. Acta Obstet Gynecol Scand. 2013;92:8-16.
- Vercellini P, Pietropaolo G, De Giorgi O, Pasin R, Chiodini A, Crosignani PG. Treatment of symptomatic rectovaginal endometriosis with an estrogen-progestogen combination versus low-dose norethindrone acetate. Fertil Steril 2005;84:1375-87.
- Vercellini P, Trespidi L, De Giorgi O, Cortesi I, Parazzini F, Crosignani PG. Endometriosis and pelvic pain: relation to disease stage and localization. Fertil Steril 1996;65:299-304.
- Vercellini P, Vendola N, Bocciolone L, Rognoni MT, Carinelli SG, Candiani GB, Reliability of the visual diagnosis of ovarian endometriosis. Fertil Steril 1991;56:1198-200.
- Vigano P, Gaffuri B, Somiglana E, Busacca M, Di Blasio AM, Vignali M. Expression of intercellular adhesion molecule (ICAM)-1 mRNA and protein is enhanced in endometriosis versus endometrial stromal cells in culture. Mol Hum Reprod 1998;4:1150-6.
- Vigano P, Somigliana E, Matrone R, Dubini A, Barron C, Bignali M, Di Blasio AM. Serum leptin concentrations in endometriosis. J Clin Endocrinol Metab. 2002;87:1085-7.
- Waller KG, Shaw RW. Gonadotropin-releasing hormone analogues for the treatment of endometriosis: long-term follow-up. Fertil Steril. 1993;59:511-5.
- Walter AJ, Hentz JG, Magtibay PM, Cormella JL, Magrina JF. Endometriosis: correlation between histologic and visual findings at laparoscopy. Am J Obstet Gynecol 2001;184:1407-11.
- Watanabe J, Johboh T, Hata H, Kuramoto H. Clinical significance of CA19-9 for endometriosis. Nippon Sanka Fujinka Cakkai Zasshi 1990;42:155-61.
- Wiegerinck MA, Van Dop PA, Brosens IA. The staging of peritoneal endometriosis by the type of active lesion in addition to the revised American Fertility Society classification. Fertil Steril 1993;60:461-4.
- Wild RA, Hirisave V, Bianco A, Podczaski ES, Demers LM. Endometrial antibodies versus CA-125 for the detection of endometriosis. Fertil Steril 1991;55:90-4.
- Wild RA, Hirisave V, Podczaski ES, Coulam C, Shivers CA, Satyaswaroop PG. Autoantibodies associated with endometriosis: can their detection predict presence of the disease? Obstet Gynecol 1991;77:927-31.
- Williams TJ, Pratt JH. Endometriosis in 1000 consecutive celiotomies: incidence and management. Am J Obstet Gynecol 1997;129:245-50.
- Wu J. Xie H. Yao S. Liang Y. Macrophage and nerve interaction in endometriosis. J Neuroinflammation. 2017;14.1:53.
- Zawin M, McCarthy S, Scout L, Lange R, Laby G, Vulte J, ComiteF. Monitoring therapy with a gonadotropin-releasing hormone analog: utility of MR imaging. "Radiology 175" 1990;503-6.
- Zegers-Hochschild F, Adamson GD, de Mouzon J, Ishihara O, Mansour R, Nygren K, et al. international committee for monitoring assited reproductive technology (ICMART) and world Health Organizaiont (WHO) revised glossaty of ART terminology, 2009, Fertil stertil 2009;92:1520-4.
- Zhang R, Wild R, Ojago J. Effect of tumor necrosis factor-α on adhesion of human endometrial stromal cells to peritoneal mesothelial cells: an in vitro system. Fertil Steril 1993;59:1196-201.
- Zhu W, Tan Z, Fu Z, Li X, Chen X, Zhou Y. Repeat transvaginal ultrasound-guided aspiration of ovarian endometrioma in infertile women with endometriosis. An J Obstet Gynecol 2011;204:61.

제16장

자궁경부 상피내종양

이낙우 | 고려의대
송재윤 | 고려의대

1. 자궁경부 상피내종양의 역학

1) 전 세계 및 한국의 발생빈도

자궁경부암은 세계적으로 여성에서 4번째로 흔한 암으로 2018년 한 해 57만 건 정도 보고되었다. 42개의 저개발국에서는 여성암 중 가장 많이 발생하며, 자궁경부암으로 인한 사망은 2018년 한 해에 31만 건이 보고되었다(Arbyn et al, 2019). 개발도상국에서 자궁경부암의 발생이 많은 중요한 이유는 암 전구 단계의 상피내종양(cervical intraepithelial neoplasia, CIN)에서 조기 발견을 못 하거나 효과적인 선별검사 방법이 취약하기 때문이다. 세계보건기구(WHO)는 35-64세 여성에 대한 자궁경부암 조기 발견 사업을 매년 또는 2년에 한 번 시행할 경우에 자궁경부암의 발생률을 93% 감소시킬 수 있다고 보고하였고, 건강진단 프로그램에서 자궁경부암의 조기 발견을 위한 선별검사를 매년 실시하기를 추천하고 있다(WHO, 2003). 과거에는 자궁경부암이 우리나라에서 발생하는 여성암의 제1위를 차지하였지만, 2017년 발표한 국가 암 등록 통계에서는 여성암의 7위로 낮아져서 전체 여성암의 3.2%를 차지하고, 매년 인구 10만 명당 13.5명, 전체적으로는 3,469명이 발생하고 있다(국가암정보센터, 2017). 이에 따라 2007년부터 2017년까지 10년에 걸쳐 매년 -2.3%의 변화율을 보였다. 자궁경부암이 근래에 현저하게 감소한 이유는 조기 진단에 대한 국민적 이해가 증가하여 수검률이 높아지고, 자궁경부 세포 진단이 더욱 정확해졌으며, 인유두종바이러스검사의 사용이 보편화되면서 의심스러운 환자들이 2차, 3차 병원에 의뢰되어 질확대경검사로 자궁경부 상피내종양 상태에서 진단되어 치료된 환자의 비율이 증가하였기 때문이다. 자궁경부 상피내종양은 자궁경부 상피에 국한하여 암 세포로 변화되고 있는 중간 단계의 이형(dysplastic) 세포들이 존재하는 경우를 말하며, 추후 암으로 진행될 가능성을 갖고 있다. 국가 암 등록 통계(2011년)에 따르면 자궁경부암 전암 단계인 상피내암 진료를 받은 여성이 2006년 1만 8,834명에서 2010년 2만 8,050명으로 연평균 10.5% 증가하고 있다(한국 중앙 암 등록 본부, 2013). 자궁경부암의 호발 연령은 48세 정도이며, 그 전구 병소인 상피내종양의 호발 연령은 30대 말이지만, 최근에는 사춘기에 성생활을 시작하는 경우가 많아지면서 자궁경부암과 상피내종양 환자의 발생 연령이 점점 어려지는 추세이다.

2) 자궁경부 상피내종양의 위험인자

자궁경부의 상피는 내부자궁경부(endocervix; internal os)

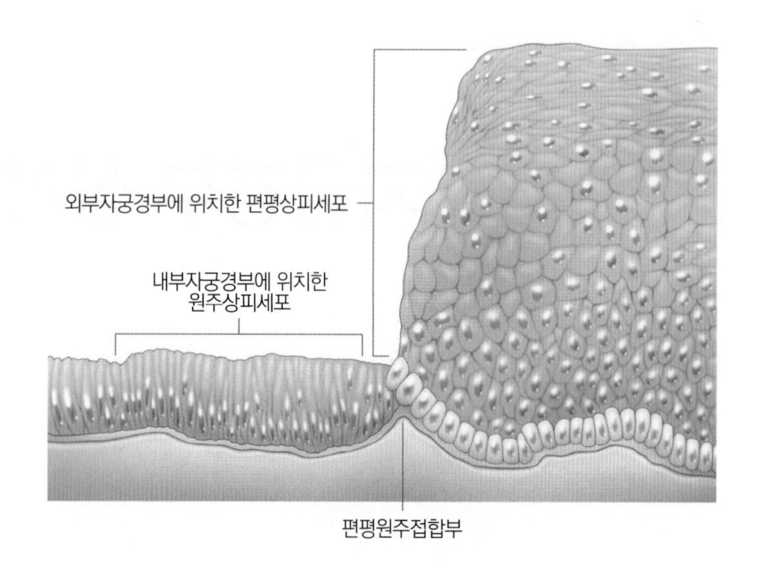

그림 16-1. **자궁경부의 편평원주접합부**

에 위치하는 길게 생긴 단층의 점액을 분비하는 원주상피세포(columnar epithelium)와 외부자궁경부(exocervix; external os)에 위치하는 기저층(basal layer), 부기저층(parabasal layer), 중간층(intermediate layer), 표피층(superficial layer)의 네 종류의 세포층으로 구성된 납작한 편평상피세포(squamous epithelium)로 이루어져 있으며, 접촉 부위는 편평원주접합부(squamocolumnar junction, SCJ)로 불리고 있다(그림 16-1).

사춘기, 임신, 호르몬 투여에 의하여 자궁경부세포들이 성장을 하게 되어 SCJ가 자궁경부 바깥쪽으로 위치가 변화되고, 여성호르몬, 질상피세포의 산성화와 체내의 생리적인 변화에 의하여 원주상피세포들이 편평상피세포로 변하는 정상적인 과정은 화생(metaplasia)이라 한다. 편평원주경계면 주위에서 화생이 일어나는 부위를 변형대(transformation zone)라고 하며, 성교에 의하여 암을 일으키는 물질들이 정상적인 생리학적인 변화를 자극하여 이 부위의 예비세포(reserve cell)가 암세포의 전 단계인 이형세포로 만드는 비정상적인 과정을 이형화(dysplasia)라고 한다(Reagan et al., 1953).

신체의 변화가 활발한 사춘기와 임신으로 과도한 여성호르몬이 분비되면 자궁경부가 성장을 하면서 자궁경부 안쪽이 외번(eversion)되어 원주상피세포들이 바깥쪽에 위치하면서 편평상피세포로 변화가 된다. 즉 이 시기는 정상적인 성장 발달 과정으로 변형대에서 화생이 활발하게 나타나므로 발암 물질에 노출이 되면 기저막 부위에 인접한 예비 세포가 이형 세포로 변화될 가능성이 높아지게 된다. 그러나 여성호르몬인 estrogen 분비가 종료되는 폐경기 여성에서는 이와 반대로 SCJ도 자궁경부 안쪽으로 이동하게 되며 화생 변화도 미약하게 된다(그림 16-2).

암을 일으키는 주요 유발 물질로는 사마귀 바이러스로 알려진 인유두종바이러스(human papillomavirus, HPV)로 밝혀졌고, 현재까지 알려진 150여 종의 인유두종바이러스 중에서 40여 종이 생식 기관에서 발견되며, 자궁경부 상피내병변을 일으키는 것으로 알려지고 있다(Bouvard et al., 2009). 자궁경부암의 발암 인자로서 인유두종바이러스가 중요한 역할을 수행하지만, 그 외 부가적인 영향 인자들이 발암 과정에 기여하게 된다. 어린 나이에 성교를 경험, 여러 명의 성교 상대, 이른 임신, 낮은 사회경제적 지위, 월경 또는 출산과 연관된 면역 저하 상태와 여성호르몬의 영향, 흡연 및 각종 성병에 이환된 경우 또는 바이러스 감염

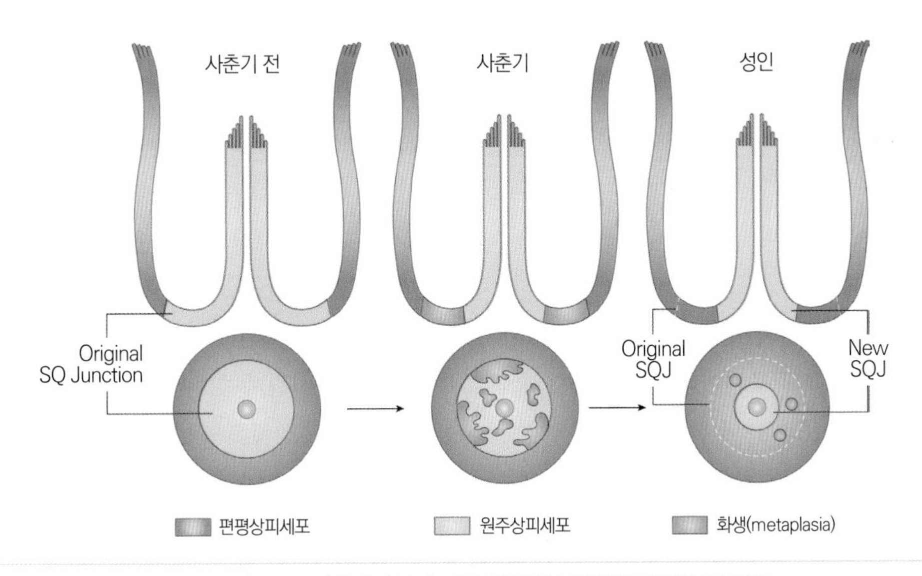

그림 16-2. **여성의 나이에 따른 자궁경부 편평원주접합부의 위치**

과 암 발생과 연관되어 유전적 감수성이 취약한 경우에 암화 과정이 쉽게 진행된다고 알려져 있다(Brinton, 1992).

2. 자궁경부 상피내종양의 발병기전

1) 인유두종바이러스

(1) 인유두종바이러스의 구조

인유두종바이러스는 자궁경부암을 일으키는 바이러스로 자궁경부암뿐만 아니라 호흡기, 눈, 항문, 성기주변 등에 사마귀 형태의 병변을 일으키는 바이러스로 알려져 있다. 인유두종바이러스는 약 7,900개의 염기쌍으로 구성된 이중원형 DNA 구조로 감염된 기간 동안 발현되는 시기에 따라 초기에 나타나는 6개의 early (E) protein (E1, E2, E4, E5, E6, E7)과 후기에 발현되는 두 개의 late (L) protein (L1, L2)을 합성하는 유전자를 가진다(그림 16-3).

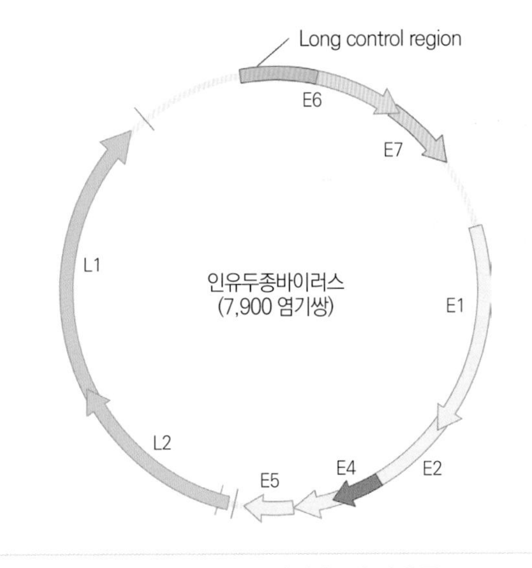

그림 16-3. **인유두종바이러스 유전체 구조**

(2) 인유두종바이러스 종류

자궁경부암 또는 상피내암에서 주로 발견되는 13여 종의 인유두종바이러스를 고위험군 바이러스로 분류하는데 인유두종바이러스 16, 18, 31, 33, 35, 39, 45, 51, 52, 56, 58, 59, 68 등이 있으며, 자궁경부 양성병변에서 발견되는 저위험군 바이러스는 인유두종바이러스 6, 11, 34, 40, 42, 43, 44, 54, 61, 70, 72, 81 등이 있다(표 16-1). 인유두종바이러스 16은 자궁경부암 환자에서에서 나타

표 16-1. 자궁경부암 위험에 따른 인유두종바이러스 분류

위험도	인유두종바이러스 종류
고위험	16, 18, 31, 33, 35, 39, 45, 51, 52, 56, 58, 59, 68
저위험	6, 11, 34, 40, 42, 43, 44, 54, 61, 70, 72, 81

나는 가장 흔한 종류이며, 예후가 불량한 자궁경부 선암(adenocarcinoma)에서는 인유두종바이러스 18이 자주 발견된다. 인유두종바이러스 16과 18이 전체 자궁경부암의 70%에서 나타난다(Bouvard et al., 2009).

2) 발병기전

인유두종바이러스감염은 점막과 피부에 바이러스의 종류에 따라서 양성 또는 악성병변을 유발한다. 인유두종바이러스는 상피세포층의 기저세포에 감염되어 복제를 시작한다. 감염된 세포는 표피층으로 이동하면서 분화되고, 바이러스 DNA 복제는 증폭하게 되며 세포 분화과정이 종료되면서 바이러스의 생활사도 완료된다. 대부분의 감염은 일과성으로 평균 지속기간은 12개월이나, 10-20% 정도는 감염이 보다 더 지속된다. 이러한 경우에는 병변이 자궁경부암 전구단계로 진행할 수 있다. 고위험군 인유두종바이러스 감염 후 자궁경부암이 발생될 때까지 약 10-20년이 소요되며, 인유두종바이러스에 감염된 여성의 1% 미만에서 자궁경부암이 발생한다(그림 16-4). 바이러스의 감염에 따른 결과로 콘딜로마(condyloma)나 이형증 또는 악성 종양을 형성하기 위해서는 바이러스감염이 세포주기(cell cycle)의 합성기(S-phase)를 자극해야 하며, 바이러스의 종류에 따라 병변의 모습을 다르게 나타나게 한다.

많은 분자생물학적 연구들을 통하여 저위험군 인유두종바이러스와는 달리 고위험군 인유두종바이러스는 자궁경부 세포를 악성전환(malignant transformation)하거나, 무한하게 생존시킬 수 있는 영구 불멸화(immortalization) 능력을 갖고 있는 것으로 밝혀졌다(Munger et al., 1989; Hudson et al., 1990). 인유두종바이러스의 E6와 E7 유전자는 자궁경부암의 진행에 중요한 역할을 하여 종양유전자(oncogene)로 알려져 있다. 특히 고위험군 인유두종바이러스의 E6 단백질은 정상세포의 세포주기조절 및 세포자멸사(apoptosis)에 매우 중요한 역할을 하는 p53 종양억제(tumor suppressor)유전자 단백질과 결합하면서 E6AP 단백질의 도움을 받아서 p53 단백질이 분해됨으로써 종양억제 기능이 소실되어 결과적으로 세포 주기를 합성기로 진행시켜서 세포의 성장을 지속시킨다(Scheffner et al., 1993). E7 단백질은 종양억제유전자 Rb 단백질과 결합하면서 Rb에 의하여 조절되고 있던 전사인자인 E2F가 유리되어서 세포 주기를 활성화하는 유전자들을 가동시키고, p21, AP-1 유전자의 기능을 억제하여 악성화 변형과 영구불멸화를 유발하게 된다(Arroyo et al., 1993).

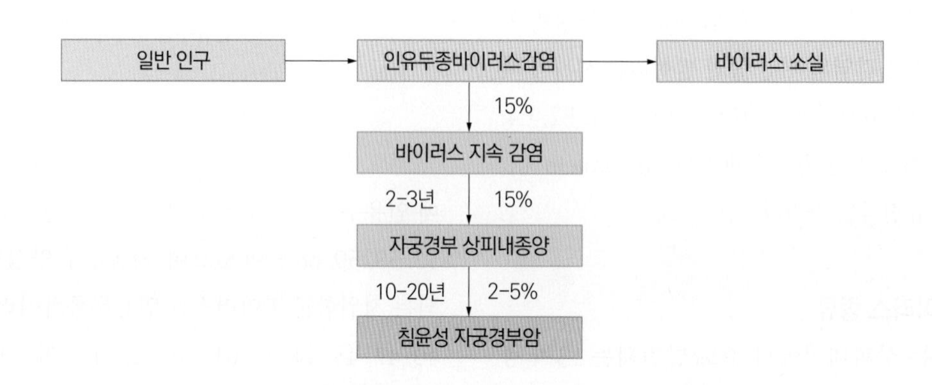

그림 16-4. 인유두종바이러스감염 후 자궁경부암 발생과정

3. 자궁경부 상피내종양의 진단

질경을 삽입하고 자궁경부를 육안으로 시진한 후 표준검사인 자궁경부질세포진검사(papanicolaou test)를 시행하며 육안으로 자궁경부 상피내종양이나 자궁경부암이 의심되면 바로 조직생검(tissue biopsy)을 시행하기도 한다. 자궁경부질세포진검사 결과가 이상이 있는 경우는 최종적인 병리학적인 진단을 얻기 위하여 조직생검를 시행하는데 방법은 다양하다. 한 가지 방법만으로는 정확한 진단이 어려울 수 있기 때문에 여러 가지 보조적이거나 부가적인 방법들을 추가하여 정확도를 높여야 한다.

1) 자궁경부 세포 진단 분류 및 전암병변 분류

자궁경부 세포의 세포학적 분류는 1941년 Papanicolaou와 Traut가 자궁경부의 세포학적 이상을 로마숫자로 표현하여 자궁경부암 진단에 사용할 수 있다고 발표한 것이 시초로서 자궁경부암 조기 발견에 지대한 공헌을 하였다.

자궁경부 상피내병변이 정도에 따라 일련의 넓은 범위를 가진 질환이라는 것이 알려짐에 따라 1953년 Reagan이 이형증(dysplasia) 개념을 도입하였으며, 세계보건기구에서는 자궁경부의 미성숙도와 상피층의 점유율에 따라서 경증(mild), 중등도(moderate), 중증(severe) 이형증으로 나누고, 최상 표피층까지 이형 세포로 바뀐 경우에는 자궁경부 상피내암(carcinoma in situ)으로 정의하였다(Reagan et al., 1953). 1968년 Richart는 자궁경부암의 전암 병변이라는 개념을 도입하여 자궁경부 상피내종양이라는 용어를 사용하고, 경증 이형증은 자궁경부 상피내종양 1, 중등도 이형증은 자궁경부 상피내종양 2, 중증 이형증과 상피내암은 자궁경부 상피내종양 3으로 3단계로 나누어 분류하였다(그림 16-5).

1988년 미국 Bethesda에서 열린 국립암센터(National Cancer Institute, NCI) Workshop에서는 인유두종바이러

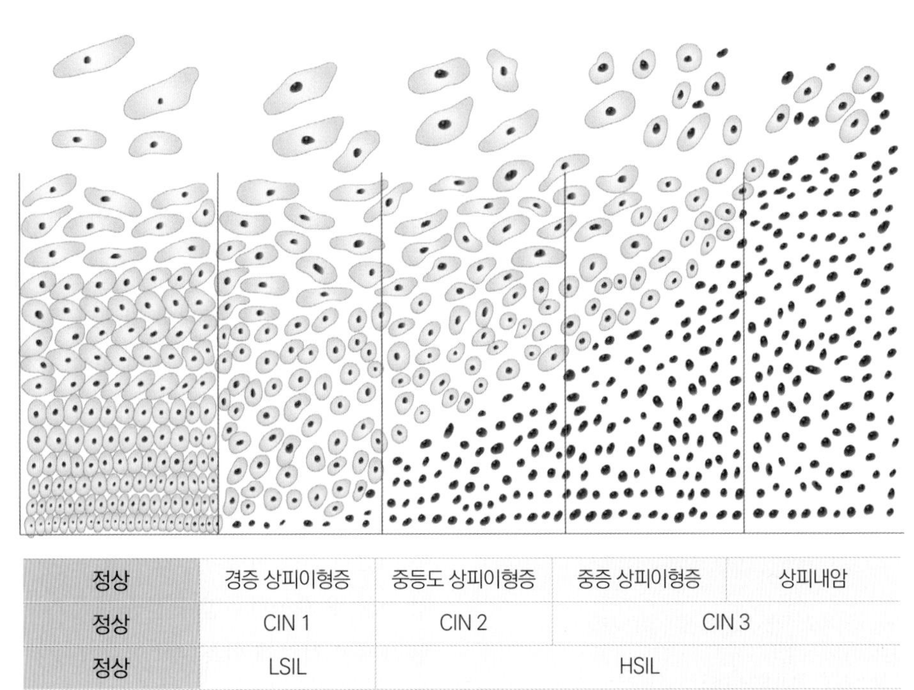

CIN: 자궁경부 상피내종양, LSIL: 저등급 편평상피내 병변, HSIL: 고등급 편평상피내 병변

그림 16-5. **도식화된 자궁경부 상피내종양의 조직학적 분류방법**

스가 자궁경부암의 중요한 원인이라는 사실을 고려하면서 이전의 3-4단계로 분류되어서 세포병리의사와 임상의사들 사이에 의사전달에 혼란이 오던 것을 2단계로 분류하여 단순화시키고, 검체의 적정성 여부를 포함시키며, 서술적으로 진단을 기술하는 The Bethesda System (TBS)이라는 보고양식이 제안되었으며, 1991년에는 일부 내용을 수정하고, 각각의 항목의 진단기준을 설정하여 과거 문제점을 교정하였다. TBS의 서술적 진단은 양성 세포 변화와 상피세포 병변으로 나누어지며 상피세포 병변은 편평상피세포와 선세포 병변으로 나누어진다. 전암 병변 중에 편평상피세포 병변에는 의미미결정 비정형 편평세포(atypical squamous cells of undetermined significance, ASC-US), 저등급 편평상피내병변(low grade squamous intraepithelial lesion, LSIL) 및 고등급 편평상피내병변(high grade squamous intraepithelial lesion, HSIL)이 속하며 의미미결정 비정형 선세포(atypical galndular cells of undetermined significance, AGUS)는 선세포 병변에 속한다. 2001년 TBS에서는 비정형 편평세포(atypical squamous cell, ASC)는 의미미결정 비정형 편평세포(ASC-US)와 HSIL을 배제할 수 없는 비정형 편평세포(atypical squamous cells-cannot exclude HSIL, ASC-H)로 세분화하였다. 비정형 선세포(atypical glandular cells, AGC)는 비특이성 비정형 선세포(atypical glandular cells not otherwise specified, AGC-NOS)와 종양성 비정형 선세포(atypical glandular cells "favorable neoplasia", AGC-favor neoplasia)로 세분화되었다(표 16-2). 또한, 자궁경부 세포진단의 질적 향상을 위해 사용되는 liquid based cytology와 computer-assisted automated screening에 대한 기술도 언급하였다(Solomon et al., 2002).

표 16-2. The Bethesda System 2001 분류

편평세포
• 비정형 편평세포 의미미결정 비정형 편평세포 고등급 편평상피내병변을 배제할 수 없는 비정형 편평세포
• 저등급 편평상피내병변 인유두종바이러스 감염/경증 이형증/자궁경부 상피내종양 1을 포함
• 고등급 편평상피내병변 중등도와 중증 이형증, 상피내암/자궁경부 상피내종양 2, 3을 포함
• 편평세포암
선세포
• 비정형 선세포 자궁경관내 세포, 자궁내막세포, 다른 특별한 점이 없는 세포
• 비정형 선세포, 종양의 가능성이 있는 자궁경관내 세포, 다른 특별한 점이 없는 세포
• 자궁경관내 선상피내암
• 선암종

2) 자궁경부질세포진검사

자궁경부질세포진검사는 1941년에 Papanicolaou에 의하여 소개되어 현재까지 가장 보편적으로 쓰이고 있는 자궁경부암 선별검사로서 줄여서 pap test라고 부른다. 자궁경부질세포진검사를 이용한 선별 프로그램이 보편화되면서 자궁경부암의 발생률은 79% 감소하였고, 사망률은 70% 감소하였다. 자궁경부질세포진검사는 통증이 거의 없고 검사시간이 짧아 단시간에 많은 여성을 검사할 수 있어 선별검사로 많이 쓰이고 있다. 그러나 민감도(sensitivity)가 높지 않고 세포검사에 대한 전문적인 훈련을 받은 병리학자가 필요하며, 검체 간의 재현성이 낮다는 단점이 있다.

(1) 유의사항

검사받기 전에 적어도 24-48시간 이내에는 성교나 질 세척을 피하는 것이 좋으며, 생리기간이나 출혈이 많은 경우에는 혈액에 의한 부적절한 검체의 가능성이 있으므로 검사를 피하는 것이 좋다. 그러나 출혈이 전암 병변이나 암의 진행 때문일 가능성이 있는 경우는 정확한 평가를 위하여 검사를 시행한다. 자궁경부나 질 세포는 에스트로겐의 영향에 따라 세포의 형태가 변할 수 있으므로 가능하면 생리 후 배란기 전에 시행하는 것이 좋다. 폐경이 된 여성, 위축성 질염 및 자궁경부염이 심한 여성은 에스트로겐 결핍으로 세포가 심하게 위축되어 있고 염증을 동반하고 있어서 비정상 진단이 나올 확률이 높으므로 환자의 상태에 따라서 2-4주 동안 에스트로겐호르몬 질정을 사용한 후 세포검

사를 하는 것이 좋다. 환자가 질정을 사용하고 있는 경우에는 질정 사용 후 1주일 이상의 휴약 기간을 두는 것이 좋다. 내진을 포함한 부인과 진찰을 시행하기 전에 검체를 채취하는 것이 좋고 냉이 많은 경우 어느 정도 냉을 제거한 후 시행하는 것이 좋다. 검체를 채취하기 전에 초산을 포함한 일체의 용액을 사용해선 안 된다.

(2) 기구

세포검사에 필요한 기구들은 질경, 검체채취 기구, 광원, 유리 슬라이드, 95% 알코올이 담긴 고정액 통 또는 스프레이 고정액이다.

세포 도말(smear)에는 화생세포와 자궁경관세포가 포함되어 있어야하며 화생세포를 얻기 위해서는 변형대에서 가능한 한 많은 검체를 채취하여야 한다. 예전부터 많이 사용하던 면봉은 이제는 거의 사용하지 않으며, 다른 많은 세포채취 기구들이 개발되어 사용되고 있는데, 바깥자궁경부(exocervix)에서 세포를 채취하는 ayre spatula와 자궁경관내막(endocervix)에서 세포를 채취하는 cytobrush가 많이 이용되고 있다. Ayre spatula와 cytobrush를 사용하는 것이 세포의 채취율이나 채취 능력이 가장 좋은 것으로 나타났다. 가장 간편한 방법으로는 cervexbrush 기구를 이용하는 것인데, 이 기구는 하나의 기구로 바깥자궁경부와 자궁경관내막의 세포를 모두 채취할 수 있도록 고안되었다(그림 16-6).

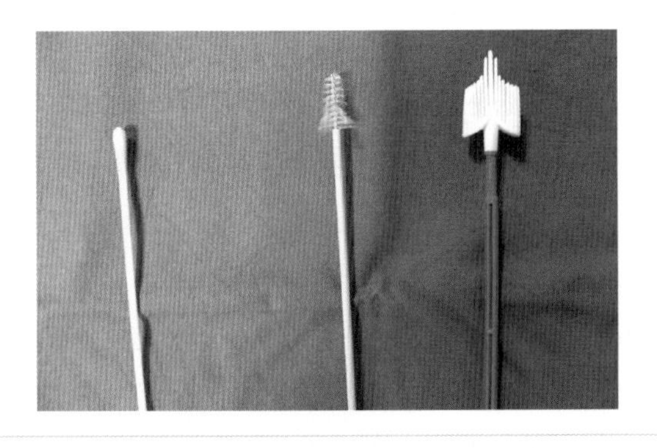

그림 16-6. **자궁경부질세포진검사에 사용되는 세포채취 기구**

(3) 검사 방법

자궁경부질세포진검사는 크게 검체의 채취(smapling), 도말(smear), 고정(fixation), 염색(staining), 선별과정(screening), 최종 진단(final diagnosis), 보고(report)의 순서로 진행된다.

먼저 질경 삽입 시 윤활제를 사용하지 않아야 한다. 윤활제는 검체 슬라이드의 적절한 염색을 방해할 수 있다. 자궁경부의 크기, 모양, 색깔, 위치, 표면의 특징과 이상 소견들을 관찰한다. 큰 솜뭉치를 이용하여 가볍고 조심스럽게 과도한 점액성 분비물을 자궁경부로부터 제거하는데, 세포검사 전에 자궁경부 상피를 손상시키지 않도록 주의하여야 한다. Ayre spatula를 바깥자궁경부에 대고 360°로 두 번 돌려서 검체를 얻고 슬라이드에 너무 얇거나 두껍지 않게 균일하게 도말한 후 즉시 95% 에탄올에 담가 고정시키거나 스프레이로 고정한다. 그다음 cytobrush를 자궁경관내막에 넣고 부드럽게 180-360° 돌려서 세포를 채취한 후 슬라이드에 균일하게 도말하고 즉시 95% 에탄올에 담가 고정시키거나 스프레이로 고정한다(그림 16-7). 검체 채취 시 세부적인 주의사항으로 자궁경부가 건조한 경우 spatula를 생리적 식염수에 적셔서 사용하고, 성병검사를 위한 검체 채취는 세포검사 후에 시행한다. 임산부에서는 cytobrush를 사용하여서는 안 되며, 면봉을 생리식염수에 적셔서 사용하는 것이 좋다(국립암센터, 2008).

가장 중요한 점은 병변이 있는 부위에서 세포를 채취하여 슬라이드에 정확히 도말하여야 한다는 사실이다. 실제 상피세포의 병변이 있는데도 비정상적인 상피세포들이 탈락되지 않아서 세포들이 잘 모아지지 않는 경우에는 세포학적 진단은 오류를 범하게 되어 위음성(false negative)이나 낮은 민감도를 나타내는데, 이는 채취상의 오류(sampling error)에 기인한다. 그 원인은 첫째, spatula가 병변이 있는 상피세포를 정확하게 채취하지 못하는 경우, 둘째 병변이 상피세포층 깊숙이 위치하여 병변 내의 비정상적인 세포들이 탈락되지 못하는 경우, 셋째, 세포와 세포 사이의 유착이 강하게 형성되어 실제로 비정상적인 세포들이 상피세포층 표층에 있는데도 불구하고 세포들이 탈락되지 못하

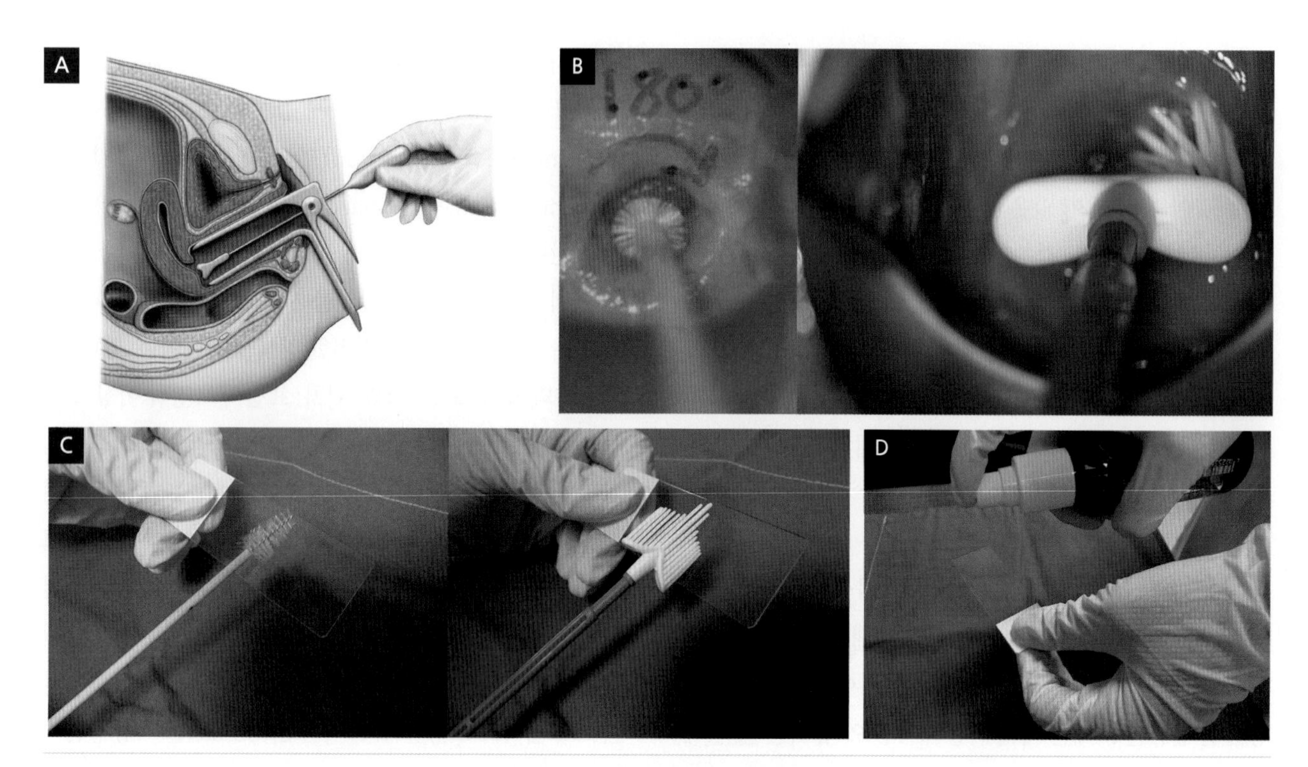

그림 16-7. **자궁경부질세포진검사**
A. 질경을 이용하여 변형대가 포함된 자궁경부 전체를 노출시킴, B. cytobrush와 Cervexbrush로 세포 채취,
C. 채취한 세포들을 슬라이드에 도포, D. 스프레이로 고정

는 경우이다.

(4) 자궁경부액상세포검사(Liquid based cytology)

자궁경부액상세포검사는 세포를 액체배지(liquid media)에 고정하여 공기 중에 건조되어 세포가 손상되는 것을 막고, 슬라이드에 도말할 때보다 훨씬 많은 세포를 배지에 옮겨서 채취, 고정에 따른 오류를 줄일 수 있는 방법이다. SurePath Pap test와 ThinPrep Pap test의 2가지 방법이 있다. SurePath는 세포 채취 기구로 자궁경부세포를 채취하고 기구의 윗부분을 분리하여 특수비중용액이 들어 있는 통에 담그고 기울기원심분리(gradient centrifugation)에 따라 혈액 및 점액을 제거하고 진단적인 세포만 모아주는 방법이다. ThinPrep은 세포 채취 기구로 자궁경부세포를 채취하고 보존용액이 있는 통에 담그고 충분히 흔들어 세포들을 용액 내로 유리시킨 후 세포 채취 기구는 버리며 필터(filter)로서 검체에 있는 혈액 및 점액을 제거하는 방법이다.

자궁경부액상세포검사는 불만족스러운 검체를 70-80% 이상 감소시킬 수 있으며, 한 검체로 인유두종바이러스검사와 다른 성병검사를 동시에 시행할 수 있다는 장점이 있다(Wright et al., 2010).

3) 초산 용액 혹은 요오드 용액을 이용한 육안검사법

3-5% 초산(acetic acid) 용액은 조직을 부어오르게 하는데 특히 원주상피나 비정상 상피층을 부어오르게 하여, 상피층을 백색 상피(white epithelium)로 일시적으로 변하게 만든다. 따라서 정상 상피와 명확하게 구별된다. 정상 중층편평상피는 질 및 자궁경부 확대경으로 보면 분홍색으로 보이는데 이것은 상피 하 모세혈관 구조가 적색이기 때문이다. 초산 영향은 세포의 핵단백질 양이나 특히 cytokeratin

존재여하에 좌우되는데 비정상 상피는 이 단백질 농축이 높아 최고도 응고가 되어 상피를 통과하는 빛을 방해한다. 결과적으로 상피 하 모세혈관 구조는 보기가 힘들게 되어 상피는 백색으로 보인다. 단백질의 농축이 높을수록 초산 용액을 바른 다음에는 더 백색으로 보이게 된다. 초산 용액 도말 후의 효과는 정상 상피의 경우 약 30-40초 후에는 사라지게 되는데 다시 바르면 다시 나타난다. 대부분의 여성에서 3% 용액을 사용했을 때 초산 용액을 바른 후 상피 변화는 대략 1분 내에 나타나서 2-3분 내에 사라지므로 반복 도포할 필요가 있다(배석년 등, 1999).

세계보건기구는 자궁경부질세포진검사에 근거한 자궁경부암 선별검진(screening test)이 정착되지 않은 개발도상국에서는 자궁경부암선별검사법으로 육안관찰법을 추천하였다. 초기의 육안관찰법은 성적이 극히 저조하였으나, 초산 용액을 바른 후 시행한 육안검사법(visual inspection with acetic acid, VIA)은 최근의 연구들에서 개발도상국에서 자궁경부 상피내종양을 발견하는 데 자궁경부질세포진검사를 대처할 만한 간단한 검사법으로 보고하고 있다.

초산을 이용한 육안검사법을 시행한 후에 다시 루골 용액(Lugol's solution; iodine-potassium iodide solution)을 이용한 Schiller test를 실시할 수 있는데, 육안으로 초산 반응이 명확하지 않거나 애매할 경우 등에 이용하면 도움이 된다. 개발도상국뿐만 아니라 우리나라에서도 VIA가 필요한 경우 세포검사의 보조로 이용할 수 있다.

4) 질확대경검사(Colposcopy)

(1) 질확대경검사의 특성

편평원주경계면 주위에서 화생이 일어나는 부위를 변형대라고 하며, 이 부위에서는 선의 개구부(gland opening), 나보트낭(nabothian cyst)과 여러 형태의 혈관모양이 보일 수 있다. 이러한 이행대에서의 화생은 여성의 일생동안 일어나게 되고 화생이 일어나고 있는 상피가 바이러스나 여러 가지 환경 인자에 노출되면 비정상 형태를 나타내게 된다. 백색 상피, 점적반(punctation), 모자이시즘(mosaicism), 비정형 혈관(atypical vessel) 및 각화증(keratosis) 등을 나타낼 수 있으며 이러한 비정상 이행대는 종양의 전구 병변이 될 수 있다. 이들의 형태는 각각 나타나거나 동시에 보이기도 하며, 모든 형태의 기본이 되는 것은 백색 상피이다. 그러나 자궁경부 염증이나 미란, 인유두종바이러스 감염, 자궁경부 용종, 질의 위축성 변화, 방사선 치료 후 등에서 백색 상피와 유사한 형태를 보일 수 있으므로 감별이 필요하다.

질확대경(colposcope)은 1925년 Hinselmann에 의해 고안되었으며 자궁경부 변형대를 6-40배까지 확대하여 관찰할 수 있는 검사로 자궁경부 병변의 추적관찰이 가능하다. 또한 조직생검의 장소를 파악할 수 있어 불필요한 조직 손상을 줄이고, 자궁경부 상피내종양 및 자궁경부암 초기 진단에 매우 유용하다(그림 16-8).

자궁경부암의 발생빈도가 높은 우리나라에서는 선별검사인 자궁경부질세포진검사에서 정상 소견이 나오더라도, 진찰에서 자궁경부의 이상이 의심되거나 고위험 인유두종바이러스에 감염된 환자에서는 질확대경검사를 하여 자궁경부의 이상 소견을 직접 관찰하고, 병변의 종류, 정도 및

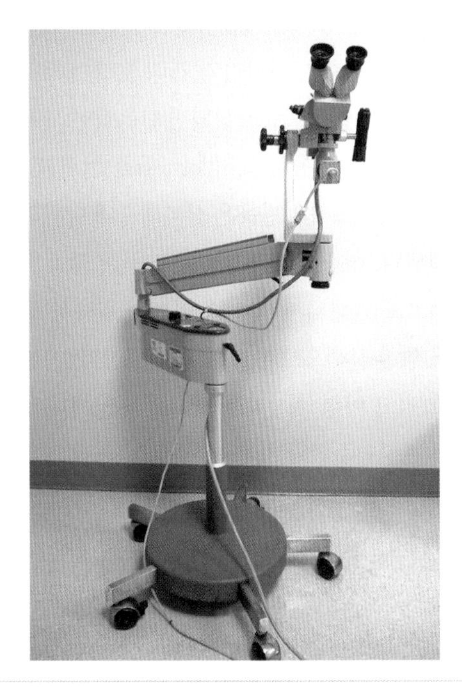

그림 16-8. **질확대경(colposcope)**

범위를 선택하여 조직생검을 시행함으로써 최종적인 병리조직학적 진단을 얻는 것이 가장 이상적이라고 하겠다. 그러나 질확대경검사는 여러 가지 단점을 가지고 있는데, 장비가 비싸며 이동이 어렵고, 검사자의 주관적 판단에 의존함으로써 객관성이 결여되고, 숙련된 검사자를 양성하기 위해 상당기간의 교육과 경험이 필요하며, 검사에 많은 시간이 소요되어 동시에 많은 환자를 검사할 수 없어 선별검사로는 적당하지 않으며, 자궁경관 내의 병변은 발견할 수 없는 경우가 많다는 것이 단점이다. 이행대가 충분히 노출되지 않는 경우에도 불만족스러운 결과를 보일 수 있으며 이런 경우에는 자궁경관내소파술(endocervical curettage)이나 원뿔생검(cone biopsy)을 시행하는 것이 좋다.

(2) 질확대경검사 방법 및 소견

질확대경검사의 시작은 질확대경을 사용하기 전에 육안적 관찰을 하는 것이다. 우선 외음부와 질부를 관찰한 후 질경을 넣고 전체 자궁경부를 노출시킨다. 면봉 등으로 경부 점액을 제거한 후 질확대경 관찰을 시작한다. 혈관 구성의 확인을 쉽게 하기 위해 녹색 필터를 사용한다. 다음의 과정은 초산 용액을 사용하여 자궁경부의 변화를 관찰하는 것이다. 3-5%의 초산 용액을 자궁경부에 바른 후 상피의 변화를 관찰하는데, 변화가 나타나기 까지 30초에서 2분간 소요되며 변화가 자연적으로 소실되면 반복적인 도포가 필요하다. 루골 용액을 이용한 Schiller test를 실시할 수 있다. 루골용액에 따른 조직의 반응은 상피세포내 당원의 함량에 따라 결정된다. 성숙된 편평상피는 당원이 많아 요오드에 진한 갈색으로 염색되지만, 폐경 여성의 위축성 상피는 당원이 적어 연한 갈색으로 염색된다. 원주상피, 미성숙성 편평상피, 그리고 이형성 상피는 염색되지 않거나 노란색을 띠게 되어 편평원주접합부의 구분이 명백해진다.

질확대경검사에서 자궁경부 병변을 정확히 진단하기 위해서는 다음의 사항을 자세히 관찰하여야 한다.

- 혈관의 이상(vascular abnormalities)
- 모세혈관 간격(intercapillary distance)
- 색조(surface color type)
- 표면 상태(surface condition)
- 경계의 명확성(demarcation of the finding)
- 병변의 두께(thickness of the lesion)
- 경관선 개구(cervical glandular opening)
- 병변의 범위(extension of the findings)
- 초산 반응의 소실시간
- Schiller test 검사

1972년에 결성된 국제 질확대경 및 자궁경부병리학회(International Federation for Cervical Pathology and Colposcopy, IFCPC)에서는 질확대경 소견을 체계화하는 데 많은 노력을 기울여 왔다. 1975년 처음으로 질확대경검사 소견에 대한 통일된 분류를 채택하였고, 이후 1990년, 2002년에 새롭게 갱신하였고, 최근 2011년에 질확대경 용어를 더욱 체계화하여 정의하였다(Tatti et al., 2013)(표 16-3).

질확대경검사에서 병변을 시사하는 소견으로는 비정형 혈관(atypical blood vessel), 초산 백색 상피(acetowhite epithelium), 모자이시즘(mosaicism), 점적반(punctation), 백반(leukoplakia) 등이 있다(그림 16-9).

① 비정형 혈관

자궁경부의 혈관은 표피하부에 망막상의 형태를 나타내는 가는 혈관으로 급성 화생, 염증, 재생 및 자궁경부종양이 있을 경우 상피세포에 신진대사가 증가하여 혈관이 재분포하게 된다. 비정형 혈관들은 매우 불규칙하게 배열되어 있으며, 혈관의 굵기의 변화가 매우 심하다. 또한 혈관의 주행방향이 불규칙하고 급한 각도를 형성하며, 서로의 간격이 일정치 못한 형태를 보인다. 비정형 혈관들은 침윤암의 특징으로 비교적 평평하게 보이는 병변에서 이러한 혈관이 모여 있을 때는 미세침윤암을 의심해야 한다.

② 초산 백색 상피

3-5%의 초산 용액을 도포하면 주위와 경계가 명확한 백색 혹은 회색의 병변 부위가 나타나는데 이를 초산 백색 상피

표 16-3. **질확대경 용어(IFCPC, 2011)**

정상 질확대경 소견	원편평상피(original squamous epithelium): 성숙 상피, 위축 상피 원주상피(columnar epithelium): 이소증/외반(ectopy/ectropion) 화생편평상피(metaplastic squamous epithelium): 나보트 낭; 선의 개구 임신으로 인한 탈락화(deciduosis)	
비정상 질확대경 소견	grade 1 (minor)	미세한 모자이시즘 미세한 점적반 얇은 초산 백색 상피 불규칙 지도 경계
	grade 2 (major)	예리한 경계 경계속징후(inner border sign): 얇은 초산 백색 상피와 두꺼운 초산 백색 상피 영역 간에 관찰되는 경계 융기징후(ridge sign): 변형대 내 백색상피영역의 불투명융기 짙은 초산 백색 상피 조잡한 모자이시즘 조잡한 점적반 빠른 초산 백색 변화 겹쳐진 선의 개구
	비특이적(nospecific)	백반(leukoplakia): 각화증(keratosis), 과각화 루골 염색(Schiller test): 염색, 염색 안 됨
침윤 의심 소견	비정형 혈관/불규칙적인 표면/취약한 혈관/외향 병변/괴사/궤양/육안 관찰 종양	
기타 소견	선천성 변형대/콘딜로마/용종/염증/협착/선천성 기형/치료 후 결과/자궁내막증	

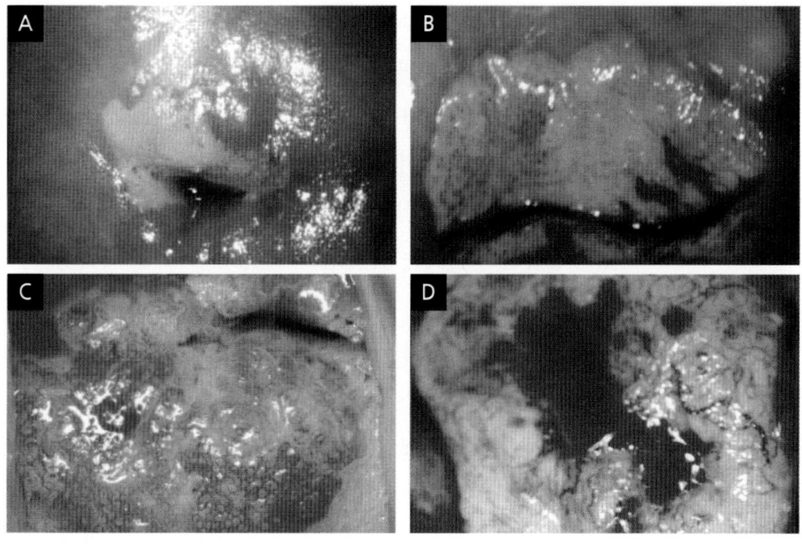

그림 16-9. **비정상 질확대경검사 소견**
A. 초산 백색 상피(acetowhite epithelium)
B. 점적반(punctation)
C. 모자이시즘(mosaicism)
D. 비정형 혈관(atypical blood vessel)

라하며 육안적으로 나타나는 백반(leukoplakia)과는 다르다. 이러한 현상은 자궁경부 상피내종양에서 흔히 관찰할 수 있는 소견으로 세포핵 대 세포질 비율의 증가나 초산의 도포로 인하여 세포 내 수분의 세포 공간으로의 이동이나 혹은 초산이 세포 내의 케라틴과 다른 단백과 반응하여 빛을 반사하여 발생한다. 정상 화생 상피에서 관찰되는 백색 상피는 빨리 나타나서 빨리 사라지며 다시 초산을 도포할 때 재생이 잘되지 않으나 상피내종양의 경우에는 백색상피의 출현이 다소 천천히 일어나고 빨리 사라지지 않으며 이차 도포가 관찰에 도움을 준다. 또한 화생상피 경우에는 표면이 투명하며 주위 정상 상피와의 경계가 불분명하지만 상피내종양에서는 백색 상피가 두꺼우며 불투명하고 주위와 뚜렷한 경계를 가진다. 백색 상피의 색채와 투명도 그리고 반응시간의 정도는 상피내종양의 중증도를 반영할 수 있지만 인유두종바이러스 감염이 있는 경우에도 뚜렷하고 선명한 백색 상피가 관찰될 수 있다.

③ 모자이시즘과 점적반

모세혈관이 마치 타일모양으로 배열되어 모자익형상으로 보이는 것이 모자이시즘이며 확장된 모세혈관이 상피 표면에서 붉은 색체의 점상으로 끝이 나는 상태를 점적반이라고 한다. 이 두 가지 혈관 이상은 각각 독립적으로 존재할 수도 있지만 종종 서로 혼재해서 나타날 수 있으며, 정상 편평상피 화생 초기에서부터 초기 침윤암에 걸쳐 나타날 수 있다. 모자이시즘과 점적반은 분명한 경계를 가진 초산 백색 상피와 같이 존재할 때 임상적 의미를 갖게 된다. 또한 불규칙하거나 거친 형태 그리고 모세혈관의 직경과 간격의 확장 등이 있으면 고등급 상피내병변의 존재를 암시하고, 모세혈관이 가늘고 간격이 좁으면서 규칙적인 양상을 보이면 인유두종바이러스 감염이나 저등급 상피내병변을 시사한다. 그러나 종종 고등급 상피내병변으로 추정되는 소견에서 조직생검 후 정상이나 저등급 상피내병변으로 진단되는 경우도 있다.

④ 백반

국소 상피에 조직학적으로 과각화(hyperkeratosis)되어 생기는 것으로 초산 점적과 무관하며 편평하게 융기된 백색 병변을 말한다. 정상 편평상피에 산재되어 있는 경우는 임상적으로 별 의의가 없으나, 변형대에 국소적으로 있는 경우 전암 병변을 의심하여야 한다. 가장 흔한 원인은 인유두종바이러스 감염에 의한 것이며, 이외 각질화 암종(keratinizing carcinoma), 각질화 상피내종양, 피임용 가로막(diaphragm)이나 페서리(pessary), 탐폰(tampon) 등의 오랜 사용에 의한 만성 손상, 방사선 치료 등에서도 관찰될 수 있는 소견이다(배석년 등, 1999; 남궁성은 등, 2005).

5) 인유두종바이러스검사(HPV test)

1977년 Zur Hausen이 인유두종바이러스가 자궁경부암의 발병에 중요한 인자라는 사실을 보고한 후 1980년대 분자생물학적 방법을 통해 많은 연구자들이 인유두종바이러스와 자궁경부암과의 인과관계를 연구하였고 인유두종바이러스의 중요성을 인식하고 있었다. 자궁경부암 진단에 인유두종바이러스검사가 도움을 줄 수 있다는 근거는 고등급 편평상피내병변의 70-95%와 자궁경부암 조직의 95% 이상에서 인유두종바이러스 DNA가 검출되고, 특정 종류 인유두종바이러스가 자궁경부암의 발생에 연관이 있다는 결과에 기인한다.

1995년 International Biologic Study on Cervical Cancer의 조사에서 22개국에서 얻은 1,000여 개의 침윤성 자궁경부암 조직의 93%에서 인유두종바이러스 DNA를 검출하였는데 16번이 50%, 18번이 12%, 45번이 8%, 31번이 5%를 차지한다고 보고하였다. 자궁경부암의 자연사를 고려할 때 고등급 상피내종양뿐만 아니라, 저등급 상피내종양이 자연 치유되거나 진행되는 경과 과정에서 인유두종바이러스 DNA 아형에 따라서 영향을 받아 추후 나타나는 질환의 형태가 달라질 수 있으므로 인유두종바이러스 DNA의 종류를 구분하는 것이 필요하다(Bosch et al., 1995).

(1) 인유두종바이러스검사법의 종류

인유두종바이러스는 배양이 불가능하기 때문에 핵산(nucleic acid)을 검출하여 감염여부를 확인할 수 있다. 인유두종바이러스 DNA의 분자진단방법으로는 southern blot, dot blot, in situ hybridization, liquid hybridization, polymerase chain reaction (PCR), DNA microchip test, restriction fragment length polymorphism (RFLP), 염기서열분석법(sequencing) 등이 있어, 이를 이용하면 자궁경부 세포나 조직에서 인유두종바이러스의 존재 유무와 종류를 구분할 수 있다.

Southern blot은 전기영동시킨 DNA를 filter에 옮기는 방법으로 진단 목적으로는 시간이 많이 소요된다는 제한점이 있지만 정확한 DNA의 크기로 검출하기 때문에 새로운 아형의 인유두종바이러스를 발견하거나 인유두종바이러스의 물리적 상태를 확인하기 위해서 이용된다(Cullen et al., 1991). In situ hybridization은 방사선 동위원소 혹은 화학형광물질로 표지된 DNA 탐색자(probe)를 이용하여 조직 내의 DNA 혹은 RNA를 검출하는 방법으로 조직의 세포 형태를 보면서 바이러스의 존재와 감염 위치를 확인할 수 있어 인유두종바이러스 감염과 관련된 세포나 염색체의 변화를 동시에 관찰하는 데 이용된다(Lizard et al., 2001).

증폭방법인 PCR법은 형 특이(type specific) PCR법과 일반 시동체(general primer) PCR법이 있다. 형 특이 PCR법은 E6, E7 유전자의 염기배열의 변이에 근거한 분석법으로 14개 고위험군 인유두종바이러스 아형의 E7 해독틀(open reading frame, ORF)의 100염기쌍(base pair, bp)을 표적으로 하여 개발되었다. 그러나 인유두종바이러스 아형에 따라 다른 시동체를 사용해야 하는 단점이 있어 주로 실험목적으로 이용된다. 현재 PCR을 이용한 연구의 대부분은 단일 PCR 증폭으로 광범위한 인유두종바이러스를 증폭하는 consensus primer를 사용하고 있다. PCR 방법은 실험방법이 단순하고 예민한 장점이 있으나 검체 채취과정 또는 실험과정에서 유전자의 오염이 있을 수 있으며, 임상적 의미가 없을 정도의 극미량에서도 양성으로 판정될 수 있다(Kleter et al., 1999).

liquid hybridization인 hybrid capture system은 인유두종바이러스 진단 목적으로 2002년 미국 식품의약품안정청(Food and Drug Administration)의 승인을 처음으로 받은 제품으로 hybrid capture II (HC II)가 현재 임상에서 사용되고 있다. 검사의 원리는 검체 내 인유두종바이러스의 DNA와 시약의 RNA를 교잡(hybridization)하고 이에 대한 1차 면역항체로 시험관에 부착시킨 후 hybrid에 대한 2차 면역항체를 부착시켜 나타나는 양성 반응의 상대적인 양을 측정하는 것이다. 인유두종바이러스 6, 11, 42, 43, 44의 저위험군과 16, 18, 31, 33, 35, 39, 45, 51, 52, 56, 58, 59, 68의 고위험군 인유두종바이러스를 검출할 수 있다. 감염의 상태를 반정량적으로 측정할 수 있지만 교차반응으로 인한 고위험군 인유두종바이러스 검출의 위양성이 보고되고 있으며, 위음성률도 1.1-7.5%로 보고되고 있다(Poljak, 1999).

DNA microchip test는 유리 슬라이드와 같은 작은 고형체에 인유두종바이러스 올리고핵산(oligonucleotide) 탐색자를 고밀도로 집적하고 검체의 인유두종바이러스와 교잡하여 인유두종바이러스의 존재를 확인하는 방법이다. 이 방법은 인유두종바이러스의 유형까지 확인할 수 있다. DNA microchip test는 2004년 우리나라 식품의약품안정청에서 인유두종바이러스 진단 목적으로 승인되었다.

Hybrid capture II 이외에도 Cervista HPV HR Test, Cervista HPV 16/18 Test, Cobas HPV Test, APTIMA HPV Assay, 그리고 BD Onclarity HPV Assay가 현재까지 미국 식품의약품안정청의 허가를 받은 진단검사법이다.

Cervista HPV HR Test는 Invader chemistry라는 소프트웨어를 이용하여 14종의 고위험군 인유두종바이러스 DNA를 검출하는 방법이다. Invader 기법은 특정 핵산 순서(sequence) 검출을 위한 신호증폭방법으로서, 목표한 DNA 순서에서 일어나는 1단계 반응과 형광신호 생성을 위한 2단계 반응으로 구성된다. 흔한 인유두종바이러스 유형들과의 교차반응이 없다는 것이 장점이다(Day et al., 2009). Hybrid capture II와 Cervista HPV HR Test는 13-14종류의 고위험군 인유두종바이러스를 검출하지만, 양성/음성으로 결과가 보고될 뿐 어떤 유형에 양성인지 알 수 없어 HPV genotyping이 불가능하다.

Cervista HPV 16/18 Test는 인유두종바이러스 16, 18에 대해서 genotyping이 가능하여 위험도를 판단하는 데 도움을 주는 새로운 버전의 검사이다(Einstein et al., 2010; Castle et al., 2011).

Cobas HPV Test는 Real time PCR Cobas 4800 시스템을 이용한 자동화검사로서 14종의 고위험군 인유두종바이러스를 검출하며, 16, 18에 대해서는 genotyping이 가능하다(Abraham et al., 2014).

인유두종바이러스의 E6와 E7 유전자는 각각 종양억제유전자인 p53, Rb 단백을 분해 또는 억제하여 세포주기 조절을 방해한다. 인유두종바이러스가 지속감염되고 바이러스의 DNA가 사람의 DNA에 융합(integration)되면, E6와 E7 mRNA가 과발현하게 되고 이 병변은 자연 소실될 가능성이 낮아진다. E6/E7 mRNA의 발현은 자궁경부 상피내 병변의 중증도에 따라 증가하고, 지속적 발현은 상피내종양으로부터 침윤성 암으로의 발전 가능성을 시사한다. 따라서 E6/E7 mRNA 검사는 고등급 상피내병변이나 침윤암을 예측하는 좋은 지표가 될 수 있다. APTIMA HPV Assay는 14종의 고위험군 인유두종바이러스의 mRNA를 검출하는 검사법이다(Burger et al., 2011). BD Onclarity HPV assay는 가장 최근인 2018년에 미국 식품의약품안정청의 허가를 받았다. 완전 자동화된 방식으로 real time PCR과 핵산 hybridization에 의한 DNA 증폭이 가능하여 14개의 고위험군을 검출할 수 있으며, 16, 18, 31, 45, 51, 그리고 52번에 대해서는 genotyping이 가능하다(Katrina et al., 2019).

(2) 인유두종바이러스검사의 이용

인유두종바이러스검사의 장점은 자궁경부질세포진검사에 비해서 민감도가 매우 좋아 소량의 인유두종바이러스 DNA도 검출해 낼 수 있다는 것이다. 그러나 임상적 특이도가 많이 떨어진다는 단점이 있다. 즉, 인유두종바이러스에 감염되었지만 상피내병변이 발생하지 않은 환자에서도 인유두종바이러스검사는 양성으로 나온다.

고위험군 인유두종바이러스검사는 자궁경부질세포진검사에 부가하여 자궁경부암 일차 선별검사의 효율을 증가시키고, 자궁경부질세포진검사에서 비정상으로 판정된 환자의 치료지침을 마련하며, 자궁경부 상피내종양으로 진단된 환자의 치료 후 추적 관리에 도움이 되는 것으로 알려져 있다(이재관, 2006; Abryn et al., 2006).

① 자궁경부암 일차 선별검사

이전의 많은 연구 결과 인유두종바이러스검사가 고등급 상피내병변을 발견하는 데 세포검사에 비해 더욱 뛰어난 민감도를 갖는다. 30-69세 사이의 9,667명의 여성에서 자궁경부질세포진검사와 인유두종바이러스검사를 비교한 무작위 연구에서 자궁경부 상피내종양 2 이상의 병변을 발견하는 민감도가 자궁경부질세포진검사, 인유두종바이러스검사, 두 가지 방법의 복합할 경우에 각각 56.4%, 97.4%, 100%로 나왔다. 위 세 가지 경우의 특이도는 97.3%, 94.3%, 92.5%이었다. 자궁경부질세포진검사와 인유두종바이러스검사가 모두 음성인 여성은 자궁경부 상피내종양 2가 발견될 확률이 1,000분의 1 이하였고 자궁경부 상피내종양 3의 경우는 더욱 낮았다(Khan et al., 2005; Kjaer et al., 2006). 그 외의 많은 연구에서도 자궁경부질세포진검사와 인유두종바이러스검사를 자궁경부암 진단을 위한 일차 선별검사로 병행할 경우 높은 민감도와 100%에 가까운 음성 예측율(negative predictive value)을 기대할 수 있다고 보고하였으며, 이러한 임상적 효용성에 근거하여 대상군의 위험요인을 고려하여 두 가지 검사를 병용하였을 때 선별검사의 주기를 1-3년에서 3-5년으로 늘릴 수 있을 것으로 추정하였다. 두 가지 검사의 병용은 인유두종바이러스검사를 추가하여 늘어나는 비용의 증가라는 단점이 있지만 검진 주기를 늘림으로써 장기적인 측면의 비용절감효과가 있을 것으로 기대할 수 있다. 2003년 미국 식품의약품안정청은 30세 이상의 여성들에게 자궁경부암 선별 검진으로 자궁경부질세포진검사와 인유두종바이러스검사를 병행하는 것을 승인하였다.

최근 미국에서 진행된 대규모의 prospective registrational clinical study인 ATHENA (Addressing THE Need for Advanced HPV Diagnostics) 연구에서 자궁경부암 일차 선별검사로서 Cobas HPV test 역할을 조사하였다. Cobas HPV test 결과가 음성이었을 경우 자궁경부 상피내종양 3의 3년-누적발생률(cumulative incidence rate)은 0.34%로 자궁경부질세포진검사결과가 음성이었을 경우의 0.78%보다 2배 이상 낮았다. 고등급 인유두종바이러스 유형에 따른 자궁경부 상피내종양 3의 3년-누적발생률도 조사하였는데 인유두종바이러스 16 양성은 25.2%, 18 양성은 11.0%, 다른 고위험군은 5.4%로 16 및 18 genotyping이 중요하다는 사실을 보여주었다. 또한, 자궁경부 상피내종양 3의 28%가 25-29세 여성이었다. 이러한 연구결과에 따라 2014년 4월 미국 식품의약품안정청은 자궁경부암 선별검사로서 자궁경부질세포진검사와 병용하여 이용되었던 인유두종바이러스검사의 적응을 확대하였는데, Cobas HPV test를 25세 이상 여성에서 자궁경부암 일차 선별검사로 자궁경부질세포진검사를 대신하여 사용할 수 있도록 승인하였다(Wright et al., 2012; Austin et al., 2014). 대한산부인과학회 및 대한부인종양학회에서도 '고위험군 인유두종바이러스검사는 현존 자궁경부 세포검사를 대체하는 1차 선별검사 방법으로 고려될 수 있고, 선별검사 간격은 3년 이상 5년 미만을 권고한다'는 입장을 표명하였다(Kong et al., 2020).

② 비정상 자궁경부질세포진검사의 관리

미국 국립암센터의 대규모 연구인 ASC-US LSIL Triage Study (ALTS) 연구에서 비정상적인 자궁경부질세포진검사 결과를 보이는 환자들에게 사용하는 인유두종바이러스검사의 효용성을 검토하였다. 비정형 편평세포를 보이는 환자의 관리를 위하여 자궁경부질세포진검사의 반복, 질확대경검사, 고위험군 인유두종바이러스검사 등이 시도되었는데 모든 검사방법이 장단점을 가지고 있었다. 반복적 자궁경부질세포진검사가 광범위하게 사용되었으나 고등급 상피내병변 진단의 민감도가 67-85%로 상대적으로 낮았으며, 여러 번 검사를 시행하는 번거로움과 진단이 지연될 수 있다는 단점이 있었다. 질확대경검사는 즉시 병변의 유무를 확인할 수 있다는 장점이 있으나 환자로 하여금 불안과 고통을 유발하고 비용이 비싸다는 단점이 있었다. 고위험 인유두종바이러스검사는 고등급 상피내병변 진단의 민감도가 83-100%로 반복적 자궁경부질세포진검사에 비해 높고 음성예측율이 98% 이상으로 우수한 결과를 보여주었으나 비용이 비싸다는 단점도 있었다. 이러한 결과로 인유두종바이러스 DNA 검사는 비정상 자궁경부질세포진검사의 관리에 유용하게 이용될 수 있을 것으로 판단된다(Wright et al., 2002).

③ 자궁경부 상피내종양의 치료 후 관리

무작위 전향연구가 부족한 상황이지만 자궁경부 상피내종양의 치료 후 관리 지침으로는 자궁경부질세포진검사를 단독으로 시행하거나, 자궁경부질세포진검사와 질확대경검사를 병행하거나, 인유두종바이러스검사를 시행하는 방법이 이용된다. 최근 인유두종바이러스검사에 대한 중요성이 증가하고 있는데, 인유두종바이러스검사 음성 소견을 보인 환자에서는 고등급 상피내병변이 재발하지 않은 반면에 재발된 환자의 46-73%에서 인유두종바이러스검사 양성 결과를 보였다고 하였으며, 고등급 상피내병변 치료 후 재발위험 요인분석에서 인유두종바이러스 viral load가 가장 중요한 요인이라고 하였다.

2012년 미국 질확대경 및 자궁경부병리학회(American Society for Colposcopy and Cervical Pathology, ASCCP)에서는 자궁경부 상피내종양의 치료 12개월 후, 24개월 후에 자궁경부질세포진검사와 인유두종바이러스검사를 병행하고 결과가 모두 음성인 경우에는 3년 이내에 다시 두 가지 검사를 병행 시행하고 일반 검진 프로그램으로 복귀하도록 권고하고 있다(Jain et al., 2001).

6) 자궁경관내소파술(Endocervical Curettage, ECC)

자궁경관내막(endocervix)에 숨어 있는 병변을 찾아내기 위하여 시행하는 검사이다.

질확대경검사가 충분하지 못하거나 자궁경부질세포진검사에서 비정형 선세포가 보일 때는 반드시 시행하도록 한다.

7) 조직생검(Biopsy)

생검은 가장 결정적이며 신뢰성이 있는 진단 방법이다.

(1) 펀치생검(punch biopsy)

육안 검사, 초산 용액이나 루골 용액을 도포한 후 이상 부위의 조직을 생검집게(biopsy forcep)를 이용하여 채취한다 (그림 16-10). 육안에 의존하여 시행하는 4 부위 생검은 신뢰성이 떨어지므로 초기 병변의 진단에는 이용하지 않는다.

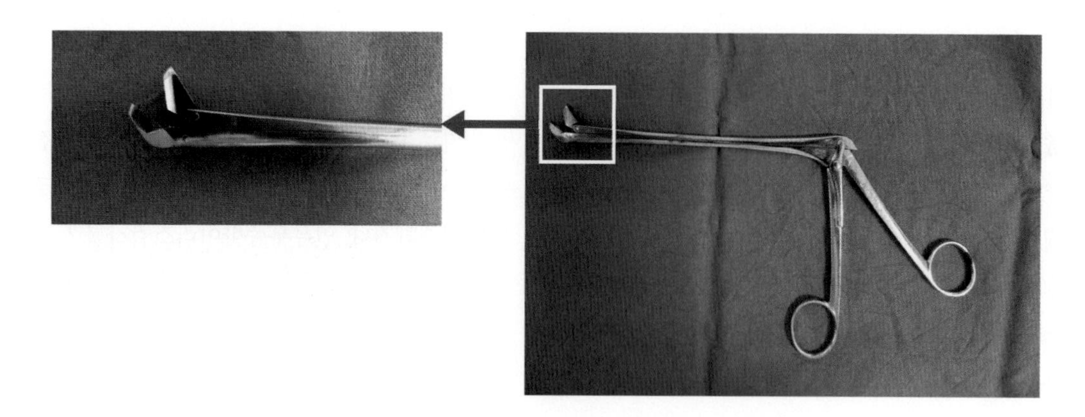

그림 16-10. **자궁경부의 조직생검을 위한 기구. 자궁경부 생검집게**

(2) **질확대경생검**(colposcopy directed biopsy)

질확대경으로 자궁경부를 자세히 관찰한 후 이상 병변이 있는 부위를 조준하여 생검하는 방법으로 그 정확도가 매우 높아 초기 병변의 진단에 적합하다. 그러나 자궁경관 외구에 병변이 없고 자궁경관 내에 병변이 숨어있는 경우는 질확대경생검이 불가능하거나 어려울 수 있다.

(3) **원뿔생검**(cone biopsy)

자궁경부를 원뿔모양으로 절제하는 검사로 치료적 방법을 진단을 위하여 이용하는 것이다. 수술도(knife)를 이용하거나, 레이저 또는 전류가 흐르는 loop를 이용하여 시행한다. 질확대경의 보급으로 진단 목적의 원뿔생검은 적응증이 많이 줄었으며 다음과 같은 경우에 시행한다.

- 질확대경검사 과정이 불만족스러운 경우
- 가장 고등급 병변이 질확대경으로 보이는 범위를 넘어 자궁경관상부에 있는 경우
- 자궁경관내소파술의 결과가 비정상적이거나 결정하기 어려운 경우
- 자궁경부 선상피내암이 의심되는 경우
- 자궁경부 미세침윤암이 의심되는 경우
- 세포검사와 조직생검의 결과에 심한 차이가 나타나는 경우

4. 자궁경부 상피내종양의 치료

미국 국립암센터의 후원 하에 ASC-US와 LSIL에 대하여 다양한 처치를 시행한 연구가 진행되었으며(ASC-US LSIL Triage Study, ALTS), 이 연구의 자료와 2001 TBS에 근거하여 미국 질확대경 및 자궁경부병리학회(American Society for Colposcopy and Cervical Pathology, ASCCP)에서는 2001년 비정상 자궁경부 세포검사에 대한 처치와 조직생검으로 진단된 자궁경부 상피내종양의 처치에 대한 임상적 지침인 2001 consensus guideline을 발표하였다(Solomon et al., 2002). 또한 2012년 이를 보완하여 updated consensus guideline을 발표하였다(Massad et al., 2013). 우리나라에서도 부인종양학회(Korean Society of Gynecologic Oncology)와 한국 병리학회(Korean Society for Cytopathology)에서 2012년에 자궁경부암 조기 검진을 위한 진료권고안을 발표하였다(Lee et al., 2013). 이에 대한 개정판이 2020년에 발간될 예정이다.

1) 비정상 자궁경부세포검사의 처치

(1) **비정형 편평세포**(atypical squamous cells)

ASC는 ASC-US와 ASC-H로 구분된다. ASC-US는 ASC-H에 비하여 고등급 자궁경부 상피내종양이나 침윤성 자궁경부암의 위험도가 낮다.

① 의미미결정 비정형 편평세포(ASC-US)

20세 이상 여성에서 ASC-US가 진단된 경우, 반복적인 자궁경부질세포진검사나 고위험군 인유두종바이러스검사를 시행해 볼 수 있다. 6개월마다 반복적으로 자궁경부질세포진검사를 다시 시행했을 때 ASC-US 이상이면 질확대경검사를 시행해야 한다. 2회 연속으로 음성 소견이면 일반 선별검사로 복귀할 수 있다. 추가 검사로 고위험군 인유두종바이러스검사를 하는 경우, 고위험군 인유두종바이러스 양성인 경우에는 질확대경검사를 시행하여야 한다. 고위험 인유두종바이러스검사 결과가 음성일 경우 질확대경검사 없이 일반 선별검사 프로그램으로 복귀할 수 있다. 다만 국내에서 인유두종 바이러스검사가 표준화되어있지 않고, 질확대경검사에 소요되는 비용이 크게 높지 않은 점 고려할 때, 바이러스검사 결과에 상관없이 질 확대경검사를 시행하는 것을 고려할 수 있다. 즉각적인 질확대경검사를 시행한 경우, 만족스러운 질확대경검사 과정(satisfactory colposcopy)이면서, 조직검사 소견이 저등급 자궁경부 상피내종양(CIN1) 이하인 경우, 12개월 후 인유두종바이러스검사를 시행하거나, 6개월과 12개월 후 자궁경부질세포진검사를 시행해 볼 수 있다. 2회 연속 자궁경부질세포진검사에서 음성이거나, 12개월 후 인유두종바이러스검사가 음성인 경우에는 일반 선별검사로 복귀할 수 있다(Ferris et al., 1998; ALTS Group, 2003)(그림 16-11).

• 특별한 시기의 ASC-US의 처치

가. 청소년기의 ASC-US

젊은 여성의 대부분이 성관계를 시작한지 몇년 내에 인유두종바이러스에 감염이 된다. 이런 여성에서는 인유두종바이러스 감염률과 자연 치유율이 높기 때문에 자궁경부질세포진검사에서 ASC-US가 나온 경우에도 인유두종바이러스검사를 권유하지 않는다(Ho et al., 1998; Brown et al., 2005). 1년 후 자궁경부질세포진검사를 시행하며, 그 결과 HSIL 이상이거나, 혹은 2년 후 자궁경부질세포진검사에서 ASC-US 이상이면 질확대경검사를 시행하도록 한다(그림 16-12).

나. 임산부의 ASC-US

비임신시와 동일하게 처치한다. 질확대경검사는 산 후 6주 후로 연기할 수 있다. 자궁경관내소파술은 임산부에서 시행하지 않는다(Vlahos et al., 2002; Fader et al., 2010)(그림 16-13).

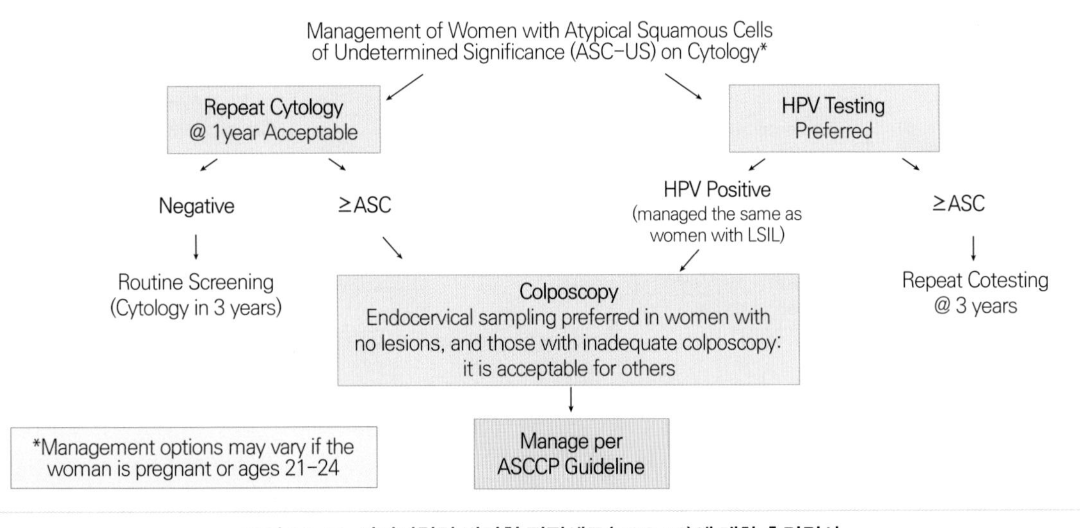

그림 16-11. 의미미결정 비정형 편평세포(ASC-US)에 대한 추적검사

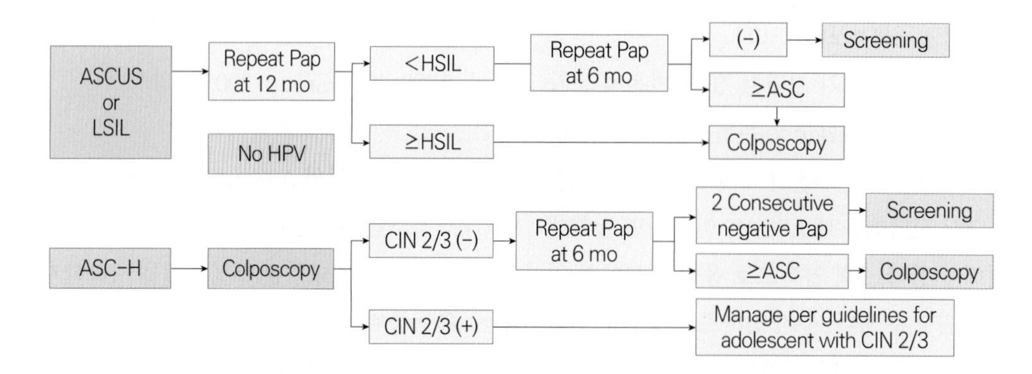

그림 16-12. **청소년기의 의미미결정 비정형 편평세포(ASC-US), 저등급 편평상피내병변(LSIL) 또는 HSIL을 배제할 수 없는 비정형 편평세포(ASC-H)에 대한 추적검사**

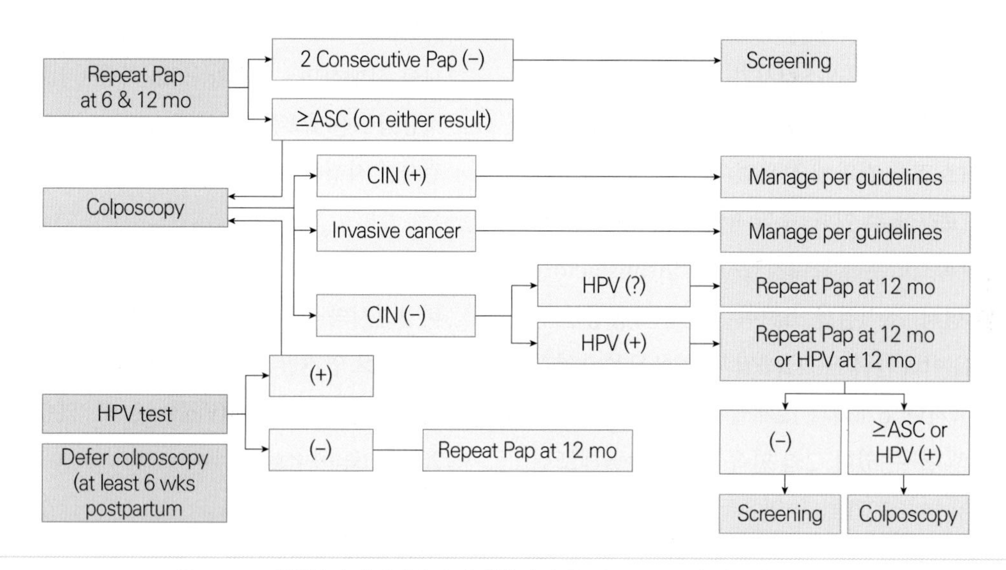

그림 16-13. **임산부의 의미미결정 비정형 편평세포(ASC-US)에 대한 추적검사**

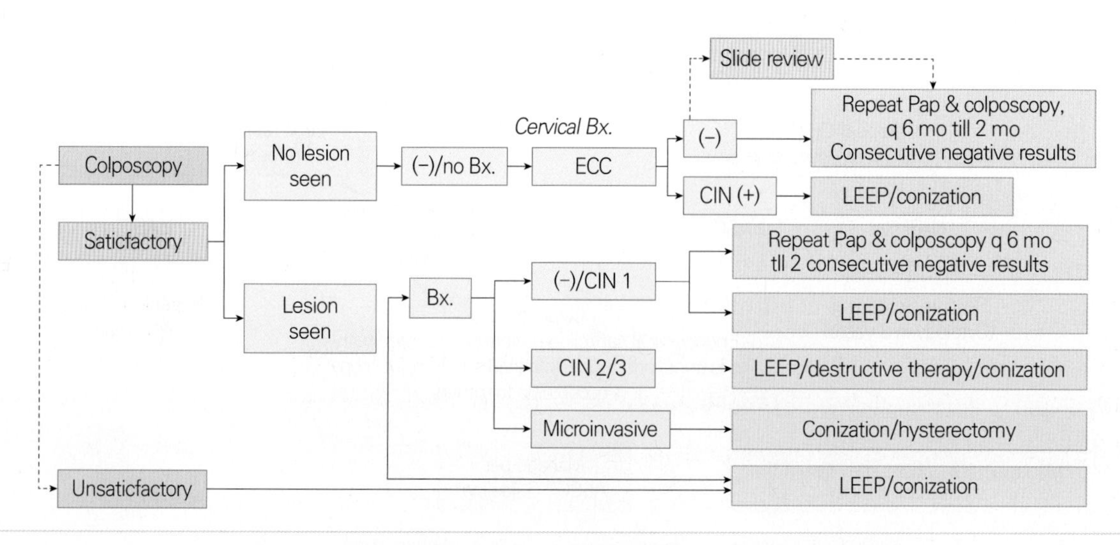

그림 16-14. **HSIL을 배제할 수 없는 비정형 편평세포(ASC-H)에 대한 추적검사**

다. 폐경기 여성의 ASC-US

세포검사상 위축성 질염 소견을 보이는 폐경기 여성에서는 에스트로겐 질크림 사용 1주 후에 세포검사를 재실시할 수 있다. 6개월 간격으로 자궁경부 세포검사 실시하여 2회 연속 음성인 경우 정기 검진을 시행할 수 있으며, 재검한 세포검사에서 ASC-US 이상이면 질확대경검사를 시행할 수 있다.

② HSIL을 배제할 수 없는 비정형 편평세포(ASC-H)

자궁경부질세포진검사에서 ASC-H를 보이는 경우에는 질확대경검사를 실시한다. 질확대경생검에서 CIN2 이상의 병변이 아닌 경우, 시행했던 자궁경부질세포진검사, 조직생검 및 질확대경검사 소견을 다시 판독해야 한다. 최종적으로 CIN2 이상의 병변이 아닌 경우, 6개월 간격으로 자궁경부질세포진검사와 질확대경검사를 시행할 수 있다. 6개월 간격으로 2회 연속 정상인 경우 일반 선별검사로 복귀할 수 있다. 그러나 CIN2 이상의 병변이 발견된 경우, 진단 목적의 절제술을 시행하여야 한다(Wright et al., 2007)(그림 16-14).

• 특별한 시기의 ASC-H의 처치

가. 청소년기의 ASC-H

청소년에서 ASC-H의 결과가 나온 경우 CIN2 이상의 병변이 나올 확률이 높기 때문에 질확대경검사를 시행해야 한다. 질확대경검사가 만족스럽고 CIN2/3의 고등급 병변이 관찰되지 않을 때는 6개월 후 자궁경부질세포진검사를 시행할 수 있다. 또한, 2번 연속적으로 자궁경부질세포진검사에서 음성으로 나온다면 선별검사 프로그램으로 복귀할 수 있다. 여기에서 ASC-US 이상의 결과가 나온 경우에는 질확대경검사를 시행해야 한다. 그 결과 CIN2/3가 발견된다면 절제술을 시행하거나 6개월 간격으로 자궁경부질세포진검사와 질확대경검사를 반복하면서 경과를 관찰할 수 있다(Partridge et al., 2010). 만족스럽지 않은 질확대경검사 결과를 보이는 경우에는 반드시 자궁경관내소파술과 자궁경부 조직생검을 고려해야 한다(그림 16-12).

(2) 비정형 선세포(AGC)

반응성 세포변화 혹은 자궁경부 용종과 같은 양성질환과 연관되어 자궁경부질세포진검사에서 AGC가 나올 수도 있지만, 약 45 %에서는 자궁경부 상피내종양, 자궁경부 선상피내암(adenocarcinoma in situ), 자궁경부암, 자궁내막암, 난소암 또는 난관암과 관련되어 있다. 아직 AGC를 보이는 여성에게 시행하는 검사 가운데 충분한 민감도를 갖는 단일 검사는 없다. 따라서 AGC 소견을 보이면 여러 가지 검사를 복합적으로 시행해야 한다. 또한 여성에서는 35세를 기준으로 암 발생 빈도가 달라지기 때문에 35세를 기준으로 시행해야 하는 검사들이 달라진다.

① 35세 이상

이러한 환자들에서는 인유두종바이러스검사, 질확대경검사, 자궁경관내소파술, 자궁내막 조직생검을 시행해야 한다. 질확대경생검이나 자궁경관내소파술에서 자궁경부 상피내종양, 자궁경부 선상피내암이 발견되면 진단적 자궁경부절제술을 시행해야 한다. 그러나 질확대경으로 충분히 자궁경부가 관찰되며, 조직생검의 결과가 CIN1으로 자궁경관내소파술에서 음성인 경우에는 6개월 간격으로 자궁경부질세포진검사를 시행하거나, 1년마다 인유두종바이러스검사를 시행할 수 있다. 재검한 자궁경부질세포진검사에서 ASC-US 이상이 나오면 질확대경검사를 시행한다(Derchain et al., 2004; Mulhem et al., 2012).

② 35세 미만

35세 이상의 환자에서와 동일하게 인유두종바이러스검사, 질확대경검사, 자궁경관내소파술을 시행하지만, 자궁내막 조직생검은 다음과 같은 경우에 시행한다(Partridge et al., 2010)(그림 16-15).

• 비만, 불임, 무배란 다낭성난소증후군
• Tamoxifen 치료 중인 경우

- 비정상적인 질출혈이 있거나, 비정상 자궁내막세포가 관찰될 때
- 가족력에서 직장암/대장암, 자궁내막암 환자가 있는 경우

(3) 저등급 편평상피내병변(LSIL)

LSIL은 고위험군 인유두종바이러스와 관련이 깊다. 최근 메타 분석에 따르면 LSIL 여성에서 인유두종바이러스감염률과 16/18번 인유두종바이러스 추정 감염률이 각각 72.9%와 26.7%에 이른다. 또한 질확대경생검을 시행한 경우 11-14%에서 고등급 상피내병변이나 침윤성 자궁경부암과 관련되어 있었다(Alvarez et al., 2007).

LSIL을 보이는 환자에서는 질확대경검사가 시행되어야 한다. 질확대경검사가 불충분한 경우에는 자궁경관내소파술을 시행해야 한다(ALTS Group, 2003). 자궁경관내소파술에서 CIN2/3가 진단된 경우 진단적 절제술을 시행하여야 한다. 조직생검에서 CIN2/3가 발견되지 않은 경우에는 6개월 간격의 자궁경부질세포진검사나, 1년마다 인유두종바이러스검사를 시행할 수 있다(Wright TC Jr et al., 2007). 세포검사에서 2회 연속 음성인 경우 또는 인유두종바이러스검사에서 음성인 경우 일반 선별검사로 복귀할 수 있다. 재검한 세포검사에서 ASC-US 이상의 결과가 나오거나 인유두종바이러스검사가 양성으로 나온다면 질확대경검사를 시행하여야 한다(그림 16-16).

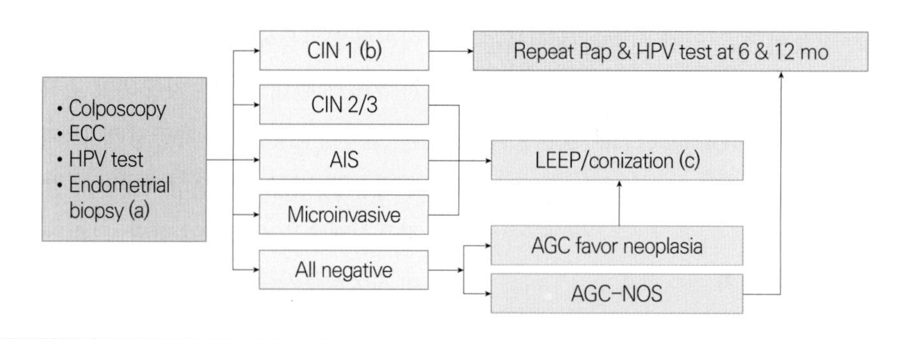

그림 16-15. **비정형 선세포(AGC)에 대한 추적검사**

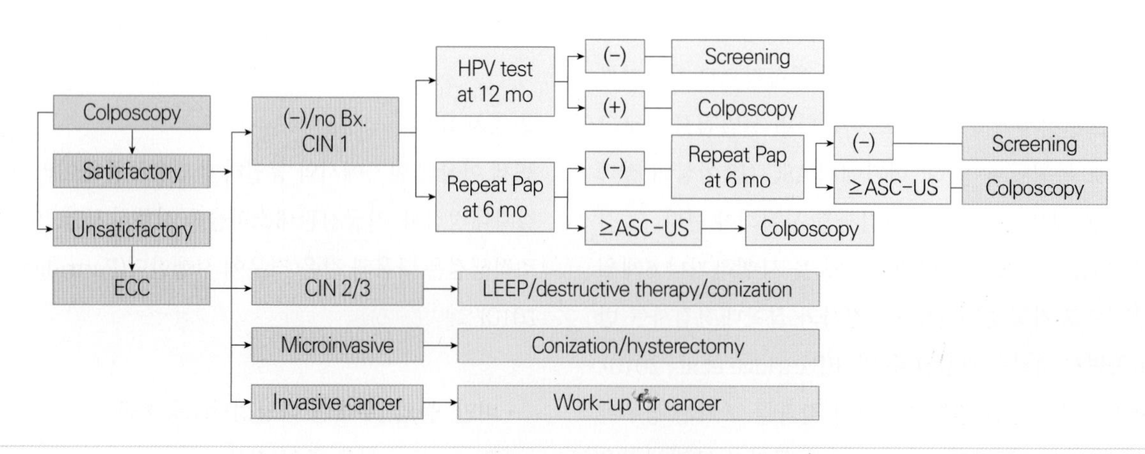

그림 16-16. **저등급 편평상피내병변(LSIL)에 대한 추적검사**

• 특별한 시기의 ASC-US의 처치

① 청소년에서의 LSIL

ASC-US에서의 처치와 동일하다(그림 16-12).

② 임신 시 LSIL

자궁경관내소파술은 시행하지 않으며, 질확대경검사는 산후 6주 후에 시행할 수 있다(그림 16-17).

(4) **고등급 편평상피내병변**(HSIL)

자궁경부질세포진검사에서 HSIL이 관찰되는 것은 고등급 병변이나 침윤성 암의 가능성이 높다는 점을 의미한다. HSIL의 60-70%에서 질확대경생검 후 고등급 자궁경부 병변을 진단받으며, HSIL의 84-97%에서 고리전기절제술(loop electrosurgical excision procedure, LEEP)로 고등급 자궁경부 병변을 진단 받는다. 또한, HSIL의 18.8%에서 침윤성 자궁경부암을 동반하고 있다. 따라서 HSIL 환자에서는 질확대경검사와 자궁경부질세포진검사를 반복적으로 시행하는 것은 부적절하며 대부분에서 진단적 절제술을 시행하여야 한다(Chute et al., 2006).

HSIL이 나온 경우, 청소년 시기의 여성을 제외하고, 질

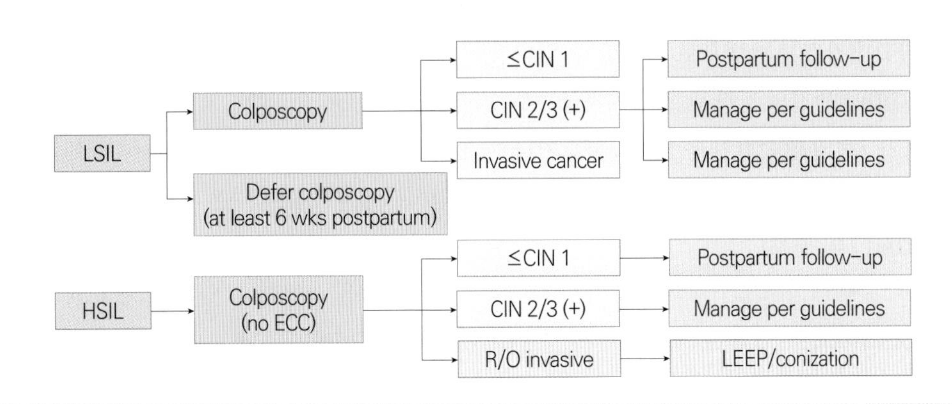

그림 16-17. **임산부의 저등급 편평상피내병변(LSIL) 또는 고등급 편평상피내병변(HSIL)에 대한 추적검사**

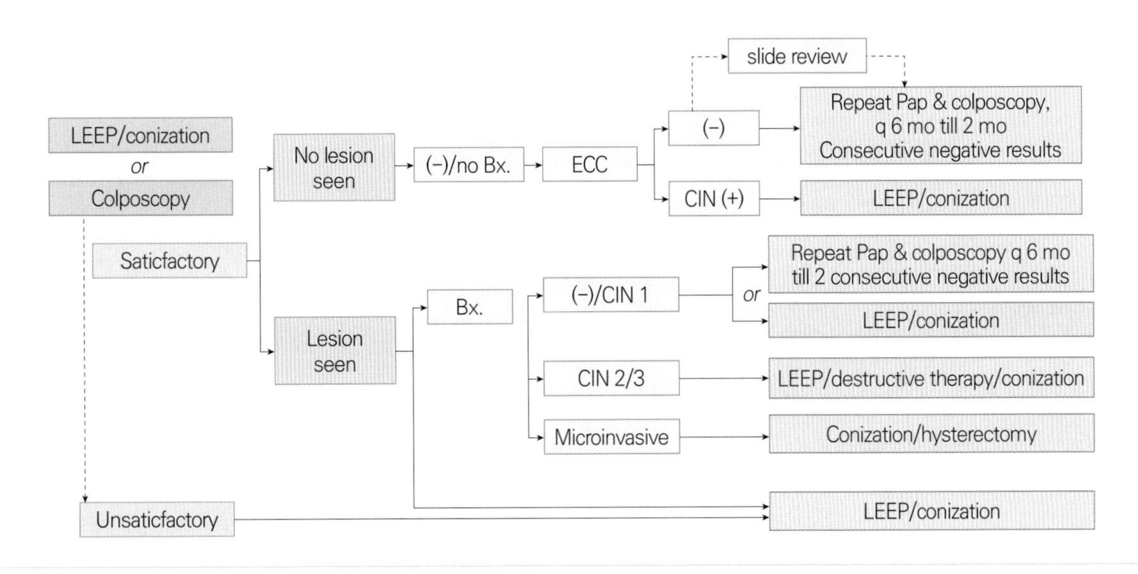

그림 16-18. **고등급 편평상피내병변에 대한 추적검사**

확대경검사 없이 LEEP을 포함한 즉각적인 진단 목적의 절제술을 시행할 수 있다(Numnum et al., 2005).

HSIL 여성의 추가 검사는 질확대경검사의 만족여부에 따라 달라진다. 만족스러운 질확대경검사가 시행된 경우, 추가 검사는 병변이 보이는지 여부에 따른다. 질 확대경검사로 병변이 충분히 관찰되지 않는다면 자궁경관내소파술을 시행해야 한다. 만약 자궁경관내소파술에서 정상으로 나온다면 자궁경부질세포진검사와 질확대경검사를 6개월마다, 2회 연속 정상으로 나올 때까지 시행할 수 있다. 자궁경관내소파술에서 자궁경부 상피내종양으로 진단된다면 진단 목적의 절제술을 시행해야한다. 병변이 질확대경검사에서 관찰되고 조직생검에서 CIN1으로 나오면 진단 목적의 절제술, 또는 1년간 6개월마다 반복적인 자궁경부질세포진검사와 질확대경검사 방법으로 관찰할 수 있다(Partridge et al., 2010). 1년간의 경과 관찰 이후 자궁경부질세포진검사 결과가 2번의 연속적인 음성으로 나오거나 질확대경검사가 정상으로 나온다면 일반 선별검사 프로그램으로 복귀할 수 있다(그림 16-18).

• 특별한 시기의 HSIL의 처치

① 청소년기의 HSIL

청소년기의 HSIL은 질확대경검사가 필요하지만 즉각적인 절제술은 권장되지 않는다. 조직생검에서 CIN2/3의 결과가 나오지 않으면, 6개월 간격으로 2년 동안 자궁경부질세포진검사와 질확대경검사를 시행하도록 한다. 질확대경검사에서 고등급 병변이 관찰되거나 HSIL이 1년 동안 지속되는 경우는 조직생검이 필요하며, 2년 동안 추적검사한 자궁경부질세포진검사에서 HSIL이 지속적으로 관찰되는 경우 진단적 절제술이 필요하다. 2번의 연속 검사에서 자궁경부질세포진검사가 정상이고 질확대경검사에서 고등급 병변이 관찰되지 않으면 선별검사 프로그램으로 돌아갈 수 있다. 조직생검에서 CIN2/3로 진단되는 경우는 6개월 간격으로 자궁경부질세포진검사와 질확대경검사를 2년 동안 시행하거나, 병변의 절제술을 시행할 수 있다. 질확대경검사가 만족스럽지 않은 경우 자궁경관내소파술 혹은 자궁경부 조직생검을 고려해야 한다(그림 16-19).

② 임신부의 HSIL

임신부에서 HSIL이 나온 경우는 질확대경검사를 시행하며 고등급 병변이나 침윤성 자궁경부암이 의심되는 경우에만 조직생검을 시행할 수 있다. 실제 CIN 2/3로 진단된 임신부의 62%에서 산후에 병변이 자연 소실된 보고가 있다. 경과 관찰 기간 도중 침윤성 악성종양이 관찰된 경우는 없었다(Serati et al., 2008). 따라서 침윤성 자궁경부암이 의심

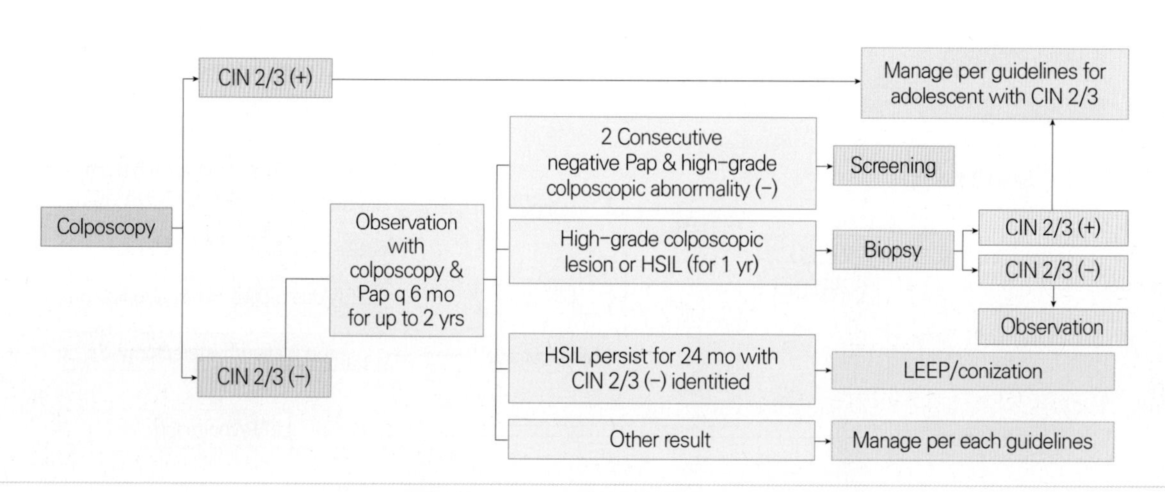

그림 16-19. **청소년기의 고등급 편평상피내병변(HSIL)에 대한 추적검사**

되지 않는다면, 진단적 절제술은 분만 후까지 연기할 수 있다. HSIL이 나온 경우에도 자궁경관내소파술은 시행하지 않는다(그림 16-17).

2) 자궁경부 상피내종양의 치료 방법

자궁경부 상피내종양의 치료는 국소파괴요법과 절제술로 나누어진다.

환자의 나이, 병소의 정도, 범위 및 위치, 각 치료 방법의 장단점, 시술자의 경험과 추적 관찰의 가능성 등을 고려하고 환자의 동의를 구하여 치료 방법을 결정한다.

(1) 국소파괴요법

국소파괴요법을 선택할 때는 철저한 진단적 검사를 해야 하며, 자궁경부질세포진검사와 질확대경검사에 의한 장기간의 추적검사가 가능해야 한다.

국소파괴요법에는 냉동수술(cryosurgery), 이산화탄소 레이저(carbon dioxide laser) 치료, 냉응고법(cold coagulation), 전기지짐술(electrocautery) 등이 있다.

국소파괴요법은 다음과 같은 조건을 만족하는 경우에 시행한다.

- 만족스러운(satisfactory) 질확대경검사 소견
- 자궁경부질세포진검사, 질확대경검사, 자궁경관내소파술에서 침윤암의 가능성이 없음
- 병변이 바깥자궁경부에 국한되어 있고 질확대경검사에서 전체 병변을 관찰할 수 있음
- 자궁경관내소파술에서 자궁경관내막에 병변이 없음
- 자궁경부질세포진검사, 질확대경검사, 질확대경생검의 진단이 일치함
- 자궁경부질세포진검사와 조직생검에서 고등급 자궁경부 선종양의 가능성이 없음

① 냉동수술(cryosurgery)

1968년에 최초로 도입되었으며 마취가 필요 없고, 외래에서 안전하게 시행할 수 있다.

세포내 수액을 결정화(crystalize)하여 세포괴사를 유발하며, 자궁경부 상피 표면층을 파괴한다. 냉매(refrigerant)로 -89℃ 이산화질소(Nitrous oxide), -65℃ 이산화탄소를 사용한다. 자궁경부에 맞게 고안된 cryotherapy tip을 이용하여 병변에 접촉시켜 병변을 파괴하는데, 세포 괴사는 -20℃에서 -30℃ 범위의 온도에서 일어난다(그림 16-20).

시술 시 통증은 없지만 약간의 현기증이나 복통이 있을 수 있으며, 시술 30-60분 전에 비스테로이드성 소염제를 투여하면 유리되는 prostaglandin과 관련된 통증 방지에 도움이 될 수 있다. 시술은 질확대경검사로 병변의 크기 및 위치를 관찰하여 냉동수술이 가능한지 재확인하는 것으로 시작한다. 병변 전체를 포함할 수 있는 적합한 크기의 cryotherapy tip을 선택하여 수용성 젤을 얇게 발라 자궁

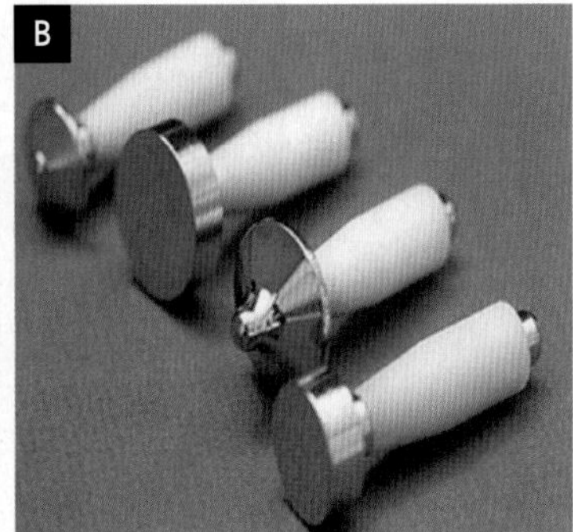
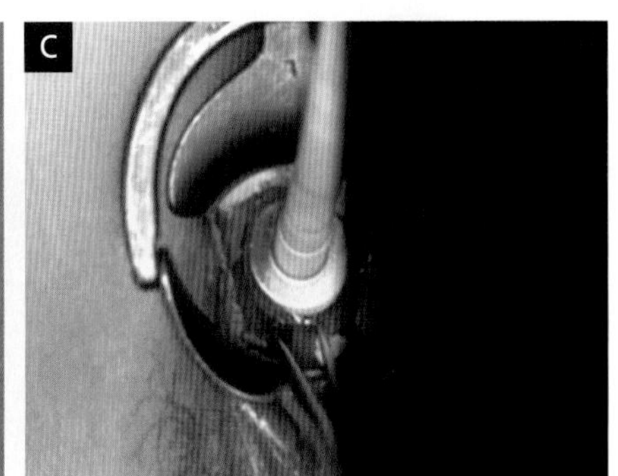

그림 16-20. **냉동수술을 위한 도구.** A: cryogun, B: cryotherapy tip, C: 냉동수술

경부에 수포가 발생하지 않도록 밀착시킨다. 충분한 냉동을 위해서는 cryotherapy tip 주변으로 4-5 mm iceball이 형성되도록 하여야 한다. 치료 실패율을 줄이기 위하여 4-5 mm iceball이 형성되도록 냉동한 후 녹이고 완전히 녹은 후에는 다시 냉동하는 "double freeze technique"을 적용하는 것이 좋다.

시술 후 약 2주간의 맑은 질분비물이 나오며, 약 4주간은 성관계와 탐폰의 사용은 금한다.

가. 적응증

- 자궁경부 상피내종양1-2
- 작은 병변
- 바깥자궁경관(ectocervix)에 국한
- 자궁경관내소파술 음성
- 조직검사에서 자궁경관내선 침범 없음

나. 치료 결과

치료 성공률은 90% 정도이며, 병변이 크고 자궁경부 상피내종양의 등급이 높을수록 치료 성공률이 떨어지므로 중증의 이형증 치료와 병변이 큰 경우에는 적합하지 못하다. 가장 중요한 치료 실패 원인은 변형대 전체를 충분한 깊이로 파괴하지 못한 것이며, 병변이 큰 경우(42%), 자궁경부의 해부학적 이상과 자궁경관내막으로 병변이 확장된 경우, 자궁경관내선의 침범(27%), 자궁경부 상피종양 3(16%)에서 치료 실패율이 높다(Pierce et al., 2013; Khan et al., 2014).

② 레이저요법

레이저 사용은 병변의 범위가 아주 넓거나 질 부위로 확산되어 있는 경우에도 사용이 가능하며, 정확하게 기화 범위와 깊이를 조절할 수 있고, 주위 자궁경부 조직의 손상이 적으며, 치유가 빠른 것이 장점이다.

이산화탄소 레이저 선은 보이지 않기 때문에 다른 레이저(Helium-Neon)와의 혼합으로 가시화하여 사용한다. 자궁경부세포에 레이저를 조사하면 순간적으로 조직의 수분이 기화(vaporization)하고 세포성분이 연소하여 병변 부위를 파괴시킨다.

국소마취제 및 혈관 수축제의 국소 주입 후 시술하며 시야를 확보하기 위하여 매연 흡입기를 준비하여야 한다. 환자와 치료에 참여하는 의료인 모두 레이저 보호안경을 착용하여야 한다. 성공적인 치료를 위해서는 적절한 출력(power output; 20-25 W, power density; 800-1,400 W/cm^2)을 사용하여 표시한 병변 전체를 5-7 mm 깊이로 파괴하여야 한다(그림 16-21). 주로 자궁경부 상피내종양의 샘 침범 깊이는 5.2 mm 정도이고 침범되지 않은 샘의 깊이는 7.9 mm 정도이기 때문이다.

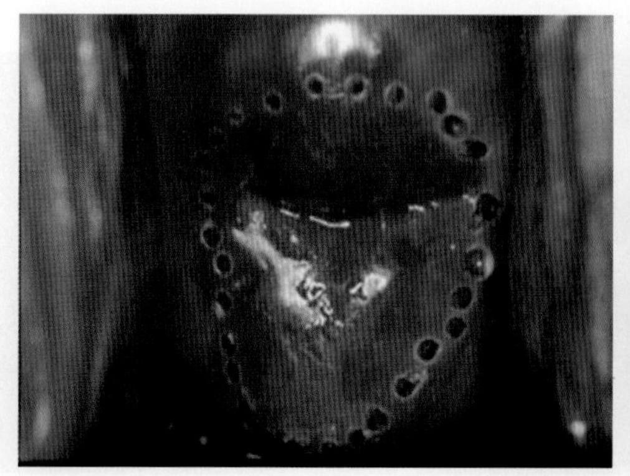
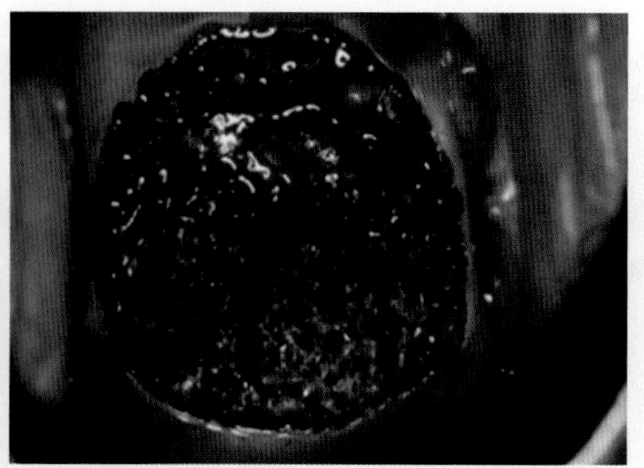

그림 16-21. **레이저요법**

가. 적응증
- 매우 큰 병변으로 냉동수술이 불가능한 경우
- 표면이 불규칙하거나 깊이가 깊은 병변
- 병변이 질까지 침범
- 광범위한 선 침범

나. 치료 결과
자궁경부 상피내종양에서 95% 이상의 치료 성공률이 보고된다.
합병증과 회복기간은 냉동수술과 비슷하다(Khan et al., 2014; Yoon et al., 2014).

③ 냉응고법
Semm이 고안한 냉응고기(cold coagulator)를 이용하여 100℃의 열로 병변을 1회 20초간 2-5회 가열하는 방법으로 상피를 파괴한다. 파괴의 깊이는 정확히 알기 어려운데 약 4 mm 정도까지 가능한 것으로 보고된다.
95 %에서 치료 성공률을 보이고 있다.
치료 대상의 선택과 조직 파괴의 정도 및 치료효과는 냉동요법과 비슷하다(Prendiville, 2013).

④ 전기지짐술
비정상상피뿐만 아니라 변형대 전체를 파괴하는데, 파괴하는 깊이는 경관점액 분비가 없을 때까지 시술함으로써 원하는 깊이에 도달할 수 있다. 통증이 있어 마취가 필요하다.
성공률은 레이저나 냉동수술의 성적과 비슷하다. Ortiz 등에 의하면 자궁경부 상피내종양 3에서 1회 시술 후 실패율은 약 13%로 보고되고 있다.

(2) 절제술
절제술 방법은 원뿔절제술(conization)과 자궁절제술로 나눌 수 있으며, 원뿔절제술은 전류가 흐르는 loop를 이용하는 고리전기절제술(loop electrosurgical excision procedure, LEEP), 수술도를 이용하는 냉도 원뿔절제술(cold knife conization), 레이저를 이용하는 레이저 원뿔절제술(laser conization)이 있다.
병변의 등급, 병변의 크기, 자궁경관내선 침범 여부에 따라 절제술 방법을 선택할 수 있다.

① 고리전기절제술(LEEP)
고리전기절제술은 large loop excision of transformation zone (LLETZ)라고도 불린다.
Wire loop electrode를 이용하여 변형대를 제거하고 제거된 조직을 이용하여 진단과 치료를 1회의 시술로 할 수 있다.
1984년 Cartier가 자궁경부 상피내종양을 처치하기 위

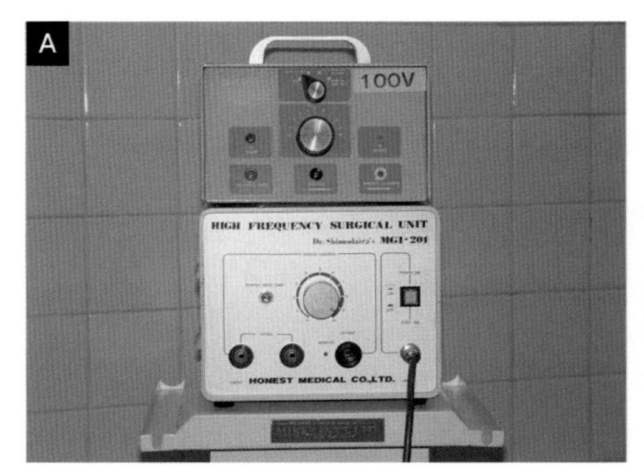

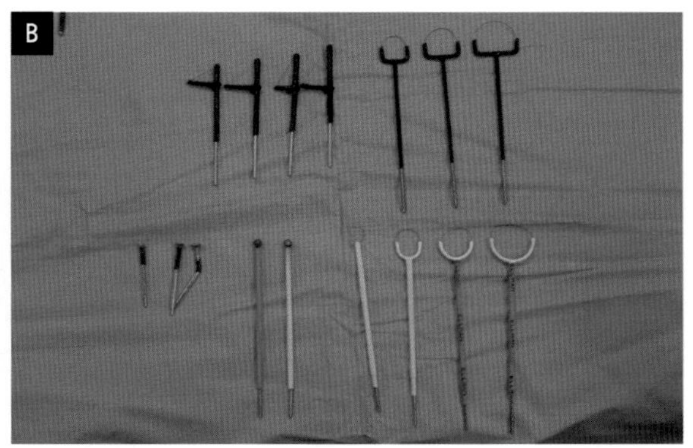

그림 16-22. **고리전기절제술(LEEP)을 위한 기구.** A: 전기수술 발생기(electrosurgical generator), B: loop와 볼전극(ball electrode)

해 5×5 mm 가는 고리를 사용하여 자궁경부를 여러 조각으로 제거하였다. 그러나 이 방법은 시간이 많이 걸리고 작은 조각의 주변부가 열 손상을 입게 되는 단점이 나타났다. 1986년 Prendiville 등은 1-2 cm 넓이와 0.7-1.5 cm 두께를 가진 large loop electrode를 사용하여 단한번의 조작으로 전 변형대를 제거하였다. 매우 가는 wire loop와 높은 전력(35-55 W)을 낼 수 있는 전기수술 발생기(electrosurgical generator)를 사용함으로써 열 손상은 거의 없게 하면서 전기절제를 가능하게 하였다(그림 16-22).

LEEP의 장점은 시술이 어렵지 않아 배우기 쉽고, 시술 시간이 짧으며, 시술 중 통증이 적어 국소마취로 외래에서도 가능하며, 레이저 노출에 의한 눈의 손상이 없고, 저전압의 최소역을 적용하여 병리조직학적 판독에 영향을 미치지 않게 조직이 절제된다는 것이다.

LEEP 시술은 자궁경부를 흡입구가 달린 질경(vaginal speculum)으로 노출시켜 병변의 분포와 변형대를 확인하고 시작한다. 병변의 크기에 따라 적당한 loop를 선택한다. 루골 용액을 이용하면 절제면의 외각 경계를 결정하는데 도움을 준다. 자궁경부에 국소마취를 시키고 환자의 대퇴부에는 접지판(ground plate)을 잘 접촉시킨다. 전기수술 발생기를 처치에 필요한 크기의 loop에 맞는 적당한 출력(35-55 W)과 cutting 혹은 blended current로 맞춘다. 병변과 변형대의 2-3 mm 밖에서부터 자궁경부에 직각으로 진행하여 깊이는 5-7 mm가 되도록 loop를 통과시킨다(그림 16-23). 병변이 큰 경우 1회 이상의 처치가 필요하다. 중앙부위를 먼저 절제하고 나머지 병변을 다시 제거한다. 절제 후에 형성된 분화구 모양의 기저부위는 40-60 W 응고(coagulation) 전류를 이용하여 볼전극(ball electrode)으로 지혈시킨다. Monsel 용액을 사용하여 지혈을 유지한다(Pierce et al., 2013; Khan et al., 2014).

가. 금기증

- 불안증 환자
- 국소마취제나 혈관 수축제에 대한 금기증이 있는 경우
- 매우 큰 병변
- 질까지 침범한 병변
- 침윤암이 의심될 때

나. 치료 결과

치료 성공률은 95% 이상으로 보고되고 있다.

LEEP 연구에서 예상치 못한 침윤암 또는 고등급의 선병변의 발견율이 1-2%로 높았다.

다. 합병증

- 출혈: 2-5%
- 감염

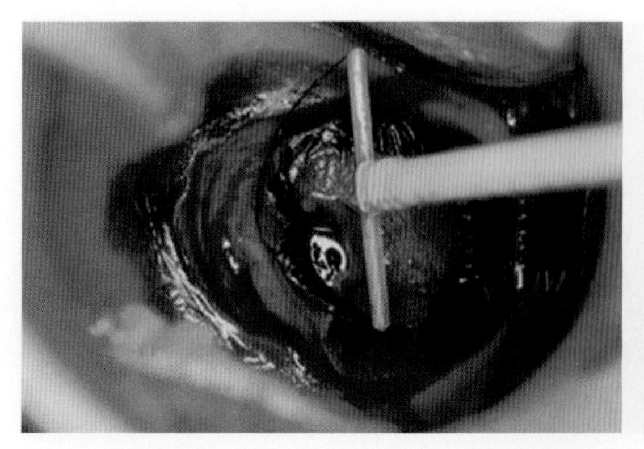
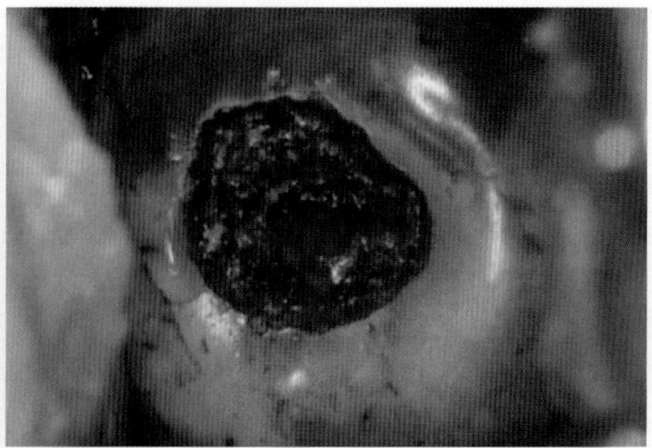

그림 16-23. **고리전기절제술(LEEP)**

- 자궁경관 협착(stenosis): 1-4%
- 자궁경부무력증(incompetent cervix) 및 조산

수술 후 3주간은 성교, 탐폰, 질 세척을 금하며, 격렬한 운동은 2차 출혈을 방지하기 위하여 10일간 제한한다.

절제한 자궁경부의 길이가 1 cm 이상인 경우 조산의 위험도가 증가한다.

라. 추적관찰

LEEP 시행 후 1개월, 3개월, 6개월 후에 진료하고 이후 6개월 간격으로 추적검사한다. 자궁경부질세포진검사를 시행하며 추적검사 중 의심스러운 부분이나 증상 있으면 질확대경검사와 조직생검을 시행하여 침윤암을 배제하여야 한다(Kinney at al., 2014).

② 냉도 원뿔절제술(cold knife conization)

수술도를 사용하여 자궁경부를 도려내는 방법이다.

검체 크기를 조절할 수 있고, 절제면에 종양 존재 여부를 판단하기 좋으며, 속자궁경부를 깊이 도려낼 수 있어 속자궁경부에 위치하는 병변을 치료할 때 유용하지만 출혈량이 많은 것이 단점이다.

시술은 질확대경을 시행하여 병변과 변형대가 포함되도록 절제범위를 정하고 시작한다. 루골 용액을 이용하면 절제면의 외각 경계를 결정하는데 도움을 주며, 견인과 지혈의 목적으로 자궁경부 3시와 9시 방향에 봉합을 할 수 있다. 혈관수축제를 자궁경부에 투여하면 수술 중 출혈을 감소시킬 수 있다. 절제 시 원형을 반드시 유지할 필요는 없지만 자궁내경관의 침범이 추정되는 깊이까지 절제하여야 한다. 시술 후 절제면의 지혈을 위하여 전기소작을 하며 출혈이 많은 경우 봉합을 시행한다. 그러나 Sturmdorf suture 같은 봉합술은 항상 필요한 것은 아니며 잔류병변이 있는 경우 안으로 매장될 위험이 있으므로 가급적이면 피하는 것이 좋다. 지속적인 출혈이 있으면 단순히 U자형 봉합을 하는 것이 좋다.

합병증으로 출혈, 자궁경부 협착, 감염, 자궁천공, 방광 또는 직장 손상 등이 올 수 있다. 자연유산, 조기진통, 저체중출생아 등의 임신과 관련된 합병증은 논란이 되고 있다(Klaritsch et al. 2006).

③ 자궁절제술

자궁경부 상피내종양의 치료로 가장 재발률이 낮은 방법이나 최근에는 상피내종양 치료 방법으로 과하다고 여겨지고 있어 일차적 치료로는 거의 적용되지 않는다.

자궁절제술은 다음과 같은 경우에 시행할 수 있다.

- 미세침윤암
- 원뿔절제술 조직의 절단면 가장자리에서 자궁경부 상피내종양 2/3
- 추적관찰이 어려운 환자
- 자궁근종, 자궁탈출증, 자궁내막증 등의 자궁절제술 적응증이 되는 자궁질환이 있는 환자
- 치료 후에 재발된 고등급의 자궁경부 상피내종양 고등급 자궁경부 상피내종양의 2-3%에서 질원개(vaginal vault) 침범이 보고되었다. 자궁절제술을 실시하는 경우에도 질확대경검사, 루골 용액 도포 등으로 질부의 병변 침범을 확인하여 수술 후 질원개 부위의 상피내종양의 발생을 방지하도록 해야 한다.

3) 자궁경부 상피내종양 등급과 특수한 상황에서의 처치

(1) 자궁경부 상피내종양 1 (CIN1)

조직검사에서 자궁경부 CIN1으로 진단된 경우, 1년 이내 자연 소실될 확률은 60-85%이다. CIN1의 치료는 추적관찰하거나 국소파괴요법 혹은 절제술을 시행할 수 있다.

추적관찰은 6개월 후와 12개월 후에 자궁경부질세포진검사를 시행하거나 12개월 후 인유두종바이러스검사를 시행하여 정상소견을 보이면 매년 정기적인 자궁경부질세포진검사를 시행할 수 있다. 자궁경부질세포진검사에서 비정형 세포 혹은 인유두종바이러스검사에서 양성 소견이 나오면 질확대경검사를 시행해야 한다. 질확대경검사가 유용한 경우에는 자궁경부질세포진검사와 질확대경검사를 12개월 후에 동시에 시행하여 추적할 수 있다.

질확대경 결과가 충분한 경우에는 국소파괴요법 혹은 절제술을 시행할 수 있다. 국소파괴요법을 시행하기 전에 자궁경관내소파술을 시행하여 자궁경관내 병변을 확인하여야 한다. 국소파괴요법 후 추적관찰 도중에 자궁경부 상피내종양이 재발되면 절제술을 시행하는 것이 적절한 치료이다.

질 확대경검사가 불충분한 경우 진단적 절제술을 시행할 수 있다. 그러나 임산부, 면역 억제 여성, 사춘기 여성에서는 추적관찰을 하는 것이 좋으며 국소파괴요법을 시행하면 안 된다. 24개월 동안 지속적으로 CIN1인 환자에서 치료하는 것은 선택적이다(Petry, 2011; Apgar et al., 2013).

(2) 자궁경부 상피내종양 2/3 (CIN2/3)

CIN2/3는 자궁경부암으로 진행하는 경우가 많기 때문에 치료를 요한다.

질확대경검사에서 전체 병변이 관찰되고, 자궁경관내소파술에서 음성일 경우에는 침윤암이 있을 가능성은 0.5%로 낮기 때문에 국소파괴요법을 시행할 수 있다.

질확대경검사에서 전체 병변을 관찰할 수 없는 경우에는 침윤암이 숨겨져 있을 가능성이 7%까지 보고되고 있다. 따라서 국소파괴요법은 사용해서는 안 되며 절제술을 시행하여야 한다(Spitzer et al., 2006).

(3) 가임기 젊은 여성의 자궁경부 상피내종양 2/3

가임기 젊은 여성에서 CIN2인 경우 질확대경검사에서 전체 병변이 관찰되고, 자궁경관내소파술에서 음성이면서 환자가 잠재 병소에 대한 위험을 감수할 수 있다면, 4-6개월마다 자궁경부질세포진검사와 질확대경검사를 시행하면서 추적관찰할 수 있다(그림 16-24).

가임기 젊은 여성에서도 CIN3인 경우에는 치료를 하는 것이 좋다.

(4) 임신부의 자궁경부 상피내종양

펀치생검이나 질확대경검사를 시행할 수 있지만, 자궁경관내소파술 혹은 LEEP는 피한다.

침윤암이 의심되지 않는 한 분만 후에 치료한다.

(5) 절제술 절단면 가장자리의 병변 유무

레이저 치료나 냉동수술 같은 국소파괴요법 이후에는 수술 경계 부위에 대해 병변 유무를 판단할 수 없다. 이러한 경우에는 6개월 후 자궁경부질세포진검사 또는 12개월 후 인유두종바이러스검사로 경과를 관찰한다(Bae et al., 2007).

절제면 가장자리에 종양이 없는 경우에는 6개월 후 자궁경부질세포진검사 또는 12개월 후 인유두종바이러스검사로 경과를 관찰할 수 있다.

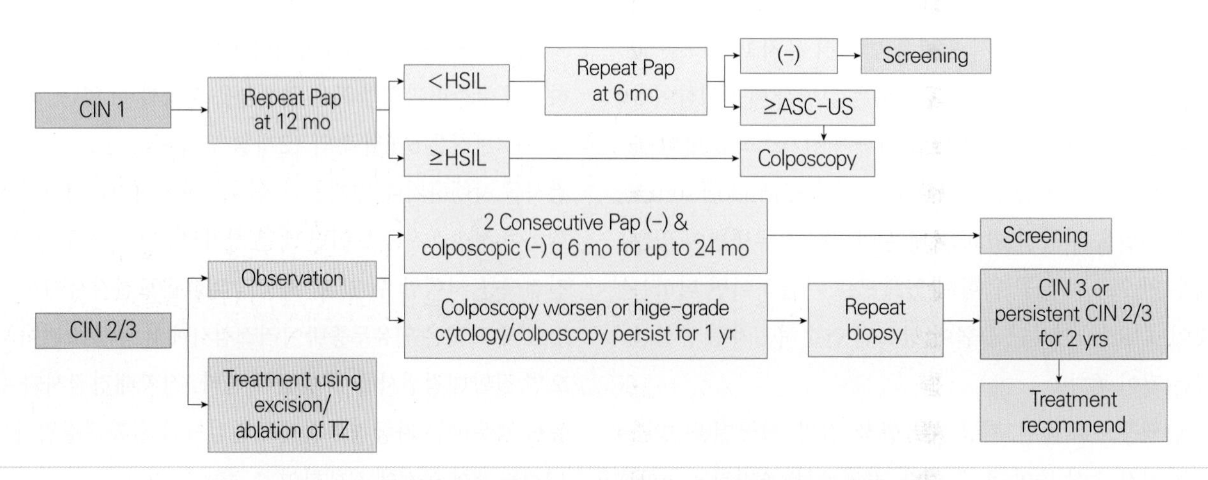

그림 16-24. 청소년기의 자궁경부 상피내종양 1-3에 대한 치료 및 추적검사

CIN2/3에서 절제면 가장자리에 종양이 있는 경우에는 자궁경부질세포진검사를 6개월 후 시행하거나, 자궁경관내소파술을 고려하거나, 침윤암이 의심되는 경우에는 재시술을 시행하거나 전문가에게 자문을 구한 후 자궁절제술을 시행할 수 있다. 6개월 후 시행한 자궁경부질세포진검사에서 ASC-US 이상으로 나온다면 추가 검사는 이전에 언급한 비정상 자궁경부세포검사의 처치에 따라야 한다(Partridge et al., 2010). 자궁경부질세포진검사 또는 인유두종바이러스검사가 음성일 경우에는 선별검사 프로그램으로 복귀할 수 있으며 12개월 후에 시행한 인유두종바이러스검사가 양성으로 나온다면 질확대경검사를 시행해야 한다(그림 16-25).

(6) 자궁경부 선상피내암(adenocarcinoma in situ, AIS)

자궁경부 조직검사에서 AIS가 진단되면 자궁절제술을 시행하는 것이 선호되기도 한다. 그러나 가임기 여성에서는 보존적 치료를 할 수 있다. 이런 경우에는 반드시 원뿔생검을 하여 침윤암의 존재 유무를 확인하도록 한다. 이때 시행하는 원뿔생검은 최소 깊이가 3 cm이 되도록 하며 냉도 원뿔절제술이 정확한 진단을 위한 조직을 얻기에 가장 적당하다. 절단면이 양성인 경우에는 반드시 원뿔절제술을 다시 시행하도록 한다. 고령이거나 임신을 원치 않을 때는 자궁절제술을 시행하도록 한다.

절단면이 음성인 경우에는 6개월 후 자궁경부질세포진검사, 질확대경검사, 인유두종바이러스검사, 자궁내경부세포채취를 시행해야 한다(Dunton, 2008).

4) 자궁경부 전암 병변 및 자궁경부암의 예방

(1) 조기 검진

자궁경부암 조기 검진 사업은 국가 암 관리 체계의 핵심적인 부분으로 선진국에서는 암 조기 검진 체계를 구축하여 운영하고 있다. 자궁경부질세포진검사는 1940년대에 처음으로 소개되었지만 국가적 선별검사가 시행된 것은 1950년대이다. 처음으로 국가적 선별검사가 시행된 것은 1949년 캐나다의 브리티쉬 콜럼비아 지역이었으며 자궁경부암의 발생을 78%까지 감소시켰다. 노르웨이는 체계적인 검사 제도를 시행하였으며, 핀란드는 1980년대부터 자궁경부질세포진검사를 통하여 자궁경부암 발생을 80%까지 감소시켰다. 체계적인 검사 제도가 시행되지 못했던 스웨덴과 덴마크는 52-65%의 저조한 결과를 나타냈다. 영국은

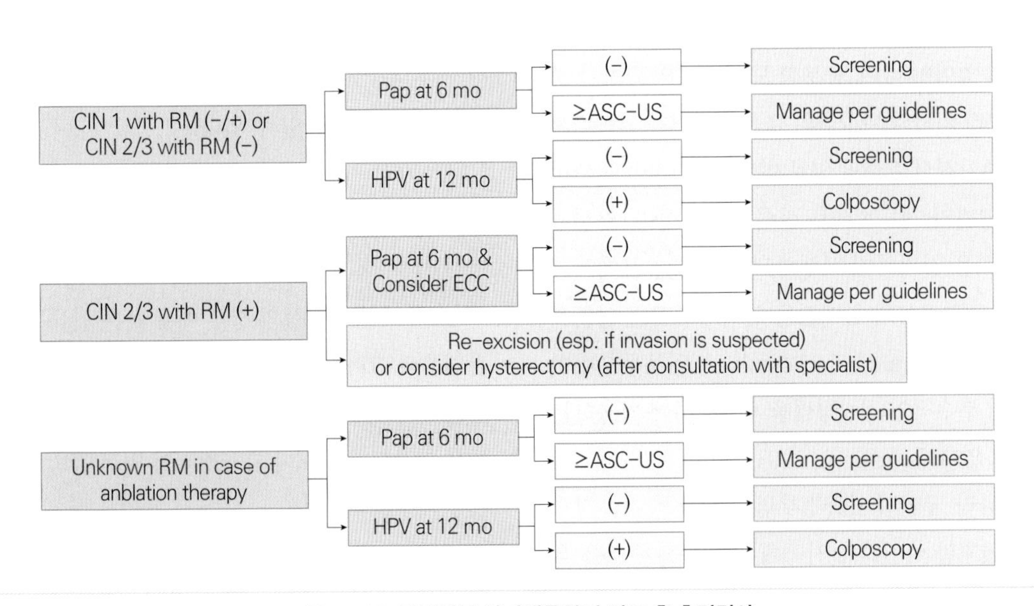

그림 16-25. 자궁경부 상피내종양의 치료 후 추적검사

1960년대에 국가적으로 자궁경부질세포진검사를 도입하였으나 1960년부터 1986년까지 자궁경부암 발생을 크게 줄이지 못했다. 1988년에 집중관리시스템을 도입하고 35-54세 여성 중 이상 결과가 나온 여성은 계속 관리 대상으로 분류하였고 그 이후로 자궁경부암 발생과 그로 인한 사망률을 크게 감소시킬 수 있었다. 미국은 50년간 자궁경부질세포진검사에 기초한 자궁경부암 선별검사를 충분히 활용하여 60% 이상의 자궁경부암 발생률을 감소시킬 수 있었고, 자궁경부암을 여성암 중 발생률 순위 1위에서 7위로, 발생률을 100,000명당 9명으로 감소시킬 수 있었다. 그러나 집단 검진 체제가 잘 유지되고 자궁경부질세포진검사의 권고안이 잘 준수되고 있는 국가에서도 자궁경부질세포진검사의 선별검사로서 역할에 대하여 여러 가지 문제점이 제기되고 있다(Schiffman et al., 2005).

자궁경부질세포진검사는 선별검사로서 민감도가 낮다는 단점이 있다. 시행되는 곳의 정도관리(quality control) 상황에 따라 10-54%의 다양한 위음성률을 보일 수 있다. 자궁경부질세포진검사에 근거한 자궁경부암 조기 검진이 성공적으로 수행되기 위해서는 정도 관리가 잘되는 실험실, 숙련된 세포병리 기사와 의사들의 적극적이고 지속적인 참여가 필수적이며, 또한 이상소견을 보이는 자궁경부질세포진검사에 대한 평가 및 추적관리 체계 등이 잘 이루어져 있어야 한다. 즉 국가적인 암 조기 검진 계획이 확고하게 수립되어 있어야 하며, 충분한 보건 재정의 확보가 보장되고 세포병리 의사와 기사들의 교육과 수련을 지속적으로 시행하고 주기적으로 해당 의료기관과 검사자들의 판독 내용에 대한 평가가 제도적으로 실시되어야 한다. 자궁경부암 검진 계획을 철저하게 시행하고 있는 선진국에서도 자궁경부질세포진검사의 한계점을 인식하고 위음성률을 감소시키기 위하여 liquid based cytology, 인유두종바이러스검사 등의 부수적인 검사방법을 선별검사에 병용하는 것을 고려하고 있다(Coste et al., 2003).

최근 우리나라 국민의 자궁경부암 유병률은 지속적으로 감소하고 있지만 여전히 선진국에 비해 높은 수준을 유지하고 있다. 2001년 국립암센터와 대한산부인과학회의 주관으로 제1회 자궁경부암 조기검진지침개발 심포지움이 개최되었고 자궁경부암 조기 검진 지침이 제안되었지만, 최근의 발전된 의료 상황을 반영하기 어려워 대부분의 임상의사들이 자궁경부암 조기 검진을 위한 선별검사의 진료 지침으로 미국의 권고안을 참조하였다. 그러나 국내 자궁경부암 발생률이 선진국보다 높고 의료 수가가 낮은 점으로 인해 외국의 권고안을 국내에 그대로 적용하기는 어려운 점이 있었다(Lee et al., 2009). 2012년 대한부인종양학회, 대한세포병리학회 및 대한산부인과학회에서 자궁경부암 조기 검진을 위한 진료권고안을 마련하였고, 새로운 검진 지침은 다음과 같다(Lee et al., 2013).

① 표준방법

자궁경부질세포진검사를 시행한다.

현재까지의 연구 결과 액상세포검사는 기존의 고식적인 자궁경부질세포진검사에 비하여 민감도와 특이도를 높이지 않는 것으로 알려져 있다. 다만 부적절한 검체의 발생 빈도를 줄이는 효과가 있다(Siebers et al., 2009). 우리나라 현실을 반영할 때 액상세포검사도 선택할 수 있다.

30세 미만의 여성에서는 인유두종바이러스검사의 높은 위양성률과 인유두종바이러스 감염의 자연 치유율을 고려할 때, 인유두종바이러스검사가 선별검사에 이용되는 것이 권고되지 않으며, 30세 이상의 여성에서 병합하여 시행한 경우 두 가지 검사 모두에서 음성을 보이면 선별검사의 주기를 2년으로 늘일 수 있다.

② 연령범위

만 20세 이상의 성경험이 있는 모든 여성으로 한다.

20세 미만의 여성의 경우 매우 높은 인유두 종바이러스 감염률과 그에 상응하는 높은 자연치유율, 또한 자궁경부 침윤암의 매우 낮은 발생빈도를 고려할 때 선별검사의 시행은 권장되지 않으나 자궁경부암 및 전암병변이 의심되는 경우 시행할 수 있다.

최근 10년간 세 번 이상의 연속된 자궁경부질세포진검사에서 음성으로 판정된 경우 70세에 종료할 수 있다.

③ 검진주기

매 1년 간격으로 자궁경부질세포진검사를 시행할 것을 권장한다.

서양의 권고안이 자궁경부질세포진검사 단독으로 3년 주기를 권장하고 있으나, 상대적으로 높은 우리나라의 자궁경부암 발생 빈도, 선별검사를 위한 접근성의 용이함, 상대적으로 저렴한 선별검사 수가를 고려하였다.

자궁경부를 포함한 자궁절제술을 시행한 여성의 경우라 하더라도 중등도 상피내종양 이상의 병력이 있는 경우이거나, 과거 선별검사의 결과를 알 수 없는 경우에는 선별검사를 지속한다.

(2) 인유두종바이러스 예방 백신(HPV prophylactic vaccine)

자궁경부암 선별검사와 그에 따른 추가적 치료는 자궁경부암을 예방하는 데 있어서 결정적인 역할을 하고 있지만 이러한 과정 자체가 환자들에 있어 최종 진단이 나올 때까지 불안감과 사회적, 의료적 비용을 초래하고 있다. 자궁경부암을 조기에 발견하여 치료하는 것에서 한층 진보한 것이 최근 개발된 인유두종바이러스 예방백신으로 이는 바이러스 감염 자체를 막아 자궁경부 상피내종양 및 자궁경부암을 예방하는 획기적인 방법이다.

인유두종바이러스 감염이 자궁경부암을 일으키는 원인으로 밝혀진 후, 인유두종바이러스 감염 예방백신이 자궁경부암을 예방할 수 있을 것으로 생각되었고, 1990년부터 이에 대한 연구가 활발히 진행되었다. 인유두종바이러스가 in vitro에서 대량으로 배양되지 않고 종양 유전자인 E6, E7을 포함하기 때문에 유전자 재조합 기술을 이용해 바이러스 껍질(capsid)을 만드는 L1 구조 단백을 만들어 백신으로 사용하게 되었다. L1 유전자를 진핵세포에서 발현시키면 내부에 DNA는 없고 형태는 자연에 존재하는 인유두종바이러스와 똑같은 바이러스유사입자(virus-like particles, VLP)를 만들 수 있고, 이 VLP는 효과적으로 항체(antibody)를 만들어 내며, 특히 인유두종바이러스가 세포에 들어가 감염시키기 전에 중화시킬 수 있는 중화항체(neutralizing antibody)를 만들어 HPV 감염을 예방할 수 있도록 한다(Burd , 2003; Lowy et al., 2006).

현재까지 개발되어 상용화되어 있는 인유두종바이러스 예방 백신은 3가지로써 GlaxoSmithKein (GSK)사는 자궁경부암의 70%의 원인으로 지목되는 인유두종바이러스 16, 18에 대한 VLP를 사용한 2가 백신을, Merck사는 이 두 가지 형 이외에도, 외부 성기 사마귀의 75-90%의 원인이 되는 인유두종바이러스 6, 11에 대한 VLP도 추가되어 있는 4가 백신과, 이에 더하여 31, 33, 45, 52, 58에 대한 L1 VLP를 함유한 9가 백신을 개발하였다. Merck사의 4가 백신과 9가 백신은 항원보강제(adjuvant)로 aluminum hydroxide를 사용하며, GSK사의 2가 백신은 알루미늄염과 monophosphoryl lipid A를 혼합하여 만든 ASO4 (adjuvant system 04)를 사용한다(Lowy et al., 2006). AS04는 알루미늄염만 사용한 경우와 비교하여 항체 역가가 높고 항체반응이 지속적으로 유지되는 것으로 알려져 있다.

9-26세 여성 18,000여 명을 대상으로 한 Merck사 4가 백신의 3상 임상의 결과, 인유두종바이러스 16, 18형과 관련된 CIN2/3 및 AIS의 예방 효과는 99%, vulvar intraepithelial neoplasia (VIN) 2/3와 vaginal intraepithelial neoplasia (VaIN) 2/3의 예방 효과는 100%로 보고되었다. 또한 24-45세 여성 3,817명을 대상으로 4년간 시행한 연구에서도 인유두종바이러스 6, 11, 16, 18형에 의한 CIN1과 AIS를 94.1% 예방하였다(Ault, 2007). 이에 다섯 유형 항원을 더 추가로 포함한 9가 백신의 최근 임상시험 결과, 백신이 포함하고 있는 아홉개 모든 유형에서 예방효과가 확인되었다.

9가 백신이 이론상으로는 전체적으로 가장 높은 확률로 자궁경부암을 예방할 수 있을 것으로 추정되지만, 국가별 HPV 감염 유형의 비율이 차이가 있을 수 있어 비용 대비 자궁경부암 예방 효과에 대한 이득은 국가에 따라 차이가 있을 수 있다.

GSK사 2가 백신의 3상 임상의 결과, 발암성 인유두종바이러스 유형에 감염되지 않은 군에서 인유두종바이러스 16형, 18형과 관련된 CIN2/3에 대하여 94.9%의 예방 효과를 보였다. 성경험이 없는 젊은 여성을 대상으로 1회 이상 접종한 경우에서는 인유두종바이러스 16형, 18형과 관련된 CIN2/3에 대해서 99.0%의 예방 효과를 보였다(Paavonen et al., 2009).

세 백신 모두 현재까지 우수한 내약성을 보고하고 있으며, 국소 부작용은 접종부위의 통증, 부기, 홍반 등이었다. 두 가지 백신의 전신 이상반응은 피로, 발열, 두통, 구토, 인후두염, 현기증, 근육통 등이 보고되었고 심각한 이상반응 발생률이나 임신 결과에 있어 대조군과 차이가 없었다.

2가 및 4가 백신에 대한 일련의 임상연구를 통해 두 백신 모두 거의 100%에 가까운 예방 효과를 보였고 인체 투여에 적합한 안정성을 인정받았다. 현재 약 100여 개 나라에서 허가되어 사용 중인데, 우리나라에서도 Merck사의 4가 백신은 2007년 6월, 9가 백신은 2016년 7월에, 그리고 GSK사의 2가 백신은 2008년 7월에 각각 시판 허가되어 접종되고 있다.

백신의 접종 권고지침은 경제적, 사회적, 문화적 상황을 고려하여 정해지기 때문에 국가마다 다양하다. 인유두종바이러스 예방 백신에 대하여 미국에서는 11-12세를 권장 접종 대상 연령으로 정하고 있고, 9-26세에 접종할 수 있으며 성관계 여부에 관계없이 접종 가능한 것으로 권고하고 있다. 국내의 인유두종바이러스 예방 백신 접종권고안도 비슷하여 4가 백신과 9가 백신은 9-26세, 2가 백신은 10-25세를 접종 대상 연령으로 하고, 최적 접종 연령은 성 활동과 백신 효과 지속 기간을 감안하여 15-17세를 권장하였다. 최근의 인유두종바이러스 예방 백신의 면역원성 연구 결과를 바탕으로 중년 여성까지 접종 가능 연령을 확대하였다(4가 백신의 경우 45세, 2가 백신의 경우 55세). 9가 백신의 경우에도 45세까지는 개인별 위험도에 대한 임상적 판단과 접종 대상자의 상황을 고려하여 접종 여부를 결정할 수 있다. 수유하고 있는 여성에서는 접종이 가능하며 임신부에서는 안전성에 대한 충분한 연구가 되어 있지 않아 투여를 권장하지 않는다. 접종은 근육주사를 통하여 이루어진다. 6개월에 걸쳐 총 3회 접종받는데, 4가 백신과 9가 백신은 0, 2, 6개월에 접종하며, 2가 백신은 0, 1, 6개월에 접종하게 된다. 인유두종바이러스 예방 백신은 다른 백신과 같이 접종받을 수 있으며, 백신 접종 후 임신을 알게 된 경우에는 나머지 접종은 출산 뒤로 미루어야 한다(Kim et al., 2007).

인유두종바이러스 예방 백신에 대한 대규모 임상연구에서 백신은 안전하며 16, 18형에 대한 효과는 거의 100%로 나타났다. 그러나 예방 백신을 접종한 후에도 16, 18 유형 이외의 나머지 고위험군에 의하여 발생하는 30%의 자궁경부암을 예방하기 위해서 정기적인 자궁경부암 선별검사는 꼭 받아야 한다.

현재 개발된 인유두종바이러스 예방 백신은 진핵세포에서 만들어지고 정제되기 때문에 생산과정에 비용이 많이 들어가고, 접종 전까지 냉장상태로 보관되어야 하며, 인유두종바이러스 유형에 특이하기 때문에 항원으로 사용되지 않은 다른 유형의 인유두종바이러스 감염을 모두 예방할 수 없고, 치료효과가 전혀 없다는 것이 제한점이다. 이러한 단점을 보완하기 위하여 많은 연구자들이 2세대 백신을 개발하고 있는데, polyvalent VLP 백신, needle-free mucosal 백신, L1 pentameric 백신, HPV L2 백신 등이 있으며, 또한 치료(therapeutic) 백신, chimeric VLP 백신 등에 대해서도 활발한 연구가 진행되고 있다.

참고문헌

- 국립암센터, 자궁경부암검진 질 지침, 2008.
- 남궁성은, 한구택. 질확대경진 1st ed. 서울: 도서출판 원단; 2005.
- 배석년, 이연수. 자궁경부촬영사진원색도감. 1st. ed. 서울: 도서출판 칼빈서적; 1999.
- 이재관. 자궁경부암 진단에 HPV DNA검사의 역할. 대한산부회지 2006;49:261-75.
- 한국 중앙암 등록 본부, 보건복지부, 국가암등록사업 연례 보고서(2011년 암등록통계). 2013.
- Abraham J, Stenger M. Cobas HPV test for first-line screening for cervical cancer. J Community Support Oncol 2014;12:156-7.
- Abryn M, Sasieni P, Meijer CJLM, Clavel C, Koliopoulos G, Dillner J. Chapter 9: Clinical applications of HPV testing: asummary of meta-analysis. Vaccine 2006;24S:78-89.
- Alvarez RD, Wright TC; Optical Detection Group. Effective

cervical neoplasia detection with a novel optical detection system: a randomized trial. Gynecol Oncol 2007;104:281-9.
- Apgar BS, Kaufman AJ, Bettcher C, Parker-Featherstone E. Gynecologic procedure: colposcopy, treatment for cervical intraepithelial neoplasia and endoemtrial assessment. Am Fam Physicician 2013;87:836-43.
- Arbyn M, Weiderpass E, Bruni L, Sanjose S, Saraiya M, Ferlay J, Bray F. Estimates of incidence and mortality of cervical cancer in 2018: a worldwide analysis. Lancet Glob Health 2020;8:191-203.
- Arroyo M, Bagchi S, Raychaudhuri P. Association of the human papillomavirus type 16 E7 protein with the S-phasespecific E2F- cyclin A complex. Mol Cell Biol 1993;13:6537-46.
- ASCUS-LSIL Triage Study (ALTS) Group. Results of a randomized trial on the management of cytology interpretations of atypical squamous cells of undetermined significance. Am J Obstet Gynecol 2003;188:1383-92.
- Ault KA. Future II Study Group. Effect of prophylactic human papillomavirus L1 virus-like-particle vaccine on risk of cervical intraepithelial neoplasia grade 2, grade 3, and adenocarcinoma in situ: a combined analysis of four randomised clinical trials. Lancet 2007;369:1861-8.
- Austin RM, Zhao C. Is 58% sensitivity for detection of cervical intraepithelial neoplasia 3 and invasive cervical cancer optimal for cervical screening? Cytojournal 2014;11:14.
- Bae JH, Kim CJ, Park TC, Namkoong SE, Park JS. Persistence of human papillomavirus (HPV) as a predictor for treatment failure after loop electrosurgical excision procedure (LEEP). Int J Gynecol Cancer 2007;17:1271-7.
- Brown DR, Shew ML, Qadadri B, Neptune N, Vargas M, Tu W, et al. A longitudinal study of genital human papillomavirus infection in cohort of closely followed adolescent women. J Infect Dis 2005;191:182-92.
- Bouvard V, Baan R, Straif K, Grosse Y, Secretan B, El Ghissassi F, et al. A review of human carcinogens--Part B: biological agents. Lancet Oncol 2009;10:321-2.
- Bosch FX, Manos MM, Munoz N, Sherman ME, Jansen AM, Peto J, et al. Prevalence of human papillomavirus in cervical cancer: a worldwide perspective. International Biological Study on Cervical Cancer (IBSCC) study group. J Natl Cancer Inst 1995;87:796-802.
- Brinton LA. Epidemiology of cervical cancer overview. In: Munoz N, Bosch FX, Shah KV, Meheus A, editors. The Epidemiology of Human Papillomavirus and Cervical Cancer. Lyon: IARC Scientific Publications; 1992.
- Burd EM. Human papillomavirus and cervical cancer. Clin Microbiol Rev 2003;16:1-17.
- Burger EA, Kornør H, Klemp M, Lauvrak V, Kristiansen IS. HPV mRNA tests for the detection of cervical intraepithelial neoplasia: a systematic review. Gynecol Oncol 2011;120:430-8.
- Castle PE, Stoler MH, Wright TC Jr, Sharma A, Wright TL, Behrens CM. Performance of carcinogenic human papillomavirus (HPV) testing and HPV 16 and HPV18 genotyping for cervical cancer screening of women aged 25 years and older: a subanalysis of the ATHENA study. Lancet Oncol 2011;12:880-90.
- Cervix cancer screening IARC handbooks of cancer. Vol 10. Lyons (France), IARC; 2005.
- Chute DJ, Covell J, Pambuccian SE, Stelow EB. Cytologic-histologic correlation of screening and diagnostic Papanicolaou tests. Diagn Cytopathol 2006;34:503-6.
- Coste J, Cochand-Priollet B, Cremoux P, Le Gales C, Cartier I, Molinie V, et al. Cross sectional study of conventional cervical smear, monolayer cytology, and human papillomavirus DNA testing for cervical cancer screening. BMJ 2003;326:733.
- Cullen AP, Reid R, Campion M, Lorincz AT. Analysis of the physical state of different human papillomavirus DNAs in intraepithelial and invasive cervical neoplasm. J Virol 1991;65:606-12.
- Day SP, Hudson A, Mast A, Sander T, Curtis M, Olson S, et al. Analytical performance of the Investigational Use Only Cervista HPV HR test as determined by a multi-center study. J Clin Virol. 2009;45:S63-72.
- Derchain SF, Rabelo-Santos SH, Sarian LO, Zeferino LC, de Oliveira Zambeli ER, do Amaral Westin MC, et al. Human papillomavirus DNAdetection and histological findings in women referred for atypical glandular cells or adenocarinima in situ in their Pap smears. Gynecol Oncol 2004;95:618-23.
- Dunton CJ. Management of atypical glandular cells and adenocarcinoma in situ. Obstet Gynecol Clin North Am 2008;35:623-32.
- Einstein MH, Martens MG, Garcia FA, Ferris DG, Mitchell AL, Day SP, Olson MC. Clinical evaluation of the Cervista HPV HR and 16/18 genotyping tets for use in women with ASC-US Cytology. Gynecol Oncol 2010;118:116-22.
- Fader AN, Alward EK, Niederhauser A, Chirico C, Lesnock JL, Zwiesler DJ, et al. Cervical dysplasia in pregnancy: a multiinstitutional evaluation. Am J Obstet Gynecol 2010;203:113 e1-6.
- Ferris DG, Wright TC, Jr., Litaker MS, Richart RM, Lorincz AT, Sun XW, et al. Triage of women with ASCUS and LSIL on Pap smear reports: management by repeat Pap smear, HPV DNA testing, or colposcopy? J Fam Pract 1998;46:125-34.
- Ho GY, Bierman R, Beardsley L, Chang CJ, Burk RD. Natural history of cervicovaginal papillomavirus infection in young

women. N Engl J Med 1998;338:423-8.
- Hudson JB, Bedell M, McCance DJ, Laimins LA. Immortalization and altered differentiation of human keratinocytes in vitro by the E6 and E7 open reading frames of human papillomavirus type 18. J Virol 1990;64:519-26.
- Jain S, Tseng CJ, Horng SG, Soong YK, Pao CC. Negative predictive value of human papillomavirus test following conization of the cervix uteri. Gynecol Oncol 2001;82:177-80.
- Joura E, team V-s. Efficacy and immunogenicity of a novel 9-valent HPV L1 virus-like particle vaccine in 16-to-26-yearold women. ERUOGIN Congress 2013 Katrina LS, Daniel JD, Randall O, Michael T. A review of the FDA-approved molecular testing platforms for human papillomavirus. J Am Soc Cytopathol 2019;8:284-92.
- Khan MJ, Castle PE, Lorincz AT, Wacholder S, Sherman M, Scott DR, et al. The elevated 10-year risk of cervical precancer and cancer in women with human papillomavirus type 16 or 18 and the possible utility of type-specific HPV testing in clinical practice. J Natl Cancer Inst 2005;97:1072-9.
- Khan MJ, Smith McCune KK. Treatment of cervical precancer: back to basics. Obstet Gynecol 2014;123:1339-43.
- Kjaer S, Hogdall E, Frederiksen K, Munk C, van den Brule A, Svare E, et al. The absolute risk of cervical abnormalities in high-risk human papillomavirus-positive, cytologically normal women over a 10-year period. Cancer Res 2006;66:10630-6.
- Kim BG, Lee NW, Kim SC, Kim YT, Kim YM, Kim CJ, et al. Korean Society of Gynecologic Oncology and Colposcopy Cervical Cancer Prevention Committee Task Force Team. Recommendation guideline of Korean Society of Gynecologic Oncology and Colposcopy for quadrivalent human papillomavirus vaccine. Korean J Gynecol Oncol 2007; 18:259-83.
- Kinney W, Hunt WC, Dinkelspiel H, Robertson M, Cuzick J, Wheeler CM, New Mexico HPV Pap Registry Steering Committee. Cervical excisional treatment of young women: a population-based study. Gynecol Oncol 2014;132:628-35.
- Klaritsch P, Reich O, Giuliani A, Tamussino K, Haas J, Winter R. Delivery outcome after cold-knife conization of the uterine cervix. Gynecol Oncol 2006;103:604-7.
- Kleter B, van Doorn LJ, Schrauwen L, Molijn A, Sastrowijoto S, ter Schegget J, et al. Development and clinical evaluation of a highly sensitive PCR-reverse hybridization line probe assayfor detection and identification of anogenital human papillomavirus. J Clin Microbiol 1999;37:2508-17.
- Kong TW, Kim M, Kim YH, Kim YB, Kim J, Kim JW, et al. High-risk human papillomavirus testing as a primary screening for cervical cancer: position statement by the Korean Society of Obstetrics and Gynecology and the Korean Society of Gynecologic Oncology. J Gynecol Oncol 2020;31:e31.
- Lowy DR, Schiller JT. Prophylactic human papillomavirus vaccines. J Clin Invest 2006;116:1167-73.
- Lee JK, Hong JH, Kang S, Kim DY, Kim BG, Kim SH, et al. Preactice guidelines for the early detection of cervical cancer in Korea: Korean Society of Gynecological Oncology and the Korean Society for Cytopathology 2012 edition. J Gynecol Oncol 2013;24:186-203.
- Lee YH, Choi KS, Lee HY, Jun JK. Current status of the National Cancer Screening Program for cervical cancer in Korea, 2009. J Gynecol Oncol 2012;23:16-21.
- Lizard G, Demares-Poulet MJ, Roignot P, Gambert P. In situ hybridization detection of single-copy human papillomavirus on isolated cells, using a catalyzed signal amplification system: GenPoint. Diagn Cytopathol 2001;24:112-6.
- Massad LS, Eistein MH, Huh WK, Katki HA, Kinney WK, Schiffman M, et al. 2012 ASCCP Consensus Guidelines Conference. 2012 updated consensus guideline for the management of abnormal cervical cancer screening tests and cancer precusors. Obstet Gynecol 2013;121:829-46.
- Munger K, Phelps WC, Bobb V, Howley PM, Schlegel R. The E6 and E7 genes of the human papillomavirus type 16 together are necessary and sufficient for transformation of primary human keratinocytes. J Virol 1989;63:4417-21.
- Mulhem E, Amin M, Copeland J, Sharma J, Hunter S. Typespecific human papillomavirus DNA detected in atypical glandular cell Pap tests. Acta Cytol 2012;56:155-9.
- Numnum TM, Kirby TO, Leath CA, 3rd, Huh WK, Alvarez RD, Straughn JM, Jr. A prospective evaluation of "see and treat" in women with HSIL Pap smear results: is this an appropriate strategy? J Low Genit Tract Dis 2005;9:2-6.
- Ortiz R, Newton M, Tsai A. Electrocautery treatment of cervical intraepithelial neoplasia. Obstet Gynecol 1973;41: 113-6.
- Paavonen J, Naud P, Salmeron J, Wheeler CM, Chow SN, Apter D, et al. Efficacy of a human papillomavirus (HPV)-16/18 AS04 adjuvanted vaccine against cervical infection and precancer caused by oncogenic HPV types (PATRICIA): final analysis of a double-blind, randomized study in young women. Lancet 2009;374:301-14.
- Partridge EE, Abu-Rustum NR, Campos SM, Fahey PJ, Farmer M, Garcia RL, et al. Cervical cancer screening. J Natl Compr Canc Netw 2010;8:1358-86.
- Petry KU. Management options for cervical intraepithelial neoplasia. Best Pract Res Clin Obstet Gynaecol 2011;25:641-51.
- Pierce JG Jr, Bright S. Performance of a colposcopic examination, a loop electrosurgical procedure, and

cryotherapy of the cervix. Obstet Gynecol Clin North Am 2013;40:731-57.

- Poljak M, Brencic A, Seme K, Vince A, Marin IJ. Comparative evaluation of first- and second generation Digene Hybrid Capture assays for detection of human papillomavirus associated with high or intermediate risk for cervical cancer. J Clin Microbiol 1999;37:796-7.
- Prendiville W. Cold coagulation to treat cervical intraepithelial neoplasia. BJOG 2013;120:510-1.
- Reagan JW, Seidemann IL, Saracusa Y. The cellular morphology of carcinoma in situ and dysplasia or atypical hyperplasia of the uterine cervix. Cancer 1953;6:224-35.
- Scheffner M, Huibregtse JM, Vierstra RD, Howley PM. The HPV-16 E6 and E6-AP complex functions as a ubiquitin-protein ligase in the ubiquitination of p53. Cell 1993;75:495-505.
- Schiffman M, Castle PE. The promise of global cervical-cancer prevention. N Engl J Med 2005;353:2101-4.
- Serati M, Uccella S, Laterza RM, Salvatore S, Beretta P, Riva C, et al. Natural history of cervical intraepithelial neoplasia during pregnancy. Acta Obstet Gynecol Scand 2008;87:1296-300.
- Siebers AG, Klinkhamer PJ, Grefte JM, Massuger LF, Vedder JE, Beijers-Broos A, et al. Comparisonof liquid-based cytology with conventional cytology for detection of cervical cancer precursors: a randomized controlled trial. JAMA 2009;302:1757-64.
- Solomon D, Davey D, Kurman RJ, Moriarty A, O'Conner D, Prey M, et al. The 2001 Bethesda System. Terminology for reporting results of cervical cytology. JAMA 2002;287:2114-9.
- Spitzer M1, Apgar BS, Brotzman GL. Management of histologic abnormalities of the cervix. Am Fam Physician 2006;73:105-12.
- Tatti S, Bornstein J, Prendiville W. Colposcopy: aglobal perspective: introduction for the new IFCPC colposcopy terminology. Obstet Gynecol Clin North A 2013;40:235-50.
- Vlahos G, Rodolakis A, Diakomanolis E, Stefanidis K, Haidopoulos D, Abela K, et al. Conservative management of cervical intraepithelial neoplasia (CIN(2-3)) in pregnant women. Gynecol Obstet Invest 2002;54:78-81.
- WHO(World Health Organization). Tumours of the uterine cervix. In: Tavassoli FA, Devilee P, editors. Pathology and Genetics Tumours of the Breast and Female Genital Organs. 2003;260-89.
- Wright PK, Marshall J, Desai M. Comparison of SurePath and ThinPrep liquid-based cervical cytology using positive predictive value, atypical predictive value and total predictive value as performance indicators. Cytopathology 2010;21:374-8.
- Wright TC Jr, Cox JT, Massad LS, Twiggs LB, Wilkinson EJ. ASCCP-Sponsored Consensus Conference. 2001 Consensus Guidelines for the management of women with cervical cytological abnormalities. JAMA 2002;287:2120-9.
- Wright TC Jr, Massad LS, Dunton CJ, Spitzer M, Wilkinson EJ, Solomon D. 2006 Consensus guidelines for the management of women with abnormal cervical cancer screening tests. Am J Obstet Gynecol 2007;197:340-5.
- Wright TC Jr, Stoler MH, Behrens CM, Apple R, Derion T, Wright TL. The ATHENA human papillomavirus study: design, methods, and baseline results. Am J Obstet Gynecol 2012;206:e1-46.
- Yoon BS, Seong SJ, Song T, Kim ML, Kim MK. Risk factors for treatment failure of CO_2 laser vaporization in cervical inatraepithelial neoplasia 2. Arch Gynecol Obstet 2014;290:115-9.

제17장

난소양성종양

김석모 | 전남의대
강우대 | 전남의대

1. 난소종양의 분류

난소종양은 조직적 이질성을 보이며, 주로 발생학적 기원에 따른 WHO 분류를 사용한다(표 17-1).

한국 여성에서 양성난소종양의 조직학적 발생 분포는 표 17-2와 같다(대한산부인과학회 한국 부인암 등록사업 조사보고서, 대한병리학회). 상피종양은 세포 형태에 따라 장액성, 점액성, 자궁내막모양 등의 종양으로 분류하고, 각각 조직학적 비정형 정도에 따라 양성, 경계성(비정형 증식, 저악성), 그리고 악성종양으로 구분한다. 악성종양의 90%는 상피종양이다(Scully, 1998).

2. 난소의 비종양성 낭종

난소의 비종양성 낭종은 기능성 낭종(functional cyst)으로도 부른다. 이들은 난소의 종양성 낭종과 달리 생리 주기에 따라 발생하고, 배란의 과정과 연관되어 있다. 따라서 가임기 여성에게서 발생하며, 태생적으로 종양 발생 과정 중의 세포 증식이 일어나지 않기 때문에 대부분 증상을 유발하지 않거나 저절로 없어진다. 그러나 낭종이 파열되어 혈복강을 만들거나 염전으로 심한 골반통을 일으킬 경우에는 수술적 치료가 필요할 수 있다.

난소의 기능성 낭종은 배란이 일어나지 않은 난포낭종

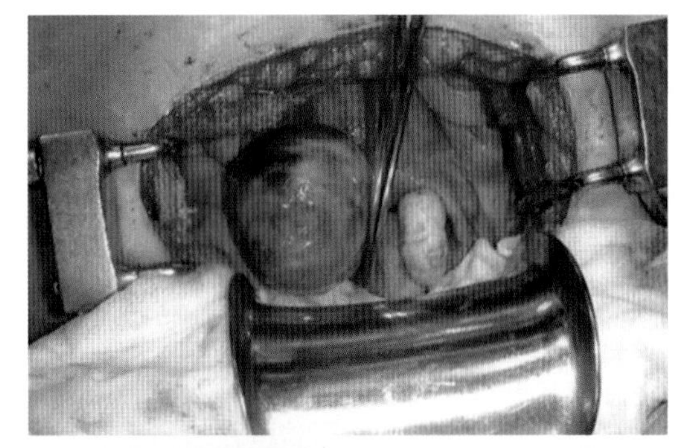

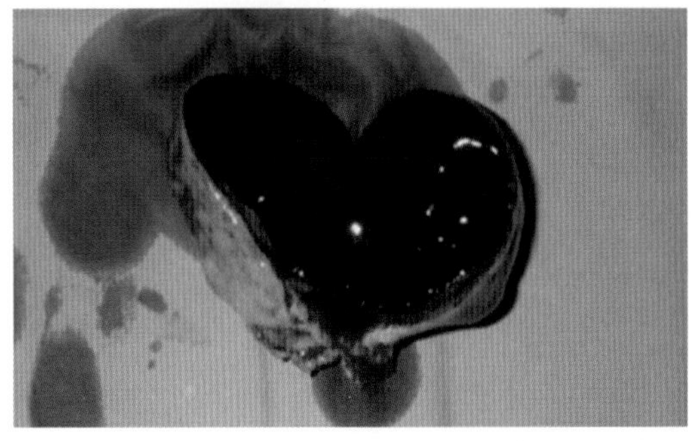

그림 17-1. **혈종성 황체낭종의 사진**

표 17-1. 난소종양의 분류

Classification	Code
Epithelial tumours	
• Serous tumours	
• Benign	
Serous cystadenoma	8441/0
Serous adenofibroma	9014/0
Serous surface papilloma	8461/0
• Borderline	
Serous borderline tumour/ Atypical proliferative serous tumour	8442/1
Serous borderline tumour – micropapillary variantl/ Non-invasive low-grade serous carclnoma	8460/2*
• Malignant	
Low-grade serous carcinoma	8460/3
High-grade serous carcinoma	8461/3
• Mucinous tumours	
Benign	
Mucinous cystadenoma	8470/0
Mucinous adenofibroma	9015/0
• Borderline	
Mucinous borderline tumour/Atypical prolilerative mucinous tumour	8472/1
Malignant	
• Mucinous carcinoma	8480/3
• Endometrioid tumours	
• Benign	
Endometriotic cyst	
Endometrioid cystadenoma	8380/0
Endometrioid adenolibroma	8381/0
• Borderline	
Endometrioid borderline tumour/Atypical proliferative endometrioid tumour	8380/1
• Malignant	
Endometrioid carcinoma	8380/3
• Clear cell tumours	
• Benign	
Clear cell cystadenoma	8443/0
Clear cell adenofibroma	8313/0
• Borderline	
Clear cell borderline tumour/Atypical prolilerative clear cell tumour	8313/1
• Malignant	
Clear cell carcinoma	8310/3
• Brenner tumour	
• Benign	
Brenner tumour	9000/0
• Borderline	
Borderline Brenner tumour/Atypical prolilerative Brenner tumour	9000/1
• Malignant	
Malignant Brenner tumour	9000/3
• Seromucinous tumours	
• Benign	
Seromucinous cystadenoma	8474/0*
Seromucinous adenofibroma	9014/0*
• Borderline	
Seromucinous borderline tumour/Atypical proliferative seromucinous tumour	8474/1*
• Malignant	
Seromucinous carcinoma	8474/3*
• Undifferentiated carcinoma	8020/3
Mesenchymal tumours	
• Low-grade endometrioid stromal sarcoma	8931/3
• High-grade endometrioid stromal sarcoma	8930/3
Mixed epithelial and mesenchymal tumours	
• Adenosarcoma	8933/3
• Carcinosarcoma	8980/3
Sex cord-stromal tumours	
• Pure stromal tumours	
Fibroma	8810/0
Cellular libroma	8810/1
Thecoma	8600/0
Luteinized thecoma associated with sclerosing peri-tonitis	8601/0
Fibrosarcoma	8810/3
Sclerosing stromal tumour	8602/0
Signet-ring stromal tumour	8590/0
Microcystic stromal tumour	8590/0
Leydig cell tumour	8650/0
Steroid cell tumour	8760/0
Steroid cell tumour, malignant	8760/3
• Puresex cord tumours	
Adult granulosa cell tumour	8620/3
Juvenile granulosa cell tumour	8622/1
Sertoli cell tumour	8640/1
Sex cord tumour with annular tubules	8623/1
Mixed sex cord-stromal tumours	
• Sertoli-Leydig cell tumours	
Well differentiated	8631/0
Moderately differentiated	8631/1
With heterologous elements	8634/1
Poorly dilferentiated	8631/3
With heterologous elements	8634/3
Retilorm	8633/1
With heterologous elements	8634/1
• Sex cord-stromal tumours, NOS	8590/1
Germ cell tumours	
• Dysgerminoma	9060/3
• Yolk sac tumour	9071/3
• Embryonal carcinoma	9070/3
• Non-gestational choriocarcinoma	9100/3
• Mature teratoma	9080/0
• Immature teratoma	9080/3
• Mixed germ cell tumour	9085/3
Monodermal teratoma and somatlc-type tumours arislng from a dermoid cyst	
• Struma ovarii. benign	9090/0
• Struma ovarii. malignant	9090/3
• Carcinoid	8240/3
Strumal carcinoid	9091/1
Mucinous carcinoid	8243/3
• Neuroectodermal-type tumours	
• Sebaceous tumours	
Sebaceous adenoma	8410/0
Sebaceous carcinoma	8410/3
• Other rare monodermal teratomas	
• Carcinomas	
Squamous cell carcinoma	8070/3
Others	

Germ cell - sex cord-stromal tumours	
Gonadoblastoma. including gonadoblastoma with malignant germ cell tumour	9073/1
Mixed germ cell-sex cord stromaltumour, unclassilied	8594/1*
Miscellaneous tumours	
Tumours of rete ovarii	
Adenoma of rete ovarii	9110/0
Adenocarcinoma of rete ovarii	9110/3
Wolffian tumour	9110/1
Small cell carcinoma, hypercalcaemic type	8044/3*
Small cell carcinoma, pulmonary type	8041/3
Wilms tumour	8960/3
Paraganglioma	8693/1
Sold pseudopapillary neoplasm	8452/1
Mesothelial tumours	
Adenomatoid tumour	9054/0
Mesothelioma	9050/3
Soft tissue tumours	
Myxoma	8840/0
Others	
Tumour-like lesions	
Follicle cyst	
Corpus luteum cyst	
Large solitary luteinized lollicle cyst	
Hyperreactio luteinalis	
pregnancy luteoma	
Stromal hyperplasia	
Stromal hyperthecosis	
Fibromatosis	
Massive oedema	
Leydig cell hyperplasia	
Others	
Lymphoid and myeloid tumours	
Lymphomas	
Plasmacytoma	
Myeloid neoplasms	9734/3
Secondary tumours	

The morphology codes are from the International Classilication of Disease's for Oncology (ICD-O) {575A}. Behaviour is coded /0 for benign tumours./1 for unspecilied, borderline or uncertain behaviou, ./2 for carcinoma in situ and grade III intraepithelial neoplasia and /3 for malignant tumours; b The classilication is modilied from the previous WHO classilication of tumours {1906A}, taking into account changes in our understanding of these lesions; *These new codes were approved by the IARC/WHO Committee for ICD-O in 2013.

표 17-2. 한국 여성에서 양성난소종양의 조직학적 발생 분포

양성난소종양	%
장액성 종양	16.2-22.6
점액성 종양	22.5-26.8
자궁내막모양종양	0.6-1.2
브레너종양	0.6-1.0
양성기형종	47.2-51.3
섬유종	3.9-6.5
혼성 상피종양	1.7

(follicular cyst)과 배란 이후의 황체낭종(corpus luteum cyst), 난포막황체낭종(theca-lutein cyst)으로 나눌 수 있다(그림 17-1).

난포낭종은 가장 흔한 난소의 기능성 낭종으로 낭 난포(cystic follicle)의 크기가 3 cm을 넘어설 때 낭포낭종으로 간주한다. 대부분 증상이 없으며 자연 소실되나, 드물게 파열되어 골반통을 일으킬 수 있다.

황체의 중심은 정상적으로 낭 변화 또는 출혈을 동반하는데 그 크기가 2 cm 이상인 경우를 황체낭종이라 한다. 낭종 파열 시 혈복강을 야기할 수 있고, 이는 좌 또는 우측에서 발생할 수 있으며, 활력징후가 불안정하지 않다면 보존적 치료가 우선된다(Hallatt et al., 1984; Lee et al., 2014).

난포막황체낭종은 혈중 융모생식샘자극호르몬(human chorionic gonadotropin, hCG)과 연관 있으며, 임신 중 특히 다태아임신, 포상기태임신, 융모막암종, 과배란유도 후에 발생될 수 있다. 대부분 저절로 소실되나, 염전되어 통증을 유발하거나, 복수를 동반할 수 있다.

3. 양성 상피성 종양

난소의 양성종양은 상피성 종양이 가장 흔한데, 5개의 하위 집단으로 나눌 수 있다. 이들은 장액성, 점액성, 자궁내막모양, 투명세포, 그리고 브레너종양 등으로 분류한다(Chen et al., 2003).

난소종양은 한국 여성에서 임신 횟수, 초경 나이, 폐경 나이 등의 변화, 호르몬 제제의 노출, 그리고 점차 서구화되고 있는 생활 형태 등과 관련하여 증가하고 있는 추세이다. 그 중 양성은 보통 증상이 없어서 정기적 검진에서 우연히 발견되는 경우가 많지만 종양의 크기와 위치 및 그 성상에 따라 임상적 의의가 달라질 수 있다.

양성난소종양은 전체 난소종양의 80-90%로 평균연령은 40세 정도이다(목정은 등, 1993; 조윤숙 등, 1994; 박연우 등, 1994; 김재천 등, 1995). 난소종양의 환자에게서 가끔 복부나 골반 내에 압박효과로 인한 배뇨 문제나 통증의 증세로 발견되는 경우가 있으며 내분비계통의 영향으로 생리불순이나 무월경 또는 체중 및 신체 변화 등을 호소할 수도 있다. 본 장에서는 상피성 종양인 장액성 종양, 점액성 종양, 자궁내막모양종양, 투명세포종양 및 브레너종양에 관하여 알아보고자 한다.

1) 분류

(1) 장액성 종양(serous tumors)(그림 17-2)

장액성 종양은 난소 표면상피세포의 함입에 의해 발생하며 장액성 액체를 함유하고 있는 낭종이다. 사종체(psammoma bodies)는 종종 이러한 함입과 연관되어 있으며 자극 물질에 대한 반응으로 생각된다. 중피함입(mesothelial invagination)이 있는 곳에서 유두상 성장이 흔하며, 이것은 유두상 장액낭선종(papillary serous cystadenoma) 발생의 초기단계이다.

① 양성 장액성 종양

난소종양의 30%를 차지하며, 양성이 50-70%, 경계성이 10-15% 그리고 악성이 25-35%이다(Chen et al., 2003). 어느 연령에서나 발생할 수 있으나 주로 30에서 40대에 호발한다. 양성종양에서 양측성은 20% 정도로 보고되고 있으며(송성 등, 1990; 김재천 등, 1995; 이진교 등, 2005), 연

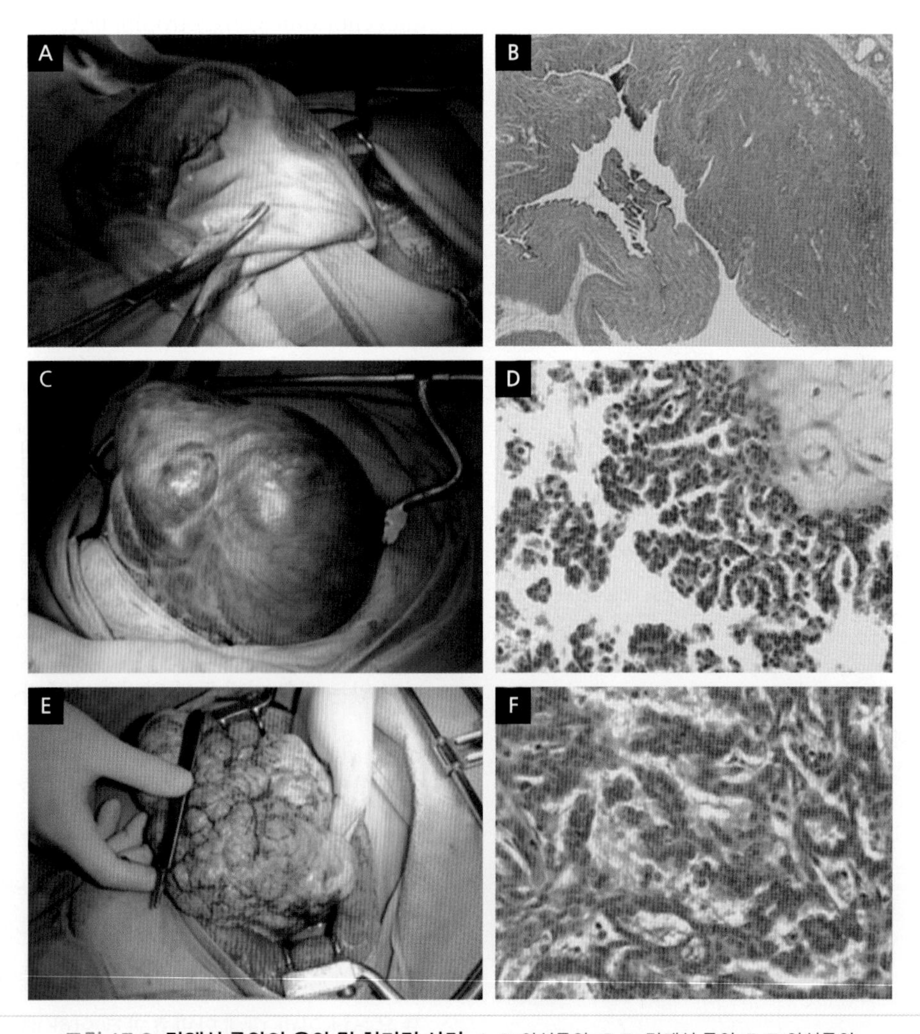

그림 17-2. **장액성 종양의 육안 및 현미경 사진.** A, B: 양성종양, C, D: 경계성 종양, E, F: 악성종양

령이 높을수록, 유두상 돌기가 있거나 악성일수록 양측성이 높다는 보고도 있다(Kurman, 1995). 크기는 보통 5에서 15 cm이다(조삼현 등, 1999).

육안적으로 표면은 매끈하고 분엽화되어 있으며 회색 혹은 청회색을 띠며 낭종내 출혈 시 검게 나타나기도 한다. 단방성 혹은 다방성이며 얇은 막을 가지고 있다. 현미경적 소견으로는 미세한 유두상 돌기를 보이며 상피세포들은 단층의 편평 입방상피세포로 구성되는데 나팔관의 점막과 흡사한 양상을 보인다. 사종체는 양성종양에서 15% 정도 관찰된다. 한편 장액성 낭샘섬유종(serous cystadenofibroma)은 장액성 낭종에서 온 구조적 변이로써 섬유성 기질이 25% 이상 포함된 경우로 정의한다. 현미경적으로 고형체로 보이는 충실성 부분은 나선형의 섬유성 결합 조직으로 구성되며 전형적인 표면 혹은 배아상피로 정렬되어 있다. 압박증상이나 복부의 증대 외의 특별한 증상은 없으며 골반검사와 초음파검사로 진단할 수 있다. 보통 CA-125 수치는 증가되어있지 않으며 초음파에서 경계가 명확하고 단방성으로 보이나 낭샘섬유종인 경우는 고형체가 포함되어 나타나므로 악성 장액성 종양과 감별이 필요하다.

(2) 점액성 종양(mucinous tumors)(그림 17-3)

점액(mucin)을 분비하는 상피세포로 구성되어 있으며 난

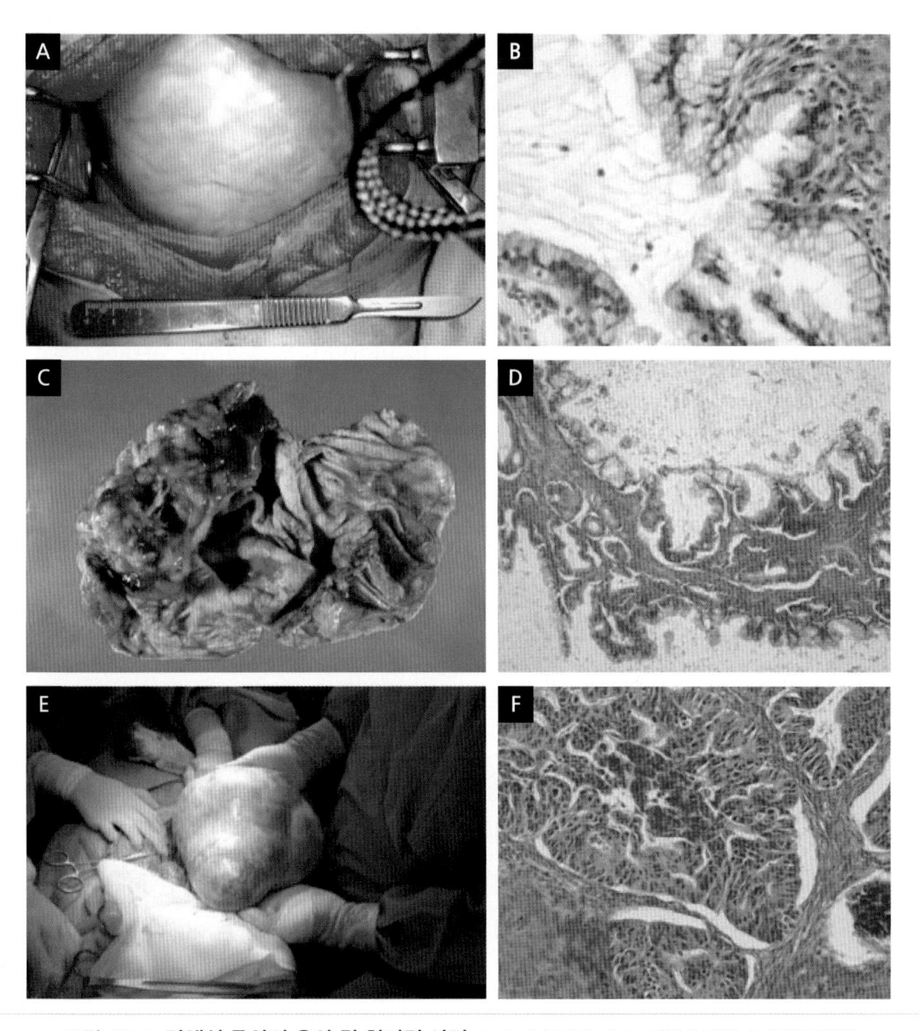

그림 17-3. **점액성 종양의 육안 및 현미경 사진.** A, B: 양성종양, C, D: 경계성 종양, E, F: 악성종양

소종양의 12-15%를 차지한다. 양성종양이 75%, 경계성 종양이 10%, 악성종양이 15%이다.

① 양성 점액성 낭종

발생 빈도는 20-30%로 장액성보다 빈도는 약간 높으며(주경란 등, 1990; 김재천 등, 1995), 발생 연령대는 20대에서 40대에 주로 나타나며, 양측성은 2%에서 10%로 장액성에 비하여 낮은 것으로 보고되고 있다(Poole, 1979). 점액성 낭종의 크기는 평균 15 cm 정도로 장액성 종양보다 크며 30-50 cm인 경우도 있다. 큰 종양 때문에 위장관이 눌렸거나 혹은 바깥쪽으로 밀려난 요관은 수술 중에 문제가 발생할 수 있으므로, 큰 복부종양을 가진 경우 수술 전에 위장관과 비뇨기계 평가가 필요하다(Pretorius, 1989). 호흡곤란도 큰 복부종양 환자에서 흔하게 나타나므로 수술 전 폐기능 검사를 실시하는 것이 수술 후 환자 관리에 도움이 된다.

표면은 매끈하고 가끔 분엽화되어 있으며 낭종 외부에 유두상 증식은 없다. 주로 다방성이며 개개의 분엽의 크기가 다양하고 끈적한 점액성의 물질이 차 있거나 맑은 물질이 차 있다. 상피는 자궁경관 내상피세포 또는 장내 상피세포와 유사하다. 장액성 낭종과 비교하여 점액성 종양은 그 막이 더 두껍고 많은 분엽이 보이며 낭종내 물질들이 자주 관찰된다.

비록 드물지만 점액성 종양으로 인하여 장내 기관에 점액복수 과정이 일어나는 복막 가점액종(psedomy-xoma-peritonei)이 있다(그림 17-4). 이는 주로 장이나 충수돌기 등에 점액성 종양이 있을 때 동반되는 경우가 많은데, 원인은 잘 알려져 있지 않으나 점액분비 상피세포의 복강내 착상에 기인하는 것으로 여겨지고 있다. 증상은 복강 내에 점성이 강한 유동액이 점차적으로 고여 복부가 팽창하고, 장운동이 저하되어 영양실조와 호흡 곤란 등이 유발된다. 충수돌기암에서도 동반될 수 있어 이에 대한 감별진단이 필요하다. 수술로도 점성 때문에 많은 유동액을 제거하기 어렵고 이식된 상피는 아주 적으면서 넓게 분포되어 있어서 모두 제거하기가 또한 어렵다. 화학 요법이나 방사선 치료에도 효과가 별로 없어서, 반복적인 수술이 병의 진행과 환자의 영양 상태를 유지할 수 있는 방법이지만 예후는 비록 양성종양이라 할지라도 악성종양처럼 좋지 않은 것으로 되어 있다(그림 17-4).

그림 17-4. **가점액종 사진**

(3) 자궁내막모양종양(endometrioid tumor)(그림 17-5)

80% 이상이 악성종양으로 양성은 양성난소종양 중에서도 1% 미만의 드문 종양이다. 국내에서도 1.4%의 발생률을 보고하고 있다(이진교 등, 2005). 난소의 자궁내막모양종양은 샘섬유종과 같은 양상으로 샘을 이루는 상피조직과 함께 섬유 조직이 함께 있어 마치 자궁내막과 같은 구성을 이루고 있는 것이 특징이다. 발생 연령은 40-50대로 폐경후 여성에서도 흔한 것으로 알려져 있으며 자궁내막증, 자궁내막 증식증 또는 자궁내막암과 연관될 수도 있다(Chen et al., 2003).

(4) 투명세포종(clear cell tumors)(그림 17-6)

대부분이 암종이며, 난소암의 약 10%를 차지한다. 평균 61세에서 발견된다. 종양은 섬유종양 기질이 풍부하며, 세포핵은 작고 균일하며 비정형을 거의 보이지 않는다(Zhao, 2011). 투명세포와 구두징 세포(hobnail cell)로 구성된다. 흔히 자궁내막암종 및 고칼슘혈증과 관련되어 발생하며,

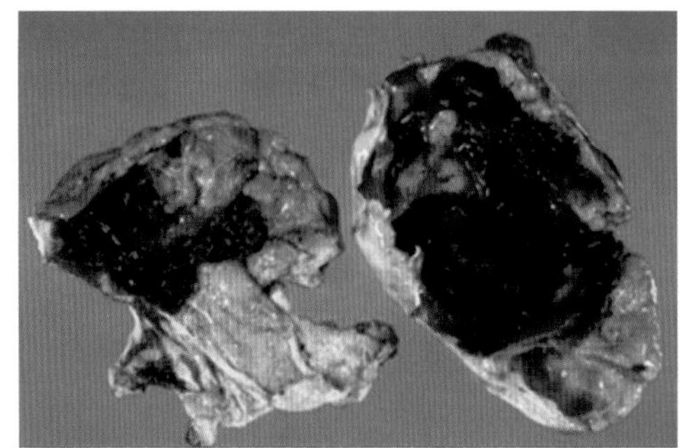
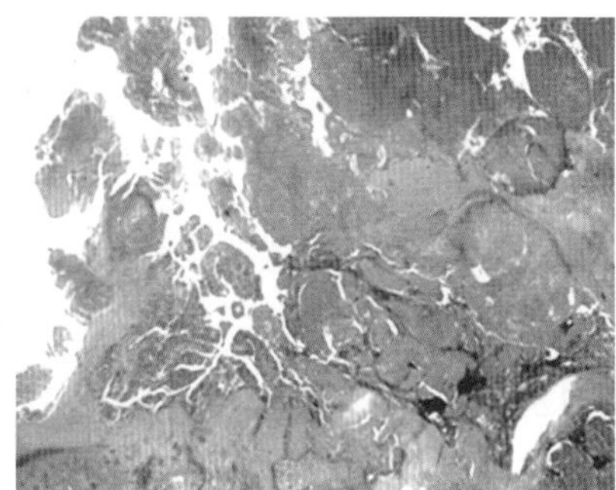

그림 17-5. **악성자궁내막모양 암종 사진**

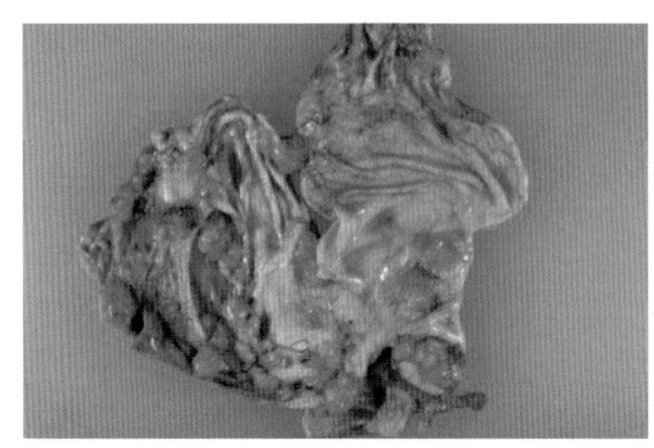
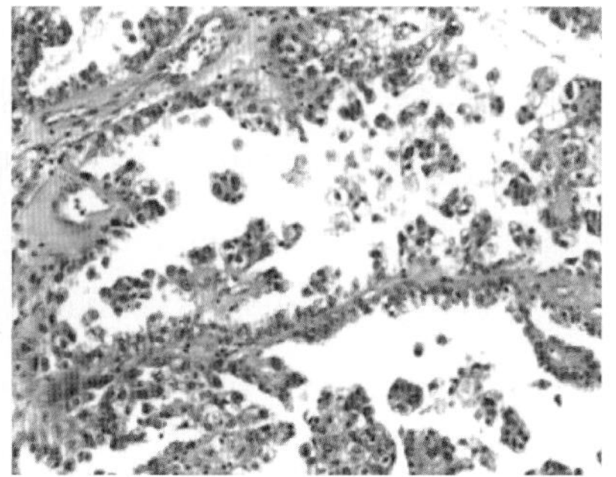

그림 17-6. **투명세포종 사진**

자궁내막이나 질 등과 같은 뮐러관 기원의 다른 장기에서도 발생하므로 뮐러관 기원으로 간주한다. 투명세포암종은 조직학적으로 DES에 노출된 젊은 여성의 자궁이나 질에서 발생하는 것과 동일하다.

(5) 양성브레너종양(Brenner tumor)

난소의 브레너종양은 요로상피와 유사한 상피로 구성되어 있으며, 주로 양성종양으로 나타나며, 남성의 고환에서도 발생할 수 있다. 난소종양에서 1%에서 3.2% 정도로 보고되는 드문 질환이나, 다른 원인에 의해서 제거된 난소에서 우연히 발견되는 경우가 많아 실제로는 발병률이 더 높을 것으로 추정된다 (Athey et al., 1987; Green et al., 2006). 양측성은 10% 미만으로 알려져 있으며 호발 연령은 40-60대로 장액성 및 점액성 낭종과 동반되는 경우가 있는데 점액성과 동반되는 경우가 더 많다. 10 cm 이상 되는 종양이 거의 없을 정도로 크기는 작고 표면은 매끄러우며 강하면서 분엽을 형성하는 경우가 있다. 현미경 소견으로는 섬유 조직 안에 상피세포의 군집이 있으며 표피모양세포의 핵이 coffee-bean 모양의 특징적인 모양을 한다.

2) 진단 및 치료

양성난소종양을 치료하는 데 있어서 우선적으로 고려할 점은 악성난소종양과의 감별 진단이다. 난소종양은 그 해부학적인 위치로 인하여 다른 부인과 종양과 비교하여 치료 전 조직검사를 통한 진단이 어려워, 여러 의사들이 치료 전 많은 검사를 시행한다고 하더라도 병명을 예측하기 어렵고 치료 방법을 결정하기 전까지 고민을 거듭하는 질병 중의 하나이다. 환자에게서 난소종양이 발견되면 우선 환자의 나이, 증상과 자세한 부인과 병력, 가족력 등을 세밀히 조사하여 악성난소종양과의 관련성을 확인하여야 한다.

악성난소종양를 진단하기 위한 선별검사로 골반초음파와 혈청 CA-125, CA19-9, CA72-4, CEA 등 종양표지자검사가 있다. 이중 CA-125는 난소암의 진단 및 수술 후 추적검사에 가장 널리 사용되는 종양표지자검사이다. 그러나 자궁내막증, 골반내 염증질환, 때로는 임신에서도 증가하여 특이도가 낮고, 조기 난소암에서는 민감도가 낮다. 비교적 최근에 알려진 HE4 (human epididymis protein 4, 인간부고환단백)는 부고환 분비 단백 전구체로 부고환 원위부 상피에서 발견된다. 일반적인 양성 부인과 질환과 정상 난소조직에서는 수치가 높지 않으나 초기 난소암 환자에게서는 과발현되는 물질이다. HE4와 CA-125의 조합을 통해 난소암 진단에 민감도를 높을 수있을 것으로 기대하여, ROMA (risk of ovarian malignancy algorithm) score (or index)가 고안되었다. 난소암 위험도를 판단하는 지수로 2012년 FDA 승인을 거쳤다(Karlsen MA et al., 2012). 혈청 검체를 이용하여 HE4와 CA-125를 전기화학발광 면역분석법(electrochemiluminescence immunoassay, ECLIA)으로 시행하여 검사치를 구한다. 폐경 전후로 나누어 아래 수식에 대입하여 PI(predictive Index)를 계산한다. 폐경 전후 다른 기주치를 적용하여 알고리즘에서 난소암을 예측하고, 고위험군과 저위험군으로 나눈다.

폐경 전 PI = −12.02+2.38*LN[HE4]+0.0626*LN[CA125]
폐경 후 PI = −8.09+1.04*LN[HE4]+0.732*LN[CA−125]
PI를 이용하여 ROMA score에 적용하면 ROMA score (%) = exp(PI)/[1+exp(PI)]*100

단순 낭성종양의 경우에는 폐경기 전후에서 대부분 양성이며(Osmers et al., 1996), 특히 낭종에 출혈이 동반되어 있는 경우는 거의 양성종양이다(Reynolds et al., 1986). 그렇지만 낭종의 크기가 증가하고 나이가 많을수록 악성의 가능성이 있다(Roman, 1998). 몇몇 연구에 의하면 수술 후 조직검사상 낭종의 크기가 5 cm보다 작은 경우 0.5%에서 악성을 나타내었고, 5-10 cm 경우에는 단지 2%에서만 악성을 나타내었다(Conway et al., 1998). 폐경 전 여성에서 경우 직경이 3 cm 이상인 단순 낭종의 경우 6-8주 간격으로 초음파검사를 시행하면서 추적검사를 한다. 그렇지만 계속적으로 크기가 증가하거나 감소하지 않을 경우 추가적인 검사 혹은 본격적인 치료를 하는 것이 바람직하다. 폐경 후 여성에게서는 직경이 5 cm보다 작은 경우에는 초음파로 추적 관찰하면서 크기가 증가하거나, 모양의 변화, 복수의 발생 그리고 혈중 CA-125의 증가가 있을 경우 수술을 시행하며, 직경이 5 cm 이상인 경우에는 제거하도록 한다.

복합 성분의 난소종양의 경우 초음파검사상 나타나는 형태 즉 중격, 고형성 부위의 형태, 종양 벽의 두께의 불규칙성, 초음파의 음영 등에 의해 특징 지어질 수 있다. 폐경 전 여성의 경우 지속적인 복합성 난소종양으로 수술을 받은 경우 약 17% 경우 악성으로 판명되었고(Osmers et al., 1996), 폐경 후 여성의 경우는 초음파검사로 추적 관찰 중 계속적으로 남아 있는 경우 7.9%에서 악성으로 판명되었다(Bailey et al., 1998). 따라서 복합성 내용물이 있는 경우에는 색도플러(color Doppler)검사, MRI 혹은 CT 등을 적용하여 감별 진단한다.

고형성분의 난소종양인 경우는 양성난소기형종, 섬유종 및 양성이행세포종일 경우를 제외하고는 대부분 악성으로 추정된다. 따라서 계속적인 추적 초음파검사뿐만 아니라, MRI, CT 등을 시행하는 것이 진단과 치료에 많은 도움이 된다. 치료는 양측성, 악성의 가능성, 유두상 돌기의 존재 여부 및 향후 가임력 보존 여부가 중요하며 수술 시에 시행하는 동결절편검사(frozen biopsy)로 양성종양의 확인이 수술의 범위를 결정하는 중요요소이다. 양성난소종양의 수술적 치료는 일측부속기절제술을 시행하며, 나이가 많고 가임기가 지난 경우 또는 자궁에 다른 병변이 있는 경우 자궁절제술을 같이 시행할 수 있고 폐경기 여성에서는 양측 부속기절제술을 시행할 수 있다.

참고문헌

- 김재천, 정종태, 손성대, 배국환. 난소종양의 임상 및 조직병리학적 고찰. 대한산부회지 1995;38:881-94.
- 대한병리학회. 병리학. 제5판. 서울: 고문사 2003;793-801.
- 대한산부인과학회 한국 부인암 등록사업 조사보고서. 대한산부회지 2004;47:1029-70.
- 목정은, 남주현. 경계성 난소종양. 대한부인종양 콜포스코피학회지 1993;497-109.
- 박연우, 최병익, 한종설, 김성도, 안재영. 난소종양의 임상 및 병리학적 고찰. 대한산부회지 1994;37:1638-48.
- 송성, 정상윤, 강인구, 김종원, 이원명, 강상대 등. 난소종양의 임상 병리학적 고찰. 대한산부회지 1990;33:648-58.
- 이진교, 송은섭, 최석진, 주영채, 황성욱, 임문환 등. 난소종양의 임상 및 조직병리학적 고찰. 대한산부회지 2005;48:919-28.
- 조삼현, 김승룡, 문형, 이재억, 황윤영, 문영진 등. 난소의 경계성상피 종양의 임상 및 병리학적 고찰. 대한부인종양 콜포스코피학회지 1999;10:115-21.
- 조윤숙, 김성진, 박찬수, 오병전. 난소종양의 임상 및 조직병리학적 고찰. 대한산부회지 1994;37:1255-65.
- 주경란, 이상훈, 오봉수, 김주욱. 난소종양의 임상 및 조직병리학적 고찰. 대한산부회지 1990;33:84-94.
- Athey PA, Siegel MF.Sonographic features of Brenner tumor of the ovary. J Ultrasound Med 1987;6:367-72.
- Bailey CL, Ueland FR, Land GL. The malignant potential of small cystic ovarian tumor in women over 50 years of age. GynecolOncol 1998;69:3-8.
- Chen VW, Ruiz B, Killeen JL, Coté TR, Wu XC, Correa CN, Howe HL. Pathology and classification of ovarian tumors. Cancer 2003;97:2631-42.
- Conway C, Zalud I, Dilena M: Simple cyst in the postmenopausal patients: Detection and management. J Ultrasound Med 1998; 17:369-43.
- Green GE, Mortele KJ, Glickman JN, Benson CB. Brenner Tumors of the Ovary Sonographic and Computed Tomographic Imaging Features.J Ultrasound Med 2006;25:1245-51.
- Hallatt JG, Steele CH Jr, Snyder M. Ruptured corpus luteum with hemoperitoneum: a study of 173 surgical cases. Am J Obstet Gynecol 1984;149:5-9.
- Kurman RJ: Blaustein's Pathology of the Female Genital Tract, 4th ed. Edingburgh: Churchill Liningstone; 1995.
- Lee JK, Bodur S, Guido RS.The gynecologic management of hemoperitoneum.Obstet Gynecol 123(Suppl 1): 125S, 2014.
- Osmers RGW, Osmers M, von Maydell B: Preoperative evaluation of ovarian tumors in the premenopause by transvaginosonography. Am J Obstet Gynecol 1996;175:428-34.
- Poole TR. Mucinous cystadenomas of the ovary: Analysis of cases at Charleston Area Medical Center, Memorial Division. W Virg Med J 1979;75:35-8.
- Pretorius RG, Matory EW Jr, LaFontaine D. Management of massive ovarian tumors. SurgGynecol Obstet 1989;169:532-6.
- Reynolds T, Hill MC, Glassman LM: Sonography of hemorrhagic findings in hemorrhagic ovarian cysts. J Clin Ultrasound 1986;14:449-54.
- Roman LD: Small cystic pelvic masses in older women: Is Surgical Removal Necessary? Gynecol Oncol 1998;69:1-5.
- Karlsen MA, Sandhu Nm Hogdall C: Evaluation of HE4, CA125, risk of ovarian malignancy algorithm (ROMA) and risk of malignancy index (RMI) as diagnostic tools of eptheliial ovarian cancer in patients with a pelvic mass 2012; 127:379-83.
- Scully RE, Young RH, Clement PB. Tumors of the ovary, maldeveloped gonads, fallopian tube, and broad ligament. In: Atlas of tumor pathology. Fascicle 23, 3rd series. Washington: Armed Forces Institute of Pathology; 1998.
- Zhao C. Pathogenesis of Ovarian Clear Cell Adenofibroma, Atypical Proliferative (Borderline) Tumor, and Carcinoma: Clinicopathologic Features of Tumors with Endometriosis or Adenofibromatous Components Support Two Related Pathways of Tumor Development. J Cancer 2011;94-106.

제18장

자궁내막증식증

김종혁 | 울산의대
김미경 | 차의과학대
성석주 | 차의과학대

1. 정의

자궁내막증식증이란 자궁내막의 분비샘(gland)과 간질(stroma)이 비정상적으로 증식하는 질환으로 호르몬에 의한 과도한 생리적 변화에서 전암병변(precancerous lesion)인 상피내암에 이르기까지 다양한 범주를 나타낸다.

조직학적으로는 증식기의 정상 자궁내막에 비해 불규칙적인 모양과 크기의 자궁내막샘의 증식, 간질에 대한 샘 비율의 증가(increased gland/stroma ratio)로 정의된다.

자궁내막증식증은 비정상적인 출혈 증상을 일으킬 수 있을 뿐 아니라 자궁내막암으로 진행하거나 암과 동시에 발생할 수 있으므로 임상적으로 중요한 의미를 가진다.

2. 발생원인 및 위험인자

자궁내막증식증의 발생은 근본적으로 프로게스테론(progesterone)의 길항작용없이 지속되는 에스트로겐(estrogen)의 자궁내막세포 자극에 기인한다. 따라서 에스트로겐 과다 또는 프로게스테론 부족으로 인해 자궁내막이 과도하게 자극받게 되는 다음의 상황이 자궁내막증의 위험인자로 작용할 수 있다.

1) 무배란(Anovulation)

다낭성난소증후군(polycystic ovarian syndrome)이나 폐경 이행기(perimenopause)에 동반될 수 있는 무배란 주기에서는 황체가 형성되지 않아 프로게스테론이 분비되지 않고, 프로게스테론의 길항 작용 없는 에스트로겐의 지속적인 자극으로 인해 자궁내막증식증이 발생할 수 있다.

2) 비만

부신에서 생성되는 안드로스테네디온(androstenedione)은 말초, 특히 지방조직에서 에스트론(estrone)으로 전환되어 혈중 에스트로겐의 농도를 증가시킬 수 있는데, 비만한 여성의 경우 이러한 에스트로겐 변환의 양이 증가되어 자궁내막증식증의 위험인자로 작용할 수 있다. 따라서 난소에서 에스트로겐의 생성이 일어나지 않는 폐경 여성의 경우에도 이러한 말초 조직에서의 에스트로겐 생성으로 인해 자궁내막증식증이 발생할 수 있으며 이는 비만 여성에서 두드러진다.

3) 에스트로겐 분비 난소종양

에스트로겐을 분비하는 난소종양, 예를 들어 과립막세포종(granulaosa cell tumor)이나 난포막세포종(thecoma)으로 인해 자궁내막증이 발생할 수 있다.

4) 에스트로겐 약물 사용

양측난소를 절제한 젊은 여성 또는 난소발육부전(ovarian agenesis), 조기난소부전(premature ovarian failure), 갱년기증후군 여성에서 호르몬대체요법을 시행하는 경우 프로게스테론의 길항작용이 적절하지 못하면 자궁내막증식증이 초래될 수 있다. 장기간의 타목시펜(tamoxifen) 사용 또한 자궁내막증식증의 위험인자가 될 수 있다.

3. 분류

1) 조직학적 분류의 기준

자궁내막은 가임기 동안에 복잡하면서도 규칙적인 주기를 따라 증식하고, 분화하고, 소멸하고 재생성된다. 이러한 높은 세포회전(turnover)은 난소호르몬과 성장 인자들에 의해 조절되고 있지만 종종 규칙적인 조절을 잃어버리기도 한다. 자궁내막증식증은 샘(gland)과 간질(stroma)의 에스트로겐 의존성 증식과 같은 양성 형태에서부터 유전학적으로 변이된 세포의 단일클론확대(monoclonal expansion of a genetically aberrant cell)로 인해 유발되는 전암병변에 이르기까지 다양한 형태를 포함한다. 하지만 자궁내막 검체의 경우 대부분이 분절되어 있고 검체의 양이 적으며 같은 검체 내에서도 다양한 형태학적 변이가 나타나므로 일관성 있고 임상적으로 의미있는 분류기준을 규정하기 어렵다.

다소 주관적이기는 International Society of Gynecological Pathologists에 의한 조직학적 분류체계가 가장 널리 받아들여져온 방법으로 자궁내막조직의 구조적(architectural), 세포학적(cytologic) 특징에 따른 해석방법이다. 구조적으로는 샘구조의 복잡성(complexity), 밀집도(crowding)에 따라 단순성(simple)과 복잡성(complex)로 분류되고, 세포학적으로는 핵의 비정형성(atypia) 유무에 따라 분류된다(Tavassoli et al., 2003).

세포의 비정형성은 자궁내막증식증이 자궁내막암으로 이행하는 데에 가장 중요한 예후인자로서 암으로의 진행가능성은 비정형성의 유무 및 정도와 연관성이 있다. 비정형성이 없는 증식증의 경우 자연적으로 소멸되는 경향이 있는 반면 비정형성이 있는 경우에는 지속 또는 악화되는 경향을 가졌다. Kurman 등이 발표한 자궁내막증식증의 자연사에 대한 연구에 따르면 자궁내막증식증을 가진 170명의 여성을 13.4년간 추적 관찰한 결과, 비정형성이 없었던 122명의 환자에서는 단 2명(1.6%)만이 암으로의 진행을 보였으며 2명 모두에서 암으로 진단되기 전 재검사 시 비정형성증식증으로의 진행을 보였다. 반면 비정형성 증식증 환자 49명 중에서는 11명(23%)이 평균 4년에 걸쳐 암으로 진행하였으며 특히 복잡비정형증식증의 경우에는 29%에서 자궁내막암으로 진행하였다(표 18-1). 또한 자궁내막조직검사상 비정형성증식증이 확인되어 자궁절제술을 시행한 환자의 약 25% 정도에서 잘 분화된 자궁내막샘모양암

표 18-1. 비정형성이 없는 자궁내막증식증 환자와 비정형성이 있는 자궁내막증식증 환자의 추적관찰 비교

증식증 형태	환자 수	퇴행(regression)	지속(persistent)	암종으로의 진행(progression)
단순증식증	93	74 (80%)	18 (19%)	1 (1%)
복잡증식증	29	23 (80%)	5 (17%)	1 (3%)
단순비정형증식증	13	9 (69%)	3 (23%)	1 (8%)
복잡비정형증식증	35	20 (57%)	5 (14%)	10 (29%)

종(well differentiated endometrioid adenocarcinoma)이 동반되어 있었는데 비정형성 증식증 중에서도 세포의 비정형성이 두드러지고 감수분열 비율이 높으며 세포중첩이 많을수록 자궁내막암과 동반되어 있는 경우가 많았다(Kurman et al.,1985).

2) 분류체계(Classification)의 변화

자궁내막증식증의 분류에서 임상적으로 가장 중요한 목표는 양성과증식(benign proliferation)과 전암병변을 구분하는 것이다. 이러한 필요성에 의해 암으로의 진행가능성을 예측하기 위한 다양한 조직형태학적 특징이 연구되어 왔으며 이를 바탕으로 자궁내막증식증의 분류체계가 보완, 발전되어 왔다.

1994년 World Health Oranization (WHO)에서 발표한 분류법이 가장 널리 사용되어 왔는데 이는 앞서 언급한 조직학적 기준에 따라 비정형성이 없는 단순증식증(simple hyperplasia without atypia), 비정형성이 없는 복잡증식증(complex hyperplasia without atypia), 단순비정형증식증(simple atypical hyeprplasia), 복잡비정형증식증(complex atypical hyperplasia)의 4가지 카테고리로 자궁내막증식증을 분류하는 것이다. 하지만 이러한 WHO 94 분류체계에 대해서는 발병에 대한 분자학적 근거(pathologic molecular basis)가 부족하고 진단재현성(reproducibility)이 떨어지며, 각 단계별 진단과 치료가 직접적으로 연결되지 않는다는 문제가 지속적으로 제기되었다.

이후 다양한 연구들을 통해 자궁내막증식증은 에스트로겐의 지속적인 자극으로 인해 발생되는 양성의 과증식상태와 유전학적으로 변이된 세포에 의해 발생되는 전암병변상태의 이원적 성질(dual nature)을 가진다는 이론이 제기되었고 이를 대변하는 EIN (endometrial intraepithelial neoplasia) 분류체계가 새롭게 제시되었다. 조직학적인 관찰소견만을 분류의 기준으로 하는 WHO 94와는 달리 EIN 분류체계는 분자유전학적 기반에 의거, 정량화된 형태학적 분석을 바탕으로 자궁내막증식증을 분류한다. 분류의 기준이 되는 3가지 조직형태학적 변수는 샘의 밀집(glandular crowding)과 병변의 크기(lesion diameter >1 mm), 그리고 근접한 자궁내막조직과의 세포학적 차이(cytology different from adjacent endometrium)이며 이에 대한 객관적인 점수체계에 따라 자궁내막암으로의 진행가능성을 평가, 양성 자궁내막증식증(benign endometrial hyperplasia)과 전암병변으로서의 자궁내막상피내암(endmetrial intraepithelial neoplasia)의 2가지 카테고리로 자궁내막증식증을 분류한다. 이러한 EIN분류체계는 WHO 94 분류체계에 비해 진단재현성이 높고 암으로의 진행가능성을 보다 정확하게 예측하여 임상적인 치료방향 제시에 도움을 줄 수 있는 방법으로 인정되었으며 2003년 WHO에 의해 채택되었으나 임상적으로 널리 활용되지는 못하였다(Baak et al., 2005).

3) WHO 2014 분류

2014년 WHO에서는 개정된 자궁내막증식증의 분류체계를 발표하였는데 이는 EIN 분류체계의 이중 분류 개념을 받아들여 양성 자궁내막증식증인 비정형성이 없는 자궁내막증식증(non-atypical endometrial hyperplasia)과 전암병변, 즉 자궁내막상피내암인 비정형 자궁내막증식증(atypical endometrial hyperplasia)의 2가지 카테고리로 자궁내막증식증을 구분하는 것이다(Ziono et al., 2014)

비정형성이 없는 자궁내막증식증은 관련된 유전학적 변이가 관찰되지 않으며 대개 호르몬에 대한 양성변화로서 치료 후 정상화될 가능성이 높지만 오랜 기간 호르몬의 불균형이 지속될 경우 약 1-3%에서 암으로 진행될 수 있다. 반면 비정형 자궁내막증식증의 경우 침윤성 자궁내막샘모양암종(endometrioid endometrial cancer)과 동일한 유전학적 변이를 나타낼 수 있으며 최대 60%에서 암과의 동반 또는 암으로의 진행 가능성을 나타낸다. 따라서 비정형성이 없는 자궁내막증의 경우 보존적 치료가 가능하지만 비정형성이 있는 경우에는 수술적 치료를 반드시 고려해야만 한다. 이처럼 WHO 2014의 이중분류법은 자궁내막증식증에 대한 새로운 유전학적 이해의 변화를 반영할 뿐 아니라 기존에 4가지 카테고리로 구분되던 WHO 94 체계에서 문제점으로 제기되었던 진단카테고리와 치료가 직접적으로 연결되지 않는 점에 대한 혼란을 줄일 수 있다. 양성병변과 전암병변의 감별은 주로 형태학적 분류를 따르지만 추가적인 면역조직화학검사와 분자학적 변이에 대한 검사를 시행할 수 있다. WHO 2014는 결국 치료적 측면에서 다르게 접근되어야 하는 병변의 조직학적, 임상적 구분을 바탕으로 적절한 치료방향 설정에 도움을 주기 위한 새로운 분류체계이다.

주의해야 할 점은 새로운WHO 2014 분류체계는 EIN 체계와 동일한 개념의 이중 분류법이므로 비정형성이 없는 자궁내막증식증(non-atypical endometrial hyperplasia)과 비정형성 자궁내막증식증(atypical endometrial hyperplasia)이라는 용어의 사용으로 인해 기존의 WHO 94 분류에서 구조적 분류체계를 없애고 단순히 비정형성의 유무만으로 자궁내막증식증을 분류하는 개념으로 인식되어서는 안 된다는 것이다.

최근 발표된 연구에 따르면, WHO 94 분류에서의 비정형성을 동반하지 않는 자궁내막증식증과 EIN 분류에서의 양성자궁내막증식증, 그리고 WHO 94에서의 비정형성 자궁내막증식증과 EIN에서의 자궁내막상피내암에 대한 진단 일치율을 비교해보았을 때 두 분류체계의 일치성은 대체로 보통(moderate)이었다. 그러나 부분군 분석(subgroup anlaysis)에 따르면 비정형성이 없는 단순 자궁내막증식증과 양성자궁내막증, 그리고 비정형성이 있는 복잡 자궁내막증식증과 자궁내막상피내암 사이의 진단 일치율은 높았던 반면 비정형성이 없는 복잡 자궁내막증식증과 양성자궁내막증식증, 비정형성 단순자궁내막증식증과 자궁내막상피내암사이의 진단일치율은 떨어지는 결과를 보였다. 비정형성이 없는 단순 자궁내막증식증 중 단 6%만이 자궁내막상피내암으로 분류되었지만 비정형성이 없는 복잡 자궁내막증식증 중에서는 50%가 자궁내막상피내암으로 진단되었으며 비정형성 복잡 자궁내막증식증의 90% 이상이 자궁내막상피내암으로 진단된 반면 비정형성 단순자궁내막증식증에서는 15%만이 자궁내막상피내암으로 진단되었다(Travaglino et al., 2020)(그림 18-1).

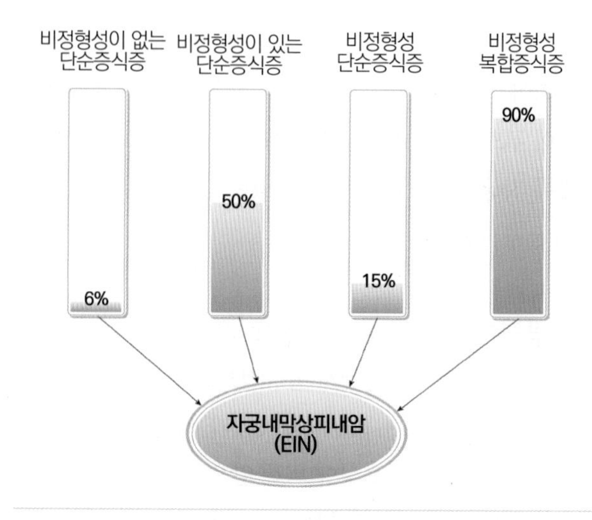

그림 18-1. **WHO94와 EIN분류체계의 진단일치율**

이러한 결과는 세포의 비정형성뿐 아니라 샘구조의 복잡성 또한 자궁내막상피내암의 중요한 진단적 특징이 될 수 있기 때문이다. WHO 2014에서 자궁내막상피내암/비정형자궁내막증식증은 EIN 분류에서의 전암병변의 기준에 맞추어 밀집된 샘구조의 특징을 가진다는 점에 주의해야 하며 샘의 밀집(glandular crowding) 없이 세포의 비정형성만이 단독으로 보이는 경우 화생(metaplastic), 재생(regenerative), 또는 염증과 관련된 변화일 수 있으므로 전암병변으로 인지되지 않는다. 또한 샘구조의 복잡성, 세포의 비정형성에 대한 접근도 주변자궁내막조직과의 비교를 통해 평가하여야 한다.

4. 증상 및 진단

1) 임상 증상

자궁내막증식증에서 나타날 수 있는 가장 흔한 임상 증상은 비정상적인 자궁출혈이다. 자궁내막증식증의 위험 요인으로 작용하는 프로게스테론의 길항작용 없는 에스트로겐의 과다 분비는 자궁내막의 과도한 증식과 불안정한 증식성 내막으로부터의 에스트로겐 파탄성 출혈(breakthrough bleeding)을 일으킬 수 있다.

폐경 후 여성에서 질 출혈이 있을 경우 항상 암의 가능성을 염두에 두어야 하지만 실제로 이 연령대의 여성에서 질 출혈의 가장 흔한 원인은 자궁내막 위축으로 알려져 있다(Montgomery et al., 2004). Lidor 등은 폐경 후 질 출혈이 있는 환자 226명을 대상으로 출혈의 원인을 조사하였는데, 암종이 있었던 경우가 7%, 자궁내막 증식증이 있었던 경우가 15%, 자궁내막 위축이 있었던 경우가 56%로 보고되었다. 자궁내막증식증이나 암일 때는 주로 심한 출혈을 호소하는 반면 위축성일 때는 소량의 질 출혈을 호소하는 경우가 많았다(Lidor et al., 1986).

2)진단

비정상적인 자궁출혈이 있는 경우 대개 자궁내막 병변에 대한 진단적 검사를 시행하게 되는데, 확진을 위해서는 자궁내막생검 등의 조직검사가 필수적이다.

40세 이하의 여성에서 비정상적인 자궁출혈을 보이는 경우는 대부분 호르몬의 불균형에 의한 것으로 초음파촬영술이나 자궁내막생검과 같은 추가적인 검사가 필요없이 자연적으로 치유되는 경우가 많다. 그러나 40세 이하의 여성이라 하더라도 비만이나 다낭성난소증후군과 같이 자궁내막증식증, 자궁내막암의 선행 위험요인이 있는 경우에는 초음파촬영술이나 자궁내막생검과 같은 포괄적인 검사가 시행되어야 한다.

또한, 출혈 등의 증상 없이 초음파 상 두꺼워진 자궁내막으로 인해 자궁내막증식증을 진단받는 경우가 적지 않으므로 우연히 시행한 초음파검사에서 자궁내막이 두꺼워져 있는 경우 자궁내막증식증을 진단하기 위한 추가 검사가 필요하다(Montgomery et al., 2004).

(1) 초음파촬영술

질 초음파촬영술은 자궁내막 병변의 유무를 살펴볼 수 있는 비침습적이면서 비교적 저렴한 진단 방법이다. 폐경 후 여성에서 자궁내막증식증이나 자궁내막암에 대한 선별검사(screening test)로써 초음파검사의 효율성은 아직까지 밝혀진 바가 없지만, 폐경 후 출혈 증상이 있는 여성에서 자궁내막생검이나 소파술과 같은 추가적인 검사의 필요 여부를 결정하는 데에 도움을 줄 수 있다. 최근 발표된 체계적 문헌고찰에 따르면 폐경 후 출혈 증상이 발생한 여성에서 초음파검사 상 자궁내막두께의 절단값(cut off value)을 3-4 mm로 하였을 때 자궁내막암에 대한 음성예측도는 99% 이상이다(Timmermans et al., 2010).

폐경 전 여성의 경우 생리 주기에 따라 자궁내막의 두께가 달라지기 때문에 자궁내막의 두께만으로 증식증의 여부를 예측하는 것은 한계가 있으며 자궁내막의 구조적인 이상을 함께 살펴보아야 한다. 자궁내막에 대한 초음파검사는 월경주기 5-10일째인 초기 증식기(early proliferative phase)에 시행하는 것이 자궁내막두께 측정에 오차를 최소화할 수 있으며 초음파상 이상이 있을 경우는 물론 초음파상 이상이 없더라도 비정상적 출혈이 지속, 재발하는 경우 조직검사를 고려해보아야 한다.

(2) Pipelle 자궁내막생검(endometrial biopsy)

비정상 자궁출혈이 있는 여성에서 pipelle을 이용한 자궁내막생검은 조직학적 확진을 위해 마취 없이 외래에서 시행할 수 있는 비교적 저렴하면서 효율적인 검사방법이다. 자궁내막암이나 자궁내막증식증의 진단에 있어 비교적 높은 정확도를 보이며 소파술과 비교해서도 흡사한 진단일치도를 보인다(Demirkiran et al., 2012).

하지만 Dijkhuizenl 등이 발표한 자궁내막생검의 정확도에 대한 메타 분석에 따르면 폐경기 여성에서는 pipelle 검사의 민감도가 자궁내막암에서는 99%에 이르지만 자궁내막증식증에서는 75%까지 감소하는 것으로 보고되어 주의를 요한다(Dijkhuizenl et al., 2000).

(3) 자궁경하 소파검사 또는 경관확장 자궁소파술(hysteroscopy and/or dilatation and curettage)

자궁경검사는 자궁내막강을 직접 살펴보기 위한 가장 좋은 검사 방법으로 자궁내막 폴립이나 점막하 자궁근종에 대한 검사 민감도는 각각 92%와 82%에 이른다. 하지만 자궁내막증식증이나 자궁내막암을 진단하려면 자궁경검사 단독으로는 높은 위양성률을 가지기 때문에 조직학적 진단을 위한 소파검사가 병행되어야 한다.

Ceci 등은 외래에서 시행되는 자궁경검사(office microscopy)를 이용한 조준 생검의 경우 자궁절제술 후 밝혀진 최종진단과 비교했을 때, 민감도와 특이도, 양성 예측도, 음성 예측도가 각각 98%, 95%, 96%, 98%에 이른다고 보고하였다(Ceci et al., 2002).

(4) 초음파자궁조영법(sonohysterography)

초음파자궁조영법은 비정상 자궁출혈이 있는 여성에서 비교적 새로운 진단적 접근방법으로 질 초음파촬영술에 비해 폴립이나 점막하 자궁근종 등과 같은 자궁내 병변을 더 잘 밝혀 낼 수 있다는 것이 이점이다. 그러나 초음파자궁조영법 단독으로는 자궁내막 증식증이나 자궁내막암을 진단하는데 제한점이 있고, pipelle을 이용한 자궁내막생검 방법은 자궁내막 증식증이나 자궁내막암을 진단하는 데는 효율적이지만 용종이나 근종같은 자궁내 양성질환을 진단하는 데는 민감도가 떨어진다. 따라서 여러 연구자들은 폐경 후 출혈의 원인을 밝히고자 초음파자궁조영법과 pipelle을 이용한 자궁내막생검을 병용하고 있는데, 종전의 절대 표준으로 여겨지던 자궁경하 소파검사와 비교하면 민감도가 94% 이상 높은 것으로 알려져 있다(O'Connell et al., 1998; Mihm et al., 2002).

비정상 출혈의 원인을 찾고자 어떤 진단방법을 이용할 것인가를 결정하는 데에는 환자의 나이나 자궁내막암에 대한 위험인자의 여부가 중요한 영향을 준다. 폐경 후 출혈이 발생한 환자에서는 먼저 이학적 검사를 시행하여야 하며 만약 이학적 검사만으로 출혈의 원인이 설명되지 않는 경우에는 질 초음파촬영술을 시행하여야 한다. 초음파상 자궁내막의 두께가 5 mm 미만인 경우 위축성 출혈의 가능성이 높다. 그러나 자궁내막이 5 mm 이상으로 두꺼워져 있거나 설명되지 않는 질 출혈이 지속되는 경우에는 자궁내막 생검을 시행하여야 하며, 생검에서 자궁내막증식증이나 진단된 경우 좀 더 많은 조직을 얻기 위하여 경관확장 소파술(dilatation and curattage)을 시행하여야 한다.

폐경 이전의 여성에서 발생한 비정상 출혈의 경우는 주로 호르몬 불균형이 원인이므로 대부분 자연 치유가 되지만, 골반 진찰에서 이상이 있는 경우에는 초음파를 시행하는 것이 도움이 된다. 또한 비만이나 다낭성난소증후군과 같은 자궁내막암의 위험인자가 있는 경우, 출혈증상이 지속적으로 발생하는 경우에는 초음파검사 및 자궁내막 생검을 시행해야 한다(Montgomery et al., 2004).

5. 감별진단

1) 만성자궁내막염

만성자궁내막염이 있는 경우에도 자궁내막샘의 불규칙성과 밀집도가 증가하여 자궁내막증식증과 유사하게 관찰될 수 있다. 다양한 화생 변화는 유두모양의 구조적 특징이나 호산성 또는 섬모 화생(eosinophilic or ciliated metaplasia)과 같은 세포학적 양상을 나타냄으로써 비정형증식증의 세포양상과 비슷한 형태를 보일 수 있다(Berek et al., 2005).

2) 분화성이 좋은 샘 암종(Well-Differentiated Adenocarcinoma)

비정형 증식증을 진단하는 데 있어 잘 분화된 샘 암종과 구별하는 것은 매우 중요하다. 특히, 채취된 생검 검체가 적을 때 감별진단을 하기 어려운 경우가 많다. 감별진단을 위한 여러 가지 진단 기준이 제시되어 왔지만 가장 중요한 것은 간질의 침범 유무로서, 간질이 침범된 샘암종의 경우에는 샘들이 서로 융합되거나(confluent gland), 결합조직 형성 기질반응(desmoplastic stromal reaction), 간질괴사(stromal necrosis)의 양상이 나타난다. Kurman 등이 발표한 또 다른 샘 암종 감별진단 기준으로는 편평 상피세포들이 고형판(solid sheet)을 이루어 샘들을 대체하거나 복잡한 유두상 돌기들을 형성하는 것 등이 있는데, 이러한 양상과 서로 융합된 샘(confluent gland)들이 저배율에서 적어도 반 이상을 차지하고 있어야 한다. 하지만 자궁내막 검체의 양이 적은 경우 이러한 정량적인 기준으로 정확한 진단을 내리기 어려워 샘암종을 비정형성 자궁내막증식증으로 낮추어 진단할 수도 있고, 생검에서 비정형 자궁내막증식증으로 진단되어 자궁적출수술을 시행한 경우 최종 조직검사에서 샘암종이 진단되는 경우도 17-43%까지 보고된다(Berek et al., 2019).

6. 치료

자궁내막증식증 치료의 목적은 출혈 등 증상의 완화와 자궁내막암으로의 진행을 방지하는 데에 있다. 치료의 방법은 크게 약물 치료와 수술적 치료로 나뉘며 특히 약물 치료 시에는 비만, 무배란 등 교정 가능한 위험인자의 확인과 교정이 병행되어야 한다.

비정형성이 동반되지 않은 자궁내막증식증의 경우 암으로 진행될 가능성이 상대적으로 적고, 자연관해율이 높으며, 약물 치료에 대한 반응성도 높다. 비정형성이 있는 자궁내막증식증의 경우에도 환자가 가임력을 보존해야 하는 경우에는 약물치료를 시도할 수 있지만, 현재 자궁내막암과의 동반 유무를 철저히 검사해야 하며 추후에도 지속적인 추적관찰이 필요하다.

1) 프로게스틴(Progestin) 치료

프로게스틴은 에스트로겐에 의한 자궁내막의 과다 증식을 조절하는 기전으로 비정형성이 없는 자궁내막증식증의 치료에 가장 널리 사용되고 있다. 경구, 근육 내 주사, 프로게스틴 함유 자궁내장치의 삽입의 경로로 투여할 수 있는데 전통적으로는 경구용 프로게스틴이 가장 많이 사용되어 왔다. 하지만 최근 다양한 연구를 통해 프로게스틴 함유 자궁내장치(levonorgestrel releasing intrauterine devise, LNG-IUD)의 우수한 치료 효과와 적은 부작용이 증명되었으며 2016년 발표된 RCOG (Royal College of Obstetricians&Gynecologists) 권고안에서는 프로게스틴 함유 자궁내장치를 자궁내막증식증의 약물치료에 있어 첫 번째 치료 방법으로 권고하고 있다. RCOG에 따르면 비정형성이 없는 자궁내막증식증에서 첫 번째로 권고되는 치료는 프로게스테론 함유 자궁내장치 삽입이며 불가능할 경우 경구용 프로게스틴(medroxyprogesterone acetate 10-20 mg/day 혹은 norethisterone 10-15 mg/day)을 매일 6개월간 복용하는 방법을 권고하고 있다(Gallos et al., 2016).

(1) 경구용 프로게스틴

경구용 프로게스틴은 자궁내막증식증의 치료에 전통적으로 가장 많이 사용되어 온 방법으로 medroxyprogesterone acetate (MPA)와 megestrol acetate (MA)가 가장 널리 사용되고 있으며 norethisterone, levonorgestrel, lynestrenol 등의 사용도 보고되고 있다.

한 달 내내 매일 연속적으로 복용할 수도 있고 한 달에 10-14일 정도 주기적으로 복용할 수도 있다. 치료 용량과 기간은 다양해서 확립된 방법이 있지는 않지만 우리나라 부인종양연구회(Korean Gynecologic Oncology Group, KGOG) 회원들을 대상으로 한 설문조사에 따르면 비정형이 없는 자궁내막증식증에서는 하루에 MPA 10-20 mg을 한 달에 10-14일 주기적으로 3개월간 복용하는 경우가 가장 많았고 비정형이 있는 경우에는 MA 160-320 mg을 매일 6개월간 복용하는 경우가 가장 많았다(Kim et al.,2015).

하지만 최근 발표된 RCOG 권고안에 따르면 경구용 프로게스틴의 주기적인 복용은 연속 복용이나 프로게스틴 함유 자궁내방치에 비해 치료 효과가 떨어지므로 더 이상 자궁내막증식증의 치료 방법으로 권고되지 않는다. 프로게스틴의 주요 부작용으로는 체중 증가, 부종, 혈전 정맥염 등이 발생할 수 있어 사용 시 주의를 기울여야 한다.

(2) 프로게스틴 함유 자궁내장치

프로게스틴 함유 자궁내장치는 피임장치의 일종으로 levonogetrel을 함유하고 있는 저장소가 있어서 매일 일정한 양의 프로게스틴을 자궁내막으로 직접 분비한다. 따라서 경구용 프로게스틴 복용에 비해 100배 이상의 프로게스틴 농도를 자궁내막에 유지시키면서 전신적인 부작용은 최소화시킬 수 있다.

우리나라에서 이루어진 자궁내막증식증에 대한 프로게스틴 함유 자궁내장치의 치료효과에 대한 전향적 연구에서는 75명의 환자 중 치료 12개월째 38명의 환자가 추적 관찰되었으며 94.7% (36/38)의 높은 관해율을 보였다(Kim et al., 2016). 또한 최근 발표된 메타분석과 무작위 3상 연구에 따르면 프로게스틴 함유 자궁내장치의 자궁내막증식증에 대한 치료 효과가 경구용 프로게스틴보다 더 우수한 것으로 나타났으며 현재 자궁내막증식증의 약물치료에 있어 첫 번째 치료 방법으로 권고되고 있다(Abu Hashim et al., 2015, Gallos et al., 2010).

2) 프로게스틴 이외의 약물치료

Insulin sensitizing agent인 metformin과 rosiglitazone도 자궁내막증식증의 치료로 시도되고 있다.

그 외에 gonadotropin-releasing hormone agonists와 aromatase inhibitors도 치료로 사용한 보고가 있지만 아직 효과가 있다고 판단하기에는 자료가 부족하다.

3) 수술적 치료

(1) 자궁적출술

비정형성을 동반한 자궁내막증식증은 자궁내막암을 동반하고 있을 가능성이 높고 향후에 자궁내막암으로 발전할 가능성도 높기 때문에 더이상 자녀계획이 없다면 자궁적출술이 최선의 방법이다. 비정형성이 없는 자궁내막증식증이더라도 약물 치료 중 비정형성 자궁내막증식증으로 진행되거나 약물치료에 반응이 없는 경우, 약물치료에도 불구하고 출혈 증상이 지속되는 경우 등에는 자궁적출술의 적응증이 될 수 있다.

(2) 자궁적출술 이외의 수술적 치료

내과적 문제 때문에 자궁적출술 등의 큰 수술을 할 수 없을 경우에 자궁내막절제술이나 소작술을 하기도 한다. 이론적으로는 자궁내막을 제거하거나 파괴시키면 자궁내막증식증이 자궁내막암으로 진행하는 것을 막을 수 있지 않을까 생각되지만, 실제로는 모든 자궁내막을 완전히 파괴하기 어렵고 소작술 후 발생할 수 있는 자궁내 유착으로 인해 초음파나 자궁내막 조직검사로 추적관찰하기도 어려워서 아직까지는 권유되는 치료법은 아니다.

참고문헌

- 고지경, 최훈, 강응선, 김명환, 박기현, 이철민 등. 폐경 전 여성의 비정상 자궁출혈의 임상 및 병리학적 고찰-자궁내막 증식증의 예측인자의 평가. 대한산부회지 2004;47:139-45.
- Abu Hashim H, Ghayaty E, El Rakhawy M. Levonorgestrelreleasing intrauterine system vs oral progestins for non-atypical endometrial hyperplasia: a systematic review and metaanalysis of randomized trials. Am J Obstet Gynecol 2015;213:469-78.
- Travaglino A, Raffone A, Saccone G, Mascolo M, Guida M, et al., Congruence Between 1994 WHO Classification of Endometrial Hyperplasia and Endometrial Intraepithelial Neoplasia System. Am J Clin Pathol 2020;153:40-8.
- Antonsen S L, Ulrich L, Hogdall C. Patients with atypical hyperplasia of the endometrium should be treated in oncological centers. Gynecol Oncol 2012;125:124-8.
- Baak JP, Mutter GL. EIN and WHO94. J Clin Pathol. 2005;58:1-6.
- Baak JP, Mutter GL, Robboy S, van Diest PJ, Uyterlinde AM, Orbo A, et al. The molecular genetics and morphometry-based endometrial intraepithelial neoplasia classification system predicts disease progression in endometrial hyperplasia more accurately than the 1994 World Health Organization classification system Cancer 2005;103:2304-12.
- Berek JS, Berek&Novak's gynecology. 16th ed. Lippincott Williams & Willkins; 2019.
- Berek JS, Hacker NF. Practical gynecologic oncology. In: Loffe OB, Simsir A, Silverberg SG, editors. Pathology. 4th ed. Phila-delphia: Lippincott Williams & Wilkins press; 2005. p.198-201.
- Demirkiran F, Yavuz E, Erenel H, Bese T, Arvas M, Sanioglu C. Which is the best technique for endometrial sampling? Aspiration (pipelle) versus dilatation and curettage (D&C). Arch Gnecol Obstet 2012;286:1277-82.
- Dijkhuizen FP, Mol BW, Brolmann HA, Heintz AP. The accuracy of endometrial sampling in the diagnosis of patients with endometrial carcinoma and hyperplasia: a meta-analysis. Cancer 2000;89:1765-72.

- Gal D, Edman CD, Vellios F, et al. Long-term effect of megestrol acetate in the treatment of endometrial hyperplasia. Am J Obstet Gynecol 1983;146:316-21.
- Gallos ID, Shehmar M, Thangaratinam S, Papapostolou TK, Coomarasamy A, Gupta JK. Oral progestogens vs levonorgestrelreleasing intrauterine system for endometrial hyperplasia: a systematic review and metaanalysis. Am J Obstet Gynecol 2010;203:547.e1-10.
- Gull B, Karlsson B, Milsom I, Granberg. Can ultrasound replace dilation and curettage? A longitudinal evaluation of postmenopausal bleeding and transvaginal sonographic measurement of the endometrium as predictors of endometrial cancer. Am J Obstet Gynecol 2003;188:401-8.
- Gunderson CC, Fader AN, Carson KA, Bristow RE. Oncologic and reproductive outcomes with progestin therapy in women with endometrial hyperplasia and grade 1 adenocarcinoma: a systematic review. Gynecol Oncol 2012;125:477-82.
- Guven M, Dikmen Y, Terek MC, et al. Metabolic effects associated with high-dose continuous megestrol acetate administration in the treatment of endometrial pathology. Arch Gynecol Obstet 2001;265:183-6.
- Kim MK, Seong SJ, Kim JW, et al. Management of Endometrial Hyperplasia: A Survey of Members of the Korean Gynecologic Oncology Group. Int J Gynecol Cancer 2015;25:1277-84.
- Kim MK, Seong SJ, Kim JW, et al. Management of Endometrial Hyperplasia With a Levonorgestrel-Releasing Intrauterine System: A Korean Gynecologic-Oncology Group Study. Int J Gynecol Cancer 2016;26:711-5.
- Kim ML, Seong SJ. Clinical applications of levonorgestrel-releasing intrauterine system to gynecologic diseases. Obstet Gynecol Sci 2013;56:67-75.
- Kistner RW. Histological effects of progestins on hyperplasia and carcinoma in situ of the endometri um. Cancer 1959;12: 1106-22.
- Kurman RJ, Kaminski PF, Norris HJ. The behavior of endometrial hyperplasia. A long-term study of "untreated" hyperplasia in 170 patients. Cancer 1985;56:403-12.
- Kurman RJ, Carcangiu ML, Herrington CS, Young RH. WHO Classification of Tumours of female reproductive Organs. 4th ed. Lyon: WHO Press; 2014:125-6.
- Lidor A, Ismajovich B, Confino E, David MP. Histopathological findings in 226 women with post-menopausal uterine bleeding. Acta Obstet Gynecol Scand 1986;65:41-3.
- Mihm LM, Quick VA, Brumfield JA, Connors AF Jr, Finnerty JJ. The accuracy of endometrial biopsy and saline sonohysterography in the determination of the cause of abnormal uterine bleeding. Am J Obstet Gynecol 2002;186:858-60.
- Montgomery BE, Daum GS, Dunton CJ. Endometrial hyperplasia: a review. Obstet Gynecol surv 2004;59:368-78.
- Mutter GL, Baak JP, Crum CP, Richart RM, Ferenczy A, Faquin WC, et al. Endometrial precancer diagnosis by histopathology, clonal analysis, and computerized morphometry. J Pathol 2000;190:462-9.
- O'Connell LP, Fries MH, Zeringue E, Brehm W. Triage of abnormal postmenopausal bleeding: a comparison of endometrial biopsy and transvaginal sonohysterography versus fractional curettage with hysteroscopy. Am J Obstet Gynecol 1998;178:956-61.
- Ordi J, Bergeron C, Hardisson D, et al. Reproducibility of current classification of endometrial endometrioid glandular proliferations: further evidence supporting a simplified classification. Histopathology 2014;64:284-92.
- Gallos ID, Alazzam M, Clark TJ, et al. Management of endometrial hyperplasia (Green-top Guideline No. 67) RCOG/ BSGE Joint Guideline, 2016.
- Stovall TG, Ling FW, Morgan PL. A prospective, randomized comparison of the Pipelle endometrial sampling device with the Novak curette. Am J Obstet Gynecol 1991;165:1287-90.
- Sanderson PA, Critchley HO, Williams AR, Arends MJ, Saunders PT. New concepts for an old problem: the diagnosis of endometrial hyperplasia. Hum Reprod Update. 2017;23:232-54.
- Tavassoli FA and Devilee P. Tumours of the breast and female genital organs. In: Silverberg SG, Mutter GL, Kurman RJ, KubikHuch RA, Nogales F, Tavassoli FA, editors. Tumours of the uterine corpus. Lyon: IARC Press; 2003. p.228-30.
- •Timmermans A, Opmeer BC, Khan KS, Bachmann LM, Epstein E, Clark TJ, et al. Endometrial thickness measurement for detecting endometrial cancer in women with postmenopausal bleeding: a systematic review and meta-analysis. Obstet Gynecol 2010;116:160-7.
- •Trimble CL, Method M, Leitao M, Lu K, Ioffe O, Hampton M, et al. Society of Gynecologic Oncology Clinical Practice Committee. Management of endometrial precancers. Obstet Gynecol. 2012;120:1160-75.
- Zaino R, Carinelli S G, Ellenson L H. Tumours of the uterine Corpus: epithelial Tumours and Precursors. Lyon: WHO Press; 2014. p.125-6.

제19장

양성 외음부 및 질 질환

정대훈 | 인제의대
배종운 | 동아의대
최원준 | 경상의대

1. 외음부질환(Vulvar Conditions)

1) 시기에 따른 외음부질환의 특징

(1) 신생아기

신생아기에는 여러 종류의 발달이상 및 선천성 기형이 발견될 수 있다. 불확실한 성기를 갖는 반음양 장애(intersexual disorder)를 만드는 원인은 다양하다. 염색체 이상, 특정 효소결핍증, 남성호르몬을 분비하는 종양이나 약물 노출로 인하여 발생할 수 있다. 불확실한 성기를 가진 신생아가 출생하였을 경우에는 사회적, 의학적 응급 상황으로서 비뇨기과, 신생아 및 내분비 전문의로 구성된 의료팀에서 협력하여 진료하여야 하며 치료에 대해서는 부모나 가족과 상담하여야 한다.

모든 여아의 외음부를 주의 깊게 관찰할 필요성에 대해서는 논란의 여지는 있다. 탐침을 이용해서 질 입구나 항문을 조사하여 처녀막이나 항문의 개방을 확인할 수 있다.

선천적인 외음부종양에는 표재성 혈관 병변인 딸기모양의 혈관종과 공동성 혈관종(cavernous hemangioma)이 있다. 대부분 저절로 소실되기 때문에 치료의 필요성에 대해서는 논란의 여지가 있다.

(2) 아동기

외음질염(vulvovaginitis)은 아동기에 생길 수 있는 가장 흔한 부인과적 문제이다. 사춘기 전에는 외음부와 질, 질전정이 항문과 가깝기 때문에 이러한 곳에서 세균의 과성장을 가져와 원발성 외음질염과 이차성 질염을 잘 일으킨다.

아동기의 외음안뜰(vulvar vestibule)은 에스트로겐의 영향을 받지 않아 약간 홍반을 띄고 있어 감염증과 구별이 힘들 수도 있다. 음핵꺼풀(clitoral prepuce) 밑의 귀두지(smegma)는 곰팡이 질염과 비슷하게 보이기도 하여 주의가 필요하다.

만성피부질환인 경피선 태선(lichen sclerosus)과 지루성 피부염(seborrheic dermatitis), 아토피성 외음부염(atopic vulvitis) 등이 아동들에게 발생할 수 있다. 소아 환자의 경피선 태선은 아동이 자람에 따라 자연히 소실되는 경우가 많다.

음순유착(labial agglutination)은 만성적인 외음부 염증에 의해 발생한다. 치료는 에스트로젠 크림을 2-4주간 바른 후 유착부위가 얇아지면 국소마취제를 사용하여 외래에서 분리를 할 수 있다. 국소마취제를 사용하지 않고 시도하는 것은 회음부 손상을 유발할 수 있기 때문에 권고하지 않는다. 요도탈증(urethral prolapse)는 급성 통증이나 출혈을 일으킬 수 있고 종괴로 발견되기도 한다.

아동이 외음부와 질의 증상을 호소한다면 즉시 성추행을 염두에 두고 진료에 임하여야 한다. 사춘기 전 아동에게서 성전파질환이 발견될 가능성이 있기 때문에 부모나 보모 그리고 아동에서 섬세하고 직접적인 문진을 하여야 한다(Apter and Hermanson, 2002).

(3) 청소년기

성발달 이상이 있으면 신생아기에는 불확실한 성기를 보이지만 청소년기에는 남성화가 특징적으로 나타난다. 성선형성부전증(gonadal dysgenesis), 남성호르몬불감증(androgen insensitivity)를 갖는 청소년은 비정상 사춘기발달과 일차성 무월경을 보인다.

회음부 콘딜로마가 청소년기에서 많이 발견된다. 주로 성관계에 의하여 발생하며 증상이 없으나 가려움증, 출혈 등이 나타날 수 있다. 치료방법은 환자와 상의하여 정하여야 하며 의사의 경험이 치료 결과에 영향을 미친다. 인유두종바이러스 백신이 콘딜로마의 발생빈도를 낮춘다고 알려져 있다(Majewski, Bosch et al., 2009).

(4) 가임기

초경 이후 여성의 외음부 증상은 흔히 일차성 질염 및 이차성 외음부염과 관계가 있다. 질분비물은 외음부 자극 증상을 유발하거나 진균성 외음부염을 일으킬 수 있다. 가임기 여성은 외음부 증상으로 소양증, 통증, 분비물, 불편감, 작열감, 외부 배뇨통, 성교통 등을 호소한다.

여성들은 감염과 관련이 없는 배뇨로 인한 통증을 요로감염에 의한 통증과 구분을 못하는 경우가 있다. 그런 이유로 요검사 및 배양검사가 필요할 수 있다. 소양증은 아주 흔한 외음부 증상으로 여러 가지 외음부질환으로 인하여 발생할 수 있다.

외음부에서 발생하는 피부질환은 감염성 및 비감염성으로 분류된다(Michelle Solone, 2020)(표 19-1). 대개는 시진으로 진단될 수 있지만 비전형적 병변을 보이거나 진단이 애매한 경우에는 생검이 필요하다. 회음부에서 발견되는 의심되는 착색 병변(pigmented lesions)은 생검을 통해서 상피내종양과 악성흑색종을 감별하여야 한다.

표 19-1. 외음부에 발생하는 아급성 및 만성피부질환

비감염성	감염성
• 흑색가시세포증 • 위축피부염 • 베흐체트병 • 접촉피부염 • 크론병 • 당뇨성 외음염 • 고름땀샘염 • 경화태선 • 파제트병 • 모낭염 혹은 가성모낭염 • 건선 • 지루피부염 • 외음 아프타 궤양 • 외음 상피내종양(VIN)	• 연조직염 • 모낭염 • 종기/큰종기 • 곤충 교상 • 괴사근막염 • 사면발이 • 옴 • 백선 • 콘딜로마 • 외음 칸디다증 • 단순헤르페스바이러스

(5) 폐경기

폐경 후에는 대음순이 위축되며 이로 인해 소음순이 도드라지게 되며 처녀막과 안뜰의 표피가 얇아지게 된다. 이로 인해 만성소양증, 작열감, 외음부 통증 그리고 표재성 성교통이 생기게 된다. 소양증은 주로 야간에 심하고 심할 때는 불면증을 가져오기도 한다. 외음부의 분비물은 감염이 있거나 악성궤양인 경우에 발생한다.

폐경 후에 나타나는 병변은 외음 상피내종양 혹은 악성종양일 가능성을 항상 생각해야 하며, 의심스러우면 생검하는 것을 권유하고 있다.

2) 외음부검사 및 생검

외음부질환은 전신피부질환의 일부로 나타날 수 있고, 다기관질환의 한 발현일 수 있으며, 자가면역질환이나 종양과 관련이 있을 수 있기 때문에 전신 증상을 철저히 물어보고 확인하는 것이 필요하다. 온 몸을 관찰하면서 외음부와 항문 주위, 질, 자궁경부를 철저하게 점검하여야 한다. 이때 외음부는 매우 민감할 수 있기 때문에 주의하여야 한다. 예비검사로서 질과 자궁경부의 질경검사와 양수골반검사

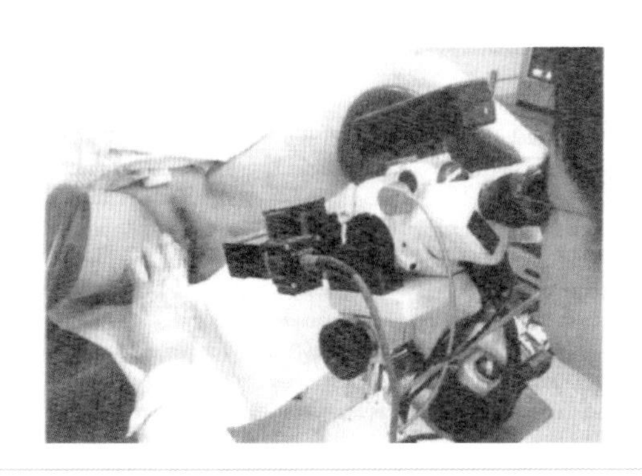

그림 19-1. **외음부를 관찰 중인 질확대경검사**

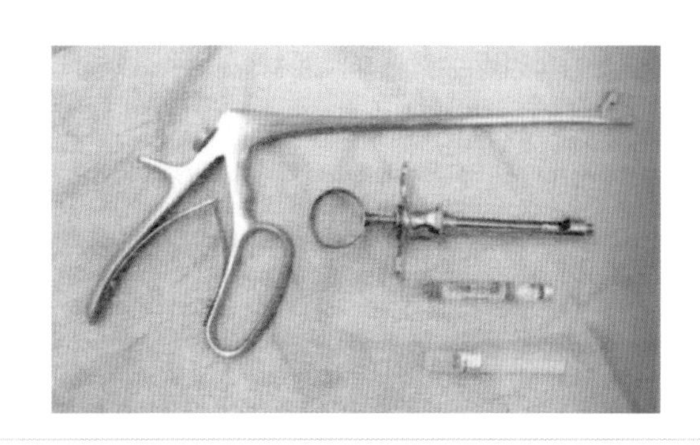

그림 19-2. **외음부 생검을 위한 기구들**
31 G 치과용 주사기, 1% xylocaine, Kevorkian 펀치 생검기

를 포함하여야 하지만 매우 민감하게 반응하거나 통증을 호소하는 경우에는 다음으로 미룰 수 있다.

외음부 관찰을 위하여 밝은 빛의 전등과 4배 확대 렌즈로 가능하나 일부는 질확대경(colposcopy)을 이용하기도 한다. 질확대경은 외음부 전단계(preinvasive) 질환 진단의 필수 검사로 되어있다. 5% 초산용액을 사용하고 7배 이상 확대하여 관찰하며, 병변이 뚜렷이 나타난다. 초산반응이 잘 일어나는 곳은 비착색부위(nonpigmented)나 붉은 곳이다(그림 19-1).

외음부의 많은 병변들은 비슷한 모양을 가지고 있기 때문에 양성질환을 외음부 전암병변이나 악성질환으로부터 감별하여 적절하게 치료하기 위해서 생검을 시행하여야 한다. 일부 병원의 생검에 따른 외음부 병변의 빈도를 보면 표피 낭입낭이 가장 많았고, 흑점, 바르톨린샘 낭종, 상피내암, 멜라닌 보유세포 모반(melanocytic nevi), 유경연성 섬유종, 점액성 낭종, 혈관종, 염증 후 색소 과다침착, 지루각화증, 정맥류 종창(varicosity), 한선종, 사마귀(verruca), 기저세포 암종, 신경 섬유종, 이소성 조직(ectopic tissue), 한관종(syringoma), 농양 등의 순이었다(Hood and Lumadue, 1992). 그러나 콘딜로마와 같이 생검 없어도 진단 가능한 경우도 있으므로 정확한 빈도를 말하기는 힘들다.

외음부 생검을 위해서 우선 소독액으로 외음부를 청결하게 한 후 가는 주차침(25-31G)을 이용하여 병변 부위에 1% 리도카인을 국소 주입한다. 그리고, 4 mm Keyes 피부 펀치 생검기구로 피부를 누르면서 표피와 진피의 중심부를 얻을 때까지 시계 방향 및 반대방향으로 회전시킨다. Kevorkian 펀치 생검기(그림 19-2)를 이용하면 0.5-1 cm 넓이와 2-5 mm 깊이의 진피를 포함한 조직을 얻을 수 있다.

3) 외음부종양, 낭종 및 종괴(Vulvar Tumors, Cysts and Masses)

외음부의 양성종양은 표 19-2에 요약되어 있다.

표 19-2. 외음부 양성종양의 유형

낭성 병소	• 바르톨린선 기원: 도관 낭종 • 배성 기원: 음낭수종, Gartner 낭종, 선증, 유피낭 • 상피성 기원: 표피봉입낭, 모소낭 • 상피부속기 기원: 한선종, Fox-Fordyce병, 한관종 • 요도측 기원: 스케네 도관 낭종
고형종양	• 상피성 기원: 첨형 콘딜로마, 유경연성 섬유종, 유두종증 • 상피 부속물 기원: 한선종, 피지선종 • 중배엽성 기원: 섬유종, 혈관종, 림프관종, 평활근종, 지방종, 신경섬유종, 과립세포모세포증 • 바르톨린 및 전정선 기원: 선섬유종, 점액선종
해부학적 이상	• 헤르니아 • 요도게실 • 정맥류
감염	• 농양(바르톨린, 스케네, 음핵주위) • 편평 콘딜로마 • 전염성 연속종 • 화농성 육아종
이소성(ectopic)	• 자궁내막증 • 이소성 유방조직: 다유방선 낭종

(1) **첨형 콘딜로마**(condyloma acuminate)

첨형 콘딜로마(항문 사마귀)는 인유두종바이러스에 의해 자라는 양성종괴다. 전파는 성적 접촉에 의해 생기나 드물게는 감염부위를 부적절하게 만지거나 분만에 의해 전파된다. 맨눈으로 시진이 가능하나 간혹 놓치는 수가 있다. 돋보기나 질확대경을 이용하면 좀 더 다양하게 사마귀를 발견할 수 있다. 2 cm 미만의 작은 사마귀는 삼염화아세트산(trichloroacetic acid, TCA)나 포도필린(podyphyllin)으로 국소치료한다. TCA (50-80%) 도포 시 2-4일 내에 떨어지기 시작한다. 일시적인 작열감이 있으나 주위 피부에 대한 반응은 포도필린보다 적다. 포도필린(20-25%)는 도포 후 4-6시간 뒤 반드시 세척하여야 한다. 0.5% Podofilox 크림은 매일 2회 일주일마다 3일 연속 3주까지 사용 가능하다. 포도필린은 심한 국소작용이 있고 심하면 전신독성도 나타날 수 있다. 임신 중에는 사용하지 말아야 한다. 2 cm 이상 크기의 사마귀는 루프전기절제 혹은 레이져치료를 권한다.

(2) **표피봉입낭**(epidermal inclusion cyst)

가장 흔한 외음부피하질환이다. 일반적으로 직경은 5-15 mm이고, 부드럽고, 노란 낭종이다. 대체로 통증이 없고, 서서히 자라는 경향이며 여러 개가 있을 수 있다. 감별질환으로는 서혜부 탈장과 감별해야 한다. 증상이 없는 경우는 치료가 필요 없고, 커지거나 통증이 있는 경우만 치료한다.

(3) **바르톨린 도관 낭종**(Bartholin's duct cysts)

흔히 발생하는 외음부 병소로써 점액의 축적으로 관이 막혀 발생하며 대개는 증상이 없다. 그러나 바르톨린샘이 감염되면 화농성 물질이 축적되어 갑작스럽게 커지고, 통증이 심한 염증성 종괴(바르톨린 농양)을 형성하게 된다. 감별진환으로는 크론병으로 인한 피하샛길과 바르톨린샘 농양이 비슷할 수 있다. 폐경기 후에 양성이나 악성종괴가 바르톨린샘에서 생길 수 있다. 치료는 절개 및 배농이 필요하다. 만족스런 결과를 위하여는 계속적인 배농과 절개부가 잘 떨어져 있어야 한다. 재발되는 만성바르톨린샘농양은 주머니형성술(masupialization)이 필요하다(그림 19-3).

(4) **모낭염**(folliculitis)

대음순의 피하 종괴로 모낭에 감염이 되어 발생한다. 압통을 유발하며 5 mm에서 수 cm까지 다양하다. 따뜻하게 해주거나 좌욕을 하면 자연히 말랑말랑해지며 배농이 되기 쉽다. 커지면 절개배농이 요구된다.

4) 외음부궤양(Ulcers)

궤양은 신생물, 만성감염 혹은 외상으로 일어날 수 있다. 암인 경우 1/3에서 궤양을 동반한다(Friedrich 1983). 세포진검사, 질확대경검사 및 생검이 진단에 도움을 줄 수 있다. 궤양을 가진 모든 환자는 혈청 매독검사를 한다. 특이

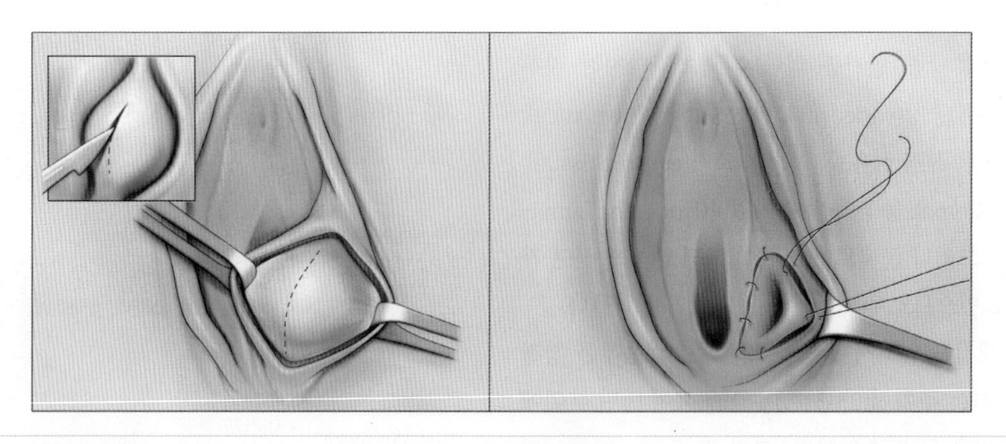

그림 19-3. **주머니 형성술**

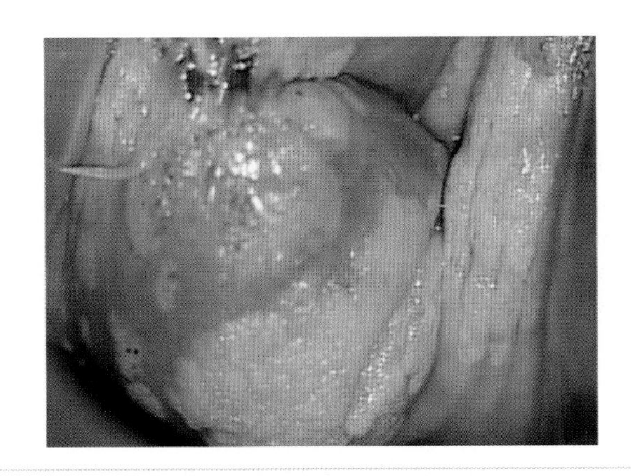

그림 19-6. **고등급 편평상피내종양의 질확대경 소견**

다가 1-6% 정도 같이 진단이 되기 때문에, 비정상 세포검사 결과를 보인 경우 질확대경검사를 할 때에는 질 벽도검사해야 하며, 특히 질 상부에 주의를 기울여 검사하여야 한다. 질상피내종양의 질확대경 소견은 자궁경부상피내종양의 소견과 유사하다(그림 19-6).

3) 치료

치료는 환자의 나이, 동반 질환의 유무, 병변의 위치, 단발성 혹은 다발성, 자궁절제술유무, 성기능의 보존여부, 재발의 위험성 등과 같은 요인들을 고려하여 환자에 따라 개별화해서 시행하며, 치료방법의 선택은 술자의 경험과 선호도, 환자의 선호도, 재발한 경우, 이전의 치료 방법 등에 따라 영향을 받는다.

(1) 저등급 편평상피내종양(질상피내종양 1)

저등급 편평상피내종양으로 침윤암으로 진행되는 경우가 거의 없고, 치료하지 않아도 39-85%에서 자연 소실되는 것으로 보고되고 있고, 치료를 하더라도 13-71%에서 재발하거나 진행하는 경향이 있기 때문에, 특별한 치료를 하지 않고 경과 관찰을 한다.

(2) 고등급 상피내종양(질상피내종양 2와 3)

고등급 편평상피내종양은 침윤암으로 진행할 수 있기 때문에 치료가 필요하다. 그러나, 질상피내종양의 치료는 어려우며, 특히 병변이 자궁절제술 후 질원개(vaginal vault)에 생긴 경우이거나 다발성인 경우 더욱 어렵다. 치료방법으로는 수술적 방법과 비수술적 방법이 있다. 수술적 방법에는 CO_2 레이저절제술(laser ablation), 절제술(excision), 고리전기절제술(loop electrosurgical excision procedure, LEEP), 질절제술(vaginectomy), 등이 있다. 비수술적 방법에는 5-fluorouracil (5-FU) 또는 5% imiquimod 크림 등과 같은 제제를 질 내에 도포하는 방법과 방사선으로 근접치료(brachytherapy)하는 방법이 있지만 5-FU와 5% imiquimod cream은 아직까지 허가 받지 않은(off-lable) 방법이다. 현재까지 보고된 대부분의 연구에서는 CO_2 레이저절제술과 수술적 절제술이 가장 좋은 치료 효과를 보이는 것으로 보고되고 있다.

① 수술적 방법

CO_2 레이저절제술은 조직이나 구조물들을 보존할 수 있기 때문에 정신적, 성기능에 대한 영향을 최소화할 수 있는 방법으로, 젊은 여성, 다발성 병변, 수술적 절제술을 거부하는 여성들에게 유용하다. 치료 성공율은 69-87.5%, 재발율은 32-33%로 보고되고 있다.

절제술은 질 점막만 제거하면 되는데, 점막하에 국소 마취제 또는 식염수를 주사하여 점막이 들어올려지게 만들면 점막을 박리하는 데 도움이 된다. 절제술은 절제된 검체를 이용하여 조직학적 검사를 할 수 있다는 장점이 있지만, 질의 길이가 짧아져서 성기능에 영향을 줄 수도 있다. 치료 성공율은 66-83%로 보고되고 있다.

질절제술은 부분 혹은 질전체의 점막을 절제하는 것으로, 자궁절제술 후에 질원개 부위에 단발성의 병변이 있는 경우에 가장 좋은 방법이다. 치료 성공율은 80%로 보고되고 있다. 전질절제술(total vaginectomy)은 방광-질 누공, 직장-질 누공과 같은 심각한 합병증이 생길 수 있고, 피부이식이 필요하기 때문에 성적으로(sexually) 활발한 여성에게는 적합하지 않다. 질절제술을 고리전기절제술방법으로 하는 경우에는 방광이나 직장과 같은 주위 조직의 열에 의한 손상을 주의하여야 한다.

② 비수술적 방법

5-FU 크림 질내도포는 화학요법에 의한 염증반응 혹은 궤양의 발생을 이용한 치료 방법으로 병변이 넓거나 다발성인 경우에 국한되어 사용된다. 질의 작열감, 성교통, 궤양, 분비물과 같은 부작용이 흔하다. 치료 성공율은 46-62.5%로 보고되고 있다.

5% imiquimod 크림 질내도포는 병변이 넓거나 다발성인 경우에 일차적인 치료 또는 레이저절제술을 하기 전에 병변의 범위를 줄이기 위한 목적으로 사용된다. 질의 작열감, 쓰림 등과 같은 부작용은 있으나, 전신적인 부작용은 없다.

방사선 근접치료(brachytherapy)의 경우에는 중간이나 낮은 용량의 방사선을 사용하면 합병증을 줄이면서 치료효과를 볼 수 있다는 보고들이 있다. 그러나, 방사선 그 자체가 가지는 부작용, 성기능에 대한 영향, 그리고 방사선치료 후에 재발한 경우에 다시 방사선 치료를 하거나 수술적 치료를 하기 어렵다는 문제 때문에 질상피내종양의 일차치료로서는 적합하지 않고, 기존의 치료에 실패한 경우에 한해서 고려될 수 있다.

참고문헌

- ACOG. ACOG educational bulletin. Vulvar nonneoplastic epithelial disorders. Number 241, October 1997 (Replaces no. 139, January 1990). American College of Obstetricians and Gynecologists. Int J Gynaecol Obstet 1998;60:181-8.
- Apter D, Hermanson E. "Update on female pubertal development." Curr Opin Obstet Gynecol 2002;14:475-81.
- Ayhan A., Guven ES, Guven S, Sakinci M, Dogan NU, Kucukali T. "Testosterone versus clobetasol for maintenance of vulvar lichen sclerosus associated with variable degrees of squamous cell hyperplasia." Acta Obstet Gynecol Scand 2007;86:715-9.
- Bradford J, Fischer G. Long-term management of vulval lichen sclerosus in adult women. Aust N Z J Obstet Gynaecol 2010;50:148-52.
- Bryan S, Barbara C, Thomas J, Olaitan A. HPV vaccine in the treatment of usual type vulval and vaginal intraepithelial neoplasia: a systematic review. BMC Womens Health 2019;19:3.
- Campion MJ, Canfell K. Cervical cancer screening and preinvasive disease. In Berek JS, Hacker NF editor. Berek & Hacker's Gynecology. 6th ed. Philadelphia (PA): Wolters Kluwer, 2015.
- Cheng D, Ng TY, Ngan HY, Wong LC. Wide local excision (WLE) for vaginal intraepithelial neoplasia (VAIN). Acta Obstet Gynecol Scand 1999;78:648-52.
- Cramer DW, Cutler SJ. Incidence and histopathology of malignancies of the female genital organs in the United States. Am J Obstet Gynecol 1974;118:443-60.
- Curtis P, Shepherd JH, Lowe DG, Jobling T. The role of partial colpectomy in the management of persistent vaginal neoplasia after primary treatment. Br J Obstet Gynaecol 1992;99:587-9.
- Del Pino M, Rodriguez-Carunchio L, Ordi J. Pathways of vulvar intraepithelial neoplasia and squamous cell carcinoma. Histopathology 2013;62:161-75.
- Diakomanolis E, Rodolakis A, Boulgaris Z, Blachos G, Michalas S. Treatment of vaginal intraepithelial neoplasia with laser ablation and upper vaginectomy. Gynecol Obstet Invest 2002;54:17-20.
- Eva LJ, Ganesan R, Chan KK, Honest H, Malik S, Luesley DM. Vulval squamous cell carcinoma occurring on a background of differentiated vulval intraepithelial neoplasia is more likely to recur: a review of 154 cases. J Reprod Med 2008;53:397-401.
- Friedrich EG. Jr. The vulvar vestibule. J Reprod Med 1983;28:773-7.
- Gonzalez Sanchez JL, Flores Murrieta G, Chavez Brambila J, Deolarte Manzano JM, Andrade Manzano AF. Topical 5-fluorouracil for treatment of vaginal intraepithelial neoplasms. Ginecol Obstet Mex 2002;70:244-7.
- Grimm D, Prieske K, Mathey S, Kuerti S, Burandt E, Schmalfeldt B, et al. Superficially invasive stage IA vulvar squamous cell carcinoma-therapy and prognosis. Int J Gynecol Cancer 2019;29:466-73.
- Gurumurthy M, Cruickshank ME. Management of vaginal intraepithelial neoplasia. J Low Genit Tract Dis. 2012;16:306-12.
- Hood AF, Lumadue J. Benign vulvar tumors. Dermatol Clin 1992;10:371-85.
- Jin C, Liang S. Differentiated Vulvar Intraepithelial Neoplasia: A Brief Review of Clinicopathologic Features. Arch Pathol Lab Med 2019;143:768-71.
- Kraus SJ. Diagnosis and management of acute genital ulcers

in sexually active patients. Semin Dermatol 1990;9:160-6.
- Kurman RJ, Carcangiu ML, Herrington CS, Young RH. (Eds.): WHO classification of tumours, of female reproductive organs. IARC: Lyon 2014.
- Léonard B, Kridelka F, Delbecque K, Goffin F, Demoulin S, Doyen J, et al. A clinical and pathological overview of vulvar condyloma acuminatum, intraepithelial neoplasia, and squamous cell carcinoma. Biomed Res Int 2014;2014:480573.
- Lynch C. Vaginal estrogen therapy for the treatment of atrophic vaginitis. J Womens Health (Larchmt) 2009;18:1595-606.
- Lynch PJ, Moyal-Barracco M, Bogliatto F, Micheletti L, Scurry J. 2006 ISSVD classification of vulvar dermatoses: pathologic subsets and their clinical correlates. J Reprod Med 2007;52:3-9.
- Majewski S, Bosch FX, Dillner J, Iversen OE, Kjaer SK, Munoz N, et al. The impact of a quadrivalent human papillomavirus (types 6, 11, 16, 18) virus-like particle vaccine in European women aged 16 to 24. J Eur Acad Dermatol Venereol 2009;23:1147-55.
- McKay M. Dysesthetic ("essential") vulvodynia. Treatment with amitriptyline. J Reprod Med 1993;38:9-13.
- Pokorny SF, Stormer J. Atraumatic removal of secretions from the prepubertal vagina. Am J Obstet Gynecol 1987;156:581-2.
- Preti M, Scurry J, Marchitelli CE, Micheletti L. Vulvar intraepithelial neoplasia. Best Pract Res Clin Obstet Gynaecol 2014;28:1051-62.
- Rhodes HE, Chenevert L, Munsell M. Vaginal intraepithelial neoplasia (VaIN 2/3): comparing clinical outcomes of treatment with intravaginal estrogen. J Low Genit Tract Dis. 2014;18:115-21.
- Rome RM, England PG. Management of vaginal intraepithelial neoplasia: a series of 132 cases with long-term follow-up. Int J Gynecol Cancer 2000;10:382-90.
- Solone M, Hillard PJA. Adult gynecology: reproductive years. In Berek JS editor. Berek & Novak's Gynecology. 16th ed. Philadelphia (PA): Wolters Kluwer; 2020. p.193-222.
- Sopracordevole F, Parin A, Scarabelli C, Guaschino S. Laser surgery in the conservative management of vaginal intraepithelial neoplasms. Minerva Ginecol 1998;50:507-12.
- van de Nieuwenhof HP, van Kempen LC, de Hullu JA, Bekkers RL, Bulten J, Melchers WJ, et al. The etiologic role of HPV in vulvar squamous cell carcinoma fine tuned. Cancer Epidemiol Biomarkers Prev 2009;18:2061-7.
- Wallbillich JJ, Rhodes HE, Milbourne AM, Munsell MF, Frumovitz M, Brown J, et al. Vulvar intraepithelial neoplasia (VIN 2/3): comparing clinical outcomes and evaluating risk factors for recurrence. Gynecol Oncol 2012;127:312-5.
- Yalcin OT, Rutherford TJ, Chambers SK, Chambers JT, Schwartz PE. Vaginal intraepithelial neoplasia: treatment by carbon dioxide laser and risk factors for failure. Eur J Obstet Gynecol Reprod Biol 2003;106:64-8.

생식내분비학

제20장 **무월경**

제21장 **내분비 이상**

제22장 **불임증**

제23장 **보조생식술**

제24장 **반복유산**

제25장 **폐경**

제26장 **비만**

제20장

무월경

이정호 | 계명의대
김미란 | 가톨릭의대
김슬기 | 서울의대

1. 서론

1) 무월경의 정의 및 분류

무월경은 원발무월경과 속발무월경으로 구별할 수 있다. 원발무월경은 이차성징의 발현 없이 13세까지 초경이 없는 경우 또는 이차성징의 발현은 있으나 15세까지 초경이 없는 경우를 말하며, 속발무월경은 과거 월경이 있었던 여성에서 6개월 이상 월경이 없거나 이전 월경주기의 3배 이상의 기간 동안 월경이 없는 경우를 말한다. 그러나 위와 같은 고전적인 기준에 너무 집착할 필요는 없다. 예를 들어, 터너증후군의 임상양상을 보이는 경우 무월경의 기준이 13세라 하여 진단을 13세 이후로 미룰 필요는 없다. 또한 항상 임신 가능성을 고려하여야 한다(Hoffman et al., 2003).

정상적인 월경은 여러 가지 호르몬의 복잡한 상호작용에 의해 일어난다. 시상하부에서 신경전달물질과 호르몬의 영향을 받아 생식샘자극호르몬분비호르몬(gonadotropin releasing hormone, GnRH)의 파동성 분비가 일어난다. 생식샘자극호르몬분비호르몬은 뇌하수체에서 난포자극호르몬(follicle-stimulating hormone, FSH)과 황체형성호르몬(luteinizing hormone, LH)의 분비를 자극하고 이를 통해 난소에서 난포가 성장하고 배란이 일어나게 된다. 정상적인 난포에서는 에스트로겐이 분비되며, 배란 후의 난포는 황체로 변하여 에스트로겐과 프로게스테론을 분비하게 된다. 이 호르몬들은 수정된 배아의 착상을 위해 자궁내막의 증식을 유도하는데 임신이 되지 않을 경우 에스트로겐과 프로게스테론의 분비가 줄어들게 되고 증식되었던 자궁내막이 탈락되는, 이른바 쇠퇴성출혈(withdrawal bleeding)이 일어나게 된다. 이러한 기능 축에 이상이 생길 경우 그 정도에 따라서 임상적으로 황체기 결함, 무배란성 자궁 출혈, 희발월경 내지는 무월경의 형태로 나타나게 된다. 즉 무월경은 시상하부-뇌하수체 전엽-난소-자궁 축의 기능적 이상을 초래하는 여러 원인에 의하여 나타난다. 그 밖에 전신적 내분비질환 및 비내분비질환, 월경 유출로의 구조적 이상이 있는 경우에도 발생한다(Buttram, 1979). 시상하부-뇌하수체전엽-난소-자궁 축의 이상이 무월경을 유발할 정도가 아닌 경우 무배란이나 희발배란으로 나타날 수 있으며, 이러한 환자들은 불규칙한 월경양상 혹은 월경시 과량의 출혈을 보일 수 있다. 드물지만 무월경은 생명을 위협하는 질환의 한 증상일 수 있으므로 신속하고 정확한 진단이 필요하다. 무월경 환자 중 프로게스테론의 분비 없이 에스트로겐만 지속적으로 분비되는 경우 자궁내막암 혹은 유방암의 위험이 있고, 에스트로겐 결핍을 보이는 경우는 골다공증의 위험이 있다. 또한, 간질환, 신장질환, 당뇨병 및 갑상샘질환 등이 무월경의 원인일 경우 즉시 적절한 치료가 필요하고, 임신을 원하는 경우 적절한 배란 유도가 필요하므로 무월경의 원인을 파악하고 정확한 진단을 하는 것이 매우 중요하다(ASRM, 2004). 우리나라에서 가장 흔한 원발무월경의 원인은 뮐러관무발생, 터너증후군 등으로 보고되고 있다(권수경 등, 2014).

2) 이차성징의 발현

사춘기에 이르면 뚜렷한 신체적 변화에 앞서 다양한 호르몬의 변화를 수반한다. 사춘기 초기에는 황체형성호르몬과 생식샘자극호르몬분비호르몬에 대한 반응성이 증가하며, 수면주기에 따라 황체 형성호르몬과 난포자극호르몬 분비가 증가한다(Boyar et al., 1972). 여성의 경우 사춘기에 이르게 되면 난소에서 주로 분비하는 호르몬인 에스트라디올의 분비가 점진적으로 증가하는데, 생식샘 이외의 말초조직에서 변환되어 생성되는 에스트론에 비하여 그 생성과 작용이 점점 중요해진다(Grumbach, 1980). 초경의 출현에 앞서 이러한 에스트로겐과 안드로겐 생성의 증가로 점진적으로 신체 상의 형태적인 변화가 나타난다. Marshall과 Tanner는 유방과 치모의 발달을 5단계로 구분하였고, 이들의 발달 정도를 Tanner기 1-5로 구분하여 평가하였다(Marshall과 Tanner, 1969)(표 20-1, 그림 20-1). 사춘기에 도달하면서 대부분의 소녀들은 성장이 가속화하면서 유방이 돌출하고, 수개월 내에 치모가 나타난다. 그 후 유방이 증대되면서 최종적으로 초경이 나타난다. 우리나라 여성의 초경 평균 연령은 12.0-13.0세로 보고되고 있다(박미경 등, 2006).

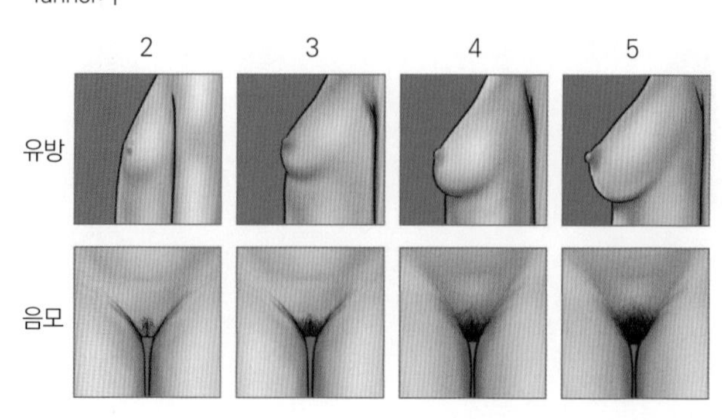

그림 20-1. **유방 및 치모의 발달**

3) 무월경의 분류

(1) 이차성징과 해부학적 이상에 따른 분류

① 이차성징이 동반되지 않은 무월경

가. 고생식샘자극호르몬생식샘저하증

가) 생식샘발생장애(gonadal dysgenesis)

(가) 이상핵형(abnormal karyotype)

터너증후군(45,X)

X염색체구조이상모자이키즘

(나) 정상핵형(normal karyotype)

표 20-1. 유방 및 치모의 발달

Tanner 기	유방	치모
1 (사춘기 전)	유두의 돌출	없음
2	유방 및 유두의 돌기(breast budding) 유륜의 직경 증가	주로 대음순 주위에 길고 착색된 치모가 드문드문 보임
3	유방과 유륜이 단일 윤곽으로 계속 증대 (single contour)	검고 거칠고 곱슬모양의 치모가 드문드문 불두덩(mons pubis)까지 확대
4	유방 위로 유륜과 유두의 2차 돌출 (second mound)	성인형 치모로 양이 증가되나 불두덩(mons pubis)에 국한
5	유방과 유륜이 다시 단일 윤곽 형성	성인형 치모가 외음부 전역에 확산

순생식샘발생장애(pure gonadal dysgenesis)

46,XX

46,XY (Swyer 증후군)

나) 생식샘무형성(gonadal agenesis)

다) 효소결핍

(가) 17α-hydroxylase결핍

(나) 17, 20-lyase결핍

(다) 방향화효소(aromatase)결핍

(라) Galactose-1 phosphate uridyl transferase (GALT) 결핍증

라) 생식샘자극호르몬 수용체의 돌연변이

(가) 황체형성호르몬수용체돌연변이

(나) 난포자극호르몬수용체돌연변이

마) 난소부전

(가) 원인불명

(나) 상해 및 감염·항암치료·방사선 치료·볼거리성 난소염(mumps oophoritis)

(다) 자가면역 (autoimmune)

(라) 갈락토오스혈증(galactosemia)

나. 저생식샘자극호르몬생식샘저하증

가) 생리적 지연

나) 칼만(kallmann)증후군

다) 기타 원인에 의한 생식샘자극호르몬결핍

(가) 중추신경계종양

(나) 염증성질환

(다) 혈관질환

(라) 외상

다. 유전질환

가) 5α-reductase결핍(46,XY)

나) 생식샘자극호르몬분비호르몬 수용체 돌연변이

다) 난포자극호르몬결핍

라) 선천지질부신과다형성(congenital lipoid adrenal hyperplasia)

라. 시상하부/뇌하수체 기능장애

② 이차성징이 동반되고 해부학적 이상이 있는 무월경

가. 유출관 폐쇄(outflow tract obstruction)

가) 처녀막막힘증(imperforate hymen)

나) 가로질중격(transverse vaginal septum)

나. 뮐러관무형성증(Mayer-Rokitansky-Küster-Hauser 증후군)

다. 자궁내막 이상

가) 자궁내막무형성

나) 아셔만(Asherman)증후군

다) 자궁내막 유착

라. 안드로겐무감응(androgen insensitivity)

마. 난소-고환발달이상(ovotesticular disorder of sexual developmnt)

③ 이차성징이 동반되고 해부학적 이상이 없는 무월경

가. 다낭성난소증후군(PCOS)

나. 고프로락틴혈증

다. 난소기능부족증(조기난소부전)

가) 성염색체질환(sex chromosome disorders)

나) 유약엑스증후군(fragile X syndrome) 전돌연변이

다) 의인성 원인(iatrogenic cause)

(가) 방사선치료

(나) 항암치료

(다) 수술로 인한 난소의 혈액공급장애

(라) 감염

라) 자가면역질환(autoimmune disorders)

마) 갈락토오스혈증(galactosemia)

라. 뇌하수체와 시상하부의 병소

가) 뇌하수체 및 시상하부종양

(가) 두개인두종(craniopharyngioma)

(나) 종자세포종(germinoma)

(다) 결절성육아종(tubercular granuloma)

(라) 사르코이드육아종(sarcoid granuloma)

(마) 기형종

나) 뇌하수체 병소
(가) 비기능성샘종(nonfunctioning adenoma)
(나) 호르몬분비샘종(hormone-secreting adenoma)
- 프로락틴샘종(prolactinoma)
- 쿠싱병(Cushing's disease)
- 말단비대증(acromegaly)
- 원발성갑상샘항진증(primary hyperthyroidism)

(다) 경색증(infarction)
(라) 림프구뇌하수체염(lymphocytic hypophysitis)
(마) 외과적 또는 방사선 절제(surgical or radiation ablations)
(바) 쉬한증후군(sheehan's syndrome)
(사) 당뇨병혈관염(diabetic vasculitis)

마. 시상하부의 생식샘자극호르몬분비호르몬 분비 이상
가) 에스트로겐 변이가 많은 경우(질환 상태가 심할 수록 에스트로겐저하증이 나타나기 쉬움)
(가) 신경성식욕부진(anorexia nervosa)
(나) 운동
(다) 스트레스
(라) 가임신
(마) 영양실조
(바) 만성질환, 당뇨, 신장질환, 호흡기질환, 만성간염, 애디슨병(Addison's disease)
(사) 고프로락틴혈증(hyperprolactinemia)
(아) 갑상샘 이상(thyroid dysfunction)

나) 에스트로겐의 변이가 거의 없는 경우
(가) 비만
(나) 고안드로겐증(hyperandrogenism)
- 다낭성난소증후군(polycystic ovary syndrome)
- 쿠싱병(Cushing's syndrome)
- 선천부신과다형성(congenital adrenal hyperplasia)
- 안드로겐분비 부신종양(androgen-secreting adrenal tumor)
- 안드로겐분비 난소종양(androgen-secreting ovarian tumor)

(다) 과립막세포암종
(라) 원인불명(idiopathic)

(2) 미국생식의학회(ASRM Practice Committee, 2008)의 분류

① 해부학적 이상
가. 뮐러관무형성증후군
나. 고환성여성화증후군
다. 아셔만(Asherman)증후군
라. 처녀막막힘증
마. 질중격
바. 자궁경부무형성
사. 자궁경부협착(외인성)
아. 질무형성
자. 자궁내막형성저하증 또는 무형성(선천성)

② 일차성생식샘기능저하증
가. 생식샘발생장애
가) 비정상핵형
(가) 터너증후군(45,X)
(나) 모자이크현상(mosaicism)

나) 정상핵형
(가) 순생식샘발생장애·46,XX·46,XY (Swyer 증후군)

나. 생식샘무형성
다. 효소결핍
가) 17α-hydroxylase결핍
나) 17, 20-lyase결핍
다) 방향화효소(aromatase)결핍

라. 조기난소부전
가) 원인불명
나) 손상
(가) 항암치료
(나) 방사선치료
(다) 볼거리성난소염(mumps oophoritis)

마. 저항난소증후군

③ 시상하부 원인
가. 기능장애
가) 스트레스
나) 운동
다) 영양
(가) 체중감소, 영양실조
(나) 식이장애(신경성 식욕부진, 병적 과식)
라) 가임신(pseudopregnancy)
나. 기타 장애
가) 생식샘자극호르몬 결핍
(가) 칼만(Kallmann)증후군
(나) 원인불명 저생식샘자극호르몬생식샘저하증
나) 감염
(가) 결핵
(나) 매독
(다) 뇌염/뇌수막염
(라) 사르코이드증
다) 만성질환
라) 종양
(가) 두개인두종
(나) 종자세포종(germinoma)
(다) 과오종(hamartoma)
(라) 랑게르한스세포조직구증
(마) 기형종
(바) 내배엽동종양(endodermal sinus tumor)
(사) 전이암종

④ 뇌하수체 원인
가. 종양
가) 프로락틴샘종
나) 기타 호르몬분비 뇌하수체종양
나. 난포자극호르몬수용체돌연변이
다. 황체형성호르몬수용체돌연변이
라. 유약엑스(fragile X)증후군
마. 자가면역질환
바. 갈락토오스혈증

⑤ 기타 내분비샘이상
가. 부신질환
가) 부신과다증식증
나) 쿠싱증후군
나. 갑상샘질환
가) 갑상샘저하증
나) 갑상샘항진증
다. 난소종양
가) 과립막세포종양
나) 브레너종양
다) 기형종
라) 점액/장액낭샘종
마) 크루켄버그(Krukenberg)종양
바) 비기능성종양(두개인두종)
사) 전이암종
라. 공간 점유 병변
가) 빈안장(empty sella)증후군
나) 동맥류
마. 괴사
가) 쉬한(Sheehan)증후군
나) 범뇌하수체저하증
바. 염증성/침윤성
가) 사르코이드증
나) 혈색소침착증
다) 림프구성시상하부염
사. 생식샘자극호르몬돌연변이

⑥ 다인성 원인
다낭성난소증후군

(3) 원발무월경 환자에서 유방발달 여부와 자궁의 유무에 따른 분류(Mashchak et al., 1981)

① 제1군: 유방 발달은 없으나 자궁은 존재하는 경우

가. 시상하부기능부전증
가) 생식샘자극호르몬분비호르몬합성부적합
나) 생식샘자극호르몬분비호르몬분비부적합
다) 신경전달물질결핍
라) 선천성해부학적기형
나. 뇌하수체기능부전증
가) 생식샘자극호르몬단독결핍증
나) 혐색소성샘종(chromophobe adenoma)
다) 두개인두종(craniopharyngioma)
다. 생식샘기능부전
가) 45,X(터너증후군)
나) 45,X, 이상 X(단완 또는 장완 결손)
다) 모자이크현상(mosaicism)(X/XX, X/XX/XXX)
라) 46,XX 또는 46,XY 순생식샘발생장애
마) 17α-hydroxylase결핍(46,XX 핵형)

② 제2군: 유방 발달은 있으나 자궁은 존재하지 않는 경우
가. 고환여성화증후군(testicular feminization syndrome)
나. 뮐러관무형성

③ 제3군: 유방 발달이 없고 자궁도 존재하지 않는 경우(남성 핵형)
가. 17, 20-desmolase결핍
나. 부신과 난소의 17α-hydroxylase결핍
다. 5α-reductase결핍
라. 선천지질부신과다형성(congenital lipoid adrenal hyperplasia)

④ 제4군: 유방 발달이 있고 자궁도 존재하는 경우
가. 시상하부 원인
나. 뇌하수체 원인
다. 난소 원인
라. 자궁 원인

4) 무월경의 진단

자세한 병력청취와 이학적 검사를 시행하여 무월경의 원인을 파악하고, 필요에 따라 특수검사를 시행해야 한다(그림 20-2).

(1) 1단계

무월경 환자에서 임신의 가능성을 배제한 후 첫 번째 단계의 검사는 갑상샘자극호르몬(thyrotropin, TSH)과 유즙분비호르몬(prolactin, PRL)의 혈중 농도 측정과 프로게스테론부하검사이다. 특히 유즙분비(galactorrhea)를 보이는 환자의 경우에는 터키안(sella turcica)의 조사영역축소촬영(coned-down view)과 가쪽촬영(lateral view) X-선검사를 추가하고 뇌하수체종양이 의심되면 CT, MRI 검사를 시행하여야 한 다. 무월경 환자 중에서 갑상샘기능저하증이 있는 경우는 많지 않지만 갑상샘기능저하증이 원인인 경우 치료가 간단하고 배란주기가 곧바로 회복되기 때문에 갑상샘자극호르몬의 검사는 권장할 만하다고 할 수 있다(Chanson and Salenave, 2004).

프로게스테론부하검사의 목적은 내인성 에스트로겐의 수준과 자궁내막에서 질에 이르는 경로의 정상 여부를 평가하는 것이다. 프로게스테론을 투여하는 방법은 대략 3가지로 기름용해 프로게스테론(progesterone in oil) 200 mg 1회 근주, 미분화프로게스테론(micronized progesterone) 200 mg 또는 초산메드록시프로게스테론(medroxyprogesterone acetate) 5-10 mg을 12-14일간 매일 경구 투여하는 방법이 있다.

갑상선자극호르몬과 유즙분비호르몬 혈중치가 정상이고 프로게스테론 투여 후 2-7일 이내에 질 출혈이 있는 경우 무배란증에 의한 무월경으로 진단할 수 있으며, 월경 유출 경로가 정상이라고 판단할 수 있다. 이러한 경우 에스트로겐 분비를 위한 난소와 뇌하수체, 중추신경계의 최소한의 기능은 유지되는 것으로 생각할 수 있다.

지속적인 무배란으로 에스트로겐의 자극을 받고 있는 자궁내막이 프로게스테론에 의해 보호되지 못하면 자궁내막조직은 짧은 시간 동안에도 증식증이나 암으로 진행할

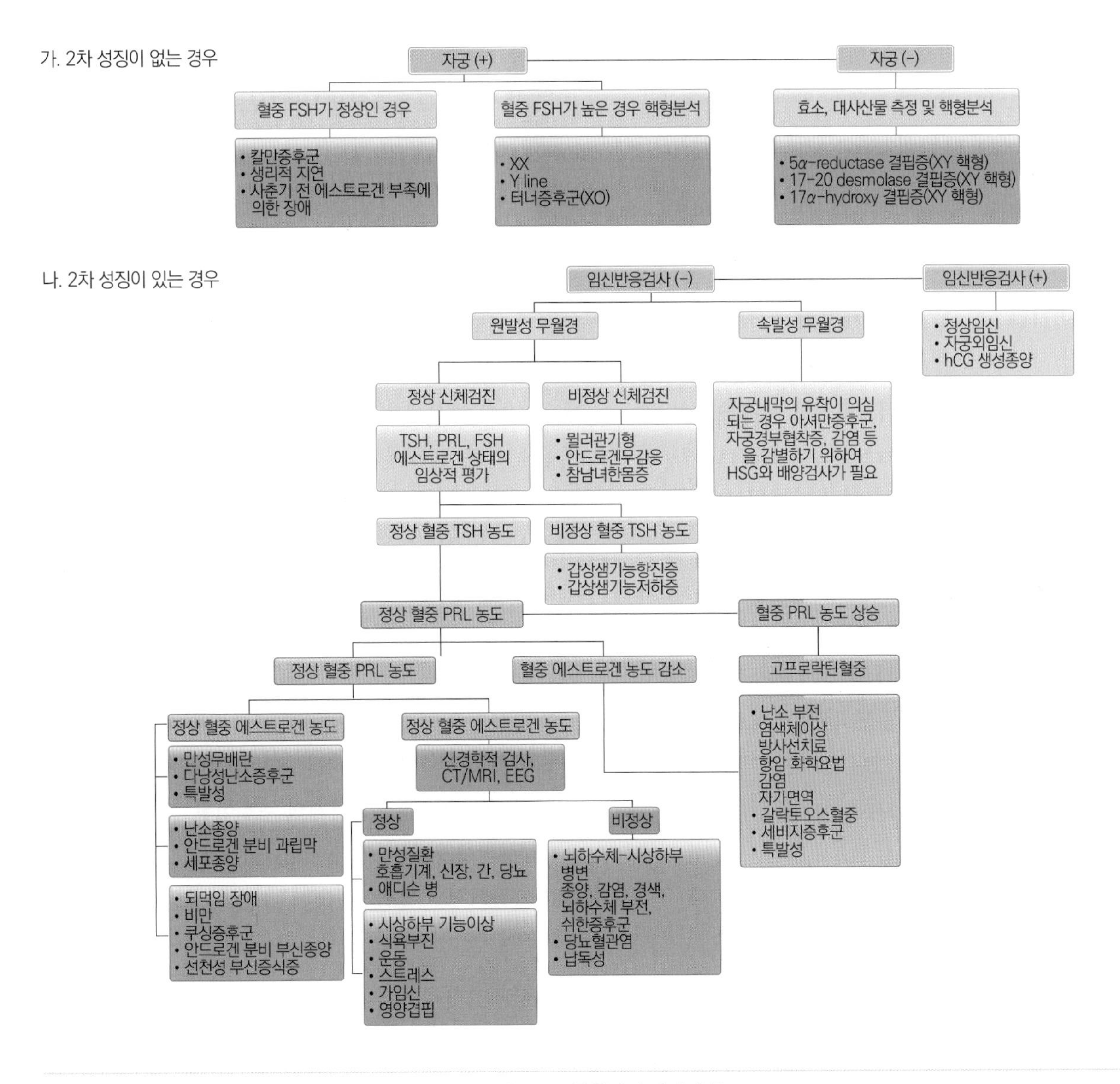

그림 20-2. **무월경의 진단 흐름도**

수 있다. 그러므로 젊은 여성에서라도 무배란증의 기간이 비교적 길었다면 흡입 또는 소파를 통한 자궁내막조직의 평가가 반드시 필요하다(Canavan과 Doshi, 1999).

(2) 2단계

프로게스테론 투여 후에도 질 출혈이 없는 경우는월경 유출 경로가 정상적으로 형성되어 있지 않거나 에스트로겐에 의한 자궁내막의 증식이 일어나지 않은 경우이다. 2단계의 검사는 이러한 상태를 확인하기 위한 것으로써 1.25 mg의 접합 에스트로겐(conjugate estrogen) 또는 2 mg의 에스트라디올을 21일 동안 매일 경구 투여 후 1단계에서와 같은 방법으로 프로게스테론 제제를 경구로 투여한다. 이러한 검사 후에도 쇠퇴성 출혈이 없다면 자궁 및 월경 유출 경로의 구조적 이상을 고려하여야 한다. 쇠퇴성 출혈이 있는 경우에는 적절한 에스트로겐의 자극만 있다면 정상적인 월경이 이루어진다고 생각할 수 있다. 임상적으로 내진 및 부인과적 검진상 내외 생식기에 특별한 이상이 없고 감염이나 소파술과 같은 병력이 없다면 자궁 및 월경 유출경로의 구조적 이상은 가능성이 매우 희박하다.

(3) 3단계

2단계 검사에서 쇠퇴성 출혈이 있었다면 에스트로겐 결핍을 의심해야 한다. 에스트로겐이 생성되기 위해서는 정상적인 난포를 형성할 수 있는 난소와 이러한 난소를 자극할 수 있는 충분한 양의 생식샘자극호르몬이 필요하다. 3단계의 검사는 이 두 가지 중요한 요소들이 정상적으로 기능하는지 알아보는 검사로써 에스트로겐 결핍의 원인으로 난소에서의 난포형성이상과 중추신경계-뇌하수체 축의 이상을 구별하는 것이다. 혈중 생식샘자극호르몬의 농도를 평가하기 위해 혈중 난포자극호르몬과 황체형성호르몬의 농도를 측정한다. 2단계의 검사에서는 외인성 에스트로겐을 투여하기 때문에 일시적인 내인성 생식샘자극호르몬의 농도 변화가 있을 수 있다. 그러므로 2단계의 검사를 시행한 후 3단계의 검사를 시행하기 위해서는 적어도 2주 이상의 간격이 필요하다.

2. 이차성징이 동반되지 않은 무월경

13세 이후, 이차성징의 발현이 없는 원발성 무월경 환자에서는 병력청취와 진찰을 통하여 자궁의 유무를 확인하고, 자궁이 없는 경우에는 핵형검사를 실시하여 남성가성반음양증을 조사해야 한다. 자궁이 존재하는 경우에는 혈중 에스트로겐과 난포자극호르몬을 측정하여 농도가 낮으면 저생식샘자극호르몬생식샘저하증(hypogonadotropic hypogonadism)으로 진단하고 시상하부-뇌하수체 축의 기능장애 혹은 병변에 기인하는지를 판단하여야 한다. 혈중 에스트로겐은 낮지만 난포자극호르몬이 높으면 고생식샘자극호르몬생식샘저하증(hypergonadotropic hypogonadism)으로 진단하고 주요 원인인 생식샘발생장애(gonadal dysgenesis)를 조사해야 한다(무월경의 분류 참고).

1) 원인

(1) 고생식샘자극호르몬생식샘저하증(hypergonadotropic hypogonadism)

원발성생식샘부전에 의하여 생식샘 스테로이드 분비가 감소하면 시상하부-뇌하수체 축에 대한 에스트로겐의 음성되먹임의 감소로 인하여 생식샘자극호르몬인 황체형성호르몬과 난포자극호르몬의 혈중 농도가 증가한다. 생식샘부전은 태생기를 포함하여 어느 나이에서도 발생할 수 있다. 이러한 생식샘부전의 가장 흔한 원인은 유전적 이상에 의한 경우이다. 생식샘부전이 성발달 시작 전에 발생하면 원발무월경과 이차성징의 결핍을 보이게 된다. XY 핵형의 생식샘부전의 경우는 항뮐러관호르몬과 테스토스테론이 생산되지 않아 여성 생식기관이 존재한다(The Practice Committee of the American Society for Reproductive Medicine, 2004).

원발성 무월경 환자의 약 30%에서 유전적 이상이 있으며 터너증후군이 가장 흔하다. 원발성 무월경을 유발하는 그 외의 질환으로는 X염색체의 구조이상, 모자이크현상, 순생식샘발생장애와 17α-hydroxylase, 17, 20-lyase, 방향화효소 등의 효소결핍 및 저항난소증후군 등이 있다(무월경의 분류 참고).

대부분의 환자들은 성호르몬이 생성되지 않아 원발무월경과 이차성징의 결핍을 보이게 된다. 그러나 X염색체의 부분결손, 모자이크현상 또는 순생식샘발생장애(46,XX) 환자들에서 가끔 사춘기 초기에 에스트로겐을 합성함으로써 유방의 발육과 자궁 출혈을 보이기도 하고 배란과, 드물지만 임신이 가능할 수도 있다.

① 생식샘발생장애(gonadal dysgenesis)

가. 터너증후군

터너증후군(45,X)은 생식샘부전과 원발무월경을 유발하는 가장 흔한 염색체 이상이다. 이는 출생 여아 2,500-3,000명당 한 명의 빈도로 발생하며(Sybert와 McCauley, 2004), 성장이 느리고 대부분의 경우 정상 지능을 가지나 인지장애를 보이기도 한다. 출생 시의 림프부종, 익상경(webbed neck), 방패형 흉부, 외반주(cubitus valgus), 대동맥축착(coarctation of aorta) 등의 심장기형, 말굽신장(horseshoe kidney) 등의 비뇨기계 기형 등을 동반한다. 난소에서는 태생 18주 이후부터 난자가 급격히 소실되어 생후 수년 만에 난자가 완전히 소실된다. 생식샘은 흔적생식샘(streak gonads)으로 되어 있고 자궁과 난관은 미성숙하나 정상적이다. 나이가 들면서 정상보다 작은 신장, 발육이 안 된 유방, 원발무월경, 빈약한 액모 및 음모 등의 임상소견을 보인다. 그 외 당뇨나 갑상샘질환, 본태고혈압, 기타 자가면역질환, 청력소실 등이 흔히 동반된다. 일반적으로 전형적 터너증후군인 45,X 이외에 45,X/46,XX, 45,X/46,X,i(Xq), 46,X,i(Xq), 45,X/46,XY 등도 45,X 환자와 표현형이 유사하고 예후가 비슷해 터너증후군에 포함시킨다. 전체 터너증후군의 약 50%는 45,X이고 나머지는 위와 같은 빈도순을 보이고 있으나(Sybert and McCauley, 2004), 국내에서는 45,X, 45,X/46, X,i(Xq), 45,X/46,X,+mar, 46,X,i(Xq), 45,X/46,XX 순으로 보고되고 있다(최영민 등, 2000). 세포유전학적 방법을 사용하여 터너증후군 환자의 염색체를 분석해보면 약 6%에서 Y염색체나 Y염색체에서 유래된 Y 구조물(derivative Y)이 발견되고 Y 혹은 다른 염색체로부터 기인한 표지(marker) 염색체가 3%에서 발견된다(Medlej et al., 1992). 일반적인 세포유전학적 검사로 발견되지 않는 이런 소량의 Y염색체 구조물은 최근 중합효소연쇄반응(polymerase chain reaction, PCR)을 이용한 DNA 분석으로 Y염색체 특이 SRY (sex determining region of the Y chromosome) 유전자를 확인하는데, Y염색체가 발견되지 않는 터너증후군에서 SRY 유전자가 검색되는 비율은 6.8-11%이다(심정연과 유한욱, 1996; 최수희 등, 2002). 터너증후군 환자에서 Y염색체나 Y 구조물이 존재하면 생식샘종양의 발생과 사춘기 때 남성화 위험성이 증가한다(Canto et al., 2004). 드물지만 터너증후군 환자에서 자연적으로 이차성징이 발현되기도 하고, 자연적으로 혹은 에스트로겐 치료 후에 배란과 임신이 될 수도 있다(Tarani et al., 1998). 터너증후군을 진단받은 여성에서는 대동맥확장과 당뇨, 청력소실에 대한 선별검사를 시행해야 한다(여채영, 2010).

나. X염색체의 구조이상

핵형은 46,XX이나 X염색체 중 한 개가 불완전한 구조를 가지는 경우이다. 이러한 환자의 표현형은 결손된 유전인자의 양이나 위치에 따라 다양하게 나타날 수 있다.

가) X염색체의 장완 결손(deletion of long arm, Xq-)

환자는 정상적인 키에 외형적으로 기형은 없으나 성적 영아증을 나타내며 흔적생식샘이므로 이차 성징의 발현이 없고, 임신은 불가능하다. 일부 환자들은 골단 폐쇄가 지연되어 고자닮은(eunuchoid) 모습을 보이기도 한다.

나) X염색체의 단완 결손(deletion of short arm, Xp-)

터너증후군의 표현형이 대부분 X염색체의 단완에 기인하기 때문에 터너증후군과 유사한 표현형을 보인다.

다) X염색체 장완의 등완염색체(isochromosome of long arm, i[Xq])

X염색체가 2개의 장완으로 구성되어 있을 경우는 모자이크현상의 동반 유무와 관계없이 대개 45,X 터너증후군과 유사한 임상양상을 보인다. 터너증후군보다 자가면역질환이 더 많이 발생한다.

라) X염색체의 고리염색체(ring chromosome) 염색체 양끝이 소실된 뒤 양끝이 결합하여 고리염색 체가 형성되며 불완전하므로 세포분열과정에서 소실되기 쉽다. 소실되지 않을 경우에는 풀렸다가 다시 결합되어 다양한 크기의 고리가 형성된다. 대부분 난소부전과 터너증후군과 유사한 표현형을 보이지만 지능저하와 합지증으로 터너증후군과 구별된다(구병삼, 2001).

마) X염색체의 균형전위(balanced translocation)

보통염색체와의 균형전위가 있을 경우 약 절반에서 생식샘부전을 보인다.

다. 모자이크현상(mosaicism)

원발무월경은 다양한 양상의 모자이크현상에 의하여 일어날 수 있는데, 가장 많은 것은 45,X/46,XX의 형태이다. 45,X/47,XXX와 45,X/46,XX/47,XXX 환자의 임상소견은 45,X/46,XX와 비슷하며 에스트로겐과 생식샘자극호르몬의 생성은 생식샘 내에 있는 난포의 수에 따라 다양할 수 있다. 45,X/46,XX 환자는 비록 80%에서 키가 작고 66%에서 약간의 신체적인 기형을 가지고 있지만 45,X와 비교하면 신장도 크고 기형도 적은 편이다. 이 환자들의 약 20%에서 자연적인 월경을 보이기도 한다.

라. 순생식샘발생장애(pure gonadal dysgenesis)

순생식샘발생장애는 외형적으로 여성의 형태를 보이지만 원발무월경, 성적 영아증을 나타낸다. 신장은 정상이며 터너증후군의 특징은 없다. 염색체는 46,XX 또는 46,XY로 정상이며 대개 흔적생식샘의 형태를 보이지만, 간혹 이차성징과 자궁 출혈을 보이는 경우도 있다. 스와이어(Swyer)증후군인 46,XY 생식샘발생장애의 경우 항뮐러관호르몬과 테스토스테론이 생산되지 않아 자궁, 질, 나팔관 등 뮐러관에서 발생하는 여성 생식기 구조가 존재한다. 스와이어증후군의 10-20%는 Yp11에 위치하는 SRY 유전자의 돌연변이로 발생하며(Hawkins, 1993), 고환 분화와 항뮐러관호르몬 생산을 억제하는 SOX9, CMRT1, WT-1, SF1과 같은 유전자들의 돌연변이에 의해서도 발생한다. Y염색체가 있는 흔적생식샘에서 종양이 호발하므로 진단 즉시 생식샘 제거술을 실시해야 한다.

마. 혼합생식샘발생장애(mixed gonadal dysgenesis)

대부분 46,XY로 한쪽은 흔적생식샘이고 다른 쪽은 기형고환인 모호한 생식기관을 가지고 있다. 일부에서 SRY 유전자의 돌연변이가 발견된다.

② 생식샘무형성(gonadal agenesis)

생식샘무형성은 생식샘발생모체(gonadal blastema)와 인근 체강상피(coelomic epithelium)에 국한된 결손으로 발생한다. 염색체는 정상이고 외형적으로 여성의 형태를 보이지만 원발무월경과 성적 영아증을 나타낸다. 생식샘은 없고, 자궁과 난관은 없거나 흔적으로 남아 있지만 간혹 발육부전 상태로 존재하기도 한다. 질은 대개 정상이다(Mutchinick et al., 2005).

③ 효소 결핍

가. 17α-hydroxylase 결핍과 17, 20-lyase결핍

17α-hydroxylase 결핍은 CYP17 유전자의 돌연변이로 발생하며 46,XX나 46,XY 모두에서 발생할 수 있다. 46,XY에서 발생한 경우 자궁이 없는데, 이것이 46,XX와 감별점이 된다. 17α-hydroxylase 결핍 환자들은 외형상 여성의 모습을 나타내지만 성호르몬 생성이 안 되어 원발무월경, 이차성징의 결여를 보이며, 46,XX인 경우 난소에 원시난포(primordial follicles)가 있고 생식샘자극호르몬은 증가되어 있다. 17α-hydroxylase 결핍으로 코르티솔의 생성이 감소하고 이에 따른 부신겉질자극호르몬(adrenocorticotropin, ACTH), 광물 부신겉질호르몬의 상승에 의해 나트륨 저류, 칼륨 손실, 고혈압 등이 발생하게 된다. 전 세계적으로 약 200명의 환자에서 이 효소 유전자의 구조를 변화시키는 20가지 이상의 서로 다른 돌연변이가 밝혀졌다(Adashi and Hennebold, 1999).

17, 20-lyase 결핍도 *CYP17* 유전자의 돌연변이로 발생하며 성스테로이드 생성 경로가 완전히 차단되어 46,XY이지만 외형상 여성의 형태를 보이게 된다. 자궁은 없고 사춘기에 이르러 이차성징은 발달되지 않는다. 코르티솔은 부신겉질자극호르몬의 자극에 정상적으로 반응하지만 성스테로이드는 생성되지 않는다.

나. 방향화효소 결핍

매우 드문 이 결핍증은 안드로겐이 에스트로겐으로 방향화되지 못하여 생기는 상염색체 열성질환이다. 임신 중에 태반에서 태아 안드로겐이 에스트로겐으로 전환

되지 않고 모체 혈액 내로 확산되어 이 환아를 임신한 대부분의 산모가 남성화되기 때문에 출생 전에 이 질환을 의심하게 된다. 이환된 여아는 출생 시 음핵비대증, 음순음낭융합 등을 보이며 사춘기에 이르러 발육이 안 된 유방, 원발무월경, 심한 남성화, 성장장애, 골성장 지연 및 다낭난소 등의 임상소견을 보인다. 호르몬검사상 난포자극호르몬, 황체형성호르몬, 테스토스테론 및 디하이드로에피안드로스테론황산염(dehydroepiandrosterone sulfate, DHEAS)의 혈중 농도는 증가되어 있지만 에스트라디올은 측정 되지 않는 것으로 진단될 수 있다. 에스트로겐 치료가 난소와 골격장애를 개선하는 데 효과가 있다(Schillings and McClamrock, 2007).

다. Galactose-1 phosphate uridyl transferase **결핍**

갈락토오스혈증을 유발하는 galactose-1 phosphate uridyl transferase의 결핍은 종종 난소부전과 연관된다.

④ 생식샘자극호르몬 수용체의 돌연변이

가. **황체형성호르몬 수용체 돌연변이**

2번 염색체에 위치하는 LHR 유전자의 동종접합성 조기 정지코돈(homozygous premature stop codon), 결손, 과오돌연변이(missense mutation)에 의해 발생하는 황체형성호르몬 수용체의 불활성으로, 46,XY에서는 복강 내 고환, 원발무월경, 이차성징 결핍을 보이는 완전한 남성 가성 반음양증을 나타낸다. 라이디히 세포(Leydig cell)가 황체형성호르몬에 반응하지 않아 형성저하(hypoplasia)되어 있고 조기 고환부전(testicular failure)으로 남성화가 안 된다. 46,XX에서는 무월경을 보이나 이차성징은 정상적으로 발현된다. 황체형성호르몬은 높지만, 난포자극호르몬은 정상이고 에스트라디올과 프로게스테론은 낮다. 난소는 다낭성이고 모든 단계의 난포들이 존재하지만 배란 전 난포(preovulatory follicles)나 황체는 없다(Toledo et al., 1996).

나. **난포자극호르몬 수용체 돌연변이**

난포자극호르몬 수용체 세포외도메인(extracellular domain)의 단독 아미노산 치환으로 난포자극호르몬이 수용체와 결합하지 못해 일어나는 상염색체 열성질환으로 핀란드의 여섯 가족에서 발견되었다. 46,XY에서는 테스토스테론은 정상이고 황체형성호르몬과 난포자극호르몬은 높지만 정상적으로 남성화된다. 다만 고환의 크기가 약간 작고 정자부족증(oligospermia)을 보인다. 46,XX에서는 황체형성호르몬과 난포자극호르몬이 높고, 난소 발육부전, 무월경, 다양한 이차성징 발현, 난포발달 정지, 불임이 나타난다(Tapanainen, 1998).

⑤ 원발성난소부전

조기난소부전에 의한 무월경은 난소에 대한 방사선 치료, 사이클로포스파마이드와 같은 알킬화제제를 사용한 항암치료, 또는 방사선과 항암제의 복합사용 등에 의해서 유발될 수 있다. 이외에도 자가면역난소부전, 감염이나 침윤성 질환에 의한 난소부전도 일어날 수 있다.

(2) 저생식샘자극호르몬생식샘저하증(hypogonadotropic hypogonadism)

저생식샘자극호르몬생식샘저하증에 의한 무월경은 원인이 밝혀지지 않는 경우가 많지만, 시상하부가 적절한 양의 생식샘자극호르몬분비호르몬을 분비하지 못하거나 뇌하수체에서 생식샘자극호르몬을 생산하고 분비하는 기전에 문제가 발생함으로써 일어날 수 있다.

① 생리적 지연(physiologic delay)

사춘기의 생리적 지연은 저생식샘자극호르몬생식샘 저하증의 가장 흔한 원인 중 하나이다. 이는 청소년기 여성의 약 2.5%에서 발생한다(Pletcher and Slap, 1999). 이로 인한 무월경은 생식샘자극호르몬분비호르몬 파발생기(pulse generator)의 재가동 지연에 의한 것으로 생각된다. 생식샘자극호르몬분비호르몬의 농도는 연령에 비하여 부족하지만 생리적인 발달의 측면에서 본다면 정상적이다. 골연령은 지연되어 있으며 대개 작은 신장을 보이게 된다.

② 칼만증후군

저생식샘자극호르몬생식샘저하증과 연관되어 원발성 무월경을 일으키는 시상하부 이상 중 두 번째로 흔한 원인은 생식샘자극호르몬분비호르몬의 박동성 분비 부족에 의한 칼만증후군이다. 환자의 후각망울(olfactory bulb)이 완전히 혹은 부분적으로 형성되지 않아 이 질환을 후각생식기형성이상(olfactogenital dysplasia)이라고도 한다. 환자들은 무월경, 이차성징 발달 실패, 낮은 생식샘자극호르몬, 정상 여성 핵형, 무후각증 등의 특징을 가지며 보통 신장은 정상이다. 소뇌조화운동불능(cerebellar ataxia) 등의 신경학적 이상, 입술갈림증(cleft lip) 및 입천장갈림증(cleft palate) 등의 두부안면기형, 신장기형(renal anomaly) 등을 동반하기도 한다. 대부분 환자에서 유전적 이상이 발견되지 않으나, 일부 환자에서 X염색체 단완에 있는, 신경세포이동을 관장하는 단백질(anosmin)의 유전자(Kal-1) 결함 때문에 시상하부와 후각망울에서 생식샘자극호르몬분비호르몬 신경세포가 소실되어 저생식샘자극호르몬생식샘저하증과 무후각증이 발생한다(Oliveira et al., 2001).

③ 기타 원인에 의한 생식샘자극호르몬결핍

생식샘자극호르몬분비호르몬 결핍은 유전적 결함 이외에도 발육장애, 염증질환, 종양, 혈관질환 및 외상 등에 의해서도 발생할 수 있다.

(3) 유전질환

① 선천지질부신과다형성(congenital lipoid adrenal hyperplasia)

이 질환은 부신과 생식샘에서 스테로이드호르몬 생합성의 첫 단계인 콜레스테롤이 프레그네놀론(pregnenolone)으로 전환되지 못하여 생기는 상염색체 열성질환이다.

전환효소인 콜레스테롤곁사슬 절단효소(cholesterol side-chain cleavage enzyme, P450scc) 유전자의 결함 때문이 아니라, 사립체외막(outer mitochondrial membrane)에서 내막으로 콜레스테롤의 이동을 촉진시키는 스테로이드급성조절단백(steroidogenic acute regulatory protein, StAR) 유전자의 돌연변이가 원인으로 알려져 있다(Bose et al., 1996). 이 단백질은 스테로이드호르몬 생합성에서 속도조절단백질(rate- limiting protein)이기 때문에 작용을 못하면 부신과 생식샘 스테로이드합성에 결함이 생긴다(Adashi와 Hennebold, 1999). 46,XX나 46,XY 환자 모두 외형상 여성의 모습을 나타내고 영아기에 저나트륨혈증, 고칼륨혈증과 산증을 보이지만 광물부신겉질호르몬(mineralocorticoid)과 글루코코르티코이드(glucocorticoid) 보충으로 성인까지 살 수 있다. 46,XY 경우 자궁이 없고 성적 영아증과 원발무월경을 보이나, 46,XX 환자는 사춘기에 간혹 이차성징을 보이는 경우도 있을 수 있지만 난소에 콜레스테롤 축적으로 난소낭종과 조기난소부전이 발생한다.

② 5α-환원효소 결핍

5α-reductase 결핍도 원발무월경의 원인 중 하나이다. 상염색체 열성으로 유전하는 이 질환의 환자들은 XY핵형으로 불완전한 남성 가성 반음양증을 나타낸다. 대부분 성할당(sex assignment)은 여성이지만 고환이 있어 항뮐러관호르몬에 의하여 뮐러관에서 분화된 장기는 없다. 5α-reductase는 테스토스테론을 더 강력한 활성을 가진 디하이드로테스토스테론(dihydrotestosterone)으로 전환시키는 효소로, 이 효소 결핍 환자들은 사춘기에 유방 발달이 일어나지 않고, 테스토스테론이 유방 발달을 억제할 만큼 높은 농도로 유지되어 정상적인 되먹임 기전을 유발하므로 혈중 생식샘자극호르몬의 농도는 낮다. 이것이 안드로겐 무감응과의 감별 요소가 된다. 디하이드로테스토스테론이 생성되지 못하므로 비뇨생식굴(urogenital sinus)과 외부생식기의 남성으로의 분화는 이루어지지 않으나, 테스토스테론은 생성되고 있으므로 볼프관(Wolffian duct)에서 유래되는 남성 내부생식기는 정상적으로 분화되며 흔히 사춘기에 이르러 남성형 모발, 근육, 목소리 등 남성화의 양상을 나타내게 된다(Speroff and Fritz, 2005).

③ 생식샘자극호르몬분비호르몬 수용체 돌연변이

생식샘자극호르몬분비호르몬 기능이상을 초래하는 생식샘자극호르몬분비호르몬 수용체의 여러 돌연변이가 확인되었다. 대부분의 환자는 복합 이종접합자(compound heterozygote)이지만, 동종접합상염색체 열성으로 유전하는 돌연변이도 확인되었다. 이 수용체는 G단백(G-protein)-연결 수용체로, 돌연변이에 의해 생식샘자극호르몬분비호르몬의 수용체 결합이 아주 감소하거나 혹은 이차전령(second-messenger) 신호 전달이 안 된다. 기능적 신호 전달이 안 되면 난포자극호르몬과 황체형성호르몬이 분비되지 않아 난포가 성장하지 못한다(Cohen, 2000). 이 수용체 돌연변이는 정상 후각을 갖는 원인불명 저생식샘자극호르몬생식샘저하증의 약 17%를 차지한다(Schillings and McClamrock, 2007).

④ 난포자극호르몬결핍증

이 환자들은 사춘기 지연과 저에스트로겐 혈증에 의한 원발무월경으로 병원을 찾게 된다. 이들은 난포자극호르몬이 낮고 황체형성호르몬은 높아 다른 저에스트로겐혈증 환자들과 감별된다. 또한 황체형성호르몬/난포자극호르몬비의 이상에도 불구하고 혈중안드로겐 농도는 낮다. 이는 난포막세포에서 안드로겐을 생산하기 위해서는 난포자극호르몬에 의한 난포발달이 선행되어야 하기 때문이다. 일부 환자에서 상염색체 열성으로 유전하는 난포자극호르몬 베타단위의 돌연변이가 발생하고 이로 인해 알파와 베타단위의 이합체화의 장애와 수용체와의 결합장애가 발생한다(Layman et al., 1997). 생식샘자극호르몬으로 배란을 유도하여 임신에 성공할 수 있다.

(4) 기타 사상하부/뇌하수체 기능장애

그 밖에도 영양실조, 흡수장애, 체중 감소 또는 신경성 식욕부진, 스트레스, 과도한 운동, 만성질환, 종양, 그리고 대마초의 사용 등은 기능성생식샘자극호르몬 결핍을 초래할 수 있다. 갑상샘저하증, 다낭성난소증후군, 고프로락틴혈증, 중추신경계의 침윤성 질환 등도 무월경의 드문 원인이 될 수 있다.

2) 진단

생식샘저하증과 연관된 무월경의 적절한 진단과 치료에는 주의 깊은 병력청취와 진찰이 필수적이다. 터너증후군에서는 진찰이 특히 중요하다. 신장은 작으나 지속적 성장을 보인다든지, 사춘기 지연의 가족력이 있는 경우, 후각과 시각을 포함한 진찰상의 이상이 발견되지 않는다면 생리적 지연을 의심해 볼 수 있다. 두통, 시각장애, 작은 신장, 요붕증 증상, 사지의 일부 혹은 전부의 쇠약 등은 중추신경계의 질환을 의미한다. 젖흐름증은 프로락틴분비종양에서 나타날 수 있으며 젖흐름증의 병력 역시 중추신경계의 감염, 염증, 또는 혈관질환이나 외상, 신경성식욕 부진, 스트레스와 연관된 무월경, 혹은 다른 전신질환을 진단하는 데 도움이 될 수 있다. 이차성징이 동반되지 않은 무월경의 진단 과정을 정리해보면 다음과 같다.

(1) 초기검사로 혈중 에스트로겐, 난포자극호르몬, 갑상샘자극호르몬 및 유즙분비호르몬 농도를 검사하여야 하며, 방사선검사로 골연령을 평가하여야 한다. 혈중 난포자극호르몬의 농도로 생식샘저하증이 고생식샘자극호르몬성인지, 또는 저생식샘자극호르몬성인지를 감별할 수 있다. 혈중 난포자극호르몬의 농도가 상승되어 있으면 염색체검사를 시행한다. 이를 통해 터너증후군, X염색체의 부분결손, 모자이크현상, 순생식샘발생장애와 혼합생식샘발생장애(45,X/46,XY) 등을 진단할 수 있다.
(2) 터너증후군 환자는 대동맥축착(30% 이상)이나 갑상샘기능 이상 등을 동반할 수 있기 때문에 3-5년마다 심장초음파검사와 매년 갑상샘기능검사, 콩팥초음파를 시행하여야 한다. 또한 청각 소실과 고혈압을 조사하여야 한다.
(3) 일반 염색체검사상 Y염색체가 있거나 세포유전학적 검사로 Y염색체나 Y염색체 구조물이 존재하는 생식샘이형성증에서 종양발생을 예방하기 위해서는 생식샘을 제거해야 한다(Pernille et al., 2010).

(4) 난포자극호르몬은 상승되어 있으나 염색체검사가 정상이면 17α-수산화효소 결핍을 고려해야 한다. 이 질환은 치료하지 않을 경우 치명적일 수 있다. 혈중 프로게스테론이 3 ng/mL 이상, 17α-수산화프로게스테론이 0.2 ng/mL 이하이고 디옥시코르티코스테론(deoxycorticosterone)이 증가하여 있으면 이 질환을 의심해 보아야 하고 부신겉질자극호르몬 자극검사로 확진한다. 17α-수산화효소 결핍 환자일 경우 부신겉질자극호르몬을 투여하면 혈중 프로게스테론은 급격히 상승하지만 17α-수산화프로게스테론의 농도는 변화가 없다(Schillings and McClamrock, 2007).

(5) 난포자극호르몬이 낮으면(<5 mIU/mL) 저생식샘자극호르몬생식샘저하증으로 진단하고 유즙분비, 두통, 시야결손 등이 있으면 중추신경계 병변을 감별하기 위해 두경부에 대한 컴퓨터단층 촬영(computerized tomography, CT)이나 자기공명영상(magnetic resonance imaging, MRI)을 시행한다. 두개인두종 환자의 약 70%에서 안장 위 혹은 안장내 석회화(suprasellar or intrasellar calcification)가 발견된다.

(6) 시상하부 및 뇌하수체의 영상검사를 통하여 기질성 병변이 없음이 증명되면 시상하부의 기능장애를 일으키는 원인들 즉 영양실조, 흡수장애, 체중감소 또는 신경성 식욕부진, 과도한 운동, 심한 정신적 스트레스 등의 원인들에 대한 조사가 필요하다.

(7) 생리적 지연은 생식샘자극호르몬분비호르몬 분비 부족과 구별하기 어려워 배제 방법으로 진단(diagnosis of exclusion)한다. 병력청취와 더불어 방사선 사진상 골연령이 지연되어 있으면서 컴퓨터단층촬영이나 자기공명영상에서 중추 신경계의 병변이 없는 경우에 고려해볼 수 있다(Batrinos와 Panitsa-Faflia, 1997).

3) 치료

(1) 고생식샘자극호르몬생식샘저하증

모든 형태의 생식샘부전 혹은 고생식샘자극호르몬생식샘저하증과 연관된 무월경 환자는 이차성징의 발달 및 유지를 위해 주기적인 에스트로겐과 프로게스테론 치료가 필요하다. 치료는 이차성징의 미발달로 인한 정신적 고통을 피하고 정상적인 골발달을 유도하기 위해 가능한 빨리 시작하여야 한다. 에스트로겐 치료로 골다공증을 예방하는 이점도 있다.

① 성장호르몬 투여로 신장 발육을 유도하는 경우에는 에스트로겐 치료가 성장판 조기폐쇄를 유발할 수 있으므로 고용량의 호르몬요법은 피해야 한다.

② 사춘기의 발달을 위하여 성장호르몬 치료를 한 경우는 12세에, 그렇지 않은 경우는 14세에 저용량 에스트로겐(일일 접합 마 에스트로겐 0.3 mg이나 에스트라디올 0.5 mg) 경구 투여를 시작한다. 일반적으로 하루에 0.3-0.625 mg의 결합형 에스트로겐이나 0.5-1 mg의 에스트라디올을 투여함으로써 치료를 시작한다. 3-6개월 후 유방 반응이 좋지 않으면 용량을 증가시킨다. 1-2년 후 결합형 에스트로겐 0.625 mg이나 에스트라디올 1.0 mg과 프로게스테론제제를 병합투여한다. 프로게스토겐 제제로는 초산메드록시프로게스테론(medroxyprogesterone acetate)을 매일 2.5 mg 혹은 매월 12-14일 동안 5-10 mg을 투여하거나, 미분화프로게스테론을 매일 100 mg 혹은 매월 12-14일 동안 200 mg을 투여하거나, 또는 프로게스테론 질정을 매일 50 mg 혹은 매월 12-14일 동안 100 mg을 투여한다. 치료 유지는 상기 용량을 계속 사용하거나 필요하면 에스트로겐의 용량을 2배 증가시킬 수 있다. 수년간 병합투여 후 환자의 순응도를 증가시키기 위하여 투여가 간단한 저용량 경구피임제를 사용할 수도 있다(Sybert and McCauley, 2004).

③ 드물지만 전체 터너증후군 환자의 5-20%에서 자연적으로 이차성징이 발현될 수 있으며 2-3.6%에서는 자연적으로 혹은 에스트로겐 치료 후에 임신이 될 수도 있다(Pasquino et al., 1997; Tarani et al., 1998). 하지만 대동맥박리나 파열에 의한 임신합병증이 증가할 수 있음에 유의해야 한다.

④ 17α-hydroxylase 결핍증으로 확진되면 에스트로겐과

코르티코스테로이드를 투여해야 하고, 자궁내막증식증을 예방하기 위해 프로게스토겐을 함께 사용한다.

(2) 저생식샘자극호르몬생식샘저하증 치료

이차성징이 동반되지 않은 저생식샘자극호르몬생식샘저하증과 연관된 무월경 환자의 치료는 가능하면 일차적인 원인에 따라 치료 계획을 수립하는 것이 필요하다.

① 두개인두종은 그 크기에 따라 나비굴경유접근법(transsphenoidal approach)이나 개두술로써 제거할 수 있다. 몇몇 연구에서는 제한적인 종양제거와 함께 방사선치료를 병합하는 것이 예후가 양호한 것으로 보고되고 있다(Thomsett et al., 1980).

② 종자세포종(germinoma)은 방사선치료에 매우 민감하여 수술은 거의 고려하지 않는다.

③ 프로락틴샘종이나 고프로락틴혈증은 대개 도파민작용제(dopamine agonist)에 잘 반응한다.

④ 영양실조, 흡수장애, 체중감소, 신경성 식욕부진, 운동에 의한 무월경, 종양, 만성질환 등은 각각에 따른 특별한 치료를 적용해야 한다.

⑤ 이론적으로는 시상하부 근원의 저생식샘자극호르몬생식샘저하증은 박동성 생식샘자극호르몬분비호르몬의 장기 투여로 치료할 수 있지만, 이 치료는 오랜 기간 유치카테터(indwelling catheter)와 주입 펌프(infusion pump)의 사용이 필요하므로 실질적으로는 이용하기 어렵다. 따라서 성적 성숙이 될 때까지 에스트로겐과 프로게스테론 주기요법으로 치료하여야 한다. 성적 성숙이 된 후에도 무월경을 유발한 기저질환이 치료되기 전까지는 저에스트로겐 증상들을 치료하기 위해 호르몬대체요법을 계속한다.

⑥ 칼만증후군, 운동이나 스트레스에 의한 무월경, 신경성 식욕부진과 체중감소 환자도 호르몬요법을 시행한다. 특히 호르몬요법 중에 일어날 수 있는 임신을 원치 않을 경우 저용량 경구피임제의 투여는 저에스트로겐 상태를 교정시켜 골다공증을 예방할 뿐만 아니라 피임 효과도 있으므로 가장 적합한 방법이다.

⑦ 사춘기의 생리적 지연의 경우에는 시간이 지나면 정상적 발달이 있을 것이라고 환자에게 교육시켜 안심시키는 것이 가장 좋은 치료 방법이다(Speroff and Fritz, 2010).

(3) 기타 치료

① 5α-환원효소결핍으로 진단되면 종양 발생 위험을 줄이고 사춘기에 남성화되는 것을 막기 위해 생식샘을 제거해야 한다.

② 일반 염색체검사상 Y염색체가 있거나 세포유전학적 검사로 Y염색체나 Y염색체 구조물이 존재하는 경우는 생식샘에서 생식샘모세포종(gonadoblastoma), 미분화세포종(dysgerminoma), 난황낭종양(yolk sac tumor) 등과 같은 종양 발생 위험도가 25-30%에 이르고 사춘기에 남성화 위험성이 증가하므로 진단 즉시 생식샘제거술을 시행해야 한다(Canto et al., 2004). Y염색체가 없어도 남성형 다모증을 보이는 환자의 경우에는 생식샘을 제거하는 것이 추천되고 있다.

(4) 배란 유도

임신을 원하는 무배란성 무월경 환자에서는 배란유도를 한다. 갑상선자극호르몬과 유즙분비호르몬, 그리고 에스트로겐 혈중치가 정상이면 일차적으로 클로미펜(clomiphene citrate)을 사용한다. 그러나 내인성 에스트로겐이 낮은 경우에는 배란 유도로 클로미펜은 적합하지 않다. 이런 경우에는 생식샘자극호르몬 주사로 성공적인 배란 유도를 할 수 있으며, 뇌하수체 기능이 정상인 경우 생식샘자극호르몬분비호르몬 박동치료를 할 수도 있다. 난소기능이 없는 환자는 난자공여를 고려하는 것이 바람직하다. 터너증후군 환자에서 임신 중 발생한 대동맥 박리와 동맥 파열에 의한 사망이 보고된 바 있으므로 공여난자를 이용하여 임신을 시도할 경우 충분한 상담을 필요로 한다(Karnis et al., 2003).

3. 이차성징이 동반되고 해부학적 이상이 있는 무월경

1) 원인

(1) 유출로와 뮐러관기형(outflow and Müllerian anomalies)

생식기관내 유출로(outflow tract)가 결손되어 있거나 막혀 있으면 월경이 나타나지 않는다. 따라서 뮐러관 계통에 횡적인 차단이 있는 경우에는 언제든지 무월경이 발생한다(Buttram과 Gibbons, 1979). 여기에 해당되는 질환들에는 처녀막막힘증, 가로질중격, 그리고 자궁, 자궁경부, 질의 무형성 또는 형성저하증인 Mayer-Rokitansky-Küster-Hauser (MRKH)증후군 등이 있다.

① 처녀막막힘증 또는 가로질중격이 있는 경우에는 청소년기에 월경은 없으면서 주기적인 통증이 나타난다. 월경혈이 막혀 있어 질혈종, 자궁혈종 및 혈복강 등이 발생하며 자궁내막증이 생길 수도 있다(그림 20-3).

② MRKH 증후군은 뮐러관무발생(Müllerian agenesis) 또는 형성저하(hypoplasia)로 나타나므로 대개는 자궁과 난관이 없고, 질도 없거나 형성이 저하되어 있다. 드물게는 자궁이 존재하는 경우도 있는데 질과 연결되어 있지 못하거나 흔적(rudimentary)이나 쌍각 끈(bicornuate cord)의 형태로 나타나게 된다. 이 증후군은 원발무월경의 비교적 흔한 원인으로써, 생식샘발생장애(gonadal dysgenesis) 다음으로 흔하며 안드로겐 무감응(androgen insensitivity)보다는 빈도가 높다(Speroff and Fritz, 2010). 국내에서 보고된 발생빈도는 14-18% 정도로 원발무월경의 두세번째로 흔한 질환이다(이선경 등, 1985; 최욱환 등, 1998; 박윤석과 강길전, 1999).

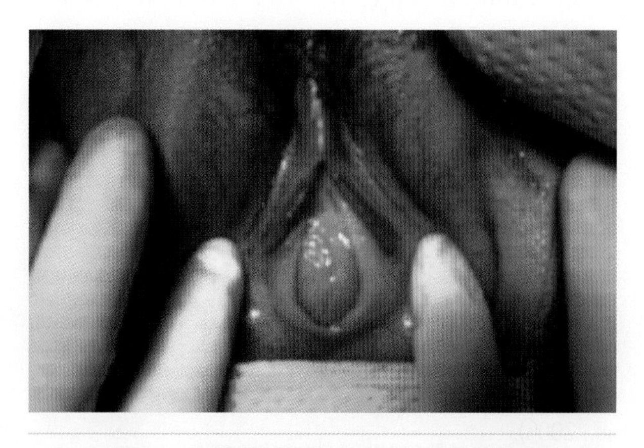

그림 20-3. **처녀막막힘증을 보이는 17세 환자의 사진**
외부로 배출되지 못해 고인 월경 혈액 때문에 처녀막이 팽출된 모양을 보임.

유방의 발육과 음모의 발달은 정상 여성에서와 같으며 성장과 발달에 있어서도 정상적이다. 따라서 정상 여성으로 보이면서 원발무월경이 있고 외관적으로 명백한 질의 구조를 갖지 않는 경우에는 MRKH 증후군을 의심해 보아야 한다. 보통 난소의 형태나 기능은 정상이다. 대개는 산발적으로 발생하지만 경우에 따라 가족 내에서 발생하는 경우가 있는데 갈락토오스 대사이상과 연관이 있다.

MRKH 증후군 환자의 약 1/3에서 비뇨기계 이상이 동반되는데 15%에서 신장결여, 딴곳신장(ectopic kidney), 말굽신장이 나타나며, 40%에서 중복비뇨집 합계가 나타날 수 있다(Fore et al., 1975; Gell, 2003; Speroff and Fritz, 2010). 또한 환자의 5-12%에서 골격계 이상이 동반되는데 특히 척추의 이상이 가장 흔하고 무지증(aphalangia)이나 합지증(syndactyly)도 나타날 수 있다(Griffin 등. 1976).

(2) 자궁내막 이상

무월경 환자에서 이학적 검사에 이상이 없을 경우 자궁내막의 이상을 고려해야 한다. 자궁 내막이 선천적으로 결여되어 원발무월경이 나타나는 경우는 매우 드물다. 대개는 후천적인 원인으로 자궁내막이 손상되거나 유착되어 나타나는 속발무월경이 더 흔하다.

아셔만증후군(Asherman syndrome)은 자궁내막이나 경관부의 손상으로 생성된 자궁내막유착에 의해 자궁강의 일부 또는 전부가 폐색되는 경우로 속발무월경 또는 과소월경이 흔하게 동반된다. 자궁내막소파술(특히 임신 관련 및 산후 소파술), 자궁경부 원추생검술 및 전기절제술, 자궁내피임장치(관련 염증), 골반내 감염, 생식기관결핵 등이 원인이 될 수 있다. 제왕절개술, 자궁근종절제술, 자궁성형술(metroplasty)과 같은 자궁체부의 수술에 의해서도 유착이 나타날 수 있다. 아셔만증후군 환자에서는 무월경 외에 과소월경, 월경통, 유산 등이 발생할 수 있으며 정상적으로 월경을 하는 경우도 있다. 또한 반복유산, 불임 또는 임신소실 등의 심각한 문제들이 발생할 수 있다.

(3) 안드로겐무감응(androgen insensitivity)

선천성 완전안드로겐무감응(complete congenital androgen insensitivity)은 외관상 여성으로 표현되며 이차성징은 나타나지만 월경은 없다. 이런 현상을 과거에는 고환여성화(testicular feminization)라고 하였으며 남성 가성 반음양증 중에서 가장 많은 유형이다.

남성 가성 반음양증에서 '남성'은 생식샘(gonad) 성을 의미하므로 고환이 있고, '가성 반음양증'은 외부생식기가 생식샘 성의 반대인 경우를 의미하므로 외형상으로 여자로 표현된다. 유전자형이 남성(XY)이고 안드로겐이 분비되지만 안드로겐 수용체의 기능에 결함이 있기 때문에 안드로겐이 표적세포에서 작용하지 못하여 남성으로의 분화 및 발달에 장애를 가져와 외부생식기가 여성으로 발달하게 되는 것이다. 안드로겐 수용체 유전자는 X염색체 장완 Xq11-12 위치에 존재하며 현재까지 약 200개 이상의 특이한 변이가 보고되어 있다(The Androgen Receptor Gene Mutations Database, 2004). 안드로겐 수용체 변이의 다양성에 의하여 안드로겐무감응의 표현형도 다양하게 나타난다. 안드로겐 수용체의 결함은 수용체의 발현 정보를 지닌 유전자가 없거나 수용체의 안드로겐 결합 부위에 이상이 있는 경우가 대부분이며, 후수용체 결함(postreceptor defect)이 나타나는 경우도 있다(Amrhein et al., 1976).

혈중 테스토스테론은 정상 또는 약간 증가한 남성 수준의 농도이며 테스토스테론의 대사나 배설은 정상적으로 이루어진다. 항뮐러관호르몬(anti-Müllerian hormone)이 분비되고 정상적으로 기능을 하기 때문에 자궁과 난관 및 질상부 같은 내부생식 기관은 존재하지 않는다. Y염색체에는 정상적으로 기능하는 유전자들이 있으므로 난소는 존재하지 않으며 고환이 복강 내에 또는 서혜부 탈장의 형태로 나타나게 된다.

질은 하부에서 맹관의 형태로 나타나고 치모와 액와모는 없거나 희박하다. 유방은 충분하게 발육하지만 유두는 성숙되지 못하고 유륜은 색깔이 엷게 나타난다. 사춘기에는 테스토스테론이 에스트로겐으로 전환되어 유방 발육을 촉진시킨다. 키는 큰 편에 속하며 팔은 길고 손발이 큰 고자닮은(eunuchoidal) 모습의 경향을 보일 수 있다(그림 20-4).

자궁이 없어서 원발무월경을 유발하는 가장 흔한 원인이 MRKH 증후군과 안드로겐무감응이다. 두 질환의 가장 쉬운 감별점은 성염색체와 음모의 존재 여부이다. MRKH 증후군과 안드로겐무감응의 임상적 감별점은 표 20-2와 같이 요약할 수 있다(Speroff and Fritz, 2010).

불완전안드로겐무감응(incomplete androgen insensitivity)은 완전안드로겐무감응증후군의 1/10의 빈도로 나

표 20-2. Mayer-Rokitansky-KÜster-Hauser 증후군과 안드로겐 불감의 임상적 감별

임상양상	MRKH 증후군	안드로겐 불감무감응
핵형	46,XX	46,XY
유전	불명확	X염색체 열성유전; 25% 발병 확률, 25% 보인자 확률
치모, 액와모	정상 여성	없거나 희박
혈중 테스토스테론	정상 여성치	정상 남성치 또는 약간 증가
동반되는 기형	비뇨기계, 골격계	드묾
생식샘의 종양	정상 빈도	악성종양 빈도 5%

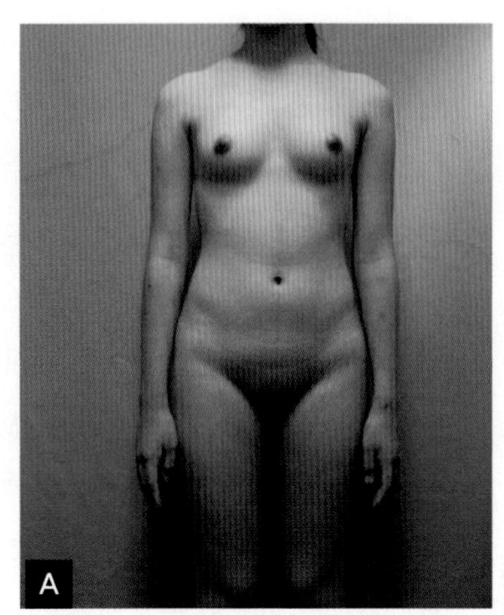

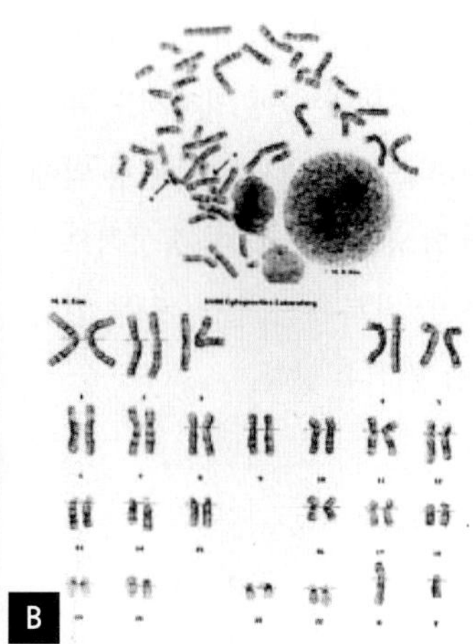

그림 20-4. **안드로겐 불감을 보이는 18세 환자의 사진**
A: 음모는 거의 없으나 유방은 정상적으로 발달하여 외관상 여성의 모습을 보임. 키는 큰 편(170 cm)이며 고자닮은 경향을 나타냄. B: 환자의 핵형(46,XY).

타난다(Griffin, 1992). 임상증상은 남성화가 거의 없는 경우에서부터 완전하게 나타나는 경우까지 다양한 양상을 나타낸다. 그 중간 형태로는 음핵이 커지고 음순이 융합하여 생식기가 모호한 형태(genital ambiguity)를 볼 수 있다. 치모와 액와모는 유방이 발달함에 따라서 나타난다.

(4) **난소고환발달이상**(ovotesticular disorder of sexual development)

난소고환발달이상은 매우 드물게 발생하는 질환이긴 하지만 무월경의 원인으로 한 번쯤은 생각해 봐야 한다. 남성과 여성의 생식샘조직이 모두 존재하며, XX, XY 및 모자이크 핵형을 보인다. 진성 반음양증 환자의 약 2/3에서 월경이 나타나지만, XY 유전자형에서 월경이 나타난다는 보고는 없다. 외부생식기는 대개 모호한 형태로 나타나며, 유방의 발육은 잘 되어 있는 편이다. XX 진성 반음양증은 15%에서 SRY 유전자를 갖고 있으며, 또 다른 10%에서는 Y염색체 모자이크형태를 보인다(Cotinot et al., 2002).

2) 진단

(1) 대부분의 선천성 기형은 월경력을 묻고 육안적 소견을 포함한 신체 진찰에 의해서 진단할 수 있다. 처녀막막힘증은 이차성징은 있으나 월발성무월경이면서 질이 보이지 않거나 막혀있으면 발살바 수기(Valsalva maneuver) 시 처녀막이 팽출되는 것을 확인하여 진단할 수 있다(그림 20-3). 진단이 어려울 경우에 초음파촬영술 또는 자기공명영상을 이용하여 진단한다. 또한 뮐러관기형 시에 수반되는 골격 이상이나 신장을 포함한 비뇨계 이상 유무를 확인하기 위하여 정맥신우조영술등의 방사선검사를 반드시 시행해야 한다. 가로질중격 또는 MRKH 증후군에서 나타나는 외부생식기의 모양과 남성 가성 반음양증에서 나타나는 질의 막힌 주머니(blind vaginal pouch) 모양은 구별하기가 쉽지 않다.

(2) 선천적으로 자궁내막이 결여되어 무월경이 나타나는 경우 통상적인 진찰만으로는 진단이 어렵다. 이차성징 발현이 정상이며 원발무월경이 있는 환자에서 내분비 검사소견이 정상이고 에스트로겐과 프로게스테론의 투여에도 쇠퇴성 출혈이 없으면 자궁내막 결여나 자궁내막 이상을 의심해야 한다.

(3) 아셔만증후군도 통상적인 진찰만으로 진단할 수 없다. 자궁난관조영술을 시행하여 자궁강내의 유착에 의해 생긴 전형적인 다발성 충만결손(multiple filling defect) 소견을 확인하여 진단할 수 있다(그림 20-5). 자궁경검사

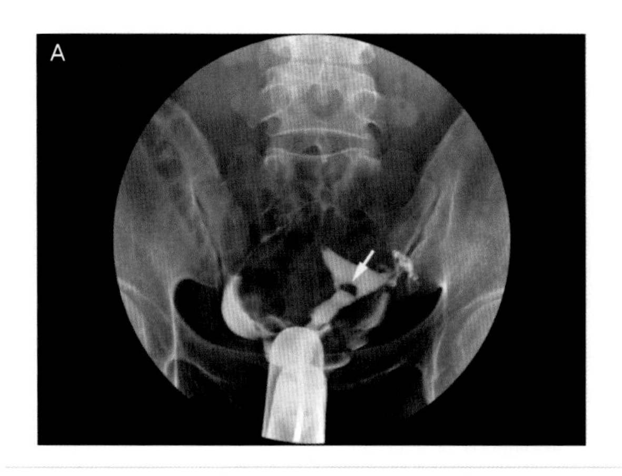

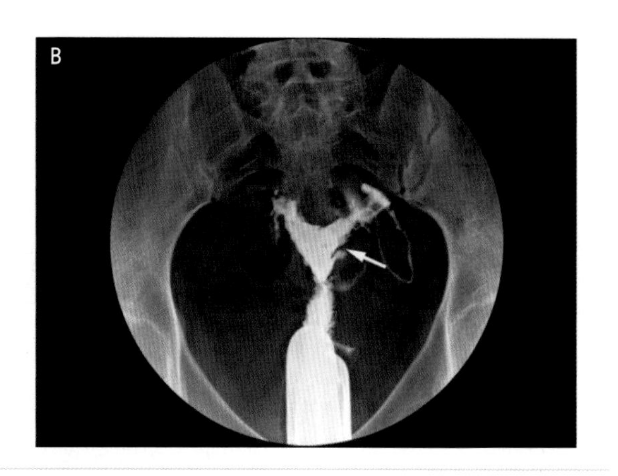

그림 20-5. **자궁난관조영사진에서 보이는 아셔만증후군 환자의 자궁내유착 소견**
A: 자궁협부 위쪽에 반달모양의 충만결손이 보임(화살 표). B: 자궁강 경계에 불규칙한 윤곽의 충만결손이 보임(화살표).

는 자궁난관 조영술에서 나타나지 않은 경미한 유착까지 찾아낼 수 있어 보다 정확하게 진단할 수 있다. 자궁내 유착은 부분적일 수도 있고 완전히 자궁내강과 경관을 막아버릴 수도 있으나, 경관내구가 협착 또는 폐쇄되었다고 해서 반드시 자궁 혈종이 나타나는 것은 아니다.

드물지만 생식기관 결핵과 주혈흡충증(schistosomiasis) 같은 감염이 원인이 될 수 있다. 자궁내막의 결핵은 월경 분비물이나 자궁내막조직의 배양검사에 의해 진단할 수 있다.

(4) 사춘기에 유방이 발달된 후에도 월경이 없고 치모와 액와모가 없거나 희박하게 나타나며 자궁이 없고 질이 막힌 주머니의 형태로 나타나는 경우, 우선적으로 안드로겐 무감응을 의심해야 한다. 이러한 환자는 서혜부 탈장이 있는 경우를 제외하고는 출생 시에 정상이며 성장이나 발달 과정도 대부분 정상적이다. 따라서 소아에서 서혜부 탈장이나 서혜부에 종괴가 나타나는 경우 반드시 안드로겐무감응을 의심해야 한다. 남성 가성 반음양증 환자 중 테스토스테론 합성에 관여하는 효소에 결함이 있어 발생하는 여성 표현형 환자의 경우에는 유방 발육이 나타나지 않으므로 안드로겐무감응과 감별할 수 있다. 안드로겐무감응 환자는 높은 황체형성호르몬 농도, 정상 또는 약간 증가된 남성 수준의 테스토스테론 농도, 남성으로서는 높은 에스트라디올 농도, 그리고 정상 또는 증가된 난포자극호르몬 농도와 같은 전형적인 호르몬 소견을 나타낸다. 안드로겐무감응의 확진을 위해서는 염색체검사를 하여 Y염색체 존재를 확인하는 것이 필수적이다.

3) 치료

(1) 처녀막막힘증의 치료는 처녀막을 십자형으로 절개하여 질입구를 개방시키는 것이다. 대부분의 처녀막막힘증은 주기적인 월경에 의한 혈액이 고여 질혈종이 형성된 후에 진단되는 경우가 흔하다. 막힌 것을 완전히 제거하지 않고 주사기로 고인 혈액만 제거하면 질축농(pyocolpos)이 생길 수 있으므로 추천되지 않는다.

(2) 가로질중격이 존재하면 수술적으로 중격을 제거한다. 가로질중격은 대체로 46%에서는 질 1/3 상부에, 40%에서는 질 1/3 중간 부위에 발생한다(Rock, 1986). 가로질중격을 제거한 후 질 유착을 방지하기 위하여 수술 부위가 완전히 치유될 때까지 계속 질확장기(Frank dilator)를 사용하여 질을 팽창시킨다. 수술 후 생식 기능은 정상화 되지만 질 상부의 중격을 제거한 경우에 임신율은 낮은 경향을 보인다(Rock et al., 1982).

(3) 정상적으로 자궁이 기능을 하더라도 경부가 없거나 형

성이 저하된 경우는 다른 폐쇄증보다 치료가 어렵다. 자궁경부를 질로 연결시켜 유출로를 만들어 주는 수술은 성공을 기대하기가 어려우므로 그럴 경우 오히려 자궁을 제거하는 편이 현명한 방법일 수 있다(Williams, 1976). 이런 경우에는 자궁내막증이 흔히 동반되는데 먼저 수술로 자궁내막증을 치료해야 되는지 또는 수술로 폐쇄 부위를 복구하면 자궁내막증이 자연적으로 치유되는지는 아직 논란의 여지가 있다. 난소는 에스트로겐 분비와 임신을 원할 경우 대리모 시술을 위해 남겨두어야 한다.

(4) 질이 없거나 하부에서 막힌 주머니 모양인 경우에는 우선적으로 기능을 할 수 있도록 질확장기를 사용하여 점진적으로 질을 확장시킨다(Frank, 1938; Ingram, 1982). 질 확장에 실패하였거나 확장 정도가 충분하지 않은 경우에는 맥인도부분층피부이식술(McIndoe split thickness graft technique)로 질을 새로 만들어 준다(Gell, 2003; McIndoe, 1950; Rock, 1992). 수술 후 질의 유착을 방지하기 위하여 지속적인 질 확장기에 의한 질 확장이 필요하다.

(5) 아셔만증후군의 경우 과거에는 경관확장자궁소파술로 유착을 박리하였으나 최근에는 자궁경으로 직접 보면서 가위나 전기소작, 레이저로 유착을 제거(hysteroscopic resection)하는데, 이는 좋은 결과를 보여주고 있다. 수술 후 자궁강의 재유착 방지목적으로 이전에는 자궁내피임장치를 사용하였으나 최근에는 광범위 항생제의 투여와 함께 자궁강 내에 소아용 Foley 카테타를 7-10일간 유치하는 방법을 많이 사용하고 있다. 그리고 고용량의 에스트로겐요법 후 프로게스테론 쇠퇴성 출혈을 유발시키는 방법을 2개월간 시행하여 재유착을 방지하고 자궁내막의 재생을 촉진시킨다. 치료 후 임신 성공률은 약 70-80% 정도 되지만 임신 과정 중에 조기 산통, 전치태반, 유착태반, 산후 출혈 등의 합병증이 자주 발생한다.

(6) 완전안드로겐무감증 환자에서는 사춘기 발육이 완전하게 된 후에 고환의 악성종양 발생을 예방 하기 위하여 생식샘을 제거해야 한다(Conte and Grumbach, 1989). 이 질환은 Y염색체가 있는 다른 생식샘 발생장애(gonadal dysgenesis)와는 대조적으로 종양의 발생이 비교적 늦어 25세 이전에는 드물고, 종양의 전체적인 발생빈도도 비교적 낮기(약 5-10% 정도) 때문이다. 그러므로 사춘기가 지나 성적 발달이 완전하게 되는 16-18세 정도에 생식샘을 제거함으로써 자연적 호르몬의 변화를 통해 사춘기 발달을 보다 부드럽게 확보할 수 있다. 수술 후에는 호르몬보충요법으로 에스트로겐을 투여하여 여성스러움을 유지하고 여성의 성정체성을 갖고 살아가도록 해야 한다. 복강 내에 위치하는 고환을 제거하기 위해서는 복강경에 의한 양측 생식샘제거술이 바람직한 수술 방법이다(이성재 등, 1999).

4. 이차성징이 동반된 비해부학적 원인에 의한 무월경

1) 원인

가임 연령의 여성이 무월경을 호소하면 반드시 임신 여부를 확인해야 한다. 이차성징이 있는 여성에서 무월경의 주원인으로는 다낭성난소증후군, 고프로락틴혈증, 조기난소부전, 시상하부와 뇌하수체의 병소, 시상하부의 생식샘자극호르몬분비호르몬 분비 이상 등 여러 가지가 있다.

(1) 다낭성난소증후군(PCOS)

다낭성난소증후군(polycystic ovary syndrome)은 고안드로겐혈증과 배란장애, 다낭성난소의 존재로 구성된다(ACOG, 2009). 다낭성난소증후군을 진단하기 위해서는 우선 고프로락틴혈증과 갑상선기능이상, 선천성부신과형성 등의 관련질환이 배제되어야 한다. 1990년, 미국 국립 보건원(National Institutes of Health, NIH)에서는 고안드로겐혈증과 무월경, 또는 희발월경을 다낭성난소의 진단기준에 포함시켰다. 2003년 Rotterdam consensus에서 정리한 진단기준에 따르면,

① 희발성배란 또는 무배란
② 고안드로겐증의 임상적 그리고/또는 생화학적 증거
③ 다낭성난소의 초음파 소견

위의 3가지 중 2가지 이상을 만족해야 하며, 이와 동시에 선천성부신증식증, 안드로겐 분비종양, 쿠싱증후군 등과 같은 다른 원인들이 배제되어야 한다. 다낭성난소증후군의 병인에서 인슐린 저항성이 중요한 역할을 하는 것으로 보이지만 진단기준에 포함되지는 않는다. 이환된 여성의 80% 정도에서 비만을 동반하며 무월경이나 희발월경에 의한 생식능력 저하와 자궁내막증식증이나 자궁내막암, 당뇨와 심혈관질환과 같은 전신질환을 동반할 수 있다.

무월경보다는 불규칙 질출혈이 더 흔하기는 하지만 다낭성난소증후군은 무월경의 가장 흔한 원인 중 하나이다(ACOG, 2008).

(2) 고프로락틴혈증

증가된 프로락틴은 생식샘자극호르몬분비호르몬(GnRH)의 정상적인 분비를 방해한다.

갑상샘자극호르몬(TSH)와 프로락틴이 함께 증가된 경우에는 갑상선기능저하의 치료가 선행되어야 한다.

(3) 원발성난소기능부족증(조기난소부전)

과거에는 40세 이전 여성에서 4개월 이상의 무월경과 폐경 여성 수준의 난포자극호르몬 수치를 보이면 조기폐경(premature menopause)이나 조기난소기능부전(premature ovarian failure)이라는 용어를 사용했다. 선천적으로 난소 내 난자가 적거나 난포의 퇴화가 가속되면 난소부전이 일찍 올 수 있다. 하지만 악화된 난소의 기능이 호전을 보일 수 있다는 점에서 원발성난소기능부족증(primary ovarian insufficiency, POI)이라는 용어 사용을 선호하고 있다(전성욱 등, 2013).

원발성난소기능부족증 여성의 75% 이상에서 안면 홍조와 야간발한, 정서불안이 나타날 수 있는데, 에스트로젠에 노출된 적이 없는 원발무월경의 경우는 이런 증상이 드물다. 만일 난소기능부족증이 사춘기 이전에 생긴다면 이차성징 발현을 위해 외인성호르몬요법을 시행해야 한다.

원발성난소기능부족증 환자에서 생식능력이 저하되는 것은 사실이지만 5-10%에서 저절로 난소기능이 회복되어 임신이 되는 경우도 가끔 볼 수 있다(Kasteren et al., 1999).

난소기능부족증의 발생원인으로는 유전적, 자가면역질환, 대사성질환, 감염, 의인성 원인에 이르기까지 다양하게 보고되고 있으나, 대부분의 경우는 원인이 명확하지 않다.

① 성염색체와 단일 유전자질환

터너증후군의 10-20%에서 사춘기 발달이 일어나고 2-5%에서는 자연적인 월경과 임신도 될 수 있는데 이는 발견되지 않은 모자이크현상(mosaicism) 때문으로 추정된다. 터너증후군은 난소가 발달하지만 난포의 퇴화가 가속되어 원발성난소기능부족증이 발생한다. X염색체 중 Xq21-28 같이 중요한 부위의 결손은 난소기능부족증과 관련이 있다(Krauss et al., 1987). 47,XXX 여성도 난소기능부족증이 될 수 있다.

청력소실과 연관되어 있는 Perrault증후군에서는 보통염색체 열성 유전의 형태로 조기난소부전이 나타난다(Nishi et al., 1988). 그 외에도 여러 가지 난자와 난포 발달에 관여하는 유전자가 밝혀지면서 더욱 많은 돌연변이가 확인되고 있다.

② 유약엑스 보인자

유약엑스증후군(fragile X syndrome)은 유전성(X 염색체와 연관된) 정신지연의 가장 흔한 원인이다. 이 증후군은 Xq27.3에 위치하고 있는 FMR1 유전자의 불활성화 때문에 생긴다. 보통 사람들은 이 유전자에 cytosin-guanine-guanine (CGG) 삼중자가 평균 30번 이하로 반복되어 있는데 비하여 유약엑스증후군 환자는 200번 이상 반복되어 팽창된 결과로 이 유전자가 불활성화된다. 이 질환의 여성 보인자는 60-200번 반복된 예비돌연변이 상태이며 정신지체는 없다. 이 예비돌연변이는 불안정해서 다음 세대로 넘어가면서 팽창될 수 있기 때문에 자녀에게 유약엑스증후군을 전달하게 된다(Myurray, 2000; Allingham-Hawkins et al.,

1999). 예비돌연변이가 있는 여성은 원발성 난소기능부족증이 될 가능성이 13-26% 정도이다. 원발성 난소기능부족증 환자들은 유약엑스의 예비돌연변이가 있을 가능성이 4-5%이다. 가족 중에 난소기능부족증 환자가 있으면 예비돌연변이가 있을 가능성은 15%로 증가한다.

③ 의인성 원인

방사선치료, 화학요법(특히 cyclophosphamide 같은 알킬화제제), 난소의 혈액공급을 방해하는 수술, 감염 등으로 난포가 일찍 소실되어 난소기능부족증이 올 수 있다. 누구나 800 cGy 용량의 방사선을 받으면 난소기능이 없어진다. 특히 보존된 난포가 적은 40세 이상에서는 150 cGy의 적은 용량으로도 난소기능이 상실될 수 있다(Asch, 1980). 부득이하게 난포가 파괴될 수 있는 치료를 받아야 할 경우엔, 미래의 임신을 위하여 난자와 난소조직을 동결보존 하는 방법을 고려해 볼 수 있으며 그 기술도 계속 발전하고 있다. 논란의 여지가 있지만 항암치료 시작 전에 GnRH agonist를 사용하여 생식샘저하상태를 만들어 난소의 기능을 보호하기도 한다. 난소기능부족증은 흡연과 상관관계가 확실해서, 흡연을 많이 할수록 폐경 연령이 빨라지는 것으로 보고되고 있다(Jick et al., 1977). 또 흡연은 난포에 영향을 미쳐서 난자 발달과 호르몬 생성을 변화시키며 난소의 예비력도 떨어뜨린다(Sharara et al., 1994).

④ 감염

드문 예이긴 하나 볼거리(mumps)는 난소기능부족증과 연관되어 있다(Morrison et al., 1975). 난관난소 농양도 난포의 파괴와 아울러 난소기능부족증과 연관된다.

⑤ 자가면역질환

원발성난소기능부족증은 자가면역증후군의 일종일 수 있다. 난소기능부족증 환자에서 자가면역항체 양성율은 다양하게 92%까지 보고되고 있다(Mignot et al., 1989). 그러나 20%만이 면역학적 기능이상을 보이는데, 갑상샘질환이 가장 흔하다. 드물게 중증근육무력증(myasthenia gravis), 원인불명혈소판감소자색반병(idiopathic thrombocytopenic purpura), 류마티스관절염(rheumatoid arthritis), 백반증(vitiligo), 자가면역용혈빈혈(autoimmune hemolytic anemia) 등이 연관되어 있다.

⑥ 갈락토오스혈증

갈락토오스-1-포스페이트우리딜전이효소(galactose-1-phosphate uridyl transferase)의 기능 결함으로 갈락토오스 대사물이 축적되어 난포에 독성을 나타내고 난포를 조기에 파괴한다(Kaufman et al., 1981). 이 질환은 상염색체열성질환이며 이형접합체(heterozygote) 보인자인 경우에도 난소 기능이 불량할 수 있다.

수유 시 황달과 구토를 동반하고 성장과 발달장애가 생겨 조기에 진단할 수 있다.

(4) 뇌하수체와 시상하부의 병소

① 시상하부의 종양

시상하부가 생식샘자극호르몬분비호르몬을 분비하고, 이에 반응하여 뇌하수체가 난포자극호르몬과 황체형성호르몬을 생산하고 분비할 수 있어야 정상적으로 월경이 있게 된다. 시상하부나 뇌하수체에 생긴 종양, 육아종, 낭종 등이 호르몬의 적절한 분비를 방해할 수 있다. 이런 환자들은 신경학적 이상을 보이기도 하며 시상하부나 뇌하수체에서 분비되는 다른 호르몬에도 이상을 야기할 수 있다. 두개인두종이 가장 흔한 종양으로, 안장위(suprasellar) 부위에 위치하며 흔히 두통과 시각변화를 야기한다. 종양의 수술, 방사선 치료 자체도 호르몬 분비에 추가적인 이상을 초래할 수 있다.

② 뇌하수체의 병소

뇌하수체는 분비선이 대부분 파괴된 후에야 임상적인 증상이 나타나기 때문에 뇌하수체 저하증은 드물다. 뇌하수체는 종양, 경색증, 림프구뇌하수체염, 육아종질환, 수술적 또는 방사선치료 등 여러 가지 원인에 의하여 파괴될 수 있고 진단에 MRI가 도움이 될 수 있다. 쉬한증후군은 산후출혈로 심한 저혈압이 있었던 경우에 뇌하수체의 괴사로 인하여 생기며, 심한 경우 뇌하수체졸중(pituitary apoplexy)으로 쇼크에 빠진다. 성장호르몬, 프로락틴, 생식샘자극호르몬 결핍이 흔하다. 환자는 국소적인 심한 안구 후부 두통을 호소하고 시야나 시력에 이상이 생길 수 있다. 뇌하수체 괴사가 가벼운 경우엔, 모유가 분비되지 않고, 액모와 치모가 소실되며, 산후에 속발무월경이 생길 수 있다.

뇌하수체저하증에서는 생식샘자극호르몬 이외에도 부신겉질자극호르몬, 갑상샘자극호르몬의 분비도 감소되므로 갑상샘과 부신의 기능도 확인하여야 한다. 만약 사춘기 이전에 뇌하수체저하증이 생기면 월경이 없고 이차성징이 발달되지 않는다.

성장호르몬, 갑상샘자극호르몬, 부신겉질자극호르몬, 유즙분비호르몬도 뇌하수체에서 분비되며, 이 호르몬을 과도하게 분비하는 뇌하수체종양이 있다면 월경 이상을 초래할 수 있다. 유즙분비호르몬의 과다분비는 무월경의 아주 흔한 원인 중 하나이다. 과다하게 분비된 이러한 호르몬은 생식샘자극호르몬분비호르몬 분비에 유해한 작용을 하며 프로락틴샘종이 호르몬을 분비하는 가장 흔한 뇌하수체 종양이다. 생식샘종(Gonadotroph adenoma)은 비기능성이며, 임상증상을 나타낼 만큼의 난포자극호르몬, 황체형성호르몬을 분비하지 않는다.

(5) 시상하부의 생식샘자극호르몬분비호르몬 분비 이상

만성질환, 영양실조, 스트레스, 정신질환, 심한 운동은 생식샘자극호르몬분비호르몬 박동을 억제하여 월경주기 이상을 초래할 수 있다. 그 외 다른 호르몬들도 과다하거나 부족할 경우 되먹이기 조절을 변화시켜 생식샘자극호르몬분비호르몬 분비에 영향을 미친다. 고프로락틴혈증, 쿠싱씨병, 말단비대증 등에서는 뇌하수체호르몬이 과다하게 분비되어 생식샘자극호르몬분비호르몬 분비를 억제한다. 생식샘자극호르몬분비호르몬 박동성 변화 정도에 따라 황체기결함, 무배란, 무월경 등의 증상이 발생한다.

생식샘자극호르몬분비호르몬의 박동성 분비는 신경전달물질과 말초의 생식 스테로이드에 의하여 조절된다. 내인성아편유사제(endogenous opioid), 부신겉질 자극호르몬분비호르몬, 멜라토닌, 감마아미노부티르산(γ-amino-butyric acid, GABA)는 생식샘자극호르몬분비호르몬 분비를 억제한다. 반면, 카테콜아민, 아세틸콜린, 혈관활성장펩티드(VIP)는 생식샘자극호르몬 분비호르몬 박동을 촉진한다. 도파민과 세로토닌은 가변적인 작용을 한다.

렙틴은 지방세포에서 분비되는 호르몬으로써 에너지 항상성에 관여한다. 수용체가 뇌하수체와 뼈에서 발견되며, 월경기능과 골량의 탁월한 조절자 역할을 한다. 렙틴(leptin) 수치가 떨어지면 뇌하수체성 무월경이 발생할 수 있다. 뇌하수체성 무월경 여성에게 렙틴을 투여하면 황체형성호르몬, 인슐린 유사 성장인자-1, 갑상샘호르몬이 증가하며, 배란이 되고 골량도 증가한다(Welt et al., 2004). 생식샘자극호르몬분비호르몬 분비에 영향을 미치는 몇 가지 이상에 대하여 따로 살펴보면 다음과 같다.

① 식사장애

신경성 식욕부진은 미국 청소년기 여성의 13.4%에서 나타나는 식사장애질환이다(Ackard et al., 2007). 미국 정신과 진단편람(DSM-IV)의 기준에 의하면, 정상보다 15% 이상 낮게 체중을 유지하고자 하는 고집, 비만해지는 것에 대한 강렬한 공포, 자신의 신체상에 대한 변형된 지각(예: 저체중인데도 비만하다고 여김), 그리고 무월경이 있을 경우 진단된다. 환자들은 음식을 제한하고, 억지로 토하고, 설사제를 남용하고, 격렬한 운동을 하여 낮은 체중을 유지하려고 시도한다. 이 병은 사망률이 9% 정도로 생명을 위협하는 질환이다(Sullivan, 1995).

또한 여러 가지 호르몬의 혈중치에서 변화가 일어난다. 황체형성호르몬과 난포자극호르몬은 아동기처럼 24시간 동안 계속 낮거나 사춘기 초기처럼 수면 중에 황체형성호르몬 박동이 증가한다. 부신겉질자극호르몬이 정상인데도 불구하고 코르티솔 혈중치가 상승되어 있고, 부신겉질자극호르몬분비호르몬(corticotropin releasing hormone, CRH)을 투여해도 부신겉질자극호르몬 반응이 둔하다. 삼요드타이로닌(triiodothyronine, T3)는 감소하고 비활성역(reverse) T3는 증가한다. 춥고 더운 것을 견디지 못하며, 솜털, 저혈압, 서맥, 요붕증이 생기기도 한다. 비타민 A 대사의 변화로 혈중 카로틴이 증가하여 피부가 노랗게 변색되기도 한다.

신경성 식욕부진 환자들은 폭식과 음식 제한을 반복하기도하고 폭식 후 구토, 설사제 남용, 이뇨제 사용으로 보상적 행동을 한다는 점에서 게걸증(bulimia)과도 연관되어 있다. 게걸증의 징후는 치아 썩음, 귀밑샘 비대(얼룩다람쥐 뺨), 저칼륨증, 대사성 알칼리증이다(Mehler, 2003).

② 체중 감소와 식이요법

비록 저체중이 아니더라도 체중 감소 자체로 무월경이 올 수 있다. 1년에 체중이 10% 감소하면 무월경이 올 수 있다. 일부 환자에서는 식사장애가 동반되어 있다. 예후는 좋으며 체중이 회복되면 월경이 돌아온다. 체중변화가 없이 식이요법만으로도 무월경이 올 수 있다.

③ 운동

운동으로 인한 무월경 때는 생식샘자극호르몬분비호르몬 박동의 빈도가 감소하는데, 황체형성호르몬 박동 빈도 감소를 측정함으로써 이를 알 수 있다. 이런 환자들은 보통 에스트로겐 수치가 낮다. 임상증상은 내분비 이상 정도에 따라 무배란이나 황체기결함 같은 약한 월경장애에서 무월경까지 다양하게 나타난다. 이러한 이상은 황체형성호르몬 박동을 감소시키는 내인성아편유사제, 부신겉질자극호르몬, 유즙분비호르몬, 부신성안드로겐, 코르티솔, 멜라토닌 같은 호르몬 상승과 연관될 것으로 추정된다.

운동선수에서 무월경 정도는 체지방 양에 의해서 달라진다. 즉, 달리기 선수나 발레 무용수는 수영선수보다 무월경 위험이 크다. 월경이 개시되기 위해서는 최소한 17%의 체지방이 필요하고, 월경이 유지되기 위해서는 22%의 체지방이 필요하다고 제시된 연구도 있다(Frisch와 McArthur, 1974). 최근 연구에 의하면, 체지방보다는 격렬한 운동에도 불구하고 칼로리 섭취가 부적절하게 낮은 게 중요하다고 한다(Laughlin과 Yen, 1997). 그래서 운동선수는 강도 높은 훈련, 영양 불량, 경쟁에 대한 스트레스, 연관된 식사장애 등으로 인해서 월경장애의 위험이 높아진다. 여성운동선수의 세징후(female athlete triad)는 무월경, 골다공증, 식사장애이다.

④ 스트레스로 인한 장애

스트레스로 인한 무월경은 운동이나 신경성식욕부진에서와 같이 시상하부 생식샘자극호르몬분비호르몬 분비의 조절 이상에 의해서 야기될 수 있다. 스트레스로 인한 과다한 내인성아편유사제(Endorphin)의 과다분비나 부신 겉질자극호르몬분비호르몬의 상승은 생식샘자극호르몬분비호르몬 분비를 방해한다. 만성질환, 거짓임신, 영양실조에서의 무월경도 유사한 기전으로 발생한다.

⑤ 비만

대부분의 비만 환자들은 월경주기가 정상이지만, 비만도가 높을수록 월경장애의 빈도는 증가한다. 정상 체중일 때 월경장애의 빈도는 2.6%이지만 표준 체중(ideal body weight)보다 75% 이상 체중이 증가하면 월경장애의 빈도가 8.4%로 높아진다. 월경장애로 무월경보다 무배란과 관련된 불규칙한 자궁 출혈이 더 흔하다. 비만 여성은 과다한 수의 지방 세포를 가지고 있는데, 이곳에서 안드로겐이 에스트로겐으로 변하는 샘밖방향화(extraglandular aromatization)가 일어난다. 또 성호르몬결합글로불린(sex hormone-binding globulin)의 농도가 낮기 때문에 에스트로겐으로 변환될 수 있는 자유 안드로겐의 비율이 높아진다. 그러면 에스트로겐이 과다하게 증가하고 자궁내막암의 위험이 높아진다. 성호르몬결합글로불린이 감소하면 생물학적 활성도가 큰 자유 안드로겐이 증가하여 남성형다모증이 나타날 수 있다.

⑥ 기타 호르몬의 기능장애

시상하부 신경조절물질의 분비는 말초호르몬 농도 변화에 의한 되먹임 때문에 변할 수 있다. 갑상샘호르몬, 글루코코르티코이드, 안드로겐, 에스트로겐 등이 과다하거나 부족할 경우 월경장애가 발생한다. 다낭성난소증후군은 무월경보다는 통상 불규칙한 출혈을 잘 일으키지만, 무월경의 가장 흔한 원인 중 하나임에 틀림없다. 다낭성난소증후군은 인슐린 유사성장인자-1, 안드로겐, 에스트로겐 등의 변화에 의하여 시상하부 기능장애를 유발한다. 난소종양에 의해 안드로겐이 증가하는 경우[예: 세르톨리-라이디히 세포종양(Sertoli-Leydig cell tumor), 문 세포종양(hilus cell tumor), 지질성 세포종양(lipoid cell tumor)]나 에스트로겐이 증가하는 경우(예: granulosa cell tumor)에 월경 이상이나 무월경이 올 수 있다. 남성형 다모증이 있는 무월경 환자는 안드로겐을 분비하는 부신종양이나 선천성 부신증식증을 반드시 감별 하여야 한다.

뇌하수체에서 성장호르몬, 갑상샘자극호르몬, 부신겉질자극호르몬, 유즙분비호르몬 등이 과다 분비되면 생식샘자극호르몬분비호르몬 분비에 이상이 생겨 무월경이 유발될 수 있다. 성장호르몬 과다는 말단비대증과 함께 무배란, 무월경, 남성형 다모증의 임상 양상을 보이며 낮은 생식샘자극호르몬 농도와 고프로락틴혈증이 흔히 동반된다. 말단 비대증은 크고 거친 얼굴 윤곽, 손, 발 등의 비대, 땀과다증(hyperhidrosis), 내장 기관의 비대, 다발성 쥐젖(skin tag)이 특징이다. 쿠싱병은 부신겉질자극호르몬을 분비하는 뇌하수체종양이 원인이며, 몸통비만증, 달덩이 얼굴(moon face), 남성형 다모증, 근위부쇠약, 우울증, 월경장애 등의 증상을 보인다.

2) 진단

정상적인 이차성징이 있으면서 골반내진 소견이 정상인 가임 연령의 여성에서 무월경이 있으면 반드시 임신반응검사를 먼저 하여야 한다. 임신반응검사가 음성이면 무월경에 대하여 다음 검사를 하도록 한다. 무월경 환자에서 갑상샘 이상이나 고프로락틴혈증이 비교적 흔하기 때문에 이런 것을 우선적으로 검사해야 한다.

(1) 에스트로겐 상태 평가

내인성 에스트로겐 상태를 평가하고 월경 유출로가 정상인지를 확인하기 위하여 프로게스테론부하검사를 시행한다(무월경의 진단 참조). 부하검사 후 출혈이 나타나면 무배란으로 진단할 수 있고, 내인성 에스트로겐에 대하여 자궁내막이 충분히 반응하고 있으며 월경 유출로도 정상인 것으로 평가할 수 있다. 하지만 위양성과 위음성이 흔하기 때문에 효용성이 적다. 프로게스테론부하검사가 때때로 배란을 유도하여 임신이 되기도 한다. 프로게스테론 부하 후 14일 뒤에 쇠퇴성출혈이 뒤늦게 나타나는 것으로 유추해 볼 수 있다.

에스트로겐 상태를 쉽고 빠르게 알 수 있는 다른 방법도 있다. 질 건조감이나 안면홍조가 생기면 에스트로겐저하증일 가능성이 높다. 질분비물 검체에 표층 세포가 있는 것을 보면 질 점막이 에스트로겐에 반응하고 있다는 것을 알 수 있다. 혈중 에스트라디올 농도가 40 pg/mL보다 높으면 적당하다고 볼 수 있지만 검사간 편차가 있을 수 있다. 에스트로겐 농도가 낮을 경우엔 난소부전뿐만 아니라 시상하부 이상에 의한 무월경도 생각해야 한다. 에스트로겐 상태가 명백하게 정상인 원발무월경 환자에서 프로게스테론 부하검사를 해 보면 드물게 선천성 자궁내막결손증을 진단할 수 있다. 만약 에스트로겐 상태가 분명하지 않으면 에스트로겐과 프로게스테론 병합 투여를 시행한다(무월경의 진단 참조). 이 처방으로도 질출혈이 없고 신체검사 이상이 없다면 선천성 자궁내막결손증으로 확진할 수 있다. 질식 초음파검사로 자궁내막 두께를 보면 도움이 될 수 있다.
만약 비슷한 소견이 속발무월경 환자에서 나타나면 아셔만 증후군으로 진단한다.

내인성 에스트로겐이 정상임에도 프로게스테론 부하검사가 음성인 경우는 두 가지가 있다. 하나는 안드로겐 수치가 높아서 자궁내막이 탈락막화한 것이고, 두 번째는 드물지만 특정 부신효소 결핍으로 프로게스테론 또는 안드로겐이 높아져 자궁내막이 탈락막화한 경우다. 두 가지 모두 자궁내막이 탈락막화하였기 때문에, 외부에서 투여한 프로게스테론에 대한 쇠퇴성 출혈이 생기지 않는다. 이런 현상은 무배란과 다낭성난소가 연관된 고안드로겐혈증이 있는 환자에서 드물지 않게 발견된다.

(2) 갑상샘자극호르몬

갑상샘자극호르몬 측정검사는 매우 민감하여 갑상샘항진증과 갑상샘저하증을 평가하는 데 사용된다. 만약 갑상샘자극호르몬 수치에서 이상이 발견되면 갑상샘질환에 대한 평가를 추가한다.

(3) 유즙분비호르몬

고프로락틴혈증은 무월경의 흔한 원인이다. 만약 갑상샘자극호르몬과 유즙분비호르몬이 함께 증가되어 있으면 반드시 갑상샘저하증을 먼저 치료하여야 한다. 갑상샘저하증 때문에 증가된 갑상샘자극호르몬분비호르몬이 유즙분비호르몬 분비를 촉진할 수 있기 때문에, 갑상샘저하증을 치료하면 유즙분비호르몬 농도가 종종 정상으로 돌아온다. 유즙분비호르몬 수치가 지속적으로 높으면 자기공명영상을 꼭 확인하여야 한다.

(4) 난포자극호르몬

혈중 난포자극호르몬 농도는 생식샘자극호르몬의 과소 여부에 따른 무월경의 분류에 꼭 필요하다. 적어도 두 번의 채혈에서 혈중 난포자극호르몬 수치가 25-40 mIU/mL보다 높으면 고생식샘자극호르몬 무월경으로 진단한다. 생식샘자극호르몬 농도가 높다는 것은 난소부전 혹은 난소난포가 결여되어 있음을 의미한다. 임상적으로 폐경, 거세, 난소기능부족증이 여기에 해당한다. 난소기능부족증의 원인으로 화학요법이나 방사선 치료를 한 병력을 확인해보고, 염색체 이상이나 유전 질환 등을 조사해야 한다. 하지만 17a-hydroxylase 결핍이나, 기능성 뇌하수체 난포자극호르몬분비종양이 있을 경우에는 난소에 난포가 존재하면서도 난포자극호르몬 수치가 높을 수 있음에 유의해야 한다. 최근 항뮐러관호르몬(anti-Müllerian hormone, AMH) 검사를 많이 활용하고 있다. 항뮐러관호르몬은 원발성 난소기능부족증에서 감소하고 다낭성난소증후군에서 증가 소견을 보인다.

원발성 난소기능부족증 환자에서는 유약엑스증후군 예비돌연변이(*FMR1* premutation)유무와 핵형(karyotype), 21-수산화효소(hydroxylase)에 대한 항체검사를 시행해야 한다. 다낭성난소증후군이 진단된 경우에는 경구당부하검사와 공복 시 지질검사를 시행하여 대사증후군 및 제2형 당뇨에 대한 선별검사를 시행한다. 30세 미만의 고생식샘자극호르몬 무월경 환자는 Y 세포계(Y cell line) 여부를 알기 위하여 염색체검사를 해봐야 한다. 염색체 핵형이 정상일 때는 Y특이탐색자(Y-specific probe)를 이용한 FISH (fluorescent in situ hybridization)로 Y염색체 물질의 존재를 증명할 수도 있다(Medlej et al., 1992). Y염색체 물질이 확인되면 생식샘의 악성종양 발생을 예방하기 위하여 사춘기가 오기 전에 생식샘을 제거하는 것이 중요하다. 고생식샘자극호르몬 무월경 환자에서 난포의 존재 여부를 알기 위한 난소의 생검은 권하지 않는다. 설사 난자가 발견되더라도 그 난자를 배란시킬 적당한 방법이 없기 때문이다.

(5) 뇌하수체와 시상하부의 영상(필요한 경우)

프로게스테론 부하검사가 양성이고, 유루증이 없으며, 혈중 유즙분비호르몬 수치가 정상이라면 의미 있는 뇌하수체 종양은 없다고 할 수 있다. 에스트로겐 저하증이 있고 난포자극호르몬이 높지 않으면 반드시 뇌하수체와 시상하부의 병소를 확인하여야 한다.

① 뇌파검사(EEG)를 포함하여 신경학적 검사로 병소의 위치를 가늠할 수 있다.
② 종양의 확진을 위해서는 반드시 컴퓨터단층촬영이나 자기공명영상검사를 해야 한다. 컴퓨터단층촬영보다는 자기공명영상이 더 작은 병소를 확인할 수 있으며, 만약 병소가 작아서 자기공명영상으로도 확인이 안 될 정도면 임상적으로도 의미가 없을 것이다.
③ 해부학적 병소가 배제되면 신경성 식욕부진, 영양실조, 비만, 운동이나 스트레스로 인한 월경장애 등을 확인하기 위하여 체중변화, 운동, 식사습관, 신체상, 경력이나 학업 성취 등에 대하여 문진하는 것이 중요하다.

시상하부 기능장애가 있는 무월경 환자는 에스트로겐

혈중 농도가 다양하다. 만성질환, 신경성 식욕부진, 영양실조, 스트레스 등이 원인이 된 시상하부 기능장애인 경우에, 에스트로겐 수치가 낮다면 그 장애가 더욱 심하고 더 오랜 기간 지속되었을 것으로 추정할 수 있다.

특유한 임상 소견을 보이는 환자는 다음과 같이 다른 호르몬 이상을 반드시 확인해 보아야 한다.

① 남성형 다모증 환자에서는 다낭성난소증후군의 평가와 부신 및 난소종양 여부를 감별하기 위하여 안드로겐 농도를 확인하여야 한다.
② 말단비대증이 의심되면 성장호르몬(GH) 대신 인슐린 유사 성장인자-1 농도(IGF-1)를 측정한다.
③ 쿠싱증후군이 의심되면 반드시 24시간 소변 코르티솔(cortisol) 농도나 1 mg 야간덱사메타손억제검사(overnight dexamethasone suppression test)를 시행한다.

3) 치료

(1) 일반적 치료법

이차성징이 동반된 비해부학적 원인에 의한 무월경의 치료는 원인에 따라 매우 다양하다. 언제든지 근원적인 장애를 반드시 먼저 치료해야 한다. 갑상샘 이상이 발견되면 갑상샘호르몬, 방사성요오드, 항갑상샘 약제 등을 적절히 투여할 수 있다. 고프로락틴혈증이 발견되면 원인이 되는 약물을 중단하거나, 브로모크립틴(bromocriptine) 또는 카베르골린(cabergoline) 같은 도파민작용제로 치료하고, 드물지만 특별히 큰 뇌하수체종양은 수술이 필요할 수 있다. 특히 약물치료는 임신을 준비할 경우 첫 번째로 선택할 수 있다. 임신이 되면, 약물을 중단하고, 신경학적 증상이 없을 경우 수유도 가능하다. 도파민작용제 외에 호르몬 치료나 경구피임약을 사용할 수도 있다. 이후 정기적으로 6개월마다 프로락틴을 체크하고, 1-2년마다 MRI를 촬영해야 한다. 원발성난소기능부족증으로 진단된 경우에는 폐경증상을 완화시키고 골다공증을 예방하기 위하여 호르몬요법을 처방한다. Y 세포계(Y cell line)가 있으면 생식샘절제술이 필요하다.

프로락틴샘종 이외의 중추신경계통종양은 일반적으로 외과적 절제, 방사선치료, 혹은 두 가지를 병합하여 치료한다. 범뇌하수체저하증이 있으면 일단 모든 결핍 사항을 명료하게 밝히고 나서 여러 가지 호르몬보충요법을 결정한다. 이러한 호르몬요법에는 생식샘자극호르몬 결핍에 대해서는 에스트로겐, 부신겉질자극호르몬 결핍에 대해서는 코르티코스테로이드, 갑상샘자극호르몬 결핍에 대해서는 갑상샘호르몬, 그리고 바소프레신을 대신하여 초산데스모프레신(desmopressin acetate, DDAVP) 등이 포함된다.

시상하부 기능장애로 인한 무월경의 치료도 근원적인 원인에 따라 다르다.

① 호르몬을 분비하는 난소종양이 있으면 수술로 제거한다.
② 비만, 영양실조, 만성질환, 쿠싱증후군, 말단비대증은 각 원인에 대하여 치료하여야 한다.
③ 스트레스로 인한 무월경은 정신요법으로 치료한다.
④ 운동으로 인한 무월경은 활동을 완화하거나 적절한 체중 증가로 회복될 수 있다. 골절을 예방하기 위해 호르몬치료, 칼슘, 비타민D, 생식샘자극호르몬을 사용할 수 있으나 비스포스포네이트는 치료효과가 낮고 가임기 여성에서 태아에 영향을 줄 수 있으므로 사용하지 않도록 한다.
⑤ 신경성식욕부진은 일반적으로 여러 전문분야에서 접근이 필요하며 심하면 입원시킨다.
⑥ 만성무배란이나 다낭성난소증후군은 환자의 상황을 확인한 후에 치료해야 한다. 환자들은 흔히 남성형 다모증이나 불임보다는 월경이 없는 것을 염려한다. 이러한 무배란 환자에서는 에스트로겐 단독(unopposed estrogen) 환경으로부터 자궁내막을 보호해 주어야 한다.
⑦ 선천성부신증식증의 경우에는 글루코코르티코이드(glucocorticoid)를 투여하면(취침 시 덱사메타손 0.5 mg) 되먹이기 기전이 정상으로 회복되어 규칙적인 월경과 배란이 돌아올 수 있다.

(2) 원발성 난소기능부족증의 치료

원발성난소기능부족증의 경우에는 폐경증상을 완화시키

고 골다공증과 이른 심장질환의 발생을 예방하기 위하여 호르몬요법을 처방하며 50세 이후의 폐경 여성보다 고용량이 필요하다. 조기난소부전에 의한 속발무월경에서는 에스트로겐으로 치료하고부터 수개월 후에 난소기능이 다시 회생하는 것을 드물지 않게 경험할 수 있다. 아마도 에스트로겐이 난포의 수용체 형성을 촉진하고 높은 생식샘자극호르몬이 연이어 난포의 성장과 발달을 자극하는 것으로 추정된다. 어떤 환자는 저절로 난소기능이 회생하는 경우도 있다. 하지만 난소기능 회복 가능성이 매우 낮다는 사실을 설명하고 임신을 위한 대안 치료 방법을 제시해 주어야 한다. 저안드로겐혈증에 대해서는 별도로 치료를 하지는 않는다.

(3) 자궁내막 보호

무배란 환자에서는 에스트로겐 단독 환경에 노출되기 때문에 자궁내막증식증 내지 내막암이 발생할 위험이 커진다. 자궁내막이 비정형 세포를 거쳐 암으로 진행하는 시간이 비교적 짧으며, 나이보다 노출 기간이 가장 중요하다는 것을 염두에 두어야 한다. 필요하다면 자궁내막 흡입소파(aspiration curettage)를 해보는 것이 좋다.

프로게스토겐 제제를 주기적으로 투여하여 정기적으로 출혈이 일어나게 함으로써 자궁내막을 보호할 수 있다. 만약 에스트로겐저하증이 있으면 프로게스토겐 제제만으로 쇠퇴성 출혈이 일어나지 않으므로 이러한 경우에는 에스트로겐을 추가하여 출혈도 일어나게 하고 골다공증도 예방해야 한다.

쇠퇴성 출혈을 야기하여 자궁내막을 보호하는 데 사용되는 가장 흔한 프로게스토겐 제제는 초산 메드록시프로게스테론이며, 10 mg씩 매달 10일간 투여한다. 때때로 배란이 일어날 수 있으므로 환자에게 임신 가능성이 있음을 주지시키고 반드시 적절한 피임방법을 사용하도록 해야 한다. 피임이 필요한 환자에게는 경구피임제가 좋은 대안이며, 피부패취제나 질식링 피임제도 적절하다. 메드록시프로게스테론이 임신 초기에 태아에게 노출되면 태아에서 남성가성반음양증(male pseudohermaphroditism)이 발생할 수 있기 때문에, 임신을 기대하는 경우에는 천연 프로게스테론을 투여하여 쇠퇴성 출혈을 유도하는 것이 안전하다(프로게스테론 질정 50-100 mg, 미분화 프로게스테론 200 mg). 이런 프로게스테론 제제는 정상적으로 체내에 존재하는 성분과 동일하다는 의미에서 천연 프로게스테론이라 부르며 출생 결함을 증가시키지 않는다(Resseguie et al., 1985).

(4) 남성형 다모증의 치료

만성무배란으로 인하여 희발월경이나 무월경이 있는 환자들은 남성형 다모증이 생길 수 있다. 안드로겐 분비종양과 선천부신증식증이 없는 것을 확인한 후에 남성형 다모증에 대한 치료를 시작한다. 자세한 치료 방법은 내분비이상 단원을 참조한다.

(5) 배란유도

무월경, 희발월경, 만성무배란을 보이는 환자의 상당수는 임신이 되지 않아 병원에 오게 된다. 자녀를 갖기 원하는 이런 환자에게는 일반적으로 배란유도요법이 최선의 치료법이다. 배란유도를 계획할 때는 불임의 원인에 대하여 최소한 정액검사와 자궁난관조영술을 시행하여 남성인자와 난관인자가 정상임을 확인하는 것이 필수적이다. 배란유도에 관한 자세한 설명은 불임증 단원을 참조한다.

참고문헌

- 구병삼. 임상 부인과 내분비학. 제2판. 서울: 고려의학; 2001.
- 박미정. 이인숙. 신은경. 정효지. 조성일. 한국 청소년의 성성숙 시기 및 장기간의 초경연령 추세분석. 대한소아과학회잡지. 2006;49:610-6.
- 박윤석, 강길전. 원발무월경에 관한 세포유전학적 연구. 대한산부회지 1999;42:814-20.
- 심정연, 유한욱. Turner 증후군 환자에서 성결정 SRY (Sex Determining Ragion of the Y Chromosome) 유전자의 분자 유전학적 검색. 대한소아과학회잡지 1996;39:915-23.
- 여채영. 김찬종. 우영종. 이대열. 김민선. 김은영. 터너증후군에서 핵형에 따른 임상질환의 발병양상. 대한소아과학회잡지 2010;53:158-62.

- 이선경, 허주엽, 김승보, 목정은. 원발무월경 환자 60명에 대한 세포 유전학적 및 임상적 고찰. 대한산부회지 1985;28:1703-12.
- 이성재, 신정규, 최원준, 이순애, 이종학, 백원영. 완전형 남성호르몬 불감증후군에서 골반경하 성선제거술 2례. 한산부회지 1999;42:2396-401.
- 이정호. 원발무월경의 임상적 고찰. 대한산부회지 2002;45:1045-51.
- 이형종, 서영욱. 무월경의 원인분석과 치료성적. 대한산부회지 1993;36:490-6.
- 전성욱. 지용일. 주영돈. 항암화학요법을 받는 혈액암 환자에서 조기 난소기능부족증 예방을 위한 성선자극호르몬분비호르몬 작용제의 병합 사용. 대한폐경학회 2013;19:93-100.
- 채희동, 강은희, 추형식, 김정훈, 강병문, 장윤석. 무월경 여성에서의 원인적 분류에 따른 임상적 고찰. 대한산부회지 1999;42:975-80.
- 최수희, 최영민, 박성효, 장은란, 배광범, 양세원 등. 터너증후군 환자에서 Y 염색체 특이 유전자 검색. 대한산부회지 2002;45:2244-9.
- 최영민, 지병철, 최진, 오선경, 황도영, 서창석 등. 터너 증후군의 세포유전학적 및 임상적 양상. 대한산부회지 2000;43:295-301.
- 최욱환, 이규섭, 운만수, 김원회. 원발무월경에 대한 임상적 및 세포 유전학적 고찰. 대한산부회지 1998;41:2730-8.
- 허의종. 무월경의 원인분석과 클로미펜자극검사에 의한 기능적 분류의 효능성 평가. 대한산부회지 1996;39:1704-10.
- American Society for Reproductive Medicine. Use of insulinsensitizing agents in the treatment of polycystic ovary syndrome. Fertil Steril. 2008;90(Suppl 5):S69-73.
- Adashi EY, Hennebold JD. Single-gene mutations resulting in reproductive dysfunction in women. N Engl J Med 1999;340:709-18.
- Ackard DM, Fulkerson JA, Neumark-Sztainer D. Prevalence and Utility of DSM-IV Eating Disorder Diagnostic Criteria among Youth. Int J Eat Disorder 2007;40:409-17.
- Allingham-Hawkins DJ, Babul-Hirji R, Chitayat D, Holden JJ, Yang KT, Lee C, et al. Fragile X premutation is a significant risk factor for premature ovarian failure: the international collaborative POF in fragile X study-preliminary data. Am J Med Genet 1999;83:322-5.
- Alper MM, Garner PR. Premature ovarian failure: its relationship to autoimmune disease. Obstet Gynecol 1985;66:27-30.
- Amrhein JA, Meyer WJ Ⅲ, Jones HW Jr, Migeon CJ. Androgen insensitivity in man: evidence of genetic heterogeneity. Proc Natl Acad Sci USA 1976;73:891-4.
- Asch P. The influence of radiation on fertility in man. Br J Radiol 1980;53:271-8.
- Batrinos ML, Panitsa-Faflia CH. Clinical syndromes of primary amenorrhea. Ann N Y Acad Sci 1997;816:235-40.
- Bose HS, Sugawara T, Strauss JF 3rd, Miller WL. The pathophysiology and genetics of congenital lipoid adrenal hyperplasia. N Engl J Med 1996;335:1870-8.
- Boyar R, Finkelstein J, Roffwarg H, Kapen S, Weitzman E, Hellman L. Synchronization of augmented secretion of luteining hormone secretion with sleep during puberty. N Engl J Med 1972;287:582-6.
- Buttram VC Jr, Gibbons WE. Müllerian anomalies: a proposed classification. Fertil Steril 1979;32:40-6.
- Canavan TP, Doshi NR. Endometrial cancer. Am Fam Physician 1999;59:3069-77.
- Canto P, Kofman-Alfaro S, Jimenez AL, Soderlund D, Barron C, Reyes E, et al. Gonadoblastoma in Turner syndrome patients with nonmosaic 45, X karyotype and Y chromosome sequences. Cancer Genet Cytogenet 2004;150:70-2.
- Chanson P, Salenave S. Diagnosis and treatment of pituitary adenomas. Minerva Endocrinol 2004;29:241-75.
- Cohen DP. Molecular evaluation of the gonadotropin-releasing hormone receptor. Semin Reprod Med 2000;18:11-6.
- Conte FA, Grumbach MM. Pathogenesis, classification, diagnosis, and treatment of anomalies of sex. In: De Groot LJ, ed. Endocrinology. Philadelphia: WB Saunders; 1989. p.1810-47.
- Cramer DW, Goldstein DP, Fraer C, Reitchardt JK. Vaginal agenesis (Mayer-Rokitansky-Küster-Hauser syndrome) associated with the N314D mutation of galactose-1-phosphateuridy1 transferase (GALT). Mol Hum Reprod 1996;2:145-8.
- Fore SR, Hammond CB, Parker RT, Anderson EE. Urologic and genital anomalies in patients with congenital absence of the vagina. Obstet Gynecol 1975;46:410-6.
- Frank RT. The formation of an artificial vagina. Am J Obstet Gynecol 1938;35:1053-5.
- Frisch RE, McArthur JW. Menstrual cycles: fatness as a determinant of minimum weight for height necessary for the maintenance or onset. Science 1974;185:949-95.
- Gell JS. Müllerian anomalies. Semin Reprod Med 2003;21:375-88.
- Griffin JE, Edwards C, Madden JD, Harrod MJ, Wilson JD. Congenital absence of the vagina. The Mayer-Rokitansky-Küster-Hauser syndrome. Ann Intern Med 1976;85:224-36.
- Griffin JE. Androgen resistance - the clinical and molecular spectrum. N Engl J Med 1992;326:611-8.
- Grumbach MM. The neuroendocrinology of puberty. In: Krieger DT, Hughes JC, eds. Neuroendocrinology. Sunderland, MA: Sinauer Associates; 1980. p.249-58.
- Halmi KA. Eating disorder research in the past decade. Ann N Y Acad Sci 1996;789:67-77.
- Hawkins JR. Mutational analysis of SRY in XY females. Hum Mutat 1993;2:347-50.
- Hoffman B, Bradshaw KD. Delayed puberty and amenorrhea. Semin Reprod Med 2003;21:353-62.

- Huhtaniemi IT. LH and FSH receptor mutations and their effects on puberty. Horm Res 2002;57(Suppl 2):35-8.
- Ingram JN. The bicycle seat stool in the treatment of vaginal agenesis and stenosis: a preliminary report. Am J Obstet Gynecol 1982;140:867-73.
- Jick H, Porter J, Morrison AS. Relation between smoking and age of natural menopause. Report from the Boston Collaborative Drug Surveillance Program. Boston University Medical Center. Lancet 1977;1:1354-5.
- Jones WE. Traumatic intrauterine adhesions. A report of 8 cases with emphasis on theraphy. Am J Obstet Gynecol 1964;89:304-13.
- Jorgensen PB, Kjartansdottir KR, Feder J. Care of women with XY karyotype: a clinical practice 19 Guideline. Fertil Steril. 2010;94:105-13.
- Karnis MF, Zimon AE, Lalwani SI, Timmreck LS, Klipstein S, Reindollar RH. Risk of death in pregnancy achieved through oocyte donation in patients with Turner syndrome: a national survey. Fertil Steri 2003;80:498-501.
- Kaufman FR, Kogut MD, Donnell GN, Goebelsmann U, March C, Koch R. Hypergonadotropic hypogonadism in female patients with galactosemia. N Engl J Med 1981;304:994-8.
- Krauss CM, Turksoy RN, Atkins L, McLaughlin C, Brown LG, Page DC. Familial premature ovarian failure due to interstitial deletion of the long arm of the X chromosome. N Engl J Med 1987;317:125-31.
- Kwon SK, Chae HD, Lee KH, Kim SH, Kim CH, Kang BM. Causes of amenorrhea in Korea: Experience of a single large center. Clin Exp Reprod Med 2014;41:29-32.
- Laughlin GA, Yen SS. Nutritional and endocrine-metabolic aberrations in amenorrheic athletes. J Clin Endocrinol Metab 1997;81:4301-9.
- Layman LC, Lee EJ, Peak DB, Namnoum AB, Vu KV, van Lingen BL, et al. Delayed puberty and hypogonadism caused by mutations in the follicle-stimulating hormone beta-subunit gene. N Engl J Med 1997;337:607-11.
- Marshall WA, Tanner JM. Variations in patterns of pubertal changes in girls. Arch Dis Child 1969;44:291-303.
- Mattison DR, Evan MI, Schwimmer WB. Familial premature ovarian failure. Am J Hum Genet 1984;36:1341-8.
- McIndoe A. The treatment of congenital absence and obliterative condition of the vagina. Br J Plast Surg 1950;2:254-67.
- Medlej R, Laboaccaro JM, Berta P, Belon C, Leheup B, Toublanc JE, et al. Screening for Y-derived sex determining gene SRY in 40 patients with Turner syndrome. J Clin Endocrinol Metab 1992;75:1289-92.
- Mehler PS. Clinical practice: bulimia nervosa. N Engl J Med 2003;349:875-81.
- Mignot MH, Shoemaker J, Kleingeld M, Rao BR, Drexhage HA. Premature ovarian failure. In: the association with autoimmunity. Eur J Obstet Gynecol Reprod Biol 1989;30:59-66.
- Morrison JC, Givens Jr, Wiser WL, Fish SA. Mumps oophoritis: a cause of premature ovarian failure. Fetil Steril 1975;26:655-9.
- Mutchinick OM, Morales JJ, Zenteno JC, del Castillo CF. A rare case of gonadal agenesis with paramesonephric derivatives in a patient with a normal female karyotype. Fertil Steril 2005;83:201-4.
- Murray A. Premature ovarian failure and the FMR1 gene. Semin Reprod Med 2000;18;59-66.
- Nelson LM, Anastri JN, Kimzey LM, Defensor RA, Lipetz KJ, White BJ, et al. Development of luteinized graafian follicles in patients with karyotypically normal spontaneous premature ovarian failure. J Clin Endocrinol Metab 1994;79:1470-5.
- Nishi Y, Hamamoto K, Kajiyama M, Kawamura I. The Perrault syndrome: clinical report and review. Am J Med Genet 1988;31:623-9.
- Oliveira LM, Seminara SB, Beranova M, Hayes FJ, Valkenburgh SB, Schipani E, et al. The importance of autosomal genes in Kallmann syndrome: genotype-phenotype correlations and neuroendocrine characteristics. J Clin Endocrinol Metab 2001;86:1532-8.
- Pasquino AM, Passeri F, Pucarelli I, Segni M, Municchi G. Spontaneous pubertal development in Turner's syndrome. J Clin Endocrinol Metab 1997;82:1810-3.
- Pletcher JR, Slap JB. Menstrual disorders: amenorrhea. Pediatr Clin North Am 1999;46:505-18.
- Rebar RW, Connolly HV. Clinical features of young women with hypergonadotropic amenorrhea. Fertil Steril 1991;53:804-10.
- Reindollar RH, Novak M, Tho SPT, McDonough PG. Adultonset amenorrhea: A study of 262 patients. Am J Obstet Gynecol 1986;155:531-43.
- Resseguie LJ, Hick JF, Bruen JA, Noller KL, O'Fallon WM, Kurland LT. Congenital malformations among offspring exposed in utero to progestins, Olmsted County, Minnesota, 1936-1974. Fertil steril 1985;43:514-9.
- van Kasteren YM, Schoemaker J. Premature ovarian failure: a systematic review on therapeutic interventions to restore ovarian function and achieve pregnancy. Hum Reprod Update. Sep-Oct 1999;5:483-92.

제21장

내분비 이상

조시현 | 연세의대
김선미 | 서울의대
김종현 | 전북의대

1. 고안드로겐증(Hyperandrogenism)

안드로겐(androgen)은 남성화 작용을 갖는 호르몬을 통칭하는 용어이다. 고안드로겐증 여성은 다양한 임상 증상을 보일 수 있으나 그 중 다모증(hirsutism)이 가장 흔한 증상이다. 고안드로겐증의 다른 임상 증상으로는, 여드름(acne), 지루(seborrhea), 안드로겐형 대머리(androgenic alopecia) 등이 있으며 이는 혈중 안드로겐이 여성의 피부에 중요한 영향을 미친다는 점을 나타내는 것으로, 임상 의사는 안드로겐의 생성과 대사 과정, 이에 영향을 미치는 인자뿐 아니라 피부의 털피지샘단위(pilosebaceous unit, PSU)에 대한 지식 또한 가지고 있어야 하겠다. 가임기 여성에서는 다낭성난소증후군(polycystic ovary syndrome, PCOS)이 가장 흔한 원인으로 전체 고안드로겐증의 약 80-85%의 원인을 차지하며 이외 비전형 선천부신과다형성증(non-classical congenital adrenal hyper plasia, NCCAH), 고안드로겐 인슐린 저항성 흑색가시세포(hyper androgenic insulin-resistant acanthosis nigricans, HAIRAN)증후군, 안드로겐 분비 신생물(androgen-secreting neoplasm, ASNs) 등의 원인에 의한 경우도 있다(Azziz et al., 2004a). 고안드로겐증의 유병율은 정확하게 밝혀져 있지 않으나 가임기 여성의 약 5-10% 정도로 보고되고 있다(Carmina, 2006).

다모증과 감별해야 하는 것 중에 털과다증(hypertrichosis)이 있는데, 이것은 안드로겐 비의존성 체모 즉 솜털이 여러 다양한 요인에 의해 증가하는 드문 현상을 말한다. 관련 요인으로는 약물(phenytoin, penicillamine, diazoxide, minoxidil, cyclosporine 등), 전신 질환(갑상선 기능저하, 신경성 식욕부진, 영양실조, porphyria, dermatomyositis), 또는 악성질환 시 paraneoplastic syndrome으로 인해 발생할 수 있다. 남성화(virilization)는 더 심한 고안드로겐증의 증상 및 징후를 말하는 것으로 목소리가 굵어진다거나 남성형 탈모(전두부나 측두부, 정수리), 유방 위축, 근육비대, 여성형 신체 구조의 소실(상부비만, 허리와 엉덩이 비율 증가), 거대클리토리스 등을 포함하는데, 다모증과는 달리 매우 드물고 대개 부신이나 난소의 종양으로 인해 유발되는 경우가 많다. 본 장에서는 여성에서의 안드로겐의 대사, 고안드로겐혈증을 유발하는 질환 및 질환의 증상과 이에 대한 치료를 살펴보도록 하겠다.

1) 안드로겐 대사

여성에서의 주요 안드로겐은 혈중 농도가 높은 것부터 나열할 때 황산데하이드로에피안드로스테론(dehydroepiandrosterone sulphate, DHEAS), 데하이드로에피안드로스테론(dehydroepiandrosterone, DHEA), 안드로스텐디온(androstenedione, A), 테스토스테론(testosterone, T) 및 다이하이드로테스토스테론(dihydrotestosterone, DHT) 등이다. 앞서 열거된 세 개의 호르몬은 전호르몬(prehormone)로서 자체적으로는 안드로겐 활성이 미미하여 안드로겐으로서의 작용을 하기 위해서는 테스토스테론으로의 전환이 필요한 종류이다. 여성에서 안드로겐 합성이 일어나는 주된 내분비 기관은 난소와 부신피질로, 난소에서는 LH의 자극을, 부신피질에서는 부신피질자극호르몬(adrenocorticotropin hormone, ACTH)의 자극을 받아 생성되며 부신과 난소에서의 안드로겐 합성 경로에 대해서는 잘 알려져 있다. 콜레스테롤의 곁가지가 분리되면서 생성되는 프레그네놀론(pregnenolone)은 △5 스테로이드 합성경로를 따라 데하이드로에피안드로스테론으로 바뀐다. 이 과정에는 *CYP17* 유전자 단백인 P450c17이 관여하는데, 17α-수산화효소(17α-hydroxylase)와 17, 20-분해효소(17, 20-lyase)가 이에 포함된다. 프로게스테론은 △4 스테로이드 합성경로를 따라 안드로스텐디온으로 바뀐다. △5 합성경로와 △4 합성경로는 3β-수산화스테로이드 탈수소효소(3β-hydroxysteroid dehydrogenase, 3β-HSD)로 인해 연결된다(그림 21-1). 여성의 혈중 테스토스테론의 1/2 가량은 분비된 안드로스텐디온이 말초에서 전환되어 만들어지며, 나머지 1/2은 난소와 부신에서 절반씩 분비된다(그림 21-2). 혈중 테스토스테론의 80% 정도는 성호르몬결합글로불린(sex hormone binding globuline, SHBG)과 결합되어 비활성화 되어 있다. SHBG와 결합되어있지 않은 테스토스테론은 알부민과 결합되어 있기 때문에(19%), 실제로 유리상태로 있는 테스토스테론은 1% 정도이다. 유리 테스토스테론의 양은 SHBG의 양과 반비례하게 되는데, 안드로겐 자체가 간에서의 SHBG 합성을 감소시키며 반대로 에스트로겐, 갑상선호르몬은 증가시키는 역할을 한다. 인슐린, 당류코르티코이드 등도 SHBG 합성을 억제한다. 따라서, 갑상선 기능항진, 임신 시, 에스트로겐 치료 중인 여성에서는 안드로겐의 단백결합능이 증가되어 있고, 반면 고안드로겐혈증이 있는 여성에서는 종종 고인슐린혈증도 동반되면서 전체 테스토스테론의 농도가 많이 높지 않은 상태에서도 혈중 유리 테스토스테론이 전체의 2% 정도까지 높아져 있을 수 있다(그림 21-3). 유리

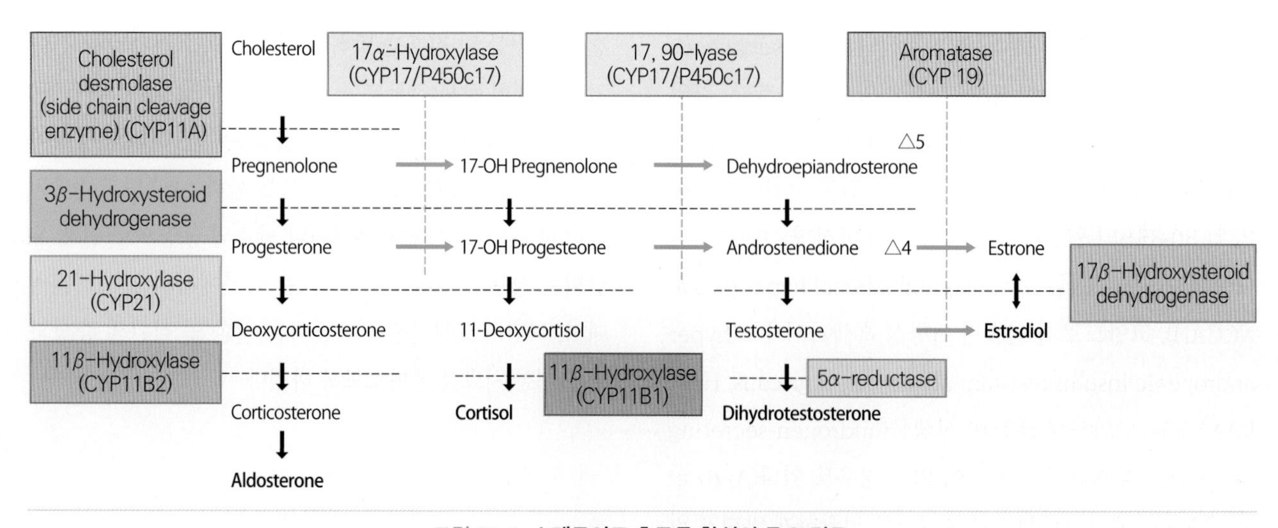

그림 21-1. **스테로이드 호르몬 합성의 주요 경로**

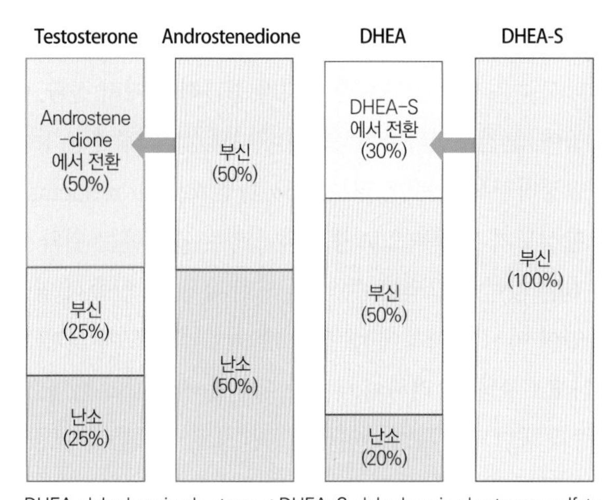

그림 21-2. **가임기 여성에서의 혈중 안드로겐 합성 장소 분포도**

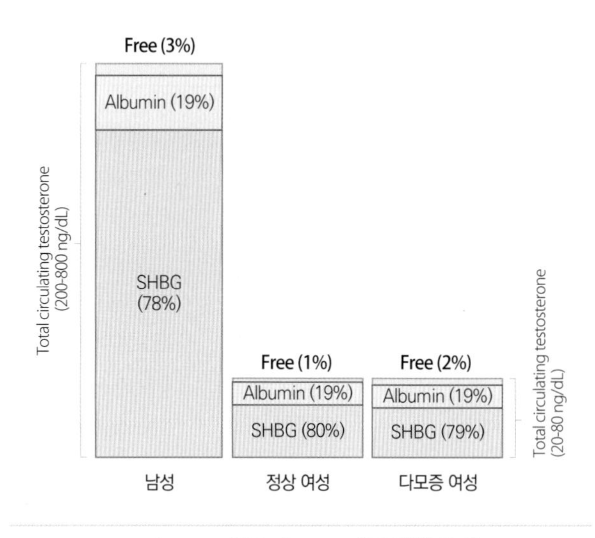

그림 21-3. **혈중 테스토스테론 결합 상태**

테스토스테론의 양을 따로 측정할 수 있고, 총 테스토스테론과 SHBG의 양을 알면 계산해 낼 수 있으나 다모증이나 남성화 자체가 안드로겐 과다를 나타내는 지표이므로 반드시 측정이 필요하지는 않다. 다모증이 있는 여성에서 총 테스토스테론의 혈중 수치가 정상 범위라면, 단백결합능의 감소에 의한 유리 테스토스테론의 증가 유추할 수 있다. 다모증의 가장 흔한 원인은 다낭성난소증후군이며 난소에서의 과도한 안드로겐 합성이 주요 병인으로 작용한다. 부신에서 기원하는 고안드로겐혈증에 의한 다모증은 상대적으로 드물다.

테스토스테론은 모낭이나 피지샘과 같은 안드로겐 민감 조직의 세포 내에서 활성대사물질로 바뀌어 작용을 나타내는데, 5α-환원효소(5α-reductase)에 의해 데하이드로테스토스테론이라는 안드로겐 민감 조직의 핵에서 작용하는 생체내에서 가장 강력한 안드로겐으로 바뀌게 된다. 따라서 혈중 DHT 농도는 조직에서의 5α-환원효소 활성도를 반영하는 지표로 볼 수 없다. 3α-안드로스텐디올(3α-Androstanediol)은 DHT의 말초 대사 산물로 이의 글루쿠로니드 접합물인 3α-안드로스텐디올 글루쿠로니드(3α-androstanediol glucuronide, 3α-AG)는 말초 안드로겐 대사의 지표로 사용할 수 있다. 혈중 3α-AG 수치는 생식기 피부에서의 5α-환원효소 활성과 높은 상관성을 보이고 다모증 여성에서 대체로 모두 증가한 수치를 보이며 혈중 안드로겐 수치가 정상인 경우에도 상승되어 있어 특발성 다모증의 경우 말초 5α-환원효소 활성 증가로 인해 발생함을 알 수 있다. 5α-환원효소는 두 가지 동종 효소가 있는데 제1형은 주로 피부에 존재하고 제2형은 간, 전립선, 정낭, 생식기 피부 등 생식기관에 존재한다. 제2형 동종효소는 제1형보다 테스토스테론에 대한 친화성이 20배 정도 높다. DHT는 안드로겐 수용체에 대한 결합력이 테스토스테론보다 높은 반면 해리 속도는 늦기 때문에 더 강한 활성을 갖는다. 안드로겐의 상대적 활성도는 DHT를 300으로 봤을 때 테스토스테론은 100, 안드로스텐디온은 10, 황산데하이드로에피안드로스테론는 5 정도이다. 여성에서 사춘기 이전의 안드로겐 수치는 매우 낮다.

8세 정도에 이르면, 부신피질에서의 스테로이드 합성이 시작되면서(adrenarche), 혈중 DHEA, DHEAS의 농도가 증가하기 시작한다. DHEA는 반감기가 30분 정도밖에 안되지만 황화되어 DHEAS가 되면 수 시간 정도로 반감기가 늘어난다. 나이가 증가하면서 부신에서 생성되는 DHEA, DHEAS의 양은 점차 감소하게 된다. 가임기 여성에서의 혈중 안드로겐의 평균 농도는 다음의 표과 같다(표 21-1).

표 21-1. 가임기 여성에서 혈중 성호르몬 및 성호르몬결합단백 정상 범위

안드로겐	혈중 농도
Total Testosterone	20-80 ng/dL
Free Testosterone (calculated)	0.6-6.8 pg/mL
Percentage free testosterone	0.4-2.4%
Bioavailable testosterone	1.6-19.1 ng/dL
Androstenedione	20-250 ng/dL
DHEA	1-10 ng/mL
DHEAS	100-350 μg/dL
17-hydroxyprogesterone (follicular phase)	30-200 ng/dL
SHBG	18-114 nmol/L

DHEA, dehydroepiandrosterone; DHEAS, dehydroepiandrosterone sulfate; SHBG, sex hormone binding globulin

폐경 후에는 안드로스텐디온 생성과 혈중 농도가 가임기의 절반 정도로 감소하는데 이때 주로 난소에서의 생성 감소에 의한다. 테스토스테론 또한 감소하는데 이는 말초에서의 안드로스텐디온으로부터의 전환 감소에 의하고 난소에서의 테스토스테론 분비는 거의 이전과 같은 정도로 유지되는 것으로 보이며 따라서 양측 난소절제수술 후에는 혈중 테스토스테론 수치가 40-50% 정도 감소하는 것이 관찰된다. 난소에서의 에스트로겐 생성은 거의 미미한 정도로 감소하므로 폐경 후 난소는 테스토스테론 생성 기관이라 할 수 있으며 폐경 후 상승된 생식샘 자극호르몬은 난소 문(hilum)과 기질에서의 안드로겐 생합성을 촉진하는 역할을 한다. 난소와는 달리 부신에서의 안드로겐 생성은 나이에 따라 점차 감소하는 양상을 보여 40-50대 여성에서의 혈중 DHEA 수치는 젊은 여성의 약 절반 정도로 낮아져 있다.

2) 다모증(Hirsutism)

다모증이란 얼굴 및 체부에 과도한 종말털(terminal hair)이 남성형으로 분포하는 것으로 정의되며 가임기 여성의 5-10% 정도에서 관찰될 수 있다. 혈중 안드로겐 수치는 정상일 수도 있으나 흔히 상승되어 있는데, 다모증이 고안드로겐혈증의 초기 증상이거나 유일한 증상일 수 있다.

다모증은 혈중 안드로겐 수치가 증가하는 여러 질환, 예를 들어, 선천부신과다형성증이나 다낭성난소증후군 등에서 발생하기도 하지만, 피부의 5α-환원효소(5α-reductase)의 활성도가 유전적으로 증가되어 있는 경우에는 위와 같은 질환 없이도 발생할 수 있다. 또한 유전적, 인종적 영향도 있어 아시아 여성에서는 유병율이나 중증도가 낮게 나타나므로 이를 고려하여 다모증 유무를 판단해야 한다. 다모증과 동반되어 흔히 나타나는 증상으로 여드름과 남성형 탈모 등이 있는데, 모두 고안드로겐혈증을 시사하는 소견들이다.

(1) 다모증의 발생 병인

체모는 입술, 손바닥, 발바닥을 제외한 신체 모든 부위를 덮고 있다. 약 500만 개의 모낭이 신체 전반에 퍼져 있으며 그 중 약 10만 개가 두피에 분포한다. 개인이 가지고 있는 모낭의 수는 대개 태어날 때부터 정해져 있는데 임신 22주경에 발달이 완료되고 이후에는 개수가 더 증가하지는 않는다. 체모는 일반적으로 부드럽고 얇으며(대개 직경 <0.03 mm) 색이 연한 솜털(vellous hair)과 길고(대개 >0.5 cm), 두껍고 색이 진한 종말털(terminal hair)로 구분되며, 체모의 성장 주기는 성장기털(anagen hair; growth phase), 퇴행기털(catagen hair; involution phase), 휴지기털(telogen hair; quiescent or resting phase)로 구분된다(그림 21-4). 성장기의 지속 기간에 따라 신체부위별 체모 성장 양상이 달라지는데 두피의 모낭이 가장 긴 성장기를 가지며 대부분의 정상 두발은 성장기에 속해있다.

안드로겐은 체모, 특히 성모(sexual hair)의 성장에 있어 가장 중요한 역할을 하는 인자로 솜털을 종말털로 발달하게 한다. 그러나 신체부위별로 안드로겐 감수성이 달라 호르몬의 체모 성장주기에 대한 영향이 다른데, 눈썹이나 속눈썹, 솜털 등은 안드로겐 민감성이 없는 반면 액와모와 치모는 낮은 농도의 안드로겐에 반응하고 얼굴, 가슴, 상복부, 등에 있는 체모는 높은 농도의 안드로겐에 반응한다. 머리털은 안드로겐 농도가 올라가는 경우 퇴행기털로 바뀌면서

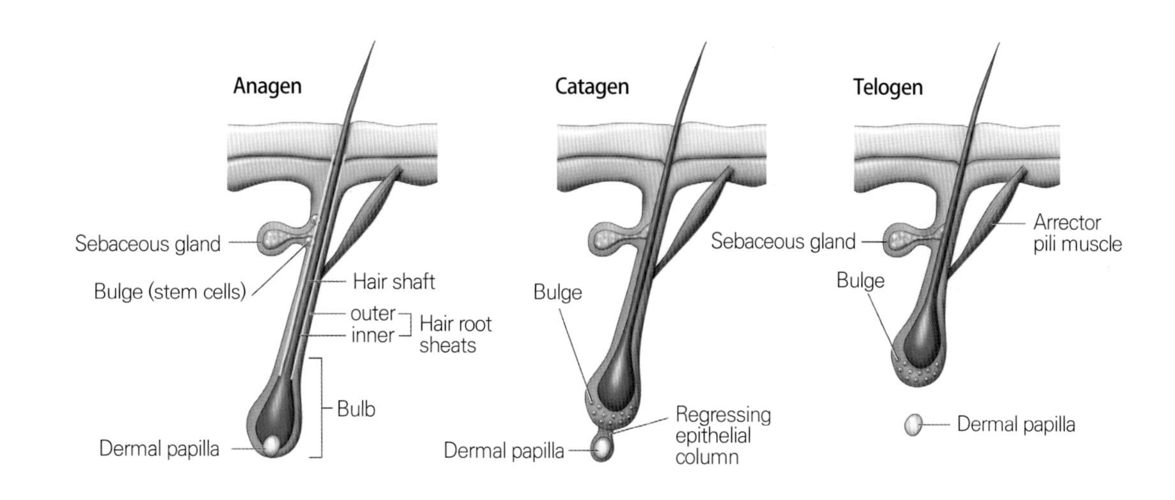

그림 21-4. **모발의 성장 주기.** 모발은 성장(anagen), 퇴화(catagen) 및 휴식(telogen) 시기를 반복함

표 21-2. 호르몬 변화에 의한 모발의 성장 변화

안드로겐 (특히 테스토스테론)	성장촉진 케라틴 원주의 두께 증가 색소침착 두피를 제외한 나머지 부위의 matrix cell mitosis 증가
에스트로겐	안드로겐에 반대되는 역할 체모의 성장 시작과 성장 속도 감소 더 가늘고 색소 침착이 없는 체모 형성 체모의 느린 성장과 관계됨
프로게스테론	체모에 주는 영향은 매우 적음

표 21-3. 다모증의 원인

진단	발생분율(%)
배제 진단	
다낭성난소증후군	82.02
특발성 다모증	4.47
고안드로겐혈증, 다모증, 정상 배란	6.75
특정 진단	
고안드로겐 인슐린 저항성 흑색가시세포 증후군 (HAIR-AN syndrome)	3.78
nonclassical (Adult onset) 선천부신과다형성증	2.06
선천부신과다형성증	0.69
안드로겐 분비종양	0.23
합계	100

탈모현상이 나타나게 된다(표 21-2). 다모증의 발현에 있어 고안드로겐증이 가장 중요한 인자이기는 하나 이는 여러 가지 원인으로 인해 유발될 수 있으므로, 발생 시 원인 질환에 대한 감별이 중요하다(Azziz et al., 2004a)(표 21-3).

(2) 다모증 환자의 평가방법

대부분의 다모증 환자는 다낭성난소증후군 또는 특발성 다모증에 해당된다는 사실이 알려져 있으므로 다모증 환자의 평가에서는 다모증의 정도를 정량적으로 평가하고 다른 추가적 검사 및 치료가 필요한 상황에 대한 원인을 확인하는 것을 목표로 해야 하겠다. 언제나 그렇듯 병력청취와 신체 검진이 진단적 단서 제공에 가장 중요하며 혈액검사 및 영상검사는 다른 드물지만 심각한 질환들을 확인하기 위해 사용하게 된다.

① 병력청취와 신체 검진

다모증 여성의 병력청취에 있어 가장 중요한 부분은 월경력, 다모증이 시작된 연령과 진행속도, 그리고 다른 증상이나 징후의 동반 유무, 그리고 가족력 및 약물 복용력 등이 되겠다. 월경력의 확인에 있어서는 초경 연령, 월경주기 및 규칙성, 월경전 증후 유무, 이전 임신력 및 피임약 사용 등에 대한 확인이 필요하다.

다낭성난소증후군 여성에서는 대체로 초경 직후 시기부터 불규칙한 주기를 보이는 경우가 대부분인 반면, 이전에 규칙적이었던 주기가 갑작스런 불규칙성을 보이는 경우 다른 진단을 고려해야 한다. 대체로 NCCAH의 임상 양상은 다낭성난소증후군의 그것과 유사한 경우가 많지만 다모증의 경우 더 이른 시기부터 더 심하게 나타나는 경우가 많다. 더 늦은 연령(25세 이후)에 발생하거나 수개월 사이에 진행하는 다모증의 경우 안드로겐 분비종양을 시사한다. 체중 변화와 월경주기의 변화에 대한 관련성에 대해서도 확인해야 하며 호르몬피임제의 복용이 월경주기의 불규칙성이나 고안드로겐혈증의 임상 증상을 드러나지 않게 하고 있을 가능성도 염두에 두어야 하겠다. 아동기에 발생하는 다모증은 대체로 classical CAH 또는 안드로겐 분비종양에 의한 경우가 많다.

외인성 원인으로 발생하는 다모증도 있는데 모발의 성장을 자극하는 약물로는 methyltestosterone, anabolic steroids (norethandrolone 등), phenytoin, diazoxide, danazol, cyclosporine 및 minoxidil 등이 알려져 있고 기능식품으로 판매되는 DHEA 또는 안드로스텐디온 등도 혈중 테스토스테론 농도를 높이는 데 기여할 수 있다. 약물 복용에 의한 다모증의 경우는 대체로 털과다증의 양상으로 나타나는 경우가 많다.

신체검진 시 BMI도 반드시 확인하는 것이 좋으며 다모증의 부위와 정도를 확인해 두어야 한다.

다모증의 진단 자체가 주관적이기 때문에, 스코어 시스템을 이용하여 진단하는 것이 좋은데 1961년 Ferriman과 Gallwey가 처음 제안한 점수 체계를 수정한 modified Ferriman과 Gallwey (mFG) 점수체계가 현재 통일된 기준으로 가장 널리 사용되고 있다. 이는 여성에서 종말털이 거의 관찰되지 않는 9개 부위(윗입술, 턱, 가슴, 윗배, 아랫배, 상완, 허벅지, 윗등, 아랫등)에서 각각 0(종말털 없음)부터 1(종말털이 미미하게 증가한 정도), 2(미미한 정도보다는 많으나 성인 남성에서보다는 적음), 3(매우 털이 많은 성

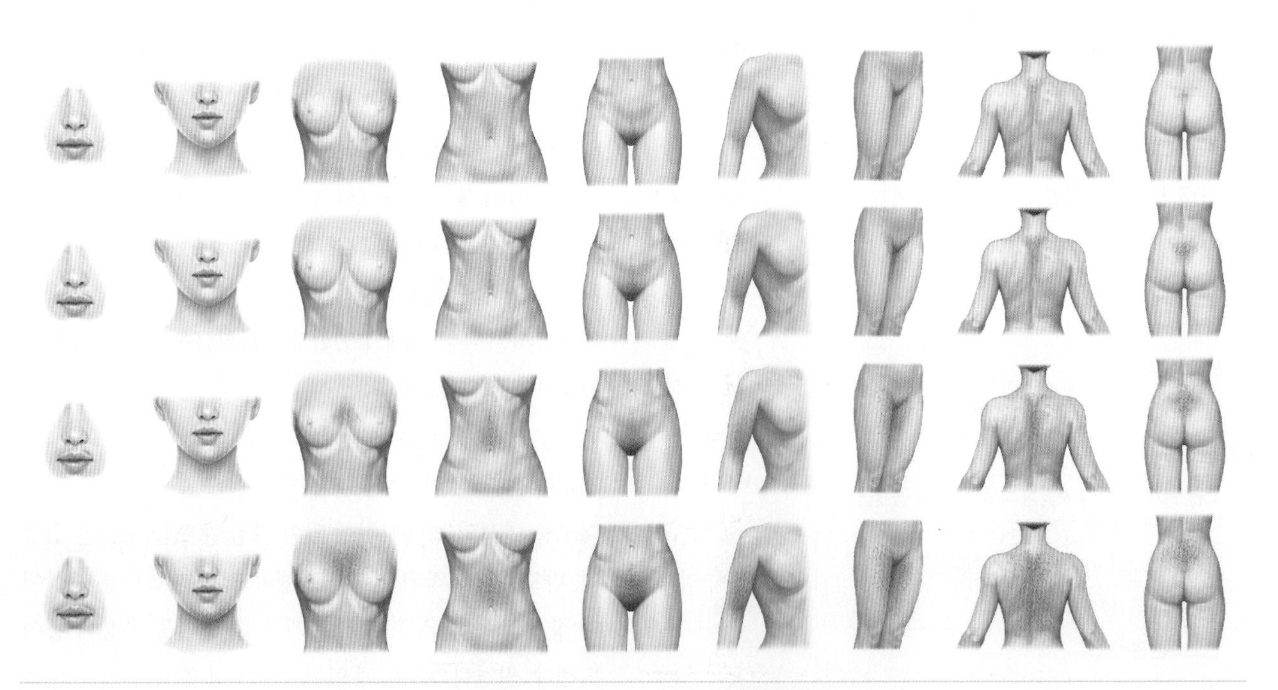

그림 21-5. **수정된 Ferriman-Gallwey (mFG) 다모증 점수 체계의 모식도**
Reproduced with permission from R. Azziz (Yildiz et al., 2010). Copyright Oxford UniversityPress, 2010.

인 남성의 정도까지는 아닌 남성과 유사한 정도), 4(남성화가 잘 된 털이 많은 건강한 성인 남성과 같음)로 점수를 매기고(0-36점까지 가능) 합하여 8점 이상이면 다모증으로 정의하는데 이러한 부위에서의 종말털은 흑인이나 백인 가임기 여성의 5% 이내에서만 7점을 넘기 때문이다(Yildiz et al., 2010)(그림 21-5). 그러나 이는 흑인 또는 백인 여성에서의 기준으로, 종말털의 성장 양상이나 단위 피부당 모낭의 개수는 인종 및 민족에 따라 다르므로 적용되는 인구대상에 따라 다른 기준이 확립되고 적용되는 것이 더 이상적이다. 지중해 및 중동 여성의 경우 더 높은 점수가 기준이 될 수 있고, 한국인 및 중국, 일본, 태국 등의 아시아인의 경우 3점 이상이 다모증에 해당한다는 연구가 있다(Chan et al., 2017; Huang and Yong, 2016).

mFG 점수는 다모증을 평가하는데 표준적인 기준으로 받아들여지고 있으나 이를 실질적으로 임상 진료에 사용하기는 어려운데 다모증으로 진료를 받으러 오는 여성들의 경우 대부분 이미 제모를 하고 있다는 점, 그리고 한국인을 포함한 동아시아 여성에서와 같이 기본적으로 체모가 적은 경우 고안드로겐혈증의 증상으로 다모증이 발현하는 경우가 드물다는 점 등이 그 이유이다. 따라서 제모의 방법과 회수를 확인하는 것이 진단이나 치료 효과를 판단하는 데 실질적 도움이 될 수 있고 제모 회수는 mFG 점수와도 일치하는 것으로 알려져 있다.

신체 검진에서는 다모증 이외 고안드로겐혈증의 피부 증상(여드름, 지루, 측두부 탈모)과 남성화의 징후를 살펴보아야 한다. 흑색가시세포증(acanthosis nigricans; 목주름, 액와, 서혜부 등의 갈색 또는 회색 벨벳양 색소 침착)는 인슐린 저항성의 지표이다. 피부가 얇아지고 적색 선조, 쉽게 멍듦 등은 고코티솔증의 임상 증상이다.

두발모가 얇아지거나 빠지는 증상은 매우 드문 고안드로겐혈증의 임상증상으로 대부분의 경우 탈모는 임신이나 발열질환 등에 의해 일시적으로 많은 수의 두발 모낭의 성장 주기가 일치하면서 발생하는 휴지기탈모(telogen effluvium)로 대개 6-8개월 이내에 호전되는 경우가 많다. 그러나 약 40% 정도의 환자에서는 고안드로겐혈증이 관찰되므로 탈모를 주소로 오는 여성의 경우 혈중 안드로겐, 갑상선 기능 및 만성질환에 대한 평가가 권장되며 혈중 안드로겐 수치가 정상 범위이더라도 국소적 5α-환원효소 작용이 증가되어 있는 경우가 흔하므로(약 50-60%) 항안드로겐 제제가 효과적일 수 있다.

② 생화학적 검사

다모증은 털피지샘단위에 대한 과도한 안드로겐 작용의 명백한 증거이지만 다모증의 정도와 고안드로겐증의 정도 사이에 상관성은 불명확하다. 일부 연구에서 다모증과 혈중 안드로겐사이의 상관성을 보고한 반면, 경도 다모증 여성의 약 50%에서만 유리테스토스테론의 상승을 보이며 경도 유리테스토스테론의 상승을 보이는 여성의 1/3 정도에서는 전혀 다모증이 나타나지 않음을 관찰하였다. 이러한 모순은 다모증이 혈중 안드로겐의 농도뿐 아니라 국소 조직에서의 안드로겐 활성, 안드로겐에 대한 감수성, 고인슐린혈증 등과 같은 다른 내분비 인자에 의해 결정된다는 점을 반영하는 사실이라 하겠다. 모든 다모증 여성에게 혈중 안드로겐 수치의 측정이 반드시 필요한 것은 아니지만 감별 진단과 치료 효과의 판단을 위해 대개 기저 수치를 확인하게 된다(Rosenfield, 2005). 호르몬 측정의 1차적 목표는 다른 치료를 필요로하는 상태(NCCAH, 안드로겐분비종양, 쿠싱증후군 등)를 확인하기 위한 것이라 할 수 있다. 총 테스토스테론 수치는 약 70%의 무배란을 동반하는 다낭성 난소증후군 여성에서 경도 상승을 보인다(80-150 ng/dL). 150 ng/dL 이상의 상승을 보일 경우 난소 또는 부신에서 발생한 안드로겐 분비종양을 의심할 수 있다. 유리 테스토스테론의 수치가 더 민감한 검사이기는 하나 반드시 필요하다고 볼 수는 없다. 측정할 경우 평형 투석법(equilibrium dialysis)을 이용하는 것이 과거의 면역측정법(immunoassay)보다 훨씬 정확한 것으로 알려져 있다(Azziz et al., 2009). 고인슐린혈증이나 기타 안드로겐 활성 변화를 통해 고안드로겐증을 유발하는 다른 질환들, 고프로락틴혈증, 안드로겐 분비종양, 선천성 부신과증식증 등 다른 질환에 대한 감별 진단 역시 간과해서는 안되겠다.

⑶ 다모증의 치료

다모증에 대한 환자의 주관적 치료 요구도, 가임력에 대한 목표 등을 고려해야 한다. 아무리 경한 정도라 하더라도 남성형 체모를 갖는다는 사실이 젊은 여성에게 미치는 심리적 스트레스는 매우 중할 수 있으므로 이를 주소로 내원한 환자에 대한 치료는 적극적으로 고려하는 것이 필요하다. 대부분의 다모증 여성은 안드로겐 생성이 증가된 상태이고 물리적인 제모는 쉽게 재발하고 근본적은 해결이 되지 못하므로 대체로 약물 치료가 필요하다. 또한 생식, 대사 관련 증상의 치료 및 예방과, 가능하다면 원인 질환의 치료를 목표로 해야 하겠다. 치료를 시작하기 전에 기대 가능한 치료효과에 대한 설명도 필요한데 모낭의 성장 주기의 절반 정도에 해당하는 6개월까지는 체모 성장의 감소가 없을 수도 있으며, 약물 치료의 효과로 수개월 이후부터 점차 가늘어지고 천천히 자랄 수는 있으나 완전히 자라지 않거나 없어지는 것은 아니라는 점 등을 명확히할 필요가 있겠다. 약물 치료를 중단하면 다모증은 재발하므로 치료는 장기적으로 이루어지게 되며 대개 임신 시도를 위해 중단하는 시점까지는 지속하게 된다.

① 약물 치료

다모증에 대한 약물 치료는 임신을 막거나 임신 중 사용 금기이므로 당장의 임신 계획이 없는 여성에서만 제한적으로 사용할 수 있다. 대부분은 안드로겐의 활성을 억제하는 방법으로 이루어지는데 i) 난소와 부신의 안드로겐 합성을 억제시키는 방법, ii) SHBG를 증가시키는 방법, iii) 안드로겐이 말초에서 활성화 되는 것을 억제하는 방법 iv) 안드로겐이 목표장기에 작용하는 것을 막는 등의 원리로 작용한다.

가. 경구용 피임약

경구용 복합 피임제(oral contraceptive pill, OCP)은 다모증 치료에 수십년동안 사용되어 왔다. 주된 작용 원리는 프로게스테론 혈중 농도의 증가로 뇌하수체에서의 생식샘자극호르몬(gonadotropin), 특히 황체화호르몬(Luteinizing Hormone, LH)의 분비 억제를 통해 난소에서의 안드로겐의 합성을 억제하고 에스트로겐 성분이 간에서의 SHBG 합성을 증가시켜 유리 테스토스테론의 농도를 떨어뜨리는 것이다. 항안드로겐성 프로게스틴이 포함된 경구용 피임약의 경우 포함된 프로게스틴이 모낭에서의 안드로겐 수용체에 경쟁적으로 결합하거나 5α-환원효소의 활성을 억제하는 작용을 할수 있다. 따라서 경구용 피임약에 대한 일반적 금기 사항이 없는 다모증 환자에서 안드로겐 활성이 낮은 3세대 프로게스틴; 데소게스트렐(desogestrel, DSG), 제스토덴(gestodene), 노르제스티메이트(norgestimate) 또는 항안드로겐성 프로게스틴; 초산사이프로테론(cyproterone acetate, CPA), 드로스피레논(drospirenone, DRSP) 등을 함유한 저용량 경구용 복합호르몬제가 흔히 권장된다. 치료 효과는 6개월 이상 사용한 이후에 판단하며 그 동안 환자는 선호하는 제모법을 유지하도록 한다. 결국에는 영구 제모가 필요한 경우가 많지만 경구피임제로 최대한 억제해본 이후로 미루는 쪽으로 권유할 수 있다. 경구용 피임약은 피임 효과를 발휘하므로 항안드로겐 제제와 함께 주요한 병용 제제로 사용할 수 있다(Somani and Turvy, 2014).

나. 항안드로겐 제제

항안드로겐 제제는 안드로겐수용체 및 5α-환원효소의 활성을 억제함으로써 작용하며 초산사이프로테론, 스파이로노락톤, 플루타마이드, 피나스테라이드 등에 관한 연구 결과가 보고되었으나 수행된 연구의 방법적 한계로 인해 근거의 수준이 충분하지 않은 실정이다. 미국의 경우 항안드로겐제제의 다모증에 대한 사용은 승인되지 않았으며 남성 태아의 여성화(pseudohermaphroditism) 부작용에 대한 우려가 있어 임신한 여성에서는 사용이 금지되며, 가임기 여성의 경우 경구용 피임제, 자궁내 장치 등과 같은 효과적인 피임법과 함께 사용하도록 해야 한다. 또한 경구피임제 단독으로 치료효과가 불충분한 여성에서 항안드로겐제제 병합을 고려할 수 있겠다.

가) 초산사이프로테론(cyproterone acetate)

17α-hydroxyprogesterone (17-OHP) 유도체로 강력한 프로게스틴 작용으로 생식샘자극호르몬 분비를 억제하고 경쟁적 안드로겐 수용체 억제를 통해 항안드로겐으로 작용한다. 가능한 부작용으로는 피로, 부종, 성욕 감퇴, 체중 증가 및 유방통 등이 있을 수 있다. 유럽이나 우리나라에서는 사용 가능하나 미국에서는 FDA 승인이 되지 않은 제제이다.

나) 스파이로노락톤(spironolactone)

알도스테론 길항제이자 이뇨제로 프로게스틴과의 구조적 유사성으로 인해 안드로겐 수용체에 대한 길항제로 작용한다. 말초에서 DHT과 경쟁하여 안드로겐 수용체에 결합하며 안드로겐 생합성에 관련된 여러 효소에 대한 억제적 작용을 통하여 다모증에 대한 치료효과를 발휘한다. 치료효과는 용량 의존적으로 50-100 mg으로 하루 두번 사용할 때 가장 효과적이다. 사용 초기에 다뇨가 동반될 수 있고 피로감, 이상 자궁출혈 등이 발생할 수 있으나 흔하지는 않다. 대개는 경구피임제 사용 6개월 경과 이후 치료 효과가 불충분하다고 판단될 때 추가제제로 사용하는 경우가 많다.

다) 플루타마이드(flutamide)

전립선암에 보조요법으로 사용되는 비스테로이드성 안드로겐 수용체 차단제로 스파이로노락톤와 유사한 정도의 효과를 보인다. 부작용이 흔하지는 않으나 드물게 발생할 수 있는 간독성 때문에 간기능에 대한 모니터링이 필요하다.

라) 피나스테라이드(finasteride)

5α-환원효소억제제로 전립선비대증에 대한 사용을 허가받았고 남성에서의 탈모증 치료제로 사용되고 있으며 여성 다모증에도 효과가 있는 것으로 보고되고 있다. 이 약제는 5α-reductase type 1에 대해 제한적인 억제작용만이 있다고 알려져 있으나 스피로노락톤, 플루타마이드와 유사한 정도의 효과를 보인다. 태아 기형의 위험성으로 인해 반드시 효과적인 피임법과 함께 사용해야 하며 임신의 가능성이 있는 여성에서는 사용이 금기이다.

다. 인슐린 감수성 개선제(insulin sensitizer, IS)

인슐린 감수성 개선제는 다낭성난소증후군 환자에서 월경주기의 불규칙성을 개선하고 인슐린 저항성을 개선하기 위해 사용된다. 고인슐린혈증은 간에서의 SHBG의 합성을 억제하여 유리 테스토스테론을 증가시키고 난소 난포막 세포의 인슐린 유사 성장 인자-1(insulin-like growth factor-1, IGF-1) 수용체에 결합하여 LH 자극에 의한 안드로겐 합성을 증가시켜 고안드로겐혈증을 유발한다. 그러나 다모증 치료에 있어서, 특히 대사적 이상이나 월경주기의 불규칙성이 없는 여성에서, 인슐린 감수성 개선제의 사용에 대해서는 논란이 있으며 실제 치료 효과도 높지 않은 것으로 보고되었다(Cosma et al., 2008).

라. 기타 치료 약제

가) 생식샘자극호르몬방출호르몬 장기 작용제(long-acting GnRH analog)

생식샘자극호르몬분비호르몬작용제는 시상하부-뇌하수체-난소축(hypothalamic-pituitary-ovarian axis, HPO axis)에 대한 억제로 난소에서의 안드로겐 합성을 억제하는 것으로 작용하지만 다모증에 대한 치료효과에 대해서는 충분한 근거가 부족하다. 또한 안드로겐과 더불어 에스트로겐의 분비도 줄면서 혈관운동성 증상, 골밀도 감소 등의 위험성이 있으므로 에스트로겐 보충 치료(add-back therapy)와 함께 쓰는 것이 권장되며, 기존의 치료에 반응하지 않는 심한 고안드로겐증성 다모증 환자에서 2차적 치료법으로 제한하여 고려해야 할 것으로 보인다.

나) 부신피질호르몬(glucocorticoid)

부신피질호르몬제를 투여함으로써 내인성 ACTH 작용을 억제하고 따라서 부신에서의 안드로겐 합성을 억제하여 다모증을 치료하는 방법으로 효과는 경구용 피임제나 항안드로겐제제에 비해 떨어지는 것으로 보인다. 따라서 NCCAH 이외의 여성에서 다모증의 치료제로는 고려하지 않는다.

다) 국소적 에플로니틴(topical eflornithine)

13.9% eflornithine hydrochloride 크림은 원치 않는 안면 모발 성장에 대한 국소적 치료제로 승인받은 약제이다(Balfour and McClellan, 2001). L-ornithine decarboxylase라는 효소의 비가역적 억제제로 모낭 내부에서 세포 성장과 분화에 필수적인 폴리아민(polyamine)의 합성을 억제함으로써 모발의 성장을 억제한다. 제모 작용은 없으며 수주간 사용시 안면 모발 성장의 감소를 기대할 수 있으나 중단 8주 이후에는 치료 전 상태로 돌아오는 것으로 관찰되었다. 광범위하게 사용할 경우 전신적 부작용의 가능성이 있어 얼굴 이외의 부위에 대해서는 승인되지 않았으며 비용 또한 상대적으로 높다. 안드로겐 과다-다낭성난소증후군 학회(AE-PCOS Society)에서는 eflornithine의 사용을 경미한 다모증에서만 단독요법으로 사용하고, 중증도 이상의 환자에서는 영구적 제모술 또는 전신적 약물 치료의 병합요법으로만 사용할 것을 권고하고 있다(Escobar-Morreale et al., 2012).

② 미용적 제모술(cosmetic measures)

미용적으로 체모를 제거하는 방법은 의학적 치료법에 보충적으로 사용될 수 있다. 다모증이 경미하거나 국소적인 경우에는 이 방법만으로도 만족할 만한 치료 효과를 얻을 수 있다. 전통적인 제모방법으로는 표백(bleaching), 뽑기(plucking), 면도(shaving), 왁싱(waxing), 화학적 치료 및 전기분해술(electrolysis) 등이 있는데 이 중 전기분해술만 영구적으로 모낭을 파괴할 수 있다. 전통적인 치료법은 국소적 불편감이 유일한 단점으로 비교적 안전하며 모낭의 성장 주기에 영향을 미치지 않는다. 면도를 반복하는 것이 체모가 더 굵고 길게 자라게 한다는 통념은 면도 후의 체모의 단면이 자연적 체모의 가늘어지는 끝보다 뭉툭하여 더 눈에 쉽게 띄기 때문에 생긴 오해이다. 미용적 제모법은 약물 치료에 병용하여 약물 치료의 효과가 나타나기 전의 초기에 병합하여 사용하는 것이 권장된다(Escobar-Morreale et al., 2012). 가장 최근에 도입된 레이저치료법은 선택적 광열분해(photothermolysis) 원리를 이용하는데 이는 모낭의 멜라닌 색소가 특정 파장의 광선을 흡수하여 모낭의 파괴로 이어지게 하는 것이다. 따라서 일반적으로 레이저 시술은 피부는 밝고 체모는 어두운 색깔인 경우 가장 효과적이다. 치료 효과는 모발의 성장 단계, 피부와 체모의 색깔, 부위, 레이져 타입 및 치료 회수에 따라 다르게 나타나며 완전한 제모에는 4-6주 간격으로 4-6회의 반복 치료가 필요한 경우가 대부분이다(McBurney, 2002). 레이져 치료는 안전하고 시술이 간편하며 부작용이 적고 효과적인 치료법으로 전신적 다모증에서 단독 또는 약물 치료에 병합하여 고려할 수 있는 치료법이다.

2) 다낭성난소증후군

고안드로겐증과 만성무배란을 특징으로 하는 다낭성난소증후군은 여성 불임의 가장 흔한 원인이며, 가임기 여성에서 약 4-6% 정도의 유병율을 보이는 가장 흔한 내분비 질환 중 하나이다(Apridonidze et al., 2005; Goodarzi et al., 2011; 성연아, 2012). 1935년에 닥터 Steine IF와 닥터 Leventhal ML이 처음으로 무배란과 관련된 증상증후군을 기술한 이래 많은 연구가 이루어져 왔으나 다낭성난소증후군의 원인과 발생 기전은 여전히 명확하게 밝혀져 있지 않으며, 진단 기준에 있어서도 논란의 여지가 남아 있다. 그러나 다낭성난소증후군은 가임 연령에서뿐 아니라 여성의 일생 전체에 걸쳐 대사질환과 심혈관계 질환의 발생에 영향을 미치는 질환이라는 사실은 널리 알려지게 되었다.

(1) 다낭성난소증후군의 발생 원인

다낭성난소증후군은 한가지 원인을 갖는 특정 내분비질환이 아니라 내분비, 대사, 유전 및 후성유전학적(epigenetic) 인자와 환경적 인자가 상호 작용하며 병태생리에 기여하여 발생하는 복합 질환이다. 다낭성난소(polycystic ovary)는 어떠한 원인에 의해서든 난포의 성장 발달에 이상이 생기면서 무배란증이 지속될 경우, 그 결과로 나타나는 난소의 형태학적인 변화를 일컫는 말이며 다낭성난소증후군이

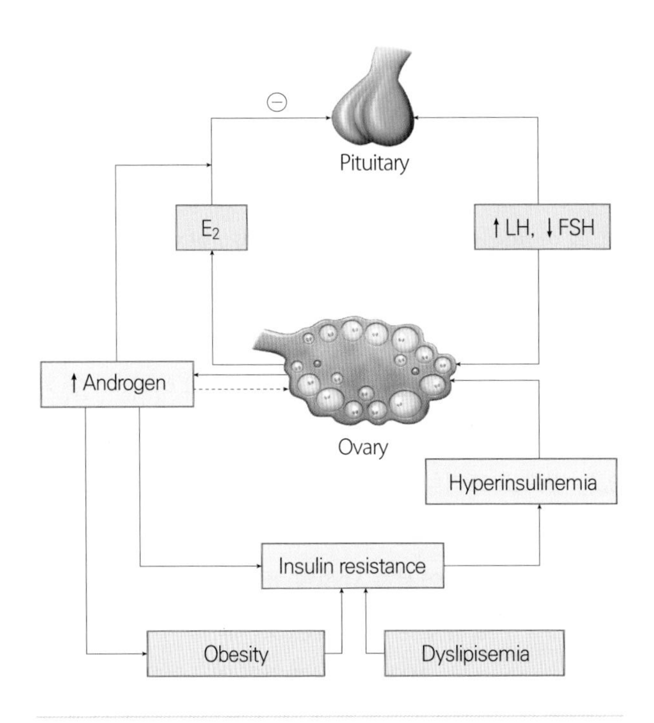

그림 21-6. **다낭성난소증후군 발생의 병태생리학적 개념**
- 황체화호르몬 분비 증가와 난포막 세포의 반응성 증가로 난소 안드로겐 합성이 증가
- 혈중 상승된 안드로겐은 시상하부에 대한 스테로이드 호르몬의 음성 되먹이기 기전을 억제하여 GnRH 분비 파장의 빈도가 증가하고 이로 인해 LH 분비량이 증가
- 고안드로겐증은 남성형 비만, 내장지방 증가, 및 이상지질혈증을 유발하고 이는 인슐린저항성에 기여
- 고안드로겐혈증, 비만, 고인슐린혈증은 모두 혈중 SHBG 농도를 떨어뜨리고 생활성형인 유리 테스토스테론의 농도를 증가시킴

라는 질병명과는 구분지어 사용해야 한다. 다낭성난소증후군 병태 생리의 핵심은 난소에서의 과도한 안드로겐 합성이다(그림 21-6). 이 질환에 이환된 여성에서는 생체 및 실험실 실험 모두에서 난소 과립막세포에서의 LH자극에 의한 안드로겐 합성 반응이 정상 여성에 비해 과도하게 일어나는 것으로 밝혀져 있다(Nelson et al., 2001). 이렇게 난소에서 안드로겐이 과도하게 생성되는 원인에 대해서는 아래와 같은 병인들이 제시되어 있다.

① 시상하부-뇌하수체 부위에서의 기능 이상

정상적인 월경주기를 갖는 여성에 비해 다낭성난소증후군 여성들은 상대적으로 LH 혈중 농도가 높고, FSH 농도가 낮으며 LH:FSH 비율의 증가를 보이는 경우가 많다. 혈중 LH 상승은 LH 분비 빈도의 증가에 의해 유발되며 혈중 FSH 감소는 GnRH 분비 빈도 증가, 혈중 에스트론(E1) 상승으로 인한 음성 되먹이기 기전(말초에서의 안드론스텐디온의 E1으로의 전환으로) 및 혈중 inhibin B 증가(작은 동난포에서의 분비로 인해)에 의한 것으로 설명된다. LH 자극은 난소에서의 안드로겐 생성을 자극하고, FSH는 방향화효소의 활성을 증가시켜 에스트로겐 생성을 자극하는 역할을 하므로 상대적 LH 상승은 난소에서의 안드로겐 합성 우세 상황을 유발하게 된다. 혈중 LH 농도의 증가는 시상하부에서의 GnRH 분비 패턴에 의해 유발되는데 GnRH 분비 파동 빈도가 증가하는 경우 뇌하수체의 생식샘자극세포(gonadotrope)에서 선택적으로 LH-ß 아형 유전자 발현이 촉진되고 FSH-ß 아형 유전자 발현은 상대적으로 억제된다. 따라서 다낭성난소증후군 환자에서의 LH 분비의 빈도 증가와 분비 강도 증가는 시상하부의 GnRH 분비 파동 빈도 증가에 의한 것으로 보이며, 이것이 이 질환의 본질적 이상인지, 만성무배란 상태에 의한 말초의 프로게스테론 결핍에 의한 반응성 변화인지 양쪽 모두에 의한 것인지는 명확하지 않다(Blank et al., 2006). 다낭성난소증후군 환자에서 LH분비 빈도가 증가하여 분비 주기가 거의 1시간에 한 번이며, 혈중 LH 농도의 증가는 비만한 다낭성난소증후군보다 마른 환자에서 더 뚜렷한 것으로 보고되기도 하였다(Arroyo et al., 1997). 그러나 생식샘자극호르몬의 혈중 농도는 월경주기에 따라 다르고 파동성 분비의 특징이 있어 다낭성난소증후군 진단의 목적으로 혈중 수치를 측정하거나 비율을 계산하는 것은 권고되지 않는다.

② 인슐린 분비 및 작용 이상

인슐린 저항성과 보상성 고인슐린혈증은 다낭성난소증후군 여성에서 매우 흔히 관찰되는 소견으로 병태생리학적 원인의 핵심으로 주목받고 있다. 인슐린 저항성은 내인성 또는 투여된 인슐린의 작용이 정상보다 떨어져있는 상태를 말하며 비만한 PCOS 여성의 약 70-80%, 마른 PCOS 여성의 경우 약 20-25% 정도로 전체적으로 50-75%의 PCOS 여성에서 인슐린 저항성이 관찰되는 것으로 보고된다. 인슐린 저항성으로 인해 혈중 증가된 인슐린은 난소의 안드로겐 합성 증가와 간에서의 SHBG 합성 억제라는 두 가지 주요 기전에 의해 고안드로겐혈증을 유발한다.

인슐린 저항성과 고인슐린혈증이 다낭성난소증후군의 중요한 병태생리학적 원인임에는 의심의 여지가 없으나 다낭성난소증후군 여성의 25-50%에서는 인슐린 저항성이 입증되지 않는다는 점과 인슐린 저항성이 있는 여성에서 다낭성난소증후군의 발현율은 15% 정도에 불과하다는 점을 주목해야 하겠으며(2형 당뇨 여성에서 PCOS 유병율은 2.5%에 불과), 따라서 인슐린 저항성이 모든 다낭성난소증후군의 1차 원인이거나 병인 유발 요인은 아닌 것으로 보인다.

③ 비만 및 에너지 대사 이상

다낭성난소증후군의 진단 기준은 아니나 다낭성난소증후군 환자의 약 30%, 많게는 75%에서 비만이 동반되는 것으로 보고되고 있다. 비만으로 인한 HPO 축의 작동에 대한 교란, 간에서의 SHBG 합성 저하로 인한 고안드로겐혈증으로 다낭성난소증후군과 같은 임상 양상이 유발될 수 있고, 비만한 PCOS 여성은 정상체중인 PCOS 여성보다 월경주기의 불규칙성, 이상자궁출혈, 다모증 및 난임의 발생율이 더 높은 것으로 보고되었다(Hirschberg, 2009). 비만, 특히 내장 비만은 고안드로겐혈증, 인슐린저항성, 내당능장애 및 이상지질혈증과 독립적으로 관련되어 있으며 체중 감량이나 약물 치료로 인슐린저항성이 개선되면 이러한 대사장애가 호전되는 것으로 알려져 있다. 그러나 반대로 다낭성난소증후군으로 비만이 유발되는 것은 아니며 비만도에 따른 다낭성난소증후군의 유발 연관성은 경미한 것으로 관찰되었다. 지금까지의 연구 결과를 종합해 볼 때 비만은 다낭성난소증후군 여성에서 더 흔하나 비만 자체가 다낭성난소증후군을 유발하는 1차적 원인은 아닌 것으로 보이며 다낭성난소증후군 여성에서 비만이 동반될 경우 인슐린저항성 및 고안드로겐증 관련 징후를 더 심화시키는 요인으로 작용하는 것으로 여겨진다(Pasquali et al., 2006).

④ 유전적 소인

다낭성난소증후군의 가족내 발생 경향에 대해서는 오래전부터 알려져 왔다. 한 쌍생아 연구에 의하면 다모증이나 여드름이 있으면서 희발월경을 보이는 경우만을 평가했을 때 약 79%에서 유전적 성향이 관찰되었고, 다낭성난소증후군 여성의 자매나 모친에서 인슐린 저항성이나 고안드로겐혈증의 빈도가 높다는 사실을 바탕으로 시행된 다른 연구들에서도 다낭성난소증후군 여성의 어머니, 딸, 자매(first-degree relative)에서 비슷한 정도의 대사장애가 있는 것으로 드러나 이들에서도 대사성, 심혈관계 질환의 위험성이 높아질 수 있는 것으로 관찰되었다(Yildiz et al., 2003). 일부 연구에서는 남성형 표현형은 조기 탈모이며 상염색체 우성 유전성을 보이는 것으로 보고되기도 하였다(Norman et al., 1996). 지금까지의 연구들은 인슐린 분비 및 작용, 생식샘자극호르몬 분비 및 작용, 안드로겐 생합성, 분비, 운반 및 대사와 관련된 유전자들이며, GWAS 연구에 의해 새로이 주목받게 된 유전자도 있다(Liu et al., 2016). 최근에는 후성유전학적(epigenetic) 요인 및 DNA 메틸화의 역할에 관한 연구들도 이루어지고 있다. 종합적으로 볼 때 다낭성난소증후군은 복합 다유전자성-환경질환으로 이해된다.

(2) 다낭성난소증후군의 진단기준 및 임상 증상

다낭성난소증후군은 특정 내분비질환이 아니라 증상/징후의 집합체인 증후군이므로 어느 한가지 증상, 징후 또는 검사로 진단할 수 없다. 따라서 다낭성난소증후군의 진단 기준의 확립에 대해서는 지속적으로 논란이 있는 상태이다. 연구자들간의 관점에 따라 강조되는 부분들이 다르기는 하나 진단을 위한 세가지 중요한 특징은 고안드로겐증, 만성 무배란, 그리고 초음파상 관찰되는 다낭성난소 형태이다. 비슷한 임상 양상을 보일 수 있는 다른 질환들을 우선 배제해야 하는데 이에는 고안드로겐혈증을 유발할 수 있는 선천부신과다형성증, 쿠싱증후군, 안드로겐분비종양 등과 무배란을 일으킬 수 있는 갑상선질환, 고프로락틴혈증 등이 있다. 비만, 인슐린 저항성, 대사증후군 등이 흔히 동반되나 진단기준에는 포함되지 않는다.

이 질환을 정의하는 진단 기준은 처음으로 1990년에 National Institutes of Health (NIH)에서 정의하였는데 만성무배란과 임상적 또는 생화학적 고안드로겐증 두 가지 모두를 요구하는 반면(Kyritsi et al., 2017), 이후에 발표되어 가장 널리 쓰이고 있는 2003년 ESHRE/ASRM Rotterdam 진단기준은 만성무배란, 임상적 또는 생화학적 고안드로겐증, 그리고 다낭성난소의 세가지 중 두가지 이상의 기준을 만족할 때로 정의하고 있다. 이때 만성무배란 및 다낭성난소 형태를 가지나 고안드로겐증의 근거가 없는 여성과 고안드로겐증과 다낭성난소를 보이나 정상 배란주기를 보이는 여성이 다낭성난소증후군의 범위에 새로이 포함되게 되는데 이러한 군에서는 대사증후군이나 불임 증상이 다른 다낭성난소증후군에 비해 훨씬 경미한 정도에 불과하여 다낭성난소증후군의 진단 기준에 대해 논쟁이 지속되어왔으며 가장 최근인 2006년 AES (Androgen Excess Society)에서는 고안드로겐증이 다낭성난소증후군의 핵심 진단 기준이며 불규칙한 월경주기나 초음파상의 다낭성난소 형태를 난소기능장애의 징후로 포함시키는 진단 기준을 다시 내놓았다(Azziz et al., 2006)(표 21-4). 1990년 NIH 진단기준에 의하면 일반 가임기 여성에서의 PCOS 유병률은 6(5-8)% 정도로 보고되었다. 2003년 Rotterdam 진단 기준을 적용할 경우 고안드로겐증이 없이 무배란과 다낭성난소 형태만을 보이는 경우까지 포함하게 되므로 그 범위가 더 넓어져 유병율 또한 더 높게 보고된다(8-13%)(Bozdag et al., 2016). 최근에는 다낭성난소증후군이라는 명칭 자체가 상대적으로 덜 중요하고 일관되지 않은 진단 기준을 강조하므로 명칭 변경에 대한 필요성이 제기되기도 했다. 이렇듯 진단기준이 다양하고 여전히 논란이 있는 만큼 연구 설계나 연구 논문의 발표에 있어 적용된 진단 기준을 반드시 명시하고 확인할 필요가 있겠고 각 진단 항목에 따라 임상 양상이 달라질 수 있음을 감안해야 할 것이다.

① 고안드로겐증

고안드로겐증은 다낭성난소증후군의 진단기준 가운데 가장 두드러진 요소라 할 수 있겠으나 진단 척도들은 인종, 체중 및 연령에 따라 다양한 양상을 보인다. 이는 임상 양상 또는 생화학적 지표들로 평가된다.

가. 임상적 고안드로겐증

고안드로겐증의 임상 증상은 다모증, 여드름 및 남성형 탈모 등으로 젊은 여성에서 주로 발생하며 안드로겐의 모피지단위에 대한 영향의 민감도에 대한 개인차가 커 혈중 안드로겐 수치와 임상 양상간의 상관성은 매우 낮은 것으로 보인다. 다모증은 이 중 가장 흔한 임상 증상으로 서구에서는 약 70%의 PCOS 여성에서 보고되나 인종간의 발현 빈도가 매우 다양하여 우리 나라를 포함한 동양인에서는 약 10-20% 정도로 그 발생 빈도가 매우 낮다. 다모증의 발생은 혈중 안드로겐의 농도에 의해서만 결정되는 것이 아니고 모낭의 안드로겐에 대한 유전적 감수성과 조직에서 5α-환원효소 활성에 따라 그 정도

표 21-4. 다낭성난소증후군 진단기준

Criteria	1990 National Institute of Health	2003 Rotterdam	2006 Androgen Excess and PCOS Society
1) Hyperandrogenism* 2) Oligo-anovulation 3) Polycystic ovaries (by ultrasound)	1) and 2)	any 2 of 3	1) and 2) or 1) and 3)
	exclusion of other disorders (congenital adrenal hyperplasia or Cushing syndrome, etc.)		

*Clinical and/or biochemical

가 다르게 나타나기 때문이다.

여드름은 다낭성난소증후군 여성에서 고안드로겐증의 두번째로 흔한 임상 증상으로 안드로겐이 피지샘에서의 피지 분비를 증가시키기 때문으로 보인다. 다모증에서와 마찬가지로 인종에 따른 발생 빈도의 차이가 있으며 대략 15-95% 정도의 다낭성난소증후군 환자에서 동반된다. 일반 성인 여성의 6-55% 정도의 여드름 유병율과 비교할 때 다낭성난소증후군 여성에서 여드름이 더 많은지, 다낭성난소증후군이 여드름 발생의 위험도를 얼마만큼 더 높이는지에 관한 연관성은 불명확하다. 여드름의 중증도를 평가하기 위한 객관화된 평가 방법이 없어 치료 전후의 비교를 위해서는 병변을 그림으로 기록해 두는 것이 필요하다.

남성형 탈모는 다낭성난소증후군 여성에서 간혹 관찰될 수 있다(약 22-27%). 정상적인 모발주기에서 성장기(anagen)는 2-3년 지속되며 두피 모발의 약 90%가 여기에 해당한다. 그러나 만성적 안드로겐 과다 상태에서 모발은 퇴행기(catagen)로 빨리 이행하고 따라서 모발이 빠지고 가늘어지는 탈모가 발생할 수 있다. 여성에서는 특징적으로 정수리 부분의 숱이 감소하나 전두부(이마) 헤어라인은 유지되는 특성을 보이나 더 진행하게 될 경우 전두부와 측두부 헤어라인도 포함될 수 있다(Azziz et al., 2004a). 그러나 다낭성난소증후군 여성에서 고안드로겐증과 탈모와의 상관성은 밝혀지지 않았고 발생 기전도 불분명한 상태이다.

임상적 고안드로겐증의 진단에는 여러 가지 문제점들이 있는데 진단의 기준에 관한 데이터가 부족하고, 그 평가가 주관적인 경향이 있으며 실질적 진료에서 표준화된 scoring system을 사용하는 임상의가 드물며, 내분비학적 평가가 이루어지기 이전에 이미 이에 대한 치료가 선행되는 경우가 많다는 점 등을 들 수 있겠다. 여드름이나 탈모증은 희발배란이 동반된 여성에서 관찰되는 것이 아니라면 고안드로겐혈증의 지표로서의 가치는 낮다.

나. 생화학적 고안드로겐증

테스토스테론은 난소에서 생성되는 가장 중요한 안드로겐으로 총/유리 테스토스테론을 측정하여 고안드로겐혈증을 주로 진단하게 된다. 유리 테스토스테론이 좀 더 민감한 척도인데 적용되는 방법은 혈중 총 테스토스테론, 성호르몬결합단백을 측정한 후 혈중 유리 형태나 알부민에 약하게 결합하고 있는 분율을 계산하는 것이다. 혈중 유리 테스토스테론을 측정하는 방사선면역측정법(radioimmunoassay)은 과거 널리 사용되었으나 매우 부정확한 검사로 알려져 있어 평형 투석법이나 크로마토그라피-스텍트로메트리 법으로 검사하도록 권고된다.

DHEA-S는 부신 기원의 안드로겐으로 다낭성난소증후군 여성의 약 50%에서 경도의 상승을 보이는 것으로 알려져 있어 일부 연구그룹에서는 DHEA-S 상승을 진단 기준에 포함시키고 있으나 일반적으로 적용되는 기준은 아니다. DHEA, androstenedione의 다낭성난소증후군에 대한 진단적 의미는 없는 것으로 보인다.

혈청 안드로겐검사로는 약 20-40%의 다낭성난소증후군 환자에서 생화학적 고안드로겐혈증을 진단할 수 없다. 또한 정상 여성의 범위와 겹치는 범위를 보이는 경우가 흔하여 실제 진단적 역할이 모호한 경우가 많다. 고안드로겐증의 임상적 징후가 있는 여성에서 혈액검사 진단 기준이 만족되지 않는다는 점만으로 다낭성난소증후군의 진단을 배제하지는 말아야 한다.

② 만성무배란

만성무배란의 진단은 희발월경이나 무월경 상태로 분명히 드러나기 때문에 고안드로겐증의 진단보다는 용이하다. 희발월경(oligomenorrhea)는 1년에 8회 미만의 월경 또는 35일보다 긴 주기로 정의하며 무월경(amenorrhea)은 임신이 아니면서 3개월 이상 월경이 없는 것으로 정의한다. 다낭성난소증후군 여성의 약 60-85%에서 불규칙한 월경주기를 보이는 것으로 보고되었는데(Azziz et al., 2009; Azziz et al., 2004b), 대부분이 희발 월경 또는 무월경으로 나타나며 21일보다 짧은 주기의 잦은 월경(polymenorrhea)으로 나타나는 경우는 2% 미만인 것으로 보고되었다. 이러한 불규칙한 주기는 대체로 초경 이후 즉시 나타나는 경우가 많으나 일정 기간 규칙적인 주기를 보이다가 희발/무월경 양상으로 나타나는 경우도 종종 있다. 대체로 무배란에 의해 무월경이 발생하므로 만성무배란의 경우 규칙적 월경이 발생하기는 근본적으로 어렵다. 그러나 고안드로겐증과 무배란을 동반하는 여성의 약 15-20%는 규칙적 월경주기를 보일 수 있는 것으로 보고된 바 있다(Chang et al., 2005). 따라서 배란 이후 황체기 프로게스테론(progesterone) 수치 평가 등의 추가적 검사 없이 월경주기만으로 판단할 경우 규칙적인 주기를 보이더라도 만성무배란의 가능성을 완전히 배제할 수는 없다 하겠다.

③ 다낭성난소

초기 Stein과 Leventhal이 처음으로 다낭성난소증후군을 학계에 보고할 때 만성무배란을 보이는 고안드로겐증 여성에서 비후된 다낭성난소를 관찰하여 이 증후군의 이름이 기원하게 되었다. 2003년 Rotterdam 기준에 따르면 다낭성난소(polycystic ovary, PCO)는, i) 적어도 한쪽 난소에 2-9 mm 크기의 난포가 12개 이상 있거나, ii) 10 mm를 초과하는 우성 난포가 없으면서 난소의 부피가 10 mL를 초과하는 경우, 어느 한 가지일 때로 정의하였다. 실제로 고안드로겐증이 있는 여성의 약 80% 이상에서 다낭성난소 형태가 관찰된다. 그러나 다낭성난소증후군이 아닌 월경주기가 규칙적인 여성의 약 1/3, 경구용 피임약을 복용하는 여성의 약 14%에서 다낭성난소 형태가 관찰될 수 있다. 또한 정상 사춘기 발달 중에도 흔히 관찰될 수 있고 시상하부성 무월경이나 고유즙분비호르몬 혈증에서도 종종 관찰될 수 있다(Polson et al., 1988).

2003년 Rotterdam criteria의 적용에 따라 다낭성난소증후군 진단 카테고리에 드는 여성이 약 50% 정도까지 증가했다고 볼 수 있다(Broekmans et al., 2006). 따라서 Androgen Excess PCOS society에서는 2-9 mm 크기 난포의 개수 기준을 12개에서 25개로 증가시켜야 한다고 주장하였고(Dewailly et al., 2014), 최근 국제 근거중심 임상지침 위원회에서는 8 MHz 이상의 고화질 초음파로 검사를 시행한 경우 20개 이상의 기준 사용을 권유하고 있어(Teede et al., 2018), 다낭성난소 형태라는 진단 기준에 대한 논의와 가장 적절한 기준을 찾는 노력이 계속될 것으로 보인다. 분명한 점은 다낭성난소 형태는 만성무배란에 의한 결과적 현상이라는 것이다.

다낭성난소의 진단에 삼차원 초음파나 도플러 초음파 혹은 MRI 등을 사용하는 방법은 아직 연구 단계이며 초음파는 질식 초음파를 이용하도록 권고하고 있다.

④ 감별진단

다낭성난소증후군은 배제진단명이므로 만성무월경과 고안드로겐증 등 비슷한 증상을 일으킬 수 있는 다른 질환들을 감별하여야 한다. 대표적으로 갑상선질환, 고유즙분비호르몬 혈증, 비전형 선천부신과다형성증(nonclassical congenital adrenal hyperplasia, NCCAH), 안드로겐분비종양, 쿠싱증후군, 인슐린 저항증후군, 특발성 다모증 등에 의할 수 있으며 주의깊게 병력청취를 하고 감별 진단을 위한 검사를 통하여 확인할 수 있다.

다낭성난소증후군의 발현 양상의 특징은 장기간동안 지속된다는 점이다. 대개 청소년기에 시작되어 수년의 시간에 걸쳐 서서히 진행되는 양상을 보이는 경우가 대부분이다. 몇몇 인자에 의해 발현 양상의 변화가 유발될 수 있는데, 예를 들면 체중의 증가는 무배란과 다모증을 악화시키고 비만이나 과체중인 다낭성난소증후군 여성에서의 체중 감량에 의해 월경주기의 불규칙성이 개선될 수 있다. 수년간 진행되는 패턴을 보이더라도 다른 무배란 또는 희발배란증과 고안드로겐증을 유발하는 질환을 배제해야 하는데 고유즙분비호르몬혈증이나 갑상선 기능 이상은 모두 무배란을 일으킬 수 있는 내분비질환이므로 감별해야 한다(이러한 경우에 대개 다모증은 동반되지 않는다).

두 가지 드물지만 중요한 감별질환은 NCCAH와 쿠싱증후군이다. 고안드로겐증 여성에서 NCCAH은 약 1-4% 정도로 보고되는데 조발 사춘기를 포함하여 초경 전후부터 발생한 경우나 가족력이 있는 경우 등으로 국한하여 감별 진단을 고려할 수 있으며, 아침에 측정한 17-수산화프로게스테론(17-hydroxyprogesterone, 17-OHP)의 혈중 농도가 <200 ng/dl이면 배제할 수 있다. 쿠싱증후군의 경우 불규칙한 월경, 중심성 비만 등과 같은 다낭성난소증후군의 임상 증상을 흔히 보일 수 있으나 고안드로겐증으로 발현하는 경우는 1% 미만이다. 진단을 위한 표준검사는 over-night 덱사메타존 억제검사이다. 또한 매우 드물지만 난소나 부신에서 발생하는 안드로겐 분비종양도 감별해야 하겠다(표 21-5).

다낭성난소증후군의 감별 진단에서 시상하부성 무월경 상태도 고려해야 하는데, 모두 무월경과 경도의 다모증으로 발현할 수 있다. 시상하부성 무월경의 경우 시상하부에서의 GnRH 분비 저하로 인해 LH, FSH 및 estradiol 모두가 감소해 있으므로, 프로게스테론 소퇴성 생리가 유도되지 않으며, 이미 경구용피임제 치료를 시작한 경우가 아니라면 다낭성난소증후군의 상태와는 대조적 호르몬 상태를 보이므로 비교적 쉽게 감별해 낼 수 있다. 시상하부성 무월경의 가능성을 높이는 단서로 과도한 운동, 스트레스, 식이장애 등의 병력이 있겠다(Jonard et al., 2005).

(3) 다낭성난소증후군의 장기적 건강 위험 인자들

다낭성난소증후군의 진단 기준에는 포함되지 않으나 종종 동반되는 생리적 이상들, 즉 인슐린 저항성 및 관련된 대사장애(당조절능 이상, 이상지질혈증 및 염증 항진 상태)로 인해 총체적으로 심대사질환 위험 증가라는 건강위험 요소가 추가되는 것으로 여겨진다.

① 내당능장애 및 당뇨

대상군에서의 비만 유병율과 인종에 따라 그 증가의 폭이 달리 보고되기는 하나 다낭성난소증후군 여성의 약 50-75%에서 인슐린 저항성이 관찰되는 것으로 알려져 있다. 또한 약 35%에서는 내당능장애, 약 10%에서는 당뇨가 동반되는 것으로 보고되었다. 다낭성난소증후군 여성의 제2형 당뇨 발생의 위험성은 그렇지 않은 여성에 비해 약 3-7배까지 증가하는 것으로 알려져 있으며, 특히 다낭성난소증후군이면서 무배란인 여성과 제2형 당뇨의 가족력이 있는 비만한 여성에서 그 위험성은 특히 높아진다. 따라서 모든 다낭성난소증후군 여성에서 기본적으로 2시간 경구당부하검사가 권고되며 정상일 경우 2년 이후(임상 양상에 따라 검사는 당겨서 시행), IGT가 진단되는 경우 1년 후 추

표 21-5. 다낭성난소증후군의 감별진단

진단명	실험실 검사	비고
안드로겐 분비종양	총 테스토스테론(+/- 유리 테스토스테론)	급속 진행양상의 경우 의심 총 테스토스테론 >150 ng/dL일 경우 종양에 대한 추가 검사 요함.
	황산데하이드로에피안드로스테론	다낭성난소증후군에서 경도 상승 동반가능하나 임상 양상의 진행이 급속할 경우 의심 황산디하이드로에피안드로스테론 >700 ㎍/dL일 경우 종양에 대한 추가 검사 요함.
비전형 선천부신과다형성증	아침 측정 17수산화프로게스테론 (17-OHP)	부신에서의 부분적 효소작용장애로 코티솔 합성장애로 발생하는 질환으로 보상성 ACTH 상승을 동반함. 200 ng/dL 보다 높을 경우 ACTH 자극검사가 권장됨.
쿠싱증후군	24시간 요 코티솔 및 크레아티닌; 덱사메타존억제검사; 타액 내 코티솔	급속히 발생하는 월경양상의 변화, 후발성 다모증, 또는 코티솔 과다 증상 (고혈압, facial plethora, supraclavicular fullness, hyperpigmented striae, and fragile skin)
고프로락틴혈증	프로락틴	유루증과 동반될 수 있음. 불규칙 월경을 보이는 모든 여성에서 감별 진단 요함.
갑상선기능항진 또는 저하	갑상선기능검사	불규칙 월경을 보이는 모든 여성에서 감별 진단 요함.

적 검사해야 한다. 또한 조발사춘기, 초경 이후 2년 이상 월경 불규칙성이 지속되는 청소년 여성에서도 권장되는데 고인슐린혈증이 종종 HPO 축의 기능이상을 초래하고 나아가 당뇨나 심한 고안드로겐혈증의 원인이 될 수 있기 때문이다. 75 g 경구당부하검사에 따른 결과의 해석은 표 21-6와 같다.

② 대사증후군

고인슐린혈증 또는 인슐린저항성은 '인슐린저항성증후군' 또는 '대사증후군'이라 불리는 심혈관질환의 위험인자들과 종종 동반되어 발현된다. National Cholesterol Education Program의 Adult Treatment Panel III에서 대사증후군은 다음의 진단 기준들 중 3개 이상을 보이는 경우로 정의하고 있다. 복부비만(허리둘레 >80 cm), 혈중 중성지질(TG) ≥150 mg/dL, 혈중 고밀도 지단백 콜레스테롤(HDL-chol) <50 mg/dL, 혈압(BP) ≥130/≥85, 그리고 공복 혈당 ≥100 mg/dL (Grundy et al., 2005)(표 21-7). 기저에 심혈관질환이나 당뇨가 없더라도 대사증후군 환자에서는 관상동맥질환이나 모든 원인에 의한 사망률이 증가하는 것으로 알려져 있는데, 한 연구에서 다낭성난소증후군 여성은 대사증후군의 빈도가 정상인에 비해 11배 정도 높은 것으로 보고되었으며(다낭성난소증후군 여성에서 47%, 대조군에서 4.3%)(Dokras et al., 2005), 또 다른 연구에서도 약 33.4%의 다낭성난소증후군 여성에서 대사증후군이 동반됨을 보고하는 등 높은 연관성이 관찰되어 많은 연구자들이 다낭성난소증후군을 전대사증후군 상태(premetabolic syndrome condition)으로 보는 견해이다(Diamanti-Kandarakis et al., 2003).

미국 심장학회에서 제시하는 심혈관질환의 가장 중요한 위험 인자는 나이, 흡연력, 당뇨, 고혈압, 비만, LDL-C 상승, HDL-C의 감소 등이다. 나이와 흡연을 제외하면 다낭성난소증후군 여성에서 매우 흔히 동반되는 소견들이 되겠

표 21-6. 75 g 경구당부하 검사에 따른 결과 해석

시각	혈중 포도당 농도(mg/dL)	해석
Fasting (0 min)	<100	정상
	100 ≤, <126	Impaired fasting glucose (IFG)
	≥126	당뇨
2 hr (120 min)	<140	정상
	140 ≤, <200	내당능장애(Impaired glucose tolerance, IGT)
	≥200	당뇨

표 21-7. 대사증후군 진단 기준

고 위험인자	기준치
1. 복부 비만(허리 둘레)	>88 cm(>35 inch) in USA, >80 cm(>32 inch) in Asian women
2. 중성지질	≥150 mg/dL
3. 고밀도 지단백 콜레스테롤	<50 mg/dL
4. 혈압	≥130/≥85 mmHg
5. 공복혈당	≥100 mg/dL 또는 기존에 진단된 당뇨

위의 5가지 인자 중 3개 이상이면 대사 증후군에 속한다.

다. Lo 등이 시행한 11,035명의 다낭성난소증후군 환자와 55,175명의 대조군을 비교한 대규모 후향적 연구에 의하면 다낭성난소증후군 상태는 당뇨, 고혈압, 이상지질혈증 등의 주요 심혈관질환 위험 인자들과 유의한 독립적 상관관계를 보였으며 이는 나이나 체질량지수 및 각각의 위험 인자들에 의한 영향을 보정한 후에도 유의하였다(Lo et al., 2006).

③ 이상지질혈증

이상지질혈증은 다낭성난소증후군 여성에서 가장 흔히 관찰되는 대사 이상으로 위의 진단기준을 적용할 때 약 70%의 다낭성난소증후군 여성이 이에 해당한다(Anagnostis et al., 2018; Legro et al., 2001). 인슐린저항성은 HDL 감소와 TG 증가와 연관되어 있는 것으로 보이며 LDL 상승은 고안드로겐혈증이나 비만과 주로 연관되어 있는 것으로 관찰된다.

④ 염증

다낭성난소증후군은 전신적 염증 항진 상태이다. 증가된 혈당, 고안드로겐혈증으로 인한 중심부 비만 등이 작용하는 것으로 보인다. 다낭성난소증후군 여성에서 만성염증의 표지자인 C 반응단백(C-reactive protein, CRP) 수치가 인슐린 저항성, 체중 및 비만과 연관되어 증가되어 있고, 메트포민 치료 시 CRP 수치가 떨어지는 것이 관찰되었다.

⑤ 암 발생 위험

만성무배란으로 인한 지속적 자궁내막에 대한 에스트로겐의 자극에 더해 비만, 인슐린 저항성 및 당뇨 등 이미 확립된 자궁내막과증식증이나 내막암의 위험인자를 추가로 가지고 있는 경우도 많아 다낭성난소증후군 여성은 대조군에 비해 약 3배의 자궁내막암 발생 위험도를 보이는 것으로 보고되었다. 이러한 이상은 가임기 젊은 여성에서도 관찰될 수 있음을 유념해야 하겠다(Shafiee et al., 2013).

(4) 치료

다낭성난소증후군은 다양한 증상으로 나타나므로 개개의 환자가 자신의 질환을 이해하고 이환 상태를 감소시키기 위해 협력하도록 동기 유발이 반드시 필요하다. 전반적 치료 목표는 i) 안드로겐의 생산 및 혈중 농도의 저하, ii) 에스트로겐의 지속적 자극으로부터의 자궁내막의 보호 iii) 정상 체중으로의 복귀를 위한 생활 패턴의 개선, iv) 심혈관 질환이나 제 2형 당뇨 발생에 미치는 고인슐린혈증의 영향 최소화, v) 배란유도를 통한 임신의 달성 등이 되겠으나 환자 개개인의 증상과 목표에 따른 차별화된 치료법이 필요하겠다. 크게는 불임이 주요 증상이냐 아니냐에 따라 치료의 전략이 달라지게 되며 발현 증상에 대한 치료와 더불어 대사질환의 발생을 예방하는 장기적 건강 증진 관점에서의 스크리닝 및 치료도 반드시 병행되어야 한다.

① 생활습관교정

식이 조절과 규칙적 운동을 병행하는 생활 습관 교정과 체중 감량(비만한 경우)은 다낭성난소증후군 치료에서 1차 치료법이다. 약 5% 정도의 체중만 감량해도 다모증과 여드름 등의 증상이 호전되며 월경주기와 배란의 회복을 기대할 수 있다. 체중 감량이 없더라도 중등도 강도의 운동만으로도 대사 상태가 개선되는 것이 보고되기도 했다. 환자의 자발적 동기유발을 위해서는 첫 상담 시에 이러한 체중 감량의 효과를 설명해 주는 것이 좋겠으며 생활패턴의 변화를 위해 필요하다고 생각될 경우에는 전문적 클리닉으로 의뢰하는 방법도 고려해 보아야 하겠다. 식이요법에 대해서는 단기적 데이터이기는 하나 보고된 결과들이 있는데, 영양 성분의 조성변화보다는 칼로리 제한이 더욱 중요한 요소로 꼽힌다. 저탄수화물식이가 저지방식이보다 더 우수하다는 근거는 없으며, 극심한 칼로리 제한을 통해 단기 체중 감량이 가능하기는 하겠으나 장기적 유지가 힘들고 급격한 체중 감량은 생식에 악영향을 미칠 수 있다는 우려가 있다.

신체 활동에 대해서는 건강인에서와 마찬가지로 만성 대사질환의 발생을 예방하고 감량한 체중을 유지하는 데에 도움이 되므로 일반적 건강 수칙으로 권장하는 것이 도움이 되겠다.

② 불규칙한 월경주기의 교정과 자궁내막의 보호

다낭성난소증후군 여성에서 특징적인 호르몬 환경, 즉 무배란에 의한 지속적 저프로게스테론 상태와 이로 인한 길항되지 않은 에스트로겐(unopposed estrogen)에 노출된 자궁내막은 내막 증식증이나 내막암의 발생 위험이 증가하게 된다. 따라서 자궁내막과증식의 억제를 위해 최소한 3개월에 한번은 월경을 유도할 수 있는 치료를 병행하도록 권장된다(Setji and Brown, 2014). 흔히 이용되는 방법은 주기적 progestogen 또는 경구용 피임제와 같은 호르몬 치료이다. 경구용 복합 피임제 복용은 불규칙한 생리주기를 보이는 다낭성난소증후군 여성에서 가장 흔히 사용되는 치료법인데 규칙적이며 가벼운 월경주기를 회복하고 부수적으로 피임의 효과도 얻을 수 있기 때문에 피임을 원하는 다낭성난소증후군 여성에서 가장 먼저 선택할 수 있는 약제이다. 프로게스테론 단독 사용으로도 자궁내막을 보호할 수 있는데, 5-10 mg의 medroxyprogesterone acetate (MPA)를 10-14일간 경구 투여함으로써 자궁내막의 소퇴를 유도하거나 황체호르몬분비 자궁내장치 시술로 자궁내막 보호를 기대할 수 있다. 그러나 이 방법으로는 난소의 안드로겐 생성을 감소시키지는 못한다.

③ 다모증 및 고안드로겐증의 치료; 다모증 치료 참조

④ 무배란과 불임

다낭성난소증후군 여성에서의 배란율에 대해서는 보고가 많지 않으나 비교적 대규모의 위약 대조군 연구에 따르면 약 32%의 주기에서 배란이 일어나는 것으로 관찰되었다. 배란 횟수의 감소뿐 아니라 인슐린 저항성 등과 관련된 자궁내막의 수용성 저하, 자연 유산율의 증가 등으로 다낭성난소증후군 환자에서 수태능 저하가 생기는 것으로 보인다. 임신을 원하는 다낭성난소증후군 여성에서는 배란율을 높일 수 있는 방법을 모색해야하는데, 비만한 여성이라면 체중 감량이 우선 권고된다. 체중 감량을 통해 임신을 위한 배란의 회복을 기대할 수 있을 뿐 아니라 다낭성난소증후군 여성에서 높은 유산율의 감소에도 도움이 될 수 있다.

가. 클로미펜(Clomiphene citrate, CC)

클로미펜(CC)는 배란 유도의 1차 치료제이다. CC는 선택적 에스트로젠 수용체 조절제(selective estrogen-receptor modulator, SERM)로서 내인성 에스트로젠의 시상하부-뇌하수체 축에 대한 음성 되먹임 기전을 길항한다. 즉 에스트로젠과의 형태적 유사성으로 인해 시상하부의 에스트로겐 수용체에 결합하게 되면 시상하부는 혈중 에스트로겐 농도의 저하 상태로 인식하게 되고 GnRH의 박동성 분비를 증가시킨다. 이러한 자극은 뇌하수체 전엽의 FSH 분비를 촉진하게 되고 이는 배란을 위한 난포 성장을 유발한다.

CC는 자연 월경 또는 황체호르몬 유도 월경주기 제 2-5일째 시작하여 5일간 투여하게 되며, 하루 투여 용량은 약 50-150 mg으로 하는데 첫 주기의 권장 용량은 50 mg이다. 배란이 확인된다면 다음 주기에 용량을 증가시킬 필요는 없다. 반응이 없을 경우에는 배란이 될 때까지 주기당 50 mg씩을 증량하여 투여한다. 50 mg 용량 투여시 46%에서 배란이 되고 100 mg에서 21%의 추가 배란이 일어나며, 150 mg로 증량했을 때 8%에서 더 배란이 유도된다(Rostami-Hodjegan et al., 2004). 150 mg 보다 용량을 높인다고 해서 배란이나 임신 성적이 유의하게 좋아지지는 않으므로, 150 mg/d로 올려도 배란이 되지 않을 때에는 다른 치료법을 고려하는 것이 권장된다(Guzick, 2007). 최대 용량에서도 배란이 되지 않는 CC 저항성(CC resistance)은 비만하거나 혈중 안드로겐, 인슐린 또는 LH 농도가 높은 여성에서 더 흔하다.

6개월간 CC로 배란유도를 했을 때 무배란성 다낭성난소증후군 여성의 약 60-85%에서 배란이 일어나고 약 30-50%에서 임신이 된다. 이러한 배란과 임신율간의 차이는 주로 CC의 말단 항에스트로겐 작용, 즉 자궁내막과 경부 점액에 미치는 부정적 영향에 의한 것으로 생각되며 다낭성난소증후군 여성에서 기존에 상승되어 있는 혈중 LH 수치가 CC의 투여로 인해 더욱 상승되어 (GnRH의 분비는 FSH뿐 아니라 LH의 분비도 촉진하므로) 임신에 악영향을 미치는 등의 영향도 있을 것으로 추정하고 있다.

투여 후 주기 약 12-14일경 초음파를 시행하여 난포의 성장과 자궁내막 상태를 평가하는데 50 mg을 복용한 주기 13일째에 배란 전 난포가 2개 이상 관찰될 경우 다음 주기에는 25 mg을 투여할 수 있으며 배란 전 난포가 관찰되지 않을 경우 다음 주기에 투여용량과 기간을 증가시킬 수 있다. 배란시점에 내막 두께가 8 mm 미만일 경우에는 임신에 대한 예후가 좋지 않다. CC 투여 후 내막 증식의 억제는 약 6-7명 중 한명꼴로 관찰되는데 이런 여성에서는 다음 배란 유도 주기에도 거의 같은 양상이 나타나므로 CC 치료를 반복하기보다는 다음 단계의 치료법으로 전환할 것을 고려해 보는 것이 권장된다. 다낭성난소증후군 여성에서 CC 여섯 주기의 치료로 약 65%이상의 임신율이 보고되었으며 누적 임신율은 12주기까지 지속적으로 상승할 수 있다고 하였으나 이후의 임신율의 상승은 크지 않으므로 6주기의 배란 유도 주기에도 임신이 되지 않을 때에는 다른 치료법이 권장된다. CC의 부작용은 흔하지는 않으나 혈관운동성 홍조, 난소과자극증후군(Ovarian hyperstimulation syndrome, OHSS), 복부팽만, 시야장애 등이 있을 수 있다.

나. 레트로졸(letrozole)

레트로졸은 안드로겐을 에스트로겐으로 전환하는 효소인 방향화효소(aromatase)를 억제하는 약제이다. 투여시 혈중 및 조직에서의 에스트로겐 농도를 현저히 떨어뜨려 HPO 축에 음성 되먹임 기전이 작동되고 뇌하수체에서의 FSH 분비를 촉진하여 배란을 유도하는데 말초에서의 에스트로겐 수용체를 차단하지 않으므로 자궁내막이나 자궁경부 점액에 대한 악영향이 없다는 잇점이 있다. 또한 반감기가 수주에 이르는 CC와는 달리 반감기가 짧아(48시간) 중단 이후에는 신속하게 에스트로겐 수치가 정상화되므로 추가적 FSH 상승으로 인해 동난포가 추가적으로 동원되는 현상을 차단할 수 있어 여러 개의 난포가 성장하여 다태임신의 위험이 커지는 다낭성난소증후군에서 우선적 선택 약물이 된다. 또한 최근까지 축적된 임상 연구 결과에 따르면 CC과 비교할 때 배란 및 임신/출산율이 더 높고, 다태임신율은 더 낮으며, 기형발생 확률은 더 높지 않은 것으로 보고되어 다낭성난소증후군여성에서의 1차적 배란유도제로 선택하는데 대한 근거를 제시하고 있다.

용법은 2.5 mg으로 월경주기 3일째부터 5일간 복용하는 것이 가장 흔히 사용되며 반응이 좋지 않을 때에는 5 mg, 또는 7.5 mg까지 올려 사용할 수 있다. 열성홍조, 두통, 다리 경련 등의 부작용이 있을 수 있으나 배란유도를 위해 단기간 사용하는 경우에는 대개 문제되지 않는다(Legro et al., 2014; Legro et al., 2012).

다. 메트포민(metformin)

인슐린감수성개선제(insulin sensitizer)로 제 2형 당뇨병의 치료제로 공인 받아 널리 사용되고 있는 메트포민은 다낭성증후군 여성에서 인슐린 저항성을 감소시킴으로써 혈중 인슐린과 안드로겐 농도를 감소시키고 배란율을 개선시킨다(Tang et al., 2012). 경구 biguanide 제제로 고혈당을 치료하나 정상 혈당 상태에서 저혈당을 유도하지는 않는다. 아직 다낭성증후군의 치료제로 허가를 받지는 못한 상태임에도 불구하고 다낭성증후군 환자에서 배란 유도를 위해 단독으로 또는 CC 치료의 전처치제 또는 병합치료제로 널리 사용되어 왔다. 일부 초기 연구에서는 단독 사용시에도 CC에 필적하는 결과가 보고되기도 하였으나, CC에 비해서는 배란 성공율이 낮다(Lord et al., 2003).

또한 미국에서 시행된 가장 큰 규모의 임상 연구에서 출생률(live birth rate)을 비교했을 때, CC 단독 치료군(22.5%), CC와 메트포민 병합 치료군(26.8%), 메트포민 단독 치료군(7.2%)의 결과를 보였고(메트포민 치료군 vs CC 치료군 및 병합 치료군으로 비교시 $p<0.001$)(Legro et al., 2007), Cochrane review에서도 메트포민이 위약군과 비교하여 출생률을 증가시키지 않았으며, CC/메트포민 병합 치료가 CC 단독 치료에 비해 출생률의 잇점이 있지는 않음이 보고되었다. 또한 메트포민이 다낭성난소증후군 여성에서 증가하는 유산이나 임신합병증(임신성당뇨, 임신성고혈압, 전자간증, 조산)을 감소시키는지에 대한 검토도 이루어졌는데 초기 연구 결과들과는 달리 뚜렷한 보호 효과가 입증되지 않아 현재 메트포민의 배란 유도나 임신합병증의 예방 목적으로의 사용은 근거가 부족한 상태이다(Tang et al., 2012).

라. 생식샘자극호르몬(gonadotropin)

효과적인 배란유도법이나 다낭성난소는 생식샘자극호르몬 자극에 매우 민감한 경향을 보이므로 주의가 요구된다. 생식샘자극호르몬 치료는 저용량으로 시작하여 초음파 및 혈중 estradiol치의 측정을 병행하며 세심하게 진행하여 난소과자극증후군(ovarian hyperstimulation syndrome, OHSS)과 다태임신 발생의 빈도를 최소화하도록 해야 한다.

마. 복강경적 난소 천공술(laparoscopic ovarian drilling, LOD)

Stein과 Leventhal이 시도한 다낭성난소증후군의 최초 치료는 양측 난소의 부분 절제였다. 비록 이 치료법으로 많은 여성에서 배란이 회복되고 임신이 이루어졌지만 골반유착질환의 문제점으로 이제 더 이상 사용되지는 않고 있다. 난소 기질 부피의 감축이라는 수술적 치료의 원칙은 LOD로 새로이 시도되고 있다. 초기 보고에 의하면 LOD 이후 1년간 84%의 배란율과 56%의 임신율이 보고되었다. 배란 유도에 있어서 LOD의 장점은 거의 예외 없이 단일 배란이 일어나며 따라서 다태임신이나 난소과자극증후군 등의 합병증이 거의 없다는 점이다. 또한 다낭성난소증후군 환자에 적용되는 다른 치료방법들에서와는 달리 유산율 또한 낮은 것으로 보고되었다. 그러나 드물기는 하나 수술 후 난소위축라는 심각한 부작용이 보고되기도 하였고 수술 이후의 가임력나 장기적 건강 위험에 대한 데이터가 부족한 상태로 가능한 모든 내과적 치료가 실패한 경우 최후에 고려하는 것이 바람직하겠다(Lepine et al., 2017).

바. 시험관 아기 시술(in-vitro fertilization with embryo transfer, IVF-ET)

무배란성 다낭성난소증후군 환자에서 IVF는 가장 마지막으로 고려해야 할 치료법이겠으나 다른 불임 인자가 동반되었거나 다른 배란 유도법으로 임신 시도에 실패한 경우 흔히 적용된다. 또한 배란 유도에 우연히 매우 과민하게 반응한 경우 구제 시술(rescue procedure)로 사용될 수 있다. 하나의 난포 성장과 배란을 목표로 하는 배란유도와는 달리 IVF에서는 우성 난포가 선택되지 않고 다수의 난포가 성장하여 획득되는 것을 목표로 한다. 생식샘자극호르몬을 이용한 일반적 배란 유도에서와 마찬가지로 난소가 과자극되기 쉽고 다낭성난소증후군 여성에서는 난소과자극증후군의 발생이 더 흔하다(Tummon et al., 2005). 이를 줄이기 위해 FSH의 용량을 줄여 사용하고 필요시 조기에 주기를 취소하거나 coasting하는 등의 방법들이 사용되고 있으며 미성숙 난자를 획득하여 체외 성숙(in vitro maturation, IVM) 시키는 방법이 대안으로 시도되고 있다. 매우 비만하거나 고인슐린혈증이 심할 경우 임신에 대한 예후는 좋지 않다.

⑤ 인슐린 대사 개선 및 대사질환 예방을 위한 약물

다낭성난소증후군 환자의 대부분이 인슐린 저항성을 갖고 있다는 데에는 의문의 여지가 없다. 이로 인해 문제가 될 수 있는 대사질환은 당뇨, 비만, 고혈압, 이상지질혈증 및 지방간 등이 있으며 일반적인 경우에 비해 조기에 발생하므로 다낭성난소증후군으로 진단될 경우 이러한 질환들에 대한 스크리닝과 추적 관리, 예방과 치료가 병행되어야 한다. 인슐린 저항성에 대해 사용할 수 있는 약제로는 비구아나이드 계통의 인슐린 감수성 개선제인 메트포민이 대표적이다. 당뇨발생 위험이 높은 대상군에서 사용한 경우 메트포민은 인슐린 저항성 20%, 체중 3-5%, 공복 혈당 5%, 중성지질 10%를 각각 감소시키고, HDL 콜레스테롤을 10% 증가시키는 것으로 관찰되었으며(Salpeter et al., 2008), 내당능장애를 보이는 집단에서 메트포민 치료는 당뇨로의 진행을 약 30% 감소시켰다는 보고가 있다(Knowler et al., 2002). 다낭성난소증후군 여성에 대해서도 비슷한 효과가 관찰되는 것으로 보고되어(Palomba et al., 2007), 메트포민의 사용은 다낭성난소증후군 여성에서도 당뇨나 심혈관계 질환의 발생을 예방할 수 있을 것으로 기대되나 그 직접적인 근거는 아직 부족한 상태이다. 따라서 현재까지 다낭성난소증후군에서 메트포민 치료의 적응은 내당능장애나 당뇨, 흑색가시세포증 등과 같은 심한 인슐린 저항성이 동반되는 경우 및 대사증후군 요소가 동반된 경우가 될 것으로 보인다.

Rosiglitazone과 pioglitazone 등의 thiazolidinedione은 peroxisome proliferator–activated receptor gamma (PPARγ)에 대한 합성 효능제로 혈중 인슐린 감수성을 증가시키고 혈중 인슐린 농도를 저하시키는 효과를 발휘하며 다낭성난소증후군 여성에서도 효과가 입증되었다. 그러나 메트포민보다 효과가 더 높지는 않고 심장 합병증 등이 있을 수 있어 임신 시도 계획이 있는 가임기 여성에서의 사용은 적절치 않은 것으로 간주된다. 현재까지는 인슐린 감수성 개선제로서는 메트포민이 1차 선택제라 할 수 있겠다.

이상지질혈증(HDL-콜레스테롤의 감소, LDL-콜레스테롤과 중성지질의 증가)은 다낭성난소증후군 여성에서 흔히 동반된다. 스타틴은 콜레스테롤 합성을 위한 메발론산(mevalonate) 대사 경로의 속도조절단계인 3-hydroxy-3-methylglutaryl-coenzyme A (HMG-CoA) 환원 효소의 억제제로서 약리 효과를 나타내는데, 콜레스테롤 합성 억제, 인슐린의 증식 작용 억제 및 난소에서의 호르몬 합성 억제 등에 작용하여 혈중 안드로겐 수치를 낮추는 것으로 여겨진다. 다낭성난소증후군 여성에서 사용했을 때 지질수치의 개선은 물론 전신염증반응 지표가 낮아지고 혈관 내피 기능 지표가 향상되었으며 혈중 테스토스테론 수치가 낮아졌다(Banaszewska et al., 2009). 스타틴은 당뇨 및 심혈관계질환 위험이 높은 다낭성난소증후군 여성에서 새로운 치료적 시도가 될 수 있을 것으로 전망되나 태아 기형 유발 위험성이 있는 약제이므로 임신 중 사용은 금기임을 유념해야 하겠다.

4) 쿠싱증후군(Cushing Syndrome)

쿠싱증후군은 혈중 당류코르티코이드(glucocorticoid)의 만성적 상승에 의한 임상적 상태 즉 고코티솔증(hypercortisolism)을 일컫는 것이며, 그 중 뇌하수체 전엽에서의 ACTH 분비종양으로 인해 나타나는 질환을 쿠싱병(Cushing's disease)이라고 부른다. 쿠싱증후군을 유발하는 가장 흔한 원인은 의인성(iatrogenic)으로 스테로이드가 투여되었을 경우이며, 자발성 쿠싱증후군의 유병율은 백만명당 2-4명 정도로 드문 편이나 여성에서 남성에 비해 9배 높은 발생율을 보인다. 그 특징적 임상 증상은 지방 조직의 얼굴, 목, 몸통 및 복부로의 재분포에 의한 달덩이얼굴(moon face), 경추뒤 지방덩이(dorsocervical fat pads; buffalo hump), 빗장위오목 지방덩이(supraclavicular fat pads) 등이 있으며, 섬유아세포에 대한 억제 작용으로 인해 콜라젠과 결합조직이 소실되면서 피부가 얇아져 얼굴 다혈색(facial plethora), 쉽게 멍듦(easy bruisability), 상처 회복 지연 및 잦은 피부 감염 등의 증상이 발생한다. 자색 선조(purple striae)는 약 50-70%에서 발생하는데 복벽, 유방, 엉덩이, 옆구리, 허벅지 및 겨드랑이 부위에 흔히 발생하며 이는 피하 지방 축적이 과도하게 증가하면서 피부를 잡아당겨 피하조직을 무너뜨리면서 발생한다. 또한 피하 결합조직의 소실과 함께 발생하므로 피부 표면보다 움푹 들어가 있고 임신이나 급격한 체중 증가에 의해 생기는 흰색 또는 핑크색 선조에 비해 더 폭이 넓고 짙은 색을 띤다. 시간이 경과하면서 근육 소실로 인한 몸쪽 근육(proximal muscle)의 약화, 골다공증, 당뇨 등이 발생한다. 뇌하수체의 ACTH 분비 선종으로 인해 발생하는 쿠싱병은 비의인성 쿠싱증후군의 가장 흔한 원인으로 남성보다 여성에서 4-6배 더 흔하며, 30-40대에 주로 나타난다. 부신종양에 의해 나타나는 경우, 대부분 일측성이며 악성인 경우가 선종일 경우보다 약간 많다. 쿠싱증후군은 산부인과에서 흔히 접하게 되는 질환은 아니며, 쿠싱증후군의 저명한 증상이 있는 경우 내과 등 다른 과를 방문하는 경우가 많다. 그러나 쿠싱증후군이 있는 여성환자들은 고안드로겐혈증이 동반되게 되며 이로 인해 월경불순이나 무월경, 다모증, 여드름 등의 증상이 유발될 수 있다는 것을 이해해야 하며, 또한 이러한 증상을 주소로 내원한 환자들이 쿠싱증후군의 다른 증상을 나타내지 않는가에 대해서 확인하는 자세를 갖는 것이 중요하다.

5) 선천부신과다형성증

선천부신과다형성증은 상염색체 열성질환이다. 코티솔의 합성에 필요한 여러 효소들이 어느 한 단계라도 이상이 생긴 경우 문제가 발생 할 수 있다. 효소의 결핍은 코티솔 합성의 감소를 초래하고, 이는 ACTH의 분비를 증가시키게 된다. ACTH 분비 증가로 인해 부신피질은 과다증식하게 되고, 문제가 발생한 효소의 전구물질은 대사되지 않고 쌓여 혈액내로 배출되거나 다른 대사경로를 통해 부신 기원의 안드로겐 과다증을 유발하게 된다(그림 21-1). 전형적 형태의 선천부신과다형성증 여아는 대개 태어나면서부터 염분 소실 및 클리토리스의 비대와 소음순 주름의 결합, 요도의 남성화가 발견된다. 비전형(non calassical) 혹은 만기발생형(late-onset or adult-onset) 질환의 경우 유아 후기나 사춘기 초기에 조기 사춘기로 발현하거나 성인기에 다낭성난소증후군과 같은 다모증, 월경불순, 여드름 등의 증상으로 발현하기도 한다.

21-hydroxylase(수산화효소) 유전자는 6번 염색체 단완에 위치하는 *CYP21* 유전자로 이의 돌연변이로 발생하는 선천부신과다형성증은 신생아에서 모호생식기를 유발하는 가장 흔한 질환으로 5,000-15,000명당 1명씩 발생한다. 전형적 형태의 21-hydroxylase 결핍의 경우, 염분손실형(salt losing form)으로 발병하게 되는데 코티솔과 알도스테론이 모두 결핍되어 나타난다. 이 형태는 심한 염분 손실로 오심, 구토, 체액손실, 혈관허탈 등의 증상을 보이는데 생후 수 주 내에 이러한 증상을 보인다.

여아의 남성화를 보일 수 있는 다른 효소 결핍으로 11β-hydroxylase, 3β-hydroxysteroid dehydrogenase(수산화스테로이드 탈수소효소) 결핍이 있을 수 있으나 매우 드물어, 21-hydroxylase의 부분 결핍으로 인한 비전형적 형태의 발병이 가장 흔하다. 다낭성난소증후군의 형태로 나타나는 경우에도 이로 인한 경우는 약 1-4%에 불과하므로 모든 고안드로겐증 여성에서의 스크리닝은 권장되지 않는다. 다만 초경 전후의 빠른 시작을 보이는 다모증, 조발 사춘기를 보이는 경우, 가족력이 있는 경우 등에서 이 질환의 감별질환을 고려하는 것이 좋을 것으로 보인다. 21-hydroxylase 결핍 시에 17-OH progesteone이 11-deoxycortisol로 전환되지 않고 축적되므로 아침에 가장 높은 농도를 보이는 17-OH progesteone을 측정하여 200 ng/d 이하이면 선천성 부신과증식증을 배제할 수 있다. 800 ng/d 이상을 보일 경우 거의 21- hydroxylase의 결핍을 진단할 수 있으나, 200 ng/d 이상의 수치를 보일 경우 ACTH 자극검사가 필요한데, 합성 ACTH을 0.25 mg을 정맥으로 투여하고 1시간 후 혈장 내 17-OH progesteone을 측정한다. 1,500 ng/d 이상인 경우 21-hydroxylase 결핍으로 인한 비전형 선천부신과다형성증으로 진단한다.

6) 안드로겐 분비종양

안드로겐 분비종양은 난소나 부신에서 발생할 수 있다. 기능적인 고안드로겐증과는 달리 안드로겐 분비종양에 의한 경우, 대부분 심한 다모증과 남성화를 보이며 그 진행 속도가 수개월 사이에 진행될 정도로 매우 빠른 것이 특징이다. 남성화를 유발하는 부신종양의 경우 90% 정도가 양성선종이며 20세에서 40세 사이에 많이 발생한다. 순수하게 테스토스테론을 분비하는 종양은 폐경 후 여성에서 많다. 난소에 안드로겐 분비종양이 있는 경우 혈중 전체 테스토스테론이 150 ng/dL 초과 혹은 정상 수치의 상위에서 2.5배 이상 증가하는 특징을 보이며, 부신에 종양이 있는 경우에는

DHEAS가 700 ㎍/dL를 초과하여 올라간다. 진단을 위해서는 초음파, 컴퓨터 단층 촬영, 자기공명영상 등을 사용한다. 난소종양은 안드로겐를 분비하는 종양 중 가장 흔하며, 안드로겐을 분비하는 난소종양은 다음과 같다(표 21-8).

7) 난소 난포막과다형성(Ovarian Hyperthecosis)

난소 난포막과다형성은 난소 내 여러 부위에 황체화된 난포막세포의 군집(nest)이 존재하는 증식질환을 말한다. 이때 난포막 세포 증식의 정도는 경미한 정도에서 광범위한 정도까지 다양하게 나타날 수 있는데 심한 경우 섬유아세포의 광범위한 증식과 동반되어 난소가 매우 단단하게 커질 수 있으며 이는 다낭성난소증후군과는 다른 양상이다. 난포막 과다형성이 있는 환자에서 테스토스테론과 다이하이드로테스토스테론, 안드로스텐디온과 같은 난소의 안드로겐은 남성에서 보이는 수준까지 상승하여 환자들은 심한 다모증, 남성화를 겪을 수 있다. 또한 인슐린 저항성이 90% 정도에서 나타나며, 흑색가시세포증(acanthosis nigricans)과 함께 나타나기도 한다. 이 경우 경구용 피임제는 대개 효과적이지 않으나 GnRH 작용제는 효과를 발휘한다. 폐경 이후의 여성에서는 양측 난소절제가 주로 시행된다(Krug and Berga, 2002).

8) 임신 중 남성화

매우 드물게 발생하는 양성종양인 임신 중 황체종(luteoma of pregnancy)은 임신 중의 호르몬 자극에 의해 생기는 것으로 추정되며 임신 2삼분기에 양측성 난소 낭종으로 발견되는 경우가 많으며 대개 무증상으로 우연히 발견되나 혈중 테스토스테론의 상승, 산모 및 여 태아 남성화의 원인이 될 수 있다. 임신 종결 이후에는 저절로 소실되기 때문에 가능한 수술적 치료를 피하고 임상적 모니터링과 출산 후 추적검사로 확인하는 것으로 충분하나 드물게 악성종양과의 감별이 안되거나 종양 자체의 합병증으로 인해 수술적

표 21-8. 안드로겐을 분비하는 난소종양

	호발연령	기타
성선 기질세포종양(Sex Cord-Stromal tumor)		
과립세포종(Granulosa cell tumor)	성인 특히 폐경 후	어린이에서 조숙증을 유발하는 가장 흔한 기능성 종양
난포막종(Thecoma)	노년층	11%에서 고안드로겐증 유발. 대부분 양성이며 일측 난소절제로 치료
경화성기질종양(Sclerosing stromal tumor)	30세 이전	드물다. 양성종양
Sertoli-Leidig 세포종(Sertoli-Leidig cell tumor)	생식가능연령	생식가능연령층에서 남성화를 유발하는 종양 중 가장 흔함. 1/3에서 남성화 유발. 80% 가 stage IA에서 발견되며 이 경우 일측 자궁부속기절제로 치료
순수 Sertoli 세포종(Pure sertoli cell tumor)		일측성이 많아 1기의 폐경 전 여성에서는 일측 자궁부속기절제로 치료
음양모세포종(Gynandroblastoma)		양성종양 단측 자궁부속기 혹은 난소절제로 치료
윤상세관을 갖는 성선종양(Sex cord tumors with annular tubule: SCTAT)		Peutz-Jeghers syndrome과 동반되어 나타나기도 하는데, 동반 시에는 양측성에 양성종양이며, 비동반 시에는 대개 일측성에 1/4는 악성
Steroid cell tumor: 스테로이드 호르몬 분비 세포로 이루어져 있음		
황체종(Luteoma)		12%에서 남성화와 다모증 동반
Leydig 세포종(Leydig cell tumor)		75%에서 남성화와 다모증 동반
Steroid cell tumor that are not otherwise specific		50%에서 남성화와 다모증 동반
비 스테로이드 분비성종양: 대개 호르몬을 분비하지 않거나 아주 드물게 분비		
장액성 혹은 점액성 낭샘종(Cystadenoma), Brenner 종양, Krukenberg 종양, 피부모양기형낭유미종(dermoid cyst), 미분화세포종(Dysgerminoma), 생식샘모세포종(Gonadoblastoma)		

치료가 필요한 경우도 있다(Masarie et al., 2010). 기타 다른 원인으로는 Krukenberg tumor, 점액낭샘종(mucinous cystic tumor), Brenner tumor, 장액낭샘종(serous cystadenoma), 내배엽굴종양(endodermal sinus tumor), 기형종(dermoid cyst) 등도 원인으로 작용할 수 있다.

2. 유즙분비호르몬 분비이상

1) 유즙분비호르몬

(1) 유즙분비호르몬의 생성

생식기능에 있어 중요한 호르몬으로 알려져 있는 유즙분비호르몬(prolactin)은 1933년 앞뇌하수체(anterior pituitary)의 생성물로 처음 알려졌고, 인간의 유즙분비호르몬이 성장호르몬과는 다른 호르몬이라고 인식된 것은 1970년이었다(Frantz and Kleinberg, 1970; Riddle et al., 1933). 유즙분비호르몬은 젖 분비가 중요한 기능이지만 이외에도 생식샘 기능에 관여하는 뇌하수체호르몬들(난포자극호르몬, 황체호르몬)의 분비를 조절하며 성적인 각성과 극치감에도 관여한다(Josimovich et al., 1987; Exton et al., 1999; Exton et al., 2001).

인간 유즙분비호르몬에 대한 유전자 정보는 6번 염색체에 5개의 엑손으로 구성된 유전자에 있으며, 분자량 23 kDa인 199개의 아미노산의 단일 사슬 폴리펩티드로써 성장호르몬과 태반락토겐(placental lactogen)과 구조적으로 40%의 상동성을 보인다(Friesen, 1995). 유즙분비호르몬 유전자는 뇌하수체뿐만 아니라 자궁(탈락막, 자궁근층), T-림파구, 뇌, 피부, 유방, 난소의 난포 세포에서도 발견되었다(Ben-Jonathan et al., 1996; Phelps et al., 2003).

유즙분비호르몬 수용체 유전자는 성장호르몬 수용체 유전자와 인접한 5번 염색체에 있으며, 성장호르몬 수용체의 아미노산과 구조적으로 약 30%의 상동성을 보인다(Kelly et al., 1991; Bole-Feysot et al., 1998).

유즙분비호르몬을 생성하는 유즙분비호르몬분비세포(lactotroph cells)는 뇌하수체전엽(anterior pituitary cells)에 있으며 기능의 15-25% 정도를 차지하고 있다. 세포의 수는 나이에 따라 변하지 않지만 임신과 수유는 이 세포들을 커지게 하고, 분만 후 수개월 내에 정상으로 돌아간다.

(2) 유즙분비호르몬의 분비조절

유즙분비호르몬의 분비는 외 또는 내적인 내분비조절 기전들의 양성 또는 음성되먹임에 의해 매우 정교하게 조절되고 있다. 정상인의 혈청 유즙분비호르몬 기저치는 보통 20 ng/mL 이하이며, 남자는 10 ng/mL 이하, 여성은 임신 시에는 증가하지만 보통 200 ng/mL 이하로 유지되다가 분만 후에는 수개월 내에 정상으로 돌아온다(표 21-9). 임신을 제외한 생리적인 원인에서는 대개 50 ng/mL를 초과하지 않는다.

앞뇌하수체에서 유즙분비호르몬 유전자의 전사가 이루어지며 유즙분비호르몬, 성장호르몬과 갑상샘자극호르몬(thyroid stimulating hormone, TSH)이 분비된다. 뇌하수체 특이 전사 인자인 Pit-1 유전자는 위의 호르몬들의 분비를 조절하며 이 유전자의 돌연변이는 호르몬들이 분비되지 않아서 궁극적으로 뇌하수체저하증이 발생한다(Elsholt, 1992; Radovick et al., 1992).

유즙분비호르몬은 단일 유전자로 이루어져 있지만 중합(polymerization), 당화(glycosylation), 인산화(phosphorylation) 등 전사 후(posttranscription)와 유전암호해독 후(posttranslation) 변화 때문에 유즙분비호르몬 분자는 균일하지 못하다. 유즙분비호르몬은 약 75%가 비당화인 상태로 있으며 유즙분비호르몬샘종과 임신 중에는 이러한 비율이 증가한다(Brue et al., 1992). 유즙분비호르몬은 세 가지 형태, 즉 단량체(monomer)인 little (23 kDa), 이

표 21-9. 혈중 유즙분비호르몬의 정상 수준

남성	2-18 ng/mL*
비임신 여성	<15-20 ng/mL
임신 여성	10-200 ng/mL

*ng/mL = nanograms per milliliter

합체(dimer)인 big (50 kDa), 다중결합인(multimeric) big-big (160 kDa) 유즙분비호르몬으로 분비되며, big, big-big 유즙분비호르몬은 이황화물결합(disulfide bonds)이 분해되어 little 유즙분비호르몬으로 된다(Benveniste et al., 1979). 혈중 유즙분비호르몬은 little 유즙분비호르몬이 50% 이상을 차지하며 대부분의 뇌하수체의 자극과 억제를 책임진다(Suh와 Frantz, 1974; Farkough et al., 1979; Fraser et al., 1989; Larrea et al., 1989). 그리고 거대유즙분비호르몬(macroprolactin)은 항원-항체 복합체로서 고유즙분비호르몬혈증의 약 20%에서 발견되며 혈중 유즙분비호르몬이 주로 거대 유즙분비호르몬인 거대유즙분비호르몬증후군은 유즙분비호르몬 농도는 증가하지만 생체반응(bioactivity)이 낮아서 대부분 임상 증상이 없다. 이러한 거대유즙분비호르몬혈증의 원인은 알 수 없으며 뇌하수체 병변을 검사하여야 하며 도파민 작용제 치료에도 반응하지 않는다(Lindstedt, 1994; De Schepper et al., 2003).

시상하부(hypothalamus)에서 분비되는 인자들에 의해 조절되는 다른 뇌하수체호르몬들과 달리 유즙분비호르몬 분비는 주로 시상하부 결절(tuberoinfundibular)의 도파민 신경세포들에서 문맥 뇌하수체 혈관들(portal hypophyseal vessels)로 유리되는 도파민에 의해 억제된다(Goldsmith et al., 1979). 도파민은 뇌하수체의 도파민 수용체와 결합하여 작용하는데, 5번 염색체에 위치하는 도파민 수용체는 기능적으로 D1과 D2 수용체로 나누는데 앞뇌하수체의 젖영양세포(lactotrophs)에는 주로 D2 수용체가 분포한다(Arden et al., 1990; Melmed, 1997; Ben-Jonathan과 Hnasko, 2001).

도파민 외에도 gamma-aminobutyric acid (GABA)와 다른 신경펩티드들(neuropeptides)은 유즙분비호르몬 억제인자들로서 작용할 수 있으며(Grossman과 Delitala, 1981), 유즙분비호르몬 유리작용을 증가시키는 여러 시상하부 폴리펩티드들은 표 21-10와 같다.

Tyrosine hydroxylase의 활성은 유즙분비호르몬분비를 억제한다. Endothelin-1, transforming growth factor-β1, calcitonin는 유즙분비호르몬 분비를 억제하고, basic FGF, epidermal growth factor는 유즙분비호르몬 합성과 분비를 촉진한다. Vasoactive intestinal polypeptide (VIP)는 cyclic adenosine monophosphate (cAMP)와 함께 유즙분

표 21-10. 유즙분비호르몬 유리작용에 영향을 주는 여러 시상하부 폴리펩티드들

유즙분비호르몬 유리작용에 영향을 주는 여러 시상하부 폴리펩티드들	
억제	Dopamine, γ-Aminobutyric acid, Histidyl-proline diketopiperazine, Pyroglutamic acid, Somatostatin
자극	β-Endorphin, 17β-Estradiol, Enkephalins, Gonadotropin-releasing hormone, Histamine, Serotonin, Sustance P, Thyrotropin-releasing hormone, Vasoactive intestinal peptide, Angiotensin II, Vasopressin
조절 조건	
생리적	마취제, 빈안장증후군, 원인불명, 성교, 흉벽의 주요 수술이나 장애(화상, 헤르페스, 흉부 충격), 신생아, 젖꼭지 자극, 임신, 산후(비수유 시 산후 1-7일; 수유 시 흡인 중), 수면, 스트레스중추신경계
중추신경계	시상하부 - 거미막낭종, 머리인두종, 낭성 신경아교종, 낭미충증, 기형종, 표피상낭종, 조직구증, 신경결핵, 솔방울샘종양, 대뇌거짓종양, 사르코이드증, 안장위낭종, 결핵 뇌하수체 - 말단비대증, 애디슨병, 머리인두종, 수막종, 신경아교종, 연골증, 쿠싱병, 갑상샘저하증, 조직구증, 림프성 뇌하수체염, 전이종양(특히 폐와 유방), 복합내분비샘신생물, Nelson 증후군, 뇌하수체샘종(미세샘종이나 거대샘종), 경구피임제 사용 후, 사르코이드증, Thyrotropin-releasing hormone 투여, 뇌하수체 줄기 외상, 결핵
대사장애	딴 곳 생성(과다신장종, 기관지육종), 간경화, 신부전, 기아 후 재급식
약물	α-Methydopa, Antidepressants (amoxapine, imipramine, amitriptyline), Cimetidine, Dopamine antagonists (phenothiazines, thioxanthenes, butyrophenone, diphenylbutylpiperidine, dibenzoxazapine, dihydroindolone, procainamide, metaclopramide), Estrogen, Opiates, Reserpine, Sulpiride, Verapamil

비호르몬 합성을 촉진한다. Oxytocin과 pituitary adenylate cyclase activating protein도 유즙분비호르몬 분비를 촉진한다. TRH도 유즙분비호르몬 분비에 관여하나 중요한 역할을 하지는 않는 것 같다. 에스트로겐은 유즙분비호르몬 유전자 복제와 호르몬 분비를 자극한다. 이것은 여성이 남성보다, 주기적으로 생리를 하는 여성이 폐경 후 여성보다 유즙분비호르몬의 파동적 분비 빈도가 높은지를 설명해 준다.

자궁내막에서 생성되는 유즙분비호르몬은 탈락막이 형성되는 월경주기 23일에 시작하며, 에스트로겐, 프로게스트론 및 다른 태반과 탈락막 인자들과 - relaxin, insulin like growth factor-1 (IGF-I) 등 - 상호 작용을 한다(Daly et al., 1986; Handwerger and Brar, 1992).

(3) 임신 중 유즙분비호르몬의 변화

임신 중 유즙분비호르몬은 태아와 산모의 뇌하수체와 자궁에서 분비되며 양수의 유즙분비호르몬은 탈락막에서 분비되는데(McCoshen과 Bare, 1985), 정상 농도(20-25 ng/mL)의 유즙분비호르몬은 임신 8주부터 증가하여 말기에는 200-400 ng/mL로 10-40배가 증가한다. 증가하는 기전은 에스트로겐에 의해 시상하부의 유즙분비호르몬 억제 인자를 억제하여 뇌하수체의 유즙분비호르몬 분비를 자극하기 때문으로 알려져 있다(Tyson et al., 1972; Kletzky et al., 1980). 태아 및 모체의 시상하부 또는 탈락막(decidua)에서 생성된 유즙분비호르몬의 양수 내 농도는 임신 10주까지 산모의 혈청 농도와 함께 증가하여 임신 15-20주에는 1,000 ng/mL에 이른다. 임신 말기에는 감소하여 450 ng/mL에 이르며, 임신 중 도파민 작용제의 영향을 받지 않는다(Ho et al., 1980). 임신 중에 고농도의 에스트로겐과 프로게스틴에 의해 젖 분비가 억제되는데 분만 후에는 이러한 호르몬들이 감소하면서 젖 분비가 촉진된다. 유즙분비호르몬 농도는 분만 후 점차 감소하여 산후 2-3개월부터는 수유를 하는 동안 40-50 ng/mL로 유지된다. 수유 중에는 기저농도의 2-10배까지 증가하기도 하지만, 수유를 하지 않을 경우에는 약 1주일 후에 임신 전 수준으로 감소한다. 젖 분비에 의한 고유즙분비호르몬혈증은 난소와 시상하부에 작용하여 무배란과 무월경을 유발하여 자연적인 피임이 된다(Speroff와 Fritz, 2005).

2) 고유즙분비호르몬혈증

(1) 임상양상

고유즙분비호르몬혈증은 시상하부-뇌하수체 축에 발생하는 흔한 질환 중에 하나이다. 남성보다 여성에 많이 나타나며, 적게는 성인의 0.4%, 많게는 생식 관련 질환 여성의 9-17%에서 나타난다. 부인과 환자의 5%, 성인 무월경 환자의 9%, 다낭성난소증후군(polycystic ovary syndrome, PCOS)의 17%에서 나타난다(Biller et al., 1999).

(2) 원인

뇌하수체 원인으로는 미세샘종(microadenoma)과 원인불명이 가장 흔하며 크게 생리적, 병적, 약물에 의한 요인으로 나누어 볼 수 있다.

① 생리적 원인

임신, 상상 임신, 수유, 가슴 자극, 운동, 수면, 정신적 혹은 육체적인 스트레스를 받아도 증가할 수 있으며, 약 40%에서는 원인불명(idiopathic)으로 진단되기도 한다. 원인불명의 경우 장기간 추적검사에서 1/3은 자연히 정상으로 되지만 약 10-15%는 2-6년 내에 미세샘종으로 진행할 수 있다. 그러므로 유즙분비호르몬 농도와 영상검사를 주기적으로 하여야 하며 증상이 있는 경우 치료를 해야 한다(Sluijmer와 Lappohn, 1992). 기타 식사, 마취, 성교, 흉벽의 주요 수술이나 장애(화상, 헤르페스, 흉부 충격), 신생아, 비수유 중 산후 1-7일에도 증가되어 있을 수 있다.

② 병적인 원인

가. 시상하부–뇌하수체 줄기(hypothalamic–pituitary stalk)의 차단

뇌하수체종양이 안장(sella tunica) 위로 확대되는 경우에는 시상하부에서 뇌하수체로의 도파민 분비가 방해

받아서 줄기효과(stalk effect), 즉 유즙분비호르몬 분비 억제 작용이 없어진다. 이러한 작용은 거미막 낭종, 머리인두종, 낭성 신경아교종, 낭미충증, 기형종, 표피상 낭종, 솔방울샘종양, 대뇌거짓종양, 수막종, 안장위 수술, 빈안장증후군, 라트케열낭종(Rathke's cleft cyst), 방사선 조사, 뇌하수체 줄기 외상 등에 의한 뇌하수체 줄기 차단으로도 나타날 수 있다. 뇌하수체에 림프 세포가 침윤하는 자가면역 상태에서도 고유즙분비호르몬혈증이 발생할 수 있으며 이러한 림프구성 뇌하수체염은 전형적으로 산후 기간에 보고되는데 일반적으로 자연히 소실된다(Thodou et al., 1995).

나. 뇌하수체의 과다분비

고유즙분비호르몬혈증의 대표적인 질환으로 뇌하수체의 유즙분비호르몬 분비샘종(뇌하수체샘종)을 들 수 있다. 유즙분비호르몬 분비샘종은 뇌하수체 기능성 샘종 중에 가장 흔하고 대부분 20-30대의 여성에서 호발하며 대개는 1 cm 이하의 미세샘종이다. 남자와 폐경 후 여성에서 종양의 확장에 의한 두통, 시야장애가 나타날 수 있으며 유루증과 성선장애가 나타난다. 뇌하수체샘종(미세샘종이나 거대샘종), 전이종양(특히 폐와 유방), 결핵과 같은 감염, 사르코이드증, 조직구증, 애디슨병 등에 의해서 고유즙분비호르몬혈증이 발생할 수 있다. 모든 뇌하수체종양의 1/3은 유즙분비호르몬 과다 분비와는 관련이 없으며 두통, 오심, 구토와 시야장애와 같은 두개내 덩이에 의한 증상을 보이는 경우 정밀검진이 필요하다. 뇌하수체종양으로 인한 말단비대증이나 쿠싱병에서도 고유즙분비호르몬혈증에 의한 유루증이 발생할 수 있다. 성장호르몬을 분비하는 종양도 약 25%에서 유즙분비호르몬을 분비하는데 두 호르몬이 모두 증가되어 있는 경우에는 성장호르몬 억제 약물을 사용하면 대부분 치료된다(Asa와 Ezza, 2002).

다. 전신질환에 의한 증가

만성신부전의 경우 유즙분비호르몬의 대사율의 감소로 호르몬치가 증가할 수 있으며, 간경변의 경우에도 시상하부에서 유즙분비호르몬 조절장애로 인하여 증가할 수 있다. 갑상샘기능저하증은 갑상샘자극호르몬이 증가하여 유즙분비호르몬 분비를 자극하고 유즙분비호르몬의 배설을 감소시킴으로써 고유즙분비호르몬혈증이 발생하는데 갑상샘호르몬 투약으로 치료된다(Asa와 Ezza, 2002). 고유즙분비호르몬혈증과 다낭성난포증후군은 약 30%에서 동반되는데 장기간 에스트로겐 농도가 증가하기 때문으로써 중등도의 유즙분비호르몬 농도 증가를 보이며 도파민 작용제에 반응한다(Falashi et al., 1986). 난소 기형종과 자궁근종에서도 유즙분비호르몬이 증가할 수 있다(Molitch, 1992). 콩팥세포암종이나 기관지 육종과 같이 외딴곳에서 생성되는 경우도 있다.

③ 약물에 의한 원인

Chloropromazine, haloperidol, domperidone, metoclopramide, sulpiride 등과 같은 도파민 수용체 길항제나 methyldopa, reserpine, verapamil과 같은 항고혈압제, 에스트로겐, opiates, 시메티딘과 같은 약제에 의해 도파민이 감소하거나, 도파민의 유즙분비호르몬분비억제작용이 상쇄되는 경우 발생할 수 있다.

(3) 검사와 진단

문진, 이학적 검사, 갑상샘기능검사, 임신검사와 뇌하수체 호르몬검사(GH, ACTH, urine free cortisol)를 하여 TSH 생산종양, 말단비대증(acromegaly), Cushing's 병과 같은 시상하부와 뇌하수체 이외의 원인들을 배제하며, 유즙분비호르몬검사와 영상검사(자기공명영상, 전산화 단층 촬영) 및 시야검사를 한다.

면역반응 유즙분비호르몬 혈장 농도는 정상 월경주기에는 5-27 ng/mL이다. 유즙분비호르몬 분비 양상은 박동성을 보이는데 난포기 후기에는 90분 간격으로 하루에 1314회, 황체기 후기에는 9회의 박동 빈도를 갖는다. 그리고 아침 중간에 최저 농도를 보이는 하루 변이(diurnal variation)가 있으며, 농도는 수면 시작 1시간에 증가하여 아침 5시에서 7시 사이에 최고 농도가 된다(Sassin et al., 1972; Sassin et al., 1973). 유즙분비호르몬의 박동 진폭은 난포기와 황체기 초기에서 후기로 갈수록 증가한다(Carandente et al., 1989; Pansini et al., 1983; Pansini et al., 1987). 유즙분비호르몬 농도를 증가시킬 수 있는 다른 원인으로는 스트레스, 음식 섭취, 이전에 정맥천자, 유방자극이 있다(Blackwell, 1992; Sarapura와 Schlaff, 1993). 검체의 채취는 식사 후 1시간 정도의 오전이나 오후에 하며, 분비의 변이성과 방사면역측정법 고유의 한계 때문에 농도가 증가된 경우에는 재검사하여야 한다. 유즙분비호르몬과 갑상샘자극호르몬 농도는 불임 여성에서 기본적으로 검사하며 유즙분비호르몬 농도는 무월경, 젖분비과다, 젖분비과다를 동반한 무월경, 무월경을 동반한 다모증, 무배란 출혈과 사춘기 지연에서 검사해야한다. 유즙분비호르몬 농도가 20-200 ng/mL인 경우는 어느 원인에서나 관찰되지만 200 ng/mL 이상인 경우는 대부분 뇌하수체샘종의 존재를 의미하며 일반적으로 유즙분비호르몬 농도와 유즙분비호르몬샘종의 크기와 비교적 상관 관계를 가진다(표 21-11).

고유즙분비호르몬혈증을 유발할 수 있는 뇌하수체와 시상하부의 다른 원인을 배제하며 뇌하수체종양이나 다른 병변들을 검사하기 위하여 영상검사(자기공명영상, 전산화단층촬영)를 시행한다. 전산화 단층촬영은 작은 부위나 주위 조직과 동일한 밀도를 보이는 큰 부위를 발견하는데 정확도가 감소하며 누적 방사선량은 백내장을 유발할 수 있다. 미세샘종과 거대샘종 환자에서 유즙분비호르몬 농도는 대개 100 ng/mL보다 낮으므로 안장의 조사영역축소촬영(cone-down view)에서 작은 미세샘종과 다른 안장위 종양들을 발견하지 못할 수 있다. 약물이나 생리적 원인에 의한 고유즙분비호르몬혈증이 분명한 환자에서 영상검사는 필요하지 않을 수 있다. 자기공명영상은 가장 정밀한 해부학적인 영상을 제공한다(Bohler et al., 1994). 경도의 유즙분비호르몬 농도 증가도 미세샘종, 거대샘종, 비젖영양세포 뇌하수체종양과 다른 중추신경계 이상들과 관련이 있을 수 있으므로 뇌하수체의 영상검사를 고려해야 한다. 임신을 원하는 환자에서 자기공명영상은 다른 가능한 안장과 안장위(suprasella)종양들을 발견할 뿐만 아니라 뇌하수체 미세샘종과 거대샘종을 감별하는 데 필요하다. 유즙분비호르몬 농도의 증가는 종양 크기와 비례하지만 농도의 감소는 종양 크기 변화 없이도 발생할 수 있으며, 추적검사

표 21-11. 유즙분비호르몬 농도와 유즙분비호르몬샘종 크기의 상관관계

혈중 유즙분비호르몬 농도	관련 질환
현저한 과다분비(>100 ng/mL)	거대샘종
중등도 과다분비(51-100 ng/mL)	미세샘종, 뇌하수체 줄기단절
경도 과다분비(31-50 ng/mL)	스트레스, 갑상샘저하증, 다낭성난소증후군

표 21-12. 유즙분비호르몬 농도에 따른 관련 임상증상

혈중 유즙분비호르몬 농도(정상 <25 ng/mL)	임상 증상
현저한 과다분비(>100 ng/mL)	유즙분비, 무월경
중등도 과다분비(51-100 ng/mL)	희발월경
경도 과다분비(31-50 ng/mL)	황체기 단축, 성욕 감소, 불임
유즙분비호르몬분비 뇌하수체종양	체중증가(Yermus and Ezzat, 2002)
생식샘저하증	골감소증(Biller et al., 1992)

중에 유즙분비호르몬 농도가 유의하게 증가하거나 중추신경계 증상이 있다면 반복적인 영상검사가 필요하다.

(4) 임상 소견

가장 흔한 증상은 무월경, 월경장애, 성욕 감소와 젖과다분비이다.

유즙분비호르몬 과다의 임상 소견은 표 21-12와 같으며 유즙분비호르몬 과다에 의한 직접적인 것과 생식샘저하증에 의한 것으로 나눌 수 있다.

무월경만 있는 여성의 약 15%에서 고유즙분비호르몬혈증과 관련된다(Franks et al., 1975). 유즙분비호르몬 농도 증가에 의한 정상적인 배란 과정의 감소는 과립층 세포수와 FSH 결합 감소, FSH 작용 간섭에 의한 과립층세포의 17β-에스트라디올 생산 억제, 부적절한 황체화와 프로게스테론 감소, 무배란 효과를 매개할 수 있는 GnRH의 박동적인 유리로 유즙분비호르몬의 억제 효과 등 생식샘과 시상하부-뇌하수체에 대한 영향과 연관이 있다(Adashi와 Resnick, 1987; Boyar et al., 1974; Buckman et al., 1981; Cutie와 Andino, 1988; Demura et al., 1985; Dorrington과 Gore-Lanton, 1981; McNatty, 1979; Moult et al., 1982). 무월경인 여성의 약 50%에서 유즙분비호르몬 농도가 정상 범위이다(Kleinberg et al., 1977). 이런 경우는 고유즙분비호르몬혈증 초기의 일시적인 현상일 수 있으므로 재검사를 한다. 젖분비과다인 여성의 약 1/3은 정상 월경을 하는 반면 고유즙분비호르몬혈증은 일반적으로 젖분비과다가 없는 경우에도 66%에서 일어나는데 이는 유방에 에스트로겐과 프로게스테론이 부적절하게 작용하기 때문이다. 젖분비과다와 무월경이 동반된 경우에 약 2/3에서는 고유즙분비호르몬혈증이 있으며 약 1/3에서는 뇌하수체샘종을 가지고 있다(Schlechte et al., 1980). 무월경인 여성에서 다낭성난소증후군으로 진단된 여성의 3-10%는 고유즙분비호르몬혈증을 가지고 있다(Minakami et al., 1988).

모든 사춘기 지연의 경우에서 머리인두종(cranio-pharyngioma)과 샘종을 포함한 뇌하수체 이상을 고려하여야 하고 복합내분비샘신생물증후군 1형(the multiple endocrine neoplasia type 1 syndrome, MEN-1 syndrome) 환자의 약 20%에서 유즙분비호르몬샘종이 발견되며 MEN-1 환자에서 발생하는 유즙분비호르몬샘종은 다른 유즙분비호르몬샘종보다 더 경과가 나쁘기 때문에 유즙분비호르몬과 TSH 농도는 모든 사춘기 지연 환자에서 검사해야 한다(Burgess et al., 1996). 고유즙분비호르몬혈증은 대부분 주기적인 검사만 필요로 하는 비교적 양성질환들과 관련되어 있다는 것을 환자에게 알려서 안심시켜야 하며 의사는 가능한 다른 원인들을 고려하여야 한다.

(5) 치료

고유즙분비호르몬혈증의 치료는 유즙분비호르몬의 혈중 농도보다는 환자의 상황이나 증상에 따라 치료해야 한다. 치료방법에는 기대요법, 약물요법, 수술요법과 방사선요법이 있으며, 치료 목적은 아래와 같다.

- 비정상적인 젖분비 억제
- 장기간의 무월경
  - 정상 난소 기능의 복원과 유지(주기적 성호르몬 분비, 배란)
  - 생식 능력의 복원
  - 골다공증의 예방
- 뇌하수체종양이 있는 경우
  - 시야장애, 두통, 신경계 이상 증상 제거
  - 종양 덩이의 축소나 제거
  - 다른 뇌하수체호르몬 분비 기능의 보존
  - 뇌하수체나 시상하부질환의 진행 예방

① 기대요법

임신을 원하지 않는 여성에서 기대요법은 월경이 정상인 경우 샘종이 없는 고유즙분비호르몬혈증과 미세샘종에서 사용할 수 있다. 고유즙분비호르몬혈증에 의한 에스트로겐 결핍으로 골감소증이 발생할 수 있으므로 약제에 의한 고유즙분비호르몬혈증 환자는 골다공증의 위험을 검사하며 기대요법을 시행할 수 있다. 그리고 증상이 없는 경우에는 미세샘종의 성장을 평가하기 위하여 12개월마다 영상검사를 한다(Klibanski et al., 1988).

② 약물요법

전통적인 약물요법은 도파민 작용제로써 환자의 필요와 상황에 따라 결정하며 도파민 작용제의 종류는 표 21-13과 같다.

가. 브로모크립틴(bromocriptine)

1971년에 처음 소개된 브로모크립틴은 가장 오래 사용되었으며, 도파민 D2 수용체와 결합하여 cAMP를 감소시키고 세포내 칼슘대사에 영향을 주어 유즙분비호르몬의 생성을 억제시키고 DNA 합성, 세포의 증식 및 종양의 성장을 억제시킨다. 브로모크립틴은 간에서 90% 이상 대사되어 담즙으로 배설된다. 부작용을 최소화시키기 위해 초회용량으로 0.125 mg을 취침 전에 투약하고 1.25 mg씩 3일 간격으로 서서히 증량시킨다. 2.5 mg 정도로도 혈청호르몬치를 14시간까지 억제시킬 수 있으며 가끔 효과가 24시간 동안 지속되기도 한다. 보통 2.5 mg에서 15 mg까지 사용해 볼 수 있다. 약리학적으로 경구 복용 후 3시간에 최고 혈중 농도를 보이며 7시간에 최저 농도를 보이며 11-14시간에 혈중에서 발견되지 않는다. 그러므로 하루 두 번 복용하며, 유즙분비호르몬 농도는 마지막 복용 후 6-24시간에 검사한다. 부작용으로 오심, 구토, 두통, 기립성 저혈압, 어지럼증, 피로, 졸음, 비강출혈, 복통과 변비가 있을 수 있으며 드물게 환청, 망상, 기분 변화가 있으나 대개 약물 투여 중단 후 없어진다. 경구 투여 외에 질정의 사용도 가능하다. 투약 후 2-3주가 지나면 혈청호르몬치가 감소하고 6-8주가 되면 배란, 월경이 정상화되면서 임신이 가능해진다.

나. 카버골린(cabergoline)

카버골린은 뇌하수체의 도파민 D2 수용체에 특이적으로 장시간 작용하므로 브로모크립틴에 대하여 약제저항성이 있거나 환자가 복용을 거부하는 경우 사용할 수 있다(Kelly et al., 1991; Friesen, 1995; Ben-Jonathan et al., 1996; Bole-Feysot et al., 1998; Di Somma et al., 1998; Phelps et al., 2003). 카버골린은 뇌하수체의 도파민 D2 수용체에 특이적으로 작용하고 반감기가 매우 길다. 작용 시간이 긴 것은 뇌하수체종양조직에 의한 제거가 느리며 뇌하수체의 도파민 수용체에 대한 친화성이 높으며 광범위한 장의 재순환 때문이다. 치료 초기, 0.25 mg씩 일주일에 두 번 이 약을 복용하고, 환자의 혈중 유즙분비호르몬 농도에 따라, 일주일에 두 번 0.25 mg씩 용량을 증가시켜 최대 일주일에 두 번 1 mg씩 복용할 수 있다. 현재 국내에서는 희귀의약품 센터를 통해 구입할 수 있다. 카버골린은 유즙분비호르몬 농도를 낮추며 종양 크기를 감소시키는 데 브로모크립틴보다 효과적이며 실질적으로 부작용이 더 적다. 임신 중에는 브로모크립틴 사용을 권장한다. 페노치아진(phenothiazine), 부티로페논(butyrophenone), 치오잔틴(thioxanthine), 메토클로프라미드(metoclopramide)

표 21-13. 도파민 작용제의 종류

종류	용량	비고
Bromocriptine	2.5 mg/d	위장관장애와 기면, 작용 기간이 짧다.
Cabergoline	0.5 mg/wk	임신 중 투여 금지, D2 수용체, 선택적, 작용 기간이 길다.
Quinagolde	0.075 mg/d	사용상 제한, D2 수용체 선택적
Pergolide	0.25 mg/d	부작용이 많음.

와 같은 D2 길항제는 병용 투여를 해서는 안 된다.

도파민 작용제 치료로 환자의 약 80-90%에서 유즙분비호르몬 농도가 감소하고 종양 크기가 축소되며 약 90%에서 수주일 내에 난소 기능이 회복된다(Bevan et al., 1992). 그러나 치료에도 불구하고 미세샘종의 약 10%, 거대샘종의 약 20% 환자는 유즙분비호르몬 농도가 감소하지 않을 수 있으며, 2-5년간 치료 후 종양은 비종양성 고유즙분비호르몬혈증에서 24%, 미세샘종에서 31%, 거대샘종에서 36%가 재발할 수 있다(Colao et al., 2003). 그러므로 장기간의 추적검사가 필요하다. 도파민 작용제에 대한 저항성은 약 5-18% 정도이며 수용체 결함과 환자의 순응도 불량이 흔한 원인이다.

③ 수술요법

유즙분비호르몬을 과다 분비하는 종양은 표 21-14와 같은 경우 수술적으로 제거할 수 있다. 종양이 안장밖으로 확장된 경우 수술 성공률이 낮으므로 수술을 피한다. 주로 나비굴경유(transsphenoidal) 수술을 하며 재발 위험성이 높아 장기간 추적검사와 평가를 하여야 한다. 샘종의 크기와 의사의 기술에 따라 다르지만 수술 성공률은 미세샘종은 75%, 거대샘종은 26%이다. 종양의 크기가 큰 경우 수술 전 브로모크립틴을 사용하기도 한다.

수술 후 고유즙분비호르몬혈증의 재발은 미세샘종은 17-50%, 거대샘종은 20-80% 정도이며 대개 첫 일 년 내에 발생한다(Serri et al., 1993). 재발의 원인은 불완전한 종양 제거이므로 종양의 경계가 뚜렷한 경우에 수술을 한다. 수술 후 재발 환자의 약 40%는 정상적인 월경을 하며, 수술 후 10-20년간 추적검사에서 종양이 발견되지 않기도 한다. 수술 후 요붕증, 뇌척수액 누출, 뇌 감염, 시력감소, 뇌하수체 기능부족 등의 합병증이 있을 수 있다.

표 21-14. 고유즙분비호르몬 분비종양의 수술 적응증

- 적절한 약물요법에 저항성이 있거나 못 견디는 경우, 거부하는 경우, 재발하는 경우
- 장기간 약물요법을 할 수 없는 안장내(intrasellar) 종양 환자
- 종양의 시각교차(optic chiasma) 부위 압박에 의한 급격한 시야 결손으로 수술적 감압술이 필요한 경우
- 거대낭종을 동반한 유즙분비호르몬샘종
- 도파민 작용제 사용으로 종양이 위축되어 뇌척수액 누출이 있는 경우

④ 방사선요법

일반적으로 약물요법과 수술요법에 반응하지 않는 경우에 보조적인 치료로 사용할 수 있다. 종양 성장을 예방할 수 있으나 혈청호르몬치를 급격히 감소시키는 데는 효과가 적다. 수술 후 재발방지를 위하여 방사선치료를 하거나 도파민 병합요법을 한다. 4,500 rad의 방사선량을 조사하지만 합병증으로 뇌하수체 기능저하가 있으므로 수년간의 추적검사가 필요하다(Cunnah와 Besser, 1991; Molitch, 1992). 선형가속기나 감마나이프를 사용하기도 한다.

⑤ 경우에 따른 치료

가. 미세샘종

미세샘종은 부검 시 사람에서 약 20%에서 발견되며 고유즙분비호르몬혈증 환자의 1/3 이상에서 미세샘종과 일치하는 영상검사 이상이 발견된다. 미세샘종은 단세포군(monoclonal)으로 유전적 돌연변이가 일어나면서 줄기 세포의 성장 억제가 해방되어 앞뇌하수체의 호르몬 생산과 분비 및 세포 증식이 일어난다. 샘종을 형성할 수 있는 다른 해부학적 요소들은 뇌하수체 문맥계의 도파민 농도 감소와 혈관 내에 종양이 존재하는 경우로써 최근에 헤파린결합분비형질전환 유전자(heparin-binding secretory transforming gene, HST)가 유즙분비호르몬샘종 등 다양한 악성종양들에서 보고되고 있다(Gonsky et al., 1991). 미세샘종 환자는 일반적으로 예후가 좋으나, 드물게 치료를 하지 않은 환자의 약 6%에서 거대샘종으로 진행할 수 있다(Weiss et al., 1983; Sisan et al., 1987; Schlechte et al., 1989). 무월경, 불임과 젖분비과다의 증상이 있으면 치료를 하며 장기간의 두통, 시야장애와 안구 근육 마비를 호소하는 경우에는 시야검사가 드물게 필요하다.

치료는 기대요법과 약물요법을 사용한다. 브로모크립틴 치료를 한 미세샘종 환자는 유즙분비호르몬 농도가 정상으로 된 후 6-12개월에 자기공명검사를 한다. 정상 유즙분비호르몬 농도와 월경의 재개가 종양의 치료에 절대적인 증거는 아니며 새로운 증상이 나오면 자기공명영상검사를 한다. 2-3년 후에 브로모크립틴 치료를 중지할 수 있는데 이는 일부 샘종의 출혈괴사와 기능중지 때문이다. 6-8년간 추적검사에서 미세샘종의 95%가 자라지 않는다(Molitch, 1992). 치료 중지 후에 재발은 첫 2-3개월 내에 발생한다.

나. 거대샘종

거대샘종 환자는 유즙분비호르몬 농도의 증가와 심한 두통 및 시야장애가 있으며 드물게는 경련, 인격장애와 뇌신경마비 증상 및 요붕증이 있을 수 있다. 뇌하수체 장애는 흔히 줄기 압박에 의한 것이며, 매우 드물게 악성종양으로 진행하는 경우도 있다(Bevan et al., 1992; Cunnah와 Besser, 1991). 뇌하수체호르몬검사와 영상검사가 필요하다.

브로모크립틴이 장기간 치료에 가장 좋으며 나비굴 경유 수술이 필요한 경우도 있다. 치료 후 유즙분비호르몬 농도가 정상이 된 후에 종양의 크기 변화를 알기 위해 자기공명영상검사를 6개월 내에 하며, 새로운 증상이 있거나 과거의 증상이 호전되지 않는 경우에는 조기에 검사를 한다.

치료는 약물요법과 수술요법을 하는데, 대부분의 거대샘종은 도파민 작용제 치료에 잘 반응한다. 브로모크립틴 투약으로 약 90%에서 유즙분비호르몬 농도와 종양 크기가 감소하고, 약 1/2에서 50% 정도의 크기 감소를 보이며 나머지 1/4은 6개월 후에 33%의 감소를 보인다(Bevan et al., 1992). 종양 크기 감소와 유즙분비호르몬 농도 감소와는 상관관계는 없으나 유즙분비호르몬 농도 감소가 샘종 위축보다 먼저 일어난다. 대부분의 환자에서 치료 후 수일 내에 시야 개선과 종양 위축이 일어나며 2주 내에 영상검사로 확인할 수 있다(Bevan et al., 1992). 치료 중지 후에 재발은 대부분의 경우 첫 6개월 내에 발생하며 샘종의 재성장은 주위 조직의 섬유화로 인해 오랜 기간이 걸린다. 60% 이상에서 종양이 다시 자라기 때문에 장기간의 치료가 필요하다. 종양 크기가 안정화되면 6개월 후에 자기공명검사를 하며 이후 수년 동안 매년 검사를 한다. 유즙분비호르몬 농도가 정상이 되어도 종양이 자랄 수 있으므로 6개월마다 증상을 재검사해야 한다. 도파민 작용제 치료에 반응하지 않거나 지속적인 시야 소실이 있는 경우에는 수술을 해야 한다. 그러나 수술적인 제거에도 불구하고 고유즙분비호르몬혈증의 재발과 종양 성장은 흔하다. 수술의 부작용은 대뇌 동맥 손상, 요붕증, 수막염, 비중격 천공, 뇌하수체저하증, 척수액콧물과 삼차신경 마비가 있다. 수술 후 주기적으로 자기공명영상검사를 하며 특히 고유즙분비호르몬혈증이 재발한 환자에서는 해야 한다.

다. 고유즙분비호르몬혈증에서 에스트로겐 사용

설치류에서 고용량의 에스트로겐 투여로 유즙분비호르몬샘종이 발생하지만(Lloyd, 1983), 인간에서는 임신과 같이 에스트로겐 농도가 높은 경우에 유즙분비호르몬샘종이 발생하지 않는다. 임신은 유즙분비호르몬샘종에 영향을 미칠 수 있으나 여러 연구와 부검에서 에스트로겐 투여가 뇌하수체 미세샘종의 성장이나 원인 불명의 고유즙분비호르몬혈증의 샘종 상태로의 진행과는 관련이 없다고 한다. 에스트로겐이나 경구피임약의 사용으로 유즙분비호르몬 농도에 영향을 미치지 않으므로 도파민 작용제를 사용할 수 없는 경우, 폐경기 증상을 조절하거나 골다공증의 위험이 있는 폐경기 여성의 경우, 정신과 약물을 사용하는 경우에 에스트로겐을 사용할 수 있으며, 유즙분비호르몬 농도와 샘종의 크기 변화를 주의 깊게 관찰하여야 한다(Testa et al., 1998; Touraine et al., 1998).

라. 임신과 뇌하수체샘종

산모의 부검에서 미세샘종이 약 10% 발견되지만, 대부분 증상이 없으며 유즙분비호르몬샘종이 있는 산모에서 임신 중에 종양이 자라는 경우는 매우 드물다. 임신 중에 증상이 있으면서 미세샘종이 성장하여 치료가 필요한 경우는 약 1%로서 임신 중에 도파민 작용제를 사용할 필요는 없다. 그러나 거대샘종은 약 10%에서 임신 중에 종양이 성장하며 안장위까지 확장할 위험성이 있으므로 임신 전에 약물요법과 영상검사를 하며 임신 중에는 주의 깊게 관찰하여 증상이 있는 경우에는 도파민 작용제를 사용한다(Bevan et al., 1992; Molitch, 1992; Sarapura와 Schlaff, 1993). 고유즙분비호르몬혈증이 있는 환자의 임신은 신중하게 하여야 하며 도파민 작용제의 장단점에 관하여 충분한 평가와 상담이 이루어져야 한다. 도파민 작용제는 임신이 확인되면 임신 초기에 중지하도록 한다. 임신 중에 브로모크립틴과 카버골린의 사용이 기형 발생을 증가시킨다는 증거는 없으며, 도파민 작용제 사용으로 유산과 다태임신 위험을 증가시키지 않는다. 종양의 확장 위험성이 낮으므로 미세샘종의 경우에는 임신 동안 도파민 작용제의 사용을 중지하며 거대샘종의 경우에는 브로모크립틴을 사용한다. 임신 중에는 2개월마다 검사를 하며 증상이 있거나 거대샘종의 기왕력이 있는 경우에는 주기적인 시야검사와 자기공명검사를 한다. 도파민 작용제 사용에도 불구하고 시야결손이 있는 경우에는 수술을 고려하여야 한다(Friesen, 1995; Ricci et al., 2002). 미세샘종이나 거대샘종이 있는 경우에 수유는 금기가 아니다.

마. 약물에 의한 고프로락틴혈증

종양으로 인한 고프로락틴혈증의 경우를 제외하고 가장 흔한 고프로락틴혈증의 원인은 약물이다. 약제에 의한 고프로락틴혈증의 경우 첫 번째 치료는 약제 중단이다. 신경이완제, 항정신병약제가 가장 흔한 약제이며 phenothiazine이나 butyrophenone과 같은 항정신병약제를 복용하는 환자는 40-90%에서, risperidone과 같은 약은 50-100% 까지도 관찰될 수 있다. 약제로 유발된 경우에는 경구 투여 후 서서히 프로락틴 수치가 상승을 하고, 약제 중단 후 정상으로 회복되는 기간은 대개 3일 정도 소요된다. 따라서 약물로 인한 고프로락틴혈증이 의심되는 경우에는 의심 약제를 중단하거나 타 약제로 교체 후 약 3일 뒤에 재측정할 것을 권한다. 약제에 의한 경우 대개 프로락틴이 25-100 μg/L 범위로 상승하지만 metoclopramide, risperidone, phenthiazine과 같은 약제는 도파민 길항 효과로 인해 200 μg/L 이상까지 증가하기도 한다. 고함량 에스트로겐을 포함한 경구피임약은 12-30%에서 혈청 프로락틴 수치가 경도로 증가할 수 있지만, 대개 치료를 요하지 않는다.

증상이 없는 경우에는 치료가 필요하지 않다. 만약 약제를 중단하거나 대체할 수 없다면 저성선증상이나 골밀도 감소를 보이는 환자에서는 에스트로겐이나 테스토스테론 치료를 고려해본다.

항정신병 약제의 경우 정신과 의사와 상의해야 하며, 도파민 작용제를작용제 사용하는 경우 기저 정신병증의 악화 가능성이 있어 주의를 요한다.

(6) 추적검사

도파민 작용제 치료에 반응하여 생화학적, 임상적인 개선이 있지만 장기간 사용해야 한다. 브로모크립틴 치료를 중단할 경우 치료 기간이 2년 이내인 경우에는 대부분의 환자에서 수개월 내에 고유즙분비호르몬혈증이 재발하며 종양이 재성장하며, 정상 유즙분비호르몬 농도와 샘종의 재팽창이 없는 경우는 6.6%와 37.5%이다. 폐경기 후에는 도파민작용제 치료를 중지해도 정상적인 유즙분비호르몬 농도를 유지할 가능성이 높으므로 유즙분비호르몬샘종의 성장이나 증상이 없는 경우에는 폐경기 후에 도파민 작용제 치료를 계속할 필요는 없다(Passos et al., 2002). 도파민 작용제의 용량은 2-3년간 정상 유즙분비호르몬 농도가 유지되면 감량하여 사용하며 감량한 용량으로 1년간 유즙분비호르몬 농도가 정상인 경우에는 치료를 중지하며 유즙분비호르몬 농도를 측정하면서 용량은 3개월 단위로 1/2씩 줄인다. 치료를 중지한 후 임상 증상과 유즙분비호르몬 농도를 정기적으로 3개월간은 매달, 이후에는 매 6개월마다 검사한다.

3. 갑상샘질환

갑상샘은 인체의 목 부위, 갑상연골(thyroid cartilage) 하부 기관지 앞쪽을 감싸듯이 위치해 있다. 나비모양으로 생겨서 좌, 우측 두 개의 엽으로 구성된 기관으로 성인의 경우 약 20 gm 정도 되며, 시상하부, 뇌하수체 등과 축을 이루어 호르몬을 생산하고 분비하는 중요한 내분비기관이다. 갑상샘은 생리학적으로 갑상샘호르몬과 칼시토닌을 합성 분비한다.

여성의 특유의 호르몬 환경은 인체 면역 감시체계에 영향을 주어 갑상샘질환의 발생 위험이 남성에 비해 약 10배까지 높은 것으로 인식되고 있으며(Tunbridge et al., 1977), 주로 자가면역 기전의 이상 과정에 의해 발생되는 것으로 알려져 있다.

1) 갑상샘호르몬

(1) T3, T4

갑상샘을 구성하는 대부분은 여포세포(follicular cell)이며, 여포세포는 둥글게 공 모양으로 배열되어 있어 그 안으로 갑상샘호르몬을 합성하는 기본단위인 여포강(follicle)을 형성하고 있다. 음식물로 섭취된 요오드가 갑상샘의 주 구성요소인 여포세포에 이르게 되면 요오드를 원료로 갑상샘과산화효소(thyroid peroxidase, TPO)의 촉매작용으로 갑상샘호르몬이 생산되는데, 생산되는 주 갑상샘호르몬은 삼요오드티로닌(triiodothyronine, T3)과 티록신(thyroxine, T4)이다. 이들 호르몬은 세포발생 시 핵 내에 있는 특이 수용체인 갑상샘호르몬수용체(thyroid hormone receptor, TR)에 결합하여 세포분화에 중요한 역할을 하며 체온과 대사의 조절작용을 한다. 혈중 갑상샘호르몬의 대부분은 T4가 차지하지만 갑상샘호르몬의 중요 작용들은 T4보다 양은 적으나 생물학적 활성도가 3-4배 더 뛰어난 T3에 의해서 이루어지며, T3의 10-20%는 갑상샘에서 직접 분비되나 나머지 대부분은 말초혈액이나 말초조직에서 T4가 전환된 것이다.

(2) 칼시토닌

갑상샘에서는 칼슘대사에 관여하는 칼시토닌도 생산하는데, T3, T4 등을 생산하는 여포세포와는 태생학적으로 기원이 다른 여포결 C 세포(parafollicular C cell)에서 칼시토닌을 합성 분비한다. 칼시토닌은 주로 파골세포(osteoclast)의 표면에 있는 특이 수용체와 결합하여 파골세포를 무력화함으로써 골흡수(bone resorption)를 억제하여 골밀도를 유지하면서 혈중 칼슘 농도를 낮추는데 기여하며, 칼슘이나 pentagastrin을 주입하면 칼시토닌 분비가 자극될 수 있다(Takahashi et al., 1988). 그러나, 칼시토닌 농도가 정상인의 수천 배로 상승한 C 세포의 악성질환 갑상샘 수질암 환자에게서 저칼슘혈증이 나타나지 않는 것을 보면 혈중 칼슘 농도의 조절에 절대적인 영향을 주지는 않는 것으로 여겨진다.

2) 시상하부-뇌하수체-갑상샘 축

갑상샘에서 주요 호르몬의 생산과 분비는 시상하부-뇌하수체-갑상샘으로 이어지는 연결축에서 상호 되먹임 기전에 의해서 평형을 유지하는 조절을 하며 이루어진다. 뇌하수체 전엽에서 분비되는 갑상샘자극호르몬(thyroid stimulating hormone, TSH)은 시상하부에서 분비되는 갑상샘자극호르몬분비호르몬(thyrotropin releasing hormone, TRH)과 말초혈액의 갑상샘호르몬에 의해서 조절되어진다. 즉, 시상하부의 TRH는 뇌하수체를 자극하여 TSH를 분비시키며 이것이 갑상샘을 자극하여 갑상샘호르몬을 생산하게 하는 것이다. 갑상샘호르몬의 농도가 상승하면 음성되먹임 기전에 의해서 TRH와 TSH의 생산이 억제되고 갑상샘호르몬 농도가 저하되면 TSH의 생산은 촉진되는 것이다(그림 21-8).

TSH의 자극을 받은 갑상샘은 혈장 내 요오드를 여포세포로 끌어들여 산화과정을 일으킨 뒤 여포강(콜로이드) 안에 있는 티로글로불린(thyroglobulin, Tg)의 티로신(tyrosine)기에 요오드를 유기화시켜 요오드티로신을 합성한다. 요오드티로신은 요오드기의 수에 따라 단요오드티로신(monoiodotyrosine, MIT)과 쌍요오드티로신(diiodotyro-

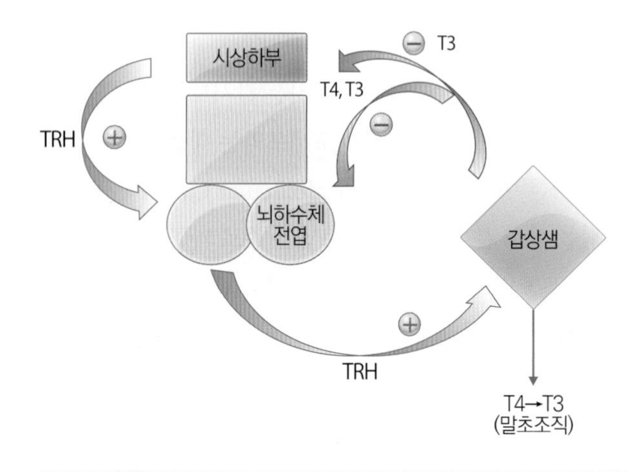

그림 21-8. **시상하부-뇌하수체-갑상샘 축의 음성 되먹임 기전**

sine, DIT) 두 가지 형태로 만들어지며, 두 개의 DIT 분자가 연결되면 T4, MIT와 DIT가 연결되면 T3가 만들어지는 것이다. 이들 T3, T4를 합성해서 품고 있는 Tg는 여포강에서 여포세포 내로 들어가 리소솜과 융합하면서 T3, T4, MIT, DIT 등으로 분해되어 T3, T4를 혈액 내로 방출하게 되는데, 이들의 일부는 탈요오드화되어 요오드와 티로신으로 분리되고 분리된 요오드는 여포세포에서 재이용되며, 말초조직에서는 T4가 탈요오드화되어 T3로 전환된다. 갑상샘질환의 진단에 일차적으로 TSH 농도 측정이 매우 중요한데, 이는 TSH가 혈중 갑상샘호르몬의 농도가 과하거나 부족한 정도에 매우 예민하며 갑상샘기능항진증이나 갑상샘기능저하증의 대부분이 갑상샘의 기능 이상에 기인하기 때문이다.

3) 요오드 대사

요오드는 감상샘호르몬 생산의 주 원료물질이므로 요오드 흡수는 갑상샘호르몬 생산의 첫 단계이다.

요오드는 단백질(주로 알부민)에 결합되어 운반되며 갑상샘 기능의 핵심 분자인 Na+/I-심포터(sodium-iodide symporter, NIS)를 통해 세포 내로 흡수된다. NIS는 갑상샘 여포세포의 측벽과 바닥에 많이 분포되어 있는 Na와 I의 수송기구분자이다. 요오드 흡수 수준이 떨어지면 NIS 수가 증가되어 흡수를 강화시키고, 요오드 수준이 높아지면 NIS의 역할은 감소된다.

요오드의 섭취가 부족한 지역의 주민들에게는 갑상샘종대(goiter)가 많이 발생되고 그 정도가 심하면 갑상샘기능저하증(hypothyroidism)과 크레티니즘(cretinism)이 오기도 한다. 크레티니즘 환아는 정신지체와 성장지연이 올 수 있고 요오드 섭취가 부족한 산모에서 태어난다.

요오드 섭취가 과도한 경우에는 자가면역 갑상샘질환이 호발될 수 있다. 우리나라처럼 해조류 섭취가 비교적 많은 나라는 요오드 과다섭취로 인한 그레이브스병, 하시모토갑상샘염 같은 자가면역갑상샘질환과 더불어 감상샘유두암의 발병 가능성이 높다고 한다(Laurence et al., 1994; Braverman et al., 1994; LiVolsi et al., 1994).

요오드는 주로 해조류나 조개류, 우유 등의 음식물을 통해 체내에 들어오며, 하루 권장 섭취량이 성인은 150 μg, 어린이는 90-120 μg, 임산부는 200 μg 정도이고 최대 허용량은 하루 약 300 μg 정도이다.

4) 갑상샘기능검사

갑상샘질환의 일차적인 스크리닝검사로는 일반적으로 TSH 측정이 선행되지만, 갑상샘의 직접적인 기능검사가 필요할 경우 T4, T3 등의 측정이 유용하다. 혈청 내의 T4 총량은 방사선면역측정법(radioimmunoassay)으로 측정하며 이 측정값은 티록신결합글로불린(thyroxin binding globulin, TBG)과 결합된 T4와 비결합 T4, 즉 유리 T4 (free T4)가 합해진 양이다. 따라서 임신이나 에스트로겐 치료, 피임약 복용, 간염, TBG 관련 유전적 이상 등과 같이 TBG가 상승되는 조건에서는 T3 resin uptake를 측정한다. TBG에 결합할 장소가 많아질수록 resin에 흡수되는 방사표기(radiolabelled) T3의 양은 반비례적으로 줄어든다. 따라서 측정된 T3 resin uptake의 비율을 이용하여 간접적으로 유리 T4의 농도를 알 수 있다. T3 resin uptake 비율이 높으면 결합 가능한 TBG 수용체가 적다는 것으로서 높은 유리 T4를 나타내어 갑상샘기능항진증을 의미하며, T3 resin uptake 비율이 낮으면 갑상샘기능저하증을 의미한다.

TSH 수용체 항체(TSHR-Ab 또는 TRAb)는 갑상샘질환의 원인이며, 수용체의 기능을 자극시키거나 차단한다. TSH 수용체 항체의 양은 TSH 수용체와 결합하는 TSH 억제 면역글로불린(TSH-binding inhibiting immunoglobulin, TSII)을 이용하여 측정할 수 있다. TSH 수용체 항체를 자극하는 항체(Thyroid stimulating antibody, TSAb)인지, 자극 차단항체(TSH Stimulation-blocking antibody, TSH-BAb)인지는 기능검사를 통하여 알 수 있다.

5) 비정상 면역반응

갑상샘질환의 발생과 관련하여 비정상적으로 일어나는 자가면역반응의 항원으로는 티로글로불린(thyroglobulin, Tg), 갑상샘과산화효소(thyroid peroxi-dase, TPO), TSH 수용체, Na+/I-심포터(sodium-iodide symporter, NIS) 등을 들 수 있다. 이들 항원에 대한 자가면역 항체가 생겨서 갑상샘질환이 발생된다는 것인데, 이처럼 항체가 생기는 비정상 반응의 발생 동기의 하나로 각종 유해한 환경적 오염을 꼽기도 한다(Bahn et al., 1980; Gaitan et al., 1985; Wenzel et al., 1987).

항티로글로불린 항체는 하시모토갑상샘염, 그레이브스병, 급성갑상샘염, 비독성 갑상샘종, 갑상샘암 등의 환자에서 나타날 수 있지만 정상인 여성에서도 나올 수 있다. 이런 항체들은 주로 비보체결합성(noncomplement-fixing) IgG 다클론성(polyclonal) 항체이다(Greer et al., 1980).

과산화효소(TPO)에 대해 생기는 항미소체(antimi-cro-somal) 항체(TPO 항체와 동일)는 하시모토갑상샘염, 그레이브스병, 산후 갑상샘염에서 발견된다. 이런 항체들은 세포독성이 있으며 보체결합성(complement-fixing) IgG 항체이다. 항미소체 항체는 임파구성 갑상샘염과 관계가 있다(Krupp et al., 1987; Raymond et al., 1985).

T3, T4에 대한 항체 또한 하시모토갑상샘염, 그레이브스병 환자의 일부에서 발견되기도 하고, TSH 수용체 항체도 갑상샘자가면역질환의 원인이 되고 있다(Portmann et al., 1985; Czarnocka et al., 1985).

TSH 수용체 항체, 갑상샘자극 면역글로불린(thyroid stimulating Immunoglobulin, TSI)은 TSH 수용체와 결합한다. TSH 결합억제 면역글로불린(TSH binding Inhibitory Immunoglobulin, TBII)은 TSH 수용체를 차단하거나 수용체 결합의 전후 과정을 차단한다. 많은 연구자들이 이와 같은 차단항체를 갑상샘이 위축되는 원발성 갑상샘기능저하증 환자에게서 발견하였다(Weetman et al., 1985; Allen et al., 1986; Sundick et al., 1986).

갑상샘성장항진 면역글로불린(Thyroidgrowth promoting Immunoglobulin, TGI)은 갑상샘의 성장을 자극한다. TGI 차단항체는 면역에 의한 세포 손상을 주어 성장을 억제하는 효과가 있다. NIS에 대한 항체는 갑상샘선종, 그레이브스병에서 증가되어 있고, 하시모토갑상샘염, 갑상샘암에서는 저하되어 있다.

6) 자가면역 갑상샘질환

여성들에게서 갑상샘과 관련된 많은 항체들의 복합적인 작용에 의해서 발생되는 갑상샘 이상의 대부분은 자가면역성 갑상샘질환이며(Vanderpump et al., 1996). 다양한 형태의 항원-항체 반응이 폭넓은 임상적인 질환으로 나타나는 것이다. 이러한 면역글로불린은 태반을 통해서 태아의 갑상샘 기능에까지 영향을 미칠 수 있다.

자가면역성 갑상샘질환은 다른 자가면역질환과 연관되어 있다. 대표적인 질환으로 그레이브스병을 비롯해서 하시모토갑상샘염, 애디슨병(Addison disease), 난소기능 부전(ovarian failure), 제1형 당뇨병, 백반증(vitiligo), 악성빈혈(pernicious anemia) 등 자가항체 발현과 연관되는 기관 특이성 질환들이나, 류마치스관절염, 쉐그렌증후군((Sjogren syndrome), 중증 근무력증(myasthenia gravis), 특발성 혈소판감소성 자반증(idiopathic thrombocytopenic purpura, ITP) 등 기관 비특이성 자가면역성 질환들을 들 수 있으며, 그 밖에도 저체중, 요오드 과잉 혹은 결핍, 셀렌 결핍(selenium deficiency), 출산력, 경구피임제 복용, 출산연령기간, fetal microchimerism, 스트레스, 계절적 변화, 알레르기, 흡연, 갑상샘의 방사선 손상, 박테리아나 바이러스 감염 등의 조건들도 영향을 받을 수 있다(Prummel et al., 2004).

(1) 하시모토(만성 임파구성)갑상샘염

1912년 일본 구주의과대학의 하쿠라 하시모토씨가 4명의 환자들의 부검을 통하여 갑상샘의 특징적인 소견, 즉 확산성(미만성 diffuse) 임파구의 침윤, 섬유화, 여포세포의 위축과 호산성 변화를 관찰하고 "스트로마 림포마토사(stroma lymphomatosa)"라고 명명하였고, 이후에는 하시모토갑상샘염, 만성갑상샘염, 임파구성 갑상샘염, 자가면역성 갑상샘염 등으로 부르게 되었다(이종석, 한국의학사).

임상적으로 가장 흔하게는 무증상 혹은 갑상샘기능저하증으로 나타나지만 갑상샘기능항진증, 정상 갑상샘기능, 확산성 갑상샘 종대 등을 보일 수 있다.

병리학적 소견으로는 여포세포(follicular cell)의 파괴와 비대가 보이고, 임파구, 단핵구, 형질세포의 침윤 등이 있고 섬유화되어 있다. 세포질 내에 크기가 증대된 호산성 변화의 상피세포인 Hurthle cell이 특징적으로 나타나기도 하지만 특이한 소견은 아니다.

하시모토갑상샘염에서는 세 가지 유형의 자가면역 손상을 볼 수 있는데, 보체 중개성 세포독성(complement-mediated cytotoxicity), 항체의존세포 중개성 세포독성(antibody-dependent cell-mediated cytotoxicity), 그리고 호르몬수용체의 자극이나 차단으로 인한 기능항진 혹은 기능저하 등의 유형이 그것이다.

하시모토갑상샘염과 그레이브스병은 유사한 작용기전으로 인해 나타나는 흡사한 조직학적 변화를 보이며, 대부분의 하시모토갑상샘염 환자나 약 2/3의 그레이브스병 환자에서 항체의존세포 중개성 세포독성의 혈청소견을 보인다.

① 임상소견과 진단

대부분의 하시모토갑상샘염은 여성에서 많이 발생하고 무증상의 갑상샘기능저하증을 동반하는 갑상샘종으로 발견하게 된다. 갑상샘종이 빠르게 커질 경우 목 부위가 불편하거나, 연하곤란, 쉰 목소리를 호소하기도 한다.

갑상샘기능저하증의 중요한 증상은 추위를 타거나 변비, 눈 주위의 카로틴색소 침착, 피부 건조, 피로감, 탈모, 무기력감, 체중 증가, 손 발 부종, 월경 이상(월경과다, 희발월경), capal tunnel 증후군 등이다. 일부 환자에서는 갑상샘 세포의 일시적인 파괴로 인한 일과성 갑상샘중독증이 발생하기도 하는데 이런 경우를 하시톡시코시스(Hashitoxicosis)라고 한다. 하시모토갑상샘염의 마지막 단계에서는 위축성 갑상샘염이 되며, 갑상샘기능저하증의 증상이 나타난다.

피부는 건조하고 땀이 없다. 상피는 얇아지나 진피는 두꺼워지며 아미노글리칸이 수분을 저류시켜 점액부종(myxedema)을 만든다. 안면과 안검의 부종이 손으로 눌러도 들어가지 않는 모습을 보인다. 피부색은 창백하며, 카로틴이 침착되어 누렇게 보인다. 손톱의 성장이 늦고 모발은 건조하고 쉽게 부서진다. 확산성 머리 탈모를 보이며 눈썹의 바깥쪽이 듬성하다.

그 밖의 특징으로 변비가 오고 식욕은 없으나 체중이 증가한다. 체중 증가는 수분의 저류로 인한 점액부종 때문에 생긴다. 성욕이 떨어지고 월경과다가 오다가 질환이 오래된 경우에는 희발월경 혹은 무월경이 된다. 난임과 자연유산이 잘 올 수 있다. 고유즙분비호르몬혈증(hyperprolactinemia)을 보이며 유즙이 증가될 수 있다. 심박출량과 심박수는 감소된다.

피부저항으로 인하여 이완기 혈압이 증가되고 혈류 순환이 안 되어 손발 끝이 차다. 심 외막에 물이 차지만 심장기능의 손상은 드물다. 중이에 체액이 고여 청력이 떨어질 수 있다. 폐기능은 대부분 정상이나 흉수로 인해 호흡곤란이 올 수도 있다. Capal Tunnel 증후군의 증상을 보일 수 있고 슬개반응이 느려진다. 드물게는 신경학적 문제도 올 수 있다. 자가면역성 갑상샘 저하는 백반증, 악성빈혈, 애디슨질환, 제1형 당뇨병, 부분탈모증 등과 같은 다른 면역질환과 연관되어 나타날 수 있다. 드물게 복강병(celiac disease), 포진피부염(dermatitis herpetiformis), 만성활동성간염, 류마티스성 관절염, 전신성 홍반성 낭창, 쉐그렌증후군과 연관된다.

자가면역 갑상샘기능저하증이 소아에서는 흔하지 않으나, 소아에게 발생되는 경우에 성장과 성숙의 장애가 올 수 있다. 영구치 발생이 안되며 근육에 부종이 발생한다. 사춘기 발달이 안 되고 3세 이전에 오면 지능 발달이 안 된다. 하시모토갑상샘염은 임파구가 갑상샘 항원에 감작되어 자가항체가 생산되는 질환이다. 이 질환에서 나타나는 자가항체로 항티로글로불린 항체(antithyroglobulin antibody), 항과산화효소 항체(antiperoxidase antibody 또는 antimicrosome antibody) 및 TSH수용체 차단항체(TSH receptor blocking antibody) 등을 들 수 있다.

갑상샘기능검사 소견으로 확증이 되어야 한다. 갑상샘기능저하증은 TSH는 상승되어 있고, 유리 T4, 유리 T4 지수가 저하되어 있다. TSH 상승이 있고, 항티로글로불린 항체와 항과산화효소 항체가 양성일 때 하시모토갑상샘염을 확진할 수 있다. 갑상샘 기능저하가 올 수 있는 다른 질환들을 감별해야 한다(표 21-15).

표 21-15. 갑상샘기능저하증의 원인별 분류

일차성 갑상샘기능저하증
• 갑상샘종이 있는 경우 • 자가면역성 갑상샘염 - 하시모토갑상샘염 - 무통성(산후) 갑상샘염(일과성) • 갑상샘호르몬 생산 장애 - 요오드 결핍 - 선천성 갑상샘호르몬 생산 장애 - 항갑상샘제 복용 • 갑상샘의 침윤성 병변 - 아밀로이드증, 경피증 • 아급성 갑상샘염(일과성)
뇌하수체성 갑상샘기능저하증
• 뇌하수체종양 • 쉬한증후군(Sheehan's syndrome) • 수술, 방사선치료, 외상
시상하부성 갑상샘기능저하증
• 종양 • 외상 • 침윤성 병변(사르코이드증, 조직구증)
전신성 갑상샘호르몬 내성
• 갑상샘종이 없는 경우 • 위축성 자가면역성 갑상샘염 • 131I 치료(그레이브스병) • 수술(갑상샘종양, 그레이브스병) • 갑상샘 발육부전(Thyroid agenesis)

임신부에서 아무 증상이 없더라도 TSH 농도 수치가 높고 갑상샘 항체가 양성을 보이는 경우에 많은 임상의사들은 태아의 신경정신과학적 부작용을 우려해서 치료를 선호하지만, 실제로 그 위험성은 3% 이하로 매우 적은 편이다.

② 치료

갑상샘기능저하 증상이 있거나, TSH만 증가되어 있고 기능저하 증상은 없으나 난임이거나 갑상샘종이 커서 미용상 보기 싫으면 티록신(thyroxin) 치료를 시작해야 한다. 갑상샘의 크기가 줄어들지는 않아도 더 커지는 것은 예방할 수 있다.

TSH 상승이 있는 임산부는 레보티록신(levothyroxine) 치료를 해야 한다. 6주 후에 TSH를 검사하여 용량이 적정한지 판단한다. 레보티록신의 반감기는 7일이다.

갑상샘기능저하는 배란장애로 인해서 난임이 올 수 있고, 무증상 갑상샘기능저하증에서 월경과다가 관찰 될 수도 있다. 원발성 갑상샘기능저하가 심할 경우 무월경이나 무배란이 온다. TRH의 상승은 고유즙분비호르몬혈증을 유발한다. 고유즙분비호르몬혈증은 황체기장애를 유발하기도 해서 난임과 연관될 수 있다. 레보티록신 치료로 고유즙분비호르몬혈증과 배란장애를 교정할 수 있다.

(2) 그레이브스병(Graves disease)

그레이브스병은 전 연령층에 걸쳐 발생하지만 전체 환자의 85%가 20-60세 사이에 발생하며, 10세 미만의 어린이나 70세 이상의 노인에서는 드물다. 남성보다 여성에서 3-8배 더 많이 발생된다. 지역 및 종족에 따른 빈도의 차이는 있다.

전형적인 증상으로 안구돌출증, 갑상샘 종대, 갑상샘기능항진증 등이 특징적이다. Suppress T 임파구에 의한 면역 감시기능의 유전적인 결함으로 인해 Helper T 임파구 수에 변화를 주어, 갑상샘 항원에 반응하면 B 임파구를 자극하게 되고, 그레이브스병의 특징적인 소견을 유발한다. TSAb가 그레이브스 환자의 90% 이상에서 양성이다.

HLA class II (Human leukocyte antigen, DR, DP, DQ,

DS) 항원이 T 임파구에 제시되고 이 항원들은 갑상샘 상피세포에도 표현되어 있다. TSH 수용체 항원이 helper T 임파구에 제시되면, TSH 수용체 항체가 생산된다. TSH 수용체의 만성적 자극, 갑상샘조직의 요오드화 감소, 인터페론 α, 바이러스 변형 등으로 인해 HLA classII 항원이 자극되어 발생된다.

인터페론α의 치료는 자가면역성 갑상샘질환을 유발할 수 있다. 그레이브스병은 이 병에 민감한 유전자들이 일으키는 자가면역질환이고 환경적 요인에 의해 촉발된다.

HLA와 세포독성 T임파구항원-4 (cytotoxic T-lymphocyte antigen-4, CTLA-4) 유전자가 그레이브스병에 민감한 것으로 알려져 있고, 그 외에도 많은 관련 유전자들이 연구되고 있다.

① 임상소견과 진단

특징적인 3가지 임상소견인 안구돌출(exophthalmos)과 갑상샘 종대, 갑상샘기능항진 등으로 나타나는 그레이브스병은, 그 밖에 장운동 항진, 더위를 못 참음, 심계항진, 빈맥, 두근거림, 손떨림, 체감감소, 하지부종 등이 올 수 있다. 이학적 소견으로 안검하수, 갑상샘 종대(정상크기의 2-4배 크기) 손톱박리, 손바닥 발적, 놀란 눈 응시, 두꺼운 피부 소견을 보인다. 경정맥의 이상음이 들리고, 빈맥은 흔히 볼 수 있는 소견이다. 발살바 조작(코와 입을 막고 숨을 내쉬는 동작)을 하여 미주신경 긴장도를 높여도 빈맥은 없어지지 않는다. 심한 경우에는 지단비대, 결막수종, 피부병증, 안근마비, 안구돌출, 결막염, 정강이 전면부종, 시력 상실 등이 올 수 있다. 그러나 비전형적인 예들이나 다른 질환이 합병된 경우, 또 증상이 경미한 경우에는 임상소견만으로는 진단이 어려운 경우가 있다. 임상적으로 갑상샘기능항진증이 의심되면 갑상샘호르몬을 측정하여 혈청 총 유리 T3, T4의 증가 및 TSH의 억제(감소)를 확인한다. 그레이브스병을 감별할 때는 TSH 수용체 자극 항체를 측정하고, 아급성 갑상샘염이나 무통성 갑상샘염을 감별할 때는 방사성 요오드 섭취율 검사나 갑상샘 스캔이 도움이 된다.

그레이브스병 환자의 대부분에서 항미소체 항체가 양성으로 나온다. 자율 기능이 있는 중독성 갑상샘선종이나 다결절 샘종도 유사한 임상소견을 보인다. 드물게 인융모막 생식샘 자극호르몬(human chorionic gonadotropin, hCG)을 분비하는 융모상피암이나 TSH를 분비하는 뇌하수체선종, 난소갑상샘종(struma ovarii) 등도 갑상샘 중독을 일으킬 수 있으며, 티록신 과다 복용도 고려해야 한다(표 21-15).

② 갑상샘기능항진증의 원인

갑상샘기능항진증을 일으킬 수 있는 원인은 표 21-16과 같다.

③ 치료

여성의 그레이브스병의 치료 시에는 태아에게 심각한 영향을 줄 수도 있는 치료약제를 생각해서 반드시 임신 여부나 임신계획, 피임 등을 고려해야 한다.

비임신 여성의 치료에는 방사성 요오드 131I (radioactive iodine-131) 단일요법이 치료효과가 크고 경제적이지만 갑상샘기능저하증 발생 등의 부작용이 있으며, 항갑상샘제 투여나 수술 등의 치료법도 각각 장단점이 있어 개인별 조건에 따라 선택하게 된다(표 21-17).

표 21-16. 갑상샘기능항진증의 원인

- 우그레이브스병(Graves disease)
- 중독성 결절(toxic nodule)
- 중독성 다결절성 갑상샘종(toxic multinodular goiter)
- 뇌하수체성 갑상샘기능항진증(pituitary hyperthyroidism)
- 산후 갑상샘염 (postpartum thyroiditis)
- 아급성 갑상샘염 (Subacute thyroiditis)
- 전이성 여포갑상샘암(metastatic follicular cancer)
- 난소 갑상샘종(struma ovarii)
- 인위성 갑상샘기능항진증(factitious hyperthyroidism)
- hCG 분비종양(molar pregnancy, choriocarcinoma)
- 무증상 갑상샘기능항진증(silent hyperthyroidism)

표 21-17. 갑상샘기능항진증의 치료

치료법	기전	장점	단점
항갑상샘제	호르몬 생산 억제	안전성	높은 재발률, 장기간 치료
방사성 요오드-131	갑상샘조직 파괴	경제성, 높은 완치율	갑상샘기능저하증 발생
수술	갑상샘조직 제거	신속한 효과	비용, 수술 부작용

환자 개개인에게 어떤 치료방법을 적용할 것인지는 환자의 순응도, 연령, 성, 갑상샘종의 크기, 증상의 정도, 방사성 요오드 치료설비유무 등 여러 가지 요인들을 고려해서 결정해야 한다. 한국, 일본, 유럽의 의사들은 일차치료로 항갑상샘제를 선호하는 데 비해 미국의사들은 일차치료로 방사성 요오드 치료를 선호한다.

가. 항갑상샘제

항갑상샘제에는 프로필티오유라실(propylthiouracil, PTU)과 메티마졸(methimazole)이 있다. 저용량의 이 약제들은 산화효소에 의해 촉매되는 요오드의 산화와 유기화를 억제하고 단요오드티로신(MIT)과 쌍요오드티로신(DIT)들이 결합하여 T3나 T4를 생산하는 것을 억제한다. 고용량의 약제는 Tg 내에서 티로신 잔기에 요오드가 결합하는 것을 억제한다. PTU는 말초조직에서 T4가 T3로 전환되는 것을 억제하기도 한다. 이러한 결과로 결국은 갑상샘호르몬 생성이 중단되는 것이다. 그러나 요오드 운반과 갑상샘호르몬 방출에는 영향이 없다.

PTU는 말초조직에서 T4의 T3 전환을 억제하지만 메티마졸은 이러한 효과가 없다. PTU를 8시간마다 100 mg 씩 1개월 복용하면 갑상샘기능항진 증상이 감소된다. PTU는 메티마졸과 다르게 태반을 쉽게 통과하지 못하므로 임신 중에 선택적으로 쓸 수 있는 약제이다. 매주 식욕변화, 감정변화, 불면증, 손 떨림 등의 증상을 보고 약제의 효능을 판단해야 한다.

일반적으로 갑상샘항진 증상이 정상화되면, 복용량을 절반 정도로 줄인다. 먼저 심박수가 정상화되고 다음으로 TSH 수준이 정상화된다. 보통은 가장 먼저 T4 수준이 정상화된다.

PTU의 부작용 중 과민성 반응은 투여 환자 중 약 3-5%에서 관찰된다. 대개 치료시작 4주 이내에 나타나는데, 두드러기, 가려움증, 피부발진 등이 흔한 증상이다. 일부 환자에서는 확산성 탈모, 관절통, 발열 등이 나타날 수 있다. 이러한 과민성 반응은 투여용량이 많을수록 흔하며 투약을 중단하면 소실된다. 실제로 가장 흔한 부작용은 일과성 백혈구감소증(transient leukopenia)이다. 일과성 백혈구감소증은 일시적 현상이므로 혈액검사를 하기 전에는 발견이 안 된다.

PTU나 메티마졸 등 항갑상샘제의 드물지만 가장 심각한 치명적인 부작용은 무과립구증(agranulocytosis)인데 치료환자의 약 0.2%에서 나타나며 즉시 약물투여를 중단해야 한다. 예고없이 갑자기 고열과 상기도 감염 증상이 나타나면 전반적으로 혈구 수를 측정하여 약 복용을 중지하고 적절한 치료가 뒤따라야 한다. 항갑상샘제를 중단하면 수일 내지 수주에 걸쳐 회복되지만 조기에 적절한 치료를 하지 않으면 사망에 이를 수도 있다(Casey et al., 2006).

미국갑상샘학회 등에 의하면 PTU가 간에 손상을 일으켜 간기능부전에 이른다는 보고가 있으며(Rivkees, 2010), 하루 300 mg의 용량을 사용한 경우에 투여 6일 내지 450일에서 간기능부전이 나타났다고 한다(Cooper et al., 2009).

이러한 심각한 부작용 때문에 미국 FDA나 내분비학회에서는 비임신 여성의 갑상샘기능항진증 치료에 PTU를 먼저 선택하는 것을 권하지 않으며, 사용 시에는 반드시 간기능에 대한 감시를 철저히 하도록 권하고 있다.

메티마졸(10 mg)은 임신 초기의 여성 환자가 아니면 치료효과나 부작용 면에서 PTU보다 우선 먼저 선택할 수 있는 약제이다(Cooper et al., 2005).

초기 용량은 보통 하루 약 10-40 mg으로, PTU보다 저렴하고 혈중 반감기가 길어서 작용효과가 24시간 지속되기 때문에 하루 1회 투여하는 것을 권하며, 치료 목표는 PTU와 마찬가지로 T4 수준이 정상 범위의 상한에 이르는 정도이다. 태반을 쉽게 통과하므로 임산부에서는 사용할 수 없다.

이외 약제로 요오드화물(iodide)과 리치움(lithium)을 쓸 수 있는데, 갑상샘호르몬 상승을 감소시키고 요오드의 유기화 과정을 억제하는 작용이 있다. 요오드화물은 태아의 선천성갑상샘종 발생을, 리치움은 신체발생에 영향을 주어 엡스타인 기형(Ebstein anomaly)을 유발할 수 있으므로 가임기 여성에서는 사용하지 않는다.

나. 방사성 요오드-131(131I)

방사성 요오드는 진행성으로 갑상샘조직을 파괴시킨다. 항갑상샘제 치료에 실패하고 재발되었을 경우 적용될 수 있다. 방사성 요오드는 태아의 갑상샘에 해를 줄 수 있어서, 임신계획이 있거나 임신이 필요한 여성을 치료하는 경우에는 6개월 정도의 피임이 고려되어야 한다. 임신 중이거나 수유하는 여성에서는 절대 금기이다. 방사성 요오드 치료 후 여러 날 동안 환자는 아이나 임산부를 가까이 접촉해서도 안 된다.

방사성 요오드-131 치료가 남녀의 생식샘에 미치는 영향에 대한 한 연구에서는, 치료 중 일시적으로 난소나 고환의 기능에 이상이 관찰되었으나 치료 후 임신과 출산에서는 정상인과 전혀 다르지 않다고 하였다(Sioka et al., 2011).

고령의 환자나 심장질환이 있는 환자에서는 방사성 요오드 치료를 적용하기 전에 약 1개월 동안 항갑상샘제 치료를 하여 축적된 갑상샘호르몬을 소진시켜야 발생 가능한 최소의 갑상샘 위기를 예방할 수 있다. 또 이때에 방사성 요오드 치료 3일 전에 항갑상샘제 투여를 중지하여 요오드의 흡수를 잘 되게 해야 한다. 방사성 요오드 단일요법은 80% 환자에서 효과가 있고, 비임신 여성에서 결정적 치료방법이나, 치료 전에 가임기 여성에서는 반드시 임신반응검사를 하여야 한다. 임신 제1삼분기에 방사성 요오드 치료를 받은 여성의 태아에서 제2삼분기에 갑상샘의 폐쇄와 선천성 갑상샘기능저하증이 보고된 바 있다(Burrow, 1982; Stoffer et al., 1976).

방사성 요오드 치료 후 1년 이내에 약 50%에서 갑상샘기능저하증이 발생되고, 이후 매년 2% 이상이 저하증이 될 수 있다. 갑상샘기능저하증이 없고, 기능항진증이 재발 되었을 경우 정상 갑상샘 기능을 유지할 수 있게 방사선 요오드의 양을 계산하려는 시도는 아직 성공하지 못하고 있다. 개인마다 생물학적으로 방사선 치료 효과가 다르기 때문에 필연적으로 재발이 올 수 있거나 갑상샘기능저하증을 피할 수 없게 된다. 그래서 많은 전문의들이 갑상샘 기능의 정상회복을 목표로 하지 않고 갑상샘 절제(Thyroid ablation)를 목표로 치료하고, 레보티록신(levothyroxin)을 투여하는 것을 선호한다. 그 이유는 대부분의 환자가 5-10년 후에는 갑상샘기능저하증으로 진행되기 때문이다.

다. 수술요법

갑상샘의 부분절제술은 흔히 우선적으로 시행되지는 않으나 약물 치료에 실패하거나 항갑상샘제에 과민한 환자에서 사용된다. 수술은 방사성 요오드의 위험을 피할 수 있고, 빠르고 정확하게 갑상샘 기능을 정상으로 회복시킬 수 있는 방법으로, 소아, 젊은 여성, 임산부에 적용된다. 심한 안질환을 가진 그레이브스병 환자에게는 선택적 치료방법이다. 수술 전에 반드시 정상 기능 상태로 만들고 수술에 임해야 한다. 수술에 따른 부작용으로 부갑상샘기능저하, 후두신경마비, 마취와 수술에 의한 위험, 갑상샘기능저하, 치료실패 등이 있을 수 있다.

라. 베타아드레날린 차단제

갑상샘기능항진증의 많은 증상이 베타아드레날린 수용

체를 통해서 나타나므로, 베타아드레날린 차단제(propranolol)의 투여는 심계항진, 진전, 불안, 열 과민 등을 호전시키는 효과가 있다. PTU와 메티마졸을 통해 총 T4 감소를 기다리는 동안 증상 호전을 위해서 쓰일 수 있다.

7) 갑상샘 결절

갑상샘 결절은 내분비질환 중 가장 많은 빈도를 보이는 병변 중 하나로 이학적 검사로 알 수 있는 결절은 성인의 4-7%에서 발견되고, 고해상도의 초음파검사에서 발견되는 작은 갑상샘 결절까지 포함하면 환자의 약 2/3에서 발견된다(Guth et al., 2009).

갑상샘 결절은 특별한 병적 이상을 동반하지 않는 기능성 결절인 경우도 많으나, 이학적 검사와 호르몬검사 등을 통하여 갑상샘 기능 이상 여부를 확인하고, 세침흡입검사로 악성종양을 배제하여야 한다. 세침흡입검사를 하였을 때 약 2-20% 정도에서 악성 소견을 보이며, 때로는 진단 부적합 결과로 인하여 외과적 조직검사가 필요할 수도 있다(McHenry et al., 1993).

세침흡입검사 검체를 이용한 BRAF 유전자 돌연변이 분자진단검진(Molecular diagnosis screening of the BRAF mutation)으로 암종의 진단율이 향상될 수 있다(Nikiforova et al., 2009).

임신 여성의 경우에는 갑상샘의 동위원소 스캔이 금기이나, 혈청 FSH 수치가 낮은 경우에는 분만과 수유가 끝난 후에 동위원소 스캔을 시행할 수 있다.

8) 임신과 갑상샘 기능

임신 중에는 임신주수별로 달라지는 관련 호르몬의 변화에 연동되어 갑상샘 생리에도 영향을 미치게 된다(Brent et al., 1997; Casey et al., 2006).

갑상샘 기능의 변화 원인들을 살펴보면, ① 임신 제1삼분기에 hCG의 상승으로 TSH수용체를 자극하게 되고, ② 임신 제1삼분기에 에스트로겐으로 유도된 티록신결합글로불린(thyroxin binding globulin, TBG)이 임신기간 동안 높은 수준으로 지속되며, ③ 면역체계의 변화로 잠재되어 있던 자가면역 갑상샘질환이 발현되어 악화되거나 좋아지기도 하고, ④ 요오드의 소변배설이 증가되어 갑상샘호르몬 생산에 지장을 줄 수 있다는 것이다.

임신 중 갑상샘호르몬들의 변화는 대부분이 일과성이고 가역적이어서 치료를 요하지 않으나 치료를 고려해야 할 경우도 있다. 갑상샘기능저하증의 여성이 임신을 하면 투약 중인 티록신의 용량을 증가해야 할 경우가 있으며 임신 분기별로 갑상샘기능검사를 요한다(Alexander et al., 2004; Klein et al., 2001).

(1) 임신과 갑상샘기능항진증

TSH 수용체 항체 자극항체(Thyroid stimulating antibody, TSAb)가 높은 그레이브스병 환자가 임신을 하면 태아와 신생아가 갑상샘기능항진증이 유발될 수 있다(Zakarija et al., 1985). 갑상샘중독증이 있는 여성은 체중감소, 불규칙 월경, 무월경이 오기도 하지만 배란되고 임신이 될 수도 있다(Thomas et al., 1987; Tanaka et al., 1981).

그러나 자연 유산의 위험이 높고 선천성 기형의 빈도가 증가되며, 효과적인 치료를 하면 위험도는 줄어든다(Mandel et al., 2001; Barbero et al., 2008).

그레이브스병 환자가 항갑상샘제를 줄이거나 중단할 경우 자연히 좋아지는 경우도 있다. 하지만 내, 외과적인 치료를 받았더라도 TSHRAb는 수 년 동안 지속적으로 생산된다. 이런 경우에는 태아가 TSHRAb에 노출되므로 영향을 받을 수 있다. 그레이브스병은 현재 또는 과거에 진단받았던 환자에서도 2-10%에서 신생아 갑상샘기능항진이 올 수 있다. 이런 경우 신생아 사망률이 약 16% 정도 되며 자궁 내 사망, 골발달 이상(craniosynostosis)을 초래할 수 있다.

도플러초음파검사, 태아심박동 관찰, 골성숙도 측정, 모체의 TSHRAb 및 항갑상샘제 투여 상태 등을 종합해서 그레이브스병을 지닌 임신부 태아의 갑상샘종이나 갑상샘기능항진(저하) 상태를 비교적 정확히 진단할 수 있다(Polak et al., 2004).

(2) 그레이브스병 치료받은 임산부에서 갑상샘수용체 항체검사 지침(based on Berek et al., 2012).

① 갑상샘자가면역질환을 치료받고 회복된 여성: 태아의 갑상샘기능항진증이 발생할 염려는 없다. TSHRAb의 측정은 필요 없다. 임신을 하면 갑상샘기능검사는 필요하다. 재발된 경우에는 TSHRAb 측정이 필요하다.

② 현재 갑상샘 기능의 상태에 관계없이 과거 그레이브스병을 치료한 여성: 임신 초기에 태아의 위험도를 알기 위해 TSHRAb의 측정이 꼭 필요하다. TSHRAb의 수준이 높으면 태아의 갑상샘이 과도 자극되는지 관찰해야 한다. 빈맥, 성장지연, 양수부족, 갑상샘종 유무를 관찰해야 한다. 임신 제20주부터 태아의 갑상샘은 초음파검사로 갑상샘의 혈관분포가 과도한지 관찰한다. 필요한 경우 임신 제27-29주에 제대혈을 채취하여 갑상샘기능항진증을 직접 검사할 수 있다. 태아의 갑상샘기능항진증이 있는 경우 산모의 갑상샘자가면역질환을 치료해야 한다.

③ 현재 그레이브스병으로 항진상태에 있는 여성: 임신주수에 관계없이 항갑상샘제 치료를 하는데 유리 T4 수준을 정상의 높은 쪽으로 유지하여 태아의 갑상샘기능저하를 예방해야 한다. 임신의 최종 3삼분기에 TSHRAb를 측정하여 음성이거나 저수준이면 신생아 갑상샘기능항진증의 발생은 거의 있다. 항체수준이 TBII>40 μL 또는 TSAb 300% 이상이면 갑상샘기능항진증 가능성에 대해 검사를 해야 한다.

④ 이전의 임신에서 갑상샘기능항진증의 신생아를 낳은 여성에서 TSHRAb 검사는 임신 초기에 반드시 해야 한다.

(3) 산후 갑상샘 기능

출산 후에 갑상샘 기능의 이상이 종종 발생하며 증상이 출산 직후뿐만 아니라 수개월 후에 나타나기도 하고 산후 우울증이나 산후 육아부담으로 인한 장애와 구별이 애매하기도 해서 진단이 어려울 수 있다. 출산 후에는 임신으로 변화되었던 면역기전의 회복, 갑상샘 자가항체의 존재 등으로 산후갑상샘염이 발생되기도 한다. 조직학적으로 임파구 침윤과 염증반응이 관찰되고 항갑상샘과산화효소(thyroid peroxidase, TPO) 항체의 발현을 보인다(Iwatani et al., 1988; Vargas et al., 1988).

임신 전이나 임신 중에 갑상샘호르몬의 이상이 없었으나 출산 후 1년 아내에 TSH 농도가 정상범위보다 높거나 낮은 비정상 소견을 보이면서, TSH 수용체 항체 역가가 의미 있는 양성을 보이지 않고 중독성 결절이 없을 경우에 산후갑상샘염을 진단할 수 있으며 약 5-10% 정도에서 나타난다고 한다(Amino et al., 1982; Hayslip et al., 1988).

① 임상소견과 진단

산후갑상샘염은 보통 산후 6주-6개월 내에 일과성으로 갑상샘기능항진으로 시작되다가 갑상샘기능저하로 진행된다. 하지만 약 25%에서만 그런 경과를 취하고 30% 이상은 갑상샘기능항진증 또는 갑상샘기능저하증만으로 나타난다. 제1형 당뇨병 환자는 산후갑상샘염의 발생률이 3배 높으며, 이전에 산후갑상샘염 과거력이 있는 임산부는 70%가 재발된다. 산후갑상샘염의 병력이 있는 여성은 진단 직후 오래지 않아 영구적인 갑상샘기능저하증 발생 위험이 약 20% 정도이고, 5-10년 사이에 약 60%까지 영구적인 갑상샘기능저하증이 발생하기 때문에 철저한 사후 관리가 필요하다(Lazarus et al., 1997; Walsh et al., 1985).

산후 갑상샘염이 발생되는 원인으로는, 갑상샘 자가면역항체가 있는 상태에서 산후에 면역체계가 재가동되기 때문으로 보인다. 산후에서 오는 정신병 환자에서 반드시 산후갑상샘 이상을 고려해야 한다.

② 치료

대부분의 환자가 갑상샘기능 저하기에 발견되며 증상이 있을 경우 6-12개월 동안 티록신(thyroxin, T4) 투여를 해야 하고, 영구적인 갑상샘기능저하증 발생을 고려해서 치료를 끝낸 후에도 반드시 TSH 검사를 정기적으로 해야 한다(Lazarus et al., 2005).

간혹 갑상샘기능 항진기에도 진단되는데 항갑상샘 치료가 꼭 필요하지는 않으나, 증상을 경감시키기 위해서

propranolol을 쓸 수도 있다(Walsh et al., 1985). 이 중 2/3가 정상 상태로 되고 1/3은 갑상샘기능저하 상태가 된다. 갑상샘 자가면역항체가 있는 여성에서는 자연유산이 올 위험이 증가된다(Stagnaro-Green et al., 1990; Glinoer et al., 1991).

습관성유산이 오는 여성에서 갑상샘 자가면역항체의 존재는 비정상적인 T세포기능을 짐작할 수 있는 표지로 쓸 수 있으나, 임상적 치료에 대한 확실한 정보는 아직 밝혀지지 않고 있다.

(4) 갑상샘질환과 난임 및 반복 유산

갑상샘호르몬은 심장이나 뇌 등 중요한 많은 조직의 발달에 필수적이라는 사실은 이미 잘 알려져 있는 반면, 임신과 관련되는 생식조직에서의 갑상샘호르몬의 역할에 대해서는 별로 밝혀진 것이 없다(Bernal, 2007; Stoykov et al., 2006).

갑상샘질환으로 나타날 수 있는 여성의 불규칙 월경, 무월경 등의 증상은 곧 규칙적으로 정상적인 배란을 일으키지 못한다는 것을 짐작할 수 있게 한다. 갑상샘호르몬이 임신과정이나 임신의 유지에 영향을 미칠 수 있다는 많은 연구들이 있다. 무증상의 갑상샘기능저하증 여성이 임신한 경우에 태반조기박리는 3배, 조산은 2배 높게 발생된다는 연구보고가 있으며(Casey et al., 2005), 갑상샘기능저하증이 에스트로겐 대사에 변화를 주어 배란장애가 발생된다는 보고도 있고(Poppe et al., 2004), 갑상샘호르몬이 직접적으로 자궁내막의 생리에 변화를 준다는 보고도 있다(Aghajanova et al., 2011).

그러나 대부분의 갑상샘질환 여성은 적절한호르몬 균형을 유지하는 치료로 심각한 난임을 겪지는 않으며, 또한 정상 범위 내의 갑상샘호르몬 수준 유지로 출산이 보장될 수 있다.

반복유산 환자에서 TPO 항체(thyroid peroxidase antibody, TPOAb)의 발현은 일반인과 차이가 없고 이에 대한 티록신 치료도 임신 유지에 대한 효과면에서 부정적이다(Yan et al., 2012).

9) 터너증후군, 다운증후군

45,XO 핵형을 가진 터너증후군 환자는 단신과 무월경 및 다른 비정상적 특징을 가지고 있다. 터너증후군이나 다른 유형의 성염색체의 이상을 가진 고생식샘자극호르몬생식샘저하증(hypergonadotropic hypogonadism) 환자는 자가면역성 갑상샘질환을 많이 동반한다. 터너증후군 성인 환자의 50%가 항TPO항체, 항티글로불린(thyroglobulin, Tg) 항체를 갖고 있다. 일반적으로 환자의 30%에서 무증상 혹은 임상적 갑상샘기능저하증이 발생된다. 이는 하시모토갑상샘염과 크게 다르지 않다. 터너증후군의 여성환자는 자가면역 갑상샘질환의 발생 위험률이 높기 때문에 4세부터 매년 TSH 검사를 하도록 권하기도 한다(Davenport et al., 2010).

21번 염색체가 3개인 다운증후군 환자는 특이한 신체 모습을 갖고 있고 정신지체와 심장 기형, 백혈병 위험이 있고 수명이 짧다. 다운증후군 환자에서도 자가면역 갑상샘 이상이 많다. 하시모토갑상샘염이 다운증후군 환자에게 가장 흔한 갑상샘질환이고, 40세 이상의 다운증후군 환자 중 50%에서 갑상샘기능저하증이 발생된다. 따라서 다운증후군 환자는 출생 6개월과 12개월 및 그 후 매년 갑상샘에 대한 스크리닝검사를 권장한다(Hardy et al., 2004).

이처럼 터너증후군이나 다운증후군에서 하시모토갑상샘염이 잘 발생되는 것으로 보아 염색체 X와 21에 이 질환의 유전적 감수성이 존재하는 것으로 추정된다.

참고문헌

- 성연아. 여성의 고안드로겐증: 다낭난소증후군. Hanyang Medical Reviews. 2012;32:6.
- Anagnostis P, Tarlatzis BC, Kauffman RP. Polycystic ovarian syndrome (PCOS): Long-term metabolic consequences. Metabolism: clinical and experimental. 2018 Sep;86:33-43. PubMed PMID: 29024702. Epub 2017/10/13. eng.
- Arroyo A, Laughlin GA, Morales AJ, Yen SS. Inappropriate gonadotropin secretion in polycystic ovary syndrome: influence of adiposity. The Journal of clinical endocrinology and metabolism. 1997 Nov;82:3728-33. PubMed PMID: 9360532. Epub 1997/11/14. eng.
- Apridonidze T, Essah PA, Iuorno MJ, Nestler JE. Prevalence and characteristics of the metabolic syndrome in women with polycystic ovary syndrome. The Journal of clinical endocrinology and metabolism. 2005 Apr;90:1929-35. PubMed PMID: 15623819. Epub 2004/12/30. eng.
- Azziz R, Carmina E, Dewailly D, Diamanti-Kandarakis E, Escobar-Morreale HF, Futterweit W, et al. Positions statement: criteria for defining polycystic ovary syndrome as a predominantly hyperandrogenic syndrome: an Androgen Excess Society guideline. The Journal of clinical endocrinology and metabolism. 2006 Nov;91:4237-45. PubMed PMID: 16940456. Epub 2006/08/31. eng.
- Azziz R, Carmina E, Dewailly D, Diamanti-Kandarakis E, Escobar-Morreale HF, Futterweit W, et al. The Androgen Excess and PCOS Society criteria for the polycystic ovary syndrome: the complete task force report. Fertility and sterility. 2009 Feb;91:456-88. PubMed PMID: 18950759. Epub 2008/10/28. eng.
- Azziz R, Sanchez LA, Knochenhauer ES, Moran C, Lazenby J, Stephens KC, et al. Androgen excess in women: experience with over 1000 consecutive patients. The Journal of clinical endocrinology and metabolism. 2004 Feb;89:453-62. PubMed PMID: 14764747. Epub 2004/02/07. eng.
- Azziz R, Woods KS, Reyna R, Key TJ, Knochenhauer ES, Yildiz BO. The prevalence and features of the polycystic ovary syndrome in an unselected population. The Journal of clinical endocrinology and metabolism. 2004 Jun;89:2745-9. PubMed PMID: 15181052. Epub 2004/06/08. eng.
- Balfour JA, McClellan K. Topical eflornithine. American journal of clinical dermatology. 2001;2:197-201; discussion 2. PubMed PMID: 11705097. Epub 2001/11/14. eng.
- Banaszewska B, Pawelczyk L, Spaczynski RZ, Duleba AJ. Comparison of simvastatin and metformin in treatment of polycystic ovary syndrome: prospective randomized trial. The Journal of clinical endocrinology and metabolism. 2009 Dec;94:4938-45. PubMed PMID: 19890022. PMCID: PMC2795658. Epub 2009/11/06. eng.
- Blank SK, McCartney CR, Marshall JC. The origins and sequelae of abnormal neuroendocrine function in polycystic ovary syndrome. Human reproduction update. 2006 Jul-Aug;12:351-61. PubMed PMID: 16670102. Epub 2006/05/04. eng.
- Bozdag G, Mumusoglu S, Zengin D, Karabulut E, Yildiz BO. The prevalence and phenotypic features of polycystic ovary syndrome: a systematic review and meta-analysis. Human reproduction. 2016 Dec;31:2841-55. PubMed PMID: 27664216. Epub 2016/09/25. eng.
- Broekmans FJ, Knauff EA, Valkenburg O, Laven JS, Eijkemans MJ, Fauser BC. PCOS according to the Rotterdam consensus criteria: Change in prevalence among WHO-II anovulation and association with metabolic factors. BJOG: an international journal of obstetrics and gynaecology. 2006 Oct;113:1210-7. PubMed PMID: 16972863. Epub 2006/09/16. eng.
- Carmina E. Ovarian and adrenal hyperandrogenism. Annals of the New York Academy of Sciences. 2006 Dec;1092:130-7. PubMed PMID: 17308139.
- Chan JL, Kar S, Vanky E, Morin-Papunen L, Piltonen T, Puurunen J, et al. Racial and ethnic differences in the prevalence of metabolic syndrome and its components of metabolic syndrome in women with polycystic ovary syndrome: a regional cross-sectional study. American journal of obstetrics and gynecology. 2017 Aug;217:189.e1-.e8. PubMed PMID: 28400308. Epub 2017/04/13. eng.
- Chang WY, Knochenhauer ES, Bartolucci AA, Azziz R. Phenotypic spectrum of polycystic ovary syndrome: clinical and biochemical characterization of the three major clinical subgroups. Fertility and sterility. 2005 Jun;83:1717-23. PubMed PMID: 15950641. Epub 2005/06/14. eng.
- Cosma M, Swiglo BA, Flynn DN, Kurtz DM, Labella ML, Mullan RJ, et al. Clinical review: Insulin sensitizers for the treatment of hirsutism: a systematic review and metaanalyses of randomized controlled trials. The Journal of clinical endocrinology and metabolism. 2008 Apr;93:1135-42. PubMed PMID: 18252787. Epub 2008/02/07. eng.
- Dewailly D, Lujan ME, Carmina E, Cedars MI, Laven J, Norman RJ, et al. Definition and significance of polycystic ovarian morphology: a task force report from the Androgen Excess and Polycystic Ovary Syndrome Society. Human reproduction update. 2014 May-Jun;20:334-52. PubMed PMID: 24345633. Epub 2013/12/19. eng.
- Diamanti-Kandarakis E, Baillargeon JP, Iuorno MJ, Jakubowicz DJ, Nestler JE. A modern medical quandary: polycystic ovary syndrome, insulin resistance, and oral contraceptive pills. The Journal of clinical endocrinology and metabolism.

2003 May;88:1927-32. PubMed PMID: 12727935. Epub 2003/05/03. eng.
- Dokras A, Bochner M, Hollinrake E, Markham S, Vanvoorhis B, Jagasia DH. Screening women with polycystic ovary syndrome for metabolic syndrome. Obstetrics and gynecology. 2005 Jul;106:131-7. PubMed PMID: 15994628. Epub 2005/07/05. eng.
- Escobar-Morreale HF, Carmina E, Dewailly D, Gambineri A, Kelestimur F, Moghetti P, et al. Epidemiology, diagnosis and management of hirsutism: a consensus statement by the Androgen Excess and Polycystic Ovary Syndrome Society. Human reproduction update. 2012 Mar-Apr;18:146-70. PubMed PMID: 22064667. Epub 2011/11/09. eng.
- Grundy SM, Cleeman JI, Daniels SR, Donato KA, Eckel RH, Franklin BA, et al. Diagnosis and management of the metabolic syndrome: an American Heart Association/National Heart, Lung, and Blood Institute scientific statement: Executive Summary. Critical pathways in cardiology. 2005 Dec;4:198-203. PubMed PMID: 18340209. Epub 2008/03/15. eng.
- Goodarzi MO, Dumesic DA, Chazenbalk G, Azziz R. Polycystic ovary syndrome: etiology, pathogenesis and diagnosis. Nature reviews Endocrinology. 2011 Apr;7:219-31. PubMed PMID: 21263450. Epub 2011/01/26. eng.
- Guzick DS. Ovulation induction management of PCOS. Clinical obstetrics and gynecology. 2007 Mar;50:255-67. PubMed PMID: 17304040. Epub 2007/02/17. eng.
- Hirschberg AL. Polycystic ovary syndrome, obesity and reproductive implications. Women's health (London, England). 2009 Sep;5:529-40; quiz 41-2. PubMed PMID: 19702452. Epub 2009/08/26. eng.
- Huang Z, Yong EL. Ethnic differences: Is there an Asian phenotype for polycystic ovarian syndrome? Best practice & research Clinical obstetrics & gynaecology. 2016 Nov;37:46-55. PubMed PMID: 27289337. Epub 2016/06/13. eng.
- Hugh S. Taylor MD. BPMM, Emre Seli MD. Speroff's Clinical Gynecologic Endocrinology and Infertility. 9th ed: Wolters Kluwer; 2020.
- Jonard S, Pigny P, Jacquesson L, Demerle-Roux C, Robert Y, Dewailly D. The ovarian markers of the FSH insufficiency in functional hypothalamic amenorrhoea. Human reproduction. 2005 Jan;20:101-7. PubMed PMID: 15513979. Epub 2004/10/30. eng.
- Jonathan S. Berek MD. MMS DLB, MA. Berek & Novak's Gynecology. 16th ed: Wolters Kluwer; 2020.
- Knowler WC, Barrett-Connor E, Fowler SE, Hamman RF, Lachin JM, Walker EA, et al. Reduction in the incidence of type 2 diabetes with lifestyle intervention or metformin. The New England journal of medicine. 2002 Feb 7;346:393-403. PubMed PMID: 11832527. PMCID: Pmc1370926. Epub 2002/02/08. eng.
- Krug E, Berga SL. Postmenopausal hyperthecosis: functional dysregulation of androgenesis in climacteric ovary. Obstetrics and gynecology. 2002 May;99(5 Pt 2):893-7. PubMed PMID: 11975949. Epub 2002/04/27. eng.
- Kyritsi EM, Dimitriadis GK, Kyrou I, Kaltsas G, Randeva HS. PCOS remains a diagnosis of exclusion: a concise review of key endocrinopathies to exclude. Clinical endocrinology. 2017 Jan;86:1-6. PubMed PMID: 27664414. Epub 2016/09/25. eng.
- Legro RS, Barnhart HX, Schlaff WD, Carr BR, Diamond MP, Carson SA, et al. Clomiphene, metformin, or both for infertility in the polycystic ovary syndrome. The New England journal of medicine. 2007 Feb 8;356:551-66. PubMed PMID: 17287476. Epub 2007/02/09. eng.
- Legro RS, Brzyski RG, Diamond MP, Coutifaris C, Schlaff WD, Casson P, et al. Letrozole versus clomiphene for infertility in the polycystic ovary syndrome. The New England journal of medicine. 2014 Jul 10;371:119-29. PubMed PMID: 25006718. PMCID: PMC4175743. Epub 2014/07/10. eng.
- Legro RS, Kunselman AR, Brzyski RG, Casson PR, Diamond MP, Schlaff WD, et al. The Pregnancy in Polycystic Ovary Syndrome II (PPCOS II) trial: rationale and design of a double-blind randomized trial of clomiphene citrate and letrozole for the treatment of infertility in women with polycystic ovary syndrome. Contemporary clinical trials. 2012 May;33:470-81. PubMed PMID: 22265923. PMCID: PMC3312939. Epub 2012/01/24. eng.
- Legro RS, Kunselman AR, Dunaif A. Prevalence and predictors of dyslipidemia in women with polycystic ovary syndrome. The American journal of medicine. 2001 Dec 1;111:607-13. PubMed PMID: 11755503. Epub 2002/01/05.eng.
- Lepine S, Jo J, Metwally M, Cheong YC. Ovarian surgery for symptom relief in women with polycystic ovary syndrome. The Cochrane database of systematic reviews. 2017 Nov 10; 11:Cd009526. PubMed PMID: 29125183. PMCID: PMC6486107. Epub 2017/11/11. eng.
- Liu H, Zhao H, Chen ZJ. Genome-Wide Association Studies for Polycystic Ovary Syndrome. Seminars in reproductive medicine. 2016 Jul;34:224-9. PubMed PMID: 27513023. Epub 2016/08/12. eng.
- Lo JC, Feigenbaum SL, Yang J, Pressman AR, Selby JV, Go AS. Epidemiology and adverse cardiovascular risk profile of diagnosed polycystic ovary syndrome. The Journal of clinical endocrinology and metabolism. 2006 Apr;91:1357-63. PubMed PMID: 16434451. Epub 2006/01/26. eng.
- Masarie K, Katz V, Balderston K. Pregnancy luteomas: clinical presentations and management strategies. Obstetrical &

gynecological survey. 2010 Sep;65:575-82. PubMed PMID: 21144088. Epub 2010/12/15. eng.
- McBurney EI. Side effects and complications of laser therapy. Dermatologic clinics. 2002 Jan;20:165-76. PubMed PMID: 11859590. Epub 2002/02/28. eng.
- Nelson VL, Qin KN, Rosenfield RL, Wood JR, Penning TM, Legro RS, et al. The biochemical basis for increased testosterone production in theca cells propagated from patients with polycystic ovary syndrome. The Journal of clinical endocrinology and metabolism. 2001 Dec;86:5925-33. PubMed PMID: 11739466. Epub 2001/12/12. eng.
- Norman RJ, Masters S, Hague W. Hyperinsulinemia is common in family members of women with polycystic ovary syndrome. Fertility and sterility. 1996 Dec;66:942-7. PubMed PMID: 8941059. Epub 1996/12/01. eng.
- Pasquali R, Gambineri A, Pagotto U. The impact of obesity on reproduction in women with polycystic ovary syndrome. BJOG: an international journal of obstetrics and gynaecology. 2006 Oct;113:1148-59. PubMed PMID: 16827825. Epub 2006/07/11. eng.
- Palomba S, Falbo A, Russo T, Manguso F, Tolino A, Zullo F, et al. Insulin sensitivity after metformin suspension in normal-weight women with polycystic ovary syndrome. The Journal of clinical endocrinology and metabolism. 2007 Aug;92:3128-35. PubMed PMID: 17519312. Epub 2007/ 05/24. eng.
- Polson DW, Adams J, Wadsworth J, Franks S. Polycystic ovaries-a common finding in normal women. Lancet. 1988 Apr 16;1:870-2. PubMed PMID: 2895373. Epub 1988/04/16. eng.
- Revised 2003 consensus on diagnostic criteria and long-term health risks related to polycystic ovary syndrome (PCOS). Human reproduction. 2004 Jan;19:41-7. PubMed PMID: 14688154. Epub 2003/12/23. eng.
- Rosenfield RL. Clinical practice. Hirsutism. The New England journal of medicine. 2005 Dec 15;353:2578-88. PubMed PMID: 16354894. Epub 2005/12/16. eng.
- Salpeter SR, Buckley NS, Kahn JA, Salpeter EE. Meta-analysis: metformin treatment in persons at risk for diabetes mellitus. The American journal of medicine. 2008 Feb;121:149-57.e2. PubMed PMID: 18261504. Epub 2008/02/12. eng.
- Setji TL, Brown AJ. Polycystic ovary syndrome: update on diagnosis and treatment. The American journal of medicine. 2014 May 21. PubMed PMID: 24859638. Epub 2014/05/27. Eng.
- Shafiee MN, Chapman C, Barrett D, Abu J, Atiomo W. Reviewing the molecular mechanisms which increase endometrial cancer (EC) risk in women with polycystic ovarian syndrome (PCOS): time for paradigm shift? Gynecologic oncology. 2013 Nov;131:489-92. PubMed PMID: 23822891. Epub 2013/07/05. eng.
- Somani N, Turvy D. Hirsutism: an evidence-based treatment update. American journal of clinical dermatology. 2014 Jul;15:247-66. PubMed PMID: 24889738. Epub 2014/06/04. eng.
- Tang T, Lord JM, Norman RJ, Yasmin E, Balen AH. Insulin-sensitising drugs (metformin, rosiglitazone, pioglitazone, D-chiro-inositol) for women with polycystic ovary syndrome, oligo amenorrhoea and subfertility. The Cochrane database of systematic reviews. 2012;5:Cd003053. PubMed PMID: 22592687. Epub 2012/05/18. eng.
- Teede HJ, Misso ML, Costello MF, Dokras A, Laven J, Moran L, et al. Recommendations from the international evidence-based guideline for the assessment and management of polycystic ovary syndrome. Fertility and sterility. 2018 Aug;110:364-79. PubMed PMID: 30033227. PMCID: PMC6939856. Epub 2018/07/24. eng.
- Yildiz BO, Bolour S, Woods K, Moore A, Azziz R. Visually scoring hirsutism. Human reproduction update. 2010 Jan-Feb;16:51-64. PubMed PMID: 19567450. PMCID: Pmc2792145. Epub 2009/07/02. eng.
- Yildiz BO, Yarali H, Oguz H, Bayraktar M. Glucose intolerance, insulin resistance, and hyperandrogenemia in first degree relatives of women with polycystic ovary syndrome. The Journal of clinical endocrinology and metabolism. 2003 May;88:2031-6. PubMed PMID: 12727950. Epub 2003/05/03. eng.

제22장

불임증

이정렬 | 서울의대 **정경아** | 이화의대
문두건 | 고려의대 **최영식** | 연세의대

1. 여성 불임증(Female Infertility)

1) 개관

불임(infertility)은 피임을 하지 않고 정상적으로 성생활을 하면서 1년 내에 임신이 되지 않는 경우로 정의하고 이전에 임신한 적이 없으면 일차성 불임, 생아 출산(live birth)이 아니더라도 이전에 임신한 적이 있으면 이차성 불임으로 분류한다. 임신이 불가능한 상태(sterility)라기 보다는 보통 난임(subfertility)의 상태인 경우가 많아 난임이라는 용어가 혼용되어 사용되기도 한다. 건강한 젊은 부부는 약 85-90%에서 1년 내에 임신을 하게 되는데 나머지 10-15%의 남녀는 임신이 되지 않아 불임증으로 진단을 받고 불임에 대한 검사 및 치료가 필요하게 된다. 한 월경주기에 임신할 가능성을 수태가능성(fecundability)이라고 하고 한 월경주기에서 임신이 분만으로 이어지는 가능성은 생식능력(fecundity)이라고 한다. 지난 수십 년간 전체적인 불임의 유병률은 큰 변화가 없었지만 불임을 진단하고 치료하는 방법에는 많은 변화가 있었다. 첫째, 체외수정시술(in vitro fertilization, IVF)과 보조생식술(assisted reproductive technology, ART)이 발달되었다. 둘째, 여성들의 만혼으로 인하여 첫 임신 연령이 늦어졌고, 이는 생리학적으로 가임력이 떨어지는 결과를 초래하였다. 셋째, 이러한 보조생식술의 발달과 만혼으로 인하여 발생되는 가임력의 저하에 대하여 지속적인 언론과 대중매체의 관심이 높아져서 불임환자들이 적극적인 불임치료를 통하여 임신을 할 수 있다는 생각을 가지게 되는 계기가 마련되었다는 점들이다.

불임증의 빈도는 보고자에 따라 차이가 있으나 보통 정상적인 성생활을 하는 남녀에서 10-15%가 불임으로 보고되고 있다. 과거나 현재에 불임증 빈도에는 큰 변화가 없음에도 최근 임신과 출산이 감소하는 추세를 보이는데 이는 여성의 사회적 성장, 만혼과 잦은 이혼, 피임법의 발달과 가족계획, 임신 계획을 미루거나, 소가족 제도가 그 원인으로 생각되고 있다. 국내 불임증의 빈도에 관한 대규모 역학 조사는 아직 이루어지지 않았으나 1992년도부터 대한산부인과학회에서 국내 보조생식술의 현황을 조사하여 보고해 오고 있다. 2012년 통계에 의하면 총 41,995례의 보조생식술을 시행하였는데 이들 보조생식술을 시행 받은 환자의 연령분포는 30-39세 사이가 신선배아이식 74.7%, 냉동-해동 배아이식 82.0%로 대부분을 차지하였고 보조생식술을 이용한 난자 채취 주기당 임상적 임신율(clinical pregnancy rate)은 29세 이하가 45.1%, 30-34세가 41.3%, 35-39세가 32.9%, 40세 이상은 16.1%로 40세 이후의 임신율은 매우 낮음을 알 수 있다(Committee for Assisted Reproductive Technology Statistics, Korean Society for Assisted Reproduction, 2017). 통계청의 출산율 자료를 살펴보면 과거 1970년 국내 출산율은 4.53이었으나 정부의 적극적인 가족계획 정책으로 1990년 1.59로 매우 급속도로 감소하였고 최근에는 출산장려 정책에도 불구하고 출산율이 지속적으로 감소하여 2018년에는 0.98로 사상 처음 1 미만으로 감소하였고 2019년에는 0.92로 더욱 감소하여 저출산이 심각한 사회 문제로 부각되었으며 앞서 언급한 사회적 흐름이 그 원인으로 분석된다. 그러나 이런 저출산의 사회적 문제 이면에는 불임으로 고통받는 남녀도 일부 늘어나는 추세인데 이는 주로 가임 여성이 고령화되기 때문이다. 최근 불임 치료 기관은 급격히 증가하였고 치료 기관의 질도 향상되어 임상의들이 불임에 대한 전문화된 교육을 받음과 동시에 최근 언론 및 여론이 보조생식술을 비롯한 불임치료에 매우 많은 관심을 보임으로써 불임증을 검사하고 치료받는 것은 더 이상 어떤 금기나 수치의 대상이 아닌 것으로 인식되고 있다.

2) 여성의 연령과 생식능력

(1) 연령과 생식능력 감소의 기전

남성의 생식능력은 40세 이후부터 감소하기 시작하며 50세 이상에서 비교적 뚜렷해지지만 90대에서도 임신이 보고될 만큼 남성의 연령이 생식능력에 미치는 영향은 비교적 적은 반면 여성에서는 연령의 영향이 훨씬 크다. 여성의 연령에 따른 수태가능성은 30대 초반에 감소하기 시작하여 30대 후반 40대 초반에 가속화되는데 이는 난소 예비력(ovarian reserve)으로 흔히 알려진 난자의 양과 질의 저하로부터 기인한다.

피임을 하지 않는 인구에서의 연구결과에 따르면 여성의 생식력은 20세에 정점을 이루고 32세 이후부터는 서서히 감소하기 시작하여 37세 이후에는 급격히 감소한다(ACOG/ASRM Committee, 2014). 생식력 감소의 기전에 대하여는 명확히 알려져 있지 않으나 X 염색체 및 상염색체의 유전자들에 코딩된 다양한 요인들이 관여하는 것 같으며 조기난소 부전과 관련된 몇몇 유전자를 중심으로 연구되고 있고 차세대 염기서열 분석법 등의 발전으로 가속화 되고 있다. 이러한 나이에 따른 여성의 생식력 감소에 근거하여 미국산부인과학회(American College of Obstetricians and Gynecologists, ACOG) 및 미국생식의학회(American Society for Reproductive Medicine, ASRM)에서는 다음과 같이 권고하고 있다(2014).

① 임신을 원하는 여성은 연령과 생식능력에 대하여 이해하고 이를 교육받는 것이 필수적이다.
② 35세 이상에서는 임신 시도 6개월 후 또는 적응증이 된다면 더 일찍 신속한 평가 및 치료를 받아야 한다.
③ 40세 이상에서는 즉시 평가와 치료가 이루어져야 한다. 이러한 권고사항은 여성의 불임증에서 연령이 가장 중요한 요소임을 강조하는 것이다.

여성의 연령증가에 따른 생식능력의 감소는 난자의 감소와 깊은 관련이 있다. 임신 16-20주의 태아는 약 6백만에서 7백만 개의 난조세포(oogonia)를 갖게 되고 1차 감수분열을 거치면서 난자(oocyte)로 변환되며 출생 시에는 1백에서 2백만 개의 생식세포를 갖게 된다. 이후 사춘기 때까지 약 30만에서 50만 개로 수는 감소하고 월경이 시작하고 약 35-40년의 가임기 동안 400개에서 500개의 난자가 배란되며 나머지는 퇴화되는데 폐경 시에는 약 1,000개 미만의 난자만 남아 있게 된다(Faddy, 1992; Gougeon, 1994). 난자의 감소는 출생시점부터 폐경이 될 때까지 지속적으로 감소하지만 특이하게 37-38세부터 급격히 감소하며 이러한 급격한 감소의 기전과 이유에 대하여 연구 중이다. 여성의 연령증가는 난자의 개수뿐 아니라 난자의 질에도 영향을 준다. 체외수정시술 시 수정에 실패한 난자에서 세포유전학적 연구를 시행한 결과 나이가 증가하면서 난자의 이수성(aneuploidy)이 증가하며 이는 아마도 감수분열 1기 동안 염색체 조기분리현상(premature separation)이 발생 하고 감수분열 2기 동안에는 염색체의 비분리현상(nondisjunction)이 일어나기 때문일 것이다. 여성이 고령화되면서 정상 23,X의 염색체를 갖는 난자가 감소하고 이수성 난자가 급격히 증가하는 양상은 여성의 가임력 감소와 동시에 자연 유산이 증가하는 형태를 설명할 수 있다. 정상 핵형을 갖는 난자는 여성의 나이가 약 20-35세까지는 감소한다 할지라도 매우 서서히 감소하다가 35세가 넘어가면서 갑자기 급격하게 감소하기 때문에 35세 이후에는 가임력도 같이 감소한다. 반대로 이수성 난자는 35세까지는 약 10% 내외로 일정하게 유지되다가 이후 40세에는 30%, 43세에는 50%, 45세 이후에는 실질적으로 거의 100%에 육박하게 급증하는데 이런 현상이 여성의 고령화에 따라 유산이 증가하면서 그 유산물에 염색체 이상이 증가하는 이유가 된다. 연령에 상관없이 전체 여성에서 자연 유산된 경우 염색체 이상이 있는 경우와 정상인 경우는 거의 반반으로 비슷하지만 여성의 나이를 고려하면 20세에는 염색체 이상이 있는 경우가 35% 미만이나 42세 이후 거의 80%까지 증가하며 그중 세염색체(trisomy)가 가장 흔한 염색체 이상이고 다음은 다배수체(polyploidy), 45,X 순이다(Hassold, 1985). 이런 염색체 분열과 재조합에서 이상을 가져오는 요인에 대한 많은 연구가 있었으며 다양한 기전이 설명되고 있다. 그 중 하나는 방추섬유(spindle)를 형성하고 기능을 유지하는 데 필요한 적절한 세포 인자들이 나이가 증가하면서 감소하고 이 중 특히 염색체 응집과 분열에 필수적인 cohesin에 문제가 있기 때문인 것으로 보인다. 나이가 들면서 조기 분열이 증가하고 cohesin이 감소함으로 인하여 불안정한 형태의 염색체를 이루게 되고 이는 제대로 감수분열을 위한 방추형이 완성되기도 전에 염색체가 분리되는 원인이 된다. 특히 크기가 작은 염색체들이 이런 조기 분열이 잘 발생하는데 이는 조기 분열을 막아주는 키아즈마(chiasma)가 상대적으로 작기 때문으로 생각되고 있다. 또 방추세포를 고해상도의 동일초점 현미경을 통하여 살펴본 결과 미세관 바탕질(microtubular matrix)에 이상이 있거나 감수분열 2기 동안 세포 배열에 이상이 나타나는 것을 확인하였는데 이런 현상도 40대의 여성이 20대에 비하여 약 4-5배 정도 증가되어 있다. 요약하면 여성이 나이가 들면서 수태가능성이 감소하고 자연 유산의 발생률이 증가하는 것은 감수분열의 방추 형성과 기능을 총괄하는 제어 기전에 문제가 발생함으로써 난자들의 이배수성이 증가하기 때문으로 생각된다. 여성의 고령화는 자궁에는 별다른 영향을 미치지 않는 것으로 보인다. 비록 나이가 들면서 자궁근종, 자궁내막 용종, 자궁선근증 같은 양성의 자궁질환이 증가하지만 이런 현상이 전체적인 여성의 가임력에는 별다른 영향을 주지 않는 것으로 보고하고 있다(Donnez et al., 2002). 이는 공여 난자를 통한 체외수정에서 생아 출생률(live birth rate)을 보아도 알 수 있는데 비공여 난자를 통한 체외수정에서 생아 출생률은 여성의 연령이 증가하면서 감소하지만 공여 난자를 통한 체외수정에서 생아 출생률은 수용자의 연령과 무관하게 거의 43% 정도로 일정하게 유지됨을 알 수 있다. 즉, 공여 난자를 통한 체외수정에서 생아 출생률은 수용자가 아니라 공여자의 연령과 직접적으로 연관이 있다. 난소의 노화가 불임과 직접적인 관련성이 있는 반면 자궁의 노화는 불임보다는 사산의 위험성과 관련이 있다. 난자공여 프로그램을 이용한 초기 연구결과들에서 수용자의 나이에 상관없이 일정한 착상률 임신율, 유산율을 보여 공여자의 나이가 중요한 인자임을 보고하였는데 최근에는 수용자의 나이가 증가함에 따라 저체중, 조기분만, 제왕절개율의 증가를 보고하였다. 이는 여성의 노화가 자궁 근육의 기능이상과 태반형성에 문제를 일으키기 때문이라고 생각된다.

(2) 연령과 보조생식술

여성의 생식력이 감소하는데 연령이 어느 정도 영향을 미치는지 알 수 있는 또 하나의 지표가 바로 공여정자를 이용한 비배우자간 인공수정(intrauterine insemination with donor semen) 프로그램에서 보여주는 누적수태율(cumulative conception rate)이다. 1년 동안 수태율을 비교한 결과 30세 이하의 여성은 약 74%의 높은 결과를 보이나 31-35세는 61%, 35세 이상에서는 약 54%의 누적수태율을 보였다(Schwartz et al., 1982; Hassold et al., 1985). 2009년의 유럽 34개국의 보조생식술 결과를 집계한 유럽생식의학회(European Society of Human Reproduction and

Embryology)의 보고서에 따르면 162,843주기의 배우자 인공수정에서 주기당 분만율(delivery rate)이 40세 이하에서는 8.0% 40세 이상에서는 3.3%이었고, 29,235주기의 비배우자 간 인공수정의 분만율은 40세 이하에서는 13.7%, 40세 이상에서는 6.0%이었다. 보조생식술의 성공률도 나이가 들면서 감소하는데 여성의 연령은 보조생식술 성공 가능성에 영향을 주는 가장 중요한 인자이다. 그런데 나이가 들면서 출산율이 감소하는 것은 가임력이 저하되기 때문이기도 하지만 임신초기 자연 유산이 증가하기 때문인데 자연 유산율은 30세까지는 7-15%으로 비교적 낮지만 이후 30-34세는 8-21%, 35-39세는 17-28%로 증가하고 40세 이후는 34-52%까지 증가한다. 이런 추세는 보조생식술을 통한 임신에서도 비슷하게 나타나 35세 이하의 여성에서는 유산율이 20% 이하이나 40세는 30%까지 증가하고 44세 이후에는 60% 이상 증가하는데 만일 임상적으로 진단되지 않은 임신의 유산율까지 고려한다면 40세 이상의 여성에서 유산율은 50%를 넘어서 75%까지도 될 수 있을 것으로 추정 가능하다.

(3) 난소예비력

난소예비력(ovarian reserve)은 비성장기(non-grwoing), 휴지기(resting)에 있는 원시 난포 집단(primordial follicle populaton)의 크기로 난소에 남아 있는 난자의 개수 및 질과 이로 인한 생식력을 의미한다. 흔히 같은 나이의 여성이라도 배란유도제에 대한 반응이 다르며 임신할 수 있는 능력에 차이가 있을 수 있다. 그러나 난소예비력의 감소의 기준, 원인, 검사 방법에는 아직 논란이 있다. 난소예비력검사는 역사적으로 체외수정 시작 전에 정상적인 반응이 예상되는 여성을 선별하기 위한 목적으로 사용되었다. 그러나 검사의 민감도, 특이도, 양성, 음성 예측도 등이 어떠한 집단을 대상으로 연구되었는지 어떠한 검사방법을 사용하였는지에 따라 다양하므로 이 검사의 결과만으로 불임치료의 방법을 결정지을 수는 없다. 선별검사는 기준점(cutoff value)을 달리함으로써 민감도, 특이도에 큰 차이를 가져올 수 있는데 일반적으로 난소예비력검사는 민감도보다는 특이도를 높여 정상적인 난소예비력을 가진 여성을 잠재력 감소 환자로 분류하는 오류를 줄이고자 한다. 즉 이는 난소예비력이 정상적인 여성에게 과도한 치료를 할 확률을 줄이는 데 도움을 줄 수 있다. 양성, 음성 예측도(predictive value)은 민감도 특이도와도 관련이 있지만 질환의 유병률과도 밀접한 관련이 있다. 민감도 및 특이도가 높다고 하여도 유병률이 낮으면 양성 예측도는 낮아지게 된다. 따라서 난소예비력 감소가 높을 것으로 예상되는 위험군을 대상으로 검사를 하느냐 아니면 저위험군을 대상으로 하느냐에 따라 검사의 해석을 달리해야 한다. 현재 임상에서 많이 사용되는 지표로는 혈중 난포자극호르몬(follicle stimulating hormone, FSH), 항뮐러관호르몬(anti-Müllerian hormone, AMH), 동난포개수(antral follicle count) 등이 있으며 이들 지표들은 약제에 대한 난포의 반응과 관련이 있으나 이것이 반드시 임신율을 의미하지는 않는다. 이외에도 인히빈 B, 에스트라디올, 클로미펜첼린지테스트(Clomiphene Citrate Challenge Test, CCCT) 등이 제한적으로 사용된 바 있다. 2015년도 미국생식의학회(American Society for Reproductive Medicine, ASRM)에서는 현재 혈중 난포자극호르몬이 가장 흔히 사용되는 지표이나 향후 동난포개수나 항뮐러관호르몬이 우수한 지표로 기대된다고 하였다. 각 지표들의 민감도, 특이도, 신뢰도, 장단점을 정리하면 표 22-1과 같다.

① 혈중 기저 난포자극호르몬 농도(basal serum FSH concentration), 에스트라디올(Estradiol) 농도

월경주기 2-4일에 측정된 혈중 기저 난포자극호르몬 농도는 생식력의 노화와 함께 증가한다. 따라서 증가된 기저 난포자극호르몬 농도는 생식력 감소의 지표로 많이 사용되고 있다. International Reference Preparation for the quantitation of hMG (IRP-hMG)에서 세계보건기구 Second International Reference Preparation (WHO IRP 78/549)로 난포자극호르몬에 대한 참고치 기준(reference standard)의 변화로 난포자극호르몬의 cutpoint 설정이 복잡해졌다. 현재는 생식샘자극호르몬(gonadotropin)의 면역측정법으

표 22-1. 난소예비력 검사의 장단점 요약 Committe opinion ASRM

Test	Cutpoint	불량반응군		임신실패	특이도(%)	신뢰도	이득	제한점
		민감도(%)	특이도(%)	민감도(%)				
FSH (IU/L)	10-20	10-0	83-100	7-58	43-100	제한적	광범위하게 사용	신뢰성 있음 민감도 낮음
AMH (ng/mL)	0.2-0.7	40-97	78-92	증거 불충분	증거 불충분	좋음	신뢰성 있음	검출에 제한점 임신실패를 예측하지 못함
AFC (n)	3-10	9-73	73-100	8-33	64-100	좋음	신뢰성 있음 광범위하게 사용	민감도 낮음
Inhibin B (pg/mL)	40-45	40-80	64-90	증거 불충분		제한적		신뢰성 있음 임신실패를 예측하지 못함
CCCT'day10 FSH (IU/L)	10-22	35-98	68-98	23-61	67-100	제한적	FSH보다 민감도 높음	신뢰성 있음 기저 FSH에 비해 추가적 가치가 제한적임 투약이 필요

로 IRP 78/549가 표준으로 사용되고 있으므로 IRP-hMG를 기준으로 측정한 예전의 문헌 해석에 주의를 기울여야 한다. 예를 들어 난포자극호르몬 농도의 기준점이 IRP-hMG에서 25, 17, 15라면 IRP 78/549에서는 16.7, 11.4, 10으로 환산하여야 한다.

혈중 기저 난포자극호르몬 농도는 월경주기간 또는 월경주기 내에서 변동이 있어서 측정의 신뢰도가 떨어지는 문제점이 있다. 일반적으로 특이도는 높지만 민감도가 낮은 것도 문제로 지적되고 있다. 즉 기준치 이상 높은 경우 약제에 대한 반응이 낮고 임신율이 낮을 것으로 예상되지만 기준치 이하일 경우 정상이라고 말할 수 없는 경우가 많다. 또한 젊은 저위험군에서의 측정은 가양성(false positive)의 확률이 높다는 것을 인지하여야 한다. 18 IU/L를 기준으로 하였을 때 생아 출생률(live birth rate)에 대해서 100% 특이도를 보였다(Scott et al., 2008). 이렇듯 높은 특이도를 보이는 기준점에서는 대부분 10-30%의 낮은 민감도를 보인다(Esposti et al., 2002). 생식력 노화, 높은 기저 에스트라디올 농도와 관련이 있지만 혈중 기저 에스트라디올 농도 단독으로는 난소예비력검사에 사용되지는 않는다. 그러나 혈중 기저 난포자극호르몬 농도가 정상인 경우 높은 에스트라디올 농도(>60-80 pg/mL)는 저반응, 높은 주기 취소율, 낮은 임신율을 예측하는 데 도움이 된다(Evers et al., 1998).

② 항뮐러관호르몬(anti-Müllerian hormone, AMH)

항뮐러관호르몬은 남성 태아의 고환 분화 시기부터 분비되어 뮐러관을 퇴화시키는 작용을 하는데 여성 태아에서도 태령 36주경부터 난소의 과립막세포(granulosa cell)에서 생성 분비되기 시작하여 폐경 직전까지 분비되는 것으로 알려졌다. 항뮐러관호르몬은 다른 혈액 표지자와 달리 월경주기의 어느 시기에나 측정이 가능하며 연령 특이 참고치를 사용하여 난소예비력을 평가할 수 있으며 난소예비력을 반영하는 지표로서 우수하다는 결과들이 보고되어 임상적으로 널리 사용되고 있다. vanRooij (2002) 등은 항뮐러관호르몬이 여성 생식 능력의 감소를 반영하는 이상적인 지표의 조건인 생물학적 타당성, 즉 follicle pool의 적절한 반영, 연령과의 단면적인 상관성, 종단적(longitudinal)인 변화, 일관성 있는 개인별 변화 등에서 모두 우수한 특성을 나타내어 여성의 연령에 따른 생식능력의 감소를 반영하는 가장 우수한 지표라고 결론 내린 바 있다. 또한 생식샘자극호르몬의 영향을 받지 않고, 월경주기에 따른 변화가 적으며 이른 시기부터 변화가 시작되는 등의 난소예비력검사 방법으로서의 장점을 가지고 있다. 지금까지의 항뮐러관호르몬에 관한 연구들은 두 종류의 검사방법을 사용하여 왔다(La Marca et al., 2010). 두 검사 방법 사이의 상관관계는 매우 유의하나 표준화 곡선이 평행하지 않아 일률적으로 계산할 수 있는 전환계수(conversion factor)는 없으므로 결과 해석 시 주의를 요한다(Lee et al., 2011). 항뮐러관호르몬의 기준 값을 임상에 적용 시 3가지 대상으로 분류하여 생각하여야 하는데 난소예비력 감소의 일반군, 저위험군, 고위험군이다. 앞서 말한 바와 같이 난소예비력검사의 임상적 의미는 유병률에 따라 달라지므로 저위험군에서는 비교적 높은 기준값으로 인하여 특이도 및 양성예측도가 낮아지게 된다. 일반적인 체외수정대상자에 대한 최근 연구결과들을 종합해 보면 0.2-0.7 ng/mL의 혈중 농도를 기준으로 할 때 민감도 40-97%, 특이도 78-92%로 3개 미만의 난포 또는 2-4개의 난자 획득으로 정의한 저반응군을 예측할 수 있었다. 그러나 이 기준으로 임신을 예측하지 못하였다. 이전 주기나 혈중 기저 난포자극호르몬 농도 측정으로 규정한 난소예비력 감소의 고위험군을 대상으로 한 연구들에서 3개이하의 난포성장을 예측함에 있어 기준점을 측정불가(undetectable)로 할 때 76%의 민감도, 88%의 특이도를 보였고 기준점을 1.25 ng/mL으로 할 때 85%의 민감도, 63%의 특이도를 보였다(Mcllveen et al., 2007; Muttukrishan et al., 2004). 항뮐러관호르몬은 과배란유도에 대한 과도한 반응(>3.5 ng/mL) 및 저반응(<1 ng/mL)의 좋은 예측표지자 이며 동난포 개수와 강력한 양의 상관 관계를 보인다고 보고된 바 있다(Jayaprakasan et al., 2010; Nardo et al., 2009).

③ 동난포개수(antral follicle count)

동난포의 수는 난포기 초기에 질초음파로 양측 난소에서 관찰되는 난포수의 합으로 정상 가임력을 가진 여성에서 역연령과 밀접한 관련이 있으며 원시난포 군집(pool)을 반영하는 것으로 사료되어 난소예비력검사의 지표로 사용되어왔다. 대부분 평균지름 2-10 mm 크기로 정의되며 간혹 3-8 mm를 이용하기도 한다. 경험이 있는 센터에서는 주기 간(inter-cycle), 관찰자 간(inter-observer) 변동이 적어 비교적 신뢰도가 있는 검사로 알려져 있다(Bancsi et al., 2004). 동난포 수의 기준점을 3-4개로 하였을 때 민감도 9-73%, 특이도 73-100%로 저반응군을 예측할 수 있었다. 동난포 수의 높은 특이도는 불량한 반응 및 치료 실패를 예측함에 있어 유용한 표지자이나 낮은 민감도에 따른 제한점이 있으며 동난포개수 측정은 초음파의 질이나 숙련도에 따라 측정값의 변동이 크다는 문제점이 있다. 기계학습(machine learning)의 활용과 함께 항뮐러관호르몬, 동난포 개수를 사용한 체외수정시술의 성공 예측모델이 보고된 바 있으며 연령, 체질량지수, 임신력, 불임의 원인과 같은 다른 임상적 요인들과 함께 사용될 경우 매우 높은 체외수정시술을 통한 생아 출산 확률을 제공할 수 있다고 보고하였다(Nelson et al., 2015).

④ 기타

구연산클로미펜부하검사(clomiphene citrate challenge test, CCCT)는 월경주기 5일에서 9일까지 클로미펜을 투여하고 혈중 난포자극호르몬(FSH)을 월경주기 3일과 10일째에 측정하는 방법이다. 클로미펜 투여 동안 동원되는 난포에서 에스트라디올과 인히빈(inhibin) B에 의하여 난포자극호르몬이 억제되는데 난소예비력이 감소된 환자의 경우 동원되는 난포의 개수가 적어 난포자극호르몬의 억제가 되지 않을 수 있다. 혈중 기저 난포자극호르몬 농도 측정에 비하여 민감도를 약간 증가시킬 수 있다(Hedris et al., 2006). 그 외에도 인히빈 B, 난소용적(ovarian voume) 등을 이용한 연구가 있었으나 임상적인 이용에는 추전되지 않는다.

3) 여성 불임증의 평가 원칙

불임의 원인에 대한 평가는 정의상 불임에 해당하는 환자 및 불임의 위험성이 높은 환자에 제공될 수 있다(ACOG/ASRM committee opinion, 2019). 40세 이상의 여성에서는 보다 즉각적인 평가 및 치료가 필요하며 불임을 유발할 수 있는 것으로 알려진 상황에 있는 여성들에게도 즉각적인 평가를 제공하여야 한다(ACOG/ASRM committee opinion, 2019). 나이가 35세 이상인 경우, 희발월경 또는 무월경의 병력이 있는 경우, 자궁, 난관, 복막의 질환 또는 3-4기의 자궁내막증이 있거나 의심되는 경우, 남성 불임이 있거나 의심이 되는 경우에는 조기에 평가와 치료가 이루어져야 한다(ASRM Practice Committee, 2015). 불임의 원인을 평가할 때 불임의 원인이 되는 배우자만 치료하는 것이 아니라 남녀 모두 함께 내원하게 하여 상담받게 하는 것이 중요하다. 남녀 모두에게 앞으로 제공될 검사 방법, 불임 치료 및 향후 방향에 대하여 함께 상의하고 결정하게 하는 것이 바람직하다 불임 남녀를 상담할 때 다음을 고려하도록 한다.

첫째, 가능하다면 불임의 원인을 정확하게 찾도록 노력한다. 적절한 평가와 치료가 이루어진다면 대부분의 여성은 임신할 수 있음을 명심한다.

둘째, 환자의 동료나 대중 매체에서 얻어진 그릇된 관념을 깨우치고 정확한 정보를 제공해 준다.

셋째, 불임 치료를 하는 동안 정신적 지지가 중요하다. 불임 환자들은 임신하지 못함으로 인하여 큰 상실감을 느끼게 되고 추가적인 불임 치료에 대하여 많은 부담을 받는데 환자에게 현재 자신이 느끼는 감정을 상담할 수 있도록 환경을 조성해 준다. 실제로 극심한 불안감은 배란장애의 원인이 되고 성교 횟수를 감소시키지만 일반적으로 불임 환자들이 갖고 있는 근심 걱정은 특별히 불임 치료에 나쁜 영향을 미친다는 증거는 없다.

넷째, 일반적인 치료방법에 실패한 남녀에게는 대안을 제시해 준다. 예로 공여 정자나 난자를 이용한 보조생식술이나 입양에 대해 설명해 주도록 한다.사실 불임 환자는 원인을 평가하면서 동시에 치료가 함께 이루어질 수 있으며 매 방문 시마다 환자의 치료 이외에도 감정의 변화와 경제적인 부분에 대해서도 중점을 두어 상담하도록 한다. 환자가 호소하는 증상이 때로는 불임의 원인에 대한 단서를 제공할 수도 있으므로 불임증 평가의 시작은 자세한 병력청취와 이학적 검사로 시작되어야 한다. 따라서 병력청취와 이학적 검사는 다음의 사항을 포함하고 있어야 한다.

(1) 병력청취

- 산과력, 임신의 결과와 그와 관련된 합병증
- 생리주기, 특성, 생리통의 시작과 심한 정도
- 성관계의 횟수, 성관계장애의 여부
- 불임의 기간, 이전의 검사나 치료의 결과
- 과거의 수술력, 수술의 이유나 결과, 과거나 현재의 내과적 질병
- 이전의 비정상적인 자궁경부세포진검사결과나 그에 따른 치료 여부
- 현재 복용하고 있는 약이나 알레르기 여부
- 직업, 흡연, 술 그 이외의 약물남용 여부
- 선천성 기형, 정신 박약, 조기폐경 또는 불임의 가족력
- 갑상선 일환의 증상 여부, 골반통이나 복통, 유즙분비, 남성화, 성교통 여부

(2) 이학적 검사

- 체중과 체질량 지수
- 갑상선 크기의 증가나 종괴, 압통 여부
- 유즙 분비 여부, 특성
- 안드로겐 과잉의 증상
- 자궁의 크기, 모양, 위치, 이동성
- 골반이나 복부의 압통, 장기의 크기 증가나 종괴 유무
- 질이나 자궁경부의 기형, 분비물의 특성
- 자궁 부속기나 더글라스와의 종괴, 압통, 결절성 여부

불규칙한 생리주기는 배란장애를 의미하는 경우가 많고, 이전에 자궁경부의 이상으로 치료를 받았거나 자궁경부염이 있거나 협착이 있는 경우는 자궁경부가 장애가 되어 불임일 가능성이 있다. 이전에 자궁경 수술을 받았거나 자궁의 성형술을 받은 경우, 최근 들어 생리량이 증가하는 경우는 자궁강이 불임의 원인일 수 있다. 이전에 별다른 문제가 없이 임신 이삼분기 전에 소파수술을 시행받은 경우 추후의 임신에 영향을 미치지는 않는다. 생리통이 심해지거나 새롭게 성교통이 생기거나 더글라스와에 국한된 압통이나 결절이 만져지는 경우 자궁내막증의 발생을

의심해 볼 수 있다. 골반 감염의 기왕력, 감염성 유산, 맹장이 파열되어 수술한 경우, 자궁외임신, 자궁근종절제술을 시행받은 경우, 자궁 부속기를 수술한 경우 등은 난관이나 복강내의 병변으로 불임을 초래할 가능성을 높인다. 임신을 원하는 여성이나 이미 임신 중인 여성에서 다음과 같은 검사를 시행한다. 성매개 감염질환(sexually transmitted infection)에 대한 검사는 미국 질병관리센터(Center for Disease control and Prevention, CDC)에서는 중등도이상의 위험그룹 및 모든 임산부에게 실시할 것을 권하고 있다.

⑶ 스크리닝검사

- 혈색(Hb), 혈액형(ABO, Rhesus type), antibody screening
- 자궁경부암검사 (PAP smear)
- 풍진항체(rubella blood test)
- 매독검사(rapid plasma reagin, RPR)
- 클라미디아, 임질(nucleic acid based test)
- B형 간염(hepatitis B surface antigen, HBs Ag)
- 자발적인 인간면역결핍 바이러스(HIV)검사

기증정자를 이용한 비배우자 간 인공수정 시술의 경우 추가적으로 HIV, 2, B형 간염, C형 간염(hepatitis C antibody), cytomegalovirus, human T-cell lymphocyte virus type I, II를 시행하며 임질이나 클라미디아검사를 시행할 수 있다. 이 경우 남성 배우자에게도 HIV, B, C형 간염, 매독검사를 시행하는 것을 권고한다.

4) 여성불임증의 원인

인간의 생식 과정은 매우 복잡하지만 불임의 평가를 위해서는 편의상 다음과 같은 원인으로 분류할 수 있다(그림 22-1).

(1) 배란장애(30-40%)
(2) 남성요인(30-40%)
(3) 자궁, 골반, 난관의 이상(30-40%)
(4) 원인불명(10%)

그러나 이러한 원인은 연령에 따라 빈도가 다를 수 있는데 젊은 여성의 경우 비교적 배란장애가 흔하며 난관 및 골반병변은 비슷하며 원인불명의 경우 고령에서 흔하다. 또한 불임의 기간이 길수록 불임의 원인이 복잡하거나 심한 경향이 있다.

5) 난소요인(배란이상)

난소인자는 주로 배란장애를 말하는데 배란장애 자체가 무배란처럼 불임의 원인이 될 수도 있고 희소배란처럼 불임에 영향을 미치는 하나의 인자가 될 수도 있다. 일반적으로 정상적인 부부도 한 월경주기에 임신할 가능성은 대략

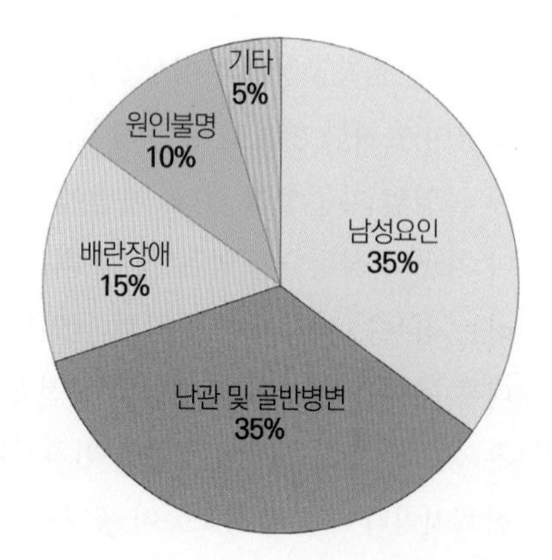

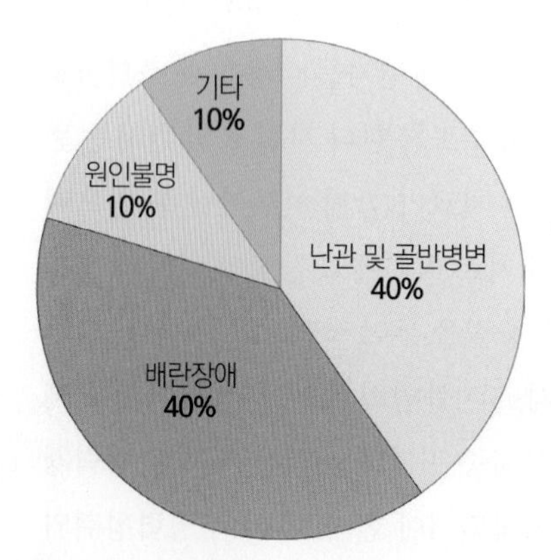

그림 22-1. 불임증, 여성불임증의 원인

표 22-2. 배란 이상을 검사하기 위한 방법과 시기

검사방법	시기
월경력	
기초체온검사법	전주기
프로게스테론 측정	황체기중기(mid-luteal)
소변황체호르몬검사	난포기말기(late-follicular)
자궁내막조직검사	황체기말기(late-luteal)
초음파검사	난포기말기(late-follcular)

20% 정도되므로 무배란과 희소배란을 구분하는 것은 임상적으로 큰 의미는 없다. 배란의 시기를 예측하기 위한 많은 방법들이 있는데 대개는 배란에 따른 호르몬의 변화를 반영하는 것들로 어떤 검사가 가장 좋다고 단정 지어 말할 수는 없다(표 22-2).

(1) 월경력

월경력 하나만 가지고도 무배란을 진단하기에 충분할 수 있다. 특히 희발월경, 무월경, 잦은 월경, 기능성자궁출혈이 존재한다면 배란요인을 의심할 수 있다. 가임기 여성에서 정상 월경주기는 21일에서 35일까지로 평균 27-29일이다. 정상적으로 배란이 되는 여성은 규칙적이고 생리일에 대해 예상이 가능하며 일정한 양과 기간 동안 생리를 하게 된다. 무배란 여성은 일반적으로 불규칙적이고 드물게 생리를 하며 생리일을 예측할 수 없다. 그러나 규칙적으로 매달 월경이 있는 여성도 무배란일 수 있어 월경을 한다는 것 자체가 반드시 배란을 의미하지는 않는다. 고안드로겐증이 있는 다낭성난소증후군 환자의 약 15-40%에서 배란이 없음에도 불구하고 24-35일의 월경주기를 보인다는 보고가 있다. 따라서 월경력에 문제가 확실한 경우는 월경이상의 유무를 위해 특별한 검사가 필요 없지만 일부 고안드로겐증이 있는 다낭성난소증후군 환자의 경우 월경이 비교적 규칙적이라고 하더라도 배란장애가 있을 수 있음을 염두에 두어야 하겠다. 무배란 또는 희발배란이 있는 여성에서는 혈중 난포자극호르몬, 유즙분비호르몬, 갑상선자극호르몬 검사가 시행되어야 한다.

(2) 기초체온검사법

연속적인 기초체온의 측정은 쉽고 저렴하게 배란기능을 평가할 수 있는 방법이다. 기초체온은 매일 아침잠에서깬 직후 측정하게 된다. 배란 후 프로게스테론이 분비되면 기초체온이 상승한다. 기초체온은 난포기에는 97.0-98.8°F (36.1-37.1°C) 사이에서 측정되다가 배란 이후 황체기에 평균 0.5-1°F (0.3-0.5°C) 정도 상승하여 유지되고 생리 시작 전후로 하여 다시 하강하게 된다. 배란 주기에서는 이런 이분성의 양상이 잘 나타나며 무배란 주기에서는 단상성의 양상을 보이나 일부 배란이 되는 여성에도 이분성의 양상을 명확하게 확인할 수 없는 경우도 있다. 만약 임신이 되었다면 생리가 시작되지 않고 체온은 계속 상승한 상태로 유지되게 된다. 기초체온을 측정하면 배란의 유무를 확인할 수 있으며 동시에 배란이 되는 시기를 아는 데 도움이 된다. 일반적으로 기초체온은 배란이 되기 하루 전이나 배란되는 날 최저로 낮게 측정이 되는데 이런 변화는 체온이 상승한 다음에야 정확히 알 수 있게 된다. 체온의 상승은 프로게스테론이 5 ng/mL 이상 되어야 나타나며 황체호르몬의 분비가 증가된 후 1-5일 후 그리고 배란 후 4일 뒤에 체온의 상승이 나타날 수 있다. 체온의 상승이 급격히 일어날 수도 있으나 완만히 일어나서 감지하기 어려운 경우도 있으며 가임 기간이 지난 후에야 배란을 알 수 있는 경우도 종종 있다. 기초체온을 측정하는 경우 가장 임신이 잘 되는 시기는 체온이 상승하기 전 7일 동안이다. 기초체온 측정 시 고온기가 10일 미만으로 황체기가 짧은 경우와 같은 보다 미묘한 배란기능이상을 확인할 수 있다. 그러나 기초체온검사법은 배란을 예측할 수 없고 빈번한 위음성 결과, 매일 측정해야 하는 번거로움과 같은 제한점을 가지고 있으며 흡연이나 불규칙한 수면습관은 정확한 기초체온 측정을 방해할 수 있다. 결론적으로, 대부분의 불임여성에서 기초체온검사법은 더 이상 배란기능을 평가하기 위한 최선의 방법으로 간주되지 않는다(ASRM Practice Committee, 2015).

(3) 황체기 중기 혈중 프로게스테론 측정

프로게스테론 측정은 월경주기의 적합한 시기에 측정된다면 배란의 유무를 평가할 수 있는 신뢰할만한 객관적인 검사이다. 그러나 배란을 예측할 수는 없고 단지 배란이 일어났다는 사실을 증명해준다. 보통 28일 주기의 규칙적인 생리를 하는 여성의 경우 14일에 배란이 되었다고 가정하면 21일째 혈청의 프로게스테론 치가 최고치에 달한다고 예상할 수 있으며 이때 측정을 할 것을 권하고 있다. 일반적으로 다양한 생리 주기를 보일 수 있으므로 다음 달 생리가 예상되기 한 주 전에 측정을 하는 것이 바람직하다. 난포기에는 일반적으로 1 ng/mL 이하를 유지하다가 LH surge가 있을 때 약간 상승하며(1-2 ng/mL) 그 이후로 천천히 상승하여 배란 후 7-8일 지나 최대치에 도달하게 된다. 그 후 생리가 시작되기 전까지 완만히 감소하게 된다. 일반적으로 3 ng/mL 이상이 측정되면 배란이 되었다고 할 수 있다. 정상적인 황체의 기능을 반영하는 최소의 프로게스테론 치에 대해서는 아직 합의점이 없고 10 ng/mL 이상이면 정상으로 생각하는 것이 흔한 방법 중 하나지만 황체에서 프로게스테론이 박동성으로 분비되고 프로게스테론 농도가 수시간 간격에서 7배까지 차이가 날 수 있기 때문에 정상적인 황체기능을 평가하는데 있어 신뢰할만한 방법은 아니다.

(4) 소변 황체형성호르몬검사

단순히 배란이 됐는지 여부만이 아니라 언제 배란이 될 것인지 예측하기 위해 흔히 쓰이는 방법 중의 하나이다. 일반적으로 '배란 진단시약' 또는 '황체형성호르몬 키트'로 알려져 있으며 이런 상품들은 모두 소변에서 LH surge를 검출해내는 방법이다. LH surge는 약 48시간에서 50시간 정도가 지속된다. 황체호르몬은 반감기가 짧으며 소변을 통해 배설된다. 생리주기 동안 대체적으로 하루나 이틀 정도에서만 키트에서 양성이 나오게 된다. LH surge를 파악하기 위해서는 배란 예정일 2-3일 전부터 매일 측정을 하며 한 번 양성이 나오면 더 이상 검사를 할 필요는 없다. 검사 결과는 물을 섭취한 정도나 측정시간에 따라 영향을 받을 수 있다. 물의 섭취를 제한할 필요는 없으나 측정 전에 과도하게 섭취하는 것은 피하도록 환자에게 설명해야 한다. 일반적으로 아침 첫 소변이 가장 농축이 잘 되어 있으므로 첫 소변으로 측정하는 것이 가장 합리적이다. 그러나 LH surge가 일어나는 시간은 대개가 이른 아침이고 LH surge의 최고점 2시간 이후부터 소변에서 측정할 수 있으며 LH surge의 지속시간이 12시간 미만일 수 있어 하루에 두 번 측정하는 것이 위음성을 줄일 수 있는 방법이기는 하지만 일반적으로 추천되지는 않는다. 하루에 한 번만 측정해도 올바르게 하면 대부분 배란을 알아낼 수 있으며 위양성이나 위음성이 약 5-10%로 보고된다. 여러 가지 다른 종류의 배란 키트들의 정확성은 차이가 있다. 현재 쓰이는 검사 중 가장 정확한 검사는 24-48시간 내에 배란이 될 것을 90% 이상의 가능성으로 확인할 수 있으며 소변에서 LH surge가 확인된 후 대개는 14-26시간 내에 배란이 되며 거의 모두에서 48시간 내에 배란이 되게 된다. 그러므로 임신이 가장 잘 되는 시기는 LH surge가 검출된 당일부터 2일간이며 대개는 처음 양성이 나온 후 하루 다음날이 성관계를 하거나 정액주입술을 하는 데 가장 좋은 시기로 알려져 있다. 배란을 예측하는 키트는 비침습적이고 손쉽게 사용할 수 있으며 시간과 수고를 덜 수 있고 환자를 치료에 적극적으로 참여시킬 수 있다는 장점이 있다. 그리고 다른 배란검사에 비해 언제 배란될지를 예측할 수 있는 장점도 있다. LH surge를 정확하게 예측하는 것은 난포기와 황체기의 기간을 알 수 있기 때문에 대략적으로 황체기능을 가늠해 볼 수도 있다.

(5) 자궁내막조직검사와 황체기결함(luteal phase deficiency)

자궁내막조직검사를 이용한 황체기결함검사(endometrial histologic dating)는 더 이상 불임 및 반복유산에 대한 검사방법으로 추천되지 않는다. 프로게스테론의 영향에 의해 자궁내막은 특징적인 조직학적 소견을 보이는데 이에 근거해서 자궁내막조직검사를 시행하게 되면 배란 여부를 확인할 수 있다. 생리주기 중 난포기에 자궁내막은 증식을 보이는데 이는 우성난포에서 분비하는 에스트로겐에 의한 영향이다. 황체기에는 황체에서 분비되는 프로게스테론에 의해 자궁내막은 분비형태로 변환되게 된다. 배란이 되지 않는 여성은 항상 난포기에 있게 되므로 자궁내막은 항상 증식기에 있게 되고 에스트로겐에 의한 성장이 과다한 경우에는 자궁내막증식증이 생기기도 한다. 외부의 프로게스테론의 영향이 없는 경우에 분비기의 자궁내막을 보이는 것은 최근의 배란을 시사하는 것이다. 자궁내막조직검사도 시기를 적절하게 맞춰서 시행하면 배란을 확인하는 검사가 될 수는 있으나 환자가 불편해할 수 있고 비용이 더 많이 들며 기초체온 측정이나 프로게스테론 측정, 소변에서 황체호르몬을 측정하는 방법에 비해 더 많은 정보를 제공하지 못한다. 따라서 일반적으로는 자궁내막조직검사를 시행하지 않으며 장기간 동안 만성적으로 배란이 되지 않는 경우에 한하여 자궁내막조직검사를 시행하여 자궁내막증식증 여부를 알아 볼 수 있으며 만성자궁내막염이 의심되는 경우에도 시행해 볼 수 있다. 이전에는 자궁내막조직검사가 황체기결함을 알아보는 데 필수적인 검사 중 하나로 인식되었으나 더 이상 황체기결함을 알기 위해 자궁내막조직검사를 시행하지 않는다. 황체기결함 즉 황체에서 프로게스테론의 생성 저하는 오랫동안 불임 및 초기 유산의 원인으로 생각되어 왔고 이를 검사하기 위한 방법의 하나로 프로게스테론의 반응을 볼 수 있는 조직인 자궁내막을 검사하는 것이 시행되어 왔다.프로게스테론에 의한 자궁내막 분비기의 조직학적인 특징은 잘 알려져 있어서 배란이 된 후에 조직검사를 시행하면 잘 숙달된 병리과 의사라면 배란이 된 후 대략 얼마나 경과했는지 충분히 예측이 가능하다. 그래서 조직검사상 예측되는 날짜와 실제로 배란이 일어난 날짜를 비교하여 이틀 간격 내로 일치하면 정상으로 생각되며 이틀이 벗어나면 황체기장애를 진단할 수 있다(Duggan, 2001). 전통적으로 조직학적으로 날짜를 정하는 방법에 대한 가장 큰 문제점은 첫째, 기준이 되는 조직이 불임 환자로부터 얻은 것이라는 점이다. 즉 기준이 되는 자궁내막 소견 자체가 비정상일 가능성이 있고 불임의 원인이 다양하므로 기준자체가 다양한 집단에서 정해졌다는 것이 문제가 될 수 있다. 둘째, 추출날짜를 정할 때 황체기를 14일로 가정하고 생리가 시작된 후 소급해서 결정하는 방법을 사용하는데 다양한 연구에 의하면 황체기의 기간은 정상적으로도 흔히 다양하게 존재할 수 있다는 것이다. 더군다나 이렇게 후향적으로 날짜를 결정하는 것은 배란의 시기(65%), 황체형성호르몬 분비폭발의 예측(85%), 그리고 초음파상의 배란(96%)과도 잘 맞지 않는 것으로 알려져 있다(Guermandi, 2001). 셋째, 조직학적으로 날짜를 계산하는데 있어서 주관이 개입할 수 있다는 것이다. 다양한 연구들이 검사자 개인 그리고 검사자 간의 오차가 있다고 하였으며 20-40%에서 진단 및 치료에 영향을 미칠 수 있는 수준이라고 하였다. 요약하면 전통적으로 사용되어 오던 자궁내막조직검사는 더 이상 유용한 검사가 될 수 없다. 그리고 임신이 안 되는 여성에서 이 검사만 가지고 치료를 하는 방향을 설정할 수는 없으며 꼭 필요한 검사라고 할 수도 없다.

(6) 질초음파(transvaginal ultrasound)

배란을 알 수 있는 방법 중 하나가 연속적으로 초음파를 통해 배란이 되는지 관찰하는 것이다. 비록 실제로 배란이 일어났다는 확실한 증거를 제시할 수는 없지만 연속적인 검사를 통하여 난포의 수나 크기에 대한 정보를 얻을 수 있고 언제 배란이 일어날지 예측할 수 있다. 난포 발달의 마지막 단계에서는 하루에 평균 2 mm(1-3 mm/day)씩 성장하게 되며 배란이 된 후에는 난포가 갑자기 크기가 작아지고 경계가 불분명해지며 내부 음영이 증가하고 더글라스와에 복수가 고이게 된다. 그리고 초음파를 통하여 난포의 성장이 비정상적인 경우도 밝혀낼 수 있다. 난포는 자연주기에서는 17-19 mm, 클로미펜 배란유도 주기에서는 19-25 mm의 배란 전 난포 직경에 도달한다. 난포가 비정상적인 속도로 자라거나 비교적 작은 상태에서 배란이 일어나거나 계속 자라고 배란이 되지 않거나 LH surge가 일어난 후에도 낭종으로 남는 경우 등을 알아낼 수 있는데 이를 황체화된 비파열성 난포(luteinized unruptured follicle)라고 한다. 이런 양상의 배란장애는 다른 검사 방법으로는 알아낼 수 없으며 흔치는 않으나 원인이 규명되지 않는 불임에서 종종 관찰된다. 치료는 배란장애의 치료와 동일하다. NSAIDs를 복용하면 배란장애를 일으켜 황체화된 비파열성 난포가 일어날 수 있으므로 임신을 원하는 여성에서는 복용을 주의하여야 한다. 연속적인 초음파 측정은 생식샘자극호르몬을 이용하여 배란을 유도할 때 안전하고 효과적인 방법이다.

6) 난관요인

불임부부에서 30-35%는 나팔관 이상이 그 원인이다. 골반염, 유산, 맹장 파열, 난관수술, 자궁외임신 등의 기왕력이 있던 환자는 난관 손상의 가능성을 시사 하는데 특히 골반염은 자궁외임신과 난관 이상의 가장 큰 원인이다. 일반적으로 난관 이상은 급성골반염이 한 번 있었던 경우 10-12%, 두 번이면 23-35%, 세 번 이상인 경우 54-75% 정도에서 나타난다(Westrom, 1980). 난관 불임 요소의 다른 원인으로 자궁내막증이나 염증성 장질환, 수술 후 손상 등이 있다. 난관에 이상이 있으면 해부학적으로 난자와 정자의 결합을 방해하는데 특히 근위부 폐쇄는 정자가 이동하는 것을 방해하고 원위부 폐쇄는 난자의 포획을 방해하게 된다. 난관의 점막이 염증에 의해 손상된 경우는 정자나 배아의 이동에 영향을 줄 수 있으나 쉽게 진단되기 어렵다. 자궁난관조영술(hysterosalpingography)과 복강경술(laparoscopy)은 불임 여성에서 난관통기성을 평가하는 기본적인 진단법이다. 자궁난관조영술을 통해 자궁내강과 난관의 내부 구조를 관찰할 수 있다. 복강경술을 통해 자궁난관조영술에서 밝힐 수 없는 유착이나 자궁내막증, 난소의 병리적 이상 등 골반의 해부학적 정보를 자세하게 평가할 수 있다. 자궁난관조영술은 외래에서 시행할 수 있고 덜 비싸고 치료적 가치도 있다. 그러나 환자에게 불편과 고통을 유발하며 방사선 노출과 감염의 위험성이 있다. 이에 비해 복강경술은 침습적이고 대부분 전신마취를 요하며 자궁경검사를 시행하지 않으면 자궁내강의 자료를 제공하지 못하고 장이나 혈관에 손상을 줄 수 있다는 부작용이 있다. 초음파자궁조영술은 생리식염수와 초음파를 이용한다는 점에서 자궁난관조영술과 유사하나 아직 난관을 평가하는 데는 잘 사용되지 않는다. 클라미디아 항체검사는 덜 침습적이고 경제적으로 난관 요소를 평가하는 방법이고 난관 손상의 고위험군에서 일차적인 검진 방법으로 사용되어 치료 방향을 제시하는 데 도움을 줄 수 있다.

(1) 자궁난관조영술(hysterosalpingography, HSG)

자궁난관조영술은 감염이 적고 자궁내 혈전이나 출혈이 적은 시기인 생리가 끝난 후 2-5일 사이에 시행하는 것이 가장 좋으며 또한, 이시기에는 임신을 피할 수 있다는 장점이 있다. 자궁난관조영술을 시행할 때 특별한 준비는 필요하지 않으나 시술과 연관된 불편함을 감소하기 위하여 NSAID를 시술 30-60분 전에 투여할 수 있다. 자궁난관조영술과 연관된 감염은 드물지만 예방적 항생제(검사 전날부터 doxycycline 100 mg 하루에 두 번 5일간)를 주는 것이 바람직하며 골반염이 발생한 경우 검사를 수 주간은 피하는 것이 감염을 감소시키는 방법이다. 자궁난관조영술의 방법은 약 20-30초간의 방사선 노출을 하여 사진 촬영 3회(기본 사진, 자궁 윤곽과 난관통기성을 보는 사진, 조영제가 빠져 나간 상태를 확인하는 사진)를 기본으로 한다. 3-10 mL의 조영제를 천천히 자궁강 내로 투여하여 불편감을 최소화 하도록 한다. 수용성과 지용성 조영제의 사용의 선택에 대하여 수년간 많은 논란이 있었는데 지용성 조영제는 끈적여서 난관 내부를 정확히 보여줄 수 없고 골반으로의 확산이 나쁘고, 육아종성 반응(granulomatous reaction)이나 색전증 등의 위험성이 높은 단점이 있는 반면, 임신율을 증가시키며 치료적 효과가 큰 장점도 있다. 그러나 대규모 다기관 전향적 임상연구에서 생아 출생률에서 두 조영제 간에 차이는 없다고 보고되었다(Spring et al., 2000). 조영제의 투여로 인하여 자궁각의 경련이 발생하면 근위 난관의 폐쇄로 오인될 수 있으며 일측 이관 통기성만이 관찰될 수 있다. 이는 카테터의 위치에 따른 저항성의 차이가 가장 일반적인 원인으로 생각되고 있다. 위양성반응을 보이는 자궁난관조영술은 확장된 난관 수종에서도 관찰될 수 있으며 난관주위 유착의 경우도 원위부 난관폐쇄로 오인될 수 있다. 자궁난관조영술의 정확성은 민감도 65%, 특이도 83%로 보고하고 있다(Swart et al., 1995). 즉 난관이 열려 있을 경우 검사에서 65%에서만 열린 것으로 판단된다(조영이 된 경우를 양성으로 판단한다). 검사에서 조영이 잘되는 경우 난관이 실제로 막혀 있을 확률은 낮지만 조영이 잘되지 않고 막혀 있는 것으로 보여도 실제 난관이 열려 있는 경우도 흔하다. 4,521명의 자료로 복강경 검사 결과를 기준으로 분석한 결과 일측 난관이상을 포함한 경우와 양측 난관이상만을 대상으로 한 경우에 있어서 검사의 정확도에 차이가 있었는데, 양측난관의 이상에 대하여는 민감도 46%, 특이도 95%를 보여 낮은 민감도와 높은 특이도를 보였다. 자궁난관조영술 또한 대상군에 따라 민감도 특이도가 변할 수 있는데 특이도는 거의 일정하지만 민감도는 난관폐쇄 위험요소의 유무에 따라 위험요소가 없었던 군에서는 38%, 위험요소가 있었던 군에서는 61%로 나타났고 나이가 증가함에 따라 민감도가 낮아지는 경향을 보여 자궁난관조영술 결과 해석에 있어서 나이나 과거력을 고려할 필요가 있다(Broeze et al., 2011).

(2) 복강경술

복강경술은 난관요인 및 복강요인을 평가하는 확실한 방법이다. 진단적 복강경술은 수술적 복강경술과 마찬가지로 전신마취하에서 시행되나 부분마취와 수면제를 사용하여 시행되기도 한다. 복강경검사로 자궁과 전후의 더글라스와, 난소의 표면과 나팔관 등을 검사하여 병의 위치와 정도 등을 평가할 수 있다. 푸른색의 희석된 시약을 캐뉼라를 통하여 자궁 내로 주입하여 난관 통기성을 확인할 수도 있다(chrombopertubation). 일반적으로 인디고카민 시약이 메틸렌 블루보다 더 선호된다. 드물게 메틸렌 블루시약이 glucose-6-phosphate dehydrogenase 결핍환자에게 methemoglobinemia를 일으킨다는 보고가 있다. 시약을 천천히 주입함으로써 거짓 음성의 결과를 줄일 수 있고 수술 장면을 사진으로 찍으면 향후 환자를 이해시키는 데 더 도움을 줄 수 있다. 복강경술은 자궁난관조영술에서 발견할 수 없으나 불임을 일으킬 수 있는 자궁내막증이나 골반 및 부속기 유착, 원위 난관 폐쇄(fimbrial agglutination, phimosis) 등을 확인할 수 있는 장점이 있다. 가장 중요한 장점은 진단과 동시에 치료도 가능하다는 것이다. 즉 유착 박리 및 자궁내막증의 절제, 난소의 자궁내막종의 제거, 난관 성형술 등을 할 수 있다. 복강경술로 근위부 난관폐쇄를 진단한 경우일지라도 난관절제 후 병리적 검증을 하였을 때 11%에서 위양성이 었다는 보고가 있다(Flood et al., 1993).

(3) 초음파자궁조영술(sonohysterography)

초음파자궁조영술은 자궁내강의 병변을 확인하는 데 있어서 자궁난관조영술보다 더 민감한 방법이다. 이 방법을 통해 더글라스와에 생리식염수가 축적되는 것을 관찰함으로써 난관통기성을 확인할 수도 있다. 그러나 어느 쪽 난관이 열려 있는지는 확인할 수 없으며 난관의 해부학적 이상에 연관된 정보도 얻을 수 없다. 3차원 질초음파는 도플러를 이용하여 난관에서의 생리 식염수 이동을 관찰할 수 있으나 이것이 자궁난관조영술을 대체하지는 못한다. 초음파자궁조영술과 자궁난관조영술이나 복강경술에서 얻은 결과를 비교한 여러 연구는 일관된 결과가 보고되지는 않았다.

(4) 자궁난관조영 초음파검사(hysterosalpingo-contrast sonography)

생리식염수를 이용한 초음파자궁조영술은 자궁내강의 병변을 관찰하는 것에는 유용하지만 난관의 개통 여부를 보는 것에는 제한점이 있다. 생리식염수 대신 Hyskon이라는 고장액(hypertonic solution)을 이용하여 검사를 하기도 하였는데 난관의 점액을 제거하는 등의 난관 통기성에 보다 긍정적인 영향이 있을 것으로 생각되어 일부에서는 식염수를 이용하여 검사한 후 5 mL의 Hyskon을 주입하는 방법을 사용하기도 하였다(Richman et al., 1984). 이후 초음파로 구별이 가능한 고에코의 조영제(hyperechoic contrast agent)를 이용하여 난관의 상태를 평가하기 시작했다. 유럽을 위주로 심혈관 조영술에 사용하였던 Echovist-200을 이용하여 자궁난관조영 초음파검사가 시행되었다. Echovist-200은 고에코의 특성이 5분 정도 후에는 사라지는 제한점이 있고 미국 FDA의 승인을 받지 못하였다. 최근 식염수와 공기방울을 이용한 Femvue Sono 시스템이 FDA 허가를 받았다. 검사의 정확성 및 감염과 통증 등의 부작용은 기존의 난관조영술과 유사한 것으로 알려져 있다. 그러나 별도의 인력이나 시설이 필요 없고, 초음파로 검사할 수 있으며 방사선 노출이 없고 시간과 비용 면에서 유리할 수 있어서 불임환자의 평가에 있어서 처음 선별검사로 이용하기도 한다.

(5) 클라미디아 항체검사

여러 연구 결과 난관 협착, 난관 수종, 골반 유착과 같은 난관의 이상을 발견하는 데 있어 클라미디아 항체검사가 나팔관 조영술과 비슷한 정확성을 가지고 있다고 밝혀졌다(Dabekausen, 1994). 클라미디아 항체검사는 결과가 다양한데 이는 검사 방법이 다양하기 때문이며 사용하는 항원에 따라서 다양한 결과를 보여주기도 한다. 어떤 검사법은 클라미디아에 대해 매우 특수한 반면 다른 것들은 다른 종들과 구분이 어려운 검사도 있다. 일반적으로 클라미디아 항체검사의 예측능은 한계가 있기 때문에 클라미디아검사가 선별검사 이상으로 해석되어서는 안 된다. 클라미디아 항체검사가 불임 환자에서 갖는 의미에 대해서는 확실히 확립된 바는 없지만 초기에 이 검사를 시행해 볼 수 있다. 왜냐하면 환자가 더 세밀한 검사를 시작하기 전에 미리 검사를 시행하여 결과가 양성이라면 난관 이상에 대한 중점적 평가가 이루어질 수 있기 때문이다. 본 검사 결과 이상 소견을 보인 경우 모두 복강경을 시행하는 것은 정당성이 없으나 나팔관 촬영술이 정상인 원인 불명의 불임 환자에서 다른 고가의 정밀검사를 시행하기 전에 클라미디아 항체검사를 한 후 결과가 양성이면 다른 난관요인이 있음을 의심하고 필요하다면 복강경검사를 시행할 수 있다.

7) 자궁요인

자궁요인에 의한 불임은 배란장애나 남성요인에 비해 흔하지는 않으나 항상 가능성은 염두에 두고 있어야 한다. 또한 배란장애나 남성요인이 성공적으로 치료가 되었다고 하더라도 자궁요인이 동반되어 있는 경우 임신의 예후가 좋지 않을 수 있다. 자궁 요인으로는 해부학적 이상과 기능의 이상으로 나누어 볼 수 있다. 해부학적 이상은 자궁의 선천성 기형, 자궁근종, 자궁내유착, 자궁내 용종 등이 있다. 불임과 관련된 자궁 기능의 이상으로는 만성내막염을 들 수 있다. 다른 기능의 이상으로 황체기의 이상을 포함한 자궁내막의 배아에 대한 수용성의 감소를 들 수 있으나 이들 요인은 불임을 유발한다는 증거가 아직 부족하고 정확히 진단할 방법도 없으므로 임상적인 중요성이 떨어진다. 자궁내강을 검사하는 데는 4가지의 기본적인 검사법이 있는데 자궁난관조영술(hysterosalpingography), 질초음파, 초음파 자궁조영술(sonohysterography), 자궁경검사가 대표적인 방법이다. 각각의 검사는 장단점을 모두 갖고 있으므로 검사의 선택은 환자의 상황에 맞게 이루어져야 한다. 자궁난관조영술은 전통적인 방법으로 난관의 개통성을 확인할 수 있는 장점이 있기 때문에 불임으로 방문하는 환자들에게 시행하는 기초적이고 먼저 시행할 수 있는 검사로 이용되고 있다. 그러나 난관요인을 갖고 있을 가능성이 적거나 이전의 복강경수술 등으로 난관의 개통 여부를 알고 있는 경우에는 초음파검사로 대치될 수 있으며 자궁난관조영술에 비해 보다 싸고 간편하며 난소의 상태도 알 수 있고 방사선 조사를 피할 수 있는 장점이 있다. 과다월경이나 비정상 자궁 출혈 등 자궁내막의 이상을 시사하는 소견이 있는 경우나 심한 남성요인으로 인해 체외수정을 해야 하는 경우 또는 난관의 개통성 여부보다는 자궁내막에 대해 보다 자세히 검사해야 할 필요가 있는 경우에는 자궁경검사가 시행될 수 있다.

(1) 자궁난관조영술

자궁요인의 불임증 진단을 위한 자궁난관조영술의 가치는 다른 검사들에 비하여 난관 개통 여부에 대한 정보를 같이 얻을 수 있다는 장점이 있다. 따라서 난관요인에 대한 위험성이 있을 경우 유용하다. 자궁난관조영술은 자궁강의 크기와 모양을 정확하게 진단할 수 있는 방법이다. 단각자궁, 중격자궁, 쌍각자궁, 중복자궁 등 대부분의 발달장애에 대한 명확한 영상을 얻을 수 있으며 대부분의 점막하근종, 자궁내유착 등 치료의 결과에 영향을 줄 수 있는 중요한 정보를 얻을 수 있다. 자궁내막의 용종도 진단이 될 수 있으며 조영제를 빨리 주사하는 경우 병변이 가려질 수 있으므로 천천히 주사하여 관찰하는 것이 좋다. 정상적인 자궁강은 대칭적이고 역삼각형 모양이며 자궁저부 근처의 양쪽 각 사이의 간격이 가장 넓게 보이며 내막은 평편하여야 한다. 일반적으로 자궁기형은 자궁난관조영술상 특징적인 소견을 보인다. 단각자궁의 내강은 특징적으로 관상형(tubular)이며 우측이나 좌측으로 치우처 보이고 단일의 자궁각과 난관을 보인다. 격막자궁과 쌍각자궁은 특징적으로 두 개의 구별되는 각이 자궁하부에서 합쳐지는 Y자 형의 모양을 보인다. 격막자궁과 쌍각자궁은 자궁난관조영술만으로는 정확하게 구분할 수 없고 3D 초음파, 자기공명촬영술, 진단적 복강경 등의 검사를 추가로 시행하여야 한다(Homer, 2000). 또한 도관(catheter)의 위치가 잘못된 경우 한 쪽 각만이 조영이 되어 단각자궁으로 오진이 될 수도 있다. 중복자궁의 진단을 위해서는 각각의 경부를 통해서 두 개의 자궁을 조영하여야 한다. 자궁근종이나 용종은 일반적으로 다양한 크기와 모양의 충만결손으로 나타난다. 자궁내유착을 가지고 있는 여성에서 자궁난관조영술은 전반적으로 불규칙한 자궁내강의 모양을 보여주며, 심한 경우에는 자궁 내강이 전혀 관찰되지 않는다.

(2) 질초음파와 초음파자궁조영술

질초음파는 불임 여성의 자궁내강을 평가하는 또 다른 방법이다. 질초음파를 통하여 자궁과 난소, 난관의 이상을 평가할 수 있다. 초음파자궁조영술은 자궁 내강을 관찰하고 이상을 확인하기 위해 자궁내에 도관을 넣고 생리식염수를 주입하면서 질초음파를 시행하는 것이다. 질초음파를 이용하여 자궁 전벽과 후벽의 근층과 내막층 사이의 정상적인 경계를 명확하게 관찰할 수 있다. 자궁내막의 경계면의 두께와 모양은 생리주기에 따라 변화하는데 증식기에는 자궁내막이 점점 두꺼워지면서 상대적으로 저음영으로 보이며 명확하게 세 층이 나타난다. 분비기에는 음영이 증가되어 보이며 도플러 초음파를 이용하면 자궁동맥의 혈류가 생리 주기에 따라 변하는 것을 관찰할 수 있다. 질초음파를 통해서 불임의 원인을 명확하게는 알 수 없지만 자궁의 모양을 확인하는 데에는 유용하게 이용될 수 있다. 선천성 자궁이상을 확인하는 데에 자궁난관조영술과 더불어 질초음파는 자궁 기저부의 모양 이상을 확인함으로써 중격자궁과 쌍각자궁의 정확한 진단에 도움을 줄 수 있다. 중격자궁은 정상보다는 넓은 하나의 자궁 기저부를 가지고 있으며 약간 볼록하며, 쌍각자궁은 다양한 깊이로 중앙에서 자궁 기저부가 나뉘어져 있다.

(3) 자궁경

자궁경은 자궁내강의 이상을 진단하고 동시에 치료할 수 있는 방법이다. 자궁경을 통해 내강의 크기, 모양을 확인할 수 있으며 병변의 위치를 정확히 파악할 수 있다. 전통적으로 자궁경검사는 다른 덜 침습적인 검사로 확인할 수 없는 경우에 실시하였으나 최근에는 직경 2-3 mm의 자궁경이나 유연자궁경을 사용하여 외래에서 마취없이 쉽게 시행하며 간단한 수술을 할 수 있게 되었다(Lindheim, 2000).

(4) 선천성 자궁기형

선천성 자궁기형은 여성의 3-4%에서 발생한다. 선천성 자궁기형은 그동안 유산이나 산과적인 합병증과 관련이 있다고 알려져 왔으나 일반적으로 수정이나 임신과는 상관이 없는 것으로 여겨지고 있다. 불임검사 중에 발견이 되었다면 치료의 방법을 결정하는데 고려해야 할 대상이지 불임의 원인으로 생각해서는 안 된다. 예를 들면, 난소의 과배란을 통해 쌍태아가 임신되었을 경우 자궁기형이 있으면 산과적 합병증의 위험성이 커질 수 있다. 중격자궁은 이런 일반적인 원칙과는 다른 양상을 보인다. 유병률은 다양하게 보고되지만 불임이 있는 여성이나 없는 여성에서 동일하게 대체적으로 1% 내외로 알려져 있으나 반복적 유산을 하는 경우는 3.5% 정도로 증가하는 것으로 알려져 있다(Homer, 2000). 모든 선천성 자궁기형 중에 중격자궁이 가장 흔하며 임신의 실패나 임신 일삼분기나 이삼분기의 유산, 조산, 태아 위치이상, 자궁내 발육지연, 불임 등과 가장 많이 연관되어 있는 것으로 알려져 있다. 그 기전은 아직 잘 알려져 있지 않으나 중격의 혈류의 장애로 인해 착상이 제대로 되지 않거나 배아의 성장이 제대로 되지 않으며 자궁경관 무력증도 동반되어 있는 것으로 알려져 있다. 비록 중격자궁이 있다고 해서 모두 수술의 대상이 되는 것은 아니나 치료를 하지 않은 경우 불임치료의 성적이 나쁜 것으로 알려져 있고(8% 유산, 10% 조산, 10% 만삭분만), 수술을 한 경우 성적이 향상된다고 보고되고 있다(80% 만삭분만, 5% 조산, 15% 유산). 자궁경을 이용한 성형술이 도입되면서 합병증이 적고 수술 후 유착이 적으며 회복이 빠른 장점과 함께 제왕절개로 분만할 필요가 없어졌다.

⑸ 자궁근종

자궁근종은 가임기 여성의 가장 흔한 양성종양으로 통증, 월경과다, 압박증상을 일으킨다. 자궁근종이 생식력을 감소시키는지에 관하여는 매우 논란이 되어 왔다. 불임환자가 자궁근종이 있는 경우 임신율은 주로 자궁근종의 위치 및 크기의 영향을 받는다. 일반적으로 장막하근종(subserosal myoma)은 생식력이나 산과적 합병증과 관련이 없으나 점막하근종(submucosal myoma), 자궁내강을 변형시키거나 크기가 5 cm가 넘는 근층 내 자궁근종(intramural myoma)은 착상율 및 생아 출생률의 감소와 관련이 있다. 자궁근종의 치료를 필요로 하는 불임여성에서는 근종절제술이 선호되는 치료법이며 자궁동맥색전술은 상대적 금기에 속하며 근종융해술, 집속초음파치료(high-intensity focused ultrasound)는 향후 임신을 원하는 여성에서는 권고되지 않는다. 일반적으로 자궁내강을 변형시키는 자궁근층내 자궁근종과 점막하 자궁근종은 불임치료에 앞서 근종절제술이 추천되나 자궁내강에 영향이 없는 근종에 대한 수술적 치료의 효용성은 논란이 있다. 자궁근종 절제술은 자궁경, 개복술, 복강경, 로봇수술, 질식수술로 시행될 수 있다. 일반적으로 작은 점막하 자궁근종은 자궁경수술이 선호되며 다른 방법들은 근종의 크기, 위치, 개수, 환자 선호도, 수술자의 숙련도, 다른 골반병변의 존재 여부 등에 의하여 결정된다. 5-6 cm의 크기가 큰 자궁근종에서 GnRH agonist를 사용하여 근종크기를 감소시키면 자궁경수술이 가능할 수 있으며 수술 중 출혈과 수술 후 빈혈의 위험성을 감소시킬 수 있다. 복강경하 근종절제술은 전통적인 복식 접근 방법보다 입원기간, 출혈, 통증에는 장점이 있으나 임신율을 더 향상시키는지에 대하여는 불확실하다. 근종절제술이 보조생식술의 결과를 저해하지는 않으며 자궁내강의 변형이 없는 자궁근종을 가진 무증상의 불임여성일지라도 근종으로 인하여 난자채취가 어려운 경우와 같이 골반 구조의 심한 변형이 있는 경우를 포함한 일부 상황들에서는 자궁근종절제술이 합리적일 수 있다(ASRM Practice Committee, 2017). 자궁근종이 여성의 생식력에 부정적인 영향을 미칠 수 있는 이유는 다음과 같이 제시되고 있다.

- 자궁경부를 이동시켜(displacement) 정자에 대한 노출을 감소시킨다.
- 자궁내강을 변형시켜 정자의 이동을 방해한다.
- 난관의 근위부를 막을 수 있다.
- 난관-난소부위(tubo-ovarian anatomy)를 변형시킨다.
- 자궁의 수축력을 변형시켜 정자나 배아의 이동을 방해한다.
- 자궁내막을 변형시켜 착상을 방해한다.
- 자궁내막의 혈류를 방해한다.
- 자궁내막의 염증 및 혈관수축인자(vasoactive substance)를 분비한다.

자궁근종이 생식력에 미치는 영향에 대한 최근 메타분석 결과를 보면 점막하 근종의 경우 60-70%의 임신율 감소를 보이고 유산율도 약 2-3배 증가하는 것을 생각된다. 근층 내 자궁근종도 20-30%의 임신율 감소를 보였고 유산도 약간 증가하는 것으로 보인다. 그러나 근층 내 자궁근종의 경우 자궁내강의 변형 유무에 따른 분석이나 전향적인 연구만을 포함시키느냐에 따라 통계적인 유의성이 없어지기도 하여 점막하 근종만큼의 영향력은 없는 것으로 생각된다(표 22-3).

불임과 관련된 자궁근종의 치료에 있어서는 아직 불확실한 경우가 있는데 예를 들어 증상이 없는 근층 내 자궁근종을 가진 불임여성을 수술할 것인지에 대하여는 논란의 여지가 있다. 근층 내 자궁근종이 불임의 원인이 된다는 연구 결과가 이를 수술로 제거하는 것이 임신율 향상에 기여

표 22-3. 자궁근종과 임신율에 대한 메타분석 결과

메타분석	근층 내 자궁근종 odds ratio(신뢰구간)	점막하 자궁근종 odds ratio(신뢰구간)
Pritts et al., 2009		
임상적 임신율	0.810 (0.941-0.969)	0.363 (0.170-0.737)
유산율	1.747 (1.22-2.489)	1.678 (1.373-2.051)
생아 출생률/진행 임신율	0.703 (0.583-0.848)	0.318 (0.119-0.850)
Klastky et al., 2008		
임상적 임신율	0.84 (0.74-0.95)	0.44 (0.280-0.70)
유산율	1.34 (1.04-1.65)	3.85 (1.12-13.27)
Somigliana et al., 2007		
임상적 임신율	0.8 (0.6-0.9)	0.3 (0.1-0.7)
IVF시 분만율	0.7 (0.5-0.8)	0.3 (0.1-0.8)

한다고 볼 수는 없다. 메타분석 결과에서도 근층 내 자궁근종의 근종절제술은 임신율이나 유산율 등에 유의한 향상을 보이지 않았으나 점막하 근종의 근종절제술은 약 2배의 임신율 향상에 기여하는 것으로 나타났다(Pritts et al., 2009; Shokeir et al., 2010). 불임 여성에서 자궁근종의 치료는 결과가 다양하고 상대적인 위험성, 이득뿐만 아니라 나이, 난소의 기능, 산과력, 불임 기간, 다른 불임 요소와 자궁근종의 위치와 크기, 수, 치료가 요구되는지 등을 고려하여 상당히 개별화 하여야 한다. 근종절제술로 인한 합병증, 부속기 유착에 의한 불임의 원인제공, 향후 분만을 위한 제왕절개술 등도 고려해야 할 대상이기 때문에 환자와의 충분한 상담 후에 수술을 결정해야 한다.

(6) 자궁내유착

자궁내유착(intrauterine adhesion)과 아셔만증후군(Asherman's syndrome)은 흔히 동일한 의미로 쓰이지만 아셔만증후군은 일종의 증후군이므로 통증이나 월경이상의 증상을 동반하는 것이 원래의 의미라고 할 수 있다. 자궁내막의 기저층(basalis layer)의 심한 손상과 이후의 조직교(tissue bridge)의 형성이 자궁내유착을 유발한다. 자궁내유착은 폐경 후에도 진단될 수 있고 증상이 없는 경우도 있기 때문에 정확한 유병률 및 발생률은 모른다. 태반 유착이나 반복적인 유산 등 임신과 관련된 원인이 대부분이며 자궁근종절제술 등의 자궁수술 및 만성 염증이나 감염 드물게 결핵으로 인한 유착이 보고된다. 병리 기전으로는 혈액공급이 원활하게 이루어지지 않고, 손상으로 인하여 자궁내막이 기능을 하지 못하는 것 등이 제시되고 있다. 자궁내막을 제거하거나 심각한 손상이 있는 경우 유착이 발생하며 임신을 많이 한 자궁일수록 더 손상받기 쉽다. 소파수술과 연관된 자궁내유착의 위험성은 일반적으로 낮지만 유착의 유병률과 심각성은 그 시술의 횟수가 증가할수록 증가한다(Friedler et al., 1993). 무작위 대조군연구에서 82명의 불완전 유산(incomplete miscarriage) 환자를 소파술을 시행한 군과 약물이나 보존적 치료를 시행한 군으로 나누어 6개월 후 자궁경으로 비교한 결과 소파술을 시행한 환자에서만 자궁내유착이 발견되어 임신과 관련된 소파술이 자궁내 유착의 위험요소임을 보였다(Tam et al., 2002). 진단에 도움이되는 방법으로는 자궁경, 자궁난관조영술, 경질초음파 등이 있다. 자궁경은 자궁내유착의 진단의 가장 확실한 방법으로 유착의 정도, 위치, 범위를 알 수 있고 진단과 동시에 치료를 할 수 있다는 장점이 있다. 자궁난관조영술로도 자궁내유착을 진단할 수 있는데 자궁경과 비교하여 75-81%의 민감도, 80%의 특이도, 50%의 양성예측도를 보이며 단점으로는 가양성률(<38%)이 비교적 높은 것이다(Roma et al., 2004; Soares et al., 2000; Raziel et al., 1994). 경질초음파는 시간과 비용, 비침습적인 면에서 장점이 있다. 특징적으로 자궁내막에 고음영(hyperechoic)으로 보이는 부분이 있다. 그러나 민감도, 특이도가 각

각 52%, 11%로 낮아 확진으로 사용하기에는 무리가 있다(Salle et al., 1999). 경질초음파로 자궁내막 두께를 수술 전 검사로 측정하여 수술 후 예후를 판정하기도 하였는데 수술 전 초음파로 측정된 자궁내막의 두께가 얇을수록 수술의 예후가 나쁘다고 하였다(Yu et al., 2008; Schlaff et al., 1995). 초음파자궁조영술(sohohysterography)도 진단에 이용될 수 있는데 전후벽 사이에 최소 1개 이상의 고음영(hyperechoic lesion)이 보이거나 자궁내강이 확장이 되지 않는 경우 의심해 본다. 진단의 정확도는 자궁난관조영술과 비슷하여 가양성률이 높은 것이 단점으로 지적되고 있다(Soares et al., 2000). 삼차원(3-dimensional)초음파를 이용한 진단법이 시도되고 있으며 자궁내강의 용적을 측정하여 진단할 수 있다(Makris et al., 2007). 몇몇 연구자 및 단체에서 자궁내유착을 정도에 따라 분류하고 있는데 현재 세계적으로 통용되거나 예후를 예측하는 데 인정받고 있는 분류 체계는 없다. 얇은 유착(filmy adhesion)보다는 두꺼운 유착(dense adhesion), 범위가 넓고 여러 군데일수록(multiple lesion), 희발월경이나 무월경의 증상이 있는 경우 중증의 자궁내유착으로 간주하고 있다(Donnez et al., 1994; Nasr et al., 2000).

유착이 자궁내막의 표면에 있는 경우 자궁경검사를 통해 쉽게 박리할 수 있으며 두껍고 심한 결체조직의 유착이 있는 경우 기구를 이용하여 유착 제거 및 분리를 해야 한다. 자궁경검사는 보지 않고 시행하는 소파수술보다 자궁내유착을 치료하는 데 더 효과적이다(Al- Inany, 2001). 종종 자궁경검사를 하기 위해 사용되는 확장 용매로부터 유착이 박리되는 경우도 있으며 절제경(resectoscope), 레이저(laser) 등을 이용하여 유착 부위를 박리할 수 있다. 중앙 부위의 유착이 박리되었을 때 가장 좋은 결과를 보이며 자궁 기저부에서 아래로 유착을 박리하고 나서 주변부의 유착을 박리하여 정상적인 자궁의 모양을 만들도록 한다. 유착이 심하여 해부학적인 기준점을 찾기 힘든 경우 복부 초음파나 복강경을 동시에 사용하여 자궁 파열의 위험을 감소시킬 수 있다. 유착 박리 후 전통적으로 풍선도관(balloon catheter)이나 자궁내피임장치(IUD) 등 다양한 기구를 사용하여 물리적으로 유착 박리 상태를 유지하고 재발을 방지하고자 노력한다. 그러나 현재까지 무작위 대조군 연구로 자궁경하 유착제거술 후 자궁내피임장치의 유용성이 증명된 바는 없다. 또한 자궁내피임장치의 형태가 중요할 것으로 생각되는데 루프자궁내피임장치(Lippes Loop)가 자궁내강과 닿는 면적이 넓어 효과적일 것으로 보이나 현재 사용이 중지된 곳이 많아 임상적인 사용이 어렵다(Yu et al., 2008). 호르몬을 분비하는 자궁내피임장치는 자궁내막을 위축시키는 효과가 있으므로 이론적으로는 사용하지 않는 것이 좋을 것으로 생각된다. 1-2주 동안 풍선도관을 삽입하는 방법을 이용하기도 하는데 자궁내피임장치보다 효과적이었다는 보고도 있다(Orhue et al., 2002). 최근에는 hyaluronic acid를 이용한 유착방지제들의 효과를 입증하는 연구들이 있다. 전통적인 방법인 자궁내피임장치나 유치도뇨관을 이용하는 유착 방지 방법에 비하여 방법론적으로 우수한 연구들이지만 임상에서 보편적으로 사용하려면 더 많은 연구가 필요하다(Accunzo et al., 2003; Guida et al., 2004).

수술 후 빠른 자궁 내막의 재생을 위하여 고용량의 에스트로겐 치료를 시행하기도 한다. 에스트로겐치료의 표준요법은 정해지 있지 않지만 일반적으로 접합마에스트로겐 2.5 mg/일 또는 에스트라디올 발러레이트 2-6 mg/일을 4주간 사용하고 이후 1-2주 동안 메드록시프로게스테론 아세테이드 10 mg/일을 사용한다. 그러나 에스트로겐 치료 후 재유착이나 임신율 호전에 대한 근거는 없다(Farhi et al., 1993).

(7) 자궁내막용종

불임 여성의 약 3-10%에서 자궁내막 용종이 있으며 이는 자궁내막증 환자에서 더 높은 유병률을 보인다(Soares et al., 2000; Kim et al., 2003). 자궁내막용종을 진단할 때 자궁초음파조영술(sonohysterography)은 자궁경검사와 민감도가 비슷하지만 간혹 혈액 응고덩어리나 점액질 덩어리 때문에 진단이 명확하지 않을 수 있다. 자궁내막용종은 불임의 원인이 될 수 있다고 생각해 왔으며(Foss et al., 1958;

Wallach et al., 1972) 기전이 명확하지 않으나 자궁내막의 수용성과 관련이 있을 수 있다. 많은 관찰 연구들이 있었지만 자궁내막용종을 제거하는 것이 임신율 향상에 도움이 되는지에 대한 무작위 대조군 연구는 현재까지 하나이다(Perez-Medina et al., 2005). 불임기간이 최소한 24개월 이상인 여성을 대상으로 215명 중 107명은 자궁경을 이용한 용종절제술을 시행하였고 108명은 자궁경을 이용한 조직검사만을 시행하였다. 시술 3개월 후부터 총 4회의 인공수정을 시행하였는데 절제술을 시행한 군에서는 63%, 대조군에서는 28%의 임상적 임신율(clinical pregnancy rate)을 보여 용종절제술이 불임여성에서 임신율 향상에 기여함을 보였다(Perez-Medina et al., 2005). 자궁난관접합부에 있는 자궁내막용종을 제거한 경우 경우 다른 위치에 비하여 임신율이 높았다는 보고가 있다(Yanaihara et al., 2008). 소규모의 비무작위 연구들에서는 1.5-2 cm 미만의 용종들의 가임력에 대한 영향에 대해서는 상충된 결과를 보고하고 있다(Lass et al., 1999; Isikoglu et al., 2006; Lieng et al., 2010).

(8) 만성자궁내막염

만성자궁내막염은 불임의 매우 드문 원인이며 유병률은 알려져 있지 않다. 만성자궁내막염은 자궁경부염이나 세균성 질염 같은 염증을 경험했던 여성에서 상대적으로 높게 나타나는데 특히 자궁경부염의 원인균인 클라미디아와 마이코플라즈마 감염은 만성내막염과 연관성이 높다(Manhart et al., 2003). 임상적으로 자궁경부염, 재발성 세균성 질염, 골반 감염 등의 증상이 있는 여성에서는 필요하다면 클라미디아 혈청검사, 자궁경부 배양검사, 자궁내막생검 등의 검사를 시행해 볼 수 있다.

8) 자궁경관요인

자궁경관과 점액은 임신의 과정에 여러 가지 면에서 관여하게 된다. 경관 점액은 사정액 중 혈장을 제외한 정자를 통과시키며 형태학적으로 비정상적인 정자를 걸러내고 정자에 영양을 공급하며 보관소 역할을 해 생존을 연장시켜 성교와 배란 사이의 기간을 연장시켜 준다. 점액은 당단백으로 고형과 액화형태가 있으며 생리주기에 따른 스테로이드호르몬의 변화에 따라 점액의 확장과 축소에 의해 구조가 변화하여 정자의 통과를 돕기도 하고 방해하기도 한다. 난포가 발달함에 따라 에스트로겐의 분비가 증가하면 점액의 양이 많아지고 맑아지며 액화되어 정자가 쉽게 통과하게 된다. 프로게스테론은 점액의 형성을 막고 불투명하고 끈적이고 정자가 투과하기 어렵게 만든다(Chretien, 2003). 따라서 여성 불임증의 원인으로 자궁경관요인을 검사하기 위한 방법으로 Sims-Huhner test라고도 알려져 있는 성교후검사를 통상적으로 시행하였다. 일반적으로 배란되기 직전에 성교 후 2-12시간 이내에 점액을 채취하여 검사하게 된다. 육안적으로 점액의 특성을 판단하고 현미경적으로 생존한 정자의 수와 운동성을 판단하게 된다(Oei et al., 1996). 점액은 양, pH, 투명성, 세포수, 신장성(spinnbarkeit), 염도(ferning pattern) 등을 분석한다. 운동성의 정자가 있다는 것은 효과적으로 성교가 이루어졌다는 것을 의미하며 생존한 정자의 존재, 생존 정자의 수를 통해 정액의 질을 평가할 수 있고 수태력을 평가할 수 있다. 대부분 한 개의 운동성의 정자만 보여도 정상적인 것으로 간주하며 일반적으로 검사 전 48시간 동안 금욕 후 검사 당일 아침 또는 전날 밤 늦은 저녁에 성교를 하도록 한 후 검사를 시행한다. 검사 결과에서 이상이 나오는 가장 흔한 원인은 부적절한 시기의 선택이다. 만약 배란 직전에 검사가 시행되지 않았다면 점액이 비교적 양이 적고 에스트로겐화가 덜 되어 있을 수 있다. 그리고 배란 이후에 시행되었다면 점액의 질이 좋지 않을 수 있다. 전통적으로 성교후검사는 기초체온의 변화가 일어나기 하루나 이틀 전에 시행하나 경우에 따라서는 기초체온의 변화가 배란된 후 4일이나 지나서 일어나는 경우도 있어 주의 깊게 검사시기를 정하여도 비정상적인 결과를 가져올 수도 있다. 소변에서 LH surge를 검사하여 양성이 나오기 전 또는 양성이 나오자마자 검사를 시행하거나 초음파를 이용하여 배란 직전의 난포를 확인한 후 검사를 하면 적절한 시기를 결정하는 데 도움이 될 수 있다. 검사결과가 비정상적으로 나오는 다른 원인 중

하나는 경부염, 이전에 CIN의 치료로 인한 경관샘의 손상과 클로미펜 복용 등이 있을 수 있다. 점액의 질은 좋으나 운동성의 정자가 없는 경우는 성교의 방법이 부적절하거나 사정이 되지 않았거나 정액의 질이 안 좋은 경우 살정제를 포함한 윤활제를 사용한 경우 등을 들 수 있다. 과거에는 이렇듯 성교후검사를 자궁경관 요인의 불임을 검사하는 필수적인 방법으로 생각했으나 더 이상 여성 불임증의 통상적인 검사방법으로 추천되지 않는다. 추천되지 않는 몇 가지 이유를 살펴보면 첫째로 비정상적인 경관 점액이나 정자-점액 상호관계 자체가 불임의 단일 원인이 되는 경우는 아주 드물다. 육안적으로 만성경관염이 의심되어 추가적인 검사나 치료가 필요한 경우나 이전의 CIN 치료나 원추절제술로 인한 심한 경관협착을 보이는 경우 정자-점액 상호관계에서 이상을 보일 수 있다. 그러나 이런 경우를 제외하고는 점액 자체가 임신의 큰 장애가 되기는 어려우며 불임 평가의 기본 검사 중 하나인 정액검사가 성교후검사를 대신해 남성 인자의 불임의 원인을 밝힐 수 있기 때문이다. 둘째로는 성교후검사의 표준이 되는 검사법이나 해석이 없다는 단점이 있다. 성교후검사는 재현이 어렵다. 셋째로 최근의 연구에 의하면 검사가 정상인 경우와 비정상인 경우를 비교해 봤을 때 치료의 결과에 영향을 미치지 못하여 예측력이 제한되어 있다. 마지막으로 검사의 결과가 임상적인 치료방침을 변경시키지 못하므로 대개의 경우 검사를 하는 것이 부적절할 수 있다. 현재까지 성교후검사의 유용성을 검증한 무작위대조군연구는 단 하나밖에 없다(Oei et al., 1998). 이 연구에서 성교후검사의 이상 유무는 임신율에 영향을 주지 않았고 24개월간의 누적임신율(cumulative pregnancy rate)에도 영향을 주지 못하였다.

9) 원인불명 불임증

원인불명 불임증은 최소한 정액검사, 난관요인, 배란기능, 자궁요인 등의 검사를 통하여 다른 요인을 배제한 후 진단하며 10-30%의 유병률을 보인다. 1년 동안 임신이 되지 안았던 원인불명의 불임환자들도 다음 1년 동안 20%가 임신이 되며 3년 동안 50% 이상이 임신이 될 수 있다. 과거에는 원인불명 불임증의 진단을 위해 성교후검사(postcoital test)를 통한 자궁경관 요인, 자궁내막조직검사를 통한 황체기 결함, 복강경을 통한 유착 등의 복막요인을 배제하여야 했으나 임상적 유용성이 낮아 더 이상 기본적인 검사로 추천되지 않는다. 복강경은 불임검사 중 가장 침습적인 검사로 과거에는 기본검사로 추천되었지만 현재는 선택적으로 이용한다. 초음파로 확인되지 않지만 자궁내막증이 의심되는 경우, 골반염이나 복부 수술의 과거력이 있는 경우 시행해 볼 수 있다. 따라서 최소한 남성요인, 배란요인, 자궁 및 난관 개통의 확인이 이루어진 후 원인불명의 불임증이 진단되며 과거 자궁경관 요인, 황체기결함, 경증의 자궁내막증 및 부속기 유착 등이 현재의 원인불명에 속할 가능성이 있다. 원인불명 불임증의 진단은 여성의 나이와 밀접한 관련이 있어 35세 이상의 경우 그 이전의 나이에 비해 2배의 위험을 보인다. 따라서 원인불명의 가능한 설명으로 우선 생식력의 감소로 인해 임신이 잘되지 않는 경우가 있을 수 있고 정자나 난자의 기능적인 이상, 수정능, 배아 생성 과정 이상, 착상이 되지 않는 등 현재 흔히 쓰이는 진단방법으로 밝혀지지 않은 이상이 있을 수 있다.

2. 배란유도

1) 서론

배란이란 여성 난자가 난포 내로부터 수정이 일어날 새로운 환경으로 나오는 생리적 과정을 말하는 것이다. 배란유도란 무배란(anovulation) 또는 희발배란(oligoovulation)과 같은 배란장애를 약물치료를 통하여 교정함으로써 난포의 성장을 촉진시켜, 배란이 될 수 있도록 하고, 궁극적으로 임신과 건강한 아이의 출산을 목표로 하는 것이다. 무배란 같은 배란장애가 있는 여성에게 시행하는 치료적 배란유도는 자연배란주기에서와 같이 한 개의 난포가 성장 발달해 배란하는 과정을 재현시키는 것이라 할 수 있다. 따라서 배란유도는 보조생식술 시행 시 다수의 양질의 난자를 얻기 위해 다수의 난포 발달을 유도하는 과배란 유도(controlled ovarian stimulation, COS)와는 구별 되어야 한다. 무배란과 같은 배란장애는 불임증의 가장 흔한 원인들 중 하나인데, 무배란 이외엔 다른 불임 인자가 존재하지 않는 환자에선 임신에 대한 예후가 매우 우수하다. 배란장애 환자들을 위한 배란유도 방법은 무배란의 원인, 치료방법에 따른 효능, 비용 그리고 부작용 등을 고려하여 선택된다.

2) 배란유도 전의 평가

배란의 원인은 갑상샘질환, 고프로락틴혈증(hyperprolactinemia, HPRL), 부신질환, 뇌하수체질환, 다낭성난소증후군(polycystic ovary syndrome, PCOS), 난소종양, 섭식장애, 비만, 과도한 운동에 이르기까지 매우 다양하다. 배란장애 환자에서 배란을 유도하는 경우에는 배란유도 전에 배란장애의 원인을 규명하도록 해야 할 것이며 그래야만 정확한 치료적 접근을 할 수 있다. 더욱이 다낭성난소증후군을 비롯한 많은 원인 질환들은 인식되지 못한 채 방치됐을 경우엔 장기적으로 건강상의 문제를 초래할 수 있다.

(1) 무배란의 분류(classification of anovulation)

무배란이나 희발배란과 같은 배란장애는 국제보건 기구(World Health Organization, WHO)에 의해 제정된 배란장애의 분류법에 따라 다음과 같이 분류된다.

① 제1군: 시상하부-뇌하수체 기능 부전(hypothalamic-pituitary failure, hypogonadotropic hypogonadal anovulation)

무배란 환자들 중 약 5-10%가 여기에 해당된다. 이 군에 속하는 환자들은 저생식샘자극호르몬성 생식샘기능저하증(hypogonadotropic hypogonadism)의 형태를 보인다. 따라서 난포자극호르몬(follicle stimulating hormone, FSH)과 에스트로겐이 모두 저하된 형태로 나타난다. 섭식장애인 신경성거식증(anorexia nervosa), 칼만증후군(Kallmann's syndrome), 쉬한증후군(Sheehan's syndrome), 고립성생식샘자극호르몬 유리호르몬결핍증(isolated GnRH deficiency), 과다한 스트레스 및 지나친 운동으로 인한 무배란 등이 해당된다. 무배란을 유발하는 생활방식의 교정이 약물치료를 고려하기 전에 우선적으로 시행되어야 한다.

② 제2군: 시상하부-뇌하수체 기능 이상(hypothalamic-pituitary dysfunction, normogonadotropic normoestrogenic anovulation)

무배란 환자의 70-85%가 제2군에 해당한다. 다낭성난소증후군이 제2군 무배란의 원인 질환 중 대부분을 차지한다. 이들은 정상생식샘자극호르몬성 무배란(normogonadotropic anovulation) 형태를 보인다. 즉 환자들의 난포자극호르몬과 에스트로겐은 정상 범위에 있다. 그러나 고안드로겐혈증은 동반될 수도 있고 그렇지 않을 수도 있다. 다낭성난소증후군 환자에서는 배란유도가 시작되기 전에 내당능장애(impaired glucose tolerance) 여부가 확인되어야 한다.

③ 제3군: 난소부전(ovarian failure, hypergonadotropic anovulation)

무배란 환자의 10-25%가 여기에 해당한다. 이 군에 속하는 환자들은 대부분 무월경 상태로 혈중 난포자극호르몬 농도는 높으며 에스트로겐은 저하되어 있다. 조기난소부전(premature ovarian failure, POF) 환자들이 속한다.

④ 고프로락틴 무배란(hyperprolactinemic anovulation)

고프로락틴혈증은 생식샘자극호르몬과 에스트로겐의 분비를 억제시킴으로써 무배란을 유발할 수 있다. 일차적인 원인으로 작용할 수 있는 신경이완약물(neuroleptic drug) 사용병력, 원발성 갑상선기능저하증(primary hypothyroidism) 등을 반드시 확인하여야 한다.

(2) 배란장애 이외의 다른 불임 원인인자의 평가

어떤 형태의 배란유도를 시행하든 간에 배란유도 전에는 정액검사가 적어도 한 번은 반드시 시행되어야 한다. 불임증의 원인들 중 남성 인자가 차지하는 비중이 25-40%에 이르므로, 배란유도 전에 검사가 시행되어야 한다. 그리하여 남성 인자가 공존하는 경우 이를 미리 발견할 수 있게 함으로써 시간적, 경제적 낭비와 그로 인한 좌절감을 피하도록 한다. 자궁난관조영술(hysterosalpingography, HSG)은 특별한 과거력이 없는 젊은 여성에서 비교적 간단한 방법의 배란유도를 계획하는 경우엔 검사를 연기할 수도 있다. 그렇지만 골반염, 자궁외임신 및 골반내 수술의 병력, 만성 골반통이나 심한 월경통 등과 같이 자궁이나 난관 인자에 의한 불임을 의심할 만한 과거력이나 증상, 이학적 검사 소견을 보이는 환자, 36세 이상의 무배란 여성, 그리고 생식샘자극호르몬을 사용하는 배란유도를 계획하고 있는 경우에는 배란유도 시행 전에 자궁난관조영술을 반드시 시행하도록 한다. 어떤 형태의 배란유도를 시행하든 배란유도제를 사용하기 전에는 반드시 질식초음파검사를 시행하여 임신의 가능성 배제, 난소낭종 유무의 확인 그리고 난소의 형태적 특성 파악 등이 이루어져야 한다.

3) 무배란 제1군(시상하부-뇌하수체 기능 부전) 환자들을 위한 배란유도

칼만증후군과 같은 선천성이상에서부터 고립성생식샘자극호르몬유리호르몬결핍증, 쉬한증후군, 거식증이나 스트레스 관련 무월경이 포함된다. 해당 환자들은 혈중 에스트로겐 농도가 저하되어 있고, 생식샘자극호르몬 농도는 낮거나 낮은 정상수치(low-normal value)를 보인다. 이러한 환자들을 위한 치료는 배란장애의 원인이 되는 생활방식의 교정 즉 섭식장애로 인한 과다한 체중감소 환자에서는 식이증가를 통한 체중증가를 유도하고, 지나친 운동이 문제가 되는 환자에서는 신체 활동을 줄이도록 교육하는 것과 같은 치료가 약물치료에 앞서 우선적으로 시행되어야 한다. 약물치료는 부족한 시상하부호르몬인 GnRH나 뇌하수체호르몬인 생식샘자극호르몬을 투여하는 것이 기본이 된다.

(1) 파동성 GnRH (pulsatile GnRH)

1980년에 파동성 GnRH를 투여하는 방법이 도입된 이후, 칼만증후군과 같은 시상하부기능부전 환자들을 위한 효과적 배란유도법으로 사용되어 왔다(Crowley et al., 1980). 그러나 이 방법은 가장 생리적으로 배란유도를 시도하는 것이기는 하지만, GnRH pump의 사용이 불편하여 그 사용이 제한적이었다. 이 펌프는 60-90분 간격으로 1회 2.5-30 μg의 GnRH를 피하나 정맥 내로 투여함으로써 배란유도를 하게 되는데, 이 펌프의 사용에 있어 의료진들이 가장 우려했던 점은 바로 정맥 내 도관을 오래 사용하는 데서 오는 부작용이었다. 그러나 여러 연구들을 통해 정맥 내 도관의 안전성이 입증됨으로써 미국식품의약청은 정맥 내 경로로 파동성 GnRH를 투여하는 것을 승인한 바 있다. 게다가 배란유도 성적 면에서도 파동성 GnRH의 투여는 정맥 경로로의 투여가 피하경로보다 우수한 것으로 밝혀져, 정맥경로를 우선적으로 고려하게 되나, heparinization과 전문적인 조작을 요한다는 불편함이 있다. 또한 뇌하수체기능부전 환자에게는 사용할 수 없다는 적응증의 제약도 있다. 파동성 GnRH는 자연적인 생리주기에서의 생식샘자극호르몬 및 스테로이드호르몬들의 분비양상과 가장 유사한 상태를 유도하게 된다는 이론적인 장점과 함께 난소과자극증후군(ovarian hyperstimulation syndrome, OHSS) 및 다태아 임신의 위험성이 5% 내외로 적다는 이점이 있다. 파동성 GnRH 투여 시, 난소의 과자극을 최소화하기 위해서 다소 낮은 용량(3-4 μg/bolus)으로 시작하는 것이 추천된다. 배란 예측을 위한 소변 내 황체형성호르몬 검사키트 및 질식초음파를 이용한 난포성장감시를 통해 배란 시기를 보다 정확하게 예측할 수 있으며, 경험 있는 검사자는 질식초음파로 배란이 되었는지도 확인할 수 있다. 1984년, 질식초음파검사를 위한 탐식자(transvaginal transducer)가 소개된 이래로 초음파의 해상도는 매우 향상되었을 뿐 아니라, 방광이 충만된 상태에서 검사를 하지 않아도 되므로 환자나 의사 모두에게 훨씬 편안하고 실용적인 방법이 되었다. 일단 초음파검사상 평균직경이 12 mm 이상인 우성난포가 확인되면, 배란이 될 때까지 매일 또는 이틀에 한번씩 연속적으로 초음파검사를 해야 한다. 일반적으로 우성난포의 크기가 18-24 mm에 이르면 배란이 임박하였음을 고려하여야 한다. 초음파검사상 정상적인 난포 발달 및 배란의 소견은 다음과 같다.

① 평균직경이 12 mm 이상인 우성난포가 관찰되면, 이후로는 난포성장속도가 하루 2-3 mm로 빨라지면서, 동시에 자궁내막의 두께도 점차 두꺼워진다.
② 난포의 크기가 급격히 줄거나 또는 완전소실된 상태에서 더글라스와에 액체가 고여 있는 양상을 보인다면, 이는 배란이 일어났음을 시사한다.
③ 우성난포가 있던 위치에서 과립상의 저에코성(hypoechogenic)의 구조가 나타나면 대개 황체가 생성된 것을 의미한다.
④ 배란 2-3일 후에는 자궁내막의 에코(echogenicity)가 진해지면서 내막의 두께는 증가하는 소견이 나타난다. 대상 환자들은 배란 이후에도 마찬가지로 내인성 황체형성호르몬의 분비가 매우 미약하기 때문에 황체기에 황체호르몬(progesterone) 생성을 유지하려면 배란이 확인된 후에도 파동성 GnRH를 지속적으로 투여해야 한다. 그렇지만 배란 이후에도 펌프를 지속적으로 착용하고 있어야 하는 불편함을 줄이기 위해 배란이 확인되면 이 후로는 펌프를 제거하고 황체기 보강을 위해 urinary hCG를 1회 2,000-2,500 IU씩 3-4일 간격으로 근주하거나, 황체호르몬을 매일 근주, 경구 투여, 또는 질내 투여하는 방법을 취할 수 있다. 시상하부기능부전 이외에는 어떤 다른 원인도 없는 불임부부에서는 정상부부에서의 가임력과 유사한 일회 배란주기 당 15-25%의 임신율을 보인다.

(2) 생식샘자극호르몬(gonadotropins)

생식샘자극호르몬은 이미 40년이 넘는 동안 배란유도 또는 과배란유도를 위해 사용되어 왔다. 생식샘자극호르몬을 추출, 생산해낸 것은 배란유도에 있어 큰 발전을 이루는 초석을 마련한 것이었다. 생식샘자극호르몬 제제는 시상하부기능부전과 뇌하수체기능부전을 포함한 모든 저생식샘자극호르몬성 생식샘기능저하증 환자에게는 물론 정상생식샘자극호르몬성 무배란 환자 즉 제 2군 무배란 환자들 중 클로미펜이나 방향화효소억제제(aromatase inhibitor) 치료에도 불구하고 배란이나 임신에 실패한 환자들을 위해서도 널리 사용된다. 뿐만 아니라 보조생식술을 위한 과배란 유도를 위해 사용되는 대표적 배란유도제이다. 생식샘자극호르몬 제제 사용에 있어 가장 대표적인 합병증은 난소과자극증후군과 다태임신이라 할 수 있다. 따라서 생식샘자극호르몬을 이용한 배란유도가 안전하고 효율적으로 이루어지려면 반드시 충분히 교육받은 임상의사에 의해 사용되어야 한다. 임상에서 공식적으로 사용된 첫 생식샘자극호르몬제는 폐경기 여성의 소변에서 추출한 것으로, 난포자극호르몬과 황체형성호르몬을 동일량(75 IU) 함유하고 있는 human menopausal gonadotropins (hMG, menotropins)였다. 이 제품은 처음 사용되기 시작한 이래 약 30년간은 거의 독보적인 생식샘자극호르몬 제제로 널리 사용되어 왔다. 이 제품의 생산을 위해서는 폐경기 여성의 소변을 수집하는 것이 필연적이고, 따라서 소변의 공급에 비해 수요가 많아지는 경우엔 제품의 수급에 문제가 될 수 있으며, 이 외에도 소변 내의 많은 불순 단백질이 함유되어 있어 allergy를 유발할 수 있으며, 박테리아나 바이러스 감염 위험성도 배제할 수 없다는 문제를 안고 있다. 1980년대 초, 특정 호르몬에 특이적으로 결합하는 단일항체를 사용하여 폐경기 여성의 소변으로부터 난포자극호르몬을 보다 효율적으로 추출해낼 수 있게 됨으로써 75 IU의 난포자극호르몬당 0.1 IU 미만의 황체형성호르몬을 함유한 요추출 난포자극호르몬(urinary FSH, uFSH)이 개발 생산되었다. 이후 소변으로부터 난포자극호르몬만을 특이적으로 정제해내는 방법이 보다 발달함에 따라 1990년대 초에는 황체형성호르몬 활성도를 거의 가지고 있지 않으며, 난포자극호르몬 이외의 다른 단백질(non-FSH co-purified protein)을 극소량만 함유하고 있는 고순도 난포자극호르몬(highly purified FSH, HP-FSH)이 생산되기에 이르렀으며, 이 제제는 근육주사가 아닌 피하주사로도 투여가 가능하였다. 이후 1988년 Chinese hamster ovary (CHO) cell line을 이용하여 Chinese hamster의 난소세포에 인간의 난포자극호르몬 유전자를 형질주입(transfection) 시키는 유전자재조합 기법(recombinant DNA technology)으로 유전자재조합 인간난포자극호르몬(recombinant human FSH, rhFSH)의 생산이 성공적으로 이루어졌으며, 1991년 건강한 여성을 대상으로 시행한 임상약리검사에서 유전자재조합 인간난포자극호르몬은 흡수, 분포, 배설에 있어 소변에서 추출된 난포자극호르몬과 동일한 약물역동성을 보인다는 것이 확인되었다. 유전자재조합 인간난포자극호르몬은 소변에서 추출된 hMG나 난포자극호르몬에 비하여 대량생산이 용이하고, 황체형성호르몬 활성도가 없으며 불순 요단백질을 함유하고 있지 않으며, batch 간에 일치도가 우수하고, 난포자극호르몬 특이적 활성도가 우수하고 피하주사가 가능하여 손쉽게 자가주사 할 수 있다는 장점들로 인하여 현재는 주도적인 생식샘자극호르몬으로 자리매김하였다. 저생식샘자극호르몬성 생식샘기능저하증 여성에서 배란유도를 위한 생식샘자극호르몬으로는 난포자극호르몬과 황체형성호르몬을 동일량 함유하고 있는 제제인 hMG가 우선적으로 선택된다. 고순도 난포자극호르몬이나 유전자재조합 인간난포자극호르몬도 이 환자들을 위한 배란유도제로 사용되기도 하지만, hMG에 비해 임신율은 더 높지 않으면서 배란유도에 필요한 약제의 용량과 투여기간은 증가된다. 따라서 특히 내인성 황체형성호르몬 농도가 1.2 mIU/mL 미만인 저생식샘자극호르몬성 생식샘기능저하증 환자에서는 hMG처럼 황체형성호르몬이 함유된 생식샘자극호르몬 제제의 사용이 권장되며, 난포자극호르몬 제제가 사용되는 경우에는 유전자재조합 황체형성호르몬의 병합투여가 고려될 수 있다. 저생식샘자극호르몬성 생식샘기능저하증 환자에게 생식샘자극호르몬을 이용한 배란유도 시에는 가능한 과다한 난소자극을 피하고 가능한 정상 배란주기를 가진 여성에서와 같이 하나의 난포가 성장, 발달하도록 하는 것을 목표로 하므로, 대개 저용량으로 즉 하루 37.5-150 IU부터 투여하기 시작한다. 난소반응은 혈중 에스트라디올의 측정과 초음파검사를 통해 감시할 수 있는데, 많은 경험을 가진 숙련의는 초음파검사만으로도 난소반응을 효과적으로 감시할 수 있다. 질식초음파검사상 평균 직경 12 mm 이상인 우성난포가 초음파검사에서 확인되면, 배란이 확인될 때까지 매일 혹은 이틀에 한 번씩 초음파검사를 시행하는 것이 좋다. 내인성 황체형성호르몬 분비가 매우 미약하여 난포기 말의 자연적인 내인성 황체형성호르몬 급상승(LH surge)을 기대하기 어려운 배란장애 제1군 환자들을 위해서는 우성 난포의 평균 직경이 18-20 mm에 달했을 때, 요추출 hCG를 5,000-10,000 IU 근주하여 난자의 성숙과 배란을 유도하게 된다. 최근엔 hCG 제제도 유전자재조합에 의해 생산된 제품이 임상에서 널리 사용되는데, 이 약제의 경우엔 대부분 250 μg을 1회 투여하게 되며, 피하주사가 가능하다. 저생식샘자극호르몬성 생식샘기능저하증 환자의 경우 동반된 다른 불임인자가 없다면, 6번의 치료주기에서 누적 임신율은 약 90%에 달하는 것으로 알려져 있다.

4) 무배란 제2군(시상하부-뇌하수체 기능 이상) 환자들을 위한 배란유도

무배란 제2군에 해당되는 환자들의 대부분은 다낭성난소증후군 환자이다. 다낭성난소증후군 환자에서는 고안드로겐 혈증은 동반되기도 하고 그렇지 않기도 한다. 특히 과체중, 비만, 인슐린저항성(insulin resistance)을 동반하고 있는 경우가 흔하다. 따라서 환자의 상태에 따라서는 배란유도제를 사용하기 전에 체중 감량을 위한 식생활 습관의 변화라든가 운동 처방, 인슐린감작제의 복용 등과 같은 치료를 일차적으로 시행함으로써 자연적인 배란이나 추후 배란유도제 사용 시 약제에 대한 난소 반응의 개선 효과를 기대할 수 있으며, 특히 질환이 장기간 지속됨으로써 발생 가능한 대사성 질환 등의 합병증을 예방하거나 줄일 수 있다.

(1) 체중 감량

환자가 임신을 원하는지의 여부에 관계없이, 비만 여성 특히 비만한 다낭성난소증후군 환자에서는 우선적으로 생활방식의 변화(lifestyle change) 즉 생활습관의 개선을 통한 체중감량이 필요하다. 특히 체질량 지수(body mass index, BMI)가 25 이상인 다낭성난소증후군 환자들에서는 일차적으로 체중 감량이 추천된다. 체중 감소만으로도 혈중 인슐린 및 안드로겐(주로 testosterone) 농도를 감소시킬 수 있으며 이러한 변화는 정상적인 월경 및 배란의 회복을 유도할 수 있는 것으로 알려져 있다(Huber-Buchholz et al.,

1999). 기존 체중에서 5-7%만 감량해도 심혈관계 혈역동학적 기능 및 난소기능에 대한 개선 효과를 기대할 수 있는 것으로 알려져 있다. 비만인 무배란 환자는 체중을 적어도 초기 체중의 5% 이상 감량하도록 해야 한다. 이 같은 노력은 인슐린 반응성을 개선시키기 위해 우선적으로 중요한 일이다. 그렇지만 지속적으로 체중을 줄이고 그 같은 상태를 유지하는 것은 매우 어려워 체중을 감량했던 환자들 중 90-95%에서는 다시 체중 증가를 경험했던 것으로 조사되고 있다. 체중 감량을 위해서는 일차적으로 식이요법과 운동을 통한 생활습관의 개선이 중요하다. 하지만 생활방식을 바꾼다는 것은 어려운 일이고 또한 이것만으로 목표한 체중감량을 성취하고 감량한 체중을 유지한다는 것은 더욱 어려운 일이기 때문에 체중 감량과 유지를 위해서는 다각도의 접근이 요구되어 생활습관을 개선시키는 노력과 더불어 체중감량제를 사용할 수도 있다. 체중감량제로는 위장관에서의 리파제억제제로써 지방의 흡수를 감소시키는 orlistat 그리고 노르아드레날린성 작용제(noradrenergic agent)인 phentermine이 흔히 사용되며, 이외에도 다른 여러 종류의 약제가 연구개발 중에 있다.

(2) 인슐린감작제(insulin sensitizing drugs, ISDs)

과거에는 다낭성난소증후군의 치료는 주로 안드로겐 과다 및 무배란으로 인한 증상을 개선키는 데 초점이 맞춰져 왔으나 최근에는 다낭성난소증후군의 원인을 개선시키기 위한 치료에도 많은 관심이 집중되고 있다. 인슐린감작제는 다낭성난소증후군의 원인을 개선시키기 위한 대표적인 치료제로서, 최근 이에 대한 많은 연구가 이루어지고 있으며 실제 치료에 이용되고 있다. 다낭성난소증후군의 원인을 단 한 가지로만 규정할 수는 없지만 그래도 가장 근본적 문제들 중 하나는 인슐린저항성과 그로 인한 고인슐린혈증에 있으므로 인슐린의 반응성을 개선시키는 것은 매우 중요한 일이다. 2018 유럽생식의학회에서 발간한 다낭성난소증후군 환자의 평가 및 관리 지침에 따르면 의료인 및 다낭성난소증후군 여성은 모두가 연령에 상관없이 임신성당뇨, 내당능장애, 제2형 당뇨병의 위험도가 다낭성난소증후군 여성에서 유의하게 높아지고 비만에 의해서 악화됨을 인지해야 한다고 말하고 있다. 또한 모든 다낭성난소증후군 여성은 기저 당 상태(baseline glycemic status)를 평가해야 하고, 다른 당뇨위험도에 따라 그 이후로도 매 1-3년마다 평가가 이루어져야 함을 권고하고 있다. 당 상태 평가를 위해서 경구당부하검사(oral glucose tolerance test, OGTT), 공복혈당(fasting plasma glucose) 또는 당화혈색소(HbA1c)를 평가해야 하고, PCOS가 있는 다낭성난소증후군이 있는당뇨 고위험 여성(BM >25 kg/m^2(아시아인 경우 23 기준), 내당능 장애/공복혈당장애/임신성당뇨 과거력이 있는 경우, 제2형 당뇨 가족력이 있는 경우, 고위험 인종)에서는 OGTT를 권고하고 있다. 임신 또는 난임 치료를 계획하는 다낭성난소증후군 여성이라면 임신 전에 75 g-OGTT가 시행되어야 하고, 만일 임신 전에 시행되지 못했다면 20주 이전에 시행하고 24-28주에 다시 검사 할 것을 권고하고 있다(Teede et al., 2018). 인슐린저항성과 비만 이외 130/85 mmHg 이상의 고혈압, 150 mg/dL 이상의 혈중 중성지방, 50 mg/dL 미만의 혈중 고밀도지단백 콜레스테롤, 35인치가 넘는 허리 둘레, 110 mg/dL 이상의 공복 혈당 등의 이상 5가지 임상적 특성들 중 3가지 이상의 소견을 보인다면 대사증후군(metabolic syndrome)으로 진단할 수 있다. 핀란드와 스웨덴에서 조사된 바에 따르면 이 대사증후군의 발병 빈도는 정상 내당능을 가진 사람에선 10% 정도에 불과하나, 내당능장애를 가진 사람에선 약 40%에서 그리고 제2형 당뇨 환자들에선 무려 85%에 이르는 것으로 조사된 바 있다. 따라서 다낭성난소증후군 환자들 중 인슐린저항성이 있는 것으로 판단되는 환자들을 위해서는 임신의 희망 여부에 관계없이 장기적인 합병증 예방의 차원에서 모두 인슐린감작제를 일차 치료제로 사용하는 것이 바람직할 것이다. 인슐린감작제들로는 biguanides (metformin), thiazolidinediones (troglitazone, rosiglitazone, pioglitazone) 등이 있으며, 이 외 N-acetyl cysteine (NAC), D-chiro-inositol 등도 있다. 현재 thiazolidinediones 약제들은 잘 쓰이고 있지 않다. 고안드로겐혈증이나 인슐린저항성의 증상이나 검사소견이 확인되는 경우는 매 6-12개월마다 정기적인 검사가 필요하다. 최근에는 검사상 인슐린 저항성이 입증되지 않는 다낭성난소증후군 환자에서조차도 일차적으로 metformin 같은 인슐린감작제의 사용을 고려할 것을 제안하기도 한다.

① Metformin

Metformin은 유럽에서 약 20년 동안 제2형 당뇨병의 치료제로 사용되어 왔고, 1994년에 제2형 당뇨병의 치료목적으로 공인을 받았다. Metformin은 2세대 biguanide 계열 약물로써 가장 주된 작용은 간에서의 당신생합성을 억제하고 말초에서의 당 흡수를 증가시키는 것이며, 또한 metformin은 인슐린수용체 다음단계(postreceptor level)에서 인슐린반응성을 증가시키고 인슐린 매개 당소비를 촉진시킨다. Metformin은 하루 1,000-2,000 mg 정도 투여하게 되는데, 혈중 인슐린 및 황체형성호르몬 농도의 감소와 유리형 testosterone의 농도를 감소시키며, plasminogen activator inhibitor (PAI)-1, endothelin-1의 농도도 감소시킨다. Metformin은 다낭성난소증후군이 있는 여성에서 배란 및 임신율을 촉진시키기 위해 단독으로 사용할 수 있다(Teede et al., 2018). 2017년에 발표된 메타분석 결과에서 다낭성난소증후군이 있는 여성에서 metformin을 사용한 군과 그렇지 않은 군을 비교하였을 때 사용한 군에서 배란율, 임신율, 생아 출생률이 증가하였음을 보고하였다(Morley et al., 2017). 임상적 효과나 검사 수치의 변화는 3개월 내에 기대할 수 있다. Metformin의 효과는 비록 마른 체형의 다낭성난소증후군 여성이라 할지라도 인슐린저항성이 있다면 이들에서도 충분히 효과적인 것으로 생각된다. 반면 1997년 Ehrmann 등은 BMI가 40이 넘어가는 심각한 비만 환자들에서는 metformin으로 좋은 효과를 기대하기 어려울 수 있다고 보고한 바 있다. 따라서 비만의 정도가 심한 다낭성난소증후군 환자들에선 체중감소를 위한 식이요법, 운동을 통한 생활습관의 개선이 우선적으로 시행되어야 한다.

Metformin은 다낭성난소증후군 환자들에서 인슐린 반응성의 향상을 통한 내분비 및 난소 기능 개선 그리고 대사장애의 치료 및 예방을 위해 단독으로 사용되기도 하나 불임 환자들을 위한 배란유도제 사용 시 보조제로서 그리고 임신 중 합병증을 줄이기 위한 약제로서도 사용될 수 있다. 2017년 메타분석에서, metformin과 클로미펜 단독군을 비교하였을때, BMI가 30이 넘는 비만한 다낭성난소증후군 환자에서 클로미펜이 배란율, 임신율, 생아 출생률에서 metformin에 비교하여 우수한 결과를 보였다고 하였다(Morley et al., 2017). 다낭성난소증후군 여성 및 무배란 2군 여성에서 클로미펜과 metformin을 함께 사용한 경우 clomiphene 단독 사용군에 비해 배란율과 임신율이 높았다. 그러나 위장장애는 병합군에서 더 높은 것으로 보고하였다(Morley et al., 2017; Sharpe et al., 2019) 비만한 다낭성난소증후군 여성에서 metformin 단독에 비해 클로미펜과 metformin을 함께 사용하는 것이 fertility outcome 측면에서 더 좋음이 보고되었다(Costello et al., 2012). 그렇지만 클로미펜으로 배란유도에 실패한 환자에서는 metformin은 클로미펜에 대한 난소반응을 개선시켜 배란율 및 임신율을 향상시킬 수 있는 것으로 여러 연구를 통하여 확인된 바 있다(Nestler et al., 1998; Creanga et al., 2008; Kazerooni et al., 2009). 생식샘자극호르몬을 이용한 과배란유도 시 metformin을 병합투여하는 경우 난소반응을 개선시킬 수 있는 것으로 생각되는데, De Leo 등은 난포자극호르몬 제제로 과배란유도를 하기 1달 전부터 metformin을 하루 1,500 mg 투여하였더니 metformin 치료를 받지 않았던 환자 군에 비해 난포자극호르몬에 대한 난소의 과다한 반응이 조절되어 hCG 투여일의 직경 15 mm 넘는 난포 수 및 혈중 estradiol 농도가 유의하게 감소되었고 따라서 난소과자극증후군이나 다태임신과 같은 합병증의 예방에 도움이 되는 것으로 보고한 바 있다. 최근에는 metformin이 인슐린 작용과 관계없이 난소의 스테로이드 합성과정에도 직접적인 효과가 있는 것으로 보고된 바 있는데, 인간 난소의 theca-like tumor cell을 배양할 때, metformin을 첨가하면 스테로이드 합성 조절 단백질 및 17α-hydroxylase의 mRNA 발현이 감소되었음이 확인되었다(Attia et al., 2001). metformin은 이미 오랫동안 세계적으로 널리 사용되어 왔으므로 이 약제의 부작용이나 독성 유무에 대해선 충분히 조사된 바 있다. 설사, 오심, 구토, 복부 팽만감 및 식욕감소 등의 위장관계 부작용이 이 약제의 주된 부작용인데, 이러한 부작용은 이 약제를 복용하는 약 15-30%의 환자에서 관찰되며 용량 증가에 비례하여 한다. 그러나 대부분 일과성으로 나타나 투여 후 수주가 지나면 호전되는 경향이 있다. 또한 식사와 함께 복용을 유도하고 하루 500 mg의 저용량부터 점차 용량을 증가시키는 방식으로 투여하게 된다면 대부분 큰 문제는 없는 것으로 생각된다. 따라서 통상적으로 metformin의 투여를 시작할 때에는 처음 4일간은 하루 500 mg을 하루 일회 아침 식사와 함께 복용하도록 하고 이후엔 500 mg을 하루 이회 즉 아침, 저녁 식사와 함께 복용하도록 복약 지도를 하게 된다. 하루 1,000 mg metformin 투여 시 특별한 부작용은 없으나 인슐린반응성이나 난소반응에 개선을 보이지 못하는 경우엔 하루 1,500 mg로 증량하게 되는데, 이때는 아침 식사와 함께 500 mg, 저녁 식사와 함께 1,000 mg을 복용하도록 한다. 흔치 않은 부작용이긴 하나, 유산산증(lactic acidosis)이 나타날 수 있는데, 이 부작용이 나타났던 경우는 모두 잘 조절되지 않는 당뇨병, 신기능부전, 패혈증 및 심부전증 등의 내과적 질환을 갖고 있었던 경우였다. metformin은 가격적으로도 저렴한 장점이 있어 일차적인 인슐린감작제로 흔히 사용되고 있지만 이 약제를 사용하기 전에는 반드시 간기능 및 신기능을 검사하여 이상이 없음을 확인하여야 한다. 만일 간기능에 심각한 이상이 있다든지 특히 혈중 creatinine치가 1.4 mg/dL 이상인 경우엔 사용하지않도록 해야 할 것이다. 또한 주요 심혈관질환이 있거나 저산소증이 있는 환자에서도 사용을 금하여야 하고, iodinated contrast material을 정맥 투여하는 방사선 검사나 수술을 하기 전에는 일시적으로 metformin의 투여를 중지해야 한다. 임신 중 사용 안전성이 category B로서 비교적 안전한 약제로 잘 알려져 있는데, 당뇨병 여성이나 다낭성난소증후군 여성이 임신 중 복용했을 때에도 아직까지는 인간 배아에서 기형발생이나 배아독성과 같은 특별한 이상이 보고되지 않았다(Coetzee et al., 1979; Velazquez et al., 1997). 더욱이 임신 중 투약으로 자연유산이나 임신성 당뇨의 발생을 줄일 수 있는 것으로 생각된다. 그러나 최근의 한 연구에서 다낭성난소증후군 여성이 임신기간 동안 metformin을 복용했을 때, 이 약물이 태반을 통과하고 태아에서의 metformin의 혈중 농도가 치료 농도 수준으로 상승하는 것이 확인되어 그 장기적 영향에 대해서는 좀 더 연구가 필요하다는 주장도 있다(Vanky et al., 2005).

② Thiazolidinedione

Thiazolidinedione 계열인 troglitazone은 유리형 testosterone과 공복 인슐린 농도를 감소시키고 용량을 증가시킬수록 배란율도 증가한다는 것이 확인되었지만(Dunaif et al., 1996; Azziz et al., 2001), 간독성 때문에 더 이상은 시판되고 있지 않으며, 새로운 thiazolidinediones인 rosiglitazone과 pioglitazone이 사용되고 있다. 이들 약물은 peroxisome proliferator activator receptor-γ (PPAR-γ)에 결합해서 retinoic acid 수용체와 heterodimer를 구성하게 하여 이것이promoter에 결합함으로써 당항상성을 조절하는 유전자의 발현을 증가시켜 말초에서의 당소비를 증가시켜 작용을 나타낸다(Tafuri et al., 1996). 다낭성난소증후군 환자에서의 troglitazone 치료와 관련된 대규모 이중 맹검 위약-대조군 연구에서 안드로겐 농도의 감소, 인슐린 반응성 증가 그리고 배란 재개 등이 확인되었다(Azziz et al., 2001). 다낭성난소증후군 환자에서의 rosiglitazone이나 pioglitazone 투여와 관련된 연구보고는 아직까진 제한적이다. 체외수정 시술을 받는 다낭성난소증후군 환자에서 rosiglitazone의 효능을 연구한 전향적 무작위 연구에서 GnRH agonist 투여 시작 전의 월경주기 제1일째부터 hCG 투여일까지 rosiglitazone 4 mg을 하루 일회 복용시킨 결과, 난소기질 내의 동맥 혈류와 혈중 인슐린 농도가 감소하고 배란유도제에 대한 난소의 과다한 반응이 조절되어 성장 난포 수 및 획득한 난자 수가 감소하는 것을 확인한 바 있다(Kim et al., 2003). 2004년 Belli 등은 다낭성난소증후군 환자에게 rosiglitazone을 하루 4 mg씩 3개월간 투여하였더니 공복 시 혈중 인슐린 농도의 감소와 같은 인슐린 반응성의 개선 효과와 함께 혈중 황체형성호르몬, 인슐린유사성장인자(insulin-like growth factor-1, IGF-1) 농도 저하와 그로 인한 월경주기의 개선 효과가 있었음을 보고하였다. Pioglitazone 사용과 관련된 또 다른 연구에서 다낭성난소증후군 환자에게 pioglitazone을 하루 30 mg씩 6개월간 투여한 결과, 비만군이나 정상체중군에서 모두 인슐린 반응성 개선 효능과 난소기질 내 동맥 혈류 감소 효능이 있었으며 그로 인한 정상 배란 회복 효능이 있는 것으로 조사되었다(이향아 등, 2001). 또한 무작위대조군연구를 통하여 체외수정시술을 받는 다낭성난소증후군 환자에서 pioglitazone 투여 시 임상적 임신율에는 영향을 미치지 않으면서 난소기질 내 동맥 혈류 및 hCG 투여일의 혈중 estradiol 농도 그리고 회수된 총 난자 수의 유의한 감소 효과가 있었던 것으로 조사된 바 있다(Kim et al., 2010). 2007년 rosiglitazone은 심장마비의 위험을 증가시킬 수 있다는 메타분석 결과가 발표된 바 있으며, 이후 안전성 문제로 미국식약청은 엄격한 사용제한 조치를, 유럽의약청은 판매금지 조치를 내린 바 있으나, 이후 다수의 임상결과를 추가 조사분석한 결과 rosiglitazone 복용군에서의 심장마비 위험성이 다른 당뇨치료제와 비교하여 높지 않았다는 결론을 도출하게 되었다. 이에 2013년 미국식약청은 일부 안전성 제재 조치를 해제하였다. 이 약제들을 사용하는 경우 일반적으로 2-3달에 한 번은 간기능검사를 시행할 것이 추천되며, 간질환이 있는 여성에게는 투여를 금하여야 한다. 임신 중 사용 안전성이 category C로 동물 실험에선 임신 중 사용 시 태아 성숙의 지연을 유발할 수 있는 것으로 나타났는데, 이러한 현상은 이 약제들이 배아의 발달과정에 중요한 역할을 하는 핵수용체의 하나인 PPARγ에 리간드로 작용하여 이를 활성화시키는 것과 관련이 있는 것으로 생각된다. 또한 troglitazone의 경우엔 이외에도 난소의 과립막세포에서 황체호르몬을 생성하는 것을 억제하여 황체기 결함을 유발할 수 있는 것으로 조사된 바 있다.

③ N-acetyl-cysteine (NAC)

NAC의 경우도 다낭성난소증후군 환자에서 인슐린 반응성을 개선시키고, 클로미펜에 대한 배란 유도율과 임신율을 향상시키는 것으로 보고된 바 있다(Fulghesuet al., 2002; Rizk et al., 2005). 또한 체외수정시술에서 과배란 유도시 난소 반응 향상에도 도움이 되는 것으로 보고된 바 있다(Kim et al., 2006).

④ Inositol

Metformin이 다낭성난소증후군 환자의 치료에 가장 흔히 사용되는 약제이지만, 제2형 당뇨 이외에 공식적인 적응증을 가지지 않아 다낭성난소증후군이 있는 비당뇨 여성에서는 off-label로 쓰이고 있다. 또한 metformin 복용 시 오심, 구토, 설사, 체중 증가 등의 부작용의 빈번한 보고로 인해 환자들의 순응도가 떨어지고 지속 사용을 어렵게 하기도 한다.

인슐린 대사 개선에서 있어 metformin과 유사한 작용을 하는 것으로 새롭게 탐색된 물질이 inositol이다. 9가지 inositol 이성질체 중 2가지 주요한 형태인 myo-inositol과 D-chiro-inositol은 다낭성난소증후군의 생리 및 치료에 있어 서로 다른 역할을 하는 것으로 알려져 있다. 이들은 포도당 대사 항상성(glucose homeostasis)을 조절하며 인슐린 신호 전달 체계에 있어서 2차 전달자로써 작용을 하는 것으로 알려져 있다. 다낭성난소증후군 여성에서 inositol 대사의 조절장애(dysregulation)가 보고되었는데, 이는 인슐린 저항성과 inositol deficiency와의 상관관계를 시사하며 실제로 이러한 이노시톨 대사 불균형으로 인한 인슐린 저항성과 보상성 고인슐린혈증이 이 질환의 주요 원인이기도 하다. Myoinositol은 배란 기능을 개선시키고, D-Chiro-inositol은 말초 고인슐린혈증을 경감시키는 역할을 한다.

다낭성난소증후군 환자에서 myoinositol을 섭취하는 것이 호르몬 및 대사 불균형을 개선하는데 도움이 되고, 또한 D-chiro-inositol과 함께 생리적 레벨인 40:1의 비율로 섭취 시 자연 배란을 재개시키고 가임력을 보존시킬 수 있다는 연구도 보고된 바 있다. 특히 두 제제를 함께 섭취하였을 때 유의미한 부작용에 대한 보고도 없어 향후 다낭성난소증후군 환자의 치료에 있어서 유망한 역할을 할 수 있을 것으로 기대 된다(Unfer et al., 2016).

⑤ L-carnitine

무작위 연구에서 클로미펜 배란 유도에 저항성을 보이는 다낭성난소증후군 여성에서 L-carnitine을 첨가하는 것이 배란의 질 및 임신율을 높인다는 보고가 있다(Ismail et al., 2014). 클로미펜 저항성 다낭성난소증후군 여성을 대상으로 클로미펜과 NAC 병합, 클로미펜과 L-carnitine 병합의 효과를 비교한 무작위 대조군 연구에서 두 군 모두에서 치료 후 배란율 및 임신율 상승에 있어서 동등하게 효과적이었고, 생리패턴, FSH/LH/Free Testosterone/인슐린 저항성 개선을 보였다고 보고하였다(El Sharkwy et al., 2019).

(3) 배란유도제의 사용

생활습관의 개선, 인슐린감작제와 같은 일차 치료 이후에는 환자가 임신을 원하는지에 따라 치료 방향은 크게 두 가지로 나뉘게 된다. 임신을 원하는 불임 환자의 경우, 배란유도가 필요한데, 다낭성난소증후군 환자에서의 배란유도는 약물적 방법 혹은 수술적 방법으로 시도하게 되나, 약물치료에 의한 방법이 우선된다. 사실상 다낭성난소증후군 환자에서의 배란 유도법은 가장 덜 침습적이고 저렴한 방법에서부터 보다 침습적이고 고가의 방법으로 진행시키는 것이 당연하지만, 아직 명확히 정해진 바는 없다. 배란유도를 시작하기 전에, 각 환자 개인의 상황에 맞는 특성화, 차별화된 배란유도 알고리듬을 미리 그려보도록 해야 하며, 그 같은 계획에 대해 환자에게 상세히 설명이 이루어져야 할 것이다. 계획을 수립한 후 배란유도를 시행하게 되며 일단 특정 배란유도 방법에서 배란이 확인된다면, 바로 임신이 되지 않는다 해도 그와 동일한 방법으로 적어도 3주기는 반복할 필요가 있다. 대부분의 방법이 각 치료 주기 당 임신율이 첫 3번의 주기에서는 거의 동일하므로 치료계획을 세울 때, 중요한 부작용이나 비정상적인 난소반응을 보이지만 않는다면 적어도 3주기는 동일한 방법을 시행할 것을 염두에 두고 계획을 세워야 한다.

① 클로미펜(clomiphene citrate, CC)

클로미펜은 1956년 합성되어 1960년 처음으로 임상에서 사용되었으며 1967년 미국에서 이의 임상적 사용이 승인되었다. 클로미펜은 비스테로이드성 triphenylethylene 유도체로서(그림 22-2) 에스트로겐 작용제(agonist)와 길항제(antagonist)의 성질을 모두 가지고 있다. 클로미펜은 zuclomiphene (trans-clomiphene)과 enclomiphene (cis-clomiphene)으로 구성된 라세미 이성체(racemic isomer)의 복합체이다. 클로미펜을 구성하는 이 두 개의 이성체는 치환 되지 않은 phenyl ring의 상호위치에 따라 결정된다. 이 중 enclomiphene이 보다 강력한 이성체로서 클로미펜의 배란유도 작용을 주로 책임지고 있다. 일반적으로 클로미펜은 반감기가 매우 길고 체내에서 장시간 존재한다. 클로미펜이 장시간 체내에 축적되어 남아 있는 경우에는 클로미펜에 대한 내성을 유발할 수 있을 뿐 아니라, 자궁경관

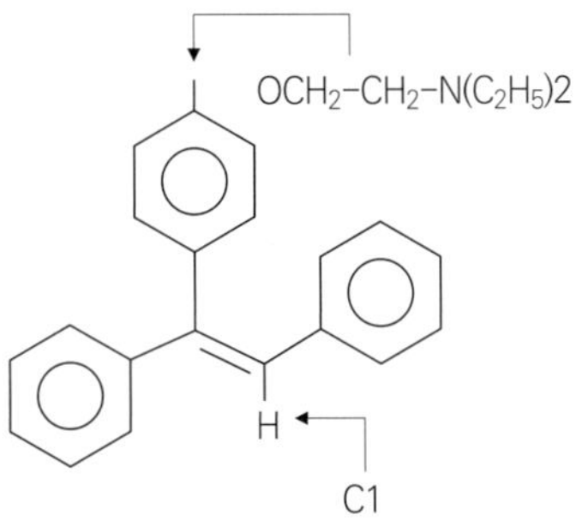

$OCH_2-CH_2-N(C_2H_5)2$

H

C1

클로미펜: Triphenylethylene 유도체

$OCH_2-CH_2-N(CH_3)2$

C_2H_5

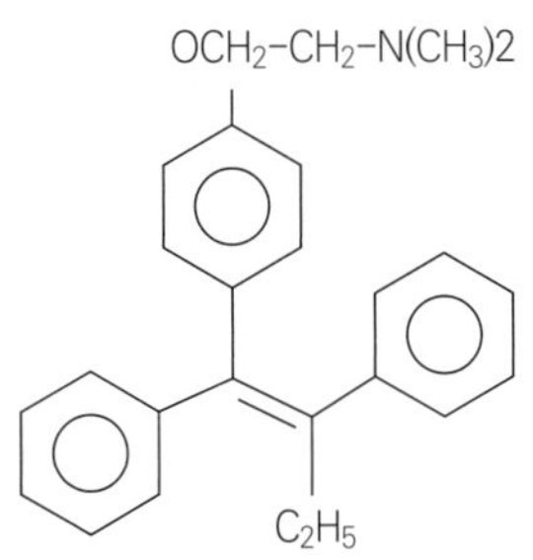

타목시펜

그림 22-2. Triphenylethylene 유도체인 클로미펜의 화학적 구조(타목시펜과의 비교)

점액을 불량하게 하며, 자궁내막의 위축을 유발할 수도 있다. 클로미펜을 구성하는 두 개의 이성체 간에도 약물역동학적 측면에서 차이가 있다. 클로미펜을 구성하고 있는 이성체들 중 특히 zuclomiphene의 경우엔 반감기가 매우 길어 투약 1개월 이후까지도 혈중에서 측정되기도 하고 클로미펜을 사용한 배란유도 주기가 반복되면서 zu이성체가 체내 점차 축적되기도 하지만, 이 잔여 zu이성체가 의미 있는 임상적 작용을 나타낸다는 근거는 없다. 클로미펜은 약한 합성 에스트로겐이지만 선택적 에스트로겐수용체 조율제(selective estrogen receptor modulator, SERM)로 작용하여 시상하부-뇌하수체 축에서 에스트로겐 길항제로 작용한다. 클로미펜은 시상하부의 에스트로겐수용체에 결합하여 오랫동안 수용체 차단효과를 나타내므로 혈중 에스트로겐 농도를 실제 농도보다 낮은 것으로 감지하게 되어, 시상하부에서 에스트로겐에 의한 음성되먹임 기전을 감소시킴으로써 GnRH의 파동성 분비 진폭(amplitude)을 증가시켜 FSH 분비를 촉진시킨다.

정상적으로 배란이 되는 여성에게 클로미펜을 투여하게 되면 GnRH 파동의 빈도(frequency)가 증가하게 된다. 클로미펜은 무배란 제2군에 해당되는 환자들에선 배란유도 효과가 비교적 우수하고 간편히 경구로 투여될 수 있고 경제적으로 저렴하다는 장점이 있어 배란율 및 임신율을 높이기 위해 단독으로 사용할 수 있다(Teede et al., 2018). 클로미펜은 시상하부, 뇌하수체, 난소의 기능이 유지되어 있는 환자에서 그 작용을 나타낼 수 있으므로, 시상하부-뇌하수체-난소 축의 심각한 기능 이상을 갖고 있는 WHO 무배란 제1군 즉, 저생식샘자극호르몬성 생식샘기능저하증 환자나 WHO 무배란 제3군 즉, 난소기능부전 환자에서는 효과를 기대하기 어렵다. 원인불명의 불임환자에서 클로미펜을 투여하고 배란시기에 성교하도록 하는 것은 기대요법(expectant management)과 비교하여 시술주기당 임신율 향상에 도움이 되지 않는다. 클로미펜의 투여는 월경주기 제2-5일에 시작하여 대부분 5일간 투여하게 된다. 클로미펜을 언제부터 투여하기 시작할 것인지는 치료목적에 따라 달라질 수도 있으나, 투여시작일을 월경주기 제2, 3, 4 또는 5일째 언제로 하든 배란율, 임신율에는 차이를 보이지 않는 것으로 알려져 있다(Wu et al., 1989). 클로미펜의 하루 투여용량은 대개 50-150 mg인데 하루 50 mg부터 시작하게 된다. 클로미펜 치료 시 환자들 중 50% 이상은 초기 용량인 하루 50 mg 투여로 배란이 유도되고, 약 22%는 1회 추가 용량 즉 하루 100 mg씩 5일간 투여에 의하여 배란이 유도되어 임신이 된다. 즉 클로미펜에 의한 배란유도와 그로 인한 임신의 70% 이상은 하루 50-100 mg, 5일 투여에서 이루어지는 것으로 보고된다(Gysler et al., 1982). 클로미펜으로 배란이 유도된 무배란 여성들의 경우 배란 전 황체형성호르몬의 급상승은 일반적으로 클로미펜을 마지막으로 투여한 후 5-12일째 특히 7-8일 후에 일어나는데, 예를 들면 클로미펜을 월경주기 제 5-9일째 복용한 여성이라면 대개는 월경주기 제 16-17일째에 황체형성호르몬의 급상승이 나타나게 된다는 것이다. 클로미펜의 투여가 난포의 성장 및 발달을 유발했음에도 불구하고 배란이 되지 않은 경우, 즉 난포기에 혈중 estradiol의 상승 소견은 보이나 midcyclic gonadotropin surge를 보이지 않는 경우, 최대 난포의 평균직경이 20 mm에 도달했을 때 hCG를 투여하는 것이 도움이 된다. 이때 배란은 대개 hCG 투여 후 34-46시간째에 일어나게 된다. 따라서 클로미펜을 사용한 배란유도 주기에서 자궁강내 인공수정(intrauterine insemination, IUI)을 시행하게 되는 경우엔 hCG 투여 후 대략 36-40시간째에 인공수정 시술을 하게 된다. 그렇지만 hCG 투여 전에 이미 내인성 LH의 급상승이 일어난 경우라면 hCG를 추가적으로 투여하는 것은 대부분 도움이 되지 않는다. 클로미펜을 복용한 80-85%의 여성에서 배란이 확인되고 40%는 임신이 된다. 그러나 불행하게도 클로미펜의 항에스트로겐 효과로 인해 15-50%에서 자궁내막 및 자궁목점액 발달에 좋지 않은 영향을 미칠 수 있다. 따라서 이를 확인하기 위하여 클로미펜을 사용한 첫 번째, 세 번째 배란유도주기에서는 성교후검사(postcoital test, PCT)를 시행하도록 추천하기도 한다. 또한 클로미펜을 사용한 배란유도 기간 동안에는 질식초음파를 통하여 난포의 성장과 함께 자궁내막의 두께, 성상을 검사해야 한다. 성교후검사의 결과가 좋지 않거나, 자궁목점액상태가 좋지 않은 경우에는 난포기에 estrogen을 투여하거나 자궁강내 인공수정을 시행하게 된다. Estrogen의 투여는 월경주기 제2일째부터 또는 클로미펜 투여시점부터 시작될 수 있다. Conjugated estrogen (premarin)을 하루 0.625-1.25 mg씩 10-15일간 투여하거나, estradiol valerate를 하루 1-2 mg씩 10-15일간 투여하는 방법들이 보고된 바 있으나, 이의 효과에 대해서는 논란이 있다. 클로미펜에 대한 난소반응도를 개선시키기 위한 여러 방안들이 제시되고 있다. 특히 비만 여성에서는 체중감량과 같은 생활습관의 개선을 우선적으로 시도해야 한다. 인슐린저항성이 있는 다낭성난소증후군 환자에서는 인슐린감작제로 전처치하거나 병합투여하는 것을 고려할 수 있다. 일반적으로 5일간 투여하는 클로미펜의 투여기간을 2-4일간 연장하는 것이 배란유도를 다소 향상시킬 수 있는 것으로 과거 보고된 바 있으나, 이와 같은 방법은 심한 항에스트로겐 효과를 유발하여 임신을 방해할 수 있으며, 비정상적인 난포의 발달을 유발할 수도 있다. 클로미펜 투여 시 prednisone (5-10 mg/day)이나 methyl-prednisolone (4-8 mg/day) 또는 dexamethasone (0.25-0.5 mg/day) 등과 같은 당질 코르티코이드(glucocorticoids)를 병합투여하는 것도 클로미펜에 대한 반응도를 개선시킬 수 있는 한 방법이다. Dexamethasone을 투여하는 경우, 자기 전에 0.5-1알(0.25-0.5 mg)을 투여하게 된다. 특히 혈중 DHEAS 치가 2,000 ng/mL (200 μg/dL) 이상인 환자에서 이 같은 조치는 배란율 및 임신율 증가에 기여할 수 있다. Dexamethasone과 같은 당질 코르티코이드는 대개 월경(또는 progesterone withdrawal bleeding) 시작 약 2주일 전부터 난포가 충분히 성장한 시점까지 투여 하게 된다. 다낭성난소증후군을 포함한 WHO 무배란 제2군에 해당되는 불임환자에서 클로미펜은 효과적인 치료제이다. 그렇지만 누적 임신율이 6주기 이후에는 더 이상 상승하지 않기 때문에, 클로미펜 치료를 6주기 이상 시행하진 않는다. 일반적으로 클로미펜으로 성공적인 배란유도가 되었음에도 불구하고 3-4주기까지도 임신에 실패한 경우에는, 배란이상 이외의 다른 불임 원인인자가 있는지를 조사하고, 다른 적절한 방법을 모색해야 한다. 특히 여성의 나이가 35세 이상인 경우에는 더욱 그러하다. 클로미펜과 관련된 부작용들 중 우선 임신에 미치는 좋지 않은 영향으로는 앞서 설명된 바와 같은 자궁경관점액이나 자궁내막발달에 미치는 항에스트로겐 영향과 황체기기능장애(luteal phase dysfunction), 그리고 클로미펜의 긴 반감기로 인해 초기 배아 발달에 미치는 좋지 않은 영향의 가능성 등이 있다. 황체기기능장애는 클로미펜 배란주기에서 항상 염두에 두어야 하며, 따라서 클로미펜을 사용하는 첫 주기부터 혈중 황체호르몬의 측정 등을 통하여 황체기기능장애의 발생유무를 확인하여야 한다. 그렇지만 실제 임상에서 황체기기능장애를 진단하는 데에는 애매한 면이 많이 있으며, 진단 기준도 보고자에 따라 다소의 차이가 있다. 황체기기능장애가 의심되는 경우에는 다음과 같은 처치를 하게 된다. 황체기기능장애는 dysfolliculogenesis에 의하여 발생될 가능성이 많으므로 클로미펜의 투여 용량을 늘리거나 클로미펜 마지막 투여일 또는 그 다음날에 hMG 또는 FSH 제제를 75-150 IU, 1-2회 추가 투여할 수 있다. 이 외의 치료방법으로는 난포기 말에 hCG를 주사하거나, 황체기에 황체호르몬 제제나 hCG를 반복 투여하는 것이다. 황체호르몬 제제를 투여하는 경우는 대개 황체형성호르몬 급상승 후 2-3일째 또는 배란 후 1-2일째부터 투여하게 된다. Progesterone in oil을 매일 저녁 1.25-5 mg 근육주사하거나, micronized progesterone을 100-200 mg씩 하루 2-3회 경구투여하거나, 질 내로 투여할 수 있다. 요추출 hCG를 투여하는 경우에는 배란 후 2-4일째부터 1,500-2,500 IU씩 3-4일 간격으로 근육주사하게 된다. 난포기 말 요추출 hCG를 5,000-10,000 IU 1회 근육주사하거나, 유전자 재조합 hCG를 250 μg 1회 피하주사하는 것으로도 클로미펜 주기에서의 황체기기능장애를 어느 정도 예방할 수 있다. 이 외의 클로미펜 부작용들로는 드물지만 난소과자극증후군, 안면홍조(hot flush), 오심, 유방통, 난소낭종과 2% 미만에서 시야장애 등이 있을 수 있으나 모두 가역적이다. 특히 다낭성난소증후군 환자가 클로미펜을 복용하는 경우 35-60%에서 다수의 난포가 발달하고 그로 인한 난소과자극증후군의 발생위험이 다소 증가할 수 있으나, 대부분은 중등도 이하의 상태이고, 다태임신율은 5-8%에 불과하다.

클로미펜은 간질환이 있는 경우는 사용 금기이다. 2017년에 발표된 연구에 의하면 클로미펜 사용이 주요 기형을 올린다는 증거는 없는 것으로 보고되었다(Weller et al., 2017). 최근 발표된 메타분석에서도 periconception 시기에 클로미펜에 노출된 경우 21%의 신경관결손증(Neural tube defect)의 위험을 올리는 것으로 보고하였으나 유의하지 않았다(Auffret et al., 2019). 클로미펜은 치료 효과뿐 아니라 경제적인 측면 및 투여방법에서도 유리하다는 장점을 지니고 있어, 다낭성난소증후군을 비롯한 WHO 제 2군 무배란 환자들을 위한 효과적인 일차적 배란유도제이지만, 6주기 이상 장기간 사용은 피하도록 하는 것이 바람직하다.

② 방향화효소억제제(aromatase inhibitor)

방향화효소억제제는 진행성 유방암이 있는 폐경 후 여성에서, 남성호르몬 즉 안드로겐이 방향화 효소에 의해 에스트로겐으로 전환되는 것을 억제하기 위해 사용되고 있는 약물로써, 이 중 제3세대 방향화효소억제제인 letrozole과 anastrozole이 임상적으로 사용되는데, 이들의 화학적 구조는 그림 22-3에서 보는 바와 같다.

이 triazole 유도체들은 가역적이며 경쟁적으로 작용하는 방향화효소 길항제로서 매우 강력하고 선택적으로 cytochrome P450 효소군에 속하는 방향화효소에 작용한다. 폐경 전 여성에서는 말초에서 에스트로겐 농도를 감소시킴으로써 에스트로겐에 의한 음성되먹임(negative estrogenic feedback)을 저하시키고, 말초의 낮은 에스트로겐에 대한 보상성 되먹임반응으로 시상하부에서의 GnRH 분비와 뇌하수체에서의 난포자극호르몬 생성분비를 촉진시킴으로써, 난소에서 난포성장을 유도하게 된다(그림 22-4).

2017년에 발표된 Wang 등의 메타분석에 의하면 무배란 2군 여성에서 letrozole, 클로미펜과 metformin 조합의 사용이 클로미펜 단독에 비해 배란율, 임신율 면에서 우월하였다. Letrozole은 클로미펜 단독에 비해 유의하게 높은 생아 출생률을 보이는 유일한 치료제이다(Wang et al., 2017). 클로미펜 투여 시에 클로미펜의 자궁내막에 대한 항에스트로겐 작용으로 인해 평균 자궁내막 두께가 0.5 cm로 얇았던 반면, letrozole 투여 시엔 자궁내막 두께가 평균 0.8 cm였다. 따라서 방향화효소억제제는 다낭성난소증후군으로 인한 배란장애를 가진 불임여성에서 클로미펜을 대체하여 일차적으로 사용될 수 있다는 견해를 피력하였다. 이후 정상인을 대상으로 letrozole 2.5 mg/d과 클로미펜 50 mg/d를 월경주기 제5-9일에 걸쳐 5일간 투여한 후 두 군 간의 결과를 비교하였던 무작위, 이중맹검 연구에서 성장난포의 수와 자궁내막의 두께에 있어서는 두 군간에 차이를 보이지 않았으나 혈중 에스트로겐 농도는 letrozole을 투여하였던 경우가 399 pmol/L로 클로미펜 투

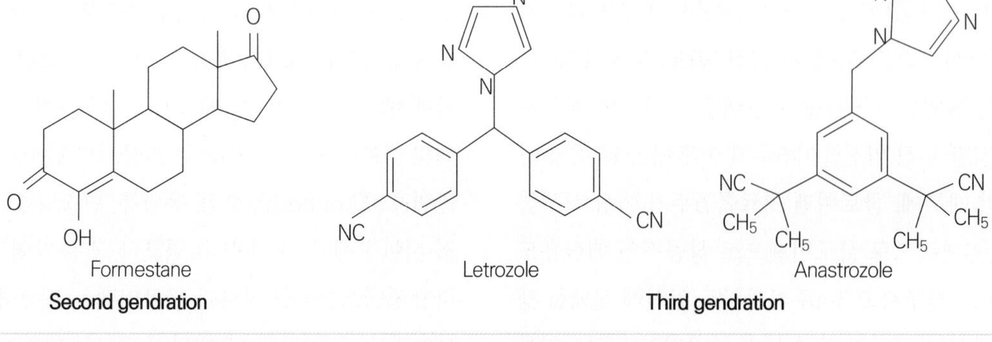

Formestane
Second gendration
Letrozole
Anastrozole
Third gendration

그림 22-3. 방향화효소억제제의 화학적 구조

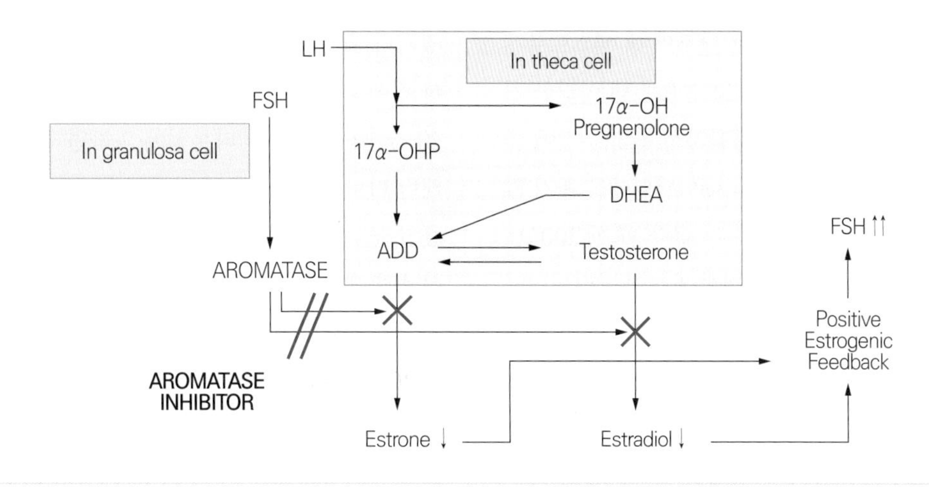

그림 22-4. **방향화효소억제제의 작용기전**

여 시의 2.047 pmol/L에 비해 통계적으로 유의하게 낮았던 것으로 나타났다(Fisher et al., 2002). 이 같은 결과는 letrozole을 이용한 배란유도가 클로미펜을 사용하는 것에 비해 보다 더 자연배란 주기에 가까운 생리적 수준의 에스트로겐 농도를 유지하여 임신에 유리할 것으로 판단되기도 한다. 최근 불임여성에서 letrozole과 클로미펜의 효과를 비교한 무작위, 이중맹검, 다기관연구에서 letrozole을 투여받은 여성에서의 누적생존출생률(cumulative live birth rate)이 27.5%로 클로미펜을 투여받은 여성에서의 19.1%에 비해 유의하게 높게 나타났으며, 누적배란율(cumulative ovulation rate)도 역시 letrozole 투여군에서 61.7%로 클로미펜 투여군에서의 48.3%에 비하여 유의하게 높은 것으로 나타났다. 그렇지만 선천성 기형아 발생률이나 유산율에 있어서는 두 군 간에 차이를 보이지 않았다(Legro et al., 2014). 이 연구를 통하여 다낭성난소증후군에 이환된 무배란 불임여성을 위한 배란유도제로서 letrozole은 클로미펜보다 우월하다는 결론이 도출되었다. 이러한 연구를 바탕으로 현재 다낭성 난소증후군 환자에서 Letrozole이 1차 배란 유도제로 권고되고 있다(Teede et al., 2018). 클로미펜 저항성 다낭성난소증후군 여성을 무작위로 Letrozole 또는 hMG군에 배정하여 비교하였을 때, Letrozole 사용 시 생식샘자극호르몬(hMG) 사용 시와 동등한 배란율, 임신율을 얻었으며, 에스트라디올 농도는 낮았다고 보고하였다(Shi et al., 2019). 그렇지만 배란유도제로서 letrozole을 보다 안전하게 사용하기 위해서는 다른불임치료제들과 비교한 letrozole의 기형발생 위험성과 안전성에 대한 지속적인 조사가 필요하다. 임상적으로 사용가능한 방향화효소억제제인 letrozole과 anastrozole은 클로미펜과 마찬가지로 월경주기 제2-5일에 투여하기 시작하여 5일간 투여하게 된다. 통상적으로 letrozole의 경우 하루 2.5-5.0 mg, anastrozole의 경우 하루 1.0-2.0 mg의 용량이 투여된다. Letrozole과 anastrozole의 비교 연구에서 letrozole의 배란율과 임신율이 각각 84.5%와 18.8%로 anastrozole의 60.0%, 9.7%에 비해 우수한 것으로 나타나 배란유도를 위한 방향화효소억제제로는 letrozole이 선호되며(Al-Omari et al., 2004), 배란유도제로서 anastrozole에 대한 연구는 매우 드문 실정이다. 방향화효소억제제는 경구투여 후 평균 반감기가 약 45시간(30-60시간)에 이르며 주로 간을 통해 배설된다. 부작용으론 오심이나 구토와 같은 위장관계 이상이 가장 많고 이외 무력증, 안면홍조, 경미한 두통, 요통, 하지 통증(leg cramp) 등이 있을 수 있지만 이러한 부작용은 주로 유방암 환자에서 매일 장기간 약을 복용하는 경우에 관찰되며 건강한 여성에서 배란유도를 위해 단기간 저용량을 복용하는 경우엔 거의 관찰되지 않는다. 방향화효소억제제로 배란유도를 하는 경우 난포액 내 에스트로겐 농도가 생리적인 수준보다도 더 낮을 수 있는데 이러한 경우엔 난자의 감수분열 재개를 통한 난자성숙 및 수정에 좋지 않은 영향을 미칠 수 있으며 결국 배아발달에도 좋지 않은 영향을 미칠 가능성을 배제할 수는 없다. 또한 2005년 letrozole 복용 여성의 태아에서 선천성 기형이 발견되면서 letrozole의 모성 및 태아 독성 그리고 태아 기형 유발의 위험성으로 배란유도제로서 letrozole의 사용을 자제해야 한다는 주장도 있었다. 하지만 2017년 보고된 메타분석에서 letrozole을 사용하는 것이 태아 기형을 증가시키지 않는 것으로 보고하였다(Wang et al., 2017)

③ Tamoxifen

무배란 다낭성난소증후군 여성을 대상으로 타목시펜과 저용량 아스피린을 투여한 군과 타목시펜과 플라세보(vit B12)를 투여한 군을 비교하는 무작위 대조연구에서 환자당 평균 난포 발달 수(1.4개 vs 1.1개), 내막 두께(9.6 mm vs. 7.8 mm), 임신율(37.2% vs. 22.3%)이 전자에서 유의하게 높은 수치를 보였다고 보고하였다(Aref et al., 2019). 또한 2016년 발표된 Cochrane review에서 분석한 결과 클로미펜 단독과 타목시펜 단독을 비교하였을 때 임신율, 유산율, 생아 출생률에 있어 차이 없었다고 하였고, 클로미펜과 타목시펜 병합 사용하는 경우와 타목시펜 단독 사용하는 군을 비교하였을 때도 임신율에 차이는 없다고 보고하였다. 그러나 이러한 결과들은 비교적 근거수준이 낮은 연구 결과를 바탕으로 한 것이라서 향후 추가적인 연구가 필요하겠다(Brown et al., 2016).

④ 생식샘자극호르몬(gonadotropins)

외인성 생식샘자극호르몬으로는 hMG, 요추출 난포자극호르몬(urinary follicle stimulating hormone, uFSH), 고순도 요추출 난포자극호르몬(highly purified FSH, hp-FSH), 유전자재조합 인간난포자극호르몬(recombinant human FSH, rhFSH) 등이 사용될 수 있다. 클로미펜이나 방향화효소억제제로 치료받았음에도 불구하고 배란유도에 실패하였거나, 배란이 성공적으로 유도되었음에도 임신에 실패한 경우 2차적으로 생식샘자극호르몬의 사용을 고려한다. 2016년에 발표된 메타분석에 의하면 처치를 받지 않은 무배란 다낭성난소증후군 여성에서 생식샘자극호르몬을 사용한 군과 클로미펜 사용군을 비교하였을 때 전자에서 임신율과 생아 출생률이 높았다고 보고하였다(Brown et al., 2016). 또한 클로미펜 저항성이 있는 다낭성난소증후군 여성에서 생식샘자극호르몬은 클로미펜과 metformin 병합군에 비해 배란율, 임신율과 생아 출생률이 우수하다고 보고하였고(Abu Hashim H et al., AOGS, 2015) 이러한 여성에서는 생식샘자극호르몬이 우선 고려될 수 있다(Helena J. Teede, HR, 2018). 만일 다태임신의 위험이 높은 경우라면 생식샘자극호르몬을 배란유도를 위한 1차 치료제로 고려할 수 있겠다(Helena J. Teede, HR, 2018). 다낭성난소증후군 환자의 경우는 기저 황체형성호르몬이 상승되어 있는 경우가 많으므로 배란유도 시 가능한 황체형성호르몬 투여를 최소화하는 것이 유리할 것이라는 이론적 바탕하에 초기에는 배란유도제로 황체형성호르몬이 함유된 hMG보다는 uFSH나 hp-FSH와 같은 난포자극호르몬 제제가 선호되었다. 이와 같은 난포자극호르몬 제제의 이론적 우위에도 불구하고 이후 두 가지 약제를 비교분석한 많은 연구보고들은 hMG와 난포자극호르몬 제제 간에 배란 유도율, 임신율, 난소과자극증후군 발생빈도 등에 있어 실제로는 의미있는 차이가 없는 것으로 보고하고 있다. 유전자재조합 기법으로 생산된 rhFSH 경우는 hMG나 uFSH처럼 소변 내 단백질 불순물이 섞여 있지 않으며, 각 batch 간의 역가 차이도 없고, 높은 특이적 활성도를 보이므로 특히 다낭성난소증후군 환자에서의 배란유도에 좋은 효과가 있을 것으로 기대되었다. 실제로 다낭성난소증후군 환자를 대상으로 현재까지 rhFSH와 uFSH를 비교한 연구에서는 두 약제 간에 치료 효과나 부작용 발생에 있어 차이를 보이지 않았던 것으로 보고되기도 한다. 하지만 rhFSH의 높은 역가로 인해 사용되는 총 용량은 uFSH에 비해 유의하게 적은 것으로 흔히 보고된다. 특히 단백질 불순물이 없고 batch 및 앰플 간의 약제의 역가가 동일하여 보다 정확히 약제에 대한 난소 반응을 예측할 수 있기 때문에 난소과자극증후군의 발생 위험도를 낮추는 데 도움이 될 수도 있다. 특히 최근에는 rhFSH의 투여용량을 12.5 IU 간격으로 세밀하게 조절할 수 있는 펜 형태 주사 기구의 사용이 가능하여 난소과자극증후군의 발생위험도를 낮추는 데 유용할 것으로 사료된다. 생식샘자극호르몬을 이용한 배란유도 시에는 가능한 과다한 난소자극을 피하도록 해야 한다. 특히 다낭성난소증후군 환자들의 경우에는 난포의 성장을 유도하는 생식샘자극호르몬 치료용량과 난소과자극증후군을 유발하게 되는 용량 간의 폭이 매우 좁고, 난포자극호르몬에 반응할 수 있는 발달정체 상태에 있는 동난포(antral follicle)의 수가 매우 많기 때문에 생식샘자극호르몬을 이용한 과배란유도 시 난소과자극증후군의 발생 위험성이 매우 높다. 따라서 다낭성난소증후군 환자들에게 생식샘자극호르몬을 투여할 때에는 저용량 즉 하루 37.5-75 IU로 시작하며, 월경주기 제2-3일째부터 투여하기 시작한다. 난소반응은 혈중 에스트라디올의 측정과 초음파검사를 통해 감시할 수 있는데, 많은 경험을 가진 숙련의는 초음파검사만으로도 난소반응을 효과적으로 감시할 수 있다. 생식샘자극호르몬 투여 시작 후 4-6일째부터 질식초음파검사를 시작하게 된다. 질식초음파검사상 평균 직경 12 mm 이상인 우성난포가 초음파 감시에서 확인되면, 배란이 확인될 때까지 매일 혹은 이틀에 한 번씩 초음파검사를 시행하는 것이 좋다. 최대난포의 평균직경이 17-18 mm에 도달하면, 요추출 hCG 5,000-10,000 IU를 근주하거나, 유전자재조합 인간융모생식샘자극호르몬(recombinant human chorionic gonadotropin, rhCG) 125-250 μg을 피하주사하여 난자의 성숙과 배란을 유도하게 된다. 다낭성난소증후군을 포함한 WHO 제2군 무배란 환자들의 경우 동반된 다른 불임인자가 없다면, 배란유도율은 72-95%, 6번의 치료주기에서 누적임신율은 50-70%에 달하는 것으로 알려져 있다.

가. 생식샘자극호르몬 투여방법

다낭성난소증후군 환자의 경우 생식샘자극호르몬을 이용한 배란유도 시 난소과자극증후군 발생위험성이 높기 때문에 정상 월경주기를 갖고 있는 환자들을 위한 과배란유도 시보다 더욱 각별한 주의가 요구된다. 생식샘자극호르몬 투여법은 초기 고용량으로 시작하여 점차 투여 용량을 감소시키는 "단계적 용량감소법(step-down regimen)"과 초기 저용량으로 시작하여 난소의 반응도에 따라 용량을 점차 증가시키는 "단계적 용량증가법(step-up regimen)"으로 구별할 수 있다.

가) 단계적 용량감소법

난포의 집단(cohort)을 동원(recruitment)하기 위한 초기 용량을 기폭용량(priming dose) 개념의 고용량으로 투여한 후 난소의 반응도에 따라 점차 용량을 감소시켜 나가는 방법이다. 정상 월경주기를 가진 환자에 서의 배란유도 또는 과배란유도 시에 가장 흔히 사용되고 있는 방법이다. 그러나 다낭성난소증후군 환자에서는 이 방법이 대개 잘 사용이 되지 않는다. 통상적인 난포자극호르몬의 초기 투여 용량은 하루 150 IU이지만, 다낭성난소증후군 환자들에서는 난소반응도의 개인차가 심하여 초기 투여용량을 결정하기 어렵다. 또한 단계적 용량감소법의 경우 난포 성장에 동원되는 난포수를 증가시키는 효과가 있기 때문에, 난포자극호르몬에 반응할 수 있는 동난포 수가 매우 많은 다낭성난소증후군 환자들의 경우엔 과다한 난포 성장의 위험성을 증가시킬 수 있다. 과체중 환자들, 한국여성의 경우 특히 체질량지수가 23 이상인 경우 과배란유도에 사용되는 난포자극호르몬의 투여 용량과 기간이 체질량지수 23 미만인 환자들에 비해 유의하게 증가되는 것으로 보고된 바 있다(전균호 등, 2009). 따라서 과체중이거나 인슐린저항성이 있는 환자들의 경우에는 초기 투여 용량을 다소 높게 설정할 필요가 있다. 다낭성난소증후군 환자의 경우 성공적인 배란 유도를 위한 치료용량과 난소과자극증후군을 유발할 수 있는 용량 사이의 폭, 즉 안전 영역(safty margin)이 매우 좁으며, 배란유도제에 대한 개인 간의 반응도 매우 다양하여 배란유도제 투여과정에서 투여용량을 조절하는 데 어려움이 따른다. 대개는 배란유도 제5일째부터 질식초음파 및 혈중 에스트라디올 측정을 통한 난포성장감시를 시작하게 된다. 통상적으로 평균 직경이 12 mm가 넘는 우성 난포가 출현하기 시작하면 생식샘자극호르몬의 용량을 줄이기 시작한다.

나) 단계적 용량증가법

적은 용량의 생식샘자극호르몬으로 투여를 시작한 후 난소의 반응도에 따라 점차 용량을 증가해 나가는 방법이다. 정상 월경주기를 갖고 있는 환자에서의 배란유도 시에는 이 방법이 단계적 용량감소법에 비하여 난포 성장의 불일치가 심하여 널리 사용되고 있지는 않으나, 다낭성난소증후군 환자에서는 권장되는 방법이다. 이때에는 생식샘자극호르몬의 초기 투여용량을 통상적인 수준인 하루 150 IU로 결정하게 되는 경우엔 난소과자극증후군의 발생 빈도가 증가할 수 있고, 임신율은 저하되며, 자연유산율은 증가할 수 있다. 또한 생식샘자극호르몬 단독투여법을 사용하는 경우는 조기 황체형성호르몬 급상승(premature LH surge)이 흔히 유발되어 약 20% 환자에서는 해당 시술 주기가 취소된다. 따라서 다낭성난소증후군 환자에서 단계적 용량증가법이 적용되는 경우엔 초기 투여용량을 최소화하여 통상적인 초기 용량의 1/2-2/3 수준으로 시작하는 저용량 단계적 용량증가법(low-dose step-up regimen)이 널리 사용되고 있다.

흔히 사용되는 다낭성난소증후군 환자들을 위한 저용량 단계적 용량증가법은 다음과 같다. 처음 6-10일간은 hMG 또는 난포자극호르몬을 하루 32.5-75 IU씩 매일 투여한다. 이후 질식초음파검사를 시행하여 난포 성장의 징후가 없다면 즉 최대 난포의 직경이 11-12 mm에 도달한 난포가 보이지 않는다면 하루 투여 용량을 12.5-25 IU 증량하여 다시 5-7일간 투여한다. 이 같은 방식으로 배란유도제를 지속적으로 투여한 후 최대 난포의 직경이 17-18 mm에 도달하면 요추출 hCG 5,000-10,000 IU를 근주하거나, rhCG 125- 250 μg을 피하주사한다. 그렇지만 배란유도 시 최대 난포의 직경이 14-15 mm에 도달한 시점에 질식초음파상에서 이와 유사한 크기의 난포가 15개 이상 관찰된다면 생식샘자극호르몬의 투여를 중단하고 매일 초음파검사를 시행한다. 이러한 경우는 hCG 투여 시기를 조금 당기거나, 상황에 따라서는 난자의 성숙과 배란 유도를 위해 hCG 대신 GnRH-a를 사용하기도 한다. GnRH-a의 투여 시점은 hCG 투여 시와 동일하게 결정되는데, 이 경우엔 12시간 후 동일 용량의 GnRH-a를 1회 더 투여하기도 한다. 대상 환자가 생식샘자극호르몬의 요구량이 많을 것으로 예상되는 경우 즉 체질량지수가 23이 넘거나 특히 25 이상인 경우에는 초기 투여용량을 다소 높게 선정하고, 생식샘자극호르몬의 용량조절 시점을 다소 빨리 하는 것이 도움이 된다. 이상의 배란유도법들은 다수의 난포 성장을 목표로 하는 과배란유도와는 달라서 가능한 정상 배란주기에서의 배란과 유사한 상태로 즉 1-2개의 난포만이 성장하여 배란되도록 하는 것을 목표로 한다.

⑤ 생식샘자극호르몬과 클로미펜 또는 레트로졸 병합요법 (mild stimulation)

일부 클로미펜에 저항성이 있는 무배란 여성은 클로미펜과 생식샘자극호르몬을 sequential하게 투여하는 방법으로 배란을 유도할 수 있다. 전형적인 방법은 생리주기 3-5일째에 클로미펜(50-100 mg daily) 또는 레트로졸(2.5-5 mg daily)을 5일간 복용하면서 뒤이어 저용량의 생식샘자극호르몬(FSH 또는 hMG)을 클로미펜 또는 레트로졸 복용 마지막날 또는 그 다음날부터 투여하는 방법이다. 이후로는 생식샘자극호르몬 주기처럼 개개인별로 난포성장 정도를 모니터하여 추가 투여를 결정한다. 많은 연구들에서 이러한 연속적인 치료를 하였을 때 생식력(fecundity)은 생식샘자극호르몬 단독으로 사용하였을 때와 유사한 것으로 보고하였고, 생식샘자극호르몬 투여 기간 및 용량, 비용, 난소과자극증후군 발병 정도에 있어서는 절반 정도로 보고하였다(Liu et al., 2012).

가. 난소과자극증후군의 발생빈도 및 정도를 줄이기 위한 시도

난소과자극증후군은 외인성 생식샘자극호르몬을 사용하여 배란 유도시에 발생할 수 있는 의원성 합병증(iatrogenic complication)이다. 복부 불편감, 난소 비대, 경한 오심 구토 등의 가벼운 증상에서부터 과량의 체액 저류(복수, 흉수), 호흡곤란, 핍뇨, 저혈압 등 입원을 요하는 중증까지 임상 양상은 다양하다. 정상적으로는 대개 수 일 내 자연 소실이 되지만 임신이 된 경우는 오래 지속되기도 한다. 난소과자극증후군은 혈관투과성의 증가로 혈관내 체액이 혈관 밖으로 빠져나가는 것을 특징으로 하며, 위험인자로는 어린 나이, 저체질량지수(BMI), 고난소예비력, 다낭성난소증후군 환자, 고용량 생식샘자극호르몬 사용, 이전 난소과자극증후군의 기왕력이 있다. 혈장 에스트라디올 농도가 높은 경우 및 발달하는 난포수가 많은 경우 위험도가 증가한다. 이러한 난소과자극증후군을 예방하기 위해서 대표적으로 아래의 5가지 방법이 주로 사용된다.

가) 해당 시술주기에서의 임신 포기 및 난자채취 후 수정란의 동결보존법

현재 사용되는 난소과자극증후군 예방책 중 가장 확실한 방법이다. 배란유도 시 중증의 난소과자극증후군 발생위험이 높은 것으로 판정되면 해당 시술주기에서 난자 채취를 시행하여 회수된 난자들을 수정시킨 후 동결보존한다. 때로 난자채취 직후부터 다음 번 월경 시작일까지 GnRH agonist나 GnRH antagonist를 지속적으로 투여함으로써 보다 확실히 난소과자극증후군의 발생을 예방할 수도 있다.

나) hCG 대신 GnRH agonist를 투여한 난포성숙 및 배란유도

hCG 투여 시점에 GnRH agonist를 투여하게 되는데, triptorelin (decapeptyl)의 경우는 0.2 mg, leuprolide acetate는 0.5 mg을 피하주사 하게 되고, buserelin acetate는 250 μg 또는 500 μg, nafarelin acetate는 200 μg 또는 400 μg을 비강내 분무한다. 때로 동일 용량을 12시간 후에 1회 더 투여할 수도 있는데, 특히 비강 내로 분무하는 제제의 경우엔 2회 투여 방법이 바람직하다. 이 방법은 내인성 황체형성호르몬의 급상승을 유도하여 난소과자극증후군의 발생빈도는 줄일 수 있다는 장점이 있는 반면, GnRH-a 장기요법을 사용한 환자에서는 적용될 수 없다는 단점이 있으며, 이 경우 임신율이 저하되는 것으로 보고된 바 있다.

다) Coasting

난소과자극증후군의 위험성이 높은 것으로 판정되면 추가 생식샘자극호르몬 투여 없이 에스트라디올 농도가 감소 또는 안정기(plateau)에 이를 때까지 hCG 투여를 1-3일간 늦추는 방법이다. 이후 혈중 에스트라디올치가 유의하게 감소되면 이 때 hCG를 투여하게 된다. 이 방법은 중증의 난소과자극증후군 발생빈도를 감소시킬 수 있으나, 임신율에 좋지 않은 영향을 줄 수도 있다.

라) Cabergolin (dopamine agonist) 투여

Alvarez는 난소과자극증후군 고위험군에서 cabergoling 0.5 mg을 hCG 투여일로부터 8일간 투여하였을 때 혈관투과성을 줄이고 난소과자극증후군의 위험을 감소시킬 수 있었다고 보고하였다(Álvarez et al., 2007). 난소과자극증후군 진단 시점에 cabergoline 0.5 mg 7일 사용과 함께 GnRH antagonist (ganirelix 0.25 mg)를 2일간 함께 병합하여 투여한 연구에서도 난소과자극증후군의 임상 증상을 빠르고 효과적으로 경감시켰다고 보고하였다(Rollene et al., 2009). 따라서 난소과자극증후군의 위험이 높은 여성에서 hCG day 또는 난자채취일로부터 7-8일간 cabergoline을 투여하는 것이 난소과자극증후군을 예방하는 방법 중의 하나로 사용될 수 있겠다.

마) GnRH antagonist 투여

난소과자극증후군이 발생한 환자들에 있어서 GnRH antagonist를 투여하였을 때 난소과자극증후군 치료에 효과적이었다는 연구들이 있다. George T 등은 중

증 난소과자극증후군으로 진단된 환자들에서 난자채취 5일 뒤부터 8일까지 0.25 mg의 GnRH antagonist를 투여하였을 때 빠른 회복을 보였다고 보고하였다(Lainas et al., 2012). 국내보고에서도 초기 난소과자극증후군이 발생한 환자에서 입원 시점에서 2-4일간 GnRH antagonist (cetrorelix 0.25 mg/d)를 투여하였을 때 난소 크기를 빨리 줄이고 임상 증상을 완화시켰다고 보고한 바 있다(Lee et al., 2017). 이러한 결과를 토대로 난소과자극증후군의 발생 위험이 높은 고위험군에서 사용시에도 예방 효과를 가져올 수 있을 것으로 생각된다. 실제 임상 적용시 난자채취일로부터 3일 동안 0.25 mg cetrorelix를 사용하였을 때 난소과자극증후군의 발생이 줄어드는 효과를 볼 수 있었다. 그러나 적절한 GnRH antagonist 투여 용량이나 투여기간 등에 대해서는 향후 추가적인 연구가 더 필요하겠다.

나. 복강경하 난소 투열요법(laparoscopic ovarian diathermy), 복강경하 난소천공술(Laparoscopic Ovarian drilling, LOD)

다낭성난소증후군 환자에서 복강경하 난소 투열요법을 시행하면 표준 배란유도제에 대한 난소의 저항성을 감소시켜 배란율을 증가시킬 수 있다. 레이저나 단극소작기(unipolar cautery), 양극소작기(bipolar cautery) 등이 사용될 수 있다. 난소의 표면을 통해 전극침을 난소기질 내에 찔러 넣은 후 약 2초간 40 W의 전류가 흐르게 하며 하나의 난소당 15번 가량 천자해 소작하게 된다. 이 수술적 치료법은 다낭성난소증후군 환자에서 혈중 황체형성호르몬, 테스토스테론, 안드로스텐디온 및 DHEAS 농도를 저하시켜, 자연 배란을 유도하거나 체외수정시술시 임신율을 향상시키고 에스트라디올의 최고치를 낮출 수 있는 것으로 보고되기도 한다. 특히 혈중 황체형성호르몬의 저하가 가장 뚜렷한 변화이므로 혈중 황체형성호르몬이 상승되어 있는 마른 체형의 다낭성난소증후군 여성에게 특히 이 치료가 적절한 것으로 평가된다. 그러나 이러한 효과는 단지 일시적으로 나타나는 경우가 흔하고 수술 주변으로 유착을 유발할 위험성이 있으며 난소 예비력(reserve)를 감소시켜 난소 기능을 저하시킬 수 있다는 문제점들을 내포하고 있다. 이 치료 후 3개월이 경과한 시점까지도 자연배란이 회복되지 않는다면 배란유도제를 사용한 배란유도를 고려해야 한다.

무배란 다낭성난소증후군 여성, 클로미펜 저항성 여성에서 약제를 이용한 배란 유도와 LOD를 비교한 2020년에 발표된 Cochrane review에 의하면, 전자에 비해 LOD에서 생아 출생률이 낮아질 수 있겠다라고 조심스럽게 얘기하고 있으나 분석에 사용된 결과들의 질적 차이로 인해 분석에 적합한 무작위 연구만을 고려하여 분석시 치료군 간에 차이가 있는가에 대해서는 아직 확실한 결론을 내리기는 어렵겠다. 다만, LOD가 다태임신 가능성을 줄이고, 난소과자극증후군을 덜 생기게 하는 것으로 결론 내리고 있다. 임신율, 유산율, 생아 출생률에 있어 단측 LOD와 양측 LOD의 차이에 대한 데이터는 아직 불충분하다.

클로미펜 저항성 다낭성난소증후군 여성을 대상으로 표준 용량의 electrocautery LOD (600J)를 시행한 군과 난소 부피에 따라 용량을 조절(640, 450, 600, 800J)한 군을 비교한 무작위 연구에서 시술 6개월 뒤 두 군 사이에 규칙적 주기 회복 및 배란 여부에 있어서는 차이가 없었다고 보고하였다. 그러나 표준 용량군에서 효과적으로 AFC와 testosterone을 낮추는 반면 용량 조절을 시행한 군에서는 AMH가 낮아지는 결과를 보였다고 보고하였다(Hafizi et al., 2020).

새로운 시도로, 2019년에 클로미펜 저항성 다낭성난소증후군 환자를 대상으로 ultrasound-guided transvaginal ovarian needle drilling (UTND)에 대한 리뷰도 보고가 되었으나 아직까지는 UTND와 LOD간 또는 UTND와 생식샘자극호르몬을 병합하는 군과 생식샘자극호르몬만 사용하는 군에 있어 임신율, 배란율 등에 있어 차이가 있는지에 대한 뚜렷한 결론은 내지 못하고 있어 향후 추가적인 연구들이 더 필요하다(Zhang et al., 2019).

5) 배란장애 제3군(난소부전) 환자들을 위한 배란유도

난소 부전 환자에서는 효과적인 배란 유도 방법이 없고, 또 배란 자체도 드물고 예측이 어렵기 때문에 주로 난자 공여를 통한 임신 또는 입양의 방법이 추천되고 있다. 그러나 본인의 아이를 원하는 경우도 있고 실제로 난자 공여에 대한 절차도 나라마다 제한적이므로 환자 개별 조건에 맞추어 상담을 하는 것이 필요하겠다. 만일 환자가 자신의 난자로 임신을 시도해 볼 것을 간곡히 원하는 경우엔 1-2주기 정도 고용량 생식샘자극호르몬요법을 시도해 볼 수도 있다. 또 하나의 가능한 방법으로는 지속적이고 면밀한 배란 모니터링을 통해 배란을 예측하여 임신을 시도해 보는 것을 제시해 볼 수 있다. 2013년에 보고된 케이스 레포트에서는 4명의 조기 난소 부전 환자들에서 호르몬 치료와 함께 지속적 배란 모니터링 후 timed coitus 또는 인공수정 방법을 시행하여 성공적인 임신 및 생아 출생을 보고하였다(Maruyama et al., 2013).

그러나 이러한 시도들이 배란장애 3군 환자에서는 비용 대비 효율성이 낮으므로 최근에는 자가혈소판 풍부 혈장(platelet rich plasma, PRP) 등을 이용한 난소 자체의 기능 회복에 대한 연구가 진행되고 있으나 아직 실험단계에 머물러 있어 향후 이 분야에 대한 적극적인 연구가 더 필요하겠다.

6) 도파민작용제(Dopamine Agonist)를 사용한 배란 유도

(1) 도파민작용제의 약물역동학

세계적으로 가장 널리 쓰이고 있는 도파민작용제는 bromocriptine과 cabergoline인데, 이 약물들은 도파민수용체에 결합하여 도파민의 작용을 모방한다. Bromocriptine은 경구 투여 시, 1-3시간 후면 혈중 최고 농도에 도달하여, 14시간 후에는 혈장 내에 남아 있는 양은 매우 미미한 정도이며, 2.5 mg 경구 투여시, 프로락틴 억제 작용이 12시간 정도 지속된다. 만약 같은 용량을 질 내로 삽입할 경우, 10-12시간 후에 최고 농도에 도달하고 이후 약 12시간 동안 지속된다(Bankowski et al., 2003). Cabergoline은 장시간 지속형 도파민작용제로서, 일회 투여로서 7일간 프로락틴 분비가 효과적으로 차단된다(Ferrari et al., 1986).

(2) 도파민작용제의 적응증

도파민작용제로 배란 효과를 가장 효과적으로 볼 수 있는 경우는 고프로락틴 혈증에 의한 무배란 환자이다. 이런 환자의 경우 클로미펜만을 단독으로 사용하는 것은 별로 효과적이지 않다. 또한 고프로락틴 혈증의 증거는 없으면서, 유즙 분비가 있는 환자들의 경우도 적응증이 된다. 일부의 경우를 제외한다면, 유즙 분비는 고프로락틴 혈증의 신뢰할 만한 진단적 근거가 되는 경우가 많다. 이러한 경우는 혈중 프로락틴을 측정하는 면역분석법에 의해, 체내 활성화 프로락틴의 전체량이 측정되지 못하여, 임상적으로 고프로락틴 혈증의 증거는 있으나, 혈청학적으로는 정상으로 나온 경우로 해석 될 수 있다(Fujimoto et al., 1990; Suginami et al., 1986). 다낭성난소증후군 환자들 중 약 30-40%에서 경한 고프로락틴 혈증을 보이는데, 혈중 황체형성호르몬이 상승되어 있고 이로 인한 도파민계의 길항 작용이 상쇄된 것이 그 원인으로 보인다. 따라서 이런 환자들을 위한 배란유도 시에는 도파민작용제를 병합 투여하는 것을 고려해 볼 수 있다. 또한 배란유도 전에 이러한 도파민작용제로 전처치한 후 생식샘자극호르몬을 이용한 배란유도를 시행한다면, 난소과자극증후군이나 다태 임신 등의 부작용을 줄일 수 있다는 보고도 있다(Papaleo et al., 2001).

(3) 도파민작용제의 사용 방법

대부분의 고프로락틴 혈증 환자들은 낮은 용량의 도파민작용제에도 민감한 반응을 보이기 때문에 최소 용량에서 시작하여 서서히 증량하면서 혈중 프로락틴 치가 정상으로 회복되는 용량에서 유지해야 한다. Bromocriptine의 경우 오심, 구토, 기립성저혈압(orthostatic hypotension) 등과 같은 부작용이 약 10-30%의 환자에서 발생하므로, 대개 투약 시작 시점에는 하루 반 알(1.25 mg)씩 복용하도록 권한다. 혈중 프로락틴 치가 주로 야간에 오르는 양상을 보이기 때문에 자기 전에 복용 하도록 하는 것이 효과적이다. 만약 용량을 늘렸을 경우, 일주일 이내에 혈중 프로락틴치를 추적 관찰해야 하며, 하루 2회 투여하게 되는 경우엔 다른 한 번의 투약은 아침 혹은 점심 식사와 함께 하는 좋다. 낮은 용량에서부터 시작하는 것이 도파민 수용체와 관계된 소화기계, 심혈관계 부작용을 줄이는 측면에서도 효과적이며 최대 10 mg까지 투여할 수 있다. Bromocriptine으로 효과를 보지 못했거나 부작용으로 이의 복용이 곤란한 환자를 위해 새로운 도파민작용제인 pergolide, quinagolide, cabergoline 등이 개발되어 세계적으로 유용하게 사용된다. 이들 중 cabergoline만이 국내에서 시판되어 사용가능한데, 대부분 0.25 mg을 일주일에 1-2회 투여하는 것으로 시작하게 된다. 4주 후에 프로락틴 수치를 확인한 후 일주일에 2-3회 투여로 증량하는 것을 고려해 볼 수 있는데 대부분의 환자의 경우, 일주일에 0.5-1.0 mg의 용량으로 효과적이며 2.0 mg까지 요구되는 일은 극히 드물다(Ciccarelli et al., 1989).

(4) 도파민작용제의 치료 효과

도파민작용제를 쓸 경우, 60-85%의 환자에서 정상 프로락틴 치를 유지하게 된다. 치료 시작 이후 6-8주 이내에 70-90%의 환자에서 주기적인 월경이 회복되며, 50-75%의 환자에서 배란 주기를 회복하게 된다. 프로락틴 치가 100 ng/mL이 넘는 환자의 경우는 치료효과가 이보다는 떨어지는 것으로 알려져 있다. 유즙 분비 증상의 경우는 치료 시작 후 6주 이내에 감소되기 시작하여 치료 후 12주 정도면 증상의 완전한 소실을 기대할 수 있다. 치료를 중단했을 경우는 75-80%의 환자에서 고프로락틴 혈증이 재발되면서, 배란장애가 오기 시작한다. Cabergoline과 bromocriptine의 비교 연구에서 고프로락틴 혈증의 치료 효과뿐 아니라 정상 배란의 회복 효과도 cabergoline이 우수한 것으로 조사되었으며, 치료에 대한 순응도 측면에서도 대개는 일주일에 두 번 복용으로 효과적인 cabergoline이 우수하다(Webster et al., 1994).

(5) 도파민작용제의 부작용

Bromocriptine이 제 1, 2 (D1, D2) 도파민 수용체 모두를 자극하기 때문에, 대부분의 환자들은 아드레날린성 부작용을 경험하게 된다. 예를 들면 현훈, 오심, 구토, 비강직(nasal stiffness), 기립성 저혈압 등이 가장 흔한 증상이며 2주 이내에 경험하게 된다(Factor, 1999). Cabergoline이나 quinagolide (Norprolac)의 경우도 비슷한 부작용이 있을 수 있으나, bromocriptine에 비해 부작용이 뚜렷이 적은데, 이는 제2 도파민 수용체인 D2에 보다 친화력이 강하여 D2에 보다 특이적으로 작용하고, 상대적으로 제1 도파민 수용체에 대한 자극이 미약하기 때문인 것으로 생각된다. Bromocriptine 복용 환자들 중 약 12%, cabergoline 복용 환자들 중 약 3%에서 부작용이 심하게 나타나 약물 복용을 중단하는 것으로 보고된 바 있다(Ciccarelli et al., 1989). 이러한 부작용을 줄이기 위해서 최소 용량부터 시작하여 점차 용량을 올려가도록 하며, 약 복용시 간단한 간식과 함께 먹는 것도 추천할 만하다. 또한 bromocriptine이나 cabergoline을 경구 복용 대신 질내 투여하도록 하는 방법도 고려할 수 있다. 이 경우엔 경구 복용 시 일차적으로 간으로 이동하여 신속히 대사됨으로써 흡수율이 떨어지는 현상을 피할 수 있으므로 경구 투여시보다 적은 용량으로도 효과를 기대할 수 있다. 도파민작용제를 사용 중 임신했을 경우라도 유산율이나 선천성 기형아 출산율이 더 증가되지는 않는 것으로 보고하고 있다(Webster, 1999).

7) 배란 유도와 암 발생과의 관계

2009년 Silva Idos 등이 8개의 환자-대조군 연구들을 종합 분석한 연구에서 배란 유도제의 사용과 침윤성 난소암 사이에는 연관성이 없는 것으로 보고하였다. 아직까지는 클로미펜을 포함한 배란유도제와 난소암과의 인과관계에 대해서 입증되거나 확인된 바는 없다.

또한 최근 ASRM guideline에서는 생식샘자극호르몬 사용과 침윤성 난소암, 유방암, 자궁내막암, 갑상선암, 대장암, 자궁경부암들과의 사이에 연관성이 없다고 결론지었다(ASRM, committee guideline, 2016).

8) 최근 연구 동향

최근에는 GnRH와 LH를 조절하는 것으로 알려진 kisspeptin이라는 물질에 대한 연구가 활발하다. Kisspeptin은 시상하부 궁상핵(hypothalamic arcuate nucleus)에서 kiss 1 유전자에 의해 만들어지는 단백질이다. 이는 G-protein coupled receptor 54와 함께 GnRH, LH 분비를 조절하는 역할을 하는 것으로 알려져 있다. 따라서 시상하부성 무월경 환자나 시상하부-뇌하수체 기능부전 WHO 1군 환자들에서 LH 박동성 분비를 증가시켜 생식샘 스테로이드 생산을 증가시킬 수 있는 가능성이 있어 KNDy system (kisspeptin, neurokinin B, and dynorphin)의 조절이 현재 주목받고 있다.

Kisspeptin은 다낭성난소증후군 환자에서 LH hypersecretion과도 관계가 있는 것으로 보고되고 있다. KNDy 뉴론이 활성화되면 PCOS에서 LH를 증가시키는 데 기여하는 것으로 알려져 있어 이러한 KNDy 뉴런의 기능을 조절하는 것이 향후 배란장애가 있는 여성의 치료에 있어 유망한 연구 분야가 될 수 있겠다.

9) 결론

여러 약제들을 이용한 배란 유도가 현재는 너무나 당연한 것으로 생각되고, 임상에서 일상적으로 이루어지고 있지만, 불임여성에서 배란을 유도하고 임신을 시도하는 것은 현대 생식내분비학 분과에서 이룬 위대한 업적 중의 하나라고 볼 수 있다. 1927년 난소의 기능을 조절하는 뇌하수체호르몬이 존재한다는 사실이 처음 발견되었고, 1960년 클로미펜이 처음으로 임상에서 사용된 후 지금까지 보다 효과적인 배란유도를 위한 노력이 지속되어 왔다. 특히 1966년 사람의 생식샘자극호르몬이 추출, 생산되어 임상에서 사용되고 1984년 GnRH agonist가 불임환자를 위해 처음으로 사용됨으로써 좀 더 효과적으로 배란 유도를 할 수 있게 되었다. 더욱이 최근 유전자재조합에 의해 rhFSH, rhLH, rhCG, 서방형 rhFSH 등의 생식샘자극호르몬 제제들과 GnRH antagonist가 임상에 도입됨으로써 환자특성별 원인별 또 시술 주기별 특성에 따라 효과적이고 적절한 방법을 선택하여 배란을 유도할 수 있게 되었다. 따라서 임상의는 무배란의 원인 및 대사특성을 다각도로, 그리고 철저하게 분석하고 적절한 약제를 선택함으로써 만족할만한 성과를 낼 수 있도록 노력해야 한다. 배란장애 1형, 2형 무배란 여성에 있어서는 현재 효과적이고 또 만족할만한 수준의 배란 및 임신 성과를 거두고 있지만, 아직까지 뚜렷한 방안을 내놓고 있지 못한 부분이 바로 3형 무배란 여성이다. 난소기능이 없어지거나 현저히 저하된 여성에서의 배란 유도는 아직까지 정복되지 못한 분야로 새로운 치료법에 대한 많은 연구들이 지속적으로 이루어져야 할 것이다. 현재 시도되고 있는 연구 결과들에 있어서도 향후 괄목할만한 성과가 나오길 기대해본다.

3. 남성불임(Male Infertility)

최근 10년간 불임부부 진단 및 치료에 있어서 남성불임 분야는 비약적인 발전이 있었다. 과거에는 불임의 원인이 주로 여성에 초점이 맞추어졌고, 남성불임인자의 경우는 드문 경우라고 생각하여 왔으나 현재는 불임부부의 1/3은 전적으로 남성인자에 기인한다고 보고되고 있다. 특히 남성불임 원인에 대한 유전적인 이해와 세포질내 정자 주입법(intracytoplasmic sperm)과 같은 치료 기술의 발전으로 남성불임의 치료는 기대 이상의 성공을 거두고 있다.

그러나 남성불임검사 결과에 따라서 보조생식술(assisted reproductive technology, ART)을 즉시 시행할지 아니면 먼저 비뇨의학과 진료를 의뢰할지 여부를 결정하려면 산부인과 의사라도 일단 남성의 생식 생리, 정자 생성 과정, 남성불임의 원인과 진단 및 최신 치료 방법에 대하여 최소한의 기본 지식을 가지고 있어야 한다.

1) 남성의 생식 생리(Male Reproductive Physiology)

남성의 생식 생리는 크게 내분비 생리와 생식기 생리로 구분한다. 내분비 생리에는 시상하부, 뇌하수체, 고환 등의 내분비기관이 관여하며, 생식기 생리에는 고환(testis), 부고환(epididymis), 정관(vas deferens), 전립선(prostate), 정낭(seminal vesicle), 사정관(spermiduct), 구부요도샘(bulbourethral gland), 요도(urethra) 등의 남성 생식기관들이 관여한다.

(1) 내분비 생리의 역할

인간의 생식에 대한 전체적 조절은 내분비계가 담당한다. 그중에서 종합적 통제기능을 가지고 있는 시상하부와 뇌하수체는 남성의 성과 생식에 가장 중요한 남성호르몬 생성과 정자생산을 조절한다.

① 시상하부 및 뇌하수체

시상하부는 중추신경계나 고환 등으로부터 전달되는 자극에 의하여 생식샘자극호르몬분비호르몬(gonadotropin-releasing hormone, GnRH)을 합성하고 이를 박동성으로 분비(pulsatile secretion)한다. GnRH는 시상하부에서 문맥을 통하여 이동하여, 뇌하수체전엽에서 황체형성호르몬(luteinizing hormone, LH)과 난포자극호르몬(follicle stimulating hormone, FSH)을 율동적으로 분비시킨다. 분비된 LH와 FSH는 각각 고환의 사이질세포인 라이디히세포(Leydig cell)와 버팀막세포(sertoli cell)에 작용하여 세포대사활동을 자극한다. LH의 자극으로 고환의 라이디히세포는 남성호르몬인 테스토스테론(testosterone)을 분비한다. 또한 FSH는 버팀막세포로부터 인히빈(inhibin)을 분비하게 하고, 이 인히빈은 여러 성호르몬과 함께 시상하부와 뇌하수체에 되먹임기전으로 작용하여 FSH 분비를 조절한다. 따라서 혈청 FSH치는 생식상피의 상태와 활동성을 나타내는 지표로 사용되고 있다. 생식상피의 활동이 저조하면 인히빈 분비도 저조하게 되어 혈청 FSH치는 증가한다.

② 고환의 라이디히(Leydig)세포

라이디히 세포는 고환의 간질에 위치하며, 뇌하수체 전엽으로부터 박동성으로 분비되는 LH에 의하여 테스토스테론을 분비한다. 테스토스테론은 시간에 따라 분비가 달라져 이른 아침에 최고치를, 저녁에는 최저치를 보인다. 테스토스테론은 말초조직에서 디하이드로테스토스테론(dihydrotestosterone, DHT)과 여성호르몬인 난포호르몬(estradiol)으로 전환되어, 남성생식기의 분화, 성숙, 2차 성징의 발현 및 GnRH의 분비조절 등에 관여한다. 테스토스테론은 나이가 들어가면서 혈중 농도가 저하되는데, 여성의 폐경기처럼 일시에 성호르몬 농도가 저하되는 것이 아니라 점차적으로 감소된다. 이와 같은 현상을 남성갱년기 또는 후기발현생식샘기능저하증(late onset hypogonadism, LOH)이라 하는데, 최근에는 이에 대한 연구 및 논의가 활발히 진행되고 있다.

여성호르몬은 테스토스테론 합성에 관여하는 효소를 방해하고, 프로락틴(prolactin)은 테스토스테론의 생산을 조절하는 되먹임기전에 관여함으로써 테스토스테론의 생산을 직접적으로 저하시킨다. 생산된 테스토스테론은 표적기관의 세포에서 5알파-환원효소(5α-reductase)에 의해 강력한 활성형인 DHT가 된다. DHT는 세포 내의 수용체 단백과 결합한 후 핵으로 들어가서 염색질과 결합하여 mRNA를 합성하게 하고, 이것이 단백질 합성을 유도하여 남성호르몬의 효과를 나타내게 한다.

(2) 생식기 생리의 역할

① 정자의 생성

가. 생식세포(germ cell)

생식세포는 정세관(seminiferous tubule)의 바닥막으로부터 정세관 내강을 향하여 정자세포의 분열발전 순서대로 정렬되어 있다. 즉 정조세포(spermatogonia: 2n)는 기저막에 직접 붙어 있고, 정세관의 내강을 향하여 1차정모세포(primary spermatocyte: 2n), 2차정모세포(secondary spermatocyte: n), 정자세포(spermatid: n) 순서로 발견된다. 정조세포는 증식단계를 거친 후 유사분열에 의하여 1차정모세포로 변화한다. 1차정모세포는 다시 감수분열에 의하여 홑배수체 haploid인 2개의 2차정모세포로 변화하고, 2차정모세포는 2개의 정자세포로 분열한다. 이들 정자세포는 형태적 기능적 변화인 정자형성과정(spermiogenesis)을 거쳐서 비로소 정자

(spermatozoa)가 된다(그림 22-5). 정조세포에서 성숙정자가 되는 과정에는 약 74일이 소요된다.

나. 버팀막(Sertoli)세포

버팀막세포는 정세관의 바닥막에 붙어 있어서 정세관의 내강을 유지하고 있다. 버팀막세포 간에는 단단한 접합점을 형성하여 혈액고환장벽(blood-testis barrier)을 구성한다. 혈액고환장벽은 세포분열 활동이 매우 활발한 정세관내부를 면역인식기전으로부터 보호하여 면역인식기전이 분열 중인 미숙한 정모세포들을 외부 이물질로 인식하고 손상을 일으키는 것을 막아준다. 또한 혈액고환장벽은 고환 내의 정자형성과정 중에 필요한 물질의 공급을 최대한으로 보장하고 원활하게 하며, 이물질의 침입을 막는다. 버팀막세포는 생식세포에 영양공급과 정자형성과정 중 손상된 세포에 대한 포식(phagocytosis), 정자형성과정에 필요한 FSH와 정세관 내 남성호르몬의 저장, 남성호르몬-결합단백(androgen-binding protein)과 인히빈의 생산, 일부 스테로이드호르몬의 대사를 통한 특정 남성호르몬과 여성호르몬의 생산 등의 역할을 한다.

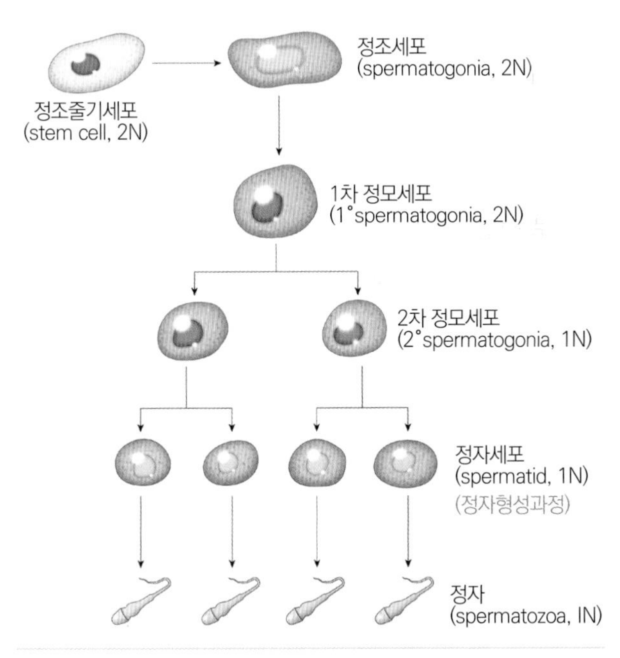

그림 22-5. Spermatogenesis

② 정자의 경로

고환에서 생성된 정자는 부고환과 정관, 그리고 짧은 사정관을 거쳐 요도를 통하여 배출되게 된다. 이 경로는 단지 정자가 지나가는 통로의 역할뿐만 아니라, 정자의 성숙과 저장, 정액의 구성에도 한몫하고 있다.

가. 고환(testis)

고환은 생식에 가장 중요한 정자를 생산하는 곳으로 우리나라 정상 성인의 크기는 19±5 mL이다. 고환 온도는 신체 바깥으로 돌출된 위치와 음낭피부의 넓은 표면적을 이용한 발한작용으로 체온보다 1-2℃ 정도 낮게 유지되어 있는데, 정상적인 정자형성은 이렇게 체온보다 낮은 온도에서 이루어진다. 또한 고환은 인체 조직 중에서 뇌와 더불어 단위 무게당 가장 많은 산소와 영양을 소모하는 대사작용이 가장 활발한 장기 중 하나이다.

고환의 85% 정도는 생식세포가 만들어지는 정세관으로 채워져 있다. 따라서 고환의 생식능력은 고환의 크기로 대략 추정할 수 있다. 정세관에서 복잡한 과정을 거쳐 만들어진 정자는 고환그물(rete testis)을 통하여 부고환으로 이동하게 된다. 고환에서 막 생성된 정자는 미숙상태이므로 아직 운동성이 없으며, 스스로 난자와 결합할 능력도 없다.

나. 부고환(epididymis)

부고환은 하나의 길고 가는 관으로 이루어져 있는데, 이를 늘어뜨리면 5-6 m에 달한다. 고환에서 이동한 미숙정자는 부고환에서 성숙되어 난자와 결합할 수 있는 능력을 갖추게 된다. 정자가 부고환 머리와 몸통의 관을 약 12일에 걸쳐서 통과하는 동안 정자의 형태, 투과능, 화학성, 수정능, 운동성, 표면특성, 항원성, 비중 등이 변하게 된다. 부고환관은 사정 시 배출되는 정자를 저장하는 역할도 하며, 필요한 경우 정자를 분해, 흡수할 수도 있다. 이러한 저장과 흡수기능으로 정관절제술 후에 생산된 정자가 어떻게 되는지를 설명할 수 있다.

다. 정관(ductus deferens)

부고환 꼬리는 정관으로 연결된다. 정관은 약 30-35 cm 길이의 근육성 관으로 이루어져 있다. 정관은 해부학적 위치와 기능에 따라 부고환 부분, 음낭 부분, 서혜 부분, 골반 부분, 정관팽대부로 나뉜다. 부고환 부분은 굴곡이 있고 비교적 내강이 커서 다른 부위의 정관보다 정자의 저장 역할이 크다. 이후 정관팽대부 직전까지의 정관은 직선형이고 외형이 둥근형으로 외경은 0.2-0.3 cm 정도이고 내경은 0.05-0.1 cm 정도인데, 음낭에서 단단한 국수가락처럼 만져진다. 평소에 부고환꼬리와 부고환정관에 저장되어 있는 정자는 사정 과정 중에서 방출(emission)이 일어날 때 정관팽대와 후부요도로 이동된다. 이때 정자의 이동은 정관 근육층의 강력한 꿈틀운동 때문에 이루어진다.

라. 사정관(ejaculatory duct)

전립선기저부(prostate base)에서 정관팽대부와 정낭이 만나서 형성되는 짧은 관이다. 사정관은 정구(verumontanum) 주위의 요도로 개구한다. 사정관도 근육층을 가지고 있어 사정 중에는 정관, 부속 생식샘들과 함께 수축하여 정자의 배출을 돕고, 평상 시에는 소변이 역류하지 못하게 한다. 정중 낭종(midline cyst), 사정관 협착, 사정관내 결석(stone) 등은 사정관폐색(ejaculatory duct obstruction)을 유발할 수 있다.

마. 요도

정자는 마지막으로 요도를 지나 여성의 성기로 배출된다. 구부요도샘(bulbourethral gland) 등 요도샘에서 나오는 분비물은 요도를 지나는 정액에 더해지게 된다.

③ 부속성샘(accessory gland)

가. 전립선

정액의 20-30%는 전립선에서 나온다. 전립선액은 유백색으로 약산성(pH 6.5)을 나타내며 폴리아민(polyamine; spermine, spermidine), 구연산, 산성인산효소(acid phosphatase) 외에도 각종 단백분해효소, 아연, 마그네슘을 갖고 있다. 이 중 아연은 항균 작용을 하며, 정자의 산소 소비를 감소시키고 정자세포막을 안정시키며 정액 내에서 DNA분해효소(DNAase)의 활동을 저지한다. 전립선에서는 DHT가 주된 남성호르몬으로 작용하여 전립선 세포의 성장과 분화에 관여한다.

나. 정낭

정낭은 낭포 모양으로 전립선의 뒤 위쪽에 있으며, 정액의 60%를 차지하는 정낭고형물을 생산한다. 정낭고형물은 정액의 사정 중 주로 후반부에 배출되며, 사정 직후에는 유백색의 묽은 청포묵 형상을 하고 있으나 전립선액 내의 효소들과 플라즈미노겐 활성(plasminogen activators), 전립선특이항원(prostate specific antigen) 등에 의하여 20-30분 내에 완전 액화된다. 정낭분비물에는 과당(fructose), 프로스타글란딘(prostaglandin), 비타민 C, 포스포릴콜린(phosphorylcholine) 등이 들어 있다. 특히 과당은 정낭기능의 지표로 쓰이고 있다.

다. 구부요도샘(bulbourethral gland)

정액의 약 5% 정도는 구부요도샘에서 분비되는 점액이 차지한다. 성적 흥분과 음경 발기 시에 정액의 본격적인 사정에 앞서서 구부요도샘에서 요도로 맑고 투명한 점조성 분비물을 미리 내보낸다. 구부요도의 점액은 요도에서 윤활작용과 항균작용을 나타내는 것으로 알려져 있다.

라. 요도샘(urethral gland)

요도샘은 아주 작은 분비샘으로 음경요도를 따라 위치한다. 요도샘의 분비물은 주로 질 내 삽입을 위한 윤활 역할을 하는 것으로 알려져 있다.

(3) 연령과 남성 생식기관의 기능

연령의 증가가 생식기관에 영향을 준다고 알려져 있지만, 남성에 대한 영향은 여성에 대한 것보다는 적다고 할 수 있다. 연령이 증가함에 따라 정액의 질과 정상 형태의 정자 수, 정자의 이동성, 혈중 테스토스테론은 감소하나 정자의 농도는 감소하지 않는다. 그러나 정자의 농도가 연령의 증가에 영향을 받지 않아서 모두 가임 능력이 있다고는 단정 지을 수 없다. 최근 분석에 의하면 정자 수의 변화는 없는 것으로 보고되고 있어 세계적으로 정자 수가 감소하고 있다는 개념은 잘못된 것이다. 정액검사의 결과는 지리적인 차이는 존재하는 것 같지만 정액의 질(quality)에는 차이가 없는 것으로 보고되고 있으며, 남성불임 비율은 최근 십 년간 변화가 없다. 그럼에도 불구하고 담배 또는 다른 원인에 의한 생식샘독소(gonadotoxin) 및 카페인, 알코올, 흡연 등은 정액의 질과 가임력에 용량에 비례하여(dose-related) 좋지 않은 영향을 미치는 것으로 보고되고 있다.

2) 남성불임의 진단(Diagnosis of Male Infertility)

정상 부부는 정상적인 성생활 후 첫 달에 20-25%, 6개월에 75%, 1년에 85-90%에서 임신에 성공한다. 하지만 1년간 피임 없는 부부관계에도 불구하고 임신이 안 되는 10-15%의 부부는 불임으로 간주하여 이에 대한 평가를 하게 되며, 적극적 검사를 원할 때는 1년이 되기 전이라도 평가를 할 수 있다.

불임의 원인은 전적으로 남성에게만 있는 경우가 약 3분의 1, 남성과 여성 모두에게 있는 경우가 20%로 결과적으로 불임의 절반은 남성에게 원인이 있다고 할 수 있다. 그러므로 외래에서 남성 불임을 주소로 내원한 환자에게 원인에 대한 올바른 평가와 치료를 시행하는 것이 중요하다. 이러한 불임부부의 25-35%는 특별한 치료 없이 자연임신이 되는데, 23%는 처음 2년에, 10%는 다음 2년에 일어나므로 불임부부를 치료하고 그 결과를 평가하는데 있어 무정자증의 경우를 제외하고 기본적으로 임신 가능성이 달마다 1-3% 정도 된다는 것을 항상 염두에 두어야 한다.

불임 남성을 평가하는 목적은 첫째로 불임 원인이 근본적인 해결이 가능한 것인지, 둘째로 근본적인 해결은 불가능하지만 본인의 정자를 이용한 보조 생식술이 가능한 상태인지, 셋째로 보조 생식술로도 해결이 불가능하여 비배우자 공여정자를 이용하거나 양자 입양을 고려해야 할 상태인지, 넷째로는 기존에 불임에 영향을 미칠 만한 의미 있는 질병이 있는지, 마지막으로 불임환자와 다음 세대에 영향을 미치는 유전자와 염색체 이상이 동반되어 있는지를 알아보는 것이다.

불임부부에 대한 초기 검사는 반드시 빠르고 비침습적이고 간단하면서도 매우 경제적이어야 한다. 한편, 임신이란 부부인 남녀 각각의 생식능력 합계의 결과이므로 한쪽이 생식능력이 저하되어 있더라도 다른 한편이 우수한 생식능력을 갖고 있으면 임신은 유발될 수 있다는 점도 염두에 두고 진단과정에 임하여야 한다. 따라서 불임부부의 진단과 치료는 비뇨의학과와 산부인과의 체계적인 상호 협진 하에 시행하는 것이 보다 효과적이다.

(1) 병력청취(history taking)

다른 모든 질환에서와 마찬가지로 남성불임의 진단도 문진을 통하여 생식능력과 관계된 여러 병력을 알아보아야 한다(표 22-4).

일반적인 사항은 물론 불임과 관련된 과거력으로서, 남성으로부터는 피임을 하지 않은 상태(unprotected coitus)에서의 불임기간, 전·현 배우자를 포함하여 이전에 유산을 포함한 임신 유발 경력의 유무, 정액검사 등 불임에 관한 과거 검사의 유무와 그 진단 결과 및 치료 과정을 알아야 한다. 여성으로부터는 나이와 임신 및 출산 경력의 유무, 생리 상황, 불임에 대한 과거의 부인과적 검사와 그 진단 결과와 치료 과정을 청취한다.

부부간 성 생활력으로는 남편의 발기력과 성욕, 성관계 횟수와 습관, 가임 기간에 대한 지식과 성관계의 시기 및 윤활제 사용 여부와 그 종류도 불임 진단에 참고가 된다. 특히 부부 모두를 대상으로 한 모든 생식의학적 검사가 정상인 원인 불명의 불임인 경우(unexplained infertility)에 도움이 되는 경우가 많다. 그래서 불임부부에게는 성생활

표 22-4. 남성불임 환자의 문진

불임 과거력	의학적 과거력
• 기간 • 선행 임신 현재 배우자 다른 배우자 • 이전 치료 병력 • 배우자의 진단 및 치료 • 아동기의 발달 • 비뇨생식기의 선천성 기형 • 미하강 고환 • 탈장봉합 • 고환꼬임 • 고환외상 • 사춘기의 시작 • 성교력 • 성교능 • 윤활제 • 성교 시간 • 성교 빈도 • 자위 빈도 • 수술력 • 고환절제술 • 고환암 • 고환염전 • 후복막손상 • 골반손상 • 골반, 서혜부, 음낭수술 • 탈장봉합 • 전립선 절제	• 전신적 질환 당뇨 다발경화증 • 과거 및 현재 치료력 • 생식세포독소 • 화학물질 • 약물 항암약물 Cimetidine Sulfasalazine Nitrofurantoin 알코올 마리화나 • 남성호르몬 • 고온 노출 • 방사선 • 흡연 • 가족력 • 낭성섬유증 • 남성호르몬수용체 결여 • 일등친(부모, 형제) 중 불임 여부 • 계통적 문진 • 호흡기 감염력 • 무취증 • 유즙분비증 • 시야장애 • 감염력 • 바이러스성 발열 • 볼거리 고환염 • 성병

교육(coital education)이 치료의 한 방편으로 권장되기도 한다. 그 이유는 자궁의 모양과 위치 및 자궁경부의 굴절상태의 이상으로 인하여 임신이 지연되는 경우도 있고, 배란 예정일 5일에서 1주 전부터 이틀에 한 번씩 부부관계를 갖는 것을 권하는 것은 정자가 여성의 체내에서 약 48시간 생존하고 난자는 12-24시간 생존이 가능하기 때문이며, 또한 성관계에 사용되는 윤활제 중에는 정자의 운동성을 감소시키는 것도 있기 때문이다.

출생 후 성인이 되기까지의 성장력도 중요하다. 특히 고환과 정로에 영향을 미쳐서 불임을 유발할 수 있는 개인의 과거력을 청취하는 것은 중요하다. 이때에는 특히 사춘기 이전과 사춘기 이후로 나누어서 성장력 청취를 하는 것이 편리하다. 사춘기 이전의 병력에 관한 항목으로는 기형 병력과 교정 과정, 고열을 동반한 질환 병력, 수술 경력, 장기간 복용 약물과 유·소아기의 주위 환경 등이 될 수 있는데, 유아기의 질환에 관한 항목은 부모에게서 불임의 단서를 얻는 경우도 있다.

정류고환은 출생 시에 3-4% 정도에서 발견되며, 적절한 시기에 교정을 받더라도 양측성일 때에는 50%에서 정액검사의 이상을 보이며, 임신율이 30-50%, 일측성일 때에는 25%에서 정액검사 이상을 보이며, 임신율은 78-92%로 보고되기도 한다. 일측성 고환염전 혹은 고환손상 병력이 있으면 항정자 항체가 생길 수 있어서 손상된 고환뿐 아니라 반대쪽 고환에도 나쁜 영향을 주는 경우가 많고 남성불임의 원인이 되기도 한다는 점에 유의하여야 한다.

사춘기까지의 성장 과정에 관한 제반 병력을 청취할 때에는 환자의 인상과 전체적인 신체 특징을 관찰하는 것이 좋다. 이때 부신성기증후군, 클라인펠터증후군, 칼만증후군, 남성호르몬 수용체 이상 등의 생식샘기능저하증을 의심할 수가 있고, 여성형 유방이 관찰되면 고프로락틴혈증이나 여성호르몬 이상 등의 내분비 이상도 짐작할 수가 있다. 클라인펠터증후군은 남성불임을 일으키는 가장 흔한 성염색체 이상으로 500명당 1명에서 나타난다. 대부분이 47,XXY형태이지만 10% 정도에서는 XY/XXY의 모자이크 형태를 보이며 모자이크형에서는 때때로 정액검사에서 심한 감정자증을 보이기도 한다. 칼만증후군은 10,000명당 1명에서 있으며 시상하부의 생식샘자극호르몬(GnRH) 분비호르몬이 없어서 나타나며, 가족력이 있고 매우 작은 고환과 무후각증, 색맹, 구개열 등의 정중선장애가 동반되어 나타나기도 한다. 낭성섬유증 환자에서 선천성 양측 정관무형성증을 보이기도 한다.

과거의 수술 경력도 중요하여 특히 후복막림프절제술을 받으면 교감신경을 손상시켜 누정(emission)의 장애 또는 역행성 사정을 일으킬 수 있으며, 방광경부 수술 후에도 역행성 사정이 나타날 수 있다. 탈장교정술이나 음낭수종 절제술, 고환고정술과 같은 서혜부위 수술은 정관을 직접 손상시키거나 정관과 고환의 혈관을 손상시켜 이차적으로 영향을 미칠 수 있다. 과거에 정관수술과 정관복원수술을 받았던 경우에는 부고환기능에 영향을 미쳐 정자의 운동성이 감소하고 항정자 항체가 생길 수 있어 수정능력과 임신에 영향을 주게 된다. 뇌하수체종양수술을 받았던 환자에서는 생식샘자극호르몬과 남성호르몬의 분비장애로 정자생성에 영향을 주게 될 뿐 아니라 다른 내분비호르몬의 장애도 함께 나타난다.

최근 병력으로 필요한 것은 3개월 이내의 열성질환의 동반 여부로, 고열이 있었던 경우에는 1달에서 3달간 정자형성에 문제가 나타날 수 있기 때문이다.

일반적인 전신질환으로 불임을 유발하기도 하며, 특히 당뇨병과 다발성경화증을 가진 환자에서는 발기장애와 함께 누정장애 및 역행성 사정이 있을 수 있으며, 만성신부전 환자에서도 불임이 흔하게 발견된다. 고환암과 림프종 환자의 60%에서 진단 시에 이미 감정자증이 발견되며, 약물화학요법, 방사선치료, 후복막림프절절제술 등을 통해 더욱 나빠져 약 80% 이상에서 불임이 된다.

과거의 감염 병력으로 급성부고환염이나 고환염을 앓았는지를 조사해야 한다. 유행성 이하선염은 사춘기 전에는 별 문제를 일으키지 않지만 11-12세 이후에는 10-30%의 환자에서 고환염이 발생하며 고환손상을 일으킨다. 급성 부고환염은 여러 가지 원인균에 의해 발생하며 부고환이 막혀 폐쇄성 무정자증이 될 수 있다. 이러한 급성음낭증(acute scrotum)의 병력이 없더라도 요로감염이나 성 접촉성 병력이 있었는지, 결핵을 앓은 적이 있었는지 알아보아야 한다.

직업과 기호품도 조사되어야 하는데, 남성불임은 환자가 주위의 환경이나 작업장에서 또는 다른 질병을 치료할 때 불임을 일으킬 수 있는 여러 성선 독성물질에 고환이 노출되거나 영향을 받을 수 있기 때문이다. 고환의 온도는 다른 신체 부위에 비해 1-2도 낮게 유지되어야 하는데 고온의 외부조건에 지속적이거나 반복적으로 노출이 된다면 정자형성에 나쁜 영향을 주게 된다. 흡연은 정자형성에 아무런 영향도 없다는 보고도 있으나, 흡연으로 인하여 정자의 숫자가 13-17% 감소된다고 많은 연구에서 발표되었다. 흡연이 정계정맥류 등의 남성불임의 다른 원인을 가진 환자에서 보조 인자로서 나쁜 영향을 미칠 수 있으므로, 금연은 남녀 모두에게 가임 능력을 증가시키는 간단하면서도 효과적인 방법이다. 알코올은 만성중독자에서 고환위축과 함께 혈중 남성호르몬을 감소시키고 정자의 수, 운동성, 모양 모두에서 이상이 나타나며, 간에 문제를 일으켜 남성호르몬의 대사를 변화시키고 성기능에 문제를 일으킨다.

생식샘장애를 유발시키는 약물로 가장 대표적인 것은 항암치료에 사용되는 화학요법제로 용량에 비례하여 고환의 정자형성기능을 파괴하며 남성호르몬을 분비하는 라이디히 세포에도 영향을 줄 수 있다. 방사선도 용량에 비례하여 영향을 미치기 때문에 항암화학요법이나 방사선 치료를 받아야 하는 남성에서는 치료 전에 정자의 동결보존(sperm banking)이 필요하다. 이 밖에도 정자의 형성을 방해하고 남성호르몬을 감소시키는 약물로는 해충제인 Dibromochloropropane (DBCP), 중금속 납, 궤양성 결장염에 사용되는 sulfasalazin 외에도 spironolactone, cyproterone, ketoconazole, cimetidine, calcium channel blocker, nitrofurantoin, tetracycline, erythromycin, gentamycin, 마리화나, 아편 제제 등이 있다. 또한 남성불임치료를 위해 일부 의사들에 의해 사용되고 있는 저용량의 남성호르몬과 최근 운동선수들에게 사용되고 있는 아나볼릭 스테로이드(anabolic steroid)는 생식샘자극호르몬의 분비를 감소시켜 오히려 결국 정자형성에 악영향을 미치게 된다.

가족력을 통해 불임의 원인을 알 수도 있으며, 뇌하수체, 갑상선 및 부신 등의 내분비계 질환이 원인일 수 있으므로 문진과정에서 반드시 청취를 하여야 한다.

(2) 신체검사(physical examination)

남성의 생식력검사를 위한 신체검사는 다른 질환에서처럼 전신을 대상으로 시행되어야 하지만, 남성 생식기에 대하여 좀 더 주의를 가져야 한다.

전체적으로 볼 때 키, 전체적인 골격, 상체와 상·하지의 비율 및 상·하체의 균형, 근육의 발육 상태, 체 지방의 분포 상태, 체모(수염, 음모)의 발육상태와 분포 모양, 정중 결손

여부, 색맹, 시력, 유방, 후각의 정도 등을 살핀다. 그리고 음경과 음낭 및 음낭 내의 장기인 고환, 부고환, 정관, 정삭의 혈관 상태와 그 외의 이차 성징을 살핀다.

정확한 음낭검사를 위하여 따뜻한 방안에서 음낭 거근을 이완시키고 기립 상태에서 종양의 촉지 여부와 고환의 용적과 경도를 조사한다. 고환용적의 80% 이상은 정세관과 정자세포로 구성되어 있기 때문에, 양측 고환의 크기의 합은 정액검사에서 나타나는 정자 수와 비슷하게 비례한다. 그래서 고환용적이 적다는 것은 정자형성 과정에 문제가 있다는 것을 의미하며, 고환용적이 정상임에도 불구하고 무정자증으로 나타나면 이는 대개는 어떠한 원인이든 간에 폐쇄성 무정자증일 가능성이 대단히 높다.

고환의 크기는 캘리퍼, Prader 고환측정기(orchidometer) 또는 초음파로 측정하며, 정상 성인은 인종에 따라서 차이가 있으나 대개는 20 mL 전후이다. 한쪽이건 양쪽이건 간에 고환 크기의 감소는 정자생성장애와 연관될 수 있으며, 특히 성인에서 12 cc 이하의 고환은 대부분의 경우에 정자생성장애를 나타내고 있을 것이라고 보고 초진 시부터 필요한 검사 항목을 추가 선정하면 확진을 위한 대기시간을 단축할 수가 있다.

부고환의 촉진에서도 부고환의 위치와 크기 및 경도를 많은 경험을 통하여 숙지하여 놓으면 불임 진단에 크게 도움이 된다. 정관의 촉진으로 얻는 정보도 불임의 진단에 크게 도움이 된다. 정삭 내에서 정관을 정확히 촉지하여 경험에 바탕을 두고 숙지된 정관의 굵기와 연결성을 살핀다. 이때에 정관에서 결절이 만져지거나, 굵었던 정관이 어느 곳에서 갑자기 가늘게 촉지되면 선천적으로 정관 일부 혹은 전부가 없는 선천성 정관 형성부전증(congenital absence of vas deferens, CAVD)일 가능성이 높다. 이런 경우는 전체 남성불임환자의 1.4-2%에서 발견되며, 정액량이 적고 산성을 나타내며 무정자증으로 나타나게 된다.

정삭에서 가장 중요한 검사는 정계정맥류에 대한 검사이다. 정계정맥류는 남성불임의 원인 중 수술적 치료가 가능한 가장 일반적인 질환이기 때문이다. 정계정맥류는 남성불임 환자에서 가장 많이 발견되는 이상소견으로 정상인에서 15-20% 관찰되는 데 비하여, 불임환자에서는 40%까지 발견된다. 대부분(90%) 왼쪽에서 발견되며 양쪽에서 발견되는 경우는 10%이며, 심한 정도에 따라 Valsalva 시에만 만져지는 경우를 grade 1, 서 있는 상태에서 만져지는 경우 grade 2, 서 있을 때 만져질 뿐 아니라 음낭피부를 통하여 보이는 경우 grade 3로 구분한다. 신체검사에서 발견되지 않는 비임상적 정계정맥류의 발견을 위하여 최근에는 실시간 음낭초음파검사나 음낭복합초음파검사가 시도되고 있는데 최대로 확장된 정맥의 직경이 3-3.5 mm 이상이면서 많은 정맥이 관찰될 때 의미가 있다. 실제로 이들 방법을 통하여 원인미상의 불임환자의 91%에서까지 정계정맥류가 관찰되며, 양측성 정계정맥류의 경우 신체검사에서 10%에서만 발견되는 데 비하여 위 방법을 사용하면 56%까지 나타난다.

마지막으로 직장수지검사를 통하여 전립선과 정낭을 검사한다. 정상적으로는 정낭은 대부분의 경우에 만져지지 않지만, 정낭 낭종이 있는 경우에는 쉽게 촉진되기도 한다. 전립선은 경험에 의한 촉진으로 모양, 크기, 경도를 판단하여야 한다. 전립선 낭종이 만져지면 사정관폐색이 의심되며 경직장 초음파검사를 시행한다. 그러나 경직장 초음파검사에서 발견되는 전립선과 정낭의 많은 이상 소견들은 직장수지검사를 통해서 알 수 없는 경우가 많기는 하지만, 세심한 촉진은 어떤 단서를 잡는데 크게 도움이 되는 경우가 있다는 점을 잊지 말아야 한다.

3) 불임 남성의 평가(Evaluation of the Infertile Male)

자세한 병력청취와 신체검사 후, 2-3회의 정액검사 및 호르몬검사가 시행된다. 비록 불임환자의 모든 검사과정을 정리할 순 없어도 다음과 같은 흐름도(algorithm)가 그 기본이 될 수 있다(그림 22-6).

우선 남성불임인자를 다음과 같이 나눌 수 있다. (1) 정액검사에서 정자가 없는 무정자증, (2) 정액검사에서 정자는 있으나 정자의 질에 문제가 있는 경우, 즉 정자의 수, 운동성이나 형태가 감소한 경우, (3) 남성호르몬이 감소된 생식샘기능저하증(hypogonadism), (4) 정액검사에서 특별

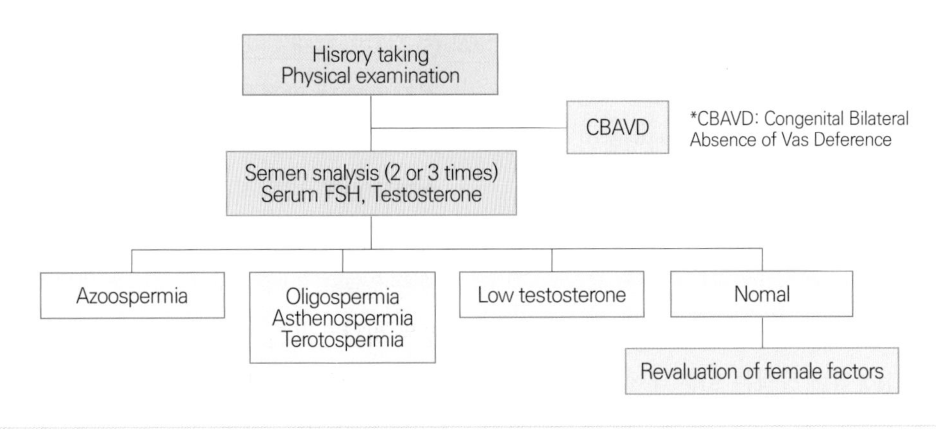

그림 22-6. **Algorithm for evaluation of infertile male**

한 이상이 없는 경우. 이러한 분류는 의사들에게 치료에 도움이 되는 정보를 제공할 뿐만 아니라 이를 이용하여 남성불임의 합리적인 치료를 하게한다.

(1) 정액검사(semen analysis)

남성불임증의 평가에 있어 가장 중요한 한 가지를 꼽는다면 정액검사이다(표 22-5).

정액검사는 불임증 부부의 남성에 대한 가장 기본적이며 필수적인 검사이지만, 1번의 검사결과로 환자의 정액을 단정적으로 평가해서는 안 된다. 정액이 체외로 나오는 여건과 과정은 변수가 많아서 결과가 항상 일정할 수 없기 때문이다. 따라서 3번 정도 정액검사를 시행하여 종합적으로 판단하는 것이 바람직하며 WHO도 최소 2회 실시할 것을 권장하고 있다. 2010 WHO에서 정상 정액수치에 대해 새로이 발표를 하였다. 이전의 정상수치와 비교하여 전반적인 수치의 감소가 있으며, 이는 보조생식술의 발달로 인한 임신이 가능한 최소한의 수치가 낮아진 것이다.

근래에 컴퓨터화상분석을 이용한 정자검사(computer assisted sperm analysis, CASA)가 많이 이용되는데, 기존의 정액검사보다 객관적이며 정자의 운동성과 형태에 대한 정량적 분석이 가능하다는 점에서 많은 장점을 가지고 있다. 하지만 정자의 직선속도나 곡선속도 등과 같은 새로운 운동성 지표들이 어떠한 임상적 의미를 갖고 있는지를 알기 위해서는 더 많은 임상적인 연구가 필요하다.

표 22-5. **95% CI for semen parameters from fertile men whose partners had a time-to-pregnancy of 12 months or less**

Volume(mL)	≥1.5 mL
pH	7.2–8.0
Sperm concentration (10^6/mL)	≥15
Total sperm number (10^6/ejaculation)	≥39
Motility	grade a+b ≥32% or grade a+b+c ≥40%
Normal forms (%)	≥4% (by strict criteria)
Viability (%)	≥58%
White blood cells (10^6/mL)	<1

* Reference values of semen variable, WHO laboratory manual for the Examination and processing of human semen, 5th ed. Geneva: World Health Organization; 2010

① 정액 채취방법

3일에서 7일간(최소 48시간 이후) 금욕 기간을 거친 후 자위행위로 채취해야 하며, 콘돔 등에 사정하였다가 옮기는 것은 바람직하지 않다. 정액이 조금도 유실되지 않도록 입구가 넓은 용기를 사용하여 사정해야 한다. 채취된 정액은 체온 상태를 유지하여 1시간 이내에 검사실로 보내 검사를 시행해야 한다. 환자에게는 환자만의 편안한 공간을 제공하여 되도록 평소의 성관계 때와 같은 사정을 할 수 있도록 해야 한다. 한 번 검사로는 불충분하므로 1주 이상 3주 미만의 간격을 두고, 최소 2회 이상 검사를 시행하여 종합평가한다.

② 정액의 일반검사

채취된 정액은 액화 정도, 양, 색깔, 점도, 냄새를 살피고 산성도를 측정한다. 정상적인 정액은 30분 내에 액화되어야 하며, 1.5 mL 이상의 양, 유백색, 밤꽃 냄새, 가는 봉으로 뜨면 약 4 mm의 점도, pH 7.2-8.0을 나타낸다. 젤리 같은 덩어리가 정액 속에 포함되는 경우가 있으나 임상적 의미는 없다.

③ 정자운동성

정자운동성은 정액검사에서 중요한 의미를 갖는다. 과거에는 운동성을 갖는 정자 수를 %로 나타내어 60% 이상이면 정상으로 판정했다. WHO가 제시하는 표준검사방법(1999)에 의하면, 정자의 운동성은 급속 전진운동(37℃에서 25 μm/sec 이상, 20℃에서 20 μm/sec 이상)을 하는 등급 a, 느린 전진운동을 하는 등급 b(5 μm/sec), 거의 전진운동은 없는 등급 c, 움직이지 않는 등급 d로 구분한다. 등급 a와 b가 32% 이상이거나, 등급 a와 b, c가 40% 이상이면 정상으로 판정한다. 운동성이 있는 정자가 5-10% 이하의 경우에는 생체염색(vital staining)을 실시하여 정자의 생존 여부를 검사한다.

④ 정자 수

정자 수는 액화 후 Makler chamber나 혈구계(hemocytometer)를 이용하여 검사한다. 정자 농도가 15×10^6/mL 이상이면서 총 정자 수가 39×10^6 이상이면 WHO 기준으로 정상범위에 속한다. 정자 수는 변화가 심하므로 반복검사가 필요하다. 일주일 동안 금욕하는 경우에 대략적인 하루 정액량은 0.4 mL, 정자 농도는 10×10^6-15×10^6/mL, 총 정자 수는 50×10^6-90×10^6씩 증가하는 것으로 알려져 있다.

⑤ 정자의 형태

정자의 형태 판정을 위해서는 정자 수나 운동성검사보다 숙련된 기술이 필요하다. 보통 papanicolaou염색으로 최소한 100개, 바람직하게는 200개의 정자를 평가하는데, 머리의 모양과 크기, 목과 중간 부위 결함, 꼬리결함, 세포질 등을 관찰하여 판정한다. 과거 경험적 판독으로는 정상 정자 형태가 30% 이상일 때 정상으로 판정하였지만, 2010 WHO에서 발표한 정상치는 엄격한 정자의 정상형태 판정 기준(strict application of criteria)을 적용하였을 때 4% 이상으로 제시하고 있다.

⑥ 기타 정액검사

정액 내 백혈구의 수는 1×10^6/mL 이하여야 하며, 그 이상이면 농정액증(leukospermia)으로 보고 세균학검사를 추가해야 한다. 정액 내 과당 측정은 정낭기능에 대한 지표로서 무정자증이거나 정액량이 1 mL 이하인 경우 등 사정관 폐색이 의심될 때에 필요하다. 정자의 응집현상이 나타나면 항정자항체검사를 시행하기도 한다. 정자 표면의 항체를 측정하는 방법은 면역비드검사(immunobead test)와 혼합응집반응검사(mixed agglutinin test)가 많이 사용된다.

⑦ 정자의 기능검사

정액검사 결과가 정상인 경우에 시행한다. 성교후정액검사(postcoital test)는 여성의 배란기에 정자와 자궁목점액과의 상호작용을 검사하는 것으로 검사 전 2-3일 정도 금욕기간이 필요하다. 배란주기를 맞추지 못해 비정상결과가 나타나는 경우가 많아 재검이 필요한 경우가 많다. 또한 CASA를 이용하여 정자가 수정능획득 후 정자의 과민반응을 검사하여 정자의 기능 특성을 평가하기도 한다.

그 밖에 정자의 기능에 대한 검사로 정자의 수정능획득을 위해 필수적인 첨단체반응(acrosomal reaction)을 보는 첨단체막염색(acrosomal membrane staining), 투명띠를 제거시킨 햄스터의 난자와 수정시키는 정자관통측정(sperm penetration assay), 주로 소자궁목점액(bovine cervical mucosa)을 이용하는 정자자궁목점액침투검사(sperm cervical mucus penetration test), 그 밖에 반투명띠측정(hemizona assay), 저장성팽대검사(hyposmotic swelling test) 등 많은 방법이 다양하게 개발되어 있지만, 성교후정액검사를 제외하고는 임상적 유용성이 제한적이다.

⑧ 사정 후 소변검사

역행성사정이 의심되는 경우에 실시되는데, 사정감이 느껴진 후 소변을 채취하여 정자의 유무를 검사한다. 많은 정자가 관찰되고, 과당이 측정되면 역행성사정을 진단할 수 있다.

(2) 비정상 정자의 수, 운동성, 비정상형태의 정자(abnormal sperm density, motility and morphology)의 평가(그림 22-7)

비정상적 정액의 감별진단은 정계정맥류(varicocele), 항정자항체(antisperm antibody)가 있거나 정액 내 백혈구가 있는 경우나 또는 확인되지 않은 여러 원인들을 포함한다. 정계정맥류는 가장 일반적이고 흔한 정액 이상을 동반한 해부학적 이상이므로 중요한 원인인자가 없다면 정계정맥류의 교정이 우선 시행되어야 한다.

정계정맥류가 없고 정액의 질이 개선되지 않는다면 자궁 내 정액주입(intrauterine insemination, IUI), 일반적인 체외수정(standard in vitro fertilization, IVF)이나 세포질내 정자주입(intracytoplasmic sperm injection, ICSI)을 시행할 수 있다.

항정자항체는 다양한 방법으로 혈액이나 정자에서 발견될 수 있으며 IBT (immunobead test)는 현재 거의 모든 검사실에서 사용되는 항체조사법(antibody assay)이다. 정액 내에 항정자항체가 있거나 혈액 내에 항정자항체가 증가한다면 임신가능성이 감소한다. 항정자항체를 가진 환자의 치료로 ICSI가 효과적이다.

정액 내 백혈구가 증가한 경우에는 정액 배양이 시행된다. 백혈구로부터 미성숙된 생식세포(immature germ cell)일지도 모르는 원형 세포(round cell)를 감별하는 것이 중요하다. 배양에서 양성인 경우 항생제로 치료한다.

각 정액척도의 이상은 정상적인 임신력을 가진 사람의 37%에서도 존재하며, 어느 것도 장애가 있을 수 있으나 운동성 장애가 가장 일반적이다.

정액검사의 첫 단계는 정액량을 측정하는 것으로 정액량이 5.5 mL를 초과할 때에 IUI를 위해 정자세척이 고려되어야 하며, 1 mL 이하인 경우에는 정액 채취 시 실수나 역행성 사정, 사정관 폐쇄의 가능성이 제외된 후 다음 검사가 진행되어야 한다.

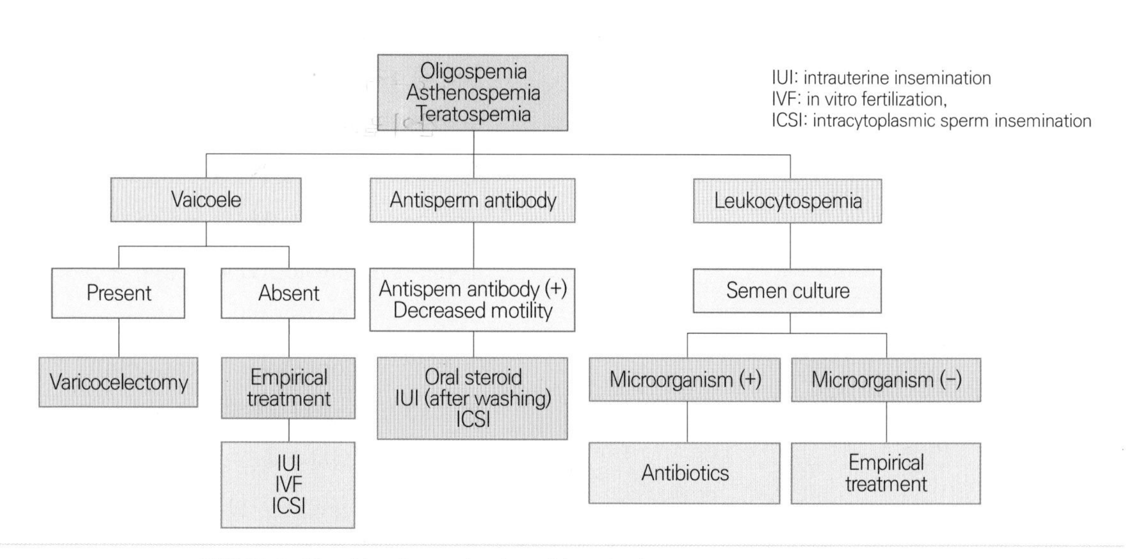

그림 22-7. Algorithm for evaluation of impaired semen parameters

(3) **무정자증(azoospermia)의 평가**(그림 22-8)

무정자로 확인되면 폐쇄성인지 정자생성부전(spermatogenic failure)에 의한 비폐쇄성 무정자증인지 생각해야 한다. 고환의 크기가 작고 FSH가 정상치의 2-3배 상승되어 있다면 정자생성부전을 의미한다. 정자생성부전의 경우에는 고환조직검사(testicular biopsy)가 진단적인 의미뿐만 아니라 정자가 채취되는 경우에는 체외수정을 위한 치료적인 의미도 갖는다. 만일 환자가 세포질내 정자주입을 생각할 경우에는 남성이 가지고 있는 유전적 결함을 알기 위해 핵형분석(karyotype) 및 Y염색체 미세결실(microdeletion) 등의 염색체검사가 필요하다. 염색체검사에서 문제가 발견될 경우에는 유전학적 상담(genetic counseling)이 환자에게 시행되어야 한다. 정자가 고환조직검사나 semen pellet에서 발견된다면 ICSI는 선택적이다. ICSI를 원하지 않거나 정자가 발견되지 않을 경우는 개인의 경제적 사정이나 선호도에 따라서 정자은행을 이용한 비배우자 인공수정이나 입양을 고려해야 한다.

만일 폐쇄가 의심된다면 사정량과 정액 내 과당(fructose)이 검사 방향을 결정할 것이다. 사정량이 정상이라면 정관이나 부고환에서 폐쇄가 의심된다. 고환조직검사에서 정자의 확인을 통해 정자생성의 유무를 입증한다. 폐쇄부위는 부고환정관문합술이나 정관정관문합술 같은 미세복원술의 시행 시에 정관조영을 통하여 확인될 수 있다. 정자가 확인된다면 냉동 보관한다.

사정량이 적다면 사정관 폐쇄나 역행성 사정을 생각해 보아야 한다. 사정 후 소변검사(postejaculate urine, PEU)를 통해 역행성 사정을 진단할 수 있다. 역행성 사정 환자의 소변에 있는 정자는 자궁내 정자주입술(Intrauterine insemination, IUI)을 위하여 사용될 수 있다. 사정 후 소변검사에서 정자가 발견되지 않는다면 고환조직검사가 필요하다.

정액량이 적거나 정액 내 과당(fructose)이 없다면 사정관 폐쇄를 의심한다. 경직장 초음파가 폐쇄부위를 알기 위해 선택적으로 시행된다. 경직장 초음파에서 확실치 않다면 정낭 흡입이나 정낭조영술(vesiculography)이 도움이 된다. 사정관 폐쇄는 경요도적 절제술에 의해 치료될 수 있다.

정관무형성증은 신체검사에서 정관이 만져지지 않을 때 진단되며 경직장 초음파를 통하여 확인될 수 있으며 사정 시 무정자증이나 정액량이 감소하는 특징이 있다.

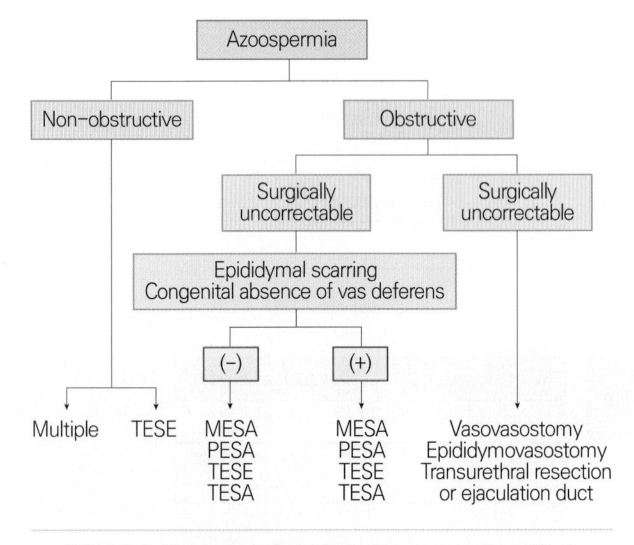

그림 22-8. **Treatment algorithm of azoospermic patients**

(4) **생식샘기능저하증(hypogonadism)**

만약 검사한 테스토스테론 수치가 낮다면 다시 이른 아침의 호르몬 수치로 재확인되어야 한다. Free testosterone, FSH (follicle-stimulating hormone), LH (lutenizing hormone), prolactin 등을 검사할 수 있다. FSH와 LH가 모두 감소한 경우는 저고나도트로핀성 생식샘기능저하증(hypogonadotropic hypogonadism)이 일반적이며, 다른 뇌하수체호르몬의 결핍을 동반하거나 GnRH (Gonadotropin-releasing hormone)의 분비의 장애가 있을 수 있다. 이 경우 hCG (human chorionic gonadotropin)나 hMG (human menopausal gonadotropin)의 병용요법이 효과를 볼 수 있다. 고나도트로핀의 감소는 프로락틴 분비의 증가가 동반된 뇌하수체종양 때문일 수 있다. 프로락틴이 증가하거나 임상적으로 뇌하수체종양이 의심되는 경우에는 ACTH (adrenocorticotropichormone), TSH (thyroid-stimulating hormone), GH (growth hormone), 그리고 MRI (magnetic resonance imaging) 등의 뇌하수체에 대한 검사가 필요하다.

(5) 이상이 없는 경우(No abnormality)

불임부부에서 통상적인 정액검사가 정상인 경우는 잘못된 성행위, 면역학적 요인, 여성적 요인을 시사한다. 여성에 대한 검사에서 이상이 없거나 적절한 치료 후에도 임신에 이르지 못하는 경우에는 정자기능에 대한 자세한 검사가 필요하다. 정자침투검사(sperm penetration assay, SPA)나 자궁경부를 통한 sperm migration과 같은 SPA에 이상소견이 있다면 남성인자에 대한 재조사가 시행되어야 한다. SPA가 정상이라면 여성적 요인에 대한 더 자세한 검사가 이루어져야 한다.

4) 남성불임의 치료

남성불임의 원인에 따른 치료 전에는 반드시 정확한 평가를 시행하여야 하며, 평가의 목적은 다음과 같다. 첫째, 가능하다면 불임원인을 평가하고 특별한 원인은 교정한다. 둘째, 교정 불가능할 경우는 인공수정 등 다양한 보조생식술을 사용하여 극복하며, 후손에 영향을 줄 수 있는 유전적 이상을 가진 개인을 찾아낸다. 셋째, 부적절한 생활 습관을 가진 개인은 생활 방식을 조절하여 정액의 질을 향상시킬 수 있도록 한다. 넷째, 불임 인자가 극복될 수 없는 개인을 찾아내어 입양이나 정자 공여(donor sperm options)을 고려하게 한다. 마지막으로 특별한 잠재된 암, 생식기관 이상 등 의학적 주의를 요하는 중요한 의학적 상태에 놓여 있는지를 알아낸다. 요약하면 남성불임의 치료는 내과적 치료(약물 치료), 외과적 치료, 보조생식술에 의한 치료로 구분할 수 있다.

(1) 일반적 치료

환경적요소에서 고환독성물질의 접촉을 차단한다. 알코올, 흡연, 고환에 독성이 있는 각종 약물, 습관적인 사우나는 피하도록 한다. 불임증이 내분비질환, 간질환 등 전신적 질환과 관련이 있다면 이에 대한 치료를 우선적으로 시행해야 한다.

(2) 약물 치료

남성불임의 원인 중 정계정맥류나 정류고환과 같이 외과적 교정술이 필요한 질환, 염색체 이상 및 무고환증을 제외하고는 대부분의 남성불임은 내과적 치료로 치료되는 경우가 드물다. 특이적 약물요법의 대상이 되는 남성불임의 원인 질환으로는 남성호르몬에 영향을 줄 수 있는 내분비질환, 사정장애 등이 있다. 저생식선자극호르몬성 저생식선증(hypogonadotropic hypogonadism)에 의한 이차성 고환장애(secondary testicular failure)의 경우는 원인을 찾아내면 치료할 수 있다.

① 특이적 치료(specific treatment)

명백한 내과적 병인에 의한 남성 불임은 전체 불임의 원인 중 그리 많지 않다. 그러나 특이적 약물요법은 원인에 의한 치료법이므로 비교적 높은 치료 성공률로 나타내며 불임치료 중 중요한 부분을 차지한다. 특이적 약물요법의 대상이 되는 남성 불임의 원인 질환으로는 내분비질환, 정로 감염에 의한 농정자증, 항정자항체에 의한 면역성불임 및 사정장애 등이 있다.

가. 내분비장애

가) Hypogonadotropic Hypogonadism

이 상태는 전체 불임 남성의 1% 미만을 차지하지만, 치료가 가능한 남성불임이다. 원인은 선천적 요인과 후천적 요인으로 나뉘는 데, 선천성으로는 Prader-Willi 증후군(비만 근력저하 정신지체 작은 손발과 외형), Laurence-Moon-Bardet-Biedl 증후군(색소성망막염, 다지증, 기억저하증), Kallmann 증후군(사춘기 지연증, 무후각증) 등이 있으며, 후천성으로는 방사선 치료, 뇌하수체 선종이나 경색 등이 있다. 치료는 고환의 심한 위축이 없는 경우 생식샘자극호르몬분비호르몬(GnRH, gonadotrophin-releasing hormone), 생식샘자극호르몬 또는 안드로겐을 보통 1년 이상 투여하여야 한다.

나) Hyperprolactinemia

흔히 볼 수 있는 질환은 아니나 고프로락틴혈증은 남성불임의 원인이 된다. 실제로 subfertile 남성의 4%는 프로락틴치가 상승함을 보고하였다(Segal et al., 1976). 고프로락틴혈증 환자에서는 뇌하수체종양을 진단하기 위해 뇌하수체 MRI 촬영이 필요하다. 혈청 프로락틴이 증가되면 뇌하수체에서 GnRH분비가 억제되고, LH가 고환의 Leydig세포에 결합을 방해하여 생식능력이 손상되게 된다. 원인으로는 특발성, 뇌하수체종양, 갑상선기능저하증, 간질환, phenothiazine이나 삼환계 항우울제와 같이 중추신경계에 작용하는 약물복용 등이 있다. 수술을 필요로 하는 거대선종이 아니면 대부분의 경우에서 약물요법으로 치료된다. 일반적으로 dopamine은catecholamine에 의해 억제됨으로 치료는 dopamine agonist인 bromocriptine이 주로 이용되는 데 하루 2.5-10 mg씩 6개월 이상 투여된다.

다) Congenital Adrenal Hyperplasia

CAH는 보통 소아에서 나타나지만, 드물게 성인 남성에서 CAH에 의해 2차적으로 불임이 동반될 수 있다. 이 질환은 21-hydroxylase의 결핍에 기인하며, cortisol 분비를 감소시키고 ACTH 생성을 증가시킨다. 정상적인 성적 성숙을 이룬 남성에서는 진단이 쉽지 않고, 혈청 17-hydroxyprogesterone과 소변내 pregnentriol이 증가된 소견으로 진단할 수 있다. 치료는 콜티코스테로이드로 가능하다.

라) Anabolic Steroid Abuse

단백동화 스테로이드는 남성 피임이나 운동선수의 경기력 향상 목적으로 이용되는데, 이때 투여된 스테로이드는 시상하부 및 뇌하수체에 대한 되먹임 자극을 억제함으로써 저생식샘자극호르몬성 생식샘기능저하증을 유발할 수 있다. 스테로이드의 투여 중단 대부분의 경우 뇌하수체와 고환기능이 약 3개월 후에 정상으로 회복된다.

혈중 테스토스테론치나 정액지표가 회복되지 않으면 hCG 2,000 IU를 4주 동안 주 3회 근주한 후, hCG 3,000 IU를 3개월 동안 주 3회 투여한다. 정자형성을 촉진시키기 위해 recombinant FSH가 75-150 IU 주 3-5회 동시에 주사될 수 있다. 스테로이드와 관련된 남성 불임은 약물에 의한 고환부전 중에서는 치료에 가장 잘 반응한다. 치료기간 동안 뇌하수체의 기능 회복을 평가하기 위해 혈중 LH와 테스토스테론치를 주기적으로 검사한다. 이때 외인성 생식샘자극호르몬의 조기 보충은 뇌하수체의 생식샘자극호르몬 생성을 지속적으로 억제할 수 있으므로 주의하여야 한다. hCG 투여 시 합병될 수 있는 여성형 유방(gynecomastia)을 방지하기 위하여 항에스트로겐제제인 tamoxifen이 10 mg 하루 2회 동시 투여될 수 있다.

마) 갑상선기능저하증(hypothyroidism)

갑생식샘기능저하증은 남성불임의 원인 중 약 0.6%를 차지하며, thyroxin 보충요법으로 수정능이 잘 회복된다. 반대로 갑상선기능항진증 역시 정자생성을 방해하여 불임을 유발할 수 있다. 갑상선질환들은 임상적으로 뚜렷한 증상을 나타내기 때문에 무증상의 불임남성에서 갑상선기능부전에 대한 선별검사는 권유되지 않는다.

바) 생식샘기능저하증

혈청 뇌하수체호르몬치는 정상이면서 혈중 테스토스테론치만 낮은 경우 에스트로겐수용체 길항제, 생식샘자극호르몬 또는 aromatase 억제제 투여로 혈중 테스토스테론치가 증가될 수 있다. 테스토스테론(T)과 에스트라디올(E2)을 측정하여, T/E2 비가 정상인 경우 clomiphene citrate 25 mg 하루 1회, tamoxifen 10 mg 하루 2회 혹은 hCG 2,000 IU 주 3회 중 한 약제를 선택한다. 치료 1개월 후 혈중 테스토스테론치를 측정하고, 매 3개월마다 정액검사를 시행한다. T/E2 비가 저하된 경우 aromatase inhibitor인 testolactone (Teslac, Bristol-Meyers Squibb) 50-100 mg 하루 2회 혹은

anastrazole (Arimidex, AstraZeneca) 1 mg 하루 1회로 투여하면서 같은 방법으로 추적관찰한다. 저테스토스테론혈증만 있는 환자에서 상기 치료로 수정능이 향상되는지는 아직 밝혀지지 않았지만 clomiphene citrate로 치료하였을 때 임신율이 40%까지 증가되었다는 보고가 있다.

사) 안드로겐수용체

안드로겐수용체(AR, androgen receptor)의 short CAG-repeat sequence AR의 CAG-repeat sequence가 짧은 유전자 배열을 가진 남성은 테스토스테론에 대한 반응성이 약하여 불임이 동반될 수 있다. 치료제로는 다량의 테스토스테론이나 에스트로겐수용체 길항제가 이용된다. 그러나 외인성 테스토스테론을 이용한 치료는 오히려 고환내 테스토스테론을 감소시키고 정자생성을 손상시킬 수 있으므로 유의하여야 한다.

아) 고환부전

고환부전이나 비폐색성 무정자증 환자에서 혈중 테스토스테론치가 저하되거나 정상 이하를 나타내는 경우를 흔히 볼수 있다. 저테스토스테론혈증은 일차적으로는 테스토스테론 분비 저하에 의한 것이지만, 테스토스테론의 에스트로겐으로의 과도한 전환도 원인이 된다. T (ng/dL)/E2 (pg/mL) 비가 10 이하인 경우 testolactone이나 anastrazole 투여로 T/E2 비가 증가되며, 제한된 예에서 치료 후 정액검사 소견이 호전이 관찰된다. 효과는 약정자증이면서 비정상 T/E2 비를 나타내거나 비만인 경우 특히 치료에 잘 반응한다.

나. 농정액증(pyospermia)

정액 내에 백혈구의 수가 증가되었을 경우 남성생식의 염증이나 감염을 의미할 수 있는데, 농정액증은 남성 불임의 10-20%에서 관찰된다. 백혈구는 활성산소(ROS, reactive oxygen species)의 생성을 촉진하여 정자의 운동성이나 기능에 해로운 영향을 끼친다. 진단은 WHO 기준상 정액에서 백혈구 농도가 1×10^6/mL 이상인 경우를 말한다. 그러나 Papanicolaou, Giemsa, eosin 또는 peroxidase법 같은 전통적인 염색법으로는 미성숙 정세포와 백혈구의 감별이 어렵다. 특히 다핵 정자세포(polynucleated spermatid)와 다형핵 과립세포(polymorphonuclear granulocyte), 정모세포와 임파구 또는 단핵구의 감별이 어렵다. 따라서 단클론항체를 이용한 면역조직세포학적 진단법이 노력과 비용이 많이 드는 단점이 있지만 정액내 백혈구를 진단하는 선택적 검사법이 된다. 또한 농정액증의 가장 흔한 원인인 요도염뿐만 아니라 증상없는 전립선염, 부고환염 또는 정낭염 등이 잠복되어 있을 수 있으므로, 이들 질환의 동반 유무가 확인되어야 한다.

치료는 배양검사상 균이 동정되면 감수성이 있는 항균제를 사용하여야 한다. 생식기관내 감염이나 염증은 적절한 약물로 충분한 기간 동안 치료되어야 정세관이나 부고환 세관의 협착이 합병되지 않는다. 35세 이하 남성에서 부고환염의 가장 흔한 원인은 Chlamydia trachomatis와 Neisseria gonorrhea에 의한 성교전파성 감염이다. Neisseria gonorrhea 감염에는 ceftriaxone 250 mg 1회 근주 후 doxycycline 100 mg 하루 2회 10일간 투여한다. Chlamydia trachomatis는 doxycycline 100 mg 하루 2회 10일간, ciprofloxacin 400 mg 하루 2회 10일간, tetracycline 500 mg 하루 2회 10일간 중 어느 하나를 선택하여 치료한다. Cephalosporin에 과민반응이 있는 경우 spectinomycin 2 g 근주로, tetracycline에 과민반응이 있는 경우 erythromycin 500 mg 하루 4회 10일간으로 대체 처방될 수 있다. 원인균을 모르는 경우에는 정낭이나 전립선에서 고농도를 유지할 수 있는 ciprofloxacin이나 trimethoprime-sulfamethoxazole을 하루 2회 2-12주간 투여하며, 대부분의 감염에 유효하다. 만성전립선염이 있는 경우 빈번한 사정과 함께 치료 기간이 길수록 치유율이 높으며, 이때 균배양검사가 음성으로 나오더라도 항균제 투여는 계속될 수 있다. 치료에도 불구하고 농정자증이 지속되는 경우 swim-up법이나 density gradient법과 같은 정자분리술이 운동성이 좋은 정자의 획득에 도움이 된다.

다. 항정자항체(antisperm antibodies)

정액 내 항정자항체는 모든 남성에서 생식능력을 억제하는 것은 아니지만, 불임남성에 존재할 경우 정자의 운동성이나 수정능장애를 유발하는 직접적 원인이 된다. 치료는 항체의 역가를 낮추기 위해 콜티코스테로이드나 cyclosporin 같은 면역억제제가 투여된다. 스테로이드 투여는 prednisolone 하루 60-96 mg의 고용량을 5-7일간 단회 혹은 20-40 mg를 하루 1회 부인의 생리 주기 1-10일에 투여한 다음 5 mg을 하루 1회 부인의 생리 주기 11-14일에 반복 투여하는 방법이 있다. 스테로이드 투여시 동반될 수 있는 기분장애, 당대사 변화, 위궤양 악화, 여드름 및 고관절의 무균성 괴사와 같은 부작용에 유의하여야 한다. Cyclosporin은 하루 5-10 mg을 6개월간 투여하며 신독성과 같은 부작용에 유의하여야 한다. 일반적으로 치료 3개월 후 추적관찰하여 항정자항체와 정액검사를 시행한다. 치료 성적은 연구자에 따라 다양하여 6-50%, cyclosporin은 33%의 임신율이 보고된 바 있다. 치료 6개월 이후에도 정액지표가 호전되지 않거나 임신이 되지 않는 경우 치료를 중지하고 정자세척 후 자궁내 정자주입술 혹은 난자세포질내 정자주입술이 고려되어야 한다.

라. 역행성 사정(retrograde ejaculation)

역행성 사정은 사정 시 방광경부의 폐쇄부전으로 인하여 후부요도에서 방광으로 정액이 역류되는 상태를 말한다. 원인으로는 후복막강내 임파선절제술, 방광경부 수술, 당뇨, 다발성경화증 및 척수손상 등 방광경부의 교감신경기능부전을 일으키는 질환이나 요도협착 외에도 haloperidol 등의 항정신성 약물, 전립선비대증치료제인 phenoxybenzamine, terazocin, tamsulosin 등의 알파차단제 복용이 있다. 역행성 사정의 진단은 임상적으로는 사정량 감소 소견으로 의심할 수 있으며, 사정 후 요 현미경검사상 정자가 관찰되면 확진할 수 있다.

치료는 경구용 교감신경자극제인 ephedrine 25-50 mg 하루 4회, pseudoephedrine 60 mg 하루 4회, phenylpropanolamine 75 mg 하루 2회 또는 imipramine 25 mg 하루 2-3회 중 단독 혹은 복합으로 투여된다. 약물요법으로 효과가 없는 경우 사정 후 채취된 요에서 정자를 채취할 수 있다. 요알칼리화를 위하여 중탄산나트륨을 1-2 g 혹은 polycitra 5 mL를 요 채취 전일과 당일 아침에 경구 복용하거나 사정 전에 방광 내에 주입한다. 동시에 사정 1시간 전에 수분을 섭취하여 요 삼투압을 낮추는 것이 좋다. 물론 과도한 수분섭취에 의한 요 희석은 역삼투압으로 인한 정자 세포막의 팽창을 유발할 수 있으므로 유의하여야 한다. 요 원심분리 후 채취된 정자는 BWW/Ham's F-10/HTF혼합액 또는 Ringer's lactate액으로 세척 후 인공수정을 시행한다.

② 경험적 치료(empirical therapy)

비특이성 경험적 약물요법에는 원인을 알 수 없거나 시상하부-뇌하수체-성전 축의 어느 부분에 장애가 있는지 알 수가 없을 때 적용할 수 있다. 치료 효과는 환자와 대조군의 선택, 장애정도, 여성인자 유무, 투여용량, 치료기간, 판정기준 및 추적관찰 기간 등의 다양한 인자에 의해 영향을 받을 수 있으므로 평가하기가 매우 어렵다. 그럼에도 불구하고 전체적으로 약 30% 이내의 임신율이 보고되고 있으며, 원인을 모르는 특발성 불임이 5-66% 차지하므로 경험적 약물요법은 불임 치료에서 간과할 수 없는 치료법의 하나이다. 원인을 모르는 감정자증의 약물치료로 증명된 약제는 없으나 많은 약물들이 사용되고 있다. 물론 경험적 약물요법은 최근 보조생식술의 발달로 인해 임상적 이용률이 상당히 떨어져 있지만, 인공수정이나 체외수정의 성공률을 높이기 위한 보조치료법으로써 유용성이 재평가되고 있다.

가. Clomiphene citrate

Clomiphene citrate는 diethylstilbesterol과 유사한 구조를 가진 합성 비스테로이드성 약물로서 불임 치료에 가장 흔히 사용되는 약제이다. 주로 강력한 항에스트로겐으로 작용하지만, 과량에서는 에스트로겐 효과도 나타낸다. Clomiphene citrate는 시상하부와 뇌하수체에서 에스트로겐수용체와 경쟁적으로 결합하고, 남성에서 소량 존재하는 에스트로겐에 의한 정자형성 억제작용을 차단한다. 음성 되먹임 기전의 억제는 테스토스테론 분비 증가를 유발하는 GnRH, FSH 및 LH 분비를 촉진시켜 정자형성을 자극한다. Clomiphene citrate는 15-50 mg 매일 경구 투여되며, 25일 투여 후 5일간 쉬는 간헐적 투여법도 이용된다. 치료 중 FSH, LH 및 테스토스테론이 상승하므로, 호르몬에 대한 주기적인 추적 관찰이 필요하다. 일부 환자에서 혈중 테스토스테론치가 정상보다 높게 유지되어 오히려 정자형성이 억제되는 되먹임 기전이 초래될 수 있으므로 주의하여야 한다. 이는 테스토스테론의 에스트로겐으로의 방향족화가 많아지거나, 과도한 테스토스테론에 의해 생식샘자극호르몬 분비가 억제되기 때문이다. 부작용은 오심, 어지러움, 체중증가, 혈압상승, 과민성피부염 및 시야장애 등이 5% 이하에서 나타나며, 드물게는 알레르기성 피부염, 성욕 변화 및 여성형 유방도 동반될 수 있다. 치료 성적은 정자수 및 운동성의 증가는 각각 0-78% 및 0-70%, 임신율은 0-58%로 연구자에 따라 다양한 결과가 보고되고 있다.

나. Tamoxifen citrate

유방암 치료에 주로 사용되는 항에스트로겐으로 clomiphene citrate와 유사한 작용기전을 가지만, 에스트로겐 효과는 보다 약하다. Tamoxifen citrate는 5-10 mg 하루 2회 경구 투여된다. 부작용은 clomiphene citrate와 유사하나 낮은 에스트로겐 효과에 의해 발생 빈도는 낮다. 치료 성적은 정자수 증가는 11-100%였으나 운동성의 개선 효과는 없었으며 임신율은 11-40%로 연구자에 따라 다양한 결과가 보고되고 있다.

다. Testolactone

전신적 또는 고환내 에스트로겐과 테스토스테론 비의 불균형은 정자형성의 장애를 유발한다. Aromatase억제제는 테스토스테론이 에스트로겐으로 전환되는 것을 억제함으로써 감소된 혈청 estradiol치에 의해 LH 및 FSH가 증가됨으로써 고환에서의 조정작용을 증가시키는 작용을 가진다. 치료는 anastrazole (Arimidex, Astra-Zeneca) 1 mg 하루 1회 혹은 testolactone (Teslac) 하루 100 mg-2 g 투여된다. Testolactone 투여 후 정자수의 개선은 56-89%에서 나타났으며 운동성의 개선 효과도 보고되고 있다. 임신율은 22-33%로 보고되고 있다. Anastrazole은 전이성 유방암 치료에 사용되는 비스테로이드 경구용 약제이나 고환내 테스토스테론-에스트라디올의 비(Testosterone/Estradiol)가 감소된 경우 성공적인 치료효과가 보고되고 있다.

라. Pentoxifylline

Caffeine, theophylline 그리고 pentoxifylline과 같은 methylxanthine 유사물은 phosphodiesterase에 대하여 억제작용을 가짐으로써 다단백호르몬 작용을 위한 중요한 이차 messenger인 c-AMP의 분해를 저지하여 세포 내 증가된 c-AMP는 정자의 운동성과 호흡대사를 증가시킬 뿐만 아니라 사정을 자극하는 작용을 가진다. Pentoxifylline이 400 mg 하루 3회 투여되면 정자수 및 운동성의 개선은 각기 57% 및 41% 그리고 임신율은 17%의 개선을 나타내었다. 부작용은 거의 없으나, caffeine은 해부학적 이상이나 손상을 초래할 가능성이 많아 현재 임상적 이용은 신중히 검토되고 있다. 원인불명의 무정자증 환자를 대상으로 pentoxifylline으로 6개월간 치료한 연구에서 24-42% 사이의 의미 있는 정자 운동성 증가가 보고된 바 있다.

마. Antioxidants

남성불임 환자 정액의 25-40%, 척수손상 환자의 90% 이상에서 활성산소(reactive oxygen species)가 증가된 소견이 발견된다. 사정액내 높은 활성산소 농도는 정자의 운동성, 난자와의 결합능 및 수정능을 감소시킴으로써 불임의 주요 원인 인자로 작용한다. 활성산소는 산소의 대사물로써 과산화 음이온, 과산화수소, 수화기, 과산화 수화기, 질소 산화물 등이 있다. 활성산소의 과다한 존재는 비정상이거나 미성숙된 정자 혹은 정로나 요로계 감염으로 인한 사정액내 백혈구의 존재를 의미한다. 그 외에도 200-500 g 이상의 원심분리, 정자처리 및 동결 보존과 같은 정자의 인위적 조작과정에 의해서도 활성산소가 발생한다. 이때 활성산소의 생성을 감소시킬 수 있는 가장 효과적인 방법은 Percoll wash와 swim-up법이다. 또한 양질의 정자를 분리할 목적으로 정장액을 제거할 경우 정장액 내에 포함된 내인성 항산화제가 제거됨으로써 산화적 손상에 보다 쉽게 노출될 수 있다. 인체의 정상 세포는 superoxide dismutase, glutathione peroxidase 및 catalase 등의 효소계 항산화제나 요산, ascorbate, tocopherol 등의 비효소계 항산화제와 같은 내인성 scavenger를 가진다. 만약 활성산소가 과다하게 존재하여 세포 자체가 가지고 있는 내인성 항산화제에 의한 고유의 방어기능을 넘어서게 되면, 세포막 지질, 단백질과 핵 DNA에 산화적 손상을 야기함으로써 세포 고유의 기능이 영향을 받거나 병적 반응을 일으키게 된다. WHO의 인간 정액검사 지침(1999)에서도 정자의 주요 기능검사의 하나로서 활성산소의 측정이 권유되고 있다. 정액내 활성산소를 소거하기 위한 다양한 항산화제의 효과가 실험적으로 검토되어 왔지만, 치료로는 정액에서 백혈구를 제거하거나 정자처리 시 항산화제가 포함된 배양액을 쓰면 효과가 있다. Tpherol과 ascorbic acid와 같은 비타민, glutathione, selenium, rebamipide 등의 경구용 항산화제가 효과가 있을 것으로 기대되나 아직 광범위한 위약대조나 맹검법에 의한 연구결과가 부족한 실정이다.

바. Cartinine

L-carnitine과 acetylcarnitine은 미토콘드리아 내에서 활성화된 아실기의 운반뿐만 아니라 지방산의 산화와 합성을 조절함으로써 세포내 에너지 대사, 세포막의 안정성 나아가 세포의 생존에 필수적 역할을 한다. 부고환액에는 L-carnitine이 혈장에 비해 2,000배 이상의 농도로 존재하며, 정장액에는 총 L-carnitine의 약 50%가 acetylcarnitine으로 존재한다. 치료는 L-carnitine 하루 2-3 g 또는 acetylcarnitine 4 g을 투여한다.

(3) **수술적 치료**(surgical treatments)

일반적으로 수술적 치료는 특정한 이상을 교정하여 자연임신을 가능하게 하므로 불임부부에게 정서적 안정을 준다. 따라서 폐쇄성 무정자증 또는 정계정맥류의 경우 외과적 치료를 먼저 고려하고, 수술적 치료에 실패하였거나 수술의 예후가 좋지 않을 경우에는 보조생식술을 고려한다.

① 정계정맥류절제술(varicocelectomy)

정계정맥류는 전체 남성 인구의 약 15%에서 발견되고, WHO 연구에 의하면, 정액검사 소견에 이상이 있는 남성에서 25.4% 정도 발견된다. 정계정맥류는 정삭(spermatic cord)의 정맥총이 확장된 상태를 칭하며 좌측 정계정맥이 신정맥, 부신정맥과 합쳐져 대정맥으로 유입되므로 대부분 좌측에서 발생한다. 정계정맥류가 불임을 일으키는 기전으로는 첫째, 부적절한 정맥 혈류가 정삭의 열교환을 방해해서 고환의 온도를 상승시키는 것, 둘째, 생식샘에 독성작용을 하는 물질들이 쌓여서 정자 생성을 방해한다는 것, 셋째, 테스토스테론의 농도 이상으로 정자 생성을 방해한다는 3가지 가설이 있다. 수술의 목적은 내부정삭정맥(internal spermatic vein)을 통한 역류를 방지하는 것으로 내부경정맥 색전술, 음낭접근법, 후복막강 접근법 등이 있다. 수술적 치료를 하지 않고 기다릴 경우는 임신율은 16% 정도이며, 체외수정시술의 경우는 임신율이 35%이다. 정계정맥류 결찰술을 시행하면 60-70%에서 정액 소견의 호전을 보이고, 30-50%에서 임신에 성공하므로 정계정맥류에 의한 남성불임의 1차 치료는 정맥류 제거술이다. 정맥류 수술과 체외수정시술, 정자세포질내주입술을 이용한 임신율 비교를 한 연구에서 임신율, 비용-효과 분석, 시술 또는 수술에 따른 부작용 등을 고려할 때 수술을 1차적인 방법으로 제시하고 있다.

② 수술적 교정이 가능한 폐쇄성 무정자증의 수술적 치료 방법

가. 정관정관문합술(vasovasostomy)

정관정관문합술의 대상은 피임을 목적으로 정관절제술을 시행했던 환자가 정로의 복원을 원하여 시행하는 경우가 대부분이고 드물지만 샅굴탈장수술이나 샅굴부위 찢긴상처에 의해 손상된 정관을 복원하기 위해 시행하게 된다. 문합술기의 발달로 해부학적 개통률은 90%에 달하지만 임신율이 40-70% 정도에 그치고 있다. 이러한 성공률의 차이는 정관의 협착, 부고환 기능의 저하, 항정자항체, 배우자의 이상 등이 원인으로 추정된다.

수술적 치료 전에 정자형성이 정상적인 것을 확인을 해야 한다. 수술은 확대경(loupe)이나 10-15배 확대 수술현미경하에서 시행한다. 수술기법은 전층문합술과 이층문합술이 이용되는데, 성공률의 차이는 없다. 한쪽 정관이 손상이 심한 경우는 교차 정관정관문합술을 시행할 수 있다.

나. 부고환 정관문합술(epdidymovasostomy)

부고환정관문합술의 적응증은 부고환 막힘에 의한 정자감소증이나 무정자증이다. 부고환을 노출시켜 부고환의 막힘 여부를 관찰할 수 있는데 의심되는 막힘부위 부고환 위쪽을 절개하여 유출되는 정액을 현미경하에 검사하여 정자의 출현 여부를 확인한 후 정관과 연결한다. 수술기법은 샛길(fistula) 형성법, 부고환관을 이용한 부고환관정관문합술이 있는데 임신성공률은 20-40% 정도이다.

다. 사정관막힘(obstruction of ejaculatory duct) 교정

사정관막힘은 적어도 한쪽 정관이 촉지되며 정액의 양이 적고, 산성이며 정액내 과당치가 낮은 무정자증 내지 심한 감정자증 환자에서 의심을 해 볼 수 있다. 이러한 환자에서 혈중 FSH가 정상이며 고환조직검사에서 정자형성 정상 시 진단될 수 있다. 직장수지검사에서 낭성 구조물이 촉지될 수 있고 최근에는 경직장초음파촬영술이 진단 및 치료에 도움이 되고 있다. 확장된 사정관이나 정낭을 초음파로 확인하면서 정낭액 흡입술을 시행하여 현미경에서 정자가 있음이 확인되면 정확히 진단할 수 있다.

수술법은 정구를 포함하여 요도경유절제술을 시행한다. 절제는 확장된 사정관 입구가 보일 때까지 하고 정관조영술을 통해 메틸렌블루를 주입시키면 내시경하에서 사정관을 관찰하는 데 도움이 된다. 시술 시 항문과 요도괄약근이 인접해 있으므로 손상되지 않도록 주의한다. 수술 후 정액검사는 2주 뒤에 해야 하고 정액량이 증가하거나 과당치가 증가하면 성공 여부를 판단할 수 있다.

③ 수술적 교정이 불가능한 폐쇄성 무정자증의 수술적 치료

선천성 양측정관형성 부전증(CBAVD)이나 수술적 교정이 불가능한 폐쇄성 정로 장애로 인한 무정자증에서 미세수술적 부고환 정자 흡입술(microsurgical epididymal sperm aspiration, MESA)과 난자 세포질내 정자 주입술(intracytoplasmic sperm injection, ICSI)을 이용한 불임치료를 실시하면 높은 수정률과 임신 성공률을 얻을 수 있다. 또한 부고환 전체의 폐색, 부고환 형성부전 또는 부고환이 절제되어 MESA방법으로 정자 채취가 불가능한 경우에는 고환조직에서 정자를 추출하는 고환조직 정자채취술과 ICSI를 이용한 불임치료도 높은 성공률을 보이고 있다. 비폐쇄성 무정자증의 경우 FSH나 고환 크기의 상관관계 없이 고환조직에 상관하여 정자가 발견된다. 최근에는 클라인펠터 증후군에서도 TESE에 성공하여 건강한 남아가 태어났고, 정계정맥류가 있는 비폐쇄성 무정자증의 경우 수술 후 유전자로 바뀐 사례가 보고되고 있다.

가. 미세수술적 부고환 정자 흡입술(microsurgical epididymal sperm aspiration, MESA)

MESA와 ICSI를 이용한 시험관 아기 시술은 이미 성공적인 임신을 하여 널리 이용되고 있다. 이러한 MESA의 적응증은 선천성 양측 정관형성 부전증(CBAVD), 실

패한 부고환 문합술, 수술적 교정이 불가능한 폐쇄성 무정자증에서 주로 시행되고 있다. 그리고 부고환 부위의 폐쇄로 정관 부고환 문합술의 교정수술 시 MESA를 통하여 얻은 정자를 가지고 ICSI를 시술하기도 한다. MESA 시 많은 수의 정자를 획득하여 IVF 실패 시 다음 번 cycle을 위하여 냉동 보관하기도 한다. 그러나 수술적 교정의 가능성에 대한 정확한 진단이 되지 않은 상태에서 MESA나 percutaneous epididymal sperm aspiration (PESA)를 시행하는 것은 -부고환의 관 자체가 "Single tubule"이므로- 이 시술 자체가 영구적인 폐쇄를 다시 인위적으로 만들 위험이 있으므로 정확한 진단 후 시술하는 것이 좋겠다. 난자채취 당일 경막외마취 혹은 국소마취하에서 음낭을 절개하여 부고환을 노출시킨 다음 수술현미경하에서 미세 수술기구를 이용하여 부고환의 serosa에 구멍을 낸다. 부고환의 cauda에서 caput 쪽으로 올라가면서 24G medicut needle 1 mL 주사기로 흡입하여 정자가 있나 없나를 관찰하고 만일 정자가 없거나 운동성이 전혀 없을 때는 근위부로 올라가서 시행한다(그림 22-9).

나. 경피적 부고환 정자 흡입술(percutaneous epididymal sperm aspiration, PESA)

PESA는 21에서 23 gauge 바늘을 이용하여 부고환에서 정자를 흡입하는 방법이다. 엄지와 검지로 부고환의 일정부위를 움직이지 않도록 잡은 후 충분한 양의 정자를 얻을 때까지 바늘에 음압을 가한다(그림 22-10).

피부절개는 불필요하고 정맥용 진정제나 국소마취하에서 시행될 수 있다. PESA는 피부절개를 하지 않는 이점이 있다. 현미경과 미세수술기구 그리고 거의 마취가 필요하지 않기 때문에 비용이 적게 든다. 그러나 흡입할 수 있는 정자가 소량이어서 냉동보관이 용이하지 않고 정확한 진단 없이 시행할 때 부고환의 인위적인 폐쇄를 유발할 수 있다.

다. 고환조직 정자 채취술(testicular sperm extraction, TESE)

부고환에서 MESA 등을 통해 정자를 얻고자 할 때 부고환의 scarring이나 부고환 정자가 ICSI에 부적합한, 운동성이 없어서 정자획득에 실패하는 경우가 7% 정도 되

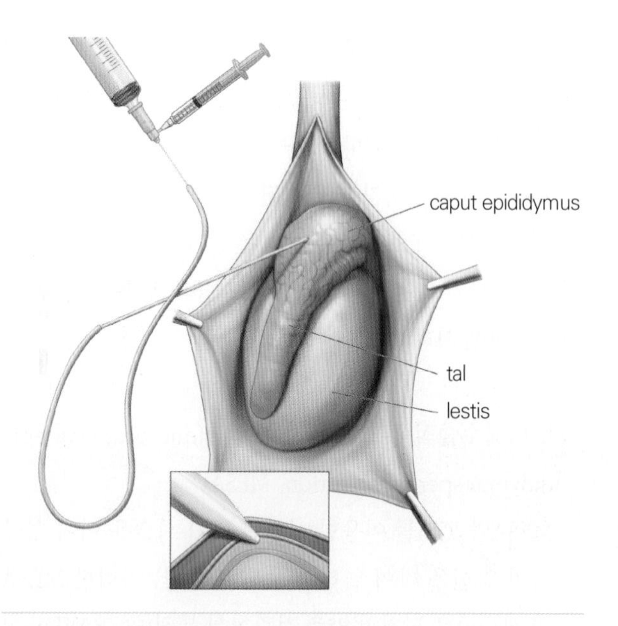

그림 22-9. Microsurgical epididymal sperm aspiration (MESA)

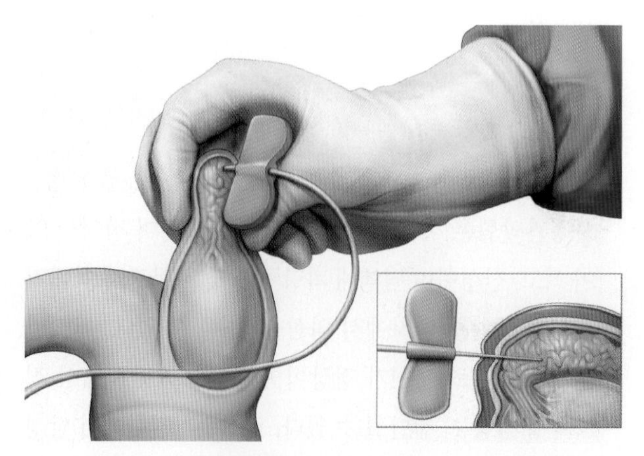
그림 22-10. Percutaneous sperm aspiration (PESA)

며 이때 정자를 얻을 수 있는 유일한 장소는 고환이다. 그러므로 이때 TESE를 한다. 그리고 요즘은 이전의 조직검사에서 Sertoli cell only syndrome이나 maturation arrest로 나온 비폐쇄성 무정자증의 경우나 클라인펠터 증후군에서도 고환 어느 부위에서 정상적인 정자 생성을 하는 작은 부위가 있어 multiple TESE를 통하여 정자 추출 및 임신에 성공하고 있다.

기본적인 TESE의 방법은 고환조직검사의 open biopsy와 유사하다(그림 22-11).

최근에는 21 gauge 나비 바늘을 이용하여 testicular sperm aspiration (TESA)이나 testicular fine-needle aspiration (TFNA)를 시행하기도 한다. 그러나 TESA와 TFNA는 고환조직이 정상인 경우만 시행해야 하고 blind procedure이므로 위험성이 있다.

라. 고환조직 정자흡입술(testicular sperm aspiration, TESA)

고환조직 정자흡입술(TESA)은 또한 고환조직미세흡입술(TFNA)로 불리우며, 정삭마취 등의 국소마취하에서 시행된다. 고환을 고정하고 10에서 20 ml의 syringe를 Franzen syringe holder에 고정한 후에 21에서 23 gauge needle를 부착하고 음압을 주면서 수차례 흡입을 한다(그림 22-12).

PESA와 같이 TESA도 피부절개를 피하려는 경우에 이점이 있다. 또한 현미경이나 시술자의 술기, 전신마취 등이 필요하지 않아 값싸다. TESA는 정자의 냉동보관이 제한되어 매 ICSI 시에 반복적으로 시행되어야 한다.

④ 비폐쇄성 무정자증의 수술적 치료

고환기능부전으로 인한 비폐쇄성 무정자증 환자와 클라인펠터증후군에서의 경우 과거 특별한 치료법 없이 정자은행을 이용한 비배우자 인공수정(artificial insemination of donor AID)을 하거나 입양을 하는 것이 치료의 전부였다. 하지만 폐쇄성 무정자증 환자에서 MESA 또는 TESE로 정자를 채취하고 ICSI를 이용하여 임신에 성공한 이래 비폐쇄성 무정자증 환자에서도 고환조직에서 추출한 정자를 이용하여 체외수정이 이루어지고 있으며 고환의 조직학적 소견에 따른 정자채취 성공률은 다음과 같다(표 22-6).

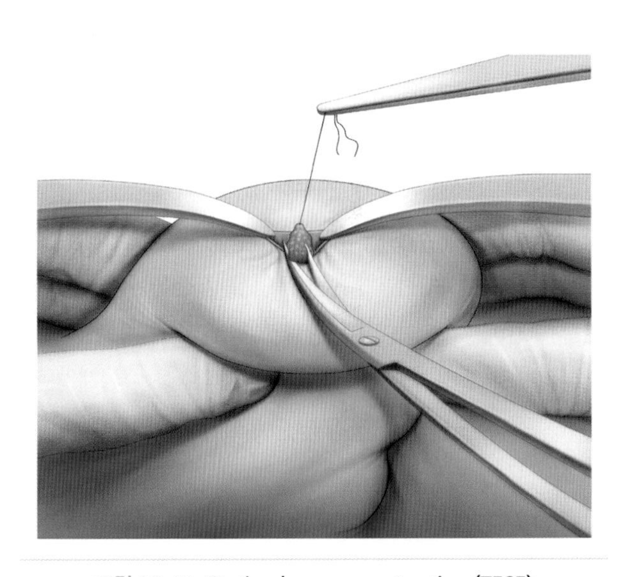

그림 22-11. Testiscular sperm extraction (TESE)

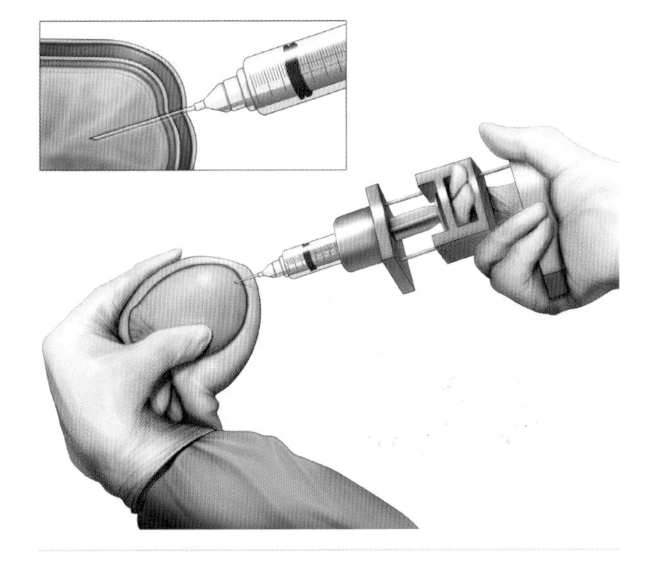

그림 22-12. Testicular sperm aspiration (TESA)

표 22-6. Sperm retrieval rate according to pathologic status of testis

	SCO	MA	HS	Total
Sperm retrieval rate	13/80 (16.3%)	15/24 (62.5%)	66/74 (89.2%)	94/178 (52.8)

* SCO: Sertoli cell only syndrome (Germ cell aplasia), MA: Maturation arrest, HS: Severe hypospermatogenesis

가. 다중적 고환조직 정자채취술(multiple TESE)

국소마취(spermatic cord block) 또는 척추마취하에서 음낭 및 초막을 약 4 cm 절개하여 고환을 노출한 후 백막을 여러 군데 절개하여 다중적으로 고환조직을 채취한다(그림 22-13).

채취된 고환조직을 0.4% human serum albumin (HSA) 또는 bovine serum albumin (BSA)가 첨가된 Ham's F-10-HEPES 배양액이 담긴 Petri dish로 옮겨 해부현미경하에서 조심스럽게 정세관을 미세겸자로 짜내어 추출물을 얻은 후 현미경하에서 정자의 존재 여부, 형태, 운동성을 확인하며 정자를 채취한다.

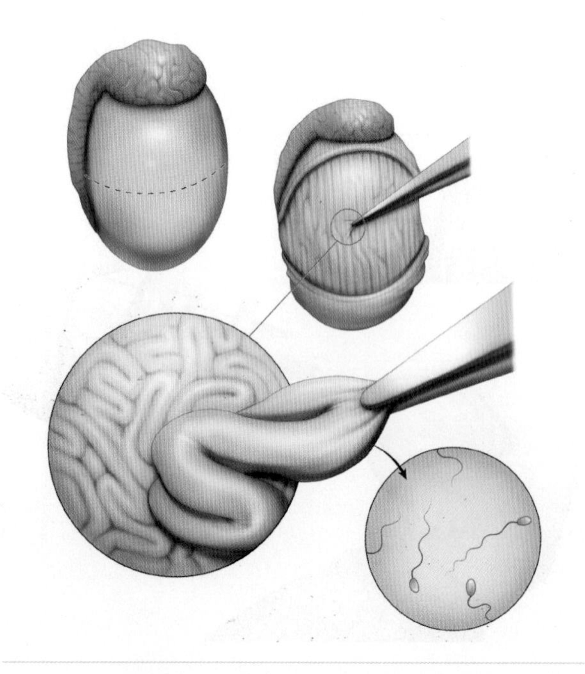

그림 22-13. Microsurgical testicular sperm extraction (m-TESE)

나. 미세수술적 고환조직 정자채취술(microsurgical TESE)

Schlegel은 고환조직에서 정자생성이 있는 세정관을 확인하는 microsurgical TESE법을 소개하였다(Hsiao et al. 2011). 현미경을 이용하여 각각의 정세관에서 정자형성이 왕성한 관을 찾는 것이 가능하게 되었다. 특히 microsurgical TESE의 경우 현미경하에서 고환실질 내부의 관찰이 가능하고 수술로 인한 고환손상의 잠재적 가능성을 줄이며 정자를 포함하고 있을 가능성이 높은 하얀색 또는 불투명색의 확장되어 있는 정세관 채취가 가능하여 정자 채취 성공률을 높일 수 있다.

5) 요약

잠재적인 남성불임의 원인은 전체 불임부부의 50% 정도로 정확한 검사와 진단을 요한다. 먼저 완벽한 의학적 병력청취와 정확한 신체검사를 시행함으로써 적절한 혈액검사와 방사선검사를 시행하게 한다. 정액검사는 첫 단계로 아주 중요하지만 그 자체로써 특별한 이상을 진단하거나 치료하기는 힘들다. 치료는 원인에 대한 체계적인 접근으로 가능한 원인을 제거하는 것이 중요하다. 유전적, 해부학적, 생리학적 상호역할을 잘 이해하지 못하면 정확한 원인을 알 수 없다. 그러므로 남성불임 인자가 있는 불임부부의 경우는 담당의사 및 비뇨기과 의사의 정확한 진단에 따른 체계적인 접근과 궁극적인 치료를 통해서 치유될 수 있다.

최근 보조생식술의 발전에 의하여 남성인자에 의한 불임을 많이 극복하게 되었음에도 불구하고 보조생식술에 의한 임신이 완벽한 치료가 될 수는 없다는 점을 인식하여야 한다. 난소의 자극은 여성이나 태아에게 위험할 수 있고, 정자 세포질내주입술은 유전적 이상 조건을 다음 세대로 전달해 줄 수 위험이 있다. 따라서 향후 불임 치료는 보다 근본적으로 정자의 이상 원인을 찾아 치료하기 위해 더 많은 노력을 하여야 하며 정자 생산에 이상이 있는 환자와 아닌 환자를 구분하고 왜 정자의 기능이 이상한지 평가하여 원인적인 치료를 하는 방향으로 진행될 것으로 기대된다.

4. 불임증의 수술적 치료

불임증이 있는 환자에서 가장 효과적인 치료는 불임의 원인을 찾아 치료하는 것이므로 수술적 치료가 가능한 불임의 원인을 가진 환자에서 적절한 수술을 시행하여 자연임신이 가능해진다면 최선의 해결 방법이 될 것이다. 불임의 원인 중 난관폐쇄, 난관주위 유착, 난관수종 등 난관 요인이 있는 경우, 선천적 기형, 자궁근종, 자궁내막용종 및 자궁내유착 등 자궁 요인이 있는 경우, 그 외 난소종양, 자궁내막증 등이 있는 경우에 수술적 치료가 필요할 수 있다.

하지만 보조생식술의 발달로 평균 생아 출생률(live birth rate)이 35%까지 증가함에 따라 특히 난관 요인으로 인한 불임증의 치료 방법으로 수술적 치료 대신 체외수정을 선택하게 되었다. 보조생식술이 수술적 치료보다 더 빨리 성공적으로 임신할 수 있는 우선적인 최선책이 되어 임상에서 그 비중이 높아졌다(Feinberg et al., 2008).

반면 복강경, 자궁경, 로봇수술에 이르기까지 덜 침습적이며 정교한 수술적 치료 또한 가능해져서 난관 요인, 자궁 요인의 불임증에 적용하게 되었다. 수술기법의 발달로 인하여 정확한 진단과 수술, 수술로 인해 초래될 수 있는 합병증 및 후유증의 발생을 줄일 수 있게 되었다.

따라서 보조생식술과 수술적 치료 중에서 환자의 상황에 따라 적절한 방법을 선택하여 치료를 할 수 있다. 치료의 효과와 치료 후에 예상되는 임신 성공률뿐 아니라 윤리적, 종교적, 또는 비용적인 문제에 대해서도 충분히 고려하여 신중하게 불임의 수술적 치료 적용 여부를 결정하여야 한다.

1) 난관 요인으로 인한 불임증의 수술적 치료

보조생식술이 발달하기 이전에는 난관이상에 의한 불임증의 치료는 수술적인 방법을 이용하여 해결하였다. 그러나 보조생식술의 성공률이 점차 향상되면서 난관이상에 의한 불임증에 대하여 수술적으로 치료하는 범위는 상대적으로 제한되는 경향이 있다. 하지만 임신에 성공할 때까지 반복해야 하는 체외수정에 비해 수술적 치료로 불임의 원인인 난관이상을 해결할 수 있다면 타당성 있는 치료가 될 것이다.

난관이상에 의한 불임증을 수술하는 방법은 과거에는 개복술에 국한되었으나 최근에는 복강경이 현저하게 발달하였으며 로봇수술에 의한 정교한 박리와 봉합도 가능해졌다. 수술 후에 발생할 수 있는 유착을 최소화하여야 하므로 소염제, 유착방지제, 혈전용해제, 항응고제 등을 사용할 수 있다. 주의 깊게 지혈시키고 적절한 수술기법을 이용하여 접근하여야 수술 후 합병증을 줄일 수 있다.

(1) **난관폐쇄**(tubal occlusion)

난관이 폐쇄된 부분이 근위부인지 원위부인지에 따라 차이가 있다.

난관의 근위부폐쇄가 3분의 1 정도를 차지하며 20-40%는 실제 폐쇄된 경우가 아닐 수 있다. 근육연축(muscle spasm), 간질부종(stromal edema), 무정형조직파편(amorphous debris), 점막응집(mucosal agglutination), 점성분비물(viscous secretion)로 인한 난관근위부폐쇄의 경우에는 자궁난관조영술(hysterosalpingogram) 또는 자궁경(hysteroscopy)을 시행하면서 도관삽입(catheterization, cannulation)을 시도해 볼 수 있다. 반면 내강섬유화(luminal fibrosis), 난관재문합술에 실패한 경우, 자궁근종, 선천성기형, 결핵으로 인한 근위부폐쇄는 도관삽입으로 성공적인 결과를 기대하기 어렵다. 도관삽입으로 난관의 근위부폐쇄를 85%까지 복원하였으며 임신율도 50% 정도 되었다는 보고가 있으나 다시 폐쇄되는 경우가 30%에 달한다(Honore et al., 1999). 미세수술을 이용하여 난관의 폐쇄된 부분을 절제 후 문합하여 50-60% 정도의 임신율이 보고되었다(Honore et al., 1999; Patton at al., 1987; Marana et al., 1988). 하지만 난관폐쇄의 원인에 따라서도 수술의 결과가 다양하게 나타나며 보조생식술을 선호하는 임상의는 많아지는 반면, 상대적으로 난관질환을 수술할 수 있는 숙련된 의사는 점차 줄어든다. 도관삽입술은 미세수술법보다 이환률(morbidity)이 낮고 비용이 적게 드는 이점이 있으며, 미세수술 시에는 골반내 다른 장기들 및 난관채를 포함하여 전반적인 상태를 확인할 수 있고 자궁부속기 주변의 유착을 동시에 제거할 수 있다는 장점이 있다.

원위부 난관폐쇄의 수술적 치료 방법으로는 난관채부의 유착을 제거하거나(fimbriolysis), 난관채부 포경(fimbrial phimosis)을 교정시켜 주는 난관채부성형술(fimbrioplasty), 또는 완전하게 폐쇄된 난관에 새로운 난관구를 만들어 주는 신난관개구술(neosalpinostomy) 등이 있다. 이러한 수술은 미세수술기법을 이용한 개복수술과 복강경수술 및 최근에는 로봇수술을 적용할 수 있다. 원위부 난관폐쇄의 치료 효과는 난관난소유착의 정도, 난관두께, 팽대부 내부 점막의 상태에 따라 달라진다(Boer-Meisel et al., 1986; Canis et al., 1991). 심각한 경우일수록 치료 성공률이 10-35%로 낮고 다양하며 자궁외임신의 위험성은 5-20%로 높아진다(Canis et al., 1991; Dubuisson et al., 1990; Taylor et al., 2001).

난관의 근위부와 원위부 모두 폐쇄된 경우에는 수술적 치료의 성공률이 매우 불량하므로 체외수정을 시도하는 것이 바람직하다.

(2) 난관불임술의 복원(sterilization reversal)

영구적 불임을 목적으로 난관결찰 또는 전기소작의 방법으로 난관불임술을 시행하였으나 자녀의 사망, 재혼 또는 자녀들이 성장한 후 심경의 변화 등의 원인으로 난관복원술을 원하게 된다. 미세수술적 난관재문합술(microsurgical tubal reanastomosis) 후 임신율은 전반적으로 양호하여 55-81%로 보고되며 대부분 수술 후 18개월 이내에 임신되었다(Gomel et al., 2007). 환자의 나이, 이전에 받은 난관불임술의 방법과 위치, 복원된 난관의 길이가 난관복원술의 성공률에 영향을 미칠수 있다. 35세 이전의 젊은 여성, 링이나 클립을 이용하여 난관결찰을 받았던 경우, 난관의 협부-협부 또는 팽대부-팽대부끼리 문합한 경우, 복원술 후 난관의 길이가 4 cm이 넘는 경우와 다른 불임 인자가 없는 환자에서 복원수술의 예후가 좋으며 소작술로 난관불임술을 받은 후에는 복원수술의 성공률이 상대적으로 낮다.

과거에는 난관복원을 위해 개복술을 하였으나 점차 입원기간과 회복시간이 빠른 복강경 및 로봇수술을 이용한 난관복원술이 발달하였다. 국내에서는 186명의 환자를 복강경을 이용한 난관복원술 후 6개월, 12개월, 18개월간 추적조사한 누적 임신율이 각각 60.3%, 79.3%, 83.3%였으며 3%에서 자궁외임신이 된 것을 보고하였다(Yoon et al., 1999). 발달된 장비가 갖추어지고 숙련된 경험이 있는 수술집도의라면 덜 침습적인 복강경으로 개복술만큼 임신율을 향상시키고 수술시간을 줄일 수 있을 것으로 기대하였다(Cha et al., 2001). 미세침습술의 최첨단화로 로봇 시스템을 이용하여 복강경수술 시 봉합술기의 제한점을 극복하여 97명을 대상으로 한 후향적 연구 결과, 24개월 후 임신율이 71%, 35세 이전에서는 90%까지 보고되었다(Caillet et al., 2010).

체외수정에 비해 수술적 치료는 자연임신이 가능하고 다태아의 위험이 적은 장점이 있으나 수술기법의 발전에도 불구하고 수술 자체에 의한 손상과 부담, 자궁외임신의 위험성 증가와 이후에는 다시 피임이 필요하다는 단점이 있다.

1명 이상의 임신을 원하고 과거 난관불임술을 받은 이외에는 불임요인이 없는 젊은 여성에서 복원수술이 추천된다.

(3) 난관수종(hydrosalpinx)

난관의 원위부가 폐쇄되어 난관 안에 액체가 차서 난관수종이 초래된다. 난관수종내 액체가 배아의 발달과 착상을 방해하므로 난관수종이 있는 환자의 체외수정 전에 난관절제술을 시행함으로써 체외수정의 임신율과 생아 출생률을 유의하게 증가시킬 수 있다. 난관절제술 대신 난관폐쇄술을 시행한 후 체외수정하여도 임신율을 향상시킬 수 있었다.

난관수종에 대한 수술적 치료를 한 4개의 연구에서 평균 임신율 상승이 21.7%로 보고되었다(Johnson et al., 2011). 난관절제술에 비해서는 체외수정의 성공률이 떨어지지만 질식초음파유도하에 주사침을 이용한 배액술이나 난관개구술(salpingostomy)을 체외수정 전에 시행하는 방법이 있다. 국내에서 97명의 난관수종 환자들을 56명은 초음파유도하 흡인술 및 경화요법(sclerotherapy)을 시행하고 41명은 복강경하 난관절제술을 시행한 후에 체외수정을 하여 두 군을 비교한 결과, 임신율과 자궁외임신율의 차이가 없었다(Na et al., 2012). 646명의 여성을 대상으로 5개의 무작위 대조 연구를 포함한 체계적 고찰에서 복강경하 난관절제술 후 체외수정을 시도했을 때 임신율이 높았다(Johnson et al., 2010). 따라서 난관수종이 있는 불임환자에서 체외수정을 시행하기 전에 수술적 치료로 복강경하 난관절제술 또는 난관폐쇄술을 시행하여 체외수정 성공률을 2배까지 향상시킨다. 난관절제술 대신 난관수종을 흡인하거나 난관기능을 회복하는 수술을 하는 효과에 대하여는 보다 연구가 필요하다.

2) 자궁 요인으로 인한 불임증의 수술적 치료

(1) 선천성 자궁기형(uterine anomaly)

선천성 자궁기형은 임신초기에 자연유산의 발생 빈도를 증가 시키며 조기 분만 등 산과적 합병증의 발생과 관계가 있다. 임신 중반기 및 말기에 임신을 더 이상 유지하지 못하고 실패하는 원인이 되기도 한다. 하지만 일반적으로 불임의 주요 원인이 되지는 않는다.

선천성 자궁기형의 수술적 치료 효과에는 논란의 여지가 있다. 중격자궁(septate uterus)은 불임, 임신전반기에 걸친 유산, 조기 분만, 태아의 태위이상, 태아발육지연을 증가시킬 수 있으므로 자궁경을 이용한 중격제거술이 필요한 경우가 있다. 반복유산이 된 중격자궁 환자에서 10%에 불과한 생아 출생률이 자궁경하 중격제거술 후에는 75-85%까지 향상되었다(Grimbizis et al., 2001; Homer et al., 2000). 중격자궁이 있는 불임 환자 64명을 대상으로 한 최근 연구에서는 자궁경수술의 합병증은 1.7%에 불과하였으며 수술 후 임신율이 60%, 생아 출생률이 45%로 안전하고 효과적인 치료방법이라고 보고하였다(Nouri et al., 2010).

수술방법은 선천성 자궁기형의 종류에 따라 다르며 수술적 교정의 적응증도 명확하지는 않으므로 수술적 치료의 장단점을 충분히 평가하여 결정하여야 한다. 중격자궁의 경우에는 35세 이상, 불임 기간이 길었던 환자, 다른 수술적 치료가 필요한 환자와 체외수정으로 인한 다태아임신과 유산의 위험성이 높은 경우에 자궁경하 중격제거술을 고려해야 한다.

(2) 자궁근종(myoma)

자궁근종이 불임을 초래하는 기전은 확실하지 않으나 자궁수축력(uterine contractility)의 변화, 생식세포 이식(gamete transfer) 부전, 자궁내막기능장애(endometrial dysfunction)와 관련이 있다. 자궁근종의 크기와 위치에 따라 임신에 미치는 영향이 다르게 나타난다. 장막하 자궁근종(subserosal myoma)은 임신과 산과적 결과에 비교적 영향을 미치지 않는 것으로 보이나 벽내형(intramural), 또는 특히 점막하(submucosal) 자궁근종은 착상률, 생아 출생률 감소와 연관성이 있다.

장막하 자궁근종은 임신 결과에 영향이 없는 반면, 벽내형 자궁근종은 체외수정 성공률을 20-40% 감소시킬 수 있고 점막하형인 경우에는 70%까지 낮아진다. 유산의 위험도 점막하 자궁근종은 3배 이상 증가하지만 벽내형에서는 그 절반 이상 정도이다.

임신을 위해 자궁근종의 치료가 필요한 환자에서 우선적 처치는 근종절제술이며 자궁동맥색전술(uterine artery embolization)은 적합하지 않다. 자궁내강의 변형을 일으키는 벽내형, 점막하 자궁근종을 절제하는 것은 적절한 불임 치료에 해당되지만 자궁내강의 변형을 일으키지 않는 벽내형 자궁근종이 있는 경우에도 수술적 절제가 유용한지에 대해서는 잘 알려져 있지 않다. 따라서 자궁근종이 있는 불임환자에서 근종을 제거하지 않고 임신을 시도해 볼 것인지 아니면 수술적 치료로 자궁근종절제술을 먼저 할 것인지에 대하여는 아직 논란의 여지가 있다.

자궁근종절제술을 시행하는 방법에는 개복술, 복강경 및 로봇 수술과 점막하 자궁근종의 절제에 이용할 수 있는 자궁경 수술이 있다. 수술을 결정하기 이전에, 자궁경을 이용한 자궁근종절제술시에 발생할 수 있는 체액과부하(fluid overload), 자궁천공, 출혈, 주변장기손상과 같은 합병증의 위험을 고려하여야 한다. 자궁근종절제술을 시행하는 경우에는 수술 후에 발생할 수 있는 유착이 임신율을 감소시킬 수 있으며, 분만시에 드물지만 발생 가능한 치명적 합병증인 자궁파열을 예방하기 위해 일반적으로 제왕절개술이 필요하다는 제한점도 있다.

자궁근종을 가지고 있는 불임 여성에서 자궁근종절제술 시행여부를 결정하는 것은 어려운 문제이며 근종절제술의 위험도와 이점을 신중하게 고려해야 한다. 자궁근종의 크기, 개수, 위치뿐 아니라 환자의 나이, 불임기간, 난소예비력(ovarian reserve), 다른 불임 요인 등을 충분히 고려하여 결정해야 한다. 성공적인 근종절제술을 시행하기 위하여서는 수술이 필요한 환자를 정확하게 선택하고 경험이 풍부한 집도의가 적합한 수술방법을 결정해야 하며 자궁근종을 절제하여 손상된 자궁벽을 정교하게 봉합을 하는 것과 복강내 및 자궁주위 유착의 발생을 최소화할 수 있는 것이 수술 후 불임과 임신 시 발생할 수 있는 후유증을 줄일 수 있는 방법이다.

자궁근종절제술은 기존의 개복술로부터 복강경수술을 거쳐 로봇수술에 이르기까지 지속적으로 발전을 거듭하여 최근에는 로봇 단일공법 자궁근종절제술의 임상결과가 보고되고 있다(Choi et al., 2017).

(3) 자궁내유착(Intrauterine adhesion)

자궁내유착은 자궁내막 기저층의 손상으로 아셔만증후군(Asherman's syndrome)이라고도 한다. 자궁경을 이용한 유착박리가 가장 적합한 치료이며 수술 후 임신에 대한 예후는 수술 전 자궁내유착의 정도에 따라 다르나 결핵으로 인한 자궁내유착을 제외하면 성공률이 높은 편이다. 수술 후에 다시 발생하는 유착을 방지하기 위해 4주 동안 에스트로겐을 투여하고 1-2주 동안은 자궁내장치나 폴리도뇨관을 거치해둔다. 결합에스트로겐(conjugated estrogen) 2.5-5 mg 또는 에스트라디올 발러레이트(estradiol valerate) 2 mg을 매일 투여하고 마지막 4주째에는 프로게스틴을 추가로 복용하여 출혈을 유도한다.

수술적 치료 후 결과는 월경 재개 후에 자궁난관조영술(hysterosalpingogram)이나 생리식염수 주입하 초음파검사(saline sonohysterography) 또는 외래 진단적 자궁경검사(office diagnostic hysteroscopy)로 확인할 수 있으며, 성공적인 수술 시행 후 임신 및 출산율은 25-75%로 보고된다(Zikopoulos et al., 2004).

(4) 자궁내막용종(endometrial polyp)

증상이 없는 자궁내막용종이 불임 환자의 6-8%, 많게는 32%까지 보고되고 있다(Fatemi et al., 2010; Karayalcin et al., 2010). 비만, 에스트로겐 단독 노출, 다낭성난소증후군이 위험인자이며 자궁내막용종이 불임을 일으키는 기전은 명확하지 밝혀지지 않았으나 자궁내막수용성장애(disordered endometrial receptivity)와 관련이 있을 수 있다.

불임 치료 전에 자궁내막용종절제술을 시행하는 효과에 대한 기전이 확실하게 알려져 있지는 않지만 인공수정을 하기 전에 자궁내막용종절제술을 시행한 여성에서 임신율이 2.1배 높았다는 무작위 전향적 연구가 있었다(Lieng et al., 2010; Perez-Medina et al., 2005). 자궁내막용종은 골반초음파검사와 자궁난관조영술로 확인할 수 있으며 자궁소파술로 제거가 가능한 경우도 있고 자궁경을 이용하여 보다 완전하게 제거할 수 있다. 자궁경수술은 비교적 간단하고 환자가 쉽게 시행받을 수 있는 치료로 체외수정 시술 이전에 시행하여 불임 치료의 결과를 향상시킬 수 있을 것으로 기대된다. 하지만 자궁내막용종, 점막하 자궁근종, 중격자궁, 자궁내유착이 있는 난임(subfertile) 여성에서도 자궁경수술의 이점을 증명할만한 증거가 충분하지 않으므로 더 많은 무작위대조시험(randomized controlled trial)이 필요하다(Bosteels et al., 2010).

최근 불임환자에서 용종절제술이 생식능력을 향상시킬 수도 있다는 근거가 제시되면서 용종의 크기, 증상 등을 고려한 개별적 환자 맞춤식 접근으로 수술적 치료 여부를 결정하도록 권고한다(Afifi et al., 2010).

3) 난소요인으로 인한 불임증의 수술적 치료

(1) 자궁내막증

경증, 중등도의 자궁내막증이 있는 불임증에서는 수술적 치료로 자궁내막증조직을 제거함으로써 염증을 감소시켜

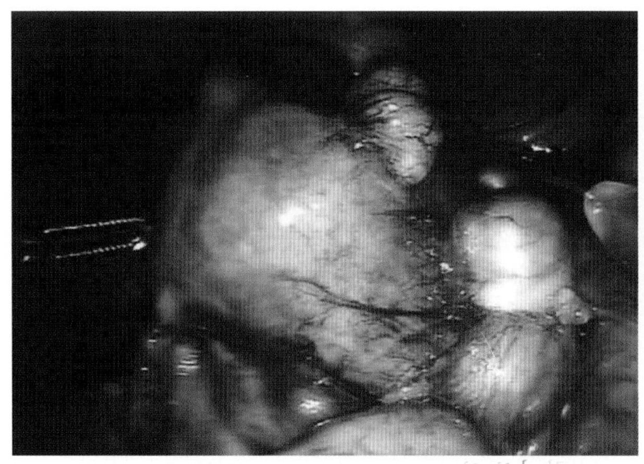
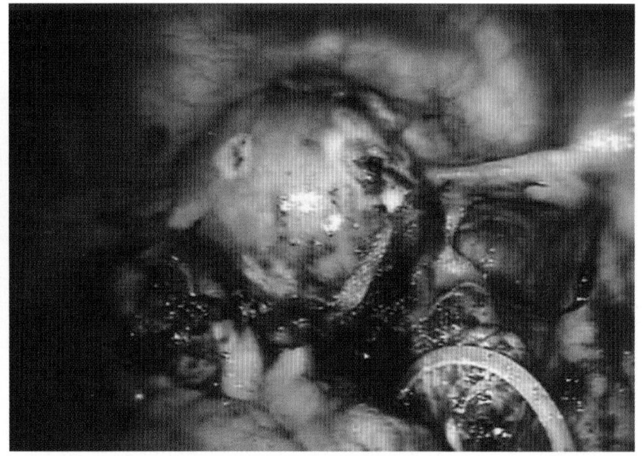

그림 22-14. **Figo 분류 2-6에 해당하는 다발성 자궁근종과 양측 자궁내막종, 골반내 유착이 동반된 AFS 4기 자궁내막증 소견을 보이는 불임 환자에서 로봇수술로 정상 해부학적 구조를 복원한 후 자연임신되어 만삭에 건강아를 출산한 36세 여성의 수술 전 후 사진**

임신율을 높일 수 있다(Jacobson et al., 2002). 난소의 자궁내막종을 절제한 후에 생식샘자극호르몬 치료반응이 향상되고 수술 후 1-3년 동안 누적임신율이 50% 증가하였다(Pfeifer et al., 2012). 중증의 자궁내막증에서는 유착박리술을 포함한 수술적 치료 후에 정상 해부학적 구조를 복원함으로써 불임증에 대한 치료효과를 입증하였다(Bianchi et al., 2009). 단, 수술 후에 발생할 수 있는 난소예비력 감소의 위험성을 고려하여 임신을 위한 수술적 치료가 타당한지 신중하게 결정해야 한다.

최근에는 수술 상처는 최소화하고 수술의 효과는 높이기 위한 로봇 단일공법 수술도 적용되고 있다(Moon et al., 2018)

(2) 다낭성난소증후군

레이저나 전기소작술을 이용한 투열법(diathermy) 또는 천공술(drilling)은 다낭성난소증후군 난소에서 안드로겐을 합성하는 조직을 제거하여 자연배란을 유도할 수도 있으므로 배란유도제에 반응이 없는 불임환자에서 차선책으로 선택할 수 있는 수술적 치료방법이다(Farquhar et al., 2012). 반면 수술로 인해 골반내유착이나 난소예비력 감소가 초래될 수도 있다(Amer et al., 2017).

참고문헌

- 김정훈, 채희동, 강은희, 추형식, 강병문, 장윤석. 다낭성난소증후군 환자들에서 배란유도시 성장억제 호르몬 유사체가 난소반응에 미치는 영향. 대한산부회지 1999;42:496-503.
- 남성과학회. 남성과학. 파주: 군자출판사; 2008.
- 남성과학회. 남성과학. 10대 질환의 최신 길라잡이. 파주: 군자출판사; 2008.
- 대한비뇨기과학회. 비뇨기과학. 제4판: 일조각; 2007.
- 이향아, 김정훈, 최정원, 박선정, 이수정, 최은선 등. 다낭성난소증후군 환자에서 pioglitazone이 인슐린 민감도, 난소 기능, 난소 기질 내 혈류에 미치는 영향. 대한불임학회지 2005;32:155-64.
- 전균호, 김정훈, 김소라, 김성훈, 채희동, 강병문. 다낭성난소증후군 환자에서 체질량지수가 체외수정시술에 미치는 영향. 대한산부회지 2009;52:75-81.
- 조윤경, 김정훈, 목정은. 중증 난소과자극증후군의 고위험군에서 예방적 albumin 정맥주사요법의 효과. 대한산부회지 1996;39:355-64.
- 최정원, 김정훈, 이향아, 홍석호, 나희영, 이영진 등. 체외수정시술을 받는 다낭성난소증후군 환자들에서 GnRH antagonist를 이용한 과배란유도의 효용성. 대한산부학회지 2005;48:716-25.
- Accunzo G, Guida M, Pellicano M, Tommaselli G, DiSpiezio SA. Bifulco Gea. Effectiveness of auto-cross-linked hyaluronic acid gel in the prevention of intrauterine adhesions after hysteroscopic adhesiolysis: a prospective randomized, controlled study. Hum Reprod 2003;18:1918-21.
- Afifi K, Anand S, Nallapeta S, Gelbaya TA. Management of endometrial polyps in subfertile women: a systematic review, Eur J Obstet Gynecol Reprod Biol 2010;151:117.
- Al-Omari WR, Sulaiman WR, Al-Hadithi N. Comparison of

two aromatase inhibitors in women with clomiphene-resistanpolycystic ovary syndrome. Int J Gynaecol Obstet 2004;85:289-91.
- Álvarez C, Bonmatí LM, Maestre EN, Sanz R, Gómez R, Sánchez MF, et al. Dopamine Agonist Cabergoline Reduces Hemoconcentration and Ascites in Hyperstimulated Women Undergoing Assisted Reproduction. J Clin Endocrinol Metab 2007;92:2931-7.
- Amer SA, Shamy TT, James C, Yosef AH, Mohamed AA. The impact of laparoscopic ovarian drilling on AMH and ovarian reserve: a meta-analysis, Reproduction 2017;154:R13.
- Armanini D, Karbowiak I, Goi A, Mantero F, Funder JW. Invivo metabolites of spironolactone and potassium canrenoate: determination of potential anti-androgenic activity by a mouse kidney cytosol receptor assay. Clin Endocrinol 1985;23:341-7.
- Ashkena, J Dicker D, Feldberg D, et al. The impact of spermatic vein ligation on the male factor in in vitro fertilization-embryo transfer and its relation to testosterone levels before and after operation. Fertil Steril 1989;51:471-4.
- Aref NK, Ahmed WA, Ahmed MR, Sedik WF. A new look at low-dose aspirin: Co-administration with tamoxifen in ovulation induction in anovulatory PCOS women, J Gynecol Obstet Human, 2019;48:673-5.
- Atassi O, Kass EJ, Steinert BW. Testicular growth after successful varicocele correction in adolescents: comparison of artery sparing techniques with the Palomo procedure. J Urol 1995;153:482-3.
- Attia GR, Rainey WE, Carr BR. Metformin directly inhibits androgen production in human thecal cells. Fertil Steril 2001;76:517-24.
- Auffret M, Cottin J, Vial T, Cucherata M. Clomiphene citrate and neural tube defects: a meta-analysis of controlled observational studies, Br J Obstet Gynaecol 2019;126:1127-33.
- Azziz R, Ehrmann D, Legro RS, Whitcomb RW, Hanley R, Fereshetian AG, et al. Troglitazone improves ovulation and hirsutism in the polycystic ovary syndrome: a multicenter, double- blind, placebo-controlled trial. J Clin Endocrinol Metab 2001;86:1626-32.
- Badawy A, Shokeir T, Allam AF, Abdelhady H. Pregnancy outcome after ovulation induction with aromatase inhibitors or clomiphene citrate in unexplained infertility. Acta Obstet Gynecol Scand 2009;88:187-91.
- Balasch J. Gonadotrophin ovarian stimulation and intrauterine insemination for unexplained infertility. Reprod BioMed Online 2004;9:664-72.
- Bancsi LF, Broekmans FJ, Looman CW, Habbema JD, te Velde ER. Impact of repeated antral follicle counts on the prediction of poor ovarian response in women undergoing in vitro fertilization. Fertil Steril 2004;81:35-41.
- Bankowski BJ, Zacur HA. Dopamine agonist therapy for hyperprolactinemia. Clin Obstet Gynecol 2003;46:349-62.
- Barbieri RL, Smith S, Ryan KJ. The role of hyperinsulinemia in the pathogenesis of ovarian hyperandrogenism. Fertil Steril 1988;50:197-212.
- Barwell R: One hundred cases of varicocele treated by the subcutaneous wire loop. Lancet 1885, 1978.
- Beinart C, Sniderman KW, Tamura S, Vaughan ED, Sos TA: Left renal vein to inferior vena cava pressure relationship in humans. J Urol 1982;127:1070-1.
- Bennett WH: Varicocele, particularly with reference to its radical cure. Lancet 1889;1:261.
- Bianchi PH, Pereira RM, Zanatta A, Alegretti JR, Motta EL, Serafini PC. Extensive excision of deep infiltrative endometriosis before in vitro fertilization significantly improves pregnancy rates, J Minim Invasive Gynecol 2009;16:174.
- Brown J, Farquhar C. Clomiphene and other antioestrogens for ovulation induction in polycystic ovarian syndrome, Cochrane Database of Syst Rev 2016;12:CD002249.
- Bosteels J, Weyers S, Puttemans P, Panayotidis C, Van Herendael B, Gomel V, et al. The effectiveness of hysteroscopy in improving pregnancy rates in subfertile women without other gynaecological symptoms: a systematic review. Hum Reprod Update 2010;16:1-11.
- Caillet M, Vandromme J, Rozenberg S, Paesmans M, Germay O, Degueldre M. Robotically assisted laparoscopic microsurgical tubal reanastomosis: a retrospective study. Fertil Steril 2010;94:1844-7.
- Cameron DF, Snydle FE, Ross MH, Drylie DM: Ultrastructural alterations in the adluminal testicular compartment in men with varicocele. Fertil Steril 1980;33:526-33.
- Canis M, Mage G, Pouly JL, Manhes H, Wattiez A, Bruhat MA. Laparoscopic distal tuboplasty: report of 87 cases and a 4-year experience, Fertil Steril 1991;56:616-21.
- Cha SH, Lee MH, Kim JH, Lee CN, Yoon TK, Cha KY. Fertility outcome after tubal anastomosis by laparoscopy and laparotomy. J Am Assoc Gynecol Laparosc 2001;8:348-52.
- Choi EJ, Rho AM, Lee SR, Jeong K, Moon HS. Robotic single-site Myomectomy: Clinical Analysis of 61 Consecutive Cases. J Minim Invasive Gynecol 2017;24:632-9.
- Ciccarelli E, Giusti M, Miola C, Potenzoni F, Sghedoni D, Camanni F, et al. Effectiveness and tolerability of long term treatment with cabergoline, a new long-lasting ergoline derivative, in hyperprolactinemic patients. J Clin Endocrinol Metab 1989;69:725-8.
- Cockett ATK, Urry RL, Dougherty KA: The varicooocele and

semen characteristics. J Urol 1979;121:435.
- Coetzee EJ, Jackson WP. Metformin in management of pregnant insulin-independent diabetics. Diabetologia 1979;16:241-5.
- Comhaire F, Monteyne R, Kunnen: The value of scrotal thermography as compared with selective retrograde venography of the internal spermatic vein for the diagnosis "subclinical" varicocele. Fertil Steril 1976;27:694-8.
- Comhaire F, Vermeulen A: Plasma testosterone in patients with varicocele and sexual inadequancy. J Clin Endocrinol Metab1975;40:824-9.
- Committee for Assisted Reproductive Technology, Current status of assisted reproductive technology in Korea, 2009. Obstet Gynecol Sci 2013;56:353-61.
- Coolsaet BL: The varicocele syndrome:venography determining the optimal level for surgical management. J Urol 1980;124:833-9.
- Costello MF, Misso ML, Wong J. The treatment of infertility in polycystic ovary syndrome: a brief update. Aust N Z J Obstet Gynaecol 2012;52:400-3.
- Creanga A, Bradley H, McCormick C, Witkop CT. Use of metformin in polycystic ovary syndrome: a meta-analysis. Obstet Gynecol 2008;111:959-68.
- Crowley WF Jr, McArthur JW. Stimulation of the normal menstrual cycle in Kallmann's syndrome by pulsatile administration of luteinizing hormone-releasing hormone (LHRH). J Clin Endocrinol Metab 1980;51:173-5.
- Cvitanic OA, Cronan JJ, Sigman M, Landau ST: Varicoceles: postoperative prevalence-a prospective study with color Doppler US. Radiology 1993;187:711-4.
- Das K, Nagel TC, Malo JW. Hysteroscopic cannulation for proximal tubal occlusion: a change for the better? Fertil Steril 1995;63:1009-15.
- Donnez J, Jadoul P. What are the implications of myomas on fertility? A need for a debate? Hum Reprod 2002;17:1424-30.
- Donnez J, Nisolle M. Hysteroscopic adheisolysis of intrauterine adhesions (Asherman syndrome). In: Donnez J, editor. Atlas of Laser Operative Laparoscopy and Hysteroscopy. London, England: Parthenon Publishing Group; 1994. p.305-22.
- Dubuisson JB, Bouquet de Joliniere J, Aubriot FX, Darai E, Foulot H, Mandelbrot L. Terminal tuboplasties by laparoscopy: 65 consecutive cases. Fertil Steril 1990;54:401-3.
- Dubin L, Amelar RD. Varicocelectomy: 986 cases in a 12 year study. Urology 1977;10:446-9.
- Dubin L, Hotchkiss RS: Testis biopsy in subfertile men with varicocele. Fertil Steril 1969;20:50-7.
- Dunaif A, Scott D, Finegood D, Quintana B, Whitcomb R. The insulin-sensitizing agent troglitazone improves metabolic and reproductive abnormalities in the polycystic ovary syndrome. J Clin Endocrinol Metab 1996;81:3299-306.
- Dunaif A, Segal KR, Shelley DR, Green G, Dobrjansky A, Licholai T. Evidence for distinctive and intrinsic defects in insulin action in polycystic ovary syndrome. Diabetes 1992;41:1257-66.
- Dunaif A. Hyperandrogenic anovulation (PCOS): a unique disorder of insulin action associated with an increased risk of non-insulin dependent diabetes mellitus. Am J Med 1995;98:33S.
- Ehrmann DA, Cavaghan MK, Imperial J, Sturis J, Rosenfield RL, Polonsky KS. Effects of metformin on insulin secretion, insulin action, and ovarian steroidogenesis in women with polycystic ovary syndrome. J Clin Endocrinol Metab 1997;82:524-30.
- Esposito MA, Coutifaris C, Barnhart KT. A moderately elevated day 3 FSH concentration has limited predictive value, especially in younger women. Hum Reprod 2002;17:118-23.
- Evers JL, Slaats P, Land JA, Dumoulin JC, Dunselman GA. Elevated levels of basal estradiol-17beta predict poor response in patients with normal basal levels of folliclestimulating hormone undergoing in vitro fertilization. Fertil Steril 1998;69:1010-4.
- Factor SA. Dopamine agonists. Med Clin North Am. Mar 1999;83:415-43.
- Farquhar C, Brown J, Marjoribanks J. Laparoscopic drilling by diathermy or laser for ovulation induction in anovulatory polycystic ovary syndrome, Cochrane Database Syst Rev 2012;6:CD001122.
- Fatemi HM, Kasius JC, Timmermans A, van Disseldorp J, Fauser BC, Devroey P, et al. Prevalence of unsuspected uterine cavity abnormalities diagnosed by office hysteroscopy prior to in vitro fertilization. Hum Reprod 2010;25:1959-65.
- Feinberg EC, Levens ED, DeCherney AH. Infertility surgery is dead: only the obituary remains? Fertil Steril 2008;89:232-6.
- Ferraretti AP, Goossens V, Kupka M, Bhattacharya S, de Mouzon J, Castilla JA, et al. European IVF-Monitoring (EIM) Consortium for the European Society of Human Reproduction and Embryology (ESHRE). Assisted reproductive technology in Europe, 2009: results generated from European registers by ESHRE. Hum Reprod 2013;28:2318-31.
- Ferrari C, Barbieri C, Caldara R, Mucci M, Codecasa F, Paracchi A, et al. Long-lasting prolactin-lowering effect of cabergoline, a new dopamine agonist, in hyperprolactinemic patients. J Clin Endocrinol Metab 1986;63:941-5.
- Fiad TM, Cunningham SK, McKenna TJ. Role of progesterone deficiency in the development of luteinizing hormone and androgen abnormalities in polycystic ovary syndrome. Eur J

Endocrinol 1996;135:335-9.
- Fisher SA, Reid RL, Van Vugt DA, Casper R. A randomized double-blind comparison of the effects of clomiphene citrate and the aromatase inhibitor letrozole on ovulatory function in normal women. Fertil Steril 2002;78:280-5.
- Flood JT, Grow DR. Transcervical tubal cannulation: a review. Obstet Gynecol Surv 1993;48:768-76.
- Franks S, Gilling-Smith C, Watson H, Willis D. Insulin action in the normal and polycystic ovary. Endocrinol Metab Clin North Am 1999;28:361-78.
- Fujimoto VY, Clifton DK, Cohen NL, Soules MR. Variability of serum prolactin and progesterone levels in normal women: the relevance of single hormone measurements in the clinical setting. Obstet Gynecol 1990;76:71-8.
- Fulghesu AM, Clampelli M, Muzi G, Belosi C, Selvaggi L, Ayala GF, et al. N-Acetyl-cysteine treatment improves insulin sensitivity in women with polycystic ovary syndrome. Fertil Steril 2002;77:1128-35.
- Glass SJ, Holland HM. Treatment of oligospermia with large doses of human chorionic gonadotropin. Fertil Steril 1963;14:500-6.
- Glazener CM, Ford WC, Hull MG. The prognostic power of the post-coital test for natural conception depends on duration of infertility. Hum Reprod 2000;15:1953-7.
- Gnoth C, Schuring AN, Friol K, Tigges J, Mallmann P, Godehardt E. Relevance of anti-Mullerian hormone measurement in a routine IVF program. Human Reproduction 2008;23:1359-65.
- Goldstein M, Eid J-F. Elevation of intratesticular and scrotal skin surface temperature in men with varicocele. J Urol 1989;142:743-5.
- Goldstein M, Gilbert BR, Dicker AP, Dwosh J, Gnecco C. Microsurgical inguinal varicocelectomy with delivery of the testis: an artery and lymphatic sparing technique. J Urol 1992;148:1808-11.
- Goldstein M. Microsoike approximator for vaso-vasostomy. J Urol 1985;134:74.
- Goldstein M. Simultaneous microsurgical vasovasostomy and varicocelectomy: Caveat emptor. Presented before the 51st Annual Meeting of the American Society of Reproductive Medicine, 1995.
- Gomel V. Reversal of tubal sterilization versus IVF in the era of assisted reproductive technology: a clinical dilemma. Reprod Biomed Online 2007;15:403-7.
- Grimbizis GF, Camus M, Tarlatzis BC, Bontis JN, Devroey P. Clinical implications of uteirne malformations and hysteroscopic treatment results. Hum Reprod Update 2001;7:161-74.
- Guida M, Acunzo G, SardoADS, et al. Effectiveness of autocross-linked hyaluronic acid gel in the prevention of intrauterine adhesions after hysteroscopic surgery: a prospective, randomized, controlled study. Hum Reprod 2004;19:1461-4.
- Gysler M, March CM, Mishell DR Jr, Bailey EJ. A decade's experience with an individualized clomiphene treatment regimen including its effects on the postcoital test. Fertil Steril 1982;37:161-72.
- Hafzi L, Amirian M, Davoudi Y, Jaafari M, Ghasemi G. Comparison of Laparoscopic Ovarian Drilling Success between Two Standard and Dose-Adjusted Methods in Polycystic Ovary Syndrome: A Randomized Clinical Trial, Int J Fertil Steril 2020;13:282-8.
- Hakim LS, Oates RD. Nonsurgical treatment of male infertility: Specific Therapy. In: Lipshultz LI, Howards SS, editors. Infertility in the Male 3rd ed, St. Louis: Mosby; 1997. p.395-409.
- Harrison RM, Lewis RW, Roberts JA: Pathophysiology of varicocele in nonhuman primates: long-term seminal and testicular changes. Fertil Steril 1986;46:500-10.
- Heiner JS, Greendale GA, Kawakami AK, Lapolt PS, Fisher M, Young D, et al. Comparison of a godadotropin-releasing hormone agonist and a low dose oral contraceptive given alone or together in the treatment of hirsutism. J Clin Endocrinol Metab 1995;80:3412-8.
- Heinz HA, Voggenthaler J, Weissbach L: Histological findings in testes with varicocele during childhood and their therapeutic consequences. Eur J Pediatr 1980;133:139-46.
- Heller CG, Nelson WO, Hill IB. Improvement in spermatogenesis following depression of the human testis with testosterone. Fertil Steril 1950;1:415-22.
- Henderson SR. The reversibility of female sterilization with the use of microsurgery: a report on 102 patients with more than one year of follow-up. Am J Obstet Gynecol 1984;149:57-65.
- Hendriks DJ, Mol BW, Bancsi LF, te Velde ER, Broekmans FJ. The clomiphene citrate challenge test for the prediction of poor ovarian response and nonpregnancy in patients undergoing in vitro fertilization: a systematic review. Fertil Steril 2006;86:807-18.
- Homburg R, Levy T, Berkovitz D. Gonadotropin-releasing hormone agonist reduces the miscarriage rate for pregnancies achieved in women with polycystic ovary syndrome. Fertil Steril 1993;59:527-31.
- Homer HA, Li TC, Cooke ID. The septate uterus: a review of management and reproductive outcome, Fertil Steril 2000;73:1-14.
- Honore GM, Holden AEC, Schenhen RS. Pathophysiology and management of proximal tubal blockage, Fertil Steril 1999;

71:785-95.

- Hsiao W, Stahl PJ, Osterberg EC, Nejat E, Palermo GD, Rosenwaks Z, et al. Successful treatment of postchemotherapy azoospermia with microsurgical testicular sperm extraction: the Weill Cornell experience. J Clin Oncol 2011;29:1607-11.
- Huber-Buchholz MM, Carey DG, Norman RJ. Restoration of reproductive potential by lifestyle modification in obese polycystic ovary syndrome: role of insulin sensitivity and luteinizing hormone. J Clin Endocrinol Metab 1999:84:1470-4.
- Infertility Workup for the Women's Health Specialist: ACOG Committee Opinion, Number 781. Obstet Gynecol 2019;133: e377-e384.
- Isikoglu, M., Berkkanoglu, M., Senturk, Z., Coetzee, K., Ozgur, K. Endometrial polyps smaller than 1.5 cm do not affect ICSI outcome. Reproductive biomedicine online 2006;12: 199-204.
- Ismail AM, Hamed AH, Saso S, Thabet HH. Adding L-carnitine to clomiphene resistant PCOS women improves the quality of ovulation and the pregnancy rate. A randomized clinical trial, Eur J Obstet Gynecol Reprod Biol 2014;180:148-52.
- Jacobson TZ, Barlow DH, Koninckx PR, Olive D, Farquhar C. Laparoscopic surgery for subfertility associated with endometriosis, Cochrane Database Syst Rev 2010;1:CD001398.
- Jakubowicz DJ, Seppala M, Jakubowicz S, Rodriguez-Armas O, Rivas-Santiago A, Koistinen H, et al. Insulin reduction with metformin increases luteal phase serum glycodelin and insulin-like growth factor-binding protein 1 concentrations and enhances uterine vascularity and blood flow in the polycystic ovary syndrome. J Clin Endocrinol Metab 2001;86:1126-33.
- Jay YG, John TG, Stuart SH, Michael EM. Adult and pediatric urology, 4th, ed. Philadelphia; Lippincott Williams & Wilkins: 2001. p.1721-33.
- Jayaprakasan, K., Campbell, B., Hopkisson, J., Johnson, I. & Raine-Fenning, N. A prospective, comparative analysis of anti-Mullerian hormone, inhibin-B, and three-dimensional ultrasound determinants of ovarian reserve in the prediction of poor response to controlled ovarian stimulation. Fertil Steril 2010;93:855-64.
- Johnsen SG, Agger P: Quantitative evaluation of testicular biopsies before and after operation for varicocele. Fertil Steril 1987;29:58-63.
- Johnson N, van Voorst S, Sowter MC, Strandell A, Mol BW. Surgical treatment for tubal disease in women due to undergo in vitro fertilisation. Cochrane Database Syst Rev 2010;20: CD002125.
- Johnson N, van Voorst S, Sowter MC, Strandell A, Mol BW. Tubal surgery before IVF. Hum Reprod Update 2011;17:3.
- Kashyap S, Wells GA, Rosenwaks Z. Insulin-sensitizing agents as primary therapy for patients with polycystic ovarian syndrome. Hum Reprod 2004;19:2474-83.
- Karayalcin R, Ozcan S, Moraloglu O, Ozyer S, Mollamahmutoglu L, Bat ı oglu S. Results of 2500 office-based diagnostic hysteroscopies before IVF. Reprod Biomed Online 2010;20: 689-93.
- Kass EJ, Belman AB: Reversal of testicular growth failure by varicocele ligation. J Urol 1987;137:475-6.
- Kass EJ, Chandra RS, Belman AB: Testicular histology in the adolescent with a varicocele. Pediatrics 1987;79:996-8.
- Kass EJ, Freitas JE, Bour JB: Adolescent varicocele. Objective indications for treatment. J Urol 1989;142:578-82.
- Kazerooni T, Ghaffarpasand F, Kazerooni Y, Kazerooni M, Setoodeh S. Short-term metformin treatment for clomipheneresistant women with polycystic ovary syndrome. Int J Gynaecol Obstet 2009;107:50-3.
- Kim, MR., Kim, YA., Jo, MY., Hwang, KJ. Ryu, HS. High frequency of endometrial polyps in endometriosis. The Journal of the American Association of Gynecologic Laparoscopists 2003;10:46-8.
- Kim CH, Hong SH, Nah HY, Kim SH. Chae HD. Kang BM. Effects of rosiglitazone on ovarian stromal blood flow, ovarian stimulation and outcome in patients with polycystic ovary syndrome undergoing in vitro fertilization. Hum Reprod 2003;18(S1):172.
- Kim CH, Jeon GH, Kim SR, Kim SH, Chae HD, Kang BM. Effects of pioglitazone on ovarian stromal blood flow, ovarian stimulation, and in vitro fertilization outcome in patients with polycystic ovary syndrome. Fertil Steril 2010;94:236-41.
- Kim CH, Lee SR, Koo YH, Lee HA, Lee YJ, Jeon IK, et al. Nacetyl-cysteine treatment improves insulin sensitivity, ovarian response to gonadotropin and IVF outcome in patients with polycystic ovary syndrome. Hum Reprod 2006;21(S1):178.
- Kim ED, Lipshultz LI, Howards SS. Male infertilty. In Gillenwater JY, Greyhack JT, Howards SS, Mitchell ME, editors. Adult and Pediatric Urology Philadelphia: Lippincott Williams & Wilkins. 1683-757.
- Klatsky P, Tran N, Caughey A, et al. Fibroids and reproductive outcomes: a systematic review from conception to delivery. Am J Obstet Gynecol 2008;198:357-66.
- Lainas GT, Kolibianakis EM, Sfontouris LA, Zorzovilis LZ, Petsas GK, Tarlatzi TB, et al. Outpatient management of severe early OHSS by administration of GnRH antagonist in the luteal phase: an observational cohort study, Reprod Biol Endocrin 2012;10:69-79.
- La Marca A, Sighinolfi G, Radi D, Argento C, Baraldi E, Artenisio AC, et al. Anti-mullerian hormone (AMH) as a

predictive marker in assisted reproductive technology (ART). Lanzone A, Fulghesu AM, Andreani CL, Apa R, Fortini A, Caruso A, et al. Insulin secretion in polycystic ovarian disease: effect of ovarian suppression by GnRH agonist. Hum Reprod 1990;5:143-9.
- Lass, A., Williams, G., Abusheikha, N., & Brinsden, P. The effect of endometrial polyps on outcomes of in vitro fertilization (IVF) cycles. Journal of assisted reproduction and genetics 1999;16;410-5.
- Laven JS, Haans LC, Mali WP, et al. Effects of caricocele treatment in adolescents: A randommized study. Fertil Steril 1992;58:756-62.
- Lee D, Kim SJ, Hong YH, Kim SK, Jee BC. Gonadotropin releasing hormone antagonist administration for treatment of early type severe ovarian hyperstimulation syndrome: a case series, Obstet Gynecol Sci 2017;60:449-54.
- Lee HS, Seo JT. Advences in surgical treatment of male infertility. World J Mens Health 2012;30:108-13.
- Lee JR, Kim SH, Jee BC, Suh CS, Kim KC, Moon SY. Antimullerian hormone as a predictor of controlled ovarian hyperstimulation outcome: comparison of two commercial immunoassay kits. Fertil Steril 2011;95:2602-4.
- Lee JS, Park HJ, Seo JT. What is the indication of varicocelectomy in men with nonobstructive azoospermia? Urology 2007;69:352-5.
- Legro RS, Barnhart HX, Schlaff WD,Carr BR, Diamond MP, Carson SA, et al. Clomiphene, metformin, or both for infertility in the polycystic ovary syndrome. N Engl J Med 2007; 356:551-66.
- Legro RS, Brzyski RG, Diamond MP, Coutifaris C, Schlaff WD, Casson P, et al. Letrozole versus clomiphene for infertility in the polycystic ovary syndrome. N Engl J Med 2014;371:119-29.
- Lindheim SR, Kavic S, Shulman SV, Sauer MV. Operative hysteroscopy in the office setting. J Am Assoc Gynecol Laparosc 2000;27:65-9.
- Lieng M., Istre O., & Qvigstad E. Treatment of endometrial polyps: a systematic review. Acta obstetricia et gynecologica Scandinavica 2010;89;992-1002.
- Lipshultz LI. Corriere JN: Progressive testicular atrophy in the varicocele patient. J Urol 1977;117:175-6.
- Lyon RP, Marshall S. Scott MP: Varicocele in childhood and adolescence: implication in adulthood infertility. Urology 1982;58:756-62.
- Lytton B, Mroueh A. Treatment of oligospermia with urinary human menopausal gonadotropin: A preliminary report. Fertil Steril 1966;17:696-700.
- Makris N, Kalmantis K, Skartados N, Papadimitriou A, Mantzaris G, Antsaklis A. Three-dimensional hysterosonography versus hysteroscopy for the detection of intracavitary uterine abnormalities. Int J Gynecol Obstet 2007;97:6-9.
- Matthews GJ, Schlegel PN, Goldstein M. Patency following microsurgical vasoepididymostomy and vasovasostomy: Temporal consideration. J Urol 1995;154:2070-3.
- Marana R, Quagliarello J. Distal tubal occlusion: microsurgery versus in vitro fertilization-a review. Int J Fertil 1988;33:107-15.
- Marana R, Quagliarello J. Proximal tubal occlusion: microsurgery versus IVF-a review. Int J Fertil 1988;33:338-40.
- Maruyama T, Miyazaki K, Uchida H, Uchida S, Masuda H, Yoshimura Y. Achievement of pregnancies in women with primary ovarian insuffciency using close monitoring of follicle development: case reports, Endocr J 2013;60:791-7.
- Mastrominas M, Pistofidis GA, Dimitropoulos K. Fertility Outcome after Outpatient Hysteroscopic Removal of Endometrial Polyps and Submucous Fibroids. J Am Assoc Gynecol Laparosc 1996;3:S29.
- McClure RD. Male Infertility: Male infertility. In Tanagho EA, McAninch JW, editors. Smith's General Urology 14th ed, Norwalk: Appleton & Lange; 1995. p.745-71.
- McIlveen M, Skull JD, Ledger WL. Evaluation of the utility of multiple endocrine and ultrasound measures of ovarian reserve in the prediction of cycle cancellation in a high-risk IVF population. Hum Reprod 2007;22:778-85.
- Meisel ME, Velde ER, Habbema JD, Kardaun JW. Predicting the pregnancy outcome in patients treated for hydrosalpinx: a prospective study. Fertil Steril 1986;45:23-9.
- Mellinger RC, Thomson RJ. The effect of clomiphen citrate in male infertility. Fertil Steril 1966;17:94-103.
- Mitwally MF, Casper RF. Aromatase inhibition for ovarian stimulation: future avenues for infertility management. Curr Opin Obstet Gynecol 2002;14:255-63.
- Mitwally MF, Casper RF. Aromatase inhibitors in ovulation induction. Semin Reprod Med 2004;22:61-78.
- Mitwally MF, Casper RF. Use of an aromatase inhibitor for induction of ovulation in patients with an inadequate response to clomiphene citrate. Fertil Steril 2001;75:305-9.
- Moon HS, Shim JE, Lee SR, Jeong K. The Comparison of Robotic Single-Site Surgery to Single-Port Laparoendoscopic Surgery for the Treatment of Advanced-Stage Endometriosis. J Laparoendosc Adv Surg Tech A 2018;28:1483-8.
- Morley LC, Tang T, Yasmin E, Norman RJ, Balen AH. Insulin-sensitising drugs (metformin, rosiglitazone,pioglitazone, Dchiro-inositol) for women with polycystic ovary syndrome, oligo amenorrhoea and subfertility, Cochrane Database system rev 2017;11:CD003053.
- Muttukrishna S, McGarrigle H, Wakim R, Khadum I, Ranier

DM, Serhal P. Antral follicle count, anti-mullerian hormone and inhibin B: predictors of ovarian response in assisted reproductive technology? Bjog 2005;112:1384-90.
- Na ED, Cha DH, Cho JH, Kim MK. Comparison of IVF-ET outcomes in patients with hydrosalpinx pretreated with either sclerotherapy or laparoscopic salpingectomy. Clin Exp Reprod Med 2012;39:182-6.
- Nardo LG, et al. Circulating basal anti-Mullerian hormone levels as predictor of ovarian response in women undergoing ovarian stimulation for in vitro fertilization. Fertil Steril 2009;92:1586-93.
- Nasr A, Al-Inany H, Thabet S, Aboulghar M. A clinicohysteroscopic scoring system of intrauterine adhesions. Gynecol Obstet Invest 2000;50:178-81.
- Nelson SM, et al. Antimullerian hormone levels and antral follicle count as prognostic indicators in a personalized prediction model of live birth. Fertil Steril 2015;104:325-32.
- Nestler JE, Jakubowicz DJ, Evans WS, Pasquali R. Effects of metformin on spontaneous and clomiphene-induced ovulation in the polycystic ovary syndrome. N Engl J Med 1998;338:1876-80.
- Nestler JE, Stovall D, Akhter N, Iuomo MJ, Jakubowicz DJ. Strategies for the use of insulin-sensitizing drugs to treat infertility in women with polycystic ovary syndrome. Fertil Steril 2002;77:209-15.
- Nestler JE, Strauss JF 3rd. Insulin as an effector of human ovarian and adrenal steroid metabolism. Endocr Metab Clin North Am 1991;20:807-23.
- Nouri K, Ott J, Huber JC, Fischer EM, Stögbauer L, Tempfer CB. Reproductive outcome after hysteroscopic septoplasty in patients with septate uterus-a retrospective cohort study and systematic review of the literature. Reprod Biol Endocrinol 2010;8:52-9.
- Nyboe A A, Goossens V, Bhattacharya S, Ferraretti AP, Kupka MS, de Mouzon J, et al. European IVFmonitoring (EIM) Consortium, for the European Society of Human Reproduction and Embryology (ESHRE). Hum Reprod 2009;24:1267-87.
- Oei SG, Helmerhorst FM, Bloemenkamp KW. Effectiveness of the postcoital test: randomised controlled trial. BMJ. 1998;317:502-5.
- Ovalle F, Azziz R. Insulin resistance, polycystic ovary syndrome, and type 2 diabetes mellitus. Fertil Steril 2002;77:1095-105.
- Papaleo E, Doldi N, De Santis L, Marelli G, Marsiglio E, Rofena S, et al. Cabergoline influences ovarian stimulation in hyperprolactinaemic patients with polycystic ovary syndrome. Hum Reprod 2001;16:2263-6.
- Patrick CW, Alan BR, Alan JW: Cambell's urology, 2nd ed. Philadelphia; Saunders; 2002. p.1557-65.
- Patton PE, Williams TJ, Coulam CB. Microsurgical reconstruction of the proximal oviduct. Fertil Steril 1987;47:35-9.
- Patton PE, Williams TJ, Coulam CB. Results of microsurgical reconstruction in patients with combined proximal and distal tubal occlusion: double obstruction. Fertil Steril 1987;48:670-4.
- Penarrubia J, Fabregues F, Manau D, Creus M, Casals G, Casamitjana R, et al. Basal and stimulation day 5 antiMullerian hormone serum concentrations as predictors of ovarian response and pregnancy in assisted reproductive technology cycles stimulated with gonadotropin-releasing hormone agonist-gonadotropin treatment. Hum Reprod 2005;20:915-22.
- Pérez-Medina T, Bajo-Arenas J, Salazar F, Redondo T, Sanfrutos L, Alvarez P, et al. Endometrial polyps and their implication in the pregnancy rates of patients under-going intrauterine insemination: a prospective, randomized study. Hum Reprod 2005;20:1632-5.
- Practice Committee of the American Society for Reproductive Medicine. Diagnostic evaluation of the infertile female: a committee opinion. Fertil Steril 2015;103:e44-50.
- Practice Committee of the American Society for Reproductive Medicine. Endometriosis and infertility: a committee opinion. Fertil Steril 2012;98:591.
- Practice Committee of the American Society for Reproductive Medicine, Female age-related fertility decline. Committee Opinion. Obstet Gynecol 2014;123:719-21.
- The Practice Committee of the American Society for Reproductive Medicine. Fertility drugs and cancer: a guideline, Fertil Steril 2016;106:1617-26.
- Practice Committee of the American Society for Reproductive Medicine. Removal of myomas in asymptomatic patients to improve fertility and/or reduce miscarriage rate: a guideline. Fertil Steril 2017;108:416-25.
- Practice Committee of the American Society for Reproductive Medicine. Report on optimal evaluation of the infertile male. Fertil Steril 2006;86(5 suppl 1):S202-S209.
- Practice Committee of the American Society for Reproductive Medicine. Use of insulin-sensitizing agents in the treatment of polycystic ovary syndrome. Fertil Steril 2008;90:S69-73.
- Pritts EA, Parker WH, Olive DL. Fibroids and infertility: an updated systematic review of the evidence. Fertil Steril 2009;91:1215-23.
- Raziel A, Arieli S, Bukovsky I, Caspi E, Golan A. Investigation of the uterine cavity in recurrent aborters. Fertil Steril, 1994;62:1080-2.
- Richman TS, Viscomi GN, deCherney A, Polan ML, Alcebo

LO. Fallopian tubal patency assessed by ultrasound following fluid injection. Radiology 1984;152:507-10.
- Rizk AY, Bedaiwy MA, Al-Inany HG, N-acetyl-cysteine is a novel adjuvant to clomiphene citrate in clomiphene citrateresistant patients with polycystic ovary syndrome. Fertil Steril 2005;83:367-70.
- Rollene NL, Amols MH, Hudson SB, Coddington CC, Treatment of ovarian hyperstimulation syndrome using a dopamine agonist and gonadotropin releasing hormone antagonist: a case series, Fertil Steril 2009;92:1169. e15-e17.
- Roma DA, Ubeda B, Ubeda A, et al. Diagnostic value of hysterosalpingography in the detection of intrauterine abnormalities: a comparison with hysteroscopy. AJR. 2004;183:1405-9.
- Rossing MA, Daling JR, Weiss NS,Moore DE, Self SG. Ovarian tumors in a cohort of infertile women. N Engl J Med 1994;331:771-6.
- Rouzi AA, Mackinnon M, McComb PF. Predictors of success of reversal of sterilization. Fertil Steril 1995;64:29-36.
- Sharkwy IA, Aziz WM. Randomized controlled trial of Nacetylcysteine versus l-carnitne among women with clomiphene-citrate-resistant polycystic ovary syndrome, Int J Gynecol Obstet 2019;147:59-64.
- Salle B, Gaucherand P, de Saint Hilaire P, Rudigos RC. Transvaginal sonohysterographic evaluation of intrauterine adhesions. J Clin Ultrasound 1999;27:131-4.
- Salley KE, Wickham EP, Cheang KI, Essah PA, KarjaneNW, Nestler JE. Glucose intolerance in polycystic ovary syndrome position statement of the Androgen Excess Society. J Clin Endocrinol Metab 2007;92:4546-56.
- Schlaff WD, Hurst BS. Preoperative sonographic measurement of endometrial pattern predicts outcome of surgical repair in patients with severe Asherman's syndrome. Fertil Steril 1995;63:410-3.
- Schwartz D, Mayaux MJ. Female fecundity as a function of age: results of artificial insemination in 2193 nulliparous women with azoospermic husbands. Federation CECOS. N Engl J Med 1982;306:404-6.
- Schwarzstein L, Aparicio NJ, Schally AV. D-Tryptophan-6-luteinizing hormone-releacing hormone in the treatment of normogonadotropic oligoasthenozoospermia. Int J Androl 1982;5:171-8.
- Scott RT Jr, Elkind-Hirsch KE, Styne-Gross A, Miller KA, Frattarelli JL. The predictive value for in vitro fertility delivery rates is greatly impacted by the method used to select the threshold between normal and elevated basal Folliclestimulating hormone. Fertil Steril 2008;89:868-78.
- Segal S, Polishuk WZ, Ben-David M. Hyperprolactinemic male infertility. Fertil Steril. 1976;27:1425-7.
- Seo JT, Kim KT, Moon MH, Kim WT. The significance of microsurgical varicocelectomy in the treatment of subclinical varicocele. Fertil Steril 2010;93:1907-10.
- Seo JT, Ko WJ. Predictive factors of successful testicular sperm recovery in non-obstructive azoospermia patients. Int J Androl 2001;24:306-10.
- Seo JT, Nah KH, Park YS, Lee MS. Semen quality over a 10-year period in 22,249 men in Korea. Int J Andro 2000;23:194-8.
- Seo JT, Park YS, Lee JS. Successful Testicular Sperm Extraction In Korean Klinefelter Syndrome. Urology 2004;64:1208-11.
- Seo JT. Diagnosis and Treatment of Male Infertility. J Korean Med Assoc 2003;46:833-44.
- Seo JT. Diagnosis and Treatment of Surgically Uncorrectable Azoospermia. Korean J Androl 2004;22:1-10.
- Seo JT. Medical Treatment of Infertile Males. J Korean Med Assoc 2004;47:1223-8.
- Sharpe A, Morley LC, Tang T, Norman RJ, Balen AH, Metformin for ovulation induction (excluding gonadotrophins) in women with polycystic ovary syndrome, The Cochrane Database Syst Rev 2019;12:CD013505.
- Shi S, Hong T, Jiang F, Zhuang Y, Chen L, Huang X, Letrozole and human menopausal gonadotropin for ovulation induction in clomiphene resistance polycystic ovary syndrome patients A randomized controlled study, Medicine 2020;99:4(e18383).
- Sheynkin YR, Chen ME, Goldstein M: Intravasal azoospermia: A surgical dilemma. BJU Int 2000;85:1089-92.
- Shokeir T, El-Shafei M, Yousef H. Submucous myomas and their implications in the pregnancy rates of patients with otherwise unexplained primary infertility undergoing hysteroscopic myomectomy: a randomized matched control study. Fertil Steril 2010;94:724-9.
- Silva Idos S, Wark PA, McCormack VA, Mayer D, Overton C, Little V, et al. Ovulation-stimulation drugs and cancer risks: a long-term follow-up of a British cohort. Br J Cancer 2009;100:1824-31.
- Soares SR, Barbosa dos Reis MMB, Carnargos AF. Diagnostic accuracy of sonohysterography, transvaginal sonography, and hysterosalpingography in patients with uterine cavity diseases. Fertil Steril 2000;73:406-10.
- Somigliana E, Vercellini P, Daguati R, et al. Fibroids and female reproduction: a critical analysis of the evidence. Hum Reprod Update 2007;13:465-76.
- Suginami H, Hamada K, Yano K, Kuroda G, Matsuura S. Ovulation induction with bromocriptine in normoprolactinemic

anovulatory women. J Clin Endocrinol Metab 1986;62:899-903.

- Surrey ES, Lietz AK, Schoolcraft WB. Impact of intramural leiomyomata in patients with a normal endometrial cavity on in vitro fertilization-embryo transfer cycle outcome. Fertil Steril 2001;75:405-10.
- Su-ying LIU, Xiong LI, Yu ZHENG, Bin TENG, Ying CAO, Xiao-xi SUN, Study of Combined Use of Clomiphene Citrate and Gonadotropins on the Infertile Patients with PCOS, J Reprod Contracept 2012;23:159-68.
- Swart P, Mol BW, van der Veen F, van Beurden M, Redekop WK, Bossuyt PM. The accuracy of hysterosalpingography in the diagnosis of tubal pathology: a meta-analysis. Fertil Steril 1995;64:486-91.
- Tafuri SR. Troglitazone enhances differentiation, basal glucose uptake, and Glut1 protein levels in 3T3-L1 adipocytes. Endocrinology 1996;137:4706-12.
- Tam WH, Lau WC, Cheung LP, Yuen PM, Chung TKH. Intrauterine adhesions after conservative and surgical management of spontaneous abortion. J Am Assoc Gynecol Laparosc 2002;9:182-5.
- Taylor RC, Berkowitz J, McComb PF. Role of laparoscopic salpingostomy in the treatment of hydrosalpinx. Fertil Steril 2001;75:594-600.
- Teede HJ, Misso ML, Costello MF, Dokras A, Laven J, Moran L, et al. Recommendations from the international evidence-based guideline for the assessment and management of polycystic ovary syndrome. Hum Reprod, 2018;33:1602-18.
- Tsapanos VS, StathopoulouL P, Papathanassopoulou VS, Tzingounis VA. The role of Seprafilm bioresorbable membrane in the prevention and therapy of endometrial Synechiae. J Biomed Mater Res 2001;63:10-4.
- Tulandi T, Martin J, Al-Fadhli R, Kabli N, Forman R, Hitkari J, et al. Congenital malformations among 911 newborns conceived after infertility treatment with letrozole or clomiphene citrate. Fertil Steril 2006;85:1761-5.
- Utiger RD. Insulin and the polycystic ovary syndrome. N Engl J Med 1996;335:657-8.
- Vanky E, Zahlsen K, Spigset O, Carlsen SM. Placental passage of metformin in women with polycystic ovary syndrome. Fertil Steril 2005;83:1575-8.
- Velazquez E, Acosta A, Mendoza SG. Menstrual cyclicity after metformin therapy in polycystic ovary syndrome. Obstet Gynecol 1997;90:392-5.
- Vigersky RA, Glass AR. Effect of delta-testosterone on the pituitary-testicular axis in oligospermic men. J Clin Endocrinol Metab 1981;52:897-902.
- Unfer V, Nestler JE, Kamenov ZA, Prapas N, Facchinetti F. Effects of Inositol(s) in Women with PCOS: A Systematic Review of Randomized Controlled Trials, Int J Endocrinol,ariticle ID1849162, 2016;12.
- Wang R, Kim BV, Wely MV, Johnson NP, Costello MF, Zhang H, et al. Treatment strategies for women with WHO group II anovulation: systematic review and network meta-analysis, Br Med J 2017;356:138.
- Webster J. Dopamine agonist therapy in hyperprolactinemia. J Reprod Med 1999;44:1105-10.
- Webster J. Piscitelli G, Polli A, Ferrari CI, Ismail I, Scanlon MF, for the Carbergoline Comparative Study Group. A comparison of carbergoline and bromocriptine in the treatment of hyperprolactinemic amenorrhea. New Engl J Med 1994; 331:904-9.
- Weller A, Daniel S, Koren G, Lunenfeld E, Levy A, The fetal safety of clomiphene citrate: a population-based retrospective cohort study, Br J Obstet Gynaecol 2017;124:1664-70.
- Wu CH, Winkel CA. The effect of initiation day on clomiphene citrate therapy. Fertil Steril 1989;52:564-8.
- Yanaihara A, Yorimitsu T, Motoyama H, Iwasaki S, Kawamura T. Location of endometrial polyp and pregnancy rate in infertility patients. Fertil Steril 2008;90:180-2.
- Yu D, Wong Y-M, Cheong Y, Xia E, Li T-C. Asherman syndrome: one century later. Fertil Steril 2008;89:759-79.
- Yoon TK, Sung HR, Kang HG, Cha SH, Lee CN, Cha KY. Laparoscopic tubal anastomisis fertility outcome in 202 cases. Fertil Steril 1999;72:1121-6.
- Zhan J, Tang L, Kong L, Wu T, Xu L, Pan X, Liu GJ. Ultrasound-guided transvaginal ovarian needle drilling for clomipheneresistant polycystic ovarian syndrome in subfertile women, Cochrane Database Syst Rev (7):CD008583, 2019.
- Zikopoulos KA, Kolibianakis EM, Platteau P, de Munck L, Tournaye H, Devroey P, et al. Live delivery rates in subfertile women with Asherman's syndrome after hysteroscopic adhesiolysis using the resectoscope or the Versapoint system, Reprod Biomed Online 2004;8:720.

제23장
보조생식술

김석현 | 서울의대 **이우식** | 차의과학대
김용진 | 고려의대 **지병철** | 서울의대

보조생식술이란, 체외에서 난자를 직접 조작하는 모든 기술을 총칭하는 말이다. 최초로 이루어진, 그리고 현재 가장 흔하게 이루어지는 보조생식술의 형태는 체외수정시술(in vitro fertilization, IVF)이다. 체외수정시술의 성공적인 도입으로 불임증의 진단과 치료에 획기적인 변화가 있었고, 기존의 전통적인 치료방법들은 더 이상 시행되지 않거나 제한적으로 시행되고 있으며, 이러한 불임증 치료의 발전은 현재에도 지속적으로 이루어지고 있다.

1. 보조생식술에서 과배란유도

1) 정의

불임 영역에서 사용되는 용어인 '배란유도(ovulation induction)'와 '과배란유도(controlled ovarian stimulation, COS)'는 서로 다른 용어로써 구분하여 사용한다. 즉 '배란유도'란 무배란(anovulation) 또는 희발배란(oligo-ovulation)에서 약제를 사용하여 정상 배란을 유도하기 위한 것이고 '과배란유도'란 다수의 배란을 유도하거나 성숙된 난자를 획득하기 위한 약물적 사용을 의미한다. 2009년 International Committee for Monitoring Assisted Reproductive Technology (ICMART)와 WHO에서는 공동으로 'controlled ovarian stimulation (COS)'의 명명을 채택하였다.

보조생식술(assisted reproductive technologies, ART)에서 과배란유도의 목적은 다수의 건강한 난자를 얻는 데 있다. 이상적인 과배란유도법은 단태임신 확률을 극대화하면서 환자에게 주사 투여에 따른 불편감과 약값을 낮추고 난소과자극증후군(ovarian hyperstimulation syndrome, OHSS)과 같은 합병증을 낮추고 부적절한 난소반응으로 주기를 취소하는 것을 피할 수 있어야 한다. 모든 환자는 각기 다른 내분비학적 배경을 가지고 있으며 과배란유도에 대한 환자의 반응도 개개인 모두 다르게 나타나기 때문에 과배란유도 시 어떠한 반응을 보일 것인가를 예측할 수 있는 지표를 아는 것은 중요하다. 이를 위해서 환자의 연령, AMH, 동난포 수(antral follicle count, AFC), 기저 FSH와 같은 난소예비력검사(ovarian reserve test, ORT)를 이용하여 환자의 반응도를 예측하여 적절한 과배란유도 방법을 선택하는 것이 필수적이다.

2) 과배란유도 시 난소반응의 예측인자

(1) 환자의 연령

과배란유도 시 난소의 반응을 예측하고자 할 때 가장 먼저

생각하여야 할 것은 환자의 연령이다. 환자의 연령증가는 기능성 난소예비력(functional ovarian reserve)의 감소로 과배란유도에 대한 반응도의 저하로 인한 적은 난자 수와 배아 수, 난자 질의 저하로 인한 배아 착상률의 감소로 체외수정의 성공률을 떨어뜨리는 가장 중요한 인자이다. 여성의 가임률이 연령에 따라 감소한다는 사실, 즉 가임률은 30대에서는 점진적으로 감소하지만 40세 이후부터는 급속히 감소한다는 사실은 이미 잘 알려져 있다. 나이에 따른 생식능력(fertility)의 변화에 대한 한 연구에서, 생식능력은 20-24세에 최고점을 이루며 이후 감소하는데 25-29세에는 4-8%, 30-34세는 15-19%, 35-39세는 26-46% 감소하고, 40세 이후에는 95% 감소한다고 보고하였다. 여성의 나이가 증가함에 따라 자연유산의 빈도 또한 높아지는데, 여러 보고에서 노화된 난자에서 감수분열 시 방추형성 과정과 기능 이상에 의한 비배수체(aneuploidy)의 증가가 제시되고 있다. 그러나 환자의 연령에 따른 기능성 난소예비력은 환자의 나이와 반드시 비례관계에 있지 않으므로 연령만으로는 과배란유도 시 난소의 반응을 정확하게 예측할 수는 없다.

(2) 난소예비력

난소예비력은 일반적으로 남아있는 난소 내 난포 저장고의 크기와 질로 정의될 수 있다. 각 개인이 지니고 있는 난자 수는 유전적으로 결정되며 일생을 통해 그 수가 감소한다. 출생 시 1-2백만 개의 난자는 사춘기에 30만 개, 40세에 이르러서는 2만 5천 개, 폐경 무렵에는 1천 개 미만으로 감소하게 된다. 나이가 증가함에 따라 난포 저장고가 감소되며 이로 인해 난포에서의 인히빈 B (inhibin B)의 분비가 감소하고 이로 인해 뇌하수체에서의 난포자극호르몬(follicle stimulating hormone, FSH) 분비가 증가하게 된다. 혈중 FSH의 증가는 조기 난포동원과 이로 인한 난포의 조기 성장, 혈중 에스트라디올(estradiol, E2)의 조기 증가, 짧은 난포기, 그리고 전체 월경주기의 감소를 초래한다. 이러한 나이와 연관된 생체 변화 기전이 난소예비력검사의 기초를 이루고 있다.

① 기저 혈중 난포자극호르몬 농도

임상적으로 난포기 초기(월경주기 제2-4일)에 시행되는 기저 혈중 FSH 농도가 전통적으로 가장 널리 사용되어왔다. 정상 월경주기를 가진 환자에서도 증가할 수 있으며, 이러한 환자에서 보조생식술을 시행하면 채취된 난자 수의 감소에 따른 임신율의 감소를 관찰할 수 있다. 또한 기저 혈중 FSH 농도가 높은 환자들은 과거 월경주기에 비하여 짧아진 월경주기를 경험하기도 하는데 이것은 증가된 FSH에 의하여 난포기가 단축된 것이므로 임상의사는 난포기 단축을 중요한 임상 증상으로 파악하고 있어야 한다. 기저 혈중 FSH 농도가 10-20 IU/L 이상이면 난소 기능의 감소를 시사하며, 과배란유도에 대한 저반응(poor response)을 예측하는 데 높은 특이도(80-100%)를 보이나, 낮은 민감도(10-30%)를 보이는 것이 문제점이고, 고반응(high response)을 예측하는 데에는 이용할 수 없다.

② 기저 혈중 에스트라디올 농도

기저 혈중 E2의 농도 자체로는 난소 예비력의 진단에 있어서 큰 의미를 가지지 못하지만 기저 FSH 농도의 해석에 추가적인 도움이 되기도 한다. 기저 혈중 E2 농도의 조기 상승은 난포발달을 촉진하고 우성난포를 선별하여 FSH 농도를 저하시켜 난소 예비력의 예측인자인 FSH 상승을 은폐하는 효과를 나타내기도 한다. 기저 혈중 FSH 농도가 정상이나, E2의 농도가 60-80 pg/mL 이상으로 증가했을 때, 과배란유도에 대한 저반응으로 인해 임신율 감소 가능성이 증가한다고 볼 수 있다.

③ 혈중 항뮐러관호르몬 농도

동난포의 과립막세포(granulosa cell)에서 분비되는 전환성장인자 베타 패밀리(transforming growth factor-β family)의 하나인 항뮐러관호르몬(anti-müllerian hormone, AMH)은 최근 가장 주목받고 있는 난소예비력검사이다. AMH를 분비하는 동난포의 수는 난포의 잔존량을 반영하며, AMH는 노화가 진행됨에 따라 점차 감소하게 되고, 폐경 전후로 거의 측정되지 않는 정도로 감소한다. AMH는 혈중 농도가 gonadotropin과는 독립적이며, 주기 내, 주기간 변화가 적다. 결국 낮은 AMH는 저반응 및 적은 난자채취, 낮은 배아 질, 낮은 임신율과 연관되어 있다.

④ 동난포 수

초기 난포기에 2-10 mm 크기의 동난포의 수를 골반 초음파로 측정하는 동난포 수(antral follicle count, AFC)는 여성의 난소에 남아 있는 원시 난포(primordial follicle)의 숫자에 비례한다고 알려져 있어 난소예비력검사로 사용될 수 있다. 여러 연구에서 동난포 수는 체외수정시술 중 난소반응과 연관이 있음을 보여주고 있으며, 일반적으로 3-4개보다 적은 기준으로 저반응(73-100%)과 임신 실패(64-100%)를 예측하는 데에 있어서 높은 특이도를 보여주고 있다. 반면, 저반응에 대해 9-73%, 임신 실패에 대해 8-33%로 낮은 민감도를 보이는 것이 단점이다.

3) 분류

2007년 International Society for Mild Approaches in Assisted Reproduction (ISMAAR)에서 다음과 같이 과배란유도법에 대한 용어를 제안하였고, 2009년 International Committee for Monitoring Assisted Reproductive Technology (ICMART)와 WHO가 공동으로 채택하였으며 2017년 개정되었다.

(1) **자연주기법**(natural cycle ART)

자연 월경주기를 이용하며 약제를 전혀 사용하지 않고 한두 개의 난자를 채취하여 체외수정시술을 하는 방법이다.

(2) **변형 자연주기**(modified natural cycle)

자연 월경주기를 이용하며 한 개 혹은 그 이상의 난자를 채취하는 것이 목적이나, 주기 취소의 가능성을 낮추기 위한 방법이다. 약제는 최종 난자 성숙을 위해 융모생식샘자극호르몬(hCG)이나 생식샘자극호르몬방출호르몬작용제(GnRH agonist)를 사용하거나 내인성 황체형성호르몬 급증(LH surge)을 막기 위해 생식샘자극호르몬방출호르몬길항제(GnRH antagonist)를 사용한다.

(3) **경자극법**(mild ovarian stimulation for IVF)

제한된 난자를 획득하려는 의도로 저용량 생식샘자극호르몬(gonadotropin)을 사용하거나, 클로미펜 혹은 레트로졸과 같은 경구 배란유도제를 사용하는 방법이다.

(4) (일반적)**난소자극법**((conventional) ovarian stimulation)

다수의 난자를 채취하기 위해 표준용량의 FSH 혹은 hMG 등의 생식샘자극호르몬을 사용하는 방법이다. 일반적으로 내인성 LH 급증을 막기 위해서, 생식샘자극호르몬방출호르몬작용제나 생식샘자극호르몬방출호르몬길항제를 병행하여 사용하고, 난자 성숙을 위한 hCG와 황체기보강을 위한 프로게스테론을 사용한다.

4) 방법

일반적인 과배란유도의 방법은 크게 세 가지 요소를 포함하고 있다. 첫 번째는 다수의 난포 성장을 위한 생식샘자극호르몬 사용이고, 두 번째는 난자채취 전 배란을 방지하기 위한 뇌하수체 억제의 유도 목적의 생식샘자극호르몬방출호르몬 유사체(GnRH analogue) 사용이고, 세 번째는 난자 성숙을 유도하기 위해 LH 급증 효과의 대체로서의 hCG 사용이다.

(1) 생식샘자극호르몬

① 종류와 용량

생식샘자극호르몬은 성분에 따라 human menopausal gonadotropins (hMG, menotropins), 고순도 urinary FSH (uFSH, urofollitropin), 재조합 FSH (recombiant FSH, rFSH) 등으로 나뉜다. 또한, 재조합 FSH와 재조합 LH가 2:1의 비율로 혼합된 제제와, 기존의 재조합 FSH에 비해 3배의 반감기(95시간)를 가지고 있어 한 번 투여로 1주일간 지속적으로 다수의 난포성장을 유도할 수 있는 지속성 재조합 FSH (long-acting rFSH)인 Corifollitropin-α도 사용된다. 약제의 생산 공정의 특성에 의해 hMG는 포함된 FSH

성분과 동량의 LH 성분을 포함하고 있으며, uFSH는 FSH 75 IU 당 1 IU 이하의 LH를 포함하고 있고 두 제재 모두 근육주사로 투여한다. LH 성분이 0.001 IU 이하로 정제된 uFSH는 유전자 재조합 과정을 통해 생산되어 FSH 성분만 포함하고 있는 rFSH와 같이 피하주사도 가능하다.

생식샘자극호르몬의 초기 투여용량은 연령, 난소예비력검사, 이전 주기에서의 반응에 따라 개별화되어야 하며, 대개 150-300 IU 정도로 시작하고 과배란유도 중 감시를 통해 용량을 조절한다.

② 감시

생식샘자극호르몬을 이용한 안전하고 효과적인 과배란유도를 위해서는 임상적인 판단과 경험이 중요하다. 과배란유도 동안 초음파와 필요시 혈청 E2 농도를 측정하여 반응 정도를 관찰한다. 대개 생식샘자극호르몬 투여를 시작한 3-5일 후, 처음 반응을 관찰하게 되고, 필요한 경우 용량을 조정하게 된다. 이후에도 1-3일 간격으로 반응을 관찰하며 용량을 조절할 수 있다(그림 23-1). 지름 17-18 mm 이상인 난포가 적어도 두 개 이상 관찰될 때까지 생식샘자극호르몬을 사용하게 되는데, 이 때 혈청 E2 수치가 전체적인 난포들의 크기와 성숙도를 반영한다. 일반적으로 이 시기까지는 생식샘자극호르몬 시작일로부터 7-12일 정도 소요된다. 과배란유도 시 난포의 직경뿐 아니라, 자궁내막의 두께와 모양 또한 관찰이 필요하다. 지금까지 자궁내막 두께와 모양의 예후 인자에 대해 많은 연구들이 진행되어 왔으며, 많은 연구에서 hCG 투여일에 자궁내막 두께가 8 mm 이상이고 세 층(trilaminar)의 형태를 보일 때 임신 성공률이 가장 높고, 6-7 mm 이하이거나 자궁내막의 에코가 균질할 때, 임신 성공률이 낮다고 하였다. 또한 일부 연구에서는 자궁내막이 14 mm 이상으로 두꺼울 때에도 나쁜 예후를 보인다고도 하였으나, 차이가 없다고 한 연구도 있다. 그러나 아직까지 자궁내막의 두께나 모양을 보고 과배란유도 방법을 변경하거나 주기를 취소하는 것은 정당화되기 어렵다.

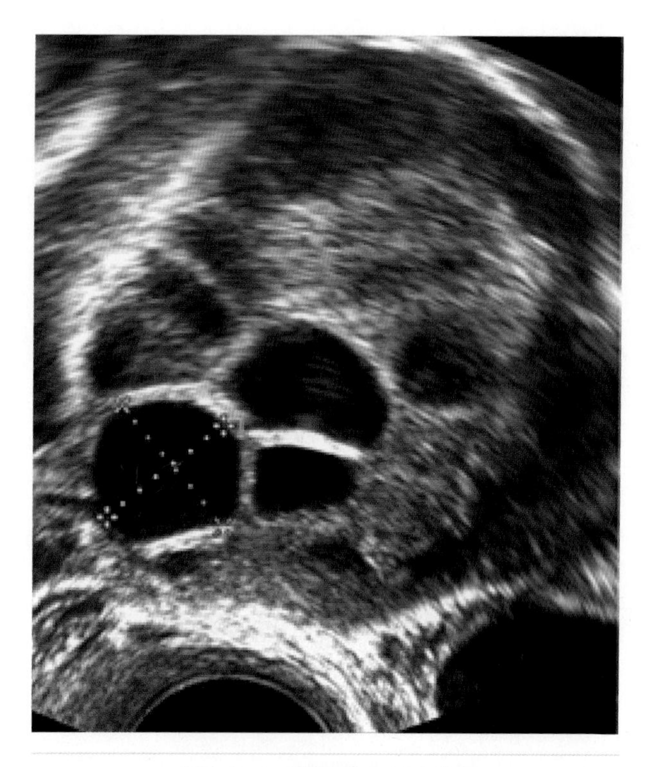

그림 23-1. **과배란유도 시의 난소**

(2) 뇌하수체 억제법에 따른 분류(그림 23-2)

① 생식샘자극호르몬방출호르몬작용제(GnRH agonist) 장기투여법

GnRH agonist 장기투여법은 1980년대 후반 도입되어 내인성 생식샘자극호르몬의 분비를 억제하여 외인성 생식샘자극호르몬을 투여해도 LH의 조기 급증을 막을 수 있도록 하였다. 도입 이전에는 약 20%에 달하는 LH의 조기 급증에 의한 주기 취소율이 한 주기당 2% 이하로 감소하였고, 따라서 난포들이 충분히 성숙해질 때까지 과배란유도를 할 수 있게 되었으며 내인성 LH 급증에 대한 두려움으로 자주 혈청 LH를 측정하는 것도 불필요하게 되었다. 많은 임상 시험에서 단독으로 생식샘자극호르몬을 사용하던 것에 비해 채취 난자 수와 임신율이 유의하게 증가함을 확인하였다. 더욱이 GnRH agonist로 억제하는 기간을 유동성 있게 하여 스케쥴의 가변성을 제공하게 되어, "장기요법(long protocol)"은 모든 형태의 보조생식술에서 가장 선호되는

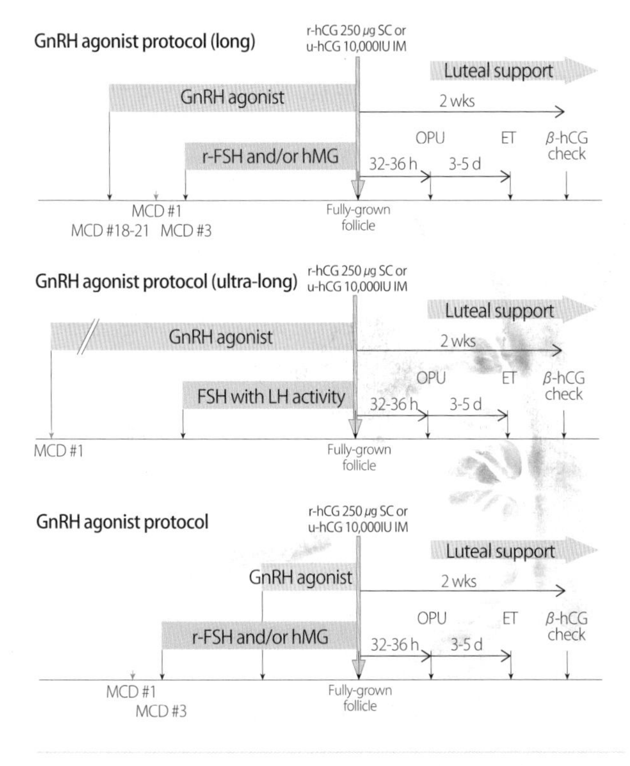

그림 23-2. **뇌하수체 억제법에 따른 과배란유도의 분류**

과배란유도법이 되었다. 단점은 생식샘자극호르몬에 대한 반응을 약화시켜 사용량과 기간을 증가시킬 수 있고, 보조생식술 치료비용의 증가를 가져온 것이다. 그럼에도 불구하고 장기요법은 여전히 체외수정시술에서 표준적인 방법이 되었다.

전형적인 주기에서, 대개 배란 1주일 후인 황체기 중기부터 GnRH agonist 투여가 시작된다. 이때 내인성 생식샘자극호르몬은 최저점에 가까워 저장된 뇌하수체 생식샘자극호르몬이 급성으로 분비되게 되는 flare 효과로 인해 새로운 난포들의 발달이 자극되는 것을 최소한으로 할 수 있다. 월경주기를 28일로 가정했을 때 21일째부터 투약을 시작할 수 있고, 투여 전 혈청 프로게스테론을 측정하여 배란이 일어났는지 확인하기도 한다. 월경주기가 불규칙적인 여성에 있어서는 월경 시작일을 조절하기 위해 경구피임약을 사용할 수 있으며 경구피임약 중단 1주 전에 GnRH agonist 투약을 시작한다. 피하로 투약하는 leuprolide acetate나 buserelin acetate, triptorelin이 널리 사용된다. Leuprolide와 triptorelin은 대개 1 mg을 황체기 중기부터 시작해서 10일간 혹은 월경시작일까지 사용하고 이후에는 hCG 투여일까지 0.5 mg으로 감량해서 사용하게 된다. Leuprolide와 goserelin 등의 장기형 데포 제제는 사용하기 편리하지만 생식샘자극호르몬의 총 사용량과 기간이 증가된다는 단점이 있다. 생식샘자극호르몬은 뇌하수체 억제를 확인한 후 투여하기 시작하는데 이는 혈청 E2가 30-40 pg/mL 이하이고 10 mm 이상의 난포가 없다는 것으로 가늠한다.

일부 여성들에게서는 뇌하수체 억제를 위해 더 장기간의 투약이 필요할 수도 있고, 난소낭종이 생기는 경우도 있다. GnRH agonist 사용기간이 긴 여성에게서 생식샘자극호르몬에 대한 반응이 낮고 임신율도 낮은 것으로 보고되고 있다. 난소낭종의 중요성에 대해서는 아직 논란의 여지가 있어서, 일부에서는 난소낭종이 존재하면 생식샘자극호르몬에 대한 반응이 감소하여 채취 난자 수의 감소, 임신율 저하를 보고하기도 하였으나, 차이가 없다는 보고도 있다. 과배란유도 직전 난소낭종 흡인술을 시행하는 것이 과배란유도 반응도에 부정적인 영향을 끼치는 것 같지는 않으며, 오히려 흡인술을 시행하였을 때 반응도가 증가할 수 있다는 발표도 있다.

생식샘자극호르몬의 초기 용량은 개개인의 상태에 따라 맞추어져야 한다. 통상적인 시작 용량은 하루 150-300 IU 사이로서 연령, 난소예비능, 이전 주기 반응에 따라 달라진다. 단계적 증량(step-up) 또는 단계적 감량(step-down) 방법이 모두 사용된다. 많은 임상 시험과 메타분석에서 GnRH agonist를 사용하건 안 하건 uFSH, rFSH, hMG 중 어느 하나가 다른 제제보다 우수하다는 결과를 얻지 못했다. 2003년 van Wely 등이 발표한 메타분석(상대위험도 5% 증가) 및 2008년 Coomarasamy 등이 발표한 메타분석(상대위험도 18% 증가), Al-Inany 등이 발표한 메타분석(상대위험도 12% 증가)에서 hMG 사용 시 rFSH보다 유의하게 높은 생존아 출산율을 도출하였으나, 2010년 Lehert 등이 발표한 메타분석(상대위험도 4% 증가)에서는 rFSH 사용

시 hMG보다 유의하게 높은 생존아 출산율을 보고하기도 하였다.

GnRH agonist를 투약한 뒤 LH가 낮게 유지되는데 LH 수용체의 약 1%만 채워져도 정상적인 성호르몬 생성이 유지되므로 uFSH 또는 rFSH 단독으로만 사용하여도 대부분 여성에게서 정상적인 난포 성장을 기대할 수 있다. 그러나 일부 여성에서 LH가 1.0 IU/L 미만으로 현저히 억제되었을 때는 난포성장에 영향을 받을 수 있다. 이때에는 FSH 단독으로 사용하는 경우 생식샘자극호르몬의 사용량과 기간이 증가하고 E2가 낮아지며 채취 난자 수와 배아도 감소할 수 있다. 극단적으로 낮은 LH는 수정, 착상 그리고 임신율에도 부정적인 영향을 줄 수 있으며 화학적 임신과 조기 유산의 빈도도 증가할 수 있다. rFSH와 rLH의 병합 사용과 rFSH 단독 사용을 비교한 36개 임상 시험에 대한 메타분석에서는 rFSH와 rLH의 병합 사용이 rFSH 단독 사용보다 높은 임신 지속율을 보였지만(상대위험도=1.20, 95% 신뢰구간=1.01-1.42), 생존출생율에서는 차이가 없었고(상대위험도=1.32, 95% 신뢰구간=0.85-2.06), 난소과자극증후군 발생율도 유의한 차이가 없었다(상대위험도=0.38, 95% 신뢰구간=0.14-1.01).

② 생식샘자극호르몬방출호르몬 작용제(GnRH agonist) 단기 투여법

단기투여법 또는 flare 방법은 투여 초기 내인성 생식샘자극호르몬이 상승하는 agonist의 반응과 장기적으로 뇌하수체가 억제되는 것을 모두 이용하기 위한 방법이다. 전형적으로는 leuprolide acetate 1 mg을 월경주기 2일에서 4일까지 투여하고 이후 0.5 mg으로 감량하여 지속하고, 월경주기 3일부터 생식샘자극호르몬 투여를 시작하는 것이다. 장기투여법과 단기투여법을 비교한 7개의 임상시험을 포함한 초기 메타분석에서는 두 방법 간에 주기 취소율과 임신율은 유사하였다(Hughes et al., 1992). 그러나 22개의 임상시험을 포함한 2000년 메타분석에서는 장기투여법의 임신율이 더 우수하다고 발표하였다(상대위험도=1.27, 95% 신뢰구간=1.04-1.56)(Daya et al., 2000). 그러나 이 분석은 진단 및 다른 예후인자에 대한 보정이 이루어지지 않아서 모든 여성, 특히 저반응군 여성에서는 적용되지 못할 수 있다. 반면 일부에서 flare 방법을 시행했을 때 저반응군에서 임신율과 생아 출생률은 비슷하게 낮아도, 난포 반응의 개선과 낮은 주기 취소율을 보였다고 발표하였다. 그러나 단기투여법의 분명한 단점은 경구 피임제를 전처치하여 조정하지 않으면 스케쥴의 가변성이 떨어진다는 점이다. 또한 단기투여법에서는 황체가 지속되어 프로게스테론과 안드로겐이 증가하여 이로 인해 난자 질과 수정률 및 임신율에 좋지 않은 영향을 끼칠 수도 있다.

경구피임제 전처치와 극저용량 GnRH agonist flare 투여는 표준 단기투여법의 변형으로서 난소 억제를 위해 14-21일간 경구피임제를 복용하게 하고 중단 3일 후 극저용량(40 μg)의 leuprolide를 하루 2회 투약한다. 그리고 GnRH agonist 투약 3일째부터 고용량의 생식샘자극호르몬(300-450 IU)을 주게 된다. 표준 단기투여법에 비해 이 방법의 장점은 프로게스테론과 안드로겐 농도가 올라가지 않는다는 점이다. 이는 GnRH agonist의 용량이 훨씬 적기 때문이기도 하고 경구피임제를 사전에 먹기 때문에 황체의 작용도 억제하는 효과가 있어서일 가능성이 있다. 이 방법은 저반응군에게 내인성 FSH를 증가시켜 주기 취소율을 낮추며 E2 및 임신율을 상승시키는 데에 유용할 수 있다.

③ 생식샘자극호르몬방출호르몬길항제(GnRH antagonist) 투여법

GnRH antagonist의 도입은 보조생식술에서 또 다른 과배란유도의 방법을 제공하였다. GnRH agonist가 사용 초기에는 생식샘자극호르몬 분비를 촉진시키다가 나중에는 GnRH 수용체를 탈감작시켜 down-regulation을 통해 생식샘자극호르몬 분비를 억제시키는 것과 달리 GnRH antagonist는 용량에 비례하여 GnRH 수용체를 차단하여 flare 효과가 없고 생식샘자극호르몬 분비 억제도 즉각적이다. GnRH antagonist는 여러 가지 잠재적인 이점을 제공한다. 우선 GnRH agonist에 비해 치료 기간이 짧다. 내인성 LH의 조기 급증을 막는 효과가 즉각적이기 때문에

E2가 이미 상승한 상태인 난포기 후기에도 투여가 가능하여 GnRH agonist를 사용할 때와 같은 에스트로겐 결핍 증상이 없다. 또한 GnRH agonist의 투여가 생식샘자극호르몬에 대한 난소 반응을 억제하는 데 비해 GnRH antagonist는 이런 효과가 적기 때문에 상대적으로 생식샘자극호르몬 사용기간과 용량이 적다. 같은 이유로 GnRH antagonist는 저반응군에게 유리할 수 있고, flare 효과가 없으므로 난소 낭종 형성의 위험이 적다. 또한 난소과자극증후군의 발생 위험이 감소한다. GnRH antagonist에도 몇 가지 단점이 있는데 우선 소량으로 매일 주어야 하기 때문에 엄격한 환자 순응도가 필요하다. 또한 GnRH antagonist는 내인성 생식샘자극호르몬의 분비를 GnRH agonist보다 더 완벽하게 억제시키기 때문에, LH가 낮게 유지되어도 FSH를 사용하면 정상적인 난포 성장을 하는 데는 충분한 GnRH agonist 투여법과 달리 E2 수치가 감소하거나 평형을 이룰 가능성이 있어 주의를 요한다. 임상적으로 사용할 수 있는 GnRH antagonist로 ganirelix와 cetrorelix의 두 가지가 있는데 모두 강력하고 효과적이다. 두 제품 모두 LH 조기 급증을 막기 위한 최소 용량은 하루 0.25 mg 피하 주사인데 생식샘자극호르몬 시작 5-6일 뒤부터 투여를 시작하거나(fixed protocol), 우성 난포 직경이 13-14 mm가 되었을 때 투여를 시작하며(flexible protocol), hCG 투여일까지 지속하게 된다. 전체적으로 flexible protocol이 생식샘자극호르몬의 사용량이 적은 것으로 보이나, 임신율이 더 좋은지에 대해서는 명확하지 않다. 단일 고용량 제제로 cetrorelix 3 mg을 사용하는 경우 96시간 동안 LH 급증을 막을 수 있다. GnRH antagonist 투여법에서도 월경 시작 시기를 조절할 수 있는 경구피임제 전처치를 병용할 수 있다. 생식샘자극호르몬 투약 시작 5일 전까지 경구피임제를 복용하게 되면 난포들의 크기를 좀 더 균일하게 할 수 있다(synchronization). 또 다른 변형으로 저반응군에 대해 월경주기 21일째인 황체기 중기부터 생식샘자극호르몬 사용 전날 혹은 사용 3일째까지 미분화 에스트라디올 2 mg을 하루 2회 복용하면 FSH를 충분히 억제하게 되어 GnRH agonist 장기 투여법과 유사한 정도로 개선된 난포 동원력을 얻을 수 있다는 주장도 있는데, 에스트라디올 중단 이후에 발생하는 내인성 FSH의 반발성 증가 현상은 외인성 FSH와 함께 다발성 난포 형성을 촉진시킬 수 있다는 것이다.

GnRH antagonist 투여법을 GnRH agonist 장기요법과 비교한 73개의 임상연구를 종합한 메타분석에서는 임상적 임신율(54개의 임상연구, 상대위험도=0.91, 95% 신뢰구간=0.83-1.00)과 생아 출생률(12개의 임상연구, 상대위험도=1.02, 95% 신뢰구간=0.85-1.23)에서 유의한 차이가 없음을 보고하였다(Al-Inany et al., 2016). 또한 GnRH antagonist 투여법에서 생식샘자극호르몬 총 사용량과 기간이 더 적고 채취 난자 수는 더 적다. 다낭성난소증후군 환자는 특징적으로 LH 분비를 많이 하고 과배란유도 시 LH 조기급증을 자주 일으키는 경향이 있다. 또한 외인성 생식샘자극호르몬을 많이 주면 난소과자극증후군 발생 위험이 높기 때문에 저용량(75-150 IU)의 생식샘자극호르몬으로 시작할 것이 권장된다. GnRH agonist와 GnRH antagonist 모두 상승되어있는 LH를 억제하는 작용이 있으므로 다낭성난소증후군 환자에 이로울 수 있으나 GnRH antagonist를 사용할 경우 좀 더 작은 크기의 난포군이 만들어지므로 난소과자극증후군 발생 위험이 감소한다. 또한 GnRH antagonist를 사용하게 될 경우 최종 난포 성숙을 유도하는 hCG 대신 GnRH agonist (leuprolide 0.5 mg, triptorelin 0.2 mg)를 사용하여 난자 성숙을 유도할 수 있다. GnRH agonist를 투여할 경우 생리적인 LH 급증이 24시간 이내로 지속되는 반면 hCG를 사용할 경우 투약 이후에도 수일간 상승되기 때문에 난소과자극증후군 위험이 증가한다. Al-Inany 등의 메타분석은 난소과자극증후군의 발생율(36개의 임상연구, 상대위험도=0.61, 95% 신뢰구간=0.51-0.72)과 그에 따른 주기취소율(19개의 임상연구, 상대위험도=0.47, 95% 신뢰구간=0.32-0.69)에서 GnRH antagonist 투여법이 GnRH agonist장기요법에 비해 유의하게 낮음을 보고하였다.

(3) 난자 성숙

난포 성숙이 충분히 이루어졌다고 판단되면 마지막 단계

의 난포 발달을 자극하기 위해 요융모생식샘자극호르몬(urinary hCG, u-hCG) 5,000-10,000 IU 또는 재조합 hCG 250 μg을 주게 된다. 두 제제를 비교한 7개의 연구를 검토한 결과 임상적인 차이가 없다는 결론을 얻었다(Al-Inany et al., 2005). hCG를 투약하는 날 혈청 프로게스테론 수치에 대해 많은 논란이 있었는데, 대체로 0.9-1.5 ng/mL 이상일 때 불량한 예후인자로 작용한다는 연구들이 있다. 그러나 그 역치에 대해서는 연구별로 차이가 있고, 저반응군, 정상반응군, 고반응군에서 그 역치가 달라질 것으로 이해되고 있다. 이런 맥락에서 저반응군에서 작은 난포가 좀 더 성숙되기를 기다리기 위해 hCG 투약을 연기시키는 방법은 성공적인 전략이 되지 못할 것이다.

5) 저반응군의 과배란유도

저반응군은 고용량의 생식샘자극호르몬의 사용에도 불구하고 적은 수의 난포가 자라 혈청 E2도 낮고, 채취 난자 수도 적고 배아도 적어 임신 예후가 불량한 군으로 연령 증가와 밀접한 연관이 있다. 그동안 저반응군에 대한 정의가 연구마다 제각각이었으나, 2011년 유럽불임학회(The European Society for Human Reproduction and Embryology, ESHRE)에서 저반응군을 정의하는 합의안을 발표하였다(표 23-1). 그러나 통일된 합의안을 이용한 연구는 아직 미비한 실정이다.

(1) 고용량의 생식샘자극호르몬

생식샘자극호르몬을 고용량으로 투여하면 더 높은 난포 반응을 일으킬 수 있어 저반응이 예측되는 환자에게는 최소한 300 IU 이상의 생식샘자극호르몬을 투여한다. 그러나 저반응군에서 450 IU 이상의 용량에서 추가적인 이득은 없는 것으로 알려져 있다.

(2) 뇌하수체 억제법

장기투여법은 난소 반응 억제 효과가 강하므로 저반응군에서는 뇌하수체를 덜 억제하는 방법에 대한 연구가 이루어져 왔다. 일반적인 장기투여법에서 생식샘자극호르몬 시작 시 GnRH agonist를 중단하는 방법(GnRH agonist stop protocol)은 장기투여법보다 채취 난자 수가 유의하게 많았다는 보고도 있었으나 큰 차이가 없는 것으로 알려졌고, 경구피임약의 전처치 이후 극저용량 GnRH agonist 투여법(microdose flare GnRH agonist protocol)은 몇몇 연구에서 이롭다고 하였다. GnRH antagonist 투여법도 장기투여법보다 유리하다는 보고들이 있다. 그러나 이 연구들 역시 저반응군에 대한 정의가 모두 다르므로 현재까지 어느 한 방법이 절대적으로 우위에 있다고 결론지을 수 없다.

(3) 자연주기 또는 경자극법

저반응군에서는 고용량의 생식샘자극호르몬으로도 만족할 만한 난자 수를 얻지 못하므로 차라리 자연 배란주기를 시도해보는 것은 비용 면에서 좋은 방법이다. 임신율은 주기당 6-10% 정도로 다양하게 보고되었다. 아무 약제를 사용하지 않는 자연주기는 주기취소율이 높은데 이는 대부분 LH 조기급증으로 인한 조기 배란이다. 따라서 난포기 후기에 GnRH antagonist로 이를 막고 hCG로 배란을 유도하는 변형 자연주기법이 유리할 수 있다. 자연주기법에 비해 주기 취소율은 더 낮으나 임신율은 역시 주기당 10% 내외로 보고되고 있다. 그러나 최근 Bologna criteria에 해당하는 저반응군에 대한 생존아 출생률이 자연주기법에서 2.6%였다는 보고가 있었고, 변형 자연주기법에서는 1% 미만이었다는 보고가 있었다. 경자극법은 최근 정상반응군에서 표준적인 방법으로 많이 시도되고 있는데 저반응군에서의 효용성은 아직 불분명하다. 그러나 자연 배란주기와 더불

표 23-1. 유럽생식의학회의 저반응군에 대한 정의(2011)

정의
1. 다음 세 가지 중 최소 두 가지 기준을 만족할 때 ① 고연령(40세 이상) 또는 저반응에 대한 위험인자* ② 이전 저반응 과거력(통상적인 과배란유도로 3개 이하의 채취난자) ③ 비정상적 난소예비력검사(AFC<5-7개 또는 AMH<0.5-1.1 ng/mL)
2. ①, ③이 아니라도 이전 최대용량의 과배란유도에도 저반응을 2회 이상 경험한 경우

*저반응에 대한 위험인자는 터너증후군, *FMR1*이나 생식능력에 연관된 유전자 돌연변이, 골반감염, 자궁내막종이나 이전 난소수술력, 항암치료, 월경주기의 단축이 포함된다.

어 저반응군에서 시도해 볼 수 있는 방법으로 임신율은 16-23% 정도로 보고되고 있으며, 미국생식의학회에서는 저반응군의 경우 일반적인 난소자극법과 비교할 때 적은 비용으로 비슷한 임신율을 보이는 자연주기 또는 경자극법을 고려해 보아야 한다고 권고하고 있다.

(4) 안드로겐 증진 방안

과배란유도 시 테스토스테론(testosterone), 디하이드로에피안드로스테론(dehydroepiandrosterone, DHEA), 방향화효소억제제(aromatase inhibitor)를 사용하는 것은 난소 내 안드로겐을 높이려는 노력의 일환으로 볼 수 있다. 난소 내 안드로겐 증가는 난소에 대한 FSH의 작용을 보다 강화시킬 수 있으므로 저반응군에서 유리한 효과를 보인다는 몇몇 임상연구가 보고되었으나 그 효과는 아직 불분명하다. 17개 연구의 생존임신율을 분석한 한 메타분석에서는 저반응군에서 위약군(12%)에 비해 DHEA 사용군(15-26%)이 더 높고, 위약군(8%)에 비해 testosterone 사용군(10-32%)이 더 높았지만, 명확한 기준을 가지고 시행된 연구만을 분석한 경우 모두 임신율 이득이 없었음을 보고하였다.

(5) 성장호르몬

1990년대부터 여성 및 남성 불임 치료에 대해 성장호르몬의 역할에 대한 연구 보고가 있어왔다. 난포액 내 성장호르몬이 저농도일 경우에는 배아 상태가 좋지 않으나, 성장호르몬을 배양액에 첨가하였을 때는 미성숙난자의 체외 성숙률을 개선시키고 E2 생산을 자극하며 핵과 세포질 성숙을 촉진시킨다는 연구 결과가 있었다. 성장호르몬 투여와 관련하여 2019년까지 발표된 7개의 메타분석을 살펴보면, 2개의 분석은 성장호르몬 투여가 이득이 없다고 발표하였으나, 5개의 메타분석에서는 임신율과 생존아 출생률을 유의하게 증가시킬 수 있다고 발표하였다. 그러나 적응증, 투여량, 투여 기간 등이 연구들마다 통일되지 않은 단점이 있다.

6) 과배란유도의 합병증

(1) 다태임신

2011년 미국에서 출생한 아이 중 쌍태아의 36%, 세쌍둥이 이상 다태아의 77%가 과배란유도와 관련 있다고 보고되었다. 다태임신은 산모와 신생아의 이환율과 사망률을 증가시키고, 출산 가정과 사회의 경제적 부담을 증가시키기 때문에 다태임신을 감소시키기 위한 여러 방법이 시도되고 있다. 미국생식의학회(ASRM)에서는 다태임신을 예방하기 위해 산모의 나이와 배아의 상태에 따라 이식하는 배아의 수를 제한할 것을 권고하고 있다(표 23-2).

표 23-2. 배아이식 개수에 관한 미국생식의학회의 지침(2017)

예후		연령			
		<35	35-37	38-40	41-42
Cleavage 배아	정배수체	1	1	1	1
	양호한 조건*	1	1	≤3	≤4
	그 외 조건	≤2	≤3	≤4	≤5
Blastocyst 배아	정배수체	1	1	1	1
	양호한 조건	1	1	≤2	≤3
	그 외 조건	≤2	≤2	≤3	≤3

*양호한 조건: 다음 중 한 조건 이상 해당 될 때
신선 주기: 1개 이상 좋은 질의 냉동 배아가 예상됨, 이전에 출산한 체외수정 주기가 있음
동결 주기: 5일 혹은 6일 동결배아, 정배수체 배아, 첫 번째 동결주기, 이전에 출산한 체외수정 주기가 있음

(2) 난소과자극증후군

난소과자극증후군은 과배란유도를 위하여 외부에서 주입된 생식샘자극호르몬에 의해 발생되는 의인성 합병증이다. 난소종대와 제3공간(third space)으로의 혈관 내액 이동 및 축적이 발생한다. 이러한 현상은 혈관내피성장인자(VEGF), 레닌-안지오텐신 계통 물질, 사이토카인 등 혈관활성물질(vasoactive substance)에 의한 혈관 투과성 증가 때문이다. 위험인자로는 젊은 연령, 저체중, 다낭성난소증후군, 고용량의 생식샘자극호르몬, 이전 난소과자극증후군의 과거력, 높은 기저 AMH, 많은 동난포 등이 있다. 또한 높은 혈청 E2, 많은 성숙 난포 수, 황체기보강을 위한 hCG의 사용이 위험도를 높인다. 대개 수 일 후에 자가적으로 회복되는 경향을 보이지만 임신이 된 경우 수 주까지 지속되며 증상이 중증으로 지속되는 경우가 있어 주의를 요한다.

중증 난소과자극증후군은 약 1%에서 발생하는 것으로 알려져 있으며, 생명을 위협할 정도로 위험할 수 있다. 심한 복부 통증, 오심 및 구토, 심한 핍뇨, 호흡곤란, 현기증과 혈액검사 소견에서 저나트륨혈증($Na^+ < 135$ mEq/L), 고칼륨혈증($K^+ > 5$ mEq/L), 혈액 농 축소견(Hct>55%), 간기능 이상 소견 및 신장 기능 이상 소견(Cr>1.2 mg/dL, Cr clearace<50 mL/min)이 관찰되는 경우 입원과 함께 집중적인 관찰과 적극적인 치료가 필요하다. 난소과자극증후군이 예상될 경우, 생식샘자극호르몬 투여를 중지하고 1-3일까지 hCG 투여를 늦추는 coasting이나, 전통적인 hCG로 최종 성숙을 유도하는 대신 낮은 용량의 hCG (5,000 IU)나 GnRH antagonist 투여법의 경우에는 내인성 LH 급증을 이용하는 GnRH agonist로 최종 성숙을 유도하는 방법, 혹은 recombinant LH로 최종 성숙을 유도하는 방법이 알려져 있다. 또한 최근에는 dopamine agonist인 cabergoline이 VEGF를 경유하여 혈관 투과성을 낮춤으로써 난소과자극증후군의 위험성을 낮추는 것으로 알려져 있다. 체외수정시술을 위한 과배란유도로 난소과자극증후군이 발생했을 때는 해당주기를 취소하고 모든 배아를 냉동보관하는 것도 고려할 수 있다.

2. 체외수정시술(In Vitro Fertilization, IVF)

최초의 시험관 아기는 1978년 영국에서 과배란유도 없이 복강경을 이용하여 난자를 채취하고 체외수정을 하여 탄생했다(Steptoe et al., 1978). 그 이후 다양한 과배란유도방법의 개발, 세포질내정자주입(intracytoplasmic sperm injection, ICSI), 착상전유전검사(preimplantation genetic test, PGT) 등과 같은 보조생식술의 발전은 보다 많은 불임부부들이 IVF-ET를 통해서 임신할 수 있는 길을 열어 놓았다. 한국에서는 1985년 서울대학교병원에서 첫 시험관 아기가 출생하였다(Chang et al., 1994).

IVF 초기에는 난관 폐쇄나 난관 절제의 기왕력 등의 난관 요인이 IVF 시술의 주요 적응증이었지만, 점차 그 적응증은 남성 인자, 자궁내막증, 자궁경부 점액의 이상 및 면역학적 원인, 원인 불명의 불임 환자에게로 넓혀졌다.

2009년 한국 보조생식술의 현황에서 IVF의 적응증을 살펴보면 여성 인자만 있는 경우가 44.7%, 남성 인자만 있는 경우가 21.2%, 여성 인자와 남성 인자가 공존하는 경우가 7.4%, 원인불명의 불임증이 24.5%, 기타 다른 인자가 2.2%를 차지하였다(Choi et al., 2013).

IVF의 과정은 일반적으로 다음과 같은 과정으로 세분된다.

- 과배란유도(controlled ovarian stimulation, COS) 및 감시
- 난자채취(oocyte retrieval)
- 체외수정(in vitro fertilization)
- 배아의 배양 및 평가(embryo culture and evaluation)
- 배아이식(embryo transfer)
- 황체기 보강(luteal support)
- 임신반응검사 및 임신 제1삼분기 관리

1) 과배란유도(Controlled Ovarian Stimulation, COS) 및 감시

하나의 난자채취만을 목표로 하는 자연 주기 시술법과는 달리, 인공적으로 호르몬을 주사하여 다수의 난포를 성숙

시켜 많은 수의 난자를 얻는 과배란유도법의 도입으로 IVF를 통한 임신율은 괄목할 만큼 높아졌다. 과배란유도를 위해서 초기에는 생식샘자극호르몬(gonadotropin)만을 사용하였다. 이 방법은 매우 간단해서 효과적이기는 하나, 우성 난포가 17 mm에 도달하면 약 15%의 과배란유도 주기에서 황체형성호르몬(LH) 급증이 발생하는 단점이 있었으며, 이러한 현상은 우성 난포가 큰 경우에 더 흔했다. 난자의 성숙과 배란을 유도하기 위한 hCG (human chorionic gonadotropin)의 투여 이전에 황체형성호르몬이 급상승되면 예상치 못한 시기에 배란이 일어날 뿐만 아니라 난포의 황체화를 유발하여 임상 결과에 악영향을 끼친다. 이러한 약점을 극복하기 위하여 근래에는 생식샘자극호르몬분비호르몬작용제(GnRH agonist) 또는 생식샘자극호르몬분비호르몬길항제(GnRH antagonist)를 병용하는 과배란유도법이 널리 이용되고 있다. 이 두 가지 약제의 사용으로 예기치 못한 황체형성호르몬의 상승에 의한 조기 배란을 억제시킬 수 있을 뿐만 아니라 균등하게 성숙된 난자를 더 많이 얻을 수 있게 되었다.

과배란유도 과정은 다음과 같은 여러 가지 목적으로 감시한다. 첫째는 생식샘자극호르몬의 용량이 적당했는지를 알기 위해서, 둘째는 OHSS의 예방을 위하여, 그리고 셋째는 hCG를 투여하는 적정시점을 결정하기 위해서이다. 감시 방법으로는 혈청 에스트라디올검사와 초음파검사를 병행하는 방법이 많이 사용되는데 초음파를 사용하여 난포의 크기 및 수를 측정하여 hCG 투여시점을 결정한다. 혈청 에스트라디올 측정은 필수적이지는 않으나 초기 생식샘자극호르몬 투여용량에 대한 평가 및 저반응군에서 주기 취소 여부를 결정할 때 도움이 될 수 있다.

2) 난자채취(Oocyte Retrieval)

난자채취는 일반적으로 적어도 두 개 이상의 지름 17-18 mm 이상인 난포와 함께 14-16 mm 크기의 다른 난포가 몇 개 존재하고 적절한 혈중 에스트라디올농도를 보일 때(14 mm 이상 난포당 약 150-300 pg/mL) hCG를 투여한 후 약 36-38시간 후에 시행한다. 초기에는 복강경을 이용하여 난자채취를 하였으나, 질식초음파를 이용한 난자채취 방법이 더 간편하며 난자 회수율이 높다고 알려지면서 현재는 이 방법이 보편적으로 이용되고 있다.

난자채취의 과정은 다음과 같다. 환자를 결석제거술 자세(lithotomy position)로 눕히고 정맥 마취를 실시한다. 시술 전 질 내부를 소독할 때 포비돈을 사용하면 난자에 독성을 유발하여 임신율을 떨어뜨리므로 포비돈으로 소독을 한 다음에는 반드시 무균 생리 식염수로 질세척을 한다. 또는 무균 생리 식염수만으로 여러 번 질세척하는 것만으로도 충분하다고 알려져 있다(Tsai et al., 2005). 주로 16-17게이지 직경의 바늘을 난자채취에 사용하며 초음파로 난소의 위치를 확인한 후 가장 큰 난포를 향해 바늘을 삽입하면서 시작한다. 난자채취를 위해 진공흡입법(vacuum system)을 사용하는데, 지나치게 높은 압력을 사용하는 경우 난자가 팽창하여 투명대(zona pellucida)가 손상될 수 있으므로 120 mmHg 미만의 압력으로 시술하는 것이 적절하다(Carnevale et al., 2006).

난자 재취에 따른 합병증은 대개 경미한 편이다. 채취부위의 질출혈은 비교적 흔하지만(8.6%) 출혈 부위를 직접 압박하는 것만으로 지혈이 되는 경우가 대부분이고 봉합까지 필요한 경우는 드물다. 난소 출혈이나 자궁, 난소, 혈관 손상으로 인한 복강 내 출혈은 매우 드물지만(0.04-0.07%) 수술적 지혈을 요하는 경우도 있다. 시술 후 감염은 드문 합병증이며(0.3-0.6%),이는 난소의 자궁내막종이나 과거 난관염의 병력이 있는 경우 발생 위험이 더 높다. 감염된 예의 절반은 난자채취 1-6주 후 난소나 난관 주위의 농양으로 나타난다(Bennett et al., 1993)

3) 체외수정시술(In Vitro Fertilization, IVF)

난자채취를 통하여 획득한 난자는 즉시 현미경으로 관찰하며, 이를 통해서 난자의 세포질, 난구세포의 형태, 핵과 극체의 유무에 따라 등급을 매긴다. 제1극체를 방출한 난자는 성숙이 완료된 상태의 난자로 수정이 가능한 단계의 난자이며 이 시기에 수정을 유도한다.

정액은 난자채취 전후에 채취하여 운동성과 형태가 좋

은 정자를 얻기 위해 처리 과정을 거치는데, 일반적으로 swim-up 방법과 밀도구배원심분리법(density gradient centrifugation)을 가장 많이 사용한다. 두 방법 모두 활동성이 좋은 정자를 얻는 데 적합하며, 특히 밀도구배원심분리법은 정상모양을 가진 정자만 추출하는 데 유리하므로 정액 소견이 좋지 않을 때 주로 사용한다.

분리된 정자는 수정능(capacitation)을 얻기 위해 30분에서 4시간 동안 고농도의 단백질이 첨가된 배지에서 배양을 한다(Huang et al., 2014). 미성숙난자가 없고 난자등급이 우수한 경우 4-6시간 후에 정자주입 또는 미세조작기를 이용한 수정을 시행한다. 정상 정액 소견을 가진 경우에 수정을 하기 위한 정자의 수는 난자 한 개당 100,000개가 되도록 농도를 조정한다(Zollner et al., 1999). 희소정자증(oligozoospermia), 무력정자증(asthenozoospermia), 기형정자증(teratozoospermia), 또는 희소무력정자증(oligoasthenozoospermia)과 같은 심각한 남성 인자로 인한 불임 환자나, 동결 난자 또는 정자를 이용하는 경우에는 기존의 IVF 방법으로는 수정률이 낮으므로 미세수정을 고려한다.

4) 배아의 배양 및 평가

수정을 유도한 후 16-18시간 동안 배양된 난자의 난구 세포(cumulus cell)들은 대부분 정자의 운동에 의해 분산되나 난자에 강하게 부착되어 있는 난구 세포로 인하여 전핵(pronucleus)의 확인이 용이하지 않다. 따라서 얇은 유리 피펫이나 주사침을 이용하여 난구 세포를 제거한 후 전핵의 개수와 제2차 극체를 관찰하여 수정 여부를 확인한다. 이때 난자 중앙에 2개의 전핵을 관찰함으로써 정상적인 수정이 일어났음을 판정할 수 있다. 비정상적인 수정(전핵의 수가 1개이거나 3개 이상)이 일어난 수정란도 정상 수정란과 같은 난할 과정을 거치고 20시간 이후에는 전핵이 사라지므로, 이 시기에 전핵의 개수를 관찰하여 정상 수정란을 확인하는 것이 매우 중요하다. 일반적으로 정상적으로 수정이 확인된 배아는 새로운 배양액으로 옮겨서 24-48시간 더 배양하여 4-8세포기의 배아를 이식한다.

배아이식 전에 배아의 발달 속도, 형태학적인 할구의 개수, 균등성, 할구 세편의 유무 등에 따라 질적 평가를 한다. 시험관에서 배양되는 배아의 발달 속도는 2세포기, 4세포기 및 8세포기에 이르는 평균 시간이 각각 26-28시간, 43-45시간, 67-69시간으로 보고되고 있다(Alpha Scientists in Reproductive Medicine and ESHRE Special Interest Group of Embryology, 2011). 배아의 발달 속도가 늦거나 형태학적으로 배아의 질이 낮으면 배반포기까지의 발달률이 낮다는 것이 확인되었다(Prados et al., 2012). 따라서 이런 배아의 질적 평가는 임신율 예측에 매우 중요하다. 질이 좋은 배아를 선별하기 위한 많은 방법이 제시되고 있으며, 배아의 질을 향상시키고 생존율을 높이기 위하여 체세포와의 공배양, 새로운 배양액의 개발 등의 노력이 계속되고 있다.

5) 배아이식(Embryo Transfer, ET)

배아이식은 주로 수정 후 배양 2일째와 3일째 4-8세포기 배아 단계에서 시행하거나 포배기까지 배양하여 5-6일째에 수행하기도 한다. 이식 시 자궁경부점액이 많으면 자궁내막 세균 감염의 원인이 될 수 있으므로 이를 제거해 주는 것이 좋으며 점액이 카테터 끝에 묻으면 배아의 손상을 초래하거나 주입 후에도 배아가 카테터 내에 남을 확률이 높아진다. 이식 후 카테터 끝에 피가 묻어 있는 것은 자궁경부점막이나 자궁내막이 부분적으로 손상되었음을 의미하며 이 경우 임신율이 감소된다(Awonuga et al., 1998).

자궁 수축이 유발되는 것을 방지하기 위해 자궁경부를 tenaculum(당기개)으로 잡는 것은 가급적 피한다. 이식 후에는 카테터에 배아가 잔존하거나 묻어나올 수 있으므로 현미경으로 카테터를 면밀히 살펴야 한다. 최근에는 복식초음파 유도하에 배아이식을 함으로써 카테터의 삽입을 쉽고 정확하게 할 수 있으며, 자궁저부 내막 손상을 방지하여 임신 성공률을 올리고 있다.

난자와 정자를 수정시켜서 복강경을 이용하여 나팔관내에 이식하는 접합자 난관내이식(zygote intrafallopian transfer, ZIFT)이 임신율의 상승을 위해 사용되기도 하였다. 그러나 현재 자궁내배아이식(embryo transfer, ET)의 임신율이 상승되어 이와 같은 방법은 거의 사용되지 않고 있다.

6) 미성숙 난자를 이용한 체외성숙 기법(In Vitro Maturation, IVM)

1991년 Cha 등은 폐기되는 난소조직에서 얻은 미성숙 난자를 체외에서 성숙, 수정시켜 다른 환자에게 공여하여 임신 및 분만에 성공하였으며(Cha et al.,1991), 1994년 Trounson 등은 다낭성난소증후군 환자에게서 배란유도 없이 미성숙 난자를 채취하고 체외에서 성숙, 수정, 이식하여 임신에 성공하였다(Trounson et al., 1994). 그 후 미성숙 난자의 이용은 많은 연구자들에 의해 발전하여 보조생식술의 한 부분으로 자리매김하고 있다. 특히 배란유도제를 사용하지 않은 난소에서 채취한 미성숙 난자를 이용한 시험관 아기 시술법은 시술이 비교적 간단하고 배란유도제 투여 비용이 절감되며, 초음파를 이용한 배란 추적 및 혈청 호르몬검사에 따른 노력과 시간을 줄일 수 있는 장점을 가지고 있으며, 또한 과배란유도에 따른 다양한 약제 부작용으로부터 환자를 보호할 수 있다. 그러나 이 시술법이 불임치료 전반에 도입되기 위해서는 미성숙 난자채취의 어려움, 일반적인 배란유도를 통한 시험관 아기 시술에 비해 저조한 성숙률과 수정률, 발생률, 그리고 자궁 내막과의 불일치에 의한 저조한 임신율이 우선적으로 극복되어야 한다(De Vos et al., 2011).

7) 황체기 보강(Luteal Support)

과배란유도시 황체기는 자연주기와 여러 면에서 다르다. 첫째로 많은 황체가 형성되면, 에스트로겐과 프로게스테론이 황체기 초반에 과량으로 형성된다. 그리고 이는 착상 가능 시기를 앞당기게 되며, 또한 고반응군에서 배아이식시 자궁 수축을 유발하여 임신율을 떨어뜨리게 한다. 둘째는 난소에서 스테로이드 생성기간이 짧고 난자채취 후 에스트로겐, 프로게스테론이 자연주기보다 더 일찍, 급격하게 감소한다. 이러한 짧은 황체기의 문제가 대두되면서 황체기 보강을 시행하게 되었다. 난자채취 후 1주일간은 충분한 양의 스테로이드가 생성되어 있으므로 외부에서 프로게스테론을 공급하지 않아도 되지만, 난자 공여와 같은 프로그램에서는 외부에서 공급하는 스테로이드에 전적으로 의존하므로 프로게스테론 투여가 필수적이다. 난자채취 당일 저녁부터 난자채취 후 3일 이내 사이에 프로게스테론 투여를 시작해야 하고, 임신이 확인되면 임신 6-10주까지 유지한다.

황체기 보강은 다음의 3가지 방법이 주로 사용되고 있다.

① 프로게스테론 오일(progesterone in oil) 50 mg 근주 1회/일
② 크리논 8% 질크림, 질 내 투여 1회/일
③ 유트로제스탄(Utrogestan) 200 mg 질 내 투여 3회/일

난자공여에 의한 체외수정 및 배아이식을 실시할 때에는 공여자에게 배란유도제를 투여하기 몇 달 전이나 바로 직전부터 수용자(recipient)에게 에스트로겐(estradiol valerate 또는 estrogen patches)을 투여하고, 프로게스테론은 공여자에게 hCG를 투여하는 날부터 난자채취 날 사이에 투여를 시작한다.

8) 임신반응검사 및 임신 제1삼분기 관리

체외수정시술을 시행받은 부부들은 배아이식 후 혈청 β-hCG를 검사하여 되도록이면 이른 시기에 임신결과를 알고싶어 한다. 그러나 과배란유도 후 배란을 시킬 목적으로 외부에서 근주한 hCG가 투여 후 14일까지 나타날 수 있으므로 난자채취 후 14일에 혈청 β-hCG를 검사하는 것이 좋다. 혈청 β-hCG에서 임신이 확인되면 임신 제 5-6주에 초음파로 자궁내임신을 확인하여야 하며, 특히 이 시기에 초음파를 통해서 IVF의 합병증인 자궁외임신과 다태임신을 조기발견하는 것이 매우 중요하다.

2012년 한국 보조생식술 현황에서 IVF 후 임신 성공률은 난자채취 주기당 30.5%, 배아이식 주기당 33.7%였으며, 출산율은 난자채취 주기당 16.5%, 배아이식 주기당 18.3%

를 보였다. 연령대별 배아이식 주기당 임상적 임신율은 29세 미만이 44.9%, 30-34세가 40.7%, 35-39세가 33.2%, 40세 이후는 17.2%로 나타났다(Lee et al., 2017).

3. 미세조작술(Micromanipulation)

미세조작술은 미세피펫(micropipette)을 이용하여 현미경 하에서 난자 및 배아를 조작하는 모든 시술방법을 의미하며 수정률의 향상을 위한 난자세포질내정자주입술(intracytoplasmic sperm injection, ICSI), 배아의 착상을 도와주는 보조부화술(assisted hatching), 착상전배아(preimplantation embryo)의 유전자 진단을 위한 배아생검(embryo biopsy) 등이 임상에 적용되고 있다. 이외 실험실적인 기법으로 핵이식(nuclear transfer), 난자세포질 이식(cytoplasm transfer), 키메라(chimera)의 생산, 형질전환을 위한 난자세포질내 DNA 또는 mRNA 주입 등에 이용된다.

1) 난자세포질내 정자주입술(Intracytoplasmic Sperm Injection, ICSI)

1978년 체외수정시술을 통한 첫 아기의 탄생 이후 체외수정시술은 여성인자 난임을 해결하기 위한 효과적인 치료로 자리 잡았고 이후 체외수정시술은 원인불명의 난임, 남성인자 난임, 자궁내막증을 가진 난임에도 성공적으로 적용되어 왔다. 난임의 원인 중 남성인자, 즉 정자의 수, 운동성 및 형태에 결함이 있는 경우에 고식적인 체외수정시술의 결과는 효과적이지 못하여 수정률이 낮고 배아 형성이 적어 많은 주기에서 이식을 위한 배아를 얻지 못하였다. 이러한 문제를 해결하기 위하여 1980년대 후반부터 미세보조수정술(micro-assisted fertilization)이 개발되기에 이르렀다. 1992년 Palermo 등이 인간에서 남성인자 불임증의 치료 방법으로서 체외수정시술 시 미세보조수정술의 일종인 ICSI에 의한 성공적인 임신을 보고하였다. ICSI는 정자 한 개를 난자 내에 직접 찔러 주입해주는 시술로서 투명대와 난자막이라는 장벽을 극복할 수 있으므로 정자 특성과 상관없이 높은 수정률을 얻을 수 있다.

정액검사에서 중증 남성요인과 그리고 무정자증 환자에서 정자를 부고환이나 고환에서 채취한 경우가 ICSI의 일차 적응증이다. 일반적으로 총 운동성 정자수(total motile sperm count) 가 100만(또는 200만) 미만인 경우 ICSI로 수정을 시도한다. 정상형태정자의 비율이 4% 미만인 경우가 기형정자증(teratozoopsermia)에 해당하는데 단독으로 있을 때 꼭 ICSI를 해야 하는지에 대해서는 이견이 있는 실정이다. 혹자는 정상형태정자의 비율이 4% 미만이면서 총 운동성 정자수가 500만 미만일 때 ICSI를 권하기도 한다. 이전 고식적 수정 방법으로 특별한 원인 없이 수정률이 저조했던 경우에도 ICSI가 이용되고 있다. 남성암 환자에서 항암화학요법이나 방사선요법에 앞서 가임력보존을 위하여 정자를 동결보존하는데 추후 동결보존된 정자를 이용하여 체외수정시술을 할 경우 ICSI가 이용된다. 척수손상 환자, 사정장애(ejaculatory disturbance)가 있는 환자, 역방향사정(retrograde ejaculation) 환자 등에도 적용될 수 있다. 남성이 HIV 양성자인 경우 정액내 바이러스가 난자에 노출되는 것을 피하기 위하여 ICSI로 수정을 시킨다.

채취된 난자수가 적은 경우에(보통 2개 이하) 성숙난자인지를 확인하기 위하여 난자 주위의 난구세포를 제거하는데 이때에도 다정자수정(polyspermy)을 방지하기 위하여 ICSI로 수정을 시키며, 동결보존된 난자나 체외성숙된 난자는 투명대가 경화되는 현상이 오므로 ICSI로 수정을 시킨다. 난자가 형태학적으로 비정상적인 경우에도 ICSI가 흔히 적용된다. 유전자 진단을 위한 제1극체 생검시에 난자 주위의 난구세포를 제거하므로 역시 ICSI로 수정을 시키며 할구 생검시에도 생검된 할구에 정자가 포함되면 안되므로 ICSI로 수정을 시킨다.

최근에는 비남성요인, 즉 여성측요인인 경우에도 광범위하게 ICSI가 적용되어 ICSI 수정법은 국내외적으로 날로 증가 추세이다(Committee for Assisted Reproductive Technology Statistics; Korean Society for Assisted Reproduction, 2017). 이에는 여성의 나이 40세 이상, 중증

자궁내막증의 병력이 있거나 현재 내막종이 있는 경우, 당일 난자질이 좋지 않은 경우 등이 있다. 반복 착상실패군에서도 ICSI로 수정을 시도하는 추세이다(Practice Committees of the American Society for Reproductive Medicine, 2012). 원인불명의 난임에서 체외수정시술을 시도할 때 수정의 방법으로 ICSI를 이용하는 것이 유리한지는 논란이 있다. 그럼에도 불구하고 ICSI는 수정율을 증진시키고 수정실패를 예방하는 측면이 있어 매력적이다.

현 급여체계에서 ICSI의 급여 기준은 심각한 남성인자, 무정자증, 항정자항체, 척수손상, 사정장애, 역방향사정, 미숙난자, 동결보존된 정자/난자, 중증 자궁내막증, 난소기능저하, 착상전배아유전진단, 비ICSI 주기에서 수정실패 또는 배발생률이 낮았던 경우, 이전 체외수정시술 후 2회 이상의 임신 실패력이다.

예기치 못한 수정실패를 방지하기 위하여 절반의 난자는 고식적 방법으로 그리고 나머지 난자는 ICSI로 수정을 유도하는 소위 분할정액주입(split insemination)을 시행하기도 하는데 ICSI 수정법이 고식적 방법에 비해 수정률을 증진시키고 수정실패를 낮춘다고 알려져 있다(Johnson et al., 2013).

ICSI를 위한 집게피펫(holding pipettes) 및 주입피펫(injection pipettes)은 유리모세관(glass capillary tube)을 사용하여 만든다. 현미경 200-400배의 시야에서 미리 배양되어 있는 페트리 접시의 중앙 PVP (polyvinyl pyrrolidone) 방울(droplet)에서 정상적인 운동성과 형태를 지닌 정자 한 개를 선택하여 주입피펫 끝으로 꼬리를 눌러 잡아 정자가 움직이지 못하게 한 후 주입피펫 끝 쪽의 구멍 속으로 정자의 꼬리부터 흡입한다. 페트리 접시를 움직여서 시야를 난자가 준비된 배양액 방울로 옮기고, 집게피펫에 가벼운 음압을 가해서 난자를 움직이지 않도록 고정한다. 이 때 제1극체가 12시나 6시 방향에 있도록 고정하며, 주입피펫은 난자의 3시 방향에서 투명대를 통과하여 찌른다(그림 23-3). 정자 한 개를 난자의 세포질 안으로 주입하며, 가급적 PVP 배양액이 많이 주입되지 않도록 주의한다. 주입 직후 피펫을 부드럽게 당겨서 정자가 주입된 난자는 집게피펫으로부터 분리시킨다.

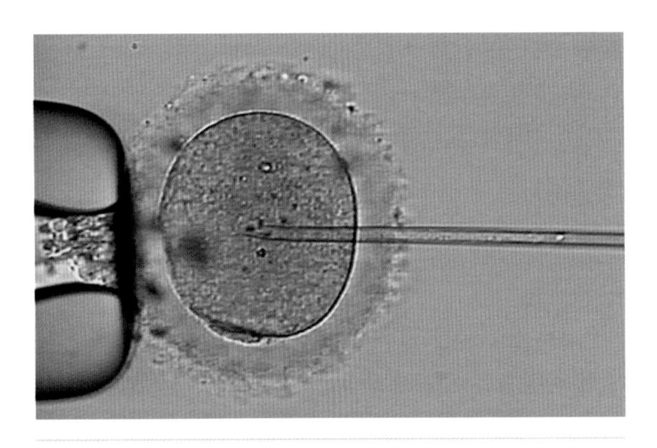

그림 23-3. **난자세포질내 정자주입술의 방법**
집게피펫에 음압을 가해서 난자를 움직이지 않도록 고정하고 제1극체가 12시나 6시 방향에 있도록 조정하여 주입피펫을 난자의 3시 방향에서 투명대를 통과하여 찌른다.

남성인자 난임에서 전체적인 수정률은 고식적 수정법과 유사하게 70-80% 정도로 보고되고 있으며 신선정자 대 동결정자의 비교에서 수정률과 임신율은 비슷하였고 수술적 정자채취군에서 수정률은 신선정자보다 낮으나 임신율은 비슷하게 나타나 수술적 정자채취군에서 일단 수정이 된다면 충분히 임신이 가능하다고 볼 수 있다(Palermo et al., 2009).

ICSI 시술법으로 출생한 아이들에서 선천성 기형아율은 고식적 수정법과 비슷하다고 알려져 있으나(Wen et al., 2012) 자연임신에 비해서는 선천성 기형아율이 증가한다는 보고도 있으므로 주의를 요한다(Katalinic et al., 2004; Davies et al., 2012). 이는 ICSI 시술법 자체보다는 다분히 불임부부인 부모의 조건이 영향을 주었다는 해석도 있다(Zollner et al., 2013). 성염색체 이상이 증가한다는 보고도 있으나 이는 시술법 자체의 영향이라기보다는 난임남성의 정자에서의 높은 염색체 이상 빈도 때문으로 보인다(Bonduelle et al., 2002; Van Steirteghem et al., 2002; Zollner et al., 2013). 따라서 남성난임으로 ICSI를 시도하여 임신이 된 경우 양수검사를 통한 태아핵형분석이 권고되기도 한다. ICSI 시술이 각인질환(imprinting disorder)나 암 발생을 증가시킨다는 일부 주장이 있으나 아직 확정적인 것은 아니다(Edwards et al., 2003, Zollner et al., 2013).

ICSI에서는 운동성과 모양이 좋은 한 개의 정자만을 선택하여 난자에 찔러주는데 최근에는 양질의 정자 한 개를 어떻게 선택할 것인가에 대한 연구가 활발하다. Hyaluronic acid에 부착하는 정자를 선택하여 ICSI를 하는 방법이 physiologic ICSI, 즉 PICSI이며, 6,000배 정도의 고해상도 현미경을 이용하여 외양적으로 결함이 없는 정자를 선별하여 ICSI를 하는 방법이 intracytoplasmic morphologically selected sperm injection (IMSI)이다. 이외에도 자기장을 이용한 magnetic-activated cell sorting (MACS) 방법도 소개되어 있다. 이들 방법들이 질이 좋은 정자를 선별하는 것으로 생각은 되지만 임신율을 상승시키고 유산율을 낮추는지에 대해서는 더 연구가 필요하다(Jeyendran et al., 2019).

2) 배아의 보조부화술(Assisted Hatching, AH)

인간을 포함한 포유류의 난자는 당단백(glycoprotein)으로 구성된 투명대로 둘러싸여 있으며, 정상적인 수정을 위하여 정자는 우선적으로 투명대를 통과하여 난막과 융합하는 과정을 거쳐야 한다. 수정 후 배아는 투명대가 경화되는 생리학적 과정인 투명대반응(zona reaction)을 개시하는데 이러한 기전에 의하여 다정자수정(polyspermy)을 예방하고 느슨하게 결합된 할구들의 삼차원적 통합성을 유지하여 배아의 정상적인 발달을 위한 보호 작용을 하고, 난관 안에서 이동 시 배아의 손상을 막아주며 미생물이나 면역세포로부터 배아를 보호하는 역할을 한다. 인간 배아는 수정 후 5일경이 되면 포배기배아(blastocyst)로 발달하고 이때 내인성(embryonic) 및 외인성(uterine) 용해소(lysins)의 작용에 의하여 투명대가 얇아지고 투명대 일부가 녹으면서 할구세포들이 투명대 밖으로 나오게 되는 소위 부화(hatching) 현상이 일어난다. 체외수정시술에서는 25-30% 정도의 배아만이 부화 과정을 거친다고 알려져 있는데 투명대가 두껍거나 경화되면 부화 과정이 저해되어 배아의 착상률을 저하시킬 수 있으므로 체외에서 인위적으로 부화 과정을 유발하여 배아의 착상력을 증진시키고자 하는 것이 보조부화술의 이론적 근간이다. 여성의 나이가 많으면 투명대가 두껍거나 경화되는 현상이 오므로 보조부화술의 일차 적응증이 되며 반복착상실패군이나 동결보존 배아이식에서도 적용된다.

투명대로부터 배아가 쉽게 나올 수 있도록 도와주는 보조부화술의 방법에는 피펫을 이용하여 기계적으로 투명대를 절개해주는 투명대부분절개술(partial zona dissection, PZD)(그림 23-4), 효소(acid Tyrode, pronase)나 레이저를 이용하여 투명대에 구멍을 뚫어주거나(zona drilling) 또는 얇게 해주는 방법(zona thinning) 등이 있다.

2012년에 발표된 메타분석에서는 지금까지 보고된 31개의 무작위 연구를 분석하였는데 보조부화술이 임신율은 유의하게 증가시키나 그 정도는 크지 않고(교차비 1.13) 생존아 출생율과 유산율은 비슷하나 다태임신이 증가하였다(교차비 1.38)(Carney et al., 2012). 그러나 이 보고에서는 반복착상실패 환자군만 따로 분석하였을 때 임신율은 유의하게 증가하므로(교차비 1.42) 보조부화술이 유용하다고 하였다.

또 다른 메타분석 보고에서는 전체적인 임신율에는 이득이 없으나 반복착상실패 환자군(비교위험도 1.73) 및 동결배아이식군(비교위험도 1.36)에서 임신율이 유의하게

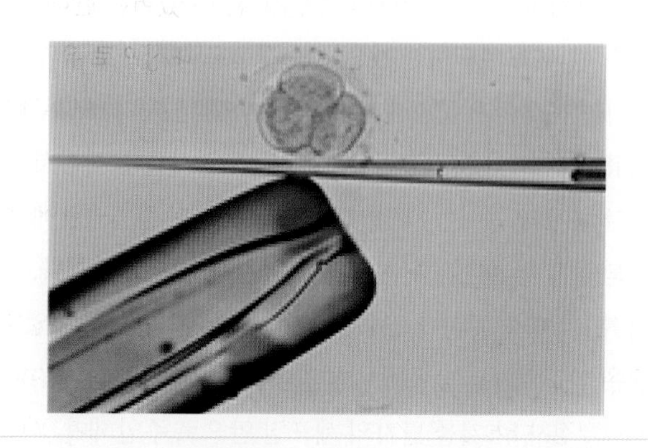

그림 23-4. 투투명대로부터 배아가 쉽게 나올 수 있도록 도와주는 보조부화술 방법 중 피펫을 이용하여 기계적으로 투명대를 절개해주는 투명대부분절개술 장면

증가한다고 하였으며 고령인 경우나 예후가 좋은 환자군에서는 차이가 없었다고 하였다(Martins et al., 2011). 다태임신은 전체적으로 증가하였으며(비교위험도 1.45) 이는 반복착상실패 환자군이나 동결배아이식군도 마찬가지였다. 상기의 보고를 볼 때 보조부화술은 반복 착상실패군이나 동결배아이식군 등 일부 특정군에서만 이득이 있는 것으로 생각된다.

현 급여체계에서 보조부화술의 급여 기준은 여성 40세 이상, FSH≥12 mIU/mL, 투명대≥15 μm 또는 검거나 비정형/경화현상, 이전 체외수정시술 시 배아의 부화가 일어나지 않았거나 양질의 수정란을 이식하였으나 2회 이상 착상 실패인 경우이다.

3) 착상전유전검사(Preimplantation Genetic Test, PGT)

태아의 산전 유전진단을 위한 기존의 융모막검사, 양수검사 등은 이미 임신이 성립된 후에 유전진단이 이루어지므로 부모는 임신 지속 여부에 관한 어려운 결정을 내려야 한다. 이러한 논란을 피하고자 착상전배아(preimplantation embryo)에서 미리 유전진단을 하고 정상 유전자를 갖는 배아만을 이식하여 임신에 이르게 하는 방법이 착상전유전검사법이다. 최초로 Handyside 등이 1990년에 X-연관 열성 유전질환을 가진 부부에서 시행하여 성공적인 임신을 보고하였다.

착상전유전검사는 부부의 유전진단이 확진되어야 하고 하나의 세포로 믿을만한 진단을 할 수 있어야 한다. 보건복지부에서 지정한 배아 또는 태아를 대상으로 유전자검사를 할 수 있는 유전질환은 관련법에 의거 2016년부터는 165종(법령 63종, 고시 102종)이었으나 2020년에 고시 102종에 24종이 추가되어 고시는 총 126종, 전체 총 189종이 되었다(표 23-3).

착상전유전검사는 난자 및 배아를 대상으로 검체세포를 추출하는 과정과 여기에서 얻어진 세포에서 유전자진단을 하는 두 단계로 이루어진다. 검체를 추출하는 과정은 다음의 3가지 방법으로 시행되고 있다. 투명대 진입은 보조부화술과 유사하여 미세피펫으로 찢거나 효소 또는 레이저로 구멍을 뚫어준다.

(1) 극체생검(polar body biopsy)

극체생검은 배아가 아닌 난자에서 극체를 추출하여 수적, 구조적 염색체 이상 등을 유전진단하는 방법으로 1990년 Verlinsky 등에 의해 처음 도입되었다. 극체생검에 의한 유전진단은 제1극체나 제2극체에 대한 정보만을 제공하므로 단지 모계의 유전적 또는 염색체 구성에 대한 간접적인 진단만이 가능하다. 따라서 수정 시 염색체에서 교차(cross-over) 또는 재조합(recombination) 등의 현상이 일어날 경우 위음성의 결과를 초래할 수 있다는 단점이 있다.

(2) 할구세포생검(blastomere biopsy)

6-8세포기 배아에서 할구세포 1-2개를 생검하여 유전진단하는 방법으로써 8세포기 이전에서는 할구세포 1-2개를 제거하여도 배아의 성장 및 발달에는 지장이 없는 것으로 보고되었다. 배아 단계이므로 부계와 모계로부터 받은 유전적 또는 염색체 구성에 대한 진단이 가능하다. 할구세포 생검에는 미세피펫으로 할구세포 한 개를 흡인해내는 할구흡인법(blastomere aspiration)(그림 23-5A)과 미세피펫으로 투명대 안으로 배양액을 주입하여 할구세포 한 개가 뛰쳐나오도록 하는 할구짜내기법(blow-out)이 있다.

(3) 영양외배엽생검(trophectoderm biopsy)

체외수정 후 5-6일이 지난 포배기배아에서 태반으로 성장 예정인 영양외배엽(trophectoderm) 조직의 일부를 생검하여 유전진단을 시행한다. 이 방법은 다수의 영양막세포(trophoblast cell)를 채취하므로(10-30세포) 비교적 많은 양의 DNA를 얻을 수 있다는 장점이 있어 최근에 주로 사용된다. 그러나 trophectoderm 생검은 사실 배아 자체가 아니라 태반조직을 검사하는 것이어서 배아의 상태를 정확히 반영하지 못하며 mosaicism 빈도가 높다는 점 등이 단점으로 지적된다. 분석 결과가 나오기까지는 일정 시간이 소요되므로 일단 배아동결을 하고 다음 주기에 배아이식을 하게 된다.

표 23-3. 배아 또는 태아를 대상으로 유전자검사를 할 수 있는 유전질환

〈법령 63종〉

1. 수적 이상 염색체 이상질환(Numerical chromosome abnormalities)
2. 구조적 이상 염색체 이상질환(Structural chromosome rearrangements)
3. 연골무형성증(Achondroplasia)
4. 낭성섬유증(Cystic fibrosis)
5. 혈우병(Haemophilia)
6. 척수성근육위축(Spinal muscular atrophy)
7. 디죠지증후군(Di George's syndrome)
8. 표피수포증(Epidermolysis bullosa)
9. 고세병(Gaucher's disease)
10. 레쉬니한증후군(Lesch Nyhan syndrome)
11. 마르팡증후군(Marfan's syndrome)
12. 근육긴장성장애(Myotonic dystrophy)
13. 오르니틴트랜스카바밀레이즈결핍(Ornithine transcarbamylase deficiency)
14. 다낭성신장병(Polycystic kidney disease)
15. 겸상적혈구빈혈(Sickle cell anemia)
16. 테이삭스병(Tay-Sachs disease)
17. 윌슨병(Wilson's disease)
18. 판코니빈혈(Fanconi's anemia)
19. 블룸증후군(Bloom syndrome)
20. 부신백질영양장애(Adrenoleukodystrophy)
21. 무감마글로불린혈증(Agammaglobulinemia)
22. 알포트증후군(Alport syndrome)
23. 파브리-안더슨병(Fabry's-Anderson disease)
24. 바스증후군(Barth syndrome)
25. 샤르코-마리-투스병(Charcot-Marie-Tooth disease)
26. 코핀-로리증후군(Coffin-Lowry syndrome)
27. 선천부신증식(Congenital adrenal hyperplasia)
28. 크루존증후군(Crouzon syndrome)
29. 가족성선종성용종증(Familial adenomatous polyposis coli)
30. 골츠증후군(Goltz's syndrome)
31. 육아종병(Granulomatous disease)
32. 헌터증후군(Hunter's syndrome)
33. 헌팅톤병(Huntington's disease)
34. 발한저하성 외배엽이형성증(Hypohydrotic ectodermal dysplasia)
35. 색소실조증(Incontinentia pigmenti)
36. 케네디병(Kennedy's disease)
37. 크라베병(Krabbe's disease)
38. 로웨증후군(Lowe syndrome)
39. 신경섬유종(Neurofibromatosis)
40. 구안지증후군(Orofacial-digital syndrome)
41. 불완전골형성증(Osteogenesis imperfecta)
42. 펠리제우스-메르츠바하병(Pelizaeus-Merzbacher disease)
43. 피르브산탈수소효소결핍(Pyruvate dehydrogenase deficiency)
44. 망막세포변성(Retinitis pigmentosum)
45. 망막아세포증(Retinoblastoma)
46. 망막층간분리(Retinoschisis)
47. 산필립포증후군(Sanfilippo disease)
48. 척수소뇌성운동실조(Spinocerebellar ataxia)
49. 스틱클러증후군(Stickler syndrome)
50. 결절성경화증(Tuberous sclerosis)
51. 비타민D저항성구루병(Vitamin D resistant rickets)
52. 폰히펠-린다우증후군(Von Hippel-Lindau disease)
53. 비스코트-올드리치증후군(Wiskott-Aldrich syndrome)
54. 니만-피크병(Niemann-Pick Disease)
55. 이염성백질이영양증(Metachromatic Leukodystrophy)
56. 후를러증후군(Hurler syndrome)
57. 프로피온산혈증(Propionic acidemia)
58. 메틸말로닌산혈증(Methylmalonic acidemia)
59. 페닐케톤뇨증(Phenylketonuria)
60. 티로신혈증(Tyrosinemia)
61. 월프-허쉬호른증후군(Wolf-Hirschhorn syndrome)
62. 베타-지중해빈혈(β-thalassemia)
63. 근이영양증(Muscular dystrophy)

〈기존 고시 102종〉

1. 시트룰린혈증(Citrullinemia)
2. 크리글러-나자르증후군(Crigler-Najjar syndrome)
3. 갈락토스혈증(Galactosemia)
4. 글루타릭산혈증(Glutaric acidemia)
5. 당원축적병(Glycogen storage disease)
6. 저인산효소증(Hypophosphatasia)
7. 장쇄수산화 acyl-CoA 탈수소효소 결핍증(Long chain 3-hydroxy acyl-CoA dehydrogenase deficiency)
8. 단풍당밀뇨병(Maple syrup urine disease)
9. 멘케스증후군(Menkes syndrome)
10. 비케톤성 고글리신혈증(Nonketotic hyperglycinemia)
11. 지속성 고인슐린혈증에 의한 영아기 저혈당증(Persistent hyperinsulinemic hypoglycemia of infancy)
12. 중증 복합 면역결핍장애(Severe combined immunodeficiency disorder)
13. 월만병(Wolman disease)
14. 젤웨거증후군(Zellweger peroxisome syndrome)
15. 모세혈관확장성 운동실조(Ataxia telangiectasia)
16. 점액다당질증(Mucopolysaccharidosis)
17. 골화석증(Osteopetrosis)
18. 레트증후군(Rett syndrome)
19. 골연골종증(Osteochondroma)
20. 점상연골 이형성증(Rhizomelic chondrodysplasia punctata)
21. 백색증(Albinism)
22. 알라질증후군(Alagille syndrome)
23. 유전성 과당불내증(Hereditary fructose intolerance 또는 Aldolase A deficiency)
24. 알파-지중해빈혈(α-thalassemia)
25. 카나반병(Canavan disease)
26. 세로이드 리포푸신증(Ceroid lipofuscinosis 또는 Batten disease)
27. 선천성 당화부전(Congenital disorder of glycosylation)
28. 주기성 호중구 감소증(Cosman-cyclic neutropenia)
29. 시스틴축적증(Cystinosis)
30. 데니스-드래쉬증후군(Denys-Drash syndrome)
31. GM1 강글리오사이드증(GM1 gangliosidosis)
32. 할러포르텐-스파츠병(Hallervorden-Spatz disease)
33. 수두증(Hydrocephalus: X-linked L1CAM)
34. 선천성 면역결핍증(Hyper IgM syndrome)
35. 뮤코리피드증 Ⅳ(Mucolipidosis Ⅳ)
36. NEMO 면역결여(NEMO immunodeficiency)
37. 허파고혈압(Pulmonary hypertension)
38. 액틴-네말린 근육병증(Actin-Nemaline myopathy)

39. 알파-1 항트립신 결핍증(Alpha-1 antitrypsin deficiency)
40. 아동기 저수초형성 운동실조(Childhood ataxia with central nervous system hypomyelination)
41. 선천성 핀란드형 신장증(Congenital Finnish nephrosis)
42. 아페르증후군(Apert syndrome)
43. 맥락막 결손(Choroideremia)
44. 쇄골두개골 형성이상(Cleidocranial dysplasia)
45. 코케인증후군(Cockayne syndrome)
46. 선천성 조혈기성 포르피린증(Congenital erythropoietic porphyria)
47. 데스민 축적 근육병증(Desmin storage myopathy)
48. 표피박리 각화다과증(Epidermolytic hyperkeratosis)
49. 프리드라이히 운동실조(Friedreich's ataxia)
50. 글리신 뇌병증(Glycine encephalopathy)
51. 유전성 출혈성 모세혈관확장(Hereditary hemmorrhagic telangiectasia)
52. 혈구탐식성 림프조직구증(Hemophagocytic lymphohistiocytosis)
53. 레베르 선천성 흑암시(Leber retinal congenital amaurosis)
54. 베스트병(Best disease 또는 Vitelliform macular dystrophy)
55. 누난증후군(Noonan syndrome)
56. 노리병(Norrie disease)
57. 눈·코·치아·골격 이형성증(Oculodentodigital dysplasia)
58. 시신경 위축(Optic atrophy 1)
59. 백질 이소증(Periventricular heterotopia)
60. 파이퍼증후군(Pfeiffer syndrome)
61. 천골무형성증(Sacral agenesis syndrome 또는 Currarino syndrome)
62. 스미스-렘리-오피쯔증후군(Smith-Lemli-Opitz syndrome)
63. 선천성 척추뼈끝 형성이상(Spindylo-epiphyseal dysplasia congenita)
64. 트레처 콜린스증후군(Treacher Collins syndrome)
65. 바르덴부르크증후군(Waardenburg syndrome)
66. 유전성 혈관부종(Hereditary angioedema)
67. 유전성 청각장애(Hereditary deafness)
68. 블랙판-다이아몬드증후군(Blackfan-Diamond syndrome)
69. 저칼륨성 주기성 마비(Hypokalemic periodic paralysis)
70. X-연관 어린선: 스테로이드 설파타제 결핍증(X-linked ichthyosis: Steroid sulfatase deficiency)
71. 선천성 어린선(Congenital harlequin ichthyosis)
72. 유전성 림프부종(Hereditary lymphedema)
73. 선천성 손발톱 비대증(Pachyonychia congenita)
74. 가성 부갑상샘 기능저하증(Pseudohypoparathyroidism)
75. 밸라-제롤드증후군(Baller-Gerold syndrome 또는 Saethre-Chotzen syndrome)
76. 웨스트증후군(West syndrome)
77. 이영양성 형성이상(Diastrophic dysplasia)
78. 폰 빌레브란트병(Von Willebrand disease)
79. 다발성골단 이형성증(Multiple epiphyseal dysplasia)
80. 제1형 진행성 가족성 간내담즙정체증(Progressive familial intrahepatic cholestasis Ⅰ)
81. 오르니틴 아미노전환효소 결핍증(Ornithine aminotransferase deficiency)
82. 제1형 자가면역성 다선증후군(Autoimmune polyendocrine syndrome type1)
83. 아가미-귀-콩팥 스텍트럼장애(Branchio-oto-renal spectrum disorders)
84. 선천성 중추 저환기증후군(Congenital central hypoventilation syndrome)
85. 제2형 뮤코지질증(Mucolipidosis Ⅱ)
86. 여린 X증후군(Fragile X syndrome)
87. 로이디에츠 신드롬(Loeye-Dietz syndrome)
88. 멕켈그루버증후군(Meckel Gruber syndrome)
89. 연골저형성증(Hypochondroplasia)
90. 가성연골무형성증(Pseudoachondroplasia)
91. Combined oxidative phosphorylation deficiency 14(mCOXPD14)
92. ARC 증후군(ARC syndrome)
93. 좌지증후군(CHARGE syndrome)
94. 샌드호프병(Sandhoff's disease)
95. 치사성이형성증(Thanatophoric dysplasia)
96. 쉼케면역골이형성이상증(Schimke immunoosseous dysplasia)
97. 소토스증후군(Sotos syndrome)
98. 루빈스타인-테이비증후군(Rubinstein-Taybi syndrome)
99. 홀트-오람증후군(Holt-Oram syndrome)
100. 폐포모세혈관이형성증(Congenital alveolar dysplasia, Alveolar capillary dysplasia)
101. 유전성 강직성 하반신마비(Hereditary spastic paraplegia)
102. 중심핵병(Central Core Disease)

〈2020년 신설 고시 24종〉

103. 가부키증후군(Kabuki syndrome)
104. 포이츠제거스증후군(Peutz-Jeghers syndrome)
105. 갑상선수질암(Medullary thyroid cancer)
106. X-연관 림프증식성 질환(X-linked lymphoproliferative disease)
107. X-연관 근세관성 근육병증(X-linked myotubular myopathy)
108. 코넬리아드랑에증후군(Cornelia de Lange syndrome)
109. 유전감각신경병4형(Hereditary sensory and autonomic neuropathy Ⅳ)
110. 화버증후군(Farber's syndrome)
111. 비키증후군(VICI Syndrome)
112. 급성괴사성 뇌증(Acute Necrotizing Encephalopathy)
113. 피르빈산키나아제 결핍증(Pyruvate kinase Deficiency)
114. 부분백색증(Partial albinism)
115. 멜라스증후군(MELAS syndrome)
116. 선천성부신 저형성증(Adrenal hypoplasia congenita)
117. 바터증후군(Batters syndrome)
118. 옥살산뇨증(Hyperoxaluria, primary)
119. 주버트증후군(Joubert syndrome)
120. 싱글턴머튼증후군(atypical Singleton-Merten syndrome)
121. 무홍채증(Aniridia). 다만, 해당 분야 전문의의 판단에 따라 이환된 가족의 중증도를 고려한 선별적인 검사에 한한다.
122. 아벨리노 각막이상증(Avellino corneal dystrophy). 다만, 해당 분야 전문의의 판단에 따라 이환된 가족의 중증도를 고려한 선별적인 검사에 한한다.
123. 스타가르트병(Stargardt disease). 다만, 해당 분야 전문의의 판단에 따라 이환된 가족의 중증도를 고려한 선별적인 검사에 한한다.
124. 영아간부전증후군 1형(Infantile liver failure syndrome type 1/LARS). 다만, 해당 분야 전문의의 판단에 따른 LARS 유전자의 열성유전에 의한 영아간부전증후군 1형 유전병검사에 한한다.
125. 엘러스단로스증후군(Ehlers-Danlos syndrome). 다만, 해당 분야 전문의의 판단에 따른 혈관성 엘로스 단로스증후군(Vascular Ehlers-Danlos Syndrome) 유전병검사에 한한다.
126. 외안근 섬유화증(Fibrosis of Extraoccular Muscles). 다만, 해당 분야 전문의의 판단에 따른 제3형 TUBB3 타입 유전병검사에 한한다.

(121번부터 6종은 조건부 허용으로 해당 분야 전문의가 이환된 가족의 중증도를 고려하거나 특정 중증 유전자 변이질환에 기인한 경우로 판단한 경우에 한하여 제한적으로 허용된다.)

생검에서 얻어진 세포는 형광직접보합법(fluorescent in situ hybridization, FISH) 방법을 이용하면 염색체의 수적 또는 구조적 이상의 확인이 가능하다(그림 23-5B). 그러나 FISH 방법은 몇 개의 염색체만 분석이 가능하다는 단점이 있어 최근에는 DNA chip을 이용하여 모든 염색체 상태를 파악하는 array comparative genomic hybridization (CGH) 기법이 애용되며 개별 염색체의 증감을 알 수 있다(그림 23-6). 단일 유전자질환의 경우 중합효소연쇄반응(polymerase chain reaction, PCR)으로 유전자를 증폭(amplification)하여 진단한다. 한편 배아의 착상전유전검사는 유전자검사기법 자체의 오류나 mosaicism 등으로 인한 진단 오류 가능성이 내재되어 있으므로 시술 전 대상 환자에게 충분한 설명을 하여야 하며 착상전유전검사 후 임신이 된 경우에는 융모막검사, 양수검사 등으로 태아의 유전질환을 확인하는 것이 권고된다.

4. 동결보존(Cryopreservation)

생태계의 연구 분야에서 광범위하게 이용되어 온 냉동생물학은 1949년 C.Polge 등에 의해 glycerol을 이용하여 가금류의 정자를 동결보존할 수 있다는 것이 발견된 이후, 난임분야에서도 보조생식술의 발달과 함께 "동결보존(cryopreservation)"이라는 개념으로 발전하였다. 동결보존 초기 의학 분야에서는 동결을 통한 정액의 보관 이외에 별다른 이용이 없었다. 그러나 이후 체외수정 등의 기술 발달과

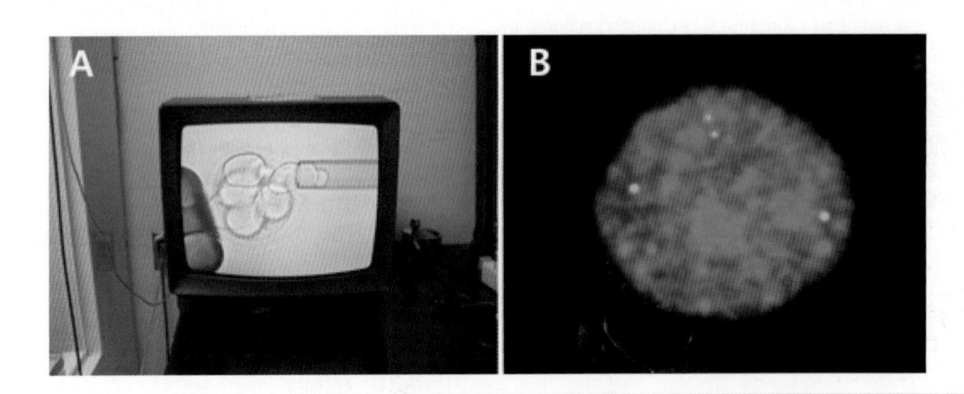

그림 23-5. (A) 미세피펫으로 할구세포 한 개를 흡인해내는 할구세포생검 장면
(B) 형광직접보합법(fluorescent in situ hybridization, FISH)를 이용하여 할구에서 염색체의 수적 이상을 확인하는 장면

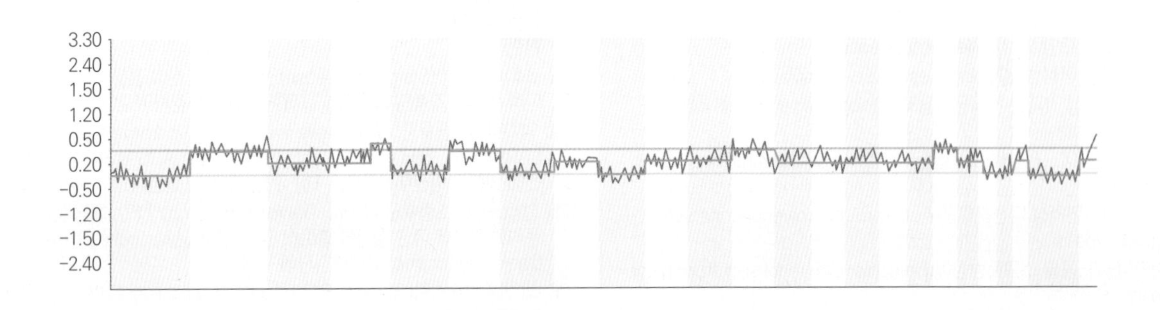

그림 23-6. 단일 할구세포에 대해서 DNA chip을 이용한 array comparative genomic hybridization(CGH) 기법으로 분석한 사진으로 개별 염색체의 증감을 알 수 있다.

함께 과배란 유도에 의해 회수된 난자의 수가 증가함에 따라 잉여 배아가 발생되었고, 잉여배아의 이후 사용을 위하여 동결 보존의 필요성이 증가되었다. 1983년 Trounson과 Mohr 및 1984년 Zeilmaker 등이 최초로 냉동 배아를 이용한 인간의 임신성공과 분만을 보고한 이래, 현재 배아의 동결보존은 체외수정 과정에서 중요한 요소로 자리 잡고 있으며 시험관 아기 시술의 효과를 극대화할 수 있게 하는 방법이 되었다. 1990년대 말부터 난자의 동결보존 기술이 향상되었으며, 추후 임신력 보존을 위한 난소의 동결보존에 대한 연구도 활발히 진행되고 있다.

1) 냉동생물학(Cryobiology)

동결이 진행되는 동안 세포는 온도 감소로 인하여 세포막과 세포골격 구조에 변화가 일어나면서 세포의 구조와 기능에 손상을 입게 되는데, 이를 cold-shock injury라고 한다. 또한, 세포의 약 90%를 차지하는 물이 동결과정에서 날카로운 얼음결정(ice crystal)을 생성하게 되어 이로 인해 세포막이 손상을 받으면, 세포는 해동 후 세포사멸에 이르게 된다. 그러므로 동결보존의 핵심은 세포의 고유한 형태를 유지하고, 세포 내 수분을 처리하여 동결 시 얼음결정 생성을 최소화함으로서 세포를 보호하는데에 있으며 이를 위해 다양한 방법들이 사용되고 있다.

(1) 동결보호제(cryoprotectant)

동결보존 시 세포에 미치는 손상을 최소화하기 위해서는 적절한 동결보호제(cyroprotective agent, CPA)가 필요하다. 동결보호제는 세포 내 단백질을 안정화시키고 얼음생성을 줄이며 세포 외 전해질의 영향을 조절함으로써 세포를 보호한다. 이러한 동결보호제는 모두 고삼투압성(hyperosmotic)으로 배아 자체에 삼투압적 부하(osmotic stress)를 일으킬 수 있으며, 투과성(penetrating)과 비투과성(non-penetrating)으로 나누어진다.

투과성 동결보호제는 대부분 저분자 물질로 생리 식염수에 쉽게 용해되고 세포 내로 쉽게 투과하기 때문에 삼투압의 원리로 세포질 내 수분의 일부와 동결보호제를 치환하여 평형을 이룬다. 그 종류로는 dimethylsulfoxide (DMSO), glycerol, 1,2-propanediol (PROH), ethylene glycol, propylene glycol, acetamide 등이 있다. 비투과성 동결보호제는 고분자량 물질로, 세포 내로 투과하지는 못하나 삼투압의 변화를 통하여 세포의 탈수를 촉진시켜 해동 시 급격한 삼투압 변화에 의한 세포질의 팽윤을 방지한다. 종류로는 Monosaccharides (glucose, fructose, galactose), sorbitol, mannitol, disaccharides (sucrose, trehalose), polysaccharides (raffinose), Macromolecules (ficoll, dextran, polyvinyl alcohol, polyethylene glycol, polyvinylpyrrolidone) 등이 있다.

이러한 동결보호제는 동결보존 시 세포 성분을 보호하는 데 매우 유용하지만, 세포 용해 및 독성을 방지하고 비침투성의 장점 및 침투성의 장점을 모두 가지기 위하여 동결보호제를 적절히 첨가하고 제거하여 사용한다.

(2) 동결보존-해동 과정

① 완만동결법(slow freezing)

완만동결법은 세포 동결기 혹은 냉동기(freezer)라 불리는 기계를 사용하여 천천히 세포나 조직을 동결시키는 방법이다. 세포나 조직을 동결보호제가 포함된 배양액에 넣으면 동결보호제가 포함된 배양액의 삼투압농도가 세포 내 삼투압농도보다 높기 때문에 세포 내 물이 세포 밖으로 배출되어 세포가 수축하게 되고, 동결보호제가 천천히 확산되어 들어가면서 삼투압이 평형에 도달하게 된다. 평형을 이룬 세포나 조직은 용기에 넣어 서서히 온도를 낮추면서 식빙(seeding)할 때까지 냉각시킨다.

적은 용량의 동결보존액을 서서히 냉각하면 동결보존액의 얼음결정 생성온도보다 더 낮은 온도까지 얼음이 형성되지 않고 냉각될 수 있다. 이를 과냉각(supercooling)이라고 한다. 과냉각 상태의 용액은 온도가 더 내려가면 일정 온도에서 일시에 결빙이 되는데, 이 경우 세포에 치명적 손상을 유발한다. 따라서 세포 내의 결빙을 막기 위해서 -6~-7℃에 이르면 동결용기(straw)의 표면을 -196℃까지 냉각된 겸자(forceps)로 건드려 동결보존액의 일부를 매우 차갑게 만들어 미세한 얼음을 인위적으로 만들어주는 식빙을 시행한다. 식빙에 의해 세포 외부터 얼음결정(ice crystal)이 형성되기 시작하며, 얼음결정 형성이 증가함에 따라 세포나 조직이 포함된 동결용액 내의 삼투압이 증가하고, 세포질로부터 수분이 용액으로 빠져나가 세포가 탈수된다. 동결 과정이 완만하게 진행되면 세포 내 수분이 탈수되어 세포 안에 작은 결이 약간 형성된다 해도 세포 손상을 일으키지 않는다. 식빙 후에 저속(-0.3℃/분)으로 -30~-80℃까지 냉각한다. 일반적으로 -35℃에서 세포 내 수분이 모두 탈수되고 소수의 결이 세포 내에 형성되며, 이때 -196℃ 액체 질소에 침지하여 보관하면 세포손상 없이 생존할 수 있다.

액체 질소에 보관된 세포나 조직을 꺼내어 실온이 될 때까지 녹이는 과정을 해동(thawing)이라고 한다. 해동방법에는 동결용기를 액체 질소에서 꺼내 상온이 나 37℃ 온수에 담가 흔들면서 온도를 올려 녹이는 급속 해동(rapid thawing)과 액체 질소에서 꺼낸 용기를 -80~-100℃로 조정된 동결기에 넣어 서서히 해동하는 완만 해동(slow thawing)이 있다. 해동기에 세포 손상이 가장 많이 일어나며, 특히 냉각 시 발생된 얼음이 해동에 의해 재결빙(re-crystallization) 현상이 발생하기 쉬우므로 주의해야 한다.

해동된 세포나 조직은 임상적으로 사용하기 전에 동결보호제를 제거해야 한다. 여러 단계로 농도를 감소시킨 배양액을 사용하여 고농도에서 저농도 용액으로 점차 옮겨 삼투압 변화에 따른 세포 팽창을 최소화하면서 세포 내 동결보호제를 제거한다.

② 유리화동결법(vitrification)

유리화동결법이란 고농도의 동결억제제로 세포 내 수분을 대부분 제거하고 이를 액체질소에 바로 넣어 초저온으로 급속냉각을 시킴으로서 얼음결정 형성을 예방하는 방법으로, 높아진 점도로 인하여 유리가 녹은 상태와 유사한 형태로 변화한다고 하여 붙여진 이름이다. 동결보존하려는 세포나 조직을 고농도의 동결보호제에 짧은 시간 동안 노출시켜 탈수를 유발한 후 급속 냉동시키면, 냉각과정 중에 발생하는 점도(viscosity)의 증가에 의해 세포 내외가 유리화된 고체 상태로 되어 세포 손상 없이 분자 운동이 정지된 상태를 만들게 된다. 이를 위해서는 매우 빠른 냉각속도와 고농도의 동결 보호제가 필요하다.

유리화동결에 사용되는 용기는 electron microscopy (EM) grid, straw, loop 등이 있고, 액체 질소를 통한 감염의 위험을 최소화하기 위하여 밀봉을 위한 straw나 vial 등에 담아 보관한다. 유리화동결법은 완만동결법에 비해 용기 외 별다른 장비가 필요하지 않아 동결 과정이 간단하고 시간이 적게 걸리며, 얼음결정을 형성하지 않아 한랭손상(cryo-injury)을 최소화할 수 있어 동결에 따른 부작용들을 획기적으로 감소시킬 수 있다라는 장점이 있다. 실제로 유리화동결 도입 후 난자의 생존율은 40-60%에서 80-90%까지 향상되어 최근에는 세계적으로 유리화동결법이 많이 이용되고 있는 추세이다.

그러나 고농도의 동결억제제에 의한 독성이 있을 수 있고 완만동결에 비해 작업자의 숙련도에 대한 의존도가 높다는 단점이 있기 때문에, 동결보호제의 종류 및 냉각 속도에 대한 지속적인 연구와 발전이 필요하다.

2) 배아의 동결보존

체외 수정 주기에서 배아이식 후 잉여배아를 동결, 보존하였다가 해동하여 이식하는 방법은 일상적인 시술법이 되었다. 배아 동결보존은 신선배아이식 개수를 줄여 다태임신 발생을 감소시켰으며, 다음 주기에 과배란유도와 난자채취 과정 없이 배아이식이 가능하게 해주어, 한 번의 난자채취로 인한 누적 임신율을 증가시킬 수 있다. 배아 동결보존 기술의 발달은 다양한 목적으로 배아이식시기를 조절할 수 있게 해줌으로서 체외수정임신율 향상에 도움이 되었다.

환자의 상태가 배아이식에 부적합할 경우에 동결보존 기법을 적용할 수 있다. 과배란유도에 의해 난소과자극증후군이 생겨 심각한 부작용이 우려될 경우, 초음파에서 자궁내막이 얇은 경우, 자궁경부의 심한 협착 등의 해부학적 이유로 실패한 경우, 발열 등 환자의 건강이 좋지 않은 경우에 배아를 동결보존할 수 있다.

과배란유도 주기에 배아를 이식하는 것보다 자연주기나 인공주기에서 해동배아를 이식하는 것이 더 높은 임신율을 기대할 수 있을 경우 동결보존기법을 사용할 수 있다. 과배란유도로 인해 호르몬 변화가 자궁내막의 환경을 변화시키고 내막의 황체화를 빠르게 진행시킴으로서 배아발달과 자궁내막의 불일치를 유발할 수 있다. 이런 경우 자궁의 수용능력(uterine receptivity)이 감소하여 배아착상을 저해할 수 있으므로 신선배아이식보다 해동배아이식이 선호될 수 있다.

난자 공여자와 수여자 간의 일치(synchronization)가 어려울 경우 또는 난자공여자의 질병이 확인될 때 까지는 이식할 수 없는 경우에 동결보존기법을 사용할 수 있다. 착상전유전자검사(preimplantation genetic testing, PGT)가 필요한 경우, 유전질환 혹은 염색체 이수성이 규명될 때까지 동결보존기법을 사용할 수 있다.

(1) 배아 동결 프로토콜

배아 동결보존을 위한 최상의 프로토콜이 결정되어 있지는 않다. 각각 병원마다 고유의 냉동 프로토콜에 따라 진행되고 있으며, 임상효능, 안정성, 가격 등을 고려해서 냉동방법을 결정하게 된다. 배아 동결에 주로 사용되는 방법은 크게 완만동결법과 유리화 동결법이 있다(표 23-4).

(2) 동결-해동된 배아이식을 위한 자궁내막의 준비

자궁내막은 생리 주기에 따라 주기적으로 변화하기 때문에, LH 급증 후 6-10일 동안만 배아의 착상에 수용적이며, 동결-해동된 배아의 이식은 배아와 자궁내막이 일시적으로 동기화되었을 때 이루어져야 한다. 동결-해동 배아 이식은 자연주기나 인공주기(artificial cycle)에서 가능하다. 정상배란주기를 갖는 여성에서는 자연주기에 이식이 가능하며, 이 경우 초음파검사나 황체호르몬 측정을 통해 배란시기를 확인하여 이식하는 시기를 결정하게 된다. 그러나 배란장애가 있거나 자연주기에서 자궁내막 발달이 좋지 않을 경우, 에스트로겐과 프로게스테론 등의 호르몬제를 사용하여 자궁내막을 준비시켜 해동된 배아를 이식하는 인공주기 배아이식 방법을 사용할 수 있다. 이러한 인공주기에서는 자궁내막을 준비하기 위하여 고정된 용량 또는 자연주기의 내인성호르몬 용량과 비슷한 가변적 용량의 호르몬이 사용된다. 인공주기 배아이식은 초음파검사의 횟수를 줄일 수 있고, 이식 시기 조절이 가능하다는 장점이 있으나, 자연주기에 비해 비용이 증가하며 호르몬제 사용으로 인한 부작용이 증가할 수 있다는 단점이 있다.

(3) 임상결과

배아의 해동 후 생존율은 문헌에 따라 다르게 보고하고 있

표 23-4. 배아의 완만동결 및 유리화동결법의 비교(Fertil Steril 2014;102:19-26)

Factor	Slow cooling	Vitrfication
Cryoprotectant	DMSO/ethylene glycol/ropanediol	DMSO/ethylene glycol
Concentration of cryoprotectant (Initial)	Low (1.5 mol/L)	High (2–5 moVL)
Incubation time	Long (~3–5 h)	Short (a few minutes)
Cooling rate	Slow (−0.3 to −1℃/min)	Fast (−20℃/min)
Osmotic stress	Yes	Limited
Toxic stress	Yes	Yes
Chilling injury	Yes	Limited
Mechanical stress (ice crystal formation)	Yes	No
Programmable freezing equipment	Yes	No
Carrier	Ampule/straw ("closed")	EM grid/Cryoloop/Cryotip/ryotop (semiclosed)/ high–Security straw ("clooed")
Direct contact with LN_2	No	Yes/no (in case of high–security straw)

Note: DMSO = dimelhylsulroxide; EM =electron miacroscopy, LN_2 = liquid nitrogen.
Wong. Cryopreservation of human ernbryos. Fertil 2014.

으나 최근 완만동결의 경우 60-80%, 유리화동결의 경우 78-100% 배아를 여러 개 동결한 경우 누적임신율은 60% 이상에 달하는 것으로 보고되고 있다. 동결보존-해동배아 이식의 임신율은 지난 몇 년 간 증가하고 있다. 한국 보조생식술 현황 보고에 따르면 2011년 8,826주기의 동결보존-해동 후 이식이 행해졌으며, 이식당 35.5%의 임신율과 16.9%의 분만율을 보고하였다. 2010-2014년까지 난임부부 지원사업 결과를 분석한 보건복지부의 보고에 따르면, 2014년 해동배아이식 임신율은 이식당 41.5%로 확인되었고, 이는 신선배아이식 임신율인 35.0% 보다 높은 수치이다. 또한 2016년 CDC 자료에 따르면, 19,997예의 배아동결-해동 후 이식을 시행한 35세 미만의 여성의 이식당 임신율은 66.6%, 이식당 분만율은 45.0%에 달한다.

배아의 동결보존-해동 후 이식하여 태어난 아기에서 부당경량아(small for gestational age, SGA)나 저체중출생아(low birth weight, LBW) 비율, 조산비율은 신선배아이식을 통해 태어난 아기에 비해 낮게 보고되고 있으나, 부당중량아(large for gestational age, LGA)나 과체중출생아(high birth weight, HBW) 비율, 고혈압성 주산기합병증은 높은 것으로 보고되었다. 선천적 기형이나 주산기 사망률은 신선배아이식이나 해동배아이식으로 태어난 아기들에서 비슷하게 발생하였다.

(4) 안정성

배아의 보존가능 기간에 대한 연구는 충분치 않으나, 현재 생명윤리법에 따라 배아의 보관기간 5년으로 정하고 있다. 배아의 장기간 보관 시, 전리방사선(ionizing radiation)에 의한 세포손상, 세포 내 유리기(free radical) 형성에 의한 세포손상, 보관 탱크 내에서 바이러스나 세균 등에 의한 오염 가능성, 보관 용기 내 액체 질소의 소실 등의 문제점이 발생할 수 있다.

3) 난자의 동결보존

난자의 동결보존은 항암제 투약이나 방사선 치료로 난소기능의 상실이 예상되는 환자를 위하여 처음 시작되었다. 포유류의 난자 동결보존에 최초로 성공한 것은 1997년 Whittingham 등으로, 이들은 생쥐 난자를 DMSO를 동결보호제로 사용하여 동결보존-해동 후 체외수정을 통해 산자를 얻었다. 인간에서는 1986년 Chen이 생쥐와 유사한 방법으로 2예의 임신과 분만을 보고하여 이 분야의 연구가능성을 제시하였다. 난자의 동결보존은 인간 배아의 동결보존이 가지는 법적, 윤리적 문제에서 좀 더 자유로우며, 악성종양의 치료나 부인과적 질환의 치료 후 난소기능 소실의 염려가 있는 환자에서 가임력 보존을 가능하게 하였다. 또한 유전, 면역학적 이유 등으로 이른 나이에 난소기능이 저하되어 있는 조기난소 부전 환자나 결혼이 늦어지는 미혼 여성에서도 난자의 동결보존을 고려해 볼 수 있다.

(1) 성숙난자동결법

난자동결은 해동 후 생존율, 수정률, 임신율이 낮고, 염색체의 수적이상의 빈도가 높은 것으로 나타났으나, 최근에는 기술적으로 많은 향상을 보이고 있다. 초기 성공은 성숙난자의 크기, 수분함유량, 방추사에 의해 느슨하게 연결되어 있는 염색체 배열 등과 관련이 있다. 완만동결 후 난자는 과립막이 조기에 방출되고 투명대의 구조적 손상이나 경화 현상이 일어나 다정자침입증이 잘 일어나며, 특히 방추사(spindle)의 손상이 흔하여 이로 인한 염색체의 비분리현상(nondisjunction)이 유발되어 염색체 이상이 발생할 수 있다. 또한 미세섬유(microfilament)의 손상으로 인해 전핵(pronucleus)의 이동이나 세포질 분리, 극체(polar body) 방출 등도 영향을 받는 것으로 보고되고 있다. 유리화동결법의 도입은 이러한 문제점을 보완하고 난자 생존율과 임신율의 향상을 가져왔다. 인간 난자동결에 관한 대부분의 연구결과 완만동결법에 비해 유리화동결법을 사용한 경우가 좋은 임상적 결과를 보이고 있다. 또한 난자의 동결 후 발생하는 투명대 경화(zona hardening)로 인한 수정률 감소를 극복하기 위해 세포질내정자주입술(intracytoplasmic sperm injection, ICSI)이 일반적으로 사용되고 있다.

(2) 임상결과

최근에는 유리화동결, 동결보호제의 개발 및 세포질내정자주입술 등을 이용한 연구가 활발히 이루어짐에 따라 임상결과가 향상되었다. 2010년에 발표된 논문에 의하면 난자 공여 프로그램에서 유리화동결-해동 후 난자 생존율은 92.5%, 임신율은 43.7%로 확인되었다. 2017년 Nagy 등에 의한 메타분석 결과, 본인의 난자를 유리화 동결 및 추후 해동 후 임신을 시도한 경우 임신율 30.0% 출산율 17.4%이었으며, 난자공여 그룹의 경우 임신율은 62.6%, 출산율은 52.1%로 보고하였다. 2019년 발표된 미국생식의학회의 자료에 따르면 35세 미만에서 난자동결을 한 경우 출생률은 46.8%이나, 40세가 넘어가면 10.1% 이하로 감소함을 볼 수 있다. 이와 같이 난자동결의 경우 유리화동결 당시의 나이와 냉동난자의 개수로 향후의 임신성공 여부를 예측해 볼 수 있다.

전 세계적으로 난자동결보존-해동 후 체외수정에 의해 1,500명 이상의 아이가 출생하였다. 2005년부터 2013년까지 시행된 총 14,481개의 동결난자를 이용한 19,453 배아이식주기의 결과를 분석한 결과, 고식적 체외수정시술을 통해 태어난 아이들과 비교하였을 때, 선천성 이상 등은 큰 차이가 없음을 보고하였다. 2014년 Cobo 등은 동결난자를 이용한 체외수정시술을 통해 진행된 임신에서 신선난자를 이용한 경우와 비교하여 볼 때, 임신합병증이나 주산기 합병증에 차이가 없음을 발표하였다. 그러나 발달장애와 같은 장기간 추적관찰결과는 부족한 상태이다.

(3) 안정성

난자의 동결보존 기간에 관한 데이터는 충분하지 않다. Parmegiani 등에 의하면, 완만동결 후 빨리 해동한 경우와 48개월 이상 지난 이후에 해동한 경우, 난자 생존율, 수정률, 난할률, 배아의 질, 착상 및 분만율은 큰 차이를 보이지 않았다고 보고한 바 있다. 2011년에 Kim 등도 9년 전 유리화동결되어 있던 난자를 해동하여 체외수정을 시행한 결과, 주산기 합병증이나 태아 선천적 이상 없이 임신 및 출산이 되었음을 보고하였다. 좋은 임상결과에도 불구하고 여전히 염색체 이상, 선천성 기형, 발달장애 등에 대한 우려가 있어 장기간의 동결보존에 대하여는 지속적 추적관찰 연구가 필요하다.

(4) 미성숙 난자의 동결보존

일차전기(prophase I) 상태인 미성숙 난자는 염색체가 응축된 형태로 핵 안에 위치하며 방추사를 따라 배열하고 있지 않아 성숙 난자에 비해서 안정된 상태에 있어 성숙 난자에 비해 동결보존에 더 유리할 것으로 생각되었다. 그러나 미성숙 난자 동결은 해동 후 미성숙 난자로부터 성숙 난자로의 체외 성숙률이 낮다는 점과 염색체 이상이 발생함에 대한 우려로 인하여 제한적으로 시행되고 있다.

4) 난소조직의 동결보존

20세기 후반에 들어 악성종양의 치료 성공률이 증가하면서 치료 후 생존 여성에서 가임력 보존의 문제가 발생하였다. 치료요법의 종류에 따라 조기난소부전을 일으킬 수 있는 위험도는 20% 미만에서 80% 이상으로 다양하며, 특히 알킬화약물(alkylating agent)과 전리방사선(ionizing radiation)은 조기난소부전을 일으킬 확률이 높은 것으로 알려져 있다. 이에 따라 난소조직의 동결보존에 대한 관심이 증대되고 있다. 난소조직의 동결보존은 난자나 배아 동결보존과 비교하여 과배란유도에 걸리는 시간을 절약할 수 있어 항암 치료를 지연시키지 않고, 난소 피질(cortex)에 존재하는 많은 난포를 동결할 수 있다는 장점이 있다. 난소조직 자체를 동결하기 때문에 이를 이식하였을 때 난소 기능이 정상적으로 회복된다면 난자의 발생뿐만 아니라 여성호르몬의 분비가 이루어질 수 있다. 난소조직의 동결보존은 주로 사춘기 전 여성과 난소 자극 및 채취 등을 위하여 항암치료를 지연시킬 수 없는 사람들은 위해 제안되었다. 그러나 항암요법이 완전한 난소부전을 유발할 가능성이 매우 높은 경우를 제외하고는 두개의 난소를 모두 동결보존하는 것은 정당화되지 않으며, 동결보존된 난소조직에 암세포가 존재할 수 있는 경우에는 이식이 금기이다. 2019년 미국생식의학회 위원회에 의하면 배란유도, 난자채취 및 난자/배아 냉동을 위한 충분한 시간이 없는 유방암 환자에서 난소조직을 동결 보존할 수 있으나, 난소암의 위험이 증가된 *BRCA* 돌연변이가 있는 환자에게서는 권장되지 않는다. 악성혈액질환의 경우에도 생식보존이 요구되지만 향후 자가 조직 이식시 악성세포의 재 파종(seeding)을 경계하여야 한다.

사춘기 전 소아에서는 난소조직동결이 현재까지 생식능을 보존하는 유일한 방법이며, 18세 미만의 사춘기 또는 아직 초경 전인 사춘기 무렵의 청소년에게도 성숙난자를 위한 난소자극과 함께 하나의 옵션으로 제공될 수 있다. 그러나 해당연령의 환아들을 대상으로 가임력 보존 시술을 계획할 때에는 반드시 신체적, 심리적, 윤리적인 측면에서 신중한 접근이 필요하다.

그러나 단순히 임신을 미루고자 하는 여성이나, 임신력 보존수술이 가능한 난소낭종과 같은 양성 상태일 경우에는 시도해서는 안 된다고 명시하고 있다.

(1) 난소조직 동결법

① 난소피질절편(fragments of ovarian cortical tissue) 동결

대부분의 원시난포(primordial follicle)가 난소피질에 존재하기 때문에, 적은 난소피질조직만으로도 많은 수의 난자를 냉동보존할 수 있다. 주로 복강경을 이용하여 조직을 채취하며, 채취한 조직은 주로 0.3-2.0 mm 두께의 작은 조각으로 동결한다. 표준동결법은 완만동결법이지만, 최근에는 유리화동결법도 각광을 받고 있다.

② 전체 난소조직 동결

치료 이후에 완전난소부전이 예상되는 여성의 경우, 전체 난소조직을 동결하는 것을 고려해 볼 수 있다. 복강경이나 개복술로 대부분의 혈관줄기(vascular pedicle)와 함께 난소를 제거하는데, 이때 큰 혈관줄기는 동결 보호제가 난소의 모든 세포에 들어가도록 도와주며, 해동 시 다시 동결보호제를 제거하는데 사용된다. 전체 난소조직 동결방법으로는 완만동결법과 유리화동결법 두 가지 방법 모두 사용되고 있다.

③ 난소조직의 분리 난자(isolated oocytes from ovarian tissue) 동결

암 환자에서 난소조직 냉동보존 후 자가이식할 경우 종양세포 파종가능성에 대한 우려가 있어, 난소조직에서 성숙 혹은 미성숙난자를 분리하여 동결 보존하는 것은 가임력 보존의 한 방법으로 고려될 수 있다. 비교적 안전하고 허혈 및 재관류 손상이 적게 일어날 수 있다는 장점이 있으며, 수술 중 얻은 난소조직에서 미성숙 난자를 회수하여 체외성숙 후 동결한 연구도 보고되었다. 그러나 조직에서 난자 혹은 난포를 분리하고 체외성숙을 시키는 기술에 대한 더 많은 연구들이 필요하다.

(2) 동결보존된 난소조직의 자가이식(autograft)

자가이식은 면역학적 거부반응 없이 난소조직 내의 난자를 성숙시킬 수 있는 이상적인 방법이다. 난소조직을 이식하는 위치에 따라 같은자리이식(orthotopic transplantaion)과 전완(forearm)이나 복벽(abdominal all)과 같이 골반외 위치에 이식하는 다른자리이식(heterotopic transplantation)으로 나누어진다.

(3) 임상결과

동결난소조직을 이식한 경우 난소의 기능은 이식 후 평균 60-240일 사이에 재개되며 7년정도까지 지속되는 것으로 보인다. 2017년까지 동결되었던 난소조직의 같은자리이식으로 130명이 넘는 출산이 보고되었고, 2013년 다른자리이식을 통한 임신이 처음으로 사람에서 보고되었다. 가임력보존을 하게 된 선행조건들의 차이가 있으나 임신율은 약 29-33%, 출산율은 23-25%로 발표되고 있다.

(4) 안정성

냉동난소조직 이식의 가장 심각한 문제는 악성세포가 다시 착상할 위험성이다. 2013년 악성세포의 재착상의 위험도에 관한 연구에서 종양의 종류에 따라 난소에 전이하는 위험도를 분류하였으며(표 23-5), 백혈병이 악성세포의 재착상 위험이 가장 높다고 알려져 있다.

표 23-5. 종양의 종류에 따른 난소전이 위험도 (Fertil Steril 2013;99:1514-22)

HIgh risk	Moderaro risk	Low risk
leukemia	Breast cancer Stage Ⅳ Infittraling lobular subtype	Breast cancer Stage Ⅰ-Ⅱ Infittraling lobular subtype
Neuroblastoma	Colon cancer	Squamous cell cardnoma of the crevix
Burkitt lymphoma	Adenocarcinoma of the cervix Non-Hodgkin lymphoma EwIng sarcoma	Hodgkin's lymphoma Osteogenic carcinoma Nongenital rhabdomyosarcoma Wilms tumor

Note: Adapted from sanmezer and Oktay(4) and modtied according to the iteratue: Ewing sarcoma and NHL were recategarized from law to maderate risk.
Dolmans. Risk of transplanting malignant Ferti Staril. 2013.

그 외에도 조직채취, 이식방법, 동결보존술에 대한 연구 등 많은 과제가 남아 있다. 체외수정 등 보조생식술의 발달과 함께, 동결보존 역시 비약적으로 발전하여 배아의 동결보존은 높은 임신성공률을 보이고 있다. 동결보존했던 난자는 해동 후 분만에 이르는 확률이 높지 않고, 염색체 이상 증가의 우려가 있으나 기술적 발달과 안전성에 대한 연구가 지속되고 있어, 그 임상적 적용이 증가될 것으로 생각된다. 또한 악성종양 치료 후 임신을 위한 난소조직 동결과 이식 등 앞으로 연구 과제가 많이 남아있다.

참고문헌

- 대한산부인과내분비학회. 부인과내분비학. 파주: 군자출판사; 2012.
- 송찬호. 냉동보존술. 생식내분비불임학. 2005.
- 생식의학회 산하기관 배아전문가 협의회. 배아연구실 운영기준. 2011.
- Al-Inany HG, Abou-Setta AM, Aboulghar MA, Mansour RT, Serour GI. Efficacy and safety of human menopausal gonadotrophins versus recombinant FSH: a meta-analysis. Reprod Biomed Online 2008;16:81-8.
- Al-Inany HG, Youssef MA, Ayeleke RO, Brown J, Lam WS, Broekmans FJ. Gonadotrophin-releasing hormone antagonists for assisted reproductive technology. Cochrane Database Syst Rev 2016;4:CD001750.
- Alpha Scientists in Reproductive Medicine and ESHRE Special Interest Group of Embryology, 2011. The Istanbul consensus workshop on embryo assessment: proceedings of an expert meeting. Human Reproduction 2011;26:1270-83.
- Alvarez C, Marti-Bonmati L, Novella-Maestre E, Sanz R, Gomez R, Fernandez-Sanchez M, et al. Dopamine agonist cabergoline reduces hemoconcentration and ascites in hyperstimulated women undergoing assisted reproduction. J Clin Endocrinol Metab 2007;92:2931-7.
- Artini PG, Simi G, Ruggiero M, Pinelli S, Di Berardino OM, Papini F, et al. DHEA supplementation improves follicular microenviroment in poor responder patients. Gynecol Endocrinol 2012;28:669-73.
- Awonuga A, Nabi A, Govindbhai J, Birch H, Stewart B. Contamination of embryo transfer catheter and treatment outcome in in vitro fertilization. Journal of assisted reproduction and genetics 1998;15:198-201.
- Bennett SJ, Waterstone JJ, Cheng WC, Parsons J. Complications of transvaginal ultrasound-directed follicle aspiration: a review of 2670 consecutive procedures. Journal of assisted reproduction and genetics 1993;10:72-7.
- Bonduelle M, Van Assche E, Joris H, Keymolen K, Devroey P, Van Steirteghem A, et al. Prenatal testing in ICSI pregnancies: incidence of chromosomal anomalies in 1586 karyotypes and relation to sperm parameters. Hum Reprod 2002;17:2600-14.
- Broekmans FJ, Kwee J, Hendriks DJ, Mol BW, Lambalk CB. A systematic review of tests predicting ovarian reserve and IVF outcome. Hum Reprod Update 2006;12:685-718.
- Broer SL, Broekmans FJ, Laven JS, Fauser BC. Anti-Mullerian hormone: ovarian reserve testing and its potential clinical implications. Hum Reprod Update 2014;20:688-701.
- Buyalos RP, Lee CT. Polycystic ovary syndrome: pathophysiology and outcome with in vitro fertilization. Fertil Steril

1996;65:1-10.
- Carnevale EM, Maclellan LJ. Collection, evaluation, and use of oocytes in equine assisted reproduction. The Veterinary clinics of North America Equine practice 2006;22:843-56.
- Carney SK, Das S, Blake D, Farquhar C, Seif MM, Nelson L. Assisted hatching on assisted conception (in vitro fertilisation (IVF) and intracytoplasmic sperm injection (ICSI). Cochrane Database Syst Rev 2012;12:CD001894.
- Centers for Disease C, Prevention. Contribution of assisted reproductive technology and ovulation-inducing drugs to triplet and higher-order multiple births-United States, 1980-1997. MMWR Morb Mortal Wkly Rep 2000;49:535-8.
- Cha KY, Koo JJ, Ko JJ, Choi DH, Han SY, Yoon TK. Pregnancy after in vitro fertilization of human follicular oocytes collected from nonstimulated cycles, their culture in vitro and their transfer in a donor oocyte program. Fertility and sterility 1991;55:109-13.
- Chang YS, Kim CH. Practice of assisted reproduction in Korea. Journal of assisted reproduction and genetics. 1994;11:13-6.
- Chambers GM, Hoang VP, Lee E, Hansen M, Sullivan EA, Bower C, et al. Hospital costs of multiple-birth and singleton-birth children during the first 5 years of life and the role of assisted reproductive technology. JAMA Pediatr 2014;168:1045-53.
- Choi YM, Chun SS, Han HD, Hwang JH, Hwang KJ, Kang IS, et al. Current status of assisted reproductive technology in Korea, 2009. Obstetrics & gynecology science 2013;56:353-61.
- Cobo A, Serra V, Garrido N, Olmo I, Pellicer A, Remohi J. Obstetric and perinatal outcome of babies born from vitrified oocytes. Fertil steril 2014;102:1006-15.
- Committee for Assisted Reproductive TechnologyStatistics, Korean Society for Assisted Reproduction, Lee GH, Song HJ, Choi YM, Han HD. The status of assisted reproductive technology in Korea in 2012. Clin Exp Reprod Med 2017;44:47-51.
- Committee for Assisted Reproductive Technology, Statistics, Korean Society for Assisted Reproduction, Lee GH, Song HJ, Lee KS, Choi YM. Current status of assisted reproductive technology in Korea, 2011. Clin Exp Reprod Med 2016;43:38-43.
- Coomarasamy A, Afnan M, Cheema D, van der Veen F, Bossuyt PM, van Wely M. Urinary hMG versus recombinant FSH for controlled ovarian hyperstimulation following an agonist long down-regulation protocol in IVF or ICSI treatment: a systematic review and meta-analysis. Hum Reprod 2008;23:310-5.
- Davies MJ, Moore VM, Willson KJ, Van Essen P, Priest K, Scott H, et al. Reproductive technologies and the risk of birth defects. N Engl J Med 2012;366:1803-13.
- Delbaere A, Bergmann PJ, Gervy-Decoster C, Deschodt-Lanckman M, de Maertelaer V, Staroukine M, et al. Increased angiotensin II in ascites during severe ovarian hyperstimulation syndrome: role of early pregnancy and ovarian gonadotropin stimulation. Fertil Steril 1997;67:1038-45.
- De Munck N, Belva F, Van de Velde H, Verheyen G, Stoop D. Closed oocyte vitrification and storage in an oocyte donation programme: obstetric and neonatal outcome. Hum reprod 2016;31:1024-33.
- De Vos M, Ortega-Hrepich C, Albuz FK, Guzman L, Polyzos NP, Smitz J, et al. Clinical outcome of non-hCG-primed oocyte in vitro maturation treatment in patients with polycystic ovaries and polycystic ovary syndrome. Fertility and sterility 2011;96:860-4.
- Devroey P, Boostanfar R, Koper NP, Mannaerts BM, Ijzerman-Boon PC, Fauser BC, et al. A double-blind, non-inferiority RCT comparing corifollitropin alfa and recombinant FSH during the first seven days of ovarian stimulation using a GnRH antagonist protocol. Hum Reprod 2009;24:3063-72.
- Duffy JM, Ahmad G, Mohiyiddeen L, Nardo LG, Watson A. Growth hormone for in vitro fertilization. Cochrane Database Syst Rev 2010:CD000099.
- Edwards RG, Ludwig M. Are major defects in children conceived in vitro due to innate problems in patients or to induced genetic damage? Reprod Biomed Online 2003;7:131-8.
- Ethics Committee of the American Society for Reproductive Medicine. Fertility preservation and reproduction in patients facing gonadotoxic therapies: an Ethics Committee opinion. Fertil steril 2018;110:380-6.
- Fan Y, Zhang X, Hao Z, Ding H, Chen Q, Tian L. Effectiveness of mild ovarian stimulation versus GnRH agonist protocol in women undergoing assisted reproductive technology: a meta-analysis. Gynecol Endocrinol 2017;33:746-56.
- Fatemi HM, Popovic-Todorovic B, Humaidan P, Kol S, Banker M, Devroey P, et al. Severe ovarian hyperstimulation syndrome after gonadotropin-releasing hormone (GnRH) agonist trigger and "freeze-all" approach in GnRH antagonist protocol. Fertil Steril 2014;101:1008-11.
- Ferraretti AP, La Marca A, Fauser BC, Tarlatzis B, Nargund G, Gianaroli L, et al. ESHRE consensus on the definition of 'poor response' to ovarian stimulation for in vitro fertilization: the Bologna criteria. Hum Reprod 2011;26:1616-24.
- Fusi FM, Ferrario M, Bosisio C, Arnoldi M, Zanga L. DHEA supplementation positively affects spontaneous pregnancies in women with diminished ovarian function. Gynecol Endocrinol 2013;29:940-3.
- Geva E, Jaffe RB. Role of vascular endothelial growth factor in ovarian physiology and pathology. Fertil Steril 2000;74:

429-38.
- Goldsman MP, Pedram A, Dominguez CE, Ciuffardi I, Levin E, Asch RH. Increased capillary permeability induced by human follicular fluid: a hypothesis for an ovarian origin of the hyperstimulation syndrome. Fertil Steril 1995;63:268-72.
- Hart RJ, Rombauts L, Norman RJ. Growth hormone in IVF cycles: any hope? Curr Opin Obstet Gynecol 2017;29:119-25.
- Huang JY, Rosenwaks Z. Assisted reproductive techniques. Methods in molecular biology 2014;1154:171-231.
- Jeve YB, Bhandari HM. Effective treatment protocol for poor ovarian response: A systematic review and meta-analysis. J Hum Reprod Sci 2016;9:70-81.
- Jeyendran RS, Caroppo E, Rouen A, Anderson A, Puscheck E. Selecting the most competent sperm for assisted reproductive technologies. Fertil Steril 2019;111:851-63.
- Johnson LN, Sasson IE, Sammel MD, Dokras A. Does intracytoplasmic sperm injection improve the fertilization rate and decrease the total fertilization failure rate in couples with well-defined unexplained infertility? A systematic review and meta-analysis. Fertil Steril 2013;100:704-11.
- Kara M, Aydin T, Aran T, Turktekin N, Ozdemir B. Does dehydroepiandrosterone supplementation really affect IVF-ICSI outcome in women with poor ovarian reserve? Eur J Obstet Gynecol Reprod Biol 2014;173:63-5.
- Katalinic A, Rösch C, Ludwig M; German ICSI Follow-Up Study Group. Pregnancy course and outcome after intracytoplasmic sperm injection: a controlled, prospective cohort study. Fertil Steril 2004;81:1604-16.
- Kwan I, Bhattacharya S, Kang A, Woolner A. Monitoring of stimulated cycles in assisted reproduction (IVF and ICSI). Cochrane Database Syst Rev. 2014:CD005289.
- Kedem A, Tsur A, Haas J, Yerushalmi GM, Hourvitz A, Machtinger R, et al. Is the modified natural in vitro fertilization cycle justified in patients with "genuine" poor response to controlled ovarian hyperstimulation? Fertil Steril 2014;101:1624-8.
- Kim MK, Lee DR, Han JE, Kim YS, Lee WS, Won HJ, et al. Live birth with vitrified-warmed oocytes of a chronic myeloid leukemia patient nine years after allogenic bone marrow transplantation. J Assist Reprod Genet 2011;28:1167-70.
- Kolibianakis EM, Venetis CA, Diedrich K, Tarlatzis BC, Griesinger G. Addition of growth hormone to gonadotrophins in ovarian stimulation of poor responders treated by in-vitro fertilization: a systematic review and meta-analysis. Hum Reprod Update 2009;15:613-22.
- Kulkarni AD, Jamieson DJ, Jones HW, Jr., Kissin DM, Gallo MF, Macaluso M, et al. Fertility treatments and multiple births in the United States. N Engl J Med 2013;369:2218-25.
- Kyrou D, Kolibianakis EM, Venetis CA, Papanikolaou EG, Bontis J, Tarlatzis BC. How to improve the probability of pregnancy in poor responders undergoing in vitro fertilization: a systematic review and meta-analysis. Fertil Steril 2009; 91:749-66.
- Lehert P, Schertz JC, Ezcurra D. Recombinant human follicle-stimulating hormone produces more oocytes with a lower total dose per cycle in assisted reproductive technologies compared with highly purified human menopausal gonadotrophin: a meta-analysis. Reprod Biol Endocrinol 2010;8:112.
- Levi-Setti PE, Borini A, Patrizio P, Bolli S, Vigiliano V, De Luca R, et al. ART results with frozen oocytes: data from the Italian ART registry (2005-2013). J Assist Reprod Genet 2016; 33:123-8.
- Li XL, Wang L, Lv F, Huang XM, Wang LP, Pan Y, et al. The influence of different growth hormone addition protocols to poor ovarian responders on clinical outcomes in controlled ovary stimulation cycles: A systematic review and meta-analysis. Medicine (Baltimore) 2017;96:e6443.
- Maheshwari A, Pandey S, Amalraj Raja E, Shetty A, Hamilton M, Bhattacharya S. Is frozen embryo transfer better for mothers and babies? Can cumulative meta-analysis provide a definitive answer? Hum Reprod Update 2018;24:35-58.
- Martins WP, Rocha IA, Ferriani RA, Nastri CO. Assisted hatching of human embryos: a systematic review and meta-analysis of randomized controlled trials. Hum Reprod Update 2011;17:438-53.
- Mochtar MH, Danhof NA, Ayeleke RO, Van der Veen F, van Wely M. Recombinant luteinizing hormone (rLH) and recombinant follicle stimulating hormone (rFSH) for ovarian stimulation in IVF/ICSI cycles. Cochrane Database Syst Rev 2017;5: CD005070.
- Nagels HE, Rishworth JR, Siristatidis CS, Kroon B. Androgens (dehydroepiandrosterone or testosterone) for women undergoing assisted reproduction. Cochrane Database Syst Rev 2015:CD009749.
- Nargund G, Datta AK, Fauser B. Mild stimulation for in vitro fertilization. Fertil Steril 2017;108:558-67.
- Navot D, Relou A, Birkenfeld A, Rabinowitz R, Brzezinski A, Margalioth EJ. Risk factors and prognostic variables in the ovarian hyperstimulation syndrome. Am J Obstet Gynecol 1988;159:210-5.
- Ocal P, Sahmay S, Cetin M, Irez T, Guralp O, Cepni I. Serum anti-Mullerian hormone and antral follicle count as predictive markers of OHSS in ART cycles. J Assist Reprod Genet 2011;28:1197-203.
- Palermo GD, Neri QV, Takeuchi T, Rosenwaks Z. ICSI: where we have been and where we are going. Semin Reprod Med 2009;27:191-201.

- Polyzos NP, Blockeel C, Verpoest W, De Vos M, Stoop D, Vloeberghs V, et al. Live birth rates following natural cycle IVF in women with poor ovarian response according to the Bologna criteria. Hum Reprod 2012;27:3481-6.
- Practice Committee of the American Society for Reproductive Medicine. Comparison of pregnancy rates for poor responders using IVF with mild ovarian stimulation versus conventional IVF: a guideline. Fertil Steril 2018;109:993-9.
- Practice Committee of the American Society for Reproductive Medicine. Fertility preservation in patients undergoing gonadotoxic therapy or gonadectomy: a committee opinion. Fertility and sterility 2019;112:1022-33.
- Practice Committees of the American Society for Reproductive Medicine, Society for Assisted Reproductive Technology. Intracytoplasmic sperm injection (ICSI) for non-male factor infertility: a committee opinion. Fertil Steril 2012;98:1395-9.
- Practice Committee of the American Society for Reproductive Medicine, Society for Assisted Reproductive Technology. Guidance on the limits to the number of embryos to transfer: a committee opinion. Fertil Steril 2017;107:901-3.
- Practice Committee of the American Society for Reproductive Medicine, Society for Assisted Reproductive Technology. Prevention and treatment of moderate and severe ovarian hyperstimulation syndrome: a guideline. Fertil Steril 2016; 106:1634-47.
- Prados FJ, Debrock S, Lemmen JG, Agerholm I. The cleavage stage embryo. Hum Reprod 2012;27(Suppl 1):i50-71.
- Reddy UM, Wapner RJ, Rebar RW, Tasca RJ. Infertility, assisted reproductive technology, and adverse pregnancy outcomes: executive summary of a National Institute of Child Health and Human Development workshop. Obstet Gynecol 2007;109:967-77.
- Rienzi L, Gracia C, Maggiulli R, LaBarbera AR, Kaser DJ, Ubaldi FM, et al. Oocyte, embryo and blastocyst cryopreservation in ART: systematic review and meta-analysis comparing slow-freezing versus vitrification to produce evidence for the development of global guidance. Hum Reprod Update 2017; 23:139-55.
- Steptoe PC, Edwards RG. Birth after the reimplantation of a human embryo. Lancet 1978;2:366.
- Siristatidis CS, Gibreel A, Basios G, Maheshwari A, Bhattacharya S. Gonadotrophin-releasing hormone agonist protocols for pituitary suppression in assisted reproduction. Cochrane Database Syst Rev 2015:CD006919.
- Taylor HS, Pal L, Seli E, Fritz MA. Speroff's clinical gynecologic endocrinology and infertility. Ninth edition. ed. Philadelphia: Wolters Kluwer; 2020. p.1104-45.
- Trounson A, Wood C, Kausche A. In vitro maturation and the fertilization and developmental competence of oocytes recovered from untreated polycystic ovarian patients. Fertility and sterility 1994;62:353-62.
- Tsai YC, Lin MY, Chen SH, Chung MT, Loo TC, Huang KF, et al. Vaginal disinfection with povidone iodine immediately before oocyte retrieval is effective in preventing pelvic abscess formation without compromising the outcome of IVFET. Journal of assisted reproduction and genetics 2005;22:173-5.
- Van Steirteghem A, Bonduelle M, Devroey P, Liebaers I. Follow-up of children born after ICSI. Hum Reprod Update 2002;8:111-6.
- van Wely M, Westergaard LG, Bossuyt PM, van der Veen F. Effectiveness of human menopausal gonadotropin versus recombinant follicle-stimulating hormone for controlled ovarian hyperstimulation in assisted reproductive cycles: a meta-analysis. Fertil Steril 2003;80:1086-93.
- Wen J, Jiang J, Ding C, Dai J, Liu Y, Xia Y, et al. Birth defects in children conceived by in vitro fertilization and intracytoplasmic sperm injection: a meta-analysis. Fertil Steril 2012; 97:1331-7.
- Whelan JG, 3rd, Vlahos NF. The ovarian hyperstimulation syndrome. Fertil Steril 2000;73:883-96.
- Wong KM, van Wely M, Mol F, Repping S, Mastenbroek S. Fresh versus frozen embryo transfers in assisted reproduction. Cochrane Database Syst Rev. 2017;3:CD011184.
- Yu X, Ruan J, He LP, Hu W, Xu Q, Tang J, et al. Efficacy of growth hormone supplementation with gonadotrophins in vitro fertilization for poor ovarian responders: an updated meta-analysis. Int J Clin Exp Med 2015;8:4954-67.
- Zegers-Hochschild F, Adamson GD, Dyer S, Racowsky C, de Mouzon J, Sokol R, et al. The International Glossary on Infertility and Fertility Care, 2017. Fertil Steril 2017;108:393-406.
- Zollner U, Dietl J. Perinatal risks after IVF and ICSI. J Perinat Med 2013;41:17-22.
- Zollner U, Martin S, Liebermann J, Steck T. Evaluation of a cutoff value for sperm motility after different hours of incubation to select the suitable reproductive technology (IVF or ICSI). Acta obstetricia et gynecologica Scandinavica 1999;78: 326-31.

제24장

반복유산

이병익 | 인하의대
이성기 | 건양의대

자연유산은 임신의 흔한 합병증 중 하나로 임상적으로 임신을 인지한 후 20주 이전 또는 체중 500 g 미만의 태아의 자연적인 소실이 일어난 경우로 정의되며 그 빈도는 약 15-25% 발생한다고 알려져 있다. 하지만 임상적으로 인지되지 않은 임신 소실까지 포함한 초기 임신소실률(early pregnancy loss rate)은 임상적으로 인지된 자연유산 빈도보다 약 2-4배 더 많게 발생한다.

태아의 염색체 이상은 초기 자연유산의 가장 많은 원인으로 생각되고 있으며 대부분 10주 이전에 자연유산 상태로 종결된다.

반복유산이 아닌 일회성 자연 유산의 경우 염색체 이상의 빈도는 약 60% 전후로 알려지고 있다. 태아염색체 이상에 의한 유산은 임신 여성의 연령 증가에 따라 위험도가 높아지는 것으로 보고되고 있다. 반면 임신 20주 이후의 임신 소실은 사산(still birth) 또는 조산(preterm birth)로 정의하며 이 경우 발생의 원인, 향후 임신의 예후 등에 있어 초기 자연유산과는 다른 임상적인 특징을 보인다.

반복유산을 방지하기 위해 정확한 원인 규명 및 치료를 위한 노력은 보편적으로 3회 이상의 자연유산 발생 시 시행되고 있으나 적극적인 원인 진단 및 치료에 대한 결정은 해당 환자의 나이, 개인 또는 환자 가족의 가족 건강 상황 그리고 해당 부부의 향후 임신 시 유산 발생에 대한 불안정도 등을 감안하여 환자 개개인의 관점에서 이루어져야 하며 특수한 상황 즉,

① 초음파상 태아 심장 박동이 진단된 후 유산의 경험이 있는 경우
② 임신부의 나이가 35세 이상의 고령임신의 경우
③ 유산된 태아의 염색체검사상 정상 핵형을 가진 태아가 유산된 경우
④ 어렵게 이룬 임신이 유산된 경우

는 2번의 유산이 있어도 원인검사를 고려할만 하다.

1. 원인

반복유산은 다양한 원인에 의해 일어난다(표 24-1). 일반적으로 원인을 찾기 위한 검사를 진행해도 원인 불명인 경우가 절반에 이른다고 알려져 있다. 그러나 최근에는 새로운 연구결과를 반영한 진단법의 적용으로 원인 불명이 점차 줄어 드는 추세이다. 흥미롭게도 2가지 이상의 원인을 갖는 환자가 상당 수에 이른다.

표 24-1. 반복유산의 원인 요인 별 검사법과 치료법

원인	빈도	검사	치료
유전적 요인	2-5%	부부 염색체 검사	유전 상담(균형전좌의 경우, 착상전유전검사 고려할 수도. 일반적인 착상전유전선별검사는 권고하지 않음)
해부학적 요인	12-16%	입체초음파, 초음파자궁조영술(Sonohysterography), 자궁난관조영술, 또는 자궁경(선천자궁기형 진단위해 자기공명촬영)	문제 교정
내분비학적 요인	17-20%	TSH, TPO, PRL, 공복혈당 또는 HbA1c*(황체기 프로게스테론(Mid-luteal progesterone), 자궁내막생검은 권고 않음)	문제 교정
감염 요인	7-56%	자궁내막생검 (질내 균검사는 권고 않음)	항생제
항인지질증후군	12-15%	Lupus anticoagulant (LAC), anticardiolipin andtibody (aCL), anti-β2 glycoprotein-I antibody (anti-B2GP1)*	헤파린 + 저용량아스피린
유전적 혈전성향증		혈전색전증 가족력 혹은 과거력 있는 경우: Factor V Leiden or Prothrombin mutation; protein C, protein S or Antithrombin deficiency, homocysteine levels, factor VIII* 혈전색전증의 위험 요소 없는 경우: antithrombin and prothrombin (G20210A) mutation	헤파린 + 저용량아스피린
남성 요인		정자 DNA fragmentation	생활습관교정, 비타민, 정자기증 등 고려
동종면역 요인		자연살해세포 분포도 및 활성도, Th1/Th2 ratio 고려할 수도 있음	면역조절치료
심리적 요인			심리적 지지
환경적 요인		흡연, 음주, 약물남용, 카페인 섭취 여부 확인	요인 제거
원인 불명	50%		정서적 지지

1) 유전적 요인(Genetic Factor)

반복유산의 유전적 요인 중 가장 흔한 원인이 되는 것은 부부 중 한쪽의 균형전위(balanced translocation)이며 그 외 성 염색체 모자이시즘(sex chromosome mosaicism), 염색체 역위(inversion) 등도 그 원인이 된다.

반복유산의 원인으로서 염색체 이상은 환자의 약 4-8%의 빈도로 나타나며 부부 중 한쪽 이상에서 염색체의 구조적 이상 시 수정란의 세포분열 과정 중 결손(deletion) 또는 추가(addition) 등으로 인해 불균형 염색체(unbalanced chromosome)을 가진 태아가 일정 빈도로 출현하며 결국 태아가 유산되는 결과를 초래한다.

균형전위는 두 가지 종류로 구분되는 데 그 중 하나인 로버트슨전위(Robertsonian translocation)는 13, 14, 15, 21, 22번 염색체에서 관찰되며 동원체(centromere)를 중심으로 해당 염색체의 장완(long arm)이 다른 염색체의 동원체(centromere)에 융합하여 하나의 염색체를 형성하며 결과적으로 해당 염색체의 결손이 유발되는 현상이며 보통 해당 전좌를 가진 보인자는 전체 유전자의 양 및 표현형 등은 정상을 보이지만 그 개체의 난원세포(oogonia) 또는 정원세포(spermatogonia)가 감수분열과정에서 정상, 보인자 또는 불균형(unbalanced)의 형태로 출현하게 되는데 불균형의 경우 유전자 첨가 또는 결손의 결과에 의해 삼염색체성(trisome) 또는 단일염색체성(monosomy) 등의 불균형 생식세포(unbalanced gamete)의 생성을 초래하게 되며 그 결과 대부분의 경우에서 태아의 유산 및 심각한 기형을 초래하게 된다. 정상 배우자와 로버트소니안 전위 보인자 사이에서 형성된 생식체는 확률적으로 1/6의 정상핵형, 1/6의 보인자를 가지는 반면 약 2/3의 경우 불균형 또는 비정상을 보이며 결국 33%의 정상임신의 가능성 및 67%의 유산 확률을 가지게 된다.

균형전위의 또 하나의 종류인 상호전위(reciprocal translocation)는 두개의 염색체 간 염색체의 일정 부분이 맞 교환되어 있는 경우를 말하며 이 경우 해당 전좌를 가진 보인자에게서 생성된 생식세포(gamete)는 이론적으로 25%의 정상, 25%의 보인자 그리고 50%의 비정상(unbalanced) 가능성을 가지게 되어 약 50%의 경우 정상적인 태아의 성장을 기대할 수 있는 반면 50%에서는 유산 또는 태아의 기형이 초래된다.

2) 해부학적 요인(Anatomic Factor)

자궁의 해부학적 이상은 반복유산의 원인이 되며 선천적인 자궁기형과 자궁근종, 그리고 자궁내유착 등의 후천적인 해부학적 이상이 있다.

(1) 선천적 자궁기형

자궁기형은 전체 여성의 약 2%에서 발견되지만 반복유산의 기왕력이 있는 경우 약 3배인 6-7%에 달한다. 이 경우 대부분의 유산은 임신 제2삼분기에 발생하며 발생기전은 분명치 않으나 일반적으로 자궁강내 용적 감소와 혈액순환 장애가 거론된다.

한쪽뿔(unicornuate)자궁은 임신 시 자연유산의 확률이 약 50% 정도로 높고 현재까지 특별한 치료방법이 없어 여러 자궁기형 중 예후가 가장 좋지 않다. 기능성 자궁강을 가지며 소통성을 갖지 않는(non-commuicating) 경우 자궁외임신, 혹, 통증 및 자궁내막증을 야기함으로 제거한다. 40%에서 동측 콩팥 무형성(ipsilateral renal agenesis)을 동반하므로 신우조형술(IVP)을 시행한다.

두자궁(uterine didelphys)은 임신 시 유산의 가능성은 약 40% 정도로 알려져 있지만 한쪽뿔자궁에 비해 예후는 매우 양호한 것으로 보고되고 있다. 수술 시 75% 정도에서 동반된 종측 질내 중격을 제거한다. 대다수에서 일체화 과정(unification procedure)은 불필요하나 횟수가 거듭되는 유산이나 불가피한 출산을 야기하는 경우 자궁근저부위는 하나로 만드나 경부는 그대로 유지시킨다.

양쪽뿔(bicornuate)자궁을 가지고 있는 환자가 임신 시 유산 확률은 30-40%로 조사되어 특별한 수술적 치료없이 그 예후가 양호한 자궁기형으로 인식되고 있다. 보통 일체화 과정은 불필요하나 원인불명의 반복유산, 생존가능성이 낮은 조산 등에서는 복식 strassman 자궁성형술을 고려할 수 있다. 선천적 기형이 동반된 자궁경부무력증이 발생이 증가하므로 자궁경부 봉축술을 권고된다.

자궁중격(uterine septum)은 유산율은 약 65%로 여러 가지 자궁기형 중 임신의 예후가 가장 불량한 자궁기형 중 하나로 알려져 있으며 혈관의 분포가 적어 혈액 공급이 원활하지 않은 자궁중격에 배아가 착상된 경우 임신 초기 유산이 일어나지만 배아의 착상 부위가 중격 이외의 다른 자궁 부분에 착상되었다고 해도 임신의 정상적인 유지를 위해 필수적인 자궁 및 자궁강의 확대에 장애를 초래하여 임신 중기 유산의 원인이 된다. 중격흡수는 비뇨기계 발달이 완성된 후 일어나므로 자궁중격의 경우 비뇨기계 기형의 빈도는 증가하지 않는다.

디에틸스틸베스트롤(diethylstibestrol, DES)과 관련된 자궁기형은 자연 유산율이 일반적인 경우와 비교하여 약 2배 증가된 24% 정도를 보인다고 보고되고 있으며 오히려 자궁외임신의 가능성을 9배 이상 증가 시키는 것으로 알려져 있다.

(2) 후천성 해부학적 이상

자궁근종이 반복유산의 원인이 되는지에 대해 많은 논란이 있지만 여전히 뚜렷한 결론은 없는 상태이며 자궁강 내로 돌출된 점막하 자궁근종은 국소적 혈류장애로 임신의 예후에 악영향을 미친다는 보고가 있으나 그 결론을 뒷받침할 수 있는 후속 연구 결과는 여전히 부족한 상황이다. 5-7 cm 이상 크기의 근종은 자궁강의 모양에 변형을 줄 수 있어 수술적 치료가 고려될 수 있으나 다른 증상이 없는 상태에서 반복유산의 예방을 위한 수술적 치료는 기술적으로 어렵고 위험하며 수술 후 자궁내 유착을 일으키므로 현재까지 추천되지 않는다.

자궁내 유착의 발생은 대부분 자궁내 소파수술 등 수술적 치료에 의하며 반복유산의 원인이라기보다는 합병증의 하나로 여겨진다. 하지만 자궁내 유착 그 자체가 자궁내 기능층의 감소와 자궁내막의 섬유증 및 염증을 초래하며 그 결과 태반 형성에 심각한 장애를 초래하여 유산의 중요한 원인이 되기도 한다. 자궁내 유착이 존재 시 자연유산의 가능성은 약 40-80%로 보고되고 있다. 자궁경을 이용한 유착박리술의 치료 후 성공률은 50-90%로 보고되고 있다.

3) 면역학적 요인(Immunologic Factor)

면역기전의 이상에 의해 발생하는 이상으로 크게 자신의 신체조직을 공격 파괴시켜 혈액응고장애나 혈류의 흐름을 방해하는 자가면역질환과 임신자체가 동종인 태아의 자궁내 이식으로 면역거부반응과는 달리 면역관용상태가 지속되는데 이 기전의 이상으로 발생하는 동종면역질환으로 나누어진다.

(1) 자가면역질환(autoimmune disorder)

자가면역질환은 숙주 혹은 자신의 신체조직을 자신의 항체가 공격하는 결과로 생기는 질환으로 반복유산과 관련된 자가면역질환에는 대표적으로 전신홍반성낭창(systemic lupus erythematosus, SLE)와 항인지질증후군(antiphospholipid syndrome, APS) 등이 있으며 이들 질환은 항카디올리핀항체(anticardiolipin antibody), 홍반성 항응고제(lupus anti-coagulant), 항β2 당단백 1항체(anti-β2 glycoprotein 1 antibody) 그리고 항포스파티딜세린항체(antiphosphstidylserine antibody) 등의 자가항체 양성을 보이며 이들 자가항체들이 임신 중 탈락막 또는 태반의 혈관내피세포 등을 공격하여 반복유산을 일으키는 것으로 여겨진다. 한편, 반복유산과 연관성이 보고된 다른 종류의 자가항체에는 항갑상샘항체(antithyroid antibody), 항정자항체(antisperm antibody) 그리고 항영양막항체(antitrophoblast antibody) 등이 있다.

전신홍반성낭창에 이환 시 자연유산의 가능성은 약 20% 정도로 보고되며 유산의 시기는 임신 초기보다는 제2, 3분기에 일어난다. 자연유산의 발생은 대부분의 경우 항인지질항체와 관련되며 임신 중 질환의 활성이 증가하거나 신장질환의 동반 등의 경우 유산의 위험성은 더욱 증가한다. 일반적으로 주의 깊은 관찰 및 적절한 치료를 통해 임신의 예후를 좋게 할 수 있지만 심한 신장질환같이 활성이 높은 경우 그 증상이 경감될 때까지 임신은 피하도록 조언해야 한다.

항인지질증후군은 다음과 같은 임상적, 검사적 특징을 가지는 자가항체질환으로 다음 중 최소한 하나 이상이 해당된 경우 진단이 가능하다(표 24-2).

항인지질항체증후군은 반복유산 환자의 약 3-5%에서 진단되며 치료 시 예후가 좋으므로 원인진단을 위한 필수적인 검사로 추천되고 있다.

항인지질항체가 유산을 일으키는 원인기전으로 임신 10주 이후에 유산된 경우는 태반 미세혈관의 혈전형성에 의해 설명되고 있는 반면 10주 미만의 초기 유산의 경우 항인지질 항체가 자궁으로의 영양막 세포의 침범(trophoblast invasion)을 방해하거나 혹은 영양막세포의 자멸사(apoptosis)를 유발하는 것으로 보고되고 있다. 태반에 대한 항인지질 항체의 작용들은 추후 자궁과 태반 사이의 혈행장애에 의한 임신전자간증, 자궁내 태아 발육 불량 등의 산과적 합병증을 유발하기도 한다.

(2) 동종면역질환(alloimmune disorder)

지금까지 반복유산의 약 50% 정도가 원인불명으로 여겨져 왔던 분야가 동종면역학 원인에 대한 본격적인 연구가 시행되면서 점차 밝혀지기 시작하였다. 임신 중 모체에서 일어나는 면역현상은 일반면역계 기능인 면역거부와는 상반되는 면역관용의 특징을 가지고 있다. 이런 면역반응은 부성의 주조직적합성복합체(major histocompatibility complex, MHC)를 가지고 있어 모체에서 반이수성(semi-allograft)인 배아 또는 태아에 의한 면역계의 자극을 모체가 인지함으로서 시작된다. 하지만 정상임신에서 태아에 대한 모체의 면역반응은 면역관용이라는 자궁 고유의 면역학적 특징을 필수적으로 요구한다. 면역관용에 관여하는 세포들은 자궁내의 태아와 모체가 접촉하는 태아-모체 접촉면(feto-maternal interface)에 존재하며 태아에 대한 모

표 24-2. Revised classification criteria for the antiphospholipid syndrome

Antiphospholipid antibody syndrome (APS) is present if at least one of the clinical criteria and one of the laboratory criteria that follow are met*
Clinical criteria
1. Vascular thrombosis One or more clinical episodes † of arterial, venous, or small vessel thrombosis, in any tissue or organ. Thrombosis must be confirmed by objective validated criteria (i.e. unequivocal findings of appropriate imaging studies or histopathology). For histopathologic confirmation, thrombosis should be present without significant evidence of inflammation in the vessel wall.
2. Pregnancy morbidity (a) One or more unexplained deaths of a morphologically normal fetus at or beyond the 10th week of gestation, with normal fetal morphology documented by ultrasound or by direct examination of the fetus, or (b) One or more premature births of a morphologically normal neonate before the 34th week of gestation because of: (i) eclampsia or severe pre-eclampsia defined according to standard definitions, or (ii) recognized features of placental insufficiency¶, or (c) Three or more unexplained consecutive spontaneous abortions before the 10th week of gestation, with maternal anatomic or hormonal abnormalities and paternal and maternal chromosomal causes excluded.In studies of populations of patients who have more than one type of pregnancy morbidity, investigators are strongly encouraged to stratify groups of subjects according to a, b, or c above.
Laboratory criteria**
1. Lupus anticoagulant (LA) present in plasma, on two or more occasions at least 12 weeks apart, detected according to the guidelines of the International Society on Thrombosis and Haemostasis (Scientific Subcommittee on LAs/phospholipiddependent antibodies)
2. Anticardiolipin (aCL) antibody of IgG and/or IgM isotype in serum or plasma, present in medium or high titer (i.e. >40 GPL or MPL, or >the 99th percentile), on two or more occasions, at least 12 weeks apart, measured by a standardized ELISA.
3. Anti-β2 glycoprotein-I antibody of IgG and/or IgM isotype in serum or plasma (in titer >the 99th percentile), present on two or more occasions, at least 12 weeks apart, measured by a standardized ELISA, according to recommended procedures.

* Classification of APS should be avoided if less than 12 weeks or more than 5 years separate the positive aPL test and the clinical manifestation.

† Coexisting inherited or acquired factors for thrombosis are not reasons for excluding patients from APS trials. However, two subgroups of APS patients should be recognized, according to: (a) the presence, and (b) the absence of additional risk factors for thrombosis. Indicative (but not exhaustive) such cases include: age (>55 in men, and >65 in women), and the presence of any of the established risk factors for cardiovascular disease (hypertension, diabetes mellitus, elevated LDL or low HDL cholesterol, cigarette smoking, family history of premature cardiovascular disease, body mass index ≥30 kg m-2, microalbuminuria, estimated GFR <60 mL min-1), inherited thrombophilias, oral contraceptives, nephrotic syndrome, malignancy, immobilization, and surgery. Thus, patients who fulfil criteria should be stratified according to contributing causes of thrombosis.

† A thrombotic episode in the past could be considered as a clinical criterion, provided that thrombosis is proved by appropriate diagnostic means and that no alternative diagnosis or cause of thrombosis is found. §Superficial venous thrombosis is not included in the clinical criteria.

¶ Generally accepted features of placental insufficiency include: (i) abnormal or non-reassuring fetal surveillance test(s), e.g. a non-reactive non-stress test, suggestive of fetal hypoxemia, (ii) abnormal Doppler flow velocimetry waveform analysis suggestive of fetal hypoxemia, e.g. absent end-diastolic flow in the umbilical artery, (iii) oligohydramnios, e.g. an amniotic fluid index of 5 cm or less, or (iv) a postnatal birth weight less than the 10th percentile for the gestational age.

** Investigators are strongly advised to classify APS patients in studies into one of the following categories: I, more than one laboratory criteria present (any combination); IIa, LA present alone; IIb, aCL antibody present alone; IIc, anti-β2 glycoprotein-I antibody present alone.

(The Sapporo classification divided the APS criteria, 2007)

체의 면역관용을 획득하는 역할을 하고, 착상 및 임신유지에 수반되는 혈관생성 및 영양막 발달에 필수적인 무균성 염증반응(sterile inflammation)을 유발하는 것으로 알려지고 있다. 인간의 탈락막 또는 자궁내막에 존재하는 면역세포는 소수의 백혈구들이며 주로 세가지 아형의 면역세포, 즉 T 림프구, 대식세포 및 자궁내 자연살해세포로 B 림프구가 거의 없는 점 등에서 말초혈액의 면역세포의 구성과 많은 차이가 있다.

① 자연살해세포(natural killer cell, NK cell)와 반복유산

말초혈액내 자연살해세포는 반복유산 여성에서 높게 나타나며, 임신전 말초혈액내 자연살해세포가 높은 경우 유산될 가능성이 높다. 이 때의 말초혈액내 자연살해세포의 대부분이 CD56, CD16 표지자를 발현하고 강한 세포독성을 가지는 데 반해 자궁내 자연살해세포는 CD56 표지자를 발현하고 CD16 표지자를 발현하지 않으며, 세포독성은 약하며 다양한 종류의 싸이토카인을 분비한다. 자궁내 자연살해세포는 배란 전 증식기에는 거의 보이지 않다가 배란

후 중기 황체기에 증가하기 시작해서 후기 분비기에 가장 많이 보인다. 자궁내 자연살해세포는 월경이 시작되면 거의 관찰되지 않지만 임신이 될 경우 지속적으로 존재하며 태반이 형성되는 임신 초기에는 탈락막 전체 림프구의 약 70%를 이루며 임신 20주 이후에는 감소하기 시작하여 임신 말기에는 관찰되지 않는다.

② T 림프구와 반복유산

T 림프구는 CD 3항원을 세포표면에 공통적으로 발현하며 기타 다른 표면표식자의 발현여부에 따라 크게 $CD3^+$ $CD4^+$ 림프구와 $CD3^+$ $CD8^+$림프구로 분류되는 데 $CD4^+$ 림프구는 도움 T세포(helper T, Th)로 칭하며 $CD8^+$ 림프구는 살해 T 세포(cytotoxic T, Tc)로 칭한다. $CD4^+$ $CD25^{++}$이면서 Foxp3라는 전사인자를 표현하는 T 림프구는 면역조절억제 능력이 있어 조절 T 림프구(regulatory T, Treg)라고 불린다.

조절 T 림프구는 크게 두가지 종류 즉 자연성 조절 T 림프구(natural T reg Cell)와 적응성 조절 T 림프구(adaptive T reg Cell)로 분류된다. 적응성 조절 T 림프구는 말초조직에서 생성되며 미성숙한 수지상세포와 결합하여 트립토판대사에 필수적이고 모체-태아 간극에서 강력한 항염증 작용을 하는 것으로 알려진 indoleamine 2,3-dioxigenase (IDO)라는 효소를 생산한다. 이 IDO는 모체와 태아의 접면에서 태아에 대한 모체의 면역조절에 관여하는 것으로 추정된다.

$CD4^+$ 림프구는 싸이토카인을 주로 생산하는 주된 면역세포로 분비하는 싸이토카인의 종류에 따라 Th0, Th1, Th2, Th3 등의 림프구로 분류된다. Th0 림프구는 Th1, Th2로 분화할 수 있는 능력을 가진 미경험(naive) T 세포이다. Th1 림프구는 INF-γ, IL-2, TNF-α 및 β를 생산 분비하며 대식세포 매개에 의한 숙주방어의 주된 역할을 한다. Th2 림프구는 IL-4, IL-5, IL-6, IL-10, 및 IL-13을 생산하며, IL-4는 B 림프구에서 IgE 및 IgG1 생산을 자극하고, IL-5는 호산구 세포의 성장과 분화를 촉진하며, IL-10과 IL-13은 IL-4와 함께 대식세포의 기능을 억제하는 작용을 한다.

Th2형 면역반응은 각자의 싸이토카인을 통해 임신 시 태아와 태반의 성장에 필요한 자궁내 환경을 조성한다. 반면 Th1형 면역반응은 INF-γ에 의한 신생혈관 발달을 돕기도 하지만, 지나치게 강한 Th1 반응은 염증반응을 유발하여 태아와 태반의 성장을 저해한다. 그러므로 태아의 생존을 위해서는 Th1/Th2형 면역반응의 균형이 중요하다.

T림프구-싸이토카인 네트워크는 착상과정에서부터 이루어지는 데 착상이 일어난 직후 반응을 유발하여 국소적인 Th1 면역반응이 일어나 태반 침윤과 혈관재형성(vascular remodeling)을 촉진한다. 임신이 진행함에 따라 Th1 면역반응은 점차 Th2 면역반응으로 이행되게 된다.

4) 유전성 혈전성향증(Inherited Thrombophilia)

반복유산 환자의 일부는 혈전성 경향이 강한 유전적 성향을 가지며 이 경우 자궁-태반 혈류의 감소 및 태반 혈관의 혈전형성이 생겨 결국 태아는 혈액 공급을 받지 못해 유산된다는 개념으로 최근 많은 연구가 진행되고 있는 만큼 많은 논란의 대상이 되는 원인이다.

유전적 혈전성향증의 원인에는 다양한 유전적 변이가 관련이 있다고 보고되는데, 그 중 가장 흔한 유전적 원인은 응고인자 V Leiden 변이(factor V leiden mutation) (G→A at nucleotide 1691)와 프로트롬빈 유전자의 변이(prothrombin gene mutation) (G→A at nucleotide 20210)으로 알려져 있다. 한편 메틸렌테트라히드로 엽산 환원효소 (methylene tetrahydrofolate reductase, MTHFR) 유전자 변이(C→ T at nucleotide 677)는 고호모시스틴혈증을 유발할 수 있는 데 이 또한 혈전 호발의 원인으로 알려져 있다. 그 외에도 단백질 C 결핍(protein C deficiency), 단백질 S 결핍(protein S deficiency), 그리고 안티트롬빈 III 결핍(antithrombin III deficiency)가 있다. 그러나 지금까지의 여러 연구에서 유전적 혈전성향증과 반복유산과의 상관성이 상반되게 보고되고 있어 추가 연구가 필요할 것으로 보인다.

5) 내분비 이상

체내에서 발생할 수 있는 여러 호르몬 분비 이상 중 갑상샘호르몬 분비 이상, 당뇨병, 다낭성난소증후군 그리고 황체기 결함 등이 반복유산과 연관된 것으로 알려져 있다.

갑상샘기능항진증 그리고 갑상샘기능저하증 등 갑상샘호르몬 분비 이상은 자연유산과 연관성이 있음이 잘 알려져 있으나 무증상(subclinical) 갑상샘호르몬분비장애가 유산의 원인이 되지는 않는 것으로 여겨져 왔다. 그러나 최근 연구 결과에 의하면 경증 또는 무증상 갑상샘 분비호르몬 이상도 자연유산과 관련성이 있으며 혈중 갑상샘 자극호르몬(thyroid stimualating hormone, TSH)이 현저히 증가된 여성에서 호르몬 보충요법을 실시한 결과 유산의 빈도를 의미 있게 줄인다는 보고가 있었다. 갑상샘호르몬 분비 이상과 반복유산과 관련된 연구 결과들을 종합해 볼 때 임신 중 갑상샘호르몬에 대한 평가는 반복유산의 재발방지에 필요한 검사 중 하나로 고려되고 있다.

임신 중 혈당의 조절이 잘 시행된 당뇨병 환자의 경우 자연유산의 위험도는 정상 산모와 크게 다르지 않지만 혈당 조절에 실패한 환자의 경우 자연유산의 위험도는 증가하며 그 증가 정도는 혈중 당화 헤모글로빈(glycosylated hemoglobin; HbA1c) 증가 정도와 관련이 있는 것으로 조사되었다. 반복유산 환자에서 당뇨병에 이환되어 있거나 혹은 당뇨병을 의심할만한 소견이 있는 환자는 혈당 및 혈중 HbA1c 수치에 대한 적극적인 검사가 유산의 재발 방지에 중요하며 그 수치가 증가된 환자에서는 치료 후 정상 범위가 될 때까지 임신 시도를 연기하도록 권고해야 한다.

다낭성난소증후군(polycystic ovarian syndrome, PCOS)과 반복유산의 연관성에 대해서는 혈중 황체형성호르몬(luteinizing hormone, LH)의 증가 및 그에 수반된 남성호르몬의 증가와 관련되어 설명되었다. 하지만 최근에는 고인슐린혈증 및 증가된 프라스미노겐 활성화인자 억제제(plasminogen activator inhibitor-1, PAI-1) 등이 반복유산의 원인 기전으로서 자연유산의 위험성을 30-50%로 증가시키는 것으로 보고되었으며 인슐린 감수성 개선제(insulin-sensitizing drug)인 메트포르민(metformin)의 사용 후 PAI-1의 감소와 자연유산율의 감소를 보는 연구를 통해 보다 신빙성이 있는 학설로 인정되었다.

황체기 결함이 유산의 원인으로 진단되는 것은 약 10% 미만으로 미미하며 황체기 결함과 반복유산과의 연관성에 관한 이론은 임신 중 혈중 프로게스테론 농도의 저하 및 외인성 프로게스테론의 보충이 유산 방지에 도움이 된다는 것에 근거 하였으나 이러한 가설은 외인성 프로게스테론의 효과가 없음이 밝혀진 후 크게 관심 받지 못하고 있다.

6) 감염 요인

감염과 반복유산과의 연관성에 대하여 많은 연구가 진행되지 못하였으며 아직 논란의 여지가 많다. 여러 가지 감염원 중 마이코플라스마(mycoplasma), 유레아플라스마(ureaplasma), 클라미디아(chlamydia) 그리고 β-연쇄상구균과 자연유산과의 관계에 대한 연구가 진행되었지만 아직 유산과의 직접적인 연관성 및 그 기전에 대한 명확한 결론은 조금 더 연구가 필요한 상황이다. 최근 연구에서 만성 자궁내막염이 반복유산과의 연관성이 있다고 주장되었다. 만성자궁내막염은 무증상이며 조직학적으로 자궁내막 생검에서 형질세포(plasma cell)가 발견되는 질환으로 반복유산 환자에서 유병율이 증가되어 있다는 보고가 있다(McQueen, et al., 2014; McQueen, et al., 2015).

7) 남성 요인

현재까지 반복유산 부부에서 남성에게 권유하고 있는 검사는 단 한 가지로, 말초혈액 핵형 분석이다. 또한 남성의 정자검사를 시행했을 때 정상군에 비해 반복유산 환자군에서는 정자 기능 저하(저삼투성 팽윤, 첨단체 상태, 핵 염색질 농축), DNA 파편화(DNA fragmentation) 그리고 지질 과산화(lipid peroxidation) 소견이 증가되어 있었다(Gil-Villa, et al., 2009, Gil-Villa, et al., 2010; Saxena, et al., 2008). 하지만 최근에는 임신에 영향을 미칠 수 있는 남성 측의 원인에 대한 연구가 더 필요하다는 의견이 많아지고 있으며 반복유산의 원인을 밝혀내 긍정적인 치료 효과를 낼 수 있을 것으로 기대를 하고 있다(Allison and Schust, 2009;

Puscheck and Jeyendran, 2007).

8) 환경적 요인

흡연, 알코올 섭취 및 다량의 카페인 복용 등은 자연유산의 원인으로 고려되고 있다. 흡연은 자연유산의 위험을 증가시키며 그 위험도는 흡연량의 증가에 따라 비례하여 증가하는 것으로 보고되고 있으며 특히 하루 10개비 이상의 흡연은 유산의 가능성을 현저히 증가시키는 것으로 알려져 있다. 흡연이 유산을 일으키는 원인 기전에 대해서 명확한 설명은 없지만 담배 속에 함유된 니코틴(nicotin), 이산화탄소(carbon dioxide), 시안화물(cyanide) 등의 성분이 혈관 수축 및 항대사 작용을 유발하는 것에 기인하는 것으로 추측된다.

알코올은 섭취한 알코올 양에 비례하여 태아의 기형 가능성을 증가시키는 기형유발물질(teratogen)로 알려져 있다. 또한 하루 두 잔 이상의 알코올 섭취 시 유산의 위험성을 2배 이상 증가시키는 것으로 보고되었지만 섭취량과 유산의 위험성과의 관계에 대해서는 명확한 기준이 없는 상태이다.

카페인 섭취와 유산의 위험성에 관한 연구들의 보고에 의하면 하루 3잔 이상 또는 300 mg/일 이상의 카페인 섭취는 자연유산의 위험성을 증가시키지만 그 위험도는 두배 미만임을 보고하고 있다.

반복유산을 경험한 환자들은 유해환경, 생활습관 등이 유산의 원인이 되는지 여부에 대해 알고자 한다. 하지만 정신적 스트레스, 컴퓨터의 사용, 과도하지 않은 운동 등 일상생활에서 볼 수 있는 생활습관 및 환경적인 요인이 유산의 원인으로 본격 거론되기에 많은 증거가 불충분한 실정이다.

2. 임신 전 검사

반복유산의 재발방지 및 치료를 위한 진단적 검사는 일반적으로 임신 전 시행되어야 하며 해당 검사에는 환자의 병력청취 및 진찰 그리고 영상의학 및 혈액검사 등이 순차적으로 진행되어야 한다.

1) 병력청취 때 포함하여야 할 내용

(1) 과거 유산의 시기, 양상
(2) 불임의 기왕력
(3) 월경력
(4) 이전 산부인과적 감염질환
(5) 갑상선질환, 당뇨병, 고안드로겐질환, 다낭성난소증의 증상 및 증후
(6) 혈전성향증의 과거력 및 가족력
(7) 항인지질항체증후군과 관련된 과거력
(8) 자가항체질환의 과거력
(9) 복용 약물
(10) 환경 유해 인자 노출 여부(카페인, 담배, 알코올, 다이옥신)
(11) 배우자와의 유전적인 연관성
(12) 반복유산 및 기타 산과적 합병증의 가족력
(13) 반복유산과 관련하여 이전에 시행했던 검사의 결과

2) 진찰 때 포함할 사항

(1) 비만도
(2) 다모증 또는 극세포증(acanthosis) 확인
(3) 갑상샘 진찰
(4) 유방 진찰 및 유즙분비 확인
(5) 골반 진찰

3) 영상의학검사

(1) 자궁강검사법: 진단자궁경검사, 식염수주입 초음파검사, 입체초음파검사, 또는 자궁난관조영술
(2) 선천성 자궁기형의 진단을 위해 필요 시 자기공명영상

4) 추천되는 혈액검사

(1) 부부염색체검사
(2) 갑상샘 자극호르몬, 프로락틴, 여성호르몬, 남성호르몬

(3) HbA1c

(4) 항인지질항체검사(anticardiolipin antibody (IgG와 IgM), anti-β2-gycoprotein-1 antibody (IgG와 IgM), lupus anticoagulant)

5) 고려할만한 검사

(1) 난소기능검사: antimüllerain hormone, 월경주기 3일째 난포자극호르몬, 에스트라디올)

(2) 항갑상샘항체: anti-peroxdase antibody

(3) 만성자궁내막염검사를 위한 자궁내막조직검사: 형질세포(plasma cell) 확인

6) 유효성을 연구 중인 검사

(1) 혈전성향증검사

① 유전자 다양성 검사: Factor V Leiden, Factor Ⅱ, MTH-FR

② protein C

③ protein S

④ antithormbin III

⑤ 호모시스틴 농도

위의 검사 중 Factor V Leiden과 Factor II 유전자 다양성은 인종간 차이가 크다. 이들 유전자의 다양성 이상은 백인들에게는 흔하지만 우리나라를 비롯한 동아시아국가에서는 거의 발견되지 않으므로 진단검사로써 가치가 적다.

(2) 세포면역검사

① 말초혈액 TH1/TH2 사이토카인 비율

② 말초혈액 자연살해세포검사: 분포도, 활성도

7) 비권고 검사

(1) 항핵항체(ANA), antipaternal cytotoxic antibody

(2) 부부 HLA 프로파일

(3) 혼합림프구배양검사(mixed lymphocyte culture test)

(4) 황체기결합검사

(5) 기타 면역기능평가검사, 성장인자검사, 종양유전자, 배아독성인자검사 등

3. 임신 중 검사

반복유산 환자는 임신 확인 직후부터의 주의 깊은 추적이 필요하다. 일반적으로 초기 임신이 정상적인지를 평가하기 위하여 베타-사람 융모생식샘 자극호르몬(β-human chorionic gonaddotropin, β-hCG)과 골반초음파검사가 가장 흔히 이용된다.

재태기간 5주에 β-hCG 혈중치가 1,000 mIU/mL를 상회하고 초음파검사에서 자궁 내 태낭을 확인할 수 있으면 정상임신으로 판단하고 추적검사를 시행한다. 재태기간과 관련된 질초음파 소견에 따른 자연 유산율은 태낭이 확인된 후에는 12%, 난황낭이 확인된 후에는 8%, 머리엉덩길이(crown-rump length, CRL) 5 mm 확인 후 7%, CRL 6-10 mm 확인 후 3%, CRL 10 mm 확인 후에는 1% 미만으로 줄어든다.

초음파검사에서 태아 심박동 확인도 임신 예후 예측에 중요한 인자가 되는데 그 예측 능력은 과거 산과력과 환자의 연령에 영향을 받는다. 즉 적절한 시기에 심박동이 확인된 경우 유산 가능성은 일반적인 유산율 12-15%보다 낮은 3-5%의 유산율을 보이나 반복유산 과거력을 가진 여성에서는 심박동이 확인된 후에도 15-25%의 유산율로 자연유산 과거력이 없는 여성들에 비해 3-5배나 높은 유산율을 보인다. 절박유산의 임상 징후를 보이는 환자에서도 심박동의 확인은 양호한 예후 지표가 될 수 있으며 그 외 다른 초음파소견 즉 심박동의 확인이 늦어지거나 재태기간과 태낭 또는 태아극의 크기가 일치하지 않는 경우, 융모막하 출혈이 있는 경우에는 유산 위험율이 높아지는 것으로 알려져 있다. 심박동이 확인된 후 유산율은 연령 35세 이하에서는 5% 미만이나 36-39세에서는 10%, 40세 이상에서는 29%로 태아 심박동의 임신 예후 예측능력은 연령이 증가함에 따라 낮아진다.

임신이 정상적으로 지속되어 재태기간 16주에 이르면 기형아선별검사(Triple test 또는 Quad test)를 시행하고 부부의 핵형에 이상이 있었다든가 착상전유전검사(preimplantation genetic test, PGT)를 시행한 경우나 일반적 산전 유전 진단의 적응이 되는 경우에는 양수검사를 시행하여 태아의 염색체의 정상 여부를 최종 확인한다. 만일 임신이 유산으로 종결되는 경우 임신 산물에서 염색체 검사를 강력히 권고한다. 이 결과는 유산의 원인를 설명해 줄 수 있을 뿐만 아니라, 향후 임신에 대한 예후 예측과 치료 방침을 결정하는 데 도움이 된다.

4. 치료

반복유산은 과거에는 원인을 정확하게 진단하지 못하여 경험적 치료를 많이 하였다. 하지만 임신과 유산의 병태생리가 차츰 밝혀짐에 따라 치료 방향은 근거 중심의 치료로 이동하고 있고 최근 들어 원인에 따른 맞춤형 치료가 성공적인 치료효과를 보이고 있다. 즉 정확한 원인진단이 선행되어야만 정확한 치료가 가능하다. 그러나 진단과 치료에는 아직도 한계점이 있다. 착상과 임신의 성립 기전에 대한 연구는 세포 또는 실험동물 수준에서 연구가 이루어진 것들이 많고 인간을 대상으로 한 연구는 제한이 많아 지금도 미지의 영역이 많다. 이런 이유로 지금까지 임상에 활용되고 있는 치료법은 근거가 충분한 치료법도 있지만 근거가 다소 약한 치료법도 함께 존재한다. 이런 점을 고려하여 각 원인 별로 구분하여 이미 정립된 치료법과 새롭게 도입되고 있는 치료법을 함께 소개하도록 한다.

1) 부부의 유전적 이상

부부가 염색체이상이 없다고 하더라도 반복유산 환자의 나이가 많거나 이전 유산이 태아 염색체에 의한 경우에 착상전 유전선별검사의 역할을 연구하여 임신에 긍정적인 결과를 보고하였다(Rubio et al., 2009). 그럼에도 불구하고 관련 학회에서는 부부나 가족 중에 염색체이상 또는 유전적 질환이 없다면 착상전 유전 선별검사에 대해 부정적인 견해를 보이고 있다(Bender et al., 2018; Toth, et al., 2018). 부부의 어느 한쪽 또는 양측에 염색체 또는 유전 이상이 있는 경우 다음 임신에서 유산을 예방할 수 있는 쉬운 치료법은 없다. 염색체에 균형전위(balanced translocation)가 있는 경우 일정 수준의 출생율을 얻을 수 있기에 자연적인 임신을 격려할 수도 있다. 또한 착상전유전검사도 고려될 수 있지만 일부 관련 학회에서는 권고하지 않는다. 착상전유전검사는 체외수정을 통해 여러 개의 배아를 생성하여 각각 배아에서 할구를 한 개씩 채취한 후 이 할구에 이미 알고 있는 염색체 또는 유전자의 이상이 있는지를 알아보는 검사법이다. 검사 결과 정상으로 판명된 배아는 자궁 내로 배아 이식을 하고 비정상인 배아는 이식 않고 폐기를 한다. 또 다른 전위 유형인 로버트슨전위(robertsonian translocation)도 착상전유전검사가 도움이 될 수도 있다. 서로 다른 염색체(비상동 염색체)간의 로버트슨전위는 정상적인 염색체 또는 균형전위를 가진 배아가 생길 가능성이 있으므로 적응이 된다. 이와 달리 상동 염색체(동일 번호의 염색체) 로버트슨전위의 경우, 배아는 항상 염색체이상이 나타나므로 유산 예방을 위해서는 생식세포 공여를 고려하여야 한다. 부부 중 부인에게 문제 있는 경우 난자공여가, 남편에게 문제가 있는 경우 정자공여가 필요하다.

2) 해부학적 이상

자궁중격, 점막하근종 또는 자궁내 유착이 유산의 원인인 경우 자궁경수술이 최적의 치료이다. 자궁경수술은 수술 후 합병증이 적은 장점이 있다. 자궁경수술 후 유착 방지를 위한 추가적인 처치로 작은 도뇨관을 7일 정도 자궁 내에 삽입하고 자궁내막의 재생을 촉진시키기 위하여 약 2-3개월 고용량 에스트로겐을 투여하기도 한다. 벽내 자궁근종의 경우 자궁내막을 침범하지 않는 한 수술을 요하지 않는다. 다만 근종으로 인한 관련 증상이 있는 경우는 증상에 따른 치료를 고려할 수 있다. 중복자궁 또는 쌍각자궁의 경우 자궁경으로 치료가 어려우므로 복강경 또는 개복을 통한 자궁성형술이 바람직하다. 자궁경부무력증에 의한 유산이라고 판단되면 자궁경부원형결찰술이 효과적이다. 자궁내막증이 있다면 복강경으로 병소를 제거하는 것이 치료에 도움이 된다.

3) 내분비적 이상

유산과 관련된 대표적인 내분비질환으로 갑상선질환, 다낭성난소증, 당뇨병, 고프로락틴혈증, 황체기결함 등이 알려져 있다. 갑상샘호르몬이상은 저하증과 항진증 모두 임신에 악영향을 미치지만 갑상샘항진증보다 갑상샘저하증을 임상에서 더 자주 접하게 된다. 갑상샘저하증 환자에게는 갑상샘호르몬 보충이 매우 효과적이다. 무증상의 갑상샘저하증이라고 하더라도 증상이 있는 갑상샘저하증과 같은 방법으로 치료하는 것이 좋다(Abalovich et al., 2007). TSH가 상승한 환자의 경우 임신 중에 한 달에 한 번씩 TSH와 free T4를 측정하면서 갑상샘호르몬 용량을 조절한다. 임신 제1삼분기에는 TSH가 2.5 미만으로 유지되도록 하여야 하고 임신 제2, 3삼분기에는 TSH가 3 미만으로 유지하는 것이 바람직하다(Abalovich et al., 2007). 또한 항갑샘선항체가 있는 자가면역 갑상샘질환 환자 중 TSH가 정상인 경우도 갑상선호르몬을 보충하는 것을 권고하고 있다(Krog et al., 2016). 갑상샘항진증은 propylthiouracil (PTU)와 같은 갑상샘억제제를 사용하여 TSH가 정상수준을 유지하도록 치료한다. 갑상샘자가면역항체가 있는 환자는 출산 후에 적어도 6개월간 TSH 추적 관찰을 하는 것이 필요하다.

다낭성난소증, 고안드로겐혈증이 동반된 반복유산 환자는 메트폴민 같은 인슐린민감제가 도움이 될 것으로 보고되고 있다(Glueck et al., 2004; Jakubowicz et al., 2002). 당뇨병 환자의 경우 임신 전과 임신 중 혈당조절이 임신 예후에 중요하게 영향을 미친다(Langer and Conway, 2000).

고프로락틴혈증 환자에게 브로모크립틴이 유산을 방지할 수 있다는 주장이 있으나(Hirahara et al., 1998), 메타분석에서는 기존 연구 결과에 대해 회의적인 견해를 보였다(Chen et al., 2016). 황체기결함은 진단기준에 다소 논란이 있으나 의심이 되는 경우 배란유도를 하거나 배란일 이후에 황체호르몬을 투여하여 치료한다.

일각에서는 보다 건강한 난자를 얻기 위한 방법으로 배란유도와 보조생식술을 제안하고 있으나 이는 아직 근거가 부족하고 몇몇 연구에 의하면 도움이 되지 않는 것으로 보고되고 있다(Raziel et al., 1997).

4) 감염 요인

감염요인을 정확히 밝혀내는 진단법과 적절한 치료법은 아직까지 알려지지 않았다. 일부 연구자는 검사에 드는 비용 그리고 약물치료의 부작용이 적은 점을 고려하면 균검사 없이 azithromycin 계열 또는 doxycyclin으로 경험적 약물치료를 권하기도 한다(Quinn et al., 1983). 최근에 만성자궁내막염이 발견된 경우는 항생제 치료가 유효하다는 주장이 있다(McQueen et al., 2014). 그러나 현재로는 추가 연구가 필요하다는 견해도 있다.

5) 면역학적 이상

면역 상태에 대한 적절한 진단과 치료법에 대해 아직 논란이 많음에도 면역기전이 다른 어떤 요인보다도 주목을 받고 있다. 특히 항인지질항체나 부적절한 세포성 면역에 의한 유산에는 면역억제와 면역조절치료법이 유효하다는 견해가 강하다. 그러나 지금까지의 연구는 연구 규모가 작은 점, 대상 환자의 나이, 유산 횟수, 연구 방법과 통계 등의 다양함으로 인해 유효성 검증이 어렵다는 제한점이 있다. 다만 지속적인 연구가 있으므로 향후 결론을 얻을 것으로 기대한다.

(1) 정맥내 면역글로불린투여

면역글로불린 주사제는 수 천명에서 만 명 정도의 혈액 공여자로부터 채취한 혈액을 한 곳에 모아 이로부터 면역글로불린을 분리한 것이다. 이 과정에서 알부민, 혈액응고인자가 함께 분리된다. 일부 유산은 태아에 대한 모체의 면역반응이 과하게 나타나서 발생한다는 이론에 근거하여 본 약제를 사용하고 있다. 면역글로불린이 면역기능을 조절하는 기전은 여러 가지가 제시되고 있으나 아직도 모르는 부분이 많다. 작용기전은 자가항체생성억제와 제거 속도 향상, T세포수용체와 Fc 수용체의 조절, 보체의 불활성화, 면역억제T세포의 기능 촉진, 세포외기질에 T세포의 부착 감소, Th1 사이토카인 생성의 하향 조절, 자연세포독성세포의 감소와 불활성화 등이 제시되고 있다(Kazatchkine and Kaveri 2001; Perricone et al., 2006).

면역글로불린의 효과에 대해서 많은 연구가 있었으나 대부분이 소규모 연구이고 또한 치료방법도 다양하여 원인불명 반복유산의 치료에 면역글로불린이 효과적인가에 대해 아직 결론을 도출하지 못하고 있다(Christiansen 1998; Jablonowska et al., 1999; Mueller-Eckhardt et al., 1991; Perino et al., 1997; Stephenson et al., 1998). 지금까지 수행된 대부분의 면역글로불린 이중눈가림 연구는 원인불명의 반복유산 환자에게 시험약과 위약을 투여하여 비교한 것들로 이는 이론적으로 커다란 약점을 갖고 있다. 원인불명 환자들은 면역적 이상을 보이는 군과 그렇지 않은 군이 혼재되어 있는 집단으로 면역치료제의 효용성을 연구하자면 면역이상군을 대상으로 한정했어야 한다. 따라서 자연살해세포의 증가나 자연살해세포 독성증가 또는 사이토카인 불균형 같은 세포성면역 이상 환자를 대상으로 면역글로불린의 연구가 이루어져야 비로소 동종면역이상에 대한 면역글로불린의 효과를 알 수 있을 것이다. 면역이상 환자를 대상으로 한 면역글로불린 연구에서 예후인자인 면역표지자를 개선한다는 연구 결과가 보고되고 있으며(Graphou et al., 2003; Kim et al., 2014; Kotlan et al., 2006; Yamada et al., 2003), 최근에는 말초혈액내 자연살해세포의 독성이 높거나, 자연살해세포가 증가한 반복유산과 착상실패 환자에게 면역글로불린이 생존아 출산을 향상시킨다는 보고가 있다(Kotlan et al., 2006; Morikawa et al., 2001; Ramos-Medina et al., 2014). 대한생식면역학회에서는 세포면역이상이 동반된 반복유산 환자의 경우, 면역글로불린을 사용하는 것을 타당성이 있다는 견해를 제시하였다(Sung et al., 2017).

면역글로불린치료법은 임신 전부터 사용하기도 하지만 임신을 확인 후 시작하는 경우가 더 흔하며, 환자의 몸무게 kg당 면역글로불린 0.2-0.4 g을 정맥주사 한다. 반감기가 3주인 점을 고려하여 3주 또는 4주 간격으로, 임신 30주 정도까지 면역글로불린을 투여하는 경우가 많다. 면역글로불린 치료의 단점은 고비용이고 침습적 치료이며 투여 시간이 길고 치료 기간 동안 여러 차례 반복치료를 요하는 문제가 있다. 이런 이유로 면역글로불린의 사용은 기대효과를 신중히 고려하여 선택하여야 할 것이다. 면역글로불린의 부작용으로는 메스꺼움, 두통, 근육통, 저혈압 등이 있으며 IgA 결핍 환자는 아나필락시스로 인해 심각한 건강상 문제가 발생할 수도 있다. 따라서 치료 전에 반드시 혈중 IgA 농도를 측정하여 IgA 결핍이 없음을 확인해야 한다.

(2) 프로게스테론

프로게스테론은 자궁내막에 미치는 영향 외에도 면역세포의 활성을 억제하는 것으로 알려져 있다(Grossman 1989; Ehring et al., 1998; Ehring et al., 1998; Kawana et al., 2005; Vassiliadou et al., 1999). 자궁내 모체-태아 접면과 말초혈액에서 수지상세포와 같은 항원전달세포와 각종 림프구에 프로게스테론이 작용하여 Th1면역은 억제하고 Th2면역은 증가 시키는 것으로 보고되고 있다(Bar et al., 2000; Hunt et al., 1997; Kawana et al., 2005; Vassiliadou et al., 1999). 프로게스테론은 근육주사 또는 질내 투여 방식으로 사용되고 있으나 일반적으로 전신적 부작용 없이 국소적 면역억제 효과를 올릴 수 있는 질내 투여 방식이 선호되고 있다.

(3) 스테로이드호르몬

Prednisone 같은 부신피질호르몬은 만성융모간염(chronic intervillositis), 항인지질증후군, 루푸스 등이 동반된 반복유산 환자에게 임신 동안 면역치료제로 권고되기도 하였다. 그러나 스테로이드호르몬은 일부 환자에게 효과가 기대됨에도 불구하고 모체와 태아에 미칠 수 있는 부작용에 대한 우려와 다른 대안이 있다는 점에서 실제적 사용이 그리 많지 않다. 하루 40-60 mg의 대용량 prednisone 투여는 모체의 당뇨와 고혈압을 증가시키고 조산의 위험을 높인다(Laskin et al., 1997). 한편 하루 20 mg 이하의 prednisone 투여는 태반에서 대부분 대사되어 태아에 대한 영향이 적고 모체에 대한 부작용도 적어 임신 제1삼분기 동안 사용하여도 큰 문제가 되지 않는다(Ostensen et al., 2006). 자가면역 또는 일부 세포성 면역이상의 환자에게 스테로이드호르몬의 사용은 득실을 충분히 고려하여 사용해야 할 것이다.

(4) 인트라리피드(intralipid)

인트라리피드는 자연살해세포의 활성과 분포도를 조절하는 효과가 보고 됨에 따라 임신 결과를 향상시킬 수 있는 치료 후보제로 연구가 진행되고 있다(Coulam and Acacio, 2012; Roussev et al., 2007). 지금까지 출산율에 대한 긍정적인 결과와 부정적인 결과가 비슷한 수로 보고 되고 있다(Dakhly et al., 2016). 따라서 연구 목적 외에 사용은 권고하지 않는다.

(5) TNF-α 억제제

TH1/TH2 사이토카인 비율의 상승이 반복유산의 원인으로 제기됨에 따라 TNF-α 억제제를 이용한 치료효과 검증 연구가 일부 보고되었다(Alijotas-Reig et al., 2017; Winger and Reed, 2008). 그러나 아직까지는 연구 목적의 사용에 한하여 사용해야 할 것으로 보인다.

6) 항응고치료

선천적 혈전성향증 또는 항인지질항체증후군이 있는 반복유산의 치료는 현재 항응고치료가 주축을 이룬다. 대표적인 항응고약제인 헤파린은 응고인자의 활성을 억제하는 역할뿐만이 아니라 항인지질항체와 결합하여 면역조절기능을 발휘하고, 염증세포가 모이는 것을 막아주는 역할도 하는 것으로 알려져 있다(Ermel et al., 1995; Gorski et al., 1994). 경구 저용량아스피린(75-80 mg/일)과 피하주사 헤파린(5,000-10,000 단위, 하루 두 번) 병행요법은 항인지질항체증후군 환자에게 많이 연구되었고 효과도 입증되었다(Kutteh 1996; Lima et al., 1996; Neugebauer et al., 1997). 일반적으로 항응고치료는 임신을 시도하는 동안 저용량아스피린을, 임신 확인 후에는 저용량에스피린에 더해 헤파린을 매일 피하주사로 전 임신 기간 동안 투여한다. 헤파린의 경우, 치료기간 동안 aPTT를 매주 확인하여 항응고효과를 유지할 수 있는 적정 용량을 찾아야 한다. 헤파린 치료를 받는 환자는 조기진통, 조기양막파수, 자궁내 태아성장제한, 자궁내 태아사망, 전자간증, 태반조기박리 등의 산과적 합병증 위험이 높고 위출혈, 골밀도 감소와 같은 부작용이 나타날 수도 있다. 최근 활용이 증가하고 있는 저분자량헤파린은 헤파린보다 우수한 점이 많다. 저분자량헤파린은 항혈전작용에 있어 헤파린에 비해 더 우수하고, 출혈 부작용의 빈도가 적으며, 혈소판감소증이나 골다공증의 위험도 더 적다. 또한 헤파린에 비해 반감기가 길어 약물의 투여 횟수를 줄일 수 있으며 이는 환자의 수용성을 증가시켜 준다. 반복유산 치료에 있어 헤파린과 아스피린 병용치료법과 저분자량헤파린과 아스피린 병용치료군 간의 치료성적을 비교한 연구에서 두 치료법이 비슷한 효과를 보였다. 헤파린이나 저분자량헤파린은 선천성 혈전성향증, 예를 들어 Factor V Leiden, prothrombin gene의 promoter 부분의 돌연변이, 그리고 protein C와 protein S 활성 감소로 인한 반복유산의 치료에 효과가 보고되었다(Bar et al., 2000; Brenner et al., 2000; Matalon et al., 2003; Stephenson et al., 2004).

엽산 또는 비타민 결핍으로 인한 고호모시스틴혈증은 부족한 비타민을 보충하면 개선이 된다. 이때 권장되는 추가 비타민 용량은 엽산 0.4-1.0 mg/일, 비타민B6 6 mg/일이다(Brouwer et al., 1999; Carlsson et al., 2004; de la Calle et al., 2003; O'Donnell and Perry, 2002). 비타민 공급 후 공복 호모시스틴 농도를 다시 측정하여 정상수준으로 회복되었는지 확인이 필요하다.

반복유산 환자 중 유전적 또는 후천적 혈전성향증이 있는 경우 치료법은 다음과 같다.

(1) 치료적 항응고치료

이 치료의 적응증은 해당 임신 중에 정맥혈전색전증이 발생하였거나, 과거에 정맥혈전색전증(특히 임신 중 또는 경구피임약 사용 중일 때), 또는 강력한 가족력이 있을 경우이다. 치료방법은 헤파린 10,000-15,000 단위를 피하주사로 매 8-12시간 마다(정상 aPTT 1.5-2.5배 유지) 또는 저분자량헤파린인 enoxaparin 40-80 mg(또는 dalteparin 5,000-10,000 단위)을 피하주사로 하루 두 번씩 투여한다.

(2) 예방적 항응고치료

혈전성향인자가 한가지 발견되었으나 혈전증의 과거력이나 가족력이 없는 경우와 엽산과 비타민으로 조절이 되지 않는 고호모시스틴혈증는 예방적 항응고치료를 한다. 임신 제1삼분기에 헤파린 5,000 단위를 하루 두 번, 임신 제2삼분기에 7,500 단위로 하루 두 번, 임신 제3삼분기에 10,000 단위씩 하루 두 번 투여한다. 저분자량헤파린을 사용할 경우는 enoxaparin 40 mg(또는 dalteparin 5,000 단위)을 하루 한 번씩 피하주사 한다.

항응고치료 치료기간은 임신 확인 시부터 분만 1-2일 전까지, 그리고 분만 후 재개하여 6-12주 계속하여야 한다. 약물의 반감기를 고려할 때 분만 1-2일 전에 약물을 중단하면 분만 중 출혈의 위험은 높지 않다. 특히 출산 직후는 혈전의 위험이 가장 높은 시기임으로 약물치료를 잊지 말아야 한다. 출산 후에는 헤파린계 주사제나 coumadin 같은 경구 항응고제를 사용할 수도 있다. 이들 약물은 수유 중에도 복용할 수 있다.

7) 환경요인

임신 중 흡연과 음주는 유산의 위험을 증가시키므로 금해야 한다. 또한 과도한 비만은 유산의 원인이 되므로 체중 조절이 바람직하다.

8) 심리적 지지

반복유산은 물론이고 단 한 번의 유산도 부부에게 심한 정서적 충격을 줄 수 있다. 자연유산을 경험한 후 주요 우울증(major depression)의 위험이 2배 증가한다는 보고도 있다. 따뜻한 정서적 지지가 치유의 바탕이 된다.

5. 예후

임신의 성공은 유산의 원인과 유산의 횟수에 의해 크게 좌우된다. 역학 조사에 의하면 2번 유산 후에 치료 없이 출산에 성공할 확률은 약 75%, 3번 유산 후는 약 70%이지만, 4번 유산 후에는 약 60%로 감소한다. 대부분의 유산은 과거 유산과 비슷한 주수에 재발되는 것으로 알려져 있다(Heuser et al., 2010). 연구마다 다르지만 치료 후 생존아를 출산할 확률은 유전학적 요인이 있는 경우 20-80% 수준이다(Harger, et al., 1983; Vlaanderen and Treffers, 1987). 해부학적 요인의 경우 60-90% 정도에 이른다(DeCherney et al., 1986; Harger et al., 1983, March and Israel, 1987). 내분비적 이상을 교정하면 치료성공률이 90%를 상회하고 항인지질증후군이나 세포성 면역이상을 치료하면 70-90% 정도가 성공적인 임신 결과를 나타낸다(Branch et al., 1992). 원인불명의 경우 치료로 40-90% 정도가 생존아를 출산한다.

참고문헌

- 대한산부인과학회. 반복유산. 부인과학. 제5판. 서울: 도서출판 고려의학; 2015. p.639-54.
- 대한산부인과내분비학회. 반복자연유산. 부인과 내분비학 제1판. 파주: 군자출판사; 2012. p.313-32.
- Abalovich M, Amino N, Barbour LA, Cobin RH, De Groot LJ, Glinoer D, Mandel SJ, Stagnaro-Green A. Management of thyroid dysfunction during pregnancy and postpartum: an Endocrine Society Clinical Practice Guideline. J Clin Endocrinol Metab 2007;92(8 Suppl):S1-47.
- Alijotas-Reig J, Esteve-Valverde E, Ferrer-Oliveras R, Llurba E, Gris JM. Tumor Necrosis Factor-Alpha and Pregnancy: Focus on Biologics. An Updated and Comprehensive Review. Clin Rev Allergy Immunol. 2017;53:40-53.
- Allison JL, Schust DJ. Recurrent first trimester pregnancy loss: revised definitions and novel causes. Curr Opin Endocrinol Diabetes Obes. 2009;16:446-50.
- Bar J, Cohen-Sacher B, Hod M, Blickstein D, Lahav J, Merlob P. Low-molecular-weight heparin for thrombophilia in pregnant women. Int J Gynaecol Obstet 2000:69:209-13.

- Bashiri A, Borick JL. In: Bashiri A, Harlev A, Agarwal A. Recurrent Pregnancy Loss: Evidence-Based Evaluation, Diagnosis and Treatment. First edition: Switzerland: Springer; 2016. p.3-18.
- Branch DW, Silver RM, Blackwell JL, Reading JC, Scott JR. Outcome of treated pregnancies in women with antiphospholipid syndrome: an update of the Utah experience. Obstet Gynecol 1992;80:614-20.
- Brandt JT, Triplett DA, Alving B, Scharrer I. Criteria for the diagnosis of lupus anticoagulants: an update. On behalf of the Subcommittee on Lupus Anticoagulant/Antiphospholipid Antibody of the Scientific and Standardisation Committee of the ISTH. Thromb Haemost 1995;74:1185-90.
- Brenner B, Hoffman R, Blumenfeld Z, Weiner Z, Younis JS. Gestational outcome in thrombophilic women with recurrent pregnancy loss treated by enoxaparin. Thromb Haemost. 2000;83:693-7.
- Brigham SA, Conlon C, Farquharson RG. A longitudinal study of pregnancy outcome following idiopathic recurrent miscarriage. Hum Reprod. 1999;14:2868-71.
- Brouwer IA, van Dusseldorp M, Thomas CM, Duran M, Hautvast JG, Eskes TK, et al. Low-dose folic acid supplementation decreases plasma homocysteine concentrations: a randomized trial. Am J Clin Nutr. 1999;69:99-104.
- Carlsson CM, Pharo LM, Aeschlimann SE, Mitchell C, Underbakke G, Stein JH. Effects of multivitamins and low-dose folic acid supplements on flow-mediated vasodilation and plasma homocysteine levels in older adults. Am Heart J. 2004;148: E11.
- Chen H, Fu J, Huang W. Dopamine agonists for preventing future miscarriage in women with idiopathic hyperprolactinemia and recurrent miscarriage history. Cochrane Database Syst Rev. 2016;7:CD008883.
- Christiansen OB. Intravenous immunoglobulin in the prevention of recurrent spontaneous abortion: the European experience. Am J Reprod Immunol. 1998;39:77-81.
- Coulam CB, Acacio B. Does immunotherapy for treatment of reproductive failure enhance live births? Am J Reprod Immunol. 2012;67:296-304.
- Dakhly DM, Bayoumi YA, Sharkawy M, Gad Allah SH, Hassan MA, Gouda HM, et al. Intralipid supplementation in women with recurrent spontaneous abortion and elevated levels of natural killer cells. Int J Gynaecol Obstet. 2016;135:324-7.
- DeCherney AH, Russell JB, Graebe RA, Polan ML. Resectoscopic management of mullerian fusion defects. Fertil Steril. 1986;45:726-8.
- de la Calle M, Usandizaga R, Sancha M, Magdaleno F, Herranz A, Cabrillo E. Homocysteine, folic acid and B-group vitamins in obstetrics and gynaecology. Eur J Obstet Gynecol Reprod Biol. 2003;107:125-34.
- Ehring GR, Kerschbaum HH, Eder C, Neben AL, Fanger CM, Khoury RM, et al. A nongenomic mechanism for progesterone-mediated immunosuppression: inhibition of K^+ channels, Ca^{2+} signaling, and gene expression in T lymphocytes. J Exp Med. 1998;188:1593-602.
- Ermel LD, Marshburn PB, Kutteh WH. Interaction of heparin with antiphospholipid antibodies (APA) from the sera of women with recurrent pregnancy loss (RPL). Am J Reprod Immunol. 1995;33:14-20.
- Eshre Guideline Group on RPL, Bender Atik R, Christiansen OB, Elson J, Kolte AM, Lewis S, et al. ESHRE guideline: recurrent pregnancy loss. Hum Reprod Open. 2018;2018:hoy004.
- Gil-Villa AM, Cardona-Maya W, Agarwal A, Sharma R, Cadavid A. Assessment of sperm factors possibly involved in early recurrent pregnancy loss. Fertil Steril. 2010;94:1465-72.
- Gil-Villa AM, Cardona-Maya W, Agarwal A, Sharma R, Cadavid A. Role of male factor in early recurrent embryo loss: do antioxidants have any effect? Fertil Steril. 2009;92:565-71.
- Glueck CJ, Wang P, Goldenberg N, Sieve L. Pregnancy loss, polycystic ovary syndrome, thrombophilia, hypofibrinolysis, enoxaparin, metformin. Clin Appl Thromb Hemost. 2004;10: 323-34.
- Gorski A, Makula J, Morzycka-Michalik M, Lao M, Gradowska L. Low-dose heparin: a novel approach in immunosuppression. Transpl Int. 1994;7 Suppl 1:S567-9.
- Graphou O, Chioti A, Pantazi A, Tsukoura C, Kontopoulou V, Guorgiadou E, et al. Effect of intravenous immunoglobulin treatment on the Th1/Th2 balance in women with recurrent spontaneous abortions. Am J Reprod Immunol. 2003;49:21-9.
- Grossman C. Possible underlying mechanisms of sexual dimorphism in the immune response, fact and hypothesis. J Steroid Biochem. 1989;34:241-51.
- Harger JH, Archer DF, Marchese SG, Muracca-Clemens M, Garver KL. Etiology of recurrent pregnancy losses and outcome of subsequent pregnancies. Obstet Gynecol. 1983;62: 574-81
- Heuser C, Dalton J, Macpherson C, Branch DW, Porter TF, Silver RM. Idiopathic recurrent pregnancy loss recurs at similar gestational ages. Am J Obstet Gynecol. 2010;203:343 e1-5.
- Hirahara F, Andoh N, Sawai K, Hirabuki T, Uemura T, Minaguchi H. Hyperprolactinemic recurrent miscarriage and results of randomized bromocriptine treatment trials. Fertil Steril. 1998;70:246-52.
- Hogge WA, Byrnes AL, Lanasa MC, Surti U. The clinical use of karyotyping spontaneous abortions. Am J Obstet Gynecol. 2003;189:397-400; discussion-2.

- Homburg R. Pregnancy complications in PCOS. Best Pract Res Clin Endocrinol Metab 2006;20:281-92.
- Hughes N, Hamilton EF, Tulandi T. Obstetric outcome in women after multiple spontaneous abortions. The Journal of reproductive medicine. 1991;36:165-6.
- Hughes RC, Rowan JA. Pregnancy in women with Type 2 diabetes: who takes metformin and what is the outcome? Diabet Med 2006;23:318-22.
- Hunt JS, Miller L, Roby KF, Huang J, Platt JS, DeBrot BL. Female steroid hormones regulate production of pro-inflammatory molecules in uterine leukocytes. J Reprod Immunol 1997;35:87-99.
- Jablonowska B, Selbing A, Palfi M, Ernerudh J, Kjellberg S, Lindton B. Prevention of recurrent spontaneous abortion by intravenous immunoglobulin: a double-blind placebo-controlled study. Hum Reprod 1999;14:838-41.
- Jakubowicz DJ, Iuorno MJ, Jakubowicz S, Roberts KA, Nestler JE. Effects of metformin on early pregnancy loss in the polycystic ovary syndrome. J Clin Endocrinol Metab. 2002;87:524-9.
- Jivraj S, Anstie B, Cheong YC, Fairlie FM, Laird SM, Li TC. Obstetric and neonatal outcome in women with a history of recurrent miscarriage: a cohort study. Hum Reprod. 2001;16:102-6.
- Kawana K, Kawana Y, Schust DJ. Female steroid hormones use signal transducers and activators of transcription protein-mediated pathways to modulate the expression of T-bet in epithelial cells: a mechanism for local immune regulation in the human reproductive tract. Mol Endocrinol 2005;19:2047-59.
- Kazatchkine MD, Kaveri SV. Immunomodulation of autoimmune and inflammatory diseases with intravenous immune globulin. N Engl J Med 2001;345:747-55.
- Kim DJ, Lee SK, Kim JY, Na BJ, Hur SE, Lee M, Kwak-Kim J. Intravenous immunoglobulin g modulates peripheral blood Th17 and Foxp3(+) regulatory T cells in pregnant women with recurrent pregnancy loss. Am J Reprod Immunol 2014;71:441-50.
- Kotlan B, Padanyi A, Batorfi J, Fulop V, Szigetvari I, Rajczy K, Penzes M, Gyodi E, Reti M, Petranyi G. Alloimmune and autoimmune background in recurrent pregnancy loss-successful immunotherapy by intravenous immunoglobulin. Am J Reprod Immunol 2006;55:331-40.
- Kutteh WH. Antiphospholipid antibody-associated recurrent pregnancy loss: treatment with heparin and low-dose aspirin is superior to low-dose aspirin alone. Am J Obstet Gynecol 1996;174:1584-9.
- Langer O, Conway DL. Level of glycemia and perinatal outcome in pregestational diabetes. J Matern Fetal Med. 2000;9:35-41.
- Laskin CA, Bombardier C, Hannah ME, Mandel FP, Ritchie JW, Farewell V, Farine D, Spitzer K, Fielding L, Soloninka CA, et al. Prednisone and aspirin in women with autoantibodies and unexplained recurrent fetal loss. N Engl J Med 1997;337:148-53.
- Lee SK, Kim JY, Han AR, Hur SE, Kim CJ, Kim TH, et al. Intravenous Immunoglobulin G Improves Pregnancy Outcome in Women with Recurrent Pregnancy Losses with Cellular Immune Abnormalities. Am J Reprod Immunol. 2016;75:59-68.
- Lima F, Khamashta MA, Buchanan NM, Kerslake S, Hunt BJ, Hughes GR. A study of sixty pregnancies in patients with the antiphospholipid syndrome. Clin Exp Rheumatol 1996;14:131-6.
- MA Fritz and Leon Speroff. Recurrent early pregnancy loss in Clinical Gynecologic Endocrinology and Infertility, 8th ed. Wolters Kluwer Lippincott Williams & Wilkins; 2011. p.1191-220.
- March CM, Israel R. Hysteroscopic management of recurrent abortion caused by septate uterus. Am J Obstet Gynecol 1987;156:834-42.
- Matalon ST, Blank M, Levy Y, Carp HJ, Arad A, Burek L, Grunebaum E, Sherer Y, Ornoy A, Refetoff S, et al. The pathogenic role of anti-thyroglobulin antibody on pregnancy: evidence from an active immunization model in mice. Hum Reprod 2003;18:1094-9.
- McQueen DB, Bernardi LA, Stephenson MD. Chronic endometritis in women with recurrent early pregnancy loss and/or fetal demise. Fertil Steril. 2014;101:1026-30.
- McQueen DB, Perfetto CO, Hazard FK, Lathi RB. Pregnancy outcomes in women with chronic endometritis and recurrent pregnancy loss. Fertil Steril. 2015;104:927-31.
- Morikawa M, Yamada H, Kato EH, Shimada S, Kishi T, Yamada T, Kobashi G, Fujimoto S. Massive intravenous immunoglobulin treatment in women with four or more recurrent spontaneous abortions of unexplained etiology: down-regulation of NK cell activity and subsets. Am J Reprod Immunol 2001;46:399-404.
- Mueller-Eckhardt G, Heine O, Polten B. IVIG to prevent recurrent spontaneous abortion. Lancet 1991;337:424-5.
- Neugebauer R, Kline J, Shrout P, Skodol A, O'Connor P, Geller PA, Stein Z, Susser M. Major depressive disorder in the 6 months after miscarriage. JAMA 1997;277:383-8.
- Ostensen M, Khamashta M, Lockshin M, Parke A, Brucato A, Carp H, Doria A, Rai R, Meroni P, Cetin I, et al. Anti -inflammatory and immunosuppressive drugs and reproduction. Arthritis Res Ther 2006;8:209.

- O'Donnell J, Perry DJ. Pharmacotherapy of hyperhomocysteinaemia in patients with thrombophilia. Expert Opin Pharmacother 2002;3:1591-8.
- Perino A, Vassiliadis A, Vucetich A, Colacurci N, Menato G, Cignitti M, Semprini AE. Short-term therapy for recurrent abortion using intravenous immunoglobulins: results of a double-blind placebo-controlled Italian study. Hum Reprod 1997;12:2388-92.
- Perricone R, Di Muzio G, Perricone C, Giacomelli R, De Nardo D, Fontana L, De Carolis C. High levels of peripheral blood NK cells in women suffering from recurrent spontaneous abortion are reverted from high-dose intravenous immunoglobulins. Am J Reprod Immunol 2006;55:232-9.
- Poppe K, Velkeniers B, Glinoer D. Thyroid disease and female reproduction. Clin Endocrinol (Oxf) 2007;66:309-21.
- Practice Committee of American Society for Reproductive M. Definitions of infertility and recurrent pregnancy loss: a committee opinion. Fertil Steril. 2013;99:63.
- Practice Committee of the American Society for Reproductive M. Evaluation and treatment of recurrent pregnancy loss: a committee opinion. Fertil Steril. 2012;98:1103-11.
- Puscheck EE, Jeyendran RS. The impact of male factor on recurrent pregnancy loss. Curr Opin Obstet Gynecol. 2007;19: 222-8.
- Quinn PA, Shewchuk AB, Shuber J, Lie KI, Ryan E, Chipman ML, Nocilla DM. Efficacy of antibiotic therapy in preventing spontaneous pregnancy loss among couples colonized with genital mycoplasmas. Am J Obstet Gynecol 1983;145:239-44.
- Ramos-Medina R, Garcia-Segovia A, Gil J, Carbone J, Aguaron de la Cruz A, Seyfferth A, Alonso B, Alonso J, Leon JA, Alecsandru D, et al. Experience in IVIg therapy for selected women with recurrent reproductive failure and NK cell expansion. Am J Reprod Immunol 2014;71:458-66.
- Raziel A, Herman A, Strassburger D, Soffer Y, Bukovsky I, Ron-El R. The outcome of in vitro fertilization in unexplained habitual aborters concurrent with secondary infertility. Fertil Steril 1997;67:88-92.
- Rubio C, Buendia P, Rodrigo L, Mercader A, Mateu E, Peinado V, et al. Prognostic factors for preimplantation genetic screening in repeated pregnancy loss. Reprod Biomed Online. 2009;18:687-93.
- Roussev RG, Ng SC, Coulam CB. Natural killer cell functional activity suppression by intravenous immunoglobulin, intralipid and soluble human leukocyte antigen-G. Am J Reprod Immunol. 2007;57:262-9.
- Saxena P, Misro MM, Chaki SP, Chopra K, Roy S, Nandan D. Is abnormal sperm function an indicator among couples with recurrent pregnancy loss? Fertil Steril. 2008;90:1854-8.
- Shahine LK, Lathi RB, Schust DJ. In: Berek JS. Berek DL. Berek and Novak's Gynecology, 16th Edition; Philadelphia (PA): Lippincott Williams & Wilkins; 2020. p.835-64.
- Stephenson MD, Ballem PJ, Tsang P, Purkiss S, Ensworth S, Houlihan E, Ensom MH. Treatment of antiphospholipid antibody syndrome (APS) in pregnancy: a randomized pilot trial comparing low molecular weight heparin to unfractionated heparin. J Obstet Gynaecol Can 2004;26:729-34.
- Stephenson MD, Dreher K, Houlihan E, Wu V. Prevention of unexplained recurrent spontaneous abortion using intravenous immunoglobulin: a prospective, randomized, double-blinded, placebo-controlled trial. Am J Reprod Immunol 1998;39:82-8.
- Sung N, Han AR, Park CW, Park DW, Park JC, Kim NY, et al. Intravenous immunoglobulin G in women with reproductive failure: The Korean Society for Reproductive Immunology practice guidelines. Clin Exp Reprod Med. 2017;44:1-7.
- Toth B, Wurfel W, Bohlmann M, Zschocke J, Rudnik-Schoneborn S, Nawroth F, et al. Recurrent Miscarriage: Diagnostic and Therapeutic Procedures. Guideline of the DGGG, OEGGG and SGGG (S2k-Level, AWMF Registry Number 015/050). Geburtshilfe Frauenheilkd. 2018;78:364-81.
- Vassiliadou N, Tucker L, Anderson DJ. Progesterone-induced inhibition of chemokine receptor expression on peripheral blood mononuclear cells correlates with reduced HIV-1 infectability in vitro. J Immunol 1999;162:7510-8.
- Vlaanderen W, Treffers PE. Prognosis of subsequent pregnancies after recurrent spontaneous abortion in first trimester. Br Med J (Clin Res Ed) 1987;295:92-3.
- Winger EE, Reed JL. Treatment with tumor necrosis factor inhibitors and intravenous immunoglobulin improves live birth rates in women with recurrent spontaneous abortion. Am J Reprod Immunol. 2008;60:8-16.
- Wisloff F, Jacobsen EM, Liestol S. Laboratory diagnosis of the antiphospholipid syndrome. Thromb Res 2002;108:263-71.
- Yamada H, Morikawa M, Furuta I, Kato EH, Shimada S, Iwabuchi K, Minakami H. Intravenous immunoglobulin treatment in women with recurrent abortions: increased cytokine levels and reduced Th1/Th2 lymphocyte ratio in peripheral blood. Am J Reprod Immunol 2003;49:84-9.

제25장

폐경

이병석 | 연세의대
김 탁 | 고려의대
서석교 | 연세의대
신정호 | 고려의대
이동윤 | 성균관의대

1. 폐경 및 폐경이행기

현재 UN이 정한 바에 따라 65세 이상을 노인으로 정하고 있는데, 65세 이상 인구가 총인구를 차지하는 비율이 7% 이상일 때를 고령화 사회라 하고 14% 이상일 때는 고령 사회 그리고 20% 이상일 때를 초고령 사회라고 말한다. 우리 대한민국은 1999년 노인 인구가 전체 인구의 7%를 넘어서면서 고령화 사회에 진입했을 때 2022년에 고령 사회, 2026년에 초고령 사회에 진입할 것으로 예상하였으나 대한민국의 고령화가 예상보다 빠르게 진행되면서 2017년도에 이미 고령 사회가 되었고 2020년 3월 현재 전체 인구 대비 노인 인구 구성비가 15.8%로 매달 0.1% 씩 증가하고 있어서 초고령 사회로의 진입도 빨라질 것으로 전망되고 있다. 여성의 평균 기대수명도 2017년 기준으로 85.7세로 1970년대의 65.8세 보다 20여 년이나 증가 되었다. 따라서 우리 대한민국은 노년부양비도 매우 증가하고 노인이 노인을 돌보는 "노노케어"현상이 초래되어 심각한 사회적 문제가 제기될 전망이다. 특별히 여성은 전체 삶의 3분의 1이 넘는 30여 년 동안을 여성이 여성답게 사는데 필수적인 여성호르몬이 결핍된 상태인 폐경 후에 보내게 되며 100세 시대에 이어 120세 시대가 화두가 되고 있는 요즈음 노인으로서 사는 생애의 비율은 점차 늘어날 것이 자명하므로 보다 건강한 노년을 위한 준비단계로써 폐경 여성의 건강관리는 더욱 중요할 것으로 여겨진다.

1999년 세계폐경학회(International Menopause Society)의 Council of Affiliated Menopause Societies (CAMS)는 폐경과 관련하여 표준화된 정의를 사용하도록 하였으며(Utian, 1999) 2001년, Stage of Reproductive Aging Workshop (STRAW)에서는 여성의 생식 노화를 7단계로 분류하였고, 2012년에는 이를 세분화하여 10단계로 구분하였다(Soules et al., 2001; Hariow et al., 2012)(그림 25-1).

폐경은 난포 기능의 소실로 인한 월경의 영구적인 중지를 의미하며, 자연 폐경과 유도 폐경으로 구분된다. 자연 폐경은 특별한 병리적, 생리적 원인 없이 자연 발생적으로 지난 1년 동안 무월경 상태가 지속된 경우로 추후에 폐경이 되었음을 알게 되는 것이다. 대부분의 폐경이 노화현상의 하나로 초래되는 자연 폐경이며 대개 50세 전후에 발생한다. 그러나 자연 발생적이 아닌 외인성 또는 의인성으로 초래되는 경우를 유도 폐경이라 하는데 이는 양측 난소 제거수술로 인한 수술적 폐경이 가장 흔하며 화학요법이나 방사선 치료에 의한 난소 기능의 상실로 인하여 초래된다. 또한 40세 이전에 폐경이 초래한 경우는 조기난소부전

기(stages)	-5	-4	-3	-2	-1	최종월경일 ▼ 0 +1		+2
용어	가임기(Reproductive)			폐경이행기(Menopausal transition)		폐경후기(Postmenopause)		
	초기	정상(Peak)	후기	초기	후기*	초기*		후기
				주폐경기(Perimenopause)				
기간	다양			다양		1년	4년	사망시까지
월경주기	다양~규칙적	규칙적		다양한 월경주기 정상보다 7일 이상 차이남	월경주기 2회 이상 건너뜀 무월경 간격 60일 이상	무월경 12개월		없음
내분비(FSH)			상승					

그림 25-1. **여성의 정상 생식노화 단계** *혈관운동성 증상이 있음

(premature ovarian insufficiency)이라 하며, 전체 여성의 1%에서 발생하는데 그 원인으로 독성, 염색체 이상, 또한 자가 면역 질환을 들 수 있으나 원인 불명인 경우도 있다(Nelson et al., 2009).

다른 폐경 증상이 나타나기 전에 이미 약 40세를 전후로 하여 난소 기능은 쇠퇴가 시작되어 폐경으로 접근해 가는데, 이 시기를 폐경이행기(menopausal transition)라 하며 호르몬 변화가 가장 극적으로 일어나며 이로 인해 다양한 월경주기의 변화가 생기게 된다. 폐경이행기는 FHS의 증가와 월경주기의 변화로 시작되어 월경의 중단으로 끝맺게 된다. 폐경은 12개월 이상의 무월경 기간이 경과한 이후에 후향적으로 진단하게 되며, 폐경 후기는 최종 월경 이후의 기간을 뜻한다.

폐경이 되는 평균 연령을 정확하게 알기는 어려우나 일반적으로 51세경에 폐경이 온다고 하며 한국 여성의 평균 폐경 연령은 49.7세였다(최훈 등, 2003). 폐경 연령은 유전적으로 결정되지만 인종, 사회·경제적 요인, 초경 연령, 과거 배란 횟수와는 무관하다고 한다(Shifren and schiff, 2007). 흡연한 여성(Gold et al., 2001)과 자궁을 절제한 경우(Siddle et al., 1987)에는 폐경이 앞당겨지는 것으로 나타났다.

가임기에서 폐경으로 넘어가는 과도기인 폐경이행기는 폐경 전 약 2-8년 전으로써, 불규칙적인 월경이 가장 특징적인 변화로 나타나며 이 시기의 호르몬 변화는 월경 전체 주기 동안 난포자극호르몬(follicle stimulating hormone, FSH)의 혈중 농도가 증가되어 있음이 특징이다. 폐경이행기의 FSH가 증가되는 기전은 확실하지 않으나 난포 소실에 따른 에스트로겐과 인히빈의 감소에 의한 음성 되먹이기 기전이 일부 작용하는 것으로 알려져 있다. 증가된 FSH는 난포 성장을 가속화시켜 에스트로겐은 오히려 폐경 직전까지 증가되는 양상을 보이는 것이며, 또한 이 시기에는 증가된 FSH에 의해 월경주기의 변동이 오고 생식샘 자극호르몬에 대한 난포의 저항이 커지는 현상이 나타나 무배란 주기가 흔히 동반된다. 또한 항뮐러관호르몬(anti-Müllerian hormone, AMH)은 난소의 작은 난포들에서 생성되는데, 난소의 기능이 저하되면서 이 또한 감소해 폐경이 가까워질수록 항뮐러관호르몬의 수치 또한 감소하게 된다. 아직 실험적이기는 하지만, 항뮐러관호르몬은 폐경이행기의 표지자로 사용할 수 있는 가능성이 열려있다(de Vet et al., 2002; Speroff and fritz, 2005).

폐경 직후 난소는 주로 안드로스테네디온과 테스토스테론을 분비한다(그림 25-2). 폐경 후 안드로스테네디온의 농도는 폐경 전의 약 절반 정도이며 이러한 폐경 후 안드로스테네디온은 난소에서 분비되는 주요한 스테로이드지만

대부분은 부신으로부터 유래되며 소량만이 난소에서 분비된다. 디하이드로안드로스테론(dehydroepiandrosterone, DHEA)과 디하이드로에피안드로스테론 설페이트(dehydroepiandrosterone sulfate, DHEAS)는 부신에서 분비되는데 나이가 들수록 급격히 감소한다.

폐경 후에 테스토스테론의 생성은 폐경 전보다 약 25% 감소하지만 대부분 난소에서는 적어도 폐경 후 첫 1년 동안에는 폐경 전보다 더 많은 테스토스테론을 분비한다. 난포와 에스트로겐의 소실과 함께 생식샘자극호르몬의 상승은 난소의 잔여 조직으로부터 테스토스테론의 분비를 증가시킨다. 하지만 폐경 후에 생성된 테스토스테론의 용량은 이전보다 감소하며 이는 그 주된 기원인 안드로스테네디온의 말초 전환이 감소하기 때문이다. 폐경 후 수년이 지나면 안드로겐은 대부분 부신으로부터 기원한다(Couzinet et al., 2001).

폐경 후 혈중 에스트라디올은 약 10-20 pg/mL이다. 대부분은 에스트론의 말초전환으로부터 유도되며, 에스트론은 주로 안드로스테네디온의 말초전환으로부터 기원한다. 안드로겐/에스트로겐 비는 에스트로겐의 더욱 뚜렷한 감소 때문에 폐경 후 급격하게 변한다. 경미한 다모증이 흔하게 나타나며 이는 성호르몬비의 뚜렷한 변화를 반영한다.

폐경 후 나이가 증가함에 따라 DHEA, DHEAS는 감소하는 반면 안드로스테네디온과 테스토스테론이 에스트로겐으로 전환되므로 어느 정도 유지될 수 있다. 이러한 에스트로겐의 임상적 영향은 개인차가 있으며, 이는 많은 요인으로 인해 변화되는 난소 외 생성의 정도에 따라 달라진다. 안드로스테네디온이 에스트로겐으로 전환되는 정도는 체중과 연관되어 체중이 증가하면 전환이 많이 되는데 이는 아마도 안드로겐의 방향화 능력 때문일 것이다.

2. 폐경 후 에스트로겐 결핍에 의한 문제들

폐경 후 혈중 에스트로겐 수준은 피하지방이나 근육, 생활습관이나 스트레스 등, 개인에 따라 차이는 있지만, 대부분의 폐경 여성들은 호르몬 변화로 인한 증상을 경험한다. 증상이 나타나는 시기에 따라 폐경 전후에 나타나는 급성 증상, 폐경되고 38년이 지나 나타나는 아급성 증상, 10년 이후에 나타나는 만성 증상으로 분류할 수 있다. 급성 증상으로는 혈관 운동 증상으로 안면홍조, 발한 등의 증상과 불안감, 근심, 초조, 기억력 감퇴, 집중력장애, 우울증, 그리고 불면증 등이 있으며 아급성 증상으로는 질건조증과 성교

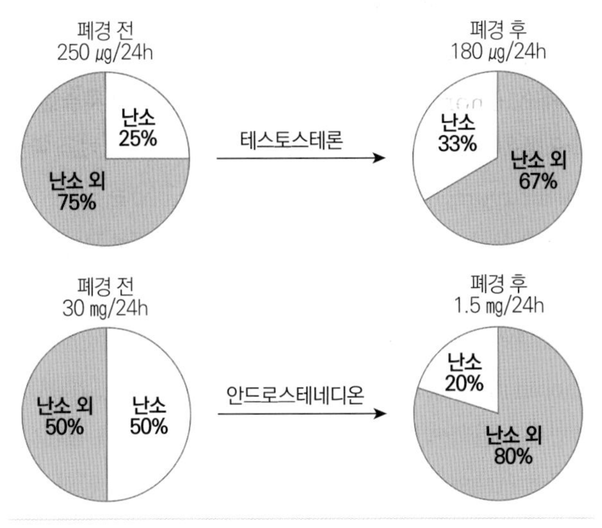

그림 25-2. **폐경 전후의 안드로겐 생성의 변화**

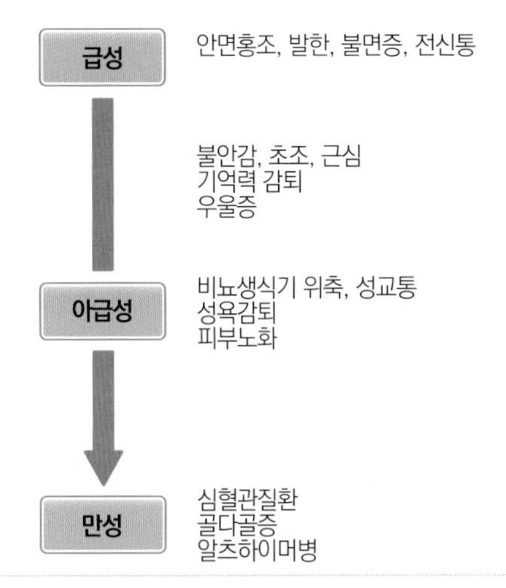

그림 25-3. **폐경 후 증상 발현**

통, 빈뇨, 절박뇨, 요실금 같은 비뇨생식기계 위축에 의한 증상 및 성욕감퇴, 관절통 그리고 피부노화로 인한 주름살 등이 나타날 수 있다. 그리고 골다공증 및 심혈관계 질환과 치매 등이 만성적 증상으로 발생할 수 있다(그림 25-3).

1) 혈관 운동 증상

혈관 운동 증상은 폐경 전에도 나타날 수 있으나 폐경이행기와 폐경 후의 대표적인 증상이다 평균 7.4년 정도 지속이 되는데 마지막 생리 후 첫 1년 동안에 가장 심하고 그중 50% 정도는 45년간 지속되고 25% 이상의 여성은 5년 이상 지속되는 경우도 있으며 10% 정도의 여성에서는 15년 이상 더 지속되기도 한다.

안면홍조(hot flush)는 말초 혈관이 갑자기 확장되었다가 수축되는 자율 신경의 부조화 때문에 발생하며, 대부분의 폐경 여성이 어느 정도 이를 경험하게 되는데, 이는 머리, 목, 가슴 등에 갑작스럽게 발생하는 피부의 적색 변화로 심한 발열감의 느낌을 동반하고 때때로 발한 작용으로 끝나게 된다. 기간은 수 초에서 수 분간 이어지며 1시간을 넘기는 경우는 드물다. 빈도 역시 다양하여 거의 느끼지 못하는 정도에서 수 분마다 한 번씩 발생하기도 한다. 홍조는 특히 밤에 더 자주 심하게 나타나며 발한을 동반하는 경우 야간발한(night sweat)이라고 부르며 심하면 불면증을 초래한다. 스트레스를 받는 경우 더 심해지기도 한다. 온도가 낮은 환경에서는 홍조가 덜 나타나고 강도나 기간이 더 짧아지는 경향이 있다.

안면홍조의 생리 기전에 대해서는 아직까지 정확히 알려진 바는 없지만, 가장 유력한 가설은 시상하부에서 기원하는 것으로 에스트로겐의 감소에 의한 것으로 생각되고 있다. 즉 에스트로겐의 감소에 의해 중추신경계의 도파민(dopamine) 분비가 감소하고 노르에피네프린(norepinephrine) 분비가 증가하는 현상이 발생하고 이에 따라 성선자극호르몬분비호르몬 분비가 증가하여 시상하부의 체온조절 중추가 자극을 받아 시상하부의 체온조절 set point 나 neutral zone이 감소되어 생리적 반응으로 안면홍조가 오게 되는데 이러한 set point의 변화는 내부적, 환경적 요인에 반응하여 강한 발열감을 증가시켜 혈관확장이나 땀과 열손실 반응을 활성화시키게 된다는 가설이다. 홍조와 발한은 갈색세포종, 유암종(carcinoid), 백혈병, 췌장종양, 갑상선 질환 등에서도 나타날 수 있다. 따라서 폐경 전 여성에서 안면홍조 증상이 있거나 폐경 후 안면홍조가 사라진 후에 다시 나타날 경우 갑상선 질환 등 다른 질병에 대한 검사를 시행해야 한다.

혈관 운동 증상의 치료에는 에스트로겐요법이 가장 효과적이다. 일반적으로 표준 용량의 호르몬 치료가 효과적이나, 젊은 여성의 경우 고용량의 호르몬 투여가 필요한 경우도 있으며 월경을 하는 건강한 주폐경기 여성에서는 경구피임제를 쓰기도 한다. 경구피임제는 폐경증상 완화뿐 아니라 월경주기 조절에 효과적이다. 또한 저용량의 경구용 에스테르화 에스트로겐(esterified estrogen)과 접합 에스트로겐(conjugated estrogen 0.3 mg). 혹은 경피용 에스트라디올(0.025 mg) (Weiss et al., 1999)도 효과적인 것으로 보고되고 있다. 특히 아시아 여성들을 대상으로 한연구에서도 저용량의 호르몬요법(premarin 0.3 mg/provera 1.5 mg)이 폐경 증상을 치료하는 데 표준용량(premarin 0.625 mg/provera 2.5 mg)만큼 효과적인 것으로 보고하였다(Haines et al., 2005). 혈관 운동 증상은 에스트로겐 결핍으로 인한 것이므로 끊을 때는 용량을 수개월에 걸쳐 천천히 줄여주어야 한다. 갑자기 끊게 되면 폐경 증상이 다시 나타날 수 있기 때문이라고 하나 최근에는 이런 방법이 옳지 않다는 견해도 나오고 있다.

에스트로겐요법을 할 수 없는 경우에는 프로게스틴 단독요법을 사용할 수 있다. 즉 초산 메드록시프로게스테론(medroxyprogesterone acetate, provera 20 mg 2회/일)을 사용할 수 있고(Schiff et al., 1980) 혈압강하제인 클로니딘(Clonidine)도 안면홍조 완화에 효과적이다(freedman et al., 1990). 선택적 세로토닌 재흡수 억제제(seletive serotonin reuptake inhibitor, SSRI) (stearns et al., 2003)도 안면홍조 완화에 효과가 좋은 것으로 되어 있는데, 2013년 미국에 FDA에서는 비호르몬제제로는 처음으로 안면홍조의 치료제로 paroxetine을 승인한 바 있다. 그 외에 간질치

표 25-1. 혈관 운동 증상의 치료 선택

호르몬치료	에스트로겐요법 에스트로겐/프로게스토겐 병합요법 프로게스토겐요법
비호르몬성 처방 약품	클로니딘 SSRI (paroxetine 등) 가바펜틴
비처방 약품	이소플라빈 대두 승마 비타민 E
생활방식의 변화	체온 감소 건강한 몸무게 유지 금연 호흡조절

료제로 승인된 가바펜틴(gargapentin)도 안면홍조의 빈도나 증상을 약화시키는 것으로 보고되었다(Guttuso et al., 2003). 또한 에르고타민, 페노바비탈 그리고 벨라도나 알칼로이드 복합체인 벨레갈(bellergal)도 안면홍조와 편두통에 효과적으로 보고되었다(Begmans et al., 1987). 대두단백(soy protein)이나 이소플라본(isflavone)도 혈관 운동 증상 완화에 효과적인 것으로 보고되기는 하나 아직 확실하지는 않다. 그 외에 비타민 E(800 IU/일)도 안면홍조 완화에 미미하게 효과가 있는 것으로 보고되었다(Barton et al., 1998). 이러한 여러 가지 치료법을 요약하면 표 25-1과 같다. 혈관 운동 증상의 치료는 에스트로겐요법이 기본적으로 가장 효과적인 방법이다.

2) 정신적 영향

폐경 후 여성들은 불안감, 우울증 등의 여러 가지 정신적인 문제들에 당면하게 되지만, 정신과적인 입장에서 살펴 볼 때 폐경의 직접적인 결과라고 보기는 어렵다. 아직까지 폐경 자체가 여성의 정신 건강에 해로운 영향을 미치는지에 대한 정론은 없는 상태이며, 실제적으로 다른 증상들에 비해 정신과적인 질환에 대한 관심은 매우 소홀한 상태이다.

미국의 한 역학 연구에 의한 보고에 따르면, 폐경은 우울증의 위험도를 증가시키지 않으며(Avis et al., 1994), 여자들이 남자들보다 우울증을 더 많이 경험하더라도 이러한 성적인 차이는 폐경으로 비롯되는 것이 아니라, 청소년기부터 비롯되는 것이라고 하였다(Kessler et al., 1993). 실제로 폐경 초기에 발생하는 많은 문제들 예를 들면, 피로감, 신경 예민, 건망증, 불면증, 관절통이나 근육통, 현기증이나 심계 항진 등은 대부분 일상생활에서 일어나는 변화 때문인 경우가 많고 이러한 문제들이 과연 에스트로겐과 관련이 있는지는 그렇다는 주장과 그렇지 않다는 주장이 있어 논란의 여지가 있다. 실제로 이 시기에는 남녀 모두가 호르몬만으로 설명할 수 없는 이러한 증상들을 호소하는 경우가 많다.

에스트로겐요법이 약리학적으로 직접적인 항우울작용이 있는지에 대해서는 명확히 밝혀진 바는 없지만, 에스트로겐요법은 안면홍조 등과 같은 증상을 개선해 여성의 안녕(wellbeing)을 향상시키는 데 기여하고 있다. 특히 고령의 우울증 여성의 경우에는 SSRI를 추가하여 사용함으로써 더욱더 증상의 호전을 볼 수 있다. 무작위 연구에서 경피 estradiol 100 μg 사용으로 기분(mood)이 개선됨을 보고하였다(de Novaes Soares et al., 2001). 비록 소규모의 연구이기는 하지만 이러한 치료 효과는 산후 우울증에서도 에스트로겐 사용으로 증상 호전이 되는 것과도 비슷한 결과이다.

결국 폐경이행기 자체가 임상적으로 중요한 우울증의 원인이 되는 것은 아니지만, 불안정한 심리상태는 호르몬 투여를 통해 개선될 수 있다. 대부분 이 시기 정신장애의 가장 흔한 원인은 이미 존재하고 있던 우울증이다. 미국의 SWAN 연구에서는 폐경 전부터 폐경이행기 초기까지 기분 변화의 유병률은 약 10%에서 16.5%로 상승한다고 보고하였다(Bronberger et al., 2003). 그리고 가능한 원인들로 다음의 세 가지를 제시하였다. 첫째, 폐경으로 인한 에스트로겐의 감소가 기분을 조절하는 신경전달물질에 영향을 미치기 때문이며 둘째, 기분은 혈관 운동 증상 등에 의해 크게 영향을 받으며(도미노 효과) 셋째, 폐경 시기쯤에 흔히 접하게 되는 환경의 변화와 호르몬의 파동 효과(fluctuaticon)에 영향을 받기 때문이라고 하였다. 각 개인은 이러한 원인들로 인해 기분의 변화를 나타내게 된다.

3. 골다공증

골다공증은 골강도의 약화로 골절의 위험이 증가하게 되는 전신적인 골격계 질환이다. 특히 폐경 후 여성은 여성호르몬 결핍으로 골흡수가 증가되어 급격한 골소실이 발생한다. 골다공증으로 인해 발생하는 골절의 경우 추가적인 골절의 위험을 높이며 삶의 질 저하, 경제적인 손실 등을 초래한다. 그러므로 고령화 사회에 진입한 국내 현실에서 골절 발생의 위험을 낮추기 위한 골다공증의 진단 및 예방 그리고 치료를 이해하는 것은 중요하다.

1) 역학과 원인

우리나라 국민건강영양조사(20008-2011년) 결과에 따르면 골다공증 유병률은 22.5%로 50세 이상에서 5명 중 1명 이상이 골다공증이 있고 여자는 37.5%, 남자 7.5%로 여자가 남자보다 5배 정도 높았다. 또한 50대 8.8%, 60대 22.3%, 70대 이상 48.4%로 연령 증가와 함께 증가하는 추세를 보인다. 국내 건강보험 지침에 의한 골밀도검사 인정기준인 65세 이상 여자의 골다공증 유병률은 61.4%로 높게 나타났다.

골다공증의 주요 원인 두 가지는 청장년기에 낮게 형성된 최대 골량과 폐경 및 노화로 인한 빠른 골소실이다. 폐경 후 에스트로겐 결핍의 결과로 골의 교체 속도가 증가하고 골흡수와 형성 사이의 불균형이 커진다. 폐경 1년 전부터 골소실은 급격히 증가하여 그 후 3년 동안 지속된다(Greendale GA, 2012), 에스트로겐 결핍은 일차적으로 소주골이 많이 포함된 골 부위, 즉척추골에서 골량의 감소를 유발한다(ACOG, 2004). 에스트로겐은 골형성세포 및 골흡수세포에 위치한 에스트로겐 수용체에 직접적으로 작용하는 한편, 면역세포나 산화스트레스, 칼슘 조절에도 연관이 있다.

그 외에 노화, 신체 움직임의 저하, 칼슘과 비타민 D의 섭취 부족, 늦은 초경과 빠른 폐경, 카페인이나 알코올 섭취, 흡연 등도 골다공증의 위험을 높이며 스테로이드 사용, 갑상선 질환, 부갑상선 질환 등이 골다공증의 위험인자이다(표 25-2).

표 25-2. 골다공증의 위험인자

교정 불가능	교정 가능	내과적 문제
나이 백인 또는 아시아인 조기 폐경 골절의 과거력 부모의 대퇴골 골절 병력	칼슘/비타민 D 부족 흡연 저체중 과도한 음주 운동부족	갑상샘기능항진증 부갑상샘기능항진증 만성신장질환 제1형 당뇨병 쿠싱증후군 류마티스관절염 장기간 스테로이드 사용

2) 진단

골강도는 골량(bone mass)과 골질(bone quality)에 의해 결정된다(NIH, 2001). 골절은 골 구조, 골 교체율, 미세 손상 축적, 부기질화 등으로 결정되지만 이를 측정하는 것은 골다공증 진단에 임상적 이용가치가 적다. 골량은 주로 골밀도(BMD)에 의해 표현되고 골강도 변화의 50%는 골밀도에 의존하므로 현재 임상적으로 골밀도를 측정하는 것이 골다공증 진단에 가장 유용한 방법이다. 골밀도검사는 방사선흡수(radiograplic absorptiometry, RA), 이중 에너지 방사선흡수법(dual energy xray absorptiometry, DXA), 경량적초음파(quantitative ultrasound, QUS), 정량적전산화단층촬영(quantitative computed tomography, OCT) 등을 이용할 수 있다. 그 중에서 이중 에너지 방사선흡수법(DXA)은 WHO의 골다공증 진단기준을 적용할 수 있는 방법으로 요추와 대퇴골의 골밀도를 측정하는 일차적인 방법이다. 골밀도는 T값으로 표현되며, T값은 같은 성별 및 인종의 건강한 성인의 평균골밀도와 측정된 골밀도의 차이를 비교한 값이다.

- 정상 골밀도: T값≥1.0
- 골감소증: 2.5<T값<1.0
- 골다공증: T값≤2.5
- 심한 골다공증: T값이 2.5 이하이면서 하나 이상의 골절을 동반한 경우

소아, 청소년, 폐경 전 여성 및 50세 미만의 남성에서는 Z값을 이용하는데 Z값이 2.0 이하이면 '연령기대치 이하

(below the expected range for age)'라고 정의한다.

3) 예방과 치료

골다공증 치료 시 고위험인자를 가진 여성을 선별하여야 하며 고위험 여성에서 골밀도 측정을 고려하여야 한다. 교정 가능한 위험인자는 가능한 교정하는 것이 골다공증의 예방 및 치료에 중요하다. 일상생활에서 무리하게 허리를 구부리거나 허리에 충격이 가해지지 않도록 하고 낙상을 예방해야 한다. 또한 금연과 알코올 섭취 및 카페인을 줄이고 규칙적으로 적절한 체중부하운동을 하는 생활습관의 변화가 가장 중요한 예방 대책이라고 할 수 있다.

(1) 비약물적 치료

음식을 통한 칼슘의 섭취가 부족한 경우에는 칼슘보충제의 투여가 필요하며 2010년 한국영양학회의 50세 이상 여성 칼슘권장량은 하루 700 mg이다. 미국의 National Osteoporosis Foundation (NOF)에서는 51세 이상의 여성에서 하루 칼슘 1,200 mg, 비타민 D는 800-1,000 IU 복용을 권장하고 있다. 칼슘보충제 투여 시 일반적으로 위장장애나 변비 외에 심한 이상반응은 있으나 신결석증이나 고칼슘뇨증이 있는 환자에서는 주의를 요한다. 최근 칼슘보충제의 과다 투여 시 심혈관 질환의 증가와 관련이 있다는 보고가 있으나 아직 논란 중에 있으므로 고령의 환자나 신장 질환자에게는 주의가 필요하고 가능한 한 음식을 통해 칼슘을 섭취하는 것이 바람직하다.

(2) 약물 치료

골다공증이 있는 모든 여성과 위험인자가 있는 골감소증이 있는 여성에서 치료가 필요하다. 골다공증 치료 약제로는 골감소를 억제하는 골흡수 억제제와 새로운 골형성을 촉진하는 골형성 촉진제가 있다.

① 여성호르몬

에스트로겐은 골흡수를 억제하여 골다공증의 예방 및 치료에 효과가 있다. Women's Health Initiative (WHI) 연구 결과에 의하면 평균 5,6년 동안 호르몬요법(결합 에스트로겐 0.625 mg과 메드록시프로게스테론 5 mg)을 이용한 건강한 여성에서 대퇴골, 척추 그리고 전체 골절이 24-33% 유의하게 감소하였으며, 평균 16.8년 동안 에스트로겐 단독요법(접합 마 에스트로겐 0.625 mg)을 이용한 건강한 여성에서 고관절, 척추 그리고 전체 골절이 30-39% 유의하게 감소하였다. 더구나 골다공증 골절 위험이 높은 여성뿐 아니라 골밀도가 정상인 여성에서도 골절위험을 감소시켰다(Cauley et al., 2003), 저용량 에스트로겐요법에서도 골밀도가 위약군에 비해 유의하게 증가하였다(Prestwood et al., 2003).

② 티볼론(tiboine)

티볼론은 다른 호르몬요법과 마찬가지로 골교체율을 감소시키며 골밀도를 증가시킨다(Gallagher et al., 2001), 티볼론은 표준 용량인 1일 2.5 mg을 24개월 동안 투여 시 요추 골밀도는 2.6%, 대퇴골 골밀도는 25% 증가시키며 1일 1.25 mg을 투여 시는 각각 2.0%와 1.10% 증가시킨다고 한다. 골밀도검사에서 T값이 –2.5 이하인 폐경 여성을 대상으로 티볼론 1.25 mg을 4년간 투여한 LIFT (Long-term Intervention on Fracture with Tibolone) 연구에서 요추와 대퇴골 골밀도는 위약군에 비해 4.8%, 3.1%가 증가하였고 새로운 척추, 비척추골절의 상대적 위험도가 각각 45%, 26% 감소하였다.

③ 비스포스포네이트(bisphosphonate)

비스포스포네이트는 뼈의 칼슘 친화력은 높이고 골흡수를 억제하는 작용을 한다. 현재 일반적으로 사용되고 있는 비스포스포네이트 제제는 알렌드로네이트(alendronate), 리세드로네이트(risedronate), 이반드로네이트(ibandronate), 졸레드로네이트(zoleronate) 등이 있다. 비스포스포네이트는 3개월 1회, 1년 1회 용법의 주사제와 1일 1회, 주 1회, 월 1회 용법의 경구용이 있다. 경구용은 장내 흡수를 최대화하기 위해 공복에 다량의 물과 함께 복용, 식도염 예방을 위해 복용 후 30분-1시간 동안 상체를 세우고 있어야 한다. 주된 부작용은 위장관 장애이며 장기간 사용 시 턱뼈 괴사나 비전형적 대퇴골 골절 등이 생길 수 있으므로 장단점을 고려하여 약제 휴약기를 고려해 볼 수 있다.

④ 선택적 에스트로겐 수용체 조절제(selective estrogen receptor modulator, SERM)

선택적 에스트로겐 수용체 조절제는 조직에 따라 에스트로겐과 같은 작용 또는 길항작용을 한다. 랄록시펜은 자궁내막과 유방에서는 에스트로겐 길항작용을, 뼈에서는 에스트로겐 작용을 하여 골다공증 예방 및 치료제로 이용되고 있다. 골다공증을 가진 폐경 여성을 대상으로 4년간 60 mg을 매일 복용한 경우 위약군에 비해 요추, 대퇴경부 골밀도는 각각 2.6%, 2.1%로 증가하였으며 척추골절은 36% 감소하는 것으로 나타났다(MMORE Investigators, 1999). 새로운 SERM 제제로는 바제독시펜(bazedoxifene)이 있으며 최근 개발된 결합형 에스트로겐과 바제독시펜의 새로운 조합 제제인 조직 선택적 에스트로겐 복합체(tissue selective estrogen complex, TSEC)은 폐경 증상 완화와 함께 골밀도 증가 효과를 보인다.

⑤ 부갑상샘호르몬

골흡수를 억제하는 다른 약제의 경우 골재형성이 지속적으로 억제되기 때문에 발생하는 문제점이 있으나 부갑상샘호르몬(테리파라타이드, 20 μg 피하주사)은 골형성을 촉진시키는 약제이다. 골다공증이 있는 폐경 여성에게 매일 부갑상선호르몬을 피하주사하면 척추, 상완, 전신 골밀도가 상당히 증가하며 척추와 비척추 골절은 유의하게 감소한다(Neer et al., 2001), 심한 골다공증이 있거나 골흡수 억제제에 대한 반응이 좋지 않은 경우, 비스포스포네이트 금기인 경우 부갑상샘호르몬요법의 적응증이 된다. 흔한 이상반응으로는 오심, 두통, 다리 경련, 고칼슘혈증 등이 있다.

⑥ RANKL 억제제(데노수맙)

데노수맙은 RANKL 표적 골다공증 치료제다. RANKL을 표적해 파골세포의 형성, 활성화, 생존을 억제하고 파골세포의 활동을 억제함으로써 결과적으로 골 흡수를 효과적으로 억제한다.

또한 혈액과 세포외액을 순환하며 해면골뿐만 아니라 피질골 모두에서 골흡수 억제 및 골밀도 증가 효과를 나타낸다. 6개월에 1회 피하 주사한다. 3년(FREEDOM), 10년(FREEDOM EXTENSION) 임상 연구 결과, 위약과 비교해 골절 위험을 각각 척추 68%, 고관절 40%, 비척추 부위에서 20% 감소 시켰으며, 10년간 골절 발생률이 낮게 유지되었다. 미국 임상내분비학회(American Academy of Clinical Endocrinology, AACE)에서는 골절이 없는 골다공증 환자부터 골절이 있는 중증의 골다공증 환자 모두에게 1차 치료제로 권장하고 있다. 또한 미국 골다공증재단(National Osteoporosis Foundation, NOF)과 호주 골다공증학회(Osteoporosis Australia) 역시 1차 치료제로 권장하고 있다.

⑦ Sclerostin 억제제(로모소주맙)

로모소주맙은 골형성을 촉진하고 일시적으로 골흡수를 억제하는 이중 효과를 가진 골다공증 치료제로, 골형성을 억제하는 단백질인 스클레로스틴(sclerostin)을 표적으로 하는 인간 단일클론항체이다. 스클레로스틴은 조골세포의 골형성을 감소시키고 파골세포의 골흡수를 촉진시킴으로써 뼈 생성을 저해하는 단백질이다. 로모소주맙은 휴지기 조골세포를 활성화시키고 성숙기 조골세포의 활동을 자극하며, 새로운 조골세포의 생성을 촉진시켜 골형성을 증가시킨다. 또한, 파골세포 조절인자의 균형을 변화시켜 골흡수를 억제한다. 골절 위험이 높은 폐경 여성을 대상으로 진행한 위약 대조 3상 임상시험인 FRAME 연구에서 치료 12개월 시점에서 위약군 대비 새로운 척추 골절 발생 위험이 73% 감소했다. 비스포스포네이트 복용 경험이 있는 폐경 여성을 대상으로 12개월간 로모소주맙과 테리파라타이드를 투여후 전체 고관절 골밀도 변화율을 관찰한 STRUCTURE 연구결과에 따르면 로모소주맙 치료군에서 전체 고관절, 대퇴경부, 요추 골밀도가 테리파라타이드 치료군 대비 의미있게 증가했다. 남성 골다공증 환자를 대상으로 한 BRIDGE 임상연구에서도 치료 1년 후 요추 골밀도는 위약군 대비 12.1% 증가되어 의미있는 골밀도 개선 효과를 보였다. 로모소주맙을 투여하는 동안 심근경색 및 뇌졸중의 위험이 증가할 수 있어 지난 1년 이내에 해당 질환을 경험한 환자에게는 투여가 제한되고 저칼슘혈증 환자는 저칼슘혈증이 악화될 우려가 있으므로, 투여 시작 전 저칼슘혈증을 치료하고 투여해야 한다. 2020년 2월, 미국내분비학회는 골절 위험이 높거나 골절 경험이 있는 폐경 후 골다공증 환자의 골절 예방을 위해 사용할 것을 권고했다.

⑧ 기타

칼시토닌 비강 분무제도 골다공증 치료에 이용되었으나 장기간 사용 시 암 발생률 증가와 연관이 있어 최근 유럽과 미국에서는 골다공증 치료제로의 사용은 금지하도록 권고하고 있다.

스트론티움 라넬레이트(strontium ranelate)는 골흡수를 억제하면서 뼈의 칼슘 흡수를 촉진하여 폐경 여성에서 골밀도를 증가시키며 척추, 비척추골절 위험도를 감소시킨다.

4. 폐경 후 호르몬요법

1) 목적

폐경 여성에서 호르몬요법의 목적은 폐경 후 여성호르몬의 감소로 인한 증상 및 영향을 경감시키기 위하여 에스트로겐을 투여하는 것이며, 에스트로겐 단독 투여로 인한 자궁내막증식을 억제하기 위하여 프로게스토겐을 병합 투여한다.

2) 적응증 및 금기증

폐경 후 에스트로겐 결핍으로 인한 폐경 후 증후군을 호소하는 여성에서 호르몬요법의 득과 실을 설명한 후 호르몬요법을 시작할 수 있다. 호르몬요법의 절대적인 금기증으로는 현재 유방암 또는 자궁내막암으로 진단되었거나 의심되는 예, 진단되지 않은 질 출혈이 있는 예, 활동성 혈전색전증, 활동성 간질환 또는 담낭질환을 앓고 있는 경우이며, 절대적인 금기증은 아니나 상대적인 금기증으로는 심질환, 편두통, 이전에 간질환, 담낭질환, 자궁내막암, 또는 혈전색전증의 기왕력이 있는 경우이다.

3) 제제 및 투여 방법

(1) 에스트로겐 제제 및 투여 경로

에스트로겐 제제로는 천연 에스트로겐과 합성 에스트로겐이 사용되고 있다(표 25-3). 에스트로겐 제제의 투여 경로에는 경구, 경피, 피하, 경질, 그리고 비강 내로 투여하는 방법이 있다. 이러한 투여 경로가 에스트로겐의 대사 과정 및 반응에 크게 영향을 미치는데, 그중 경구, 경피, 경질 투여가 흔히 사용되고 있다.

① 경구 투여

에스트로겐은 투여 경로에 의해 대사 과정 및 반응에 크게 영향을 받는다. 경구로 투여된 에스트라디올은 장 점막에서 에스트론 및 에스트론 결합체로 전환되어 간문맥으로 흡수된다. 흡수된 에스트로겐은 간에 이르러 대사되어 불활성화 된다. 그래서 경구로 투여하는 에스트로겐은 혈중 에스트론과 에스트라디올의 비가 3이며 경피로 투여하는 경우에는 1이 된다. 이러한 에스트로겐의 간 일차통과효과(first pass effect)로 인해 글로불린, 중성지방, 고밀도 지단백 콜레스테롤이 증가하는 것으로 보고하고 있다(Colvin et al., 1990). 또한 경구 투여를 하게 되면 에스트론 황산염과 지방조직이 일종의 저장고 역할을 하여 혈중 에스트라디올 농도가 40-100 pg/mL으로 비교적 일정하게 유지된다.

표 25-3. 에스트로겐의 종류

천연 에스트로겐
합성 접합 에스트로겐(Synthetic conjugated estrogens) 에스터화 에스트로겐(Esterified estrogen) 17β-에스트라디올(17β-estradiol) 에스트로피페이트(Piperazine estrone sulfate)
합성 에스트로겐
에치닐 에스트라디올(Ethinyl estradiol)

접합 마 에스트로겐(conjugated equine estrogen, CEE)은 임신한 말의 소변에서 추출한 것으로 에스트론(50%), 에퀼린(equilin) (23%), 17α- 디하이드로 에퀼린(17α-ihydro-equlin) (13%)과 여러 에스트로겐으로 구성되어 있다. 여러 에스트로겐의 효력은 에스트로겐-수용체의 결합체가 세포핵에 결합하는 시간에 의해 결정되는데, 에스트리올은 이러한 결합시간이 짧아 그 효과가 짧다. 그래서 매일 에스트리올 2 mg을 투여하여도 골소실을 예방할 수 없다(Lindsay et al., 1979).

② 경피 투여

에스트라디올을 패치 형태나 젤 또는 로션 형태로 피부를 통해 투여하는 방법이 있다. 패치는 호르몬이 부착성 기질(adhesive matrix)에 용해되어 배달되며, 매일 25, 50, 75, 100 μg의 에스트라디올을 투여하게 되어 있다. 경피 투여에서는 경구로 투여할 때 보이는 간의 일차 통과효과를 관찰할 수 없다고 한다(Walsh et al., 1994). 그러나 영국에서 시행된 연구에 의하면 경피로 에스트로겐을 일주일에 50 μg씩 2회 투여하면서 주기적으로 프로게스토겐을 투여하는 방법으로 3년간 투여하였을 때, 골밀도와 지질에 미치는 효과가 경구로 0.625 mg의 에스트로겐을 투여하는 효과와 동일함을 보고하였다(Hillard et al., 1994). 젤 투여는 경구로 표준용량을 투여했을 때 보다 혈중 농도가 더 높고 변동이 심하므로 투여기간 중 혈중 에스트라디올 농도를 100-200 pg/mL 이하로 추적 관찰할 것을 권한다(Walters et al., 1998).

③ 경질 투여

저용량의 에스트라디올을 정제나 링의 형태로 질로 투여하는 방법은 폐경 증상을 치료하는 데 충분하지 않으나, 국소적인 비뇨생식기 위축증이 효과적으로 호전되며 재발성 요로감염을 감소시킨다. 그러므로 에스트로겐 치료가 금기가 되는 여성에서 위축성 질 증상을 호전시킬 수 있는 좋은 방법이다. 표준용량의 에스트라디올을 질에 투여하는 링은 3개월간 매일 50 μg 또는 100 μg의 에스트라디올을 유리한다. 이러한 용량은 경구 또는 경피 투여했을 때와 유사하게 혈중 에스트라디올 농도를 증가시킨다. 그래서 효과적으로 안면홍조를 억제하며, 골밀도에도 유익한 영향을 가져오는 것으로 보고되고 있다(Speroff et al., 2003). 그러므로 자궁내막을 보호하기 위해 프로게스토겐의 추가적인 투여가 필요하다. 에스트리올은 결합시간이 짧아 혈중 농도의 상승이 짧게 지속되기 때문에 에스트라디올에 비해 자궁내막암, 유방암 등의 위험을 증가시키지 않는다고 보고되고 있다(Vooijs et al., 1995). 따라서 에스트리올 경질 투여 방법은 자궁내막 보호를 위한 프로게스토겐 없이도 단독으로 사용할 수 있으며 전신적인 영향을 줄여서 보다 안전하게 비뇨 생식계 위축 증상을 호전시킬 수 있다.

(2) 프로게스토겐 제제

일반적으로 인간의 난소나 태반에서 생성되는 천연 황체호르몬을 프로게스테론으로 칭하며, 프로게스테론호르몬의 활동을 보이나 프로게스테론과 동일하지 않게 합성된 호르몬을 프로게스틴이라 칭한다. 이러한 프로게스테론과 프로게스틴 모두를 프로게스토겐이라 일컫는다(표 25-4). 많은 여성들이 프로게스토겐 제제에 잘 순응하지 못한다. 전형적인 부작용으로는 유방통, 복부팽만, 우울증이 있다. 이러한 반응을 최소화시키기 위하여 용량, 투여 방법, 또는 제제를 바꾸어 투여하기도 한다. 미세화 프로게스테론을 포함하는 제제는 취침 전에 복용하는 것이 좋으며, 이러한 제제는 수면장애가 있는 여성에서 좋은 선택이 될 수 있다. 프로게스토겐을 질에 젤의 형태로 또는 레보노르게스트렐을 유리하는 자궁내 피임장치를 이용하여 전신적인 흡수를 피하고 효과적으로 자궁내막을 보호할 수도 있다(Miles et al., 1994; Raudaskoski et al., 2002).

(3) 에스트로겐-프로게스토겐의 투여 방법

폐경 호르몬 치료에서 프로게스토겐을 투여하는 주된 이유는 에스트로겐 단독 투여에 의한 자궁내막의 자극을 억제하기 위한 것이다. 효과적으로 자궁내막증식증을 예방하기 위한 프로게스토겐 제제의 양 또는 기간은 적절한 임상

표 25-4. 프로게스토겐의 종류

천연 프로게스토겐
미세화 프로게스테론(micronized progesterone)
합성 프로게스토겐
21-탄소 유도체 메드록시프로게스테론 아세테이트 사이프로테론 아세테이트(cyproteone acetate) 디드로제스테론(dydrogesterone)
19-노르프레그난(19-norpregnanes) 트리메게스톤(trimegestone) 프로메게스톤(promegestone) 노메게스톨(nomegestrol)
19-노르테스토스테론(19-nortestosterone) 계열 에치닐레이티드(ethinylated) 노르에틴드론(norethindrone) 노르에틴드론 아세테이트(norethindrone acetate) 레보노제스트렐(levonorgestrel) 데소제스트렐(desogestrel) 제스토덴(gestodene) 노르에티닐레이티드(norethinylated) 디에노제스트(dienogest)
스피로노락톤(spironolactone) 유도체 드로스피레논(drospirenone)

연구에 의해 확인된 후에 사용될 수 있다. 일반적으로 주기적으로 투여하는 경우에는 매달 적어도 12-14일간 투여하여야 하며, 또는 매일 투여함으로써 자궁내막증식증을 예방할 수 있다.

① 에스트로겐 단독 투여

일반적으로 자궁절제술을 시행한 여성은 에스트로겐만 투여한다. 그러나 비록 자궁이 없어도 1. 골반 자궁내막증으로 수술한 경우 2. 난소의 자궁내막암종양으로 수술한 경우 3. 자궁내막절제술이나 부분자궁절제술과 같이 자궁내막 전체를 없애지 않고 일부를 남기는 수술을 한 경우 4. 자궁내막선암으로 수술한 경우에는 에스트로겐과 프로게스토겐의 병합 투여가 필요하다.

② 에스트로겐-프로게스토겐의 주기적 병합요법 및 지속적 병합요법

폐경 호르몬 치료는 크게 폐경 전 월경주기와 같게 에스트로겐을 계속 투여하면서 프로게스토겐을 주기적으로 투여하는 방법과 매일 에스트로겐과 프로게스토겐을 지속적으로 병합 투여하는 방법이 있다. 주기적으로 프로게스토겐을 투여하는 경우, 80-90%에서 프로게스토겐 소퇴성 출혈을 가져온다. 주기적으로 투여하는 경우에도 휴약기를 가지지 않고 지속적으로 투여하거나, 휴약기를 두고 주기적으로 투여하는 방법이 있다. 지속적으로 에스트로겐과 프로게스토겐을 병합투여하게 되면 이러한 주기적 출혈을 피하고 주기적인 호르몬의 변화에 따른 증상을 피할 수 있으며, 투여한 지 1년 이내에 80-90%의 여성에서 무월경이 오게 된다(Archer et al., 1994).

(4) 저용량요법

수년간 사용되어온 에스트로겐의 일일 표준용량은 접합 마 에스트로겐 0.625 mg, 미세화 에스트라디올 1-2 mg, 길초산 에스트라디올 1-2 mg, 에치닐 에스트라디올 0.05 mg, 경피 에스트로겐 50 μg이다. 표준용량보다 더 적은 양의 에스트로겐을 사용하여 용량에 따른 부작용을 감소시키고 순응도를 높여 효과적으로 치료효과를 얻기 위한 저용량 호르몬 치료가 많이 사용되고 있다.

접합 마 에스트로겐/메드록시 프로게스테론 아세테이트의 0.45/1.5 mg 또는 0.3/1.5 mg 지속적 병합요법을 시행한 연구에서 질위축증을 호전시키고 골밀도가 효과적으로 증가하며, 표준용량을 투여했을 때 보다 유방통이 적고 안면홍조와 같은 폐경증상을 감소시키며, 지질변화도 개선되면서 소퇴성 출혈도 적어 높은 무월경률을 보인다(Utian et al., 2001; Archer et al., 2001; Lindsay et al., 2002). 에스트라디올 0.5 mg 또는 0.25 mg과 프로게스토겐 제제와의 병합사용으로 골밀도의 증가를 보고하고 있다(Prestwood et al., 2003). 또 에스트라디올을 경피적으로 매일 12.5 μg 또는 14 μg을 투여함으로써 효과적으로 폐경증상을 치료하고 골밀도가 증가하는 것을 보고함에 따라, 향후 가능한 최소저용량으로 장기간 사용할 수 있는 호르몬요법에 대한 연구가 활발히 진행될 것이다(Rubinacci et al., 2003; Waetjen et al., 2005).

(5) 조직 선택적 에스트로겐 복합체

조직 선택적 에스트로겐 복합체(tissue selective estrogen complex, TSEC)는 에스트로겐과 프로게스토겐 대신 선택적 에스트로겐 수용체 조절제(selective estrogen receptor modulator, SERM)를 결합한 약제이다. 선택적 에스트로겐 수용체 조절제의 자궁내막조직에서의 항 에스트로겐 효과가 프로게스토겐의 자궁내막 보호 효과를 대체하게 된다. 이를 통해 이론적으로 자궁이 있는 여성에게 에스트로겐 단독 투여와 유사한 안전성을 기대하게 된다. 접합 마 에스트로겐과 선택적 에스트로겐 수용체 조절제 중 하나인 바제독시펜(bazedoxifene)의 조합을 사용한 약제가 현재 사용 가능하며, 이 조합의 경우 폐경 후 여성의 혈관 운동 증상, 삶의 질 및 질 위축이 개선됨을 보였다. 또한 자궁 내막 증식과 유방 조영술 밀도, 유방 압통, 심근경색, 뇌졸중 또는 정맥 혈전 색전증의 위험을 증가시키지 않았으며 척추 및 고관절 골 손실을 예방했다(Gallagher JC et al., 2016).

4) 비뇨 생식기의 위축

폐경이 되면 여성호르몬의 결핍으로 질은 결체조직, 지방조직 및 수분 등이 손실되어 질벽이 얇아져 질 건조증을 가져오며, 질 상피세포의 표피세포가 소실되어 가벼운 자극에도 쉽게 출혈이 일어난다. 시간이 지남에 따라 질이 짧아지고 탄력성이 감소하여 좁아지게 되어 성교통을 유발한다. 또한 질의 산성도를 잃게 됨에 따라 세균의 감염에 취약하게 되어 질염, 요도염 및 방광염이 호발하기 쉽다. 폐경과 연관이 있는 비뇨기계의 점막 위축증은 배뇨장애, 절박뇨, 빈뇨를 가져오며, 재발성 요로 감염이 호발하는 원인이 된다. 경구 투여를 통한 전신적 에스트로겐요법은 비뇨 생식기의 위축증을 치료하여 질건조증, 성교통, 요증상에 효과적이다. 또한, 질을 통한 국소요법은 전신흡수를 피하면서 비뇨 생식기의 위축증을 효과적으로 치료할 수 있다. 즉 질을 통하여 소량의 에스트로겐을 투여함으로써 폐경 여성에서 보이는 질 건조증 및 성교통을 치료하며, 빈뇨, 절박뇨의 요증상을 호전시키고 재발성 요로감염을 감소시킨다(Eriksen, 1999). 긴장성 요실금은 에스트로겐의 질 투여로 증상이 호전된다는 보고가 있으나(Dessole et al., 2004) 최근에는 경구 투여는 오히려 증상을 악화시킨다(Grady et al., 2001).

저용량의 에스트로겐 질크림을 1주일 1-3회가량 투여하는 방법이 있으며, 저용량의 에스트라디올을 질좌제로 1주일 2회씩 투여하거나, 링의 형태로 질에 3개월간 삽입하여 매일 일정량을 방출하게 하는 방법도 있다(Handa et al., 1994; Henriksson et al., 1996). 투여 후 질의 산도가 약산성인 경우에는 에스트로겐 효과를 확인할 수 있다. 저용량의 에스트로겐을 질에 투여하는 경우, 전신적으로 흡수되는 예는 매우 적으며, 특히 약 3개월간 사용하여 질조직의 성숙이 일어난 후에는 더 적다. 1년까지는 저용량 에스트로겐의 질 투여는 자궁내막을 자극하지 않으나, 장기간 사용에 대한 안정성은 아직 확립되지 않았다. 초기에 사용할 때는 위축된 질 점막이 약제를 흡수하며 느끼는 작열감과 같은 통증을 느낄 수 있으나 점막 위축이 호전되면서 통증 또한 완화된다.

출혈이 있는 경우에는 철저한 자궁내막검사를 시행하여야 한다. 에스트리올 성질 투여 역시 자궁내막 자극을 최소화하면서 비뇨생식기 위축 증상을 호전시킬 수 있으며 질위축증으로 인하여 성교통을 호소하는 경우에는 여성호르몬제의 대체요법으로 수용성 윤활제를 사용하는 것도 좋은 방법이다.

5. 폐경 호르몬요법의 득과 실

1) 심혈관질환

심혈관질환은 미국 등 서구뿐만 아니라, 우리나라 여성의 주요 사망 원인이다. 나이와 가족력이 교정 불가능한 위험인자이며, 흡연, 비만, 운동부족 등은 교정이 가능한 대표적 위험인자이다. 이밖에 당뇨병, 고혈압, 그리고 고지혈증이 심혈관질환의 위험을 높이는 중요한 의학적 요인이다.

(1) 관상동맥질환

폐경 증상의 치료를 위한 호르몬요법 시 관상동맥질환

이 예방되는 효과가 다수의 관찰 연구에서 보고되었다. Nurses' Health Study에서는 현재 사용자(상대 위험도: 0.61)가 과거 사용자(상대 위험도: 0.82)에 비해 관상동맥질환 발생 위험이 낮았고, 호르몬요법을 사용한 직후부터 위험이 감소하였다(Grodstein et al., 2000). 프로게스토겐을 함께 사용해도 관상동맥질환 예방 효과에 영향이 없으며, 고혈압이나 고지혈증이 있는 고위험군에서도 역시 예방 효과가 있다. 하지만 60세 이상 또는 비만한 여성에서는 예방 효과가 관찰되지 않았다(Grodstein et al., 1996). 관찰 연구들에 대한 메타분석에서는 현재 호르몬요법 사용자에서 관상동맥질환의 발생 위험이 28%, 사망 위험이 38% 감소하였고(Humphrey et al., 2002), 23개 임상 연구에 대한 메타분석 결과 나이가 60세 미만 또는 폐경 후 10년 이내인 초기 폐경 여성에서 호르몬요법 시 관상동맥질환의 발생 위험이 32% 감소하였다(Salpeter et al., 2006). 이밖에 19개 무작위대조군 연구를 분석한 메타분석에서도 폐경 후 10년 이내에 호르몬요법을 받으면 심혈관질환의 사망 위험이 48% 감소하였다(Boardman et al., 2015).

에스트로겐 투여에 따른 심장 보호 효과의 20-30%는 혈중 지질의 변화에 의해 설명되며, 호르몬요법으로 혈중 고밀도 지단백 콜레스테롤 농도가 증가하고, 저밀도 지단백 콜레스테롤의 농도는 감소한다(Writing group for the PEPI trial. 1995). 최근에는 혈관에 대한 에스트로겐의 직접 작용이 중요한 기전으로 생각되는데, 혈관 세포에 존재하는 에스트로겐 수용체를 통해 동맥이 확장되고, 동맥경화가 억제되며, 염증이 조절될 수 있다(Mendelsohn and Karas, 2005).

WHI (Womens' Health Initiative) 연구는 건강한 폐경 여성을 대상으로 호르몬요법의 관상동맥질환에 대한 효과를 규명하기 위해 진행되었는데, CEE/MPA 병합요법 연구는 유방암 발생 위험의 유의한 증가에 따라 2002년 조기 중단되었고(Writing group for the Women's Health Initiative investigation, 2002), CEE 단독요법 연구는 관상동맥질환의 예방 효과는 명확하지 않은 반면 뇌졸중의 위험이 증가하는 결과를 보며 2004년 역시 조기 중단되었다(Women's Health Initiative steering committee, 2004). WHI 연구에서는 기대와는 달리 병합요법 및 단독요법 모두 관상동맥질환의 유의한 예방 효과는 없었고(Manson et al., 2003; Hsia et al., 2006), 병합요법 시 오히려 치료 첫 1년에 상대 위험이 81% 증가하였다.

관찰 연구와는 달리 무작위대조군 연구인 WHI에서 호르몬요법의 관상동맥질환 예방 효과가 나타나지 않은 이유는 WHI 연구 대상자의 평균 나이가 60세 이상으로 이미 임상 전 단계의 동맥경화가 존재하기 때문으로 생각된다. 이후 WHI 연구의 추가 분석에서 관상동맥질환의 발생 위험은 폐경 후 10년 이내에 호르몬요법을 시작한 여성에서 감소하는 경향을 보인 반면, 폐경 후 20년 이상이 지나 치료를 시작하면 유의하게 증가하였다(Rossouw et al., 2007). 또한 CEE 단독요법을 받은 50대 여성에서는 관상동맥질환 발생의 대리 지표인 관상동맥 칼슘 점수가 유의하게 낮았다(Manson et al., 2007). WHI 연구 이후 호르몬요법의 시작 시기에 따라 심혈관계에 대한 영향이 다를 수 있다는 "timing hypothesis" 또는 "window opportunity"의 개념을 뒷받침하는 여러 연구가 발표되었다. DOPS (Danish Osteoporosis Prevention Study) 연구에서는 평균 나이가 50세인 약 1,000명의 폐경 여성에서 10년 동안 호르몬요법을 시행하였을 때 사망률, 심부전, 심근경색에 의한 입원을 조합한 지표가 52% 감소하였고(Schierbeck et al., 2012), KEEPS (Kronos Early Estrogen Prevention Study) 연구에서는 평균 나이 52세인 폐경 여성에서 약 4년의 호르몬요법 시 carotid intima-media thickness는 개선되지 않았지만 관상동맥의 석회화는 느리게 진행하는 경향을 보였다(Harman et al., 2016). 그리고 ELITE (Early versus Late Intervention Trial with Estradiol) 연구에서 폐경 기간이 6년 미만인 여성에서 약 5년의 호르몬요법 시 carotid intima-media thickness가 위약군에 비해 유의하게 감소하였지만 폐경 기간이 10년 이상인 여성에서는 이러한 효과가 없었다(Hodis et al., 2016).

WHI 연구에서 관상동맥질환에 대한 호르몬요법의 효

과가 프로게스토겐의 병합 여부에 따라 차이가 나타난 결과(Rossouw et al., 2007; Lacroix et al., 2011)와 MPA (medroxyprogesterone acetate) 대신 NETA (norethindrone acetate)를 사용한 DOPS 연구의 예방 효과(Schierbeck et al., 2012)를 고려하면, 에스트로겐뿐만 아니라 프로게스토겐의 사용 여부와 종류에 따라 관상동맥질환에 대한 위험이 다를 수 있다.

이미 관상동맥질환의 병력이 있는 폐경 여성에서 호르몬요법의 이차 예방 효과를 확인하기 위한 HERS (heart and estrogen-progestin replacement study) 연구에서는 2,753명을 대상으로 4.1년간 CEE/MPA 병합요법을 시행하였는데, 치료 첫 해에 발생 위험이 50% 증가하지만 시간이 지날수록 감소하는 시간 경향을 나타내었고, 전체적으로는 유익한 효과가 없었다(Hulley et al., 1998). 이는 동일한 호르몬을 이용한 WHI 연구와 일치하는 결과이다.

현재 관상동맥의 예방 또는 치료만을 위한 호르몬요법은 권장되지 않는다.

(2) 뇌졸중

관상동맥질환과는 달리 뇌졸중에 대한 호르몬요법의 효과는 연구가 부족하고, 일관된 결과가 없다. 또한 뇌졸중의 일차 예방을 목적으로 고안된 임상 시험은 없다.

Nurses' Health Study에서는 다양한 인자를 교정하였을 때 뇌졸중의 상대 위험도가 현재 에스트로겐 단독요법 시 1.43(신뢰구간: 1.17-1.74), 병합요법 시 1.53(신뢰구간: 1.21-1.95)으로 모두 유의하게 증가하였다(Grodstein et al., 2008). 폐경 후 시작 시기에 따른 위험의 차이는 없었으나, CEE의 용량에 따라 위험이 증가하였다.

관상동맥질환 연구인 HERS에서는 CEE/MPA 병합요법이 뇌졸중 발생 위험에 영향을 주지 않은 반면(Simon et al., 2001), WHI 연구에서는 CEE/MPA 병합요법과 CEE 단독요법이 뇌졸중의 상대 위험을 각각 31%, 37% 증가시켰고, 이는 주로 허혈성 뇌졸중에 증가에 기인하였다(Wassertheil-Smoller et al., 2003; Hendrix et al., 2006). 하지만, WHI 연구에서도 60세 이전이나 폐경 후 10년 이내의 여성에서는 뇌졸중의 위험이 유의하게 증가하지 않았다. 그리고 메타분석 결과, 호르몬요법을 받은 경우 뇌졸중 발생 위험이 12% 증가하였는데, 출혈성 뇌졸중에는 영향이 없는 반면 허혈성 뇌졸중이 20% 증가하였다. 전체 뇌졸중의 사망 위험은 19% 감소하였다(Nelson et al., 2002).

관찰 연구 결과 경구 저용량 경구 호르몬요법과 경피 에스트로겐요법은 뇌졸중의 위험을 상대적으로 줄일 수 있다(Renoux et al., 2010).

허혈성 뇌졸중에 대한 이차 예방 효과를 알아보기 위한 WEST (Women's Estrogen for Stroke Trial) 연구에서 664명에게 2.8년간 미세화 에스트라디올 1 mg을 투여한 결과 전체적으로 뇌졸중에 대한 영향이 없었다. 다만, 비치명적 뇌졸중에는 변화가 없는 반면 치명적 뇌졸증은 증가하는 경향을 보였고(상대 위험도: 2.9, 95% 신뢰구간: 0.9-9.0), 주로 허혈성 뇌졸중이 증가하였다. 그리고 첫 6개월 동안 전체 뇌졸중의 위험이 130% 상승하여 HERS와 비슷한 초기 위험이 관찰되었다(Viscoli et al., 2001).

(3) 정맥혈전색전증

호르몬요법 시 현재 사용자에서 정맥혈전색전증의 발생 위험이 약 2배 증가하는데, 주로 치료 첫 해 또는 두번째 해에 증가한다.

HERS와 WHI 연구 등을 포함한 메타분석에서는 호르몬요법 시 정맥혈전색전증의 상대 위험이 2.14배로 증가하였는데, 사용 첫 해에 3.19배로 가장 높게 나타났다(Miller et al., 2002). 정맥혈전색전증은 호르몬요법 시작 나이가 많거나 폐경 후 기간이 10년 이상인 경우, 또는 비만인 경우 유의하게 발생 위험이 증가한다. 하지만, 흔하지 않고, 사망률도 낮다는 점을 환자들에게 인식시키는 것이 중요하다.

경피 에스트로겐은 정맥혈전색전증 발생 위험을 증가시키지 않는다(Scarabin et al., 2003). 프로게스토겐 제제에 따라서도 발생 위험이 다를 수 있는데, MPA는 위험이 증가하는 반면 미세화 프로게스테론은 위험을 높이지 않는다(Canonico et al., 2007)

(4) SERM

선택적 에스트로겐 수용체 조절제인 랄록시펜에 대한 RUTH (Raloxifene Use for The Heart) 연구에서는 평균 나이가 67.5세인 약 만 명의 폐경 여성에서 60 mg을 매일 복용하였을 때 관상동맥질환에는 영향이 없었으나, 치명적인 뇌졸중과 정맥혈전증의 발생 위험이 증가하였다(Barrett- Connor et al., 2006). 다만 관상동맥질환에 대해서는 호르몬요법과 마찬가지로 60세 미만에서 발생 위험이 41% 유의하게 감소하여, 나이에 따라 다른 관상동맥질환에 대한 효과를 보였다(Collins et al., 2009).

2) 알츠하이머병

알츠하이머병은 치매의 가장 흔한 원인이며, 여성에서 남성보다 1.5-3배 더 많이 발생한다.

426명의 알츠하이머병 환자를 치매가 없는 환자와 비교한 MIRAGE 연구 결과 호르몬요법을 받은 군에서 알츠하이머병의 발생 위험이 30% 낮았으며(Henderson et al., 2005), 약 1,900명의 여성을 대상으로 시행된 Cache county study에서도 호르몬요법을 받은 군에서 알츠하이머병의 발생 위험도가 0.41(95% 신뢰구간 0.17-0.86)로 유의하게 낮았다(Zandi et al., 2002). 그리고 관찰 연구에 대한 메타 분석 결과 호르몬요법 시 치매 발생 위험이 34% 감소하였다(LeBlanc et al., 2001).

이와는 대조적으로 65세 이상 여성에서 호르몬요법의 치매 예방 효과를 평가한 WHI의 세부 연구인 WHIMS (WHI memory study)에서는 CEE/MPA 병합요법 시 치매의 상대 위험도가 2.05로 유의하게 증가하였고(Shumaker et al., 2003), 이는 호르몬요법으로 무증상의 경미한 허혈성 뇌졸중이 발생하여 알츠하이머병보다는 혈관성 치매가 증가한 결과로 생각된다. 한편 CEE 단독 투여 시 위험도는 1.49였지만, 통계적 유의성은 관찰되지 않았다(Shumaker et al., 2004).

관찰 연구와 임상 연구 결과의 차이는 호르몬요법의 시작 시점과 나이에 기인할 가능성이 있는데, WHIMS는 치매의 발생 위험이 증가되어 있는 65세 이상에서 연구가 시행되었기 때문에 연구 시작 단계에서는 드러나지 않았지만 치매에 이미 이환된 여성이 연구 기간 동안 치매로 진단되었을 가능성이 있다. 나이에 따른 호르몬요법의 영향을 분석한 결과 50-63세에서만 호르몬요법에 따른 알츠하이머병 발생 위험이 감소되었는데(Henderson et al., 2005), 이는 병변이 진행되기 이전 시기에만 호르몬요법의 예방 효과가 있음을 시사한다.

알츠하이머병에 대한 프로게스토겐의 영향은 아직 명확하지 않지만, MPA는 인지기능에 악영향을 줄 수 있다(Rice et al., 2000). 향후 폐경 초기인 여성을 대상으로 CEE/MPA 이외의 다른 호르몬요법의 효과에 대한 연구가 필요하다. 현재 알츠하이머병의 예방 혹은 치료만을 위한 호르몬요법은 권장되지 않는다.

3) 유방암

유방암은 우리나라 여성에서 가장 흔한 암이며, 폐경 여성의 주요한 건강 관심사이다. 유방암 발생의 위험 인자로 이른 초경, 늦은 폐경, 늦은 첫 만삭임신 등 내인성 에스트로겐에 대한 노출이 증가하는 상황이 대표적이며, 이밖에 가족력과 유전자 변이, 비만과 음주 등이 위험인자로 제시되고 있다(표 25-5).

표 25-5. 유방암 위험을 증가시키는 인자

위험인자	상대 위험도
이른 초경	1.3-1.7
폐경 후 비만	1.1-2.0
임신 경험 없음	1.3-2.0
음주	1.2-2.3
늦은 나이의 첫 만삭임신	1.2-4.1
늦은 폐경	1.4-6.3
경구피임약	1.3
6개월 이하의 모유수유	1.3
1차 가족관계 유방암 가족력	7.9

(출처: 유방암백서 2018, 한국유방암학회)

폐경 여성에서 호르몬요법과 유방암의 연관성은 많은 논란이 있어 왔으며, 연구 결과도 다양하게 보고되고 있다. 대규모 메타분석 결과 폐경 호르몬요법이 유방암 발생 위험과 연관이 있었는데(Collaborative Group on Hormonal Factors in Breast Cancer, 1997), 사용 기간에 따라 위험이 증가하여 5년 이상 호르몬요법을 받은 현재 사용자는 상대위험도가 1.35(95% 신뢰구간: 1.21-1.49)로 유의한 증가를 였다. 하지만 과거 사용자에서는 위험 증가가 없었다.

WHI 연구에서 5.6년간 CEE/MPA 병합요법 시 유방암 발생의 상대 위험이 24% 증가하였는데, 이는 연간 10,000명의 호르몬 사용자에서 추가로 8명의 유방암이 발생하는 절대 위험에 해당한다(표 25-6). 호르몬요법 시 진단된 유방암의 조직학적 특성은 위약군과 차이가 없었으나, 진단 시 크기가 더 크고 진행된 소견을 보였다. 이는 병합요법에 의해 유방치밀도가 증가하여 진단이 지연된 결과일 가능성이 있다. 또한 호르몬요법 시 치료 첫 해부터 비정상 유방소견이 유의하게 증가하여 연구 기간동안 지속되었다(Chlebowski et al., 2003). 하지만 CEE 단독요법 시에는 평균 7년의 치료 후에도 유방암 발생 위험이 증가하지 않았고, 비록 통계적으로 유의하지는 않았지만 오히려 감소하는 경향을 보였다(Women's Health Initiative Steering Committee, 2004).

WHI 연구에서 호르몬요법의 유방암에 대한 영향은 과거 호르몬 사용 여부에 따라 다르게 나타났는데, 과거 호르몬을 사용한 적이 없는 여성에서는 CEE/MPA 병합요법 시 7년까지 위험이 증가하지 않았고(Anderson et al., 2006), CEE 단독요법 시에는 위험이 감소하였다(Stefanick et al., 2006). 또한 호르몬 미사용자에서 호르몬요법의 시작 시기에 따라 유방암에 대한 영향에 차이가 있었는데, 폐경 후 5년 이내에 CEE/MPA 병합요법을 시작한 경우 유방암 위험이 증가한 반면(Prentice et al., 2008), CEE 단독요법은 5년 이후에 치료를 시작하면 위험이 유의하게 감소하였다(Prentice et al., 2008). WHI 임상 시험을 중단한 뒤 추적을 지속하여 분석한 결과, 전체적으로 호르몬요법에 따른 유방암 위험은 변화하지 않았다(Chlebowski et al., 2010; LaCroix et al., 2011). WHI 연구에서 CEE/MPA 병합요법과 CEE 단독요법의 유방암 발생이 서로 다른 양상을 나타낸 점을 고려할 때 MPA 사용이 유방암 발생에 악영향을 주었다고 생각할 수 있다(Anderson et al., 2012). 현재 에스트로겐 단독요법 시에는 유방암의 위험이 증가하지 않거나 매우 미약하게 증가하는 반면, 장기간의 복합요법 시에는 유의하게 증가하는 것으로 추정하고 있다.

표 25-6. WHI 연구에서 침윤성 유방암의 위험도

호르몬요법	기간	위험도	95% 유의수준
CEE/MPA 병합요법	5.6년	1.24	1.01-1.54
CEE 단독요법	6.8년	0.77	0.59-1.01

WHI 연구에 사용된 MPA 이외의 다른 프로게스토겐을 이용한 호르몬요법 시 유방암 발생 위험이 다를 수 있다. E3N 코호트 연구에서 천연 프로게스테론을 병합하여 사용하였을 때 유방암 발생 위험이 증가하지 않았으며(de Lignieres et al., 2002; Fournier et al., 2005), DOPS 임상 연구에서 NETA 사용 시에도 유방암 위험이 증가하지 않았다(Schierbeck et al., 2012).

호르몬요법 시 약제의 종류, 용량, 투여 경로, 그리고 개인의 특성 등에 따라 유방암의 발생 위험이 다를 수 있으므로, 개별화된 치료가 중요하다. 하지만 호르몬요법 시 증가하는 유방암의 상대적 위험은 폐경 후 비만, 음주, 운동 부족, 수유를 하지 않을 때와 비교하여 높지 않으며, 절대 위험 역시 낮다. 한편, 유방암 생존자에서의 호르몬요법의 안전성은 확립되어 있지 않다.

4) 자궁내막암

자궁이 있는 여성에서 에스트로겐을 단독으로 사용하면 자궁내막증식증과 자궁내막암의 발생 위험이 유의하게 증가한다. PEPI (Postmenopausal Estrogen/Progestin Interventions) 연구에서는 3년 간 에스트로겐 단독요법 시 34%에서 선형 또는 비정형 증식증이 발생하였다(The Writing Group for the PEPI Trial, 1996). 자궁내막암의 발생 위험은 에스트로겐의 용량과 기간에 비례하여 2-10배 증가하며, 투여를 중단해도 10년까지 지속될 수 있다. 에스트로겐을 주기적으로 사용하더라도 자궁내막증식증과 자궁내막암의 발생 위험은 감소하지 않는다. 에스트로겐 사용 시 발생한 대부분의 자궁내막암은 조기에 발견되기 때문에 생존률이 높다.

낮은 용량의 에스트로겐을 사용하더라도 장기간 노출 시에는 비정상적 자궁내막 성장을 유발할 수 있다(Pickar et al., 2003). 따라서 저용량 투여 시에도 매년 자궁내막을 평가하거나 프로게스토겐 투여가 필요하다.

호르몬요법 시 프로게스토겐을 에스트로겐과 함께 투여하면 자궁내막암의 발생 위험이 증가하지 않는다. 투여하는 프로게스토겐의 양과 기간이 중요한데, 매달 적어도 10일 이상의 투여가 필요하며 최근에는 12-14일의 사용이 추천된다. 역학 연구 결과 지속적 병합요법이 주기적 요법에 비해 자궁내막암 예방에 효과적이라고 보고되며, 장기간 주기적 요법 시에는 일부 연구에서 자궁내막암 위험 증가가 관찰되기도 한다(Jaakkola et al., 2009).

WHI 연구 결과 병합요법 시 자궁내막암의 발생 위험도가 0.81(95% 유의수준: 0.48-1.36)로 효과적으로 자궁내막암의 발생이 예방되었다(Anderson et al., 2003).

한편, 자궁내막암이 의심되거나 진단된 경우는 호르몬요법의 금기증이지만, 1기와 2기의 초기 자궁내막암 생존자에서는 호르몬요법의 사용이 가능하다(Lee et al., 1990; Creasman, 1991; Chapman et al., 1996). 자궁절제술 이후라도 병합요법이 권고된다.

5) 난소암

일부 연구에서 호르몬요법이 난소암 발생과 연관이 있으며, 특히 장기간 사용 시 발생 위험이 더욱 증가하고(Lacey et al., 2002), 치명적 난소암의 발생 위험도 증가한다고 보고하였다(Rodrigues et al., 1995). 메타분석에서도 호르몬 사용 경험이 있는 여성에서 난소암 위험이 14% 증가하고, 10년 이상 치료를 받으면 위험이 27% 증가한다고 보고하였다(Garg et al., 1998). 반면, 다른 메타분석 결과 호르몬요법 시 기간과 관계없이 난소암의 위험이 증가하지 않았다(Coughlin et al., 2000). WHI 연구에서는 병합요법 시 난소암의 발생 위험도가 1.58(95% 유의수준 0.77-3.24)이었지만, 통계적 유의성은 없었다(Anderson et al., 2003).

호르몬요법 시 사용 약제와 무관하게 상피성 난소암의 발생 위험이 일부 증가하고, 중단 후에는 위험이 감소한다는 연구 결과들은 호르몬요법이 이미 존재하는 난소암의 진행을 촉진하는 효과(promotional effect)를 나타낼 가능성을 시사한다. 최근 52개의 역학 연구의 12,000명 이상의 폐경 여성을 메타분석한 결과 치료 후 5년 이내라도 현재 사용자에서 난소암 발생 위험이 유의하게 증가하였고(상대 위험도: 1.43, 95% 신뢰구간: 1.31-1.56), 과거 사용자를 포함해도 상대 위험도가 1.37(95% 신뢰구간: 1.29-1.46)로 유의하였다. 호르몬요법을 중단하면 발생 위험이 감소하기는 하였지만, 장액성 또는 자궁내막양종양은 중단 약 10년 이후에도 여전히 위험이 높았다(상대 위험도: 1.25, 95% 신뢰구간: 1.07-1.46). 이에 따라 50세부터 5년간 호르몬요법 시 1,000명당 1명의 난소암이 추가로 발생할 위험이 있다고 추정되었다(Collaborative Group On Epidemiological Studies Of Ovarian Cancer, 2015)

호르몬요법과 난소암 발생 위험의 연관성을 확인하기 위한 연구에서 가장 어려운 문제는 난소암의 발생이 많은 인자들에 의해 영향을 받기 때문에 인자들을 잘 보정해야 하는데, 이런 연구를 진행하기가 현실적으로 매우 어렵기 때문에 결과에 다수의 비뚤림(bias)이 발생할 수밖에 없다는 점이다. 현재 호르몬요법과 난소암 발생의 연관성은 아직 명확하게 결론을 내릴 수 없는 상황이다. 하지만, 위험을 일부 증가시키는 경향이 있다고 해도 실제적으로 호르몬요법과 연관된 난소암 발생의 절대 위험은 매우 낮다. 한편 난소암 생존자에서 호르몬요법은 재발 위험을 증가시키지 않는다(Guidozzi et al., 1999).

6) 대장암

다수의 관찰 연구에서 호르몬요법 시 대장/직장암의 발생 위험이 유의하게 감소하는 결과를 보고하였다. 위험 감소는 현재 사용자에서 가장 컸고, 사용 기간에 따른 감소 효과의 차이는 없었다(Grodstein et al., 1998).

역학 연구에 대한 메타분석에서는(Grodstein et al., 1999) 호르몬요법 시 비사용자에 비해 대장암이 19%, 직장암이 20% 감소하였으며, 현재 사용자에서 34%의 최대 감소를 보였다. 25개 연구를 분석한 다른 메타분석에서도(Nanda et al., 1999), 현재 호르몬요법 시 대장암의 위험성이 33% 유의하게 감소하였다. 하지만 과거 사용자에서는 위험이 감소하지 않았다.

WHI 연구 결과 병합요법 시 직장/대장암의 발생 위험이 44% 감소하였으며(상대 위험도: 0.56, 95% 유의수준: 0.38-0.81), 사용 기간에 따라 위험 감소가 더 컸다. 하지만, 발견된 종양은 보다 진행된 상태였다(Chlebowski et al., 2004). 한편, CEE 단독요법 시에는 위험 감소가 관찰되지 않았다(Ritenbaugh et al., 2008).

에스트로겐에 의한 담즙의 변화, 즉 담즙산의 감소와 콜레스테롤 포화의 증가가 담즙산에 의한 대장암 발생을 감소시키는 것으로 생각된다. 이외에 점막세포 성장에 대한 직접적 억제, 점막 분비에 대한 유익한 효과 등도 기전으로 제시되고 있다.

직장/대장암 예방을 위한 호르몬요법의 적절한 용량과 기간은 아직 분명하지 않으며, 투여를 중단한 이후 효과의 지속 여부도 밝혀져 있지 않다. 현재 직장/대장암의 예방만을 목적으로 하는 호르몬요법은 권고되지 않는다.

6. 폐경 여성의 성기능장애

여성 성기능장애의 빈도는 일반적으로 30-50%로 나이가 증가하여도 비슷하다고 알려졌다(Spector와 Carey, 1990; Bancroft et al., 2003). 미국의 National Health and Social Life Survey (NHSLS)에서 1,749명의 여성을 대상으로 조사하여 여성의 43%에서 성기능장애를 호소하여 남성 31%보다 더 높은 유병률을 보고하였다(Laumann et al., 1999). 폐경이 성기능에 미치는 영향은 주로 에스트로겐의 결핍에 의한 질분비물 감소와 성교통, 테스토스테론 감소에 의한 성욕의 저하이다. 또한 나이에 대한 편견과 요실금이 성욕저하를 가져올 수 있다. 폐경 여성의 성반응을 Master와 Johnson (1966)의 분류에 따라 흥분기, 고원기, 절정기, 회복기로 나누어 살펴보면 나이가 증가함에 따라 흥분기와 고원기는 길어지지만 절정기와 회복기는 짧아진다. 폐경 여성의 성행동에 대한 설문조사에서 젊은 시절의 성행동에 따라 다르지만 성교의 횟수가 감소하고, 성적인 표현이 감소한다. 성행동의 감소는 비뇨생식기 조직의 변화에 기인하며, 성 상대자가 없는 경우에 더욱 심화된다(김원회, 1995). 질분비물 감소는 폐경 2년 전부터 시작되며, 이 시기부터 성욕과 성교의 횟수가 감소한다. 폐경 후 1-2년 동안 성교통이 흔하며, 성흥분이 감소하고, 절정감을 느끼지 못하여 중간에 성교를 멈추게 되기도 한다. 폐경보다는 여성의 나이가 성교의 횟수나 만족도에 영향을 준다. 젊은 나이에 폐경된 여성은 성 상대자가 성기능장애를 가질 가능성이 적어 성교의 횟수나 만족도가 높다(Westheimer and Lopater, 2005). 여성 성기능장애에 대한 치료는 우선 환자와 성 상대자를 대상으로 성반응 및 성생리에 대한 교육이 필요하며, 생활양식의 변화와 비약물적 치료가 시행되어야 한다. 위험인자로 알려져 있는 고혈압, 고지혈증, 당뇨, 흡연, 약물이나 음주습관 등 교정이 가능한 원인을 제거하고, 운동이나 식생활 개선, 충분한 수면이 신체적 건강뿐만 아니라 성적인 만족을 향상시킬 수 있다(Pauls et al., 2005). 불안이나 우울증을 치료하여야 하며, 성욕장애를 가져올 수 있는 SSRI는 성기능에 부작용이 적은 bupropion, nefazodone 등으로 변경해야 한다(Zajecka, 2001). 비뇨생식기 위축에 따른 성교통을 줄이기 위하여 질 윤활제나 에스트르겐호르몬 치료 등이 성기능을 향상시킬 수 있다. 에스트로겐은 여성의 생식기능 유지뿐만 아니라 외음부 및 질의 탄력과 혈류에 중요한 역할을 한다. 폐경 여성은 음핵의 반응시간이 늦고 질분비물이 감소하며, 질의 충혈이나 절정감 시 근육의 수축기간이 감소하며(Master and Johnson, 1966), 에스트로겐 치료 후에 질분비물과 혈류가 증가한다(Semimons and Wagner,

1982). 그러나 폐경 여성에서 전신적인 에스트로겐 치료는 성호르몬 결합단백(sex hormone binding globulin)을 증가시켜 유리테스토스테론을 감소시키며 이는 성욕 저하로 이어질 수 있다. 따라서 위축성 질염이나 질건조증에서는 제한적으로 체내에 흡수되는 에스트로겐 크림이나 질정 등으로 치료한다. 테스토스테론 투여는 테스토스테론 농도가 낮고 특별한 이유가 없는 폐경 여성의 성기능장애를 치료할 수 있다. 테스토스테론은 질평활근 이완반응을 유도하고, 감각신경 수용체의 기능유지에 관여하여 외성기 감각을 개선시킨다(민권식, 2001). 양측 난소절제술 후 성기능장애가 발생한 여성에서 테스토스테론 농도는 약 50% 감소되며, 에스트로겐 치료만 받는 여성보다 테스토스테론 치료를 받은 여성에서 성욕, 성환상, 성흥분 등이 향상된다(Sherwin and Gelfand, 1985). 부작용으로 체중 증가, 음핵비대, 다모증, 여드름, 목소리 변화, 간기능과 지질 대사의 변화 등이 있어 이에 대한 상담이 필요하다(Shifren and Schiff, 2007). 여성 성기능장애에서 테스토스테론 치료는 FDA 공인된 것은 아니며, 이후에 테스토스테론의 치료용량 및 안전성에 대한 연구가 필요하다(Patel et al., 2006). 그 이외의 치료 방법으로 비아그라(sildenafil citrate, Viagra™)는 성기능장애가 있는 여성에서 효과가 없다고 알려져 있으며(Basson et al., 2002), 클리토리스를 자극하는 에로스(EROS-CTD™)는 여성 성기능장애를 치료하기 위해 FDA에서 공인된 물리기구이다. 에로스의 사용으로 음핵의 혈류가 증가할 뿐 아니라 질과 골반의 혈류를 증가시키고 음핵의 감각을 개선시키고, 질분비물을 증가시켜 성흥분장애가 있는 여성에서 성흥분, 절정감, 성만족감이 향상되는 것으로 알려졌다(Billups, 2002).

7. 보완대체요법

1) 보완대체의학

보완대체의학이란 통상적인 의학에서 흔히 이용되지 않으며 인정되지 않는 의료 행위를 말한다. 전통의학과 함께 부가적으로 사용될 때 "보완의학(complementary medicine)" 그리고 대신에 사용될 때 "대체의학(alternative medicine)"이라 불린다. 국내에서는 정확한 통계가 없긴 하나 수많은 환자가 민간요법을 찾고 있으며 다른 나라의 경우와 같이 환자의 수가 계속적으로 증가하는 것이 현실이다. 그러나 국내 민간요법의 특색은 그에 대한 체계적인 연구가 없으며 특히 비전문의료인들에 의하여 전혀 검증되지 않은 민간 의학이 난무하고 있다는 것이다.

1998년 미국의회는 미국국립보건원 산하에 보완대체의학에 관한 연구를 지원하기 위하여 국립보완대체의학센터(National Center for Complementary and Alternative Medicine, NICCAM)을 설립하였다. 국립 보완대체의학센터에서는 보완대체요법을 5개의 주된 영역으로 구분하고 있다.

1. 대체의학체계(alternative medical system)
2. 심신중재(mind-body interventions)
3. 수기 치료 및 신체 기반 치료(manipulative and body-based methods)
4. 에너지요법(energy medicine)
5. 생물학 기반 치료(biologically based treatment)

미국 National Health Interview Survey (2002) 보고에 의하면 1년 동안 중년 여성의 45%가 보완대체의학을 사용하였으며 생물학적 요법은 27.4%, 심신의학은 24.5%, 수기요법은 14.1%, 대체의학은 4.2%가 사용하였다. 보완대체의학을 사용한 가장 흔한 이유는 요통과 통증 때문이었다.

(1) 대체의학체계(alternative medical system)

① 전통 중국 의학

신체의 균형을 찾아주기 위한 침구, 한약, 동양마사지, 기공 등의 여러 치료 방법들을 포함한다. 전통 중국 의학에서 폐경은 체내 에너지의 불균형을 포함하는 증후군의 일부로 간주되며, 이 불균형은 한약, 명상과 호흡 운동, 마사지, 식이요법 등을 사용하여 에너지 균형을 조절함으로써 폐경 증상을 완화시킨다.

② 침술

침술은 유용한 보조대체요법으로 여러 질환에 광범위하게 사용될 수 있으며, 바늘로 피부를 관통하여 체내 특정한 해부학적 포인트를 자극하는 치료방법이다. 북미에서 널리 시행되고 있으며 폐경을 치료하는 데 사용되기도 한다. 일부 무작위대조군연구에서는 침술이 안면홍조를 완화시키는데 효과가 있었다. 하지만 한 무작위대조군연구에서는 침술이 모의 침술(sham acupuncture)에 비해 안면홍조를 감소시키지 못하였으며, 혈관운동증상과 관련된 일반적인 심리적 곤란(psychological distress)에 대한 개선도 보여주지 못했다. 한 연구에서는 침술로 호전된 안면홍조의 빈도가 6개월, 12개월 후에 다시 증가하였다. 침술이 중추신경계에서 opioid 활성이나 신경전달물질을 증가시키거나 혈관 확장에 관여하는 신경펩타이드(calcitonin-gene related peptide)를 감소시키는 것으로 생각되나 향후 좀더 많은 연구가 필요하다.

③ 동종요법

"유사한 것은 유사한 것으로 치료한다(like cures like)"는 원리에 바탕을 둔 색다른 서양 치료법이다. 특정 물질의 높은 용량은 병을 유발할 수 있지만, 아주 소량으로 사용할 경우에는 오히려 질병을 치료할 수 있다. 동종요법에서 사용되는 치료제는 식물 및 동물 추출물과 미네랄 등 자연적으로 발생하는 물질에서 유래되며, 신체의 내적 치유 능력을 자극하는 것으로 생각된다. 폐경 증상을 위해 가장 흔히 사용되는 3가지 치료제는 남아메리카 bushmaster 독사의 독에서 추출한 lachesia, 야생화 Anemone pulsatilla로부터 추출한 pulsatilla, 오징어 먹물에서 추출한 sepia이다. 동종요법이 일반적으로는 안전한 것으로 보이지만, 체계적 문헌고찰(systemic review)과 메타분석(meta-analyses)을 통해 아직 효과가 입증된 바는 없다.

(2) 심신 중재

심적인 능력을 이용하여 정신과 신체의 기능을 증진시켜 각종 질병과 장애 그리고 그에 따른 증상들을 예방 및 완화하거나 치료하게 하는 다양한 기술 이용을 포함하는 의학의 한 분야이다. 정신과 두뇌, 신체와 행동이 서로 연결되어 상호작용을 하여 건강에 영향을 미친다는 것으로, 건강관리 대상에는 신체, 정신, 무의식의 감정, 영혼, 행동, 사회의 광범위한 영역이 포함되어 있다. 최면, 무용/음악/미술치료, 이완, 호흡 훈련, 명상, 요가 등이 있으며 생체되먹이기(biofeedback)요법 등도 여기에 속한다. 지금까지 임상연구들은 요가, 호흡 훈련, 그리고 특정한 다른 심신 중재 치료법이 혈관운동 증상과 다른 폐경 증상들을 줄이는데 도움이 될 수 있다는 것을 뒷받침 하지만, 방법론적 한계로 인하여 결과를 해석하고 확실한 결론을 내리기에는 어려움이 있다.

(3) 수기 치료 및 신체 기반 치료

뼈와 관절, 연부조직, 그리고 순환계와 림프계 등의 신체 구조와 계통들을 자극하거나 움직임으로써 치료하는 기법을 말한다. 신체의 수기조작이나 운동에 기초를 둔 요법으로 정골의학(osteopathic medicine), 척추조정요법(chiropractic), 안마요법(massage)과 반사요법 등이 있다. 반사요법은 발 또는 손 마사지요법으로 특정 부위(reflex zone)에 지압을 가하여 해당 부위뿐만 아니라 전신의 긴장 완화를 유도하는데, 소규모 단기간 연구에서 발반사요법은 폐경 여성의 안면홍조와 정신적 증상에 대조군과 차이를 보이지 않았다(Williamson et al., 2002).

(4) 에너지 치료

기공, 영기(reiki), 수촉요법 등이 있다. 폐경이 된 유방암 환자에서 안면홍조의 감소를 위해 전자장요법을 단기간 사용 시 대조군에 비해 더 효과적이지는 않았다(Carpenter et al., 2002).

(5) 생물 중심 치료

① 승마(black cohosh-cimicifugae racemosa)

승마는 폐경 증상 관리를 위해 가장 많이 사용되는 약초이다. 전통적으로 미국 원주민들에 의해 생리불순을 치료하기 위해 사용되었는데, 유럽에서는 50년 이상 폐경 관련 증상을 치료하는데 사용하여 왔으며 1989년 독일 식약청은 승마를 폐경 관련 증상, 폐경전 증후군, 생리통의 치료제로 승인하였다. 초기에 식물 에스트로겐으로 분류되었으나 최근 연구결과에 의하면 승마는 에스트로겐 수용체에 결합하지 않으며, 5HT1A, μ-opiate, dopamine D2 수용체에 작용한다. 따라서 승마는 식물 에스트로겐이 아니며, 또한 식물 에스트로겐을 함유하고 있지도 않다. 몇몇 무작위대조군 연구에서 승마가 폐경 증상의 치료에 효과적이라 보고하였고, 국내에서 행하여진 단기간의 다기관 무작위 이중맹검 위약대조 연구(박형무 등, 2005)에서도 중등증/중증의 안면홍조에 유의한 효과가 관찰되었다. 최근 체계적 문헌고찰에서 폐경 증상에 대한 승마의 효과를 분석하였는데, 총 6개의 무작위대조군연구, 1,112명의 폐경 후 여성을 대상으로 하였다. 분석 결과 승마가 폐경 증상을 줄이는데 효과가 없었지만 폐경 초기에는 효과가 있었다.

승마 부작용의 빈도는 비교적 낮지만 50례 이상의 간부전이 보고되기도 하였다. 영국 식약청에서는 승마의 간독성에 대한 위험성을 발표하였고, 제품에 간독성에 대한 경고가 표시되어야 한다고 결론 지었다. 하지만 2010년 승마와 관련된 69례의 간독성 증례를 분석한 결과, 승마와 간독성 사이의 인과관계에 심각한 의문을 제기하기도 하였다.

② 식물성 에스트로겐

식물성 에스트로겐(phytoestrogen, phyto-식물을 뜻하는 그리스어)은 자연의 식물, 과일, 야채 및 곡류 등에서 발견되는 다양한 군의 식물에서 유래하는 천연화합물로 자연 SERM이라 불린다. 1946년 red clover종(trifolium subterraneum var. Dwalganup)을 먹은 양들의 불임이 30% 이상 증가됨으로 인해 일명 'clover disease'라 불리는 이 불임의 원인이 식물에 함유된 에스트로겐과 유사한 성분(Isoflavone류)이라는 것을 밝혀내고 이름을 식물성 에스트로겐으로 명명하게 되었다.

가. 식물성 에스트로겐의 구조와 작용기전

스테로이드(steroid), 터페노이드(terpenoid), 사포닌(saponin), 페놀(phenolic)으로 구분되는데 이 중 phenolic phytoestrogen (isoflavone, coumestan, lignan)은 인간의 음식물 중에서 가장 주된 형태이며 콩과 식물 특히 대두(glycine max)와 적클로버(trifolium pratense)에 가장 풍부하게 함유되어 있다. 한 종류의 식물이 여러 종류의 식물성 에스트로겐을 함유하기도 한다(Bloeden et al., 2002).

나. 식물성 에스트로겐이 신체에 미치는 영향

70-80%의 안면홍조 증상을 호소하는 서구 여성에 비해 식물성 에스트로겐의 섭취가 많은 동양 여성들이 10-14% 정도에서 홍조 등의 폐경기 증상을 호소하는 것으로 보아 식물성 에스트로겐이 일부 여성에서는 분명히 폐경기 증상을 완화시키는 데 효과가 있으나 그 목적으로 제제나 용량을 결정하는 데는 아직까지는 어려움이 있는 듯하다. 뼈에 미치는 영향은 정도의 차이는 있으나 골소실 예방효과를 인정하고 있다. 이프리플라본은 daidzein을 주 대사산물로 하는 합성 이소플라본으로서 난소호르몬 부족으로 인한 골소실 예방에 사용하며 골흡수를 억제하는 동시에 골생성을 자극하는 효과가 있다(Kritz-Silverstein et al., 2002; Morabiti et al., 2002). 이탈리안 여성을 대상으로 한 6개의 controlled study에서 이프리플라본을 1-2년간 투여하여 원위 요골의 골밀도와 척추 골밀도를 증가시키거나 유지효과가 있다(Greendale et al., 2002). 4년간 시행된 한 연구 결과 식물성 에스트로겐이 효과가 없는 것으로 보고되어 골다공증 예방효과가 의문시되고 있다(Alexander et al., 2001). 정리하면 주 폐경기 여성이 콩단백의 형태로 식물성 에스트로겐을 사용하면 골다공증의 진행을 늦출 수 있는 것으로 나타나 호르몬 치료를 할 수 없

거나 거부하는 여성에서 사용할 수는 있다. 미국식약청(1999년)은 1일 25 g의 대두 단백을 섭취 시 심장병의 위험성을 감소시킬 수 있다는 건강청원을 승인하였으며, 이듬해 미국심장협회에서도 식이지침에 이를 반영하였다. 대두의 심장병 위험성의 감소효과는 주로 지질에 대한 호전 효과에 그 기초를 두고 있다. 그러나 미국심장협회의 최근 분석(2006)에 의하면 초기의 연구결과와 달리 대두단백이나 이소플라본을 사용시 지질에 대한 유익한 효과가 크지 않으며 심혈관계에 대한 직접적인 유익한 효과 또한 극히 적다고 보고하여 향후 심장병의 위험성에 대한 식물성 에스트로겐의 역할은 좀 더 많은 연구가 필요할 것으로 생각된다.

다. 식물성호르몬이 악성종양에 미치는 영향

유방암, 난소암, 전립선암 및 대장암은 식물성 에스트로겐이 다량 함유된 콩류를 주식으로 하는 아시아 국가들에서 현저하게 그 발생 빈도가 낮다. 역학적 연구에 의하면, 유방암 혹은 자궁내막암의 위험성은 콩의 소비와 역상관 관계를 보이며 건강한 여성에 비해 유방암 여성은 소변 내에 lignan의 배설이나 equol, enterolactone의 배설이 유의하게 낮다고 밝혀져 있다. 이소플라본이 화학적 암 유발 인자에 의한 유방종양의 빈도를 감소시키기는 하나, 이소플라본이 어떤 실험조건하에서는 에스트로겐 수용체-양성 유방암세포의 성장을 자극한다(Keinan-Broker et al., 2004). 그러므로 유방암 발생과 무관하다고 결론을 내리거나 에스트로겐 의존성 유방암을 가진 여성에서 식물성 에스트로겐에 의한 유해성에 대한 이론적인 잠정성에 대해서는 좀 더 주의 깊게 평가되어야 한다. 대부분의 학자들은 현재 사용하는 용량으로는 자궁내막암의 발병을 증가시키지 않을 것으로 생각하고 있으나 확실한 결론을 내리기에는 아직 이른 감이 있다.

③ Dong quai(당귀)

당귀는 전통 중국 의학에서 부인과질환의 치료를 위해 가장 널리 사용되는 약초이다. 무작위대조군연구에서 당귀를 단일요법으로 사용하였을 때 안면홍조의 감소 효과는 확인되지 않았다. 현재까지 유일한 이중 맹검 무작위대조군연구에서 6개월 동안 당귀를 하루 4.5 g 사용하였을 때 안면홍조를 완화하는데 도움이 되지 않았다. 전통 중국 의학에서는 당귀를 단독으로 사용하지 않고 다른 약제와 혼합하여 사용하는 것이 일반적이다. 당귀를 황기(astragalus membranaceus)와 함께 사용한 무작위대조군연구에서는 경증의 안면홍조를 효과적으로 완화하였으나, 중등도, 중증의 안면홍조에는 효과가 없었다. 부작용으로는 광감수성과 항응고 등이 있다. 자궁 출혈을 심하게 유발할 수 있어 자궁근종, 혈우병 또는 혈액 응고에 문제를 가진 여성들에게는 절대 사용되어서는 안된다. 당귀를 항응고제와 함께 사용하는 것은 금기이다.

④ 기타

달맞이꽃종자유(evening primrose oil)는 감마리놀렌산이 풍부하며 아토피습진(atopic eczema), 고콜레스테롤혈증을 호전 시키고 유방 통증을 경감시키는 것으로 알려져 있다. 열성 홍조 완화 효과에 보조적으로 사용될 수 있으나 무작위대조군연구에서는 위약군과 비교했을 때 폐경과 관련된 열성 홍조를 의미 있게 감소시키지 못했다.

인삼(ginseng)의 폐경과 관련된 무작위대조군연구에서 혈관운동성 증상이나 에스트로겐, 난포자극호르몬, 자궁내막 두께의 변화 등에는 차이가 없었으며 전반적인 삶의 질도 향상시키지 못했다. 하지만 우울증(depression), 일반건강(general health), 참살이(well-being)에 대해서는 효과가 있었다.

망종화(St. John's wort)는 독일에서 경도에서 중등도(mild to moderate)의 우울증에 가장 널리 사용되는 치료법이며, 점점 더 많은 여성들이 열성 홍조를 완화시키기 위하여 단독으로 사용하거나 승마와 함께 사용하고 있다. 무작위대조군연구에서 삶의 질 증가, 불면증 및 우울증 개선효과가 있었으며, 통계학적으로 유의하지는 않았지만 열성 홍조를 감소시키는 경향이 있었다. 승마와 복합제로 된 경우 열성 홍조 개선에 더욱 효과적인 것으로 알려져 있다. 그러나 망종화는 향정신정 약물과 함께 사용해서는 안된다. 선택적 세로토닌 재흡수 억제제와 함께 사용할 경우 너무 많은 세로토닌이 생산되고 그 결과 어지럼증, 안절부절증(restlessness), 근육경련(muscle twitching) 등의 증상이 나타날 수 있다. 또한 와파린, 디곡신, 테오필린, 시클로스포린 등의 혈중 농도를 감소시킬 수 있다.

참고문헌

- 골다공증 유병률 및 관리현황: 국민건강영양조사 2008-2011.
- 김원회. 중년 이후의 성. 대한의학협회지 1995;38:184-93.
- 김흥열, 심한 폐경기 증상의 비호르몬 치료. 대한골다공증학회지 2003;37-45.
- 대한가정의학회, 보건복지부, 질병관리본부. 골다공증 예방과 관리를 위한 7대 생활수칙. 2013.
- 대한골대사학회. 골다공증의 진단 및 치료지침 2013.
- 민권식. 여성 성기능장애. 대한남성과학회지 2001;19:143-61.
- 박형무, 강병문, 김정구, 윤병구, 이병익, 조수현 등. 승마와 St.John's wort 복합제의 갱년기 증상에 대한 효과: 다기관 무작위 이중맹검 위약 대조 임상연구. 대한산부회지 2005;48:2403-13.
- 박형무. 식물성 에스트로겐. 제 1판. 파주: 군자출판사; 2006.
- 최훈, 이홍균, 박형무. 한국 폐경 여성의 폐경에 대한 인식도 조사. 대한폐경회지 2003;9:36-43.
- AACE Menopause Guidelines, Endocr Pract. 2006;12(No. 3):329.
- Al-Akoum M1, Maunsell E, Verreault R, Provencher L, Otis H, Dodin S. Effects of Hypericum perforatum (St. John's wort) on hot flashes and quality of life in perimenopausal women: a randomized pilot trial. Menopause. 2009;16:307-14.
- Alternatives to estrogen for the treatment of hot flushes [editorial]. Ann Pharmacother 1997;31:915-7.
- American College of Obstetrics and Gynecology. Osteoporosis. Obstet Gynecol 2004;104(suppl 4):66S-76S.
- Anderson GL, Chlebowski RT, Aragaki AK, Kuller LH, Manson JE, Gass M, et al. Conjugated equine oestrogen and breast cancer incidence and mortality in postmenopausal women with hysterectomy: extended follow-up of the Women's Health Initiative randomised placebo-controlled trial. Lancel Oncol 2012;13:476-86.
- Anderson GL, Chlebowski RT, Rossouw JE, Rodabaugh RJ, McTiernan A, Margolis KL, et al. Prior hormone therapy and breast cancer risk in the Women's Health Initiative randomized trial of estrogen plus progestin. Maturitas 2006;55:103-15.
- Anderson GL, Judd HL, Kaunitz AM, Barad DH, Beresford SAA, Pettinger M, Liu J, McNeeley SG, Lopez AM. for the Women's Health Initiative Investigators, effects fo estrogen plus progestin on gynecologic cancers and associated diagnostic proceddures. The Women's Health Initiative Randomized Trial. JAMA 2003;290:1739.
- Anderson GL, Limacher M, Assaf AR, Bassford T, Beresford SA, Black H, et al. Effects of conjugated equine estrogen in postmenopausal women with hysterectomy: the Women's Health Initiative randomized controlled trial. The Women's Health Initiative Steering Committee. JAMA 2004;291:1701-12.
- Archer DF, Dorin M, Lewis V, Schneider DL, Pickar JH. Effects of lower doses of conjugated equine estrogen and medroxyprogesterone acetate on endometrial bleeding. Fertil Steril 2001;75:1080-7.
- Archer DF, Pickar JH, Bottiglioni F, for the Menopause Study Group. Bleeding patterns in postmenopausal women taking continuous combined or sequential regimens of conjugated estrogens with medroxyprogesterone acetate. Obstet Gynecol 1994;83:686-92.
- Available from: http://www.fda.gov/downloads/Advisory Committees/CommitteesMeetingMaterials/Drugs/Repro ductiveHealthDrugs AdvisoryCommittee/UCM 341781.
- Avis NE, Brambilla D, McKinlay SM, Vass K. A longitudinal analysis of the association between menopause and depression. Results from the Massachusetts Women's Health Study. Ann Epidemiol 1994;4:214-9.
- Bancroft J, Loftus J, Long JS. Distress about sex: a national survey of women in heterosexual relationships. Arch Sex Behav 2003;32:193-208.
- Barrett-Connor E, Mosca L, Collins P, Geiger MJ, Grady D, Kornitzer M, et al. Effects of raloxifene on cardiovascular events and breast cancer in postmenopausal women. N Engl J Med 2006;355:125-37.
- Barton D, Loprinzi C, Quella S, et al. Prospective evaluation of vitamin E for hot flashes in breast cancer survivors. J Clin Oncol 1998;16:495-500.
- Basson R, McInnes R, Smith MD, Hodgson G, Koppiker N. Efficacy and safety of sildenafil citrate in women with sexual dysfunction associated with female sexual arousal disorder. J Womens Health Gend Based Med 2002;11:367-77.
- Beral V, Reeves G, Banks E. Current evidence about the effect of hormone replacement therapy on the incidence of major conditions in postmenopausal women. BJOG 2005;112:692-5.
- Bergmans MGM, Merkus JMWM, Corbey RS, et al. Effect of Bellergal retard on climacteric complaints: a double-blind, placebo-controlled study. Maturitas 1987;9:227-34.

- Billups KL. The role of mechanical devices in treating femalesexual dysfunction and enhancing the female sexual response. World J Urol 2002;20:137-41.
- Bloedon L, et al. Safety and pharmacokinetics of purified soy soyflavones: single-dose administration to postmenopausal women. Am J Clin Nutr 2002;76:1126-31.
- Boothby LA, Doering PL, Kipersztok S. Bioidentical hormone therapy: a review. Menopause 2004;11:356-67.
- Bromberger JT, Assmann SF, Avis NE, Schocken M, Kravitzl HM, Cordal A. Persistant mood symptoms in a multiethnic community cohort of pre-and perimenopausal women. Am J Epidemiol 2003;158:347-55.
- Carpenter JS, Wells N, Lambert B, Watson P, Slayton T, Chak B, et al. A Pilot Study of Magnetic Therapy for Hot Flashes After Breast Cancer 2002;25:2-7.
- Cauley J, Zmuda J, Ensrud K, et al. Timing of estrogen replacement therapy for optimal osteoporosis prevention. J Clin Endocrinol Metab 2001;86:5700-5.
- Cauley JA, Robbins J, Chen Z, Cummings SR, Jackson RD, La-Croix AZ, et al. Effects of estrogen plus progestin on risk of fracture and bone mineral density: the Women's Health Initiative randomized trial. JAMA 2003;290:1729-38.
- Cauley JA, Zmuda JM, Wisniewski SR, Krishnaswami S, Palermo L, Stone KL, et al. Bone mineral density and prevalent vertebral fractures in men and women. Osteoporos Int. 2004; 15:32-7.
- Chapman JA, DiSaia PJ, OSann K, Roth PD, Gillotte DL, Berman ML. Estrogen replacement in surgical stage I and II endometrial cancer survivors. Am J Obstet Gynecol 1996;175: 1195.
- Chez RA, Jonas WB. Complementary and alternative medicine. Part II: Clinical studies in gynecology. Obstet Gynecol Surv 1997;52:709-16.
- Chlebowski RT, Anderson GL, Gass M, Lane DS, Aragaki AL, Kuller LH, et al. Estrogen plus progestin and breast cancer incidence and mortality in postmenopausal women. JAMA 2010;304:1684-92.
- Chlebowski RT, Hendrix SL, Langer RD, Stefanick ML, Gass M, Lane D, et al. Influence of estrogen plus progestin on breast cancer and mammography in healthy postmenopausal women: the Women's Health Initiative Randomized Trial. JAMA 2003;289:3243-53.
- Christiansen C, Lindsay R. Estrogens, bone loss and preservation. Osteoporosis Int 1990;1:7-13.
- Collaborative Group on Hormonal Factors in Breast Cancer. Breast cancer and hormone replacement therapy: collaborative reanalysis of data from 51 epidemiological studies of 52 705 women with breast cancer and 108 411 women without breast cancer. Lancet 1997;350:1047-59.
- Collis P, Mosca L, Geiger MJ, Grady D, Kornitzer M, Amewou-Atisso MG, et al. Effects of the selective estrogen receptor modulator raloxifene on coronary outcomes in the Raloxifene Use for the Heart Trial. Circulation 2009;119:922-30.
- Colvin Jr PL, Auerbach BJ, Koritnik DR, Hazzard WR, Applebaum-Bowden D. Differential effects of oral estrogen versus 17β- estradiol on lipoproteins in postmenopausal women. J Clin Endocrinol Metab 1990;70:1568-73.
- Couzint B, Meduri G, Lecce MG, Young J, Brailly S, Loosfelt H, et al. The postmenopausal ovary is not a major androgen-producing gland. J Clin Endocrinol Metab 2001;86:5060-6.
- Creasman WT. Estrogen replacement thterapy: Is previously treated cancer a contraindication? Obstet Gynecol 1991;77: 308.
- Cummings S, Black D, Thompson D, et al. Effects of alendronate on risk of fracture in women with low bone density but without vertebral fractures. JAMA 1998;280:2077-82, 2119.
- Cummings SR, Black DM, Rubin SM. Lifetime risks of hip, Colles', or vertebral fracture and coronary heart disease among white postmenopausal women. Arch Intern Med 1989; 149:2445-8.
- Cummings SR1, Ettinger B, Delmas PD, Kenemans P, Stathopoulos V, Verweij P, et al. The effects of tibolone in older postmenopausal women. N Engl J Med 2008;359:697-708.
- D.M. Black, S.R. Cummings, D.B. Karpf, et al., Fracture Intervention Trial Research Group. Randomised trial of effect of alendronate on risk of fracture in women with existing vertebral fractures, Lancet 1996;348:1535-41.
- de Lignieres B, de Vathaire F, Fournier S, Urbinelli R, Allaert F, Le MG. Combined hormone replacement therapy and risk of breast cancer in a French cohort study of 3175 women. Climacteric 2002;5:332-40.
- de Novaes Soares C, Almeida OP, Joffe H, Cohen LS. Efficacy of estradiol for the treatment of depressive disorder in perimenopausal women. A double blind, randomized, placebo-controlled trial. Arch Gen Psychiatry 2001;58:529-35.
- De Vet A, Laven J, de Jong F, et al. Antimullerian hormone serum levels: a putative marker for ovarian aging. Fertil Steril 2002;77:357-62.
- Delmas P, Bjarnason N, Mitalk B, et al. Effects of raloxifene on bone mineral density, serum cholesterol concentrations and uterine endometrium in postmenopausal women. N Engl J Med 1997;337:1641-7.
- Dessole S, Rubattu G, Ambrosini G, Gallo O, Capobianco G, Cherchi PL, et al. Efficacy of low-dose intravaginal estriol on urogenital aging in postmenoapusal women. Menopause 2004;11:49-56.

- Eisenberg DM, Davis RB, Ettinger SL, et al. Trends in alternative medicine use in the United States, JAMA 1998;280:1569-75.
- Eriksen BC. A randomized, open, parallel-group study on the preventive effect of an estradiol-releasing vaginal ring (Estring) on recurrent urinary tract infections in postmenopausal women. Am J Obstet Gynecol 1999;180:1072-9.
- Eriksen EF, Díez-Pérez A, Boonen S. Update on longterm treatment with bisphosphonates for postmenopausal osteoporosis: a systematic review. Bone. 2014;58:126-35.
- Fournier A, Berrino F, Riboli E, Avenel V, Clavel-Chapelon F. Breast cancer risk in relation to different types of hormone replacement therapy in the E3N-EPIC cohort. Int J Cancer 2005;114:448-54.
- Freedman R, Woodward S, Sabharwal S. α2-adrenergic mechanism in menopausal hot flushes. Obstet Gynecol 1990;76:573-8.
- Gallagher JC, Baylink DJ, Freeman R, McClung M. Prevention of bone loss with tibolone in postmenopausal women: Results of two randomized, double-blind, placebo-controlled, dose-finding studies. J Clin Endocrinol Metab 2001;86:4717-26.
- Geller SE, Shulman LP,van Breemen RB, Banuvar S, Zhou Y, Epstein G, et al. Safety and efficacy of black cohosh and red clover for the management of vasomotor symptom: a randomized controlled trial. Menopause 2009;16:1156-66.
- Genant HK, Cann CE, Ettinger B, Gordan GS. Quantitative computed tomography of vertebral spongiosa: a sensitive method for detecting early bone loss after oophorectomy. Ann Intern Med 1982;97:699-705.
- Gold EB, Bromberger J, Crawford S, Samuels S, Greendale GA, Harlow SD, et al. Factors associated with age at natural menopause in a multiethnic sample of midlife women. Am J Epidemiol 2001;153:865-74.
- Grady D, Brown JS, Vittinghoff E, Applegate W, Varner E, Snyder T, HERS research group. Postmenopausal hormones and incontinence: the heart and estrogen/progestin replacement study. Obstet gynecol 2001;97:116-20.
- Greendale, et al. Dietary Soy Isoflavone and Bone Mineral Density: Results from the Study of Women's Health Across the Nation. Am J Epidemiol 2002;155:746-50.
- Greendale GA, Sowers M, Han W, Huang MH, Finkelstein JS, Crandall CJ, et al. Bone mineral density loss in relation to the final menstrual period in a multiethnic cohort: results from the Study of Women's Health Across the Nation (SWAN), J. Bone Miner. Res. 2012;27:111-8.
- Grodstein F, Manson JE, Colditz GA, Willett WC, Speizer FE, Stampfer MJ. A prospective, observational study of postmenopausal hormone therapy and primary prevention of cardiovascular disease. Ann Intern Med 2000;133:933-41.
- Grodstein F, Martines E, Platz EA, Giovannucci E, Colditz GA, Kautsky M, Fuchs C, Stampfer MJ. Postmenopausal hormone use and risk for colorectal cancer and adenoma. Ann Intern Med 1998;128:705.
- Grodstein F, Newcomb PA, Stampfer MJ, Postmenopausal hormone therapy and risk of cololrectal cancer: a review and metaanalysis. Am J Med 1999;106:574-82.
- Grodstein F, Stampfer MJ, Manson JE, Colditz GA, Willett WC, Rosner B, et al. Postmenopausal estrogen and progestin use and the risk of cardiovascular disease. N Engl J Med 1996;335:453-61.
- Guidozzi F, Daponte A. Estrogen replacement therapy for ovarian carcinoma survivors, a randomized controlled trial. Cancer 1999;86:1013-8.
- Guttuso T, Kurlan R, McDermott M, et al. Gabapentin's effects on hot flashes in postmenopausal women: a randomized controlled trial. Obstet Gynecol 2003;101:337-45.
- Haines CJ, Xing SM, Park KH, Holinka CF, Ausmanas MK. Prevalence of menopausal symptoms in different ethnic groups of Asian women and responsiveness to therapy with three doses of conjugated estrogens/medroxyprogesterone acetate: the Pan-Asia Menopause (PAM) study. Maturitas 2005;52:264-76.
- Handa VL, Bachus KE, Johnston WW, Robboy SJ, Hammond CB. Vaginal administration of low dose conjugated estrogens: systemic absorption and effects on the endometrium. Obstet Gynecol 1994;84:215-8.
- Harlow SD, Gass M, Hall JE, et al. Executive summary of the stages of reproductive aging workshop +10: addressing the unfinished agenda of staging reproductive aging. Menopause 2012;19:387-95.
- Harris ST, Watts NB, Genant HK, et al. Effects of risedronate treatment on vertebral and nonvertebral fractures in women with postmenopausal osteoporosis. Henderson VW, Benke KS, Green RC, Cupples LA, Farrer LA, Postmenopausal hormone therapy and Alzheimer's disease risk: interaction with age. J Neurol Neurosurg Psychiatry 2005;76:103-5.
- Hendrix SL, Wassertheil-Smoller S, Johnson KC, Howard BV, Koopersberg C, Rossouw JE, et al. Effects of conjugated equine estrogen on stroke in the Women's Health Initiative. Circulation 2006;113:2425-34.
- Henriksson L, Stjernquist M, Boquist L, Cedergren I, Selinus I. A one year multicenter study of efficacy and safety of a continuous, low-dose, estradiol-releasing vaginal ring (Estring) in postmenopausal women with symptoms and signs of urogenital aging. Am J Obstet Gynecol 1996;174:85-92.

- Hersh AI, Stefanic MI, Stafford RS. National use of postmenopause hormone therapy: annual trends and response to recent evidence. JAMA. 2004;291:47-53.
- Hillard TC, Whicroft SJ, Marsh MS, Ellerington MC, Lees B, Whitehead MI, Stevenson JC. Long-term effects of transdermal and oral hormone replacement therapy on postmenopausal bone loss. Osteoporosis Int 1994;4:341-8.
- Hirata JD, Swiersz LM, Zell B. Does dong qui have estrogenic effects in postmenopausal women? a double-blind, placebo-controlled trial. Fertil Steril 1997;68:605-13.
- Hsia J, Langer RD, Manson JE, Kuller L, Johnson KC, Hendrix SL, et al. Conjugated equine estrogens and coronary heart disease. The Women's Health Initiative. Arch Intern Med 2006;166:357-65.
- Hulley S, Furberg C, Barrett-connor E, Cauley J, Grady D, Haskell W, et al. Noncardiovascular disease outcomes during 6.8 years of hormone therapy: Heart and estrogen/progestin replacement study follow-up (HERS II), JAMA 2002;288:58-66.
- Hulley S, Grady D, Bush T, Furberg C, Herrington D, Riggs B, et al. Randomized trial of estrogen plus progestin for secondary prevention of coronary heart disease in postmenopausal women. JAMA 1998;280:605-13.
- Humphrey LL, Chan BKS, Sox HC. Postmenopausal hormone replacement therapy and the primary prevention of cardiovascular disease. Ann Intern Med 2002;137:273-84.
- Israel D, Youngkin Y. Herbal therapies for perimenopausal and menopausal complaints. Pharmacother 1997;17:970-84.
- Jacobsen DE1, Melis RJ, Verhaar HJ, Olde Rikkert MG. Raloxifene and tibolone in elderly women: a randomized, double-blind, double-dummy, placebo-controlled trial. J Am Med Dir Assoc. 2012;13:189.
- Jilak RL. Cytokines, bone remodeling, and estrogen deficiency: a 1998 update. Bone 1998;23:75-81.
- Keinan-Broker, et al. Dietary phytoestrogen and breast cancer risk. Am J Clin Nutr 2004;79:282-7.
- Kessel B. Alternatives to estrogen for menopausal women. Proc Soc Exp Biol Med 1998;217:38-44.
- Kessler RC, McGonagle KA, Swartz M, Blazer DG, Nelson CB. Sex and depression in the National Comorbidity Survey I: lifetime prevalence, chronicity and recurrence. J Affective Disorders 1993;29:85-92.
- Kleerekoper M. Prevention of postmenopausal bone loss and treatment of osteoporosis. Semin Reprod Med 2005;23:141-8.
- Komm BS, Mirkin S, Jenkins SN. Development of conjugated estrogens/bazedoxifene, the first tissue selective estrogen complex (TSEC) for management of menopausal hot flashes and postmenopausal bone loss. Steroids. 2014 pii: S0039-128X(14)00143-3.
- Kritz-Silverstein, et al. Usual dietary isoflavone intake, bone mineral density, and bone metabolism in postmenopausal women. J women Health Gend based Med 2002;11:69.
- Kronenberg F. Hot flushes. In: Lobo RA, editor. Treatment of the postmenopausal women. 2nd ed. Philadelphia: Williams & wilkins; 1999.
- Lacey JV, Jr Mink PJ, Lubin JH, Sherman ME, Troisi R, Hartge P, Schatzkin A, Schairer C. Menopausal hormone replacement therapy and risk of ovarian cancer. JAMA 2002;288:334.
- LaCroix AZ, Chlebowski RT, Manson JE, Aragaki AK, Johnson KC, Martin L, et al. Health outcomes after stopping conjugated equine estrogens among postmenopausal women with prior hysterectomy. JAMA 2011;305:1305-14.
- Laumann EO, Paik A, Rosen RC. Sexual dysfunction in the United States: prevalence and predictors, JAMA 1999;281:537-44.
- LeBlanc ES, Janowsky J, Chan BKS, Nelson HD. Hormone replacement therapy and cognition: systematic review and meta- analysis. JAMA 2001;285:1489-99.
- Lee RB, Burke TW, Park RC. Estrogen replacement therapy following treatment for stage I endometrial carcinoma. Gynecol Oncol 1990;36:189.
- Lindsay R, Gallagher JC, Kleerekoper M, Pickar JH. Effect of lower dose of conjugated equine estrogen with and without medroxyprogesterone acetate on bone in early postmeno pausal women. JAMA 2002;207:2668-76.
- Lindsay R, Hart DM, MacLean A, Garwood J, Clarkel AC, Kraszewski A. Bone loss during oestriol therapy in postmenopausal women. Maturitas 1979;1:279-85.
- Lobo RA. Treatment of the postmenopausal woman: Basic and clinical aspects. 2nd ed. Philadelphia: Lippincott Williams & Wilkins Press; 1999. p.43.
- M.O. Susan, What is the optimal duration of bisphosphonate therapy? Clevel. Clin. J. Med. 2011;78:619-30.
- Maid Taylor. Bioidentical estrogen: Hope or hype? Sexuality, Reprod. & Menopause 2005;2:68-71.
- Manson JE, Hsia J, Johnson KC, Rossouw JE, Assaf AR, Lasser NL, et al. Estrogen and progestin and the risk of coronary heart disease. N Engl J Med 2003;349:523-34.
- Mark JB, Alison Al, John AB, Andrew G, Graeme SM, GregDG, et al., Effect of calcium supplements on risk of myocardial infarction and cardiovascular events: meta-analysis, BMJ 341(2010) c3691.
- Masters WH, Johnson VE. Human sexual response. Boston: Little Brown; 1966.
- McKee J, Warber SL. Integrative therapies for medicine. South Med J 2005;98:319-26.
- Mendelsohn ME, Karas RH. Molecular and cellular basis of

cardiovascular gender differences. Science 2005;308:1583-7.
- Meunier PJ, Roux C, Seeman E, Ortolani S, Badurski JE, Spector TD, et al. The effects of strontium ranelate on the risk of vertebral fracture in women with postmenopausal osteoporosis. N Engl J Med 2004;350:459-68.
- Miles RA, Press MF, Paulson RJ, Dahmoush L, Lobo RA, Sauer MV. Pharmacokinetics and endometrial tissue levels of progesterone after administration by intramuscular and vaginal routes: a comparative study. Fertil Steril 1994;62:485-90.
- Miller J, Chan BKS, Nelson HD. Postmenopausal estrogen replacement and risk for venous thromboembolism: a systematic review and meta-analysis for the U.S. Preventive Services Task Force. Ann Intern Med 2002;136:680-90.
- Morabito N, et al. Effect of genistein and Hormone replacement therapy on bone loss in early postmenopausal women: A randomized double-blind placebo -controlled study. J Bone Miner Res 2002;17:1904.
- Morabito N, Crisafulli A, Vergara C, Gaudio A, Lasco A, Frisina N, et al. Effects of genistein and hormone-replacement therapy on bone loss in early post-menopausal women 2002;17:1904-12.
- MORE Investigators. Reduction of vertebral fracture risk in postmenopausal women with osteoporosis treated with raloxifene. JAMA 1999;282:637-45.
- Mulnard RA, Cotman CW, Kawas C, van Dyck CH, Sano M, Doody R, et al. Estrogen replacement therapy for treatment of mild to moderate Alzheimer Disease: a randomized controlled trial. JAMA 2002;283:1007-15.
- Nanda K, Bastian LA, Hasselblad V, Simel DL. Hormone replacement therapy and the risk of colorectal cancer: a meta-analysis. Obstet Gynecol 1999;93:880-8.
- National Osteoporosis Foundation. Physician's guide to prevention and treatment of osteoporosis. 2nd ed. Washington, DC: National Osteoporosis Foundation; 2003.
- Neer R, Arnaud C, Zanchetta J, et al. Effects of parathyroid hormone(1-34) Neer RM, Arnaud CD, Zanchetta JR, Prince R, Gaich GA, Reginster JY, et al. Effect of parathyroid hormone(1-34) on fractures and bone mineral density in postmenopausal women with osteoporosis. N Engl J Med. 2001;344:1434-41.
- Neff MJ. NAMS releases position statement on the treatment of vasomotor symptoms associated with menopause. Am Fam Physician. 2004;15:70:393-4, 396-9.
- Nelson HD, Humphrey LI, Nygren P, Teutsch SM, Allan JD. Postmenopausal hormone replacement therapy: scientific review. JAMA 2002;288:872-81.
- Nelson LM. Clinical practice. Primary ovarian insufficiency. N Engl J Med 2009;360:606-14.
- NIH Concensus Development Panel on Osteoporosis Prevention, Diagnosis, and therapy. Osteoporosis prevention, diagnosis, and therapy. JAMA 2001;285:785-95.
- O'Donnell S, Cranney A, Wells GA, Adachi JD, Reginster JY. Strontium ranelate for preventing and treating postmenopausal osteoporosis. Cochrane Database Syst Rev. 2006;4:CD005326.
- Patel M, Brown CS, Bachmann G. Sexual function in the menopause and perimenopause. In Goldstein I, Meston CM, Davis SR, Traish AM, editor. Women's sexual function and dysfunction. United Kingdom: Taylor & Francis Press; 2006. p.251-62.
- Pauls RN, Kleeman SD, Karram MM. Female sexual dysfunction: principles of diagnosis and therapy. Obstet Gynecol Surv 2005;60:196-205.
- Pickar JH, Yeh IT, Wheeler JE, Cunnane MF, Speroff L. Endometrial effects of lower doses of conjugated equine estrogens and medroxyprogesterone acetate: two year substudy results. Fertil Steril 2003;80:1234.
- Prentice A. Diet, nutrition and the prevention of osteoporosis. Public Health Nutr 2004;7:227-43.
- Prentice RL, Chlebowski RT, Stefanick ML, Manson JE, Langer RD, Pettinger M, et al. Conjugated equine estrogens and breast cancer risk in the Women's Health Initiative clinical trial and observational study. Am J Epidemiol 2008;167:1407-15.
- Prentice RL, Chlebowski RT, Stefanick ML, Manson JE, Pettinger M, Hendrix SL, et al. Estrogen plus progestin therapy and breast cancer in recently postmenopausal women. Am J Epidemiol 2008;167:1207-16.
- Prestwood KM, Kenny AM, Kleppinger A, Kulldorff M. Ultralow-dose micronized 17beta-estradiol and bone density and bone metabolism in older women: a randomized controlled trial. JAMA. 2003;290:1042-8.
- Raudaskoski T, Tapanainen J, Tomas E, Luotola H, Pekonen F, Ronni-Sivula H, et al. Intrauterine 10 microg and 20 microg levonorgestrel systems in postmenopausal women receiving oral oestrogen replacement therapy: clinical, endometrial and metabolic responses. Br J Obstet Gynecol 2002;109:136-44.
- Reed-Kane D. Natural hormone replacement therapy: what it is and what consumers really want. Int J Pham Compound 2001;5:332-5.
- Rice MM, Graves AB, McCurry SM, Gibbons LE, Bowen JD, McCormick WC, et al. Postmenopausal estrogen and estrogen-progestin use and 2-year rate of cognitive change in a cohort of older Japanese American women: the Kame project. Arch Intern Med 2000;160:1641-9.
- Rodriguez C, Calle EE, Coates RJ, Miracle-McMahill HL, Thun MJ, Heath CW. Estrogen replacement therapy and fatal ovari-

an cancer. Am J Epidemiol 1995;141:828-35.

- Rubinacci A, Peruzzi E, Modena AB, Zanardi E, Andrei B, De Leo V, Pansini FS, Quebe-Fehling E, de Palacios PI. Effect of low-dose transdermal E2/NETA on the reduction of postmenopausal bone loss in women. Menopause 2003;10:241-9.
- S. Khosla, D. Burr, J. Cauley, et al., Bisphosphonate-associated osteonecrosis ofthe jaw: report of a task force of the American Society for Bone and MineralResearch, J. Bone Miner. Res. 2007;22:1479.
- S.T. Harris, N.B. Watts, H.K. Genant, et al., Vertebral Efficacy With RisedronateTherapy (VERT) study group. Effects of risedronate treatment on vertebral and non-vertebral fractures in women with postmenopausal osteoporosis: a randomized controlled trial, JAMA 1999;282:1344-52.
- Schierbeck LL, Rejnmark L, Tofteng CL, Stilgren L, Eiken P, Mosekilde L, et al. Effect of hormone replacement therapy on cardiovascular events in recently postmenopausal women: randomised trial. BMJ 2012;345:e6409.
- Semimons JP, Wagner G. Estrogen deprivation and vaginal function in postmenopausal women. JAMA 1982;248:445-8.
- Sherwin B, Gelfand M. Sex steroids and affect in the surgical menopause: a double-blind, cross-over study. Psychoneuroendocrinology 1985;10:325-35.
- Shifren JL, Schiff I. Menopause. In: Berek JS, editor. Berek &Novak's Gynecology. 14th ed. Philadelphia: Lippincott Williams& Wilkins Press; 2007. p.1323.
- Shifren JL, Schiff I. Menopause. In: Berek JS, editor. Berek & Novak's Gynecology. 14th ed. Philadelphia: Lippincott Williams & Wilkins Press; 2007. p.1323-40,
- Shumaker SA, Legault C, Kuller L, Rapp SR, Thal L, Lane DS, et al. Conjugated equine estrogens and incidence of probable
- dementia and mild cognitive impairment in postmenopausal women: Women's Health Initiative Memory Study. JAMA 2004;291:2947-58.
- Shumaker SA, Legault C, Rapp SR, Thal L, Wallace RB, Ocikene JK, et al. Estrogen plus progestin and the incidence of dementia and mild cognitive impairment in postmenopausal women. the Women's Health Initiative Memory Study: a randomized controlled trial. JAMA 2003;289:2651-62.
- Siddle N, Sarrel P, Whitehead M. The effect of hysterectomy on the age at ovarian failure: identification of a subgroup of women with premature loss of ovarian function and literature review. Fertil Steril 1987;47:94-100.
- Simon JA, Hsia J, Cauley JA, Richards C, Harris F, Fong J, et al. Postmenopausal hormone therapy and risk of stroke: the Heart and Estrogen-progestin Replacement Study (HERS). Circulation 2001;103:638-42.
- Singer A, Grauer A. Denosumab for the management of postmenopausal osteoporosis. Postgrad Med. 2010;122:176-87.
- Soules MR, Sherman S, Parrot E, Rebar R, Santoro N, Utian W, et al. Stages of Reproductive Aging Workshop (STRAW). J Womens Health Gend Based Med. 2001;10:843-8.
- Spector I, Carey M. Incidence and prevalence of the sexual dysfunction: A critical review of empirical literature. Arch Sex Behav 1990;19:389-408.
- Speroff L, for the United States VR Investigator Group. Efficacy abd tolerability of a novel edtradiol vaginal ring for relief of menopausal symptoms. Obstet Gynecol 2003;102:823-4.
- Speroff L, Fritz MA. Menopause and the perimenopausal transition. In: Clinical gynecologic endocrinology and infertility. 7th ed. Philadelphia: Lippincott Williams & Wilkins Press; 2005. p.629.
- Stearns V, Beebe K, Iyengar M, et al. Paroxetine controlled release in the treatment of menopausal hot flashes. JAMA 2003;289:2827-34.
- Stefanick ML, Anderson GL, Margolis KL, Hendrix SL, Rodabough RJ, Paskett ED, et al. Effects of conjugated equine estrogens on breast cancer and mammography screening in postmenopausal women with hysterectomy. JAMA 2006;295: 1647-57.
- Tella SH, Gallagher JC. Prevention and treatment of postmenopausal osteoporosis. J Steroid Biochem Mol Biol 2014; 142:155-70.
- The Writing Group for the PEPI Trial. Effect of hormone replacement therapy on endometrial histology in postmenopausal women: the postmenopausal estrogen/progestin Interventions (PEPI) Trial. JAMA 1996;275:370.
- Unfer V, Casini ML, Costabile L, Mignosa M, Gerli S, Di Renzo GC. Endometrial effects of long-term treatment with phytoestrogens: a randomized, double-blind, placebo-controlled study 2004;82:145-8.
- Utian WH, Shoupe D, Bachmann G, Pinkerton JV, Pickar JH. Relief of vasomotor symptoms and vaginal atrophy with lower doses of conjugated equine estrogens and medroxyprogesterone acetate. Fertil Steril 2001;75;1065-79.
- Utian WH. The international menopause society menopauserelated terminology definitions. Climateric 1999;2:284-6.
- Vincent A, Barton DL, Mandreker JN, Cha SS, Zais T, Wahner-Roedler DL, et al. Acupuncture for hot flashes: a randomized, sham-controlled clinical study Menopause 2007;14:45-52.
- Viscoli CM, Brass LM, Kernan WN, Sarrel PM, Suissa S, Horwitz RI. A clinical trial of estrogen-replacement therapy after ischemic stroke. N Engl J Med 2001;345:1243-9.
- Waetjen LE, Brown JS, Vittinghoff E, Ensrud KE, Pinkerton J,

Wallace R, Macer JL, Grady D. The effect of ultralow-dose transdermal estradiol on urinary incontinence in postmenopausal women. Obstet Gynecol 2005;106:946-52.
- Walsh BW, Li H, Sacks FM. Effects of postmenopausal hormone replacement with oral and transdermal estrogen on high density protein metabolism. J Lipid Res 1994;35:2083-93.
- Walters KA, Brain KR, Green DM, James VJ, Watkinson AC, Sands RH. Comparison of the transdermal delivery of estradiol from two gel formulations. Maturitas 1998;29:189-95.
- Wassertheil-Smoller S, Hendrix SL, Limacher M, Heiss G, Kooperberg C, Baird A, et al. Effect of estrogen and progestin on stroke in postmenopausal women. The Women's Health Initiative: a randomized trial. JAMA 2003;89:2673-84.
- Weiss SR, Ellman H, Dolker M. A randomized controlled trial of four doses of transdermal estradiol for preventing posmenopausal bone loss. Obstet Gynecol 1999;94:330-6.
- Westheimer RK, Lopater S, editors. Sexuality in adulthood & Aging. In: Human sexuality. 2nd ed. Philadelphia: Lippincott Williams & Wilkins Press; 2005. p.459-504.
- Wiklund IK1, Mattsson LA, Lindgren R, Limoni C. Effects of a standardized ginseng extract on quality of life and physiological parameters in symptomatic postmenopausal women: a double-blind, placebo-controlled trial. Swedish Alternative Medicine Group.Int J Clin Pharmacol Res 1999;19:89-9.
- Williamson J, White A, Hart A, Ernst E. Randomised controlled trial of reflexology for menopausal symptoms 2002; 109:1050-5.
- Women's Health Initiative Steering Committee. Effects of conjugated equine estrogen in postmenopausal women with hystetectomy: the Women's Health Initiative randomized controlled trial. JAMA 2004;291:1701-12.
- World Health Organization. Prevention and management of osteoporosis. Technical report series 2003;921:1-5.
- World Health Organization. WHO scientific group on the assessment of osteoporosis at primary health care level. Summary of meeting report Brussels, Belgium 2004.
- Writing Group for the Women's Health Initiative Investigators. Risk and benefits of estrogen plus progestin in healthy postmenopausal women: principal results from the Woman's Health Initiative randomized controlled trial. JAMA 2002; 288:321-33.
- Wuttke W, et al. The Climicifuga preparation BNO 1055 vs. conjugated estrogens in a double-blind placebo-controlled study :effects on menopause symptoms and bone markers. Maturitas 2003;44:S67-72.
- Wyon Y, Lindgren R, Lundeberg T, Hammar M. Effects of Acupuncture on Climacteric Vasomotor Symptoms, Quality of Life, and Urinary Excretion of Neuropeptides among Postmenopausal Women 1995;2:3-12.
- Yoon BK, Kim DK, Kang Y, Kim JW, Shin MH, Na DL. Hormone replacement therapy in postmenopausal women with Alzheimer's disease: a randomized, prospective study. Fertil Steril 2003;79:274-80.
- Zajecka J. Strategies for the treatment of antidepressant-related sexual dysfunction. J Clin Psychiatry 2001;6291:34-43.

제26장

비만

황규리 | 서울의대
이경욱 | 고려의대
주종길 | 부산의대

1. 서론

세계보건기구(World Health Organization, WHO)는 2002년 전 세계의 사인 중에서 심혈관질환이 30%에 도달함을 지적하고 세계 각국의 보건 정책에서 비만의 해소를 가장 중요한 대책으로 할 것을 권고한 바 있다. 그 결과 많은 선진국과 일부 개발도상국가에서 비전염성 질환의 예방과 조절에 있어서 비만의 관리를 중요한 전략 분야의 하나로 채택하고 있다. 세계보건기구는 이미 1998년 비만을 시급히 치료해야할 질병으로 규정하였고 근래 미국에서는 비만과의 전쟁을 선포한 바 있으나, 우리나라는 아직 비만을 질병보다는 행태로 인식하는 경향이 있다. 우리나라도 경제 산업의 발달, 식생활의 서구화 등으로 비만의 유병률이 급속하게 증가하고 있으며 그와 관련된 질환도 늘어나고 있다. 최근 비만에 따르는 심각한 건강상의 문제가 널리 알려짐에 따라 의료인뿐 아니라 일반인의 관심이 높아지고 있는 상황이다. 2018년 우리나라 국민건강 영양 조사 결과 20세 이상 성인에서 비만 유병률은 남자 42.8%, 여자 25.5%를 보이고 있다. 비만 인구의 50% 이상이 만성질환과 관련된 대사증후군을 가지고 있고, 비만 자체가 당뇨병, 고혈압, 심근경색, 뇌졸중, 암 등과 같은 만성질환 유발 및 사회경제적 부담 증가와 밀접한 관련이 있으므로 적극적인 비만 예방 및 관리 정책을 개발, 수행하는 것이 필요하다. 정부차원에서는 1995년 국민건강증진법을 제정하면서 비만예방과 적정체중 유지를 위한 보건사업을 시작된 이래, 제 4차 국민건강증진종합계획(Health Plan 2020, 2016-2020) 비만 부분에서 비만인구가 지속적으로 증가하는 현황과 더불어 국내 비만인구의 증가를 억제하고 균형 잡힌 식생활, 규칙적인 운동 등의 비만 예방을 위한 건강생활 실천의 향상을 앞으로의 목적으로 제시하고 있다.

2. 비만의 역학과 원인

비만이란 체지방의 과잉 축적을 말하며 이는 장기간의 점진적이고 지속적인 체중증가를 일으키는 아주 작은 에너지의 불균형에 의해서도 일어날 수 있다. 에너지 균형의 변화는 에너지 섭취와 소모간의 차이에 의한다. 장, 지방조직, 뇌와 기타 조직에서 영양 섭취, 분배, 대사, 저장 등에 대한 신호 기전의 증거가 규명되고 이러한 기전이 뇌에서 조절되어 체내 에너지 저장이 유지되도록 식욕, 육체활동, 대사활동의 변화를 조절한다. 아디포카인의 일종인 렙틴이 몸

속의 중성지방 비율에 따라 지방세포에서 분비되어 뇌하수체 렙틴 수용체에 결합하여서 에너지 균형에 관여한다고 밝혀진 이후(Caro et al., 1996), 체중 조절의 생리기전이 더욱 확실히 이해되었다. 만성적인 에너지 섭취 증가의 시작은 체내에서 요구하는 에너지 필요량에 비해 에너지 섭취가 증가하는 것으로 시작된다. 즉 전체 에너지 섭취 증가나 에너지 소모의 감소 또는 두 가지 모두가 체중증가의 원인이다. 비만의 유병인구는 지속적으로 증가하고 있는데, 미국의 경우 2015-2016년에 체질량지수 30 이상의 비만 인구가 백인여성의 38.0%, 백인남성의 37.9%로 보고되었고, 우리나라도 1995년 체질량지수 25 이상의 비만 인구가 여성 18.0%, 남성 11.7%로 보고되었는데, 이 수치는 2008년 26.5%와 25.6% 로 급격히 증가하였으며, 2013년에는 27.5%와 37.6%로 인구의 고령화 및 소득수준의 향상, 과다한 영양 섭취 및 영양 불균형의 심화 때문에 비만율이 급증하고 있다. 최근 몇 해 동안 비만인구가 급격히 증가한 것은 이 현상이 너무나 짧은 시간에 일어나 사람들 사이에서 적응할 만한 어떠한 유전적 변화도 일어나지 않았기 때문이다. 이것은 비만증가의 일차적인 원인을 세계 대다수의 사람들에게 영향을 미치는 현재의 환경과 사회적인 변화에서 찾아야 한다는 것을 암시한다.

1) 일차성 비만의 원인

단순성 비만이라고 불리던 일차성 비만은 전체의 90% 이상을 차지한다. 비만은 흔히 복잡한 다인자성 질환으로 간주된다. 이는 양적 에너지 균형을 유도하는 생활습관의 결과에 의한 상태일 뿐 아니라 양적 에너지 균형에 대한 유전적 감수성이 있는 사람에서 더 쉽게 나타날 수 있다. 남성보다 여성에서 지방 축적이 더 많은 경향이 있다(이중호 등, 2003). 여성은 생식기능에 지방 축적이 필수적이며 남성이 단백질 합성에 에너지를 주로 이용하는데 비해 여성은 지방 축적에 더 많은 에너지를 보내는 경향이 있다. 지방의 저장이 단백질보다 에너지로서 더 효율적으로 작용하며 기초 대사율이 높지 않아 양적 영양균형이 지방 축적에 기여한다. 폐경기에 들어서는 연령이 증가함에 따라 체중이 증가하는데 왜 폐경여성에서 체중이 증가하는지는 아직 명백히 밝혀지지 않고 있다. 이 시기에 신체 활동의 감소와 식습관의 변화, 대사 활동의 감소가 체중증가의 원인으로 생각된다. 인종적인 면에서는 비만과 비만 합병증에 대한 감수성이 높은 민족이 있는데, 비만에 대한 유전적 경향과 경제적으로 풍족한 생활습관이 공존될 때 그 경향이 더 명백히 나타난다. 그 예로 도시에 사는 동남아시아 사람들에게 심혈관질환에 의한 사망률과 당뇨병의 유병률이 다른 민족에서 보다 높다. 비만은 체중증가에 영향을 주는 개인의 지방 축적 반응 외에 체지방 과잉의 정도와 지역적인 분포에 따라 차이가 있다. 이러한 차이는 유전적 다양성 외에 이전에 개인이 노출되어 온 경험과 환경에 의하는데, 비만에 대한 감수성을 높이는데 어떤 유전자와 돌연변이가 연관되어 있는지, 어떻게 그런 것들이 작용하고 서로 영향을 끼치는 지는 아직 불확실하다. 유전적 요인에 의해 체질량 변이의 40-70% 정도가 영향을 받으며, 최근 Genome-side association studies (GWAS) 연구를 통해 30개 이상의 비만과 관련된 유전자들이 규명되고 있다. 일반적으로 체중증가에 관계된 유전자는 불리한 환경에 노출되었을 때 개인의 비만 발생 위험이나 감수성을 증가시키며, 한편 어떤 유전 질환일 경우에는 특별한 유전자 효과가 비만 발생에 관여한다. 동물실험에서와 같이 인간에서도 비만에 대한 유전적 경향이 고지방식에 특히 감수성이 있는 것으로 나타났는데, 이러한 감수성은 체중이 쉽게 증가하게 하는 유전자가 있거나 또는 체중증가를 방어하는 유전자가 없는 것이기 때문으로 보인다. 결론적으로 일차성 비만 발생은

표 26-1. 일차성 비만의 원인

분류
연령 및 성별
식이 및 식사 습관
생활습관
인종 및 사회 경제적 요인
기타

특정 단일 원인으로만 설명이 어렵고 다양한 위험요인이(표 26-1) 복합적으로 작용하는 경우가 많다.

2) 이차성 비만

일부 비만 환자에서 유전 및 선천성 장애, 약물, 신경 및 내분비계 질환, 정신과 질환 등이 이차성 비만의 원인(표 26-2)으로 알려져 있으며, 이러한 경우 정확한 원인 감별을 통해 효과적인 체중 감량을 기대할 수 있다.

3. 비만의 평가와 진단

비만은 '지방이 체내에 필요이상으로 과도하게 축적된 상태'로 정의한다. 하지만 최근에는 체지방의 양뿐만 아니라 체지방의 분포도 중요하다는 사실이 알려지면서 이를 측정하기 위한 여러 검사 방법들이 개발되어 임상에서 사용되고 있다. 체질량지수, 허리둘레, 생체전기저항분석법(Bio-electrical Impedance Analysis, BIA), 자기공명 영상 촬영(Magnetic Resonance Imaging, MRI), 전산화 단층촬영(Computed Tomography, CT), 이중 에너지 X-선 흡수계(Dual Energy X-ray Absorptiometry, DEXA) 등의 방법들이 있다(대한비만학회, 2008: 대한비만학회, 2012). 이들 검사 방법들은 각자 고유의 특성과 임상적 활용도를 가지고 있기 때문에, 비만 진단에 어느 것이 더 우수하다고 말하기는 어렵고 실제 임상에서도 이들을 혼용해서 사용하고 있는 실정이다.

1) 체질량지수(Body Mass Index, BMI)

비만을 평가하기 위해 가장 보편적으로 사용되는 방법은 체질량지수를 사용하는 방법이다. 체질량지수는 체중(kg)을 신장(meter)의 제곱으로 나눈 값으로, 다음과 같은 방법으로 체질량지수를 구할 수 있다.

신장 170 cm, 체중 75 kg인 사람의 체질량지수 구하기
체질량지수 = 체중(kg)/[신장(m^2)]
= 75 kg/$(1.7\ m)^2$ = 26 kg/m^2

이 측정법을 처음 사용하게 된 계기는, 과거 체지방량을 측정하는 지표를 탐색하는 과정에서 체질량지수가 체지방량과 상관성이 상당히 높고 측정법이 간편했기 때문이다. 체중계와 줄자와 같은 간단한 도구를 가지고 측정해 비용이 거의 들지 않고 고도의 훈련도 필요 없으므로 간단히 임상이나 역학연구에 사용할 수 있다는 장점이 있다. 임상에서 활용 빈도가 가장 높고, 지금까지의 비만 연구들도 체질량지수를 중심으로 이루어진 것들이 가장 많다. 이러한 이유로 국제적인 비만 진단기준 권고안도 체질량지수를 이용하여 수립되었다. 체질량지수를 통해 제2형 당뇨병, 이상지질혈증, 심혈관계질환, 뇌졸중, 암(유방암, 대장암 등) 발생의 위험을 예측할 수 있고 사망률을 포함한 건강위험도를 평가할 수 있다(Oh et al., 2004: Jee et al., 2005: Song

표 26-2. 이차성 비만의 원인(대한비만학회, 2018)

분류	원인
유전 및 선천성 장애	사람에서 알려진 비만유발 유전자: *ob*, *db*, POMC, MC4R 유전자 등 비만과 관련된 선천성 질환: Prader-Willi syndrome, Laurence-Moon-Biedl syndrome, Ahlstrom syndrome, Cohen syndrome, Carpenter syndrome
약물	항정신병약물, 삼환계항우울제, 알파-2 길항제, 선택적 세로토닌 재흡수 억제제, 항전간제, 당뇨병 치료제, 세로토닌 길항제, 항히스타민제, 베타차단제, 알파차단제, 스테로이드 제제
신경 및 내분비계 질환	시상하부성 비만(외상, 종양, 감염성 질환, 수술, 뇌압상승), 쿠싱증후군, 갑상선기능저하증, 인슐린종, 다낭난소증후군, 성인 성장호르몬 결핍증
정신 질환	과식장애(Binge-eating disorder), 계절성 정서장애(seasonal affective disorder)

et al., 2004: Oh et al., 2005). 지금까지의 많은 연구결과들을 종합해 보면 체질량지수와 사망률의 연관성은 J 또는 U 자형의 관련성을 보이고 있다(WHO, 1997).

체중과 신장을 정확하게 측정하는 것이 체질량지수를 산출하는데 중요하다. 체중은 하루에도 시간에 따라 변동이 있기 때문에 가능하면 동일한 시간에 동일한 조건에서 측정하는 것을 권장한다. 체중 측정은 8시간 금식 후 아침에 소변을 본 후 가벼운 옷차림으로 측정하는 것이 좋다. 가임기 여성의 경우 월경주기로 인하여 1-2 kg 정도 변화될 수 있다는 점을 감안하여 비만도를 측정한다. 신장은 신장계에 발뒤꿈치는 붙이고 발은 60도 간격으로 벌린 상태에서 가능한 머리, 등, 어깨뼈(scapula), 엉덩이, 발꿈치를 벽에 붙이고 숨을 깊이 들이 쉰 상태로 측정한다. 체중(0.1 kg)과 신장(0.1 cm) 모두 소수점 한 자리까지 측정한다.

체질량지수를 활용한 비만의 진단기준을 살펴보면, 세계보건기구(WHO)에서는 인종과 성별에 상관없이 체질량지수 25.0-29.9 kg/m2를 과체중으로, 30 kg/m2 이상을 비만으로 정의하여 사용하길 권고한 바가 있다(WHO, 1997). 하지만 아시아인은 서구인들보다 훨씬 더 적은 체질량지수를 가지고 있음에도 불구하고 당뇨병, 고지혈증 등의 비만 관련 질병 유병률이 비슷해 이들 기준을 적용할 경우 비만으로 인한 위험이 과소평가될 수 있다는 의견들이 제시되었다. 이로 인해 세계보건기구 서태평양 지역(WHO Western Pacific Region)과 아시아지역 전문 학술 단체들이 모여 체질량지수 23.0-24.9 kg/m2를 아시아인의 과체중으로, 체질량지수 25 kg/m2 이상을 비만기준으로 사용할 것을 결의한 바가 있다(WHO/IASO/IOTF, 2000). 현재 한국을 비롯한 아시아지역에서는 이 기준이 통용되어 사용되고 있다. 이를 기준으로 제시된 한국인의 비만 진단 기준은 아래와 같다(표 26-3). 이 기준에 의한 과체중 영역에 대해서는 다소 논란이 있다. 한국인의 체질량지수와 사망의 연관성을 분석한 연구에서 이 영역 부근에서 가장 사망위험이 낮았으나(Jee et al., 2006), 국민건강보험공단 자료를 분석한 최근의 연구에서는 당뇨병, 고혈압, 이상지질혈증의 3가지 질환 중 1가지 이상을 가질 위험이 체질량지수 23 kg/m2에서 증가하였기 때문이다(Seo et al., 2018). 과체중의 진단에 대해서는 향후 여러 연구를 통해 그 필요성이 검증되어야 할 것으로 판단하고 있으며, 이런 이유로 현재 정부와 국민건강보험공단 등에서는 과체중의 정의를 인정하지 않고 있다.

일반적인 성인에서 체질량지수는 체지방량과 상관성이 높아 활용도가 높지만, 운동선수처럼 근육이 많은 사람은 상대적으로 근육량이 많기 때문에 비만이 아니어도 비만으로 잘못 진단될 가능성이 있다. 성장기 어린이에서는 연령에 따른 체질량지수 기준을 사용해서 비만과 과체중을 진단해야 하며, 임산부, 수유 중인 여성, 척추질환(척추 측만증,

표 26-3. 한국인의 비만 진단 기준(대한비만학회, 2018)

분류*	체질량지수(kg/m2)	허리둘레에 따른 동반질환의 위험도	
		<90 cm(남자), <85 cm(여자)	≥90 cm(남자), ≥85 cm(여자)
저체중	<18.5	낮음	보통
정상	18.5-22.9	보통	약간 높음
비만전단계	23-24.9	약간 높음	높음
1단계비만	25-29.9	높음	매우 높음
2단계비만	30-34.9	매우 높음	가장 높음
3단계비만	≥35	가장 높음	가장 높음

*비만전단계는 과체중 또는 위험체중으로, 3단계 비만은 고도 비만으로 부를 수 있다.

후만증 등)을 가진 환자, 근육량이 부족한 노인에서는 체질량지수로 비만을 평가하는 것이 정확하지 않을 수 있다.

2) 허리둘레

지방의 분포는 질병과의 연관성에 있어서 체지방량과 독립적인 중요성을 가지고 있다. 특히 내장지방을 포함한 복부지방의 축적은 제 2형 당뇨병, 대사증후군, 관상동맥질환 등의 질병 이환율과 사망률 증가를 초래한다(대한비만학회, 2018).

체간에 생긴 비만은 지방의 축적부위에 따라 주로 배에 많이 축적된 복부비만과 주로 엉덩이에 축적된 둔부비만으로 나눌 수 있다. 복부비만은 둔부비만에 비해 고혈압, 당뇨병, 고지혈증 등 비만관련 질환이 더 잘 생기는 것으로 알려져 있어 위험하다.

허리둘레는 체지방 분포 및 복부비만을 평가하는 방법이다. 허리/엉덩이 둘레비에 대한 자료가 많았으나, 최근 허리둘레가 복부내장 지방의 적절한 지표임이 확인되어 현재는 허리둘레만으로 복부비만을 진단하고 있다(대한비만학회, 2018).

허리둘레의 측정은 근육량이 적은 노인이나 체중감소를 유발하는 질환을 가진 환자 등에서 적은 체질량지수로 비만 진단을 놓치게 되는 실수를 줄이는 효과가 있다. 체질량지수가 정상이라도 복부 비만이 있으면 비만 동반질환의 위험이 증가하기 때문에 체질량지수와 함께 허리둘레를 꼭 측정해야 한다. 허리둘레 측정은 복부 내장지방량을 잘 반영하는 적절한 지표로 복부비만의 진단을 위해 널리 이용되는 방법이다.

허리둘레를 측정하는 방법으로는 세계보건기구(WHO)에서 제시한 측정 방법을 많이 이용한다(WHO, 1997). 양발 간격을 25-30 cm 정도 벌리고 서서 체중을 양발에 균등히 배분시키고, 숨을 내쉰 상태에서 배에 힘을 빼게 하고 측정한다. 측정하는 위치는 갈비뼈 가장 아래 위치(최하위늑골하부)와 골반의 가장 높은 위치(장골능)와의 중간부위를 줄자로 수평으로 측정한다. 측정 시에는 줄자가 피부를 누르지 않을 정도로 하며 0.1 cm 단위까지 측정한다. 장골능 바로 상부를 이용하거나 배꼽주위를 측정하는 방법 등의 다른 측정 부위들도 제시되고 있으나, 국내에서는 세계보건기구의 방법을 사용하는 것이 권장되고 있다(그림 26-1). 심한 비만이나 출산 후 등의 상태에서는 피하지방이 과도하여 허리와 겹쳐져 실제와는 다르게 측정되는 경우가 있다. 이런 경우에는 직립자세에서 피하지방을 들어 올려 측정하는 것을 원칙으로 한다.

허리둘레가 남자에서 90 cm 이상, 여자에서 85 cm 이상일 때 복부비만으로 진단한다. 세계보건기구 아시아-태평양 지역의 복부비만 기준은 남자 허리둘레 90 cm 이상, 여자 허리둘레 80 cm 이상이지만(WHO/IASO/IOTF,

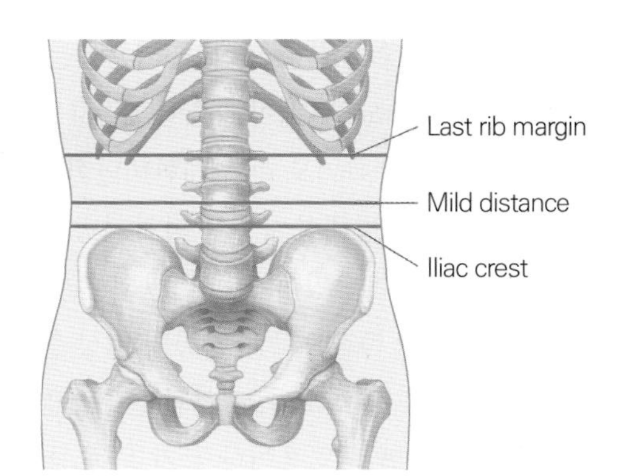

1. 먼저 양 발을 25-30 cm 정도 벌려 체중을 고루 분산시키고 숨을 편안히 내쉰 상태에서 측정한다.
2. 갈비뼈 가장 아래 위치와 골반의 가장 높은 위치(장골능)의 중간 부위를 줄자로 측정한다.
3. 줄자가 피부를 누르지 않도록 하며 0.1 cm 단위까지 측정한다.
4. 복부의 피하지방이 과도하여 허리와 겹쳐지는 경우는 똑바로 선 상태에서 피하지방을 들어 올려 측정한다.

그림 26-1. **허리둘레 측정법(WHO)**

2000), 이를 적용할 경우 국내에선 여성의 복부비만율이 남성에 비해 2배 가까이 과도하게 진단될 가능성이 높고, 진단기준의 설정에 따른 질병부담, 사회적 인식 등을 고려해 2006년 대한비만학회에서는 남자 90 cm 이상, 여자 85 cm 이상을 복부비만 진단기준으로 정하여 사용하고 있다(대한비만학회, 2018). 현재 국민건강보험공단 검진의 복부비만 진단, 질병관리본부 복부비만율 통계 등에서 이 기준을 사용하고 있다. 이 기준에 의한 2015년 국내성인 복부비만 유병률은 20.8%(남자 24.6%, 여자 17.3%)였으며, 2009년 18.4%에서 증가하는 추세이다. 일부에서 여성의 경우에는 폐경 전후에 복부 지방 분포 변화가 달라지므로, 이를 고려한 진단기준을 제시할 필요가 있다는 의견이 제시되고 있다. 하지만 폐경 당시의 기준을 어떻게 적용할 것인가하는 문제와 두 가지 기준을 사용함으로서 오는 혼란으로 인해 아직까지는 논의 단계에 머물러 있다.

3) 생체전기저항분석법(Bioelectrical Impedance Analysis, BIA)

생체전기저항분석법은 체내에 수분이나 근육, 지방 등의 분포에 따라 전기 전도가 다르게 나타나는 특성을 이용해 신체 구성을 예측해 보는 방법이다. 전기 전도는 수분과 전해질의 양이 많을수록 잘 일어나고, 지방량이 많아질수록 감소하게 된다. 이 방법은 신체에 약한 전류를 통과시킨 후에 전기 저항을 측정하고, 이를 신장, 체중, 나이 등을 고려한 공식에 대입하여 체지방율, 근육량 등의 신체 구성을 예측하는 방법이다. 따라서 이 측정법은 이런 공식을 산출하기 위해 이용되었던 대상 집단과 동일한 집단으로 사용이 제한되어야 할 필요가 있다.

이 검사 방법은 간편하고 체지방량, 제지방량, 수분량을 측정할 수 있으며, 비교적 비용이 저렴하며, 측정 조건이 일정하면 재현성이 높다. 그러나 음식이나 수분 섭취, 발한이나 배뇨상태, 월경주기, 수분량의 일중 변동 등에 의해 영향을 받을 수 있으므로 다음의 주의사항을 고려하여 측정한다.

- 검사 4시간 전부터 금식
- 검사 12시간 전에 운동하지 말 것
- 검사 30분 전에 소변을 볼 것
- 검사 48시간 전에 음주하지 말 것
- 검사 일주일 전에 이뇨제를 복용하지 말 것
- 여성의 경우 월경주기 중 체내 수분량이 증가되는 시기에는 검사하지 말 것

생체전기저항분석법을 이용한 비만의 진단은 주로 체지방률을 통해 이루어진다. 실제 국내 임상이나 건강검진에서도 흔히 활용되고 있는 방법이기도 하다. 하지만 아직까지 세계보건기구나 관련 전문 단체들이 진단 기준을 구체적으로 제시한 바가 없다는 한계가 있다. 현재 기존의 연구결과를 근거로 일반적으로 사용하고 있는 기준은 남성 25% 이상, 여성 30% 또는 35% 이상이다.

4) 복부지방 전산화 단층촬영(Computed Tomography, CT)

복부 비만 특히 내장 지방이 축적되는 경우에 비만 관련 대사 질환의 위험성이 증가한다. 허리둘레는 내장지방량을 반영하는 지표로 사용되지만, 보다 정확한 내장지방과 피하지방의 분포를 평가하기 위하여 전산화 단층촬영검사를 하기도 한다.

전산화 단층촬영을 이용한 내장지방의 측정은 방사선의 감쇠치(attenuation number)를 활용하여 측정한다. 이 수치가 -190에서 -30 HU (Hounsfield Unit)에 해당하는 부위가 지방조직에 해당되며, 근육과 장기는 -30에서 +100 HU, 골격은 +100 HU 이상의 값을 보인다. 최근에는 여러 슬라이스로 촬영한 후에 소프트웨어를 활용해 3차원적인 면적을 구하는 방법을 사용하기도 한다(대한비만학회, 2008).

이 방법을 사용하면 내장지방과 피하지방을 구분하고 면적을 산출 비교할 수가 있어, 복부비만의 유형 분석에 활용도가 높다. 비슷한 목적으로 자기공명 영상 촬영을 이용한 방법도 고려해 볼 수 있으나, 전산화 단층촬영을 활용한 방법이 스캔속도가 빨라 호흡이나 장기 운동 등에 의한 영향을 덜 받아 오차가 적은 것으로 알려져 있다. 하지만 자

기공명 영상 촬영 기술의 발달로 이런 상대적인 오차가 점점 줄어들고 있기도 하다. 생체전기저항분석법을 이용한 내장지방 측정을 전산화 단층촬영과 비교한 내장지방 측정치 상관계수(Correlation Coefficient)는 0.8 정도로 알려져 있다. 촬영은 주로 4-5번 요추 사이에서 이루어지며, 내장지방 면적이 100 cm^2 이상 또는 내장지방 면적을 피하지방 면적으로 나눈 내장지방 면적/피하지방 면적 비가 0.4 이상일 경우로 흔히 진단한다(대한비만학회, 2008).

5) 다양한 비만 측정법들을 근거로 한 종합적 평가

지금까지 다양한 비만 측정도구와 방법들이 개발되어 사용되고 있으나, 여기서는 체질량지수, 허리둘레, 생체전기저항분석법, 복부지방 전산화 단층촬영과 같이 국내 임상에서 활용도가 높은 방법들을 중심으로 설명하였다. 이 방법들은 측정부위와 활용 목적이 서로 간에 다르기 때문에, 각자의 고유한 임상적 의미와 해석을 가지고 있다. 이로 인해 측정 대상에 따라 일부 측정 방법에서는 정상으로, 다른 방법에서는 비만으로 분류되는 불일치가 발생할 수 있다. 예를 들어, 체질량지수는 정상이지만 허리둘레는 비만으로 진단될 수 있다. 이런 경우 어떻게 해석하느냐에 대해서는 논란이 있으나, 일반적으로 이들 수치 중에 하나라도 비정상 영역에 속하면 비만으로 분류하는 것이 권장된다. 특히 복부로의 지방 분포가 질병과 연관성이 더 크므로, 허리둘레와 복부지방 전산화 단층촬영 결과에 보다 많은 관심을 가지고 진단할 필요가 있다.

4. 비만 합병증

비만은 여성에서 단지 외형적인 어떤 상태나 만성적인 의학적 상태가 아니라, 신체, 정신, 심리 및 사회 전반에 걸쳐 수많은 합병증을 야기하며 삶의 질을 떨어뜨리는 무섭고도 심각한, 그 자체로서 질병이다. 그리고 비만은 그 정도가 심해질수록 이환율과 사망률도 증가한다. 비만 합병증은 과도한 체중에 의한 합병증과 대사이상에 의한 합병증으로 대별될 수 있다. 그 중에 대표적인 몇 가지를 부연 설명하고자 한다(표 26-4).

1) 심뇌혈관질환

비만의 정도가 심해지면 고혈압의 빈도는 증가한다. 반면에 체중을 10 kg 줄이면, 평균 혈압은 약 5-20 mmHg 정도 낮아진다(Guh et al., 2009; Tsigos et al., 2008). 과도한 지방축적은 심박출량을 증가시키고, 전신혈관의 저항을 감소시키며 결국 좌우심실비대와 심부전을 유발한다. 또한, 비만은 관상동맥질환의 발병위험을 50% 높인다. 비만여성은 체중이 정상인 여성에 비해 모든 종류의 심혈관질환에 의한 사망률과 관상동맥질환에 의한 사망률이 모두 50% 더 높다(Guh et al., 2009; Tsigos et al., 2008). 비만은 허혈성 뇌경색의 상대적 위험을 1.64(95% CI, 1.36-1.99)로 유의하게 높인다(Strazzullo et al., 2010). 체질량지수와 중성지방과는 양의 상관성을, 고밀도지단백콜레스테롤과는 음의 상관성을 지닌다. 특히 복부비만은 관상동맥질환의 발생위험과 더 밀접한 연관이 있는, 작고 치밀한 저밀도지단백(small, dense LDL)과 양의 상관성을 지닌다.

2) 비알코올지방간질환(Non-Alcoholic Fatty Liver Disease, NAFLD)과 담낭질환

NAFLD는 비만에서 호발하는 만성간질환의 가장 흔한 원인이다. 실제 비만 환자의 절반이 NAFLD를 동반한다(Kwon et al., 2012). 한국인에서 우연히 발견된 알라닌아미노전달효소의 상승은 NA링 즉, 비만, 인슐린저항성, 대사증후군 등과 연관이 가장 많았다. 따라서 NAFLD는 오늘날 단순한 간질환을 넘어서, 대사성 질환 혹은 대사증후군의 한 형태로 인식되고 있다(Hyun et al., 2014). 담석은 오래전부터 "fat, female, fertile, forty"라는 특성을 지닌 것으로 알려져 있다. 하지만, 이 중에서 일부는 오늘날과 다르다. 국내 연구가 많지는 않으나, 단면연구에 의하면 남녀간에 담석 발생의 차이가 없었고, 연령의 경우 40대보다는 오히려 연령이 더 증가할수록 더 잘 발생하였다. 반면에 비만하면 담석의 동반 위험이 높다는 것은 변함이 없다(이종

표 26-4. 비만 계통별 동반질환(대한비만학회, 2018)

계통	성인비만	
	대사 이상에 의한 질환	과도한 체중에 의한 질환
심뇌혈관계	관상동맥질환, 고혈압, 뇌경색(허혈성), 울혈성심부전, 동맥경화증	폐색전증, 하지정맥류, 정맥혈전색전증
위장관계	담석, 비알코올성지방간질환	위식도역류, 탈장
호흡기계	-	천식, 수면무호흡증, 저환기증후군
대사내분비계	제2형 당뇨병, 인슐린저항성, 대사증후군, 이상지질혈증, 고요산혈증, 통풍	-
혈액종양	여자: 유방암(폐경 후), 자궁내막암, 난소암, 자궁경부암자궁경부암 남자: 전립선암 남녀 공통: 식도암, 위암, 결장직장암, 간암, 췌장암, 담낭암, 신장암, 백혈병, 다발성골수암, 림프종	-
비뇨 생식기계	생식선저하증, 월경이상, 다낭성난소증후군, 불임, 난임, 성조숙증, 여성형유방, 발기부전, 산모임신합병증(임신당뇨병, 임신고혈압, 임신중독증, 유산), 태아 기형(신경관결손, 입술갈림증, 입천장갈림증, 뇌수종, 심혈관계 이상), 신질환(신결석, 만성신질환, 말기신질환)	긴장성요실금, 산모임신합병증(난산, 제왕절개의 위험)
근골격계	-	운동제한, 허리통증, 골관절염, 척수질환, 족부질환
신경계	특발성 두개뇌압상승, 치매	대퇴부 감각이상증
정신심리	-	우울증, 불안증, 자존감 저하, 식이 장애, 직무능력 저하, 삶의 질 저하, 신체 불만족
기타	흑색가시세포증, 피부감염, 치주질환	마취위험 증가, 림프부종

균 등, 1997; Chung et al., 2007). 여성의 담석발생의 독립적인 위험인자로는 체질량 지수, 연령, 공복 혈당 및 총 콜레스테롤이었다(Chung et al., 2007). 담석발생의 증가 이유는 인슐린 저항성, 고인슐린혈증, 고지혈증 등으로 인해 간의 콜레스테롤 과다분비, 담즙의 과포화, 담낭의 용적 증가, 담낭 운동성 저하, 담낭 수축기능장애 등이 야기되기 때문으로 추정되고 있다(Jeong et al., 2012).

3) 당뇨병

비만의 정도가 심해질수록 제2형 당뇨병의 발생위험이 증가한다(Jensen et al., 2014; Lau et al., 2007; Logue et al., 2010; Wadden et al., 2009). 제2형 당뇨병의 발생위험은 체질량지수 1 kg/m²마다 20%씩 증가하여, 체질량지수 27-30 kg/m²까지는 정상인에 비해 100%, 그 이상에서는 심지어 300%나 높아지는 것으로 알려져 있다(The Health and Social Care Information Centre, 2013). 반면에, 비만을 예방하면 당뇨병 발생을 감소시킬 수 있다. 특히, 당뇨병 전 단계에서 생활습관개선을 통해 체중을 감량하면 당뇨병의 발생위험이 줄어든다. 아디포카인 및 사이토카인은 조직의 인슐린 감수성을 감소시키고 염증 및 만성합병증의 발생을 유도 할 수 있다(Zorena et al., 2020). 이 때 인슐린 분비가 증가되는데, 고인슐린혈증은 간에서 중성지방의 합성과 분비를 증가시키고 교감신경계 활성도 증가시키며, 신장에서의 나트륨 재흡수도 증가시킨다.

4) 암

한국인 코호트연구에 의하면, 조직학적으로 확진된 대장암, 간암, 담도암, 전립샘암, 신장암, 갑상샘유두암, 폐소세포암, 비호지킨병 및 흑색종은 체질량지수와 양의 상관성을 보였다(Oh et al., 2005). 특히 비만 여성에서는 대장암, 췌장암, 신장암, 유방암 및 자궁내막암의 위험이 높았는데, 폐경 후 증가한 지방조직에서 에스트로겐 생산이 많기 때문이다(Park et al., 2014). 비만에서 암 발생이 높은 이유는 인슐린저항성이 인슐린유사성장호르몬(insulin-like growth factor, IGF)을 증가시키기 때문이다. IGF는 종양세포의 증식 및 성장을 촉진하고 전이에도 관여하는 것으로 알려져 있다. 또한, 비만은 만성염증을 일으키고, 만성염증은 각종 사이토카인을 분비하는데, 이 중에 암 발생과 연관되는 인자가 자극됨으로써 암 발생이 증가된다는 주장도 있다. 그렇다면, 체중감량이 암을 당연히 예방할 것 같지만, 아직까지 체중감량이 암 예방에 어떠한 역할을 하는지에 대해서는 아직 분명치 않으며, 후속 연구가 필요하다.

5) 골관절염

체중이 관절에 기계적인 부하를 주기 때문에 통상 비만은 골관절염의 발생 위험을 높인다. 최근의 제5차 국민건강영양조사자료에서, Kellgren-Lawrence 등급 2단계 이상을 슬관절염이라고 할 때, 비만은 슬관절염과 가장 밀접한 연관을 보였다(Lee et al., 2014). 교란변수를 모두 보정하고도 비만하면 정상 체중을 가진 사람에 비해 슬관절염의 우도비가 2.09로 더 높아진다(Park et al., 2011). 그리고 여성이 남성보다 슬관절염의 위험과 중증도가 더 크다(Cho et al., 2011). 발목에 생긴 관절염도 마찬가지이다.

6) 수면무호흡증

비만, 특히 복부비만, 내장비만은 수면무호흡증의 위험인자로 잘 알려져 있다. 수면무호흡증은 심해지면 동맥산소분압이 낮아지고, 취침 중에 반복적으로 깨게 되고, 교감신경이 항진되고, 폐 혈압과 전신 혈압이 상승되며, 심부정맥이 야기된다. 수면무호흡증은 여성보다 남성에서 흔히 발생하는 것으로 잘 알려져 있지만, 한국인 자료에 의하면, 수면무호흡증의 특성에 있어 남녀 간에 차이가 관찰되었다. 수면무호흡증에 미치는 내장지방의 영향은 여성보다 남성에서 더 크게 나타난 반면에, 5시간 미만의 짧은 수면과 내장지방과의 연관성은 여성이 남성보다 더 높다(Kim et al., 2013).

7) 대사증후군

복부비만이 되면 많아지고 커진 지방세포에서 유리지방산, 각종 사이토카인 등이 많이 배출되면 중성지방이 축적되고 당수송체 발현이 줄어들어 포도당 이용이 감소, 즉 인슐린저항성이 발생한다. 2011년 국민건강보험공단에서 실시하는 건강검진을 받은 20세 이상의 여성 4,492,442명 중에서 대사증후군에 해당하는 대상은 1,011,570명으로 22.5%를 차지했다(Kang et al., 2014). 이는 Park 등(Park et al, 2008)이 대사증후군 진단 기준으로 복부비만의 여자 기준을 허리둘레 85 cm 이상으로 했을 때 23.1%의 대사증후군 유병율을 보고한 것과 유사하였다.

8) 사망률

비만하면 모든 원인에 의한 사망률이 20% 더 높아진다. 하지만 나이가 들면, 비만과 사망률과의 관련성이 줄어들어, 50세 이후에는 고도비만에서만 연관성을 보이고, 65세가 넘어가면 관련성이 거의 사라진다. 한국을 포함한 동아시아인에서 사망률이 가장 낮은 체질량지수는 22.6-27.5 kg/m^{2}이었다(Zheng et al., 2011). 비흡연 한국인에 국한하면 남녀 모두 체질량지수 23.0-24.9 kg/m^{2}에서 모든 원인에 의한 사망률이 가장 낮았다(Jee et al., 2006).

5. 폐경과 비만

1) 폐경과 체중, 체지방 및 지방분포의 변화

국외 연구에서, 여성은 폐경 전후 약 3년에 걸쳐 2-2.5 kg의 체중이 증가한다고 알려졌으나, 실제로는 폐경 전 상태에서 3년이 지난 여성의 체중증가와 유사하였다. 폐경은 나이가 들면서 나타나는 현상이므로, 폐경으로 인해 체중이 증가한 것인지, 아니면 나이가 들어서 증가한 것인지는 아직 분명하지 않다(Polotsky, et al., 2010, Wildman, et al., 2011). 하지만, 한국인의 국민건강영양조사에 의하면, 남성의 비만 유병률은 40대를 정점으로 가장 높지만, 여성에서는 폐경 후 비만의 유병률이 점점 증가하여 60대에 가장 높았다가 이후 줄어든다(Kim et al., 2014). 45-55세 대상의 2007-2010년 한국인 국민건강영양조사에 따르면 흥미롭게도 허리둘레는 폐경 전 여성의 78.9 cm에 비해 폐경 후 여성은 80.4 cm로 약간 더 큰 반면에(P=0.013), 체질량지수는 차이가 없었다. 하지만, 이런 자료는 모두 단면연구 결과이며, 아직까지 한국인 여성을 대상으로 시행한 코호트 연구는 없는 것 같다. 폐경 후 비만 유병률이 높은 이유는 명확하지 않지만 에스트로겐 감소와 연관성이 있을 것으로 제시된다(Clegg, 2012). 지방분포 측면에서 보면, 허리둘레의 경우, 폐경 후 여성은 폐경 전 여성에 비해 유의하게 높았다(Kim et al., 2007). 폐경 후 여성은 나이를 보정하더라도 폐경 전에 비해 체지방이 높고, 상체, 특히 내장으로의 지방분포가 훨씬 많아진다(Park et al., 2013). 체중증가가 없는 경우에도 폐경을 지나면 체지방의 재분포가 일어난다. 4년 추적연구에 따르면, 중년기 피하지방의 증가는 연령 때문이지만, 체지방과 내장지방의 증가는 폐경 때문인 것으로 분석되었다.

여성호르몬의 투여가 내장지방이 증가하는 지방의 재분포 현상을 억제하는지에 대해서는 아직 확실하지 않지만(Kim et al., 2011), 에스트로겐 결핍은 내장지방의 증가 및 피하지방의 감소와 연관이 있을 수 있다(Lizcano et al., 2014). 이는 지방조직에서의 지단백 지질분해효소의 활성을 억제하고, 심근조직에서는 그 활성을 증가시키는 에스트로겐의 역할이 줄어들었기 때문으로 추정된다. 에스트로겐은 지방세포대사에 국소적 특이효과를 갖고 있어 대퇴부 지방세포 내에서는 지단백 리파제의 활성을 증가시키나 복부 및 유방 지방세포 지방조직 내에서는 지방분해를 촉진시키는 작용을 한다. 따라서 폐경 전에는 에스트로겐이 둔부와 대퇴부의 지방 축적을 촉진시키나 폐경이 되어 여성호르몬의 공급이 떨어지게 되면 대퇴부에서는 지단백리파제 활성도가 감소하고 복부지방에서는 지방분해의 감소로 복부 비만이 가속되게 된다. 또 에너지소비와 지방산화의 감소 또한 폐경과 연관이 있었는데, 에너지소비의 감소는 활동량, 제지방 및 황체기 소실로 인한 열량 증가분의 감소가 합쳐 발생한다(Lovejoy et al., 2008). 내장지방이 늘어나면 염증성 시토카인의 분비가 증가하고, 반면에 아디포넥틴은 감소하게 되는데, 이러한 변화가 폐경 후 심혈관질환, 대사증후군 및 당뇨병의 증가와 연관이 있다.

2) 폐경과 지질대사의 변화

에스트로겐이 결핍되는 폐경기에는 복부비만, 특히 내장지방증가와 지질대사를 연관시켜 이해하는 것이 중요하다. 폐경 후에는 총 콜레스테롤, LDL 콜레스테롤, 중성지방 농도는 폐경 전에 비해 높아지는 반면, HDL 콜레스테롤(high-density lipoproteincholesterol, HDL-C)의 농도는 낮아진다.

이는 단순히 폐경 그 자체보다는 폐경으로 이행되는 시기에 발생한 복부지방, 특히 내장지방의 증가에 의한 것일 수 있다. 내장지방이 많아지면, 유리지방산(free fatty acids, FFA)의 유리가 증가하게 되는데, 그러면 간 내 아포지단백 B의 분해가 줄어들고, 간 지질분해효소(hepatic lipase)의 활성을 증가되어 작고 치밀한 LDL 콜레스테롤과 중성지방이 많이 만들어진다. 간 지질분해효소는 중성지방, LDL-C, HDL-C 내의 인지질 가수분해작용이 있기 때문에, 이 활성이 증가되면 가수분해가 많아져 더욱 작고 치밀한 죽상경화성 지질조각들이 많아지게 된다. 또한, FFA 증가는 특히 근육 내에서 포도당수송 억제로 인해, 포도당 흡수를 저하시키고 간에서의 포도당신생을 증가시키고 인슐린에 대한 간 청소력을 저하시켜 인슐린저항성을 악화시킨다. 에스트라디올(E2) 농도가 높으면 지질에 좋은 영향을 미치는데, 흥미로운 것은 비만인 여성이 마른 여성보다 에스트라디올 농도가 높기 때문에, 폐경 효과와 에스트라디올 농도의 영향이 함께 작용하여, 폐경 전 체질량지수가 높을수록 폐경 시기의 지질변화의 폭이 작게 관찰된다(Derby et al., 2009; Polotsky, et al., 2010).

3) 폐경비만과 대사질환, 그리고 심혈관질환

대사질환의 기본병리는 내장지방 축적과 인슐린저항성 증가이다. 특히 단순히 체중증가보다는 체지방 분포의 변화가 대사질환의 주요 인자에 해당한다. 폐경은 대사질환의 위험을 60% 정도 증가시킨다고 한다. 역학조사에 따르면, 여성은 특히 폐경 전, 남성에 비해 심뇌혈관질환의 위험이 낮다가, 폐경 이후 점점 증가하여, 폐경 후 첫 10년 사이에 최고조가 되면서 75세 이후에는 남성과 유사해지는 것으로 잘 알려져 있다. 이는 자연폐경뿐 아니라, 수술적 폐경 후에도 동일한 경향을 나타내 에스트로겐 결핍이 중요한 역할을 하는 것으로 보인다. 전향적 연구에서, 폐경여성 중 비만은 뇌졸중 전체사망률과 출혈성 뇌졸중 사망률을 높인다. 만약 흡연 여성이라면 허혈성 뇌졸중의 위험도 높인다(Yi et al., 2009). 체질량지수와 심혈관질환 간의 관련성에 있어 폐경 전 여성에서는 양의 선형 모양을, 폐경 후 여성에서는 U자 모양을 나타내었다(Song et al,, 2007). 하지만, 여성에서 폐경 후 심뇌혈관질환의 증가가 폐경과 연령이 모두 관여될 수 있기 때문에, 어떤 영향이 더 큰지는 분명치 않아, 어떤 연구에서는 연령을 보정하면 통계적 유의성이 없어지기도 하고, 또 다른 연구에서는 연령을 고려하더라도 폐경 이후 심혈관질환의 위험이 상승하는 것으로 나타나기도 한다.

이러한 역학적 분석 외에 에스트로겐이 혈중 지질, 응고인자, 혈관 평활근세포와 내피세포 등에 미치는 영향이 알려져 있다. 세포질과 핵에 있는 에스트로겐 수용체가 활성화되면 유전자 발현을 통해서 수 시간 혹은 수 일에 거쳐 장기간 나타나며, 죽상경화 방지, 혈관손상 보호, 내피세포 성장촉진, 평활근세포 증식억제 등의 작용을 한다. 세포막 에스트로겐 수용체가 활성화되면 칼슘농도, 미토겐 활성화 단백질 키나아제 경로, 내피세포의 산화질소 합성 효소에 작용하여 혈관확장을 유도하는데, 이는 수 분 정도로 작용시간이 짧다. 한편, 에스트로겐은 간에서의 혈전용해능력을 증가시키는데, 폐경 여성은 폐경 전보다 이러한 섬유소용해능력이 줄어들어 있다. 즉, 생리적으로든 수술로든 간에 여성호르몬이 결핍되면 동맥경화 병변의 생성과 진행에 직·간접적으로 기여함으로써, 폐경이 되면 혈관과 섬유소용해에 미치는 에스트로겐 작용이 소실, 감소되어 심혈관질환의 위험이 높아지게 된다. 따라서 폐경은 여성에서 심혈관질환 발생의 유의한 위험인자로는 틀림이 없으며, 연령증가와 여성호르몬결핍이라는 두 요인이 함께 작용하여 폐경이 초래되기 때문에, 두 가지 요인이 모두 역할을 한다고 볼 수 있다.

4) 폐경 여성에서 비만치료

폐경여성에서 비만인 경우, 기존의 치료원칙과 크게 다르지 않으며, 식이요법, 운동요법, 행동수정요법 및 약물요법을 모두 사용할 수 있다. 폐경호르몬치료의 경우, 많은 폐경여성은 호르몬치료 후 체중증가나 체지방 축적을 염려하지만, 실제로는 큰 관계가 없는 것으로 보인다. 오히려 호르몬 치료는 복부비만으로의 지방재분포를 억제하여 여성형(gynecoid) 체지방분포를 유지하게 함으로써, 폐경호르몬치료를 받은 폐경여성이 치료받지 않은 폐경여성보다 체질량지수와 허리둘레가 더 작았다(Kim et al., 2011). 폐경호르몬치료가 아직은 비만치료 목적으로 승인된 것이 아니기 때문에, 비만 측면 이외의 다른 건강상태를 고려 후 장단점을 잘 평가 후 사용해야 한다.

6. 비만 치료법

1) 치료의 목표 및 성공 기준

비만치료의 목표은 비만으로 인한 합병증을 예방하거나 개선 또는 완화하는 것이다. 그러나 대부분의 비만 환자는 치료 목표를 정상체중으로 회복하는 것으로 생각한다. 이러한 목표는 실현이 매우 어려운 이상적인 목표이다. 환자가 원하는 이상적 체중과 체중감량 후의 체중을 비교한 연구에서 이상적인 목표 체중에 도달한 환자는 없었으며 체중을 감량했음에도 불구하고 체중감량으로 행복을 느낀 사람 또한 거의 없었다(Foster et al., 1997). 따라서 의사와 환자 모두가 현실적인 체중감량의 목표를 이해하고 수용해야 한다. 일반적으로 체중 감량 목표는 6개월 내 초기 체중의 5-10% 감량을 추천하다. 고도비만의 경우에는 여러 가지 동반 질환의 문제로 그 이상의 체중 감량이 필요할 수 있다. 초기 체중의 5-10% 정도를 감량하면 당뇨병과 심혈관질환의 위험인자가 감소된다(Knowler et al., 2002; Douketis et al., 2005).

치료 성공은 체중감량의 정도와 심혈관위험인자 또는 비만동반질환의 개선으로 평가할 수 있다. 체중감량은 1개월에 2 kg 이상 감량(1주일에 0.5 kg 감량)되어야 하고 3-6개월까지 초기 체중의 5% 이상 감량되면 성공적이라고 할 수 있다. 치료의 지속유무를 결정하기 위해서는 체중 감량 후 위험인자가 개선되었는지를 평가 하는 것이 중요하다.

비만 치료는 우선 식사, 운동 및 생활 습관의 변화를 통하여 체중 감량을 시도하는 일이 기본이 된다. 약물치료의 적응증으로 아시아인의 경우, 아시아-태평양 비만치료 지침에서는 아시아의 비만 기준인 체질량지수 25 kg/m^2 이상인 경우, 혹은 23 kg/m^2 이상이면서 심혈관계 합병증(고혈압, 당뇨병, 이상지질혈증)이나 수면 무호흡증이 동반된 경우 약물치료를 고려할 수 있다. 미국 식품의약품안전처(FDA)에서 제시한 체질량지수에 따른 치료 지침에서는 서양인의 경우 체질량지수가 30 kg/m^2 이상인 경우, 혹은 27 kg/m^2 이상이면서 위와 같은 합병증이 동반된 경우 약물요법을 시도할 것을 권고하였으나 한국인의 경우 BMI 25 kg/m^2 이상인 환자에서 비약물치료로 체중감량에 실패한 경우에 약물 처방을 고려하는 것을 권고하고 있다(대한비만학회, 2018)

2) 치료의 적응증 및 치료 선택

체중을 감량할 준비가 된 비만환자에서 식사치료, 운동치료 및 행동치료를 병행하는 포괄적 생활습관교정(comprehensive lifestyle intervention)으로 초기 치료를 시작한다. 일부 환자에서는 생활습관교정과 함께 약물치료 또는 비만수술이 필요할 수 있다. 체중이 5% 이상 감량되고 위험인자가 충분히 개선된 경우에는 감량된 체중을 유지한다. 대부분의 환자에서 6개월 이후에는 체중감량이 더 이상 진행되지 않는 정체기에 도달하게 된다. 이전에 생활습관교정으로 체중을 감량하지 못했거나 감량된 체중을 유지하지 못한 경우에는 초기 치료를 시작할 때부터 약물치료를 병행할 수 있다.

체중감량이 5% 미만이거나 위험인자가 충분히 개선되지 않은 경우에는 생활습관교정의 강도를 더 증가하거나 비만을 전문적으로 진료하는 의사에게 의뢰를 한다. 비만수술의 적응증이 되는 경우에는 비만수술의 경험이 많은 외과의사에게 의뢰한다.

3) 포괄적 생활습관교정

식사치료, 운동치료 및 행동치료를 포함하는 포괄적 생활습관교정은 체중조절을 할 때 가장 중요한 치료이다. 포괄적 생활습관교정으로 초기 체중의 10%까지도 감량된다는 보고가 있으나 일반적으로 3-5% 정도 감량된다(Jensen et al., 2014).

(1) 행동치료

비만의 행동모델 이론에서 행동이상은 정신병리보다는 식사 및 신체활동 습관과 관련이 있는 것으로 본다. 즉, 비만 환자의 부적절한 식습관과 신체활동으로 인하여 체중이 증가하거나 비만상태가 유지가 되며, 이러한 행동을 적절히 수정하면 체중이 감소된다고 본다. 이러한 관점에서 행동치료의 목적은 식습관을 지속적으로 수정하고 신체활동을 증가시키는 것이다. 따라서 행동치료는 단독으로 시행하는 것이 아니라 식사치료와 운동치료와 항상 병행하여야 한다.

비만치료에 있어 행동치료의 초기 모델 중 하나는 1967년 Stuart가 도입한 '자제력(self-control)' 모델이다(Stuart, 1967). 이 모델에서는 목표 행동을 기록하여(self-monitoring) 문제 행동과 일치하는지를 비교한 후(functional analysis) 행동변화의 목표를 정한다. 이러한 목표를 중재하는 방법으로 자극조절(stimulus control)을 흔히 사용한다. 인지적 접근이 발달함에 따라 행동변화에 자멸감(self-defeating)을 인지하고 이를 완화시키는 내용이 추가되었다. 이와 같이 행동치료에 인지적 접근을 병행한 행동치료를 인지행동치료라고 한다.

행동치료를 시작하기 전에 동기, 체중, 신체상(body

image), 식습관, 신체활동 및 정신상태를 평가하여야 한다. 치료에 대한 순응도를 높이기 위해서는 환자가 체중감량을 할 준비가 되어 있는지 평가해야 한다. 체중 감량에 대한 동기는 체중 조절에서 가장 중요한 요소 중 하나이다. 치료 전에 체중 감량에 대한 동기가 높은 사람은 체중을 더 많이 감량할 수 있다(Teixeira et al., 2004). 체중감량 치료를 시작하기 전에 과거부터 지금까지의 체중 변화, 가족의 체중 및 과거 체중감량의 시도에 대하여 평가한다. 이러한 평가는 체중변화형태, 비만의 가족력 및 치료에 대한 성공예측에 도움이 된다. 체중을 감량하는 동안에는 1주일에 1회 정도로 체중을 측정하고, 체중을 감량한 후 유지하는 동안에는 최소 1개월에 1번 정도 체중을 측정한다. 신체상은 기본적인 평가항목은 아니지만 치료를 지속하는데 도움을 줄 수 있다. 부정적 신체상을 가진 경우에는 사회생활, 성생활 및 신체활동을 꺼린다. 식습관을 평가하여 치료계획의 기초자료를 확립하고 섭식장애(eating disorder)에 대한 평가를 한다. 식사일기를 통하여 식사의 양과 질을 평가할 수 있다. 행동치료에서 식사일기는 평가이면서 동시에 치료이다. 기분, 식사속도 또는 장소에 따라 실제 섭취량보다 더 적게 기록할 수 있다. 환자가 정직하게 기록하지 않은 경우도 있지만 먹은 것을 인식하지 못한 경우도 있다. 이런 경우 식사의 양보다는 식사의 종류 및 식사형태에 중점을 두고 평가한다. 신체활동은 많은 치료프로그램에서 상대적으로 역할이 적으나 최근 체중유지에 신체활동의 중요성이 인식되면서 강조되고 있다. 운동의 빈도 및 시간을 기록하게 하거나 보수계(pedometer)를 이용하여 보행거리를 기록하게 한다. 또한 좌식생활(sedentary lifesteyle)을 주로 하는 비만 환자의 경우에는 TV를 시청하거나 오락을 하는 시간을 기록하고 줄이도록 한다. 비만한 성인에서 낮은 자아존중감(self-esteem), 우울증, 약한 자기주장, 대인관계장애 및 성생활장애 등과 같은 정신사회적 기능 저하가 나타난다(Sullivan et al., 1993). 이러한 기능저하는 치료효과를 감소시키므로 치료 전에 먼저 해결해야 한다.

행동치료의 내용에는 자극조절, 자멸감의 개선, 자제력 습득, 스트레스 관리, 현실적인 치료목표 설정, 신체상 개선 등이 있다. 자극조절은 행동치료에서 중요한 구성요소이다. 음식섭취를 유발하는 자극을 제한하는 것이 자극조절이다. 음식섭취조절은 자극반응의 마지막 단계에서는 힘들지만 초기 단계에서는 조절이 쉽다. 자제력이 충분하지 않을 경우에는 음식을 앞에 두고서 먹지 않으려고 노력하기보다는 음식을 보지 않는 것이 더 효과적이다. 많은 비만환자들은 체중과 체중조절에 대하여 부정적 사고나 사고방식을 가지고 있다. 예를 들면 이분법적 사고(예, 적절한 조절은 도움이 되지 않으므로 확실하게 체중조절을 하든지 아니면 포기한다) 또는 파국적 사고(예, 1주일 동안 체중감량이 안된 것은 치료 효과가 없기 때문이다)가 자멸감에 해당된다. 이러한 환자는 자신의 부정적 사고에 대하여 반대의견을 제기하는 훈련과 일상생활에서 그것을 극복하는 훈련이 필요하다. 자극조절은 음식섭취자극을 줄이는 것으로 치료의 초기 단계에서 유용하지만 장기적으로 볼 때 자극과 음식섭취욕구 사이의 관계를 조절할 수 있는 자제력이 중요하다. 비만환자에서 정상적인 식욕억제가 나타날 때까지 음식이나 특정 상황에 노출되었을 때 식욕을 조절하는 단계적인 훈련이 필요하다. 개인 및 가족 스트레스, 바쁜 일정 및 사별과 같은 정신사회적 스트레스들은 체중의 재증가와 관련이 있다(DePue et al., 1995; Dubbert, 1984) 스트레스가 식사에 영향을 미치는 경우에는 스트레스 조절 훈련이 필요하다. 체중감량목표가 비현실적으로 높은 환자는 적절한 체중감량을 목표로 하는 치료를 과소평가하여 이러한 치료를 거부하게 된다. 자신이 정한 체중 감량 목표에 도달한 사람은 그렇지 못한 사람보다 더 오래 동안 체중을 유지할 수 있다(Marston et al., 1984). 이와 반대로 자신이 정한 목표를 달성하지 못하는 경우에는 자신의 체중 조절 능력에 대한 자신감이 상실되어 체중 유지를 위한 행동을 포기하게 된다(Coopers et al., 2001). 따라서 성공적인 치료를 위해서는 의사가 현실적인 체중감량목표를 세우고 환자가 이를 받아들이는 것이 중요하다. 부정적인 신체상은 자아존중감을 낮게 만들어 자기효능감(self-efficacy)에 부정적 영향을 미친다. 비만환자에서는 체중감량 후에도 정상 체중보다 높은 경우가 많으므로 부정적 신체상의 개선은 중요하다. 감량된 체중을 유지하기 위해서는 식사치료, 운동치료를 포함한 행동치료를 1년 이상 지속할 필요가 있다.

(2) 식사치료

식사치료에서 중요한 것은 식사치료의 종류가 아니라 순응도(adherence)이다. 따라서 거대영양소(탄수화물, 단백질, 지방)의 구성비율에 초점을 두지 말고 환자 개인이 선호하는 식사를 하면서 총섭취량을 줄이는 것이 중요하다.

열량제한식은 비만치료의 기본이다. 하루에 500 kcal의 열량을 줄이면 1주일에 500 g의 체중이 감량된다. 초저열량식(하루 800 kcal 이하)은 고도 비만환자가 아니면 바람직하지 못하며 의사의 지도 하에 시행하여야 한다. 경도나 중등도 비만환자가 초저열량식사요법을 시행하면 심각한 탈수증과 같은 부작용이 발생할 가능성이 높다. 이러한 식사요법은 비만수술을 고려하고 있는 고도 비만환자에게 유용한 방법이다. 하루 800-1,200 kcal를 섭취하는 저열량식은 초저열량식보다는 대사장애의 위험성이 적지만 역시 의사의 지도 하에 시행하여야 하며, 동반질환으로 체중감량이 꼭 필요한 환자에서 시행하는 것이 적절하다. 하루 1,200 kcal 미만으로 섭취하는 경우에는 별도로 비타민이나 무기질을 보충할 필요가 있다. 남성에서 하루 1,500 kcal 이상, 여성에서 하루 1,200 kcal 이상을 섭취하는 경우에는 대사장애를 초래하는 경우가 드물다. 따라서 안전과 순응도를 고려하여 하루에 500-1,000 kcal 정도를 줄이는 저열량식을 권장하고 있다.

거대영양소의 구성 비율에 따라 식사치료를 균형식, 저지방식, 저탄수화물식, 지중해식으로 구분한다. 체중감량을 목적으로 하는 식사치료는 열량제한을 기본으로 한다. 균형식은 탄수화물, 단백질 및 지방을 균형되게 섭취하는 식사이다. 이러한 식사치료의 선택은 환자의 선호도와 질환에 따라 선택을 한다. 당뇨병이나 고중성지방혈증이 있는 비만환자에서는 혈당과 중성지방을 조절하기 위해 저탄수화물식을 선택한다. 고콜레스테롤혈증이 있는 비만환자는 콜레스테롤 조절을 위해 저지방식을 선택한다. 지중해식은 올리브를 생산하는 지중해지역의 식사로 포화지방산에 비하여 단일 불포화지방산의 섭취가 많은 식사이다. 그 외 올리브, 채소, 과일, 콩 그리고 곡류를 많이 섭취하며 치즈와 같은 유제품은 중등도로 섭취하고 육류는 비교적 적게 섭취한다. 12개의 메타분석 결과 지중해식은 총사망률, 심혈관사망률, 암사망률, 파킨슨병과 알츠하이머병의 유병률이 감소와 관련이 있는 것으로 확인되었다(Sofi et al., 2008).

식사치료를 할 때 환자에게 식사일기를 기록하게 한다. 식사일기는 식사의 평가와 치료에 모두 도움이 된다. 모든 식사기록은 음식을 먹을 때 바로 식사내용과 함께 식사 전후의 공복감 및 포만감을 기록하게 한다. 이는 자제력을 향상시키는데 도움이 된다. 정확한 평가를 위해 1주일에 평일 2회, 주말(또는 외식하는 날) 1회 기록하게 한다. 식사일기의 내용은 통상적으로 섭취하는 경향을 분석하는데는 도움이 되지만 실제 섭취량을 반영하지는 않는다. 특히, 3일 이상 기록을 하는 경우에는 누락이 많아져서 실제 먹은 양보다 적게 기록된다. 식사일기를 분석한 후 행동수정이 필요한 항목은 한꺼번에 너무 많이 지적하지 말고 내원할 때마다 1-2개 정도로 정하여 집중적으로 평가하는 것이 좋다. 필요한 경우 영양사의 도움을 받는다.

(3) 운동치료

신체활동을 증가시키면 에너지소비량이 증가하게 되어 체중 감량 및 감량 후 유지에도 도움이 된다. 중등도 강도의 운동을 1주일에 150-250분 정도를 하면 체중이 증가되는 것을 예방하는데 효과적이다. 그러나 운동 만으로 체중을 임상적으로 유의한 수준으로 감량하려면 중등도 강도의 운동을 1주일에 250분 이상하여야 한다. 저열량 식사와 병행을 하는 경우에는 중등도 강도의 운동을 1주일에 150-250분 정도 시행해도 체중이 임상적으로 유의하게 감량된다(Donnelly et al., 2009).

운동처방을 할 때는 운동의 종류, 빈도, 강도, 시간을 고려해야 한다. 운동의 종류는 환자가 좋아하는 운동을 추천하는 것이 좋다. 그러나 고혈압, 당뇨병 등이 있는 환자는 의학적 위험을 고려하여 특정 운동을 제한할 수 있다. 운동은 준비운동(5-10분), 본운동(20-45분), 정리운동(5-10분) 순으로 한다. 준비운동과 정리운동은 스트레칭, 가볍게 걷기 또는 체조 등으로 한다. 운동을 처음하는 경우에는 1회 30분, 주 3회부터 시작한다. 운동을 한 후에 피로, 통증 등이 있는지를 평가한 후 이상이 있다면 운동 시간을 줄인다.

운동 빈도는 1주일에 3-5일 이상 하는 것을 추천한다. 운동의 효과를 기대하려면 연속하여 2일 이상 쉬지 않는 것이 좋다. 운동 시간은 한 번 할 때 30분 이상 한다. 식사치료를 병행하는 경우에는 1주일에 적어도 150-250분 정도 운동을 한다. 체중을 감량한 후 유지할 목적으로 운동을 할 경우에는 60분 이상, 주 5회 이상 운동을 한다. 운동강도는 중등도로 한다. 중등도 강도는 운동자각도(Rating of Perceived Exertion, RPE)로 보면 '숨이 약간 찬 정도'에 해당된다. 이는 대화는 가능하나 노래는 부르지 못할 정도이다. '땀이 날 정도'는 온도에 따라 차이가 많으므로 운동의 강도를 반영하지 못한다. 중등도 강도는 최대심박수의 50-70%에 해당된다. 분당 최대심박수는 '220-나이' 또는 '208-(0.7×나이)'로 계산할 수 있다. 그러나 이 공식은 나이에 따른 오차가 있으므로 RPE와 함께 사용하는 것을 추천한다.

유산소운동은 심폐기능 강화와 지방 감소에 도움이 되므로, 중강도로 하루 30-60분 또는 20-30분씩 2회에 나누어 실시해도 좋으며 주당 5회 이상 실시한다. 체중 감량을 지속하는 경우에는 지방 감소와 함께 근육량의 감소도 동반되므로 근력운동을 병행하는 것이 근육량 유지에 도움이 된다. 근력운동은 8-12회 반복할 수 있는 중량(65-80%)으로 8-10종목을 2-4세트 실시한다. 운동 빈도는 주당 2회 실시한다(대한비만학회, 2018).

운동으로 소모되는 열량은 대사당량(metabolic equivalent task, MET)을 계산할 수 있다. 체중 1 kg당 1시간 동안 운동으로 소모되는 열량(kcal)을 1 MET라고 한다. 중등도 강도의 운동은 3-6 METs에 해당되므로 체중 70 kg인 사람이 1시간 동안 중등도 강도의 운동을 하면 210-420 kcal를 소비하게 된다.

4) 약물치료

체질량 지수 25 kg/m^2 이상인 환자에서 비약물치료로 체중감량에 실패한 경우에 약물 치료를 고려한다(대한비만학회, 2018). 약물치료의 효과는 포괄적 생활습관교정과 마찬가지로 체중감량의 정도와 동반질환의 위험인자 개선으로 평가할 수 있다. 체중감량은 1개월에 2 kg 이상 감량(1주일에 0.5 kg 감량)되어야 하고 3-6개월까지 초기 체중의 5% 이상 감량되면 성공적이라고 할 수 있다. 초기체중의 10-15%를 감량을 하면 치료 반응이 '매우 좋다(very good)'라고 하며, 15% 이상 감량하면 '우수하다(excellent)'라고 한다. 약물을 4주 동안 복용한 후에도 2 kg 이상 감소되지 않으면 약물 순응도 확인과 포괄적 행동교정요법에 대한 재평가가 필요하다. 약물을 12주 동안 복용하고도 초기체중의 5% 이상 감량되지 않으면 약물 투여를 중단하거나 변경을 고려해야 한다. 다른 만성질환과 마찬가지로 비만약물치료는 비만을 완치하는 것이 아니라 체중감량에 도움을 주는 것이며 약물 투여를 중단하면 체중이 다시 증가한다는 점을 사전에 교육하여야 한다.

미국 FDA에서 인증된 비만치료제 중에서 현재 우리나라에서 사용가능한 비만치료제가 표 26-5에 정리되어 있다. Drug enforcement agency (DEA) schedule III에 해당되는 약물(phendimetrazine)은 남용의 위험성을 심각하게 고려해야 하는 약물이다. DEA schedule IV에 해당되는 약물은 남용의 위험성이 낮으나 가능성이 있는 약물이다. 우리나라 식약청에서는 현재 FDA에서 단기사용 비만치료제로 승인된 약물 모두를 향정신성의약품 비만치료제로 분류하고 있으며 4주 이내의 사용을 권고하고 있다. 부작용이 없으며 치료 효과가 있는 경우(4주에 2 kg 이상 감량)에는 환자의 동의하에 투여 기간을 연장할 수 있도록 하고 있다. 이 경우에도 남용의 위험 때문에 미국 FDA에서는 12주 이내로 단기간 사용을 권장한다(김성수, 2008).

표 26-5. 한국에서 사용 가능한 비만 약물 치료제

약물종류	DEA schedules	용법	비고
		단기사용	12주 내
Phendimetrazine	III	17.5–35 mg, ac 1h, bid to tid	
Phentermine	IV	15–37.5 mg(서방정 30 mg), qd	
Diethylpropion	IV	25 mg, ac 1h, tid	
Mazindol	IV	0.5–1.5 mg, ac, qd	
		장기사용	1년 이상
Orlistat (제니칼®)	None	120 mg, ac, tid	
Naltrexone/ Bupropion ER 복합제(콘트라브®)	None	Naltrexone 8 mg / Bupropion 90 mg, 2T / Bid (max) 제 1주: 오전 1정 제 2주: 오전 1정, 오후 1정 제 3주: 오전 2정, 오후 1정 제 4주 및 이후: 오전 2정, 오후 2정	
Liraglutide (삭센다®)	None	3 mg, SQ (max) 하루 1회 0.6 mg 피하주사 시작하여 매주마다 0.6 mg씩 증량하여 5주 후 3.0 mg까지 증량해 볼 수 있음	
Phentermine/ topiramate extended-release (큐시미아®)	IV	7.5 mg/46 mg (max)	

DEA, Drug Enforcement Agency

(1) 단기 사용 비만치료제

현재 국내에서 처방이 가능한 단기 사용 비만치료제는 phendimetrazine, phentermine, diethylpropion 및 MAO 억제제인 mazindol이 있다. 이들 약물은 모두 교감신경 작용제(sympathomimetic drugs)이므로 심박수 증가, 혈압 상승, 구강 건조, 변비, 불안 등을 유발할 수 있다. 또한 amphetamine과 유사한 의존이 발생될 위험이 있다. 12주 이상 지속적으로 사용할 경우에 심판막질환과 폐동맥고혈압의 발생위험이 있으므로 주의해야 한다. 심혈관질환이나 조절이 되지 않는 고혈압 환자에서는 투여하지 않아야 한다. 국내 식품의약품안전청에서는 처음 복용 시 4주 이내로 복용하고 효과가 없는 경우 복용을 중단하며, 12주 미만 복용하도록 허용하고 있다.

(2) 장기 사용 비만치료제

Orlistat (제니칼®)는 음식 내에 지방질을 분해하는 효소인 위장관 또는 췌장 lipase에 경쟁적 억제작용을 나타내며 지방의 장관 내 흡수를 30%까지 억제한다. 거의 흡수가 되지 않으므로 전신 부작용은 없으나 지방변, 설사 및 복통이 나타날 수 있다. 저지방식을 하면 이와 같은 부작용은 감소한다. 지용성 비타민 흡수를 억제할 수 있으나 성인에서 투약 중에 별도로 지용성 비타민을 공급할 필요는 없다.

Phentermine/topiramate extended-release (큐시미아®)는 2012년 7월 미국 FDA에서 장기 비만치료제로 승인된 약물이다. 기존 단기 비만치료제인 phentermine과 간질 치료제인 topiramate 서방정의 복합제로 단일 약물의 부작용을 줄여서 복약 순응도를 증가시킨 약물이다. Phentermine의 부작용과 함께 topiramate의 부작용(감각이상, 미각이상 등)이 모두 나타날 수 있다. 중등도 신기능장애 및 간기능장애 환자에서는 하루에 7.5 mg/46 mg을 초과해서는 안된다. 체중감량 효과면에서는 현재 사용되고 있는 비만약물 중에서 가장 우수한 것으로 알려져 있는데, 2020년 1월부터 국내에 출시되었다. 초회 용량으로 이 약 3.75 mg/23 mg 용량을 매일 14일간 복용한다. 14일 이후에는 권장량 7.5 mg/46 mg 용량을 12주간 복용한다.

Naltrexone/bupropion (NB)복합제(콘트라브®)는 2014년 9월 미국 FDA에서 비만의 장기치료약제로 승인되었다. naltrexone은 opioid 길항제로 알코올의존이나 opioid 의존 치료제로 사용되며, bupropion은 항우울제로 금연 치료에 사용된다. NB복합제는 식욕 자체를 감소시키는 효과를 보인다. 임상연구(COR-I, II)에서 체중감소 효과는 첫 투여 4주째부터 나타나고 32주째 최대치로 감소하였으며, 여러 심혈관 대사(cardiometabolic) 지표의 개선효과를 보였다. 흔한 부작용으로는 구역, 구토, 변비 등의 소화기계 증상으로, 이러한 부작용으로 약 24%의 환자에서 투약을 중단하였다. 여러 비만치료약물에서 관찰되는 감정 변화에 대한 영향은 거의 없으며, 불안 및 우울도 오히려 감소하는 것으로 보고된다.

Liraglutide (삭센다®)는 glucagon-like peptide-1 유사체로 시상하부에 작용하여 식용을 억제하고 췌장의 베타세포를 자극하여 인슐린 분비를 촉진시키는 작용을 보여 당뇨병 치료제로 개발된 약제이다. 매일 3 mg 피하주사 용법 시 체중감소 효과로 2014년 미국 FDA에서 비만치료제로 승인되었다. 위약대조-임상연구에서 당뇨가 없고 체질량지수가 27 이상인 3,781명을 대상으로 56주간 liraglutide 투여 시 약 8.4 kg의 체중감소를 보였으며 전체 투여 환자의 63.2%에서 최소 5%의 체중 감소를 보였다. 부작용으로 구역, 설사, 어지럼증 등이 있었다. liraglutide를 투여한 군에서는 제2형 당뇨병 이환율도 100환자년당 0.2건으로 위약 투여군(1.3건)에 비해 유의하게 낮았다.

5) 수술치료

서양인에서는 체질량지수 40 kg/m^2 이상이거나 35 kg/m^2 이상이면서 동반질환이 있는 비만 환자에서 포괄적 생활습관교정 및 약물치료에 실패한 경우에 비만수술을 권고한다. 수술치료는 체중 감량 및 감량된 체중의 유지에 가장 효과적이며, 당뇨병 등 비만동반질환의 치유 또는 개선에 효과적인 것으로 알려져 있다. 현재 2019년 1월부터 국내에서 비만수술이 급여로 인정되었으며, 비만수술치료의 적응증은 체질량 지수 35 kg/m^2 이상이거나, 체질량 지수 30 kg/m^2 이상이면서 2가지 이상의 동반질환을 갖고 있는 경우 해당된다. 개복술 대신 복강경수술을 하는 경우 수술의 만족도와 삶의 질 향상이 보다 높아질 수 있다.

6) 체중 감량 후 유지

비만치료는 감량된 체중을 유지하는 것뿐 아니라 현재 체중이 더 이상 증가하지 않도록 유지하는 것도 포함이 된다. 일반적으로 성공적인 체중 감량 유지 상태는 의도적으로 초기 체중의 10% 이상을 감량하고 감량된 체중을 1년 이상 유지하는 것으로 정의되는데(Wing & Hill, 2001), 이와 다르게 초기 체중의 5% 이상을 감량하고 2년 이상 유지한 상태로 정의되기도 한다(Crawford 등, 2000). 감량된 체중을 유지하기 위해서는 식사치료, 운동치료 및 행동치료를 1년 이상 병행하여 하며, 치료 기간이 길수록 감량된 체중이 더 잘 유지된다(Bennet,1986; Perri 등 1989). 따라서 체중 감량 후 체중을 유지하기 위한 적절한 치료 기간은 아직 불확실하지만 체중 감량 이후에도 치료를 1년 이상 지속적으로 유지하는 것이 권고된다(대한비만학회, 2018).

참고문헌

- 김성수. 비만치료제의 적응증과 선택기준. 대한비만학회 춘계연수강좌. 2008;184-8.
- 대한비만학회. 비만진료지침 2018. 서울: 청운; 2018.
- 대한비만학회. 임상비만학. 제3판. 서울: 고려의학; 2008.
- 이종균, 이풍렬, 이준혁 등. 건강 검진자에서 담석의 유병률 및 위험요소. 대한소화기학회지 1997;29:85-92.
- 이중호, 송찬희, 염근상 등. 연령에 따른 체질량 지수와 체지방량의 분포. 대한가정의학회지 2003;24:1010-6.
- 질병관리본부. 2012건강행태 및 만성질환 통계. 국민건강영양조사 제 5기 3차년도(2012) 및 제 8차(2012) 청소년건강행태온라인조사. 2013.
- Apovian CM, Aronne L, Rubino D, Still C, Wyatt H, Burns C, Kim D, Dunayevich E; COR-II Study Group. A randomized, phase 3 trial of naltrexone SR/bupropion SR on weight and obesity-related risk factors (COR-II). Obesity (Silver Spring). 2013;21:935-43.

- AUJensen MD, Ryan DH, Apovian CM, Ard JD, Comuzzie AG, Donato KA, et al. 2013 AHA/ACC/TOS guideline for the management of overweight and obesity in adults: a report of the American College of Cardiology/American Heart Association Task Force on Practice Guidelines and The Obesity Society. J Am Coll Cardiol. 2014;63(25 Pt B):2985.
- Bennett GA. Behavior therapy for obesity: A quantitative review of the effects of selected treatment characteristics on outcome. Behav Ther 1986;17:554.
- Caro JF, et al. Leptin: the tale of an obesity gene. Diabetes 1996;45:1455-62.
- Cho HJ, Chang CB, Kim KW, Park JH, Yoo JH, Koh IJ, et al. Gender and prevalence of knee osteoarthritis types in elderly Koreans. J Arthroplasty 2011;26:994-9.
- Chung YJ, Park YD, Lee HC, Cho HJ, Park HS, Seo ES, et al. Prevalence and risk factors of gallstones in a general health screened population. Korean J Med 2007;72:480-90.
- Clegg DJ. Minireview: the year in review of estrogen regulation of metabolism. Mol Endocrinol 2012;26:1957-60.
- Cooper Z, Fairburn CG. A new cognitive behavioural approach to the treatment of obesity. Behav Res Ther. 2001;39: 499-511.
- Cynthia L. Ogden, Margaret D. Carroll, Brian K. Kit, Katherine M. Flegal. Prevalence of Childhood and Adult Obesity in the United States, 2011-2012. JAMA. 2014;31:806-14. doi: 10.1001/jama. 2014;732.
- DePue JD, Clark MM, Ruggiero L, Medeiros ML, Pera V Jr. Maintenance of weight loss: a needs assessment. Obes Res 1995;3:241-8.
- Derby CA, Crawford SL, Pasternak RC, Sowers M, Sternfeld B, Matthews KA. Lipid changes during the menopause transition in relation to age and weight: the Study of Women's Health Across the Nation. Am J Epidemiol 1995;169:1352-61.
- Donnelly JE, Blair SN, Jakicic JM, Manore MM, Rankin JW, Smith BK. American College of Sports Medicine Position Stand. Appropriate physical activity intervention strategies for weight loss and prevention of weight regain for adults. Med Sci Sports Exerc. 2009;41:459.
- Douketis JD, Macie C, Thabane L, Williamson DF. Systematic review of long-term weight loss studies in obese adults: clinical significance and applicability to clinical practice.Int J Obes (Lond). 2005;29:1153-67.
- Dubbert PM. Physiological and psychosocial factors associated with long-term weight loss maintenance. Miss RN. 1984; 46:20.
- Foster GD, Wadden TA, Vogt RA, Brewer G. What is a reasonable weight loss? Patients'expectations and evaluations of obesity treatment outcomes. J Consult Clin Psychol. 1997;65: 79-85.
- Greenway FL, Fujioka K, Plodkowski RA, Mudaliar S, Guttadauria M, Erickson J, Kim DD, Dunayevich E; COR-I Study Group. Effect of naltrexone plus bupropion on weight loss in overweight and obese adults (COR-I): a multicentre, randomised, double-blind, placebo-controlled, phase 3 trial. Lancet 2010;376:595-605.
- Guh DP, Zhang W, Bansback N, Amarsi Z, Birmingham CL, Anis AH. The incidence of co-morbidities related to obesity and overweight: a systematic review and meta-analysis. BMC Public Health. 2009;9:88.
- Hyun HJ, Shim JJ, Kim JW, Lee JS, Lee CK, Jang JY, et al. The prevalence of elevated alanine transaminase and its possible causes in the general Korean population. J Clin Gastroenterol. 2014;48:534-9.
- Jee SH, Pastor-Barriuso R, Appel LJ, Suh I, Miller ER, 3rd, Guallar E. Body mass index and incident ischemic heart disease in South Korean men and women. American journal of epidemiology. 2005;162:42-8.
- Jee SH, Sull JW, Park J, Lee SY, Ohrr H, Guallar E, et al. Body-mass index and mortality in Korean men and women. N Engl J Med 2006;355:779-87.
- Jensen MD, Ryan DH, Apovian CM, Ard JD, Comuzzie AG, Donato KA, et al. 2013. AHA/ACC/TOS guideline for the management of overweight and obesity in adults: a report of the American College of Cardiology/American Heart Association Task Force on Practice Guidelines and The Obesity Society. Circulation. 2014;129(25 Suppl 2):S102-38.
- Jeong SU, Lee SK. Obesity and gallbladder diseases. Korean J Gastroenterol. 2012;59:27-34.
- Kang YU, Kim HY, Choi JS, Kim CS, Bae EH, Ma SK, et al. Metabolic syndrome and chronic kidney disease in an adult Korean population: results from the Korean National Health Screening. PLoS One 2014;9:e93795.
- Kim HJ, Kim Y, Cho Y, Jun B, Oh KW. Trends in the prevalence of major cardiovascular disease risk factors among Korean adults: results from the Korea National Health and Nutrition Examination Survey, 1998-2012. Int J Cardiol. 2014; 174:64-72.
- Kim HM, Park J, Ryu SY, Kim J. The effect of menopause on the metabolic syndrome among Korean women: the Korean National Health and Nutrition Examination Survey, 2001. Diabetes Care 2007;30:701-6.
- Kim NH, Lee SK, Eun CR, Seo JA, Kim SG, Choi KM, et al. Short sleep duration combined with obstructive sleep apnea is associated with visceral obesity in Korean adults. Sleep. 2013;36:723-9.
- Kim SM, Kim SH, Lee JR, Jee BC, Ku SY, Suh CS, et al. The

effects of hormone therapy on metabolic risk factors in postmenopausal Korean women. Climacteric. 2011;14:66-74.
- Knowler WC, Barrett-Connor E, Fowler SE, Hamman RF, Lachin JM, Walker EA, Nathan DM. Reduction in the incidence of type 2 diabetes with lifestyle intervention or metformin. N Engl J Med. 2002;7;346(6):393-403.
- Kwon YM, Oh SW, Hwang SS, Lee C, Kwon H, Chung GE. Association of nonalcoholic fatty liver disease with components of metabolic syndrome according to body mass index in Korean adults. Am J Gastroenterol. 2012;107:1852-8.
- Lau DC, Douketis JD, Morrison KM, Hramiak IM, Sharma AM, Ur E; Obesity Canada Clinical Practice Guidelines Expert Panel. 2006 Canadian clinical practice guidelines on the management and prevention of obesity in adults and children. CMAJ. 2007;176:S1-13.
- Lee S, Kim TN, Kim SH, Kim YG, Lee CK, Moon HB, et al. Obesity, metabolic abnormality, and knee osteoarthritis: A cross-sectional study in Korean women. Mod Rheumatol 2014;1-6.
- Lizcano F, Guzman G. Estrogen Deficiency and the Origin of Obesity during Menopause. Biomed Res Int. 2014;2014:757-461.
- Logue J, Thompson L, Romanes F, Wilson DC, Thompson J, Sattar N; Guideline Development Group. Management of obesity: summary of SIGN guideline. BMJ. 2010;340:c154.
- Lovejoy JC, Champagne CM, de Jonge L, Xie H, Smith SR. Increased visceral fat and decreased energy expenditure during the menopausal transition. Int J Obes (Lond). 2008;32:949-58.
- Luoto R, Mannisto S, Vartianinen E. Hormone replacement and body size: How much does lifestyle explain? Am J Obstet Gynecol 1998;178:66-73.
- Manson JE, Willett WC, Stampfer MJ, et al. Body weight and mortality among women. N Eng J Med 1995;333:677-85.
- Marston AR, Criss J. Maintenance of successful weight loss: incidence and prediction. Int J Obesity 1984;8:435-9.
- Matthews KA, Meilahn E, Kuller LH, et al. Menopause and risk factors for coronary heart disease. N Engl J Med 1989; 321:641-6.
- Must A, Spadano J, Coakley EH, Field AE, Colditz G, Dietz WH. The disease burden associated with overweight and obesity. JAMA. 1999;27:282:1523-9. Related Articles, Links
- Oh SW, Shin SA, Yun YH, Yoo T, Huh BY. Cut-off point of BMI and obesity-related comorbidities and mortality in middle-aged Koreans. Obesity research 2004;12:2031-40.
- Oh SW, Yoon YS, Shin SA. Effects of excess weight on cancer incidences depending on cancer sites and histologic findings among men: Korea National Health Insurance Corporation Study. J Clin Oncol 2005;23:4742-54.
- Oh SW, Yoon YS, Shin SA. Effects of excess weight on cancer incidences depending on cancer sites and histologic findings among men: Korea National Health Insurance Corporation Study. Journal of clinical oncology: official journal of the American Society of Clinical Oncology. 2005;23:4742-54.
- Park H, Lee SK. Association of obesity with osteoarthritis in elderly Korean women. Maturitas. 2011;70:65-8.
- Park HS, Park CY, Oh SW, Yoo HJ. Prevalence of obesity and metabolic syndrome in Korean adults. Obes Rev. 2008;9: 104-7.
- Park JK, Lim YH, Kim KS, Kim SG, Kim JH, Lim HG, et al. Body fat distribution after menopause and cardiovascular disease risk factors: Korean National Health and Nutrition Examination Survey 2010. J Womens Health (Larchmt). 2013;22:587-94.
- Park S, Kim Y, Shin HR, Lee B, Shin A, Jung KW, et al. Population- attributable causes of cancer in Korea: obesity and physical inactivity. PLoS One 2014;9:e90871.
- Park YW, Zhu S, Palaniappan L, Heshka S, Carnethon MR, Heymsfield SB. The metabolic syndrome: prevalence and associated risk factor findings in the US population from the Third National Health and Nutrition Examination Survey, 1988-1994. Arch Intern Med 2003;155:57-61.
- Perri MG, Nezu AM, Patti ET, McCann KL. Effect of length of treatment on weight loss. J Consult Clin Psychol 1989;57: 450-2.
- Pi-Sunyer X, Astrup A, Fujioka K, Greenway F, Halpern A, Krempf M, Lau DC, le Roux CW, Violante Ortiz R, Jensen CB, Wilding JP; SCALE Obesity and Prediabetes NN8022-1839 Study Group. A Randomized, Controlled Trial of 3.0 mg of Liraglutide in Weight Management. N Engl J Med 2015;373:11-22.
- Poehlman ET, Toth MJ, Gardner AW. Changes in Energy Balance and Body Composition at Menopause: A Controlled Longitudinal Study. Ann Intern Med 1995;123:673-5.
- Poehlman ET. Menopause, energy expenditure and body composition. Acta Obstet Gynecol Scand2002; 81:603-11.
- Polotsky HN, Polotsky AJ. Metabolic implications of menopause. Semin Reprod Med 2010;28:426-34.
- Rosenbaum M, Leibel RL, Hirsch J. Obesity. N Engl J Med 1997;337:396-408.
- Seo MH, Kim HY, Han K, Jung JH, Park YG, Lee SS, et al. Prevalence of obesity and incidence of obesity-related comorbidities in Koreans based on national health insurance service health checkup data 2006-2015. J Obes Metab Syndr 2018;27:46-52.
- Sofi F, Cesari F, Abbate R, Gensini GF, Casini A. Adherenceto Mediterranean diet and helth status: meta-analysis. BMJ

2008;337:a1344.
- Song YM, Ha M, Sung J. Body mass index and mortality in middle-aged Korean women. Ann Epidemiol 2007;17:556-63.
- Song YM, Sung J, Davey Smith G, Ebrahim S. Body mass index and ischemic and hemorrhagic stroke: a prospective study in Korean men. Stroke; a journal of cerebral circulation 2004;35:831-6.
- Strazzullo P, D'Elia L, Cairella G, Garbagnati F, Cappuccio FP, Scalfi L. Excess body weight and incidence of stroke: meta-analysis of prospective studies with 2 million participants. Stroke. 2010;41:e418-26.
- Stuart RB. Behavioral control of overeating. Behaviour Research and Therapy, 1967;5:357-65.
- Sullivan M, Karlsson J, Sjostrom L, et. al. Swedish Obese Subjects (SOS)-an intervention study of obesity. Internatinal Journal of Obesity 1993;17:503-12.
- Teixeira PJ, Palmeira AL, Branco TL, Martins SS, Minderico CS, Barata JT, Silva AM, Sardinha LB. Who will lose weight? A reexamination of predictors of weight loss in women. Int J Behav Nutr Phys Act 2004;1:12.
- The Health and Social Care Information Centre. Lifestyles Statistics. Statistics on Obesity, Physical Activity and Diet: England, 2013.
- Tsigos C, Hainer V, Basdevant A, Finer N, Fried M, Mathus-Vliegen E, et al. Management of obesity in adults: European clinical practice guidelines. Obes Facts 2008;1:106-16.
- U.S. Preventive Services Task Force: Screening for and Management of Obesity in Adult. Available from: http://www.uspreventiveservicetaskforce.org/uspstf/uspsobes.htm (updated 2012 June).
- Wadden TA, West DS, Neiberg RH, et al. One-year weight losses in the Look AHEAD study: factors associated with success. Obesity (Silver Spring). 2009;17:713-22.
- WHO. Obesity: Preventing and managing the global epidemic. Report on a WHO consultation on obesity. 1997.
- WHO/IASO/IOTF. The Asia-Pacific perspective: redefining obesity and its treatment. Health communications Australia: Melbourne. 2000.
- Wildman RP, Sowers MR. Adiposity and the menopausal transition. Obstet Gynecol Clin North Am 2011;38:441-54.
- Wing RR, Hill JO. Successful weight loss maintenance. Annu Rev Nutr 2001;21:323-41.
- Yi SW, Odongua N, Nam CM, Sull JW, Ohrr H. Body mass index and stroke mortality by smoking and age at menopause among Korean postmenopausal women. Stroke 2009;40:3428-35.
- Zheng W, McLerran DF, Rolland B, Zhang X, Inoue M, Matsuo K, et al. Association between body-mass index and risk of death in more than 1 million Asians. N Engl J Med 2011;364:719-29.
- Zorena K, Jachimowicz-Duda O, Ślęzak D, Robakowska M, Mrugacz M. Adipokines and Obesity. Potential Link to Metabolic Disorders and Chronic Complications. Int J Mol Sci 2020;21:E3570.

04

부인종양학

제27장 **종양유전학**
제28장 **부인암치료의 일반원칙**
제29장 **완화요법**
제30장 **침윤성 자궁경부암**
제31장 **외음암 및 질암**
제32장 **자궁내막암과 육종**
제33장 **상피성 난소암**
제34장 **비상피성 난소종양**
제35장 **임신성 융모질환**
제36장 **유방질환**

제27장

종양유전학

김재훈 | 연세의대
조한별 | 연세의대

암은 세포의 증식, 노화 및 사멸을 교란시키는 유전적, 후성적 변화에 의해 일어나는 복합질환이다(그림 27-1). 암 발생을 유도하는 변화에는 다양한 인자가 관여하며, 정상 DNA 복구과정의 결함은 돌연변이가 축적되도록 한다. 정상 세포가 암세포로 변환되도록 하는 분자기전들이 규명되었으나 암종마다 상당한 차이를 나타낸다. 암은 또한 주변 조직으로 침습, 전이되는 특징을 가지며, 암이 발생하면 국소 미세환경 내에 뚜렷한 분자반응을 유도한다. 이차적으로 신생혈관을 유도하고 면역반응을 활성화하여 암의 진행에 기여하게 된다. 암 발생의 분자기전에 대한 이해는 진단, 치료 및 예방에 향상을 가져왔다.

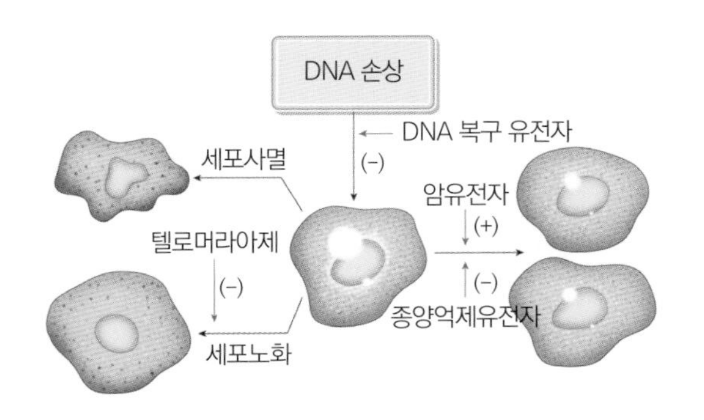

그림 27-1. **암 발생에서 세포증식, 노화, 사멸 및 DNA 손상의 역할**

1. 세포성장의 조절

1) 세포증식(Cell Proliferation)

정상 조직의 조절과 유지에는 세포증식과 세포사멸 간의 균형이 필요하다. 세포분열의 최종 공통경로에는 G1에서 S기로의 세포주기 진행을 조절하는 분자 스위치가 있다. 여기에는 retinoblastoma (Rb)와 E2F 단백질, 또 이들을 조절하는 cyclin, cyclin dependent kinase (Cdk), Cdk inhibitor 등이 포함된다. 골수, 표피, 위장관조직에서 성숙 세포들의 수명은 비교적 짧으며 개체수의 유지를 위해 전구세포에 의한 높은 세포증식율이 필요하다. 간, 근육, 뇌 등에서는 세포 수명이 긴 반면 증식은 잘 일어나지 않는다. 세포증식의 조절에는 복잡한 분자기전이 관여하며, 성장의 자극신호와 억제신호 간에 섬세한 균형이 필요하다. 세포증식의 조절 이상은 암의 주된 특징이며 세포증식을 촉진하는 유전자의 활성 증가 혹은 성장억제 유전자의 기능소실과 관련된다. 과거에는 단지 세포증식이 빠르게 일어나던지 또는 세포분열의 증가에 의해 암이 발생한다고 여겨졌다. 많은 암에서 세포증식의 증가가 특징적이며 치료표적이기는 하지만 정상 세포나 암 세포에서 세포주기의 경과시간에 현저한 차이는 없다. 즉, 악성변환에 기여하는 여러 인자 중

세포증식의 조절 이상은 단지 하나의 인자에 해당된다.

2) 세포사멸(Cell Death)

암의 성장은 세포증식의 증가뿐 아니라 세포사멸에 대한 저항에 의해서도 야기된다. 세포고사, 세포괴사, 자가포식의 세 가지 유형이 있으며, 한 종양 내에서 세 유형이 동시에 진행될 수도 있다.

(1) 세포고사(apoptosis)

세포고사는 활동적이며 에너지 의존적인 과정으로 특이 유전자의 발현에 의해 개시된다. 생화학적으로는 핵산 분해효소에 의한 DNA 분할과 caspase에 의한 단백질 분해가 일어나며, 형태학적으로는 염색질의 농축, 핵과 세포질의 거품모양 변화, 세포 위축을 보인다. 세포고사의 표지자로는 annexin V, caspase-3 활성화, DNA 분할 등이 있다. 세포표면 수용체와 반응하는 종양괴사인자, 종양괴사인자와 연관된 리간드, 지방산 합성효소(Fas), 싸이토카인 등의 외부자극들은 외인성 경로를 통해 caspase를 활성화하고 세포고사를 유도한다(그림 27-2). 내인성 경로는 DNA 손상, 성장인자의 결핍, 저산소증 등의 다양한 스트레스에 반응하여 활성화된다. 이 경로는 미토콘드리아 막의 투과성에 영향을 미치는 세포고사 촉진 단백질과 항세포고사 단백질의 복합반응에 의해 조절된다. 투과성을 증가시키는 단백질은 cytochrome c를 분비하고 이는 apoptosome complex를 활성화한 후 caspase를 활성화시켜 세포고사를 유도한다. 반대로 미토콘드리아 막을 안정화시키는 단백질은 세포고사를 억제한다.

Bcl-2는 미토콘드리아 막의 안정화를 통해 세포고사를 억제한다. Bcl-2와 연관된 Bcl-XL, Bcl-w, Mcl1 등의 유전자는 막의 투과성을 차단함으로써 세포고사를 억제하고,

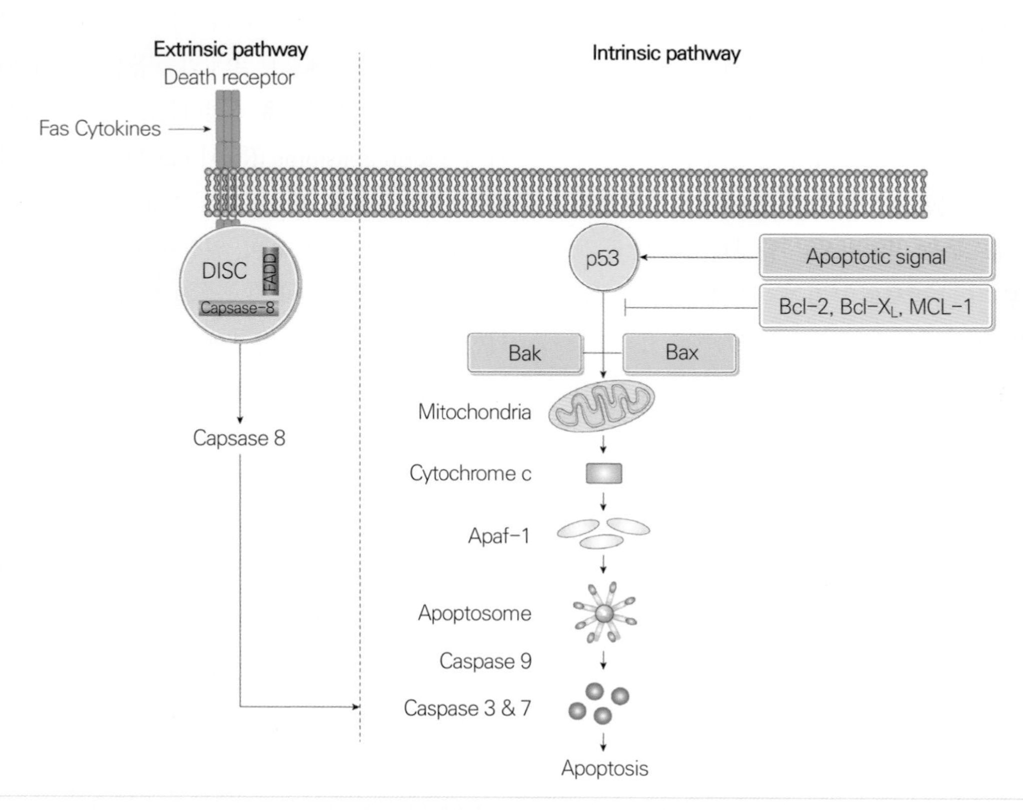

그림 27-2. **세포고사의 두 가지 경로: 내인성, 외인성 경로**

Bax, Bak, Bok, Bad, Bim 등의 유전자는 막의 투과성을 증가시켜 세포고사를 촉진한다. 세포고사는 세포 수를 제한하는 작용 외에도 유전적 손상을 입은 세포를 제거함으로써 악성변환을 차단하는 중요한 역할을 한다. 세포가 방사선이나 발암성 약제 등 돌연변이 유도 자극에 노출되면 세포주기가 정지하여 DNA 손상이 복구되도록 한다. 만일 DNA 복구가 충분히 일어나지 않으면 손상을 입은 세포가 생존하지 못하도록 세포고사가 일어난다(그림 27-1). 돌연변이 세포가 악성변환이 일어나기 전에 제거함으로써 세포고사는 항암 감시기전으로 작용한다. 이런 면에서 TP53 종양억제유전자는 DNA 손상에 반응하여 세포주기 정지와 세포고사에 필수적인 조절자 역할을 한다.

(2) 세포괴사(necrosis)

세포괴사는 세포고사와는 다른 세포사멸의 한 형태로 감염, 독소, 손상과 같은 외부 요인에 의해 발행한다. 형태학적 변화로는 세포 소기관의 팽창과 세포막의 파열로 삼투도 조절의 소실과 세포의 단편화가 초래된다. 세포괴사 과정에는 단백질이 유출되어 현저한 면역반응을 자극한다. 어떤 약제들은 종양 내에서 괴사를 유도하여 항종양 면역반응을 촉진하기도 한다.

(3) 자가포식(autophagy)과 네크롭토시스(necroptosis)

자가포식은 스트레스 상황하의 세포가 자기 스스로를 포식하는 가역적인 과정이다. 성장인자의 결핍, 활성산소의 축적 등의 자가포식을 유도하는 다양한 스트레스가 규명되었다. 세포막, 핵막의 완전성을 소실하는 세포고사나 세포괴사와는 달리 자가포식은 특징적으로 세포질 내에 소포(autophagic vesicle)를 형성한다. 만일 손상된 세포기관이 복구되면 세포는 살아남고, 반대로 소포가 리소좀과 합쳐지면 세포 내용물을 분해하게 된다. 네크롭토시스(necroptosis)는 세포괴사가 우연히 발생하는 세포사멸이 아니라 세포고사처럼 정해진 프로그램대로 암세포가 세포막을 파괴해 스스로 사멸하는 새로운 형태의 세포사멸을 설명하는 신조어이다. 네크롭토시스는 다양한 분해효소가 관여하는 세포고사와는 달리 단백질 분해나 산화 등이 일어나지 않아 면역유발물질의 손상을 최소화할 수 있으며 RIP1, RIP3, MLKL 등의 인자들이 조절하는 것으로 알려져 있다.

3) 세포노화(Cellular Senescence)

정상 세포는 노화되기 전까지 정해진 일정 횟수만큼만 세포분열을 할 수 있다. 세포노화는 반복 DNA 서열(TTAGGG)인 텔로미어가 점차 짧아지는 생물학적인 시계에 의해 조절된다. 텔로미어는 염색체의 안정화와 유사분열 동안에 재결합 방지에 관여한다. 출생 시에 염색체는 긴 텔로미어(150,000 base)를 가지지만 매 세포분열 때마다 50-200 base씩 짧아진다. 암세포는 텔로미어 단축을 차단하는 텔로머라아제 활성을 나타내도록 하여 종종 세포노화 과정을 회피한다. 텔로머라아제는 단백질(telomerase reverse transcriptase, TERT)과 RNA 소단위체(telomerase RNA component, TERC)로 구성되며, RNA 성분은 텔로미어 신장의 형판(template)으로 역할을 하고, 단백질 성분은 새로운 텔로미어의 합성을 촉진시킨다. 텔로머라아제 활성은 난소암, 자궁경부암, 자궁내막암 등 많은 암에서 높게 검출된다. 텔로머라아제 검출은 암의 조기진단에 유용하지만, 정상 자궁내막에서는 텔로머라아제 발현이 흔히 나타나므로 특이도가 부족하다는 단점이 있다. 텔로머라아제를 억제하는 치료약물의 개발이 진행 중이다.

2. 유전적 변이

암은 세포의 성장, 사멸, 노화를 조절하는 정상 기전을 교란시키는 일련의 유전적, 후성적 변화에 의해 발생한다. 유전적 손상은 조상으로부터 물려받거나 후천적으로 외부 발암물질에 노출되거나 세포 내 내인성 돌연변이의 결과로 일어나기도 한다(표 27-1). 나이가 증가하면서 대부분의 암의 발생빈도는 증가하며, 오래 살수록 세포는 형질변환을 일으키는 손상을 받을 가능성이 높아진다. 대부분의 암세포는 유전적으로 불안정하다.

암세포의 성장, 침습, 전이를 야기시키는 악성 표현형은 유전적 불안정성이 충분하게 여러번의 변이 횟수를 축적하면 발현된다. 또한, 한 종양 내에 이질적인 세포군이 공존하도록 한다. 최근 암 전구세포 혹은 줄기세포가 종양 내에 존재하여 치료에 저항성을 나타내도록 한다는 증거들이 보고되었다.

1) 유전성 암 감수성(Inherited Cancer Susceptibility)

대부분의 암은 후천적인 유전 손상에 의해 산발적으로 발생하지만 암 감수성 유전자의 돌연변이를 물려받아 암이 발생하는 경우가 있다. 이런 돌연변이를 가진 가계는 어떤 특정 암의 발생빈도가 높으며, 암 발생 연령이 대개 더 낮다. 유전성 암증후군의 흔한 양상은 유방암/난소암(*BRCA1*, *BRCA2*), 대장암/자궁내막암(HNPCC gene)이다(표 27-2).

유전성 암증후군에서 가장 흔히 관련되는 것은 종양억제유전자이며, 그 다음이 DNA 복구 유전자, 생식세포 돌연변이(germ-line mutation)이다. 암이 발생한 사람에게는 신체 모든 세포에 생식계열 변이(gremlin alteration)가 동반되지만 역설적으로 암 감수성 유전자는 일부 제한된 암에서만 나타난다. 하지만, 이러한 유전자의 발현과 특정 암의 발생 간에 연관성이 부족하다. 한 예로 고환에서 *BRCA1*이 높게 발현되지만 이러한 유전자의 돌연변이를 가진 모든 남성에서 고환암이 발생하지는 않는다. 이처럼 암 감수성 유전자의 침투도(penetrance)는 불완전하며 돌연변이를 가진 모든 사람에게서 암이 발생하는 것은 아니다. 돌연변이 보유자에게서 암의 발생 여부는 추가적인 유전적 변이의 동반 여부에 따라 달라진다. 이러한 가족성 암증후군은 1% 이하에서 발생하는 드문 형태의 돌연변이에 의해 초래된다. 또한 흔한 유전적 다형성(polymorphism)의 낮은 투과도는 암 감수성에 영향을 미치기도 한다. 인간의 게놈에는 천만 개 이상의 다형성 유전자 부위를 가진다. 비록 유전적 다형성이 가족성 암을 유발할 정도의 위험성

표 27-1. 인간의 암에서 유전적 손상의 발생원인

Type of Genetic Damage	Examples
• Hereditary	
High-penetrance genes	*BRCA1*, *BRCA2*, MLH1, MSH2
Low-penetrance genes	APC I1307K in colorectal cancer
• Exogenous carcinogens	
Ultraviolet radiation	TP53 and other genes in skin cancer
Tobacco	K-ras and TP53 in lung cancer
• Endogenous DNA damage	
Cytosine methylation and deamination	TP53 in ovarian and other cancers
Hydrolysis	Various genes
Spontaneous errors in DNA synthesis	Various genes
Oxidative stress with free radical damage	Various genes

표 27-2. 유전성 암증후군

Syndromes	Genes	Predominant cancers
Hereditary breast or ovarian cancer	*BRCA1*, *BRCA2*	Breast, ovary
Hereditary colorectal cancer	HNPCC, MSH2, MLH1, PMS1, PMS2, MSH6	Colon, endometrium, other GI tract, ovary

* Berek and Hacker's Gynecologic Oncology, 5th Edition

을 증가시킨다고 보긴 어려우나 산발적으로 발생하였다고 분류되는 암의 상당 부분이 다형성과 관련이 있다고 여겨진다. 최근 수천의 유전적 다형성을 동시에 분석하는 게놈 기술의 발전으로 부가적인 유전적 감수성 다형성을 발견하는 연구를 가속화하고 있다. 이러한 암 감수성에 영향을 미치는 유전적 요소를 규명함으로써 발생 위험군에서 선별검사와 예방적 접근이 가능해질 것으로 기대하고 있다.

2) 후천적 유전 손상

암에서 발견되는 후천적 유전 손상의 원인이 일부 규명되었다. 예로 흡연과 소화기/호흡기계 암, 자외선과 피부암에서 강한 인과관계를 보인다. 대장암, 유방암, 자궁내막암, 난소암에서는 어느 특정 발암원인과 강한 연관성이 보고되지 않았다. 이런 암종과 관련된 유전적 변이는 메틸화, 탈아미노화, DNA 가수분해 등의 내인성 돌연변이에 의해 발생한다고 여겨진다. 또한 정상 세포증식에서 DNA 합성의 자연적인 오류가 DNA 복제 동안에 발생할 수 있다. 마찬가지로 염증반응에서 생성된 자유 라디칼이나 세포손상은 DNA 손상을 초래할 수 있다. 매우 효율적인 DNA 손상 감시체계와 유전자가 존재하지만 어떤 돌연변이는 이런 감시를 잘 회피한다.

3) 후성적 변화

후성적 변화는 DNA 서열의 변화에서 유래되지는 않으나 유전이 가능한 변화이다. 시토신 잔유기의 메틸화가 후성적 조절의 일차기전이며 DNA 메틸기 전이효소에 의해서 조절된다. 대부분의 암은 DNA 메틸화가 감소되어 있으며, 이는 유전적 불안정성을 초래한다. 반대로 종양억제유전자의 프로모터의 시토신의 과메틸화는 유전자를 불활성화하여 발암과정에 기여한다. 임프린팅(imprinting)은 DNA 서열이 메틸화되어 그 유전자가 침묵하게 되는 것으로, 세포증식을 자극하는 Insulin-like growth factor 2 (IGF2) 등의 유전자의 임프린팅 상실은 세포증식을 증가시켜 발암성 자극이 될 수 있다. 히스톤 단백질의 아세틸화, 메틸화는 또 다른 후성적 조절의 예이다. 이러한 후성적 변화의 원인은 아직 잘 규명되지 않았으나 향후 치료표적으로 주목받고 있다.

4) 암유전자(Oncogene)

암유전자의 활성화는 세포증식과 악성변환을 초래한다. 암유전자는 몇 가지 기전에 의해 활성화된다. 어떤 암에서는 유전자의 증폭과 이에 상응하는 단백질의 과발현이 나타난다. 두 개의 유전자 복제본(copy) 대신에 보다 많은 복제본 수를 가질 수도 있다. 어떤 암유전자는 점돌연변이로 인해 과활성화 되기도 한다. 또 암유전자가 다른 염색체로 전좌되어 그 유전자의 과발현을 야기하는 프로모터 서열의 영향을 받게 되는 기전도 있다. 실험실 체외배양조건에서는 정상 성장조절 경로에 관여하는 많은 유전자들이 증폭, 돌연변이, 전좌를 통한 과활성화 형태로 변환되는 경우가 있다. 인간의 암에서 발암과정에 관련된 유전자 변이는 실제로 많지 않다. 체외배양조건에서 활성화되어 악성변환을 보이는 많은 유전자들이 실제 인간의 암에서는 변이를 보이지 않을 수 있다. 암유전자는 세포에서의 위치에 따라 세 가지로 구분된다.

(1) 세포막 암유전자

Epidermal growth factor (EGF), platelet derived growth factor (PDGF), fibroblast growth factor (FGF) 등의 펩티드 성장인자들은 세포막 수용체에 결합하여 증식을 유도하는 분자기전을 자극한다(그림 27-3).

성장인자는 세포발달, 간질-상피 간 연락, 조직재생, 창상회복과 같은 정상의 세포과정에 관여한다. 세포외 공간에 존재하는 성장인자는 세포막 수용체에 결합하여 증식을 유도하는 일련의 분자기전을 자극한다. 혈류로 분비되어 멀리 있는 표적기관에서 작용하는 호르몬과는 달리 펩티드 성장인자는 전형적으로 분비된 국소환경 내에서 작용한다. 암세포 증식이 자율성을 가지는 주된 방법은 자가분비에 의한 성장자극이라는 개념이 주목받고 있다. 이 모델에서 암세포는 자극성 성장인자를 분비하여 동일 세포의 수용체에 결합한다고 여겨진다. 비록 펩티드 성장인자가 성장자극 신호로 작용하지만 성장인자의 과다생성이 대부분의 암 발생의 촉발 인자라는 것에는 증거가 부족하다. 펩티드 성장인자의 과발현이 악성변환에 주된 인자라기보다는 보조인자로서 역할을 한다. 펩티드 성장인자와 결합하는 세포막 수용체는 세포외 리간드 결합 도메인과 세포질 내 티로신 활성효소 도메인으로 구성된다. 성장인자가 세포외 도메인에 결합하면 수용체의 응집과 형태 변환이 일어나고 내측의 티로신 활성효소를 활성화한다. 이런 활성효소는 성장인자 수용체 자체와 세포내 분자표적에 있는 티로신 잔유기를 인산화하고, 이차신호를 활성화한다. 수용체 티로신 활성효소를 표적으로 하는 치료전략이 최근 주된 연구영역이 되고 있다.

(2) 세포내 암유전자

펩티드 성장인자가 수용체에 결합한 후 이차 분자신호가 생성되어 성장자극이 핵으로 전달된다(그림 27-3). 이런 기능은 세포막 내측과 세포질 내에서 일어나는 복잡하고 중복되는 다수의 신호전달경로에 의해 수행된다. 신호전달의 많은 부분은 비수용체형 활성효소에 의한 단백질의 인산화와 관련된다. 이러한 활성효소는 ATP에서 표적 단백질의 특이 아미노산 잔유기로 인산기를 전달한다. 이런 활성효소의 활성도는 *PTEN* 등의 인산가수분해효소(phosphatase)에 의해 조절되며, 표적 단백질에서 인산기를 제거하여 활성효소의 반대작용을 한다. Guanosine-triphosphate-binding protein (G protein)은 성장신호를 전달하는 다른 계열의 분자이다(그림 27-3). 이들은 세포막 내측에 위치하며, 내인성 GTPase를 가져 GTP와 GDP의 교환을 촉매한다. 활성형인 GTP 결합형에서는 G protein이 활성효소와 작용하여 MAP kinase 등의 유사분열 촉진신호 전달에 관여한다. 반대로 GTP가 GDP로 가수분해되면 G protein의 비활성화를 유도한다. G protein의 *Ras* 계열은 위장관계암, 자궁내막암 등에서 가장 흔한 돌연변이 암유전자이다. *BRAF* 유전자는 MAP kinase 경로를 활성화하는 데 관여하는 *Ras* 단백질과 작용하는 활성효소를 암호화한다. *BRAF* 돌연변이는 *Ras* 돌연변이가 없는 많은 암종에서 일어난다.

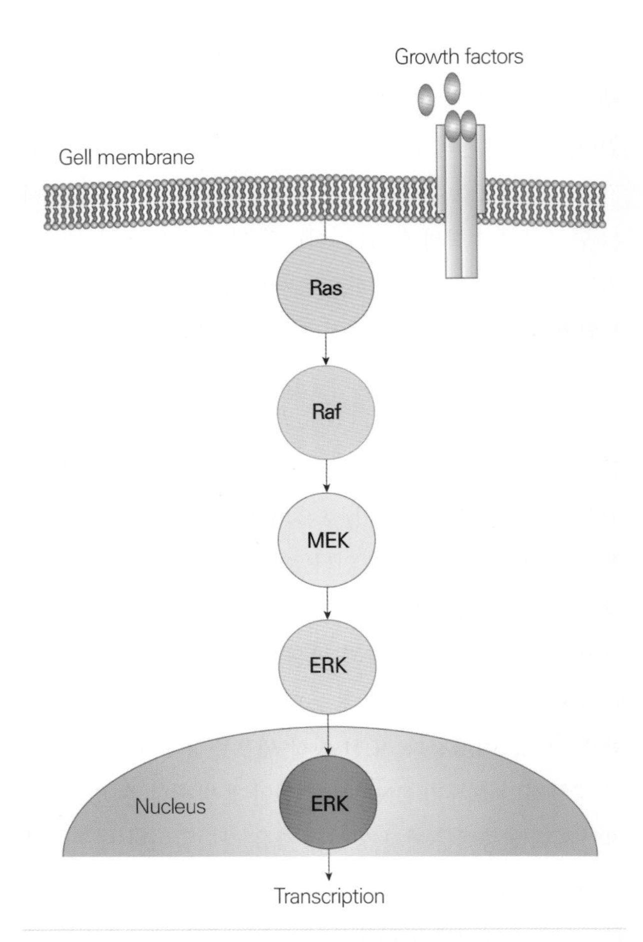

그림 27-3. **유사분열 촉진 신호전달경로**

(3) 핵내 암유전자

세포막과 세포질에서 생성된 신호에 반응하여 세포증식이 일어나면, 핵내의 전사인자들과 DNA 복제와 세포분열을 자극하는 유전자 산물을 활성화하게 된다. 펩티드 성장인자를 처리하였을 때에 핵내 단백질을 암호화하는 유전자의 발현은 수분 내에 급격히 증가한다. 유전자가 유도되면 이 유전자의 산물은 특이 DNA 조절인자에 결합하고 DNA 합성과 세포분열에 관련된 유전자의 전사를 유도한다. 예로 fos, jun 암유전자는 이합체화(dimerization)하여 activator protein 1 (AP1) 전사복합체를 형성한다. 부적절하게 과발현되면 이런 전사인자들은 암유전자로 작용하게 된다. 세포증식에 관련된 핵내 전사인자들 중 myc 유전자의 증폭 혹은 과발현이 인간의 암 발생에 가장 흔히 연관되어 있다. 세포증식을 조절하는 myc 등의 핵내 조절유전자는 또한 세포고사에도 영향을 미친다. 그러므로 세포증식과 세포고사를 조절하는 분자경로 사이에는 중복이 있다. 세포고사를 억제하는 핵단백질을 암호화하는 유전자는 암유전자로 작용할 수 있다.

5) 종양억제유전(Tumor Suppressor Gene)

종양억제유전자는 세포증식을 억제하는 효과를 가진다. 종양억제유전자의 기능 소실은 대부분의 암 발생에서 중요한 역할을 한다(표 27-3). 대개 2단계 과정을 가지며 종양억제유전자의 2개 복제본이 모두 비활성화된다. 대부분의 경우 종양억제유전자의 1개 복제본에 돌연변이가 있고, 염색체 결실로 인해 다른 1개 복제본의 소실이 있다. 어떤 종양억제유전자는 유전자 프로모터의 메틸화로 비활성화되기도 한다. 프로모터가 메틸화되면 활성화에 저항을 가지게 되어 그 유전자는 나머지 부분이 이상이 없더라도 침묵하게 된다. 이러한 패러다임은 유전성 암에서나 산발성 암에서 모두 관련이 있다. 종양억제유전자의 산물은 여러 세포들에서 발견되어 다양한 기능이 있음을 시사한다. 종양억제유전자의 비활성화가 암의 특징으로 인식됨에 따라 소실된 유전자의 기능성 유전자 복제본을 암세포에 전달하는 유전자 치료전략이 개발되고 있다.

(1) 핵내 종양억제유전자

망막아세포종 유전자(Rb)가 최초로 발견된 종양억제유전자이다. Rb 유전자는 세포주기의 진행에 중요한 역할을 한다. Rb 단백질은 세포주기의 G1기에서 E2F 전사인자에 결합하여 세포주기 진행에 관련된 다른 유전자의 전사를 차단한다. G1 정지는 Rb 인산화를 방해하는 Cdk 저해제인 p16, p21, p27에 의해 유지된다. Rb가 Cyclin-Cdk 복합체에 의해 인산화되면, E2F가 분비되어 세포주기의 DNA 합성기로 들어가도록 자극한다. Rb 유전자의 돌연변이는 일차적으로 망막아세포종과 육종에서 관찰된다. G1 정지를 유지함으로써 Cdk 저해제는 종양억제유전자로 작용한다. 어떤 암에서는 유전자 결실이나 메틸화로 p16의 종양억제 기능소실이 발생한다. 또 어떤 암에서는 p21, p27의 기능소실도 보고된다. TP53 종양억제유전자의 돌연변이는 가장 흔히 알려진 유전 현상이며, 세포증식과 세포고사를 조절하는데 중요한 역할을 한다(그림 27-4).

정상 세포에서 p53 단백질은 핵 내에 존재하며 p21 유전자의 전사 조절인자에 결합하여 종양억제기능을 나타낸다. MDM2 유전자 산물은 p53 단백질을 분해하므로 세포주기 정지를 개시하기 위해 p53의 상향조절이 필요할 때에는 p14ARF가 MDM2를 하향조절하게 된다. 많은 암에서는 TP53 유전자의 1개 복제본에서 과오돌연변이(missense mutation)를 가진다(그림 27-4). 이러한 TP53 유전자의 돌연변이가 전체 단백질을 암호화하지만, DNA에 결합하여 다른 유전자의 전사를 조절하지는 못한다. TP53 유전자의 1개 복제본의 돌연변이는 종종 다른 1개 복제본의 결실이 종종 동반되어 돌연변이성 p53 단백질을 가진 암세포만 남도록 한다. 만일 암세포가 TP53 유전자의 1개 정상 복제본을 가지면 돌연변이성 p53 단백질은 정상 p53 단백질과 복합체를 만들어 DNA와 작용하지 못하도록 한다. p53 기능

표 27-3. 종양억제유전자

Genes	Function
p53	Mutated in as many as 50% of solid tumors
Rb	Deletions and mutations predispose to retinoblastoma
PTEN	Dual specificity phosphatase that represses PI3-kinase/Akt pathway activation with negative effect on cell growth
P16^{INK4a}	Binds to cyclin-Cdk4 complex inhibiting cell cycle progression

소실을 위해 TP53의 2개 대립유전자 모두 비활성화되어야 하는 것은 아니기 때문에 돌연변이성 p53이 우성 음성방식(dominant negative)으로 작용한다. 비록 정상 세포에서 p53 단백질이 낮게 나타나지만 과오돌연변이는 분해에 저항성을 보이는 단백질을 암호화한다. 그 결과 핵내에 돌연변이성 p53 단백질의 과다축적은 면역조직화학염색으로 관찰될 수 있다. p53은 세포증식의 억제 외에 세포고사의 개시에도 중요한 역할을 한다. 정상 p53은 유전 손상을 가진 세포의 고사를 촉진함으로 암을 예방하는 역할을 한다. 게놈에서 돌연변이가 제거되기까지 p53이 S기로의 진입을 지연시키기 때문에 p53은 게놈의 수호자(guardian of the genome)로 여겨진다. 만일 DNA 복구가 적절하게 일어나지 않으면, p53이 세포고사를 개시하고 유전손상을 가진 세포를 제거하게 된다.

(2) 핵외 종양억제유전자

TP53, Rb, p16 등의 많은 종양억제유전자가 핵단백질을 암호화하지만, 몇몇 핵외 종양억제유전자도 발견되었다. 세포증식을 억제하는 단백질은 잠재적으로 종양억제유전자로 작용할 수 있다. *PTEN* 인산가수분해효소는 정상적으로 티로신 활성효소의 작용을 억제한다. 또한 *PTEN*은 세포골격 단백질의 조절을 통해 침습과 전이를 억제하는 기능을 한다. APC 종양억제유전자는 세포증식과 부착에 관여하는 Wnt 신호경로와 연관된 세포질 내 단백질을 암호화한다. APC의 비활성화는 악성변환을 초래하며, 이 유전자의 돌연변이는 가족성선종성용종증과 관련있다. 펩티드 성장인자 transforming growth factor-beta (TGF-β)는 정상 세포의 증식을 G1기에서 억제함으로 종양억제 작용을 한다. TGF-β는 p27의 발현 유도를 통해 G1 정지를

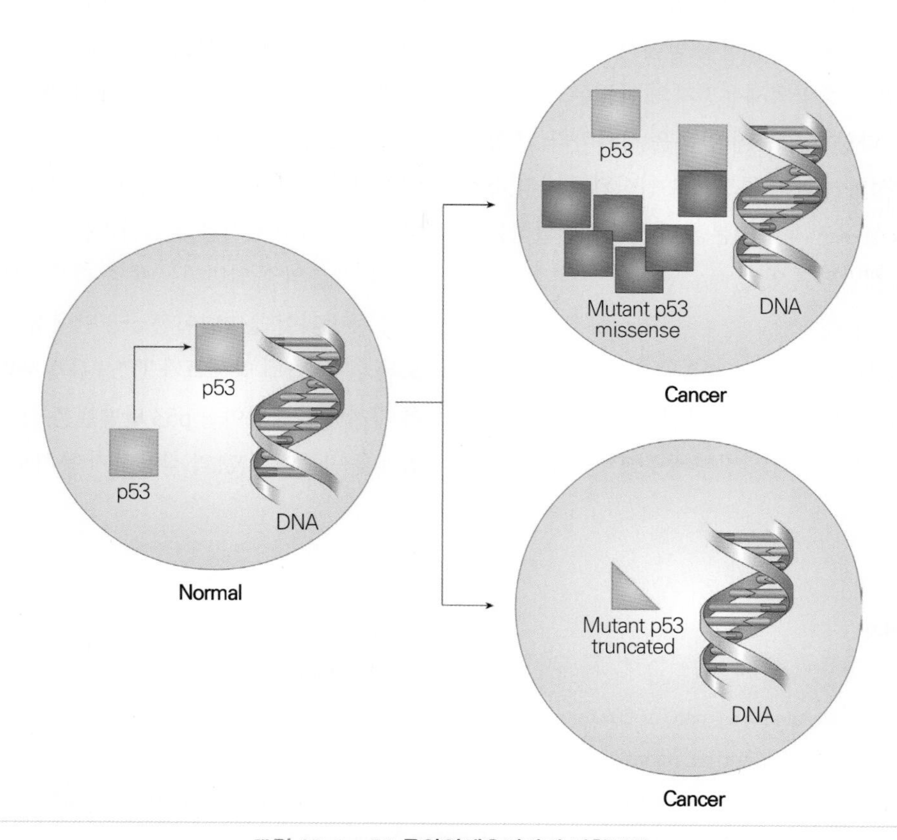

그림 27-4. p53 종양억제유전자의 비활성화

일으킨다. TGF-β의 형태는 TGF-β1, TGF-β2, TGF-β3, 총 세가지 유형을 가진다. TGF-β는 세포에서 비활성 형태로 분비되며 활성형이 되기 위해서는 전구체로부터 쪼개져야 한다. 활성형은 세포표면에서 I형, II형 수용체에 작용하여 세린, 트레오닌 활성효소 기능을 개시한다. Smad라 불리는 일군의 분자들이 세포내 표적이며, 핵내로 이동하여 전사조절인자로 작용한다. 비록 TGF-β 수용체와 Smad의 돌연변이가 일부 암에서 보고되었지만 부인암에서는 아직 보고되지 않았다. 암유전자와 종양억제유전자의 조절장애뿐만 아니라 이런 유전자의 발현을 조절하는 microRNA의 발현변화도 여러 암에서 나타난다. MicroRNA 유전자는 대략 21-23개의 뉴클레오티드의 RNA 단일가닥으로 구성되며, 전령 RNA에 결합하여 단백질 번역(translation)을 차단한다.

3. 침윤과 전이

전이란 암세포가 원발 부위에서 다른 조직으로 이동하는 것을 뜻한다. 암세포의 전이는 일련의 과정을 통하여 이루어진다(그림 27-5). 먼저 원발 부위에서 성장한 암세포 덩어리는 필요한 산소와 영양을 공급받기 위하여 주위에 많은 사이토카인를 분비하여 혈관을 생성한다. 암세포 덩어리 안에는 여러 성향을 가진 암세포들이 존재하고(heterogeneity) 이 중에서 운동성이 활발한 암세포 및 암세포 군단은 주 무리에서 벗어나 혈관 가까이로 이동하여 혈관내피세포 사이로 침윤해 들어간다. 혈관내피세포를 뚫고 혈류 안으로 빠져나온 암세포 및 암세포 군단은 혈류의 흐름에 따라서 이동을 하다가 좁은 모세 혈관에 걸리면 더 이상 이동을 못하고 그곳에서 암세포의 증식을 일으키게 되거나,

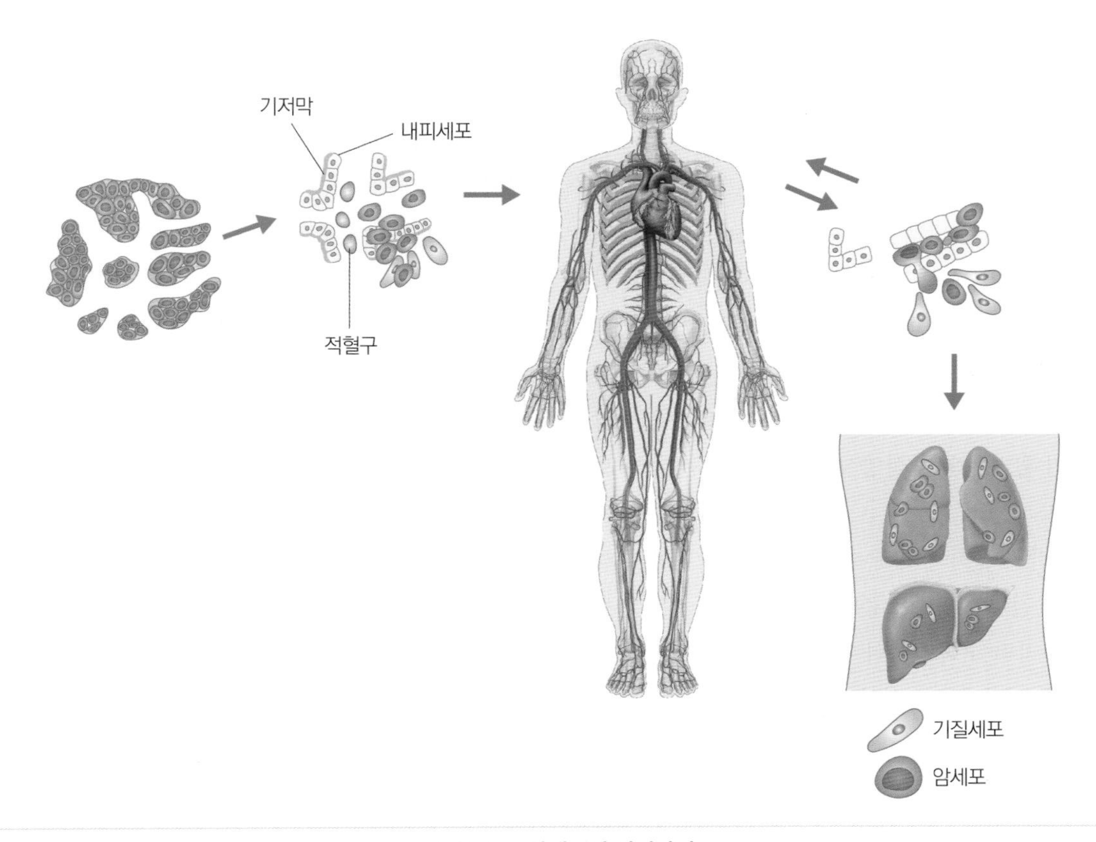

그림 27-5. **암세포의 전이과정**

혈류 이동 중에 혈관벽에 부착하여 혈관 내피세포를 뚫고 조직으로 침윤하여 증식을 하게 된다. 암세포는 또한 이러한 비슷한 과정을 통하여 림프절로도 전이를 하게 된다.

혈관생성은 암세포의 성장 및 전이에 필수적인 요소이다. 암세포의 안정적인 성장을 위해서는 혈관생성을 통한 산소와 영양분의 공급이 필수적이며 근처 혈관에서 산소를 공급받지 못하여 저산소 환경에 노출되며 이때 암세포는 HIF1a라는 물질을 분비하여 혈관생성을 촉진하게 된다. 혈관생성과 일차적으로 관련 있는 것은 혈관내피성장인자(vascular endothelial growth factor, VEGF)이고 그 밖에 중요한 인자들은 FGF (fibroblast growth factor), MMPs (matrix metalloproteinases) 및 다양한 신호 전달물질들이 있다.

VEGF pathway를 표적으로 하여 혈관생성을 차단함으로써 암을 억제하고자 만들어진 분자치료제가 Bevacizumab이다. Bevacizumab는 이미 한국에서도 난소암 환자에 사용이 허가되어 쓰이고 있다.

일부 암세포가 원발조직의 기저막을 뚫고 주변조직으로 침윤하게 되고 이중 일부가 혈관 또는 림프관으로 침투하여 원격 전이가 이루어지게 된다. 침윤성은 모든 암세포들의 공통적인 특성으로 세포외 기질을 뚫고 들어가는 것을 뜻한다. 암세포들은 단백질분해효소(protease)를 분비하여 기질단백질들을 녹이면서 침윤해 들어간다. 난소암 세포는 단백질분해효소 중 MMP-2, MMP-9를 과발현하고 있기 때문에 이들을 이용하여 침윤해 들어가는 것으로 생각되고 있고, 임상연구에 의하면 MMP-2, MMP-9를 과발현하는 난소암 환자들의 임상양상이 더 나쁘다는 것이 보고되어 있다.

세포-세포 간의 유착과 세포-기질 간의 유착 관계가 암세포의 침윤 및 전이에 영향을 준다. 특히 난소암 세포는 원발부위에서 분리되어 복막이나 복강내 장기의 표면에 부착을 하여 암세포 덩이를 형성하고 증식해 가기 때문에 관련 연구가 활발한데, Integrin과 E-cadherin이 관련유전자로 잘 알려져 있다. Integrin은 세포-기질 간의 유착을, cadherin은 세포-세포 간 유착을 시켜주는 막단백질이다. 상피성 난소종양에서는 특히 E-cadherin이 발현되어 있는데 정상 난소상피세포에는 발현되어 있지 않다. Cadherin 단백질의 기능장애는 세포 간의 유착을 약화시켜서 더 쉽게 원발부위로부터 떨어져 나가게 하고, integrin 단백질을 상향조절하여 떨어져 나간 난소암 세포가 복강내 다른 장기의 기질에 유착을 촉진하게 함으로써 전이에 도움이 된다.

4. 부인암의 유전자 변이

1) 자궁경부암

(1) 사람유두종바이러스(human papilloma virus, HPV)

자궁경부암은 한국인의 부인암 중 가장 흔한 암으로, 자궁경부이형성증 및 자궁경부암 발생에 가장 중요한 역할을 하는 것은 HPV 감염이다. 하지만 HPV에 감염이 되었다고 하더라도 대부분은 자연소실되고 일부 여성에서만 암으로 진행이 되는데, 이는 HPV 감염과 더불어서 유전적, 면역학적, 환경적 인자들이 암세포의 발생 및 진행에 영향을 미치기 때문이다. 예를 들어 면역이 저하된 여성은 HPV 감염이 사라지지 않고 지속적으로 유지되어 이형성증과 암으로의 이행할 위험이 높다.

HPV 종류는 100여 가지가 넘는데, 고위험군 HPV는 자궁경부이형성증 및 자궁경부암과 연관되어 있으며, 저위험군 HPV는 이형성증이나 콘딜로마의 발생과 연관되어 있다. 저위험군 HPV가 암을 일으키는 경우는 매우 드물다. HPV 16번과 18번은 자궁경부암세포에서 발견되는 고위험 HPV의 약 70%를 차지하며, 그 외에 31, 33, 35, 39, 45, 51, 52, 56, 58, 59, 68, 73, 82번이 고위험군에 속한다. 중위험군 HPV는 26, 53, 66번, 저위험군 HPV는 6, 11, 40, 42, 44, 54, 61, 70, 72, 81번이다. HPV DNA 염기 서열은 7,800 뉴클레오티드로 구성되어 있다. 초기, 말기 개방형해독틀로 나뉘는데, 8개의 초기 개방형해독틀은 (early open reading frames, E1-E7) 바이러스 복제 및 세포형질전환(cellular transformation)에 중요하고, 2개의 말기 개방형해독틀(late open reading frames, L1-L2)은 비리온(virion)의 구조단백질을 만들어 내어 원형의 완전한 비리온을 형성한다.

HPV에 의한 암형성과정에서 가장 핵심적인 부분은 HPV 게놈이 사람염색체로 통합(integration)되는 것이다(그림 27-6). HPV 암유전자로 잘 알려진 E6, E7를 포함한 바이러스 DNA가 사람세포의 DNA에 무작위로 통합되는데 좋은 위치에 통합이 되어 E6, E7이 과발현된 세포는 암세포로 형질전환을 일으키게 된다. E2는 E6, E7를 억제하는 조절자 역할을 하기 때문에 HPV에 의한 암형성과정에서 E2의 발현상실은 매우 중요하다. 원형의 DNA가 통합되기 쉬운 형태인 선형의 DNA로 될 때 E1-E2 부분이 잘려져 열리기 때문에 선형의 DNA는 E2의 조절기능을 상실하여 E6, E7의 발현이 억제가 안 되고, DNA 통합 후에 E6, E7의 mRNA 안정성이 높아지게 되는 것이다. 실제로 사람 케라틴세포에 E6, E7를 발현시키면 세포불멸화(immortalization)가 효과적으로 유도되고, 암세포주에 E2를 다시 발현시키면 암세포의 성장이 저해되는 것이 알려져 있다.

E6는 직접적인 결합을 통하여 p53 종양억제자를 불활성화시킨다. 또한 수 개의 결합단백질들이 밝혀지고 기능연구들이 이루어지면서 p53과 무관한 경로로도 E6가 암형성과정에 기여하는 것으로 보인다. 예를 들면 E6는 c-myc과 결합을 하여 hTERT (human Telomerase Reverse Transcriptase) 발현을 유도하여 세포불멸화에 기여한다. hTERT는 염색체의 telomere 길이를 유지하는 효소인데 telomere의 길이는 세포가 복제되면서 짧아지고 작아진다. 정상세포의 hTERT활성은 낮지만 암세포에서는 hTERT이 재활성화되어 telomere의 길이가 유지되기 때문에 무한증식이 가능하게 된다. 뿐만 아니라, E6는 PDZ 결합 도메인을 포함하고 있어서 PDZ 단백질들과 complex를 형성하여 피부이상증식(skin hyperplaisa) 등을 일으키는 것으로 알려졌다.

E7은 Rb 종양억제자와 직접적으로 결합하여 Rb의 역할

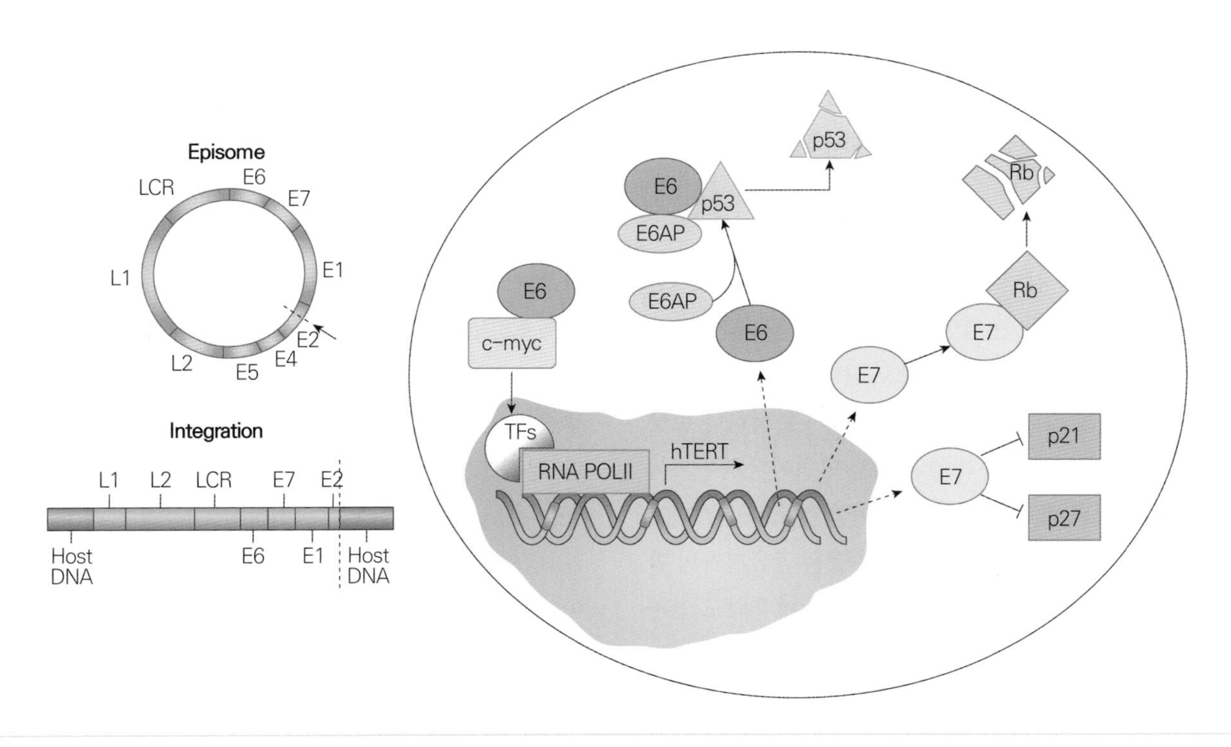

그림 27-6. **HPV DNA의 사람 세포 DNA로의 통합 및 암형성과정에서 E6, E7의 역할**

을 억제한다. 이 결합은 저위험군 HPV의 E7보다 고위험군 HPV의 E7이 보다 더 효율적이다. 뿐만 아니라 HPV E7은 p21, p27를 억제한다. p21과 p27은 케라틴세포 분화 과정에서 세포주기 차단에 핵심적 조절자이기 때문에 E7에 의한 이들 인자들의 억제는 지속적인 복제를 가능하게 한다. 그 밖에 E7은 p300, CBP, pCAF 등 전사 보조인자들과 결합하며 이들은 E7에 의한 암세포로의 형질전환을 돕는 것으로 보고되고 있다.

(2) 게놈변화(genomic change)

CGH (comparative genomic hybridization) 기술로 인하여 세포의 염색체 좌위(loci)의 복제(copy) 수의 증가나 감소를 관찰할 수 있게 되었고, 염색체의 특정 부위가 상실되어 발생하는 LOH (loss of heterozygosity) 연구가 활발해지면서 암세포에 염색체 좌위의 복제수 변이가 있음을 알게 되었다. 자궁경부암 세포의 경우, 염색체 3q의 복제 수 증가가 약 77%에서 관찰되었고 그 밖에 1q, 3q, 5p, 20q, Xq의 복제 수의 증가가 빈번하다. 복제 수의 감소가 빈번한 염색체는 2q, 3p, 4p, 11q, 13q가 보고되었다. 이 중 3p는 fragile histidine triad (*FHIT*) 유전자가 포함되어 있음이 알려져 있다. 특히 3q 복제 수 증가 및 3p, 11q 복제수 감소는 HPV 감염과 연관되어 있음이 보고되었다.

(3) 암유전자와 종양억제유전자

자궁경부암은 HPV 감염이 필수 인자라고 여겨지고 있지만 실제로 대부분의 HPV는 감염이 되어도 저절로 사라지는 것으로 되어 있고 일부만 지속적으로 남아서 자궁경부암의 발생에 기여하게 된다. 따라서 암유전자의 활성화나 종양억제유전자의 비활성화 등과 같은 유전자 변이가 동반되어 HPV에 의한 암의 발생 및 진행에 기여할 것으로 생각되고 있다. *ras* 돌연변이와 c-myc 과발현과 같은 암유전자의 활성화가 자궁경부암세포에서 보고되었으며 예후와도 연관이 있음이 보고되어서 암의 발생 및 진행에 관여를 할 것으로 생각한다. 고위험군 HPV 감염을 보인 거의 모든 자궁경부암세포 및 이형성세포들에서 세포내 p16 단백질이 축적되어 있다. p16 단백질 축적은 E7에 의한 Rb의 억제로 인한 것으로, p16은 Rb를 인산화시키는 CDK4, CDK6를 억제하는 역할을 하기 때문이다. 즉, p16과 Rb는 상호 발현(reciprocal expression)을 보인다. 종양억제유전자로 알려져 있는 *FHIT*, *DKK3*, *RASSF1A*의 감소가 자궁경부암 세포에서 빈번하게 관찰되고 *FHIT*, *DKK3*의 감소는 환자의 나쁜 예후와 연관이 있음이 보고되었다.

2) 난소암

난소암은 유전성과 산발성으로 나뉜다. 유전성 난소암은 상피성 난소암의 약 5-10%를 차지하며 *BRCA1* (breast cancer susceptibility gene 1), *BRCA2* (breast cancer susceptibility gene 2) 암감수성유전자의 생식세포돌연변이(germ line mutation)에 의하여 발생한다. 나머지는 산발성 난소암이며, 발생기전은 염증반응의 결과 생긴 산화스트레스(oxidative stress)와 활성산소(reactive oxygen species, ROS)에 의한 유전자 손상이나 배란 부위의 조직복구 과정에서 발생한 유전자 손상이 축적되어 발생할 것이라고 추측하고 있다. 실제로 배란의 횟수를 감소시키는 임신 여부와 피임제의 복용이 난소암의 예방효과가 있음이 보고되었는데, 피임제 사용 기간이 길면 길수록 난소암 발생률이 낮아졌고 10년 이상 사용한 여성의 경우 위험도가 50% 이상 감소한다.

난소암은 세포종류와 분화도에 따라서 유전자 변이가 다르다. 자궁내막모양암(endometrioid carcinoma)과 투명세포암(clear cell carcinoma)은 *PTEN*, *PIK3CA* 유전자의 돌연변이가, 점액성암은 K-ras 돌연변이가 빈번하게 관찰된다. 장액성 암은 저등급 장액성 암(경계성 장액성 암, 분화도가 좋은 장액성 암)에서는 *K-ras*, *BRAF*, *PTEN*, *beta-catenin* 돌연변이가 빈번하고, 고등급 장액성 암에서는 *BRCA1*, *BRCA2*, p53 돌연변이가 빈번하게 관찰된다. 이러한 분자유전학적 연구결과를 바탕으로 장액성 난소암의 저등급암(Type Ⅰ)과 고등급암(Type Ⅱ) 발생과정을 다르게 설명하는 이중모델이 제시되었다. 분자유전학적 연구의 축적으로 난소암의 발생에 대한 이해가 깊어질수록 향후 환자의 진단, 치료 그리고 예방에 많은 도움이 될 것으로 기대한다.

(1) 유전성 난소암

난소암의 약 10%는 종양억제유전자 *BRCA1*, *BRCA2*의 돌연변이를 가지고 태어난 여성들에게 발생한다. *BRCA1* 유전자는 17번 염색제 장완 21(17q21)에 위치하고, *BRCA2*는 13번 염색체 장완 12-13(13q12-13)에 위치한다. 이 유전자들은 유방암과 난소암에 취약한 유전자로 알려져 있고 각각 난소암의 6%, 3%를 차지한다. BRCA 유전자 변이에 의해 발생한 난소암은 대부분 유두모양 장액성 암(papillary serous carcinoma)이다. *BRCA1* 및 *BRCA2* 돌연변이를 갖고 태어난 여성은 난소암에 걸릴 확률이 각각 20-40%, 10-20%로 보고되어 있고, 평균 난소암 발생연령이 40대 중반부터 50대 초반이다. 산발성 난소암의 발생연령이 60대 중반인 것과 비교했을 때 더 젊은 연령에서 발생한다. BRCA는 Rad51과 복합체를 형성하여 DNA에서 손상된 부분을 복구하는 기능이 알려져 있다. 하지만 *BRCA1*, *BRCA2* 돌연변이가 난소암을 일으키는 기전은 명확하지 않다.

HNPCC 증후군 여성에서 난소암이 발병할 위험은 약 5-12%로 증가한다. 주로 40대 초반에 발병하므로 산발적 난소암보다도 발병연령이 젊고 분화도가 좋고 초기에 발견이 되는 편이어서 예후는 산발성 난소암보다 좋다. 이렇게 난소암의 위험도가 증가하기 때문에 HNPCC 증후군의 여성에서 예방적으로 전대장절제수술을 하는 경우에 양측 난소나팔관의 절제도 함께 고려해야 된다.

(2) 산발성 난소암

① 게놈의 변화(genomic change)

일반적으로 침윤성 상피성 난소암은 형질 전환된 하나의 암세포로부터 유래된 단일클론질환으로 이해되고 있지만 *BRCA1* 돌연변이를 가진 환자들에서 발생한 난소암은 다클론성으로 이해되고 있다.

대부분의 산발성 난소암 세포에서는 고도의 유전자 손상들이 관찰되고 있다. CGH에 의하면 게놈의 일부가 증강(gain) 내지는 소실(loss)되어 있고(표 27-4), 게놈의 다양한 부분들에 LOH가 빈번하게 관찰되고 있다(표 27-5). 또한 병기가 높을 수록, 분화도가 안 좋을 수록, 더 많은 수의 유전적 변이들이 관찰되고 있다.

인간게놈은 약 25,000개의 유전자들을 함유하고 있다. 마이크로 어레이 기술의 발달로 수천 개의 유전자의 발현을 한 번에 관찰할 수 있게 되었는데 이 연구 결과로 암세포로의 형질전환 및 성장 그리고 전이 등의 모든 과정들에서 많은 유전자들의 발현이 증가 내지는 감소한다는 사실을 알아냈다. 유전자들의 발현의 변화 패턴을 이용하여 난소암의 병리학적 종류, 경계성인지 침윤성인지 그리고 초기인지 진행이 많이 된 난소암인지를 어느 정도 구별하는데 기여를 하고 있으며, 치료에 반응도나 예후를 예측하는 데에도 많은 도움이 되고 있다. 이러한 연구들은 새로운 분자치료제의 개발에 필수적인 기여를 하게 될 것이다. 예를 들면 src, *ras*, EGFR과 같은 암발달에 중요한 신호전달 체계를 표적으로 하는 분자생물학적 치료제를 개발하게 될 것이다. 또한 환자 개개인의 맞춤 치료에 적지 않은 영향

표 27-4. 상피성 난소암의 CGH 어레이로 발견된 유전적 불균형

염색체 위치	참고문헌
증강된 부위 1(p13, p33, q22-32.1), 2(q14, q21), 3q26, 4(p15, q21, q23), 5p15, 6(p21, p22), 7(p21, q32-36), 8(p112, q22.1, q23-24), 9q, 10p, 11(q13, p14), 12(p11,p12, q12, p13, q24), 16q21-24, 17(q21-23, q25, q32), 19(p13, q13), 18q22, 20p, 20(q12, q13.2), 22q13	Taetle et al (1999) Thompson et al (1996) Iwabuchi et al (1995) Diebold et al (2000) Suzuki et al (2000) Watanabe et al (2001) Sonoda et al (1997) Arnold et al (1996) Tanner et al (2000) Gray et al (2003) Patael-Karasik (2000)
소실된 부위 4p11-14, 9p, 11p14-15, 13q22-23, 16q, 18q22-23, Xq12	Watanabe et al (2001) Arnold et al (1996) Gray et al (2003)

표 27-5. 상피성 난소종양의 돌연변이

양성종양	경계성 종양	침윤성 암
1p 3p	*BRCA1* RB-1 1p 3p 7q31.3 17q25 X11.2-q12	*BRCA1* RB-1 H-ras 1 1p, 3p 7q31.3 9p 11p15, 11q22-24 13q12-q14 17p13, 17q, 17q22-32, 17q25 18q X11.2-q12

Wang C (2004), Gras E (2001), Garcia A (2000), Dion F (2000), Campbell IG (1999), Zvorovskaya I (1999), Huang H (1999), Lounis H (1998), Edelson MI (1997), Rodabaugh KJ (1995), Eccles DM (1992)

을 줄 것이다. 예를 들면 예후가 안 좋은 분자생물학적 특징(molecular profile)를 보이는 환자들을 가려내어서 표준 치료와 다른 방식의 치료적 접근을 하게 될 것이고, 개발된 분자생물학적 표적 치료제에 대한 적합한 환자 군을 선별해 낼 수 있게 될 것이다.

② 종양억제유전자

p53은 대표적인 종양억제유전자인데 이는 단순히 난소암에만 국한된 이야기는 아니다. p53의 돌연변이 형태는 기능이 불완전하기 때문에 세포는 지속적으로 p53을 전사시켜서 단백질을 만들어 실제 세포내 p53 단백질 발현은 증가되어 있다. p53의 돌연변이를 알아보는 방법은 유전자 서열을 조사하여 서열의 변화 및 절단(truncation)된 것을 찾아내거나 조직면역염색을 하여 세포내 단백질 발현이 증가되는 것을 관찰하여 찾아내게 된다. p53 유전자 돌연변이는 난소암의 약 45%에서 발견되는데, 특히 병기가 진행될수록 p53 유전자의 돌연변이 빈도가 증가되어 있다(표 27-6). 난소암 세포에 p53 유전자 돌연변이가 있는 난소암 환자의 예후는 비교적 안 좋은 것으로 보고되고 있고, 특히 일부 연구들은 항암제 저항성과의 연관성을 보고하였다.

세포주기를 조절하는 유전자들은 결함이 있는 세포가 다음 주기로 이행하는 것을 막아서 결함있는 세포를 걸러내는 역할을 한다. 특히 CDK inhibitor는 세포에 문제가 있을 때 세포주기 G1에서 S phase로의 이행을 막아서 세포의 성장을 조절하는 단백질이다. 몇몇 난소암에서 몇 종류의 CDK inhibitor의 발현이 감소되어 있어서 무분별한 세포의 성장에 기여를 하는 것으로 보인다. 또한, *BRCA1*과 *BRCA2*의 생식세포돌연변이 외에도 약 3%에서 체세포돌연변이가 관찰된다. 손상된 DNA를 복구하는 *BRCA1* 또는 *BRCA2* 유전자에 돌연변이가 발생하게 되면, 손상된 DNA는 복구가 일어나지 않게 되고, 그 결과 세포들은 추가적인 유전적 변화를 일으켜 암을 유발하게 된다. 이러한 DNA의 복구가 올바르게 진행되지 못할 경우 DNA에 손상을 주는 백금계열 항암제에 더욱 민감할 수 있으며, 손상된 DNA을 복구하는 것을 막는 약물인 PARP (poly ADP ribose polymerase) 억제제에 의해 암세포의 성장을 효과적으로 막을 수 있다. 그러므로 최근 FDA는 BRCA 유전자 이상이 있는 난소암 환자에서 PARP 억제제인 olaparib과 niraparib의 사용을 허가한 바 있다. 그 밖에 난소암에서 발현이 감소된 것으로 알려진 것들은 p16/INK4A, p15 (CDKN2B), p21, p27 (CDKN1B) 등이 있다. 특히 p27의 손실이 있는 난소암 환자의 나쁜 예후인자임

표 27-6. p53 mutation in ovarian cancer

Benign Tumor	Borderline Tumor	Invasive Carcinoma	
0%	8.2%	44.4%	
		Stage I/II	Stag III/IV
		18.9%	66.3%

이 보고되었다(표 27-7). 이들 종양억제유전자들은 유전자 서열의 돌연변이뿐 아니라 LOH, 프로모터 메틸화에 의한 전사의 억제등으로 비활성화된다.

③ 암유전자

K-ras는 돌연변이에 의하여 활성화가 되는 암유전자이다. 고등급 장액성 난소암에서는 드물지만 경계성 장액성 난소암의 25-50%, 점액성 난소암의 약 50%에서 K-ras 돌연변이가 관찰된다(표 27-8). 인접해 있는 양성낭성종양 상피세포에서도 발견되는 것으로 보아 K-ras 돌연변이는 발암과정의 초기에 나타나는 것으로 여겨진다.

HER-2/neu는 게놈 증강에 의하여 난소암에서 과발현이 되어 있고, 난소암 환자의 나쁜 예후와 연관되어있다고 보고되고 있다. 또한 HER-2/neu를 표적으로 하는 monoclonal antibody를 처리하면 난소암 세포의 성장을 저해하는 것으로 알려져 있다. GOG 연구결과에 의하면 난소암의 11%에서 HER-2/neu이 과발현이 관찰되었고, 이들을 대상으로 anti-HER-2/neu antibody (trastuzumab) 단독 치료를 하였을 때 반응율이 7% 정도 되었다. 실망스런 결과이긴 하지만 유방암처럼 항암제와의 병용요법에서는 어떤 반응률을 얻어낼 수 있을지 연구가 필요하다.

전사인자인 c-myc 암유전자도 난소암의 약 30%에서 과발현되어 있으며 주로 진행된 난소암에서 빈번하게 관찰된다. 그 밖에 BTAK/Aurora-A, PIK3CA와 같은 키나제 등도

표 27-7. 산발성 난소암의 종양억제유전자

유전자	분류	억제 기전	빈도(%)
BRCA1	DNA repair	Mutation/Deletion	5
BRCA2	DNA repair	Mutation/Deletion	3
MSH2/MLH1	DNA repair	Mutation	1
p53	Transcriptional Factor	Mutation/Deletion	30-60
WWOX	Apoptosis	Heterozygous Deletion	unmeasured
OBCAM	Adhesion Molecule	Allele Loss/Hypermethylation	unmeasured
TGFbetaRII		Mutation	25
DCC	Tumor Suppressor	Impaired mRNA	40 (50 of serous)
FHIT	Tumor Suppressor	Abnormal Transcript	39
p16/INK4A	Cdk Inhibitor	Mutation/Deletion	15-87
DOC2/Dab2	Signal Transduction	Inactivation	85

표 27-8. 산발성 난소암의 암유전자

유전자	분류	억제 기전	빈도(%)
K-ras/BRAF	G-protein	Mutation	5-14 (60-75 in Mucinous)
HER-2/neu	Tyrosine Kinase	Amplification/Overexpression	10-50
c-myc	Transcriptional Factor	Overexpression	20-30
BTAK/Aurora-A	Kinase	Overexpression	57
AKT2	Kinase	Amplification	10
PIK3CA	Kinase	Amplification	10-20

난소암에서 활성화되어 있다.

암세포는 성장하기 위하여 성장인자들을 만들어낸다. 난소암 세포에서 생산하여 분비하는 성장인자들은 EGF, TGF-alpha, IGF-1, IGF-1 결합단백질, FGF, M-CSF 등이 있으며, 세포 표면에 있는 각각의 수용체에 결합하여 암세포의 성장 및 진행을 촉진시킨다.

3) 자궁내막암

자궁내막암은 병인에 따라 두 유형으로 나뉠 수 있다. Type Ⅰ은 에스트로겐의 영향이 불균형적으로 높아서 발생하는 것으로 자궁내막증식증을 거쳐서 암으로 이행을 한다. 에스트로겐에 의한 자궁내막세포의 증식으로 세포의 유전자 돌연변이가 발생할 기회가 증가하고, 이미 유전자 변이를 일으킨 세포의 증식을 에스트로겐이 돕기 때문이다. 반면에 프로게스테론은 에스트로겐 수용체를 감소시키고 세포소멸을 증가시켜서 세포의 성장을 억제하는 역할을 한다. Type Ⅰ 경로로 발생한 자궁내막암은 TypeⅡ와 비교 했을 때 분화도가 좋고, 주로 자궁내막성 형태(endometrioid type)이며, 초기 병기 때 발견되는 경향이 있기 때문에 예후도 좋다. TypeⅡ 발생경로는 폐경 여성의 위축성 내막이나 자궁내막용종에서 기인하는 자궁내막상피내암(endometrial intraepithelial carcinoma)과 연관되어 있으며 유전자적 결함에 의하여 de novo로 발생을 하는 것으로 비자궁내막성 형태(nonendometrioid type)이며, 분화도가 안 좋고 진행된 상태에서 발견이 되기 때문에 예후가 나쁘다. 소수의 자궁내막암은 DNA의 결함을 보수하는 유전자에 생식세포 돌연변이로 발생하며 이것을 유전성 비용종대장암(hereditary nonpolyposis coloretctal cancer, HNPCC)

표 27-9. 유전성 비용종대장암의 진단기준

Amsterdam criteria II
1. At least three family members with HNPCC-related cnacer*, one of whom is first-degree relative of the other two.
2. At least two generations with HNPCC-related cancer
3. At least one individual <50 y at diagnosis of HNPCC-related cancer.
Modified Amsterdam criteria
1. Two first-degree relatives with colorectal cancer involving two generations.
2. At least one case diagnosed before 55 y or
3. Two first-degree relatives with colorectal cancer and a third relative with endometrial cancer or another HNPCC-related cancer.

Abbreviations: HNPCC, Hereditary nonpolyposis colorectal cancer.
*HNPCC-related cancer: colorectal, endometrial, small bowel, ureter, renal pelvis

표 27-10. 대장암에서 미세부수체(MSI) 검사를 시행하기 위한 개정된 Bethesda 가이드라인

Tumors from individuals should be tested for MSI in the following situations;
1. Colorectal cancer diagnosed in a patient who is less than 50 years of age.
2. Presence of synchronous, metachronous colorectal, or other HNPCC associated tumors,* regardless of age.
3. Colorectal cancer with the MIS-H∫ histology† diagnosed in a patient who is less than 60 years of age.§
4. Colorectal cancer diagnosed in one or more first-degree relatives with an HNPCC-related tumor, with one of the cancers being diagnosed under age 50 years.
5. Colorectal cancer diagnosed in two or more first-or second-degree relatives with HNPCC-related tumors, regardless of age.

* Hereditary nonpolyposis colorectal cancer (HNPCC)-related tumors include colorectal, endometrial, stomach, ovarian, pancreas. ureter and renal pelvis, biliary tract, and brain (usually glioblastoma as seen in Turcot syndrome) tumors, sebaceous gland adenomas and keratoacanthomas in Muir - Torre syndrome, and carcinoma of the small bowel (48).
∫ MSI-H = microsatellite instability - high in tumors refers to changes in two or more of the five National Cancer Institute-recommended panels of microsatellite markers.
† Presence of tumor infiltrating lymphocytes. Crohn's-like lymphocytic reaction, mucinous/signet-ring differentiation, or medullary growth pattern.
§ There was no consensus among the Workshop participants on whether to include the age criteria in guideline 3 above; participants voted to keep less than 60 years of age in the guidelines.

또는 린치증후군(lynch syndrome)이라고 한다.

(1) 유전성 자궁내막암

자궁내막암은 HNPCC를 가진 여성에서 대장암 다음으로 많이 발생하는 암이다. 자궁내막암의 3-5%가 HNPCC 증후군의 DNA의 결함을 보수하는 유전자에 생식세포 돌연변이 때문에 발생하는 것으로 보고되고 있다. 이들 유전자는 *MSH2*, *MLH1*, *MSH6*, *PMS1*, *PMS2*가 있다. 이 유전자들은 DNA 복제 시 잘못된 염기서열을 수정하는 역할을 하기 때문에 돌연변이가 발생하여 그 역할이 잘 안 되면 잘못된 염기서열이 미소부수체(microsatellite)에 축척이 되는 현상이 유도된다. 이를 미소부수체 불안정성(microsatellite instability)이라고 한다. 미소부수체는 DNA의 염기서열 중에서 1-3개의 염기쌍이 15-40회 반복되어 있는 부분을 말하는데 유전자의 조절영역이나 비발현부위에 존재하며, 이들의 길이가 다형성을 나타내기 때문에 다형적 DNA 표지로서 사용되고 있다. 종양억제유전자의 미소부수체에 돌연변이, 즉 잘못된 염기서열이 축적이 되면 종양억제유전자의 불활성화의 기전이 된다. DNA 결함을 보수하는 유전자의 생식세포 돌연변이를 보이는 가족들 중에서 미소부수체 불안정성이 대장암의 약 90% 이상, 자궁내막암의 약 75% 이상에서 발견이 된다. 따라서 The Revised Bethesda Guidelines에서는 HNPCC 증후군의 임상 양상을 보이는 환자의 경우 미소부수체 불안정성 검사를 선별검사로 시행할 것을 권고하고 있다.

HNPPC 증후군 여성에서 자궁내막암이 발생할 위험은 20-60%로 보고되고 있다. 특징적으로 발생연령이 평균 40세로 산발적 자궁내막암보다 일찍 발병한다. 선별검사를 위해서는 암스테르담 기준 II(표 27-9)와 The revised Bethesda guidelines(표 27-10) 가장 흔하게 사용되며, 아이를 더 이상 낳을 필요가 없는 경우에는 30-35세 정도에서 예방적 전자궁절제술이 자궁내막암의 발생을 의미 있게 감소시키는 것으로 보고되었지만 실제로 이런 환자들이 자궁내막암으로 사망하는 경우는 드물기 때문에 예방적 전자궁절제수술이 사망률 감소와는 연관성이 없었다.

(2) 산발성 자궁내막암

CGH 연구에 따르면 자궁내막암에서도 염색체 변이가 보고되어 있다. 1q, 8q, 10p, 10q에 염색체 증강이 흔히 관찰되는 것으로 보고되었다. 또한 20%에서 염색체 이수성(aneuploidy)이 관찰되는데, 염색체 이수성은 진행된 병기, 나쁜 분화도, 비자궁내막성(nonendometrioid) 형태, 나쁜 예후와 의미 있는 연관성을 보였다.

① 종양억제유전자

종양억제유전자 p53의 불활성이 자궁내막암에서 가장 흔한 유전자 변이이다. 약 20%에서 돌연변이 p53이 과발현되어 있으며, 이런 환자들은 진행된 병기, 나쁜 분화도, 비자궁내막성(nonendometrioid) 형태와 연관성이 있었다. 또한 p53 과발현 자궁내막증 환자들은 예후가 안 좋다고 보고되었다. 과발현되어 있는 비활성 p53은 주로 엑손(exon) 5-8에 생긴 과오돌연변이(missense mutation)를 가지고 있는데 이들은 아미노산을 바꾸어서 단백질의 구조를 변형시켜서 DNA에 결합력이 상실된다. 자궁내막증식증에는 매우 드물고 비자궁내막성(nonendometrioid) 형태와 연관성이 높기 때문에 Type II 자궁내막암의 발생에 더 밀접하게 관여할 것으로 여겨진다.

자궁내막암의 약 30-50%에서 *PTEN* 돌연변이가 관찰된다. 또한 자궁내막증식증의 20%에서도 관찰되기 때문에 Type I 자궁내막암 발생의 초기에 관여하는 것 같고, *PTEN* 돌연변이는 자궁내막성(endometrioid) 형태, 초기 병기, 좋은 분화도와 연관성이 높아서 p53 돌연변이와 대조된다. 주된 돌연변이 기전은 결실돌연변이(deletion mutation), 삽입돌연변이(insertion mutation), 정지돌연변이(nonsense mutation)이다. *PTEN*은 인산가수분해 효소(phosphatase)를 인코딩하는 유전자이기 때문에 상실이 되면 인산화 효소(kinase)의 활성의 증가를 초래한다. 다시 말하면, 자궁내막암세포의 *PTEN* 상실은 PI3K (phosphatidylinositol 3-kinase) 인산화 효소의 활성 증가를 초래하여 하위 단백질인 Akt 활성화가 유도된다(그림 27-7).

미소부수체 불안정성은 산발성 자궁내막암의 20%에서

도 관찰된다. 미소부수체 불안정성을 보이는 자궁내막암은 type I 인 경우가 많고 MLH1의 프로모터 과메틸화에 의한 억제가 주된 기전으로 보고되고 있다. MLH1의 프로모터 메틸화는 자궁내막증식증이나 암과 인접해 있는 정상 세포에서도 발견되기 때문에 암 발생의 초기단계에 발생하는 것으로 생각된다.

② 암유전자

PI3K는 촉매소단위와 조절소단위로 구성되어 있는데 이 중 촉매소단위가 PIK3CA이다. 자궁내막암의 36-39%에서 PIK3CA 돌연변이가 관찰되며 일부에서는 *PTEN* 돌연변이를 동반하고 있다. PIK3CA 돌연변이는 PIK3CA를 활성화시키고 *PTEN* 돌연변이는 *PTEN*을 불활성화시키고 Akt을 활성화시켜 결국은 mTOR를 상향조절(upregulation)하여 자궁내막암 세포의 성장 및 전이를 돕는다(그림 27-7). 이 연구결과들을 바탕으로 최근에는 mTOR를 억제시켜서 자궁내막암의 치료에 응용하고 있다.

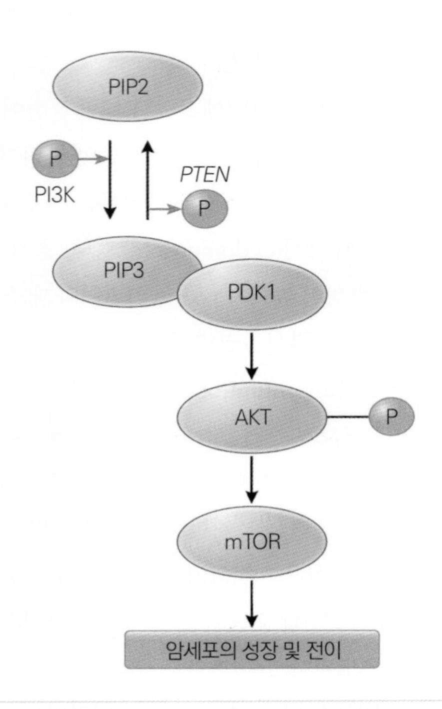

그림 27-7. **P13K/ATK/mTOR 신호전달경로**

K-ras 돌연변이는 자궁내막암의 10-30%에서 관찰되고, Type I 자궁내막암에서 빈번하다. 또한 자궁내막증식증에서도 발견되기 때문에 암발생의 초기과정에서 발생하는 것으로 생각된다. 섬유아세포성장인자수용체(fibroblast growth factor receptor 2)의 돌연변이가 자궁내막암의 약 10%에서 관찰된다. 그 밖에 beta-catenin, E-cadherin, APC 돌연변이들이 보고되었다.

참고문헌

- Aarnio M, Mecklin JP, Aaltonen LA, Nystrom-Lahti M, Jarvinen HJ. Life-time risk of different cancers in hereditary non-polyposis colorectal cancer (HNPCC) syndrome. Int J Cancer 1995;64:430-3.
- Alvarez AA1, Moore WF, Robboy SJ, Bentley RC, Gumbs C, Futreal PA, et al. K-ras mutations in Mullerian inclusion cysts associated with serous borderline tumors of the ovary. Gynecol Oncol 2001;80:201-6.
- Amaravadi RK, Thompson CB. The roles of therapy-induced autophagy and necrosis in cancer treatment. Clin Cancer Res 2007;13:7271-9.
- Avvakumov N, Torchia J, Mymryk JS. Interaction of the HPV E7 proteins with the pCAF acetyltransferase. Oncogene 2003;22:3833-41.
- Baker VV, Hatch KD, Shingleton HM. Amplification of the cmyc proto-oncogene in cervicalcarcinoma. J Surg Oncol 1988;39:225-8.
- Benz EJ, Jr., Nathan DG, Amaravadi RK, Danial NN. Targeting the cell death-survival equation. Clin Cancer Res 2007;13:7250-3.
- Berchuck A, Kohler MF, Marks JR, Wiseman R, Boyd J, Bast RC Jr, et al. The p53 tumor suppressor gene frequently is altered in gynecologic cancers. Am J Obstet Gynecol 1994;170:246-52.
- Bernat A, Avvakumov N, Mymryk JS, Banks L. Interaction between the HPV E7 oncoprotein and the transcriptional coactivator p300. Oncogene 2003;22:7871-81.
- Bookman MA, Darcy KM, Clarke-Pearson D, Boothby RA, Horowitz IR. Evaluation of monoclonal humanized anti-HER2 antibody, trastuzumab, in patients with recurrent or refractory ovarian or primary peritoneal carcinoma with overexpression of HER2: a phase II trial of the Gynecologic Oncology Group. J Clin Oncol 2003;21:283-90.

- Bourhis J, Le MG, Barrois M, Gerbaulet A, Jeannel D, Duvillard P, et al. Prognostic value of c-myc proto-oncogene overexpression in early invasive carcinoma of the cervix. J Clin Oncol 1990;8:1789-96.
- Brien TP, Kallakury BV, Lowry CV, Ambros RA, Muraca PJ, Malfetano JH, et al. Telomerase activity in benign endometrium and endometrial carcinoma. Cancer Res 1997;57:2760-4.
- Broaddus RR, Lynch HT, Chen LM, Daniels MS, Conrad P, Munsell MF, et al. Pathologic features of endometrial carcinoma associated with HNPCC: a comparison with sporadic endometrial carcinoma. Cancer 2006;106:87-94.
- Bryant, H. E., et al. Specific killing of BRCA2-deficient tumours with inhibitors of poly (ADPribose) polymerase. Nature 2005;434:913-7.
- Byron SA, Gartside M, Powell MA, Wellens CL, Gao F, Mutch DG, et al. FGFR2 point mutations in 466 endometrioid endometrial tumors: relationship with MSI, KRAS, PIK3CA, CTNNB1 mutations and clinicopathological features. PLoS One 2012;7:e30801.
- Calin GA, Croce CM. MicroRNA-cancer connection: the beginning of a new tale. Cancer Res 2006;66:7390-4.
- Carracedo A, Pandolfi PP. The PTEN-PI3K pathway: of feedbacks and cross-talks. Oncogene 2008;27:5527-41.
- Cheng, S, Schmidt-Grimminger DC, Murant T, Broker TR, Chow LT. Differentiation-dependent up-regulation of the human papillomavirus E7 gene reactivates cellular DNA replication in suprabasal differentiated keratinocytes. Genes Dev 1995;9:2335-49.
- Coley HM, Safuwan NA, Chivers P, Papacharalbous E, Giannopoulos T, Butler-Manuel S, et al. The cyclin-dependent kinase inhibitor p57(Kip2) is epigenetically regulated in carboplatin resistance and results in collateral sensitivity to the CDK inhibitor seliciclib in ovarian cancer. Br J Cancer 2012; 106:482-9.
- Crickard K, Gross JL, Crickard U, Yoonessi M, Lele S, Herblin WF, et al. Basic fibroblast growth factor and receptor expression in human ovarian cancer. Gynecol Oncol 1994;55:277-84.
- Croce CM. Oncogenes and cancer. N Engl J Med 2008;358: 502-11.
- Darcy KM, Brady WE, Blancato JK, Dickson RB, Hoskins WJ, McGuire WP, et al. Prognostic relevance of c-MYC gene amplification and polysomy for chromosome 8 in suboptimally resected, advanced stage epithelial ovarian cancers: a Gynecologic Oncology Group study.Gynecol Oncol 2009;114:472-9.
- Dokianakis DN, Sourvinos G, Sakkas S, Athanasiadou E, Spandidos DA. Detection of HPV and ras gene mutations in cervical smears from female genital lesions. Oncol Rep 1998; 5:1195-8.
- Doraiswamy V, Parrott JA, Skinner MK. Expression and action of transforming growth factor alpha in normal ovarian surface epithelium and ovarian cancer. Biol Reprod 2000;63: 789-96.
- Elliott RL, Blobe GC. Role of transforming growth factor Beta in human cancer. J Clin Oncol 2005;23:2078-93.
- Rodriguez GC, Berchuck A, Whitaker RS, Schlossman D, Clarke-Pearson DL, Bast RC Jr. Epidermal growth factor receptor expression in normal ovarian epithelium and ovarian cancer. II. Relationship between receptor expression and response to epidermal growth factor. Am J Obstet Gynecol 1991;164:745-50.
- Esteller M. Epigenetics in cancer. N Engl J Med 2008;358: 1148-59.
- Facchini LM, Penn LZ. The molecular role of myc in growth and transformation: recent discoveries lead to new insights. FASEB Journal 1998;12:633-51.
- Farmer, H., et al. Targeting the DNA repair defect in BRCA mutant cells as a therapeutic strategy. Nature. 2005;434:917-21.
- Frank TS, Manley SA, Olopade OI, Cummings S, Garber JE, Bernhardt B, et al. Sequence analysis of BRCA1 and BRCA2: correlation of mutations with family history and ovarian cancer risk. J Clin Oncol 1998;16:2417-25.
- Fujita M, Enomoto T, Haba T, Nakashima R, Sasaki M, Yoshino K, et al. Alteration of p16 and p15 genes in common epithelial ovarian tumors. Int J Cancer 1997;74:148-55.
- Gadducci A, Ferdeghini M, Castellani C, Annicchiarico C, Prontera C, Facchini V, et al. Serum macrophage colonystimulating factor (M-CSF) levels in patients with epithelial ovarian cancer. Gynecol Oncol 1998;70:111-4.
- Garrett AP, Lee KR, Colitti CR, Muto MG, Berkowitz RS, Mok SC. k-ras mutation may be an early event in mucinous ovarian tumorigenesis. Int J Gynecol Pathol 2001;20:244-51.
- Gritsko TM, Coppola D, Paciga JE, Yang L, Sun M, Shelley SA, et al. Activation and overexpression of centrosome kinase BTAK/Aurora-A in human ovarian cancer. Clin Cancer Res 2003;9:1420-6.
- Havrilesky LJ, Moorman PG, Lowery WJ, Gierisch JM, Coeytaux RR, Urrutia RP, et al. Oral contraceptive pills as primary prevention for ovarian cancer: a systematic review and metaanalysis. Obstet Gynecol 2013;122:139-47.
- Hawley-Nelson P, Vousden KH, Hubbert NL, Lowy DR, Schiller JT. HPV16 E6 and E7 proteins cooperate to immortalize human foreskin keratinocytes. EMBO J 1989;8:3905-10.
- Hecht JL, Mutter GL. Molecular and pathologic aspects of endometrial carcinogenesis. J Clin Oncol 2006 24:4783-91.

- Heselmeyer K, Macville M, Schrock E, Blegen H, Hellstrom AC, Shah K, et al. Advanced-stage cervical carcinomas are defined by a recurrent pattern of chromosomal aberrations revealing high genetic instability and a consistent gain of chromosome arm 3q.Genes Chromosomes Cancer 1997;19: 233-40.
- Ho CL, Kurman RJ, Dehari R, Wang TL, Shih IeM. Mutations of BRAF and KRAS precede the development of ovarian serous borderline tumors. Cancer Res 2004;64:6915-8.
- Huang SM, McCance DJ. Down regulation of the interleukin-8 promoter by human papillomavirus type 16 E6 and E7 through effects on CREB binding protein/p300 and P/CAF. J Virol 2002;76:8710-21.
- Ito K, Watanabe K, Nasim S, Sasano H, Sato S, Yajima A, et al. Prognostic significance of p53 overexpression in endometrial cancer. Cancer Res 1994;54:4667-70.
- Ito K, Watanabe K, Nasim S, Sasano H, Sato S, Yajima A, et al. K-ras point mutations in endometrial carcinoma: effect on outcome is dependent on age of patient. Gynecol Oncol 1996;63:238-46.
- Jeon S, Lambert PF. Integration of human papillomavirus type 16 DNA into the human genome leads to increased stability of E6 and E7 mRNAs: implications for cervical carcinogenesis. Proc Natl Acad Sci USA 1995;92:1654-8.
- Kang WS, Cho SB, Park JS, Lee MY, Myung SC, Kim WY, et al. Clinico-epigenetic combination including quantitative methylation value of DKK3 augments survival prediction of the patient with cervical cancer. J Cancer Res Clin Oncol 2013;139:97-106.
- King SM, Quartuccio SM, Vanderhyden BC, Burdette JE. Early transformative changes in normal ovarian surface epithelium induced by oxidative stress require Akt upregulation, DNA damage and epithelial-stromal interaction. Carcinogenesis 2013;34:1125-33.
- Klein CA. "Cancer. The metastasis cascade". Science 2008; 321:1785-7.
- Kommoss S, du Bois A, Ridder R, Trunk MJ, Schmidt D, Pfisterer J, et al. Independent prognostic significance of cell cycle regulator proteins p16(INK4a) and pRb in advanced-stage ovarian carcinoma including optimally debulked patients: a translational research subprotocol of a randomised study of the Arbeitsgemeinschaft Gynaekologische Onkologie Ovarian Cancer Study Group. Br J Cancer 2007;96:306-13.
- Konopka B, Janiec-Jankowska A, Kwiatkowska E, Najmo ł a U, Bidzi.ski M, Olszewski W, et al. PIK3CA mutations and amplification in endometrioid endometrial carcinomas: relation to other genetic defects and clinicopathologic status of the tumors. Hum Pathol 2011;42:1710-9.
- Krivak TC, McBroom JW, Seidman J, Venzon D, Crothers B, MacKoul PJ, et al. Abnormal fragile histidine triad (FHIT) expression in advanced cervical carcinoma: a poor prognostic factor. Cancer Res 2001;61:4382-5.
- Kurman RJ, Shih IeM. Molecular pathogenesis and extraovarian origin of epithelial ovarian cancer-shifting the paradigm. Hum Pathol 2011;42:918-31.
- Kyo S, Takakura M, Kohama T, Inoue M. Telomerase activity in human endometrium. Cancer Res 1997;57:610-4.
- Kyo S, Takakura M, Tanaka M, Kanaya T, Inoue M. Telomerase activity in cervical cancer is quantitatively distinct from that in its precursor lesions. Int J Cancer 1998;79:66-70.
- Kyo S, Takakura M, Tanaka M, Murakami K, Saitoh R, Hirano H, et al. Quantitative differences in telomerase activity among malignant, premalignant, and benign ovarian lesions. Clin Cancer Res 1998;4:399-405.
- Lambert PF, Pan H, Pitot HC, Liem A, Jackson M, Griep AE. Epidermal cancer associated with expression of human papillomaviruspapillomavirus type 16 E6 and E7 oncogenes in the skin of transgenic mice. Proc. Natl. Acad. Sci. USA 1993; 90:5583-7.
- Lee EJ, Kim TJ, Choi CH, Lee JW, Lee JH, Bae DS, et al. Uterine endometrial carcinoma: 10 years' experience with long-term follow-up at a single Korean institution. Gynecol Obstet Invest 2012;74:313-9.
- Leiderman YI, Kiss S, Mukai S. Molecular genetics of Rb1. the retinoblastoma gene. Semin Ophthalmol 2007;22:247-54.
- McCluggage WG. Morphological subtypes of ovarian carcinoma: a review with emphasis on new developments and pathogenesis. Pathology 2011;43:420-32.
- Moody CA, Laimins LA. Human papillomavirus oncoproteins: pathways to transformation. Nat Rev Cancer 2010;10:550-60.
- Munger K, Phelps WC, Bubb V, Howley PM, Schlegel R. The E6 and E7 genes of the human papillomavirus type 16 together are necessary and sufficient for transformation of primary human keratinocytes. J. Virol 1989;63:4417-21.
- Nathanson SD, Insights into the mechanisms of lymph node metastasis. Cancer 2003;98:413-23.
- Oda K, Stokoe D, Taketani Y, McCormick F. High frequency of coexistent mutations of PIK3CA and PTEN genes in endometrial carcinoma. Cancer Res 2003;65:10669-73.
- Rao PH, Arias-Pulido H, Lu XY, Harris CP, Vargas H, Zhang FF, et al. Chromosomal amplifications, 3q gain and deletions of 2q33-q37 are the frequent genetic changes in cervical carcinoma. BMC Cancer 2004;4:5.
- Riou G, Barrois M, Le MG, George M, Le Doussal V, Haie C. C-myc proto-oncogene expression and prognosis in early carcinoma of the uterine cervix. Lancet 1987;1:761-3.
- Risinger JI, Hayes K, Maxwell GL, Carney ME, Dodge RK,

Barrett JC, et al. PTEN mutation in endometrial cancers is associated with favorable clinical and pathologic characteristics. Clin Cancer Res 1998;4:3005-10.
- Ryu SW, Kim JH, Kim MK, Lee YJ, Park JS, Park HM, et al. Reduced expression of DKK3 is associated with adverse clinical outcomes of uterine cervical squamous cell carcinoma. Int J Gynecol Cancer 2013;23:134-40.
- Salvesen HB, Carter SL, Mannelqvist M, Dutt A, GetzG, Stefansson IM, et al. Integrated genomic profiling of endometrial carcinoma associates aggressive tumors with indicators of PI3 kinase activation. Proc Natl Acad Sci USA 2009;106:4834-9.
- Sawada K, Mitra AK, Radjabi AR, Bhaskar V, Kistner EO, Tretiakova M, et al. Loss of E-cadherin promotes ovarian cancer metastasis via alpha 5-integrin, which is a therapeutic target. Cancer Res 2008;68:2329-39.
- Schiffman M, Castle PE, Jeronimo J, Rodriguez AC, Wacholder S. Human papillomavirus and cervical cancer. Lancet 2007;370:890-907.
- Schmider-Ross A, Pirsig O, Gottschalk E, Denkert C, Lichtenegger W, Reles A. Cyclin-dependent kinase inhibitors CIP1 (p21) and KIP1 (p27) in ovarian cancer. J Cancer Res Clin Oncol 2006;132:163-70.
- Schwartz GK, Shah MA. Targeting the cell cycle: a new approach to cancer therapy. J Clin Oncol 2005;23:9408-21.
- Schwartzberg PL. The many faces of SRC: multiple functions of a prototypical tyrosine kinase. Oncogene 1998;17:1463-8.
- Shapiro GI. Cyclin-dependent kinase pathways as targets for cancer treatment. J Clin Oncol 2006;24:1770-83.
- Shay JW, Keith WN. Targeting telomerase for cancer therapeutics. Br J Cancer 2008;98:677-83.
- Sherman ME1, Bur ME, Kurman RJ. p53 in endometrial cancer and its putative precursors: evidence for diverse pathways of tumorigenesis. Hum Pathol 1995;26:1268-74.
- Shih IeM, Kurman RJ. Ovarian tumorigenesis: a proposed model based on morphological and molecular genetic analysis. Am J Pathol 2004;164:1511-8.
- Simpkins SB, Bocker T, Swisher EM, Mutch DG, Gersell DJ, Kovatich AJ, et al. MLH1 promoter methylation and gene silencing is the primary cause of microsatellite instability in sporadic endometrial cancers. Hum Mol Genet 1999;8:661-6.
- Slomovitz BM, Coleman RL. The PI3K/AKT/mTOR pathway as a therapeutic target in endometrial cancer. Clin Cancer Res 2012;18:5856-64.
- Soussi T. p53 alterations in human cancer: more questions than answers. Oncogene 2007;26:2145-56.
- Stratton MR, Rahman N. The emerging landscape of breast cancer susceptibility. Nat Genet 2008;40:17-22.
- Suehiro Y, Okada T, Okada T, Anno K, Okayama N, Ueno K, et al. Aneuploidy predicts outcome in patients with endometrial carcinoma and is related to lack of CDH13 hypermethylation. Clin Cancer Res 2008;14:3354-61.
- Symowicz J, Adley BP, Gleason KJ, Johnson JJ, Ghosh S, Fishman DA, et al. Engagement of collagen-binding integrins promotes matrix metalloproteinase-9-dependent E-cadherin ectodomain shedding in ovarian carcinoma cells. Cancer Res 2007;167:2030-9.
- Takakura M, Kyo S, Kanaya T, Tanaka M, Inoue M. Expression of human telomerase subunits and correlation with telomerase activity in cervical cancer. Cancer Res 1998;58:1558-61.
- Takizawa S, Nakagawa S, Nakagawa K, Yasugi T, Fujii T, Kugu K, et al. Abnormal Fhitexpression is an independent poor prognostic factor for cervical cancer. Br J Cancer 2003;88:1213-6.
- Tashiro H, Blazes MS, Wu R, Cho KR, Bose S, Wang SI, et al. Mutations in PTEN are frequent in endometrial carcinoma but rare in other common gynecological malignancies. Cancer Res 1997;57:3935-40.
- Terry KL, Tworoger SS, Gates MA, Cramer DW, Hankinson SE. Common genetic variation in IGF1, IGFBP1 and IGFBP3 and ovarian cancer risk. Carcinogenesis 2009;30:2042-6.
- Thierry F, Yaniv M. The BPV1-E2 trans-acting protein can be either an activator or a repressor of the HPV18 regulatory region. EMBO J 1987;6:3391-7.
- Thomas LK, Bermejo JL, Vinokurova S, Jensen K, Bierkens M, Steenbergen R, et al. Chromosomal gains and losses in human papillomavirus-associated neoplasia of the lower genital tract-a systematic review and meta-analysis. Eur J Cancer 2014; 50:85-98.
- Tsoumpou I, Arbyn M, Kyrgiou M, Wentzensen N, Koliopoulos G, Martin-Hirsch P, et al. p16(INK4a) immunostaining in cytological and histological specimens from the uterine cervix: a systematic review and meta-analysis. Cancer Treat Rev 2009;35:210-20.
- Umar A, Boland CR, Terdiman JP, Syngal S, de la Chapelle A, Ruschoff J, et al. Revised Bethesda Guidelines for hereditary nonpolyposis colorectal cancer (Lynch syndrome) and microsatellite instability. J Natl Cancer Inst. 2004;96:261-8.
- Vasen HF, Watson P, Mecklin JP, Lynch HT. New clinical criteria for hereditary nonpolyposis colorectal cancer (HNPCC, Lynch syndrome) proposed by the International Collaborative group on HNPCC. Gastroenterology. 1999;116:1453-6.
- Veldman T, Horikawa I, Barrett JC, Schlegel R. Transcriptional activation of the telomerase hTERT gene by human papillomavirus type 16 E6 oncoprotein. J Virol 2001;75:4467-72.
- Veldman T, Liu X, Yuan H, Schlegel R. Human papillomavirus

E6 and Myc proteins associate in vivo and bind to and cooperatively activate the telomerase reverse transcriptase promoter. Proc Natl Acad Sci USA 2003;100:8211-6.
- Wan M, Li WZ, Duggan BD, Felix JC, Zhao Y, Dubeau L, et al. Telomerase activity in benign and malignant epithelial ovarian tumors. J Natl Cancer Inst 1997;89:437-41.
- Welcsh PL, Owens KN, King MC. "Insights into the functions of BRCA1 and BRCA2". Trends in Genetics 2000;16:69-74.
- Wentzensen N, von Knebel Doeberitz M. Biomarkers in cervical cancer screening. Dis Markers 2007;23:315-30.
- Wentzensen N, Vinokurova S, von Knebel Doeberitz M. Systematic review of genomic integration sites of human papillomavirus genomes in epithelial dysplasia and invasive cancer of the female lower genital tract. Cancer Res 2004;64:3878-84.
- White AE, Livanos EM, Tlsty TD. Differential disruption of genomic integrity and cell cycle regulation in normal human fibroblasts by the HPV oncoproteins. Genes Dev 1994;8:666-77.
- Whittemore AS, Gong G, Itnyre J. Prevalence and contribution of BRCA1 mutations in breast cancer and ovarian cancer: results from three U.S. population-based case-control studies of ovarian cancer. Am J Hum Genet 1997;60:496-504.
- Wicha MS, Liu S, Dontu G. Cancer stem cells: an old idea. a paradigm shift. Cancer Res 2006;66:1883-90.
- Yu MY, Tong JH, Chan PK, Lee TL, Chan MW, Chan AW, et al. Hypermethylation of the tumor suppressor gene RASSFIA and frequent concomitant loss of heterozygosity at 3p21 in cervical cancers. Int J Cancer 2003;105:204-9.

제28장

부인암치료의 일반원칙

김병기 | 성균관의대 **이정윤** | 연세의대
김영태 | 연세의대 **최철훈** | 성균관의대

1. 부인종양 외과치료

종양치료는 환자의 생존율과 삶의 질을 향상시키는 데 의의가 있다. 1970년대 미국을 비롯한 여러 나라에서 부인종양학분과를 설립하였다. 이후 부인암치료는 보다 전문화 되었으며 혁신적인 발전을 이루어왔다. 과거에는 생존율 향상에 초점이 맞추어져 발전해 왔다면, 최근 10여 년간의 치료는 생존율과 삶의 질 향상을 동시에 고려하는 방향으로 발전해 왔다. 예로서 외음부암은 과거의 획일적인 치료에서 개별화된 치료로 발전되어 골반 장기 적출술을 피하기 위해 방사선치료, 항암치료 등의 다원적 치료 방법이 제시되고 있다. 또한 복강경수술의 눈부신 발전으로 자궁내막암, 초기 자궁경부암 환자에게 생존율의 저하 없이 복강경수술의 시행이 가능하게 되었다.

1) 부인종양학분과의 성립(Establishment of the Subspecialty of Gynecologic Oncology)

19세기에는 부인과가 일반외과의 한 부분이었으나 20세기 전반 동안 산과와 부인과의 새로운 전문분야가 시작되었다. 1930년대에 미국에서 산부인과 전문의 과정이 승인되었지만 골반 장기 적출술은 일반외과에서 수련된 의사에 의해 시행되었다. 1970년대 미국에서는 부인과종양학(1972), 주산학(1974), 생식 내분비학(1974)의 분과학회가 발족되었고, 수련계획과 분과전문의 제도가 확립되었다.

부인종양학 분야의 분과전문의로서의 공식적인 인정은 부인외과를 보다 일관성 있게 수련시킬 수 있는 계기가 되었다. 표 28-1은 외과적 분과로서 부인종양학의 발전사에 대한 중요한 변화를 나열하였다. 1972년 John L. Lewis Jr.가 미국 부인종양연구회의 초대 회장이 되었다. 1970년대에 부인종양학연구회(Gynecologic Oncology Group, GOG) 등 다양한 교육과 연구를 위한 연구회가 구성되었다. 우리나라에서도 1984년대에 대한부인종양학회가 발족되었고 그 이후 많은 발전을 거듭하고 있다.

2) 수술의 역사(History of Surgery)

부인과 종양의 외과적 치료는 1809년에 McDowel에 의해 시작되었다. 1846년에는 두 치과의사인 William Morton, Crawford Long에 의한 큰 수술의 시도에 힘입어 마취제에 의한 어느 정도의 성공적인 수술을 할 수 있게 되었다.

1895년 John Clerk에 의해 2명의 자궁경부암 환자에서 근치자궁절제술이 시행되었다. 1912년 Wertheim은 근치적 자궁적출술 500예를 보고하였으며, 그 중에서 약 10%

표 28-1. 부인암 수술의 역사적 변천

1809	McDowel: 난소종양 제거를 위한 개복술 시행함
1846	Morton과 Long: 중요한 수술을 위해 마취를 처음 사용함
1867	Lister: 무균치료의 원칙을 서술함
1895	Clark과 Reis: 복식근치자궁절제술(radical abdomial hysterectomy) 서술함
1912	Wertheim: 자궁경부암 환자에서 500예의 복식근치자궁절제술 보고함
1921	Okabayashi: 자궁경부암 환자에서 복식근치자궁절제술에 대한 여러 논문을 보고함
1934	Taussig: 자궁경부암 환자에서 골반림프절절제술과 방사선치료를 보고함
1935	Bonney: 자궁경부암 환자에서 복식근치자궁절제술에 대한 여러 논문을 보고함
1944	Meigs: Whethein식 근치자궁절제술과 Taussig가 기술한 림프절절제술을 동반한 수술을 보고함
1948	Brunschwig: 진행된 또는 재발된 자궁경부암 환자에서 골반 장기 적출술(pelvic exenteration)을 보고함
1951	Meigs: 100예의 근치자궁절제술과 골반림프절절제술을 보고함
1970	Gynecologic Oncology Group (GOG) 성립. 국가적 협력 연구 단체로써 조직됨
1972	미국 부인과종양학 분과 성립
1975	일차적 종양감축술(cytoreductive surgery)이 생존율에 도움이 된다고 보고함
1976	GOG: 자궁내막암의 잠재적 림프절전이에 대하여 보고함
1987	국소 진행된 외음부암에서 방사선-수술 병합치료가 골반 장기 적출술의 대안 치료로 제시
	Dargent: 복강경하 후복막 골반림프절절제술을 질식 근치적 자궁적축술(Shauta operation)과 함께 시행
1992	GOG: 서혜부 방사선치료가 서혜부림프절절제술을 대신할 수 없음을 보고함
	Nezhat: 자궁경부암 환자에서 복강경하 근치자궁절제술 및 골반 및 부대동맥림프절절제술 시행
2000	GOG 등 intergroup trial: 근치자궁절제술 후 고위험 요소 환자에서 동시 항암-방사선치료의 유용성 증명
2005	Da Vinci Robotic surgical system이 부인과 수술에서 FDA 승인받음

의 수술사망률과 요로, 방광, 직장루의 수술 후 합병증이 발생하였다.

이후 Okabayashi와 Bonney가 근치자궁절제술로 치료한 많은 예들을 보고하였다. 1944년 Meigs는 Taussig에 의해 기술된 림프절절제술을 동반한 Wertheim식 근치자궁절제술을 발표하였고, 그 중 한 명의 수술사망률도 없었다고 하였다. 그 후 Meigs는 1951년에 100예의 수술결과를 보고하였고, 오늘날 알려진 림프절절제술과 근치자궁절제술의 술기를 확립하였다.

1948년 Brunschwig는 재발이나 진행된 자궁암에서 자궁경관, 난관, 난소, 질, 직장 그리고 방관을 일관적(en block)으로 제거하는 소위 골반 장기 적출술(pelvic exenteration)을 기술하였다.

부인과 종양수술의 초기 진전은 대부분 자궁경부암 치료에서 유래되었고 그만큼 자궁경부암의 빈도가 높았음을 알 수 있다. 이러한 수술 기법의 발전은 근대적 수술 기법의 토대가 되었다.

1975년 난소암의 치료에서는 Griffiths가 처음으로 종양감축술(cytoreductive surgery)이 생존율을 높인다고 보고하였고 많은 연구자에 의해 확인되었다. 이후 난소암에서 2차 종양감축술(secondary cytoreduction), 2차 추시수술(second-look operation) 등으로 널리 퍼지게 되었다.

1976년 GOG는 자궁내막암에서 잠재적 림프절전이에 대한 연구를 시작하였다. 이는 수술소견과 개인 특성에 따른 치료의 필요성을 강조하는 것으로써, 1989년 FIGO가 자궁내막암의 외과적 병기(surgical staging)를 설정하는 계기가 되었다.

1980년대에 초기 외음부암 환자에서 수술 범위를 좁게 하는 광범위국소절제술(radical local excision)이 소개되었다. 1987년 Boronow는 국소 진행된 외음부암에서 방사선-수술 병합치료가 골반 장기 적출술보다 높은 생존율과 낮은 치료 후 유병률을 보인다고 보고하였다. 또한 1992년 GOG는 서혜부 방사선치료만 받은 환자군에서 높은 재발률을 확인하고 서혜부림프절절제술을 대신할 수 없음을 보고하였다.

1987년 Dargent가 후복벽(retroperitoneum)을 통하여 골반경에 의한 골반림프절절제술을 질식 근치적 자궁절제술과 함께 시행하여 초기 자궁경부암 환자를 치료하였다. 1992년 Nezhat는 복강경수술만으로 자궁경부암 환자에서 근치자궁절제술 및 골반림프절절제술 가능하다고 보고하였다. 국내에서는 1995년 이윤순에 의해 자궁경부암 환자에서 복강경 질식 광범위 자궁절제술과 골반림프절제술이 처음 보고되었다. 1998년 허준용 등은 자궁경부암 환자와 난소암 환자를 대상으로 복강경을 이용한 대동맥주위 림프절절제술의 임상적 유용성에 대해 보고하였다. 그리고 2003년 남주현 등은 자궁경부암 환자에서 복강경하 근치자궁절제술과 복식근치자궁절제술의 비교 연구에서, 종양의 직경이 2 cm 이하이거나 부피가 4.2 cm^3 이하로 확인된 경우에 복강경하 근치자궁절제술이 유용하다고 보고되었다.

로봇이 수술에 임상적으로 처음 적용된 것은 1985년 PUMA 560 로봇이 brain biopsy에 사용되면서부터였으며 1988년에는 PUMA 560 로봇을 이용하여 transurethral resection of prostate (TURP)가 시행되었다.

1990년대에는 획기적으로 발전하고 있는 복강경수술에 있어 로봇에 가까운 기구들이 개발되어 사용하게 되었다. 1989년 설립된 컴퓨터모션회사(Computer Motion, Inc., Santa Barbara, CA, USA)에서 개발한 이솝(AES-OP), 제우스(ZEUS), 헤르메스(HERMES) 등이 있는데 1993년 FDA의 승인을 획득한 이솝(AESOP 1000)은 복강경수술에 있어 복강경 카메라를 고정해주고 상하좌우 및 원근조절을 손잡이를 눌러 조정할 수 있었다. 컴퓨터 엔지니어인 Yulum Wang, PhD가 컴퓨터모션회사를 만들고 이솝(AESOP)을 의학상품화해서 의료시장에서 판매하여 로봇수술의 개념이 의학 분야로 본격적으로 도입되었다. 1995년에는 컴퓨터모션회사에서 AESOP에 두 개의 수술용 팔을 추가하여 제우스(Zeus)라는 로봇수술 시스템의 초기 모델을 제작하였다. 1996년 동물실험을 통하여 1998년에는 tubal re-anastomosis와 CABG procedure가 시행되었다. 이 로봇수술 시스템은 복강경수술과 유사하게 평면의 2차원의 수술모니터를 집도의가 보면서 수술하고 복강경수술에 사용되는 기구와 똑같은 일반적인 복강경수술기구를 사용하였다. 2001년 FDA의 승인을 획득한 제우스 로봇수술 시스템은 미국에 있는 의사가 대서양을 건너 프랑스에 있는 환자에게 담낭절제술을 시행하기에 이른다.

한편 Frederic Moll, MD는 1995년 인투이티브 회사(Intuitive Surgical, Inc.)를 설립하여 다빈치(Da Vinci) 로봇수술 시스템을 개발하였다. 1997년 수술을 보조하는데 미국 FDA의 승인을 받았으며 이 로봇을 이용하여 1997년 벨기에에서 처음으로 담낭절제술이 이루어졌다. 제우스(Zeus) 로봇수술 시스템은 복강경수술과 유사하게 평면의 2차원의 수술모니터를 집도의가 보면서 수술하는 데 비해 다빈치 시스템은 양안을 사용하여 3차원적인 입체영상(stereoscopic image)하에 수술을 진행하기 때문에 좀 더 용이하게 수술을 진행할 수 있는 장점이 있었다. 또한 제우스 로봇수술 시스템은 복강경수술에 사용되는 기구와 똑같은 일반적인 복강경 수술기구(5 자유도 구현)를 사용하여 수술하는 데 비해 다빈치 시스템은 외과수술기구가 손목처럼(endowrist system) 마음대로 구부러지는 동작을 구현함으로써 마치 환자의 바로 앞에서 바라보면서 자유로운 동작을 구현(7 자유도 구현)하는 수술이 가능하여 실질적인 외과수술을 하는 것으로 여겨질 정도로 수술의 습득력(learning curve of achievement)을 높일 수 있게 되었다. 이 기구가 좀 더 발전하여 현재의 Da Vinci system은 4개의 로봇 팔을 가진 시스템으로 2005년도에 산부인과수술에 미국 FDA의 승인을 받았다(그림 28-1). 이와 같이 한동안

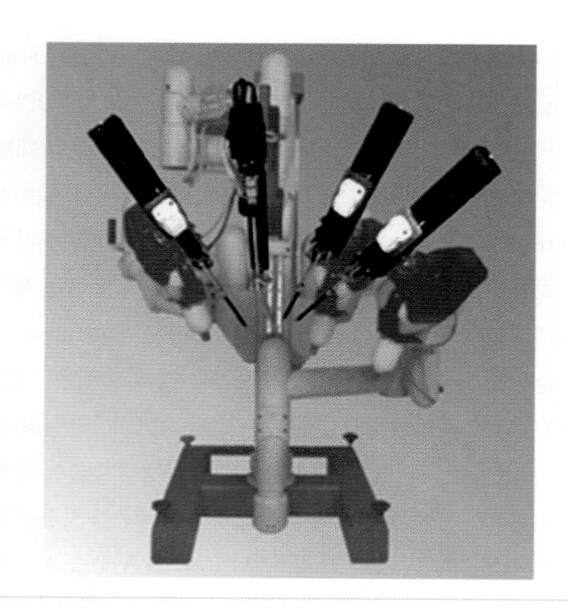

그림 28-1. **로봇수술 장치(Da Vinci Surgical System)**

로봇수술은 "제우스"와 "다빈치"의 두 시스템이 대표적으로 사용되었다. 그 밖에 기타 몇 시스템이 개발되고 있었으나, 2003년 제우스를 생산하는 컴퓨터모션회사가 다빈치를 생산하는 인투이티브 회사에 합병을 당하여 이제는 다빈치수술 시스템이 로봇수술의 대명사라고 일컬어도 과언이 아닐 것이다.

다빈치수술 로봇 시스템을 이용하게 되면 복강경수술에서의 문제점인 2차원적인 수술시야확보로 인해 수술부위의 해부학적인 위치를 잘못 이해하게 되어 수술의 병발증을 높일 수 있는 단점을 3차원의 양안렌즈를 사용함으로써 극복할 수 있는 큰 장점을 지니고 있다.

뿐만 아니라 복강경수술이나 전통적인 부인과수술을 하는 동안에 발생할 수 있는 수술자의 손떨림(resting tremors of the surgeon's hand)으로 인해 정교한 수술이 어려울 수가 있는데 로봇수술 시스템을 이용하게 되면 이러한 손떨림의 단점을 극복할 수 있게 된다. 그러므로 다빈치수술 시스템의 임상적인 이용 확대가 가능하다고 사료된다. 이 시스템에서는 복강경수술을 하면서 3차원적인 입체시야하에서 마치 수술자가 일반 수술장에서 시행하는 손목 동작과 유사한 동작을 구현할 수 있으므로 기존의 복강경수술에서는 할 수 없었던 동작이 가능하게 되었고 각도가 벗어난 힘든 외과적인 수술동작도 아주 쉽게 할 수 있게 되었다. 최근 미국의 경우 다빈치수술 시스템이 산부인과, 비뇨기과, 외과, 흉부외과 수술용으로 판매되고 있으며 수술건수도 폭발적으로 증가하는 것으로 알려져 있다. 국내에서는 2006년 김영태가 자궁경부암 환자에서 로봇 복강경 자궁절제술을 최초로 보고하였으며 많은 병원에서 활발하게 로봇 수술이 진행되고 있다.

3) 진단과 병기(Diagnosis and Staging)

부인암의 진단과 병기는 조직검사 외에 대부분 탐색 개복술에 의해 결정된다. 최근 FIGO의 부인암 병기는 외음부암, 자궁내막암, 난소암, 나팔관암에서 수술적 병기 결정을 권장하고 있다. 질암과 자궁경부암은 임상적 병기 결정을 권장하고 있다. 표 28-2는 부인암의 FIGO 병기체계를 나타낸다.

자궁경부암은 그동안 임상적 병기를 사용해왔으나 2018 년부터는 영상 및 병리 결과를 포함해서 병기설정을 하고 있다. 이미 암이 진단되었거나 의심이 가는 암 환자에 대한 최초의 수술적 절차는 잘 수련된 부인종양학 전문의에 의하여 시행되어야 하는데, 이는 정확한 진단과 병기는 다음 치료에 큰 영향을 미치기 때문이다.

조직학적 진단 방법은 암 종류와 임상적 상황에 따라

표 28-2. 부인암의 FIGO 병기체계

암 종류	병기체계
외음부암	수술적 병기 결정
질암	임상적 병기 결정
자궁경부암	임상적 병기 결정 및 수술적 병기 결정
자궁내막암	수술적 병기결정
나팔관암	수술적 병기 결정
난소암	수술적 병기 결정
임신성 융모종양	해부학적 병기 분류법

다르다. 예로서 펀치 생검(punch biopsy)이나 쐐기 생검(wedge biopsy)은 외음부암, 질암, 자궁경부암일 경우 적절한 검사이나, 침윤전암 또는 미세 침윤암에서 절제 생검은 필수적이다. 또한 세포학적 진단을 위한 미세침흡인생검술은 암의 전파 범위를 아는데 적합하나 처음 진단을 위한 조직학적 진단방법으로는 부적합하다.

대부분의 암 치료계획은 해부학적 위치, 병기와 더불어 조직학적 세포 유형과 분화도를 고려해서 집도의와 병리학자의 협조가 필요하다. 집도의는 병리학자에게 완전한 임상적 병력과 해부학적 표본에 대한 정보를 제공해야 한다. 이러한 정보 없이 병리학자는 환자치료에 필요한 정보를 제공할 수 없다. 병리학자는 집도의가 표본을 위해 필요한 조치(handling)를 알고 있다는 확신이 있어야 한다. 정보 교환의 실패 때문에 조직이나 세포 표본의 오진이 발생해서는 안 된다.

4) 수술에 대한 기술적 관점(Technical Aspect of Surgery)

부인종양 전문의들은 젊은 산부인과 의사를 교육하는 경우, 전문성과 기술적인 기법에만 초점을 두는 경향이 있다. 그러나 교육에 가장 어려운 점은 외과적 치료의 사용 여부를 결정하는 훈련에 있다. 이를 위해서는 각 질병의 자연사와 최선의 치료방법을 이해하고 있어야 한다. 뿐만 아니라 환자 개개인에 맞는 치료계획이 필요할 것이다. 따라서 수술 기법을 올바르게 적용하기 위해서는 많은 세월의 연마와 경험을 쌓는 것이 필요하다.

(1) 해부(anatomy)

골반과 복강의 해부학에 대한 자세한 지식은 매우 중요하다. 따라서 부인종양학을 전공하고자 하는 사람은 골반, 복강, 후복막 등에 대한 해부학적 지식을 숙지해야 한다(그림 28-2). 암 치료의 많은 지식과 수술적 숙련은 이러한 총체적인 해부학적 지식을 바탕으로 이루어질 수 있다.

(2) 기술(technique)

수술기법의 숙달은 각 질병에 따른 고유한 기술을 충분히 이해하고 있어야 한다. 또한 세련된 수술기법을 유지하기 위해서 기술을 꾸준히 연마해야 한다. 여기에는 개복술 시의 결찰, 기구 잡는 법, 봉합하는 법 등과 골반경수술의 실

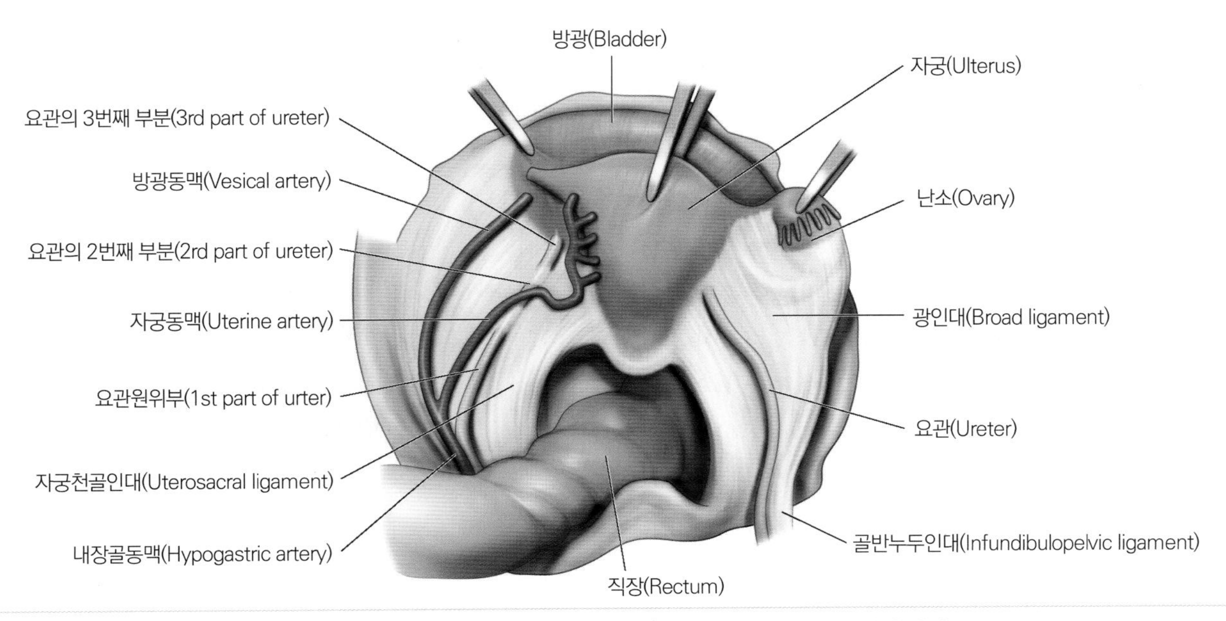

그림 28-2. **요관과 자궁천골 인대, 자궁동맥, 누두골반 인대, 자궁과의 관계**

제적인 훈련도 포함되어야 할 것이다. 미국 산부인과 전공의를 대상으로 한 설문조사에 따르면 설문에 응한 사람의 99%는 수술실에서, 88%는 강의를 통해서, 54%는 동물 수술을 통해 수술 기술을 교육받는다고 보고했으며 29%만이 정식 수술 교육과정을 갖는다고 보고했다.

부인종양학 전문의가 되고자 하는 사람은 일반 부인과 수술 외에도 부인암수술 시에 접할 수 있는 장(bowel), 방광, 요관, 혈관수술을 시행할 수 있는 능력을 갖출 수 있도록 노력해야 할 것이다.

또한 새로운 수술재료, 기구, 수술 기법의 발전을 받아들여 수술 기법의 예술성과 과학성이 조화하도록 지속적으로 노력해야 한다.

최근에는 복강경수술에 대한 관심이 높아지고 있다. 2003년 미국부인종양학회원을 대상으로 한 설문 조사에 따르면 회원의 84%가 복강경수술을 시행하고 있으며, 적절한 훈련을 위해서는 한 달에 6회 이상의 복강경수술이 필요하다고 보고한 바 있다.

(3) 특별한 기술과 방법(specific technique and procedure)

① 절개(incision)

수술 계획에 있어서 중요한 것 중 하나는 복벽 절개 방법을 결정하는 것인데, 복벽 절개 방법에는 여러 가지가 있다(그림 28-3). 부인암 환자의 수술 시에 보다 적합한 절개 방법과 절개 봉합에 대한 이해가 필요하다.

부인암 환자의 수술 시 가장 흔히 쓰이는 복벽 절개 방법은 중앙 수직절개(midline vertical incision)이다. 난소암이나 나팔관암이 의심되는 환자는 복벽 수직 절개를 통해 수술을 시행할 수 있다. 이를 통해 적절한 수술적 병기 결정을 할 수 있고 상복부전이암의 제거가 용이하여 주로 대망절제술에 유용한 절개 방법이다. 복벽 중앙 부위에는 혈관이 적어서 중앙 수직 절개는 빠르고 쉽게 시행될 수 있다. 단점은 다른 절개 방법에 비해 상처 벌어짐(wound dehiscence) 비율이 높다는 것으로, 상처 파열 비율은 약 0.1-0.65%이다. 상처 벌어짐은 주로 상처 감염 또는 불완전한 절개 봉합과 연관이 있다.

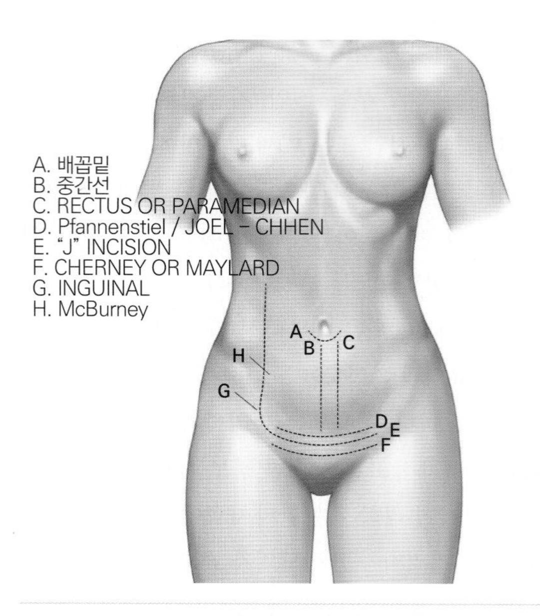

그림 28-3. 복벽 절개 방법

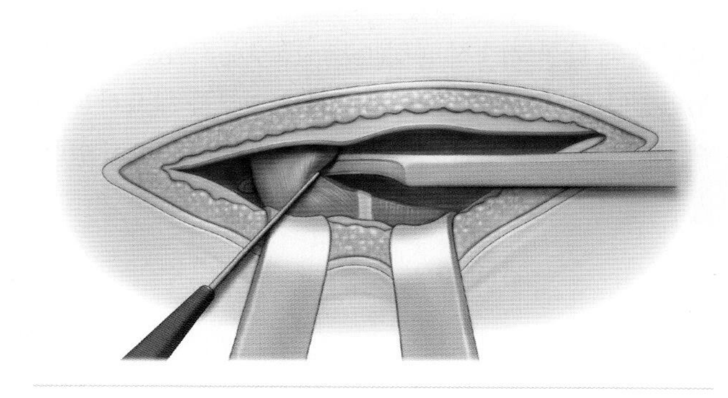
그림 28-4. 복벽 절개 방법

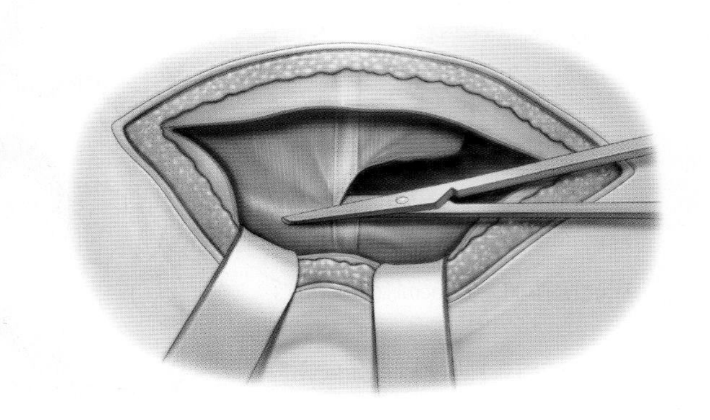
그림 28-5. Cherney 절개

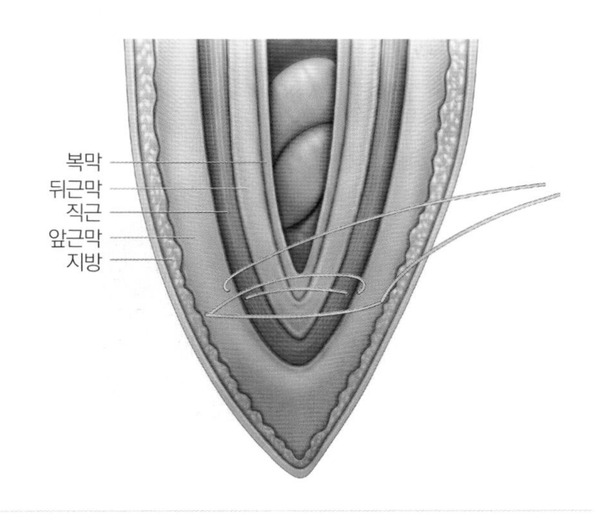

그림 28-6. **Smead-Jones 봉합**

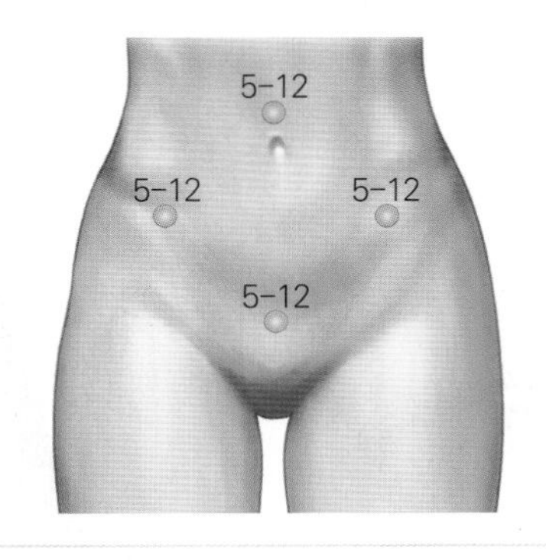

그림 28-7. **5-12 mm 트로카를 4군데 설치한다.**

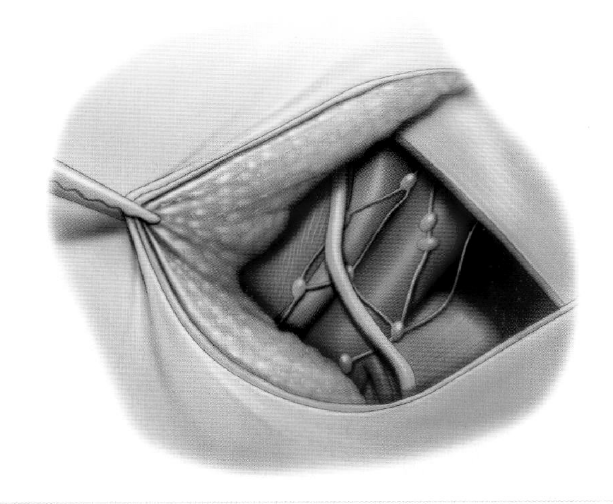
그림 28-8. **복강경하에 우측 온엉덩동맥을 따라 후복막 절제 후 우측 요관, 하대 정맥을 확인한다.**

수술을 처음 받는 양성종양이 의심되는 환자에게는 주로 하복부 횡절개 방법이 시행된다. 장점은 보다 미용적 효과가 있고 절개 부위 탈장이 적다는 것이다. 단점으로는 상복부 노출에 어려움이 일부 있고, 상처부위 혈종의 비율이 높다는 것을 꼽을 수 있다. 수술 중 상복부 노출이 필요하면 몇 가지 방법이 이용된다. 첫 번째 방법은 복직근(rectus abdominis muscle)을 절개선을 따라 절단(Maylard incision)(그림 28-4)하는 것이고, 두 번째 방법은 복직근을 치골 융합 부위(symphysis pubis)로부터 분리(Cherney incision)(그림 28-5)하는 것이다. 세 번째는 절개선을 위쪽으로 연장시켜 "J 절개(J incision)"로 변화시키는 방법이 있다. 조기 자궁경부암 환자에서 근치자궁절제술과 골반림프절 절제술은 하복부 횡절개 방법으로도 가능하다.

절개 봉합 방법은 크게 두 가지가 있으며, 하나는 복막, 근막, 피하지방, 피부를 각각 봉합하는 것이다. 또 다른 하나는 복막과 근막을 함께 크게 묶는 것(Smead-Jones closure)(그림 28-6)인데 Smead-Jones 봉합이 가장 강한 봉합 방법이다. 이 방법으로 중앙절개 봉합 시에 상처 파열 비율은 0.2% 미만이다.

② 복강경하 골반 및 대동맥주위 림프절절제술

복강경하 림프절절제술은 부인암수술에 있어서 보다 광범위하게 복강경수술을 적용하는 계기가 되었다. 자궁경부암 환자에서 복강경하 골반 및 대동맥 림프절절제술 방법은 수술자에 따라 다양한 방법이 있다. 그 중에서 단극 전기수술 기기(monopolar electrosurgical instrument)나 아르곤 빔 소작기(argon beam coagulator, ABC)를 이용한 복막을 통한(transperitoneal) 방법을 서술하였다.

복벽에 4개의 트로카(trochar)를 설치한 후 대동맥주위 림프절절제술을 시작한다(그림 28-7). 카메라는 치골 상부의 문을 통해 삽입하고 집도의는 환자의 오른쪽에서 수술을 시행한다. 우측 온엉덩동맥(common iliac artery) 위의 후복막을 절개하여 십이지장 지점까지 절개 범위를 확장한다. 집도의는 우측의 하대정맥, 허리근(psoas muscle), 우측 요관을 확인한다(그림 28-8). 십이지장을 확인 후 보호하며 우측 온엉덩동맥부터 위쪽으로 림프절절제술을 시행한다(그림 28-9). 후복막을 좌측 콩팥정맥 부착(renal vein insertion)부위까지 십이지장 아래로 수평하게 절개한다. 아래창자간막 동맥(inferior mesenteric artery, IMA)과 좌측 온엉덩동맥을 확인하고 보호한다. 집도의는 IMA를 올리고 비절개박리(blunt dissection)를 통해 허리근과 좌측 요관을 확인한다. IMA를 올린 상태에서 좌측 온엉덩동맥 바깥과 좌측 대동맥주위 림프절을 절제한다(그림 28-11). 대동맥-대정맥 사이(interaortocaval) 림프절도 같은 방법으로 제거한다. 후복막 절개를 좌측 온엉덩이정맥 위로 확장 후 대동맥갈림(aortic bifurcation) 아래의 림프절을 제거한다.

대동맥주위 림프절절제술을 마친 후 골반림프절절제술을 위해 카메라를 배꼽으로 위치한 후 수술자는 환자의 왼쪽에 위치한다. 골반절제술은 방광주변 공간(paravesical space)과 직장주변 공간(pararectal space)을 만들면서 시작한다. 원인대(round ligament)는 ABC를 이용해 절제하고 원인대와 배꼽인대(umbilical ligament) 사이의 후복막을 복벽과 만나는 지점까지 절개한다.

배꼽인대를 내측으로 견인한 후, ABC를 이용하여 방광주변 공간을 만들고 바깥엉덩혈관(external iliac vessels), 폐쇄 신경(obturator nerve), 폐쇄 동맥(obturator artery), 내폐쇄근(obturator internus muscle)을 노출시킨다. 허리근(psoas muscle) 위로 누두골반인대(infun-dibulopelvic ligament, IP)를 따라 절개를 확장한다. 요관과 아랫배 동맥(hypogastric artery)을 확인하고 직장주변 공간을 만들게 된다(그림 28-12). 요관을 내측으로 유지시키면서 먼 쪽 온엉덩동맥부터 림프절절제술을 시행한다. 허리근(psoas muscle)을 확인한 다음 음부대퇴신경(genitofemoral nerve)을 보호한다. 음부대퇴신경과 우측 바깥엉덩동맥 사이의 림프절을 제거한다(그림 28-13). 폐쇄 신경과 폐쇄 혈관(obturator vessels)을 보호하면서 폐쇄 신경과 바깥엉덩정맥(external iliac vein) 사이의 림프절을 제거한다. 폐쇄신경주위의 림프절을 절제한 후, 아랫배 림프절(hypogastric node)을 자궁동맥 기시부 근처부터 제거한다. 이 과정이 끝나면 엉덩혈관(iliac vessels)은 허리근으로부터 분리

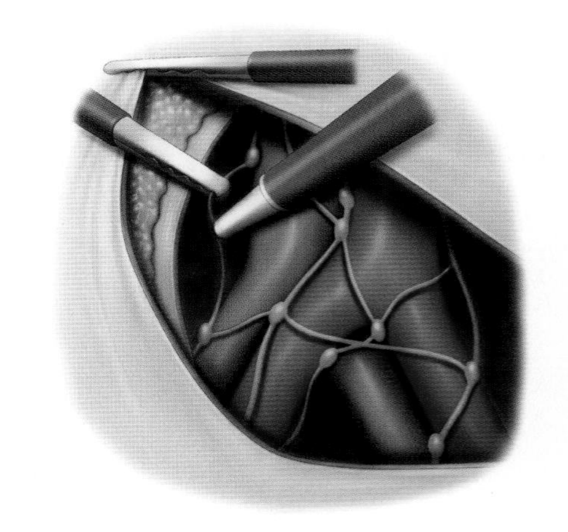

그림 28-9. **우측 대동맥주위 림프절을 제거한다.**

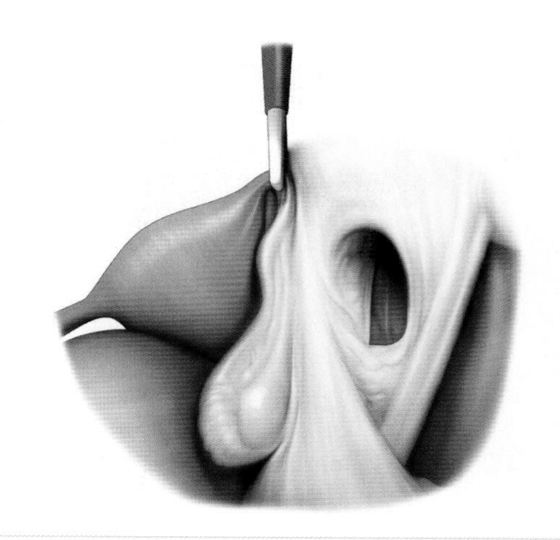

그림 28-10. **우측 방광주변 공간 확보**

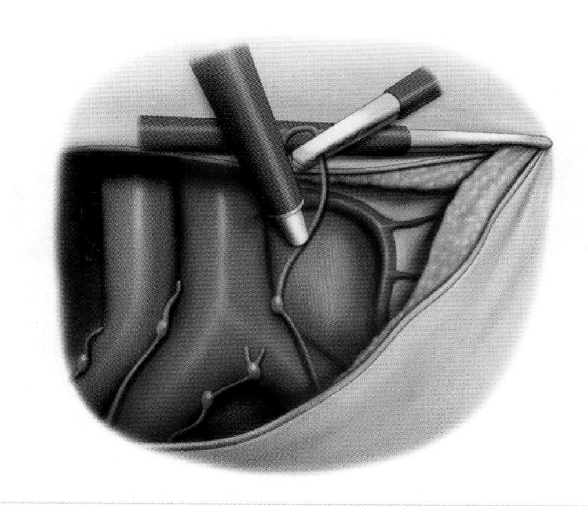

그림 28-11. **좌측 대동맥주위 림프절을 제거한다.**

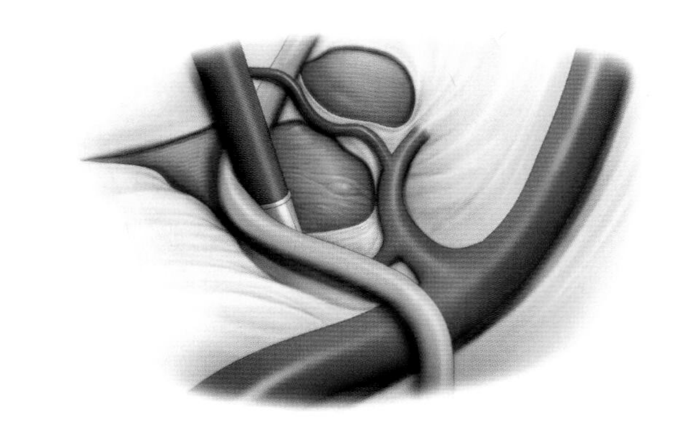

그림 28-12. **우측 직장주변 공간 확보**

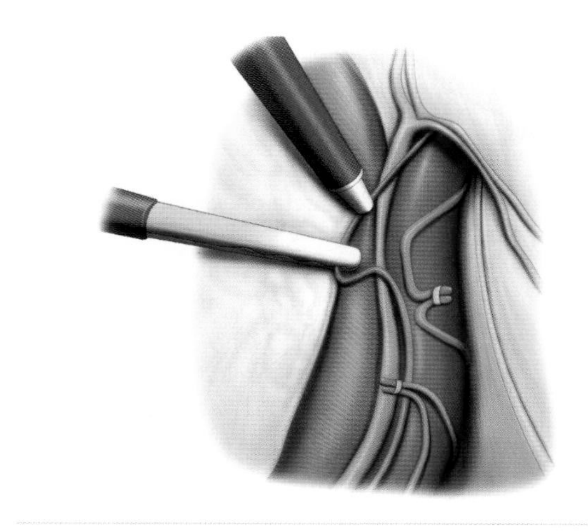

그림 28-13. **우측 바깥엉덩 림프절(external iliac lymph nodes) 제거**

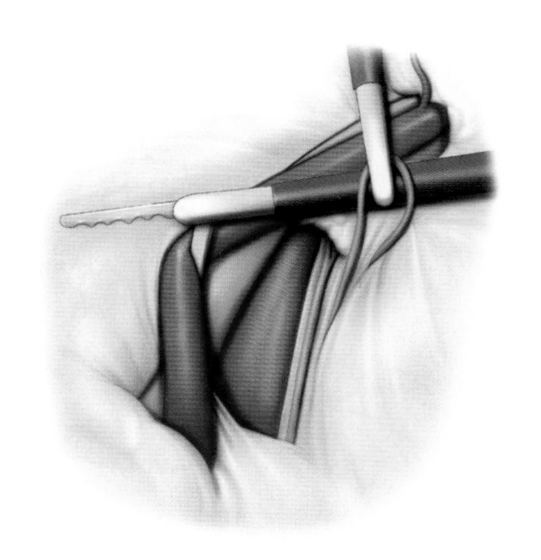

그림 28-14. **우측 폐쇄 림프절(obturtor lymph node)과 온엉덩 림프절(common iliac lymph node) 제거를 위한 외측 접근**

될 수 있다. 엉덩혈관을 내측으로 당긴 후 폐쇄 공간(obturator space)을 노출시킨 다음 모든 림프조직을 제거한다(그림 28-14).

③ 장, 요로계수술

부인암수술 중 접하는 가장 흔한 장수술은 장 유착 박리술, 장 절개 봉합술 등이다. 장 절개(intestinal enteromy)는 복부수술 중 흔히 의도하지 않게 일어난다. 장 절개의 원인 인자로는 광범위한 유착, 복강내 암종증(intrabdominal carcinomatosis), 방사선치료, 항암치료, 기존 복부수술, 복막염 등이다. 장 절개 시에 바로 확인하고 봉합하면 별 문제가 되지 않으므로 바로 봉합하거나 잊어버리지 않도록 실로 표시를 해둔다. 장 점막이 보이는 장막 손상은 반드시 봉합해야 한다. 장 협착의 가능성을 줄이기 위하여 봉합 방향은 장 내강(bowel lumen)과 수직으로 봉합한다(그림 28-15). 봉합사는 3-0 또는 4-0의 Vicryl 또는 Dexon 등을 사용한다. 5-6 mm 미만의 작은 결손은 장막부터 점막까지 한 층으로 봉합하나 더 큰 결손은 이중 봉합해야 한다.

수술 중 요관 손상이 발생하는 경우, 손상의 부위가 장골치골 융기(linea terminalis, pelvic brim) 윗부분이면 단순 재연결(reanastomosis)이 최선의 방법이다(그림 28-16). 요관 양쪽 끝을 45° 각도로 손질한 후 양측 "J" 요관 스텐트를 요관에 삽입 후 양측을 봉합한다. 봉합사는 4-0 Vicryl 또는 Dexon을 사용한다. 몇 주 후 경정맥 신우조영술(intravenous pyelography)로 새는 곳이 없는 것을 확인한 후 스텐트를 제거한다. 손상의 부위가 장공치골 융기 아랫부분이면 요로방광이음술(ureteroneocystostomy)을 선호한다(그림 28-17).

영구적 요로전환술(permanent urinary diversion)은 방광절제술 후 또는 치유 불가능한 하부 요로계 샛길(fist-ula)을 갖고 있는 환자에게 시행한다. 요로 전환술로 자주 사용되는 기술은 회장 통로(ileal conduit, "Bricker procedure") 생성, 횡결장 통로(transverse colon conduit) 생성, 자제력 있는 요로 통로(continent urinary conduit, e.g., the Miami, Indiana pouch) 생성 방법들이 있다. 회장 통로는

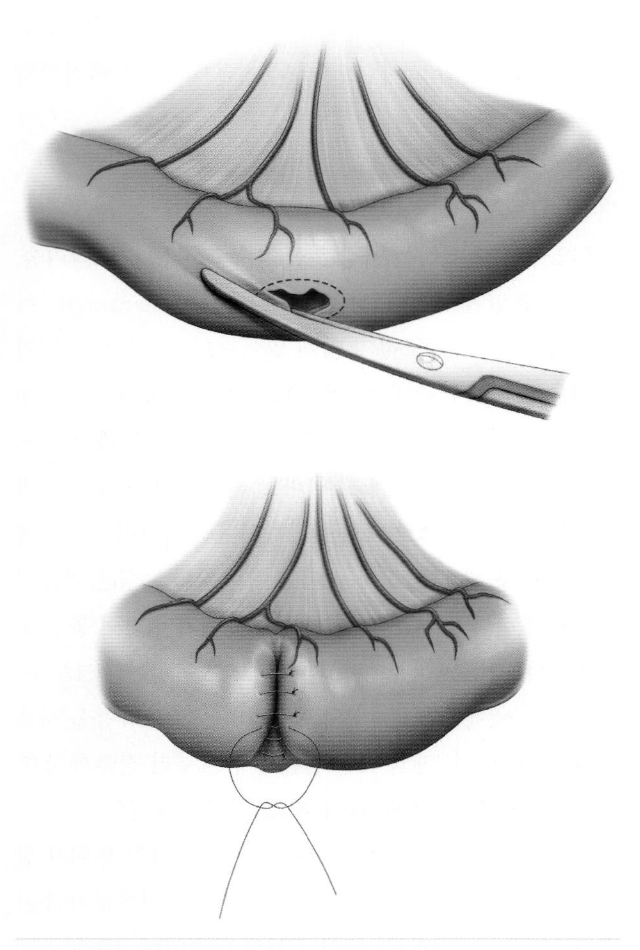

그림 28-15. **장 절개 봉합(closure of an intestinal enterotomy)**
A: 장 절개 가장자리를 손질한다. B: 장 절개 부위는 장 내강과 수직된 방향으로 이중 봉합한다.

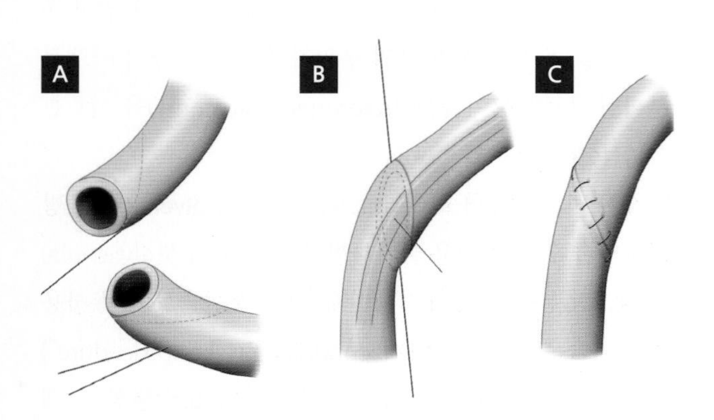

그림 28-16. **요로사이이음술(ureteroureterostomy)**
A: 요관 양측을 대각선 방향으로 자른다. B: 요관 스텐트를 삽입 후 비연속적인 봉합을 시행한다. C: 완성된 모습

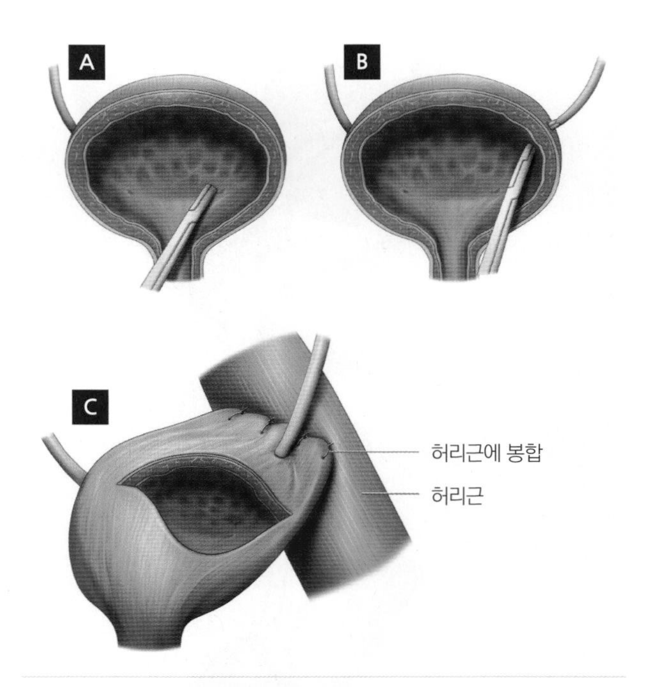

그림 28-17. **요로방광이음술(ureteroneoscystostomy)**
A: 점막하 터널을 만든다. B: 요관을 방광 내로 들여온다. C: 요 관을 터널 내로 통과시키고 방광 점막, 장막과 봉합한다. 방광 장 막은 허리근(psoas muscle)과 봉합한다.

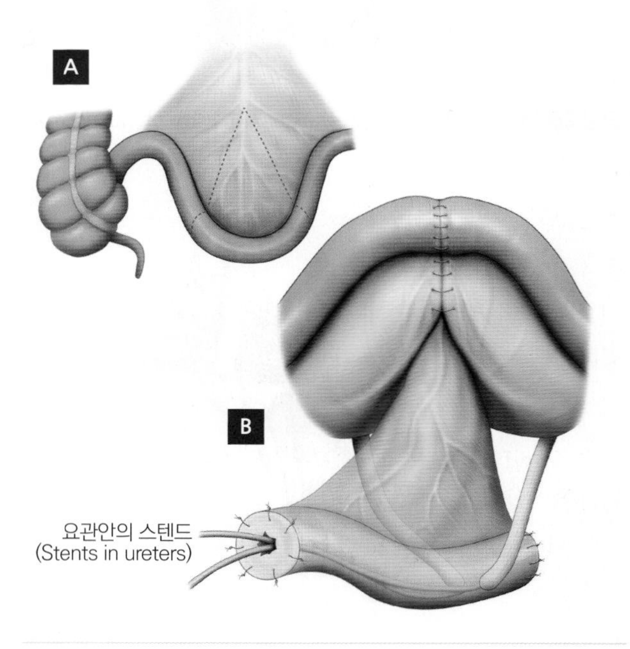

그림 28-18. **회장 요로 통로(ileal urinary conduit)**
A: 방사선치료에 노출되지 않은 회장부위가 통로로 사용된다. B: 기존 회장은 재연결하고 요관들은 회장 넓은 부위 끝쪽에 봉합한다. 요관에는 스텐트를 삽입한다.

가장 일반적으로 사용되는 영구 요로 전환술이며 대부분의 환자들에게 적합한 방법이다(그림 28-18).

이때 사용되는 회장은 돌막창자 판막(ileocecal valve)로부터 근위부 30-40 cm 부위이다. 통로로 사용되는 부위는 약 20 cm의 회장과 창자간막(mesentery) 부위이다.

5) 부인암의 치료(Management of Gynecologic Cancer)

부인종양학 전문의는 환자를 평가하여 필요한 수술적 절차를 시행하고 수술 후 경과를 확인해야 한다. 또한 방사선 치료와 항암화학요법 같은 다른 다원적 치료에 대해서도 알고 있어야 한다.

부인종양학 전문의가 아닌 의사에게 치료받은 암 환자는 부적절한 수술을 받을 수 있다. McGowan 등은 원발성 난소암을 가진 291명의 수술 받은 환자를 대상으로 평가를 하였다. 그 결과, 부인종양학 전문의에게 수술 받은 환자의 97%가 완전한 병기결정수술(staging operation)을 받았으나 52%와 32%만이 산부인과 전문의나 외과의에게 각각 적합한 수술을 받았다.

그동안 부인암 치료 분야는 많은 발전이 있었다. 환자의 생존율 향상은 물론이고 삶의 질까지 고려한 치료의 발전을 이루어왔다. 이를 위해서는 병리학자, 치료 방사선 전문의, 내과 종양 전문의와의 지속적인 협조 체계가 중요하다.

(1) 조기진단 및 예방(early diagnosis and prevention)

자궁경부암 진단 방법의 발전으로, 자궁경부암 발생 이전에 자궁경부 이형성증 단계에서 진단되는 환자들이 늘고 있다. 질 확대경에 의한 조준검사를 통해서 전통적인 외과적 절제, 레이저치료, 냉동치료, LEEP (loop electrosurgical excision procedure) 등을 이용하여 기능을 유지하고 암을 예방할 수 있다. 질 상피내종양은 질 확대경과 조직검사를 통해 진단되고 일반적으로 레이저치료나 국소절제술을 통해 치료할 수 있다.

폐경기 전후에 질출혈을 초래하는 자궁내막증에 대한 적절한 치료는 자궁내막암을 예방할 수 있다. 자궁내막증식증 치료도 증례에 따라 다르다. 폐경 전후(perimenopausal)의 여성이 비정형 세포가 없는 경우, 황체호르몬요법으로 치료가 가능하지만 폐경 후 여성에서는 같은 조건일지라도 전자궁 적출술을 시행할 수 있다. 또한 비정형세포가 있는 경우에는 전자궁 적출술을 생각해야 한다.

난소암은 조기증상이 없고 확립된 조기진단 방법이 없다. 다만 난소암을 예방하는 방법은 *BRCA1* 또는 *BRCA2* 변이가 있는 젊은 여성의 경우 경구용 피임약을 복용하는 것이다. 그리고 또 다른 방법은 생식력 보존을 원하지 않는 여성과 자녀 분만을 끝낸 여성이 예방적 난소절제술을 시행하는 것이다. 쉽지는 않으나 유전자검사와 가계도 조사, 가족 난소암의 조직학적 검사 확인 등을 통해 난소암으로 발전할 가능성이 높은 여성을 판별해낼 수 있다.

즉 *BRCA1*, *BRCA2* 변이를 갖는 여성과 Lynch II 증후군의 가족력이 있는 여성은 지속적으로 치밀한 관찰과 더불어 아이를 낳은 후 난소와 난관 그리고 자궁(Lynch II 증후군)까지 제거하는 것을 고려해야 한다.

일반 여성에서 난관이나 난소암을 예방하기 위한 절제술은, 폐경 후 여성에서 양성질환의 탐색 개복술 시나 자궁절제술 시에 난소난관절제술을 동반한다. 폐경기 전에 난소 난관의 제거는 이견이 있지만 40세 미만 여성의 경우에는 고려하지 않는다. 그러나 40-50세 사이에는 난소의 제거와 보존을 충분히 설명하고 환자의 동의에 따라 결정한다.

(2) 외과적 치료(surgical treatment)

① 일차 치료로써의 수술

외과적 치료는 외음부암, 자궁경부암, 자궁내막암, 난소암, 나팔관암의 경우에서 일반적으로 선택하는 방법이다.

외음부암과 자궁경부암의 미세침윤병변은 국소 절제만으로 치료가 가능하다. 침윤 깊이 3 mm 이하의 자궁경부암은 일반적으로 원추절제술이나 Type I 자궁절제술만으로 치료가 가능하다. 침윤 깊이 1 mm 이하의 외음부암은 일반적으로 광범위국소절제술만으로 치료가 가능하며, 외음부암 환자의 경우 개인별로 개별화된 치료를 한다.

자궁경부암의 IB기에서 IIA 같은 국한된 질환은 원발성 종양의 근치적 절제술과 림프절절제술을 시행한다. 이러한 외과적 수술들은 고위험군에 속하는 인자들이 발견되지 않는 한 다른 기관들은 보존하는 치료법을 적용한다.

IA (G1, 2)기 자궁내막암이나 고위험 요소가 없는 IA, IB기 난소암의 경우도 보조적 치료 없이 수술만으로 치료가 된다. 그리고 수술 시에 관찰된 집도의의 소견으로 추가 치료 여부를 결정할 수 있다.

난소암의 경우에는 일차 종양감축술의 의미가 강조된다. 일차 종양감축술 시에 최적의 수술(optimal surgery)을 받은 환자에서 생존율이 높았다. 그러나 이차 종양감축술의 효과에 대해서는 논란이 있는 상태이다.

② 기타 치료와 병행한 수술요법

부인암 중 일부 암은 수술이 치료의 중요한 부분이지만 수술만으로 완치되기는 어렵다.

진행된 난소암이나 나팔관암의 경우, 육안으로 관찰된 병변의 일차 종양감축술로 생명유지를 위해서는 필요하지만 보조요법(adjuvant therapy) 없이는 그 이상의 결과를 기대하기는 어렵다. 수술 후에 보조적으로 실시한 항암요법은 이들 암으로부터 완치되는 데 꼭 필요하다.

자궁경부암에서 근치적 수술 후 재발의 위험이 높은 요인을 갖고 있는 환자의 경우 동시 항암-방사선치료가 생존율을 높인다.

외음부암의 경우, 수술 후 서혜부 림프절전이가 있을 때 방사선치료를 하고, 진행된 외음부암에서 골반 장기 적출술을 피하기 위해 수술 전 방사선치료를 시행한다.

자궁내막암의 경우에는 1기암일 때 방사선치료의 효과에 대한 논란이 있다. 그러나 분화도3이고 심근층을 침범한 1기암, 2기 이상의 암에서는 수술 후 방사선치료가 필요하다.

③ 구제요법으로써의 수술(surgery as salvage therapy)

때로는 외과적 절제가 다른 치료에 실패한 환자의 경우에 효과적일 수 있다. 외과적 방법은 수술범위가 광범위하고 항상 어떠한 기능적 장애를 동반한다. 다른 치료에 실패한 후 골반 장기 적출술은 환자에게 생명유지를 위한 마지막 기회일 수 있다.

예를 들면 일단계 수술과 방사선요법에 실패하거나 방사선요법만으로 실패한 외음부암, 질암, 자궁경부암 등이 이에 속한다. 이러한 사례에서 사실상 모든 골반조직의 제거를 수반한 골반 장기 적출술 후의 5년 생존율은 34%에서 62%까지 보고되고 있다. 이 수술 후 방광과 직장의 손실은 많은 환자에서 육체적, 정신적 이환이 동반된다. 지난 20여년간 1단계 수술, 방사선치료, 항암치료의 개선으로 골반 장기 적출술은 드물게 시행되어 왔다. 오늘날 이 치료로부터 실패하는 환자의 주된 원인은 원격전이 때문이며 국소 재발은 극히 드물다.

구제요법으로 사용되는 수술은 난소암, 나팔관암, 드물게 자궁내막암의 치료에서도 중요한 역할을 한다.

④ 전이 병변에 대한 수술(surgery for metastatic disease)

부인과 종양으로부터 원격전이 병변을 가진 일부의 예에서 외과적 수술로 치유되거나 장기간의 쾌유가 지속될 수 있다. Fuller 등은 난소암, 자궁경부암, 자궁내막암, 육종, 융모성 질환 등에서 폐전이를 가진 15예에서 폐절제술을 시행하였다. 그 결과 5년 생존율은 36%, 10년 생존율은 26%로 보고하였다. 그리고 단발성 전이 예에서는 64개월, 다발성 전이 예에서는 48개월의 평균 생존기간을 가진다고 하였다.

자궁육종 환자 중 폐전이를 가진 45예에서 폐절제술을 실시한 결과, 5년 생존율은 41%, 10년 생존율은 35%로 보고하였다. 근치적 수술을 받은 후 한쪽 폐에만 전이된 환자에서의 수술 후 생존율 증가는 통계학적으로 의의가 있다.

골반 내의 큰 종양 제거는 일시적 증상 완화를 제공할 수 있고, 항암요법과 방사선치료로 병변을 제거하는 데 큰 도움을 준다. 이는 혈액공급이 원활하지 못하던 큰 종양을 제거함으로써 혈액공급이 원활한 잔여 종양만 남게 되는 것이다. 또한 큰 종양에는 휴지기 세포의 비율이 높은데, 이것은 치료를 어렵게 만드는 원인이 된다. 즉 큰 종양을 제거함으로써 능동적 세포의 비율이 높은 잔여 종양만 남아 항암치료와 방사선치료에 더 좋은 효과를 볼 수 있다.

⑤ 재건을 위한 수술(surgery for reconstruction)

재건술은 암을 제거할 당시 시행하거나 일정 시간이 경과한 후 시행하기도 하는데, 치료의 합병증을 교정하기 위해 시행한다.

외음부재건술은 수술 당시 시행한다. 건강한 피부의 이식, 인접 피부의 회전편 혹은 지방조직을 사용하거나, 대퇴부나 둔부, 복벽의 근피 이식을 이용할 수 있다.

질재건술은 계획된 일정 시간이 경과한 후 시행한다. 결손 부위의 크기나 방사선 조사의 유무와 상관없이 피부의 이식 또는 근피 이식을 이용한다.

그 외 부적합한 창상 치유로 인한 결손부위의 접합과 방사선괴사, 항암제의 혈관외 누출로 인한 조직 손실 시에 건강한 피부 이식 또는 근피 이식을 시행한다.

⑥ 완화를 위한 수술(surgery for palliation)

완화를 위한 수술은 증상을 완화하기 위하여 종양을 제거하거나 수명 연장, 불편 감소를 위하여 장우회로조성술(intestinal bypass surgery) 또는 요로전환술(urinary diversion)을 시행할 수 있다. 또한 지각신경 전달체계를 차단함으로써 통증을 완화하는 수술을 할 수 있다.

대부분의 학자들은 완화를 위한 종양덩어리의 외과적 제거는 권장하지 않고 있다. 이는 효과적인 보조요법의 추가 없이는 종양이 재발하는 경우가 흔하며 외과적으로 시행된 치료방법이 헛된 치료가 되기 때문이다. 이러한 지적은 대부분의 예에서 입증된 사실이지만 부인종양학 전문의는 이 개념을 가볍게 여기고 있는 경우가 많다. 증상을 완화하기 위해 적용한 외과적 방법으로 종양이 6-12개월 동안 종양이 약간 위축되거나 진행되지 않으면 부작용이 있더라도 성공이라고 할 수 있다. 어느 정도 위험이 있더라도 외과적 방법으로 달성한 6-12개월 동안의 완화 시기는 항암요법이나 방사선 치료로도 가능하다는 것을 생각해야 한다. 외과적 완화 수술을 언제 시행하는가에 대한 결정은 환자의 상태와 요구를 고려한 신중한 외과적 판단이 요구된다.

완화를 위한 수술은 요로나 장의 폐쇄와 같은 특별한 기능부전을 완화하기 위해 시행된다. 즉 질환의 범위와 위치에 따라 요로방광이음술(ureteroneocystostomy)을 하거나 회장 통로(ileal conduit)를 통한 요로전환술을 시행한다. 요로전환술은 요관질루, 방광질루, 요도질루가 있는 환자에게 즉각적으로 영구 완화된다. 또한 요로 폐쇄가 있는 환자에게 생명을 연장시키고 항암요법과 방사선치료를 받게 할 수 있다. 계속적인 소변 유출로 인한 환자의 고통 경감과 보조요법을 위해 요로전환술을 결정하는 것은 간단하지만, 제한된 수명을 가진 환자이거나 조절이 불가능한 통증 환자에게는 이익보다 해로움이 많다는 것을 인지해야 한다.

또한 외과의는 요관 스텐트(ureteral stent) 삽입 또는 경피 콩팥창냄술(percutaneous nephrostomy)과 같은 비외과적 요로전환술의 이점을 생각해야 한다. 많은 환자에서 경피 콩팥창냄술은 외과적 방법보다 좋은 선택이다. 목적이 보조 항암요법이거나 방사선치료, 또는 내과적 질환이나 외과적인 면에서 수술이 불가능할 때 특히 그러하다. 하지만 콩팥창냄술은 요루가 있는 환자에게는 시행할 수 없다. 요관 스텐트 삽입술은 요관 폐쇄의 완화를 위한 회장 통로를 통한 요로전환술보다 안전하고 좋은 방법이다. 최근 기술의 발전으로 스텐트를 수개월 동안 위치하게 할 수 있고 방광경을 통한 유도철사(guide wire)를 이용하여 쉽게 교환할 수 있다.

장폐쇄는 환자의 삶의 질을 위협한다. 장우회로조성술의 시행 여부를 결정하는 것은 쉽지만, 수술 가능 여부를 결정하는 것은 어려운 일이다. 국소 질병을 가진 환자에게 공장결장연결술(jejunocolostomy), 회결장연결술(ileocolostomy)이나 장우회로조성술은 대부분의 경우에서 가능하고 어렵지 않다. 복강내 암종증(intraabdominal carcinomatosis) 환자에게 수술의 결정은 복잡하다. 외과의는 수술 전에 장 침범 범위를 알기가 어려울 뿐만 아니라 수술적 방법이 환자에게 이로운가를 결정하는 것 또한 신중해야 할 문제이기 때문이다. Rubin 등은 난소암 환자 중 장 폐쇄가 있는 환자에서 완화를 위해 외과적 탐색술을 시행한 52예에서 83%는 수술적 술기가 가능했고 나머지 17%는 불가능했다고 보고했다. 수술이 가능했던 43예 중 79%는 정상 식이와 저용량 식이가 가능해서 퇴원하였고 중간 생존기간은 6.8개월이었다고 보고했다.

2. 부인과 영역에서의 방사선치료

방사선치료는 부인과 악성종양치료에 중요한 역할을 하고 있다. 지난 20년 동안 컴퓨터와 영상처리 기술이 발달하여 CT나 MRI에서 얻은 영상을 바탕으로 한 3차원적 치료 계획이 가능해졌고, 방사선 조사를 컴퓨터로 조절하고, 근접치료기의 조사량을 원격 조절함으로 방사선치료에 많은 변화가 있었다. 이러한 기술은 방사선을 표적장기에만 정확하게 조사할 수 있게 되어 합병증은 줄이면서 치료율을 높일 수 있다.

부인암 전문 의사는 부인종양 해부학과 생리의 정확한 이해뿐만 아니라, 방사선에 의한 세포고사(apoptosis)가 분자생물학적으로 어떻게 일어나는지, 방사선과 항암제의 상호작용이 어떻게 이루어지는지, 방사선의 양, 조사시간, 분할조사(fractionation)가 방사선 치료 결과에 미치는 영향에 대해서도 충분히 이해할 필요가 있다.

1) 방사선 생물학의 개요

(1) 방사선 손상과 복구

방사선에 의한 세포사(cell death)는 세포 증식 능력을 잃는 것으로 정의할 수 있다. 방사선의 세포 내 표적은 세포핵에 있는 DNA다. 조사된 방사선은 조직과 반응하여 고속의 전자가 되고, 이는 세포 내의 물 분자에 작용하여 OH 자유 라디칼(free radical)을 형성하고, 이는 다시 DNA 가닥을 절단시켜 세포 증식을 방해한다. 이런 일련의 반응으로 증식 능력이 소실된 세포는 얼마간 대사를 계속하다 소멸한다. 방사선에 의한 세포사는 이러한 유사분열 세포사 외에 세포고사에 의해서도 일어난다. 세포고사는 세포가 분열하기 전이나 유사분열을 마치기 전에 이루어지며, 이때 DNA와 세포막이 중요한 역할을 한다.

(2) 방사선 분할조사

통상적인 방사선치료는 총 목표 방사선량을 비교적 소량의 일일 선량(180-200 cGy)으로 분할하여 조사한다. 이렇게 하면 덜 치명적인 세포 손상이 복구될 수 있는 충분한 시간을 제공하여, 정상조직이 암조직보다 많이 복구된다. 이러한 현상이 반복됨으로써 정상세포와 암세포 사이에 그 차이는 극대화되어 치료효과(therapeutic gain)를 얻게 된다.

(3) 산소의 영향

방사선의 생물학적 효과에 가장 큰 영향을 미치는 것은 산소이다. 산소가 충분히 있는 상태가 무산소 환경에서 보다 방사선 민감도가 약 3배 더 높다. 산소 효과에 대한 분자 반응은 완전히 알려지진 않았으나, 산소가 DNA 등의 표적에 생긴 방사선 손상을 비가역적인 상태로 고정시키는 역할을 하는 것으로 알려져 있다. 빈혈이 있는 자궁경부암 환자에서 방사선치료 후 재발이 높은데, 이는 빈혈로 저산소세포의 비율이 높아 방사선치료 효과가 감소하였기 때문으로 해석된다.

(4) 방사선 감수성

방사선의 생물학적인 효과는 방사선 총 조사량, 회당 조사량, 분할 조사 사이의 간격, 총 치료 기간에 따라 차이가 난다. 방사선 감수성은 방사선 생물학의 4R이라 하는 복구(repair), 재증식(repopulation), 재분포(redistribution), 그리고 재산소화(reoxygenation) 기전으로 설명한다.

2) 방사선 물리학의 개요

(1) 치료에 사용되는 이온화 방사선의 종류

방사선치료에 사용하는 방사선은 전자기장 스펙트럼의 고에너지(>124eV) 영역에 있는 이온화 방사선이다. 이는 자신의 에너지를 원자의 외곽전자에 전달하여, 원자로부터 전자를 분리하여 이온쌍을 만든다. 이온화 방사선에는 감마선이나 엑스선 같은 전자기방사선과 전자, 중성자, 양성자 같은 입자방사선이 있다. 임상적으로 많이 사용되는 것은 감마선, 엑스선, 그리고 전자선이다. 감마선은 원자핵

붕괴에 의해 생성되고, 감마선은 가속된 전자가 텅스텐 같은 표적물에 충격을 가함으로 생성한다. 감마선과 엑스선을 통칭하여 광자(photon)라고 한다. 감마선은 원자핵에서 기원하고 엑스선은 원자핵 밖에서 기원하는 차이만 있을 뿐 임상적으로 동일하게 취급된다.

(2) 방사선 양의 표시

방사선치료에서 사용하는 방사선량은 방사선 조사로 조직이 흡수한 에너지를 측정하여 표시하는 흡수선량을 사용한다. 현재 방사선치료에서 방사선을 측정하는 데 사용되는 단위는 Gray (Gy)이고, 방사선을 흡수한 물질 1킬로그램당 1 Joule과 같은 값이다. 1980년대 초 이전에는 흡수선량을 radians (rads)로 측정하여 사용하였다(1 rad=1 cGy, 1 Gy=100 rad).

3) 방사선치료의 테크닉

(1) 외부방사선치료(teletherapy)

신체로부터 일정한 거리(약 1미터)에 방사선 발생원을 두고 엑스선이나 전자선을 조사하는 것이다. 자궁경부암의 경우, 외부방사선치료의 범위는 전방으로 자궁체부, 후방으로는 자궁천골인대와 전천골림프절을 포함하며, 외측으로는 적절하게 골반림프절을 포함하게 된다.

대부분의 방사선치료는 2개 이상의 빔을 이용하여 치료의 계획을 세운다. 그 이유는 세 가지 목적으로서 ① 타겟에 최대한의 방사선 용량을 전달 ② 타겟 볼륨 내에 비교적 균일하게 방사선 용량을 발생 ③ 포함되지 않는 정상조직에 전달되는 방사선 용량의 최소화를 위함이다.

최근에는 세기조절방사선치료(IMRT)에 많은 관심을 갖게 되었다. IMRT는 고도의 정각(conformal) 방사선치료로 복잡하고 정교한 컴퓨터 알고리즘을 이용하여, 방사선 빔을 다각도에서 조사함으로써, 방사선의 전달을 최적화하는 치료이다. 환자를 방사선치료자세로 놓고 CT 촬영을 시행한 후, 각 단면 영상마다 타겟 볼륨과 모든 중요한 정상조직 구조를 확인하여 확실한 경계를 구분한 후, 각 부위마다 최소 및 최대 조사 가능한 방사선 용량을 결정하게 된다. 따라서 정상조직 구조에는 방사선의 부작용을 극소화 하면서, 타겟 치료를 극대화할 수 있다. 최근 지난 5년간 IMRT의 사용은 급진적으로 증가하고 있다.

(2) 근접방사선치료(brachytherapy)

방사성동위원소를 표적 병소에 근접한 곳에 위치하여 감마선을 조사하는 것이다. 방사선 발생원에서 거리가 멀어질수록 그 거리의 제곱에 비례해서 방사선량이 급격히 감소하는 성질을 이용하기 때문에 표적 병소에만 고용량의 방사선을 조사할 수 있는 장점이 있다. 질 천장과 자궁 내에 국소 장치를 설치하여 방사선 조사하는 강내 치료법(intracavitary brachytherapy)과 병소에 방사선 바늘을 찔러 조사하는 조직내 치료법(interstitial brachytherapy)이 있다.

(3) 방사선활성 용액(radioactive solution)

동위원소(예: radioactive colloidal gold or 32P)를 강내 주입(예: 복강)하여 강내 벽의 종양을 치료한다. 복강내 치료를 위하여 사용하던 198Au는 대부분 32P로 대체되었다. 그러나 실질적으로는 동위원소가 복강 내 균질하게 분포되기 어려워, 실제 임상에서 치료에 적용하기에 한계가 있어 잘 사용되지 않고 있다.

4) 방사선과 약물의 상호작용

방사선과 약물은 다양한 상호작용으로 세포반응을 조절하게 되는데, steel과 peckham은 다양한 상호작용을 spatial cooperation (indepent action), additivity, supradditivity와 subadditivity의 4군으로 분류하였다.

Spatial cooperation은 방사선과 약물이 작용하는 기전이 서로 달라, 독성의 증가는 없이 전체적인 효과는 두 치료법의 효과를 더한 것과 같은 경우이다. 그 예로 자궁경부암에서 원발 병소와 골반림프절은 방사선으로 치료하고, 방사선치료 영역 밖에서의 현미경적 원격전이 병변 치료를 위해서는 항암화학요법을 병용하는 경우이다.

Additivity는 방사선과 약물이 같은 표적에 작용하는 경우로서, 치료효과와 독성효과가 각각의 것을 더한 것과 같은 경우이다.

Supradditivity는 약물이 방사선의 효과를 증진시켜줌으로써 방사선과 항암제의 두 효과를 단순히 더한 것 보다 더 높은 효과를 나타내는 경우이다.

Subadditivity는 방사선과 약물을 병용함으로써 오히려 세포사멸의 양이 감소하는 경우이다. 즉 각각의 효과를 단순히 더한 것 보다 효과가 낮게 나타나는 경우이다.

임상적으로 두 가지 치료를 병용하였을 때 어떤 형태의 상호작용이 나타날지 알기는 매우 어렵다. 방사선치료만으로 얻을 수 있는 치료효과보다 더 큰 치료반응을 얻을 경우, 이러한 상호작용을 synergistic 반응으로 기술하며, 그렇지 않은 경우는 additive 또는 subadditive 반응으로 기술한다.

5) 수술과 방사선치료의 병용

수술과 방사선치료는 모두 효과적인 암 치료법이기 때문에 암의 국소적 제어(locoregional control)를 향상시키고자 두 방법이 병용되고 있다. 이론적으로 수술은 방사선으로 조절하기 어려운 큰 종양을 제거하고, 방사선치료는 현미경적 질환을 소멸하는 데 사용한다. 그러나 자궁경부암은 근접 방사선치료가 용이하여 원발 병소에 고용량의 방사선을 조사할 수 있어 수술 없이 방사선치료 단독으로도 치료가 잘된다.

(1) 수술 전 방사선치료

수술 전 방사선치료 방법은 수술 부위의 가장자리에 있을 현미경적 병소는 방사선으로 소멸시킨 뒤, 육안적 병소는 수술로 제거하는 것이다. 주요 구조물이 인접해 있어 수술로 제거하지 않고 보존하고자 할 때 매우 유용하다. 수술 후 방사선치료는 수술 후 병리조직 표본에서 나온 정보를 이용하여 치료계획을 세울 수 있는 반면 수술 전 방사선치료는 그런 정보 없이 치료를 하기 때문에 매우 이른 병기의 환자를 불필요하게 치료할 수도 있다. 그래서 수술 후 방사선치료보다 선호도가 낮지만 부피가 큰 자궁경부암 환자에서 간혹 사용되고 있다. 방사선 조사량이 많을수록 수술 후 합병증이 증가할 수 있기 때문에 수술 전 방사선량은 근치적 방사선치료에서 보다 항상 낮다. 수술 전 방사선치료의 가장 큰 위험은 수술로 종양이 완전 절제되지 않고 남게 되어 추가 방사선치료를 했을 때 수술 전과 수술 후 방사선치료 사이의 긴 휴식기로 인해 방사선치료 효과가 현저히 줄어드는 것이다.

(2) 수술 중 방사선치료

몇몇 경우에 수술 중 방사선치료는 영구적인 이식물(permanent implant, 125I 또는 198Au 이용)이나 수술대(192Ir 이용)에서 후장진 카테터(afterloading catheter)로, 또는 수술방에서 특수 전자파나 orthovlotage 장치를 가지고 조사할 수 있다. 치료병변이 직접적으로 보이고, 치료부위 주변의 정상조직이 방사선치료 구역으로부터 격리될 수 있다는 것은 수술 중 외부방사선 조사의 중요한 장점이다.

(3) 수술 후 방사선치료

수술 후 방사선치료는 부인과종양의 국소제어와 생존율을 향상시킨다.

자궁경부암은 광범위자궁절제술 후 병리조직 소견상 고위험인자가 있는 경우에는 수술 후 보조적 방사선치료가 골반 내 재발 위험성을 낮춘다.

자궁경부암에서 수술 후 보조요법으로 수술 후 병리조직 소견상 고위험 인자(수술 후 조직검사 소견상 절제면 양성, 골반림프절전이, 자궁주위조직 침윤)가 있는 경우 및 중등도 위험인자(4 cm 이상 크기, 깊은 침윤 깊이, 림프혈관강 침윤)가 있는 경우에 골반부 방사선 조사는 골반내 재발을 줄일 수 있다.

수술이 불가능한 진행된 병기의 자궁경부암에서는 방사선치료가 주된 치료법이 되며, 이러한 경우에는 병기에 상관없이, 동시항암화학방사선요법을 시행하는 것이 방사선치료만을 하는 경우에 비해 더 좋은 생존율을 보이기 때문에, 자궁경부암에서 일차 치료로 방사선치료를 할 경우에는, 반드시 백금계 항암제를 사용한 항암화학요법을 같이 병행하여 실시한다.

수술 후 재발성 자궁경부암의 경우, 광범위 자궁절제술 후에 골반에 국한된 재발을 보이는 경우, 방사선치료로 가끔 성공적으로 치료될 수 있다. 가장 예후가 좋은 경우는 중심부 재발로 병변이 골반벽에 고착되어 있지 않으며, 골반 림프절에 재발 병변이 없는 경우이다. 이러한 환자에 있어 5년 생존율은 60-70%를 보인다.

자궁내막암에서는 병기에 따라 수술적 절제만 시행하거나, 수술 후 위험군에서는 수술 후 추가적으로 방사선치료를 시행한다. 수술 후 추가적 방사선치료는 자궁절제술 후 국소재발을 감소시킨다. 그러나 수술이 불가능한 자궁내막암 환자에서는 일차치료로 방사선 단독치료를 시행하기도 한다.

외음부암 환자에서 방사선치료로 얻을 수 있는 이득은 서혜부 림프절전이가 있는 환자의 국소재발 위험의 감소 및 생존율 향상, 수술 경계면 양성인 환자의 외음부 재발 위험 감소, 항문과 요도를 침범한 외음부 환자에서 초광범위 수술을 피할 수 있는 이점 등이 있다.

자궁내막암에서 수술 후 골반부 방사선 조사는 고위험인자를 가진 제1기 환자의 골반 내 재발을 감소시킨다.

난소암의 경우 전복부 방사선치료를 과거 시행하였으나, 급만성 장손상으로 약 30%의 환자에서 장폐색으로 수술을 필요로 하는 높은 이환율을 보여 최근에는 거의 이용되고 있지 않다.

3. 항암화학요법

암세포를 선택적으로 파괴하는 항암제의 종류와 기전은 매우 다양하며 이러한 약제를 여러 부인과 암치료에 적절히 선택하는 것은 효과적인 항암제의 작용기전료의 기초가 된다. 따라서 이러한 약제의 작용기전과 항암화학요법의 치료원칙을 이해하는 것이 필요하다.

1) 암의 생물학적 특성

(1) 성장

암은 정상적인 세포주기를 따르지 않고 세포 분열과 세포 사멸 간의 불균형으로 정상보다 빠르게 지속적으로 성장하게 된다. 암세포의 특징적인 양상은 gompertizian성장을 하는 것으로 암이 작을 때는 지수적인 양상(exponential pattern)으로 성장하나 암의 크기가 증가하면서 성장속도가 둔화된다. 암의 크기가 2배로 증가하는 배가시간(doubling time)도 여러 가지 암에서 다양하게 나타나는데 전이 암은 원발 암보다 빠른 배가시간을 나타낸다.

(2) 세포주기

세포주기는 휴지기(G0), 분열후기(G1, 단백질 합성), 합성기(S, DNA 합성), 분열전기(G2, RNA 합성), 분열기(M)로 이루어지는데 활발하게 분열하는 암세포는 항암제에 민감하며 휴지기에 있는 세포는 항암제에 감수성이 적다. DNA 합성기인 S기는 거의 대부분 암에서 12시간에서 31시간으로 비슷하나 세포주기는 1/2일에서 5일까지 암마다 다양하게 나타난다.

2) 항암화학요법의 원칙

(1) 작용기전

항암제가 정상세포보다 암세포에서만 큰 활성을 나타내는 것이 이상적이지만 대부분의 항암제는 DNA 자체나 DNA 합성에 장애를 주거나 세포 내 효소에 영향을 주어 단백질 합성에 장애를 주기 때문에, 항암효과와 정상조직의 독성 사이에 치료범위가 좁을 수 있다. 따라서 모든 항암제는 암세포뿐 아니라 정상조직에도 어느 정도의 손상을 주게 된다.

항암제는 작용기전이 다양하고 복잡하여 세포의 반응 역시 다양하게 나타난다. 세포주기에 특이하게 관련되는 약제가 있으며 세포주기에 비특이적으로 모든 주기에서 반응하는 약제도 있다. 항암제는 일정 분율로 암세포를 죽이며 흔히 한번의 치료로 2-5 log의 암세포를 죽이게 된다. 따라서 임상적으로 10^{9-12}개의 암세포 덩어리로 발견되는 암

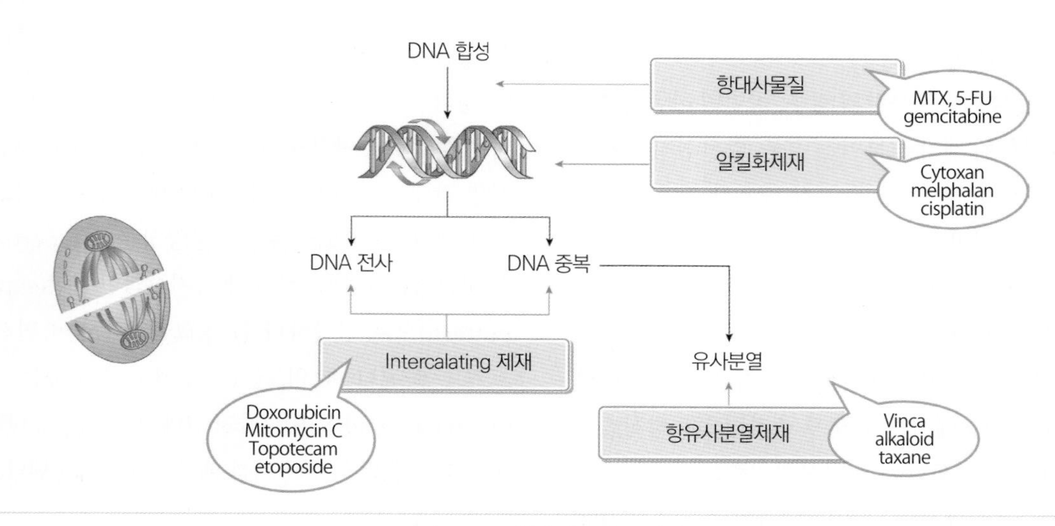

그림 28-19. **항암제의 작용기전**

은 여러 번의 복합항암제의 치료가 필요하다(그림 28-19).

(2) 약제 투여

항암제의 최대효과를 얻기 위해 약제는 체표면적(m^2)당 약의 용량(mg)으로 사용하며 약제는 구강, 근육내, 정맥내, 동맥내, 복강내 경로 등으로 투여한다. 항암치료에는 약의 투여방법, 약의 흡수, 이동, 분포, 생물학적 변화, 비활성화, 분비, 다른 약물과의 상호작용 등 약제의 약리학적 작용에 영향을 주는 요소들이 영향을 미친다. 처음에 관해를 보였던 약제가 재발 시 흡수에 저항을 보이거나 억제효소에 대한 특이성의 변화를 일으켜 내성을 보이기도 하며 사용하려는 약제가 다른 심각한 독성을 유발하는 경우 독성의 극소화와 치료의 극대화를 위해 약 용량은 조정하여 사용한다.

(3) 복합 항암화학요법

단독 항암화학요법을 사용하는 경우 약제의 독성으로 투여기간과 용량이 제한되고 결과적으로 암세포 파괴가 제한된다. 단독 항암화학요법에 쉽게 내성이 생길 수 있어 효과가 감소하기 때문에, 암세포의 주기에 따라 다르게 작용하는 여러 항암제를 복합적으로 사용함으로써 내성의 가능성을 효과적으로 줄일 수 있다. 서로 다른 작용기전이 복합되면 항암작용은 증가되고 독성은 감소하게 되므로 복합 항암화학요법을 시행할 경우 치료효과의 상승작용을 기대할 수 있다.

(4) 치료효과

항암제의 치료반응을 평가하기 위한 기준으로 완전 관해와 부분 관해, 무변화, 진행성 등이 있다. 암의 모든 증상과 증후, 암의 객관적인 증거가 사라질 때 완전 관해로 판정되며 치료 동안에 새 병변은 없고 주관적인 증상 및 증후의 호전과 측정가능한 병변의 크기가 50% 이하로 감소하는 경우 부분 관해로 판정된다. 치료에도 반응이 없는 경우에는 무변화로 진단되며 오히려 병변의 크기가 증가하거나 증후가 악화되는 경우 진행성으로 판정한다.

항암제 치료효과 판정을 위해 가장 많이 쓰이는 방법은 종양 크기에 대한 객관적 계측법이다. 특히 항암제 임상 시험에 있어 종양 크기의 변화는 장기간의 추적 기간을 통해 생존율을 산출하기 전에 항암제 효과를 판정할 수 있는 결과 변수로 이용된다. 종양 크기의 객관적 계측방법에는 세계보건기구기준(World Health Organization, WHO criteria), 고형암 반응 평가 기준법(Response Evaluation Criteria in Solid Tumors, RECIST criteria) 등이 있다.

WHO criteria는 영상의학적으로 종양의 최장경과 이에 수직인 최장경을 곱하여 계측하고, RECIST criteria는 최장경의 길이를 계측하게 된다. 종양이 다발성인 경우는 계측값의 합으로 평가한다.

3) 항암제의 종류(표 28-3)

(1) 알킬화 제제

이러한 항암제는 주로 DNA와 화학적으로 반응하여 효과를 나타내는 것으로 주로 nitrogen mustard, cyclophosphamide, melphalan, chlorambucil, thiotepa, busulfan, nitrosourea, BCNU, CCNU, platinum계 항암제(cisplatin, carboplatin, oxaliplatin) 등이 속한다. DNA와 화학적으로 반응하여 효과를 나타내며 불안정한 알킬기를 형성하여 핵산, 단백질, 아미노산과 반응하여 세포독성을 나타낸다.

(2) 항종양 항생제

DNA 이중 나선구조 사이에 삽입되어 DNA 단일구조를 분리시키고 DNA 복구를 방해하며 자유 라디칼을 형성하는 등 DNA 손상을 주어 RNA 합성을 억제하는 작용을 나타낸다. 주된 약제로는 doxorubicin, daunorubicin, actinomycin D, bleomycin, mitomycin, mithramycin 등이 있으며 세포주기와는 관련이 없다. Anthracycline은 DNA와 효소의 복합체를 형성함으로써 topoisomerase 효소의 기능을 억제하여 DNA 보상, 복제, 전사 등을 방해한다. Topoisomerase를 억제하는 새로운 약제로 topotecan, teniposide, irinotecan, mitoxantrone, camptothecin 등이 있다.

(3) 항대사물질

생체의 세포 내 효소와 반응하여 정상적인 세포의 활성에 관여하는 기능을 파괴하여 DNA 합성을 방해하는 항종

표 28-3. 부인암에 자주 사용되는 항암제

약제	적응증	치료용량	독성
알킬화제제			
Cyclophosphamide	난소암, 육종	1.5-3.0 mg/kg/day po 10-50 mg/kg IV/4주	골수억제, 오심, 구토
Melphalan	난소암	0.2 mg/kg/day × 5day po/4-6주	골수억제, 오심, 구토
Cisplatin	난소암, 자궁경부암	10-20 mg/m^2/day × 5 IV/3-4주 50-75 mg/m^2 IV/3-4주	신독성, 이독성, 말초신경병증 골수억제, 오심, 구토
Carboplatin	난소암	300-400 mg/m^2 × 6 IV/3-4주	혈소판 감소증, 이독성, 신독성
항종양항생제			
Actinomycin D	난소암, 융모상피암	0.3-0.5 mg/m^2 × 5day IV/3-4주	골수억제, 오심, 구토, 점막궤양
Bleomycin	자궁경부암, 난소암	10-20 unit/m^2 1-2 IV, IM/매주	고열, 피부반응, 폐독성
Mitomycin C	자궁경부암, 난소암	10-20 mg/m^2 IV/6-8주	골수억제, 오심, 구토, 점막궤양
Doxorubicin	난소암, 자궁내막암	60-90 mg/m^2 IV/3-4주 20-35 mg/m^2 × 3 IV/3-4주	골수억제, 탈모, 심독성 오심, 구토, 점막궤양
Topotecan	난소암	1.5 mg/m^2 IV/3-4주/3-4주	골수억제, 오심, 구토, 탈모
항대사물질			
5-Flurouracil	난소암, 자궁경부암	10-15 mg/kg/week IV	골수억제, 오심, 구토, 탈모
Methotrexate	융모상피암, 난소암	15-40 mg/day × 5 po 240 mg/m^2 with leukovorin IV	점막궤양, 골수억제, 간독성, 알러지 폐염, 뇌막자극
Hydroxyurea	자궁경부암	1-2 g/mv daily for 2-6주	골수억제, 오심, 구토, 식욕저하
Gemcitabine	난소암	1,000 mg/m^2 weekly/4주	골수억제, 피부반응, 심독성
식물성 알칼로이드			
Vincristine	난소암, 자궁경부암, 육종	0.01-0.03 mg/kg/week IV	신경독성, 탈모, 골수억제, 뇌신경마비, 위장관독성
Vinblastine	난소암, 융모상피암	5-6 mg/mv IV/1-2주	골수억제, 탈모, 오심, 신경독성
Etoposide	융모상피암	50-120 mg/m^2 × 3-5 IV	골수억제, 탈모, 오심, 구토
Paclitaxel	난소암	135-250 mg/m^2 IV/3주	골수억제, 심부정맥, 아나필락시스

양효과를 나타낸다. 주로 methotrexate, 5-fluorouracil, hydroxyurea 등이 속하며 세포주기의 합성기에 특이적인 약제로 복합항암요법에 사용된다. DNA 합성과 보상을 억제하는 cytarabine, gemcitabine (gemzar), 6-mercaptopurine, 6-thioguanine 등도 속한다.

(4) 식물성 알칼로이드

세포 내의 미세관 단백질인 tubulin과 결합하여 미세관의 조합을 방해하고 방추체를 파괴하여 세포분열을 중지시키거나 미세관 기능의 장애를 초래하여 세포사망을 유발한다. 주로 vinca alkaloid, etoposide, paclitaxel 등이 속한다.

4) 독성

항암제는 독성이 가장 강한 제제로 독성을 일으키는 기전은 종양세포에 대한 독성과 유사하다. 빠르게 증식하는 세포로 구성된 장기에 대한 부작용은 용량과 비례하며 심한 전신쇠약이나 고령, 불량한 영양상태가 있을 경우 심각한 부작용이 초래되기도 한다.

(1) 혈액학적 독성

대부분의 항암제에서 백혈구 감소증과 혈소판 감소증이 나타나며 이러한 부작용은 사용한 약제와 용량, 빈도, 과거의 방사선이나 화학요법의 과거력에 따라 매우 다양하게 나타난다. 급성백혈구감소증은 골수억제 항암제가 투여된 지 6-12일 후에 나타나서 21일째에 회복된다. 혈소판 감소증은 이보다 4-5일 후에 발생하며 백혈구 수가 정상으로 돌아온 후 회복된다. 절대 과립구수가 500/mm^3 미만으로 5일 이상 지속되는 경우 치명적인 패혈증이 발생할 수 있으므로 38.3도 이상의 고열이 동반되는 경우 광범위 항생제를 사용하여야 한다. 혈소판 수가 $<$20,000 mm^3인 경우 자연 발생적인 출혈의 위험이 높으므로 혈소판을 수혈해준다. Mitomycin C와 nitrosurea가 골수 억제를 일으키는 대표적인 약제로 최근 G-CSF나 GM-CSF 등 조혈성장인자를 사용하여 치료에 도움을 준다.

(2) 위장관계 독성

위장관은 항암제치료에서 심각한 독성이 자주 나타나는 부위로 점막염이 흔히 발생한다. 상부 위장관의 점막염으로 식도염이 주로 발생하거나 하부 위장관의 점막염으로 설사가 동반되고 장천공, 출혈, 괴사성 장염 등이 나타나는데 항생제 투여로 치료한다. 그 외에도 vinblastine에 의해 장운동의 감소, 오심, 구토 등이 나타나며 대증적인 치료로 오심, 구토 억제제를 투여한다.

(3) 신 독성

항암제가 주로 대사되어 분비되는 비뇨기계의 손상이 나타나며 주로 cisplatin은 신세뇨관 손상을, methotrexate는 핍뇨성 신부전을, nitrosurea는 만성 간질성 신염과 만성 신부전을, cytoxan은 만성 출혈성 방광염을 일으킨다. 치료로는 약제를 중단하고 사구체 여과율을 증가시키도록 혈장량을 증가시키거나 과칼륨혈증이나 저마그네슘혈증을 교정하거나 단기간의 혈액투석이나 복막투석을 고려해 보기도 한다. 최근 출혈성 방광염을 예방하기 위해 ifosphamide 사용 시에는 mesna를 같이 투여한다.

(4) 간 독성

간효소 수치인 transaminase, alkaline phosphatase, bilirubin 등이 증가하며 대개는 치료 후 곧 회복되나 심각한 부작용이 나타나기도 한다. 6-mercaptopurine, 6-thioguanine 등은 담즙정체성 황달을 일으키며 간경화나 약물 유발성 간염이 발생한 경우 그 약제를 중단하고 일반적인 치료를 시행한다.

(5) 심 독성

Adriamycin, daunomycin 등은 심한 심근 독성을 나타내며 adriamycin의 총 누적용량에 따라 심독성의 위험이 증가한다. Paclitaxel은 급성 부정맥을 일으킬 수 있으며 대개 치료 후 수일 내에 사라진다. 이러한 anthracycline계의 심독성의 치료는 주로 대증요법으로 울혈성 심부전의 증상이 나타나기 전에 조기 발견하는 것이 매우 중요하며 좌심실의 기능이 감소하면 즉시 약제를 중단하는 것이 심독성을 최소화할 수 있다. Busulfan은 심내막 섬유화, mitomycin C는 심근 섬유화, 5-fluorouracil은 협심증을 발생시키기도 한다.

(6) 호흡기계 독성

Bleomycin, nitrosurea, 알킬화제제 등이 폐섬유화와 동반된 간질성 폐렴을 유발하며 약제의 중단과 지지요법으로 치료한다.

(7) 피부 독성

항암제에 의한 피부 부작용은 탈모, 약제 누출에 의한 국소 괴사, 과민반응 등이 나타난다. 피부괴사는 doxorubicin, actinomycin D와 같은 약제의 누출에 의하며 괴사의 정도는 국소 홍반에서 만성 궤양성 괴사까지 다양하다. 처치로는 즉시 정맥선을 제거하고 스테로이드 국소주입, 손상 부위의 거상, 약제에 따라 냉찜질이나 온찜질 등이 필요하며 경우에 따라서는 장기간의 추적관찰 후에 피부이식이 필요하기도 하다. 탈모는 가장 흔한 부작용으로 환자에게 주는 정서적인 영향이 크다. 주로 anthracycline계의 항암제나 vinca alkaloid, paclitaxel, cytoxan 등에 의해 심한 탈모가 나타나며 탈모증은 항암제를 중단하면 10일에서 수 주일 내에 머리가 나기 시작한다.

(8) 과민반응

Cytoxan, adriamycin, cisplatin, melphalan, methotrexate, bleomycin 등이 고열과 아나필락시스, 레이노드 현상을 유발하며 paclitaxel은 과민반응을 나타낸다. 이를 예방하기 위해 dexamethasone, diphen-hydramine, cimetidine 등을 투여한다.

(9) 기타

알킬화제제, nitrosurea 등에 의해 이차성 악성종양을 유발되며 복합항암화학요법에 의해 급성 백혈병이나 고형암이 발생된다. 항이뇨호르몬 분비 이상으로 저나트륨혈증이나 고뇨산혈증, 고칼륨혈증, 고인산혈증, 저칼슘혈증 등을 나타내기도 한다. Cisplatin에 의해 이독성, 말초신경병증, 실명 등도 발생하며 vincristine, vinblastine 등에 의해 말초 운동, 감각, 자율신경이상 등도 나타난다.

4. 종양면역요법(Immune Therapy of Cancer)

면역체계는 세균이나 바이러스 같은 외부에서 침입한 병원체에 대해 인체를 방어하는 수단일 뿐만 아니라 암의 발생과 진행에도 중요한 역할을 하고 있다. 암에 대한 면역감시체계는 종양세포를 발견하여 파괴할 수도 있으나 경우에 따라서 초기에 종양세포가 이 감시체계를 벗어나게 되면 곧 암으로 성장할 수도 있음을 의미한다.

면역체계는 두 가지 형태로 구분할 수 있는데, 선천적인 것은 출생 시부터 가지고 있는 것으로 병원균이나 종양에 대해 적응하고 변환될 필요가 없다. 여기에 속하는 것으로는 자연 살해 세포(natural killer cell, NK cell), 대식세포(macrophage) 혹은 수지세포(dendritic cell) 등이 있다. NK 세포는 직접 종양세포를 파괴할 수 있으며 대식세포는 여러 가지 사이토카인(cytokines)을 생성하고, 수지세포는 주 조직 적합체(major histocompatibility complex, MHC)-I 혹은 -II 체계를 통하여 T-세포를 활성화하도록 한다. 후천적인 것은 출생 시에는 완전히 성숙되거나 활성화되어 있지는 않지만 감염 등에 의해서 발달하게 되는 것으로 T-림프구를 매개로 하는 세포성 면역과 B-림프구를 매개로 하는 체액성 면역이 있다.

면역체계가 종양세포의 표면에 있는 항원을 인지하고 면역작용에 의해서 종양세포가 파괴될 수 있다는 근거하에 면역치료에 여러 가지 방법이 연구되었다. 면역 조절(immune modulation)은 암을 치료하는 데 있어 비특이적인 방법으로 선천적으로 가지고 있는 면역 수단을 이용하는 것으로 여기에는 인터루킨(interleukin, IL)-2, IL-3, IL- 4, IL-6, IL-10, IL-12, 종양 괴사 인자(tumor necrosis fac-tor, TNF)-α, macrophage colony-stimulating factor (M-CSF),

인터페론(interferon; INFs), BCG 등이 있다. 이 중에서 IL-2와 IFN-α는 FDA로부터 흑색종과 신장 암에서 사용을 인정받았다.

여성의 악성종양 중 특히 난소암은 복강이 사이토카인의 생성에 좋은 환경을 가지고 있다는 점에서 사이토카인 치료에 매력적인 환경을 제공한다. 종양과 정상 복막 세포는 서로 다른 사이토카인의 분비 양상을 보이며 이 중 일부는 서로 다른 작용을 함으로써 종양에 대한 면역반응을 억제하거나 증강시킬 수 있다. 몇몇 사이토카인은 종양세포의 성장을 억제하거나, 성장과 생존을 하향 조절할 수도 있지만 다른 종류는 항원 형성을 변화시킬 수도 있다. 여성 암에서 시험적으로 검토된 사이토카인은 IL-2, IL-12, IFN-α 등이다. IFNs은 NK 세포나 대식세포를 자극하거나, 혈관 형성을 방해하거나(antiangiogenic), 혹은 HER-2/neu 같은 조절 이상이 생긴 발암 유전자(oncogene)의 발현을 억제하여 항암 효과를 나타낸다. 지금까지의 결과로는 전신적 투여보다는 복강내 투여 시에 효과가 좋으며 cisplatin과 같은 항암제와 병용했을 때는 독성이 증가된다. 전에 치료받지 않은 자궁경부암에서 retinoic acid나 항암제와 병용했을 때 효과를 보이는 경우도 있다. 난소암에서 IL-2를 사용했을 때 장기간의 관해를 보이는 경우도 있지만 독성이 강한 점이 문제이며 이를 최소화할 수 있는 방법이 연구 중이다.

수동면역치료(passive immune therapy)는 종양이 있는 사람의 체내에서 생성된 특정한 물질을 전달해 주는 것으로, 종양세포의 표면에 존재하는 항원에 대한 단일클론항체(monoclonal antibody)를 이용하거나 환자 혹은 이식 시의 골수 공여자의 골수에서 얻은 세포를 배양하고 적절한 처치를 한 후 다시 환자의 체내로 주입해 주는 것으로 주로 T-세포를 이용한다. 항체가 인지할 수 있는 항원은 주로 종양 표면에 국한되어 있으므로 단일클론항체를 이용한 치료는 주로 종양세포의 표면 항체에 집중해서 연구되어 왔다.

단일클론항체를 이용한 종양치료에 있어서 주된 장애는 항체가 형성되거나 결합(conjugate)되지 않은 항체가 면역생물학적으로 제한된 효과를 가진다는 점, 그리고 환자나 종양의 종류에 따라 항체의 발현이 다양하다는 점이다. 이를 극복하기 위하여 항체를 더 작은 조각으로 만들거나 원하는 결합 특이성을 가지는 항체를 개발하는 등의 방법, 항원의 다양성에 대한 대응으로 여러 가지 항체를 결합시켜 사용하는 방법, 방사성 핵종(radionuclide)을 결합시키는 방법 등이 강구되고 있다.

난소암과 자궁내막암은 CA-125나 CEA, HER-2/neu 등의 많은 종양 항원을 공유하고 있지만 이 중 어느 것도 특정 항체에 대한 완전한 표적은 되지 못한다. 그 이유는 환자들의 반수 이상에서는 이들 항원이 발현되지 않고, 상대적으로 정상 조직에서도 상당한 부분에서 발현이 되기 때문이다. 따라서 아직까지 여성 암에서는 확실하게 효과가 입증된 치료 방법은 없지만, 그럼에도 일부 악성종양에서는 단일클론항체를 이용한 종양치료가 FDA로부터 효과가 있는 것으로 입증되어 있는데, 여기에는 B-cell lymphoma에 대한 Rituxan, 만성 림프성 백혈병에 대한 Campath, 유방암에 대한 Herceptin 등이 있다. 다만 수동적으로 전달되었거나, 백신에 의해 유도된 항체가 실험 동물이나 사람에서 임상적으로 효과를 보이는 것으로 나타나 있지만, 현재의 견해는 항체를 이용한 치료는 보조적인 것으로 간주되고 있다.

능동면역치료(active immune therapy)는 환자 자신의 면역반응을 증강시키는 방법으로, 백신이 이 부류에 속하는 것이다. 수동 혹은 능동 면역치료 어느 것이든 종양세포의 표면에 존재하는 항원을 그 목표로 하고 있는데 이 항원에는 분화 항원(differentiation antigen), 생식세포 항원(germ cell antigen) 그리고 유전적 돌연변이에 의한 항원이 있다.

종양 백신의 개발에는 두 가지 방법이 있는데 첫 번째는 분화항원과 생식세포 항원을 목표로 하는 것이며 주로 펩타이드, 단백, 당지질(glycolipid), DNA 혹은 RNA로 구성된다. 두 번째는 세포형 백신으로 환자 자신 혹은 다른 환자의 종양 세포를 이용하는 것이다. 이론적으로는 환자 자신의 세포를 이용하는 자가 백신이 세 가지 항원에 대해 모두 면역반응을 증강시킬 수 있다고 할 수 있으나 실제로 세포를 이용하는 백신의 제조는 아직 과정이 까다롭고, 조절에 한계가 있다.

우리나라에서 부인암 중 가장 많이 발생하는 자궁경부암은 고위험 인유두종바이러스(high-risk human papillomavirus, HPV)의 지속감염과 인체의 면역체계가 바이러스를 효과적으로 제거하지 못하면서 발생하게 된다. 자궁경부암에 있어서 면역요법의 역할로는 고위험 HPV을 대상으로 한 HPV의 감염을 예방하기 위한 예방백신과 이미 감염된 환자를 치료하기 위한 치료백신으로 나눌 수 있다. 현재 자궁경부암에 있어서 고위험 인유두종바이러스(HPV-16, HPV-18)에 대한 예방백신이 도입이 되어 자궁경부암을 예방하는 데 큰 기여를 할 것으로 보인다. 또한 전암 상태인 자궁경부 상피내종양이나 침윤성 자궁경부암을 치료하기 위한 치료백신에 대한 연구도 활발히 진행 중이다.

예방 백신은 항체가 없는 조직에서 인유두종바이러스의 침범에 대해 자연적인 면역을 증강시키는 데 그 목적이 있으며 anti-L1-directed 백신이 그 예이다. 이 예방 백신은 인유두종바이러스의 주된 capsid 단백인 L1을 구성하는 바이러스 양의 입자(virus-like particles, VLP)로서 인유두종바이러스 감염, 체내에서의 지속, 그리고 상피 내종양(CIN)으로의 진행을 효과적으로 억제한다(Koutsky LA et al., 2002). Goldie 등(2003)도 백신에 의한 자궁경부암과 HPV-16/18의 감염은 각각 최고 51%, 98%의 억제 효과가 있다고 하였다.

HPV 예방백신은 L1과 L2의 표면항원을 목표로 하고 있으며 L1, L2 표면항원은 자궁경부상피의 기저층(basal layer)을 이루고 있는 세포와 transformed cell에서는 발현이 잘 안 된다. 따라서 예방백신으로는 기저층에 있는 세포와 transformed cell에 있는 인유두종바이러스를 치료할 수 없다. 또한 예방백신은 항원항체 반응을 유도하는데 이미 감염된 세포는 체액성 면역(humoral immunity)으로 치료될 수 없고 세포성 면역반응(cell-mediated immune response)에 의해서만 치료될 수 있다. 이러한 예방백신의 치료적 한계점 때문에 치료백신의 개발이 필요하며 대부분의 치료백신은 기저층에 있는 세포와 transformed cell에서도 발현이 잘되고 있는 E6과 E7 단백질을 목표로 하고 있다(Ahn et al., 2003; Jochmus-Kudielka et al., 1989).

HPV 치료백신은 현재 여러 가지 방법으로 시도되고 있는데 바이러스 벡터나 박테리아 벡터를 이용한 백신, peptide, 단백질, DNA, RNA, 혹은 세포에 기초를 둔 백신들이 연구되고 있다.

바이러스 벡터 백신(virus vector vaccines)은 면역 유발 능력이 뛰어난 장점이 있으나 사용되는 바이러스에 의한 안전성 문제가 염려되고 이미 사용되는 바이러스에 대해 면역력이 존재하는 사람에게는 사용될 수 없다는 단점이 있다. 이 백신은 HPV 단백질이 viral DNA로부터 host cell에서 직접 만들어지고 세포 표면에 MHC class I molecules와 결합된 상태로 표현되므로 환자의 HLA type에 따른 제한이 없다. E6과 E7을 목표로 하는 백시니아(vaccinia) 벡터 백신은 전임상연구에서 강력한 cytotoxic T-lymphocyte (CTL)와 항종양 반응을 유발하는 것으로 나타났다. European Organization for Research and Treatment of Cancer에서 시행한 다기관 제2상 임상시험에서 HPV-16과 HPV-18의 E6과 E7 (TA-HPV)을 encoding하는 live recombinant vaccinia virus를 초기 자궁경부암 환자에게 투여하여 이 백신의 안전성과 효과를 입증하였고(Borysiewicz et al., 1996) 중증 외음부상피내종양에서도 일부 효과가 있는 것으로 나타났다(Davidson et al., 2003). Modified adenovirus-expressing HPV-16 E6 (또는 E7)이나 Replication defective adeno-associated virus encoding HPV-16 E7 fused to heat-shock protein 70을 이용한 백신에서 CTL을 유도하고 항종양 반응을 유발하는 것으로 나타났다(He et al., 2000; Liu et al., 2000).

박테리아 벡터 백신(bacterial vector vaccines)도 면역유발 능력이 뛰어나고 engineered plasmid를 전달할 수 있고 단백질을 발현시킬 수 있다. 그러나 바이러스 벡터 백신과 마찬가지로 안전성 문제가 있고 사용되는 박테리아에 대해 이미 면역력이 존재하는 사람에게는 사용될 수 없고 재접종할 수 없다는 단점이 있어서 임상적용에 제한이 있다. Listeria monocytogenes, salmonella, shigella, escherichia coli 등의 불활성 박테리아가 벡터로 사용될 수 있으며 HPV-16 E7을 발현하는 L. monocytogenes의 경우 E7을 발현하는 종양을 감소시키는 것으로 나타났다(Gunn et al., 2001). 불활성 salmonella와 mycobacterium bovis는 안전한 박테리아 벡터로서 HPV-16 L1과 E7을 발현하는 백신을 개발하는 데 사용되었고 E-7 특이 항체와 세포성면역반응을 유발하는 것으로 보고되었다(Jabbar et al., 2000).

펩타이드 백신(peptide vaccines)은 안전하고 만들기가 쉽지만 면역 유발능력이 약하고 HLA matching이 필요하다. Ressing 등이 시행한 펩타이드를 기초로 한 백신 제1/2상 임상시험에서 15명의 재발성 자궁경부암이나 잔류 자궁경부암 환자 중 2명의 환자에게서 1년 이상 병이 진행하지 않았고 독성은 없는 것으로 나타났다(Ressing et al., 1995). HPV-16과 HLA-A2 양성의 18명의 중증 자궁경부 상피내종양이나 외음부상피내종양 환자에게 E7 유전자의 9개의 아미노산으로 구성된 펩타이드 백신을 3주 간격으로 4회 투여한 결과 12명의 환자에게서 바이러스가 없어졌고 3명의 환자에게서 상피내종양이 치료되었으며 6명의 환자에게서는 병변의 일부가 치료된 것으로 나타났다(Muderspach et al., 2000). 펩타이드 백신에서는 MHC restriction이 있으나 단백질을 기초로 한 백신은 이런 제한이 없어서 환자의 HLA type에 무관하게 사용될 수 있다. TA-GW 결합 단백질(HPV-16 L2 fused to E7 protein)로 성기 사마귀를 치료하거나(Lacey et al., 1999), TA-CIN 결합 단백질(HPV-16 L2/E6/E7)은 E7-specific CD8+ T-cell immune response를 유도하고 종양이 자라는 것을 방지 할 수 있으며 체액성면역과 세포성면역을 모두 유발한다(de Jong et al., 2002). Chu 등은 Heat shock protein E7 (hspE7) 백신을 투여받은 동물은 E7을 발현하는 종양 세포주를 동물에게 투여하여도 종양이 자라지 않는다고 보고하였다(Chu et al., 2000). 또한 종양이 있는 쥐에게 hspE7을 투여한 결과 종양이 줄어들었는데 이것은 CD8+ T cells에 의한 것으로 보였다. Einstein 등은 hspE7 백신을 31명의 중증 자궁경부 상피내종양 환자에게 3개월간 매달 투여한 결과 48%에서 완전관해를 보였고, 19%에서 부분관해, 33%에서 stable disease를 보였다고 하였으며 병이 진행된 환자는 없었다고 보고하였다(Einstein et al., 2005).

DNA 백신은 MHC restriction이 없고 항원을 계속해서 발현할 수 있다는 장점이 있으나 면연유발능력이 약하다는 단점이 있다. 따라서 이런 단점을 보완하기 위한 방법들이 시도되고 있는데 E7을 포함하는 DNA와 antiapoptotic proteins (Bcl-xl, Bcl-2)를 encoding하는 DNA를 함께 투여하는 경우 E7 특이 면역반응을 강화시킬 수 있고 종양의 치료와 Dendritic cell (DC)의 생존도 증가시킬 수 있다(Kim et al., 2003). 면역반응을 증가시키기 위한 또 다른 방법은 HPV-16과 HPV-18의 E6과 E7의 일부를 encoding하는 encapsulating plasmid DNA 사용하는 것으로 161명의 환자를 대상으로 미국과 유럽에서 다기관 공동 연구를 시행한 결과 25세 미만의 환자군에서 중등도 또는 중증 자궁경부 상피내종양이 의미 있게 치료되었다(Garcia et al., 2004).

Dendritic세포를 기초로 한 백신(DC-Based Vaccines)이 있는데 dendritic cells (DCs)는 면역체계에서 가장 중요한 항원발현세포이다. Santin 등은 recombinant, full-length, E7-pulsed, 자가 DCs가 E7 특이 CD8+ CTL 반응을 유발할 수 있다고 보고하였다. full-length, E7-pulsed, 자가 DCs는 E7 특이 CD4+ T-cell의 증식과 강력한 CD8+ CTL을 유발하여 자궁경부암 환자에게서 HPV에 감염된 암세포를 파괴할 수 있다고 하였다(Santin et al., 1999). Ferrara 등은 15명의 제4기 자궁경부암 환자에게 recombinant HPV-16 E7과 HPV-18 E7 oncoprotein으로 처리한 자가 단구 세포기원 DCs를 투여한 결과 4명의 환자에게서 세포성면역 반응이 관찰되었다고 하였다(Ferrara et al., 2003).

또한 종양세포를 기초로 한 백신(tumor cell-based vaccines)이 있는데 이것은 costimulatory molecules이나 cytokines를 encoding하는 종양세포를 투여하여 면역력을 향상시켜서 T 세포를 활성화시키고 항종양효과를 나타나게 된다. IL-12, IL-2, GM-CSF 등의 cytokine 유전자가 도입된 HPV-transformed 종양세포를 이용한 백신은 강력한 항종양효과를 나타낸다(Chang et al., 2000). 마지막으로 여러 가지 vaccine vehicles를 동시에 사용하는 복합적 접근법(combined approaches)은 "prime-boost" 전략을 사용하여 우선 하나의 백신으로 면역반응을 유도하고 또 다른 백신으로 면역반응을 강화시키고 오랫동안 유지될 수 있게 하는 방법이 있다. 하나의 DNA 백신으로 priming하고 recombinant vaccinia booster를 투여함으로써 강력한 anti-HPV 효과를 나타낼 수 있다(Chen et al., 2000). 또 다른 방법은 DNA 백신과 다른 항바이러스약이나 항암제를 동시에 투여하는 방법이 있을 수 있다.

인체의 면역체계는 종양세포로 진행할 수 있는 변형 세포에 반응하며 종양의 감소나 소멸을 가져올 수 있다. 따라서 면역반응을 이해하고 조절하는 것은 종양에 대한 면역치료에 새로운 장을 열 기회가 될 수 있으며 치료뿐만 아니라 진단과 추적 및 예후 추정에도 큰 도움이 될 것이다.

항암 면역치료는 역사적으로 보면, 19세기 말 William Coley가 암 환자의 치료성적이 수술 후의 감염과 상관관계가 있다는 것을 제시한 이후, 면역학의 한 분과로서 지속적으로 연구가 진행되어오고 있었지만 임상적인 성공을 보여주지는 못하였다. 그러나 최근 면역관문억제제 등 몇몇 항암 면역치료요법이 임상적으로 큰 효과가 있음이 알려지게 되면서 활발한 임상연구가 진행중이다. 현재 사용되고 있는 항암 면역치료요법으로는 크게 면역관문억제제(checkpoint inhibitor), CAR T 세포 치료(키메라 항원 수용체 치료), 항암 백신 등이 있다.

면역관문억제제는 면역세포의 재활성화를 통해 면역세포가 다시 암세포를 공격하게 만들어 주는 전략으로 최근 여러 암종에 획기적인 치료 효능을 보여주고 있는 요법이다. T 세포는 병원균과 같이 비자기세포들을 찾아서 공격할 수 있는 능력이 있는데 그 능력이 정확히 제어되지 않는다면 타 조직의 손상을 일으킬 수 있기 때문에, T 세포는 활성화와 동시에 그 기능을 억제하는 체크포인트 면역 관문 물질(checkpoint molecule)을 그 표면에 발현하게 된다. 암세포는 이러한 면역관문물질을 활성화시켜서 T 세포의 기능을 억제하고 면역 회피(immune evasion)를 일으키는데, 면역관문억제제는 그 기능을 잃어버리고 멈춰 있는 T 세포를 다시 활성화시킬 수 있는 치료전략이다. 가장 대표적인 면역관문억제제로는, Anti-CTLA-4 (Cytotoxic T Lymphocyte-associated protein 4)치료법, Anti-PD1 (Programmed cell death1)/PD-L1 (Programmed cell death ligand 1)치료법을 들 수 있다.

CTLA-4 억제항체 치료제로는 ipilimumab과 tremelimumab이 있다. James Allison 그룹의 연구 등으로 인해 그 효능이 보여졌으나, 대장염이나 간염 등의 부작용 역시 보고 되었다. CTLA4 면역관문억제제가 가장 확실한 효능을 보여준 것은 말기 흑색종이었는데, 환자의 생존율을 의미있게 증가시키는 것이 확인되어 미국 식약청의 허가를 받게 되었다. Tremelimumab 역시 CTLA-4 면역 관문 억제 항체인데, 현재 임상시험이 진행 중이다. 그러나 이 치료법이 해결해야할 숙제는 큰 치료 반응을 보이는 군과 전혀 반응을 보이지 않는 군을 미리 잘 구별하는 것이다.

PD-1 수용체는 T 세포의 표면에 발현하여 그 리간드인 PD-L1이 결합하게 되면 T 세포의 활성을 억제하는 물질로, PD-1이 활성화되면 T 세포의 기능은 억제된다. T 세포가 항원을 지속적으로 인지하게 되면, 그 결과로서 PD-L1의 발현이 증가되고 이는 T 세포의 기능 소진(exhaustion)으로 이어진다고 알려져 있다. CTLA-4와는 달리 PD-1의 활성화는 지속적으로 T 세포가 항원에 노출되어 있는 환경에서만 이루어지기 때문에 Anti-CTLA-4에 비해 Anti-PD1 치료법이 보다 더 암 질환에 특이적이라고 할 수 있다. Pembrolizumab과 nivolumab이 대표적인 PD-1 억제 항체 약물이고, PD-L1 억제 항체 약물로는, atezolizumab, avelumab이 있다.

5. 부인암의 호르몬치료

1) 자궁내막암(Endometrial Cancer)

(1) 프로게스틴 제제(progestins)

프로게스테론 제제는 진행 또는 재발한 자궁내막암의 치료에 오래전부터 성공적으로 사용되어 왔다. Kauppila 등은

1,068명의 환자를 대상으로 메드록시프로게스테론 아세테이트(medroxyprogesterone acetate), 메게스트롤 아세테이트(megestrol acetate), 또는 하이드록시프로게스테론 카프로이트(hydroxyprogesterone caproate)를 사용한 각각 다른 연구를 검토하여 보았다. 전체적인 반응률은 34%이고, 평균 반응 기간은 16-28개월, 평균 생존기간은 18-33개월이었다. 그러나 반응에 대한 평가에 대해 좀 더 엄격한 기준은 둔 다른 연구에서는 프로게스테론제제의 종류에 상관없이 11-16%로 낮은 반응률을 보였다. 프로게스테론 수용체가 있는 경우 호르몬치료에 대한 반응이 좋았으며, 좋은 예후를 보였다.

GOG (Gynecologic Oncology Group)는 진행 또는 재발한 자궁내막암 환자 299명을 대상으로 메드록시프로게스테론 아세테이트(medroxyprogesterone acetate)를 200 mg/day 또는 1,000 mg/day를 경구 투여하였다. 저용량을 투여받은 145명의 환자 중에서 25명(17%)은 완전관해(complete response), 11명(8%)은 부분 관해(partial response)를 보였으며 전체 반응률은 25%이다. 고용량을 투여받은 154명의 환자에서는 14명(9%)에서 완전 관해, 10명(6%)에서 부분 관해를 보였으며, 전체 반응률은 16%였다. 평균 생존기간은 각각 11.1개월, 7.0개월이었다. 따라서, 이 GOG의 연구 결과에 따르면, 진행 또는 재발한 자궁내막암의 치료에 있어 메드록시프로게스테론 200 mg/day 투여가 합리적인 첫 번째 치료가 될 수 있으며, 특히 분화도가 좋거나 프로게스테론 수용체(progesterone receptor)가 있는 환자에서 반응도가 좋다고 할 수 있겠다. 다시 말하면, 분화도가 1, 2, 3으로 나빠질수록 반응률은 37%(22/59), 23%(26/113), 9%(12/127)로 각각 낮아졌다. 특히 프로게스테론 수용체와 반응률 간의 상관관계는 주목할 만했는데, 프로게스테론 수용체가 없는 경우는 그 반응도가 겨우 8%밖에 되지 않았으나, 프로게스테론 수용체가 있는 경우는 반응도가 37%나 되었다.

GOG는 진행 또는 재발한 자궁내막암 환자 63명을 대상으로 800 mg 메게스트롤 아세테이트(megestrol acetate)를 투여하는 phase Ⅱ 연구를 시행하였다. 11%에서 완전관해를 보였으며, 13%에서 부분관해를 보였고, 25%의 환자에서 안정화 상태를 보였다. 이 연구를 통해 Lentz 등은 고용량의 메게스트롤 아세테이트가 효과는 있으나 저용량요법에 비해 이점이 없다고 하였다.

정리하면, 진행된 자궁내막암에서 호르몬 특히 프로게스틴 치료는 반응률이 25%까지 보고되고 있으며, 프로게스틴 치료는 낮은 독성으로 인해 고식적(palliative) 상황에서 첫 번째 치료로서 사용될 수 있다. 특히 분화도가 좋고 프로게스틴 수용체가 있는 경우에 좋은 반응을 기대해 볼 수 있다. 부작용은 보통 경미한 것으로 체중증가, 부종, 정맥혈전증, 두통, 종종 고혈압을 일으킬 수 있다.

다음으로는 수술 후, 보조적(adjuvanvt) 치료로써 호르몬치료의 역할에 대해 살펴보도록 한다.

Norwegian Radium Hospital에서는 임상병기 1, 2기 자궁내막암 환자 1,148명을 대상으로 무작위(randomized) 연구를 시행하였다. 프로게스테론을 치료받은 군에서 심혈관계 질환으로 인한 사망률은 좀 더 높았고(P=0.04), 고위험군 461명에서 암으로 인한 사망률은 감소하였으며, 무병생존율(disease-free survival rate)은 좀 더 호전되었으나, 전체적인 생존율에는 차이가 없었다. 즉, 고위험군에서는 좀 더 연구가 필요할 것으로 보이나, 고위험군, 프로게스테론 수용체가 있는 경우가 아닌 경우는 예방적인 프로게스테론 치료가 효과적이지 않을 것으로 생각되었다. 그러나, 고위험군 1,012명을 대상으로 매일 2회 200 mg 메드록시프로게스테론을 투여하는 연구를 진행한 COSA-New Zealand-United Kingdom trial에서는, 연구결과 대조군에서 좀 더 잦은 재발을 보였으나, 생존율에는 차이가 없었다. 더구나, 스테로이드 수용체는 결과에 영향을 미치지 않았다.

즉, 자궁내막암의 보조적 치료로써 호르몬치료의 효과에 대해서는 아직 확정적인 결론을 짓기 어렵다.

마지막으로, 1차 치료로써 호르몬치료의 역할에 대해 살펴보도록 한다. 최근 가임력을 보존하기 위해 자궁절제술을 시행하지 않고 호르몬치료를 1차 치료로 사용하는 연구들이 증가하고 있다.

Montz 등은 분화도가 좋은 자궁내막암 환자들 중 수술적 합병증의 위험도가 매우 높다고 예상되는 환자들을 대상으로 프로게스테론 자궁내 장치를 사용한 전향적 예비연구를 시행하였다. 그 결과, 6개월 째 시행한 자궁내막 생검에서 11명의 환자 중 7명이 음성이었고, 1년 뒤에는 8명 중 6명의 환자가 자궁내막 생검상 음성결과를 보였다. Ramirez 등은 27편의 유사한 문헌들을 고찰한 결과, 81명의 분화도가 좋은 자궁내막암 환자들이 호르몬치료를 시행받았으며, 76%의 치료 반응률을 보였다고 분석하였다. 반응시간은 평균 12주였으며, 반응이 있었던 환자 중 24%가 재발하였는데, 재발까지의 시간 중간값은 19개월이었다. 중요한 점은, 20명의 환자가 치료 종결 후 한 번 이상 임신하였으며, 사망자는 발생하지 않았다는 것이다. 최근에 MD Anderson Cancer Center의 Westin 등은 레보노르게스트렐(Levonorgestrel)을 함유한 자궁내 피임장치를 사용하여 복합 자궁내막증식증(complex endometrial hyperplasia) 및 분화도가 좋은 조기 자궁내막암을 대상으로 전향적 2상 임상시험을 시행하였다. 이 연구에서 18명의 복합 자궁내막증식증 및 8명의 조기 자궁내막암 환자가 모집되었으며, 치료 후 12개월 째 반응률은 58%였다. 병리학적으로 나누어 보면, 복합 자궁내막증환자의 경우 반응률은 85%, 자궁내막암 환자의 경우 반응률은 33%였다. 향후, 레보노르게스트렐을 함유한 피임장치를 사용한 분화도 좋은 자궁내막암의 치료에 대해 추가적 연구가 더욱 필요하다.

(2) 항에스트로겐 제제(anti-estrogens)

비스테로이드성 항에스트로겐 제제인 타목시펜(tamoxifen)이 재발성 자궁내막암을 치료하는 데 쓰여 왔으며, 하루 용량은 20-40 mg으로 반응률은 0-53%로 다양하게 보고되고 있다. 타목시펜은 에스트라디올이 자궁의 수용체에 결합하는 것을 방해함으로써 순환하는 에스트로겐의 증식자극을 방해한다. 반응은 보통 전에 프로게스테론제제에 반응이 있었던 환자들에서 있으나 가끔 프로게스테론에 반응이 없었던 환자들에서 반응이 생기기도 한다. 타목시펜은 경구로 하루에 두 번 10-20 mg 투여하며, 반응이 있는 한 지속적으로 투여한다.

Moore 등은 8개의 임상연구들을 통합 분석하여, 257명의 환자를 대상으로 타목시펜을 단독 투여하였을 때 22%의 반응률을 보였다고 보고하였다. 따라서, 비만, 고혈압, 당뇨, 정맥혈전증과 같은 프로게스테론 제제와 관련된 부작용과 관련된 위험성을 가진 환자에서 프로게스틴 제제의 대체제로 사용될 수 있다.

이론적으로 타목시펜이 자궁내막암조직에서 프로게스테론 수용체의 농도를 올릴 수 있을 것으로 생각되나, 임상연구에서 타목시펜과 프로게스틴 제제를 교차적으로 사용하는 것이 프로게스틴 단독요법에 비해 큰 이점이 있다는 증거는 아직 부족하다.

1세대 SERM (selective estrogen receptor modulator) 제제인 타목시펜은 에스트라디올 길항제이면서도 작용제로 동시에 작용한다. 그러나 2세대 SERM 제제인 랄록시펜(raloxifene), 3세대 SERM 제제인 아족시펜(arzoxifene) 등은 에스트라디올 길항제로만 선택적으로 작용한다. 한 연구에 의하면, 제3세대 SERM 제제인 아족시펜을 진행 또는 재발한 자궁내막암 환자 29명을 대상으로 투여하여, 9명(31%)에서 반응이 있었으며, 평균 반응 기간은 13.9개월이었다. 매일 경구로 20 mg을 투여하였고, 독성은 경미하였다. 이와 같이, 2, 3세대 SERM 제제들은 타목시펜에 비해 부작용이 적고 반응률이 더 높을 수 있어 향후 치료제로서의 사용이 기대된다.

(3) 생식샘자극호르몬분비호르몬작용제(gonadotropin-releasing hormone, GnRH agonists)

자궁내막암에서 생식샘자극호르몬분비호르몬(gonadotropin-releasing hormones, GnRH) 수용체가 발견된 후로, GnRH 작용제를 투여하는 시도를 하여 전체적으로 0-28%의 반응률을 보였다. 재발한 자궁내막암 환자 40명을 대상으로한 GOG연구에서 goserelin acetate는 2예에서 완전관해, 3예에서 부분관해를 보였고 전체 반응률은 12.5%였으며, 평균 진행이 없는 생존기간은 1.9개월이었고, 평균 생존기간은 7.4개월이었다. 현재까지 연구 결과로 보아 GnRH 작용제가 부작용이 적으므로 좀 더 임상실험을 해볼 만하며, 특히 프로게스틴이나 항암제를 견딜 수 없는 환자들에게 시도해볼 만하다.

(4) 아로마타아제 길항제(aromatase inhibitor)

자궁내막암조직에는 주변 정상 자궁내막조직에 비해 유의하게 높은 아로마타아제가 존재한다는 것이 알려지면서, 아나스트로졸(anastrozole), 레트로졸(letrozole)과 같은 비스테로이드성, 경쟁적 아로마타아제 길항제가 자궁내막암 치료제로 주목받게 되었다.

그러나 Rose 등은 진행성 자궁내막암 환자 23명을 대상으로 아나스트로졸 1 mg/day를 투여한 결과, 단지 9%만이 부분관해를 보였으며, 평균 진행이 없는 생존기간은 1-6개월이었다고 보고하였다. 캐나다 NCI에서 시행한 다기관 2상 임상연구에 따르면, 진행성 또는 재발한 자궁내막암 환자 32명을 대상으로 레트로졸 2.5 mg/day를 투여하였을 때, 전체 반응률은 9.4%였으며, 반응률을 측정할 수 있었던 28명의 환자 중에 1명은 완전관해, 2명은 부분관해, 11명은 진행 없이 평균 6.7개월이었다. 즉, 환자들은 치료에 잘 견디었으나 전체 반응률이 좋지는 않았다.

2) 난소암(Ovarian Cancer)

난소암은 에스트로겐(estrogen), 프로게스테론(progesterone) 그리고 안드로겐(androgen) 같은 스테로이드 호르몬 수용체를 가지는 것으로 보인다. Slotman & Rao는 52개의 연구를 분석한 결과 원발성 난소암의 63%에서 에스트로겐 수용체(estrogen receptor)를, 69%에서 안드로겐 수용체(androgen receptor)를 가지고 있다고 발표하였다. 또한 프로게스테론 수용체(progesterone receptor)도 종양의 50%에서 발현되며, 88%의 난소암에서 글루코콜티코이드 수용체(glucocorticoid receptor)를 가지고 있는 것으로 보인다. 생식샘자극호르몬(gonadotropic hormone)과 생식샘자극호르몬분비호르몬(gonadotropin releasing hormone)에 대한 수용체도 난소암에서 보이는데, 황체화호르몬분비호르몬(lutenizing hormone releasing hormone) 수용체의 경우 인간 난소암의 거의 80%에서 발견된다. 악성난소종양에서는 에스트로겐의 수용체는 올라가는 반면, 프로게스테론 수용체의 농도는 떨어진다. 폐경기 여성에서 발생하는 상피성 난소암에서 혈중 프로게스테론의 농도는 예후의 독립적인 존재이며, 종양의 부피, FIGO 병기, 항암치료에 대한 반응 등과 연관이 있다. 그러나 자궁내막암이나 유방암과 달리 수용체의 존재 여부가 호르몬치료에 대한 반응성과는 관계가 없다.

(1) 타목시펜(tamoxifen)

난소암에서 타목시펜의 항에스트로겐 작용은 1981년 Myers 등에 의해 처음으로 발표된 후 많은 연구들이 시작되었다. 진행된 난소암 환자 105명을 대상으로 한 GOG 연구에서 10%에서 완전관해를 8%에서 부분관해, 38%에서 단기간 진행 안정화를 보였다. 반응 또는 안정화 기간은 7-19개월 사이였으며, 에스트로겐 수용체의 농도가 높은 경우 반응이 더 좋은 것으로 발표하였다. 1996년 갱신된 GOG 연구에서 반응률 13%로 별로 높지 않은 결과를 발표하였다.

최근 Gershenson 등은 분화도가 좋은 장액성 난소암(low-grade serous ovarian carcinoma) 환자 64명에 대한 tamoxifen 치료 결과를 발표하였는데, 전체 치료 반응률은 9%였으며, 종양의 진행이 없는 생존기간은 7.4개월, 전체 생존기간은 78.2개월이었다. 비록 통계적으로 유의미하지 않았으나, ER+/PR+인 환자들은 진행 없는 생존기간이 8.9개월인 반면, ER+/PR-인 환자들은 6.2개월에 불과해, 이 암종에서 호르몬 수용체 발현 여부와 치료반응과의 상관관계에 대한 향후 연구가 기대된다.

(2) 프로게스틴 제제(progestins)

메게스트롤 아세테이트(megestrol acetate) 표준용량은 40-320 mg/day 이고 적어도 2달 이상 복용한 경우 효능을 평가할 수 있다. 난소암에서의 대부분의 연구는 400-800 mg/day를 사용하였고, 주 부작용은 몸무게 증가였다. 플래티늄 제제에 반응이 없는 난소암 환자 36명을 대상으로 한 2상 임상 연구에서 3명에서는 완전 관해, 4명에서는 부분 관해를 보였다. 완전 관해를 보인 3명의 환자 모두 자궁내막양(endometrioid) 난소암이었으며, 높은 프로게스테론 농도를 보였다. 재발한 상피성 난소암 환자 47명을 대상으로 한 Northern California Oncology Group (NCOG) 연구에서는 전반적인 반응률은 8%였다.

메드록시프로게스테론 아세테이트(medroxy progesterone acetate)의 경우, 상피성 난소암 환자 24명을 대상으로 한 GOG의 2상 임상 연구에서 단 한 명의 반응을 보였으며, 독성은 없었다.

(3) 생식샘자극호르몬분비호르몬작용제(gonadotropin-releasing hormone, GnRH agonists) - 루프로라이드 아세테이트(Leuprolide acetate)

플래티늄내성(platinum-resistant) 난소암 환자 400명을 대상으로 한 15개의 연구에서 8%의 반응률, 23% 진행 안정화를 보였다. 이 치료는 비교적 잘 견디어지고 큰 주요 부작용이 없는 것으로 보인다. 불응(refractory) 또는 잔류(persistatant)하는 난소의 과립세포암종(granulosa cell tumor)을 대상으로 한 2상 임상 연구에서 40%의 객관적인 반응률을 보였다.

(4) 아로마타아제 길항제(aromatase inhibitor) - 레트로졸(letrozole)

난소암의 세포들이 스스로 에스트로겐을 생산한다는 새로운 사실과 함께 아로마타제 억제제(aromatase inhibitor)가 치료 반응률을 올릴 수 있을 것으로 생각되었다. Smyth 등은 에스트로젠 수용체 양성인 재발성 난소암 환자에 대한 2상 임상시험을 실시했다. 총 42명의 환자들 중에서 CA125를 추적관찰하였을 때, 반응률은 17%였으며, 26%의 환자들이 6개월까지 진행하지 않았다. 영상검사를 시행한 33명의 환자들을 대상으로 분석하였을 때에는, 9%의 환자에서 부분관해, 42%의 환자들은 진행 안정화 소견을 보였는데, 26%의 환자들은 6개월 이상 진행이 관찰되지 않았다.

레트로졸의 표준 용량은 2.5 mg/day이며, 절대적인 금기증은 없으며 경미한 부작용을 나타낸다. 레트로졸은 독성이 낮고 가격이 싸므로 즉각적인 중재를 필요로 하는 합병증이 없는 한 시도해 볼 만한 치료방법이나, 다른 고식적 치료와 비교해 보았을 때 효과적이지는 못하다.

3) 자궁경부암(Cervical Cancer)

아직 그 사용에 대한 보고가 없는 것으로 되어있다.

4) 유방암(Breast Cancer)

유방암은 성호르몬 특히 에스토로겐의 노출에 관련되어 있는 종양이다. 폐경기 여성에서 발생하는 대부분의 유방암은 에스트로겐 수용체를 나타내며 이것은 좋은 예후와 연관이 되어 있다. 따라서 이러한 환자들에게 호르몬치료는 항암제가 가지는 심각한 부작용이 없으면서 항암 작용이 있는 이상적인 치료로 사용되어 질 수 있을 것으로 생각된다.

(1) 보조 호르몬치료(adjuvavnt hormonal therapy)

1998년 EBCTCG (Early Breast Cancer Trialist's Collaborative Group)는 1990년 전에 보조적으로 타목시펜을 복용한 군과 복용하지 않은 군의 무작위 연구에 대한 중간 결과를 발표하였다.

에스트로겐 수용체가 양성인 경우 타목시펜을 5년간 복용한 경우 재발률과 사망률이 각각 50%와 28%씩 통계학적으로 매우 의미 있게 감소하였으나, 1년 또는 2년 복용한 경우 재발률과 사망률 감소는 훨씬 적었다. 림프절의 상태에 따라 나누어 볼 때, 10년간 추적관찰하여 림프절의 전이가 있었던 군에서는 재발률과 사망률의 감소가 각각 15%, 11% 있었으며, 림프절의 전이가 없는 경우 각각 15%, 5.6%의 감소가 있었다. 또한, 50세 미만의 여성에서 타목시펜을 1년 또는 2년 복용하여 아무런 이득을 얻지 못한 반면, 5년간 사용 시 재발률과 사망률의 상당한 감소가 있었다. 호르몬 수용체가 없는 환자의 경우 많은 이득을 얻지 못하였다.

모든 위험도를 완전히 정량화할 수는 없지만, EBCTCG는 반대편 유방암, 직결장암, 자궁내막암의 발생률을 계산하여 보았다. 타목시펜을 5년간 사용한 경우 반대편 유방암의 경우 50%의 감소가 있었고, 직결장암은 증가가 없었으나 자궁내막암은 4배 정도 증가하였다.

수년간 타목시펜이 유방암 환자의 호르몬치료의 표준이(gold standard) 되어왔으나, 최근 anastrozol (Arimidex), letrozol (Femara), exemestane (Aromasin)과 같은 제3세대 아로마타제 억제제(armatase inhibitor)의 발전과 함께 이 약제들이 호르몬에 민감한 유방암을 가진 폐경기 여성을 치료하는 데 대안으로 쓰이고 있다. 현재 이러한 아로마타제 억제제와 타목시펜의 효과를 비교하는 연구들이 진행 중이며, 예비(preliminary) 결과에서는 아로마타제 억제제들이 좀 더 좋은 결과와 적은 부작용을 가지는 것으로 보고되고 있다. 타목시펜을 복용하고 있는 도중 암이 진행된 환자를 대상으로 한두 개의 무작위 연구에서 anastrozole이 메게스트롤 아세테이트에 비해서도 생존율이 더 좋은 것으로 나타났다. 1996년 1, 2기 유방암을 가진 폐경기 여성을 대상으로 타목시펜을 복용한 군과 Arimidex 단독 또는 타목시펜과 같이 복용한 경우를 비교하는 무작위 이중 맹검(randomized double-blind) 다기관 연구인 ATAC (Armidex, Tamoxifen, Alone or Combination)가 시행되었다.

ATAC의 중간결과 3년을 추적 관찰하여 Armidex가 타목시펜보다 부작용이 적고 무병생존(disease-free survival)과 재발률을 줄이는 데 좀 더 효과적이라고 발표하였다.

그러나 이것은 골소실의 가속화와 같은 문제가 발견되어, 아로마타제 억제제의 장기간 안정성을 확보하기 위해서는 이 연구의 좀 더 장기적인 추적관찰이 요구된다.

항암치료와 타목시펜의 병합요법의 상대적인 장점은 아직 확실하지는 않으나, 타목시펜을 항암요법과 같이 시행한 연구의 중간결과에 의하면 항암요법만 단독으로 시행한 경우보다 이득이 있는 것으로 나타났으며 특히 타목시펜을 5년간 사용한 경우 그러하였다.

최근 타목시펜만을 사용한 군과 항암제와 병용한 경우를 비교하는 연구들이 진행되고 있다. International Breast Cancer Study Group은 림프절전이를 가진 폐경기 여성을 대상으로 타목시펜 단독요법과 타목시펜을 CMF (cyclophophamide, methotrexate, and 5-fluorouracil) 항암 치료에 3가지 다른 방법으로 추가하여 사용한 경우를 비교하는 연구를 시행하였다. 에스트로겐 수용체 양성인 환자에서 조기 CMF와 5년간 타목시펜을 쓴 경우 재발을 33% 감소시켰다. 그러나 다른 연구에서는 큰 이득을 보지 못하였는데 이는 CMF 양과 방법의 차이, 비교적 단기간의 타목시펜 투여로 인한 것으로 생각된다.

현재 유방암 환자에 있어 보조호르몬치료는 에스트로겐 수용체가 양성인 종양을 가진 폐경 전 여성의 경우 항암제와 함께 호르몬치료를 병행하는 것을 고려하여야 하고, 림프절의 전이가 없고 호르몬 수용체는 양성인 폐경 여성에서 보조적 타목시펜 또는 항암치료와 타목시펜으로 치료되어야 한다. 림프절전이가 있는 경우는 타목시펜과 항암제를 같이 써야한다.

(2) 전이된 유방암의 호르몬치료(hormonal therapy for metastatic disease)

전이된 암은 호르몬치료에 반응하며, 후차적인 치료로 난소절제술, 호르몬 수용체를 막는 약, 호르몬의 생성을 방지하는 약들이 있다. 처음에 호르몬에 반응한 암도 더 이상 그 약이 효과적이지 못하게 될 때 진행하며, 새로운 약물을 이용한 순차적으로 바꿀 때마다 반응성은 줄어든다. 호르몬 치료는 에스트로겐 수용체가 없거나 부피가 큰 종양, 진행성종양 다른 장기로의 전이를 가지고 있는 종양에는 시도되어서는 안 되며 그런 환자들은 항암치료를 받아야 한다.

① 폐경 전의 여성(premenopausal women)

폐경 전의 여성에서는 타목시펜이 투여하기 쉽고 부작용이 적으므로 양측 난소절제술을 대신한다. 에스트로겐 수용체를 가진 경우 약 60%에서 타목시펜이나 양측 난소절제술에 반응한다. 생식샘자극호르몬분비호르몬(gonadotropin-releasing hormone, GnRH)을 이용한 화학적 난소절제술이 일차치료로 이용될 수도 있다. 호르몬 수용체를 가진 전이성 유방암 환자를 대상으로 난소절제술

(oophorectomy)과 GnRH 유사체인 goserelin을 이용한 화학적 절제술(chemical ablation)을 비교한 연구에서 전체적인 반응률과 생존율이 비슷하였다.

타목시펜이나 GnRH 유사체에 반응이 있었던 환자에서 종양의 진행이 있으면 메게스트롤 아세테이트로 치료하여야 한다. 폐경 전 여성에서 새로운 선택적 아로마타제 억제제를 지지할 만한 자료는 없다. 폐경 전 여성에서 전이성 유방암의 치료로 난소절제술은 거의 시행되지 않는다.

② 폐경 여성(postmenopausal women)

폐경 여성에서 일차적 호르몬치료는 타목시펜으로 이루어져 있으며 약 1/3의 환자에서 반응이 있다. 타목시펜이 효과가 없어지면 anastrozol (Armidex)나 letrozole (Femara) 같은 선택적 아로마타아제 억제제가 사용될 수 있다. 이러한 새로운 아로마타아제 억제제들은 매우 선택적으로 작용하므로 aminoglutethimide 같은 기존의 비선택적 아로마타제 억제제보다 독성이 약하다.

Letrozole는 호르몬에 민감한 종양을 가진 폐경 여성에서 사용되고 있는 3세대 아로마타아제 억제제이다. 최근 3상 임상연구에서 letrozole이 타목시펜에 비하여 전체적인 반응률이나, 임상적인 이점, 낮은 독성률에 있어 더 좋은 것으로 나타났으나, ATAC 연구에서 좀 더 장기적인 추적관찰이 요구되었다. 타목시펜에 반응하지 않는 경우 항암요법을 사용하여야 한다.

6. 부인종양의 분자표적치료

암은 여러 가지 분자 수준의 변이가 축적되어 발생한다. 분자 수준의 변이란 DNA나 RNA의 변이, 적절치 못한 단백질의 발현, 후성유전(epigenetics) 수준의 이상, 염색체 이상 등을 포괄한다. 회로 차세대염기서열 분석(next generation sequencing) 등 각종 분자 수준의 변이를 규명할 수 있는 방법이 빠르게 진화하고 있어 암의 분자 생리를 이해하게 되면서 특정한 유전자의 변이가 있는 경우 이 변이된 유전자를 통한 분자경로를 억제 또는 차단하는 치료 방법이 개발되고 있다. 이러한 분자 치료를 통해 암세포의 지속적인 성장을 억제하고 세포자멸(apoptosis)을 유발하고 전이 및 신생혈관생성(angiogenesis)을 억제하는 치료 방법이 도입되었다. 또한 특정 유전자 변이만을 표적으로 하는 분자 표적치료제가 개발되어 최근 10여 년간 부인암뿐 아니라 폐암, 혈액암, 대장암, 유방암, 악성흑색종 등 각종 암에서 점차 치료 성적의 향상을 보이고 있다. 이러한 표적 치료는 대표적으로 세포 표면의 수용체나 혈장 단백질을 표적으로 하는 단클론항체(monoclonal antibody)를 이용하거나 특정 신호전달경로(signal transduction)를 억제하는 저분자 합성화합물(small molecule inhibitors)을 이용하는 치료방법으로 분류되어 현재 임상에서 사용되고 있다.

1) 단일클론항체(Monoclonal Antibody)를 이용한 분자표적치료법

암세포에 특이적으로 발현되는 단백질에 높은 친화력이 있는 단일클론항체를 암 치료에 적용한 것이다. 이는 히브리도마(hybridoma) 기술에 의한 항체의 대량 생산으로 가능해졌다. 단일클론항체를 이용한 약제의 이름은 -mab으로 끝나는데, 이는 monoclonal antibody를 뜻한다. 단일클론항체의 기능은 크게 세 가지 다른 기전에 의해 작동한다. 첫째로 암세포의 특정 표면 항체의 자극으로 인한 신호전달체계의 활성화로 암세포의 증식이 증가한다. 이러한 현상은 건강한 일반세포에서는 나타나지 않는데, 따라서 그러한 암세포의 수용체를 목표로 한 단일클론항체를 적용하면 암세포의 조절되지 않는 성장이나 분열을 줄이거나 막을 수 있다. 대표적으로 trastuzumab이 이러한 기전으로 효과를 나타낸다. 다음으로는 암세포의 성장을 증진시키는 분자와의 결합을 방해하여 암세포의 증식을 억제한다. 대표적인 예가 VEGF 수용체에 대한 항체인 bevacizumab이다. Bevacizumab는 VEGF의 수용체에 결합하여 VEGF가 암세포에 결합하는 것을 방해한다. 다른 기전으로 단일클론항체가 면역세포를 표적으

표 28-4. 난소암 치료연구에 사용되고 있는 단일클론항체들

이름	상품명	항체종류	표적분자
Bevacizumab	Avastin	Humanized	VEGF
Cetuximab	Erbitux	Chimeric	HER1
Pertuzumab	Perjeta	Humanized	HER2
Trastuzumab	Herceptin	Humanized	HER2
Oregovomab	Ovarex	Murine	CA125
Catumaxomab	Removab	rat/murine	hydrid EpCAM (CD326)

(Maggiore U, et al. Expert Opin Biol Ther 2013;13:739-64)

로 하는 것이다. 주로 면역작용세포를 방해하는 역할을 하는 CTL4항원을 표적으로 하는 단일클론항체를 이용하여 그 작용을 차단함으로써 암세포에 대한 면역적응반응을 증가시킬 수 있다. Ipilimumab이 대표적인 단일클론항체로서 CTLA-4를 길항하는 작용을 한다. 또한 표적 단백질로 이용되고 있는 수용체의 종류에 따라 약제 종류가 나뉜다. 대표적인 것으로 B세포 림프종 표면 항원인 CD20와 표피성장인자수용체(epidermal growth factor receptor, EGF), 혈관내피인자수용체(vascular endothelial growth factor receptor, VEGF), HER2/neu 등이 있다. 대표적인 약제로는 cetuximab(상품명 Erbitux), trastuzumab(상품명 Herceptin), bevacizumab(상품명 Avastin) 등이 있다(표 28-4). 이들 중 부인암에서는 VEGF inhibitor인 bevacizumab이 상피성 난소암과 자궁경부암 등에서 유의한 임상효과를 선보이고 있다.

단일클론항체의 부작용은 비교적 드물다. 대표적인 부작용으로는 알러지 반응, 아나필락시스 쇼크(anaphylactic shock), 통증(generalized pain), 저나트륨혈증(hyponatremia), 발열(fever), 경직 및 오한(rigors and chills), 발적(rash), 감각이상(paresthesias), 기운 없음(weakness), 종양용해증후군(tumor lysis syndrome) 등이 있다.

(1) VEGF를 표적으로 하는 단일클론항체(monoclonal antibody)

VEGF는 암성장을 위한 신생혈관형성에 가장 중요한 역할을 한다. 부인암에서 발현이 증가되어 있어 표적치료에 매우 적합하다. 부인암을 비롯한 여러 암에서 VEGF 발현이 증가되어 있으면 불량한 예후와 관계가 있다. VEGF의 신호전달경로는 PI3K/AKT 및 RAS/RAF 경로를 통해 일어난다. 이를 근거로 VEGF의 신호전달경로를 차단하는 여러 약제가 개발되어 있다.

Bevacizumab은 VEGF와 결합하는 humanized monoclonal antibody로 VEGF 신호전달 경로를 차단한다. Bevacizumab은 전이성 난소암에서 기존 항암요법과 병합하여 사용하였을 경우 의미 있는 생존기간의 향상을 보였고, 전이성 비소세포성폐암이나 재발성, 전이성 유방암에서도 생존기간의 향상을 보였다. 난소암 치료에서도 항암 치료와 병합하여 유의한 치료 성적의 향상을 가져왔다. 진행된 일차성 난소암에서 paclitaxel (175 mg/m^2) 과 carboplatin 6AUC와 병합하여 bevacizumab (15 mg/kg) 병합하여 사용할 경우 무진행 생존기간(progression free survival)이 4달가량 증가함이 보고되었다. 백금감수성 재발성난소암(platinum sensitive ovarian cancer) 및 백금내성 재발성 난소암(platinum resistant ovarian cancer)에서도 항암치료와 병합 시 유의한 생존기간(progression free survival)의 향상을 보였다. 최근 재발성/전이성 난소암에서도 cisplatin (50 mg/m^2) plus paclitaxel (135 to 175 mg/m^2) 또는 topotecan (0.75 mg/m^2 on days 1 to 3) plus paclitaxel (175 mg/m^2 on day 1)을 bevacizumab과 병합하여 사용한 경우 유의한 생존기간(overall survival)의 연장을 보였다.

Bevacizumab과 연관된 합병증으로는 정맥과 동맥의 색전증(thrombosis), 출혈, 단백뇨와 동반된 신증후군(nephrotic syndrome), 고혈압, 드물게 백색질뇌병증(leukoencephalopathy), 장천공(bowel perforation) 등이 있다.

(2) EGFR을 표적으로 하는 단일클론항체(monoclonal antibody)

EGFR 수용체 가족은 총 4개의 구조적으로 연관된 tyrosine kinase inhibitor인 *ErbB1*/HER1 (EGFR), *ErbB2*/HER2 (HER2), *ErbB3*/HER3, *ErbB4*/HER4를 포함한다. EGFR 수용체의 과발현은 신경아교종이나 폐암을 포함한 몇 가지 고형암에서 나타난다. 상피성 난소암에서는 EGF 수용체가 35%에서 70%에서 발현된다. 자궁내막암에서도 43%에서 67%의 환자에서 발견되며, 이는 생존기간의 유의한 감소와 연관이 있다. HER-2/neu 수용체는 동형 또는 이형 이합체화(dimerization)를 통해 활성화되는데, 타이로신 인산화가 결과적으로 발생하고 그 하부 신호전달체계가 활성화되어 세포의 증식, 이동 등이 증가한다. 일차성 난소암, 복막암 환자의 11.4%에서 HER2 유전자의 증폭이 관찰되며, 자궁내막암 중 특히 비-자궁내막암양 자궁내막암(non-endometrioid adenocarcinoma of endometrium)인 유두장액성 자궁내막암에서 18% 정도 관찰되고 더 공격적인 암과 관계가 있다. EGF 수용체를 표적으로 하는 cetuximab은 대장암이나 두경부암, 폐암에서 치료제로 인정받고 있는 약제로 HER1에 대한 키메라 단일클론항체(chimeric monoclonal antibody)이어서 EGF수용체의 이합체화(dimerization) 및 활성화를 억제한다. 진행된 두경부암 및 전이성 대장암에서 cisplatin 및 irinotecan과 병합하였을 때 생존기간의 증가를 보였다. 하지만 난소암에서는 제한된 효과만을 보였다. Pertuzumab은 HER2의 domainII를 표적으로 하는 재조합인간화(recombinant humanized) 단일클론항체이다. Trastuzumab도 pertuzumab과 같은 HER2에 결합하는데 서로 다른 항원결정인자(epitope)에 결합한다. 난소암에서는 HER2 발현 비율이 높지 않아 임상적으로 효과가 제한될 것으로 예상된다.

2) 저분자 합성화합물(Small Molecules)을 이용한 분자표적치료법

저분자 합성화합물은 저분자 무게의 합성 화합물로써 암의 형성에 중요한 특정 단백질과 상호 작용함으로써 암 발생이나 진행에 관련된 특정 단백질의 기능을 억제하여 치료효과를 발휘하는 치료제이다. 타이로신 인산화효소억제제(tyrosine kinase inhibitors, 이하 TKI) 등이 대표적인 저분자 합성화합물에 해당된다. 대표적인 시판약으로

표 28-5. 난소암에서 3상 임상이 진행되고 있는 타이로신 인산화효소억제제

이름	표적	임상실험의 내용	NIH Clinical trial registry
AZD2171 (Cediranib)	VEGFR1-3, PDGFRβ, *c-kit*	Trial of concurrent (with platinum-based chemotherapy) and maintenance cediranib in women with platinum sensitive relapsed ovarian cancer	NCT00532194
BIBF-1120 (Nindetanib)	VEGFR1-3 PDGFRα, β FGFR1-3	BIBF 1120 in combination with carboplatin and paclitaxel compared to placebo plus carboplatin and paclitaxel in patients with advanced ovarian cancer	NCT01015118
GW786034 (Pazopanib)	VEGFR1-3 PDGFR-α/β FGFR1, 3 *c-kit*	Pazopanib maintenance versus placebo for advanced EOC that has not progressed after first line platinumtaxane chemotherapy.	NCT00866697
AZD0530 (Saracatinib)	Src family kinases	Saracatinib (AZD0530) plus weekly paclitaxel in platinum resistant ovarian, fallopian tube or primary peritoneal cancer.	NCT01196741
OSI-774 (Erlotinib)	EGFR	Erlotinib vs. observation after first line chemotherapy in ovarian, peritoneal, or fallopian tube cancer.	NCT00263822

(Klempner SJ, et al. Expert Opin Pharmacother. 2013. Nov;14(16):2171-82.)

는 imatinib(상품명 Gleevec), gefitinib(상품명 Iressa), erlotinib(상품명 Tarceva), sorafenib(상품명 Nexavar), sunitinib(상품명 Sutent), PARP inhibitors (Olaparib, iniparib) 등이 타이로신 인산화효소억제제에 해당한다. Erlotinib이나 saracatinib과 같이 단일 분자를 표적으로 하는 인산화효소억제제도 있으나, 다양한 암증식과 관련된 다중표적 인산화억제제(muti-kinase inhibitor)들이 더 많이 연구되고 있다. 현재 난소암에서 항암제와 병행하여 3상 임상시험이 진행되고 있는 타이로신 인산화효소 억제제들은 표 28-5와 같다. 새로운 약의 명칭을 정할 경우 타이로신 인산화효소억제제의 경우 -tinib으로 정해진다.

이 외에도 저분자 합성화합물에 포함되는 약제들로는 이름이 -zomib으로 끝나는 프로테오솜 억제제(protesome inhibitor), 이름이 -ciclib으로 끝나는 cyclin-dependent kinase inhibitor, -parib으로 이름 지어지는 아데노신인산 라이보스 중합효소억제제(poly (ADP-ribose) polymerase (PARP) inhibitors)가 포함된다.

(1) 타이로신 인산화효소억제제

① VEGF을 표적으로 하는 저분자 합성화합물(small molecules)

VEGF를 목표로 하는 저분자합성 화합물로는 cediranib, sorafenib, vandetanib, mosetanib, pazopanib, sunitinib 등이 있다. Pazopanib은 VEGF, PDGF (platelet-derived growth factor), *c-kit*의 ATP-binding site에 결합하는 multi-kinase inhibitor로 경구로 800 mg을 진행된(FIGO 병기 2-4기) 난소암에서 항암치료 후 7개월에서 24개월까지 병합치료했을 경우 유의하게 5달가량의 무진행 생존기간(progressron-free survival)의 향상을 보였다. 또한 cediranib은 VEGF 수용체에 결합하는 tyrosin kinase inhibitor로서 표적치료제로서는 최초로 난소암에서 총 생존기간(overall survival)의 향상을 보였다. 재발된 백금감수성 난소암 환자에서, paclitaxel과 carboplatin과 병합하여 18개월에서 다음 재발하거나 난소암이 진행될 때까지 cediranib 20 mg을 매일 복용했을 경우 3개월 정도의 총 생존기간의 향상을 보였다.

② EGF을 표적으로 하는 저분자 합성화합물(small molecules)

EGFR을 표적으로 하는 저분자 합성화합물 치료제에는 erlotinib, gefitinib, lapatinib 등이 있다. Erlotinib은 EGFR의 자가인산화(autophosphorylation)를 차단한다. 일차성 난소암의 백금기반 항암치료를 마치고, 공고요법(consolidation)으로 erlotinib과 추적관찰을 한 3상 연구 결과 erlotinib은 난소암에서 공고요법으로는 생존기간의 유의한 향상을 보이지 않았다. Erlotinib의 부작용은 EFGR 발현이 증가하는 조직에 집중된다. 주로 피부발진이 68%의 환자에서, 설사가 38%의 환자에서 관찰된다. Gefitinib (ZD1839 Iressa)은 EGFR의 ATP-binding domain에 경쟁적으로 결합하여 EFGR의 활성화를 방해한다. 재발성 난소암에서 paclitaxel 및 carboplatin과 병합하여 사용하는 2상 임상 결과들이 발표되어 비교적 좋은 종양반응률을 보였으나, 3상 임상실험은 진행되고 있지 않다. Lapatinib은 HER2와 EGFR의 타이로신 인산화수용체를 동시에 억제하는 저분자 합성화합물로 백금 저항성 재발성난소암에서 topotecan과 병합하여 lapatinib 1,250 mg을 경구로 투여하는 2상 임상시험이 진행되었으나 치료 성적의 향상을 보이지 못하였다.

(2) 아데노신인산 라이보스 중합효소억제제(poly ADP ribose polymerase (PARP) inhibitors)

아데노신인산 라이보스 중합효소억제제(이하 PARP inhinitors)는 *BRCA1/2* 유전자 변이와 같은 상동유전자재조합 결핍(homologous recombination deficiency)을 가지고 있는 세포에 작용한다. PARP와 BRCA는 synthetic lethal interaction에 의해 BRCA 유전자 변이가 있는 세포가 PARP inhibitor에 반응한다고 생각되고 있다(그림 28-20). *BRCA1/2*뿐만 아니라 상동유전자재조합 결핍으로 발생하는 다른 종류의 암이나 질환에서도 synthetic lethality 도 인해 효과가 있을 것으로 보여 연구가 진행 중이다. 이러한 개념이 "BRCAness" 또는 "BRCA-like"로 표현되기도

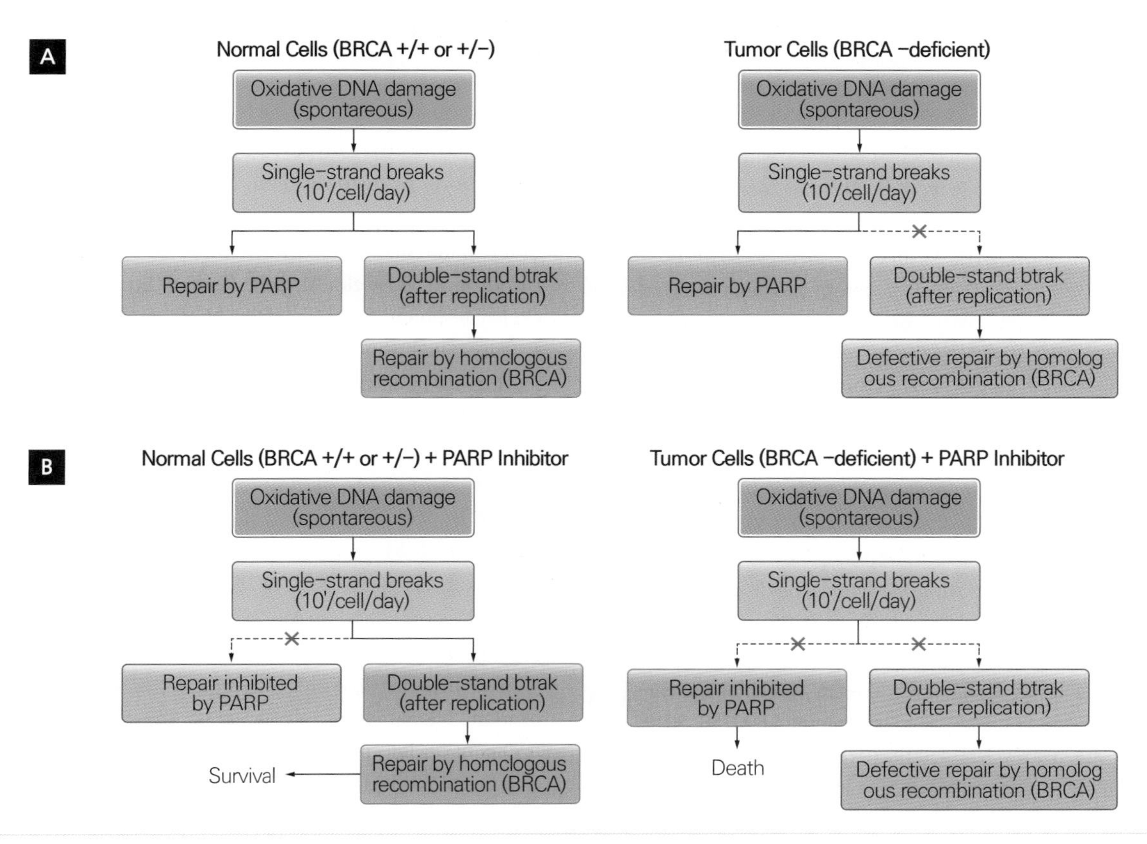

그림 28-20. **아데노신인산 라이보스 중합효소억제제(이하 PARP inhinitors)의 원리**

한다. *PTEN* 상동유전자재조합결핍이 있는 경우도 PARP 억제제를 사용 시 synthetic lethality를 일으킬 수 있을 것으로 생각된다. 따라서 *PTEN* 유전자 변이가 많은 자궁내막암 등에도 효과가 있을 것으로 기대된다.

BRCA는 유전자의 이중쇄절단(double-strand break)을 복구하고, PARP는 단일쇄절단(single-strand break)을 복구하는 기능을 한다. BRCA 또는 PARP 중 하나만 제 기능을 하면 유전자 복구가 가능하지만, 두 유전자 모두 기능을 하지 않을 경우 synthetic lethality에 의해 세포가 사멸한다.

3) 분자표적치료의 향후 방향

수술요법, 항암요법, 방사선요법 등에 이어 분자 치료요법이 많은 기대를 모으고 있고 실제로 임상 시험들이 많이 진행이 되고 있다. 부인암과 같은 고형암에서도 속속 oncogenic driver가 발견되어 이를 바탕으로 다양한 표적치료제들이 개발되고 있다. 최근 분자표적치료는 가장 괄목할 만한 속도로 발전하여 주목할 만한 연구 성과 및 임상 실적을 보이고 있다. 하지만, 암은 단일 유전자의 이상에 의한다기보다는 여러 유전자의 손상과 기능 이상의 결과라고 할 수 있기 때문에 단일 유전자를 표적으로 하는 기존의 분자 치료요법에 커다란 개선점이 요구되고 있는 것이다. 또한, 유전자의 전달효율이나 지속적인 효과에 대하여 개선할 점이 많이 남아 있으며 안전성의 확보에도 더 많은 연구가 병행되어야 할 것이다. 따라서 지속적인 암의 분자유전학적 연구에 의한 새로운 핵심 관련 유전자의 발굴과 효율적인 유전자 전달체 개발 등 분자 생물학적 기술의 진보가 병행이 된다면 유전자 치료법이 가까운 시일 내에 암치료 효과를 향상시킬 수 있을 것으로 기대된다.

참고문헌

- Aghajanian C, Finkler NJ, Rutherford T, Smith DA, Yi J, Parmar H, et al. OCEANS: A randomized, double-blinded, placebo-controlled phase III trial of chemotherapy with or without bevacizumab (BEV) in patients with platinum-sensitive recurrent epithelial ovarian (EOC), primary peritoneal (PPC), or fallopian tube cancer (FTC). J Clin Oncol 2012;30:2039-45.
- Ahn WS, Bae SM, Kim TY, et al. A therapy modality using recombinant IL-12 adenovirus plus E7 protein in a human papillomavirus 16 E6/E7-associated cervical cancer animal model. Hum Gene Ther 2003;14:1389-99.
- Alvarez RD, Barnes MN, Gomez-Navarro J, Wang M, Strong TV, Arafat W, et al. A cancer gene therapy approach utilizing an anti-erbB-2 single-chain antibody-encoding adenovirus (AD21): a phase I trial. Clin Cancer Res 2000;6:3081-7.
- Alvarez RD, Gomez-Navarro J, Wang M, Barnes MN, Strong TV, Arani RB, et al. Adenoviral-mediated suicide gene therapy for ovarian cancer. Mol Ther 2000;2:524-30.
- Bellati F, Napoletano C, Gasparri ML, Valeria V, Zizzari IG, Ruscito I, et al. Monoclonal antibodies in gynecological cancer: a critical point of view. Clin Dev Immunol 890758, 2011.
- Bookman MA, Darcy KM, Clarke-Pearson D, Boothby RA, Horowitz IR. Evaluation of monoclonal humanized anti-HER2 antibody, trastuzumab, in patients with recurrent or refractory ovarian or primary peritoneal carcinoma with overexpression of HER2: a phase II trial of the Gynecologic Oncology Group. J Clin Oncol 2003;21:283-90.
- Buller RE, Runnebaum IB, Karlan BY, Horowitz JA, Shahin M, Buekers T, et al. Phase I/II trial of rAd/p53 (SCH 58500) gene replacement in recurrent ovarian cancer. Cancer Gene Ther. 2002;9:553-66.
- Burger RA, Brady MF, Bookman MA, Fleming GF, Monk BJ, Huang H, et al. Incorporation of bevacizumab in the primary treatment of ovarian cancer.
- Cancer Intelligence. Phase III trial, ICON6, shows cediranib improves survival in recurrent ovarian cancer [Internet]. European Cancer Organization; 2014 cited 2014 Mar 3.
- Chang DA, Sabatini PJ, Divgi CR, Livingston PO, Houghton AN. Immunotherapy of gynecologic malignancy. In: Hoskins WJ, Perez CA, Young RC, Barakat RR, Markman M, Randall ME, editors. Principles and Practice of Gynecologic Oncology. 4th ed. Phi-ladelphia: Lippincott Williams & Wlikins; 2005. p.123-55.
- Chang EY, Chen CH, Ji H, et al. Antigen-specific cancer immunotherapy using a GM-CSF secreting allogeneic tumor cell-based vaccine. Int J Cancer 2000;86:725-30.
- Chen CH, Wang TL, Hung CF, et al. Boosting with recombinant vaccinia increases HPV-16 E7-specific T cell precursor frequencies of HPV-16 E7-expressing DNA vaccines. Vaccine 2000;18:2015-22.
- Chu NR, Wu HB, Wu T, et al. Immunotherapy of a human papillomavirus (HPV) type 16 E7-expressing tumour by administration of fusion protein comprising Mycobacterium bovis bacilli Calmette-Guerin (BCG) hsp65 and HPV16 E7. Clin Exp Immunol 2000;121:216-25.
- Davidson EJ, Boswell CM, Sehr P, et al. Immunological and clinical responses in women with vulval intraepithelial neoplasia vaccinated with a vaccinia virus encoding human papillomavirus 16/18 oncoproteins. Cancer Res 2003;63:6032-41.
- de Jong A, O'Neill T, Khan AY, et al. Enhancement of human papillomavirus (HPV) type 16 E6 and E7-specific T-cell immunity in healthy volunteers through vaccination with TACIN, an HPV16 L2E7E6 fusion protein vaccine. Vaccine 2002;20:3456-64.
- Du Bois A, Floquet A, Kim JW, Rau J, Del Campo JM, Friedlander M, et al. Randomized, double-blind, phase III trial of pazopanib versus placebo in women who have not progressed after first-line chemotherapy for advanced epithelial ovarian, fallopian tube, or primary peritoneal cancer (AEOC): results of an international Intergroup trial (AGO-OVAR16). J Clin Oncol 2013;31:18(Suppl 1:LBA5503).
- Eifel PJ, Winter K, Morris M, Levenback C, Grigsby PW, Cooper J, et al. Pelvic irradiation with concurrent chemotherapy versus pelvic and para-aortic irradiation for high risk cervical cancer: an update of Radiation Therapy Oncology Group trial (RTOG) 90-91. J Clin Oncol 2004;22:872-80.
- Einstein MH, Kadish AS, Burk RD, et al. HSP-based immunotherapy (HspE7) for treatment of CIN 3. Gynecol Oncol 2005; 96:912a-13a.
- El-Maraghi RH, Eisenhauer EA. Review of phase II trial designs used in studies of molecular targeted agents: outcomes and predictors of success in phase III. J Clin Oncol 2008;26: 1346-54.
- Fasbender A, Lee JH, Walters RW, Moninger TO, Zabner J and Welsh MJ. Incorporation of adenovirus in calcium phosphate precipitates enhances gene transfer to airway epithelia in vitro and in vivo. J Clin Invest 1998;102:184-93.
- Faul C, Miramow D, Gerszten K, Huang C, Edward R. Isolated local recurrence in carcinoma oc the vulva: prognosis and implication for treatment. Int J Gynecol Oncol 1998;8:409-14.
- Feki A, Irminger-Finger I. Mutational spectrum of p53 mutations in primary breast and ovarian tumors. Crit Rev Oncol Hematol 2004;52:103-16.
- Ferrara A, Nonn M, Sehr P, et al. Dendritic cell-based tumor vaccine for cervical cancer II: results of a clinical pilot study in 15 individual patients. J Cancer Res Clin Oncol 2003;129:

521-30.

- Garcia F, Petry KU, Muderspach L, et al. ZYC101a for treatment of high grade cervical intraepithelial neoplasia: a randomized controlled trial. Obstet Gynecol 2004;103:317-26.
- Goldie SJ, Grima D, Kohli, Wright TC, Weinstein M, Franco E. A comprehensive natural history model of human papillomavirus infection and cervical cancer to estimate the clinical impact of a prophylactic human papillomavirus-16/18 vaccine. Int J Cancer 2003;106:896-904.
- Gunn GR, Zubair A, Peters C, et al. Two Listeria monocytogenes vaccine vectors that express different molecular forms of human papilloma virus-16 (HPV-16) E7 induce qualitatively different T cell immunity that correlates with their ability to induce regression of established tumors immortalized by HPV-16. J Immunol 2001;167:6471-9.
- Hasenburg A, Tong XW, Rojas-Martinez A, Nyberg-Hoffman C, Kieback CC, Kaplan AL, et al. Thymidine kinase (TK) gene therapy of solid tumors: valacyclovir facilitates outpatient treatment. Anticancer Res 1999;19:2163-5.
- Hesdorffer C, Ayello J, Ward M, Kaubisch A, Vahdat L, Balmaceda C, et al. Phase I trial of retroviral-mediated transfer of the human MDR1 gene as marrow chemoprotection in patients undergoing high-dose chemotherapy and autologous stem-cell transplantation. J Clin Oncol 1998;16:165-72.
- He Z, Wlazlo AP, Kowalczyk DW, et al. Viral recombinant vaccines to the E6 and E7 antigens of HPV-16. Virology 2000;270:146-61.
- Hockel M, Knoop C, Schlenger K, Vorndran B, Baubmann E, Mitze M, et al. Intratumoral pO_2 predicts survival in advanced cancer of the uterine cervix. Radiother Oncol 1993;26:45-50.
- Homesley HD, Bundy BN, Sedlis A, Adock L. Radiation therapy versus pelvic node resection for carcinoma of the vulva with positive groin nodes. Obstet Gynecol 1986;68:733-40.
- Hortobagyi GN, Ueno NT, Xia W, Zhang S, Wolf JK, Putnam JB, et al. liposome-mediated E1A gene transfer to human breast and ovarian cancer cells and its biologic effects: a phase I clinical trial. J Clin Oncol 2001;19:3422-33.
- Ijaz T, Eifewl PJ, Burke T, Oswald MJ. Radiation therapy of pelvic recurrence after radiac hysterectomy for cervical carcinoma. Gyneco Oncol 1998;70:241-6.
- Jabbar IA, Fernando GJ, Saunders N, et al. Immune responses induced by BCG recombinant for human papillomavirus L1 and E7 proteins. Vaccine 2000;18:2444-53.
- Jochmus-Kudielka I, Schneider A, Braun R, et al. Antibodies against the human papillomavirus type 16 early proteins in human sera: correlation of anti-E7 reactivity with cervical cancer. J Natl Cancer Inst 1989;81:1698-704.
- Keys HM, Bundy BN, Stehman FB, Muderspach LI, Chafe WE, Suggs CL 3rd, et al. Cisplatin, radiation, and adjuvant hysterectomy compared with radiation with adjuvant hysterectomy for bulky IB cervica carcinoma. N Engl J Med 1999;340:1154-61.
- Kim TW, Hung CF, Ling M, et al. Enhancing DNA vaccine potency by coadministration of DNA encoding antiapoptotic proteins. J Clin Invest 2003;112:109-17.
- Klempner SJ, Myers AP, Mills GB, Westin SN. Clinical investigation of receptor and non-receptor tyrosine kinase inhibitors for the treatment of epithelial ovarian cancer. Expert Opin Pharmacother 2013;14:2171-82.
- Konner J, Schilder RJ, DeRosa FA, Gerst SR, Tew WP, Sabbatini PJ, et al. A phase II study of cetuximab/paclitaxel/carboplatin for the initial treatment of advanced-stage ovarian, primary peritoneal, or fallopian tube cancer. Gynecol Oncol 2008;110:140-5.
- Koutsky LA, Ault KA, Wheeler CM. A controlled trial of human papillomavirus type 16 vaccine. N Engl J Med 2002;347:1645-51.
- Lacey CJ, Thompson HS, Monteiro EF, et al. Phase IIa safety and immunogenicity of a therapeutic vaccine, TA-GW, in persons with genital warts. J Infect Dis 1999;179:612-8.
- Ledermann J, Harter P, Gourley C, Friedlander M, Vergote I, Rustin G, et al. Olaparib maintenance therapy in platinum-sensitive relapsed ovarian cancer. N Engl J Med 2012;366:1382-92.
- Liu DW, Tsao YP, Kung JT, et al. Recombinant adeno-associated virus expressing human papillomavirus type 16 E7 peptide DNA fused with heat shock protein DNA as a potential vaccine for cervical cancer. J Virol 2000;74:2888-94.
- Madhusudun S, Tamir A, Bates N, Flanagan E, Gore ME, Barton DP, et al. A multicenter Phase I gene therapy clinical trial involving intraperitoneal administration of E1A-lipid complex in patients with recurrent epithelial ovarian cancer overexpressing HER-2/neu oncogene. Clin Cancer Res 2004;10:2986-96.
- Markman M. The promise and perils of "targeted therapy" of advanced ovarian cancer. Oncology 2008;74:1-6.
- Mendelsohn J, Baselga J. Status of epidermal growth factor receptor antagonists in the biology and treatment of cancer. J Clin Oncol 2003;21:2787-99.
- Morris M, Eifel PJ, Lu J, Grigsby PW, Levenback C, Stevens RE, et al. Pelvic radiation with concurrent chemotherapy compared with pelvic and para-aortic radiation for high risk cervica cancer. N Eng J Med 1999;340:11378-143.
- Muderspach L, Wilczynski S, Roman L, et al. A phase I trial of a human papillomavirus (HPV) peptide vaccine for women with high-grade cervical and vulvar intraepithelial neoplasia

who are HPV 16 positive. Clin Cancer Res 2000;6:3406-16.
- National Comprehensive Cancer Network. NCCN clinical practice guidelines in oncology [Internet]. Fort Washington, PA: National Comprehensive Cancer Network; 2014 cited 2014 Mar 3.
- Pujade-Lauraine E, Hilpert F, Weber B, Reuss A, Poveda A, Kristensen G, et al. AURELIA: a randomized phase III trial evaluating bevacizumab (BEV) plus chemotherapy (CT) for platinum (PT)-resistant recurrent ovarian cancer (OC). J Clin Oncol 2014;32:1302-8.
- Reinbolt RE, Hays JL. The Role of PARP Inhibitors in the Treatment of Gynecologic malignancies. Front Oncol 2013;1: 3:237.
- Ressing ME, Sette A, Brandt RM, et al. Human CTL epitopes encoded by human papillomavirus type 16 E6 and E7 identified through in vivo and In vitro immunogenicity studies of HLA-A*0201-binding peptides. J Immunol 1995;154:5934-43.
- Rose PG, Bundy BN, Watkins EB, Thigpen JT, Deppe G, Maiman MA, et al. Concurrent cisplatin-based chemotherapy and radiotherapy for locally advanced cervical cancer. N Eng J Med 1999;340:1144-53.
- Santin AD, Bellone S, Roman JJ, Burnett A, Cannon MJ, Pecorelli S. Therapeutic vaccines for cervical cancer: dendritic cell-based immunotherapy. Curr Pharm Des 2005;22: 3485-500.
- Santin AD, Hermonat PL, Ravaggi A, et al. Induction of human papillomavirus-specific CD4(+) and CD8(+) lymphocytes by E7-pulsed autologous dendritic cells in patients with human papillomavirus type 16- and 18-positive cervical cancer. J Virol 1999;73:5402-10.
- Schreckenberger C, Kaufmann AM. Vaccination strategies for the treatment and prevention of cervical cancer. Curr Opinio Oncol 2004;16:485-91.
- Sibilia M, Kroismayr R, Lichtenberger BM, Natarajan A, Hecking M, Holcmann M. The epidermal growth factor receptor: from development to tumorigenesis. Differentiation 2007;75:770-87.
- Steel GG, Peckham M. Exploitable mechanisms and in combined rdiotherapy-chemotherapy: the concept of additivity. Int J Radiat Oncol Biol Phys 1979;5:317-22.
- Tait DL, Obermiller PS, Hatmaker AR, Redlin-Frazier S, Holt JT. Ovarian cancer BRCA1 gene therapy: Phase I and II trial differences in immune response and vector stability. Clin Cancer Res. 1999;5:1708-14.
- Therasse P, Arbuck SG, Eisenhauer EA, et al. New guidelines to evaluate the response to treatment in solid tumors: European Organization for Research and Treatment of Cancer, National Cancer Institute of the United States, National Cancer Institute of Canada. J Natl Cancer Inst 2000;92:205-16.
- Thomas GM, Dembo AJ, Bryson SC, Osborne R, DePetrillo AD. Changing concepts in in the management of vulvar cancer. Gynecol Oncol 1991;42:9-21.
- Umberto Leone Roberti Maggiore, Filippo Bellati, Ilary Ruscito, Maria Luisa Gasparri, Franco Alessandri, Pier Luigi Venturini & Simone Ferrero. Monoclonal antibodies therapies for ovarian cancer. Expert Opin Biol Ther 2013;13:739-64.
- Vasey PA, Shulman LN, Campos S, Davis J, Gore M, Johnston S, et al. Phase I trial of intraperitoneal injection of the E1B-55-kd-gene-deleted adenovirus ONYX-015 (dl1520) given on days 1 through 5 every 3 weeks in patients with recurrent/ refractory epithelial ovarian cancer. J Clin Oncol 22002;0: 1562-9.
- Vergote IB, Jimeno A, Joly F, Katsaros D, Coens C, Despierre E, et al. Randomized phase III study of erlotinib versus observation in patients with no evidence of disease progression after first-line platin-based chemotherapy for ovarian carcinoma: a European Organisation for Research and Treatment of Cancer-Gynaecological Cancer Group, and Gynecologic Cancer Intergroup study. J Clin Oncol 2014;1:32:320-6.
- Welters MJP, Filippov DV, van den Eeden SJF, Franken KLMC, Nouta J, Valentijn ARPM, et al. Chemically synthesized protein as tumor-specific vaccine: immunogenecity and efficacy of synthetic Human papillomavirus 16 E7 in the TC-1 mouse tumor model. Vaccine 2004;23:305-11.
- Wolf JK, Bodurka DC, Gano JB, Deavers M, Ramondetta L, Ramirez PT, et al. A phase I study of Adp53 (INGN 201; ADVEXIN) for patients with platinum- and paclitaxel-resistant epithelial ovarian cancer. Gynecol Oncol 2004;94:442-8.

제29장
완화요법

권상훈 | 계명의대
윤보성 | 차의과학대

1. 완화요법

1) 완화요법의 개념 및 일반원칙

WHO Definition of Palliative Care

Palliative care is an approach that improves the quality of life of patients and their families facing the problem associated with life-threatening illness through the prevention and relief of suffering by means of early identification and impeccable assessment and treatment of pain and other problems, physical, psychosocial and spiritual (World Health Organization, 2008).

세계보건기구의 정의에 의하면, 완화요법(palliative care)은 생명을 위협하는 질환으로 인하여 발생하는 통증 및 다른 육체적, 정신적, 사회적, 영적 문제들을 조기 발견하여 이들 문제점들을 완벽히 평가하고 치료함으로써 환자와 그의 가족들이 겪을 고통을 예방하고 완화하여 환자와 그의 가족들의 삶의 질을 향상시키는 일련의 접근방식이다.

최근 WHO는 완화요법의 대상을 암 환자에 국한된 것이 아니라 모든 생명을 위협하는 심각한 질환들을 포함하도록 하였으며, 치료의 시작은 이들 질환들의 근치적 치료가 실패했을 때 시작하는 것이 아니라 근치적 치료와 함께 병행하여 시행되어야 하는 것으로 확장하였다. 완화요법은 대상을 치유를 목적으로 하는 치료에 반응하지 않는 질환을 가진 환자에게 행해지는 적극적이고 총괄적인 치료로써 통증과 다른 육체적 증상들, 정신적, 사회적, 영적 문제들의 조절과 해결이 모두 이에 포함된다. 완화요법의 목표는 환자와 그 가족들이 최상의 삶의 질을 얻도록 하는 것이다. 완화요법의 여러 가지 측면은 질환의 초기부터 근치적 치료와 병행하여 적용되어야 한다.

완화요법은 죽음을 정상적인 과정으로 인식하도록 하여 이를 재촉하거나 연기하지 않도록 하여야 한다. 증상의 관리는 환자와 가족에 대한 감정적이고 영적인 지지를 포함하여 가족의 사별에 이르는 죽음의 경험이 최적화되도록 설계되어야 한다(Bennahum, 2003).

현재 받아들여지고 있는 완화요법의 원리에는 다음의 요소가 포함된다.

- 통증 및 다른 불편한 증상들을 해소한다.
- 여생을 긍정적으로 받아들이고 죽음을 정상적이고 자연스러운 것으로 인식한다.
- 완화적인 중재는 죽음을 재촉하거나 연기하지 않는다.
- 환자를 돌봄에 있어서 정신적인 그리고 영적인 관점도

포괄한다.

- 임종할 때까지 환자가 적극적인 삶을 영위할 수 있도록 협진체계를 제공한다.
- 환자 가족들이 환자의 투병시기 그리고 환자와의 사별에 대처할 수 있는 협진체계를 제공한다.
  - 완화요법은 질환(암)의 치료와 함께 초기 시점부터 병행 시행될 수 있어야 하고, 또한 질환의 경과에 긍정적인 영향을 미쳐야 하며 이와 동시에 괴로운 임상 합병증들도 이해하고 관리해 나가야 한다.
  - 적절한 완화요법과 지지적인 환경은 환자와 가족에 삶의 질을 향상시키고 건전한 생의 마감을 이루도록 한다 (Last Acts Palliative Care Task Force, 2004; National Hospice and Palliative Care Organization, 2004; World Health Organization, 2008).

방사선치료, 약물요법 그리고 수술도 불이익보다 이익이 더 많은 경우 완화요법으로써 사용될 수 있으며 연구과정은 최소화하여야 한다.

일반적으로 효과적인 항암치료는 반응이 좋은 환자에서는 증상의 제거에 좋은 기회를 제공하지만 반응이 없는 환자에서는 치료하지 않은 경우보다 삶의 질을 더 나쁘게 할 수 있다. 환자의 상태를 악화시키고 많은 치료비용을 지불하고도 매우 적은 이득을 얻는다면 숙련된 의사들과 의논을 거친 뒤 치료방침을 바꾸는 것이 필수적이다. 이러한 때에는 환자와 담당주치의, 부인종양 전문의와의 긴밀한 협조체계가 중요하다. 완화요법 시 가능한 비침습적인 술기를 요한다. 그뿐 아니라 환자에 대해 잘 알고 있는 환자의 담당주치의가 중심이 되어 완화요법전문가의 도움을 받아야 되며 전문가들과의 지속적인 관계유지가 필요하다. 환자의 상태가 만성상태에서 더 악화되더라도 치료진을 바꾸지 않도록 해야 하며 긴밀한 협조체제를 유지하는 것이 바람직하다.

2) 완화요법의 실제적인 접근방법론

병의 상태와 환자의 우선 요구사항은 병의 상태에 따라 변화하는 것임을 주지하여야 하며 또한 치료 과정 중에 새로운 문제가 발생하면 추가적인 진단 및 치료가 필요하다. 완화요법은 다음 여러 가지 요소들을 포함한다.

(1) 첫째 단계: 진단 및 평가

진단은 포괄적이어야 하며 환자의 병력 및 병의 경과를 파악해야 한다. 이런 포괄적인 진단은 최소한 다음 사항을 포함한다.

① 치료의 우선 순위를 결정하기 위해 환자의 증상과 문제점, 환자의 우선 요구사항들(사전의료지향서 포함)의 포괄적인 파악

② 질환의 진행범위와 특징을 정확히 파악하고 현재의 문제점과의 연관성을 주의 깊게 파악

③ 환자의 개인적, 사회적 문제를 이해하고 실제적인 도움을 제공

적절한 진단 및 평가를 위해서는 환자로부터의 포괄적인 파악뿐만 아니라 환자의 가족 및 친한 친구들로부터의 조언도 필요하다.

환자 질환의 양상과 진행 상태의 자세한 설명을 하고, 질환에 관한 그녀의 이해를 구하고 치료목적들에 관한 설명이 요구되며, 이러한 치료 목적들과 이들의 성취가능성에 관한 설명이 환자의 존재감과 삶의 질을 증진시킬 수 있다. 환자의 이해가 선행되지 못한다면 효과적인 치료를 기대할 수 없다.

(2) 둘째 단계: 예후의 예측 및 설명

치료 불가능 환자의 여명의 측정이 완화요법 치료방침의 결정에 기초가 되기 때문에 이에 관하여 환자와 가족들과의 의논이 이루어져야 하며, 이해를 구하여야 한다. 이때 예후 측정의 불확실성에 관한 설명, 즉 드물지만 완치가능성의 존재에 관한 설명 그리고 환자 여명의 정확한 측정의 어려움들을 이들에게 주지시켜야 한다. 이러한 여명의 예측이 환자의 우선 요구사항들을 결정하고 이러한 요구사항

들에 근거를 둔 완화요법을 계획, 실행하는 데 아주 유용하다(Glare P et al., 2008).

(3) 셋째 단계: 완화치료방법의 의사결정

완화요법은 삶의 질을 높이고 환자의 권리가 보장되는 범위에서 선택적으로 시행되어야 한다. 포괄적인 평가의 근거하에서 합리적인 치료 방법의 설계가 가능하다. 치료방법의 선택은 환자의 우선 요구사항을 반영하는 것이 중요하다. 일반적으로 의료 시설의 이용을 가능한 줄이고, 환자의 시간, 경제력 낭비, 에너지를 줄이도록 노력하며, 현재의 환자의 경제력, 시간, 그리고 지원 가능한 의료시설 등을 고려하여야 한다. 이러한 치료결정에 있어서는 치료방침에 따른 이익과 불이익을 환자와 상의하고 환자가 관여할 수 있도록 해야 한다. 환자와 의사 간의 합의된 완화치료 방법의 의사결정이 환자의 원하는 우선 순위사항들을 실현 가능성과 환자의 삶의 질을 증진시킬 수 있다(예, 환자가 원할 시 가정으로의 복귀 실현이 병원에서의 약간의 생명연장보다 더 중요할 수 있다.).

질환의 완화가 증상을 없애는 가장 중요 방법이므로 적절한 근치요법들(수술, 방사선요법, 항암제요법 등)의 조심스러운 사용이 필수적인 경우에는 사용하여야 한다. 이 경우 질환의 진행병기, 환자의 치료 목표와 우선 요구사항, 치료 시술 시 병의 예상 경과, 치료 시술의 부담과 성공 가능성, 재활의 가능성(육체적, 정신적, 사회적, 영적) 등의 사항들을 고려하여야 한다.

임상치료방법의 의사결정은 보통 문화적, 사회적 환경, 법적 의학적 여건, 윤리적 가치, 치료의 경제적 효율성 등 여러 가지 요인에 영향을 받으며 의료팀은 반드시 환자, 환자가족, 친지와 의논을 통하여 결정하여야 하며 필요시 호스피스 전문가와 상의하여야 한다. 환자와 의사 간의 합의된 완화치료 방법의 의사결정이 원만히 이루어질 시 완화요법의 목표의 달성이 가능하다.

(4) 넷째 단계: 완화치료 결과의 평가

결과의 평가에는 환자와 의료진의 평가가 동시에 이루어져야 하며 이 중 환자의 평가가 더 중요하다. 완화요법의 목표(환자의 증상완화와 품위유지)에 관한 주기적, 규칙적 평가가 요구된다.

여러가지의 결과 측정 기준표들이 보고되고 있으며 완화치료의 결과의 평가 시 삶의 질의 증진에 관한 환자 주관적 평가를 동시에 측정하여야 한다(Jocham HR et al., 2006; Anderson B et al., 2000).

3) 호스피스 완화의료

(1) 개념 및 일반원칙

호스피스 완화의료는 인위적으로 인간의 수명을 단축하고자 하지 않고 또 연장하고자 하지도 않으며 말기 환자들이 자연스러운 죽음을 맞이할 때까지 고통스러운 증상을 줄여주어 최상의 삶의 질을 유지하도록 돕는 것을 목표로 하고 있다.

한국에서는 암관리법에 완화의료에 대한 조항이 있어 2003년에 암관리법이 최초로 발효되었으며 2010년 5월 31일 암관리법이 개정되었다. 한국의 2010년 개정된 암관리법에서는 호스피스 완화의료는 통증과 증상의 완화 등을 포함한 신체적, 심리 사회적, 영적 영역에 대한 종합적인 평가와 치료를 통하여 말기 암 환자와 그 가족의 삶의 질을 향상시키는 것을 목적으로 하는 의료라고 규정하고 있다.

영국에서는 호스피스 완화의료를 "악화되고 있으나 치료할 수 없는 상태의 환자가 사망할 때까지 가능한 안녕의 상태를 유지하도록 돕는 것"으로 규정하고, 이를 위해서는 신체적, 정신신경학적, 사회적, 영적 지지를 포함하여 환자와 환자의 가족에게 필요한 보존적 치료와 완화요법을 삶의 마지막 단계와 사별의 순간까지 제공하는 것이라고 NCPC (National Council of Palliative Care)에서 정의하였다(NCPC, 2011; 문재영 등, 2013).

이는 완화의료가 머지 않아 임종이 예견되는 환자와 가족의 육체적, 정신적, 사회적, 영적 문제들을 각 분야의 전문가들이 함께 돌봄으로써 말기 환자가 인간으로서의 존엄성을 끝까지 유지하는 가운데 임종하도록 도와주는 한편, 환자의 임종 후 남은 가족들의 사별의 슬픔까지 돌보아 주는 의료 행위임을 강조하고 있는 것이다.

호스피스 완화의료의 일반원칙에 따르면 고통스럽고 무익한 연명치료를 환자나 그 가족의 의사에 반하여 시행하는 것은 피해야 한다. 이에 따라 무익한 연명치료 중지에 관한 적절한 기준이나 정의에 대한 사회적 합의가 필요하며, 환자가 건강할 때에 미래에 자신이 병들어 임종에 이르게 될 때 시행해야 할 의료에 대한 의견을 미리 적어 놓는 환자의 자기결정권에 의한 사전의료지향서의 제도화에 대한 논의가 시행되고 있다(홍영선, 2012).

호스피스 완화의료는 죽음을 삶의 일부이며 자연적 현상으로 이해하며 환자의 신체적, 정서적, 사회적, 영적인 배려와 윤리적인 측면을 강조하고 있다. 통증을 비롯한 말기증상의 적절한 조절과 같은 의학적인 측면뿐만 아니라 부적절한 임종 연장의 회피, 자기 조절감의 성취, 부담의 경감, 가족과의 관계 강화, 희망과 기대, 영적 및 존재적 신념, 품위 있는 죽음 등이 인생의 마지막에서 중요한 요소로 인식되고 있음을 널리 이해시켜야 한다(윤영호, 2008).

(2) 국내의 호스피스 완화의료 활동의 현황

우리나라에서는 암관리법에만 완화의료에 대한 조항이 있어 암 환자만이 완화의료에 대한 법적 보장을 받고 있다고 하겠다. 2003년 암관리법이 발효된 이후 완화의료 기관의 수는 폭발적으로 증가했고, 이는 삶의 질에 대한 국민들의 관심이 높아진 것과 완화의료 시범사업에 의해 자극받은 결과로 생각된다. 2003년부터 2004년 사이 가정형, 산재형, 독립형, 병동형, 공공형 호스피스 등 5가지 호스피스 모델을 대상으로 완화의료 시범사업이 시행되었고, 2005년부터 완화의료 전문기관 지원사업이 시작되어 지금까지 계속되고 있다. 2007년 활동 중인 완화의료 기관은 150곳이 넘는 것으로 집계되었고, 2012년에 별도 조사된 것이 없으나 한국 호스피스 완화의료학회 회원이 소속된 기관의 수는 448개로 집계되고 있다. 2006년 시작된 제2차 암정복 10개년 계획에는 말기암 환자 관리프로그램이 포함되었고 완화의료 전문기관을 지정하여 지원하였다. 2010년 5월 31일 암관리법이 개정되어 2011년 6월 1일부터 시행되면서 말기암 환자에 대한 구체적 제도정비 및 보완이 이루어졌고 그 결과 완화의료 전문기관이 지정되고 그 기관들에 대한 비용지원 및 평가체계가 마련되었고 완화의료에 대한 규정이 구체화되었다. 이에 따라 말기암 환자를 대상으로 하는 완화의료의 제도적 기틀을 마련하는 계기를 이루었다. 2017년에는 '호스피스-완화의료 및 임종과정에 있는 환자의 연명의료결정에 관한 법률'의 시행으로 후천성면역결핍증, 만성 폐쇄성 호흡기질환, 만성간경화 등의 비암 대상 질환과 가정형, 자문형 호스피스 유형으로 제공범위가 확대되었다. 국내에서 운영되고 있는 완화의료 기관의 약 30%가 입원서비스를 제공하고 있고 완화의료 병상수는 2002년 430병상으로 조사되었으며 2005년 보건복지부가 완화의료 전문기관 시범사업을 시작했을 때 15개 기관 261병상, 2010년에는 40개 기관 628병상, 2017년에는 68개의 호스피스 전문기관이 지원을 받은 것으로 보아 국내의 완화의료 활동은 최근 빠른 속도로 증가하고 있다. 정부에서는 지방공사의료원이나 지역암센터 등 공공의료기관에 완화의료 병상을 확보하거나 민간 2차 병원들의 참여를 유도하고 있으며, 그 외에도 민간 완화 의료서비스 시행병원 및 요양병원의 지원 및 협력을 유도하고 있다(국립암센터, 2019; 홍영선, 2012).

2. 통증의 치료

통증의 정의는 실제적 혹은 잠재적 조직 손상과 연관된 불쾌한 감각적, 정서적 경험으로 국제 통증 연맹에서 정의하였다. 정의로 볼 때 통증은 주관적인 것이며 모든 통증은 심리적인 요소가 항상 동반된다. 통증은 암 환자들이 가장 두려워하는 증상 중 하나이며, 해소되지 않는 통증은 환자들을 불편하게 하고 그들의 육체적 활동, 정서, 동기 및 가족 친구들과의 관계에 영향을 주게 되어 결국 삶의 질에 영향을 미치게 된다. 통증은 암과 관계된 가장 흔한 증상이다. 암 환자의 통증 유병율은 진행암 환자의 64%에 이르며, 이중 약 43%에서 통증 조절이 불충분하다고 보고되었다.

국내 연구에 따르면 호스피스 완화의료기관에 입원한 말기 암 환자의 50%가 중등도 이상의 통증을 호소하고 있다(국립암센터, 2019; van den Beuken-van Everdingen MH, et al., 2007).

암은 우리나라 사망원인 1위로서 2012년, 7만 3,759명이 암으로 사망했으며, 연간 22만여 명의 신규 암 환자가 발생하고 있다(국민보험공단, 2012). 그러나 암 환자의 50% 이상이 치료되지 못하고 고통스럽게 사망한다. 암 환자의 고통을 덜어주기 위해서는 약물요법을 이용한 적절한 통증 조절과 신체 외적인 면에서 괴로움을 겪고 있는 문제까지 해결하려는 포괄적인 노력이 필요하다.

1) 통증의 분류

통증의 치료는 관계된 통증의 형태와 관련되며 성공적인 치료를 위해서 정확한 통증 분류가 필수적이다.

(1) 신경 생리적 기전에 따른 분류

① 침해수용통증(nociceptive pain)

장기손상에 의해 침해수용체(afferent receptor)에 침해성 자극이 가해지고 그 자극이 척수, 시상, 대뇌와 같은 일반적인 통증 전달경로를 거쳐 발생하는 통증을 말하며 체성 통증(somatic pain)과 내장 통증(visceral pain)으로 구분한다.

가. 체성 통증(somatic pain)

표재성 통증은 피부나 점막 부위의 기계적, 화학적, 열 자극에 의해 발생하며 통증의 양상은 날카롭고, 찌르는 듯하며 국소 부위에 한정되어서 나타난다.

심재성 통증은 관절, 인대, 근육, 혹은 근막을 자극함으로써 발생되는 것으로 무디고 쑤시는 듯한 통증이 나타나고, 국소적으로 나타나는 경우는 드물고 특히 심할 경우에는 연관 통증(referred pain)을 일으키는 경우가 많다.

나. 내장 통증(visceral pain)

내장에 분포된 통각섬유에 의해 몸 속 깊이 느껴지는 둔한 통증을 말하는데 내장에 대한 통각섬유의 분포가 적기 때문에 통증의 국소 부위가 명확하지 않고 오심, 구토 등 여러 가지 자율신경성 증상을 동반한다.

② 신경병증성 통증(neuropathic pain)

신경의 구조 혹은 기능의 변화에 의한 통증을 말한다.

가. 중추형 신경병증성 통증

뇌종양, 뇌출혈, 중추신경조직 손상으로 나타나는 통증

나. 말초형 신경병증성 통증

대상포진 후 신경 통증과 같이 말초신경계의 이상에 의한 통증

③ 심인성 통증(psychogenic pain)

통증을 설명할 수 있는 기질적 원인이 없으며 통증이 환자의 사회적 또는 직업적 기능에 장애를 가져오고, 정신적인 요소가 통증의 강도나 발생 및 악화 등에 매우 중요하게 작용하는 경우를 말한다.

(2) 시간적 발생 양상에 따른 분류

시간적 발생 양상에 따라 지속 통증과 돌발 통증으로 구분된다. 돌발 통증은 통증이 조절된 상태에서 간헐적으로 악화되는 통증으로, 움직일 때 악화되는 통증이나 일시적으로 통증이 악화되는 경우 등이 해당된다. 돌발통증은 암환자의 약 60%, 호스피스에 입원한 환자의 약 80%에서 보고되었으며, 국내 연구에 따르면, 암 환자의 약 45%에서 하루 3번 이상의 돌발 통증이 발생하였다.

(3) 다축성 분류(multiaxial classification)

통증의 인지에 관여하는 요인 중에서 정서적, 인지적, 행동적 요인의 중요성을 고려한 분류 방법이다.

2) 통증의 평가

암성 통증은 개인적인 차이가 많고, 정신적, 정서적 요소

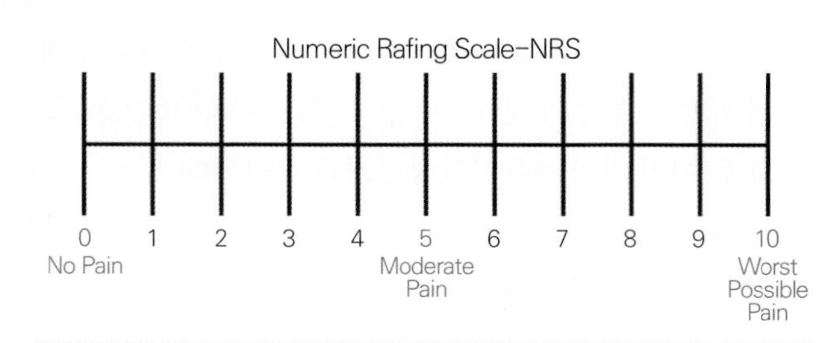

그림 29-1. **숫자 통증 등급**

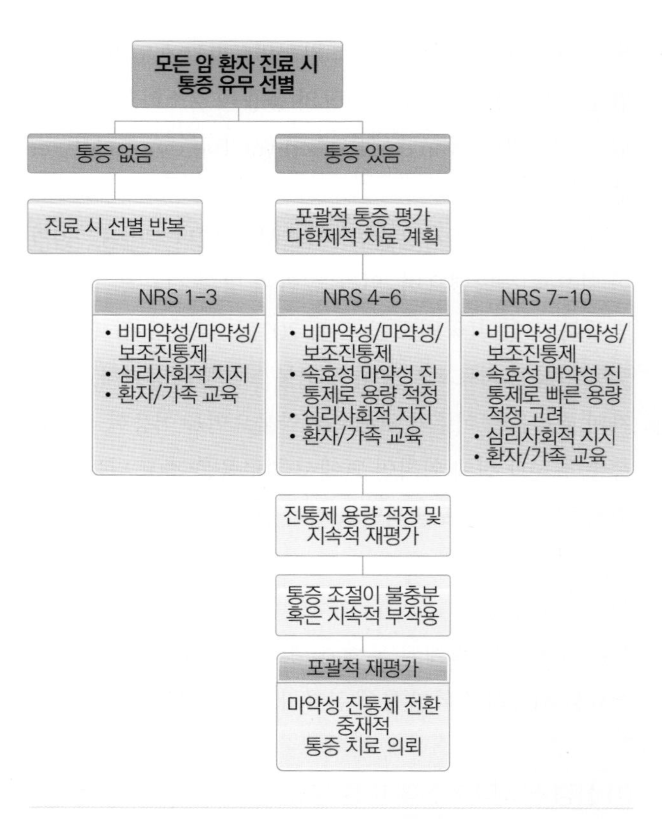

그림 29-2. **암성 통증 치료 원칙**
(암성 통증관리지침 권고안. 국립암센터 6th Ed. 2018에서 인용함)

도 많이 관련되어 있어 암의 진행 정도에 따라 통증이 비례하는 것은 아니다. 통증의 주관적인 강도를 평가하기 위해서 통증 강도 평가도구를 사용하여 현재 통증, 지난 24시간의 최고 통증과 최소 통증, 지난 1주간의 평균 통증, 휴식 혹은 활동 시 통증을 평가하여 약물 치료를 선택한다. 통증의 평가 시 주로 사용되는 강도 평가 도구는 숫자 통증 등급(numeric rating scale, NRS)이다(그림 29-1). 0(통증 없음)에서 10(상상할 수 없을 정도로 심한 통증)까지 11단계로 나누어 환자가 자신의 통증 정도를 숫자로 표현하도록 하며, 0점은 통증 없음, 1-3점은 약함, 4-6점은 중등도 그리고 7-10점은 심함으로 구분한다. 이는 신뢰성과 타당성이 검증되어 있으며, 외래에서나 전화로도 통증을 평가할 수 있다는 장점이 있다.

3) 통증의 치료 원칙

암성 통증 환자의 전신상태, 동반 질환, 암의 상태 및 돌봄의 목표 등에 따라 환자 개개인에 맞게 치료방법을 개별화한다. 약물 치료뿐만 아니라 심리사회적 지지, 중재적 통증 치료, 방사선 치료 등을 포괄하여 다학제적으로 치료 계획을 세우고, 암 진단 혹은 진행에 따른 심리적 문제 등에 대한 평가와 치료가 포함되어야 한다. 통증 관련 교육에는 환자와 가족 등 간병인에게 통증의 강도에 대한 표현을 교육하고, 스스로 통증에 대한 평가를 할 수 있도록 통증 양상에 대한 교육을 한다.

암성 통증의 치료로 널리 받아들여졌던 알고리듬인 세계보건기구(World Health Organization, WHO)의 3단계 사다리 모델보다는 최근 진료지침들은 모든 단계의 통증에 마약성 진통제를 적극적으로 사용할 것을 권고하고 있다(그림 29-2). NRS 7점 이상의 심한 암성 통증을 호소하는 환자의 경우에는 응급 상황에 준하여 신속하 통증 조절이 필요하다. NRS 4점 이상의 중등도 혹은 심한 암성 통증은 속효성 마약성 진통제로 용량 적정이 필요하고, 통증 강도의 지속적 재평가를 통해서 통증 조절이 충분한지, 부작용이 나타나는지 확인하는 것이 중요하다.

4) 약물요법

(1) 마약성 진통제

① 마약성 진통제 일반적 원칙(표 29-1)

환자마다 적절한 마약성 진통제의 종류, 용량, 투여경로를 개별화하여 선택한다. 투여 경로는 경구를 우선으로 하되,

표 29-1. 마약성 진통제의 진통효과 비교

약제	모르핀 10 mg 근주에 해당하는 용량		작용 기간
	근주/피하	경구	
Morphine	10	20-30	3-6
Codeine	130	200	2-4
Oxycodon	15	30	2-4
Propoxyphene	-	100	2-4
Hydromorphone	1.5	7.5	2-4
Methadone	10	20	4-8
Pethidine	75	300	2-4
Oxymorphone	1	10	3-4
Fentanyl	0.1	-	1-3
Tramadol	100	120	4-6
Phenazocine	-	6	4-8
Buprenorphine	0.4	0.8	6-9

상황에 따라 적절한 경로를 선택한다. 통증 강도의 어느 단계에서나 마약성 진통제를 투여하여 통증을 조절할 수 있다. 서방형 진통제를 주기적으로 투여하고, 돌발 통증에 대비하여 속효성 진통제를 처방한다. 마약성 진통제 용량을 충분히 증량해도 통증이 지속되거나 지속적인 부작용 발생 시 통증을 재평가하고 진통제 전환, 보조진통제 투여, 중재적 통증 치료 등을 고려한다(국립암센터, 2018).

② 마약성 진통제의 분류

가. 수용체 작용에 따른 분류

가) 순수 작용제(pure agonist)

morphine, codeine, dihydrocodeine, hydromorphone, meperidine, fentanyl, tramadol 등

나) 부분 작용제(partial agonist)

buprenorphine

다) 혼합성작용길항제(mixed agonist-antagonist)

pentazocine, butorphanol, nalbuphine

라) 길항제(antagonist)

naloxone

나. 역가에 따른 분류

가) 약한 제제

codeine, dihydrocodeine, tramadol

나) 강한 제제

morphine, methadone, pethidine, hydromorphone, oxycodone, fentanyl, phenazocine, nalbuphine

순수 작용제는 최대투여량 이상으로 증량하는 경우, 진통작용은 증가하지 않고 부작용만 증가하는 천장 효과(ceiling effect)가 없기 때문에 용량에 비례하는 진통 효과를 기대할 수 있다. 또, 순수 작용제(pure agonist)를 사용하는 환자의 경우에 혼합형 작용-길항제(antangonist)를 같이 사용하면 혼합형 작용-길항제가 길항제로 작용하여 금단 증상을 초래하고 통증을 악화시키게 된다. Meperidine (Demerol®)은 반복적인 사용으로 대사 산물에 의한 신부전, 중추신경계 부작용을 초래하게 되기 때문에 암성 통증 같은 만성통증에는 사용하지 않는다.

③ 마약성 진통제의 선택 및 용량 적정

약한 암성 통증(NRS 1-3)은 비마약성 진통제 혹은 약한 마약성 진통제와 돌발통이 있는 경우 속효성 마약성 진통제를 사용한다. 중등도 이상의 암성 통증(NRS 4-10)은 약한 마약성 진통제나 강한 마약성 진통제로 조절을 시작한다.

마약성 진통제 투여력이 없는 환자의 경우 초기 용량은 속효성 경구 모르핀(morphine) 5-15 mg(혹은 동등 진통 용량의 다른 마약성 진통제)을, 마약성 진통제를 투여 중인 환자의 경우 이전 24시간 총 투여량의 10-20%을 속효성 제제로 투여한다. 이후 속효성 경구제제는 60분 후, 주사제는 15분 후 진통효과와 부작용을 재평가한다. 진통효과가 NRS 0-3 수준으로 감소하고, 부작용이 없다면 동일 용량을 반복 투여하고, 24시간 투여량을 계산하여 서방형 마약성 진통제로 전환할 수 있다. 필요에 따라 돌발통 조절용 속효성 진통제도 사용법, 부작용 등에 대한 교육과 함께 처방을 고려한다. 진통 효과와 부작용에 대한 재평가에서 통증 조절이 안되거나 적절하지 않을 경우 50-100% 증량 투여 후

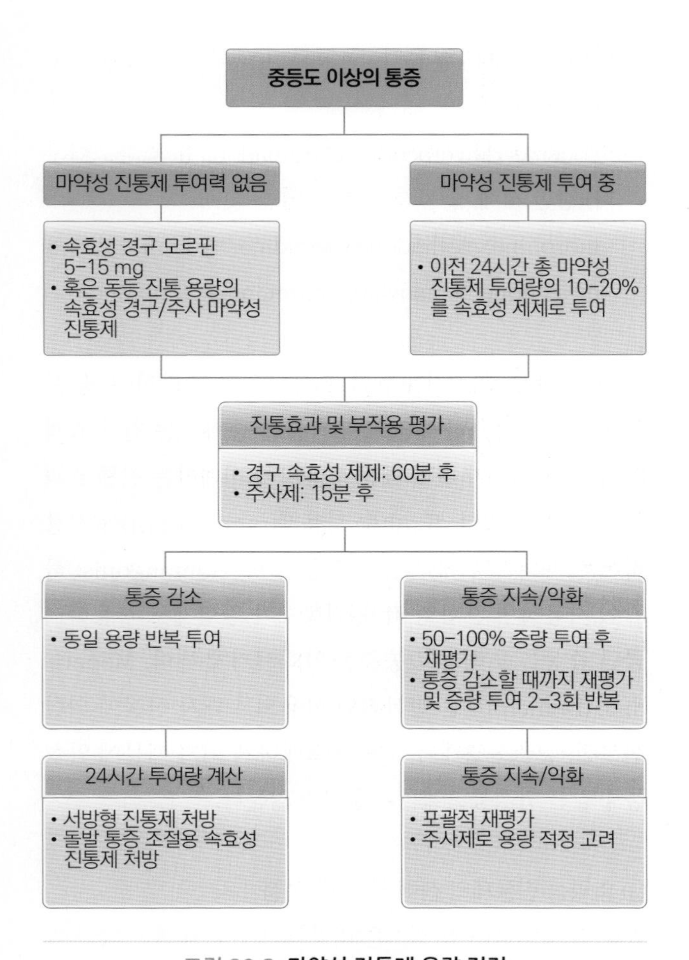

그림 29-3. **마약성 진통제 용량 적정**
(암성 통증관리지침 권고안. 국립암센터 6th Ed. 2018에서 인용함)

15분 혹은 60분에 재평가하고, 통증이 감소할 때까지 증량 투여를 2-3회 반복하면서 재평가 한다.

2-3회 반복된 증량에도 통증 점수의 변화가 없다면 통증에 대한 포괄적 재평가를 통하여 신경병증 통증, 골 통증 등 다른 원인도 고려해보고, 필요하다면 보조적 진통제의 투약이나 신경차단, 방사선 치료 등 중재적 통증 치료 및 마약성 진통제 전환을 고려해야 한다(그림 29-3).

④ 돌발 통증 관리

돌발 통증에 대해서는 하루 용량의 10-20%에 해당되는 속효성 모르핀 혹은 옥시코돈 제제를 필요한 경우에 사용할 수 있도록 처방할 수 있으며, 속효성 경점막 펜타닐 제제의 경우 100 mcg부터 사용하면서 효과와 부작용을 평가하여 돌발 통증에 필요한 용량을 결정한다. 조절되지 않거나 지속적인 부작용 발생 시, 투여 경로 변경 필요시 다른 종류의 마약성 진통제로 변경을 고려한다. 지난 24시간 동안 투여한 마약성 진통제 총량을 계산하여 동등 진통 용량표를 이용해 변경하여 사용할 마약성 진통제 용량을 계산한다. 통증 조절이 잘 되고 있는 경우에는 새 약제의 용량은 처음 계산한 총 용량에서 25-50% 감량 투여한다. 만일 통증 조절이 불충분한 경우라면 새 약제의 용량은 처음 계산한 총 용량의 100-120%로 투여한다. 안정적인 통증 조절 용량이 정해지면 펜타닐 경피패치로 전환한다. 패치로 전환 후 8-24시간 이내에는 속효성 진통제를 미리 처방하여 필요시 투여한다.

⑤ 마약성 진통제 부작용

가. 변비

모르핀이 장관의 연동운동을 억제하고 항문 괄약근의 긴장을 증가시켜 변비를 초래할 수 있으므로 예방적으로 완화제를 동시에 사용한다. 예방적 완화제를 사용하지 않을 경우 분변매복(fecal impaction)이 생길 수 있으며 오심, 구역, 골반통, 혼수 등 다양한 불편 증상들을 유발시킬 수 있다. 펜타닐 경피패치가 모르핀보다 변비발생을 약간 덜 일으킨다고 알려져 있다.

나. 진정, 졸림

치료시작 초기나 증량 시에 나타나는데 빠른 시일에 내성이 생기며 증세가 심한 경우에는 진통제를 바꾸거나 각성 효과를 기대해서 methylphenidate나 dextroamphetamine, caffeine 등을 투여할 수 있다.

다. 구역, 구토

모르핀 투여 시작 초기 및 증량시에 나타난다. 내성이 생기기 쉽고 통상 1-2주 정도 지나면 없어지지만 심한 경우 약제를 바꾸거나 metoclopramide, prochlorperazine, halperidol 등의 항구토제를 사용한다. 환자가 예민하거나 마약성 진통제에 오심이나 구역의 병력이 있는 환자들에서는 첫 이틀 동안 규칙적으로 항구토제를 복용하는 것이 도움이 된다.

라. 호흡억제

경구용에서는 드물고 정맥주사를 급속히 투여하는 경우에 올 수 있다. 갑자기 통증이 소실되면서 호흡억제가 오면 의심할 수 있다. 우선 모르핀을 중지하고 기도를 확보하며 저산소증이 의심되면 산소를 흡입시킨다. 마약성 진통제 길항제인 naloxone을 투여할 수 있다. Naloxone 0.4 mg을 생리식염수 10 ml에 희석, 1 ml (0.04 mg)씩 증상이 호전될 때까지 30-60초마다 반복 투여 혹은 0.8 mg을 250 ml 5% DW에 혼합하여 지속 주입할 수 있다. Naloxone 투여 후에는 금단 현상이 발생할 수 있으므로 주의한다.

마. 배뇨장애

모르핀을 경막외 투여할 때 잘 발생하고 전립샘 비대증 환자에서 빈도가 높다. 이 경우에는 약제를 변경하면 된다. 기타 입안건조, 입마름, 발한, 가려움증, 어지러움, 현기증, 간대성 근경련, 불쾌감, 도취감, 수면장애, 그리고 성기능장애 등이 올 수 있다.

⑥ 마약성 진통제에 대한 오해

가. 조심스럽게 적절히 사용하면 의존성을 일으킬 수는 있으나 중독은 유발하지 않는다.

나. 모르핀의 사용이 환자의 상태가 악화되어 더 이상 사용할 수 있는 약제가 없음을 의미하는 것이 아니라는 것을 환자와 보호자에게 주지시킨다.

다. 모르핀의 내성은 용량을 적절히 사용하지 않았을 경우에 생긴다.

라. 모르핀 사용은 환자가 죽어가고 있다는 것을 의미하는 것이 아니라 현재로써 모르핀이 가장 적절한 약이라는 것을 의미하며 아편류 제제의 사용은 환자 질병 상태에 따라 투여하는 것이 아니라 통증의 종류와 심한 정도에 따라 결정한다.

마. 모르핀의 요구량이 증가하는 것은 약효의 감소때문이 아니라, 환자 통증 증가로 인한 것이다.

(2) 비마약성 진통제(표 29-2)

비마약성 진통제는 aceatminophen과 비스테로이드소염제(non-steroid anti-inflammatory drugs, NSAIDs) 등이 있다. 주로 약한 통증(NRS 1-3점) 조절을 위하여 투여하지만, 중등도 이상의 통증에서도 마약성 진통제와 복합제제 혹은 추가적으로 사용할 수 있다. 비마약성 진통제의 경우에는 천장효과가 있어서 최대 투여량 이상으로 투여하지 않는다. 또한 서로 다른 종류의 NSAIDs 병합은 효과보다 부작용이 증가하여 권장하지 않는다. 약제의 선택은 약제별 특성, 동반 질환, 약물 상호 작용을 고려한다(배상병, 2018). Acetaminophen은 해열, 진통 효과는 있지만, 소

표 29-2. 주로 사용되는 비마약성 진통제

약물	성인통상 용량	1일 최대 용량
Acetaminophen	4시간마다 650 mg	4,000 mg
Aspirin	4시간마다 650 mg	6,000 mg
Diclofenac	8시간마다 50 mg	200 mg
	1일 75 mg 근주	150 mg 근주
Ibuprofen	6시간마다 400-600 mg	3,200 mg
Indomethacin	8-12시간마다 25 mg	200 mg
Ketoprofen	6-8시간마다 50 mg	300 mg
	1일 50-100 mg 근주 200 mg	200 mg
Ketololac	6시간마다 30-60 mg	150 mg
	초회 10 mg 정주, 근주	
	유지량 4-6시간마다 10-30 mg	90 mg
Mefenamic acid	초회 500 mg	
	유지량 12시간마다 250 mg	100 mg
Naproxen	12시간마다 250-500 mg	1,500 mg
Sulindac	12시간마다 150-200 mg	400 mg
Piroxicam	12-24시간마다 근주 10-20 mg	40 mg

염 작용 및 혈소판 억제 작용이 없으므로 출혈 경향이 있는 경우 선택할 수 있다. 그러나 권장용량을 초과하여 복용한 경우 간손상 위험이 있다. NSAIDs는 위장관 출혈, 간독성, 신독성, 심부전, 조혈기능장애의 부작용이 있어 항암치료와 병용 시 관련 항암 치료 부작용의 위험을 증가시킬 수 있다.

⑶ 암성 통증의 진통 보조제

마약성 제제의 진통 작용을 강화하거나, 그 부작용을 줄여주거나 또는 수반되는 다른 증상을 치료하기 위해서 주는 약제이다. 또는 마약성 제제의 용량을 감량할 목적으로 투여되기도 한다. 신경병증성 통증과 골성 통증에 쓰이는 제제들로 나뉜다. 신경병증성 통증에 사용되는 약물들은 일반적으로 적정 효과를 얻기 위해서 몇 주 이상씩 걸리는 경우가 많으므로 급성통증일 경우 acetaminophen, NSAIDs, 그리고/또는 마약성 진통제로 조절하는 것이 바람직하다.

① 신경병증성 통증의 진통 보조제(표 29-3)

가. 항우울제

신경병증성 통증, 중추성 통증 등에 삼환계 항우울제가 쓰인다. 하행성 억제로를 활성화하여 신경전달물질과 그 수용체에 영향을 주어 작용을 하는 것으로 기분을 좋아지게 하고, 마약성 진통제와 병용 시 진통 효과를 상승시킨다. 수면장애, 불안장애, 우울증을 동반한 경우 유용하다. 부작용으로는 항콜린성 증상들로 진정, 입 마름, 변비, 배뇨장애가 나타날 수 있어 심장질환, 전립성 비대증, 신경인성 방광, 치매, 협각성 녹내장 동반 시 사용에 주의를 해야 한다.

나. 항경련제

말초신경장애에 따른 급성통증 및 암성, 신경병증성 통증에 쓰인다. 특히 칼로 베는 듯한 심한 통증이나 타는 듯한 통증에 phenytoin, carbamazepine, valproate, clonazepam 등은 신경의 자동 흥분을 억제한다. Carbamazepine은 일시적인 골수억제 작용이 있어 항암화학요법이나 방사선요법을 시행하는 환자에서는 주의를 요한다. 부작용으로는 두통, 졸림, 어지러움 등의 중추신경계 부작용이 흔하여 저용량으로 시작하여 점차 증량한다.

다. 스테로이드

기분 상승, 항염작용, 항구토작용, 식욕촉진 등의 효과가 있다. 종양 및 신경주위의 부종을 감소시켜 뇌압 상승, 척수신경 압박, 전이성 골통증, 신경침범에 의한 증상에 효과가 있다.

라. 신경이완제

신경근 접합부나 운동신경에 직접적인 영향은 없이 중추신경이나 고위 중추에 작용하여 근이완 효과를 나타낸다. Benzodiazepine, carisoprodol, baclofen, methotrimeprazine 등이 있다.

마. Capsaicin

특히 zoster 관련된 신경병증성 통증에 효과적이다.

② 골성 통증의 진통보조제

가. 비스포스포네이트계(표 29-5)

미만성 골통증(diffuse bone pain)에 효과적이다. Pyrophosphonates의 유사체로 골흡수를 방해한다. 골전이에 의한 통증조절 및 골절 예방과 골전이에 따른 고칼슘혈증의 조절을 위해 쓰인다. Pamidronate는 신기능 이상이 있는 환자에서 주의해서 투여해야 하며 etidronate는 칼슘이나 비타민 D 섭취가 제한된 환자에서 주의해야 한다.

나. 칼시토닌

고칼슘혈증을 조절하고 골전이에 의한 통증조절 및 골절을 예방하기 위해 사용한다.

표 29-3. 신경병증성 통증의 항우울제 사용

약제	시작 용량	최대 용량
Amitriptyline	10-25 mg/d 취침 전	100 mg/d
Nortriptyline	30-75 mg/d 하루 3회 분복	150 mg/d
Duloxetine	60 mg/d 아침 식후 30분	120 mg/d

표 29-4. 신경병증성 통증의 항경련제 사용

약제	시작 용량	최대 용량
Gabapentin	1일: 300 mg qd 혹은 100 mg tid 2일: 300 mg bid 혹은 200 mg tid 3일: 300 mg tid	3,600 mg/d
Pregabalin	시작용량: 75 mg bid 3-7일: 150 mg bid	600 mg/d
Carbamazepine	200-400 mg/d	800 mg/d

표 29-5. 골성 통증의 비스포스포네이트계 사용

약제	용량
Pamidronate	1회 90 mg 4주마다 정주: 300-600 mg 경구투여
Etidronate	시작용량: 5-10 mg/kg/d, 상용량: 10-20 mg/kg/d
Zoledronic acid	1회 4 mg 3-4주마다 정주

5) 방사선치료

약물치료나 물리치료, 행동치료 등의 치료에서 통증이 조절되지 않을 때, 골전이가 있는 경우 혹은 신경 압박이나 골절을 예방하기 위한 목적으로 시행된다. 종양을 직접적으로 치료하면서 통증을 제거함과 동시에 비교적 비침습적이고 통증완화 효과가 높은 장점이 있다. 약물치료는 진통제의 단계를 높이거나 양을 늘려야 하나 방사선치료는 통증이 완전 소실되거나 혹은 진통제의 양을 줄일 수 있다. 그러나 환자의 상태와 급성 혹은 만성 부작용을 고려하여 치료계획을 세워야 하며 경제적인 측면도 고려되어야 한다.

6) 신경차단법

신경차단, 신경절단, 신경자극 그리고 약제주입장치 삽입 등을 시행하나 기본적으로는 약물치료가 우선이고 약물투여가 어려울 경우 시행한다.

(1) 국소마취제에 의한 신경차단

국소마취제나 신경용해제를 사용한 신경차단을 하면 50-80%의 환자에서 효과가 있다고 한다. 신경차단을 하면 마약성 진통제를 25-50% 정도를 줄일 수 있다. 악성병변과 함께 흔히 발생하는 근근막통증증후군, 반사성 교감신경성 위축증, 신경근병증, 말초신경병증 및 대상포진 등에도 효과를 볼 수 있다.

암 환자에서 발생하는 신경병증성 통증 즉 신경근, 신경총 혹은 큰 신경간의 암 침윤이나 압박으로 인한 통증은 흔히 사용되는 전신적 또는 경막외 마약으로 잘 조절되지 않으며 오히려 스테로이드나 국소마취제의 신경주위 주사로 효과를 볼 수 있다.

(2) 신경파괴제에 의한 신경차단

마약류를 대량 투여해도 완전한 진통 효과를 얻지 못하는 경우 신경파괴제에 의한 신경차단으로 장기간 진통효과를 얻을 수 있고 진통제의 용량을 감소시켜 부작용을 줄이면서 진통효과를 극대화시킬 수 있다. 장점은 장기간 통증 제거가 가능하고 반복시술도 가능하며 입원기간을 단축시킬 수 있다. 단점은 때때로 차단 효과를 예측할 수 없고 국부에 마비 같은 합병증이 생길 수 있으며 정확한 차단을 위해 C-자형 영상증강 장치가 필요한 때도 있다.

신경파괴제로는 25-100% ethanol이나 3-12% phenol을 주사하여 말초신경을 차단할 수 있는데 평균 6개월 정도의 효과가 있다고 한다.

이러한 신경차단은 마약성 제제로 통증이 제거되지 않은 경우 최후의 수단으로 선택할 것이 아니라 강한 진통제가 필요한 정도로 통증이 심해졌을때 신경차단법을 적용하는 것이 바람직하다.

7) 신경외과적 치료

모든 암성 통증 환자 중 70-90%에서 적절한 약물을 투여하고 진통치료법으로 통증완화가 이루어지며 통증완화에 실패한 환자들은 침습적 치료법이 중요한 역할을 하게 된다. 침습적 치료법 중 신경외과적 수술법은 약물적 진통치료가 실패한 경우에 고려하게 된다. 신경외과적 수술방법 중 경험이 있는 의사에 의해 시행되고 정위적 또는 경피적 방법에 의한 수술적 치료로, 진행된 병약한 암 환자에서도 적은 이환율과 치사율을 가지고 통증치료를 시행할 수 있다.

신경절제술과 신경극술 그리고 마약제 공급을 위한 펌프 삽입이 있으며 신경절제술은 말초신경절제, 신경근 절단술, 신경로 절단술, 척수 절개술, 뇌하수체절제술 등이 있다.

8) 물리적 통증조절법과 심리사회적 통증

조절법물리적 치료는 열치료, 냉치료, 마사지, 운동, 부동화, TENS 등이 있으나 암성 통증에 적용한 연구보고는 없거나 부족한 실정이다.

3. 부인암 환자에서 영양 공급

부인암 환자의 영양부족상태는 입원 환자의 50%까지 보고될 정도로 흔하다. 심하면 악액질(cachexia) 상태로 진행되어 암 환자 사망원인의 20%를 차지하기도 한다. 악액질과 체중감소는 암 환자에서 흔한 증상이고, 삶의 질과 생존율에 막대한 영향을 미칠 수 있다. 영양실조(malnutrition) 역시 흔한 증상이며 저평가되는 경우가 많다. 이는 암치료에 부정적인 영향을 끼칠뿐만 아니라 삶의 질도 심각하게 타격받을 수 있다. 문제가 가장 심각한 것은 복강 내로의 전이를 동반한 진행된 난소암 환자에서 볼 수 있다. 초기에 적절하게 영양적 중재를 하면 수술, 방사선치료, 항암제 치료 등의 암치료를 받는 환자들의 능력을 향상시킬 수 있다. 불량한 영양 상태는 약물요법이나 방사선치료에 견디는 환자의 능력을 약화시키고 장기의 기능을 손상시켜 심각한 합병증을 유발시키므로 질병의 이환율과 사망률을 증가시킨다(Shilis et al., 1979). 단순 금식의 경우 체내 단백질과 칼로리, 지방의 소비를 최소화하기 위해 대사작용이 모두 감소하든지 최소한의 증가만 있다. 반면에, 암 환자에서는 비효율적으로 열량을 소비하므로 대사 작용이 감소하기도 하지만 대부분의 대사 작용이 증가되며 체내 단백질, 지질, 칼로리 감소가 심화된다. 암 환자의 적절한 영양 공급은 체중의 감소를 막고, 기능을 회복시키고, 생활의 질을 유지시키는 것이 치료의 목표이다.

1) 영양 평가

일반적으로 양성(benign)부인과수술을 받기로 예정된 환자들은 영양이 충분하므로, 대부분은 영양 공급을 필요로 하지 않는다. 그러나 부인암수술이나 수술 후 오랜 동안의 회복기간이 필요한 기타 부인과적 시술 시에는 모든 환자에서 영양 평가가 필요하다. 영양 상태 평가는 환자가 정상식사를 할 수 있을 때까지 수술 후 규칙적으로 수행되어야 한다. 영양 평가에는 주의 깊은 병력청취 및 신체검진이 포함되며 이는 가장 유용하며 믿을 수 있고 비용 효과적인 방법이다. 특히 환자의 식사 기록뿐만 아니라 최근의 체중 감소에 관한 정보도 주목해야 한다. 영양 불량의 증거들로 신체검진 시 측두부 쇠약(temporal wasting), 근 위축, 복수, 부종 등이 발견될 수 있다. 정확한 신장과 체중 측정 및 표준체중(ideal body weight), 퍼센트 표준체중(percent ideal body weight), 퍼센트 평상시 체중(percent usual body weight)을 측정해야 한다. 환자들 중 표준체중(ideal body weight)의 6% 이하로 체중이 감소한 경우는 수술 전 영양적인 조정을 필요로 하지 않으나, 12% 이상 체중감소가 있는 경우는 수술 전 영양적 중재가 필요하다. 6%에서 12% 사이로 체중감소가 있는 경우에는 수술 전 조정이 필요한지 추가검사를 해야 한다. 그 외에 (1) 혈청 알부민이 3.5 mg/dL 이하, (2) 절대 림프구수가 1,500/mm^3 이하, (3) 혈청 트렌스페린이 150 mg/dl 이하, (4) 일반적인 피부검사 항원에 대한 반응 소실 등이 있는 경우는 영양 평가 대상자이다.

수술 전 정규검사 외에도, 알부민(albumin), 트렌스페린(transferrin), 아연(zinc), 지방(lipid), 간기능검사를 해야 한다. 선별된 환자들의 경우 비타민 B12, 엽산(folate),

구리(copper), 망간(manganese), 프로트롬빈 시간(prothrombin time), 크레아틴(creatine) 수치의 추가검사가 영양 평가에 유용하다. 영양 평가를 위한 다양한 방법들, 즉 동위원소 희석법(isotope dilution), 감마 중성자 활성화법 (γ neutron activation), 인체 계측 방법(anthropometric measurement)등이 개발되어 왔다. 인체 계측법 중 피부 주름 두께(skin fold thickness)와 팔 근육 둘레는 전체 체지방과 순수 근육 부피(lean muscle mass)를 측정한다. 동위원소 희석법은 나트륨(sodium)과 칼륨(potassium)의 교환되는 비율을 검출하여 체세포 부피(body cell mass)를 측정함으로써 만성영양결핍의 또 다른 지표를 제공한다. 전신 계수법(whole body counter)은 세포내 방사성 칼슘(radioactive calcium)을 측정하여 골격근의 부피를 평가한다. 최근에는 감마 중성자 활성화법으로 체내 총 질소(total body nitrogen)를 검사하여 체내 총 단백질을 측정한다(Shizgal et al., 1976; Hill et al., 1982). 그러나, 이들 방법들은 재현성(reproducibility)이 없으며 영양 평가나 임상적 결과 예측에는 비효율적이다(Bozzetti et al., 1985; Blackburn et al., 1977).

영양 결핍을 평가하는 또 다른 방법으로 혈청내 알부민(albumin), 트렌스페린(transferrin), prealbumin과 레티놀 결합 단백질(retinol binding protein)등의 농도를 측정하는 것이 있다. 이들 혈청내 단백질의 농도는 환자의 수분 상태에 따라 크게 영향 받는다. prealbumin과 레티놀 결합 단백질은 짧은 반감기를 가지며, 혈청내 트렌스페린과 알부민(각각, 8일, 20일의 반감기)에 비해 매우 일찍 농도가 감소한다(Bistrian, 1984)(표 29-6). 결핍 상태를 빠르게 평가하는 방법으로 체중, 식욕, 혈청 알부민 농도를 측정한다. 3주 동안 의도하지 않은 5파운드(2,268 gm: 약 2 kg) 이상의 체중 감소, 식욕부진, 3.5 gm/dl 미만의 혈청 알부민 농도 등은 영양 결핍을 암시한다. 혈청 알부민은 부인과적 암을 가진 환자의 영양 결핍을 평가하는 예후 영양 지표(prognostic nutritional index, PNI)를 대체할 수 있는 훌륭한 지표이다(Santoso et al., 2000).

표 29-6. 영양실조일 때 혈중 내에서 감소하는 단백질들의 반감기

단백질	반감기
알부민	3-4주
트렌스페린	1주
Prealbumin	2일
레티놀결합단백질	10시간

2) 면역반응

절대 림프구 수(absolute lymphocyte count)와 지연성 표피 과민반응(delayed cutaneous hypersensitivity)은 영양 결핍 환자에서 면역기능장애의 비특이적 지표이다(Chen et al., 1991). 기아가 만연된 지역에서는 병원이나 외부 환경에서 기회감염(opportunistic infection)의 위험성이 증가하는데 이는 C3를 포함하는 보체성분(complement component) 수치의 감소, 체외로 분비되는 면역 글로불린 A (immunoglobulin A)의 감소, T-세포기능의 이상, 기타 상피세포의 통합성 감소, 점액 생성 감소, 섬모운동의 감소 등에 기인한다. 영양 결핍이 면역기능의 감소를 초래하는 정확한 기전은 아직 확립되어 있지 않다. 임상적인 검사와 더불어 정규 혈액검사로 영양 결핍을 측정할 경우 환자들의 70% 이상에서 정확한 측정을 할 수 있다(McNamara et al., 1996). 그러나, 각 검사들의 어려움 때문에 모든 입원 환자들의 정규 자료의 한 부분으로 포함되지는 않는다.

3) 예후 영양 지표

예후 영양 지표는 신체계측 및 혈액검사를 포함하여 하나의 지표 숫자로 계산한 것이다. 이는 수술 후 이환율과 사망률 증가의 선형 예측 모형(linear predictive model)으로 혈청 알부민(A, g/dL), 삼두박근 피부 두께(triceps skin fold, TSF, mm), 혈청 트렌스페린(transferrin, TFN, mg/dL), 지연성 과민반응검사(DH, 0-2)를 이용한다. 공식은 다음과 같다.

$$PNI\% = 158 - 16.6(A) - 0.78(TSF) - 0.2(TFN) - 5.8(DH)$$

예를 들면, 영양 상태가 좋은 환자가 A=4.8, TSF=14, TFN=250, DH=2일 때, PNI는 158.0-152.2 또는 5.8%의 합병증이 발생할 수 있다. 한편 영양 결핍 환자가 비정상적인 수치들(A=2.8, TSF=9, TFN=180, DH=1)을 보이는 경우 PNI는 158-95.3 또는 62.7%의 합병증이 발생할 확률이 있다. PNI가 40 미만인 경우는 영양 상태가 좋은 것으로 보며, 40을 초과하는 경우 영양 결핍의 증거로 본다. 76명의 부인과 암 환자를 대상으로 연구한 논문에서는 혈청 알부민이 PNI를 대신하여 영양 결핍을 발견할 수 있다고 보고하였다(Santoso et al., 2000).

4) 암과 대사장애

암은 특히 영양 대사에 영향을 준다. 전이된 암이나 국소부위에 암이 있는 환자는 전체 체내 당대사, 총 체내 단백질 파괴와 인슐린 저항성이 증가되어 있다(Herber et al., 1986). 일단 심한 영양 결핍이 존재할 경우, 지속적으로 비경구 또는 경구로 충분한 영양을 공급해도 그러한 비정상적인 대사장애를 교정하기가 어렵다(Herber et al., 1986; Giannotti et al., 1997; Laughlin et al., 1977). 암 환자의 대사장애와 그 결과를 표 29-7로 나타내었다.

5) 영양 공급의 필요

영양 공급 결정에 영향을 주는 환자의 영양 상태에 대하여 두 가지의 중요한 요인이 있다. 첫째는 영양 평가 이전의 영양 결핍 정도이며 둘째는 영양적인 재활을 방해할 것으로 예측되는 과도한 대사항진(hypermetabolism)이나 대사장애의 정도이다. 만약 이전의 영양 결핍 상태가 미미하고 정규 수술 후 약간의 대사 항진만 있는 경우에는, 영양 공급을 일시적인 형태로 할 수 있다. 한편, 환자가 이미 심한 영양 결핍을 회복하기 위해 과도의 칼로리가 필요한 경우에는 경구나 비경구요법으로 칼로리를 강제적인 투여해야한다. 즉 만약 환자가 7일간의 영양 공급이 없을 예정이라면, 다른 형태의 영양 공급이 사용되어야 하며, 영양 공급이 2주 이상 계속될 예정이라면 경구나 비경구 방법으로 공급할 수 있는 지속적인 영양 공급관을 사용하고, 집에서 경구나 비경구로 영양 공급을 할 수 있게끔 해주어야 한다(표 29-8, 그림 29-4).

표 29-7. 암으로 인한 대사장애 및 결과

숙주의 대사장애	결과
혈당 생성 증가	빠른 체중감소, 근위축
지질 동원 증가	고중성지방혈증, 빠른 쇠퇴
인슐린 저항성 증가	고혈당, 고중성지방혈증
종양체액성인자(tumor humoral factor)로 인한 저혈당증	실신, 피로
종양 체액성 인자로 인한 설사증후군	전해질장애

표 29-8. 부인과암으로 입원한 환자들에서 비경구 영양요법의 적응증

수술 전후	영양 결핍으로 경구식이 하지 못하는 환자에서 수술 전 7-10일 동안 혹은 수술 후 합병증으로 7-10일 이상 금식이 필요한 경우. 장피 누공(enterocutaneous fistula)
항암제나 방사선치료	경구식이 못하는 영양 결핍 환자에서 신체 활력도(performance status)를 최대화하기 위해 심하게 지속되는(7-10일) 점막염증, 설사, 장폐색증, 구토
일반적 적응증	다른 원인으로 인해 7-10일 이상 경구로 식사가 불가능할 때

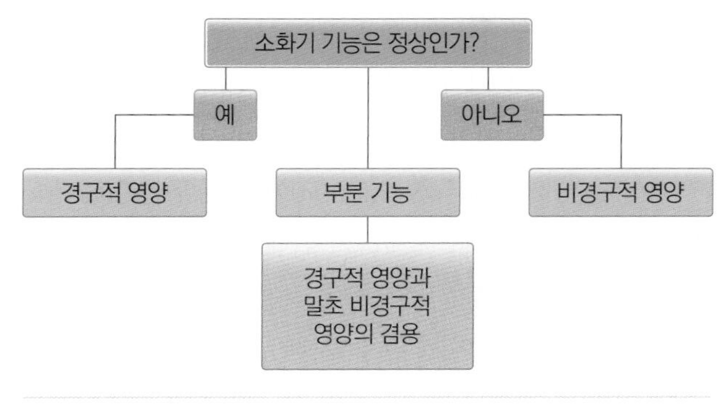

그림 29-4. **경구적/비경구적 영양**

6) 영양 공급 방법

비경구와 경구요법에 대한 선택은 위장관의 기능 상태를 반드시 고려해야 한다(그림 29-4). 만약 위장관 상태가 정상적으로 기능을 하는 경우 시행하는 비경구 영양요법에서는 이에 대한 비용이나 합병증을 고려해야 한다.

(1) 경구적 방법

이전의 영양 결핍으로 장관계가 위축된 경우에는 특별한 성분의 식이요법으로 재활의 시기를 거쳐 환자가 점차적으로 정규식이로 진행할 수 있게 해야 한다(Sirbu et al., 1967). 이미 심한 영양실조와 대사가 항진된 환자는 위장관계의 영양 회복을 위해 경구와 동시에 비경구식으로 영양 공급을 하는 것을 조심스럽게 고려해야 한다. 경구적으로 영양 공급을 하는 것은 효과적인 영양소의 공급방법이며 아울러 장의 정상적인 연속성을 유지시키는 장점이 있다. 더욱이 경구적인 영양 방법은 비교적 안정되고 매우 경제적이라는 이점이 있다. 중환자에게도 적당한 장기능이 있기 때문에 장의 점막기능을 유지하거나 점막의 위축을 예방하기 위해서는 경구적 영양 공급이 좋으며 이때 충분한 칼로리 공급을 위해서는 말초 혈관을 이용하여 보조적 영양 공급을 하는 수도 있다. 경구적 방법으로는 경비위관(nasogastric tube), 위루관(gastrostomy tube)과 공장루관(jejunostomy tube) 등이 있다. 위루관과 공장루관이 경비위영양관보다 자극이 적고 환자가 수용하기가 좋다. 위루관으로는 시간당 100 kcal 이하로 등장성 용액을 장 내로 밤새 공급하면, 다음날 일상생활을 할 수 있다. 비정상적 위운동이나 역류성 식도에서는 영양분을 천천히 계속해서 공급하거나 유문부를 통과하여 공장으로 공급하는 관을 사용해야 한다. 설사는 경구적 영양 공급의 흔한 합병증이며 다음과 같은 방법으로 교정이 가능하다.

① 주입 속도를 감소시킨다. 위장관계의 기능장애가 상피세포의 위축때문이라면, 주입 속도를 점차적으로 높여야 하며, 처음 시작 시에는 시간당 25 mL로 투여하고, 매 48시간마다 2배씩 올린다.
② 경구식으로 투여되는 영양을 등장성 식사로 바꾼다. 고칼로리나 고나트륨식으로 투여되는 영양식은 대부분 고장성 식이이므로 등장성 식이로 바꾸면 장의 과활동성을 줄일 수 있다.
③ 위장관 운동을 감소시키기 위해 여러 약제들을 사용한다. 부분적으로 장이 막힌 경우라면 주의 깊게 사용해야 한다.
④ 경구투여를 줄이고 일시적으로 말초 혈관을 이용한 비경구투여를 같이 사용한다. 만약 수술 후 7일 이상 위장관계로 투여가 가능하지 않다면 총정맥영양 공급(TPN)을 제공해야 한다.

(2) 비경구적 방법

전비경구적 영양요법(total parenteral nutrition, TPN)은 모든 칼로리를 정맥 내로 덱스트로스, 아미노산과 지방 유탁액을 투여하여 공급하는 방법이다. 이 방법은 얼핏 보기에 확실해 보이지만 장기능이 있는 영양실조 환자에서는 이점이 없다. 단지 항암화학요법이나 방사선치료 중에 점막염증, 오심, 구토로 정상적인 음식물 섭취를 못하는 환자에게서 치료를 계속하기 위해서 일시적 보조조치로 이용할 수 있다. 또 위장관 누공이 있어 경구적 영양 공급이 불가능한 환자에게 사용한다. 비경구적 방법으로는 보통 쇄골하 정맥이 사용되며 환자에게는 무균적 조작과 주입장비의 사용에 대한 교육이 필요하다. 그 외 경구적 방법과 비경구적 방법을 겸용하여 사용하기도 한다.

(3) 영양 보충에 대한 반응의 평가

영양 보충의 목적이 동화 상태의 달성 또는 질소 손실의 최소화이기 때문에 질소 평형(nitrogen balance)의 평가가 치료효과를 결정하는 데 가장 유용한 임상적 수단이다. 질소 평형은 질소 섭취와 질소 배설 사이의 차이이다. 질소 1 g은 단백질 6.25 g에 해당한다. 그래서 질소 섭취는 단백질 섭취량을 6.25로 나누는 것으로 정해진다. 질소 배설은 24시간당 배설된 소변 질소에 측정 불가능한 질소 손실 즉 대변으로의 배출(1 g), 피부로부터의 손실(0.2 g), 소변으로의 비요소 질소의 소실(2 g) 등으로 산출된 값인 4.0 g/24 hr을 더한 값으로 정의된다(Calloway et al., 1954).

질소 섭취의 수준에 관계없이 질소 평형은 비단백 칼로리 섭취의 증가에 따라 향상된다. 최대 효과는 비단백 칼로리와 질소(g)의 비가 150:1일 경우 나타난다(Dietary, 2002).

단백질은 필수아미노산과 비필수아미노산의 혼합에 따라 그 생리적인 가치(biologic value)가 변한다. 알부민은 아미노산의 이상적인 혼합으로 되어 있으며 생리적인 가치는 100이다. 카제인(casein)은 알부민과 생리학적으로 비슷하나, 스테이크나 참치에서의 고기 단백질은 생리적인 가치가 80이다. 생리적인 가치가 40 미만인 옥수수와 콩은 생리적인 가치가 80인 단백질과 혼합이 되는데 이는 이들 단백질들이 서로 보조적이기 때문이다. 정상 성인의 단백질 요구량은 우유나 알부민과 같은 높은 생리적 가치가 있는 단백질 기준으로 0.55 g/kg이며. 평균적인 식사에서는 단백질들의 혼합물로 0.8 g/kg 정도이다(Pillar et al., 1990).

(4) 합병증

경구적 영양 보충 시 합병증은 기계적 또는 대사적 합병증이 있을 수 있는 반면, 비경구적 영양 보충 시 합병증은 기계적, 대사적 합병증 외에 감염이 있을 수 있다.

① 경구적 영양의 물리적 합병증으로는 특히 반의식 환자나 연하장애 환자에 있어 흡인(aspiration)을 들 수 있다. 이 문제는 영양관의 적절한 위치 선정이나 위출구 폐색(gastric outlet obstruction)이나 위 무력증(gastric atony)의 가능성을 배제하기 위해서 금식 8시간 후 잔여 위 내용물의 양을 측정하여 적절히 조절함으로써 줄일 수 있다. 후자의 경우가 발생한 경우 영양관을 공장에 놓이게 하면 되고 영양관이 적당히 놓였는지는 방사선검사로 확인할 수 있다. 직경이 크거나 유연성이 덜한 영양관의 사용으로 구강인두와 위점막에 자극을 줄 수 있으며 실리콘 고무나 폴리 우레탄관을 사용함으로써 줄일 수 있다.

② 이러한 경구관 투여의 가장 흔한 합병증은 설사이며(Heymsfield et al., 1979) 투여 속도를 조심스럽게 증가시키는 것이 도움이 된다. 오랜 기간의 기아는 위장관계 상피세포의 위축과 소화장애를 일으키며, 결과적으로 설사를 유발한다. 그리고, 여러 약제나 장염(Clostridium difficile 등)에 의해서 또는 고장성 경구식을 급속히 투여할 경우에도 발생한다. 대부분의 경구식에는 락토스가 빠져 있으므로, 락토스 내성은 거의 설사를 유발하지 않는다.

③ 노인에게서 고장성 경구용액 투여 시 적절한 수분을 공급하지 않으면 과나트륨혈증과 동반된 탈수가 발생할 수 있다. 또한, 고탄수화물 경구용액을 사용할 경우 당뇨가 없었던 환자에게서 당뇨가 생길 수도 있다.

④ 비경구 영양의 합병증은 경구 영양 때보다 심각한 경우가 많은데(Feliciano et al., 1979) 폐기흉과 쇄골하 정맥 혈전증이 도관과 연관된 가장 흔한 합병증이다. 폐기흉은 도관 삽입 시 약 1-2%에서 발생할 수 있다. 그러므로 도관 설치 후 그 위치나 폐기흉의 발생 여부를 확인하기 위해서는 흉부촬영이 필수적이다. 폐기흉은 보통 자연치유되지만 가끔 흉관 삽입이 필요할 때도 있다. 중심정맥의 도관에 의한 혈전이 비경구 영양을 하는 환자의 5-10%에서 보고된 바 있다(Covelli et al., 1981). 특히 패혈증이나 종양 등으로 인한 응고 항진 상태인 환자들에

있어 이러한 합병증을 예방하기 위해 도관을 헤파린액(300 U/mL)으로 세척해야 한다. 혈전증이 발생했을 때에는 도관을 제거해야 하며, 혈전증을 치료하기 위한 헤파린 투여 시에는 말초정맥을 통한 영양이 이루어져야 한다.

⑤ 비경구 영양을 위한 중심도관의 2-5%에서 감염이 발생한다. 대부분의 감염은 그람 양성균과 같은 피부 감염을 통해서이며 병원 감염과 같은 경우, 진균이나 드물게 박테리아 등을 포함할 수 있다. 환자가 열이 나고, 96시간 이내에 감염의 근원을 밝힐 수 없을 때 도관은 제거되어야 하고 도관과 연관된 감염의 증거로 균배양을 실시해야 한다.

⑥ 광범위 항생제 투여 환자에서 전신 캔디다증이 발생할 수 있으며 특유의 증상인 안저에서의 면화 모양의 삼출액(cotton-wool exudate)의 존재를 확인해야 하며, 특히 진균의 분리를 위한 특수 배양을 해야 한다. 이러한 감염은 암포테리신으로 치료한다. 사망 시까지 비경구 영양을 해야 되는 환자에게 있어 중심 정맥 도관의 이용은 단지 여덟 군데만이 가능하기 때문에 도관을 제거하는 결정은 아주 조심스럽게 이루어져야 한다.

⑦ 여러 가지 대사성 합병증이 비경구적 영양 공급 시 발생할 수 있다. 가장 흔한 경우가 과다 투여하는 경우로, 이산화탄소의 과다생성을 초래하여 폐질환 환자에게 있어 호흡성 문제를 일으킬 수 있다(Ryan et al., 1976). 과혈당증이 일시적 인슐린 저항이나 상대적 인슐린 결핍에 의해 발생할 수 있다. 이런 경우 인슐린을 경피적 혹은 비경구적으로 수액에 섞어서 사용할 수 있으나, 비경구 수액에 아세테이트 중화제 사용 후 많이 감소하였다. 인산염, 포타슘, 칼슘, 마그네슘을 과다 또는 부적절하게 투여하거나 혹은 신부전이나 장관루 등 그 자체가 전해질 이상을 초래할 수 있다(Fleming et al., 1976(1)).

⑧ 아연, 구리, 크롬 등의 미세 무기질 결핍은 비경구액에 일상적으로 첨가되기 때문에 거의 일어나지 않는다(Fleming et al., 1976(2)). 질소 혈증은 신부전 환자나 비단백 칼로리 아미노산이 과다 투여한 경우 발생할 수 있으나, 아미노산 투여의 감량으로 간단하게 치료될 수 있다(Chen et al., 1974). 필수지방산 결핍은 정맥내 지방유제의 사용이 보편화된 이후로는 거의 발생하지 않는다(Goodgame et al., 1978). 대부분의 경우 비경구적 영양과 관련된 대사성 합병증은 매일 투여량과 배설량을 감시하여 적절한 수분, 전해질 처치를 하면 좋은 반응을 보인다.

(5) 칼로리 요구량의 계산(calculation of caloric requirements)

환자의 하루 칼로리 요구량을 계산하는 가장 정확한 방법은 간접적인 열량계(calorimetry)측정법이나 비용이 많이 드는 단점으로 임상에서는 일반적으로 사용되지 않는다. 칼로리 요구량은 활동 시 대사량(Actual Energy Expenditure, AEE)에 대한 Harrison-Benedict 공식의 Long's 변형(modification)에 기초하여 계산할 수 있다(Long et al., 1979). 이는 개개인의 활동 시 대사량을 계산하는 가장 정확하고 유용한 방법이다.

AEE(여성)=(655.10 + 9.56 체중(kg) + 4.85 신장(cm) − 4.68 나이(yr)) × 활동 인자 × 손상 인자

활동인자: 침대에서 고정된 상태(1.2), 침대 밖 생활(1.3)

손상인자: 소수술(1.2), 골격 손상(1.3), 심한 패혈증(1.6), 심한 화상(2.1)

① 매일 필요한 칼로리 요구량은 환자의 기초 대사량보다 1,000 kcal를 더 공급함으로써 충분하다. 즉, 일일 칼로리 요구량은 유지를 위한 하루 35 kcal/kg과 동화 상태(anabolic state)를 위한 하루 45 kcal/kg를 공급하면 충족된다. 일일 질소 요구량은 매 125-150칼로리마다 질소 1 g(단백질 6.25 g)을 공급하면 된다. 대략적인 단백질 요구량은 표준 체중(또는 평상시 체중) kg당 약 1.0 g으로 계산할 수 있다.

② 비단백 칼로리 요구량은 먼저 다음 공식에 따라서 투여되는 질소의 양을 측정함으로써 산출될 수 있다. 즉, 1 g 질소=6.25 g 단백질이다. 경구든 비경구든 간에 질

소 1 g당 150 비단백 칼로리가 투여되어야 한다. 그러므로 비단백 칼로리의 산출은 다음의 공식에 따르게 된다.

비단백 칼로리=단백질 요구량×150÷6.25

다른 방법으로 전체 칼로리에서 단백 칼로리를 빼면 단순히 구할 수도 있다.

③ 혈당 산화작용의 최대 속도는 하루에 약 7 g/kg이다. 환자에게 높은 칼로리 요구량이 있거나 당뇨가 있는 경우에는 지질의 형태로 칼로리를 공급받아야 한다. 인슐린은 혈당을 150-250 mg/dL 사이로 유지하기 위해 사용해야 하며, 총정맥내 영양 공급에 첨가되기도 한다. 칼로리 요구량보다 과다하게 당을 공급하면 간에 지방이 축적되거나 다른 대사 합병증을 초래할 수 있다. 일반적으로 전체 칼로리의 50%를 탄수화물로 공급한다.

④ 지질은 10-20% 유제(emulsion) 형태로 하여 추가 칼로리 공급으로 줄 수 있다. 더 필요한 칼로리는 자유 지방산 형태로 공급되며 이는 대부분의 말초조직에서 에너지 원으로 사용된다. 지질이 칼로리의 주요 원천으로 사용되는 경우에, 당(glucose)을 하루에 최소 50-150 g을 투여하여 중추 신경계에서 사용하도록 해야 한다. 대부분의 환자들은 하루에 지방 2 g/kg까지 공급이 가능하나, 하루 용량이 4 g/kg를 초과하면 안된다. 이들 지방 유제들은 등장성이며 단백질과 탄수화물 혼합액과 3 L 수액용기에 섞어 24시간 동안 동시에 투여할 수 있다. 일반적으로 비단백 칼로리의 30-50%는 지질 형태로 공급되어야 한다. 혈청 중성지방의 수치를 점검하여 환자가 지방을 대사시키는지 관찰하여야 한다. 필수지방산(linoleic acid와 linolenic acid)을 위한 절대적인 지방 요구량은 전체 칼로리의 4%에 불과하다. 그러나 경구나 비경구로 투여되는 지방의 양은 일반적으로 이 양을 넘는다. 실제로 단백질과 탄수화물 칼로리를 산출하여 최소한의 전체 필요한 요구량을 충족시킨 후 남은 요구량의 칼로리는 지방으로 줄 수 있으며, 최대 허용량은 총 칼로리의 60% 이하여야 한다.

⑤ 칼로리와 단백질뿐만 아니라 영양 공급은 전해질, 비타민, 미량 원소들의 경우에도 유지되어야 한다. 전해질들의 일일 요구량은 다음과 같다. 나트륨 60- 120 mEq, 칼륨 30-40 mEq, 염소 60-120 mEq, 마그네슘 8-10 mEq, 칼슘 200-400 mg, 인 300-400 mg, 많은 양의 비타민과 미량 원소들을 반드시 공급하여 환자가 정상적인 대사 과정인지 확실히 해야 한다.

참고문헌

- 국립암센터. 암성통증관리지침 권고안. 6th ed. 2018.
- 국립암센터. 2017 호스피스 완화의료 현황. 2019.
- 대한마취과학회. 마취통증의학. 도서출판 여문각; 2003.
- 대한통증학회. 통증의학. 제2판. 파주: 군자출판사; 2000.
- 문재영, 신용섭. 중환자실 임종기 돌봄. Korean J Crit Care Med 2013;28:163-72.
- 배상병, 이상철. 암성 통증의 약물치료. 대한내과학회지 2018;93:260-5.
- 윤영호. 말기환자의 삶의 질 향상을 위한 호스피스 제도화. J Korean Med Assoc 2008;51:530-5.
- 홍영선. 연명치료 중지와 완화의료. J Korean Med Assoc 2012;55:1188-92.
- Anderson B, Lutgendorf S. Quality of life as an outcome measure in gynecologic malignancies. Curr Opin Obstet Gynecol 2000;12:21-6.
- Bennahum D. The historical development of hospice and palliative care. In: Forman W. Kitzes J, Anderson R, et al. eds. Hospice and Palliative care: Concepts and Practice. 2nd ed. Sudbury: MA: Jones and Bartlett; 2003. p.1-11.
- Bistrian BR. Nutritional assessment of the hospitalized patient: a practical approach. In: Wright RA, Heymsfield SN, eds. Nutritional assessment. Boston: Blackwell Science; 1984.
- Blakburn GL, Bistrian BR, Maini BS, et al. Nutritional and metabolic assessment of the hospitalized patient. JPEN J Parenter Enteral Nutr 1977;1:11-22.
- Bozzetti F, Migliavacca S, Gallus G, et al. "Nutritional" markers as prognostic indicators of postoperative sepsis in cancer patients. JPEN J parenter Enteral Nutr 1985;9:464-70.
- Calloway D, Spector H. Nitrogen balance as related to caloric and protein intake in active young men. Am J Clin Nutr 1954;2:405-11.
- Chen MK, Souba WW, Copeland EM. Nutritional support of the surgical oncology patient. Hematol Oncol Clin North Am

1991;5:12.
- Chen WJ, Oashi E, Kasai M. Amino acid metabolism in parenteral nutrition: with special reference to the calorie: nitrogen ratio and the blood urea nitrogen level. Metabolism 1974; 23:1117-23.
- Covelli HD, Black JW, Olsen MS, Beekman JF. Respiratory failure precipitated by high carbohydrate loads. Ann Intern Med 1981;95:579-81.
- Dietary Reference Intakes for Energy, Carbohydrate, Fat, Fatty Acids, Cholesterol, Protein, and Amino Acids 2002. This report can be accessed via www.nap.edu.
- Emanuel EJ: Palliative and End-of-Life Care. In: Harrison's Principles of Internal Medicine. 18th ed. Edited by Shanahan JF, Davis KJ: USA, McGraw-Hill Companies; 2012.
- Feliciano DV, Mattox KL, Graham JM, Beall AC Jr, Jordan GL Jr. Major complications of percutaneous subclavian vein catheters. Am J Surg 1979;138:869-74.
- Fleming CR, Hodges RE, Hurley LS. A prospective study of serum copper and zinc levels in patients receiving total parenteral nutrition. Am J Clin Nutr 1976;29:70-7.
- Fleming CR, McGill DB, Hoffman HN, Nelson RA. Total parenteral nutrition. Mayo Clin Proc 1976;51:187-99.
- Giannotti L, Braga M, Vignali A. Effect of route of delivery and formulation of postoperative nutrition in patients undergoing major operations for malignant neoplasms. Arch Surg 1997;132:1222-9.
- Glare P, Sinclair CT. Palliative medicine review: prognostication. J Palliat Med 2008;11:84-103.
- Goodgame JT, Lowry SF, Brennan MR. Essential fatty acid deficiency in total parenteral nutrition: time course of development and suggestions for therapy. Surgery 1978;84:271-7.
- Herber D, Byerley LO, Chi J, Grosvenor M, Bergman RN, Coleman M, et al. Pathophysiology of malnutrition in the adult cancer patient. Cancer 1986;58:1867-73.
- Heymsfield SB, Bethel RA, Ansley JD, Nixon DW, Rudman D.Enteral hyperalimentation: an alternative to central venous hyperalimentation. Ann Intern Med 1979;90:63-71.
- Hill GL, Beddoe AH. In vivo neutron activation in metabolic and nutritional studies 1987;1:270.
- Jocham HR, Dassen T, Widdershoven G, Halfens R. Quality of life in palliative care cancer patients: a literature review. J Clin Nurs 2006;15:1188-95.
- Jonathan SB, Neville FH. Berek & Hacker's Gynecologic Oncology. 5th ed. Philadelphia (PA): Lippincott Williams & Wilkins; 2010. p.837-57.
- Last Acts Palliative Care Task Force. Precepts of Palliative Care. Available at: www.lastacts.org. 2004.
- Laughlin EH, Dorosin NN, Philips YY. Total parenteral nutrition: a guide to therapy in the adult. J Fam Pract 1997;5: 947-57.
- Long CL, Schaffel N, Geiger JW, et al. Metabolic response to injury and illness. Estimation of energy and protein needs from indirect calorimetry and nitrogen balance. JPEN J Parenter Enteral Nutr 1979;3:452-6.
- McNamara JM, Alexander R, Norton JA. Cytokines and their role in the pathophysiology of cancer cachexia. JPEN J Parenter Enteral Nutr 1996;16:S50-1.
- National Hospice and Palliative Care Organization. Available at: www.nhpco.org. 2004.
- NCPC. Commissioning End of Life Care. In: Care NCPC, editor. UK: NCPC pp 4, 2011.
- Pillar B, Perry S. Evaluating total parenteral nutrition: final report and statement of the Technology Assessment and Practice Guidelines Forum. Nutrition 1990;6:314-8.
- Ryan JA. Complications of total parenteral nutrition. In: Fischer JE, ed. Total parenteral nutrition. Boston: Little Brown; 1976. p.55.
- Santoso JT, Canada T, Latson B, et al. Prognostic nutritional index in relation to hospital stay in women with gynecologic cancer. Obstet Gynecol 2000;95:844-6.
- Shilis ME. Principles of nutritional therapy. Cancer 1979;43: 2093.
- Shizgal HM, Spanier AH, Kurtz RS. Effect of parenteral nutrition on body composition in the critically ill patient 1976; 131:156-61.
- Sirbu ER, Margen S, Calloway DH, Effect of reduced protein intake on nitrogen loss from the human integument. Am J Clin Nutr 1967:20:1158-65.
- Van den Beuken-van Everdingen MH, de Rijke JM, Kessels AG, Schouten HC, van Kleef M, Patijn J. Prevalence of pain in patients with cancer: a systemic review of the past 40 years. Ann Oncol 2007;18:1437-49.
- World Health Organization. WHO definition of palliative care. Accessed January 2008.

제30장

침윤성 자궁경부암

허수영 | 가톨릭의대
신진우 | 가천의대
이성종 | 가톨릭의대

1. 역학 및 임상적 특징

1) 역학

전 세계 여성암 중, 자궁경부암의 발생빈도는 유방암, 대장암 및 폐암 다음으로 4번째이며, 사망률은 유방암, 폐암, 대장암 다음으로 4번째로 보고되었다. 그러나, 저개발 국가에서는 유방암 다음으로 2번째로 흔한 여성암이다. 전 세계적으로는 2018년 한 해 동안 569,800명의 신환이 발생하고, 311,300명의 환자가 사망한 것으로 보고되었다(Bray F et al., 2018).

선진국에서는 자궁경부암의 발생률 및 이로 인한 사망률이 감소하고 있는데, 이는 선별검사인 자궁경부세포검사(papanicolaou smear)의 검진체계 확립과 여성검진률의 증가와 밀접한 관계가 있다. 국내의 경우, 2017년 기준 국가암등록통계에 의하면 자궁경부암의 발생은 3,469명으로 전체 여성암 중에서 갑상선암, 유방암, 대장암, 위암, 폐암 및 간암 다음으로 7번째로 흔한 암으로 3.2%를 차지하였다.

자궁경부암의 원인은 인유두종바이러스 감염으로, 고위험 인유두종바이러스(human papilloma virus, HPV) 지속 감염은 자궁경부암 발생의 가장 중요한 원인이다. 따라서 HPV 감염을 막는 것이 자궁경부암 발생을 줄이는 근본적인 방법이 될 수 있다. 자궁경부세포검사의 일차적인 목적은 자궁경부암 전암병변인 고위험 상피내병변을 조기에 발견하여 치료함으로써, 자궁경부암으로의 진행을 막는데 있다. 실제로, 세포검사를 이용한 검진 프로그램이 도입된 이후 자궁경부암의 발생률 및 사망률이 꾸준히 감소하고 있다. 우리나라도 1980년대부터 건강검진의 일부로 자궁경부세포검사가 시행되었고, 이로 인해 자궁경부암의 발생이 감소하였다.

2) 임상적 특징

(1) 위험인자

자궁경부암 발병에는 고위험 인유두종바이러스의 지속적인 감염 및 환경적인 요인이 복합적으로 작용한다. 조기 성생활의 시작, 다산력(high parity), 성생활 상대자의 수, 흡연, 낮은 면역 상태 및 낮은 사회경제적 상태 등과 같은 환경 요소들이 위험인자로 작용한다. 예를 들어, 인체 면역결핍 바이러스(human immunodeficiency virus, HIV) 감염이 있는 사람은 인유두종바이러스에 감염되는 경우가 많으며, 이들은 HIV 음성인 환자에 비해 자궁경부 전암병변이 침윤성 자궁경부암으로 진행하는 경우가 많은 것으로 알려져 있다.

⑵ 임상 양상

① 증상 및 주소(symptoms and complaints)

침윤성 자궁경부암의 가장 흔한 증상으로는 비정상적인 질 출혈, 성관계 후 질출혈 및 질분비물 등이다. 그러나, 많은 여성에서는 무증상인 경우가 있으며, 골반 검진이나 세포 검사를 통해 발견된다. 종양의 크기가 커지면 골반통, 배변통 등의 국소적인 증상을 호소할 수 있다. 또한, 악성종양이 주위 림프절에 퍼지게 되면, 요통 및 일측의 하지 부종 및 신경 관련 통증들이 발생할 수 있다.

② 이학적 검진 소견

이학적 검진에서 자궁경부의 부스러지기 쉬운 자궁 주위, 골반 벽 그리고 자궁천골 인대의 침범 여부는 직장질검사를 통해 확인한다. 이 외에 표면 서혜부, 대퇴부 및 쇄골 상부 림프절전이 여부를 검사하여야 한다.

2. 자궁경부암의 병리

1) 자궁경부 상피내종양(Cervical Intraepithelial Neoplasia, CIN)

자궁경부 상피내종양은 자궁경부에 발생하는 전암성 병변(precancerous lesion)이다. 해부학적으로 자궁경부는 편평 세포로 구성된 외자궁경부(ectocervix)와 선세포로 덮여 있는 내자궁경부(endocervix), 두 부분의 중간에 위치하는 변형대(transformation zone)에서 주로 자궁경부암이 발생한다고 알려져 있다.

2) 자궁경부 미세침윤암(Microinvasive Cancer)

자궁경부 침윤암의 7%는 미세침윤 편평상피암이다. 미세침윤암의 진단을 위해서는 자궁경부 원추절제조직이 필요하며 상피세포의 기저막(basement membrane)에서 실질 침윤의 깊이를 측정한다. FIGO 병기에 따르면 미세침윤 편평상피암은 병기 ⅠA에 해당된다. 침윤암이 자궁경부에만 한정되어 있고 기질의 최대 침범 깊이가 3 mm 미만이면 병기 ⅠA1, 침윤의 깊이가 3 mm 이상, 5 mm 미만 경우는 병기 ⅠA2로 분류된다.

3) 자궁경부 침윤성 편평상피암(Invasive Squamous Cell Carcinoma of Cervix)

자궁경부암의 가장 흔한 형태는 편평상피암이다. 편평상피암은 99% 이상에서 인유두종 바이러스 감염과 관련되어 있다고 알려져 있다. 침윤성 자궁경부암은 육안으로 융기형, 궤양형, 그리고 침윤형의 세 가지로 나눈다. 이 중 가장 흔한 것은 융기형으로 주위 점막 위로 돌출하는 종양이다. 궤양형은 상피의 비후가 진행되어 종양 표면이 괴사를 일으켜 탈락하면서 궤양을 만든다. 침윤형은 가장 드문

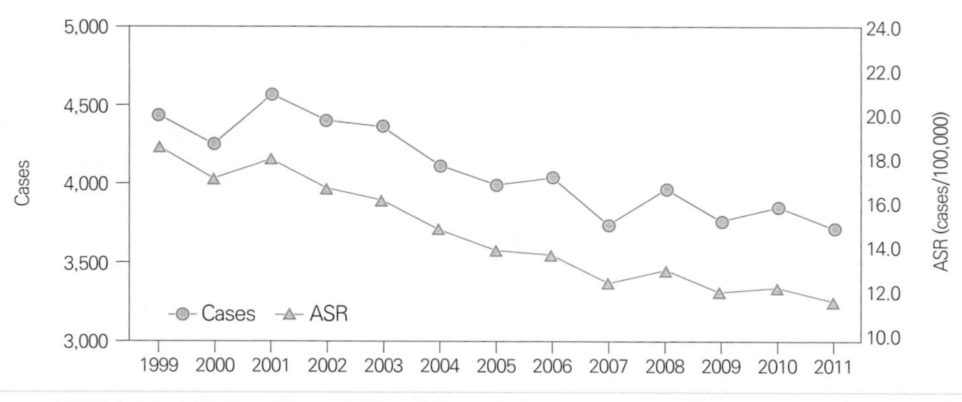

그림 30-1. 연도별 자궁경부암의 발생건수 및 연령표준화발생률(age-standardized incidence rate, ASR). 1999-2011년

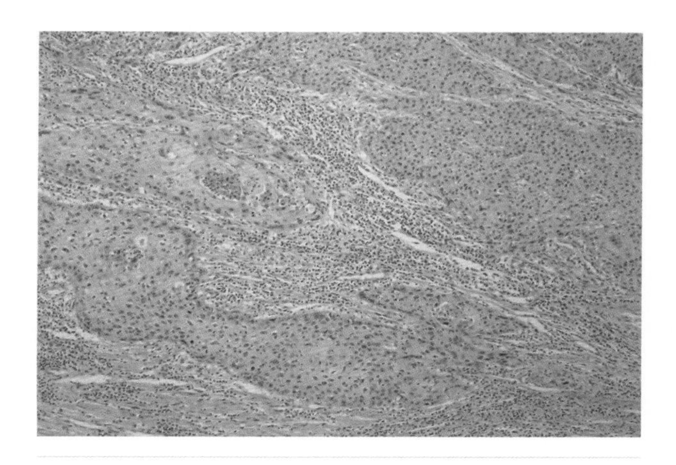

그림 30-2. **자궁경부 침윤성 편평상피암의 현미경 사진(×100)**

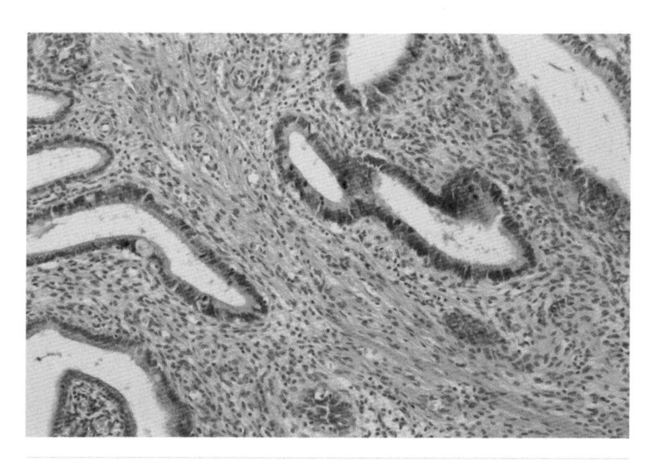

그림 30-3. **자궁경부 상피내선암종의 현미경 사진(×200)**

형으로 궤양이나 융기성 증식 없이 버팀질 조직으로 침윤하여 점막 표면이 불규칙한 비후를 보이는 종양을 말한다. 그러나 자궁경부 편평상피암 환자의 25-30%에서는 육안적으로 정상소견을 보인다. 현미경 소견으로는 호산구 세포질과 크고 비정형적인 과다염색핵을 갖는 세포들이 기질 속으로 불규칙하게 침윤하여 둥지를 이룬다. 조직학적으로 편평세포암종은 세포의 형태와 분화도에 따라 대세포 각질화형(large cell keratinizing type), 대세포 비각질화형(large cell non-keratinizing type), 소세포암종(small cell carcinoma)으로 분류된다. 대세포 각질화형은 가장 분화도가 좋은 종양으로 25%를 차지하며 각질진주가 존재하는 것이 특징이다. 대세포 비각질화형은 가장 흔한 형(65%)으로 암세포는 각화를 보이지 않고 중등도의 분화도를 보인다. 소세포암은 가장 분화가 안 되어 예후가 매우 나쁘다.

4) 자궁경부 상피내선암종(Adenocarcinoma in Situ of Cervix)

상피내선암종은 일반적으로 편평상피와 원주상피의 접합부에서 생기는 병변으로 자궁경부내막의 상피세포가 악성 선세포로 대치되는 것이 특징이다. 원주 양상은 보통 유지되어 있으나 핵의 기저 극성은 상실되고 핵은 악성의 세포학적 양상을 나타내며 종양성 선들의 기질 침범은 없다. 상피내선암종은 침윤성 선암종의 전구병변이며, 그 근거로는 환자군의 평균 연령이 상피내선암종에서 더 젊다는 점(37세 vs 47세), 침윤성 선암종 인접부위에 상피내선암종이 발견되는 점, 상피내선암종 및 침윤성 선암종에서 모두 인유두종바이러스18번의 존재 빈도가 높다는 점을 들 수 있다. 상피내선암종 환자의 50% 이상에서 편평세포 이형성/편평세포암과 관련이 있는 것으로 보아, 선 병변과 편평세포 병변의 원인 인자가 유사하고 기원세포가 공통된다고 생각할 수 있다.

현미경적으로 상피내선암종의 내자궁경부선들은 핵의 비대, 과다염색상, 유사분열, 층화를 보이는 내자궁경부형 세포(endocervical type cells), 장형 세포(intestinal type cells), 자궁내막형 세포(endometrial type cells)들로 이루어져 있다. 상피내선암종에서 원추절제술만을 시행한 경우, 절제 경계면에 병변이 없으면 재발률이 6% 미만이지만, 경계면에 병변이 있다면 재발률 또는 잔류병변의 가능성이 매우 높다.

5) 침윤성 자궁경부선암종(Invasive Adenocarcinoma of Cervix)

자궁경부암 중 편평상피암종의 비율은 시간이 지날수록 감

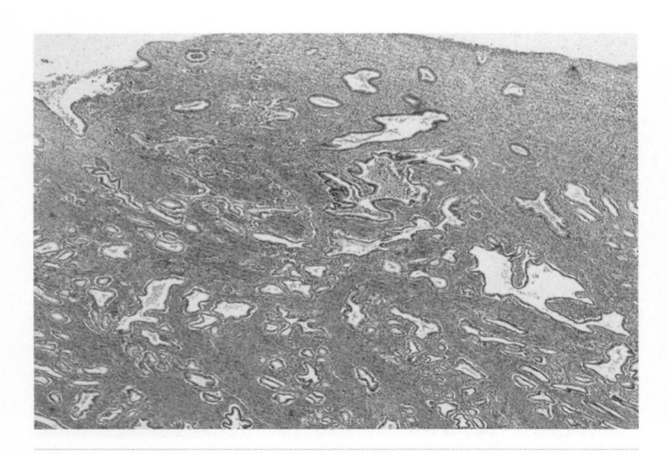

그림 30-4. **자궁경부내막형 침윤성 자궁경부선암종의 현미경 사진(×40)**

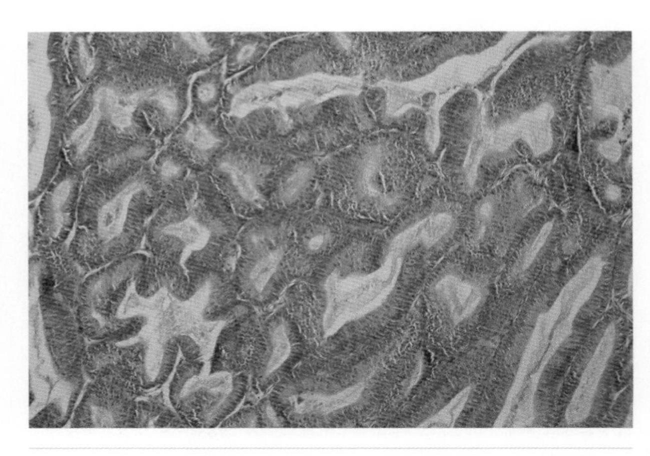

그림 30-5. **자궁내막형 침윤성 자궁경부선암종의 현미경 사진(×200)**

소하고 있는 반면 선암종은 지속적으로 증가하여 전체 자궁경부암의 20-25%는 선암종이다. 자궁경부선암은 편평세포암에 비하여 자궁경부세포검사에 의한 진단율이 낮으며, 확진을 위해 자궁경부 원추절제술이 필요한 경우도 있다. 자궁경부선암의 발생수가 증가 추세이며 특히 35세 이하의 여성에서 증가하는 양상을 보인다. 선암의 육안적 소견은 내자궁경부관(endocervical canal)에 위치하여, 15%의 환자에서는 육안적으로 병변이 보이지 않는다. 선암종의 인접부위에 편평상피내종양, 편평상피암, 상피내선암종이 동시에 존재하는 경우가 많다. 자궁경부선암종은 조직학적으로 다음과 같이 나눈다. 자궁경부내막형이 가장 흔하고 점액을 많이 분비한다. 두번째로 자궁내막형이 흔하고 자궁내막선암종과 유사하다. 투명세포형(clear cell type)은 태중에 DES (diethylstilbestrol)에 노출된 여자에서 생길 수 있으며 병리소견은 질에 생긴 투명세포암종과 같다.

6) 자궁경부암종의 변형(Variants of Cervical Carcinoma)

(1) 사마귀모양암종(verrucous carcinoma)

매우 분화가 잘된 편평상피암종의 희귀한 형태로써 육안적으로 뾰족 콘딜롬(condyloma acuminatum)과 유사하게 유두상 모양으로 이상 증식을 보인다. 현미경적 특징을 보면, 유두종성 및 외장성 증식의 형태보다는 과다형성(hyperplastic)의 특성을 보인다. 임상적 특징은 종양이 느린 증식과 높은 국소재발율이다. 원격전이가 드물지만 방사선치료 후에 발생이 가능하며, 치료법은 광범위 국소절제술이다.

(2) 유두상 편평세포암종 및 이행암종(papillary squamous and transitional carcinoma)

유두상 편평세포암종은 섬유혈관핵(fibrovascular core)과 각질화와 원반세포형 변화가 없는 중등도 이상의 상피이형증으로 이뤄진 유두상 형태로 이뤄진 악성편평세포병변이다. 기저부에 침윤성 암종이 있을 수 있기 때문에 환상투열요법이나 원추절제술을 통한 조직검사를 시행해야 한다.

(3) 악성선종(adenoma malignum)

악성선종은 조직학적으로 양성처럼 보이는 특징 때문에 작은 범위의 조직생검으로는 진단이 매우 어렵다. 조직학적으로 정상 내자궁경부선과 유사한 형태를 보이지만 크기와 모양이 다양한 선들로 구성되어 있다. 그러나 선 아래 기질층보다 아래쪽으로 뻗어 있고, 국소적으로 주위에 결합조직형성 기질 반응을 관찰할 수 있다. 육안적으로는 자궁경부가 커진 술통형이 있다.

(4) 유리양 세포암(glassy cell carcinoma)

유리형 세포암은 분화도가 매우 나쁜 선편평상피암의 변종으로 간주되며 젊은 여성에서 호발하고 임신과 관련될 수 있다. 육안적으로 매우 큰 종양이다. 현미경적 소견상, 중등양의 유리형 세포질, 핵소체들을 가진 큰 핵들, 뚜렷한 세포의 경계 및 현저한 염증성 침윤을 가진 큰 세포들을 보이는 것이 특징적 소견이다. 유리양 세포 자궁경부암은 수술과 방사선치료에 반응이 아주 나빠 예후가 불량한 것으로 알려져 있다.

3. 자궁경부암의 진단

1) 자궁경부암의 병기

자궁경부암 병기는 International Federation of Gynecology and Obstetrics (FIGO), World Health Organization (WHO), International Union Against Cancer (UICC)에 분류되었다. 이학적 검진을 정확하게 시행하기 위해서는 최대한 근육 이완과 환자의 협조가 필요하며 숙련된 전문가에 의해 시행되어야 한다. 필요 시 마취를 시행한 후 직장-질 내진검사(bimanual recto-vaginal examination)를 시행하는 것도 도움이 된다.

2018년에 FIGO 병기 시스템이 새로이 개정되었다. 특징적인 변화는 이전의 staging system에 개정된 영상의학 및 병리학적 소견이 반영되었다. 초음파, CR, MRI, PET-CT 등의 영상의학검사 정보가 병기설정에 사용될 수 있다. stage IB가 종양의 크기에 따라 3개로 더 세분화되었고, 종양의 horizontal dimension은 병기에 반영이 안된다. 림프절전이 상태 여부가 병기설정에 도입되었다. 이전 병기에서는 종양의 크기를 4 cm를 기준으로 하여 IB1 또는 IB2 분류되었다. 개정된 병기에서는 IB1 (<2 cm), IB2 (2 cm 이상, 그리고 <4 cm), 그리고 IB3 (4 cm 이상)으로 분류된다. 이는, 2 cm 이하의 종양 크기를 보이는 자궁경부암이 더 좋은 예후를 보인다는 점을 반영한 것이다. 자궁경부암 2 cm는 자궁경부암 I기에서 가임력보존수술을 적응증 판단의 기준 크기이다. 개정된 자궁경부암 병기에서 골반 및 대동맥주위 림프절전이가 있는 경우는 IIIC 해당된다. 자궁경부암의 림프절전이 평가에 영상 및 조직학적 소견이 병기설정에 사용될 수 있다. 골반 림프절전이가 영상의학적으로 확인된 경우 IIIC1r, 병리학적으로 확진된 경우 IIIC1p로 표시한다. 사용된 영상의학 또는 병리학적 검사방법을 함께 기술한다.

2) 병기설정을 위한 선택적 검사 방법

(1) 종양 표지자검사

여러 표지자들을 대상으로 예후 및 치료에 대한 반응, 재발 조기 발견을 위해 여러 연구가 수행되었지만 아직 널리 통용되는 종양 표지자는 없는 실정이다. 그 중에서도 가장 많이 사용되는 종양 표지자는 serum squamous cell carcinoma (SCC) 항원, tissue polypeptide 항원, CEA, CA-125 및 CYFRA 21-2이다. 이들 표지자들은 진행성 자궁경부암에서 의미 있게 증가되어 있으며, CA-125는 상피세포암종(squamous cell carcinoma)에서는 단지 13-21% 정도만 상승하지만 선암종(adenocarcinoma)에서는 가장 좋은 종양 표지자 중 하나이다.

(2) 자기공명영상(MRI)

최근 MRI는 자궁경부암의 초기 병기설정 시에 광범위하게 사용하는 방사선검사이다. 자궁경부암 병기에 대한 MRI 정확도는 77-90% 범위를 보인다. 단일 기관 연구에서 MRI가 자궁경부암종괴의 자궁방 조직 침범(parametrial invasion)과 병기 예측도에서 컴퓨터 단층촬영보다 더 좋은 결과를 보였다. 최근 미국 방사선학 학회(American College of Radiology Imaging Network, ACRIN)와 미국부인종양연구회(Gynecologic Oncology Group, GOG)가 공동으로, 초기 침윤성 자궁경부암을 진단받은 환자에서 MRI와 CT를 비교하는 전향적 다기관 연구를 시행하였다. 이 연구 결과 MRI가 수술 전 병기설정에 대해서는 CT와 동일한 능력을 보였으나 MRI가 종괴의 모양과 자궁방 침윤(parametrial invasion)에 대해서 우위를 보였다.

표 30-1. **FIGO 종양 병기 분류 계통**

병기			자궁경부암 소견
I			종양이 자궁경부에 국한
	IA		현미경적으로 종양의 침윤의 깊이 <5 mm
		IA1	간질성 침윤의 깊이 <3 mm
		IA2	간질성 침윤의 깊이 ≥3 mm, 그리고 <5 mm
	IB		종양의 침윤의 깊이 ≥5 mm
		IB1	종양의 최대 직경의 크기 <2 cm
		IB2	종양의 최대 직경의 크기 ≥2 cm, 그리고 <4 cm
		IB3	종양의 최대 직경의 크기 ≥4 cm
II			종양이 자궁 밖으로 진행, 질 원위부 1/3 및 골반벽까지 진행 안됨
	IIA		종양이 질 근위부 3분의 2에 국한. 자궁방 침윤없음
		IIA1	종양의 최대 직경의 크기 <4 cm
		IIA2	종양의 최대 직경의 크기 ≥4 cm
	IIB		자궁방 침윤. 골반벽까지는 진행 안됨
III			종양이 질 원위부 1/3까지 진행, 그리고/또는 골반벽까지 진행 수신증 또는 비기능성 신장 골반(그리고/또는) 대동맥주위 림프절에 전이
	IIIA		종양이 질 원위부 1/3 진행. 골반벽까지는 진행 안됨
	IIIB		종양이 골반벽까지 진행, (그리고/또는) 수신증 또는 비기능성 신장
	IIIC		골반 (그리고/또는) 대동맥주위 림프절에 전이, 종양의 크기와 진행과는 상관없음
		IIIC1	골반 림프절에만 전이
		IIIC2	대동맥주위 림프절전이
IV			종양이 골반(true pelvis) 밖으로 진행, 또는 방광 또는 직장의 점막 침윤(조직학적으로 진단된 경우)
	IVA		인접 골반장기 침윤
	IVB		원격 장기 전이

(3) 양전자 방출 단층촬영(PET-CT)

대부분의 자궁경부 종양이 FDG (Fluorodeoxyglucose)를 많이 흡수하기 때문에 자궁경부암에 FDG/PET-CT을 적용하는 것은 매우 적절하다. 일반적으로 FDG 흡수가 낮은 자궁경부선암종(Adenocarcinoma)은 예외가 된다. PET-CT는 초기 병기설정, 치료 반응 평가 및 재발 발견을 위해 사용될 수 있다. 그러나 FDG가 악성종양에만 특이적인 것은 아니기 때문에 위양성 반응을 일으킬 수 있다. 물질 대사가 활발한 기관인 뇌, 장, 비뇨생식기계, 침샘 등의 정상조직에서도 생리적으로 FDG 흡수가 많을 수 있으며 염증과 감염 경우에도 FDG 흡수가 증가할 수 있다. 이런 이유로 폐경 전 여성에서는 정상 난소와 자궁에서 FDG 흡수 증가 또는 요관의 부분의 활성이 증가가 림프절이나 자궁방조직 병변으로 오해될 수 있다. 임상 병기가 IIB에서 IVB까지 진행된 병변을 갖는 환자에서 PET-CT는 림프절전이 진단에 높은 특이도를 보인다. 이에 대한 전향 연구에서도 민감도가 75-100%, 특이도가 87-100%로 나왔다. 반면, 임상 병기 I에서 IIA까지의 초기 자궁경부암에서는 PET-CT의 낮은 효용성 결과가 보고되었다.

3) 자궁경부암의 예후

일반적으로 소세포암을 제외한 자궁경부암의 일차 치료에 대한 완치율은 초기 암에서는 80-95%, 거대종양을 동반한 2기 이상에서는 40-60% 정도를 보인다.

감시 방법의 일차 목표는 암의 재발을 조기에 발견하여 잠재적으로 완치를 목표로 치료를 시행할 수 있게 하는 것이다. 완치가 가능한 재발은 대부분 골반 내 중심부에 발생하는 것이다.

4) 자궁경부암의 재발

자궁경부암의 일차 치료 방법은 광범위 자궁적출술, 양측 골반 및 대동맥주위 림프절절제술 또는 동시항암화학방사선요법(concurrent chemoradiation therapy, CCRT)을 시행하는 것이다. 자궁경부암의 재발을 높이는 고위험 인자는 자궁방조직 침윤, 림프절전이, 절제면 종양 잔존 등이 해당된다. 중등도 인자는 큰 종양 크기, 깊은 기질 침윤, 림프혈관계 침윤 등이다.

(1) 재발의 형태

초기 자궁경부암의 일차 치료 후 재발이 잦은 부위는 질단부(vaginal vault) 같은 국소 부분이나 골반 벽이다. 여러 후향 연구에 의해 알려진, 재발이 되는 해부학적 위치는 다음과 같다.

- 골반 중심부(질단부 또는 골반 벽을 포함하지 않는 골반 내부): 22-56%
- 골반 벽: 28-37%
- 원격전이: 15-61%(폐, 뼈, 대동맥주위 림프절, 복강, 빗장뼈위(supraclavicular) 림프절 등)

(2) 일차 치료 방법에 따른 재발 양상

초기 자궁경부암 환자에게 일차 치료로 수술을 선택한 경우와 방사선치료를 선택한 경우 재발률이나 재발부위에 차이는 없다. 수술과 CCRT을 직접 비교한 연구는 없지만, CCRT를 받은 환자를 방사선 단독 치료를 받은 환자와 비교한 연구 결과 국소 재발의 가능성을 의미 있게 낮추는 것으로 나왔다. 하지만 이 연구 결과만으로는 수술 단독에 비해 CCRT가 국소 재발을 낮춘다고 할 수는 없다.

(3) 재발된 환자의 예후

재발된 환자에서 예후는 재발 위치와 완치를 목표로 치료할 수 있는지 여부가 중요하다. 재발된 후 양호한 예후를 보이는 경우는 골반 벽을 포함하지 않고 골반 중심 부에 국한되었을 것, 일차 치료 완료 후 재발까지 6개월 이상일 것, 재발 종괴 크기가 3 cm 미만일 것 등이다. 원격전이 환자의 경우 90% 이상이 5년 이내 사망하게 된다. 그러나, 폐에 국한되어 재발된 경우 수술을 통해 완전 절제가 가능하면 예외가 될 수 있을 것이다.

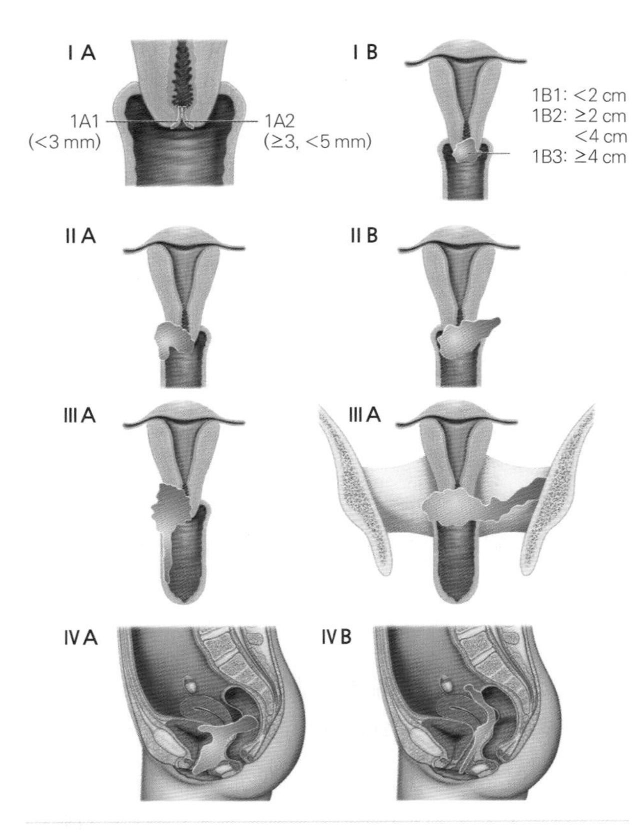

그림 30-6. **각 임상 병기에 해당하는 자궁경부암**

표 30-2. 자궁경부암 환자의 임상 병기별 생존율

Stage	Patients	1-Year	2-Year	3-Year	4-Year	5-Year
IA1	829	99.8	99.5	98.3	97.5	97.5
IA2	275	98.5	96.9	95.2	94.8	94.8
IB1	3,020	98.2	95.0	92.6	90.7	89.1
IB2	1,090	95.8	88.3	81.7	78.8	75.7
IIA	1,007	96.1	88.3	81.5	77.0	73.4
IIB	2,510	91.7	79.8	73.0	69.3	65.8
IIIA	211	76.7	59.8	54.0	45.1	39.7
IIIB	2,028	77.9	59.5	51.0	46.0	41.5
IVA	326	51.9	35.1	28.3	22.7	22.0
IVB	343	42.2	22.7	16.4	12.6	9.3

5) 자궁경부암의 재발 감시

NCCN 가이드라인에서 제시한 바에 의하면, 일반적으로 처음 2년은 매 3-6개월 간격, 3-5년은 매 6-12개월 간격의 검사를 권고한다. 그 다음에는 환자의 재발 위험도에 따라서 매년 검진 주기를 조절하면 된다. 재발 감시검사에는 병력청취, 이학적 검진, 질단부 혹은 자궁경부세포검사를 시행하고, 재발이 의심될 경우 증상에 따라서 영상검사 방법(흉부 X-선검사, CT, MRI, 골반초음파, PET-CT)과 종양표지자검사법을 결정하면 된다. 혈액학적 검사는 CBC, BUN, creatinine 등을 포함하는 검사를 시행한다. 환자에 대한 교육은 재발이 의심될 때의 증상, 생활습관, 비만예방, 운동요법, 폐경호르몬요법, 금연, 영양관리 등에 대한 정보를 제공해준다.

4. 자궁경부암의 외과적 치료

1) 자궁경부암 외과적 처치의 역사

1898년 Wertheim은 최초로 광범위 자궁경부암 근치술을 시행하였다. 항생제와 수혈의 발달 이전에는 수술로 인한 사망률이 높아, 20세기 초에는 방사선치료를 침윤성 자궁경부암의 일차 치료법으로 채택하였다. 1944년 하버드 대학의 Joe V. Meigs는 자궁경부암 근치술을 부활시켰고 Meigs는 방사선치료 후에 높은 합병증과 자궁경부암의 특정 병소는 방사선치료에 잘 듣지 않으므로 광범위 복식 자궁경부암근치술과 양측 골반림프절절제술을 다시 채택하였다.

2) 치료 원칙

자궁경부암은 상피내암 단계에서 진단 치료되면 완치가 가능하나, 일단 침윤성 암으로 진행하면 질환의 진행 정도에 따라 완치율이 감소하므로 조기진단 및 치료가 예후에 매우 중요하다.

치료의 기본원칙은 암의 원발병소와 잠재적인 전파부위를 제거하는 것으로 외과적 절제, 방사선치료, CCRT가 있다. 이 중 수술적 치료방법을 선택함에 있어서 가장 중요한 인자는 임상적 병기이다. 즉 일반적으로 암의 침윤이 자궁경부 및 질 상반부에 국한되어 있는 병기 IB 및 IIA에서는 근치적 자궁절제술과 골반림프절절제술을 적용하여 그 예후는 양호하나, 일단 자궁방결합조직(parametrial tissue) 또는 골반임파절전이가 있는 경우 치료방법에 상관없이 그 예후는 불량하며 수술 시 절제 범위가 넓어지고 누공, 감염, 림프부종, 요관 및 방광 손상 등 합병증이 증가한다. 자궁경부암의 난소전이는 극히 드물게 나타나며 Landoni (2007) 등은 초기 자궁경부암(IA2-IIA)에서 난소전이는 0.9%로 보고되었다. 따라서 젊은 여성의 경우에는 난소 보존 근치적 자궁절제술을 시행하는 것이 바람직하다.

3) 치료 방법

(1) 미세침윤암

IA1 환자는 림프절전이와 자궁방조직의 침윤가능성이 낮기 때문에 단순자궁절제술을 시행하거나 임신을 원하는 경우에는 원추절제술을 시행할 수 있다. Ostor (1995) 등은 2,274명의 1 mm 미만의 침윤을 보이는 IA1 환자 중에서 3례(0.1%)에서 골반림프절 양성소견을 보였으며 8례(0.4%)에서 재발하였음을 보고하였다. 침윤 깊이가 1-3 mm인 경우 5례(0.4%)의 림프절전이와 23례(1.7%)의 재발을 보고하였다. 또한 림프혈관강의 침범률은 침윤 깊이가 1 mm 미만인 경우 4.4%, IA2인 경우 20%로 보고하였다. Tseng (1999) 등 역시 IA1 환자 중에서 림프 혈관강 침범 및 경계면 침윤이 없고 자궁내구 침윤이 없는 환자로서 임신을 원하는 경우에 cold-knife에 의한 원추절제술을 시행하고 평균 6.7년 경과 후 관찰한 결과 재발이 없었음을 보고하였다.

선암의 경우 Burghart (1997) 등에 의해서 미세침윤암의 개념이 처음 도입되었으며 Ostor (2000) 등에 의하면 5 mm 미만의 기질 침윤을 기준으로 하고 침윤 깊이는 선조직의 특징상 정확하게 침윤 깊이를 측정하기 어려우므로 표면에서부터 침윤까지를 측정하여 종양 두께를 측정하는 것이 바람직하다고 하였다. 자궁경부 미세침윤선암으로

표 30-3. 임상병기에 따른 자궁경부암의 치료원칙(Modified from Berek & Novak's Gynecology 2018)

병기	임상양상	치료 원칙
IA1	침윤 깊이 3 mm 미만	임신을 원하는 경우: 원추형절제술 임신을 원하지 않는 경우: 단순자궁절제술
	림프혈관 침윤(+)	임신을 원하는 경우: 근치적 자궁경부절제술 임신을 원하지 않는 경우: 제II형 자궁절제술 + 골반림프절제술
IA2	침윤 깊이 3-5 mm	근치적 자궁경부절제술 혹은 제II형 자궁절제술 + 골반림프절제술
IB1	침윤 깊이 ≥5 mm, 종양크기 <2 cm	근치적 자궁경부절제술 혹은 제III형 자궁절제술 + 골반림프절제술 수술 후 불량예후 인자*를 가진 경우 동시 항암화학방사선치료
IB2	종양크기 >2 cm	제III형 자궁절제술 + 골반림프절제술
IB3	종양크기 ≥4 cm	제III형 자궁절제술 + 골반과 대동맥 림프절제술 수술 후 불량예후 인자를 가진 경우 동시 항암화학방사선치료 동시 항암화학방사선치료
IIA	질 상부 2/3 침윤	제III형 자궁절제술 + 골반과 부대동맥 림프절제술 동시 항암화학방사선치료
IIB	자궁방조직 침윤	동시 항암화학방사선치료
IIIA	질 하부 1/3 침윤	동시 항암화학방사선치료
IIIB	종양이 골반 벽을 침범하고 수신증 혹은 비기능 신장이 있는 경우	동시 항암화학방사선치료
IIIC1	골반 림프절전이	동시 항암화학방사선치료
IIIC2	대동맥주위 림프절전이	동시 항암화학방사선치료
IVA	골반내 국소전이	동시 항암화학방사선치료 골반내용적출술(primary pelvic exenteration)
IVB	원격전이	고식적 항암화학치료 동시 항암화학방사선치료

* 골반림프절전이; 거대종괴; 심층부 자궁경부 실질 침윤; 림프-혈관강 침범; 질 혹은 자궁방 경계부위의 침윤

근치적 자궁절제술을 시행한 결과를 보면 126명의 환자들 중 자궁방조직의 침윤은 한 예도 없었으며 2%에서 골반림프절전이가 있었고 3.4%에서 재발이 되었으며 1.3%의 환자가 사망하였다. 원추절제술을 시행한 환자에서 절단면이 음성인 경우에도 10%에서 잔류암이 발견되었는데 이는 절단면의 정확한 판독에 문제가 있거나 다발성 병변일 가능성이 제시되었다. 따라서, 자궁경부 미세침윤선암의 경우에도 병기가 IA1이고 림프-혈관 침윤이 없으면서 경계면 종양 음성소견을 나타내는 경우 환자가 임신을 원한다면 원추절제술을 시행할 수 있다고 하였다.

IA2 환자의 경우 림프절절제술과 자궁방조직의 절제가 필요하다. 1987년 Dargent은 복강경을 이용한 림프절절제술(laparoscopic pelvic lymphadenectomy, LPL)과 radical vaginal trachelectomy를 보고하였다.

(2) 침윤성 자궁경부암

1974년 Piver, Rutledge, Smith는 광범위 자궁절제술(extended hysterectomy)의 다섯 가지 유형을 보고하였다. 수술자들 간에 치료 결과를 토의하는 경우 서로 다른 수술 범위와 이에 따른 합병증을 기록하는 데 있어서 근치적 자궁절제술이란 용어의 사용은 적절치 않으며 다섯 가지 수술의 수기를 상세히 기술함으로써 수술의 결과를 보다 정밀히 평가할 수 있다고 주장하였다. 일반적인 근치적 자궁절제술의 시술방법은 자궁 및 질의 상부 1/3-1/2, 자궁천골인대, 자궁방광인대 및 양측 자궁방조직을 암의 진행 정도에 따라 절제하며, 요관림프절, 폐쇄림프절, 내장골림프절

표 30-4. 광범위자궁절제술의 Piver-Rutledge-Smith 분류

군	설명	적응증
I	근막외자궁절제술 치골경부인대(pubocervical ligament) 절제	자궁경부상피내종양 미세침윤암(IA1기)
II	기인대(cardinal ligament) 및 자궁천골인대(uterosacral ligament) 내측 절반 및 질상부 1/3 절제	미세침윤암(IA2기)
III	기인대 및 자궁천골인대 전체 및 질상부 1/3 절제	자궁경부암 IB기 및 IIA기
IV	요관 주위조직 전체, 상방광동맥 및 질 3/4 절제	방광의 보존이 가능한 전방에 발생한 중앙재발암
V	원외부 요관 및 방광 부분 절제	원외부 요관 혹은 방광을 침범한 중앙재발암

및 외장골림프절을 포함하는 골반 림프절을 제거하는 것이다. 이 수술 방법의 목적은 장이나 방광, 요관 및 골반의 큰 정맥에 근접하여 박리를 시행하여 자궁경부에 관련된 조직을 광범위하게 제거하면서 방광, 직장 및 요관의 손상을 가능한 방지 및 감소시키는 데 있다. 이러한 분류법은 방광신경보존술 또는 가임력보존술에 대한 정보를 반영하지 못하는 한계를 보였다.

2007년에 Querleu -Morrow는 자궁경부암 절제의 측면 범위(lateral extent)에 따라서 4가지로(A-D) 광범위자궁절제술을 분류하였다. 3차원적으로 광범위자궁절제술 절제면 및 신경 보존 정도를 기술하였다. 림프절절제술은 동맥 위치를 기준으로 4단계(level 1-4)로 분류하였다. 원발병소가 큰 병기 IB3의 경우 경부암 크기가 커진만큼 종괴 내부의 저산소증으로 인해 방사선요법 후 잦은 국소 재발을 보인다. 일부 연구에서 방사선요법 후 단순자궁절제술을 추가로 시행한 경우 국소재발뿐 아니라 생존율까지 증가되었다는 보고가 있었다. 이에 GOG에서는 임파절전이가 없는 것으로 확인된 자궁경부암 병기 IB3인 환자들을 대상으로 방사선요법과 방사선요법 후 자궁절제술을 시행한 군을 비교하는 무작위 임상시험을 시행하였고 그 결과 5년 무병생존율은 방사선요법 후 자궁절제술을 시행한 군에서 약간 높았으나(62% vs 53%, p=0.09) 전체적으로는 생존율을 증가시키지 못했다고 하였다. 현재 선택할 수 있는 치료법은 동시항암화학방사선요법, 근치적 자궁절제술, 신보조화학요법 후 근치적 자궁절제술 등의 세 가지로 요약할 수 있으나 신보조화학요법 후 근치적 자궁절제술에 대한 연구들의 현재까지 결과는 기존의 치료인 수술 또는 항암화학방사선요법보다 더 우월한 치료효과를 증명하지 못하였다. 더불어 원발 병소가 큰 자궁경부암 IB3 또는 IIA2의 경우 현재 동시항암화학방사선요법 또는 근치적 자궁절제술 모두 가능하다. 그러나 원발 병소가 큰 경우 수술 후 추가 방사선 또는 동시항암화학방사선요법이 추가될 가능성이 높아지며 치료와 관련된 합병증의 이환율을 고려했을 때에는 항암화학방사선요법이 유리할 수 있다. 반대로 폐경 이전의 젊은 여성의 경우 난소기능의 보전을 고려할 때 수술적 치료가 유리할 수 있다.

① Piver 분류법

가. 제 I 형 자궁절제술(type I hysterectomy)

제 I 형 자궁절제술은 근막외 자궁절제술(extrafascial hysterectomy)과 동일하다. 요관을 외측으로 반굴(deflexion)시킴으로써 자궁경부 주위 조직을 절제하여 모든 자궁경부조직을 제거한다.

가) 제 I 형 자궁절제술의 적응증

(가) 림프 혈관강 침윤이 없는 IA1기 미세침윤암

(나) 자궁경부 선암에의 방사선치료 후

(다) 술통형 자궁경내막 편평세포암에서 방사선치료 후

나. 제 II 형 자궁절제술(type II hysterectomy)

변형근치 자궁절제술(modified radical hysterectomy)

로 불리워진다. 자궁천골인대(uterosacral ligament)와 기인대(cardinal ligament)의 내측 절반과 질상부 1/3이 절제된다. 골반림프절절제술이 일반적으로 시행된다.

가) 제Ⅱ형 자궁절제술의 적응증
(가) 림프혈관 침윤이 있는 IA1기 미세침윤암
(나) IA2기 미세침윤암
(다) 자궁경부에 국한된 방사선치료 후의 국소 재발암

다. 제Ⅲ형 자궁절제술(typeⅢ hysterectomy)

Meigs (1954)가 기술하였던 근치적 자궁절제술(radical hysterectomy)로써 기인대 및 자궁천골인대 전체와 질의 상부 1/3이 절제된다. 경우에 따라서는 대동맥주위 림프절(paraaortic lymph node)절제술을 시행할 수 있으며 일반적으로 골반림프절절제술은 시행된다.

가) 제Ⅲ형 자궁절제술의 적응증
(가) IB기
(나) IIA기

라. 제Ⅳ형 자궁절제술(typeⅣ hysterectomy)

광범위 근치 자궁절제술(extended radical hysterectomy)로 불린다. 요관 주위 모든 조직이 제거된다. 제Ⅲ형 자궁절제술과는 요관이 치골방광인대와 완전히 분리되며, 상방광동맥이 제거되는 점은 동일하며 질은 충분히 안전 변연(safety margin)을 확보하며 절제된다.

가) 제Ⅳ형 자궁절제술의 적응증
(가) 방광의 보존이 가능하다고 여겨지는 주로 전방에 발생한 중앙재발암(central recurrence)

마. 제Ⅴ형 자궁절제술(typeⅤ hysterectomy)

부분 골반장기적출술(partial exenteration)로 불린다. 원위 요관 및 방광의 일부분이 절제되며 요관회장방광문합술(ureteroileoneocystostomy)이 시행된다.

가) 제Ⅴ형 자궁절제술의 적응증
(가) 원위 요관 또는 방광의 일부를 침범한 국소적 중앙 재발암(central recurrence)

② Querleu-Morrow 분류법

가. A형: 자궁경부 옆조직의 최소 절제(minimum resection of the paracervix)

A. 자궁경부와 요관의 중앙에서 자궁경부 옆 조직이 절제된다. 방광자궁인대와 자궁엉치인대는 자궁근처에서 절제되며 근막외자궁절제술과 유사하다.
B. 요관은 분리되지 않는다.

나. B형: 자궁경부 옆 조직을 요관 위치에서 절제(resection of paracervix at the ureter)

요관굴(ureteric tunnel)에서 자궁경부 옆 조직이 절제된다. 요관은 측면으로 분리되며 방광자궁인대와 자궁엉치인대는 부분적으로 절제된다. 질은 최소 10 mm 이상 절제된다. 자궁경부곁 림프절 절제 유무에 따라 B1, B2로 나뉜다.

B1: 자궁경부 곁 림프절 절제 시행 안함
B2: 자궁경부 옆 림프절 절제 포함(with removal of lateral paracervical lymph nodes)

다. C형: 자궁경부 옆 조직의 속엉덩이혈관에서 절제

광범위자궁절제술과 유사하다. 내측 장골 혈관근처에서 자궁경부 옆 조직이 절제된다. 방광자궁인대는 방광근처에서, 자궁엉치인대는 직장근처에서 절제된다. 요관은 완전히 분리되며, 질은 15-20 mm 이상 절제된다. 자율신경 보존 여부에 따라 C1, C2로 분류된다.

C1: 자율신경보존술 시행
C2: 자율신경보존술 시행 안함.

라. D형: 자궁경부 옆 조직의 전체 절제(Entire resection of paracervix)

D1: 아랫배 혈관(hypogastric vessels)과 함께 전자궁경

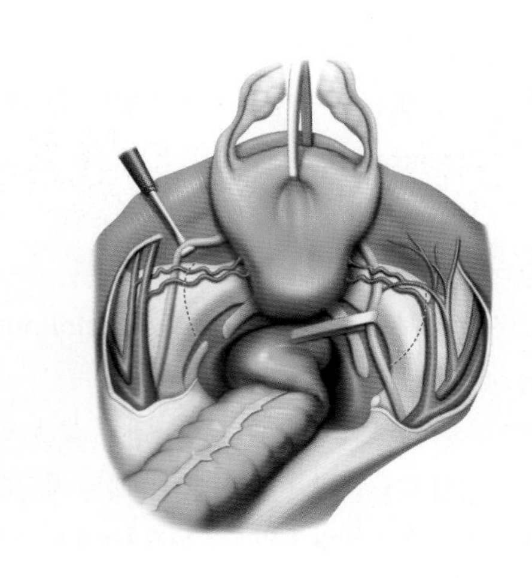

그림 30-7. **제2형 및 제3형 자궁절제술에서의 기인대 절제면**

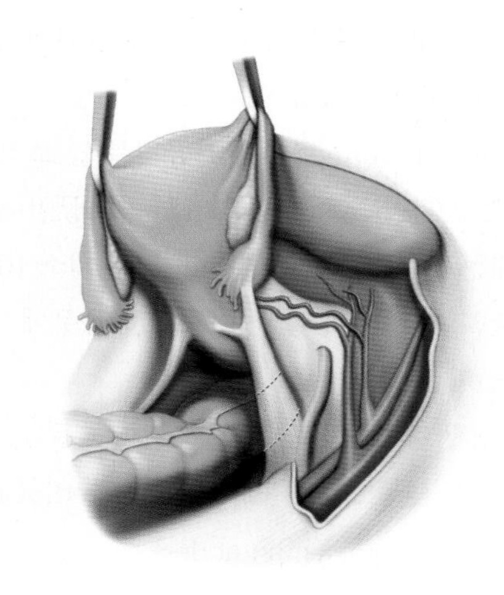

그림 30-8. **제2형 및 3형 자궁절제술에서의 자궁천골인대 절제면**

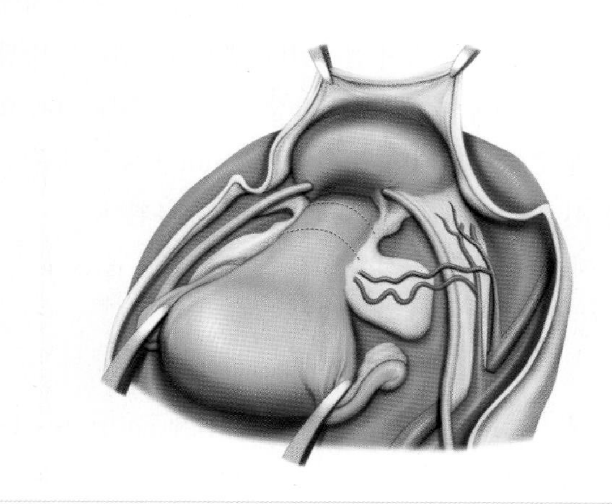

그림 30-9. **제2형 및 3형 자궁절제술에서의 질 절제면**

부옆조직 절제

D2: 아랫배 혈관, 인접근막(adjacent fascia), 근육구조물(muscular structure)과 함께 전자궁경부 옆 조직 절제

4) 근치적 자궁절제술의 합병증

근치적 자궁절제술의 주된 합병증은 방광기능장애(bladder dysfunction), 요관누공과 림프낭종(lympho cyst), 골반 감염과 출혈 등이다. 근치적 자궁절제술 전에 골반에 방사선 치료를 받은 경우 합병증이 증가되는데 특히 섬유화에 의한 요관누공 및 요관폐쇄와 림프낭종의 발생이 증가된다.

(1) 급성합병증

① 출혈
② 요관질누공
③ 방광질누공
④ 폐색전증
⑤ 소장 폐쇄
⑥ 발열성 이환증

수술 후 발열의 흔한 원인은 폐렴, 골반세포염(pelvic cellulitis), 요로감염 등이다. 전기소작과 클립(hemoclip)을 지혈에 사용함으로써 수술 후 출혈을 감소시킬 수 있다. 수술 중 요관의 과도한 손상을 피하고 요관 혈류를 보존함으로써 요관누공의 발생을 줄일 수 있다. 폐색전증은 사망을 초래할 수 있는 심각한 합병증으로 수술 중이나 수술 후에 특별한 주의를 요한다. 혈전색전증(thromboembolism)의 병력, 심한 정맥류(varicosity) 등 수술 후 색전증의 위험이 높은 환자에서 예방적 저용량 헤파린(heparin) 투여는 수술 중 심각한 출혈 증가를 초래하지 않고 색전증을 감소시킬 수 있다.

(2) 아급성 합병증

① 방광기능장애

방광기능장애의 원인은 분명하지 않으며 방광배뇨근(detrusor muscle)에 분포하는 감각신경과 운동신경 손상의 직접적인 결과라는 보고들이 있다. 수술 후 적절히 배뇨시킴으로써 방광의 과도팽창(overdistension)을 방지하여야 한다. 방광기능장애 시 배뇨 방법으로써 치골상부 도관(catheter) 사용이 환자에게 안락감을 주며 방광내압측정(cystometrogram)과 잔뇨량검사에 이용될 수 있다는 장점이 있다.

② 림프낭종

흡입도관(suction catheter)을 이용하여 지속적으로 복막후강(retroperitoneal space)을 적절하게 배액(drainage)시킴으로써 림프낭종 형성을 감소시킬 수 있다. 림프낭종은 대개 충분한 시간이 지나면 재흡수된다. 요도폐쇄, 정맥 부분적폐쇄, 혈전증(thrombosis)을 초래할 수 있다. 요도폐쇄의 경우 경피적도관(percutaneous catheter)을 통한 장기간의 배액이 림프낭종의 치료에 이용되며 경피적도관법이 실패 시 외과적 처치가 필요하다.

(3) 만성합병증

① 방광긴장저하증(bladder hypotonia), 방광무긴장증(bladder atony)

근치적 자궁절제술의 가장 흔한 만성 합병증은 방광긴장저하증이나 방광무긴장증이다. 환자의 3% 정도에서 발생된다고 보고되었으며 방광의 과도팽창으로 인한 합병증이라기보다는 방광의 탈신경(denervation)이 주 원인으로 여겨진다. 4-6시간마다 규칙적인 배뇨, Crede 방법에 의한 복부내압증가, 간헐적인 자가도뇨법(self catheterization) 등이 방광긴장저하증의 치료에 사용된다.

② 요관협착(ureteral stricture)

요관협착은 대부분 수술 후 방사선치료, 재발암, 림프낭종으로 인하여 발생하므로 수술 후 요관협착이 발생하면 이에 대한 원인을 찾아 치료하여야 한다.

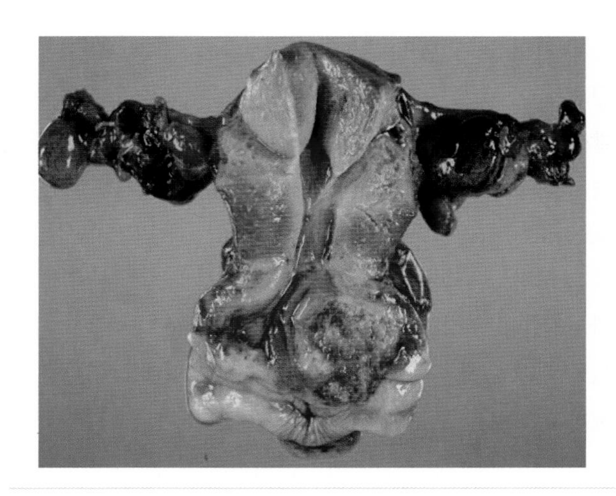

그림 30-10. **근치적 광범위자궁절제술 후의 조직표본**

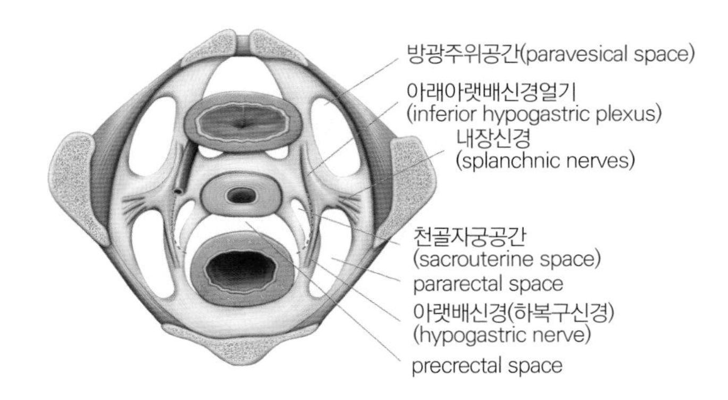

그림 30-11. **근치적 광범위자궁절제술 후의 조직표본**

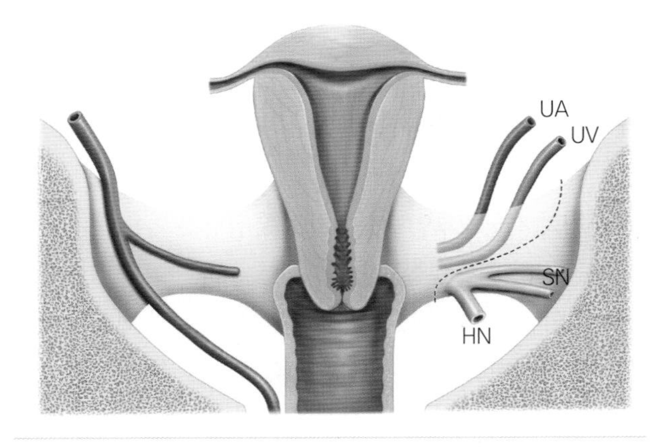

그림 30-12. **자궁방조직과 기인대 주위의 골반 자율신경총의 모식도 (UA, uterine artery; UV, uterine vein; SN, splanchnic nerves; HN, hypogastric nerve; 점선은 신경보존술 시 기인대의 절제면)**

5) 근치적 자궁절제술에서의 신경보존술

근치적 자궁절제술 후 발생할 수 있는 요로계 합병증의 발생을 최소화하기 위하여 신경보존적 근치적 자궁절제술(nerve-sparing radical hysterectomy)이 시도되었다. Sakamoto 등은 1980년대에 처음으로 이에 관한 연구결과를 보고하였는데 수술 시 기인대의 절제과정에서, 주로 혈관조직들로 구성된 인대 상부와 신경다발을 대부분 포함하는 인대 하부를 촉지하여 이를 분리한 후 인대 상부만을 절제하고 하부를 보존하는 술식을 시도하였다. 이 결과 골반신경총을 보존한 군에서 대조군에 비해 수술 후 잔뇨량이 의미 있게 감소하였고 치료성적도 크게 차이가 없었음을 보고하였다. 그러나 골반강 내의 자율신경계의 주행은 수술시야에서 쉽게 구분되지 않기 때문에 수술 시 절제될 가능성이 높아서 자궁천골인대의 미부-외측 방향으로의 광범 위 절제는 골반신경총의 손상을 가져와 직장 및 방광으로의 신경주행이 차단될 수 있다. 제2형 자궁절제술은 자궁천골인대 절제를 상당히 제한한 방법이라 할 수 있으며 여러 연구에서 제2형 자궁절제술(modified radical hysterectomy)을 시행함으로써 요로계 합병증의 감소가 증명되었다. 그러나, 제3형 자궁절제술을 시행한 경우와 비교하여 종양의 근치적 제거율 및 궁극적인 생존율에 차이가 없음을 밝힌 객관적인 연구결과는 없는 상태이다. 그래서 최근 다른 연구자들은 충분한 '근치율'을 유지하면서 골반 신경총을 보존하는 수술방법들을 제안하고 있는데 대체로 기인대의 외측 미부로 주행하는 골반신경총을 초음파 및 지방흡인기, blunt dissection 등의 방법들로 확인하고 인대의 외측, 심층 부위를 가능한 보존하려는 방법을 택하였다.

6) 근치적 자궁경부암수술에서의 복강경의 이용

(1) 복강경하 림프절절제술

부인암의 진단에 있어서 림프절전이 등 암의 진행상태를 정확히 파악하는 일은 치료방법 및 예후를 결정하는 데 있어서 매우 중요하다. 림프절전이 상태의 정확한 평가를 위해서 기존의 imaging study 및 미세침흡인생검 등이 시행되어 왔으나 민감도 및 특이도에 문제가 제기되어 왔으며 개복술의 경우 높은 합병증을 가져온다. 또한 복강경수술은 림프절에 대한 정확한 평가뿐 아니라 복강내 세척에 의한 암세포의 존재, 자궁부속기전이, 복강내 전이 여부 등을 확인할 수 있으며 방사선치료범위 결정 등에도 이용될 수 있다. 내시경을 이용한 골반림프절의 채취는 1987년 Wurtz 등에 의하여 처음 시도되었으며 Querleu 등은 39례의 초기 자궁경부암 환자에서 병기결정을 위해 복강경하 골반림프절을 시행하였다. 민감도는 100%였으며, 초기 자궁경부암에서 골반림프절전이 없이 대동맥주위 림프절로 skip metastasis 되는 경우는 매우 드물기 때문에 골반림프절전이가 없는 경우 정확도가 높다. 그러나, 골반림프절전이가 있는 경우 골반외 전이 여부를 알기 위해서는 대동맥주위 림프절제까지 시행하는 것이 필요하다. Childers 등은 18명의 자궁경부암 환자에서 방사선치료 또는 수술 전에 복강경하 골반 및 대동맥주위 림프절절제술을 시행하였다. 심각한 합병증은 없었으나 초기 경부암 8례 중 3례에서 골반림프절전이가 있어 수술을 포기하였고, 5례에서는 개복 근치적 자궁절제술을 시행하였다.

(2) 자궁경부암에서의 복강경을 이용한 근치적 자궁절제술

1992년 Nezhat 등은 자궁경부암 IA2기를 대상으로 복강경만을 사용하여 근치적 자궁절제술과 대동맥주위 및 골반림프절절제술을 시행하여 자궁경부암의 수술에 있어서 복강경의 효용성에 대하여 보고하였다. 2003년 Hertel 등은 자궁경부암 IA1에서 IIB기 200례의 복강경하 근치적 자궁절제술과 대동맥주위 및 골반림프절절제술을 시행에서 5년 생존율이 개복수술 과 비교하여 뚜렷한 차이 없고 수술 중 합병증의 발생률도 개복수술과 유사한 결과를 보고하였다. 복강경을 이용한 자궁경부암의 수술 방법은 수술과정 전체를 복강경으로 시행하는 방법과 복강경 림프절절제술과 Schauta의 근치적 자궁절제술을 병합하는 방법, 임신을 원하는 경우 근치적 자궁경부절제술과 림프절절제술을 병합하는 방법 등이 사용될 수 있다. 이러한 시술들은 초기 자궁경부암에서는 선택적으로 적용할 수 있으나, 개복술에 비하여 완전한 근치적 수술이 이루어지지 못할 가능성과 수술 후 합병증의 증가 가능성이 있으며 예후에 대한 평가가 아직 부족하므로 제한적 조건하에서만 시행되어야 한다.

(3) 로봇을 이용한 근치적 자궁절제술

2005년 로봇복강경이 부인과수술에 있어서 미국 식품 의약품 안정청(FDA)의 승인을 받은 뒤로 많은 부인과수술이 시행되었고 최근에는 그 영역을 넓혀 부인암의 수술에도 사용되고 있다. 로봇복강경을 이용한 자궁경부암의 근치적 자궁절제술도 예외는 아니며 최근의 몇몇 보고에 따르면 잘 선택된 환자에게 시행되었을 때 개복수술에 비해 출혈 감소 및 재원기간의 단축을 보였다(Lowe et al., 2009, Geisler et al., 2010). 그러나 로봇복강경수술을 시행 받은 환자의 예후에 대한 평가는 아직 확립되지 않았으며 더 많은 연구가 필요한 실정이다.

(4) LACC 임상시험

2018년 초기 자궁경부암 환자에서 개복 광범위자궁절제술과 미세침습수술(복강경수술, 로봇수술)을 비교하는 LACC (Laparoscopic Approach to Cervical Cancer) 임상시험이 발표되었다(Ramirez PT, 2018). 3년 무병생존율은 개복 광범위자궁절제술군에서 97.1%이었고 미세침습술군에서 91.2%이었다. 3년 전체생존율은 개복 광범위자궁절제술군에서 99.0%, 미세침습술군은 93.8%을 나타내었다. 이 결과는 초기 자궁경부암의 수술적치료에서 미세침습수술군이 표준 기준인 개복수술군과 비교하여 비열 등 기준보다도 낮은 치료 효과를 보인 것이다. 또한 초기경부암에서 미세침습수술을 이용한 광범위자궁절제술의 대규모 역학조사가 발표되었다. SEER 결과에서는 병기 IA2-IB1 자궁경부암수술 환자의 4년 사망률은 미세침습술군 9.1%, 개복수술군 5.3% 였다. 미세침습술군의 사망률이 높았고, 미세침습술이 도입된 이후에 매년 생존율이 낮아지는 경향을 보였다(Alexander M, 2018).

(5) 감시림프절(sentinel lymph node) 이용

감시림프절은 종양조직에서 제일 먼저 배액이 되는 림프절이며, 림프절전이의 최초장소이다. 따라서 감시림프절에서의 전이 여부 평가가 림프절절제술에 대한 판단 기준으로 작용할 수 있다. 감시림프절을 평가하기 위해 technetium-99 또는 blue dye를 주사 후, 수술 중에 gamma probe 또는 육안으로 감시림프절을 확인할 수 있다. 따라서 감시림프절은 초기 자궁경부암 또는 임상적으로 림프절 전이가 없는 경우에 사용할 수 있다. 감시림프절이 가장 많이 진단되는 부위는 외장골혈관 내측과 폐쇄림프절 주변이다(Koh WJ, 2015).

7) 침윤성 자궁경부암의 가임력 보존을 위한 수술(Fertility-sparing Management for Cervical Cancer)

Vange 등의 보고에 의하면 전체 자궁경부암의 10-15%가 가임여성에서 발생한다. 이런 점에서 가임력 보존이 필요한 젊은 연령의 초기 자궁경부암 환자의 치료에서 근치적 자궁경부절제술(radical trachelectomy, RT)은 새로운 대안이 된다. 근치적 자궁경부절제술의 방법으로는 접근 방법에 따라 질식(trans-vaginal approach)과 복식(trans-abdominal approach)접근이 있으며 근치적 자궁절제술과 마찬가지로 복강경 또는 로봇을 이용하여 근치적 자궁경부절제술을 시행할 수 있다.

(1) 근치적 질식자궁경부절제술(radical vaginal trachelectomy, RVT)

근치적 질식 자궁경부절제술은 1994년 프랑스의 Dargent이 처음 발표하였다. RVT 시술은 우선 복강경하 골반 림프절절제술을 통해 림프절을 평가하여 동결절편상 림프절 침윤이 없는 것이 확인된 후에 자궁경부절제술을 진행하게 된다. 술식에 따라 질, 자궁경부 및 주변의 자궁방조직을 절제한다. 자궁내구의 절단면에 대한 동결조직검사 결과 종양이 없는 조직의 길이가 5-8 mm (Roy) 또는 5 mm (Dargent) 정도가 되어야 한다. 이에 미치지 못 할 경우에는 자궁내구를 더 절제해내거나 이로도 적절한 외과적 절단면을 확보할 수 없을 경우에는 완전한 근치적 질식 전자궁절제술, 즉 Schauta 술식을 시행하게 된다. 이처럼 시술 중에 절단면이 양성으로 나온 경우에는 전자궁절제술을 시행해야 하기 때문에 수술 전에 환자에게 이러한 점을 충분히 설명 및 동의를 얻은 후에 시술해야 한다. RVT 시술 시 주의할 점은 다음과 같다. RVT의 성적을 보면 전체적으로 통상 시행하는 근치적 자궁절제술에 비해 실혈량이나 수혈률이 낮고, 입원 기간도 더 짧았지만 수술시간은 더 긴 경우가 많다. 동반 가능한 합병증으로는 복강경하 림프절제술 시행 중 혈관 및 요관의 손상이 가장 흔하게 되었다. 만성적으로 무 월경, 이상 질출혈 및 성교통 등이 발생할 수 있다. RVT에 관한 후향적 연구들에서 재발률은 근치적 전자궁절제술과 유사한 결과를 보이며, 2.5-3.6%로 보고되었다(Diaz et al., 2008, Bernardini et al., 2003). 재발을 예측할 수 있는 인자로는 다음 세 가지가 있다. 첫째, 자궁방 침윤 유무로, Plante 등이 전체 130예를 조사한 보고에 의하면 4례에서 재발이 되었고 그중 3례가 자궁방 또는 골반 측벽에서의 재발이었다. 둘째, 종양의 크기도 중요한 재발 예측인자이다. 최종 병리검사 결과에서 자궁외 파급이 있었던 경우는 종양의 크기가 2 cm 이상인 경우 28%, 2 cm 미만인 stage IB인 경우 13%에서 있었고 stage IA 병변에서는 없었다. 셋째, 림프혈관강 유무도 재발을 예측할 수 있는 인자의 하나이다. RVT에 적합하다고 여겨지는 환자들은 대부분 종양의 크기가 작은 초기암이지만 이 환자들 중에서도 2-5%에서 림프절 양성이었다. 산과적 결과에 대한 보고는 제한적이지만 현재까지 나온 결과들은 고무적이다. 몇몇의 연구에서는 RVT시행 후 임신율을 50% 이상으로 보고하였고(Shepherd et al., 2006, Dargent et al., 2000) 이들 대부분은 보조생식불의 도움 없이 자연 임신되었다. Rob 등은 618명의 RVT 시술을 받은 환자 중 30%에서 임신을 하였고 190명의 신생아와 38명(20%)의 조기 분만을 보고하였다.

(2) 근치적 복식자궁경부절제술(radical abdominal trachelectomy, RAT)

RAT는 RVT에 비하여 비교적 최근에 점차 시행되고 있는 수술이며 적응증은 RVT와 동일하다. 현재까지는 많은 연구가 되어 있지 않으며 Nishio 등에 의하면 RAT를 시행한 61명의 환자 중 재발은 6명(9.8%)이었으며 4명의 환자가 임신 및 출산을 하였고 2명은 만삭 분만하였다. 치료 성적과 관련하여 RAT를 시행한 147명의 환자와 RVT를 시행한 618명의 환자를 비교한 후향적 연구에서 재발률은 각각 4.8%와 4.7%를 보여 비슷한 결과를 보였다(Rob et al., 2011).

5. 방사선치료(Radiotherapy)

1) 자궁경부암에서의 방사선치료

자궁경부암에서 방사선치료는 수술적 치료와 비슷한 치료 효과를 보인다. 방사선에 의한 장과 방광의 섬유화, 질의 위축, 난소기능저하 등이 방사선치료의 단점이지만 수술 위험도에 관계없이 거의 모든 환자에게 사용할 수 있다는 점은 방사선치료의 가장 큰 장점이다. 수술적 치료와 방사선치료를 모두 받은 환자는 각각 단독으로 받은 환자에 비해 합병증 이환율이 높다. 자궁경부암에서 방사선치료의 역할은 다음과 같다.

① 일차 방사선치료(primary radiation therapy): 자궁경부암치료에서 일차적으로 시행할 수 있다.
② 보조 방사선치료(adjuvant radiation therapy): 근치자궁절제술 후 병리학적 소견상 재발 위험이 높을 경우 보조 방사선치료를 시행한다.
③ 재발성 자궁경부암에서의 방사선치료: 1차 치료 시 방사선치료를 시행하지 않았던 재발성 자궁경부암에서 방사선치료는 매우 효과적이나 이전에 방사선을 조사하였던 부위에 다시 재발할 경우 방사선을 재조사(reirradiation)하는 것은 매우 위험하다.

자궁경부암에서의 방사선치료는 외부방사선치료(external beam radiotherapy)와 근접치료(brachytherapy)가 주요 방법이다. 일반적으로 외부방사선치료가 먼저 시행되고 난 후 근접치료가 시행되는데, 그 이유는 외부방사선

치료에 의해 병변이 작아졌을 때 근접치료를 시행하는 것이 더욱 용이하기 때문이다. 근접치료에는 강내근접치료(intracavitary brachytherapy)와 조직내근접치료(interstitial brachytherapy)가 있으며 일반적으로 자궁경부암에서는 강내근접치료가 사용된다.

2) 방사선치료 시 고려 요인

성공적인 방사선치료를 위해서는 주변의 정상조직과 암세포의 방사선에 대한 민감도 차이, 주변의 정상조직이 방사선치료 이후 원상태로 회복될 수 있는 능력 등을 고려해야 한다. 치료효과(therapeutic ratio)란 종양을 죽이는 효과와 부작용 사이의 비율을 말하며 이 곡선 상에서 두 곡선 사이의 거리가 곧 치료 효과를 반영하는 것이 된다. 방사선에 대한 주변 정상조직의 내성은 조직마다 다르다. 질, 자궁 및 자궁경부는 방사선에 강한 기관으로 이는 자궁경부암에서 높은 선량을 조사할 수 있는 이유가 된다. 질의 상부가 가장 방사선에 잘 견디는 부분으로 견딤 선량이 140 Gy인 반면, 질의 뒷면은 앞면이나 측면보다는 방사선에 취약하기 때문에 직장질루의 가능성을 최소화하기 위해 80 Gy를 넘지 않도록 한다. 방광은 약 75 Gy, 직장은 60 Gy까지 견딜 수 있다. 하지만 소장은 방사선에 대한 내성이 낮은 기관으로 최대 조사 선량은 42 Gy이다. 소장의 낮은 내성 때문에 복부 전체를 조사할 때 선량은 25 Gy 이하로 제한한다. 난소는 방사선에 매우 취약하며 10 Gy가 조사 되었을 때 난소 기능 부전의 확률은 사춘기 전에는 40%, 20세에는 75%, 35세 이후에는 100%로 거의 모든 여성에서 난소 기능 부전이 발생한다.

3) 방사선치료 시 예후인자

자궁경부암에서 방사선치료 시 예후 인자는 다음과 같다.

(1) 종양 요인

① 높은 병기
② 종양 크기
③ 주변조직 침범(자궁주위조직, 골반벽 등)
④ squamous carcinoma 외 다른 조직학적 유형
⑤ 림프절전이
⑥ 종양 저산소증(tumor hypoxia)
⑦ FDG-PET에서의 높은 SUV 값

(2) 환자 요인

① 빈혈
② 수행도(performance status)
③ 체중감소
④ 혈소판 증가
⑤ 백혈구 증가

4) 방사선치료 계획

방사선치료 계획 시 다음 세 가지 목적을 만족하는 선량 분포를 만든다:

① 목표에 방사선량을 극대화
② 합병증이나 재발을 만들 수 있는 hot spot이나 cold spot을 가능한 없애고, 목표체적에 균일한 선량 투여
③ 정상조직에 방사선량을 최소화

(1) 강내근접치료

선원을 체강내에 두는 치료를 강내근접치료(intracavitary brachytherapy)라고 한다. 부인과 영역에서는 자궁내 혹은 질내 장착기를 설치하고 포장된 선원(예를 들면, ^{137}Cs 이나 ^{192}Ir)을 장전하는 방법이 가장 흔하다. 부인과 영역의 강내근접치료에 사용되는 장착기들은 기본적으로 자궁강내 선원(tandem)과 질강내 선원(ovoid)으로 구성된다. 강내근접치료는 장착기 주변의 종양에 고선량을 조사하면서 선원에서 떨어진 직장, 방광 등의 정상 조직에는 적은 선량을 조사할 수 있다. 이때 선량분포가 짧은 거리에서도 변화가 심하기 때문에, 정확한 장착기 및 선원의 설치가 매우 중요하다. 방광과 직장에 팩킹을 하거나 당기면 선원으로부터 거리를 증가시켜 조사선량을 줄일 수 있다. 최근의 장착기는 의료인의 방사선 노출을 최소화하기 위해 골반 X선으로

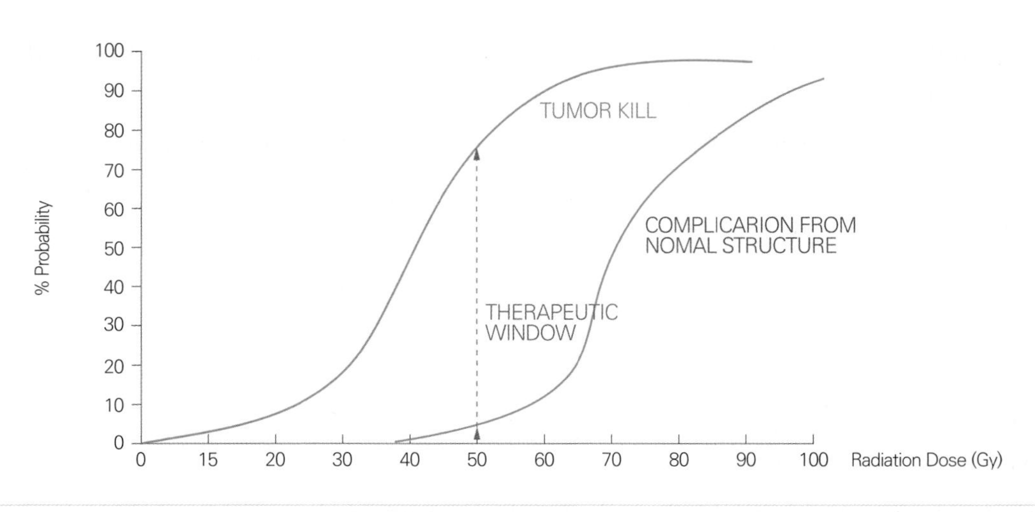

그림 30-13. **치료효과(therapeutic ratio)**
방사선에 대한 종양조직의 반응과 정상조직의 내성(tolerance)를 도식화 한 것으로 선량이 증가할수록 종양의 완치 확률과 이환율이 증가한다. 완치 확률이 충분히 높고(80-90%) 이환율이 적절할 때(10% 미만) 이상적인 상황이 된다(출처: http://www.thetcr.org/article/view/595/html).

위치를 확인한 후 원격으로 선원을 장착하게 되어 있다. 이러한 원격후장진장치(remote after loading system)는 치료 종료 후 자동으로 장착기에서 선원을 납으로 차폐된 금고로 옮긴다. 따라서 작업종사자의 피폭은 문제가 되지 않는다. 과거 자궁경부암의 근접치료는 ^{226}Ra 또는 ^{137}Cs을 이용하여 시간당 0.4-0.8 Gy의 방사선이 조사되는 저선량률(low dose rate, LDR)로 시행되었다. 저선량률 강내치료는 환자가 24-48시간 동안 별도의 차폐 병실에 입원하여 치료를 받아야 하며, 장착기 설치 시 의료인의 방사선 피폭 및 치료 중 장착기의 움직임 가능성 등이 있다. 1970년대부터는 ^{60}Co나 ^{192}Ir을 이용한 고선량률(high dose rate, HDR) 원격 후 장진 방법이 개발되어 외래에서 10-20분의 짧은 시간에 의료진의 방사선 피폭 없이 치료를 할 수 있게 되었다. 이러한 장점을 바탕으로 국내외에서 과거 30년 동안 부인암 영역의 고선량률 강내근접치료가 널리 시행되었으며, 많은 후향적 연구결과를 통해 저선량률과 고선량률 강내치료는 부작용 및 치료성적에서 차이가 없는 것으로 보고되고 있다.

1913년 방사선치료만으로 자궁경부 완치가 보고된 이례로 방사선치료 기술에 있어 큰 발전이 있어왔다. 라듐(radium)을 이용한 강내근접치료로서 1938년 소개된 멘체스터 방법은 현대의 자궁경부암 방사선치료의 근간이 되고 있다. 이는 두 개의 주요한 기준점인 point A와 point B점을 설정하고 이 기준점에 조사되는 선량을 기준으로 치료 계획을 세운다. A점은 가상의 점이므로 자궁경부의 크기에 따라 point A가 종양 내부에 있거나 종양 외부에 있을 수 있다. 따라서 자궁경부암의 크기가 큰 경우에는 적은 선량이 조사될 위험성이 있고 크기가 작은 경우에는 상대적으로 고선량이 조사될 위험성이 있다. 하지만 이러한 제한점에도 불구하고 point A는 현재까지 자궁경부암 강내치료에서 표준화된 지표로 간주되며, 최신의 영상유도방사선치료(image-guided radiotherapy)나 보정방사선치료(adaptive radiotherapy)를 적용할 때도 point A를 무시할 수는 없다.

- Point A: 자궁경부에서 2 cm 외측, 2 cm 상방으로 정의하며, 원발병소 선량의 지표가 된다.
- Point B: B점은 A점에서 3 cm 외측 지점으로, 골반벽 침윤 및 골반 림프절 선량의 지표가 된다.

(2) 외부방사선치료

전형적인 골반부위 외부방사선치료 범위는 주요 종양, 자궁주위조직, 그리고 장골, 천골 림프절을 포함한다. 일반적으로 소장에 조사되는 용적을 줄이기 위해 2-3시간 방광을 채우고 엎드린 자세로 모의치료를 시행한다. 치료계획은 주로 앞-뒤, 뒤-앞, 좌-우, 우-좌의 네개의 빔을 이용한다.

① 앞-뒤, 뒤-앞 골반의 조사영역

- 위: L5-S1 혹은 L4-5
- 아래: 폐쇄공의 아랫면 혹은 종양의 자궁경부나 질 침범부위 중 가장 아랫부분으로 3 cm
- 측면: 골반가장자리 + 1.5-2 cm 좌-우, 우-좌 골반의 조사영역위, 아래: 앞-뒤, 뒤-앞의 위, 아래와 동일측면, 앞: 치골결합의 앞쪽 경계 혹은 치골결합 앞쪽 경계에서 1 cm 앞까지 다양
- 뒤: S(sacrum)2 - 천골뼈 전체까지 다양

대동맥주위 림프절로 전이가 되어있거나 위험성이 높은 경우에는 방사선조사영역의 위쪽 경계를 위의 영역보다 넓힌다. 위쪽 경계는 T12-L1 혹은 림프절전이가 있는 부위보다 최소한 척추뼈 한 개 위쪽으로 한다. 과거의 이차원방사선치료 시대에는 주로 앞-뒤, 뒤-앞의 두개의 빔을 이용하여 치료하였으나 현재는 3차원입체조형방사선치료 혹은 강도변조방사선요법 등 다양한 방법을 이용하여 가능하면 장과 골수 독성을 피하도록 한다.

근치적 목적의 방사선치료 선량은 골반 +/- 대동맥주위 림프절 부위에 40-50 Gy를 조사 후 조사영역을 줄여서 자궁주위조직에 종양의 침범 정도에 따라 54-60 Gy까지 추가할 수 있다. 골반림프절이나 대동맥주위림프절전이는 3차원 입체조형 방사선치료 혹은 강도변조 방사선치료를 이용하여 최대 60 Gy까지 조사할 수 있다. 외부선방사선조사 보통 4-5주 동안 자궁경관내 종양조직과 외장성종양이 줄어들어 이후에 시행되는 강내근접치료를 용이하게 한다. 종양의 재증식의 가속화를 최소화하기 위해 전체 치료기간을 7주 내로 끝내도록 권유된다.

자궁경부종양을 조절하기 위해 적합하다고 여겨지는 Point A의 총선량은 외부 선방사선과 LDR 강내근접치료를 합쳐 보통 75 Gy (IB1 stage의 작은 종양) 에서 90 Gy (큰 혹은 국소적으로 진행된) 사이이다. Point B의 총선량은 45 Gy에서 65 Gy로 자궁주위조직과 측벽의 질환에 따라 달라진다.

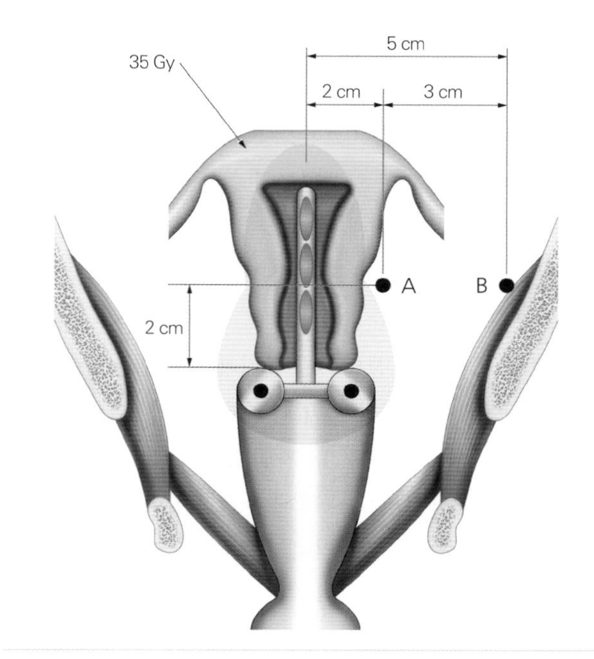

그림 30-14. **강내근접치료 시 사용되는 맨체스터 방법의 장착기와 point A와 B의 모식도**

장착기는 기본적으로 자궁강내 선원(tandem)과 두개의 질강내 선원(ovoid)으로 구성된다(출처: Monk, B. J. et al., 2007). "Multimodality therapy for locally advanced cervical carcinoma: state of the art and future directions." J Clin Oncol 25(20): 2952-2965.).

표 31-5. 강내근접치료 방법의 비교

	저선량률(LDR)	고선량률(HDR)
선원	^{226}Ra, ^{137}Cs	^{60}Co, ^{192}Ir
의료인 피폭	있음	없음
치료시간	24-48시간	10-20분
환자의 육체적, 정신적 부담	크다	적다
요료감염 위험성	크다	없다
치료 중 장착기 움직임	크다	없다
차폐병실	필요	불필요

(3) **강도변조방사선요법**(intensity modulated radiation therapy, IMRT)

강도변조방사선요법이란 일종의 입체 방사선 조사 방법으로서 표적 용적을 정확하게 파악하고 복잡한 컴퓨터 알고리즘을 이용하여 여러 방사각에서 각기 다른 선량을 조사함으로써 종양에 대한 방사선조사를 최적화하고 동시에 주변의 정상조직에 독성을 최소화한다. 치료자세로 시행한 CT에 표적체적의 윤곽을 정확하게 그리고, 중요한 정상조직 구조를 그려 넣는다. 각 부분에 전달될 허용 가능한 최소 및 최대 선량을 정한다. 다엽 콜리메이터를 이용하면, 목표 조직에 원하는 양의 방사선을 넣거나 뺄 수 있다. 이를 통해 매우 정교한 입체구조를 만들 수 있지만, 치료계획을 세우는 시간이 오래 걸리고 종양에 맞추어 정교하게 선량이 분포하기 때문에 표적 용적을 정확하게 그리는 것이 매우 중요하다. 또한 IMRT는 여러 개의 빔이 사용되므로 계획된 모양과 선량으로 동일하게 조사되는지를 실제 환자의 표면에서 확인할 수 없기 때문에 이를 확인하기 위한 질 관리가 매우 중요하다. 자궁경부암에 있어 IMRT가 기존의 외부방사선치료에 비해 부작용이 적음이 보고되고 있다. 또한 자궁경부암의 강내근접치료를 대체하는 방법으로 IMRT를 비교하는 연구들도 보고되고 있다. 하지만 생존율의 측면에서 IMRT의 장점이 아직 확립되지 않았기 때문에 자궁경부암 환자에게 일반적으로 적용하기에는 한계가 있다.

(4) **방사선치료 전 대동맥 주변 임파선 절제**(pararotic lymphadenectomy before radiation therapy)

양전자단층촬영(positron emission tomography, PET) 또는 CT에서 대동맥주변 림프절전이가 의심되는 경우 방사선치료범위를 확대하여 치료한다. 대동맥주변 림프절전이 여부의 진단 과정에서 PET의 위음성률은 약 22%에 달한다. 국소 진행성 자궁경부암 환자들에서 1차 방사선치료 전 방사선 조사 범위를 설정하기 위해 개복을 통한 대동맥 주변 림프절 절제를 시행할 수 있으나 수술과 방사선에 의한 합병증으로 일반적으로 시행되지는 않는다. 후복막 접근 또는 복강경을 통해 이러한 합병증의 위험을 높이지 않고 대동맥 주변 임파선절제술을 시행할 수 있다.

(5) **동시항암화학방사선치료**(concurrent chemoradiation therapy, CCRT)

방사선치료에 항암화학요법이 동시에 사용하였을 때 암세포가 방사선치료에 반응하는 비율이 높아져, 항암화학

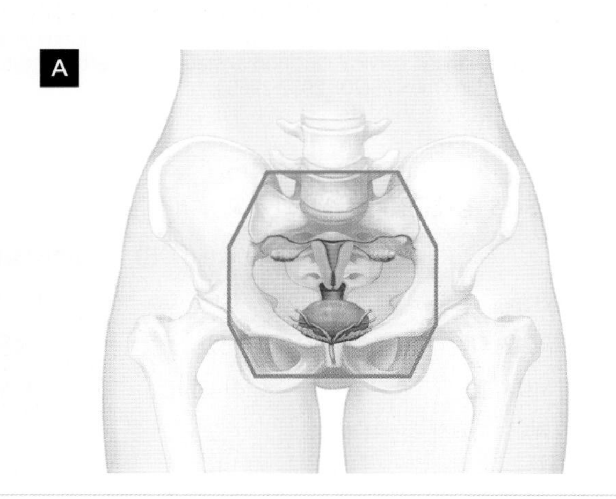

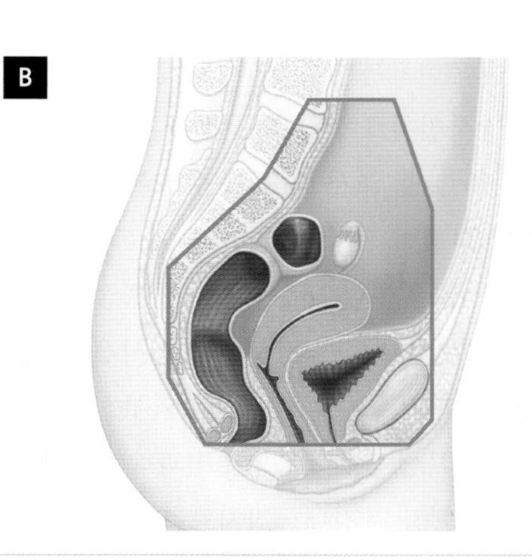

그림 30-15. **강표준 골반부위 외부방사선치료 범위**

A: 앞-뒤, 뒤-앞 골반부위 조사영역. B: 좌-우, 우-좌 골반부위 조사영역(출처: Monk, B. J., et al. (2007). "Multimodality therapy for locally advanced cervical carcinoma: state of the art and future directions." J Clin Oncol 25(20): 2952-2965.)

요법은 CCRT에서 민감제(sensitizer)로 작용한다. 1990년대 후반부터 시작된 무작위임상시험에서 동시화학방사선치료가 방사선치료 단독에 비해 국소종양 조절 확률이 높고 생존율을 향상시킴이 밝혀졌다. 1차 방사선치료 시행 환자와 수술 후 재발의 고위험 인자를 가진 환자들에서 모두 cisplatin을 포함한 CCRT가 방사선치료 단독에 비해 증가된 생존율이 보고되었다. 이러한 결과를 바탕으로 외부선 방사선 조사와 동시에 cisplatin을 1주 간격으로 투여하는 방안이 표준치료로 결정되었다. National Comprehensive Cancer Network (NCCN)의 임상 치료 지침에 따르면 4 cm 이상의 큰 종양을 가진 병기 1B3와 IIA2, 그리고 병기 2B 이상 IVA 이하의 국소 진행성 자궁경부암에서 외부방사선치료, cisplatin 항암화학요법, 강내근접치료를 시행하는 것을 Category 1으로 추천하고 있다.

5) 방사선치료의 적용

(1) 1차 방사선치료

근치적 목적으로 방사선치료 시에 병소의 크기가 작은 1A 병기 환자는 근접치료 단독으로 치료한다. 1B 이상에서는 외부방사선치료와 근접치료를 병행한다. 외부방사선치료는 전골반±대동맥주위 림프절을 치료하기 위해 사용되고 중심병변(자궁경부, 질 그리고 내측 자궁주위조직)은 주로 강내근접치료를 이용하여 고선량을 조사한다. 크기가 큰 경우 외부방사선치료로 크기를 줄인 후 강내근접치료를 시행하지만 크기가 작은 경우 강내근접치료를 먼저 시행할 수 있다.

① 병기 IA, IB1, IB2, IIA1

방사선요법은 수술과 비슷한 치료효과를 보인다. 외부방사선치료와 강내근접치료를 병용할 때 5년생존율은 IB는 86-92% 그리고 IIA는 대략 75%이다. 전반적인 골반재발률은 대략 IB에서 5-8%, IIA에서 15-20%이다. 크기가 큰 종양의 경우 방사선치료 시행 후에 자궁절제술의 추가는 국소재발률을 약간 감소시킬 수 있지만 생존율에 유의한 영향은 없다.

② 병기 IB3, IIA2, IIB, IIIA, IIIB, IVA

종양의 크기가 크거나(4 cm 이상) 병기 IIB 이상의 진행된 자궁경부암 환자는 주로 방사선치료를 시행한다. 방사선치료를 시행하였을 때 병기 IIB, III, IVA의 5년 생존율은 60-65%, 20-50%, 그리고 15-30%이다. IIB, III, IVA에서 골반치료율은 60-80%, 50-60% 그리고 30%이다. 현재 표준적인 치료법은 cisplatin을 포함한 CCRT이다. 일부 환자에서 내과적 질환 혹은 골반이나 종양의 해부학적 구조의 특이성으로 강내근접조사를 시행할 수 없는 경우에는 더 높은 선량을 이용하여 외부방사선치료만으로 치료할 수 있다. 과거에는 종양주위의 정상조직은 방광과 직장, 장의 방사선 내성의 한계 때문에 줄 수 있는 선량이 제한적이어서 치료결과가 최적 수준을 도달하지는 못한다. 최근에는 방사선치료기술의 발달로 과거보다 급격한 선량변화를 가지는 치료 계획이 가능해져 선형가속기, 토모테라피, 사이버나이프 등을 이용한 강도변조방사선요법으로 강내근접치료와 유사한 성적을 보고하는 연구들이 발표되고 있지만 치료계획에 소요되는 시간, 종양 및 정상조직의 움직임에 의한 경계부위 치료용량 감소 및 적절한 치료계획 시스템의 필요성 등으로 보편화되기 위해서는 아직 추가적인 연구가 필요하고 현재까지 표준적인 치료는 외부방사선치료와 강내근접치료이다.

(2) 수술 후 보조방사선치료(postoperative adjuvant radiotherapy)

수술 후 중등도의 위험인자(림프혈관공간침범, 기질침범 1/3 이상, 4 cm 이상 종양크기) 중 두 가지 이상 양성인 경우에는 방사선치료를 시행하고 고위험인자(림프절전이, 수술절제면 양성, 자궁주위조직침범) 중 한 가지 이상이라도 양성이면 CCRT를 시행한다. GOG 92/RTOG87-06은 277명의 크기가 큰 1B 환자들을 대상으로 근치적 자궁적출술을 시행한 후 수술절제면 음성이고 림프절전이가 없으면서 림프혈관공간침범, 기질침범이 1/3 이상, 4 cm 이상 종양크기의 세 가지 위험인자 중에서 두 가지 이상인 환자를 대상으로 수술 후 방사선치료(46-50.4 Gy) 또는 경과관찰군으로 무작위 임상시험을 진행하였다. 수술 후 방사선 치료를 추가한 군에서 재발률을 31%에서18%로 낮추었고, 무병생존율을 65%에서 78%로 증가시켰다.

GOG109/SWOG8797은 243명의 IA2, IB, IIA 환자들을 대상으로 근치적 자궁적출술을 시행한 후 림프절전이, 수술절제면 양성 혹은 자궁주위조직침범 중 한 가지라도 양성인 환자를 대상으로 수술 후 방사선치료군(49.3 Gy, 총장골임프절 양성인 군에서는 대동맥주위 림프절에 45 Gy 추가)과 CCRT (Cisplatin/5-FU, 3주 간격)으로 무작위 임상시험을 진행하였다. CCRT군에서 4년 무병생존율이 63%에서 80%로 증가하였고 생존율도 71%에서 81%로 증가하였다.

보조적인 골반방사선요법의 단점은 수술단독이나 방사선 단독요법보다 주요한 합병증이 빈도가 증가한다. NCCN은 근치적 수술과 방사선요법 양쪽의 일반적 사용을 피해야 하며, 치료 전 평가에서 고위험인자를 가진 것으로 알려진 환자는 근치적인 방사선요법을 선택하는 것을 권고한다.

(3) 재발성 자궁경부암

근치적 자궁절제술 후 골반 내에 국소재발한 환자들은 조기에 방사선치료가 시행될 경우 약 50%에서 치료효과를 보인다. 예후는 골반림프절 또는 골반벽에 재발 소견이 없고, 골반중앙에 단독으로 재발 환자가 가장 좋다. 이 환자들의 5년 생존율은 60-70%이다. 종양의 크기에 따라 전골반 외부방사선치료를 20-40 Gy 조사하고 자궁주위조직에 추가 선량을 조사하여 50-60 Gy 정도의 총 선량이 필요하다. 그리고 종양의 침범 정도를 고려하여 질구개 혹은 전체 질을 커버할 수 있는 근접치료를 추가한다. 이전에 방사선 치료를 받은 환자에게 방사선치료를 다시 시행하는 것은 극도로 조심히 시행되어야 한다. 이전 치료하였던 방사선의 치료적 방법(빔 에너지, 치료용적, 선량)을 분석하는 것이 중요하다. 또한 방사선치료 후 손상되었던 정상 조직의 일부는 시간이 흐르면서 회복될 것이라고 가정하기 때문에 이전 치료와 새로운 치료 사이의 기간을 고려해야 한다. 일반적으로 재발된 종양에 외부방사선치료는 제한된 용적에 40-45 Gy를 조사한다.

(4) 고식적 치료

방사선요법은 전이성 자궁경부암의 고식적 치료에 중요한 역할을 한다. 특히 전이성 자궁경부암의 증상완화(통증, 출혈 등)를 위해 방사선치료가 사용된다. 5분할마다 2,000 Cgy나 10분할마다 3,000 Cgy 같은 고식적인 방사선 조사의 짧은 과정은 보통 대동맥주위 절 침범이나 골전이와 연관된 증세를 완화시킨다. 그런 치료는 또한 커진 종격동이나 쇄골장 림프절전이로부터 압력과 연관된 증상을 완화시킨다.

6) 방사선치료 합병증

급성합병증은 약 2,000 cGy 이상 투여될 때부터 발생할 수 있다. 자궁은 방사선에 대한 내성이 높은 장기이지만, 고령, 종양의 침범이 큰 경우, 그리고 이전에 자궁수술 기왕력이 있는 환자에서는 자궁 천공의 위험이 높다. 강내근접치료 시 자궁천공이 의심될 경우 즉시 자궁강내 선원(tandem)을 제거하고 출혈이나 복막염 증상이 있는지 관찰한다. 방사선치료에 의해 종양이 괴사하면서 열이 발생하는 경우 광범위 항생제를 투여한다. 급성합병증으로는 설사, 복통, 오심, 빈뇨, 일시적인 방광 및 항문출혈 등이 있고, 대부분 보존적 치료로 완화된다.

방사선치료 후 주요 만성합병증은 병기 I-IIA인 경우 3-5%, IIB-III에서는 10-15%에서 발생하고 분할용량, 투여된 총 용량, 그리고 조사된 용적과 관련된다. 골반염, 심한 흡연자, 과거 복부수술력, 그리고 당뇨 같은 환자요소는 합병증의 위험을 증가시킨다. 강내 선원의 위치 또한 합병증의 위험에 영향을 끼칠 수 있다. 만성합병증이 발생했을 경우 자궁경부암의 재발 여부를 반드시 확인하여야 한다. 질협착, 요관협착이 1-3% 발생하고 방광질루(vesicovaginal fistula) 혹은 직장질루가 2% 이내, 장협착 혹은 천공이 5% 이내 그리고 대퇴부경부골절이 5%이내에서 발생한다. 위장관부작용은 보통 방사선치료 후 첫 2년 내에 발생하고 반면 비뇨기계부작용은 3-5년 후에 더 흔하게 발생한다. 방사선치료 후에는 질이 좁아지기 때문에 질구개 크기를 유지시켜 성생활을 유지시키기 위해서는 필요에 따라 질확장술이 추천된다. 심한 질 짧아짐은 흔하지 않고 환자의 나이, 폐경, 성생활, 원발병소범위와 관련되어 있다. 직장구불창자염(proctosigmoiditis)는 항문출혈이 주 증상이다. 장천공, 직장질루(rectovaginal fistula), 직장 협착 등은 수술적 치료가 필요하다. 소장의 경우 방사선에 취약하므로 골반내 유착으로 인하여 소장이 방사선 조사 범위 내에 위치할 경우 천공 등의 합병증의 위험이 높아진다. 특히 원위부 돌창자(terminal ileum)는 막창자(cecum)와 연결되어 고정되어 있으므로 더욱 취약하다. 소장합병증의 경우 적절한 영양 공급이 필수적이다. 만성요로합병증 중 방광질루가 가장 흔하며 대부분 수술적 치료가 필요하다.

6. 진행된 자궁경부암에서 선행 화학요법의 역할

전통적으로 초기 자궁경부암의 표준 치료로는 광범위 수술이 시행되었으며, 수술이 불가능한 경우 방사선치료를 하였다. 국소적으로 진행된 병기에서는 외부방사선(external beam radiotherapy)과 내부근접치료(internal brachytherapy)로 이루어진 광범위 방사선치료를 시행해 왔다. 그러나 1990년대에 들어서면서 자궁경부암의 항암 약제 감수성이 보고되기 시작하였고, 1999년에 미국국립암연구소(National Cancer Institute)에서 5개의 무작위 임상연구를 통해 방사선 단독 치료보다 CCRT가 권장된다고 공식적으로 발표한 이후 자궁경부암에 대한 화학요법의 임상 적용과 연구가 활발히 이루어졌다. 그중에서도 선행 화학요법의 효과에 대해 국내에서도 많은 연구진들이 긍정적인 결과를 보고한 바 있으며(최철훈 등, 2006; 박혜인 등, 2005), 외국의 여러 연구자들도 선행 화학요법의 좋은 성적을 보고하였다(Gadducci et al., 2013; Rydzewska et al., 2012). 그러나 몇몇 무작위 3상 연구에서는 선행 화학요법이 생존 연장에 효과가 없다는 보고가 있었으며 심지어 더 나쁜 결과를 보고한 예들도 있었다(Herod et al., 2000; Tattersall et al., 1995).

선행 화학요법의 이론적 근거로는, 미세 전이 종양에 대한 치료, 종양의 크기 감소에 의한 수술 및 방사선치료의 성공률 향상, 동시 항암화학방사선치료에 비해 적은 독성 등을 들 수 있다. 또, 수술 및 방사선치료가 선행되는 경우 발생하는 종양 내 혈류 변화가 없어 약물이 더욱 효과적으로 작용할 수 있을 것으로 예측되고, 부득이한 사유로 방사선치료를 연기해야 하는 환자에서 동시 항암화학방사선치료에 대한 대안이 될 수 있다.

2003년 세계 각국의 연구자로 구성된 공동 연구팀은 1975년부터 2000년까지 시행된 21개의 무작위 임상 시험을 메타 분석한 결과를 보고하였다(NACCCMA, 2003). 이 메타분석에서는 국소적으로 진행된 자궁경부암을 대상으로 두 가지를 독립적으로 비교하였는데 첫째는 선행 화학요법 후 방사선치료를 시행한 군과 처음부터 방사선치료만 시행한 군을 비교하였고, 둘째는 선행 화학요법 후 수술을 시행한 군과 방사선치료만 시행한 군을 비교하였다. 총 2,074명의 환자가 포함된 첫 번째 비교에서는 선행 화학요법 주기와 용량에 따라 구분하였을 때 흥미로운 결과를 보여주었다. 선행 화학요법 주기가 14일보다 길었던 경우에는 사망위험도가 1.25(p=0.005)로써 5년 생존율은 45%에서 37%로 감소하였고, 14일 이하 주기로 선행 화학요법을 시행한 경우에는 사망위험도가 0.83(p=0.046)으로써 5년 생존율은 45%에서 52%로 증가한다고 하였다. 용량에 따른 구분은 cisplatin 25 $mg/m^2/7days$ 미만인 경우를 저용량군, 이상인 경우를 고용량군으로 나누어 분석하였는데, 저용량군에서는 사망위험도가 1.35(p=0.002)로써 5년 생존율은 45%에서 34%로 감소하였고, 고용량군에서는 사망위험도가 0.91(p=0.2)로써 5년 생존율은 45%에서 48%로 증가한다고 하였다. 총 872명의 환자가 포함된 두 번째 비교에서는 사망위험도가 0.65(p=0.0004)로써 선행 화학요법을 받은 경우, 5년 생존율이 50%에서 64%로 증가하는 긍정적인 결과를 보였다. 비록 메타 분석에 포함된 연구들 간에 이질성을 보인다는 제한점이 있었으나, 국소적으로 진행된 자궁경부암에서 선행화학요법이 효과적으로 사용될 수 있고 특히 항암제 사용 주기와 용량이 중요한 영향을 미친다는 결과를 보여주었다. 메타 분석이 계획되었던 시점은 CCRT가 표준 치료법으로 대두되기 이전이었기 때문에 CCRT와 비교하여 선행 화학요법이 과연 효과가 있느냐 하는 문제가 남는데, 이에 대해 2상 비무작위 임상연구에서는 선행화학요법이 CCRT와 비슷한 효과를 보여주었다고 하였다(Duenas-Gonzalez et al., 2002). 유럽공동연구팀(European Organisation for Research and Treatment of Cancer, EORTC)는 자궁경부암 병기 IB2-IIB 환자를 대상으로 선행화확요법연구(EORTC 55994)를 시행하였다. 이 연구는 2002년부터 2014년까지 620명의 환자를 대상으로, 선행 화학요법 후 수술을 시행군(neoadjuvant chemotherapy followed by surgery, NACTS, n=311)과 CCRT(n=309) 군의 5년 생존기간을 비교하는 무작위 임상연구를 시행하였다. NACTS군에서는 시스플라틴을 포함하는 선행항암화학요법 완료 후 6주 이내에 근치적 자궁절제술을 시행하였고, CCRT군은 45-50 Gy 방사선요법과 시스플라틴 (40 mg/m²/week)을 병용하였다. 평균 추적 기간은 8.2년으로 459명(74%) 환자들이 치료 프로토콜을 완료하였다. NACTS군에서 선행항암화학요법 후 수술을 받은 환자는 238명(76%)로, 수술을 받지 못한 대상자들은 34%가 선행항암화학요법 독성, 24%가 질병의 진행, 16%가 선행화학요법의 낮은 효과를 보였다. 이로인해 NACTS군에서 113명(36.3%)가 추가 방사선요법을 받았다. CCRT군에서는 9명(2.9%)가 추가적인 수술치료를 받았다. Grade 3 이상의 중증도 이상의 부작용은 NACTS군이 더 높았다(35% vs 21%, $p < 0.001$). 5년 생존기간은 NACTS군이 72%, CCRT군이 76%를 보였지만 통계적인 차이를 보이지는 않았다. 아직도 두 군에 대한 치료효과를 경과 관찰 중에 있으며, 향후 두 가지 치료에 대한 결정은 삶의 질, 또는 치료 독성 등을 고려해서 결정이 될 것으로 예상된다(Gupta et al., 2018).

선행 화학요법이 가지는 단점들, 즉 치료 일정이 길어짐

표 30-6. 요선행 화학요법 후 수술 치료 군과 수술치료 단독요법 군 사이의 비교 연구를 시행한 6개의 무작위 임상 연구에 대한 메타분석결과 (Rydzewska et al., 2012)

	환자 수	위험도	95% 신뢰구간
누적 생존기간	1,071	0.77	0.62-0.96
cisplatin 용량에 따른 누적 생존기간			
cisplatin >25 mg/m²/주	639	0.74	0.55-0.98
cisplatin ≤25 mg/m²/주	432	0.83	0.59-1.18
싸이클 길이에 따른 누적 생존기간			
싸이클 길이 ≤14일	639	0.74	0.55-0.98
싸이클 길이 >14일	432	0.83	0.59-1.18
병기에 따른 누적 생존기간			
IB	604	0.78	0.58-1.03
IB-IIIB	467	0.77	0.55-1.09
무진행 생존기간	1,027	0.75	0.61-0.93
국소 재발률	737	0.67	0.45-0.99
원격 재발률	737	0.72	0.45-1.14
광범위 절제술 시행비율	940	1.55	0.96-2.50
조직병리 결과			
임파절전이	908	0.54	0.40-0.73
자궁방조직전이	908	0.58	0.41-0.82

에 따라 근치적 수술치료가 늦어질 수 있고 환자의 순응도가 감소할 수 있다는 점, 항암제 독성에 의한 합병증이 발생할 수 있다는 점, 항암제 저항성을 가지는 암 세포 출현으로 인해 종괴의 지속 및 재발이 유발될 수 있다는 점 역시 해결해야 하는 과제이다. 방사선요법이 불가능한 경우에서 선행 화학요법이 효과적으로 사용될 수 있으므로, 진행된 자궁경부암 환자에서 동시 항암화학방사선요법이 널리 사용되고 있는 현재에도 선행화학요법은 여전히 중요한 역할을 가지며 많은 관심을 받고 있다.

7. 재발성 자궁경부암의 치료

1) 재발성 자궁경부암의 치료 원칙

재발성 자궁경부암 치료는 원칙적으로 최초에 방사선치료를 시행하지 않은 경우에는 방사선치료를 사용하며 최초에 방사선치료를 시행한 후 재발된 경우에는 항암 화학요법 혹은 수술적 치료를 우선 시행한다. 재발된 병변의 위치, 개수, 크기 등이 치료방침을 결정하는데 중요한 인자이며 다음과 같이 3가지의 경우에 따라 치료의 방법이 달라진다.

(1) 국소 재발
(2) 원격전이 재발
(3) 원격 및 국소 복합 재발

2) 재발성 자궁경부암의 방사선치료

(1) 방사선 재조사(radiation retreatment)

① 국소적인 재발

재발성 자궁경부암이 국소적으로 재발하는 경우는 방사선치료, 수술적 절제 등의 국소적 치료방법을 우선적으로 적용한다. 최초의 치료가 방사선치료를 포함하지 않는 경우에는 재발암이라 하더라도 완치의 가능성이 높다. 특히 골반강 내 자궁 혹은 질 절단부 재발인 경우에는 CCRT 혹은 강내근접치료(intracavitary brachytherapy)를 시행할 수 있으며 방사선치료 후 재발된 국소적인 암인 경우 근치적 골반내용물적출술(pelvic exenteration)을 시행할 수 있다. 전신적 항암 화학요법만으로 재발성 자궁경부암을 완치시킬 확률은 매우 낮으며, 골반내용물적출술은 수술에 의한 이환율(morbidity)과 치사율(mortalilty)이 높기 때문에 방사선치료가 가능한 부위의 재발인 경우 방사선치료를 우선적으로 고려한다.

② 원격전이 재발

원격전이된 자궁경부암 재발 경우 완치의 확률은 매우 낮다. 하지만 방사선 조사가 국소적으로 가능한 부위의 재발, 특히 대동맥주위 림프절, 쇄골상림프절(supraclavicular lymph node) 등은 국소적 방사선치료와 전신적 항암화학요법을 동시에 순차적으로 진행하는 방법을 사용한다. 폐, 간 등으로 전이된 경우 방사선, 수술적 절제 등의 국소적 치료 후에 전신적 항암화학요법을 사용하는 방법을 사용한다.

③ 원격전이와 국소전이가 복합된 재발

항암화학요법와 국소적 방사선 조사를 조합하여 치료하며, 치료의 주된 목적은 환자의 삶의 질의 향상과 생존기간의 연장이다. 방사선치료 후 이전 조사 부위에 재발한 자궁경부암은 치료를 시행하는데 어려움이 많다. 비록 중앙 부위에 국한된 재발 병변을 가진 환자에서 근치적 골반내용물적출술 등의 구제 수술을 시행할 수 있지만 방사선치료 후 행해지는 이런 수술은 수술과 관련된 사망을 포함한 중대한 합병증이 발생할 수 있으며 상당한 수준의 구조적 및 기능적 손실이 동반된다. 그러므로 구제 수술의 시행 여부는 임상적인 변수 이외에도 의사와 환자의 수용여부에 달려있다. 이전에 방사선 조사를 받은 조직은 처음 방사선 조사를 받는 조직에 비해 방사선치료에 대한 내성이 약하다. 따라서 심각한 후기 합병증이 자주 발생하는데, 주로 외부방사선치료를 시행했던 환자에서 흔히 관찰된다. 최근에는 방사선치료 기술의 발전으로 종양의 크기가 작은 중앙부위 재발, 특히 일차 치료 후 무병 기간이 긴 환자에서 방사선 재조사가 치료적 효과를 가질 수 있다. Randall 등은

13명의 환자에서 저선량율 도구를 이용하여 30-55 Gy의 용량으로 재조사를 시행 후 69%의 완전 관해율과 46%의 무질병상태를 보고하였다(Randall ME et al., 1993). 조직학적으로 편평상피세포암인 환자들이 선암 환자들 보다 예후가 좋았으며 다른 예후 예측 인자로는 종양의 크기, 주입선량, 질내 위치 등이 있었다. 후기 합병증은 다시 재발한 환자에서 직장-질 누공이 1예 발생하였다. Wang 등은 질에 재발한 자궁경부 편평상피세포암 환자 73명에서 방사선치료를 시행한 결과 40%의 5년 생존율을 보고하였다. 질내 근위부 및 종양 크기 4cm 미만인 경우가 예후가 좋았으며, 심각한 합병증은 12%의 누공을 포함하여 약 25%에서 발생하였고 원위부에 재발한경우에서 흔하게 관찰되었다(Wang CJ et al., 1999). Jhingran 등은 재발의 크기나 위치 등의 이유로 근접치료(brachytherapy)로 치료할 수 없는 환자에서 세기조절 방사선치료(IMRT)가 골반내 재발을 치료할 수 있다고 하였다(Jhingran A, 2006). 골반내용제거술에 비해 방사선 재조사는 환자의 순응도가 높고 수술로 인한 사망가능성이 없으며, 골반내 장기의 구조와 기능을 보존할 수 있지만, 폭넓게 활용되지는 않고 있다. 항암화학요법이 완치 가능성이 없고 많은 환자들이 골반내용제거수술의 대상이 될 수 없거나 광범위한 수술을 거부할 때, 방사선 재조사가 유일한 완치목적의 치료가 될 수 있다. 성공적인 방사선 재조사를 위해서는 적절한 환자 선택과 조심스러운 근접치료 기술이 중요하다.

(2) 방사선치료 또는 동시항암화학방사선요법(CCRT)

자궁경부암으로 자궁절제술을 시행 후 방사선치료를 받지 않은 환자가 중앙부위 재발을 한 경우에는 외부조사와 강내근접조사를 시도할 수 있으며, 50% 이상의 5년 생존률이 보고되었고, 재발된 종양의 크기가 작을수록 생존률이 좋았다(Ito H et al., 1997; Ijaz T et al., 1998).

국소적으로 진행된 자궁경부암에서 CCRT가 표준 치료로 인정받고 있는 것처럼, 재발암 환자에서도 효과가 있다는 보고가 있다. 예를 들어, Grigsby 등은 자궁절제술을 받은 후 골반부위에 재발하여 5-FU/Cisplatin과 함께 방사선치료를 받은 환자에서 비교적 좋은 결과를 보고하였다(Grigsby PW, 2004). 일반적으로, 이전에 방사선치료를 받지 않은 환자들에서는 원발 종양이나 국소 림프계에 40-50 Gy의 골반방사선치료가 가능하다. 자궁절제술 후 질 부위에 재발한 환자 대부분은 질 전체를 치료받아야 하며, 질 말단부 1/3이 침범된 환자는 치료범위에 서혜-대퇴부 임파절 영역을 포함시켜야 한다.

일차적인 수술 또는 방사선치료 후에 부대동맥주위 림프절에 국한되어 재발하는 경우가 있다. 일반적으로 수술적 치료의 적응증은 되지 않으며 몇몇 연구 결과를 종합해 보면 45 Gy 이상의 충분한 용량의 방사선 조사, 24개월 이상의 무병기간 및 동시항암화학요법의 사용 등이 중요한 예후 인자 였으며, 쇄골상부 림프절 재발이 있는 경우에는 부대동맥전이 여부에 관계없이 생존률이 불량하였다(Grigsby PW et al., 1994; Singh AK et al., 2005; Kim JS et al., 2003: Hong JH et al., 2004).

3) 재발성 자궁경부암의 수술적 치료

(1) 국소적으로 재발된 자궁 경부암의 수술적 치료

골반강 내에 국소적으로 재발된 자궁경부암의 치료의 원칙은 초기 방사선치료를 시행하지 않은 경우에는 우선적으로 방사선치료를 시행한다. 특히 근치적 자궁경부절제술을 시행한 후에 질 절단부에서 재발하는 경우에는 외부 방사선 혹은 강내근접치료 방사선으로 50-60%의 완치율이 보고되고 있다. 골반강 내의 림프절 재발의 경우에도 기왕에 방사선치료 경력이 없다면 방사선치료로 완치의 가능성이 높다. 하지만 방사선치료에도 불구하고 3개월 이상 지속적으로 병변이 남아있거나, 크기가 증가하거나, 새로운 병변이 발생하는 경우에는 추가적인 방사선치료로 질병을 완치 시킬 가능성이 매우 낮으며 추가적인 방사선치료는 장누공, 방광누공 등의 위험도를 높이게 되어 피하는 것이 좋다. 하지만 처음 치료하였던 방사선치료의 기술적 측면(빔 에너지, 치료용적, 선량)을 분석과 방사선치료 후 새로운 치료사이의 기간을 고려하여 이차 방사선치료를 하기도 한다.따라서 방사선치료 후 잔존하는 골반강 내 병변이 있을 경우에는 우선적으로 방사선치료의 가능성을 타진한 다음 수술적 치료를 고려하여야 한다. 방사선치료가 불가능한 경우에는 다음과 같은 적응증으로 골반내용물적출술을 시행하여 광범위 절제를 시도할 수 있다.

① 골반강 내 혹은 대동맥주위 림프절의 전이가 없는 경우
② 국소적으로 자궁 혹은 질 절단부위에만 병변이 존재하고 다른 장기의 전이가 없는 경우
③ 병변이 골반 측벽으로 진행한 경우
④ 요관과 방광 접합부위보다 상부에서 협착으로 인하여 발생한 수신증을 동반한 경우
⑤ 하지 림프 부종이 발생한 경우
⑥ Sciatic pain이 있는 경우

이와 같은 예후 인자들은 골반내용물적출술을 통한 종양의 완전절제 여부에 중요한 인자이므로 수술 전 철저한 검사를 통하여 신중하게 환자의 선택을 진행하여야 한다. 최근 PET, MRI 등을 이용한 수술 전 검사를 시행하거나 복강경검사를 시행하여 수술 전 대동맥주위 임파선 혹은 복강 내 전이 종양 유무를 파악하는 방법이 이용하기도 한다.

(2) 골반내용물적출술(pelvic exenteration)

골반내용물적출술은 1948년 Alexander Brunschwig에 의하여 처음으로 22 증례가 보고된 이래로 재발성 자궁경부암에서 질병의 완치를 위한 최후의 광범위 적출술로 자리잡게 되었다. 골반내용물적출술은 골반 내 방광, 직장, 자궁 및 골반 내 림프절을 포함하는 모든 장기를 일괄 절제(en bloc dissection)함으로써 골반 내 잔존 종양을 완전히 제거하는 수술이다. 재발된 병변의 위치에 따라 변형된 수술법을 적용하는데 병변이 골반의 후반부에 위치하게 되면 방광과 직장을 모두 제거하는 완전 골반내용물적출술(total pelvic exenteration)을 시행하고 병변이 질의 전반부 즉 방광 후벽에 근접하여 위치한 경우에는 방광만 제거하고 직장을 보전하는 전방 골반내용물적출술(anterior pelvic exenteration), 드물게는 방광을 보전하고 직장을 제거하는 후방 골반내용물적출술(posterior pelvic exenteration)으로 나누어진다.

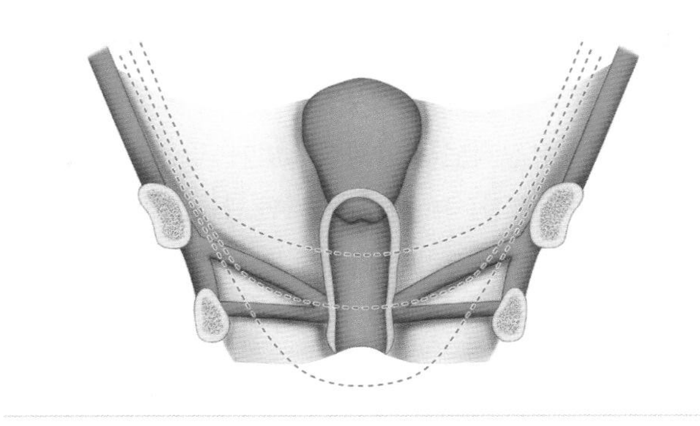

그림 30-16. **항문올림근(levator ani muscle)과 항문의 보전 여부에 따른 골반내용물적출술의 분류**
(I) supralevator, (II) infralevator, 그리고 (III) infralevator with vulvectomy

골반내용물적출술은 방사선치료 후 재발된 자궁경부암 환자에서 발생하는 골반통증을 제거하기 위한 고식적인 수술 방법으로 도입되었으나 초기에 보고된 23%의 사망률(mortality)이 점차 감소하여 현재는 5% 미만으로 현저히 개선되었으며 완치율도 초기의 20%의 5년 생존율에서 최근 약 50%의 5년 생존율이 보고되면서 현재는 방사선치료 후 국소적으로 재발된 자궁경부암의 최후의 완치목적 광범위 적출술로 여겨지고 있다.

골반내용물적출술은 10시간 이상 장기간의 수술시간이 필요하며 비뇨기과, 소화기외과 등의 여러 임상 전문과의 협력에 의하여서만 가능한 시술이다. 따라서 수술 후 합병증의 빈도가 60-70%로 높게 보고되고 있으며 특히 기존에 방사선치료를 받은 경우 골반강의 혈액공급이 저하되어 있으므로 조직의 회복에 장애를 초래하여 골반강 내 농양, 염증, 장루 및 요로전환 부위의 기능저하, 혈전 등의 부작용이 발생할 수 있다. 초기에는 수술 후 합병증이 60-70%로 보고되고 있으며 수술 후 사망률도 23%로 보고되었다. 하지만 최근 수술 후 합병증은 5% 미만으로 현격히 호전되었으며 항생제의 개발, 혈전예방제의 사용, 지혈기구 등의 수술도구의 발달, 개선된 수술기법의 개발 등으로 치료 성적이 좋아지고 있다.

(3) 원격전이된 재발성 자궁경부암의 수술적 치료

대부분의 원격전이된 자궁경부암의 경우 수술적 치료의 대상이 아니며 전신적인 항암화학요법과 국소적인 방사선을 병행하는 치료를 시행한다. 하지만, 원격전이라 하더라도 수술적으로 완전제거가 가능한 경우에 수술적 절제를 통하여 양호한 생존율을 보이는 경우가 보고되고 있다. 특히 폐전이 중 다음과 같은 경우에는 VATS (video assisted thoracic surgery) 등을 이용한 종양절제술 도움이 된다고 알려져 있다(Yano et al., 2009).

(4) laterally extended endopelvic resection (LEER)

자궁경부암이 골반중앙에 국소적으로 재발된 경우 수술적치료는 골반내용물적출술이 선택될 수 있으나, 재발부위가 골반벽을 포함할 경우 LEER를 고려할 수 있다. LEER는 내장골혈관(internal iliac vessel), 미골근(coccygeus muscle), 장미골근(ilio coccygeus muscle), 치골미골근(pubococcygeus muscle), 내폐쇄근(obturator internus muscle) 등을 절제하며, 수술 후 절제면에서 종양세포가 존재하지 않아야 한다(Hockel, 2008).

4) 재발성 자궁경부암의 항암화학요법 및 표적치료(Targeted Therapy)

병기 IVb와 같은 전이성 또는 원격 재발성 질환처럼, 고식적인 수술이나 방사선치료로 완치를 기대할 수 없는 경우에 항암화학요법 시행되어 왔으나, 평균 반응기간 및 생존기간이 각각 3-6개월과 5-12개월 정도에 불과하다(Seol HJ et al., 2014).

자궁경부암은 유방암이나 난소암에 비해 상대적으로 항암제에 대한 반응률이 떨어지는데, 여러 단독요법으로 사용되는 약제 중에서 cisplatin이 가장 효과적으로 3주 간격으로 50 mg/m^{2}를 정주하는 것이 일반적인 용법이다(Thigpen T et al., 1981). 단독요법의 효과가 제한적이었

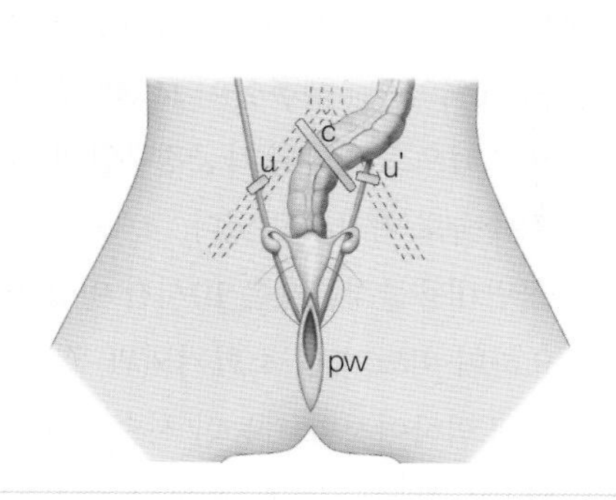

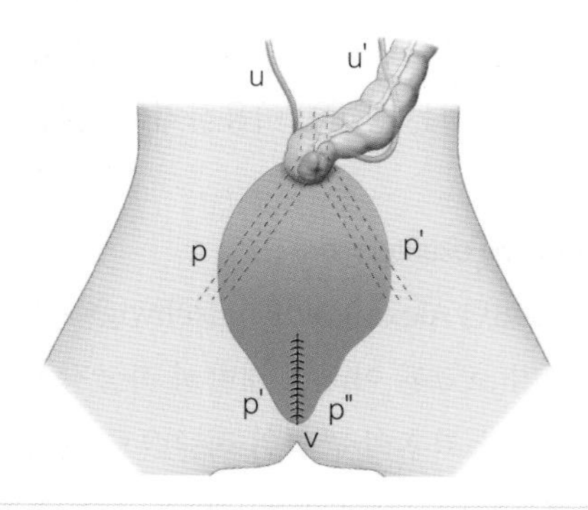

그림 30-17. **Wet colostomy의 형성**

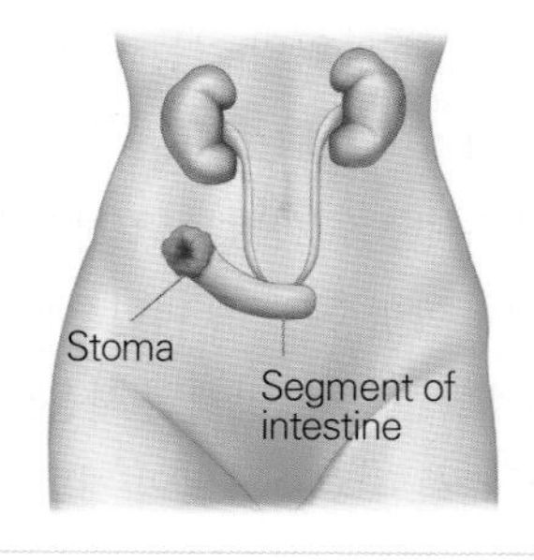

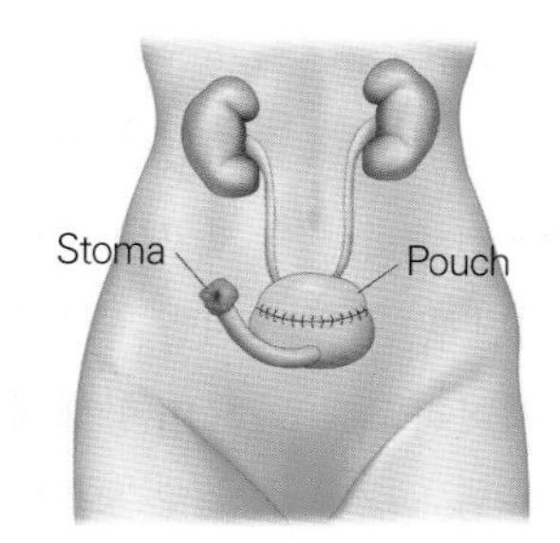

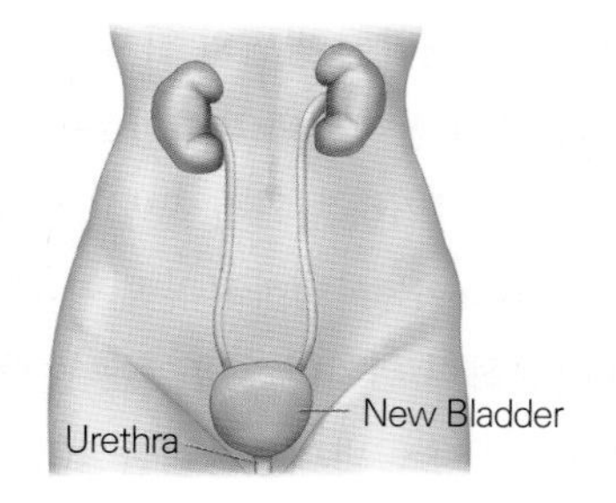

그림 30-18. **요루형성 방법.** A: ileal conduit, B: urinary reservoir, C: neobladder

기 때문에, cisplatin을 포함한 복합항암화학요법이 연구되었다. Cisplatin 단독요법에 비하여 cisplatin에 ifosfamide, bleomycin, paclitaxel, 또는 topotecan을 병합한 복합항암화학요법이 반응율과 질병무진행기간(progression-free survival)을 증가시켰다. 그러나, 독성이 심할 뿐만 아니라 cisplatin-topotecan병합 용법을 제외하고는 생존률은 향상시키지 못하였다(Omura GA et al., 1997; Bloss JD et al., 2002; Moore DH et al., 2004; Long III HJ et al., 2009). 이후, 추가적인 cisplatin-paclitaxel의 복합 용법과 cisplatin과 topotecan, gemcitabine 또는 vinorelbine이나 paclitaxel-topotecan의 복합항암화학요법간의 연구에 근거하여 통계적으로 유의한 차이가 없었으나 cisplatin-paclitaxel의 복합항암화학요법이 가장 효과적이었다. 환자의 독성을 고려하여 paclitaxel 대신에 topotecan 또는 gemcitabine을 사용할 수 있다(Monk BJ et al., 2009; Tewari KS et al., 2014).

카보플라틴/파클리탁셀 병합요법이 시스플라틴/파클리탁셀 병합요법에 비해 독성이 적고, 비슷한 효과를 보인다고 보고되었다(Pectasides D et al., 2009). 이후 혈관내피성장인자(vascular endothelial growth factor, VEGF)를 표적으로 하는 베바시주맙(bevacizumab)이 2014년도 항혈관형성억제제로 항암치료제로 사용이 가능하게 되었다. GOG240임상연구에서는 전이성, 지속적, 재발성 자궁경부암 환자들(N=452)을 대상으로 시스플라틴/파클리탁셀, 토포테칸/파클리탁셀, 시스플라틴/파클리탁셀/베바시주맙, 토포테칸/파클리탁셀/베바시주맙 등 4군으로 무작위, 3상 연구가 진행되었다. 이전에 방사선요법을 시행받지 않은 군에서 베바시주맙을 포함하는 군이 24.5개월 총생존기간을 보여, 베바시주맙을 포함하지 않은군(16.8개월)에 비해 통계적으로 유의하게 생존기간을 증가시켰다. 베바시주맙을 포함하는 군의 14.5%에서 장천공 합병증이 관찰되었다(Tewari KS et al., 2017). 향후 진행된 자궁경부암의 치료법에 항혈관억제제 등의 표적치료제 등의 사용이 확대될 것으로 예상된다.

5) 재발성 자궁경부암의 종양면역치료(Immunotherapy)

최근 종양면역치료제가 면역원성이 높은 고형암에서 치료효과를 보이고 있다. 항암화학요법에 비해 상대적으로 적은 독성이 장점이다. 펨브로리주맙(pembrolizumab)은 T 세포 표면의 Programmed death 1 (PD-1)과 결합하여 T 세포의 면역 활성도를 높이는 기능을 한다. 종양조직은 PD-L1의 발현 등으로 면역활성도가 저해되어 있는 상태이다. 즉 펨브로리주맙은 T 세포의 PD-1에 결합하여 T 세포의 면역기능이 저해되지 않도록 한다. 펨브로리주맙을 이용한 KEYNOTE-028 임상연구가 programmed death ligand 1 (PDL-1) 양성인 진행성 고형암 환자를 대상으로 시행되었다. 펨브로리주맙 (10 mg/kg)을 2주 간격으로 2년 동안 투여하였다. 24명의 자궁경부암 환자의 17%가 치료에 대한 반응을 보였다. 심각한 부작용은 없었으며, 20%에서 발열, 홍조 등의 부작용이 관찰되었다(Frenel JS, 2017).

KEYNOTE-158에서는 98명의 자궁경부암 환자를 대상으로 pembrolizumab 200 mg을 3주 간격으로 2년동안 치료하였다. 종양조직의 PD-L1 발현은 PD-L1 면역 염색을 이용하였으며 면역염색의 발현도는 Combined positive score (CPS)를 이용하였다. CPS가 1 이상일 경우 PD-L1 양성으로 판단하였고 전체 환자 중 84%가 PD-L1 양성으로 진단되었다. PD-L1 양성을 보인 환자 중 반응율은 14.6%로 나타났다. 생존기간 중간값은 9.4개월이었고, PD-L1 양성을 보인 환자 중에서는 11개월이었다(Chung HC, 2019).

참고문헌

- 박혜인, 김종수, 최승도, 전섭, 김윤숙, 배동한. 국소적으로 진행된 자궁경부암환자에서 선행 보조항암요법으로 시행된 Paclitaxel과 Cisplatin의 Phase 2 연구. 대한산부인과학회. 2005;48:659-68.
- 이효표, 박노현, 김재원, 고창원, 송용상, 강순범. 자궁경부암에서 선행보조 항암화학요법의 효과. 대한산부회지 1997;40:379-86.
- 정동훈, 최석철, 곽정아, 김종훈, 김병기, 박상윤, 이의돈, 이경희, 박기복, 김미숙, 조철구. 일차적 수술치료 혹은 일차적 방사선치료를 받은 자궁경부암병기 IB 및 IIA 환자의 임상양상 및 예후인자에 관한 후향적 비교연구. 대한산부회지 1996;39:1956-62.
- 최안나, 이규완, 이상희, 최준식, 김해중, 구병삼. 자궁경부 편평상피

암에서 선행화학요법 후 광범위 자궁절제술의 효용성. 대한산부회지 1996;39:1507-11.
- 최철훈, 김태중, 이정원, 김병기, 이제호, 배덕수. 국소적으로 진행된 자궁경부암 환자에서 선행보조 화학요법(Mitomycin-C, Vincristine, Cisplatin)의 효과. 대한부인종양·콜포스코피학회. 2006;17:15-21.
- Alfsen GC. Kristensen GB, Skovlund E, et al. Histologic subtype has minor importance for overall survival in patients with adenocarcinoma of the uterine cervix. A population-based study of prognostic factors in 505 patients with non-squamous cell carcinomas of the cervix. Cancer 2001;92:2471-83.
- Angioli R, Plotti F, Luvero D, Aloisi A, Guzzo F, Capriglione S, et al. Feasibility and safety of carboplatin plus paclitaxel as neoadjuvant chemotherapy for locally advanced cervical cancer: a pilot study. Tumour Biol. 2014;35:2741-6.
- Averette HE, Lichtinger M, Sevin BU, et al. Pelvic exenteration: a 150-year experience in a general hospital. Am J Obstet Gynecol 1984;150:179-84.
- Ballon SC, Berman ML, Lagasse LD, et al. Survival after extraperitoneal pelvic and paraaortic lymphadenectomy and radiation therapy in cervical carcinoma. Obstet Gynecol 1981;57:90-5.
- Baltzer J, Lohe K, Kopke W, et al. Histologic criteria for the prognosis of patients with operated squamous cell carcinoma of the cervix. Gynecol Oncol 1982;13:184-94.
- Bean SM, Kurtycz DF, Colgan TJ. Recent developments in defining microinvasive and early invasive carcinoma of the uterine cervix. J Low Genit Tract Dis. 2011;15:146-57.
- Berek JS, Hacker NF, Lagasse LD. Rectosigmoid colectomy and reanastomosis to facilitate resection of primary and recurrent gynecologic cancer. Obstet Gynecol 1984;64:715-20.
- Bernardini M, Barrett J, Seaward G, Covens A. Pregnancy outcomes in patients after radical trachelectomy. Am J Obstet Gynecol. 2003;189:1378-82.
- Bipat S, Glas AS, van der Velden J, et al. Computed tomography and magnetic resonance imaging in staging of uterine cervical carcinoma: a systematic review. Gynecol Oncol 2003;91:59-66.
- Bloss JD, Blessing JA, Behrens BC, Mannel RS, Rader JS, Sood AK, et al. Randomized trial of cisplatin and ifosfamide with or without bleomycin in squamous carcinoma of the cervix: a Gynecologic Oncology Group study. J Clin Oncol 2002;20:1832-7.
- Brinck U, Jakob C, Bau O, Füzesi L. Papillary squamous cell carcinoma of the uterine cervix: report of three cases and a review of its classification. Int J Gynecol Pathol 2000;19:231-5.
- Buckley SL, Tritz DM, Van Le L, et al. Lymph node metastases and prognosis in patients with stage IA2 cervical cancer. Gynecol Oncol 1996;63:4-9.
- Chan YM, Ng TY, Ngan HY, et al. Monitoring of serum squamous cell carcinoma antigen levels in invasive cervical cancer: is it cost-effective? Gynecol Oncol 2002;84:7.
- Chauvergne J, Lhomme C, Rohart J, Heron JF, Ayme Y, Goupil A, et al. Neoadjuvant chemotherapy of stage IIb or IIIcancers of the uterine cervix. Long-term results of a multicenter randomized trial of 151 patients. Bull Cancer 1993;80:1069-79.
- Chung HC, Ros W, Delord JP, Perets R, Italiano A, Shapira-Frommer R, et al. Efficacy and safety of pembrolizumab in previously treated advanced cervical cancer: results from the phase II KEYNOTE-158 study. J Clin Oncol 2019;37:1470-8.
- Cobby M, Browning J, Jones A, et al. Magnetic resonance imaging, computed tomography and endosonography in the local staging of carcinoma of the cervix. Br. J. Radiol 1990;63:673-9.
- Cosin JA, Fowler JM, Chen MD, Paley PJ, Carson LF, Twiggs LB. Pretreatment surgical staging of patients with cervical carcinoma: the case for lymph node debulking. Cancer 1998;82:2241-8.
- Covens A, Rosen B, Murphy J, et al. How important is removal of the parametrium at surgery for carcinoma of the cervix? Gynecol Oncol 2002;84:145-9.
- Seol HJ, Ulak R, Ki KD, Lee JM. Cytotoxic and targeted systemic therapy in advanced and recurrent cervical cancer: experience from clinical trials. Tohoku J Exp Med 2014;232:269-76.
- Dargent D, Martin X, Sacchetoni A, Mathevet P. Laparoscopic vaginal radical trachelectomy: a treatment to preserve the fertility of cervical carcinoma patients. Cancer 2000;88:1877-82.
- Diaz JP, Sonoda Y, Leitao MM, Zivanovic O, Brown CL, Chi DS, et al. Oncologic outcome of fertility-sparing radical trachelectomy versus radical hysterectomy for stage IB1 cervical carcinoma. Gynecologic oncology 2008;111:255-60.
- Duenas-Gonzalez A, Lopez-Graniel C, Gonzalez-Enciso A, Mohar A, Rivera L, Mota A, et al. Concomitant chemoradiation versus neoadjuvant chemotherapy in locally advanced cervical carcinoma: results from two consecutive phase II studies. Ann Oncol 2002;13:1212-9.
- Esajas MD, Duk JM, de Bruijn HW, et al. Clinical value of routine serum squamous cell carcinoma antigen in follow-up of patients with early-stage cervical cancer. J Clin Oncol 2001;19:3960.
- Fernandez-Ots A, Crook J. The role of intensity modulated radiotherapy in gynecological radiotherapy: Present and future. Reports of practical oncology and radiotherapy: journal

of Greatpoland Cancer Center in Poznan and Polish Society of Radiation Oncology 2013;18:363-70.
- Franco EL, Duarte-Franco E, Ferenczy A. Cervical cancer: epidemiology, prevention and the role of human papillomavirus infection. CMAJ 2001;164:1017-25.
- Frenel JS, Le Tourneau C, O'Neil B, Ott PA, Piha-Paul SA, Gomez-Roca C, et al. Safety and Efficacy of Pembrolizumab in Advanced, Programmed Death Ligand 1-Positive Cervical Cancer: Results From the Phase Ib KEYNOTE-028 Trial. J Clin Oncol 2017;35:4035-41.
- Gaarenstroom KN, Kenter GG, Bonfrer JM, et al. Can initial serum cyfra 21-1, SCC antigen, and TPA levels in squamous cell cervical cancer predict lymph node metastases or prognosis? Gynecol Oncol 2000;77:164.
- Gadducci A, Sartori E, Maggino T, Zola P, Cosio S, Zizioli V, et al. Pathological response on surgical samples is an independent prognostic variable for patients with Stage Ib2-IIb cervical cancer treated with neoadjuvant chemotherapy and radical hysterectomy: an Italian multicenter retrospective study (CTF Study). Gynecol Oncol 2013;131:640-4.
- Geisler JP, Orr CJ, Khurshid N, Phibbs G, Manahan KJ. Robotically assisted laparoscopic radical hysterectomy compared with open radical hysterectomy. International journal of gynecological cancer: official journal of the International Gynecological Cancer Society 2010;20:438-42.
- Gocze PM, Vahrson HW, Freeman DA. Serum levels of squamous cell carcinoma antigen and ovarian carcinoma antigen (CA 125) in patients with benign and malignant diseases of the uterine cervix. Oncology 1994;51:430.
- Goff BA, Muntz HG, Paley PJ, et al. Impact of surgical staging in women with locally advanced cervical cancer, Gynecol Oncol 1999;74:436-42.
- Gouy S, Morice P, Narducci F, Uzan C, Martinez A, Rey A, et al. Prospective multicenter study evaluating the survival of patients with locally advanced cervical cancer undergoing laparoscopic para-aortic lymphadenectomy before chemoradiotherapy in the era of positron emission tomography imaging. Journal of clinical oncology: official journal of the American Society of Clinical Oncology 2013;31:3026-33.
- Grigsby PW, Vest ML, Perez CA. Recurrent carcinoma of the cervix exclusively in the paraaortic nodes following radiation therapy. Int J Radiat Biol Phys 1994;28:451-5.
- Grigsby PW. Prospective phase I/II study of irradiation and concurrent chemotherapy for recurrent cervical cancer after radical hysterectomy. Int J Gynecol Cancer 2004;14:860-4.
- Guitarte C, Alagkiozidis I, Mize B, Stevens E, Salame G, Lee YC. Glassy cell carcinoma of the cervix: a systematic review and meta-analysis. Gynecol Oncol 2014;133:186-91.
- Hacker NF, Wain GV, Nicklin JL. Resection of bulky positive lymphnodes in patients with cervical carcinoma. Int J Gynecol Cancer 1995;5:250-6.
- Hatch KD, Hallum AV 3rd, Nour M. New surgical approaches to treatment of cervical cancer. J Natl Cancer Inst Monogr 1996;71-5.
- Hatch KD, Parham G, Shingleton HM, et al. Ureteral strictures and fistulae following radical hysterectomy. Gynecol Oncol 1984;19:17-23.
- Hatch KD, Shingleton HM, Potter ME, et al. Low rectal resection and anastomosis at the time of pelvic exenteration. Gynecol Oncol 1988;31:262-7.
- Hatch KD, Shingleton HM, Soong SJ, et al. Anterior pelvic exenteration. Gynecol Oncol 1988;31:205-16.
- Hertel H, Kohler C, Michels W, Possover M, Tozzi R, Schneider A. Laparoscopic-assisted radical vaginal hysterectomy (LARVH): prospective evaluation of 200 patients with cervical cancer. Gynecologic oncology 2003;90:505-11.
- Hong JH, Tsai CS, Lai CH, Chang TC, Wang CC, Chou HH, et al. Recurrent squamous cell carcinoma of cervix after definitive radiotherapy. Int J Radiat Biol Phys 2004;60:249-57.
- Hricak H, Lacey CG, Sandles LG, et al. Invasive cervical carcinoma: comparison of MR imaging and surgical findings. Radiology 1988;166:623-31.
- Hricak H, Powell CB, Yu KK, et al. Invasive cervical carcinoma: role of MR imaging in pretreatment work-up-cost minimization and diagnostic efficacy analysis. Radiology 1996;198:403-9.
- Ijaz T, Eifel PJ, Burke T, Oswald MJ. Radiation therapy of pelvic recurrence after radical hysterectomy for cervical carcinoma. Gynecol Oncol 1998;70:241-6.
- International Agency for Research on Cancer. Estimated cancer incidence, mortality and prevalence worldwide in 2012 [Internet]. Lyon (FR): International Agency for Research on Cancer; c2014 [cited 2014 Jul 22]. Available from: http://globocan.iarc.fr
- Ito H, Shigematsu N, Kawada T, Kubo A, Isobe K, Hara R, et al. Radiotherapy for centrally recurrent cervical cancer of the vaginal stump following hysterectomy. Gynecol Oncol 1997;67:154-61.
- Jay N, Moscicki AB. Human papillomavirus infections in women with HIV disease: prevalence, risk, and management. The AIDS reader 2000;10:659-68.
- Jhingran A. Potential advantages of intensity-modulated radiation therapy in gynecologic malignancies. Semin Radiat Oncol 2006;16:144-51.
- Ketcham AS, Chretien PB, Hoye RC, et al. Occult metastses to the scalene lymph nodes in patients with clinically operable

carcinoma of the cervix. Cancer 1973;31:180-3.
- Keys HM, Bundy BN, Stehman FB, Muderspach LI, Chafe WE, Suggs CL, 3rd, et al. Cisplatin, radiation, and adjuvant hysterectomy compared with radiation and adjuvant hysterectomy for bulky stage IB cervical carcinoma. The New England journal of medicine 1999;340:1154-61.
- Kim DS, Moon H, Hwang YY, Cho SH. Preoperative adjuvant chemotherapy in the treatment of cervical cancer stage Ib, IIa, and IIb with bulky tumor. Gynecol Oncol 1988;29:321-33.
- Kim JS, Kim SY, Kim K, Cho MJ. Hyperfractionated radiotherapy with concurrent chemotherapy for para-aortic lymph node recurrence in carcinoma of the cervix. Int J Radiat Biol Phys 2003;55:1247-53.
- Kim SH, Choi BI, Han JK, et al. Preoperative staging of uterine cervical carcinoma: comparison of CT and MRI in 99 patients. J. Comput. Assist. Tomogr 1993;17:633-40.
- Kim SH, Choi BI, Lee HP, et al. Uterine cervical carcinoma: comparison of CT and MR findings. Radiology 1990;17545-51.
- Klopp AH, Eifel PJ. Biological predictors of cervical cancer response to radiation therapy. Seminars in radiation oncology 2012;22:143-50.
- Kolstad P. Follow-up study of 232 patients with stage IA1 and 411 patients with stage IA2 squmous cell carcinoma of the cervix (microinvasive carcinoma) Gynecol Oncol 1989;33;265-72.
- Krebs HB, Helmkamp BF, Sevin BU, Poliakoff SR, Nadji M, Averette HE. Recurrent cancer of the cervix following radical hysterectomy and pelvic node dissection. Obstet Gynecol 1982;59:422-7.
- Kupet R, Thomas GM, Covens A. Is there a role for pelvic lymph node debulking in advanced cervical cancer. Gynecol Oncol 2002;87:163-70.
- Lacava JA, Leone BA, Machiavelli M, Romero AO, Perez JE, Elem YL, et al. Vinorelbine as neoadjuvant chemotherapy in advanced cervical carcinoma. J Clin Oncol 1997;15:604-9.
- Landoni F, Zanagnolo V, Lovato-Diaz L, Maneo A, Rossi R, Gadducci A, et al. Ovarian metastases in early-stage cervical cancer (IA2-IIA): a multicenter retrospective study of 1965 patients (a Cooperative Task Force study). International journal of gynecological cancer: official journal of the International Gynecological Cancer Society 2007;17:623-8.
- Lee HP. Annual report of gynecologic cancer registry program in Korea: 1991-2004. Korean J Obstet Gynecol 2008;51:1411-20.
- Lee JM. Screening of uterine cervical cancer in low-resource settings. J Gynecol Oncol 2012;23:137-8.
- Lesnock JL, Farris C, Beriwal S, Krivak TC. Upfront treatment of locally advanced cervical cancer with intensity modulated radiation therapy compared to four-field radiation therapy: a cost-effectiveness analysis. Gynecologic oncology 2013;129:574-9.
- Lin WC, Hung YC, Yeh LS, et al. Usefulness of 18F. fluorodeoxyglucose positron emission tomography to detect paraaortic lymph nodal metastasis in advanced cervical cancer with negative computed tomography findings. Gynecol. Oncol 2003;89:73-6.
- Lissoni AA, Colombo N, Pellegrino A, Parma G, Zola P, Katsaros D, et al. A phase II, randomized trial of neo-adjuvant chemotherapy comparing a three-drug combination of paclitaxel, ifosfamide, and cisplatin (TIP) versus paclitaxel and cisplatin (TP) followed by radical surgery in patients with locally advanced squamous cell cervical carcinoma: the Snap-02 Italian Collaborative Study. Annals of Oncology 2009;20:660-5.
- Loft A, Berthelsen AK, Roed H, et al. The diagnostic value of PET/CT scanning in patients with cervical cancer: a prospective study. Gynecol. Oncol 2007;106:29-34.
- Long III HJ, Bundy BN, Grendys Jr EC, Benda JA, McMeekin DS, Sorosky J, et al. Randomized phase III trial of cisplatin with or without topotecan in carcinoma of the uterine cervix: a Gynecologic Oncology Group study. J Clin Oncol 2005;23:4626-33.
- Lovecchio JL, Averette HE, Donato D, Bell J. 5-Year survival of patients with periaortic nodal metastases in clinical stage Ib and IIa cervical carcinoma. Gynecol Oncol 1989;34:43-5.
- Lowe MP, Chamberlain DH, Kamelle SA, Johnson PR, Tillmanns TD. A multi-institutional experience with robotic-assisted radical hysterectomy for early stage cervical cancer. Gynecologic oncology 2009;113:191-4.
- Magne N, Chargari C, Vicenzi L, et al. New trends in the evaluation and treatment of cervix cancer: the role of FDG-PET. Cancer Treat. Rev 2008;34:671-81.
- Martinbeau P, Kjorstad K, Iversen T. Stage Ib carcinoma of the cervix the Norwegian Radium Hospital II. Results when pelvic nodes are involved. Obstet Gynecol 1982;60:215-8.
- Massuger LF, Koper NP, Thomas CM, et al. Improvement of clinical staging in cervical cancer with serum squamous cell carcinoma antigen and CA 125 determinations. Gynecol On col 1997;64:473.
- Meigs J. Carcinoma of the cervix: the Wertheim operation. Surg Gynecol Obstet 1944;78:195-9.
- Melamed MR, Flehinger BJ. Early incidence rates of precancerous cervical lesions in women using contraceptives. Gynecologic oncology 1973;1:290-8.
- Monk BJ, Sill MW, McMeekin DS, Cohn DE, Ramondetta LM,

Boardman CH, et al. Phase III trial of four cisplatin-containing doublet combinations in Stage IVB, recurrent, or persistent cervical carcinoma: a Gynecologic Oncology Group study. J Clin Oncol 2009;27:4649-55.
- Moore DH, Blessing JA, McQuellon RP, Thaler HT, Cella D, Benda J, et al. Phase III study of cisplatin with or without paclitaxel in Stage IVB, recurrent, or persistent squamous cell carcinoma of the cervix: a Gynecologic Oncology Group study. J Clin Oncol 2004;22:3113-9.
- Morice P, Castaigne D, Pautier P. Interest of pelvic and paraaortic lymph adenectomy in patients with stage IB and II cervical carcinoma. Gyuncol Oncol 1999;73:106-10.
- Morris M, Eifel PJ, Lu J, Grigsby PW, Levenback C, Stevens RE, et al. Pelvic radiation with concurrent chemotherapy compared with pelvic and para-aortic radiation for high-risk cervical cancer. The New England journal of medicine 1999;340:1137-43.
- Nahhas WA, Sharkey FE, Whitney CW, et al. The prognostic significance of vascular channel involvement and deep stromal invasion in early cervical cancer. Am J Clin Oncol 1983;6:259-64.
- National Cancer Center. National Cancer Information Center [Internet]. Goyang: National Cancer Center; 2012 [cited 22014 Jul 22]. Available from: http://www.cancer.go.kr.
- National Comprehensive Cancer Network. Cervical Cancer (Version 1.2015). http://www.nccn.org/professionals/physician_gls/pdf/cervical.pdf. Accessed August 7, 2014.
- Neoadjuvant Chemotherapy for Locally Advanced Cervical Cancer Meta-analysis Collaboration (NACCCMA). Neoadjuvant chemotherapy for locally advanced cervical cancer: a systematic review and meta-analysis of individual patient data from 21 randomised trials. Eur J Cancer 2003;39:2470-86.
- Nezhat CR, Burrell MO, Nezhat FR, Benigno BB, Welander CE. Laparoscopic radical hysterectomy with paraaortic and pelvic node dissection. Am J Obstet Gynecol 1992;166:864-5.
- Nishio H, Fujii T, Kameyama K, Susumu N, Nakamura M, Iwata T, et al. Abdominal radical trachelectomy as a fertility-sparing procedure in women with early-stage cervical cancer in a series of 61 women. Gynecologic oncology 2009;115:51-5.
- Omura GA, Blessing JA, Vaccarello L, Berman ML, Clarke-Pearson DL, Mutch DG, et al. Randomized trial of cisplatin versus cisplatin plus mitolactol versus cisplatin plus ifosfamide in advanced squamous carcinoma of the cervix: a Gynecologic Oncology Group study. J Clin Oncol 1997;15:165-71.
- Orr JW Jr, Ball GC, Soong SJ, et al. Surgical treatment of women found to have invasive cervix cancer at the time of total hysterectomy. Obstet Gynecol 1986;68:353-6.
- Orr JW Jr, Shingleton HM, Hatch KD, et al. Gastrointestinal complications associated with pelvic exenteration. Am J Obstet Gynecol 1983;145:325-32.
- Ostor AG, Rome RM. Micro-invasive squamous cell carcinoma of the cervix: a clinico-pathologic study of 200 cases with long-termfollow-up. Int J Gynecol Cancer 1994;4:257-64.
- Ostor AG. Early invasive adenocarcinoma of the uterine cervix. Int J Gynecol Pathol 2000;19:29-38.
- Ostor AG. Pandora's box or Ariadne's thread? Definition and prognostic significance of microinvasion in the uterine cervix. Squamous lesions. Pathol Annu. 1995;30Pt2:103-36.
- Peters WA, 3rd, Liu PY, Barrett RJ, 2nd, Stock RJ, Monk BJ, Berek JS, et al. Concurrent chemotherapy and pelvic radiation therapy comparedwith pelvic radiation therapy alone as adjuvant therapy after radical surgery in high-risk early-stage cancer of the cervix. Journal of clinical oncology: official journal of the American Society of Clinical Oncology 2000;18:1606-13.
- Pettersson F. Annual reprot on the results of treatment in gynecological cancer. Radiumhemmet, Stockholm, Sweden. International Federation of Gynecology and Obstetrics (FIGO) 1994;132-68.
- Piver MS, Barlow JJ, Krishnamsetty R. Five-year survival (with no evidence of disease) in patients with biopsy-confirmed aortic node metastasis from cervical carcinoma. Am J Obstet Gynecol 1981;193:575-8.
- Practical Gynecologic Oncology, Lippincott Williams & Wilkins. 4th(2005). radiotherapy versus radiotherapy alone in inoperable cancer of the cervix. Ann Oncol 2000;11:1175-81.
- Ramirez PT, Frumovitz M, Pareja R, Lopez A, Vieira M, Ribeiro R, et al. Minimally Invasive versus Abdominal Radical Hysterectomy for Cervical Cancer. N Engl J Med 2018;379:1895-904.
- Randall ME, Evans L, Greven KM, McCunniff AJ, Doline RM. Interstitial reirradiation for recurrent gynecologic malignancies: results and analysis of prognostic factors. Gynecol Oncol 1993;48:23-31.
- Rob L, Skapa P, Robova H. Fertility-sparing surgery in patients with cervical cancer. The lancet oncology 2011;12:192-200.
- Roche WO, Norris HC. Microinvasive carcinoma of the cervix. Cancer 1975;36:180-6.
- Rose PG, Adler LP, Rodriguez M, et al. Positron emission tomography for evaluating para-aortic nodal metastasis in locally advanced cervical cancer before surgical staging: a surgicopathologic study. J. Clin. Oncol 1999;17:41-5.
- Rutledge TL, Kamelle SA, Tillmanns TD, Gould NS, et al. A comparison of stages IB1 and IB2 cervical cancers treated with radical hysterectomy. Is size the real difference? Gynecol

Oncol 2004;95:70-6.
- Rydzewska L, Tierney J, Vale CL, Symonds PR. Neoadjuvant chemotherapy plus surgery versus surgery for cervical cancer. Cochrane Database Syst Rev 2010;1:CD007406.
- Shepherd JH, Milliken DA. Conservative surgery for carcinoma of the cervix. Clinical oncology (Royal College of Radiologists (Great Britain)) 2008;20:395-400.
- Shepherd JH, Spencer C, Herod J, Ind TE. Radical vaginal trachelectomy as a fertility-sparing procedure in women with early-stage cervical cancer-cumulative pregnancy rate in a series of 123 women. BJOG: an international journal of obstetrics and gynaecology 2006;113:719-24.
- Sheu MH, Chang CY, Wang JH, et al. Preoperative staging of cervical carcinoma with MR imaging: a reappraisal of diagnostic accuracy and pitfalls. Eur Radiol 2001;11:1828-33.
- Singh AK, Grigsby PW, Rader JS, Mutch DG, Powell MA. Cervix carcinoma, concurrent chemoradiotherapy, and salvage of isolated paraaortic lymph node recurrence. Int J Radiat Biol Phys 2005;61:450-5.
- Smith ST, Seski JC, Copeland LJ, et al. Surgical management of irradiation-induced small bowel damage. Obstet Gynecol 1985;65:563-7.
- Statistics Korea. Korean Statistical Information Service [Internet]. Daejeon: Statistics Korea; 2012 [cited 2014 Jul 22]. Available from: http://kosis.kr.
- Subak LL, Hricak H, Powell CB, et al. Cervical carcinoma: computed tomography and magnetic resonance imaging for preoperative staging. Obstet. Gynecol 1995;86:43-50.
- Sugawara Y, Eisbruch A, Kosuda S, et al. Evaluation of FDG PET in patients with cervical cancer. J. Nucl Med 1999;40:1125-31.
- Tattersall MH, Lorvidhaya V, Vootiprux V, Cheirsilpa A, Wong F, Azhar T, et al. Randomized trial of epirubicin and cisplatin chemotherapy followed by pelvic radiation in locally advanced cervical cancer. Cervical Cancer Study Group of the Asian Oceanian Clinical Oncology Association. J Clin Oncol 1995;13:444-51.
- Tewari KS, Sill MW, Long HJ 3rd, Penson RT, Huang H, Ramondetta LM, et al. Improved survival with bevacizumab in advanced cervical cancer. N Engl J Med 2014;370:734-43.
- Tewari KS, Sill MW, Penson RT, Huang H, Ramondetta LM, Landrum LM, et al. Bevacizumab for advanced cervical cancer: final overall survival and adverse event analysis of a randomised, controlled, open-label, phase 3 trial (Gynecologic Oncology Group 240). Lancet 2017;390:1654-63.
- Thigpen T, Shingleton H, Homesley H, Lagasse L, Blessing J. Cis-platinum in treatment of advanced or recurrent squamous cell carcinoma of the cervix: a phase II study of the Gynecologic Oncology Group. Cancer 1981;48:899-903.
- Tomás C, Risteli J, Risteli L, et al. Use of various epithelial tumor markers and a stromal marker in the assessment of cervical carcinoma. Obstet Gynecol 1991;77:566.
- Trimbos JB, Lambeek AF, Peters AA, et al. Prognostic difference of surgical treatment of exophytic versus barrel-shaped bulky cervical cancer. Gynecol Oncol 2004;95:77-81.
- Tseng CJ, Jiang CC, Lin CT, Huang KG, Chon HH, et al. A study of diagnostic failure of loop conization in microinvasive carcinoma of the cervix. gynecol. oncol 1999;73:915.
- Twiggs LB, Potish RA, George RJ, et al. Survival after extraperitoneal surgical staging in primary carcinoma of the cervix uteri. Surg Gynecol Oncol 1984;158:243-50.
- Wang CJ, Lai CH, Huang HJ, Hong JH, Chou HH, Huang KG, et al. Recurrent cervical carcinoma after primary radical surgery. Am J Obstet Gynecol 1999;181:518-24.
- Wertheim E. The extended abdominal hysterectomy for carcinoma uteri. Am J Obstet 1912;66:169-74.
- Whitney CW, Sause W, Bundy BN, Malfetano JH, Hannigan EV, Fowler WC, Jr., et al. Randomized comparison of fluorouracil plus cisplatin versus hydroxyurea as an adjunct to radiation therapy in stage IIB-IVA carcinoma of the cervix with negative para-aortic lymph nodes: a Gynecologic Oncology Group and Southwest Oncology Group study. Journal of clinical oncology: official journal of the American Society of Clinical Oncology 1999;17:1339-48.
- Young RH, Clement PB. Endocervical adenocarcinoma and its variants: their morphology and differential diagnosis. Histopathology 2002;41:185-207.
- Zolciak-Siwinska A, Bijok M, Jonska-Gmyrek J, Kawczynska M, Kepka L, Bujko K, et al. HDR brachytherapy for the reirradiation of cervical and vaginal cancer: analysis of efficacy and dosage delivered to organs at risk. Gynecologic oncology 2014;132:93-7.

제31장

외음암 및 질암

노주원 | 차의과학대
변정미 | 인제의대

1. 외음암

1) 역학 및 원인

외음은 질의 바깥쪽이며 불두덩(mons pubis), 음순(labia), 음핵(clitoris), 바르톨린샘(Bartholin gland), 회음(perineum)으로 이루어져 있다. 외음암은 여성생식기 암의 약 5% 정도를 차지하고 있는 것으로 알려져 있으며, 대음순 부위에 발생하는 경우가 약 50% 정도로 가장 흔한 위치이고, 다음으로 소음순이 흔하며, 바르톨린샘과 음핵에 발생하는 경우는 상대적으로 드물다.

외음암이 여성암에서 차지하는 빈도는 낮으나, 전 세계적으로 증가하는 추세를 보이고 있다. 특히, 인유두종바이러스 감염으로 인한 외음상피내종양(vulva intraepithelial neoplasia, VIN)의 발생빈도가 증가함에 따라 젊은 연령에서 외음암 환자가 증가하고 있다(Judson et al., 2006). 침습외음암(invasive vulvar cancer)은 주로 폐경 후에 발견되며, 평균 연령은 약 65세 전후이며, 40세 이전의 젊은 여성에서 발생하는 외음암은 전체 외음암의 약 15% 정도이다.

외음암은 발생부위와 조직학적 유형에 따라 여러 가지가 존재하나(표 31-1), 편평세포암종(squamous cell carcinoma)이 90% 이상을 차지하고 있어, 본문에서의 내용은 대부분 편평세포암종의 외음암을 기본으로 하며, 기타 드물지만 중요한 형태의 외음암은 뒷부분에 따로 기술하였다.

외음암의 원인은 명확히 알려져 있지는 않으나, 많은

표 31-1. IARC/WHO 분류에 따른 외음암의 조직학적 분류

분류	빈도
악성상피종양	
• 편평세포암종(squamous cell carcinoma)	90–92%
• 기저세포암종(basal cell carcinoma)	2–3%
• 바르톨린샘암종(Bartholin gland)	1%
선암종(adenocarcinoma)	
편평세포암종(squamous cell carcinoma)	
선편평세포암종(adenosquamous cell carcinoma)	
샘낭암종(adenoid cystic carcinoma)	
이형세포암종(transitional cell carcinoma)	
• 파제트병(Paget disease)	<1%
• 기타 선암종	<1%
악성색소종양(malignant melanocytic tumors)	
• 악성흑색종(Malignant melanoma)	2–5%
악성신경외배엽종양(malignant neuroectodermal tumors)	<1%
• Ewing 육종(sarcoma)	
악성연조직종양(malignant soft tissue tumors)	<1%
• 횡문근육종(Rhabdomyosarcoma)	
• 평활근육종(leiomyosarcoma)	
악성생식세포종양(malignant Germ cell tumors)	<1%
림프 · 골수종양(Lymphoid and myeloid tumors)	<1%
전이성암	1%

IARC, International Agency for Research on Cancer; WHO, World Health Organization

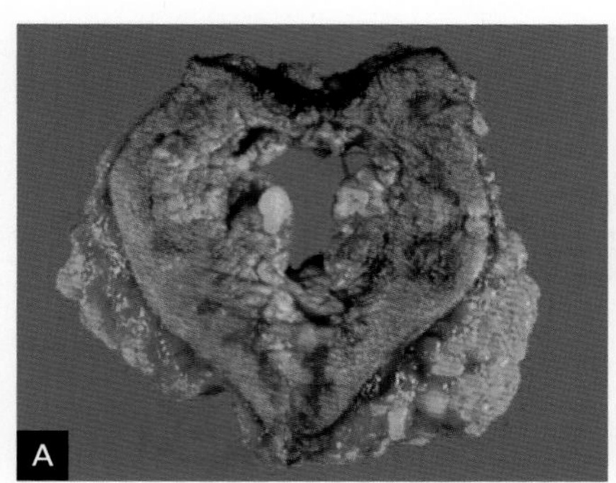

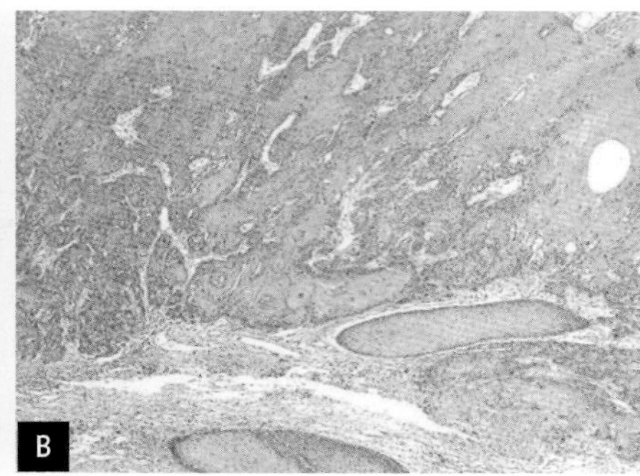

그림 31-1. **외음에 발생한 편평세포암종의 육안적, 현미경적 소견(karatinizing type)**

경우 외음암이 발생하기 전에 인유두종바이러스(human papilloma virus, HPV)와 관련된 콘딜로마나 외음상피내종양(vulvar intraepithelial neoplasia, VIN)이 선행하며, 따라서 HPV가 중요한 원인 중 하나로 주목받고 있다. 이 외에는 자궁경부 상피내종양(CIN), 경화태선(lichen sclerosus), 편평세포증식증(squamous cell hyperplasia), 흡연, 음주, 면역억제 등이 위험요인으로 지목되고 있다(Hample et al., 2006). 외음암 중 약 90% 이상을 차지하고 있는 편평세포암종은 다시 두 가지 조직형태로 나누어지는데, 첫 번째는 기저세포모양 또는 사마귀모양을 보이는 형태로, 주로 젊은 여성에서 발생하며, HPV 감염, VIN, 흡연과 관련되어 있다. 다른 형태는 각질화(keratinizing), 분화(differentiated), 또는 단순형태(simplex type)를 보이는 경우로, 주로 고령에서 발생하며 HPV와의 관련성은 낮고, 80% 이상에서 경화태선이나 편평세포증식증에 인접하여 발생하는 경우가 많다. 이러한 전구질환이 있을 경우 반복적인 가려움증-긁음으로 인한 상처의 복구과정에서 비정형 변화가 발생하는 것이 암화과정으로 추정되고 있다(Kurman et al., 1993; Vilmer et al., 1998; Raspollini et al., 2007)(그림 31-1).

외음암은 외음의 어느 부위에서도 발병할 수 있으나, 대부분이 음순, 특히 대음순에서 발생하며, 일차적 병변은 일반적으로 경계가 분명하고 국소적으로 존재하나 때로는 병변이 너무 광범위하여 일차 병변을 식별하기 곤란한 경우도 있다.

일부의 보고에서는 외음암 환자에서 당뇨병, 비만, 고혈압과 동맥경화증 등의 빈도가 높다고 하였으나, 다른 연구들에서는 이러한 임상적 특징이 외음암의 위험요인이라는 증거가 없어, 이는 외음암의 특징이라기보다는 고령에서 높은 발병빈도를 보이기 때문에 이에 따른 일반적 특징이라고 해석하였다(Franklin and Rutledge, 1972; Brinton et al., 1990).

2) 증상 및 진단

대부분의 환자는 진단 당시에 특별한 주관적 증상이 없으며, 증상이 있었던 경우의 대부분은 오래 지속되는 외음의 가려움증이나 종괴 등을 호소하였다. 이 외에도 드물게 궤양이나 출혈 등의 증상을 통해 발견되기도 한다(표 31-2). 부인과 검진 중 외음부를 주의 깊게 관찰하는 것이 진단에 매우 중요하며, 만약 외음에 융기성 종괴, 궤양, 색소침착,

표 31-2. 외음암의 증상과 징후

- 가려움증이나 작열감
- 덩이
- 부종을 동반하는 사마귀모양 덩이
- 융기된 붉은 반점이나 검은 첩포
- 출혈이나 출혈성 질분비물
- 배뇨통
- 통증
- 궤양
- 서혜부덩이

사마귀모양 등의 비정상 소견이 관찰될 경우 주저하지 말고 조직검사를 시행해야 한다. 조직검사는 일반적인 피부 생검에도 사용되는 Keyes 펀치생검(그림 31-2)이나 쐐기생검 등의 방법으로 국소마취하에 외래에서 시행할 수 있으며, 이때 표피와 진피가 동시에 포함되어야 침습의 유무를 판단할 수 있다. 특히 종괴의 모양이 사마귀와 유사한 경우 조직검사를 간과함으로써 암의 진단이 늦어지는 경우가 많으므로, 치료가 필요할 정도의 병변이 있을 경우 반드시 생검을 한 후 치료를 시작하는 것이 바람직하다. 또한 외음암의 경우 자궁경부나 질 등에 종양이 동반되어 있는 경우가 흔하게 발견되므로, 치료를 결정하기 전에 질확대경검사 등을 통한 평가가 필요하다.

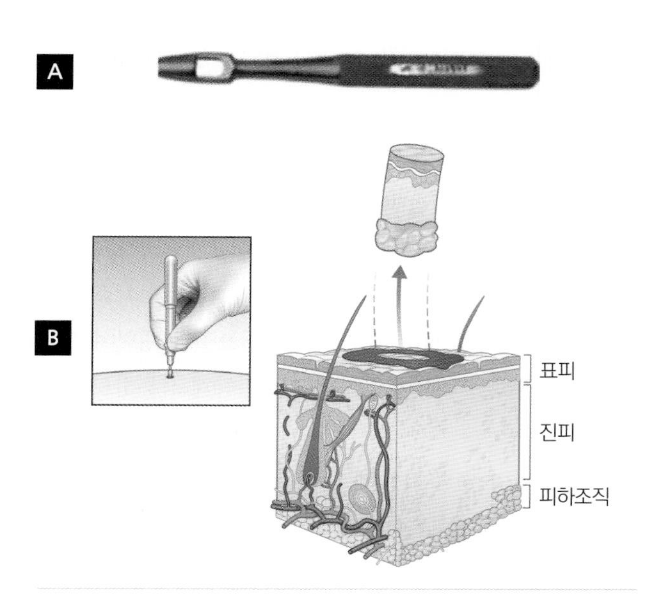

그림 31-2. **Keyes 펀치생검 기구(A) 및 검사방법(B)**

3) 병기결정

침습외음암의 병기결정은 기본적으로 1988년 세계산부인과학회(FIGO)에서 제정한 FIGO 병기를 사용하고 있으며, 이는 국소림프절의 침범을 포함한 수술적 병기이다. 이후 재발률 및 생존율을 보다 정확히 예측할 수 있도록 여러 차례의 개정을 거쳤으며, 현재는 2009년도에 개정된 FIGO 병기를 사용하고 있다(표 31-3, 그림 31-3).

표 31-3. 외음암의 FIGO 및 TNM 병기

병기	TNM 분류	임상 및 병리 소견
IA	T_{1a} N_0 M_0	직경 ≤2 cm 종양이 외음 또는 회음에 국한, 간질침윤 ≤1 mm 림프절전이 없음
IB	T_{1b} N_0 M_0	직경이 >2 cm이거나, 간질침윤 >1 mm, 종양이 외음 또는 회음에 국한, 림프절전이 없음
II	T_2 N_0 M_0	종양크기에 관계없이 주변의 조직에 침범(요도의 하부 1/3, 질의 하부 1/3, 항문)이 있으면서 림프절전이 없음
III		종양의 크기나 주변 조직으로의 침범(요도의 하부 1/3, 질의 하부 1/3, 항문)에 관계없이, 서혜-대퇴 림프절전이 있음
IIIA	T_{1or2} N_{1a} M_0	1-2개의 림프절전이가 있고, 크기가 <5 mm
	T_{1or2} N_{1b} M_0	1개의 림프절전이가 있고, 크기가 ≥5 mm
IIIB	T_{1or2} N_{2a} M_0	3개 이상의 림프절전이가 있고, 크기가 <5 mm
	T_{1or2} N_{2b} M_0	2개 이상의 림프절전이가 있고, 크기가 ≥5 mm
Ⅳ		종양이 국소(요도 상부 2/3, 질의 상부 2/3) 침습하였거나 원격전이를 한 경우
IIIC	T_{1or2} N_{2c} M_0	림프절전이가 있으면서 피막외침범(extracapsular extension)이 있음
ⅣA	T_3 N_{any} M_0	종양이 요도의 상부 2/3, 질의 상부 2/3, 방광점막, 직장점막, 골반 뼈에 침범
	T_{any} N_3 M_0	고정되어 있거나 궤양이 동반된 서혜-대퇴 림프절전이
ⅣB	T_{any} N_{any} M_1	원격전이(골반림프절전이 포함)

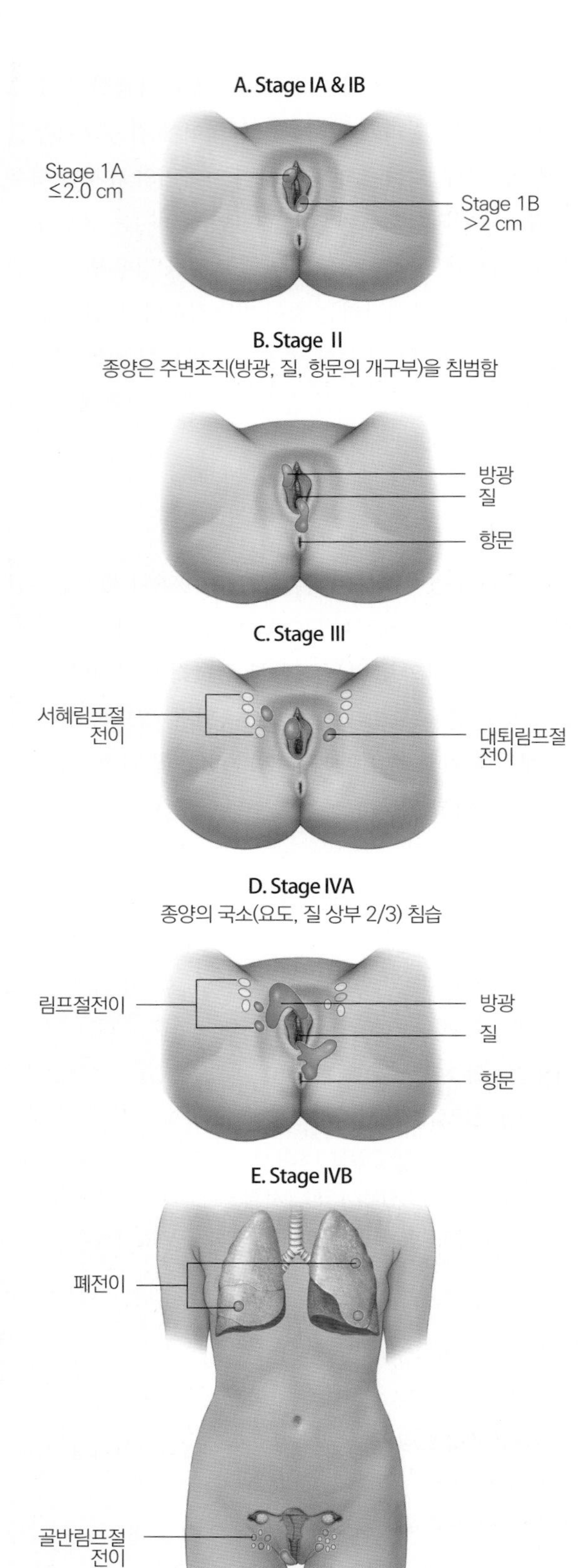

그림 31-3. **외음암 병기에 따른 병변부위**

4) 치료

외음암은 원칙적으로 수술이 가장 표준 치료법이다. 처음에는 표준수술법으로 근치외음일괄절제술(radical vulvar en bloc resection)과 양측 서혜부 및 골반림프절절제술이 시행되었으며, 이러한 적극적인 수술법을 통하여 생존율의 증가라는 긍정적인 결과를 얻을 수는 있었으나, 외음암 환자에서 공통적으로 이러한 수술을 시행하였을 때, 수술 후 이환율과 합병증의 빈도가 매우 높고, 만성합병증과 광범위한 절제술의 결과로 인해 환자의 삶의 질에 부정적인 결과를 초래할 수 있음이 지속적으로 지적되어 왔다. 이로 인해 최근에는 환자의 상태를 세분화하여 개별적으로 맞춤 치료법을 적용하도록 권유하고 있으며, 수술적 치료에 있어서도 원발종양(primary tumor)과 림프절에 대한 수술적 치료를 분리하여 각각의 환자에게 적절하게 적용하도록 권장하고 있다.

외음암의 수술적 치료에 있어서의 최근 변화의 경향을 요약하면 다음과 같다.

- 종양 크기가 2 cm 이하이고, 간질침윤이 1 mm 이하인 미세침윤암의 경우 근치외음절제술(radical vulvectomy)이나 림프절절제술은 시행하지 않는다.
- 서혜부림프절절제술을 시행할 때 기본적으로 양측 대신 동측(ipsilateral) 림프절절제술만 시행한다.
- 단일 아치형 피부절개술(그림 31-4) 대신에 분리절개술(separate incision)을 이용한다.
- 근치외음절제술 대신 1 cm 경계를 두고 광범위국소절제술(wide local excision)을 시행한다.
- 서혜부림프절절제술을 시행할 때 림프부종을 예방하기 위해 복재정맥을 보존한다.
- 수술 후 이환율이나 기능장애가 클 것으로 예상되는 경우, 수술, 방사선치료, 화학요법을 적절히 병합하여 병변을 줄인 후 보존적 수술을 고려한다.

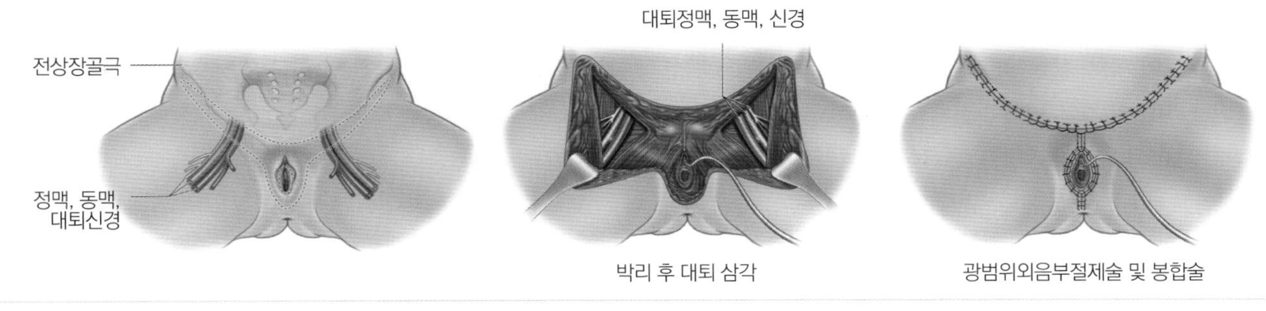

그림 31-4. **단일 아치형 피부절개술을 이용한 근치외음절제술 및 서혜림프절절제술**

(1) 원발종양의 수술적 치료

미세침윤암인 T1a 종양은 림프절절제술 없이 국소절제술만 시행하며, 근치외음절제술에 동등한 치료효과를 보인다. 종양이 외음과 회음에 국한된 T1b 종양의 경우에도 근치외음절제술 대신 1 cm의 안전경계(safety margin)를 두고 광범위국소절제술을 시행한다. 림프절절제술을 위해 과거에는 원발종양 제거부위와 피부를 연결하여 절개하는 단일절개술을 시행하였으나, 이에 동반되는 합병증과 기능저하로 인하여 분리절개술을 이용한다(그림 31-5). 이러한 방법을 이용한 수술법을 시행한 환자에서 재발률을 조사한 결과, 남은 피부 밑에 현미경적 종양이 남아 재발률이 높을 것이라는 우려와는 달리 차이가 없었다(Thomas et al., 1991). 하부요도나 하부 질점막 등으로 침범이 있는 T2 병변에 대해서도 외음보존술이 적용될 수 있으며, 1 cm의 경계를 포함하여 절제하는 원칙이 적용될 수 있으며, 특히 젊은 여성의 경우 적극적으로 외음보존술을 고려할 수 있으며, 필요할 경우 선행 화학방사선조사(chemoradiation)를 시행하여 수술의 범위를 축소할 수 있다.

광범위국소절제술을 시행한 후 절제부위가 작을 경우는 일차봉합(primary closure)을 시도할 수 있으나, 결손부위가 큰 경우에는 상처를 그대로 열어두어 육아종이 형성되도록 하거나, 전층피부피판(full-thickness skin flap)을 이용하기도 하고, 근육피부판(myocutaneous flap)을 이용하여 결손을 채우는 등의 방법을 이용하여 봉합한다.

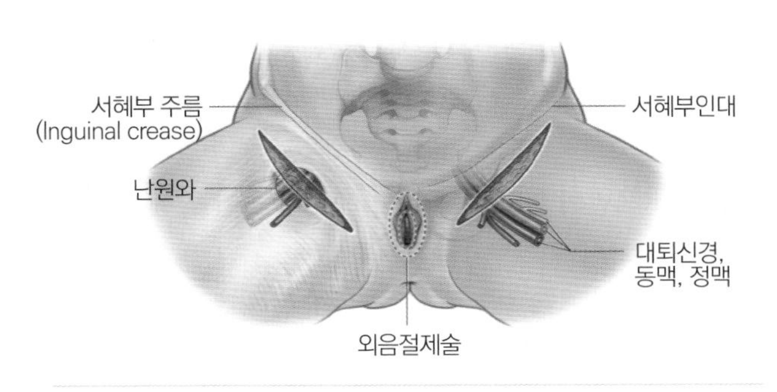

그림 31-5. **분리절개술을 이용한 외음암 수술법**

(2) 국소림프절에 대한 치료

초기 외음암의 수술적 치료 후 생존율과 이환율에 가장 큰 영향을 주는 요인이 적절한 서혜부림프절절제술(groin lymphadenectomy)의 시행 여부이다. 서혜부림프절절제술을 시행하지 않은 환자에서 서혜부에 재발하는 경우 사망률은 90%에 이르며(Marsden and Hacker, 2001), 원발종양이 편측성으로 위치할 경우 동측의 림프절 상태에 따라 일측(unilateral) 서혜부림프절절제술만 시행할지 양측으로 시행할지를 결정하게 된다.

외음암이 전파되는 양식은 다른 종양과 마찬가지로 직접확산(direct spread), 림프색전형성(lymphatic emboli-zation)이나 혈행확산(hematogenous spread)으로 주변 장기, 국소림프절, 또는 원격 장기로 퍼져나가는데, 이 중 림프절전이가 예후를 결정하는 가장 중요한 요인으로 알려져 있다.

미세침윤암인 T1a 종양은 림프절전이가 거의 없는 것으로 확인되어, 림프절절제술이 필요하지 않으나, T1b 이상이 되는 종양의 경우 림프절절제술이 필요하다. 외음의 림프관 경로는 주로 불두덩으로 이어지는데 이들은 표재성서혜림프절(superficial inguinal lymph nodes)로 이행되고 체근막(cribriform fascia)을 뚫고 통과하여 심부대퇴림프절(deep femoral nodes)에 모이게 된다. 이 심부대퇴림프절은 대퇴혈관의 내측으로 이어지며 서혜인대(inguinal ligament) 밑으로 대퇴륜(femoral ring)을 지나 외장골림프선으로 배출된다(그림 31-6). 서혜부림프절절제술은 표재성서혜림프절과 심부대퇴림프절을 함께 제거하는 서혜대퇴림프절절제술(inguinal-femoral lymphadenectomy)을 의미하며, 표재성서혜림프절만 제거하였을 경우 심부대퇴림프절에서 재발이 발견될 확률이 여전히 높아 함께 제거하는 것이 원칙이며, 수술 대신 방사선치료를 시행하였을 경우 재발률을 낮추지 못하여 적절한 림프절절제술의 중요성이 확인되었다(Stehman et al., 1992).

편측으로 위치한 외음암은 동측의 림프절로 연결되며, 동측의 림프절에서 전이가 확인되지 않는 경우, 반대편 림프절절제술은 시행하지 않아도 된다. 그러나 음핵, 음순소대(fourchette) 등의 중앙선에 위치한 종양이나 중앙선에서 2 cm 이내에 종양이 위치한 경우는 양측 서혜대퇴림프절절제술을 고려해야 한다.

육안적으로 확인되는 큰 림프절전이가 있을 경우, 큰 림프절만 제거하고 방사선치료를 시행하는 경우와 양측 림프절절제술을 완전히 시행하는 경우의 차이에 대해서는 아직 결론을 맺지 못한 상태이며, 어느 경우에서든 수술 후 서혜부와 골반에 방사선치료를 시행하도록 권장하고 있다. 주변조직에 고정되어 제거가 불가능한 림프절이 있는 경우에는 일차적으로 화학방사선조사를 시행한 후, 다른 곳으로의 전이가 없다고 판단될 경우 나머지 림프절을 제거할 수 있다(Montana et al., 2000).

골반림프절절제술의 경우 과거에는 표준수술로 간주되었으나, 점차 서혜림프절전이가 없는 경우 골반림프절전이가 매우 드물다는 것을 확인하였고, 이에 따라 서혜부 림프절전이가 있는 경우에만 선택적으로 동측 골반림프절절제술을 시행한다.

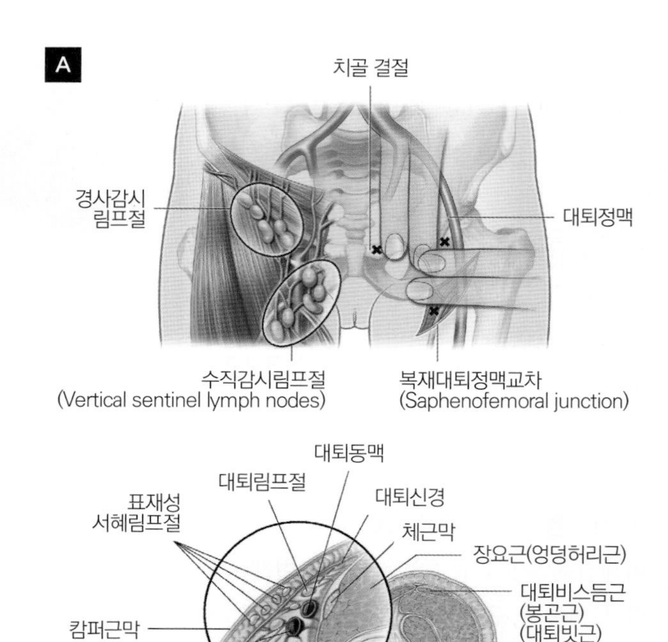

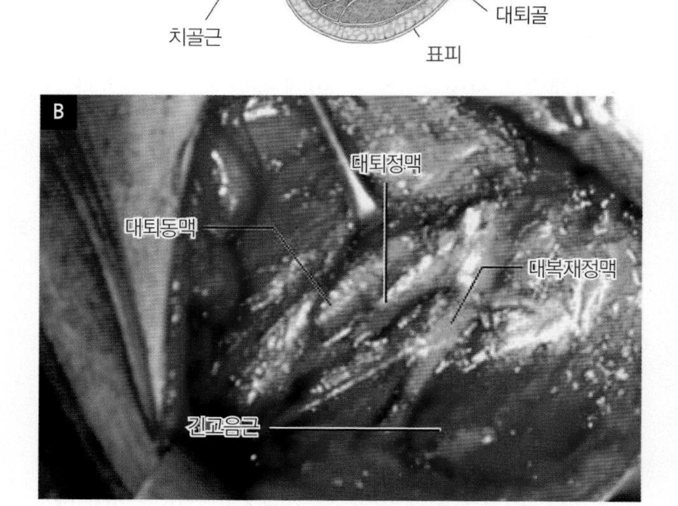

그림 31-6. **A: 표재성서혜림프절 촉진법 및 주변의 해부학적 구조**
B: 우측 서혜부림프절절제술

서혜부림프절에 대한 수술방법으로 분리절개술을 이용할 경우 수술부위의 파열이나 감염 등은 이전에 비하여 감소하였으나, 여전히 림프수종(lymphocyst)이나 림프부종(lymphedema) 등의 만성합병증이 중요한 문제로 남아 있는데, 이를 줄이기 위해 최근 감시림프절(sentinel node) 확인 후 전이가 있는 경우에만 림프절절제술을 시행하는 방법이 급속히 증가하고 있다. 감시림프절을 확인하는 방법으로는 동위원소를 이용하는 것과 isosulfan blue나 methylene blue 등의 푸른색 염료를 종양주위에 주사하여 확인하는 방법이 있으며, 두 가지 방법을 동시에 시행하였을 때, 90% 이상의 민감도를 얻을 수 있었으며(Levenback et al., 2012), 위음성률을 낮추기 위하여 병리학적 검사에 연속절편(serial section)이나 면역화학염색을 통한 초미세병기설정(ultrastaging)을 사용하기도 하였으나, 그 효과에 대해서는 아직 이견이 존재한다(Moore et al., 2003; Hakam et al., 2004; Narayansingh et al., 2005).

외음암의 가장 중요한 치료법인 수술적 치료의 병기에 따른 지침을 그림 31-7, 8에 정리하였다.

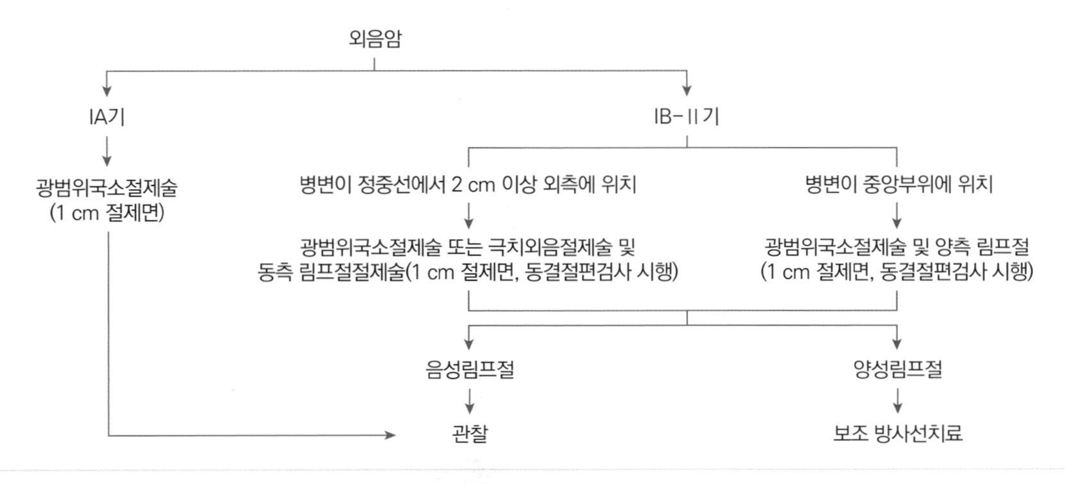

그림 31-7. **외음암 병기 I, II기의 치료**

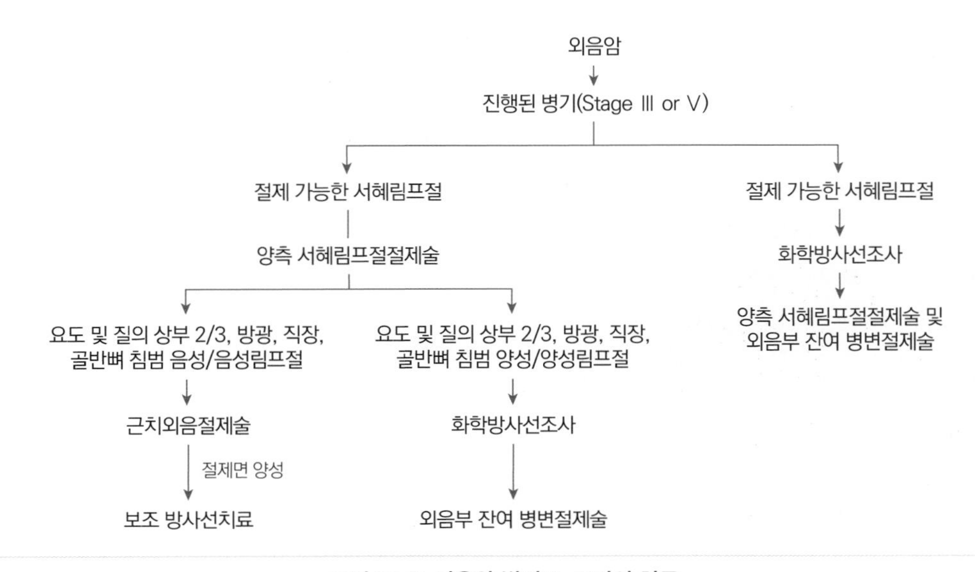

그림 31-8. **외음암 병기 III, IV기의 치료**

5) 예후

외음암의 생존율은 다른 암과 비슷하여 진단 당시의 임상병기와 얼마나 빨리 적절한 치료가 시작되었는가에 좌우된다. 그러나 외음암은 주로 고령의 여성에서 진단되므로 내재된 질환이나 치료과정 중 발생하는 합병증에 의해서도 생존율은 영향을 받을 수 있어 환자 개개인의 생존율을 예측하기는 쉽지 않다. 비슷한 조건의 같은 임상병기에서 생존율을 결정하는 중요한 요인으로는 림프절의 전이 여부를 들 수 있다. 예를 들어 임상적으로 외음암 1기이고, 림프절전이가 없었던 환자에서 5년 생존율은 96%, 2기에서는 90%이나 림프절전이가 있는 경우 생존율은 60% 정도로 급격히 감소된다고 보고하였다. 특히 3개 이상의 림프절전이가 있었던 경우 재발률과 사망률이 크게 높아진다고 보고된다. 따라서 진단 당시 림프절전이 여부는 매우 중요하며 적절한 수술과 방사선치료가 되었는지가 생존율을 좌우한다.

6) 기타 외음암

(1) 흑색종

① 빈도 및 조직학적 분류

흑색종은 외음암 중 약 5% 전후를 차지하며 편평세포암종에 이어 두 번째로 높은 발생빈도를 보이며, 외음흑색종(vulvar melanoma)은 전체 흑색종 중 4%에서 10%를 차지한다. 일반적으로는 발생빈도가 여성 100,000명 중 0.1에서 0.19명으로 매우 드문 질환이다(Weinstock, 1994). 대부분은 원발성으로 발생하나 때로는 기존의 모반(nevus)에 인접하여 발생하기도 한다(그림 31-9). 이 질환은 폐경된 백인여성에서 흔하며, 소음순 또는 음핵부위에서 발생한다. 피부에서 발생하는 흑색종은 전 세계적으로 그 빈도가 증가하는 추세에 있으나, 외음흑색종은 비슷한 빈도를 유지하며, 아마도 피부의 자외선복사(ultraviolet radiation)와 관련된 암발생기전과는 다른 암화의 과정을 거칠 것으로 추정된다.

대부분의 외음흑색종은 크기가 증가하는 착색의 병변 외에는 특별한 증상이 없다. 간혹 소양감이나 출혈, 또는 드물게 서혜부종괴 등의 증상이 있을 수 있다. 수 년간 변화가 없는 기존의 병변을 제외한, 모든 종류의 모반은 제거하거나, 조직검사를 시행해야 하고, 특히 외음에 발생하는 거의 모든 모반은 흑색종의 전구질환이 될 수 있는 경계모반(junctional nevus)이므로 제거하는 것이 바람직하다.

외음흑색종은 조직학적으로 3가지의 조직형으로 분류한다.

가. 표재확산흑색종(superficial spreading melanoma)으로, 발생초기에 대부분 표재성으로 남아있다.
나. 점막흑자흑색종(mucosal lentiginous melanoma)으

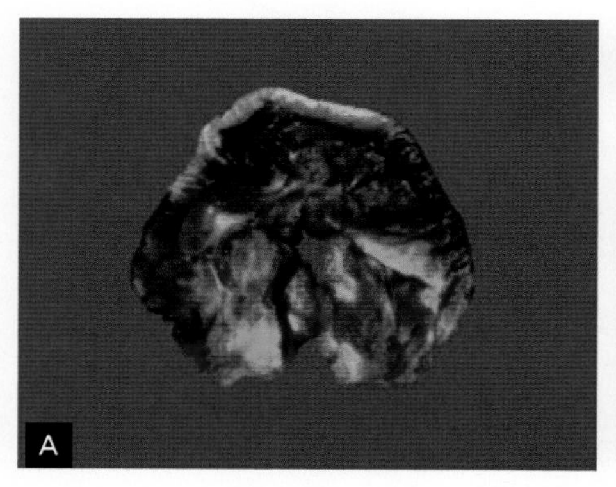

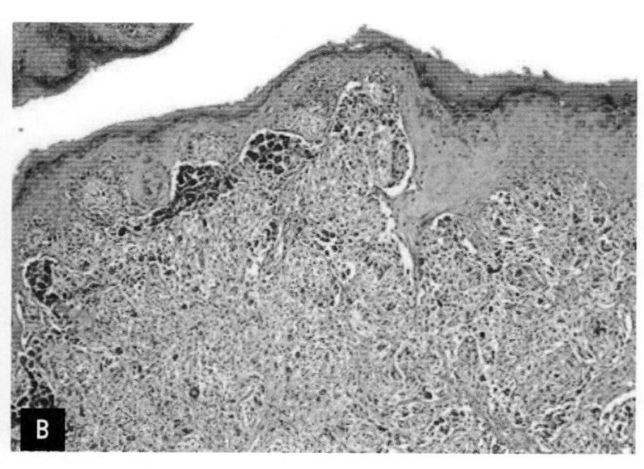

그림 31-9. 외음흑색종의 육안적, 현미경적 소견

로 평평한 주근깨 양상의 병변으로 매우 광범위하나 표재성으로 존재한다.

다. 결절흑색종(nodular melanoma)으로 조직 깊이 침범하며 넓게 전이되는 가장 공격적인 병변이다.

② 병기결정

편평세포암종에 사용되었던 FIGO 병기는 흑색종에는 적용될 수 없는데, 대부분의 병변이 크기가 매우 작고, 예후는 병변의 크기보다는 침윤된 깊이에 좌우되므로, 병변의 크기를 반영하는 FIGO 병기는 흑색종의 예후를 반영하지 못하기 때문이다.

피부 병변에 사용되는 Clark leveling system은 외음이 일반적인 피부와는 형태학적으로 차이가 있어 적용하기 어려운데, 외음의 피부는 유두진피(papillary dermis)층이 잘 구분되지 않는 특징을 지니고 있기 때문이다. 그러므로 이보다는 온전한 표피의 표면에서부터 침윤된 지점의 가장 깊은 곳까지의 두께를 측정하는 Breslow 병기가 더 적합하다고 볼 수 있으며, 이후 Chung은 Clark의 level I과 V의 정의를 그대로 두고, level II, III, IV의 정의를 밀리미터를 이용하여 계측하는 혼합된 병기설정을 제안하기도 하였다(표 31-4).

2009년 개정된 피부흑색종에 대한 AJCC 병기에서도 종양의 두께를 병기의 일차적 지표로 사용하면서, 유사분열률(mitotic rate)과 궤양의 유무를 포함하여 결정하였으며, 전이에 대한 병기결정에는 미세 전이를 확인하기 위한 면역화학염색을 포함하였고, 전이된 림프절의 수, 부피, 감시림프절 평가, 혈청 젖산탈수소화효소(LDH) 등도 함께 포함하였다(Balch et al., 2009).

③ 치료

침윤이 1 mm 이하의 병변의 경우, 근치국소절제술만으로 치료될 수 있으며, 이보다 침윤이 깊은 경우에는 과거에는 원발종양과 서혜부림프절절제술을 단일절개법을 이용한 일괄절제술(en bloc resection)이 시행되었다. 그러나 표피흑색종의 보존적 치료 경향과 마찬가지로 외음흑색종의 경우에도 수술적 치료에 있어서 좀 더 보존적으로 접근하는 경향이 생겼으며, 현재까지의 보고에 따르면 근치외음절제술과 광범위국소절제술을 비교하였을 때, 보존적 수술로 인해 예후가 더 나빠지지는 않는 것으로 생각되고 있다(Rose et al., 1988; Trimble et al., 1992). 흑색종은 주로 소음순과 음핵을 침범하는데, 질요도 경계의 절제면 양성이 수술 실패의 주된 부위이다. 따라서 적절한 내측 절제면의 확보가 매우 중요하다. 내측에 발생한 흑색종의 예후가 외측에 발생한 경우보다 나쁜 이유도 이러한 점에서 기인한 것이라 추정된다.

서혜대퇴림프절절제술의 치료효과에 대해서는 아직도 논란이 남아있으나, 현재까지의 연구결과에 따르면, 종양의 두께가 1-4 mm 정도의 흑색종에서는 서혜대퇴림프절절제술을 시행한 환자에서 림프절절제술을 시행하지 않은 환자보다 재발률이 낮고 5년 생존율이 높아서 치료적 효과가 있을 것으로 생각된다(Balch et al., 1996). 그러나 4 mm가 넘는 두께를 가진 침윤이 깊은 흑색종의 경우에는 림프

표 31-4. 요외음흑색종의 미세병기(microstaging)

	Clark Level	Chung Depth of Invasion	Breslow Tumor Thickness
I	Intraepithelial	Intraepithelial	<0.76 mm
II	Into papillary dermis	≤1 mm from granular layer	0.76–1.50 mm
III	Filling dermal papillae	1.1–2 mm from granular layer	1.51–2.25 mm
IV	Into reticular dermis	>2 mm from granular layer	2.26–3.0 mm
V	Into subcutaneous fat	Into subcutaneous fat	>3 mm

절전이와 원격전이가 많아, 서혜대퇴림프절절제술이 큰 도움이 되지 않은 것으로 확인되었다(Balch et al., 1982).

결론적으로 종양의 두께가 1-4 mm인 외음흑색종에 대해서는 일차병변에 대한 광범위국소절제술과 서혜대퇴림프절절제술을 표준 수술법으로 권장하고 있다.

골반림프절절제술에 있어서는 대퇴림프절로의 전이가 없는 경우 골반림프절로의 전이는 일어나지 않으며, 또한 골반림프절로의 전이가 일어난 경우 예후가 대단히 불량하여 골반림프절절제술은 환자의 예후에 영향을 미치지 않으므로 시행하지 않는다.

항암제의 효과는 제한적인 것으로 알려져 있으며, dacarbazine (DTIC)이 그 중 가장 효과 있는 단독약물로 보고되었으며, 반응률은 약 16% 정도였다(Atallah and Flaherty, 2005). 최근에는 dacarbazine의 유사체이고 경구투여가 가능한 temozolomide에 대한 연구가 많이 진행되었는데, 이론적으로는 dacarbazine과 효과는 유사하나 중추신경계에 대한 투과도가 높아 더 효과적일 것으로 기대하였으나, 최근에 발표된 3상 임상연구에서 dacarbazine에 비하여 특별히 효과가 증가하거나 중추신경계전이를 예방한다는 증거는 없다고 확인되었다(Quirt et al., 2007). 방사선치료도 과거에는 거의 효과가 없다고 알려져 있었으나 최근에는 수술과 병행하였을 때 국소재발률을 낮추는 데 효과가 있다는 증거가 축적되고 있다(Agrawal et al., 2009).

수술, 방사선, 화학요법 등의 기존의 치료법을 시행하였을 때 흑색종의 예후가 기대만큼 향상되지 않음으로 인해 다른 치료법들이 많이 시도되고 있는데, 대표적으로 면역요법이나 표적치료제 등이 시도되고 있으며, 이를 병행하는 생물화학요법(biochemotherapy)도 다양하게 연구되고 있다.

인터페론 알파 2b (INF-α-2b)는 무작위 실험결과 흑색종에 의미 있는 효능이 확인된 최초의 면역요법 약제인데, 4 mm 이상 깊이의 종양 또는 국소 전이성 흑색종을 수술한 경우 고농도의 INF-α-2b를 투여하였을 때 대조군에 비하여 생존율이 의미 있게 증가함이 확인되었다(Kirkwood et al., 1996; Kirkwood et al., 2002). 고용량 IL-2 (Proleukin)도 전이성 흑색종에 효과가 있음이 알려져 있는데, 비록 소수이긴 하지만 완전관해를 오랜 기간 유지한 환자도 보고되었다(Buzaid, 2004). 이후 이러한 면역요법제와 화학요법을 병행하는 생물화학요법이 시도되었는데, 초기 약물에 대한 반응은 향상되었으나, 독성발생의 위험이 높고, 최종 생존율의 상승까지 이르는가에 대해서는 확실한 증거가 없는 상태이다.

이러한 생물학적 표적치료제는 점점 더 빠른 속도로, 수많은 약제들이 등장하고 사라지고 있으며, 현재까지도 전이성 흑색종의 경우 완치율이 10% 미만이기 때문에, 전문가들은 환자에게 처음부터 임상시험에 참여할 수 있는 기회를 주도록 권고하고 있다. 이 중 3상 임상시험까지 도달하여 기대를 모으고 있는 분자생물학적 표적치료제로는 세포독성T림프구의 면역기능을 방해하는 데 작용하는 CTLA-4 수용체에 대한 단클론항체인 ipilimumab, 암화과정에 작용하는 Raf, VEGFR, PDGFR 관련 분자기전을 억제하는 소분자인산화억제제(small-molecule kinase inhibitor)인 sorafenib, 그리고 산화스트레스에 의한 세포자멸사(apoptosis)를 유도하는 elesclomol 등을 들 수 있다(Bhatia et al., 2009). 이 외에도 수많은 새로운 약제가 연구 중에 있다.

④ 예후

외음흑색종의 개인별 예후는 예측하기 쉽지 않으나, 전체적으로는 5년 생존율이 약 50-60% 정도로 보고되고 있으며, 다른 종양에 비하여 전이가 흔하고 예후가 좋지 않은 편이다. 예후를 좌우하는 요인으로는 병변의 두께 및 침윤의 깊이, 림프절전이의 유무가 가장 중요한 요인이다.

보고에 따르면 외음에 국한된 종양의 경우는 5년 생존율이 76%, 주변지역에 한정되어 있는 경우에는 39%이며, 전이성 외음흑색종의 경우 22% 정도였다(Sugiyama et al., 2007). 그러나 흑색종은 오랜 시간이 지난 후에도 재발하는 경우가 많아 5년 생존율이 완치를 의미하지는 않는다.

종양의 부피 또한 예후와 관련 있다는 보고가 있으며, 종양의 부피가 100 mm^3 이하인 경우 좋은 예후를 보인다하였다. 염색체 배수성(ploidy) 및 림프혈관침윤(lymphovascular invasion) 또한 무병생존에 관여하는 독립된 요소로 알려져 있다. 이 외에도 환자 나이, AJCC 병기, 다발성 또는 위성병변(satellite)의 유무, 종양의 궤양유무, 중앙위치(central tumor location), 조직학적 성장양식 등도 예후인자로 알려져 있다(Balch et al., 2009).

(2) 바르톨린샘암종

① 빈도 및 조직학적 분류

원발성 바르톨린샘암종(Bartholin gland carcinoma)은 전체 외음암의 2-7%, 전체 여성생식기 악성신생물의 0.001%에 불과한 매우 드문 질환이며, 따라서 독립된 표준 치료지침이 없으며, 소수의 환자에서 얻은 임상경험을 바탕으로 보고된 자료들을 토대로 판단해야 한다.

주로 폐경 후에 발생하나 젊은 여성에서도 발생할 수 있으며 주증상은 종괴나 회음부 통증이며, 성교통, 궤양성병변, 가려움증 등이 있다. 다양한 조직학적 형태의 암이 발생될 수 있는데 선암종, 편평세포암종, 이행세포암종(transitional cell carcinoma), 샘편평세포암종(adenosquamous carcinoma), 샘낭암종(adenoid cystic carcinoma) 등이다(Leuchter et al., 1982)(그림 31-7, 8).

② 진단 기준

원발성 바르톨린샘암종으로 진단되기 위해서는 Honan이 제시한 네 가지 기준을 만족해야 하는데, 그 기준은 첫째, 종양이 정확한 해부학적 위치에 있어야하고, 둘째, 대음순 심부에 위치해야 하며, 셋째, 종양을 덮고 있는 피부손상이 없어야 하며, 넷째 인지할 수 있는 정상적인 샘(gland) 조직이 있어야 한다(Masterson and Goss, 1955). 그러나 이 기준을 너무 엄격하게 적용할 경우 진단이 잘못될 수도 있다. 즉 종양이 큰 경우 피부궤양이 동반될 수 있고, 정상 바르톨린샘 조직이 완전 대치될 수도 있다.

따라서 이 기준을 실제 임상적으로 적용하는 데는 어려움이 많으므로 1972년 AFIP (Armed Forces Institute of Pathology)에서는 원발성 바르톨린샘암종으로 진단되기 위해서는 첫째, 조직학적 검사상 정상조직에서 종양으로의 이행부위가 있을 때, 둘째, 종양이 바르톨린샘에서 기원하였음을 조직학적으로 증명 가능할 때, 셋째, 신체의 다른 부위에 원발종양이 없을 때 등으로 기준을 정하였다(Copeland et al., 1986). 이에 대하여 정상조직에서 종양으로의 이행부위를 찾기가 쉽지 않다는 점이 여전히 진단의 어려움으로 존재한다.

바르톨린샘의 편평세포암종과 선암종은 항원적으로 매우 유사하며 바르톨린샘의 이행부위에서 발생하는 것으로 생각되고 있으나, 샘낭암종의 기원은 확실히 알려져 있지는 않으나, 근상피세포에서 유래하는 것으로 추정된다.

③ 치료

바르톨린샘암종은 발생빈도가 매우 낮으므로 임상적으로는 단순 바르톨린샘낭종으로 오인되어 진단이 늦어지는 경우가 많다. 농양이 형성된 경우에도 배농만 시행하여 진단이 늦어질 수 있으므로, 젊은 여성이라 하더라도 미세침흡인생검을 시행해야 한다는 주장도 있으며, 폐경 후 여성에서는 바르톨린샘의 종창이 있을 경우 양성으로 증명될 때까지 악성종양에 준하여 처치해야 한다는 의견이 있다(Copeland et al., 1986).

치료는 근치외음절제술(radical vulvectomy) 및 서혜대퇴림프절절제술이며, 전이가 없다면 골반림프절절제술은 시행하지 않는다(Cardosi et al., 2001). 일부 저자는 암세포가 포함 안 된 깨끗한 절제면을 포함한 광범위국소절제술을 주장하고 있다. 추가 방사선치료는 아직 이견이 있으나 대체로 절제면 양성인 경우, 국소침윤이 된 경우 및 신경침윤이 있을 때 추천되고 있다(DePasquale et al., 1996). 일부 학자들은 수술 후 방사선치료가 국소재발을 줄일 수 있으며 병변이 항문 괄약근이나 직장 근처까지 침범한 경우 수술 전 화학방사선조사로 골반장기 적출술이나 영구인공항문 형성술의 빈도를 줄일 수 있다고 하였다(Moore et al., 1998).

환자의 생존에 중요한 인자는 서혜대퇴림프절의 전이상태로, 전이된 림프절이 1개인 경우 5년 생존율은 71%,

2개 이상인 경우는 18%로 보고되고 있다(Leuchter et al., 1982).

샘낭암종(adenoid cystic carcinoma)은 서서히 진행하고, 비교적 예후가 양호한 형태이나, 국소 전이가 빈번한 특징을 가진다. 치료는 광범위국소절제술과 동측 서혜부림프절절제술이다.

(3) 외음파제트병

외음파제트병(Paget's disease of the vulva)은 전체 외음암의 1% 미만의 빈도를 보이는 드문 질환이지만, 임상적으로 몇 가지 중요한 특징을 가지고 있는 질환이다. 외음파제트병에서 발견되는 파제트세포는 유방에서 발견되는 세포와 동일한 형태를 지니고 있으나. 유방에서 항상 선암종이 동반되어 있는 것과는 달리, 외음파제트병은 대부분 상피 내에 국한되어 있으며, 약 15% 정도에서 아포크린땀샘, 바르톨린샘 등에서 발생한 침윤성 선암이 발견된다.

주로 폐경 후의 여성에서 발생하며, 육안적으로 습진성 변화를 보이고 점차 약간 융기되고 반짝거리는 모습을 띠게 되며, 마치 케이크 위에 버터로 장식을 한 모습을 보이기도 한다("cake-icing appearance")(그림 31-10). 처음에는 털이 있는 피부에서 시작하여 점차 불두덩, 넓적다리, 엉덩이 부위로 퍼져나가며, 질점막, 직장점막, 요도점막 등으로도 확산될 수 있다.

일부에서 유방, 대장, 방광, 자궁경부 등에 암이 동시에 발생할 수 있다고 알려져 있어, 이에 대한 평가가 필요하다. 조직학적 소견은 특징적으로 극세포증(acanthosis)을 보이며 그물능선(rete ridge)이 넓어짐을 볼 수 있다. 파제트세포는 기저부에서 흔히 거짓샘(pseudogland) 형성을 하며 멜라닌결핍흑색종(amelanotic melanoma)과 유사하나 PAS염색과 뮤시카민(mucicarmine)염색에 양성인 점으로 감별할 수 있다.

치료는 광범위국소절제술이 최상의 치료이며 육안적으로 보이는 것보다 종양세포가 더 넓게 퍼져 있는 경우가 많아, 여러 번의 동결절편을 수술 중 시행하여 병변의 완전한 절제가 될 수 있도록 하는 것이 중요하다. 선암이 동반되었는지를 확인하기 위하여 하부의 진피까지 제거하여 확인해야 한다. 선암종이 동반된 경우는 동측의 서혜부림프절절제술도 같이 시행하며 림프절전이가 없을 경우 예후는 양호하다. 재발은 비교적 흔한 편인데, 일차수술에서 절제면에 양성인 경우 더 빈번하게 발생한다. 장기간의 추적 관찰이 중요하며 재발했을 경우 반복적인 수술, 국소적인 bleomycin, 국소적 5-FU, 혹은 CO_2 레이저 등이 사용된다.

(4) 기저세포암종

외음암의 약 2%를 차지하며 폐경된 백인 여성에 호발하며 특징적인 병변으로 직경 2 cm 이하의 중앙부위에 궤양을

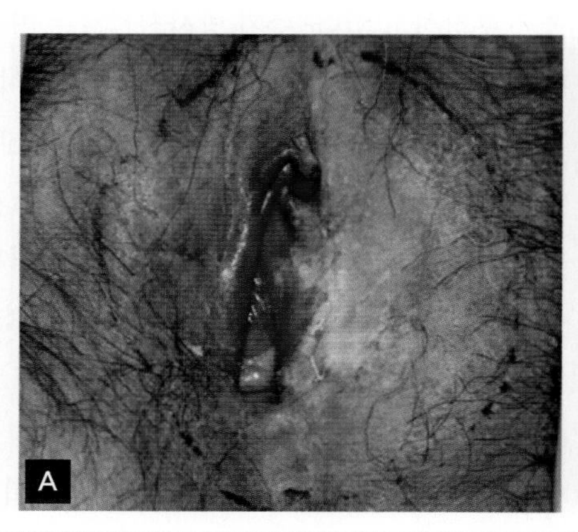

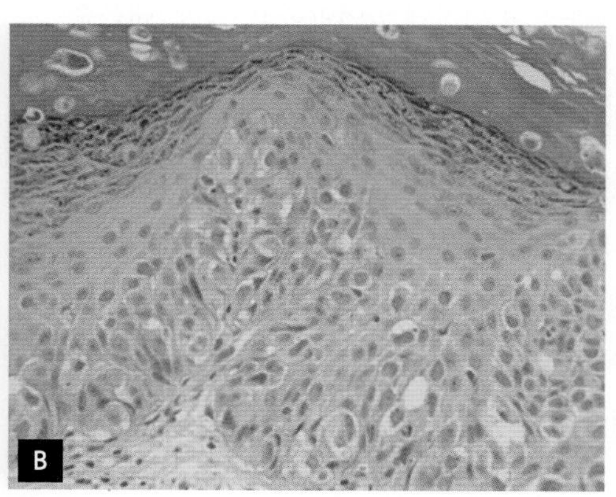

그림 31-10. 외음파제트병의 육안적, 현미경적 소견

동반하는 소위 잠식성궤양(rodent ulcer)의 소견을 볼 수 있으며 대부분 대음순에 발생한다. 증상은 오랜 기간 동안 지속되는 가려움증과 작열감이다. 기저세포암의 약 3-5%에서는 악성편평세포가 포함된 소위 기저편평세포암종(basosquamous carcinoma)이라는 것이 있는데, 보다 공격적이어서 편평세포암종에 준하여 치료하여야 한다. 치료는 근치국소절제술이 적절한 수술방법이고 방사선치료에는 잘 듣지 않는다. 혈행성 또는 림프행성 원격전이는 흔하지 않으나, 국소적 재발이 약 10-20% 정도로 주의 깊은 추적 관찰이 필요하다(Benedet et al., 1997).

(5) 사마귀모양암종

사마귀모양암종은 편평세포암종의 변종으로, 주로 구강 내에서 발견되지만 편평세포로 구성된 습한 피막(moist membrane)이 있는 어느 곳에서나 발생할 수 있다. 여성생식기에서는 자궁경부, 외음부, 질에서 주로 생기며 위험요인으로 흡연, HPV 감염 등이 거론되고 있다(del Pino et al., 2012).

대부분 폐경기 이후에 발생하고 서서히 진행되지만 국소 파괴적인 성장을 보이며 육안적으로 양배추모양종양(cauliflower-like tumor) 형태를 보이고, 현미경적으로 뾰족콘딜로마(condyloma accuminatum)와 유사한 다양한 유두모양을 보인다. Buschke-Loewenstein 종양으로 알려져 있는 거대콘딜로마의 변종과 육안적, 현미경적 소견이 거의 비슷하여 같은 종양으로 간주되고 있다. 국소림프절 전이는 드물며 림프절전이가 의심되면 미세침흡인생검을 한다.

치료는 광범위국소절제술을 기본적으로 시행하며, 림프절전이가 있으면 근치외음절제술 및 양측 서혜대퇴림프절절제술을 시행한다. 방사선치료는 국소 및 원격전이와 함께 역형성 변형(anaplastic transformation)을 유발할 수 있기 때문에 금기이다(Japaze et al., 1982).

(6) 외음육종

육종은 외음암의 1-2%를 차지하며 평활근육종(leimyosarcoma)이 가장 흔한 형태이고, 유상피육종(epithelioid sarcoma), 횡문근육종(rhabdomyosarcoma) 등이 드물게 발생한다.

평활근육종은 대부분 대음순에 생기며 점차 커지는 종괴로 동통을 수반한다. 재발에 관련된 3가지 중요한 결정적 요소는 직경 5 cm 이상, 침윤경계(infiltrating margin), 고배율상(10 HPF)에서 5개 이상의 유사분열이 관찰되는 것이며, 림프행성 전이는 드물고, 치료는 광범위국소절제술을 시행한다. 횡문근육종은 유년기에 가장 잘 생기며 약 20%에서 골반 및 비뇨생식기에 침범한다. 치료는 전통적으로 근치외음절제술을 실시하였으나 예후가 불량하였고, 비교적 최근에 광범위국소절제술, 양측 서혜부림프절절제술 및 수술 전후에 화학요법을 병행한 결과 생존율이 의미있게 향상되었다는 보고가 있었다(Hays et al., 1988).

2. 질암

1) 역학 및 원인

질암은 질에서 생긴 원발성 질암과 다른 부위에서 생긴 암이 질 부위로 전이된 이차성 질암으로 나눌 수 있다. 원발성 질암은 질암의 약 84%를 차지하고 있는 이차성 질암과 구분되어야 한다. 질암 FIGO병기는 종양이 자궁경부에서 질로 침윤되거나 전이된 경우 자궁경부암으로 분류하고, 종양이 외음부와 질에 동시에 발생하는 경우는 외음암으로 분류한다. 따라서 자궁경부암이나 외음암이 동반되지 않고, 5년 이내에 이러한 암의 병력이 없이 질에서 발견된 경우, 원발성 질암이라고 할 수 있다(Edge and Compton, 2010).

원발성 질암은 여성생식기 암의 약 2-3%를 차지하며, 평균 발생 연령은 약 60세이다. 미국의 경우, 인구 10만 명당 약 0.5명의 발생률(Siegel et al., 2015)을 보이며, 국내에서도 인구 10만 명당 0.1명의 낮은 발생률을 보인다. 대부분의 질암은 편평세포암으로 질암의 약 80%를 차지하고 있다(Beller et al., 2006).

자궁경부암의 주요 원인이 인유두종바이러스 감염으로 알려져 있듯이 질암 환자의 약 53.6%에서 인유두종바이러스 감염이 동반되어 있으며(Larsson et al., 2013), 연령에 따른 차이를 보인다. 일부의 보고에서는 341명의 질암 환자 중 젊은 여성들은 인유두종바이러스 감염과 관련있었으나, 노령 환자의 경우 연관성이 없다고도 하였다(Hellman et al., 2004). 자궁경부암에서처럼 질암 역시 전암 병변인 질상피내종양이 존재하지만, 질암으로 진행하는 정도는 정확하게 알려져 있지 않다.

자궁경부암으로 치료한 후 5년이 지나서 발생한 질암의 경우, 원발성 질암으로 분류하며 다음 3가지 기전에 의해 발생할 것으로 생각된다.

첫째, 자궁경부암을 치료할 당시 질 내에 병소가 남아 있거나 둘째, 인두유종바이러스의 영향을 받아 새로운 병소가 생기거나 셋째, 방사선치료로 인한 질암 발생으로 생각해볼 수 있다. 그 외에도 임신 초기에 자연유산 방지를 위해 사용하였던 여성호르몬제제인 diethylstilbestrol (DES)가 질 선암을 유발할 수 있다.

2) 증상 및 진단

가장 흔한 증상은 통증이 없는 질출혈과 질분비물의 증가이며, 성교 후 출혈이나 폐경 후 출혈이 발생할 수 있다. 질은 방광과 인접해 있으므로 배뇨통이나 빈뇨와 같은 비뇨기계 증상이 자궁경부암보다 흔하게 나타난다. 또한 질 후벽에 발생한 질암의 경우, 뒤무직함(tenesmus)이 생길 수 있다. 약 5-10% 환자에서는 증상이 없이 내진이나 조직검사를 통해 진단되기도 한다(DiSaia et al., 2018).

대부분 질암은 질 상부 1/3에서 발생하며 육안적으로 외장성(exophytic)으로 보이지만, 내장성(endophytic)으로 보일 수도 있다. 질 표면의 궤양은 대개 진행된 경우에 나타나는 증상이다.

정확한 진단을 위해서는 자세한 병력청취와 정확한 골반 진찰 및 질경을 사용한 내진이 필수적이다. 질암은 질의 상부 1/3의 후벽에 잘 발생하므로 질경을 회전시켜서 질 전벽을 자세히 관찰하여 병변을 발견할 수 있도록 해야한다. 자궁경부질세포진검사나 인유두종바이러스검사가 비정상 결과를 보이거나 원인을 모르는 질출혈이 있는 경우, 질 상부에서 궤양성 홍반성 반점이 관찰 될 경우, 질확대경검사와 조직검사를 시행한다. 자궁경부암 조직검사에서 사용되는 Tischler biopsy forceps 등을 이용하여 질 확대경하 조직검사를 통해 확진하게 된다.

3) 병기결정

질암이 확진되면, 병기는 자궁경부암과 비슷하게 임상적 진찰을 통해 결정된다. 외음부와 서혜부의 시진을 통해 주변 조직으로의 전이 여부를 알 수 있다. 특히, 질은 방광, 요도 및 직장과 인접해 있으므로 초기에 이들 장기로 전이될 수 있다. 따라서 방광경(cystoscopy), 직장경(proctoscopy), 정맥신우조영술(intravenous pyelogram), 흉부 X-선검사, 골격방사선촬영 등을 시행하는 것이 병기결정에 도움이 된다. 비록 림프관조영술(lymphangiography), 컴퓨터단층촬영(CT), 자기공명영상(MRI)과 양전자방출단층촬영술(PET-CT)의 결과가 FIGO 병기설정에 반영되지 않지만, 치료 계획을 세우는데 도움을 줄 수 있다. 질암의 병기설정에서 종양이 자궁경부에서 질까지 퍼져있을 경우 자궁경부암이라고 하며, 외음부와 질에 동시에 종양이 존재할 경우 외음암으로 분류한다. 원발성 질암의 2009 FIGO 병기(표 31-5)와 질암의 진단 및 병기설정과 치료를 위한 검사항목(표 31-6)은 다음과 같다.

표 31-5. 질암 FIGO 병기

병기	
I	질벽에 국한
II	질하조직 침습, 골반벽 침습 없음
III	골반벽 침습
IV	골반조직 이외 조직이나 방광 점막 또는 직장 점막에 침습
IVA	방광이나 직장 점막 침습 또는 골반 위로 직접 전이
IVB	원격전이

FIGO, International Federation of Gynecology and Obstetrics

표 31-6. 질암 진단, 병기설정 및 치료를 위한 검사항목

- 조직생검
- 질직장내진
- 방광경검사
- 직장경검사
- 자궁내막, 내장궁경부 생검 및 소파술
- 정맥신우조영술
- 흉부방사선촬영
- 혈청 CEA, SCC Ag (선암의 경우 CA125)
- 림프관조영술(lymphangiography), 복부 및 골반컴퓨터단층촬영(CT), 자기공명영상(MRI), 양전자방출단층촬영술(PET-CT)

4) 병리

질암은 조직학적으로 편평세포암(squamous cell carcinoma)이 가장 흔하고, 선암(adenocarcinoma), 흑색종(melanoma), 육종(sarcoma) 등의 형태로 분류된다.

(1) 편평세포암

편평세포암은 원발성 질암의 80-90%를 차지하며(Gadducci et al., 2015), 대부분 질 상부 1/3의 후벽에 발생한다. 평균 발생 연령은 60세이지만, 젊은 연령에서도 발생한다(Hiniker et al., 2013). 인유두종바이러스 감염과 관련이 있고, 80% 환자에서 인유두종바이러스 16번 감염이 동반되어 있다(Larsson et al., 2013). 질 편평세포암은 육안적으로는 결절성(nodular), 궤양성(ulcerative), 경화성(indurative), 외장성(exophytic)이며, 조직학적으로는 다른 장기의 편평세포암의 소견과 동일하다. 질 편평세포암의 1/3 정도가 조직학적으로 각화(keratinizing)형이며 1/2 정도가 비각화(nonkeratinizing), 중등도 분화(moderately differentiated)형이다.

(2) 선암

질 선암은 원발성 질종양의 약 9%를 차지하며 드물다(Parikh et al., 2008). 대부분이 대장이나 자궁내막, 난소 등으로부터 전이된 형태로 발생한다. 주로 질 상부 1/3의 질 전벽에서 발견된다. 선암은 선증(adenosis)이나 자궁내막증의 병소를 가진 환자에서 발생할 수 있으므로 평균 연령이 14-27세의 젊은 환자들이 많다(Parikh et al., 2008).

젊은 여성에서 나타나는 선암은 임신 초기에 자연유산을 방지하기 위해 사용한 여성호르몬제제인 DES (Diethylstillgbestrol)를 복용한 여성의 자녀에서 발생되었다. 이는 태아 단계에서 질의 생성 시기에 DES가 작용하여 발생학적으로 편평세포로 덮여야 할 질 상피가 선상피로 남아있게 되어 질에 선증이 생기고 이것이 나중에 발암 자극을 받아서 악성으로 전환된 것이다. DES에 노출된 산모의 여아에서 질 투명세포선암이 발생할 확률은 약 1,000명당 1명 미만이다(Cramer and Cutler, 1974).

(3) 흑색종

악성흑색종(melanoma)은 질암의 3%를 차지한다(Walker et al., 2011). 질 점막에 돌출되어 착색된 종양으로 크기는 0.5 cm에서 10 cm 직경으로 대개는 질의 하부 1/3 부위에서 잘 생긴다. 평균 발생 연령은 약 60세로 크기나 색깔이 다양하며 자라는 형태도 다양하다. 대부분의 종양이 깊게 침윤되어 있으므로 병변을 광범위하게 절제하는 것이 원칙이며, 주로 질 부위에서 재발을 잘 한다. 종양이 깊게 침윤되어 있을수록 혈행성 전이를 잘 하므로 예후가 불량하다. Chung 등은 질에 생긴 흑색종 생존율은 종양 침범 깊이와 반비례한다고 하였다. 5년 생존율이 5-25% 정도로 불량한 예후를 보인다(Piura, 2008).

(4) 육종

육종은 질에 생기는 악성종양의 1%를 차지하며(Walker et al., 2011), 그 중에 배아횡문근육종(embryonal rhabdomyosarcoma)은 소아에서 잘 생기며 평활근육종(leiomyosarcoma)은 성인에서 발견된다. 치료는 근치국소절제술(radical local excision)을 기본으로 하며, 항암치료나 방사선치료를 추가하기도 한다.

배아횡문근육종(embryonal rhabdomyosarcoma)은 분홍색의 폴립이 포도송이 같은 덩이를 형성하여 질 밖으로 돌출된다. 병이 진행됨에 따라 질을 채우고 자궁경부나 자

궁방결합조직 그리고 복부까지 퍼지게 된다. 포도모양육종(botryoid rhabdomyosarcoma)은 보통 5세 미만 소아의 질 전벽에 발견된다. 질출혈이나 분비물이 흔한 증상이다. 수술 전 vincristine, actinomycin D, cyclophosphamide 복합 선행 항암요법 이후 수술이나 방사선치료를 시행하면 생존율이 향상된다.

5) 치료

질암의 병기, 침윤된 정도, 병변의 위치 등에 따라 치료방법을 결정해야 한다. 직장, 방광 및 요도가 질에 근접해 있으므로 수술이나 방사선치료에 한계가 있다. 수술적 치료는 다음 몇 가지의 경우 도움이 될 수 있으며, 대부분 방사선치료를 시행하게 된다(Berek, 2015).

- 질 상부 1/3, 질 후벽에 존재한 질암 1기인 경우, 수술적 치료를 시행한다. 자궁이 존재하는 경우, 근치자궁절제술, 부분질절제술 및 양측골반림프절절제술을 시행하며, 이전에 자궁절제술을 받았던 환자의 경우, 근치질절제술과 골반림프절절제술을 시행한다. 절단면이 음성이고, 림프절전이가 없으면 추가 치료는 불필요하다.
- 직장질누공이나 방광질누공이 동반된 질암 4기인 경우, 골반 및 대동맥주위 림프절절제술을 동반한 골반내용물적출술(pelvic exenteration)을 시행한다.
- 방사선치료 이후 재발암의 위치가 골반 중심부에 국한된 경우, 골반내용물적출술(pelvic exenteration)을 시행한다.
- 방사선치료 전에 커져있는 림프절 제거를 포함한 수술적 병기를 시행하는 것은 방사선치료 효과를 향상시킬 수 있다.

상기 수술적 치료가 유용한 경우를 제외하면, 대부분의 질암은 방사선치료를 한다. 병변의 침윤이 얕은 종양의 경우, 강내 근접치료(brachytherapy)만으로도 효과적이다. 큰 병변의 경우, 근접방사선요법(brachytherapy)과 영역확장방사선치료(extended field radiation therapy, ERT)를 함께 시행한다.

치료로 인한 주요 합병증은 약 10-15% 정도에서 발생하는 것으로 알려져 있다. 방사선 치료 이후 방광염, 직장질누공, 방광질누공, 직장 협착, 직장 궤양 등이 발생할 수 있다. 질에는 방사선으로 인한 궤양이나 섬유화로 인해 질 협착 등이 흔히 생긴다. 따라서 방사선 치료가 끝난 후, 국소 에스트로겐 도포, 주기적인 질 확장기를 사용 또는 성관계는 질 협착증을 예방할 수 있다.

6) 예후

질암은 첫번째 치료 후 약 40%에서 재발된다. 전체 질암 환자들의 5년 생존율은 52% 이며, 질암 1기 환자들은 74%의 생존율을 보인다. 질암의 예후를 결정하는 주요 인자는 진단 당시 병기이다. 그 외 종양의 크기(>4 cm), 종양의 위치(질 상부 1/3), 인유두종바이러스 감염여부 및 MIB-1 지수가 영향을 미칠 수 있다(Gadducci et al., 2015). 재발은 대부분 치료 후 2년 이내에 일어나며, 질 및 골반 내에 국한되어 발생한다. 그 외 재발되는 부위는 방광 및 요관 등이며 투명세포암은 쇄골 상부 림프절 및 폐에서 재발이 발견된다. 따라서 침윤성 질암의 경우 질세포검사를 포함한 내진을 치료 후 1년까지 매월 시행하며 이후 2년은 2개월마다 시행하고 그 이후로는 매 6개월 정기 검진을 하는 것이 필요하다. 또한 매년마다 정맥신우조영술 및 흉부 X-선검사를 하여야 한다.

참고문헌

- American Cancer Society: Cancer Facts and Figures 2014. Atlanta, Ga: Americal Cancer Society, 2014. Available online. Accessed 〈08/14/2014〉.
- Agrawal S1, Kane JM 3rd, Guadagnolo BA, Kraybill WG, Ballo MT. The benefits of adjuvant radiation therapy after therapeutic lymphadenectomy for clinically advanced, high-risk, lymph node-metastatic melanoma. Cancer. 2009;115:5836-44.
- Atallah E1, Flaherty L. Treatment of metastatic malignant melanoma. Curr Treat Options Oncol 2005;6:185-93.
- Balch CM, Soong SJ, Milton GW, Shaw HM, McGovern VJ,

Murad TM, et al. A comparison of prognostic factors and surgical results in 1,786 patients with localized (stage I) melanoma treated in Alabama, USA, and New South Wales, Australia. Ann Surg 1982;196:677-84.

- Balch CM, Soong SJ, Bartolucci AA, Urist MM, Karakousis CP, Smith TJ, et al. Efficacy of an elective regional lymph node dissection of 1 to 4 mm thick melanomas for patients 60 years of age and younger. Ann Surg. 1996;224:255-63.
- Balch CM, Gershenwald JE, Soong SJ, Thompson JF, Atkins MB, Byrd DR, et al. Final version of 2009 AJCC melanoma staging and classification. J Clin Oncol 2009;27:6199-206.
- Beller U, Benedet JL, Creasman WT, Ngan H, Quinn MA, Maisonneuve P, et al. Carcinoma of the Vagina. Int J Gynaecol Obstet. 2006;95 Suppl 1:S29-S42.
- Benedet JL, Miller DM, Ehlen TG, Bertrand MA. Basal cell carcinoma of the vulva: clinical features and treatment results in 28 patients. Obstet Gynecol. 1997;90:765-8.
- Berek JS, Hacker, Neville F. Berek & Hacker's gynecologic oncology. 6th ed. Philadelphia: Wolters Kluwer; 2015.
- Bhatia S, Tykodi SS, Thompson JA. Treatment of metastatic melanoma:An overview. Oncology 2009;23:488-96.
- Breslow A. Thickness, cross-sectional areas and depth of invasion in the prognosis of cutaneous melanoma. Ann Surg 1970;172:902-8.
- Brinton LA, Nasca PC, Mallin K, Baptiste MS, Wilbanks GD, Richart RM. Cancer-control study of cancer of the vulva. Obstet Gynecol 1990;75:859-66.
- Chung AF, Woodruff JM, Lewis JL Jr. Malignant melanoma of the vulva: A report of 44 cases. Obstet Gynecol 1975:45:638-46.
- Clark WH Jr, From L, Bernardino EA, Mihm MC. The histogenesis and biologic behavior of primary human malignant melanomas of the skin. Cancer Res 1969:29:705-27.
- Cramer DW, Cutler SJ. Incidence and histopathology of malignancies of the female genital organs in the United States. Am J Obstet Gynecol. 1974;118:443-60.
- DePasquale SE, McGuinness TB, Mangan CE, Husson M, Woodland MB. Adenoid cystic carcinoma of Bartholin's gland: a review of the literature and report of a patient. Gynecol Oncol. 1996;61:122-5.
- DiSaia P, Creasman W, Mannel R, McMeekin DS, Mutch D. Clinical Gynecol Oncol. 9th ed. Philadelphia: Elsevier; 2018. p.217-30.
- Edge SB, Compton CC. The American Joint Committee on Cancer: the 7th edition of the AJCC cancer staging manual and the future of TNM. Ann Surg Oncol. 2010;17:1471-4.
- Eifel PJ1, Morris M, Burke TW, Levenback C, Gershenson DM. Prolonged continuous infusion cisplatin and 5-fluorouracil with radiation for locally advanced carcinoma of the vulva. Gynecol Oncol 1995;59:51-6.
- Franklin EW, Rutledge FD. Epidemiology of epidermoid carcinoma of the vulva. Obstet Gynecol 1972;39:165-72.
- Gadducci A, Fabrini MG, Lanfredini N, Sergiampietri C. Squamous cell carcinoma of the vagina: natural history, treatment modalities and prognostic factors. Crit Rev Oncol Hematol. 2015;93:211-24.
- Hacker NF, Berek JS, Lagasse LD, Leuchter RS, Moore JG. Management of regional lymph nodes and their prognostic influence in vulvar cancer. Obstet Gynecol. 1983 Apr;61:408-12.
- Hakam A, Nasir A, Raghuwanshi R, Smith PV, Crawley S, Kaiser HE, et al. Value of multilevel sectioning for improved detection of micrometastases in sentinel lymph nodes in invasive squamous cell carcinoma of the vulva. Anticancer Res. 2004;24:1281-6.
- Hampl M, Srajuuri H, Wentzensen N, Bender HG, Kueppers V. Effect of human papillomavirus vaccines on vulvar, vaginal and anal intraepithelial lesions and vulvar cancer. Obstet Gynecol 2006;108:1361-8.
- Hays DM, Shimada H, Raney RB Jr, Tefft M, Newton W, Crist WM, et al. Clinical staging and treatment results in rhabdomyosarcoma of the female genital tract among children and adolescents. Cancer. 1988;61:1893-903.
- Hellman K, Silfversward C, Nilsson B, Hellstrom AC, Frankendal B, Pettersson F. Primary carcinoma of the vagina: factors influencing the age at diagnosis. The Radiumhemmet series 1956-96. Int J Gynecol Cancer. 2004;14:491-501.
- Hiniker SM, Roux A, Murphy JD, Harris JP, Tran PT, Kapp DS, et al. Primary squamous cell carcinoma of the vagina: prognostic factors, treatment patterns, and outcomes. Gynecol Oncol. 2013;131:380-5.
- Japaze H, Van Dinh T, Woodruff JD. Verrucous carcinoma of the vulva: study of 24 cases. Obstet Gynecol. 1982;60:462-6.
- Judson PL, Habermann EB, Baxter NN, Durham SB, Virnig BA. Trends in the incidence of invasive and in situ vulvar carcinoma. Obstet Gynecol 2006;107:1018-22.
- Kirkwood JM1, Strawderman MH, Ernstoff MS, Smith TJ, Borden EC, Blum RH. Interferon alfa-2b adjuvant therapy of high-risk resected cutaneous melanoma: the Eastern Cooperative Oncology Group Trial EST 1684. J Clin Oncol 1996;14:7-17.
- Kirkwood JM, Ibrahim JG, Sosman JA, Sondak VK, Agarwala SS, Ernstoff MS, et al. High-dose interferon alfa-2b significantly prolongs relapse-free and overall survival compared with the GM2-KLH/QS-21 vaccine in patients with resected stage IIB-III melanoma: results of intergroup trial E1694/S9512/C509801. J Clin Oncol 2001;19:2370-80.
- Kunos C, Simpkins F, Gibbons H, Tian C, Homesley H. Radiation therapy compared with pelvic node resection for

node-positive vulvar cancer: a randomized controlled trial. Obstet Gynecol. 2009;114:537-46.
- Kurman RJ, Toki T, Schiffman MH. Basaloid and warty carcinomas of the vulva. Distinctive types of squamous cell carcinoma frequently associated with human papillomaviruses. Am J Surg Pathol 1993;17:133-45.
- Larsson GL, Helenius G, Andersson S, Sorbe B, Karlsson MG. Prognostic impact of human papilloma virus (HPV) genotyping and HPV-16 subtyping in vaginal carcinoma. Gynecol Oncol. 2013;129:406-11.
- Levenback CF, Ali S, Coleman RL, Gold MA, Fowler JM, Judson PL, et al. Lymphatic mapping and sentinel lymph node biopsy in women with squamous cell carcinoma of the vulva: a gynecologic oncology group study. J Clin Oncol. 2012;30: 3786-91.
- Leuchter RS, Hacker NF, Voet RL, Berek JS, Townsend DE, Lagasse LD. Primary carcinoma of the Bartholin gland: a report of 14 cases and review of the literature. Obstet Gynecol 1982;60:361-8.
- Marsden DE, Hacker NF. Contemporary management of primary carcinoma of the vulva. Surg Clin North Am. 2001;81: 799-813.
- Masterson JG, Goss AS. Carcinoma of Bartholin gland; review of the literature and report of a new case in an elderly patient treated by radical operation. Am J Obstet Gynecol. 1955;69: 1323-32.
- Montana GS, Thomas GM, Moore DH, Saxer A, Mangan CE, Lentz SS, et al. Preoperative chemo-radiation for carcinoma of the vulva with N2/N3 nodes: a gynecologic oncology group study. Int J Radiat Oncol Biol Phys 2000;48:1007-13.
- Moore DH1, Thomas GM, Montana GS, Saxer A, Gallup DG, Olt G. Preoperative chemoradiation for advanced vulvar cancer: a phase II study of the Gynecologic Oncology Group. Int J Radiat Oncol Biol Phys 1998;42:79-85.
- Moore RG1, Granai CO, Gajewski W, Gordinier M, Steinhoff MM. Pathologic evaluation of inguinal sentinel lymph nodes in vulvar cancer patients: a comparison of immunohistochemical staining versus ultrastaging with hematoxylin and eosin staining. Gynecol Oncol. 2003;91:378-82.
- Narayansingh GV, Miller ID, Sharma M, Welch CJ, Sharp L, Parkin DE, et al. The prognostic significance of micrometastases in node-negative squamous cell carcinoma of the vulva. Br J Cancer. 2005;92:222-4.
- National Cancer Institute: PDQ® Vulvar Cancer Treatment. Bethesda, MD: National Cancer Institute. Date last modified 〈03/12/2014〉. Available at: http://cancer.gov/cancertopics/pdq/treatment/vulvar/HealthProfessional. Accessed 〈08/14/2014〉.
- Parikh JH, Barton DP, Ind TE, Sohaib SA. MR imaging features of vaginal malignancies. Radiographics. 2008;28:49-63; quiz 322.
- Pecorelli S. Revised FIGO staging for carcinoma of the vulva, cervix, and endometrium. Int J Gynaecol Obstet. 2009;105: 103-4.
- del Pino M, Bleeker MC, Quint WG, Snijders PJ, Meijer CJ, Steenbergen RD. Comprehensive analysis of human papillomavirus prevalence and the potential role of low-risk types in verrucous carcinoma. Mod Pathol 2012;25:1354-63.
- Piura B. Management of primary melanoma of the female urogenital tract. Lancet Oncol. 2008;9:973-81.
- Quirt I1, Verma S, Petrella T, Bak K, Charette M. Temozolomide for the treatment of metastatic melanoma: a systematic review. Oncologist. 2007;12:1114-23.
- Raspollini MR, Asirelli G, Moncini D, Taddei GL. A comparative analysis of lichen sclerosus of the vulva and lichen sclerosus that evolves to vulvar squamous cell carcinoma. Am J Obstet Gynecol 2007;197:592.e1-5.
- Rose PG1, Piver MS, Tsukada Y, Lau T. Conservative therapy for melanoma of the vulva. Am J Obstet Gynecol 1988;159:52-5.
- Siegel RL, Miller KD, Jemal A. Cancer statistics, 2015. CA Cancer J Clin. 2015;65:5-29.
- Sugiyama VE, Chan JK, Shin JY, Berek JS, Osann K, Kapp DS. Vulvar melanoma: a multivariable analysis of 644 patients. Obstet Gynecol 2007;110(2 Pt 1):296-301.
- Stehman FB, Bundy BN, Thomas G, Varia M, Okagaki T, Roberts J, et al. Groin dissection versus groin radiation in carcinoma of the vulva: a Gynecologic Oncology Group study. Int J Radiat Oncol Biol Phys 1992;24:389-96.
- Tamaskar I1, Mekhail T, Dreicer R, Olencki T, Roman S, Elson P, et al. Phase I trial of weekly docetaxel and daily temozolomide in patients with metastatic disease. Invest New Drugs 2008;26:553-9.
- Thomas GM1, Dembo AJ, Bryson SC, Osborne R, DePetrillo AD. Changing concepts in the management of vulvar cancer. Gynecol Oncol 1991;42:9-21.
- Trimble EL, Lewis JL Jr, Williams LL, Curtin JP, Chapman D, Woodruff JM, et al. Management of vulvar melanoma. Gynecol Oncol 1992;45:254-8.
- Vilmer C1, Cavelier-Balloy B, Nogues C, Trassard M, Le Doussal V. Analysis of alterations adjacent to invasive vulvar carcinoma and their relationship with the associated carcinoma: a study of 67 cases. Eur J Gynaecol Oncol 1998;19:25-31.
- Walker DK, Salibian RA, Salibian AD, Belen KM, Palmer SL. Overlooked diseases of the vagina: a directed anatomic-pathologic approach for imaging assessment. Radiographics. 2011;31:1583-98.

제32장

자궁내막암과 육종

김용범 | 서울의대 김태훈 | 서울의대
김미경 | 이화의대 유상영 | 원자력의학원

1. 역학 및 위험인자

자궁내막암은 서구 선진국에서 가장 흔한 여성 생식기의 악성종양이고, 우리나라에서도 2020년 발표된 국가암등록사업 연례보고서(2017년 암등록통계)에 따르면 자궁경부암 다음으로 가장 흔한 발생 빈도를 보이고 있다. 우리나라의 자궁내막암 발생 빈도는 계속 증가 추세를 보이고 있는데, 1999년 721명에서 2017년에는 2,986명으로 증가하여 연평균 5.1%씩(연간 %변화율 평균, Average Annual Percentage Change, AAPC) 증가하고 있다. 지난 수십년간 자궁내막암은 대부분의 국가들에서 특히, 도시 인구에서 발생빈도가 점차 증가하고 있다. FIGO 병기별로 살펴보면, 병기 분류 미상인 경우를 제외하고 FIGO I, II기가 72.6%, III, IV기가 23.3% 정도로 대부분 초기에 발견되고 있으며, I기 환자의 급속한 증가가 전체 자궁내막암 발생빈도 증가를 이끌고 있다. 이러한 추세는 한국여성들의 식생활 변화, 호르몬요법의 증가, 임신, 초경, 폐경 연령의 변화 등으로 인하여 계속 이어질 것으로 예측된다. 자궁내막암은 폐경 여성에서 주로 발생하고 나이가 많아질수록 그 악성도도 증가한다. 최근 상대적 발생 빈도가 높아지는 원인들로는 자궁경부암 발생 빈도의 저하와 평균 수명의 연장으로 인한 자궁내막암이 호발하는 폐경기 후의 연령층의 증가, 당뇨, 폐경후호르몬 보충요법의 증가 등을 들 수 있다. 또한 자궁내막암의 진단과 치료에 대한 지식의 축적으로 조기 진단이 이전에 비해 많이 이루어지기 때문으로 보인다.

자궁내막암의 발현에 있어 에스트로겐의 역할은 확립되어 있고, 자궁내막에 대한 프로게스테론의 길항작용이 없는 에스트로겐에의 노출은 자궁내막암의 위험도를 증가시킨다. 자궁내막암에는 서로 다른 두 가지의 병인이 있다. 가장 많은 형태인 제1형(Type I)은 에스트로겐 의존성종양으로 1등급과 2등급의 자궁내막모양샘암종(endometrioid adenocarcinoma)이 해당된다. 이는 젊은 여성 및 길항작용이 없는 내인성 또는 외인성 에스트로겐에 노출된 기왕력이 있는 폐경기 전후의 여성에서 나타나며 비정형 자궁내막 증식증에서 시작하여 악성종양으로 발전된 것이다. 이런 종양은 에스트로겐 과다와 관계없는 종양보다 분화 및 예후가 좀 더 양호하다. 다른 형태인 제2형(Type II)은 에스트로겐 비의존성종양으로 3등급 자궁내막모양샘암종(endometrioid adenocarcinoma)과 비자궁내막모양 암종(non-endometrioid adenocarcinoma)이 해당되며 자궁내막에 대한 에스트로겐 자극이 없었던 위축성 내막에서 발생한다. 이는 나이가 많은 여성, 폐경기 이후 여성, 저체중의 마른 여성과 아프리카계 미국 여성과 아시아계 여성에서 많이 나타난다. 이런 형태의 자궁내막암은 에스트로겐 의존성종양보다 분화도가 나쁘며 진행이 빠르며 예후도 좋지 않다. 자궁내막암의 발현에 대한 몇 가지 원인적 요소들이 알려져 있다. 자궁내막암의 위험인자들의 상대적 위험도를 보면 경산부보다 미산부에서 2-3배의 발생 빈도를 보이고 무배란성 월경(프로게스테론의 충분한 길항작용이 없는 에스트로겐에 장기간 노출됨)에 의한 불임증 또는 월경불순이 있는 여성과 폐경 나이가 늦은 여성에서 높게 발생된다. 정상 체중에 비하여 9-22 kg 과체중인 경우에는 발생률이 3배, 22 kg 이상의 과체중인 경우 10배로 증가되는데, 이는 부신에서 생성된 안드로스테론이 말초지방조직에서 에스트론으로 바뀌고, 이렇게 과다 생성된 에스트론 자궁내막을 자극하기 때문이다. 당뇨는 자궁내막암의 발생 위험도를 2.8배 증가시키며 고혈압을 가진 여성은 1.5배의 위험성이 있다. 또한 다낭성난소증후군이나 기능성 난소종양같이 장기간 에스트로겐에 노출될 수 있는 조건들에서 위험도가 증가하고 폐경후 에스트로겐 보충요법 시에는 위험도가 증가하는데 이는 투여량의 증가와 투여 기간이 길수록 그에 비례하여 위험도는 증가한다. 유방암 치료제로 사용되는 항에스트로겐 제제인 타목시펜 사용은 폐경 여성에서 자궁내막암의 발생 위험도를 2-3배 증가시킨다. 대부분의 자궁내막암은 산발적 변이(sporadic mutation)에 의해 발생한다. 하지만 약 5% 정도는 유전적 변이(genetic mutation)에 의해 발생하며 이때는 산발적 암보다 10-20년 정도 일찍 발생한다. 따라서 50세 이전에 자궁내막암이 발병하거나 또는 가족력이 있는 경우 유전상담이 필요하며 린치증후군(Lynch syndrome) 환자의 경우는 자궁내막암 평생위험도는 30%에서 61%에 이른다고 보고된다. 자궁내막증식증은 자궁내막암의 전암병변으로 간주되며 구조와 세포학적 형태에 근거한 분류에 따라 자궁내막암으로의 진행률이 다르다. 비정형성을 보이지 않는 단순 자궁내막증식증의 경우, 1-3%에서 자궁내막암의 발생을 보이지만, 단순 비정형성 증식증(simple hyperplasia with atypia)에서는 8%, 복합 비정형성(complex atypical hyperplasia)에서는 29%까지 보고되고 있다. 이러한 다양한 위험 조건들의 공통점은 길항되지 않은 에스트로겐에의 지속적인 노출과 자궁내막의 자극이라고 할 수 있다. 자궁내막상피내종양(endometrial intraepithelial neoplasia, EIN)은 일반적으로 비정형성을 보이는 자궁내막증식증을 의미하며 전암병변(precancer lesion)으로 간주하여 자궁절제술 등 적극적인 치료가 필요하다.

2. 임상적 특성 및 진단

1) 증상

자궁내막암의 평균 발생 연령은 60세이며 75%에서 50세 이후에 발생한다. 자궁내막암의 가장 흔한 증상은 부정 질출혈과 질분비물이며 환자들의 약 90%에서 나타난다. 폐경 후 질출혈은 자궁내막암 환자의 약 90%에서 나타나는데, 이때 폐경기 출혈의 일반적 원인들과 감별 진단을 하여야 한다. 폐경 후 질출혈의 가장 흔한 원인은 자궁내막위축증으로 60-80%를 차지하며, 이외에도 호르몬보충요법이 15-25%, 자궁내막용종이 2-12%, 자궁내막증식증이 5-10%로 보고되고 있다. 그리고, 자궁내막암은 폐경 후 질출혈의 약 10% 정도를 차지한다. 폐경 주위기나 폐경 전 과다월경 또는 부정 질출혈이 있는 경우 그리고 희발월경 또는 일반적 폐경 연령 이후까지 계속되는 주기적 질출혈이 있는 경우에는 자궁내막암을 의심하여야 한다. 폐경 전 여성에서 무배란 경험이 있는 경우 월경사이 출혈 혹은 심한 과장 출혈(heavy prolonged bleeding)이 있으면 내막암을 의심해야 한다. 마르고 고령인 경우 에스트로겐의 결핍으로 자궁경부가 폐쇄되는 경우가 흔하며 이때는 자궁내막암이 있더라도 질출혈이 나타나지 않는다. 자궁내막암과 자궁경관 폐쇄가 동시에 존재하는 경우 자궁혈종 또는 자궁내축농(pyometra)으로 나타나며 이런 경우 예후가 불량하다.

출혈 외 증상으로 혈성 질분비물, 자궁비대, 자궁 밖으로의 전이가 있는 경우 골반 압통이나 둔통이 있을 수 있다. 다른 장기에 전이된 경우는 하복통, 압통, 혈뇨, 빈뇨, 변비, 직장출혈, 뒤무지근함(tenesmus), 요통 등이 있을 수 있다. 그리고 복강내 전이가 있는 경우 복부팽창, 조기 포만 및 장폐쇄 등이 나타나며, 다른 부위의 암처럼 동통은 암 말기가 되기 전까지는 나타나지 않는다. 말기가 되면 체중감소, 전신쇠약 등이 나타나며, 심한 출혈로 빈혈을 초래할 수 있다. 자궁내막암으로 진단된 환자의 5% 미만에서는 무증상인 경우도 있다.

2) 증후(Sign)

이학적 검사에서는 보통 비만과 고혈압을 동반한 폐경기 여성에서 많으나, 35%에서는 비만이 없고 과에스트로겐혈증의 증상도 없을 수 있다. 복부검사도 대개 비정상 소견이 없으며, 아주 진행된 경우에는 복수가 있거나 간 또는 대망의 전이부를 촉지할 수도 있다. 골반진찰에서는 전이 및 부정 질출혈의 다른 원인을 배제하기 위하여 외음부, 질, 자궁경부를 주의 깊게 시진하고 촉진해야 한다. 자궁부속기 및 더글라스와를 진찰하기 위하여 질직장진찰이 필요하며 말초림프절 및 유방 진찰 또한 주의 깊게 시행하여야 한다.

3) 진단

자궁내막암의 진단은 자궁내막의 조직검사에 의하여 이루어진다. 자궁내막암이 의심되는 모든 환자는 자궁경관내소파술(endocervical curettage)과 자궁내막생검(endometrial biopsy)을 시행한다. 자궁내막생검의 방법으로는 흡인술(aspiration)과 소파술(curettage)이 있으며 자궁내막흡인술은 외래에서 쉽게 시행할 수 있고 마취가 불필요하다. 하지만 자궁내막흡인술의 위음성율이 10% 정도이므로, 자궁내막흡인술이 음성이더라도 과다출혈이 있거나 내막 두께가 4 mm 이상이면 마취 하에 분획소파술(fractional curettage)을 실시해야 한다. 분획소파술은 자궁경부 협착증이 있거나 환자의 비협조로 자궁내막흡술을 시행할 수 없거나, 자궁내막흡인술 음성이었던 환자에서 부정 자궁출혈이 재발된 경우, 또는 부정 출혈을 충분히 설명할 정도의 피검물 채취가 어려운 경우에 자궁내막흡인술을 대체할 수 있다. 자궁경하 자궁내막조직생검은 가장 정확한 진단방법이며 자궁경검사법은 자궁내막생검 또는 소파술 단독적인 검사보다 용종이나 점막하자궁근종을 감별하는 데도 좀 더 정확하다.

자궁경부세포검사는 위음성률이 높아 자궁내막암 환자의 30-50%만이 비정상 결과를 나타내므로 자궁내막암의 선별검사나 진단검사로 이용할 수 없다. 질초음파검사는 부정 질출혈을 평가하기 위한 기본적인 검사법이며 자궁내막생검 필요 여부 판정과 시행에 도움이 된다. 폐경 이후 여성에서 질초음파검사상 자궁내막의 두께가 5 mm 이상이거나, 용종양 자궁내막종양, 자궁강내 수종의 소견을 보이는 경우 자궁내막생검이 필요하다. 소량의 질출혈이 있는 폐경 여성에서 질초음파검사 상 자궁내막의 두께가 4 mm 이하이면 위축성 자궁내막으로 인한 출혈으로 간주하여 대증적 치료를 할 수 있으나 질출혈이 지속된다면 자궁내막생검을 시행하여야 한다.

3. 병리학적 특성

병리조직학적 유형은 치료 결과를 예측하는 가장 중요한 예후인자 중 하나이다(표 32-1).

자궁내막모양샘암종(endometrioid adenocarcinoma)이 가장 흔한 조직유형이며 자궁내막암의 약 80%를 차지

표 32-1. 자궁내막암 조직유형

자궁내막암 조직유형
자궁내막모양샘암종(Endometrioid adenocarcinoma)
점액암종(Mucinous carcinoma)
유두장액암종(Papillary serous carcinoma)
투명세포암종(Clear cell carcinoma)
편평암종(Squamous carcinoma)
미분화암종(Undifferentiated carcinoma)
혼합암종(Mixed carcinoma)

한다. 대부분 전구 병변인 이형성 자궁내막증식증(atypical endometrial hyperplasia)과정을 거친 후 발생한다. 자궁내막모양샘암종의 약 15-25%에서 편평세포 분화를 보이며 과거에 선자세포종(adenoacanthoma)와 선편평암종(adenosquamous carcinoma)로 나뉘었으나 최근에는 편평세포 분화를 보이는 자궁내막암(endometrial carcinoma with squamous differentiation)으로 불리운다. 자궁유두장액암종(uterine papillay serous carcinoma, UPSC)은 자궁내막암의 3-4%를 차지하며 나팔관이나 난소의 장액암종과 조직학적 그리고 임상적으로 유사하다. 자궁유두장액암종은 UPSC는 고농도 에스트로겐(hyperestrogenism)과 관련이 없으며, 위축된 자궁내막에서 주로 발생한다. 모든 자궁유두장액암종은 고위험으로 간주되며 상피성 난소암과 같이 복막성 전이가 흔하므로 항암치료의 역할이 강조된다. 초기 자궁내막암에 대한 전향적 임상시험에서 유두상장액암종은 전체 시험대상자의 10%만을 차지하였으나 재발한 환자의 50%를 차지하였다. 투명세포암(clear cell carcinoma)은 흔하지는 않지만 전형적인 선암조직 내에 크고 투명한 상피세포가 섞여있는 특징적 양상을 보이며 예후는 불량하다.

분화도는 종양 등급(tumor grade)으로 나타내며 분화도가 나쁠수록 종양 등급이 높아진다. 종양 등급은 고형종양 성장의 비율(proportion)과 관련된다. 등급1은 5% 미만의 종양성장이, 등급2는 6-50%의 종양성장이, 등급3은 50% 초과의 종양성장이 고형종괴를 이루는 경우이다. 관례상 장액샘암종과 투명세포암종은 3등급으로 취급한다.

4. 치료 전 평가 및 예후인자

자궁내막암 환자의 초기 진찰 시 기본적인 검사 이외에 골반의 전이를 예측할 수 있는 복부종괴 및 림프절의 크기 변화 등을 유심히 살펴보아야 하며, 특히 골반진찰 시에는 육안적으로 관찰이 가능한 자궁경부의 침윤이나 질-직장 진찰을 통한 자궁방결합조직의 침윤 여부 등을 잘 관찰하여야 한다. 분획 소파술이 실시되지 않았다면, 자궁경관내소파술을 실시해서 자궁경내를 조사해야 한다. 자궁내막암의 1차 치료는 수술이다. 자궁내막암 환자들은 고령, 당뇨, 고혈압 등의 내과적 질환 동반이 흔하므로 수술적 치료에 제한을 줄 수 있는 전신 상태를 평가하는 것이 중요하다. 기본 검사로는 흉부 방사선검사, 심전도, 혈액검사, 소변검사, 혈청화학검사, 신장 및 간기능검사 등이 포함되며, 병기설정을 위한 기초검사로 일반적으로 흉부 및 골반, 복부 컴퓨터 단층촬영(CT) 스캔을 실시한다. 복부 컴퓨터 단층촬영은 간이나 폐전이 혹은 부속기종괴, 수신증을 파악하는데 전통으로 사용되는 검사법이지만, 근층 침범 깊이나 림프절전이 여부를 결정하는데 제한이 있다. 내막암이 진행된 경우나 고위험 조직형에서는 추가적인 검사를 시행한다. 특히 위장관 암의 가족력이 있는 경우에 대장암이 공존할 수 있음을 유의해야 하며 최근에 배변 습관이 변하거나 변에서 잠혈이 있으면 대장경을 실시해야 한다. 혈뇨가 있을 경우 방광경검사를 시행하여 방광 침범 여부를 확인한

표 32-2. 자궁내막암의 FIGO 수술적 병기결정

Stage I	자궁체부에 국한
IA	자궁내막에 국한 혹은 자궁근층의 1/2 미만 침윤
IB	자궁근층의 1/2 이상 침윤
Stage II	자궁경부 기질 침윤
Stage III	국소적 전파
IIIA	자궁장막 혹은 부속기 침범
IIIB	질 혹은 자궁주위조직 관여(parametrial involvement)
IIIC	골반 혹은 대동맥주위림프절전이
IIIC1	골반림프절전이
IIIC2	대동맥주위림프절전이
Stage IV	방광 혹은 장점막 침범, 혹은 원격전이
IVA	방관 혹은 장점막 침범
IVB	복부 내 혹은 서혜부림프절 포함한 원격전이

암의 진행 정도가 많이 되었거나 환자의 전신상태가 나빠서 개복술을 못할 경우는 1971년 국제산부인과연맹 결정에 따라서 임상적 병기를 결정한다. 예후에 영향을 주는 인자 중 가장 중요한 것은 암의 병기이며 그 외 세포의 등급(분화도), 조직유형, 자궁근층의 침윤, 혈관 공간 침범(lymphovascular space involvement), 환자의 연령, 자궁외 전이, 종괴의 크기, 복강 세포검사, 호르몬 수용체 여부, 암유전자의 발현 여부 등이 예후에 중요한 영향을 준다고 보고되고 있다.

다. 자기공명영상(MRI) 스캔은 근층 침범 깊이를 구분하고 자궁경부 침범 여부를 탐지하는데, 각각 83.3%의 정확성을 보이며 양전자방출단층촬영(PET/CT)은 림프절전이를 발견하는데 약 90%의 정확성을 보인다. CA 125의 수치가 림프절전이를 포함하여 진행된 병기와 관련성이 입증되기도 하였다. 대부분의 자궁내막암 환자들에서는 1988년 국제산부인과연맹의 결정에 따라 수술적 병기결정이 채택되어 사용되어 왔으며 이후 2009년 병기가 개정되었다(표 32-2).

5. 치료

자궁내막암의 1차 치료는 병기설정을 위한 수술이며 이는 자궁절제술 및 양측 부속기절제술, 복강내 세포세척검사, 골반 및 대동맥주위 림프절절제술위를 포함한다. 최근 자궁내막암의 병기설정술은 대부분 복강경이나 로봇과 같은 최소침습수술(minimally invasive surgery)로 시행된다. 골반 및 대동맥주위 림프절절제술을 모든 자궁내막암 환자에게 시행해야 하는지에 대한 논란이 있다. 이는 림프절절제술은 필연적으로 수술 위험도와 합병증 발병 가능성을 높이지만 림프절절제술의 치료적 효과가 무작위 대조 임상시험에서 증명되지 않았기 때문이다. 수술 후, 보조적 방사선치료는 질단(vaginal vault)과 림프절 등 골반내 재발을 억제한다. 수술적 병기설정술을 통해 초기 전이의 경로를 파악할 수 있고 다양한 예후인자들을 얻음으로써 수술 후 보조치료를 개별화할 수 있다.

1) 병기 제 Ⅰ, Ⅱ기 자궁내막암 치료

자궁내막암 제 I, II기는 초기 자궁내막암으로 불리며, 보편적 치료는 자궁절제술 및 양측 부속기절제술과 골반 림프절절제술이다. 초기 자궁내막암에서 수술 후 보조적 치료(adjuvant therapy) 시행 여부는 향후 재발 가능성을 평가하여 시행한다. 재발 가능성은 FIGO 병기 및 자궁내막암의 조직학적 요인들(분화도, 림프절 침윤 존재 여부)에 의하여 위험 요소를 가지고 재발 가능성을 평가한다. 위험요소가 낮은 그룹은 자궁내막암이 자궁내막에 국한되어 있고 분화도가 등급 1 혹은 2(Grade 1 or 2)에 해당되며, 이들은 일반적으로 수술 후 보조적 치료를 시행하지 않는다. 이들을 제외한 초기 자궁내막암 환자에서는 일반적으로 골반강 내 방사선치료를 보조적 치료로 시행한다.

(1) 수술

초기 자궁내막암은 수술할 수 있는 모든 환자에서 수술을 시행하며, 자궁 및 양측 부속기절제술, 복막 세포검사가 이에 해당된다. 자궁부속기는 현미경적인 전이 장소일 수 있기 때문에 절제해야 하며 자궁경부 기질전이가 있는 병기 II에서는 질과 자궁방조직의 광범위 절제가 필요하다. 자궁내막암의 조직학적 분류상 비자궁내막양(non-endometrioid) 암 환자에서는 충수 및 대망절제술을 함께 시행하기도 한다. 림프절절제술 시행 여부와 범위는 위험요인에 따라 결정되며 아래와 같은 경우 골반 림프절과 부대동맥 림프절 절제를 시행해야 한다.

① 등급(분화도) 2 이상
② 암의 직경이 2 cm 이상
③ 영상검사 상 림프절전이 의심
④ 조직학적 분류상 편평암 분화 동반 또는 투명세포암, 유두장액암종일 때
⑤ 자궁근층 침윤이 50% 이상일 때
⑥ 자궁외 조직을 침범했을 때

병기설정술 시행 시, 개복은 하부 종절개가 좋으며 개복 후 복강내 세포검사를 골반, 양측 대장주위, 횡경막부위에서 100 mL 생리 식염수로 채취하여 시행한다. 복강과 골반을 주의 깊게 조사하고 간, 횡경막, 대망, 대동맥주위 림프절을 특히 잘 살피어 의심스러운 곳은 절제하여 조직검사한다. 자궁은 절제하며 후복막을 열고 골반 림프절을 제거해야 한다. 국제산부인과연맹에 따르면 수술 병기결정을 위해서는 골반림프절, 총장골림프절, 하부하대정맥주위 지방조직과 대망을 절제하여 조직검사한다. 미국 부인종

양연구회에 의하면 대동맥주위 림프절이 양성일 가능성은 골반 림프절이 육안적으로 양성일 때, 자궁부속기가 육안적으로 침윤되었을 때, 그리고 자궁근층 1/2 이상 침범, 분화 2도 또는 3도 병변일 때 높다. 수술적 병기결정에 있어 저위험군에서는 림프절절제의 생략이 가능하고 골반 림프절전이는 술후 방사선 치료로 효과를 기대할 수 있다는 점에서 중간위험군에 대한 수술병기 및 림프절절제술은 아직 논란의 여지가 있다. 그러나 최근에 자궁내막암의 저위험군에서도 부대동맥 림프절전이가 있어 수술적 병기가 필요한 환자에서는 골반 및 대동맥주위 림프절절제술이 필요하다는 주장이 대두되고 있다. 질식 자궁절제술은 아주 심한 비만이나 내과적 문제가 있는 환자에서 시행할 수 있는데 이는 복강 내의 다른 전이를 육안적으로 확인할 수 없고 림프절을 절제검사할 수 없는 단점이 있다. 그리고 양측 부속기절제술을 시행하는 데 어려움이 있을 수 있어 질식 자궁절제술은 위험인자를 갖지 않은 자궁내막암 제1기 환자에 국한되어 사용되는 것이 바람직하다. 질식자궁절제술의 단점을 보완하고 골반 및 대동맥 림프절을 절제할 수 있는 방법으로 복강경수술이 도입되었다. 복강경수술을 받은 환자는 개복술을 받은 환자에 비해 짧은 입원 기간 및 빠른 회복률을 보였으며 림프절 절제수도 차이가 없었다. 미국 부인종양연구회(GOG)에서 자궁내막암 환자 2,500명을 대상으로 복강경수술과 개복술에 대한 무작위 전향적 연구를 시행한 결과 복강경수술이 개복술에 비하여 짧은 입원 기간 및 빠른 회복률을 보였으며 수술 중 출혈량이 적었고 수술 후 부작용도 적었다. 5년간의 생존율도 두 군 간에 차이가 없었다.

(2) 수술 후 보조요법

대부분의 환자들에서 병기설정술에 의한 병리 결과를 얻

표 32-3. 수술 후 초기 자궁내막암에서 보조치료

병기 IA	자궁근층침범	등급	NCCN guideline	부인종양학회 진료권고안	MSKCC
IA	없음	1, 2	위험인자 없으면 경과관찰	위험인자 없으면 경과관찰 위험인자 있으면 경과관찰 또는 질근접방사선치료	위험인자 없으면 경과관찰
	없음	3	질근접방사선치료 림프혈관강침윤 없으면 경과 관찰 고려 가능	위험인자 없으면 경과관찰 또는 질근접방사선치료 위험인자 있으면 경과관찰 또는 질근접방사선 그리고/또는 골반방사선치료	질근접방사선치료 위험인자 없으면 경과 관찰 가능
	0<, <50%	1, 2	경과관찰(우선) 위험인자 있으면 질근접방사선 치료	위험인자 없으면 경과관찰 또는 질근접방사선치료 위험인자 있으면 경과관찰 또는 질근접방사선 그리고/또는 골반방사선치료	질근접방사선치료 또는 관찰
	0<, <50%	3	질근접방사선치료(우선)	위험인자 없으면 경과관찰 또는 질근접방사선치료 위험인자 있으면 경과관찰 또는 질근접방사선 그리고/또는 골반방사선치료	질근접방사선치료
IB	≥50%	1, 2	질근접방사선치료(우선) 위험인자 없으면 경과 관찰 고려	위험인자 없으면 경과관찰 또는 질근접방사선치료 위험인자 있으면 경과관찰 또는 질근접방사선 그리고/또는 골반방사선치료	질근접방사선치료
	≥50%	3	질근접방사선치료 그리고/또는 골반방사선치료 ±항암화학요법	위험인자 없으면 경과관찰 또는 경과관찰 위험인자 있으면 질근접방사선치료 그리고/또는 골반방사선치료±항암화학요법	질근접방사선치료 중·고위험군일 경우 골반방사선치료
II	무관	1, 2	질근접방사선치료 그리고/또는 골반방사선치료 ±항암화학요법	골반방사선치료 그리고/또는 질근접방사선치료 골반방사선치료±질근접방사선치료	질근접방사선치료 자궁경부침범≥50%일 경우 골반방사선치료
	무관	3	골반방사선치료 ±질근접방사선치료 ±항암화학요법	골반방사선치료±질근접방사선치료 ±항암화학요법	질근접방사선치료 자궁경부침범≥50% 또는 중·고 위험군일 경우 골반방사선치료

위험인자: 60세 이상, 림프혈관강침윤, 자궁하부침윤 등

을 수 있기 때문에 수술 후 보조요법은 선별적으로 시행되고 있으며 이에 따라 보조요법의 일률적인 적용은 점차 감소하는 추세이다. 림프절에 대한 수술 시행 여부와 함께 조직학적 등급, 자궁근층의 침윤 깊이, 병리학적 유형, 나이, 림프혈관강 침윤, 림프절전이 등과 같은 예후 인자 등이 보조요법 시행 여부 결정에 사용된다. 자궁외 침범이 확인되지 않은 초기 병기 자궁내막암에서 수술 후 고려할 수 있는 요법으로는 골반방사선, 질근접방사선, 확대방사선, 항암치료 등이 있다. 2019년 미국 종합 암 네트워크(National Comprehensive Cancer Network, NCCN)의 임상지침, 2016년 대한부인종양학회에서 발간한 진료권고안, 그리고 Memorial Sloan Kettering Cancer Center (MSKCC) 개발한 노모그램을 기반한 보조치료 지침을 표 32-3에 요약하였다.

① 관찰

등급 1혹은 2이며 자궁내막에 국한되어있는 병기 IA인 경우 예후가 좋아서 보조적인 치료를 필요로 하지 않는다. 2009년 Sorbe 등은 645명의 병기 IA, 등급 1 혹은 2 환자를 대상으로 한 무작위 임상시험에서 질원개부위 재발율은 질근접방사선치료 시행 군에서 1.2%, 경과관찰군에서 3.1%로 보고하였으며 전체 재발율과 생존율 모두 두 군간의 차이는 없었다.

② 방사선 조사

자궁내막암은 방사선치료에 반응이 좋으며 현미경적 잔류암을 제거할 목적으로 방사선치료를 시행한다. 질 근접 방사선치료(vaginal brachytherapy)은 수술 후 질 재발을 유의하게 감소시킨다. 질근접방사선치료는 국소적으로 국한되어 있는 자궁내막암 치료에 효과적이고 심각한 방사선치료의 부작용은 없다고 알려져 있다. 그러나 폐경 여성에서 질강의 협착 및 성교통 등을 유발시킬 수 있다. 외부 골반방사선치료는 골반 재발의 위험을 상당히 감소시키므로 외과적 병기결정을 시행치 않은 고위험 환자들과 자궁경관 침범, 골반림프절전이가 있는 경우, 자궁외전이가 있는 경우 및 림프절전이의 가능성이 높은 환자군에서 시행한다. 이론적으로 외부 골반방사선요법은 육안적으로 관찰이 안되는 현미경적 림프절전이나 질강 내 방사선 조사로는 충분한 방사선량이 도달하기 어려운 골반림프절 부위와 골반변연부까지도 방사선을 조사할 수 있다. 확대 골반방사선치료(extended field irradiation)는 대동맥주위 림프절전이, 다수의 골반 림프절전이와 자궁부속기전이 그리고 분화 3도일 경우 자궁 근층 침범에 상관없이 시행할 것을 미국종양연구회에서는 권고하였다. 전 복부 방사선치료는 높은 합병증으로 최근에는 시행하지 않는다.

③ 항암화학요법

자궁내막암 환자 중 진행된 병기에서 주로 시도되고 있다. 초기 자궁내막암에서 보조 항암화학요법의 효용성에 대하여는 연구가 아직까지 미흡한 상태이다.

④ 호르몬요법

자궁절제술이 자궁내막암의 가장 효과적인 표준치료이지만 이는 영구적인 가임력의 상실을 수반한다. 가임력 보존을 원하는 젊은 여성에서 자궁내막암에 대한 보존적 치료로서 프로제스틴 기반의 호르몬치료(progestin-based therapy)를 선택적으로 시행할 수 있다. 가임력 보존 치료는 자궁내막암의 표준 치료가 아님에 대하여 충분히 환자와 면담을 거친 후 결정되어야 하며, 치료가 효과적이지 않은 것으로 판단되거나 병변이 진행하는 경우에는 즉시 자궁절제술을 포함한 외과적 병기설정술을 시행하여야 한다. 자궁내막암에서 보존적 치료가 가능한 대상은 다음 조건을 모두 만족하여야 한다.

가. 조직학적으로 확인된 자궁내막모양의 자궁내막암
나. 낮은 등급(grade 1)
다. 자궁내막에 국한된 종양
라. MRI 상 자궁근층 침범 없음
마. 자궁외 전이 없음

사용되는 약물로는 medroxyprogestrone acetate, megestrol acetate, tamoxifen이 있고 여러 보고를 종합한 보고에서 관해율은 약 70-85%로 보고된다.

2) 제Ⅲ기 및 제Ⅳ기 자궁내막암 치료

임상병기 제Ⅲ기는 자궁내막암의 약 7-10%를 차지하며 이들 환자들은 보통 림프절, 자궁방 결합조직, 골반벽, 자궁 부속기 등의 침범이 흔하고 질 또는 더글라스와 침범은 상대적으로 덜 흔하다. 자궁내막암 제3기에서의 수술은 종대된 골반 림프절 또는 부대동맥 림프절을 제거해야 하고 모든 종양을 절제하여 잔류종양을 최소화하는 것이 무엇보다 중요하다. 특히 수술적 병기설정술을 시행할 때에는 골반 및 대동맥주위 림프절절제술을 포함하여야 하며 대장 주위부, 황경막 하부, 그물망과 복막의 조직검사 등과 함께 모든 육안적인 종괴를 제거하고 이후에 외과적 병기를 결정하는 것이 권장된다. Aalders 등은 수술 병기 제3기의 5년 생존율은 40%인 반면 임상병기 제3기에서는 16%로 보고하며 수술적 병기설정술의 중요성을 강조하였다. Bruckman 등은 단지 난소와 난관을 침윤하면 5년 생존율은 80%이나, 자궁외 다른 골반 부위를 침윤하면 15%라고 보고했다. 자궁내막암 제Ⅳ기는 흔치 않고 전체 자궁내막암 환자의 3% 미만을 차지하며 치료 결과에 따른 예후도 매우 좋지 않다. 수술의 목적은 출혈, 분비물과 장 및 방광의 합병증을 감소시키기 위하여 국소 병변을 조절하는 데 있으나 최근 여러 보고서에서 종양 감축술이 생존율 증가에 긍정적 영향을 준다고 발표된 바 있다. 진행된 병기의 자궁내막암은 방사선과 항암요법 등의 수술 후 보조요법이 사용되어야 한다. 각 보조 치료는 각각 고유의 재발 억제 효능과 독성을 가지고 있기 때문에 보조 치료를 결정하는데 어려움이 있다. 최근 연구결과들은 진행성 병기에서 전신 항암요법이 방사선치료보다 더 중요함을 시사한다. PORTEC-3 연구에서는 고위험군과 진행성 병기 자궁내막암 환자를 대상으로 동시화학방사선치료 후 항암화학요법 투여(복합요법)와 단독 방사선치료(단독요법)를 비교하였다. 295명(44%)의 병기 Ⅲ 환자군에 대한 세부 분석에서 5년 기생존율(82% 대 77%)과 5년 무병생존율(76% 대 69%) 모두 복합요법군에서 우수한 생존율을 보였으나 기생존율의 차이는 통계적으로 유의하지 않았다. GOG 258 연구에서는 병기 Ⅲ, IVA(잔여종양 2 cm 이하) 혹은 병기 Ⅰ, Ⅱ 장액성암 투명세포암 환자 813명을 대상으로 동시화학방사선치료 후 항암화학요법 4회(복합요법)과 수술 후 단독 항암화학요법을 6회 시행(항암요법)의 치료효과를 비교하였으며 5년 무병생존율은 각각 59%와 58% 로 두 군간에 차이가 없었다. 복합요법군군에서 질 재발, 골반과 대동맥 곁 림프절 재발이 낮았지만 원격재발은 항암요법군이 낮았다. PORTEC-3와 GOG 258 연구 결과는 진행성 병기에서는 수술 후 보조요법으로 항암치료는 반드시 필요하며 방사선치료는 국소 재발을 억제에 효과가 있음을 시사한다.

6. 재발성 질환(Recurrent Disease)

전체 자궁내막암 환자 가운데 초기 자궁내막암 환자의 재발이 많게는 15%까지 보고되고 있다. 절반 이상이 2년 이내에 재발하고 약 3/4에서 3년 이내에 재발한다. 재발의 분포를 살펴보면 일차 치료 방법에 따라 다르게 나타난다. GOG연구에서 병기 Ⅰ기의 390명을 대상으로 수술 치료만 시행한 군과 수술 후 방사선치료를 시행한 군을 비교하였을 때, 수술만 시행한 군에서 질 및 골반 재발이 전체 재발의 53%를 차지하는 데 비해, 수술치료와 방사선치료를 병합한 군에서는 재발의 30%만이 질 및 골반에서 발생하였고, 70% 이상이 골반 밖에서 재발이 일어났다.흔한 골반 밖 재발 부위로는 폐, 복강, 림프절, 간 등이 보고되었다. 노르웨이 라디움병원의 Aalders 등이 1960년부터 1976년까지 재발한 자궁내막암 환자 379명을 보고 하였다. 국소재발이 190명(50%)이었고 원격재발이 108명(28%)이고 국소 및 원격재발이 같이 있었던 경우는 81명(21%)이었다. 재발한 환자의 34%가 최초 치료 후 1년 내에 발견되었고 3년 내에 재발이 발견된 환자는 76%였다. 재발 진단 시에 환자의 32%에서는 별다른 증상이 없었다. 국소 재발한 환자에서는 질출혈이 가장 흔한 증상이었고 골반부 재발 시에는 골반동통이 가장 흔한 증상이었다. 전체적으로 379명의 환자 중에서 29명(7.7%)만이 3년에서 19년까지 생존하였는데, 그 중 대부분(24명)은 질절단부에만 재발하여 방사선치료를 시행한 환자들이었다. 초기 치료 후 3년 이후에 재발된 환자에서 예후가 좋은 경향이 있었다. Sears 등은 골반 재발 환자의 치료효과와 국소재발 환자의 생존을 결정하는 중요한 인자들로 초기 진단 시의 자궁내막암의 조직분화도가 1인 것, 재발 시 환자의 나이가 적은 것, 직경 2 cm 이하인 재발종양, 재발 시까지 기간이 1년 이상인 것, 골반 재발보다는 질 재발, 추가적인 근접조사 치료를 포함한 방사선 치료 등을 지적하였다. 재발성 자궁내막암은 방사선치료 단독 혹은 수술, 호르몬치료, 항암화학요법 등과의 병합으로 치료를 시행하고 있다.

1) 수술(Surgery)

재발 환자 중 절제가능한 단일 재발은 수술요법으로 도움을 받을 수 있다. 절제 가능한 원발성 단일전이는 수술적 절제 후 항암화학요법이 적절하며, 질에 단일 재발된 직경 4 cm 이상의 전이된 결절은 수술로 절제 후 방사선조사 시행 시 국소치료를 향상시킬 수 있다. 방사선치료 후에 발생한 국소적이며 중심성인 골반부 재발은 극히 드문데, 이런 종류의 재발에서는 골반 이외에 재발의 증거가 없고 림프절전이가 없으면 골반내용물적출술(pelvic exenteration)을 시행할 계획으로 시험적 개복술을 시행할 수도 있다. Memorial Sloan-Kettering Cancer Center의 후향적 보고에 따르면 재발성 자궁암 환자 21명을 대상으로 골반내용물적출술을 시행하였을 때 5년 생존율을 50%로 보고하였고, 이는 잘 선별된 자궁경부암 환자에서의 결과와 유사하였다. 하지만, 이전에 방사선치료를 받은 부위에 시행하는 근치적 수술은 수술과 관련된 통증이나 누공 형성과 같은 상당한 합병증을 가져올 수 있다. 복강내 혹은 다른 원발부 재발이라 하더라도 육안적으로 잔류병변이 없이 완전 종양감축이 가능한 경우에는 구제적 종양감축술(salvage cytoreductive surgery)을 고려해 볼 수 있다.

2) 방사선치료(Radiation Therapy)

재발 병변이 국소적이거나 단일병변인 환자 중 이전에 방사선치료를 받지 않았던 환자에서 방사선치료는 최선의 치료 방법이다. 적어도 6,000 cGy 이상의 방사선을 조사하기 위해서는 외부방사선조사(ERT)와 더불어 근접치료(brachytherapy)를 병합하는 것이 가장 좋은 국소 치료효과와 완치를 얻을 수 있다. 질에 재발성 단일 병변을 가진 환자에서 방사선치료를 한 결과 5년 생존율은 24-45%였다. 이에 비해 골반부전이가 있는 경우는 생존율이 0-26%로 저조하였다. 국소 재발 환자에서 방사선치료에 좋은 반응을 보일 것으로 예측할 수 있는 인자에는 자궁내막암의 좋은 분화도, 젊은 나이, 재발종양의 크기가 2 cm 이하, 재발까지의 기간이 1년 이상인 경우, 골반부 보다는 질 재발, 근접치료 시행여부 등이 포함된다.

3) 호르몬치료(Hormone Therapy)

호르몬치료는 수술적 치료나 방사선치료가 불가능한 재발성 자궁내막암 환자에게 추천된다. 재발성 자궁내막암의 호르몬요법으로 주로 이용되는 프로게스틴 반응률은 15-20% 정도이며, 호르몬 수용체의 발현, 저등급의 조직학적 유형, 장기간의 무병기간 등이 더 나은 반응률과 관련이 된다고 보고되었다. 미국 부인종양연구회에서는 1986년에 진행되거나 재발한 자궁내막암 환자 치료에 경구용 medroxyprogesterone acetate를 처음으로 사용한 연구결과를 발표하였는데 219명의 환자 중 8%의 완전관해와 6%의 부분관해가 관찰되었으며, 52%에서는 암이 진행되지 않았고 34%에서는 1개월 내에 진행성 질환을 나타냈다. 전반적인 평균 생존기간은 10.4개월이었다. 경구용 medroxyprogesterone acetate 200 mg과 1000 mg 두 가지 용량을 비교한 연구에서는 유사한 반응이 얻어졌다. 프로게스틴의 종류나 용량, 그리고 투여경로는 반응이나 생존에 영향을 미치는 것 같지 않았다. 용량은 megestrol acetate 80 mg을 하루에 2회 투여하거나 medroxyprogesterone acetate 50-100 mg을 하루에 3회 투여한다. 치료 기간은 최소한 2-3개월간 계속되어야 하며, 반응이 나타나면 질병이 더 진행되지 않거나 완화되는 한 계속해야 한다. 고용량의 프로게스틴 치료에 상대적 금기가 있는 경우(기왕 또는 현재의 혈전색전증, 중증 심장질환, 프로게스틴치료를 환자가 수용하지 못할 경우 등)에는 타목시펜 20 mg을 하루에 2회 투여한다. 이 외에도, 타목시펜과 프로게스틴을 번갈아 투여하여 호르몬 수용체의 재발현을 꾀하는 요법이나 아로마타제 억제제 등이 시도되기도 한다. 호르몬요법에 반응이 없을 때는 항암화학요법의 적응증이 된다.

4) 항암화학요법(Chemotherapy)

여러 가지 항암제를 이용한 단독 혹은 복합항암화학요법이 재발성 자궁내막암의 치료에 이용되고 있지만, 높지 않은 반응률과 짧은 생존기간이라는 결과만 보이고 있어서 모든 항암치료는 고식적 목적으로 시행되어야 한다. 단일 약제로 적어도 20% 정도의 반응률을 보이는 항암제로는 cisplatin, carboplatin, doxorubicin, ifosfamide, docetaxel, paclitaxel 등이 있다. 단독요법과 병합요법을 비교한 연구들에서는 doxorubicin과 cisplatin 병합요법이 doxorubicin 단독요법에 비해 더 높은 반응률을 보고하였다. Paclitaxel과 carboplatin 병합요법은 반응률이 67%, 이 중 완전 관해를 보인 경우도 29%로 보고되었으며 독성은 받아들일 만한 수준이어서 최근 진행성 또는 재발성 자궁내막암에서 흔히 사용되고 있다. 미국 부인종양연구회는 paclitaxel과 carboplatin (TC) 병합요법과 paclitaxel, doxorubicin, cisplatin (TAP) 3제 병합요법을 무작위 배정으로 비교 연구한 결과, 전체 생존기간은 TC 병합요법이 32개월, TAP 병합요법이 38개월로 통계적으로 유의한 차이가 없었고, TAP 병합요법이 독성이 더 강한 것으로 보고하여 현재까지는 TC 병합요법보다 더 우월한 항암화학요법은 보고되지 않았다.

5) 표적 치료(Targeted Therapy)

포스파티딜이노시톨-3-인산화효소(phosphatidyl inositol 3-kinase, PI3K) 혹은 포유류라파마이신(mammalian target of rapamycin, mTOR) 신호체계 억제제 또는 혈관신생을 표적으로 하는 약제가 자궁내막암에서 연구되었으나 그 효과는 4-10% 정도로 크지 않아 임상 사용에 허가받은 약제는 아직 없다.

6) 면역관문억제제(Immune-Checkpoint Inhibitor)

Programmed death ligand 1 (PD-L1) 양성인 고형암 환자를 대상으로 PD-L1 단클론항체인 펨브롤리주맙(pembrolizumab)의 효과를 보기위한 1상 연구인 KEYNOTE-028 연구에서 75명의 불응성 재발성 자궁내막암 환자 중 36명(48.0%)가 PD-L1 양성이었으며 그 중 24명이 등록되어 펨브롤리주맙 10 mg/kg를 2주 간격으로 투여하였다. 부분 관해가 3명(13.0%), 종양 안정(stable disease)이 3명(13.0%)이었으며 13명(54.2%)에서 독성을 보였으나 이로 인한 약제 중단은 없었다. 반면에 펨브롤리주맙은 DNA 불일치 복구 유전자가 결핍된(MMR-deficient) 경우와 현미부수체 불안정성(Microsatellite instability, MSI)-high를 보이는 종양에서 높은 반응률이 보고되었다.

7. 자궁육종(Uterine Sarcoma)

자궁육종은 자궁 근육 혹은 자궁내막의 기질 등의 중간엽 조직(mesenchymal tissue)에서 발생하는 비교적 드문 종양으로 자궁에 발생하는 악성종양의 약 3-8%를 차지한다. 그러나 자궁내막암에 비하여 더 공격적인 경과를 보이고 치료에 반응하지 않는 경우가 많기 때문에 치료함에 있어 어려움을 겪게 된다. 자궁육종 중에서 가장 흔한 두 종류는 자궁내막간질육종(endometrial stromal sarcoma, ESS)과 자궁 평활근육종(leiomyosarcoma)이다. 자궁육종의 상대적 발생 빈도는 보고마다 차이가 있지만, 일반적으로 자궁 평활근육종이 60%, 자궁내막간질육종 20%를 차지한다. 암육종(carcinosarcoma)은 악성혼합뮐러종양(malignant mixed Müllerian tumor)으로도 불렸으며, 과거에는 자궁육종으로 분류되었지만 현재는 중간엽조직화생(mesenchymal metaplasia)이 동반된 자궁내막암으로 생각되

표 32-4. 자궁 평활근육종과 자궁내막간질육종의 FIGO 병기

병기	기술
I	자궁에 국한된 종양
IA	종양 크기가 5 cm 이하
IB	종양 크기가 5 cm 초과
II	자궁을 벗어났으나 골반에 국한된 종양
IIA	자궁부속기 침범
IIB	다른 골반 조직 침범
III	복부 조직을 침범한 종양(단순히 복부 내부로 돌출된 것은 제외)
IIIA	한 가지 부위
IIIB	두 가지 이상의 부위
IIIC	골반 그리고/혹은 대동맥주위 림프절전이
IVA	방광 그리고/혹은 직장으로 침범한 종양
IVB	원격전이

표 32-5. 자궁육종의 WHO 분류, 2013

중간엽 종양(mesenchymal tumors)
자궁 평활근육종(leiomyosarcoma) 상피모양 자궁 평활근육종(epitheloid leiomyosarcoma) 점액성 자궁 평활근육종(myxoid leiomyosarcomas)
자궁내막간질종양(endometrial stromal and related tumors) 자궁내막 간질성 결절(endometrial stromal nodule) 저등급 자궁내막간질육종(low-grade endometrial stromal sarcoma) 고등급 자궁내막간질육종(high-grade endometrial stromal sarcoma) 미분화 자궁육종(undifferentiated uterine sarcoma) 난소 성끈기질종양 유사 자궁종양(uterine tumor resembling ovarian sex cord tumor)
기타 중간엽종양 횡문근육종(rhabdomyosarcoma)
혼합성 상피성-중간엽 종양(mixed epithelial and mesenchymal tumors)
선육종(adenosarcoma)
암육종(carcinosarcoma)

고 있다. 과거에는 자궁육종의 병기설정이 자궁내막암의 FIGO 병기설정을 따랐으나, 자궁육종만의 독특한 임상 양상으로 2009년에 자궁 평활근육종과 자궁내막간질육종(표 32-4) 및 선육종에 대한 병기설정이 별도로 발표되었다.

1) 분류(Classification)

자궁육종을 그 병리학적 특성에 따라 구분하면 표 32-5과 같다.

(1) 자궁내막간질육종(endometrial stromal sarcoma, ESS)

자궁내막간질육종은 주로 45-50세 사이 폐경기 전후의 여성에서 발생하며 약 1/3은 폐경 후 여성에서 발생한다. 출산력, 연관된 질병들 및 방사선치료 기왕력과는 무관하다. 가장 흔한 증상은 비정상 자궁 질출혈이며, 복통과 커진 골반종괴로 인한 압박감 등도 나타날 수 있으며 일부 환자들에서는 증상이 없다. 수술 시 자궁이 커져 있으며, 부드러우면서 회백색에서 노란 괴사성 및 출혈성종양이 있고 종양표면이 팽창되어 있으면서 골반 정맥들 속으로 벌레 모양처럼 탄성 확장을 보이면 자궁내막간질육종을 의심할 수 있다. 세포의 비정형성, 유사분열 정도, 혈관 침범과 같은 조직학적 기준에 따라 저등급(low-grade) 또는 고등급(high-grade) 두 가지 형태로 분류된다.

① 저등급 자궁내막간질육종(low-grade endometrial stromal sarcoma)

이 종양은 조직학적으로 유사분열이 10 HPF상 10개 미만이며 심하지 않은 핵 비정형성, 아주 적은 종양세포 괴사, 그리고 호르몬 수용체 양성인 특징을 보인다. 특징적으로 50% 이상에서 *JAZF1-SUZ12* 유전자 융합 소견을 보인다. 재발이 뚜렷이 늦으며 국소 재발이 원격전이보다 훨씬 많다. 종양은 진단 시에 약 40%에서는 자궁 바깥부위로 병변이 퍼져 있으나 자궁외 전이의 2/3에서 골반에 국한된다. 상복부, 폐 및 림프절전이는 드물다. 최초 치료 후 평균 5년 후에 약 50%에서 재발이 발생한다. 재발암이나 전이암이 발생한 후에도 오랜 기간 생존하며 심지어 완치도 될 수 있다. 이 종양의 적절한 초기 치료는 전자궁절제술이 필수이며, 자궁부속기전이가 흔하고 에스트로겐의 자극을 차단하기 위하여 양측 자궁부속기절제술 역시 시행되어야 한다. 커져 있는 림프절이 없고 자궁외 전이 소견이 관찰되지 않는다면 림프절절제는 생략할 수 있다. 부적절하게 종양이 절제된 경우나 골반에 국소적으로 재발한 경우에 골반방사선치료가 추천된다. 재발성, 전이성 종양의 경우 수술적 치료, 방사선치료, 호르몬치료 모두 가능하다. 아로마타제 억제제나 프로게스틴을 이용한 호르몬치료법은 재발성이나 전이성 질환의 환자에서 약 50%의 반응률이 보고되었다.

② 고등급 자궁내막간질육종 혹은 미분화 자궁육종(high-grade ESS or undifferentiated uterine sarcoma, UUS)

유사분열이 10 HPF상 10개 이상이며, 조직 괴사, 뚜렷한 세포학적 다형태, 그리고 현저한 자궁근육층과 림프-혈관계 침범을 보인다. 미분화 자궁육종은 조직학적 혹은 면역조직화학검사 소견상 평활근 혹은 자궁내막간질의 분화를 찾아볼 수 없는 육종이다. 특징적으로 *YWHAE-FAM22A/B* 유전자 재배열을 보인다. 치료는 자궁절제술과 양측 자궁부속기절제술이다. 예후는 자궁 평활근육종과 유사하여 5년 생존율은 약 20-50%로 알려져 있다. 유사분열수가 예후에 중요하여 2년 생존율이 10-20 MF/10 HPF인 경우 60%이고 20 MF/10 HPF 이상인 경우 10%로 보고되었다. 수술만으로는 좋지 않은 치료결과를 가져오기 때문에 추가적인 방사선요법, 항암화학요법, 또는 이 두 가지의 병합치료를 고려해 볼 수 있지만, 이를 뒷받침할 만한 명확한 임상적 근거는 아직 없다. 이 종양은 저등급 자궁내막간질육종과는 달리 프로게스틴 치료에 반응하지 않는다.

(2) 자궁 평활근육종(leiomyosarcoma, LMS)

자궁 평활근육종 환자의 평균 연령은 54세(43-63세)이고, 폐경 전 여성들의 생존율이 더 높다. 출산력과 무관하다고 알려져 있으며 약 4%에서 이전 골반방사선치료 병력이 있고 양성자궁근종에서 자궁육종성 변화의 빈도는 0.13-0.81%로 보고되고 있다. 증상은 보통 기간이 짧으며(평균 6개월) 특이하지 않은데 질출혈, 골반동통, 압박감, 복부 종괴 등이다. 중요한 이학적 소견은 골반종괴의 존재이다. 특히 폐경 후 여성에서 급격한 자궁 비대가 있으면 자궁 평활근육종을 의심해야 한다. 자궁내막 생검은 자궁내막간질육종이나 자궁내막암에서 만큼 유용하지는 않지만 병변이 점막 하에 위치한 경우에는 일부 진단이 가능하다. 자궁 평활근육종과 자궁근종을 감별하기 위해 MRI, PET, CT 등 다양한 영상검사와 혈중 LDH 및 크기, 성장 속도 등의 임상양상 등을 이용하고 있으나 수술 전 진단은 쉽지 않고 대개 수술 후 발견된다.

자궁 평활근육종의 예후인자로는 연령, 병기 및 유사분열 수(mitotic count) 등이 있으며 유사분열 수가 악성 양상에 대한 가장 믿을 만한 지표라고 할 수 있다. 일반적으로 유사분열 수가 10 HPF상 5개 미만인 종양은 양성종양의 양상을 나타내며, 유사분열 수가 10개 이상인 경우에는 불량한 예후를 지닌 명백한 악성종양으로 간주한다. 10 HPF상 5개에서 10개 사이의 종양은 세포성 자궁근종 혹은 불확실한 악성을 지닌 평활근육종양(smooth muscle tumor of uncertain malignancy, STUMP)이라고 한다. 유사분열 수 이외에 추가적인 병리학적 지표로는 심한 세포비정형성, 경계선 침윤, 응고성종양 괴사, 혈관 침투 등이 있다. 수술 시 종양의 육안 소견 역시 중요한 예후인자이다. 종양이 5 cm 이상이거나 종양이 주변부를 침윤하고 있거나 자궁외 병변이 있을 때 더 불량한 예후를 갖는다. 재발 시 가장 흔한 재발 부위는 폐로 약 40%를 차지하며 골반 내 재발은 13%로 보고되었다. 평균 5년 생존율은 20-63%(평균 47%)이며 I기인 젊은 여성의 생존율이 가장 높은 반면 고령이면서 진행된 병기에서는 생존율이 가장 낮다.

자궁 평활근육종의 주 치료법은 수술이며, 자궁절제술이 기본적으로 시행되고 수술 중 세절술(morcellation)은 재발률과 사망률을 증가시킬 수 있으므로 피해야 한다. 폐경 후 여성과 자궁 외 병변을 가진 여성에게는 양측 부속기절제술을 시행한다. 폐경 전 여성에서는 난소 보존을 해도 재발률을 증가시키지 않는다. 후복강림프전이는 초기 병기에서는 드물고, 림프절제술이 생존율을 높이지 않는다고 알려져 있으나, 의심스러운 림프절에 대해서는 조직검사 시행이 권고된다. 병변이 자궁 밖으로 퍼진 경우나 폐

등으로 원격전이가 있는 환자에서도 종양의 완전한 절제는 생존율을 증가시킬 수 있다고 알려져 있다. 수술 후 골반방사선치료는 근치적 절제술을 한 초기 환자에서 이점이 없다고 보고되어 추천되지 않는다. 항암화학요법은 자궁육종의 혈행 전파로 인한 원격전이를 고려할 때 진행된 자궁 평활근육종을 가진 환자에서 사용될 수 있다. 아직까지는 초기 자궁 평활근육종에서 수술 후 항암화학요법의 역할은 명확하지 않으나 이들 환자군에서의 재발률을 낮추기 위한 다양한 임상연구가 진행중이다. 재발성, 전이성 환자들에게 사용 가능한 단일요법 항암제제로는 독소루비신, 이포스파마이드, 젬시타빈 등이 있으며, 반응률은 15-25% 정도로 보고되었다. 병합요법으로는 젬시타빈/도세탁셀(gemcitabine/docetaxel) 병합요법 또는 독소루비신/이포스파마이드/다카바진(doxorubicin/ifosfamide/dacarbazine)의 병합요법이 진행된 자궁 평활근육종에서 각각 53%, 30%의 치료 반응률을 보였다. 하지만 여전히 낮은 생존율로 진행성 재발성 자궁 평활근육종 치료를 위한 새로운 항암제, 병합요법 및 표적치료제를 찾기 위한 노력이 계속되고 있으나 발생률이 낮아 임상연구는 쉽지 않다고 할 수 있다.

① 자궁평활근종양의 임상 병리학적 변종(variants of uterine smooth muscle tumors)

가. 정맥내 평활근종증(intravenous leiomyomatosis)

조직학적으로 양성인 자궁의 평활근종양의 다발성 정맥내 파급이 특징이다. 혈관내 성장은 자궁근종으로부터 골반측벽을 향해 자궁주위조직 속으로 뻗어 나가는 벌레처럼 보이는 돌기 모양을 취한다. 대부분의 환자들은 50대 후반이거나 60대 초반이다. 예후는 종양이 골반혈관 내에 남아 있을 때도 대부분 아주 좋다. 에스트로겐은 이 혈관내종양의 성장을 자극할 수 있다. 치료는 전자궁절제술과 양측 자궁부속기절제술 및 가능한 종양을 많이 절제해야만 한다. 수술 후 남은 종양이 있다면 항 에스트로겐 치료를 고려해볼 수 있다.

나. 양성 전이성 평활근종(benign metastasizing leiomyoma)

조직학적으로 양성인 자궁평활근종양이 폐와 림프절 등에 양성전이를 일으키는 극히 드문 종양이다. 대부분의 환자에서 자궁근종으로 수술받은 병력이 있다. 이 종양은 에스트로겐에 의해 자극받으므로 에스트로겐 공급의 근원을 제거하거나, 프로게스틴, 타목시펜, 또는 생식샘자극호르몬작용제를 사용해 볼 수 있다. 수술 방법은 전자궁절제술과 양측 자궁 부속기절제술이며, 가능하면 폐의 전이 병소를 절제해야 한다.

다. 범발성 복막근종증(disseminated peritoneal leiomyomatosis)

범발성 복막근종증이란 양성평활근결절들이 복강을 통해 복막 표면위에 산재해 있는 것이 특징인 드문 질환이다. 이 질환은 아마도 에스트로겐과 프로게스테론의 영향하에 복막하의 간엽줄기세포(subperitoneal mesenchymal stem cell)가 평활근, 결합조직 형성세포(fibroblast), 근섬유세포(myofibroblast) 및 탈락막세포(decidual cell)로 화생(metaplasia)된 결과로 인해 발생한다고 생각된다. 육안적으로 악성으로 보이지만 양성이며 양호한 임상 경과를 보인다. 폐경 후 여성에서는 전자궁절제술, 양측 부속기절제술, 그물망절제술과 가능하면 육안적으로 보이는 모든 종양을 절제하는 방법을 포함하는 근치적 수술이 요구된다. 과다한 에스트로겐의 근원 제거나 프로게스틴 치료 또는 항에스트로겐 치료는 제거되지 않은 종양의 퇴행을 유발하여 효과적일 수 있다.

라. 점액성 평활근육종(myxoid leiomyosarcoma)

이 종양은 육안적으로는 젤라틴과 같은 모양이고 뚜렷한 경계를 가지나 현미경적으로는 점액성의 간질을 가지고 주위의 조직이나 혈관을 광범위하게 침범하는 것이 특징이다. 유사분열 수는 10 HPF상 0-2개로 낮지만 파괴적인 양상을 보이고 예후는 불량하다. 전자궁절제술이 주 치료방법이고, 방사선치료나 항암화학요법에 잘 반응하지 않는다.

마. 상피모양 자궁평활근육종(epithelioid leiomyosarcoma)

자궁 내 큰 종괴를 형성하고 흔히 출혈을 동반한다. 현미경상 상피세포성 분화 패턴, 세포학적 비정형, 증가된 유사분열 수(>5MF/10HPF), 종양세포 괴사를 보인다. 상피모양 자궁 평활근육종 역시 점액성 자궁평활근육종과 유사하게 예후가 매우 불량하며 자궁절제술이 치료법이다.

(3) 암육종(carcinosarcoma)

암육종은 malignant mixed mesodermal tumors (MMMTs)로도 불리며 주로 폐경 후에 발생한다. 암육종은 폐경 후 질출혈, 골반 통증 등의 증상을 일으킬 수 있다. 자궁 외 침범은 약 1/3에서 발견된다. 암육종은 다른 육종과 달리 고등급 자궁내막암과 유사한 임상 양상을 보이므로 자궁내막암의 병기 체계를 따른다. 약 7-37%의 암육종 환자에서 이전 골반방사선치료 과거력이 있다. 조직학적으로 상피암과 육종 소견을 모두 보인다. 암종(carcinoma) 부위는 미분화 장액성 암과 자궁내막양 암 소견을 보이고 육종(sarcoma) 부위는 고등급 자궁내막간질육종(high-grade stromal sarcoma) 소견을 보인다. 두 가지 양상을 보이지만 단세포 기원종양(monoclonal tumor)에서 후형변화암(metaplastic carcinoma)으로 여겨진다. 전이는 보통 암종 부위에 의하며 육종 부위는 암종의 탈분화(dedifferentiation)에 의해 발생한 것으로 여겨진다. 이종유래분화(heterologous differentiation)로 인한 횡문근육종 소견이 관찰될 수 있다.

수술은 고등급 자궁내막모양암과 마찬가지로 전자궁절제술, 양측 난소난관절제술, 림프절절제술을 포함한 병기설정술을 시행하여야 한다. 전이 위치는 난소(23%), 골반 림프절(31%), 대동맥주위 림프절(6%), 대망(13%) 등이 보고된다. 자궁외 전이가 확인되면 확인되는 종양을 모두 절제하는 종양감축술을 시행하여야 하며 이는 생존율 향상과 관련이 있다. 예후인자로는 근층 침범, 림프혈관강 침범, 난소전이, 복막 세포검사, 림프절전이 등으로 자궁내막암과 유사하다. 자궁 암육종은 고등급 자궁내막암과 유사한 임상 양상을 보이므로 림프절 절제를 포함한 병기설정술 및 종양감축술을 시행하고 수술 후 보조요법으로 선별적 방사선치료와 항암치료 시행이 권장된다.

병기 I, II의 자궁 육종에서 골반방사선치료의 효과를 보기 위한 3상 임상시험에서 자궁암육종 환자 91명을 분석하였을 때 골반방사선치료는 골반 재발을 줄였으나 전체 생존율의 향상은 보이지 않았다. GOG 150연구는 3상 임상시험으로 201명의 병기 I-IV의 자궁암육종 환자에서 수술 후 보조요법으로 전 복부 방사선치료(whole abdominal RT)와 시스플라틴/이포스파마이드/메스나(cisplatin/ifosfamide/mesna, CIM) 항암요법을 비교하는 임상연구였고, 각 군의 4년 재발률은 58%와 52%로 유의한 차이가 없었으나 다른 예후 요인을 보정하였을 때 CIM 항암요법에서 재발률이 29% 낮다고 보고하였다. 수술 후 보조요법으로 항암치료-방사선치료-항암치료 순차적으로 시행하는 샌드위치요법에 대해 2상 임상시험 결과도 보고되었다. 항암치료는 방사선치료 전후 각 3회씩 시행하였으며 항암요법으로는 이포스파마이드 단독과 이포스파마이드/시스플라틴(ifosfamide/cisplatin) 병합요법을 비교하였으며 시스플라틴 투여는 생존율 향상 효과가 없으며 오히려 독성이 더 높게 보고되었다. 암육종에서 효과를 보인 항암제에는 이포스파마이드, 시스플라틴, 파클리탁셀 등이 있고, 이 중 이포스파마이드가 가장 널리 알려진 단일 약제이다. 이포스파마이드와 시스플라틴(ifosfamide + cisplatin) 병합요법은 이포스파마이드 단독요법에 비해 무진행 생존율의 향상이 확인되었으나 높은 독성을 보였다. 파클리탁셀 또한 암육종에서 단일 약제로 효과가 입증되어 이포스파마이드와 파클리탁셀(ifosfamide + paclitaxel) 병합요법에 대한 GOG 임상연구에서 병합요법이 이포스파마이드 단독요법보다 반응률이 45% 대 29%로 높음을 보고하였다. 또한, 이포스파마이드/파클리탁셀(ifosfamide + paclitaxel) 병합요법이 이포스파마이드 단독요법에 비해 무진행생존율(5.8개월 대 3.6개월)과 전체 생존율(13.5개월 대 8.4개월)을 모두 향상시켰으며, 독성은 이전에 보고된 이포스파마이드/시스플라틴(ifosfamide + cisplatin) 병합요법보다 낮았다. 파클리탁셀/카보플라틴(Paclitaxel/carboplatin) 또한 2상 연구에서 높은 반응률(54%)을 보였으므로, GOG 261은 파클리탁셀/카보플라틴(Paclitaxel/carboplatin)과 이포스파마이드/파클리탁셀(ifosfamide/paclitaxel)을 비교하는 3상 연구를 진행하고 있으며 추후 결과가 기다려지고 있다.

참고문헌

- 암등록사업과 국국종. 국가암등록사업 연례 보고서(2017년 암등록 통계). 2020.
- Abu-Rustum NR, Zhou Q, Gomez JD, Alektiar KM, Hensley ML, Soslow RA, et al. A nomogram for predicting overall survival of women with endometrial cancer following primary therapy: toward improving individualized cancer care. Gynecol Oncol 2010;116:399-403.
- Chambers JT, Chambers SK. Endometrial sampling: When? Where? Why? With what? Clin Obstet Gynecol 1992;35:28-39.
- Chambers JT, MacLusky N, Eisenfeld A, et al. Estrogen and progestin receptor levels as prognosticators for survival in endometrial cancer. Gynecol Oncol 1988;31:65-81.
- Connor JP, et al. Computed tomography in endometrial carcinoma. Obstet Gynecol 2000;95:692-6.
- Cowles TA, Magrna JF, Materson BJ, et al. Comparison of clinical and surgical staging in patients with endometrial carcinoma. Obstet Gynecol 1985;66:413-6.
- Creasman WT, DiSaia PJ, Blessing J, et al. Prognostic significance of peritoneal cytology in patients with endometrial cancer and preliminary data concerning therapy with intraperitoneal radiopharmaceuticas. Am J Obstet Gynecol 1981;141:921-9.
- Creasman WT, Soper JT, McCarty KS, et al. Influence of cytoplasmic steoid receptor content on prognosis of early stage endometrial carcinoma. Am J Obstet Gynecol 1985;151:922-32.
- De Boer SM, Powell ME, Mileshkin L, Katsaros D, Bessette P,Haie-Meder C, et al. Adjuvant chemoradiotherapy versus radiotherapy alone for women with high-risk endometrial cancer (PORTEC-3): final results of an international, open-label, multicentre, randomised, phase 3 trial. The Lancet Oncology 2018;19:295-309.
- Fleming GF, Brunetto VL, Cella D, Look KY, Reid GC, Munkarah AR, et al. Phase III trial of doxorubicin plus cisplatin with or without paclitaxel plus filgrastim in advanced endometrial carcinoma: a Gynecologic Oncology Group Study. J Clin Oncol 2004;22:2159-66.
- FIGO. Annual report on the results of treatment in gynecologic cancer. Int J Gynecol Obstet 1989;28:189-93.
- Franchi M, Chezzi F, Melpignono M, et al. Clinical value of intraoperative gross examination in endometrial cancer. Gynecol Oncol 2000;76:357-61.
- Goff BA, Rice LW. Assessment of depth of myometrial invasion in endometrial adenocarcinoma. Gynecol Oncol 1990;38:46-8.
- Gordon AN, Fleischer AC, Dudley BS, et al. Preoperative assessment of myometrial invasion of endometrial adenocarcinoma by sonography (US) and magnetic resonance imaging (MRI). Gynecol Oncol 1989;34:175-9.
- Granberg S, Wikland M, Karlsson B, et al. Endometrial thickness as measured by endovaginal ultrasonography for identifying endometrial abnormality. Am J Obstet Gynecol 1991;164:47-52.
- Grimes DA. Diagnostic dilation and curettage: a reappraisal. Am J Obstet Gynecol 1982;142:1-6.
- Hendrickson M, Ross J, Eifel P, et al. Uterine papillary serous carcinoma: a highly malignant form of endometrial adenocarcinoma. Am J Surg Pathol 1982;7:715-29.
- Hricak H, et al. MR imaging evaluation of endometrial carcinoma: results of an NCI cooperative study. Radiology 1991;179:829-32.
- Inthasorn P, Carter J, Valmadre S, et al. Analysis of clinicopathologic factors in malignant mixed mullerian tumors of the uterine corpus. Int J Gynecol Cancer 2002;12:348-53.
- Jhang H, Chuang L, Visintainer P, et al. CA 125 levels in the preoperative assessment of advanced-stage uterine cancer. Am J Obstet Gynecol 2003;188:1195-7.
- Keys HM. Roberts JA, Brunetto VL, et al. A phase III trial of sutgery with or without external pelvic radiation therapy in intermediate adenocrcinoma: a Gynecologic Oncology Group study. Gynecol Oncol 2004;92:744-51.
- Khoury-Collado F, Einstein MH, Bochner BH, Alektiar KM, Sonoda Y, Abu-Rustum NR, et al. Pelvic exenteration with curative intent for recurrent uterine malignancies. Gynecol Oncol 2012;124:42-7.
- Kitajima K., et al. Accuracy of integrated FDG-PET/contrastenhanced CT in detecting pelvic and paraaortic lymph node metastasis in patients with uterine cancer. Eur Radiol

2009;19:1529-36.
- Kohler MF, Berchuck A, Davidoff AM, et al. Overexpression and mutation of p53 in endometrial carcinoma. Cancer Res 1992;52:1622-7.
- Lee SW, Lee TS, Hong DG, No JH, Park DC, Bae JM, et al. Practice guidelines for management of uterine corpus cancer in Korea: a Korean Society of Gynecologic Oncology Consensus Statement. J Gynecol Oncol 2017;28:e12.
- Leibsohn S, d'Ablaing G, Mishell DR, et al. Leiomyosarcoma in a series of hysterectomies perfoermed for presumed uterine leiomyomas. Am J Obstet Gynecol 1990;162:968-76.
- Levin DA, Hoskins WJ. Update in the management of endometrial cancer. Cancer J 2002;8S:31-40.
- Lurain JR, Rice BL, Rademaker AW, et al. Prognostic factorsassociated with recurrence in clinical stage I adenocarcinoma of the endometrium. Obstet Gynecol 1991;78:63-9.
- Lurain JR. The significance of positive peritoneal cytology in endometrial cancer. Gynecol Oncol 1992;46:143-4.
- Maria C. DeLeon, et al. Adjuvant therapy for endometrial cancerJ Gynecol Oncol 2014;2:136-47.
- Mariani A, Sebo TJ, Katzmann JA, et al. Pretreatment assessment of prognostic indications in endometrial cancer. Am J Obstet Gynecol 2000;182:1535-44.
- Matei D, Filiaci V, Randall ME, Mutch D, Steinhoff MM, DiSilvestro PA, et al. Adjuvant Chemotherapy plus Radiation for Locally Advanced Endometrial Cancer. N Engl J Med 2019;380:2317-26.
- Mbatani N, Olawaiye AB, Prat J. Uterine sarcomas. Int J Gynaecol Obstet 143 Suppl 2018;2:51-8.
- McCluggage WG. Uterine carcinosarcomas (malignant mixed Mullerian tumors) are metaplastic carcinomas. Int J Gynecol Cancer 2002;12:687-90.
- Moore DH, Fowler WC, Walton LA, et al. Morbidity of lymph node sampling in cancers of the uterine corpus and cervix. Obstet Gynecol 1989;74:180-4.
- Moreno-Bueno G, Hardisson D, Sanchex C, et al. Sbnormalities of E-and P-cadherin and catenin (beta-gamma-catenin, and- 120ctn) expression in endometrial cancer and endometrioid cancer and endometrial hyperplasia. J Pathol 2003;199:471-8.
- Lewin SN. Revised FIGO staging system for endometrial cancer. Clin Obstet Gynecol 2011;54:215-8.
- Orr JW Jr, Holloway RW, Orr PF, et al. Surgical staging of uterine cancer: an analysis of preoperative morbidity. Gynecol Oncol 1991;42:209-16.
- Ott PA, Bang YJ, Berton-Rigaud D, Elez E, Pishvaian MJ, Rugo HS, et al. Safety and Antitumor Activity of Pembrolizumab in Advanced Programmed Death Ligand 1-Positive Endometrial Cancer: Results From the KEYNOTE-028 Study. J Clin Oncol 2017;35:2535-41.
- Pecorelli S. Revised FIGO staging for carcinoma of the vulva, cervix, and endometrium. Int J Gynaecol Obstet 2009;105:103-4.
- Schink JC, Rademaker AW, Miller DS, et al. Tumor size in endometrial cancer. Cancer 1991;67:2791-4.
- Schribner DR, Mannel RS, Walker JL, et al. Cost analysis of laparoscopy versus laparotomy for early endometrial cancer. Gynecol Oncol 1999;75:460-3.
- Small W, Mahadevan A, Roland P, et al. Whole abdominal radiation in endometrial carcinoma: an analysis of toxicity, patterns of recurrence, and survival. J Cancer 2000;6:364-400.
- Sorbe B, Nordstrom B, Maenpaa J, Kuhelj J, Kuhelj D, Okkan S, et al. Intravaginal brachytherapy in FIGO stage I low-risk endometrial cancer: a controlled randomized study. Int J Gynecol Cancer 2009;19:873-8.
- Straghn JM Jr, Huh WK, Kelly FJ, et al. Conservative management of stage I endometrioid carcinoma after surgical staging. Gynecol Oncol 2002;84:194-200.
- Takeshima N, Nishida H, Tabata T, et al. Positive peritoneal cytology in endometrial cancer: enhancement of other prognostic indicators. Gynecol Oncol 2001;82:470-3.
- Thigpen JT, Brady MF, Homesley HD, Malfetano J, DuBeshter B, Burger RA, et al. Phase III trial of doxorubicin with or without cisplatin in advanced endometrial carcinoma: a gynecologic oncology group study. J Clin Oncol 2004;22:3902-8.
- Vardi JR, Tadros GH, Anselmo MT, et al. The value of exploratory laparotomy in patients with endometrial carcinoma according to the new International Federation fo Gynecology and Obstetrics stagings. Obstet Gynecol 1992;80:204-8.
- J.L. Walker, et al. Recurrence and survival after random assignment to laparoscopy versus laparotomy for comprehensive surgical staging of uterine cancer: Gynecologic Oncology Group LAP2 Study. J Clin Oncol 2012;30:695-700.
- Wolfson AH, Sightler SE, Markoe AM, et al. The prognostic significance of surgical staging for carcinoma of the endometrium. Gynecol Oncol 1992;45:142-6.
- Wylie J, Irwin C, Pintilie M, et al. Results of radical radiotherapy for recurrent endometrial cancer. Gynecol Oncol 2000;77:66-72.
- Zaino RJ, Kurman RJ, Diana KL, et al. Pathologic models to predict outcome for women with endometrial adenocarcinoma. Cancer 1996;77:1115-21.
- Zucker PK, Kasdon EJ, Feldstein ML. The validity of Pap smear parameters as predictors of endometrial pathology in menopausal women. Cancer 1985;56:2256-63.

제33장

상피성 난소암

박상윤 | 국립암센터 **이종민** | 경희의대
김기형 | 부산의대 **임명철** | 국립암센터

1. 역학

난소암은 기원하는 조직, 즉, 체강표면상피(coelomic surface epithelium), 성선-간엽조직(sexcord stroma), 생식세포(germ cell)에 따라 상피성 난소암, 성삭-간질종양(sexcord-stromal tumor), 생식세포종양으로 분류하며, 이 중 상피성 난소암이 약 90%를 차지한다.

상피성 난소암은 주로 폐경 후 50-60대에서 가장 흔히 발생하고, 경계성 종양(borderline tumor)은 이보다 10년 정도 이른 나이(평균연령 46세)에 잘 생긴다(Berek et al., 2010). 폐경 후 발견되는 난소종양 중 약 30%가 악성종양이며, 이에 반해 폐경 전 난소종양은 7%에서만 악성의 소견을 보인다(Scully et al., 1989). 상피성 난소암은 대부분 확립된 조기 선별검사가 없고, 장액성 암종의 경우 대부분 진행된 병기(병기 III/IV)에서 발견되므로, 부인암 중 예후가 가장 나쁜 치명적인 암이다(Heintz et al., 2006; Maringe et al., 2012; Jung et al., 2013)(표 33-1).

미국의 경우, 2016년 한 해 동안 21,750명의 난소암 신환이 발생하였고, 13,940명이 난소암으로 사망하여 여성암으로 인한 사망 원인 중 5번째를 차지하였다. 미국의 경우, 2013년 한 해 동안 22,240명의 난소암 신환이 발생하여 여성암 중 10번째(3%)로 많았고, 14,030명이 난소암으로 사망하여 여성암으로 인한 사망 원인 중 5번째를 차지하였다(Siegel et al., 2020). 미국인의 경우 출생시점부터 난소암 발생 평생위험률(lifetime risk)은 1.33-1.39%, 난소암 사망 평생위험률은 0.98-1.04%로 보고되고 있다(Jelovac and Armstrong, 2011; Howlader et al., 2014).

표 33-1. 상피성 난소암 병기별 분포

국가/기관	FIGO 병기	환자수	퍼센트
34개국(86개 기관) (Heintz et al., 2006)	병기 I	2,512	35.4
	병기 II	581	8.2
	병기 III	3,156	44.5
	병기 IV	828	11.7
캐나다/덴마크/노르웨이/영국 (Maringe et al., 2012)	병기 I	3,823	28.7
	병기 II	941	7.2
	병기 III	5,339	40.1
	병기 IV	3,196	24.0
한국(3개 기관) (문을주 등, 2000; 김우영 등, 2002; 윤정혜 등, 2006)	병기 I	145	33.6
	병기 II	31	7.2
	병기 III	215	49.9
	병기 IV	40	9.3

한국은 2011년 2,010명의 난소암 환자가 발생하였고(연령표준화발생률=6.2명/여성 100,000명), 901명이 난소암으로 사망하였으며(통계청, 2014), 노령인구의 증가에 따라 매년 난소암 발생빈도가 증가되고 있다(Park et al., 2010). 2011년 한국의 난소암은 여성암 중 1.9%로 10위, 부인암 중에서는 자궁경부암에 이어 2위이며, 50대에 가장 많이 발생했다(중앙암등록본부, 2013). 2009년부터 2015년까지 난소암은 매년 1.8% 씩 증가하여, 2015년에는 2,443건이 발생하였다. 한국에서의 5년 상대생존율(5-year relative survival)은 61.6%(2007-2011년) (중앙암등록본부, 2013)로 미국의 44.6%(2004-2010년) (Howlader et al., 2014)에 비해 높은 것으로 보고되었다.

2. 병인론

이전에 알려져 왔던 암발생 기전에 의하면, 상피성 난소암은 난소표면상피 혹은 반복되는 배란 후 복구 과정에서 난소 기질 내로 함입된 피질하 봉입낭(inclusion cyst) 내의 난소표면상피에서 기원한다고 생각되어 왔다.

그러나, 최근 20년간의 연구들에서, 난관 원위부 상피세포가 고등급 장액성 난소암의 기원으로 의심되기 시작하였고(Piek et al., 2001), 난관원위부에서 종양이 발생하거나 배란된 부위에 착상한 정상 난관 상피가 봉입낭을 형성하면서, 여기에서 고등급 장액성 난소암이 발생할 수 있다는 이론이 제기되고 있다(Kurman and Shih, 2011).

한편 상피성 난소암을 자궁내막암에서와 마찬가지로 Type I/II 두 그룹으로 분류하는 이분화 모델이 제기되었는데, Type I은 경계성 장액성 종양, 저등급 장액성 난소암, 저등급 자궁내막양 난소암, 투명세포암, 점액성 난소암과 브레너종양을 포함하고, 이들은 양성종양 혹은 경계성 종양에서 점진적인 변형을 일으키며 난소암으로 발전한다. Type I은 서서히 진행하여 주로 병기 I(난소에 국한된 종양)에서 발견된다. *KRAS*, *BRAF*, *ERBB2* 등의 특징적인 유전자 돌연변이를 동반하고, 유전적으로 안정적이며, p53 유전자 변이는 거의 나타나지 않는다. Type I 종양은 상피성 난소암의 약 25%, 사망원인의 10%를 차지한다. 한편, type II는 난관 등에서 유래하는 고등급 장액성 난소암, 암육종(carcinosarcoma), 미분화암(undifferentiated carcinoma), 그리고, 빈도는 드물지만 고등급 자궁내막양 난소암, 고등급 투명세포암 등이 포함되며, 빠른 성장으로, 진행된 병기에 발견된다. 이들 종양은 유전적으로 불안정하며, p53, *BRCA1/2*의 돌연변이 등을 나타낸다. Type II 종양은 난소암의 75%, 난소암 사망의 90%를 차지한다(Shih and Kurman, 2004; Crum et al., 2007, 2012; Kurman and Shih, 2008, 2011).

그러나 최근 Prat (2012)은 상피성 난소암 발생이 각각 다른 부위인 난관누두(fimbria), 자궁내막, 난관-중피 이음부(tubal-mesothelial junction) 등에서 기원한다는 것을 제시하면서, 조직병리학적/분자유전학적 변화에 기초하여 상피성 난소암 발생 기전을 이분화 모델이 아닌 고등급 장액성, 자궁내막양, 투명세포, 점액성, 그리고 저등급 장액성 난소암 등 다섯 유형을 제시하였다.

3. 원인과 위험인자

1) 원인

'끊임없는 배란(incessant ovulation)'은 오랫동안 상피성 난소암의 주 원인으로 지목되고 있다(Fathalla, 1971). 반복되는 배란에 따른 난소표면상피의 파열과 복구는 세포의 증식을 필요로 하며, 이 과정에서 DNA 합성 중 발생하는 자발적인 유전적 변이의 획득과 이에 따른 고위험군에서의 점진적인 난소암 발현이 암화의 주요기전으로 생각되어 왔다.

Purdie 등(2003)은 연령별 배란 횟수와 상피성 난소암의 위험을 연구하여, 배란이 1년 연장되면 난소암의 위험을 6% 증가시키며, 20-29세 사이의 배란은 난소암의 위험을 20%로 가장 많이 증가시켰고, 따라서 이 시기의 배란억제가 난소암의 위험을 가장 많이 낮출 수 있다고 보고하였다. P53 변이 양성인 상피성 난소암에서는 일생 동안의 배란횟수가 많을수록 p53의 변이 빈도가 증가하였다(Schildkraut, 1997).

2) 위험인자

(1) 생식학적 인자

일생 동안의 배란횟수와 상피성 난소암의 위험은 정비례한다. 배란횟수를 증가시키는 요인인 미산부(nulliparity), 불임, 빠른 초경, 늦은 폐경 등은 난소암의 위험을 증가시키며(Whittemore et al., 1994), 호르몬요법과 같은 장기간의 에스트로겐 노출도 난소암을 증가시킨다(Salehi et al., 2008; Morch et al., 2009). 배란을 억제하는 요인들인 만삭임신, 장기간의 수유, 경구피임약 등은 난소암의 위험을 감소시킨다(Titus-Ernstoff et al., 2001; Hinkula et al., 2006).

미산부에 비하여 자녀를 4명 이상 갖는 경우 난소암의 위험은 40% 감소하고, 경구피임약을 5년 이상 복용한 경우 난소암의 위험은 50% 감소하며, 자녀를 2명 이상 갖고 경구피임약을 5년 이상 복용하면 난소암의 위험을 70% 감소시킨다(Negri et al., 1991; Pelucchi et al., 2007).

(2) 유전적 인자

가족력은 가장 일관되고 의미 있는 난소암 위험인자이다. 일촌(first-degree relative)과 이촌(second-degree relative) 가운데 난소암 환자가 있는 경우, 난소암의 발생 위험은 각각 3.6배, 2.9배 증가한다(Schildkraut et al., 1989; Hunn and Rodriguez, 2012).

대부분의 상피성 난소암은 산발적(sporadic)으로 발생하지만, 약 5-10%는 상염색체 우성 유전자 돌연변이에 의해 유전적으로 발생한다(Boyd, 2003). 유전성 난소암의 대부분은, *BRCA1* 혹은 *BRCA2*의 배선돌연변이(germline mutation)와 연관되며, BRCA 배선돌연변이를 가진 여성에서 난소암 평생위험률은 27-44%, 유방암 위험률은 45-80%이다(Russo et al., 2009). 난소암은 성인 고형암 중 유전적인 요인에 의한 발병률이 가장 높은 암으로 알려져 있으며, 상피성 난소암에서는 가족력에 상관없이 약 10-14%에서 *BRCA1*이나 *BRCA2* 배선 돌연변이가 발견되는 것으로 알려져 있다. 임 등(2009)에 의하면 한국인 상피성 난소암 환자의 16%에서 가족 내 일촌(first degree relative)에 난소암이나 유방암 환자가 있었고, 이 경우 *BRCA1*, *BRCA2* 돌연변이 보유율은 33%로 한국인에서도 *BRCA1*, *BRCA2*의 발병 기여도가 타 인종과 유사함을 알 수 있다(임 등, 2009). 특히, 난소암 환자의 가족 내 일촌에 난소암 가족이 있는 경우 *BRCA1*, *BRCA2* 돌연변이 보유율은 63%였고, 유방암 가족이 있는 경우 *BRCA1*, *BRCA2* 돌연변이 보유율은 21%였다(임 등, 2009). *BRCA1*, *BRCA2* 이외에도 유전성비용종성대장암증후군, 일명 린치증후군으로 인한 유전성 난소암 발병도 고려해야 하기 때문에 가족력 확인 시 유방암 외에도 대장암, 자궁내막암, 소장암, 요관암, 담관암과 같은 가족력을 확인하여야 한다. 최근에 핵가족화되면서 가족력 확인이 점차 어려워지는 것은 앞으로 가족력 확인의 어려움을 시사하고 있으며, 특히 한국전쟁, 과거 의학적 진단의 부재 등은 한국 내의 고유한 가족력 확인에 있어서의 극복되어야 할 문제로 생각된다(손 등, 2014).

(3) 환경적 인자

식이와 관련된 위험인자는 아직 논란이 있지만, 유제품과 탄수화물을 많이 섭취하거나 주 2-4회 계란을 먹는 경우 난소암의 위험이 증가하고, 푸른 잎줄기채소의 섭취는 위험을 감소시킨다(Kushi et al., 1999). 비만의 난소암 위험인자 여부는 아직 명확하지 않다. 소아 청소년기에 과체중과 비만을 가졌었던 여성에서, 체질량지수(BMI)가 정상인 여성에 비하여, 난소암 위험이 증가한다(Engeland et al., 2003; Lacey et al., 2006; Olsen et al., 2007). 흡연과 커피는 난소암의 위험을 증가시키지 않는다(Jordan et al., 2006).

골반염과 자궁내막증의 병력이 있는 여성에서 난소암이 증가하고(Van Gorp et al., 2004), 자궁절제술과 난관결찰술을 받은 여성에서 난소암 위험이 감소한다(Hankinson et al., 1993).

3) 유전성 난소암

유전성(hereditary) 암이란, 높은 침투율(high penetrance)과 상염색체 우성 유전 소인을 가진 암을 말한다. 이런 의미에서 임상적으로 발현하는 유전적 난소암은 (1) 유방암/난소암증후군(breast and ovarian cancer syndrome), (2) 병소-특이적 난소암(site-specific ovarian cancer), (3) 유전성 비용종성 대장암증후군(hereditary nonpolyposis colon cancer [HNPCC] syndrome)으로 구별되어 왔으나, 앞의 두 질환은 모두 *BRCA1*과 *BRCA2* 유전자의 배선돌연변이와 관련되며, 같은 가계 내에서 침투율이 다른 연속적인 유전자 돌연변이에 의해서 나타나는 것으로 생각된다. 유전성 난소암 중 약 90%는 BRCA 유전자와 관련되며, *BRCA1*이 75%, *BRCA2*가 15%를 차지하고, 나머지 유전성 난소암은 HNPCC 증후군 및 알려지지 않은 유전자가 관여한다고 생각된다(Boyd, 2003).

(1) BRCA 관련 난소암

① BRCA1과 BRCA2

*BRCA1*과 *BRCA2* 유전자는 각각 17번(17q12-21), 13번(13q12-13) 염색체에 위치하는 종양억제유전자들로, 손상된 이중가닥 DNA (double-stranded DNA) 복구 기전에서 중요한 역할을 수행한다(O'Donovan et al., 2010). *BRCA1*의 변이에 의해 손상된 DNA 복구가 실패하면, p53-의존성 DNA 손상 체크포인트가 활성화되어, 세포를 세포자멸사(아폽토시스)로 유도한다. 따라서 *BRCA1*의 변이가 있는 경우 세포의 증식을 위해서는 p53의 변이가 필요하게 되고, 이런 기전으로 *BRCA1*-돌연변이 난소암에서 p53 유전자의 변이 빈도가 높게 나타난다(Ramus et al., 1999; Boyd, 2003).

일반 여성에서, *BRCA1* 유전자변이 보인자(carrier) 비율은 약 0.1-0.6%로 추정되며, *BRCA1*과 *BRCA2* 유전자의 배선돌연변이가 있는 여성은, 정상 여성에 비하여 유방암과 난소암의 발생위험이 크게 증가한다. 정상 여성의 난소암 평생위험률 1.3%에 비하여, *BRCA1*의 배선돌연변이를 동반하는 가계 구성원의 유방암 누적위험률은 약 87%, 난소암 평생위험률은 28-44%이며, *BRCA2*의 돌연변이가 있는 여성의 유방암 위험률은 약 84%, 난소암 평생위험률은 20-27%로 추정된다(Whittemore et al., 1997; Chen et al., 2006; McLaughlin et al., 2007; Russo et al., 2009). *BRCA1*과 *BRCA2* 유전자 돌연변이는 상염색체 우성으로 유전되므로 정확한 위험률을 얻기 위해서는 전체 가계도 분석(부계, 모계 양측)이 매우 중요하다.

*BRCA1*과 *HNPCC* 유전자변이 보인자의 난소암 발생 평균 연령은 약 45세로 일반 여성 60세에 비하여 약 10년 이상 빠르게 나타나며, *BRCA2* 보인자는 약 50세에 발병한다. 40세 이전 젊은 여성의 난소암 중 많게는 약 18%까지가 *BRCA1* 유전자 변이에 의해 발생하는 것으로 추정된다(Whittemore et al., 1997). 이미 유방암이 발병한 여성에서 BRCA 변이를 동반하는 경우 난소암 발생위험은 일반 여성의 약 10배이다(Russo et al., 2009).

조직병리학적으로 일반 대조군에 비해, *BRCA1*-돌연변이 난소암의 대부분은 p53 과발현을 동반하는 고등급 장액성 난소암이며, 경계성 난소암이나 점액성 난소암은 거의 나타나지 않는다. 그러나 *BRCA1*-돌연변이 난소암의 생존율은 대조군에 비해서 더 높은 경향이 있으며, 이러한 결과는 산발성 난소암에 비해, *BRCA1*-돌연변이 난소암이 백금 기반(platinum-based) 항암화학요법에 더 민감하기 때문인 것으로 생각된다(Boyd et al., 2000; Lakhani et al., 2004; Risch et al., 2006; Tan et al., 2008).

② 시조효과(founder effect)

시조 효과는 한 개체군에서 낮은 빈도의 대립인자를 가진 몇몇 개체(founder)들이 새로운 곳으로 이주했을 때, 그 대립인자가 폭발적으로 늘어나는 효과를 말한다. 선조들이 중앙유럽, 동유럽에 거주했던, 유태인(Ashkenazi Jews) 자손들 중 많은 여성들이, *BRCA1*의 185delAG (deletion of an adenine and guanine), 5382insC (insertion of a cytosine), *BRCA2*의 6174delT (deletion of a thymine), 3가지 특징적인 시조 돌연변이(founder mutation)를 보유하고 있으며, 이 여성들은 약 40명당 1명(2-2.5%)꼴로 *BRCA1*

혹은 *BRCA2*의 돌연변이를 가진다(Satagopan et al., 2002; Struewing et al., 1997; Berek et al., 2010). 노르웨이(BRCA1-1675delA, *BRCA1*-1135insA), 아이슬란드(*BRCA2*-999del5) 등 다른 인종에서도 시조 돌연변이가 확인되었다(Russo et al., 2009).

③ 가계 분석(pedigree analysis)

난소암을 유발하는 배선돌연변이를 보유할 위험도는, 일촌/이촌에서 발생한 난소암/유방암 전체 숫자와 이들의 발병 나이에 의해 결정되며, 두 명 이상의 난소암 가족이 있거나 혹은 이들의 발병이 50세 이전인 여성에서 난소암의 발생위험이 가장 높다(Pharoah와 Ponder, 2002). 정확한 위험률을 결정하기 위해서는 전체 가계도 분석이 매우 중요하다.

가. 일촌(본인, 어머니, 자매, 딸) 중 2명에서 폐경 전에 난소암이 발병한 경우, 일촌 여성이 보인자일 위험은 35-40%이다(Frank et al., 1998).

나. 한 명의 일촌과 한 명의 이촌(할머니, 고모, 이모, 손녀)에서 난소암이 발병한 경우, 난소암의 위험이 증가하며, 가족력이 없는 여성에 비해서 2-10배 위험이 높아진다(Frank et al., 1998).

다. 일촌 중 한 명에서 폐경 후 난소암이 발병한 경우, 보인자의 위험은 없으며, 산발적 난소암으로 생각된다. 하지만 폐경전의 일촌/이촌에서 난소암이 발병한 경우는 전체 가계도 분석이 필요하다.

라. 본인에게 유방암이 있는 경우, 난소암의 위험은 2배로 증가한다(Whittemore et al., 1997; Berek et al., 2010).

(2) Lynch 증후군/HNPCC 증후군

BRCA 유전자 돌연변이와 함께 Lynch 증후군 가계의 구성원에서도 난소암 위험이 크게 증가한다. Lynch 증후군은 DNA 복구(mismatch repair, MMR)유전자들인 *MLH1*, *MSH2*, *MSH6*, *PMS1*, *PMS2*의 돌연변이와 관련되며, 대장, 위장관계, 자궁내막, 난소, 비뇨생식기계에 젊은 나이에 암을 유발한다(Watson et al., 1993). HNPCC 보인자의 난소암 평생위험률은 9-12%로 추정된다(Gruber and Kohlmann, 2003).

(3) 유전성 난소암 고위험 여성의 관리

① 위험도 측정(risk assessment)

가족 중 최소 1명의 유방암, 난소암, 혹은 BRCA-관련 암이 있는 여성은 일차 진료 의사에 의해, 가족력 측정 설문 도구를 이용한, 위험도를 측정받아야 한다. 표와 같은 다양한 설문도구들은 BRCA 돌연변이의 가능성과 연관되는 위험인자들에 대한 정보를 제시하며 이를 통해 면밀한 유전상담의 필요성을 결정한다. 가족력 중 유해한 BRCA 돌연변이와 관련이 깊은 요소들은 가. 50세 이전에 진단된 유방암, 나. 양측성 유방암, 다. 난소암과 유방암의 가족력, 라. 1명 이상의 남성 유방암, 마. 다수의 유방암 환자가 있는 가계, 바. 가족 중 1명 이상에서 2가지 BRCA-관련 암이 있는 경우 사. 아슈케나지 인종 등이다(Moyer et al., 2014). 상피성 난소암, 난관암, 복막암은 *BRCA1*, *BRCA2* 유전자검사를 시행하여, 환자 및 가족의 유전적 요인에 의한 암 예방 및 조기진단에 대한 노력을 기울일 수 있을 뿐만 아니라, 복강내 항암화학요법과 *PARP* 저해제를 사용하여 재발감소 및 생존 향상을 기대할 수 있다.

② 유전학적 상담(genetic counselling)

환자의 가족력을 재구성하는 가계 분석이 유전학적 상담과정의 시작이 된다. 유해한 돌연변이를 전달할 가능성이 있는 가계를 분석할 때는, 발병한 사람으로부터 시작하는 것이 가장 효과적이다. 가계도(genealogical tree)는 발단자(proband, 환자 혹은 상담 의뢰자)의 최소한 삼대(three generations)에 걸쳐 작성되어야 하며, 환자에게 받은 정보는 조직검사 보고서, 사망진단서, 암등록 자료 등을 통하여 재확인 되어야 한다. 상염색체 우성 유전이므로 부계와 모계의 가족력이 모두 포함되어야 하고, 또한 가족력은 시간에 따라 변화하므로 주기적인 재평가가 필요하다. 발단자는 가계 내에 유전학적 경향이 있을 경우 즉시 유전학적 검사에 대한 결정을 내려야 한다(Russo et al., 2009).

유전학적 검사는 사전동의를 필요로 한다. 여기에는 검사 전 교육, 위험성에 대한 상담, 검사의 이익과 한계, 검사의 양성과 음성의 의미에 대한 설명 등이 포함된다. 검사를 받게 되는 여성들은 정신적인 스트레스를 포함하는 유전학적 검사의 위험성을 알고 있어야 하며, 검사 후 상담은 위험감소 전략(risk-reduction strategy)을 포함한다. 유전학적 검사는 암유전학에 숙련된 사람에 의해서 시행되어야 하며, 이들은 충분한 교육과 지식을 필요로 한다. 유전성 난소암 가계라도 21세 이하의 여성에게 유방암, 난소암, 자궁내막암, 대장암이 발생할 위험성은 매우 낮으므로, 21세 이하의 여성에서 유전학적 상담과 검사는 시행하지 않는 것이 바람직하다(Lancaster et al., 2007).

③ 유전학적 검사(genetic testing)

BRCA1 또는 *BRCA2*에 대한 유전학적 검사는 가족력에 따라서 결정된다. 아슈케나지 여성들에게는 우선 세 종류의 시조 돌연변이(*BRCA1*; 185delAG/5382insC, *BRCA2*; 6174delT)에 대한 검사를 시행한다. 이들 중 시조 돌연변이가 음성이거나, 다른 인종의 여성들에게는 *BRCA1*/*BRCA2*에 대한 전체 염기서열분석이 필요하다.

유해한 *BRCA1/2* 돌연변이가 있거나, 유전학적 검사에서 돌연변이는 없으나, 위험이 높은 가계의 여성들은, 유방암 조기선별검진, 화학적 예방(chemoprevention), 위험감소 난관-난소절제술 등을 고려하여야 한다.

경구피임약은 난소암의 위험을 상당히 감소시키며(*BRCA1* odds Ratio=0.56, *BRCA2* odds Ratio=0.39), 3-5년 동안 사용한 경우 예방효과가 가장 뚜렷하다(McLaughlin et al., 2007). 그렇지만 경구피임약은 유방암을 유발할 수 있으므로 화학적 예방을 위해 사용할 경우에는 환자와의 상담이 필요하다. Milne 등(2005)은 *BRCA1/2* 돌연변이 보유 여성에서 5년 이하의 경구피임약 사용은 유방암의 위험을 증가시키지 않는다고 하였다.

④ 위험감소 난관-난소절제술(risk reducing salpingo-oophorectomy, RRSO)

RRSO는 *BRCA1/2*-관련 난소암, 난관암, 일차성 복막암을 최소 90%까지 줄일 수 있다. 예방효과의 극대화를 위해서는 출산 종료 후 혹은 40세 이전에 수술을 시행하며, 복강 내 유착, 자궁내막증, 부적절한 수술 방법을 피하여 난관과 난소를 완전히 제거하는 것이 중요하다. 또한 RRSO는 유방암을 50% 이상 줄이는 효과가 있으며, 이러한 예방효과는 폐경 전 여성에서 가장 높게 나타난다(Kauff et al., 2002; Rebbeck et al., 2002).

BRCA1 돌연변이 유방암 환자에서, 10년 후 반대쪽 유방에 암이 생길 확률은 43.4%, 난소암이 생길 확률은 12.7%이며, *BRCA2* 돌연변이가 있는 경우는 반대쪽 유방암과 난소암의 확률은 각각 34.6%, 6.8%이다(Metcalfe et al., 2004; Metcalfe et al., 2005). 이들 여성에서 난소절제술이 시행되면 유방암 확률은 50% 이상 감소한다(Hazard Ratio=0.44) (Metcalfe et al., 2004).

BRCA1/2 돌연변이 보유 여성에서 자궁절제술의 장점은 아직 명확하지 않다. 하지만 자궁절제술은 수술 후 호르몬대체요법 또는 타목시펜(tamoxifen) 사용에 대한 결정을 단순화 시킬 수 있어, 위험감소 RRSO와 함께 자궁절제술을 시행하는 것이 합리적이지만, 이러한 결정은 개인에 따라 달라질 수 있다(Schorge et al., 2010).

BRCA2 돌연변이가 있는 여성에서 50세까지의 난소암 위험은 2-3% 정도이므로, RRSO를 연기할 수 있다. 이들 여성에 RRSO를 자연적인 폐경기까지 연기할 경우 유방암에 대한 예방효과는 감소할 수 있다(Schorge et al., 2010).

⑤ 유전성 난소암 고위험 여성에 대한 권고안

가. 가족 중 최소 1명의 유방암, 난소암, 혹은 BRCA-관련 암이 있는 여성은 유전성 난소암 또는 유방암의 위험도를 측정한다.

나. 난소암과 유방암에 대한 유전성 경향이 최소 5-10%를 상회하는 경우에는 유전학적 상담과 *BRCA1/2*에 대한 유전학적 검사를 시행한다.

다. *BRCA1/2* 돌연변이가 있는 여성은 35-40세 이전 혹은 출산을 완료한 후 위험감소 난관-난소절제술을 시행받는다.

라. 출산 계획이 없는 젊은 여성은 경구피임약을 사용한다.

마. 30세부터 골반 진찰, 질식초음파, CA-125 검사를 6개월마다 시행한다. 이들 검사들은 비침습적이기는 하지만, 조기진단과 사망률 감소 효과는 확실하지 않다.

바. 20-25세 혹은 가계 안의 최연소 발병자 보다 5-10년 빠른 나이부터, 유방 진찰을 시작하며, 25세 이후부터 매년 MRI, mammogram, 초음파를 이용한 조기선별검진을 시작한다.

아. HNPCC 돌연변이가 있는 여성은 매년 자궁내막조직검사, 질식초음파와 대장경검사를 받으며, 출산이 종료되면 RRSO와 자궁절제술을 시행받는다(American College of Obstetricians and Gynecologists, 2009; Berek et al., 2010; The National Comprehensive Cancer Network, 2014; Moyer et al., 2014).

4. 병리

상피성 난소종양은 전체 난소종양의 약 50% 이상을 차지하고, 상피성 난소암은 전체 난소암의 약 90% 이상을 차지한다. 전체 난소종양의 30%는 장액성, 12-15%는 점액성 및 장액-점액성, 2-4%는 자궁내막양종양 등이며, 상피성 난소암의 75%는 장액성 암, 10-20%는 자궁내막양암, 5-10%는 점액성암 및 장액-점액성암, 6%는 투명세포암이며 악성브레너종양과 미분화암이 1% 이하를 차지한다(Clement PB and Young, 2000).

상피성 난소종양은 분화된 종양 세포의 모양과 하부생식기관의 상피세포의 유사성에 따라 명명된다. 난관 분비세포(tubal secretory cell)와 비슷한 분화를 보이면 장액성 종양으로, 증식기 자궁내막 세포와 유사하면 자궁내막양 종양으로 분류한다. 투명세포종양은 분비기 자궁내막 세포(secretory endometrium)와 유사한 분화를, 점액성 종양은 위장관 상피세포와 유사한 형태를 보이는 경우가 흔하다. 장액-점액성 종양은 자궁경부 점액세포(columnar mucinous cell)와 유사한 형태를 보이기도 하며, 장액성, 점액성, 투명세포, 자궁내막양종양이 혼합되어 나타나기도 하며, 자궁내막증이 자주 동반하는 특징이 있고, 종양상피가 요관, 방광 등의 이행세포(transitional epithelium)와 비슷한 형태로 분화되면 브레너종양으로 명명한다(Berek et al., 2010).

최근 많은 병리학자들은 Shih과 Kurman (2004)에 의해 처음 제시된 이분화 모델에 따라서, 저등급 장액성 난소암, 저등급 자궁내막양 난소암, 투명세포암, 점액성 난소암과 브레너종양을 포함하는 type I 종양, 고등급 장액성 난소암, 고등급 자궁내막양 난소암, 미분화 난소암이 포함되는 type II 종양 두 가지로 상피성 난소암을 분류할 것을 제안하고 있다.

미분화 암을 제외한 상피성 난소종양은 WHO와 FIGO (International Federation of Gynecology and Obstetrics)의 기준에 의해서 양성(benign), 경계성(borderline), 악성(malignant)종양으로 분류되며, WHO의 정의에 따른 경계성 종양은 파괴적이고 침습적인 성장(기질침윤, stromal invasion)이 명백히 없어야 하며, 양성종양과 악성종양의 중간정도의 세포분열(mitotic activity)과 핵의 비정형성(nuclear atypia)을 보인다(표 33-2).

경계성 종양은 난소암의 10-20%를 차지하는 것으로 추정되며(Lenhard et al., 2009), 대부분이 장액성(53.3%)과 점액성(42.5%)종양이며(Fischerova et al., 2012), 극동아시아에서는 서구에 비해 점액성 경계성 종양이 좀 더 많은

표 33-2. 경계성 종양과 악성종양의 감별 진단

경계성 종양	악성종양
복합적인 선구조	세포다층화(3층 이상)
2-3층 정도의 층화 (pseudostratification)	중증의 세포이형성증
중등도 이하의 선세포, 간질 세포의 이형성증	선세포의 등을 맞댄 연결 구조
2차 낭종의 출현	선세포의 망상구조와 세포간 연결
기질조직 침윤(-)	기질조직 침윤(+)

것으로 보고되었다(Song et al., 2013). 임상적으로는, 주로 폐경 전 여성에서 발생하는 종양으로 난소암보다 약 10년 이른 나이에 발생하며, 오랜 기간 난소에 국한되어 있어 높은 전체 생존율을 보여준다. 경계성 종양 환자의 5년/10년 생존율은 병기 I, II, III에서 각각 99/97%, 98/90%, 96/88%로 높게 보고되지만, 이러한 양호한 경과에도 불구하고, 궁극적으로는 복막전이, 재발 등으로 사망에 이를 수 있는 종양이다(Morice et al., 2012). 경계성 종양과 악성종양의 감별점은 표 33-2와 같다.

1) 장액성 종양(Serous Tumor)

(1) 경계성 장액성 종양

경계성 장액성 종양은, 전체 장액성 종양의 9-15%를 차지하며, 약 40%(14-74%)가 양측성이며, 종양의 전이와 혼돈하지 말아야한다(Burger et al., 2000). 환자들의 평균 나이는 38세이고, 15-40%는 난소 밖으로 전이가 가능하다(Morice et al., 2012). 육안적으로 대부분 낭종성과 고형성 부분이 섞여 있으며, 유두모양 부분은 매끈한 낭종벽의 내부로 자라거나(endophytic), 난소 표면에서 자라나기도 한다(exophytic).

일반적인 경계성 종양은 조직학적으로 ① 복잡한 샘구조(complexity of glandular structure), ② 상피세포의 증식에 의한 가층화(pseudostratification), 술화(tufting), ③ 상피성 유두(epithelial papilla), ④ 핵의 비정형성과 세포분열이 있으면서, ⑤ 난소 기질내로 침윤이 없을 때 진단이 가능하다.

전형적인 경계성 장액성 종양은 조직학적으로 비침윤성, 증식성종양으로, 다발성 섬유성 유두의 광범위하고 복잡한 계층적 분지(hierarchical branching)가 특징이며, 이들 유두들은 여러 층의 술처럼 달린(tufting) 증식된 상피세포들과 유두에서 분리되어 탈락한 세포 무리에 둘러싸인 형태를 취한다. 유두를 감싸는 세포들 중 다수는 난관상피와 같은 섬모(cillia)를 가진다. 대부분의 세포들은 경도에서 중등도 정도의 핵의 비정형성을 보이며 세포분열은 없거나 매우 적은 수에서 발견된다. 사종체(psammoma body)는 세포의 변성에 의해 생기는 작은 소용돌이 모양(whorled)의 석회화 덩어리로, 장액성 종양의 특징이며, 경계성 종양에서도 흔히 발견된다(Kaku et al., 2003).

복막 착상(peritoneal implants)-경계성 장액성 종양에서 많게는 약 40%에서 난소외종양의 착상이 관찰되며, 복막에 착상된 병변은 대부분 비침윤성이지만 20-25%는 침윤성 병변이 관찰된다(Trope et al., 2012). WHO와 FIGO의 분류체계는 난소의 원발성종양에 기초하므로 침윤성 복막 착상이 있어도 경계성 종양으로 분류한다. 비침윤성 착상은 예후에 큰 영향을 미치지 않으며, 난소의 종양이 제거되면, 안정된 상태로 있거나 퇴행한다. 조직학적으로 비침윤성 착상은 난소의 경계성 종양과 같은 모양을 보이지만, 침윤성 착상은 기질 내로 침윤을 보이며, 핵이형증을 동반하여 고분화된 장액성 암과 같은 모양을 보인다. 침윤성 복막 착상이 없는 종양 환자의 10년 생존율은 95%이나 침윤성 착상이 있는 경우는 60-70%이다. 병기가 진행된 경계성 종양의 약 20%에서 침윤성 복막 착상을 가지고 있다(Seidman et al., 2002).

미세유두상 경계성 종양(serous borderline tumors with micropapillary pattern)-미세유두란 유두의 가운데 섬유혈관성 중심(fibrovascular core)이 없이 세포만으로 구성된 가늘고 긴 형태의 유두를 말하며, 전형적인 유두상 경계성 종양에서 좀 더 진전된 종양에서 자주 나타난다. 한 장의 슬라이드 내에서 미세유두 양상이 5 mm 이상 연속되는 경우를 미세유두상 경계성 종양이라 부른다. 대부분 양측성이고 침윤성 착상을 자주 동반하며, 재발률이 높아 예후가 불량하다. 그러나 미세유두상종양에 복막 착상이 없거나(병기 I), 비침윤성인 경우(병기 II/III)는 다른 경계성 종양과 예후가 크게 다르지 않으며, 따라서 악성도를 결정하는 중요한 인자는 침윤성 복막 착상의 존재 여부로 생각된다(Morice et al., 2012). Seidman 등(2002)은 경계성 종양 중 침윤성 복막착상이 있는 경우는 대부분 미세유두상을 동반하므로, 미세유두상 구조를 가지지 않는 전형적인 장액성 경계성종양을 비정형 증식성 장액성 종양(atypical proliferative serous tumor, APST)이라고 부르고, 유두상 구조를 가지는 장액성 경계성종양(micropapillary serous carcinoma, MPSC)으로 불러 이 두 가지 종양을 구분해야 한다고 제안하였으나, 아직 병리의사들 간에 장액성 암종과 경계성 종양의 경계를 정의하는 데 있어 이견들이 있으므로, 현재는 비침윤성 경계성 종양과 비정형 증식성 장액성 종양을 같은 의미로 사용하고 있고, 미세유두상을 가지는 종양을 micropapillary serous carcinoma (MPSC)라고 부를 것인지, 경계성 종양의 한 변형으로 볼 것인지에 대해서는 일치된 의견이 없다.

기질 미세침윤(stromal microinvasion)-미세침윤의 기준은 통상적으로 5 mm(혹은 10 mm²) 이하이며, 장액성 경계성종양의 약 10%에서 발견되며, 임신 중 종양에서 흔히 발견된다(McCluggage et al., 2010). 미세침윤이 있는 경우 예후가 불량하다는 보고(Morice등 2012)도 있으나, 예후 인자로서의 의미는 좀 더 연구가 필요하며, 일반적인 경계성 종양 환자와 같은 기준으로 관리한다.

(2) 장액성 난소암

전체 장액성 종양의 30%를 차지하는 장액성 난소암은, 가장 빈도가 높은 난소암으로, 경계성 종양과 비교할 때, 광범위한 세포발아(cellular budding), 융합적인 세포성장(confluent cell growth)이 심하고, 핵의 비정형성과 기질침윤이 분명하다는 점을 특징으로 한다. 섬모를 가진 세포는 거의 보이지 않고, 샘구조, 고형 세포층과 갈라진 틈(slitlike space)이 보이고, 핵의 비정형성과 세포분열이 높게 나타난다. 대부분에서 사종체가 관찰된다. 약 2/3에서 양측성이지만, 병기 I에서는 1/4만이 양측성이다(Clement PB and Young, 2000).

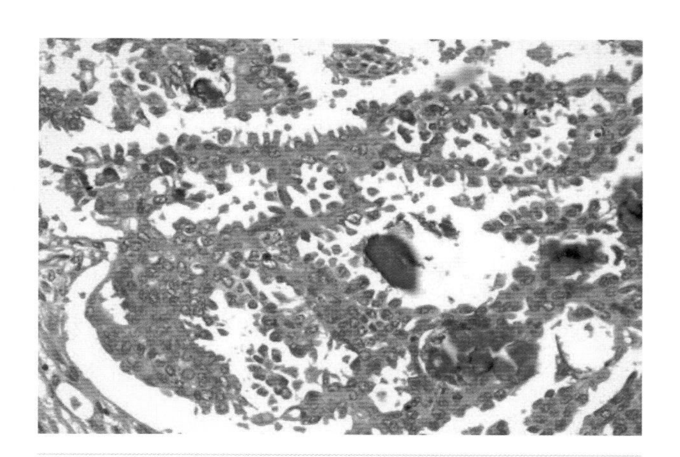

그림 33-1. **장액성 난소암(×400)**
악성상피세포는 여러 층으로 침윤성 증식을 보이며, 유두모양 돌기 형성이 특징적이다.

장액성 난소암의 등급(grade)은 3단계, 혹은 2단계 등급으로 나뉜다. FIGO 등급 체계는 구조적인 형태에 따라 1등급(<5% solid tumor)에서 3등급(>50%)으로 분류되며, 최근의 2단계 등급은 핵의 비정형성과 세포분열지수(mitotic index; number of mitoses per 10 HPFs)에 따라서 저등급(mild to moderate nuclear atypia and a mitotic index of up to 12 mitoses/10 HPFs), 고등급(marked nuclear atypia and a mitotic index of greater than 12/10 HPFs)으로 분류한다(Malpica et al., 2004; Gershenson, 2013)(그림 33-1).

고등급 장액성 난소암은 상피성 난소암 중 가장 흔한 형태이며, p53, *BRCA1/2*의 돌연변이와 연관된다. 저등급 장액성 난소암은 장액성 난소암의 약 10%를 차지하고 경계성 종양에서와 같이 KRAS, BRAF의 돌연변이와 연관된다(Shih and Kurman, 2004).

장액성 사종체암(serous psammocarcinoma)은 장액성 난소암의 드문 변형체로써, 조직학적으로 대량의 사종체를 형성하며 저등급 세포 양상을 보인다. 장액성 사종체암 환자는 임상적으로 진행이 느리며, 비교적 좋은 예후 등 장액성 난소암보다는 경계성 종양과 유사한 임상양상을 가진다(Berek et al., 2010).

2) 점액성 종양(Mucinous Tumor)

(1) 경계성 점액성 종양

경계성 점액성 종양은 전체 점액성 종양의 10-15%를 차지하며, 이전에는 장관형(intestinal type, 85%)과 내자궁경부형(endocervical type, 15%)으로 분류하였었으나, 이 두 가지 아형의 종양발생기전과 임상 소견들이 매우 다른 점 때문에 2014년 WHO 분류에서는 이 두 가지를 분리하여 후자를 장액-점액성 종양으로 따로 분류하였다. 우리나라의 경우 경계성 장액성 종양(31%)보다 경계성 점액성 종양(68%)이 더 많이 발생하는 것으로 보고되었다(Song et al., 2013). 육안적으로 장액성 경계성종양보다 크기가 더 크고, 단방형 혹은 다방형의 낭종성 구조를 하고 있으며, 낭종 내부에 풍부한 점액, 얇은 중격과 벽속결절(intramural nodule)을 가지고 있다(Fischerova et al., 2012).

점액성 난소종양은 이질적으로 한 종양 내에 양성, 경계성, 상피내암, 악성종양 부위가 보일 수 있으므로 정확한 악성도 진단을 위해서는 전체 종양을 모두 검사하는 것이 필요하다. 일반적으로는 종양 지름 1 cm당 최소 한 개의 절편을 검사하지만, 종양 크기가 10 cm 이상인 경우는 최소 두 개의 절편을 검사하는 것이 추천된다.

대부분 편측성이며, 난소외전이는 2% 정도로 매우 드물고, 평균 나이는 45세이다. 조직학적으로 다양한 크기의 다발성 낭종들과 샘들로 이루어져 있으며, 수많은 작은 딸샘(daughter gland)들에 의해 복잡해 보이지만, 정돈된 형태를 취한다. 낭종과 샘들은, 다양한 수의 비정형 배상세포(goblet cell)와 장관형 세포들에 의해 둘러싸여 있다(Kaku et al., 2003).

상피내암-기질침윤은 없으나, 상피층 전체가 고등급의 핵이형증을 보이는 세포로 이루어진 경우 상피내암으로 명명되며, 간혹 재발 및 불량한 예후가 보고되었다. 상피내암이 보이는 경우, 침윤성 암과의 연관을 염두에 두고, 더 많은 조직 절편의 검사가 권유된다(Morice et al., 2012).

기질 미세침윤(stromal microinvasion)-미세침윤의 기준은 장액성과 같이 5 mm(혹은 10 mm^2) 이하이며, 미세침윤의 존재 여부가 예후에 거의 영향을 주지는 않는다고 보고되어 있으나(Morice et al., 2012), 더 많은 부위를 면밀하게 검사하여 침윤성 여부를 확실하게 해야 할 필요가 있다.

(2) 점액성 난소암

점액성 난소암은 전체 점액성 종양의 약 10% 이하를 차지하고, 전체 난소암 중 5-10%로 세 번째로 많이 발생한다. 대부분 편측성의 커다란 종양이 특징이며, 8-10%에서만 양측성이다. 두 가지 형태의 점액성 난소암이 있으며, ① 팽창형(expansile type, confluent glandular type)은 파괴적인 기질침윤이 없고, 악성 샘들이 등을 맞대고(back-to-back)있어 기질은 거의 보이지 않는다. ② 침윤형(infiltrative type)은 샘 혹은 세포 무리 형태의 명확한 기질 침윤이 보이고, 결합조직형성 기질 반응(desmoplastic stromal reaction)이 자주 타나난다. 팽창형의 빈도가 더 높고, 예후도 좋다(Gilks and Prat, 2009)(그림 33-2).

대부분의 원발성 점액성 난소암은 첫 진단 시 난소에 국한되어 있다. 처음 진단 시에 난소를 포함하는 진행된 병기의 점액성 난소암이 있을 경우에는 위장관암에서의 전이를 염두에 두어야 한다(Berek et al., 2010).

3) 자궁내막양종양(Endometrioid Tumor)

(1) 경계성 자궁내막양종양

자궁내막양종양이 전체 난소종양에서 차지하는 부분은, 자궁내막증을 포함하여, 10% 이하 정도이며, 대부분의 자궁내막양종양은 악성종양으로, 경계성 자궁내막양종양은 매우 드물다(Berek et al., 2010). 자궁내막증 기원이 보고되지만, 대부분의 자궁내막양종양은 표면상피 봉입낭에서 직접 발생하는 것으로 생각된다(Clement PB and Young, 2000).

자궁내막양종양은, 자궁내막의 상피세포/기질을 닮은 조직들로 이루어지는 것이 특징이며, 경계성 종양은 복잡

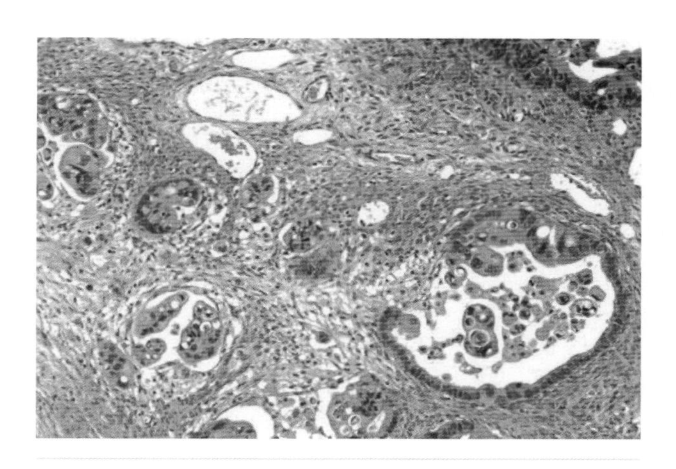

그림 33-2. **점액성 난소암(×400)**
점액을 분비하는 점액성 악성상피세포가 여러 층으로 구성되어 있다.

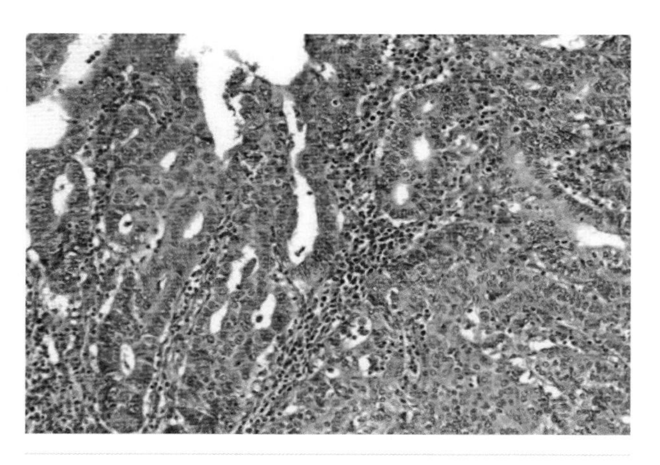

그림 33-3. **자궁내막양 난소암(×400)**
자궁내막암과 유사하며 막대세포가 샘 모양으로 구성되며 등을 맞대고 촘촘히 증식하는(back to back) 현상과 체모양(cribriform)의 증식 등이 있다.

성 비정형 자궁내막증식증과 그 모양이 유사하다. 대부분, 선섬유종의 형태처럼, 넓은 섬유성 기질에 의해 분리되는 비정형 자궁내막양 세포들의 둥지나 낭종성 혹은 샘구조로 이루어지고, 기질침윤은 없으며, 편평상피화생이 흔히 발견된다.

(2) 자궁내막양 난소암

자궁내막양 난소암은 전체 난소암 중 장액성 난소암에 이어 두 번째로 빈도가 높아 모든 상피성 난소암의 약 10-20%를 차지한다. 호발 연령은 40-50대로 장액성 난소암에 비해 조금 빠르며, 대부분 일찍 발견되어 예후가 양호하다. 28%에서 양측성이고, 약 40%에서 동측의 난소 혹은 복막 자궁내막증과 연관되며, 15-20%에서는 자궁내막암과 동시다발성종양(synchronous multifocal disease)으로 발견된다. 동시다발성종양인 경우, 자궁내막암이 난소로 전이된 경우에 비해 10년 생존율이 월등히 높은 것(90.9% vs 46.6%)으로 보고되어 있으므로(Nishimura et al., 2005), 이 두 가지를 구분하는 것이 매우 중요하다.

육안적으로 커다란 낭종성종양 안에 부드럽거나 혹은 단단한 고형성 결절 덩어리를 갖고 있으며, 낭종성종양의 내부는 초콜릿색 액체로 채워져 있다. 조직학적으로 대부분이 등급 1, 2의 저등급이며, 커다란 비정형의 타원형 핵과 호염기성 세포질을 가지는 원주세포들이 한 층 혹은 여러 층을 이루며 감싸는 특징적인 샘구조를 가지며, 자궁내막암의 소견과 매우 닮아있다. 드물게 체모양(cribrifom) 혹은 유두샘(villoglandular) 형태를 하는 경우도 있으며, 50% 이상에서 편평상피화생이 발견된다. 간혹 자궁내막양 난소암은 세르토리 세포종(Sertoli cell tumor), 세르토리-라이디히 세포종(Sertoli-Leydig cell tumor) 혹은 과립막세포종(granulosa cell tumor)과 유사한 부분을 함유하지만, 특징적인 샘구조와 편평상피화생의 존재 여부로 대부분 감별이 가능하다(Gilks and Prat, 2009)(그림 33-3).

4) 투명세포암(Clear Cell Carcinoma)

투명세포종양은 풍부한 세포질 글리코겐을 함유하는 투명세포와 징모양세포(hobnail cell)들이 단독 혹은 혼합되어 있는 것이 특징으로, 양성과 경계성 투명세포종양은 매우 드물지만, 투명세포암은 전체 상피성 난소암의 6% 정도를 차지한다. 일본의 경우 투명세포암의 빈도는 약 30% 정도로 높게 나타나지만(Kaku et al., 2003) 이유는 알려지지 않고 있다. 우리나라의 경우는 기관별로 1.8-11.25%(문을주 등, 2000; 김우영 등, 2002; 윤정혜 등, 2006)의 빈도를 보여 일본과 같이 높은 빈도를 나타내지는 않는다.

경계성 투명세포종양은, 밀집된 섬유성 기질 내에 비정형 샘/낭종들이 투명세포 혹은 징모양세포로 감싸여 있는, 선섬유종과 같은 모양을 하고 있으며, 기질 침윤이 없다. 경계성 투명세포종양은 매우 드물어 전체 경계성 난소종양의 1% 미만을 차지하고 있으며, 이러한 이유로 투명세포암의 전구질환(precursor)은 대부분 투명세포종양보다는 비정형 자궁내막증의 형태를 띠게 된다(Fischerova et al., 2012).

투명세포암은 대부분 편측성이고 병기 I/II에 발견되지만, 재발이 흔하고, 항암제에 잘 반응하지 않아, 다른 병기 I/II의 상피성 난소암에 비해 불량한 예후를 나타낸다. 자궁내막양암에서와 같이, 약 50%에서 자궁내막증과 연관되며, 이런 경우 혼합형 투명세포 자궁내막양 난소암이 나타날 수도 있다. 자궁내막증과 투명세포암의 이행(transition)이 자주 발견되며, 자궁내막증과 연관되어 발생한 투명세포암의 예후는 양호하다(Gilks and Prat, 2009). 육안적으로 대부분 크기가 크고 고형성이지만 간혹, 하나 혹은 여러 개의 결절이 내강으로 튀어나온, 커다란 낭종 형태를 띠기도 하고 초콜릿색 액체를 가진 자궁내막증 내에서 종양이 발견되기도 한다. 조직학적으로 투명세포들은 편심성 핵(eccentric nucleus)과 투명 세포질이 풍부한 다각형(polygonal) 형태로, 관상(tubular), 유두상(papillary)으로 증식한다. 징모양세포들은 세포질 경계를 넘어 낭종/샘의 내강으로 튀어나온 꼭대기 핵(apical nucleus)을 특징으로 한다(그림 33-4). 투명세포암의 세포들은 대부분 고등급의 핵을 지니고 있으므로 투명세포암은 등급을 매기지 않는다.

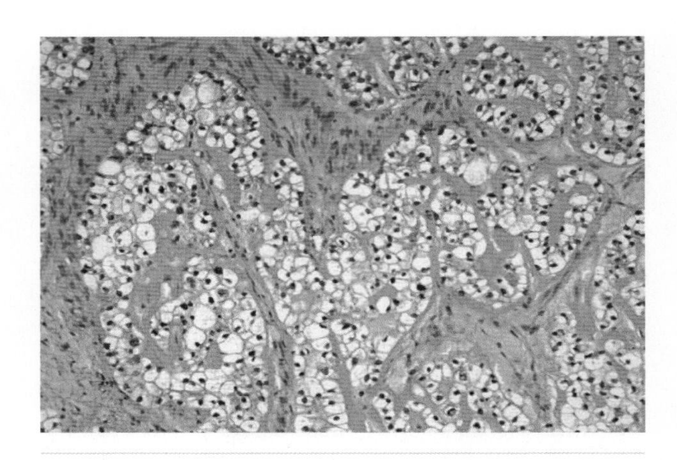

그림 33-4. **투명세포암(×400)**
투명세포와 징모양(hobnail) 세포로 구성되는 상피의 관형증식, 기질침윤 등이 있다.

5) 브레너종양(Brenner Tumor)

(1) 경계성 브레너종양

브레너종양은 풍부한 섬유성 기질 안에 이행세포들이 둥지를 형성하는 작고 단단한 종양으로 전체 난소종양의 1-2%를 차지한다. 약 50% 이상이 2 cm 이하의 작은 종양이다.

비정형 증식성 브레너종양인, 경계성 브레너종양은 증식성 낭종성종양이 특징으로, 대부분 다방형종양이며, 낭종의 내부는 얇고 부드러운(velvety) 증식성 이행세포층으로 감싸여 있고, 낭종벽에 유두상 혹은 폴립 모양의 덩어리가 보인다. 세포들은 경도에서 중등도의 비정형 세포로 중등도 이하의 핵분열 모양을 보인다. 대부분 편측성이며, 양호한 예후를 보인다(Kaku et al., 2003).

(2) 악성브레너종양

악성브레너종양은 양성/경계성 브레너종양과 섞여 있는 혼합형 암을 말하며 상당히 드물다. 조직학적으로 악성브레너종양의 암 요소는, 방광의 고등급 이행세포암과 유사하게, 분화가 불량한 암으로 이루어진다. 조직학적으로 종양세포들은 핵의 다형성(pleomorphism)과 비정형성을 갖고 있으며, 명백한 기질침윤이 동반된다. 악성편평상피와 점액성 세포, 석회화가 흔히 보인다(Kaku et al., 2003)(그림 33-5).

6) 장액-점액성 종양(Seromucinous Tumor)

이 종양은 2014년 WHO 분류에서 새로이 분류가 되었으며, 이전에는 점액성 종양의 자궁경부내구형(mucinous endocervical type)으로 분류되었었다. 30대 중반에 호발하며, 약 40%까지 양측성을 보이고, 20-70%는 같은 쪽 혹

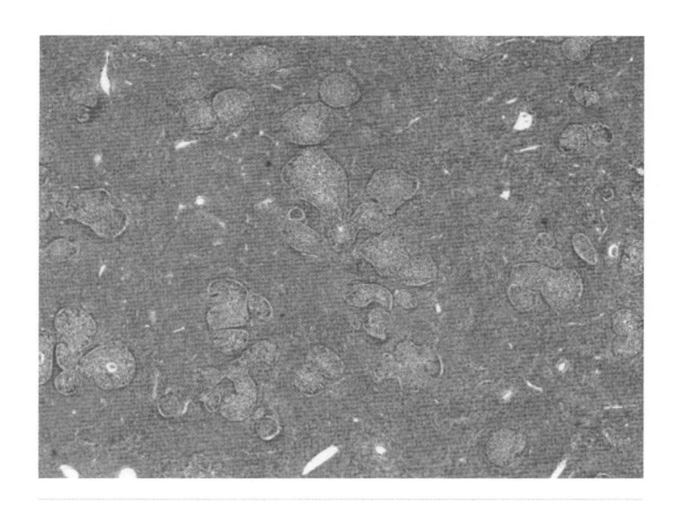

그림 33-5. **악성브레너종양**

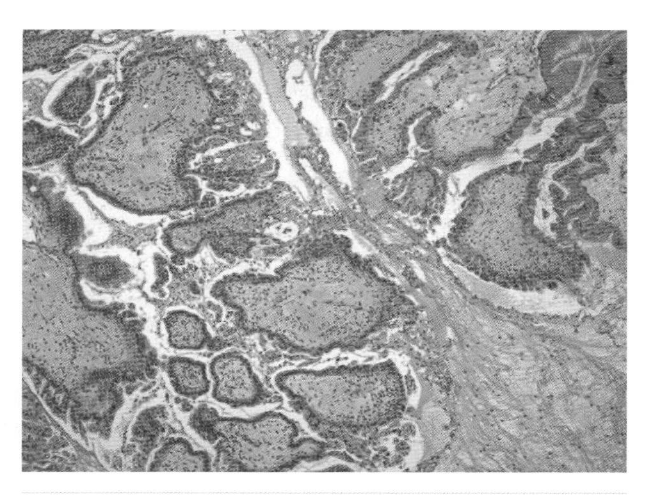

그림 33-6. **장액-점액성 종양**

은 반대쪽의 난소에, 혹은 복막에 자궁내막증이 나타나고, 약 20%까지 난소외 착상이 보고되어 있다. 기질 미세침윤이 나타날 수도 있다. 조직학적으로 장액성 경계성종양과 유사하게 낭벽의 내부에 유두상으로 성장하는 종양을 볼 수 있고, 이들은 경도/중등도의 비정형 세포들로 이루어지며, 대부분의 세포들은 풍부한 세포 내 점액을 함유하고 있으며, 섬모를 가진 장액성 세포가 혼합되는 경우가 흔하고, 간혹 투명세포, 자궁내막양 세포들도 섞여 나타날 수 있는데, 일반적으로 각각의 성분이 매우 적을 때에는 혼합형 상피성 남소암으로 분류하지는 않는다. 기질 내 중성구 침윤이 특징으로 나타난다(Berek et al., 2010)(그림 33-6).

7) 혼합형 상피성 난소암(Mixed Epithelial Carcinoma)

혼합형 상피성 난소암은 두 가지 이상의 조직형이 섞여 있는 암으로, 각각의 아형이 종양의 최소 10% 이상일 때 명명된다. 장액성 암이나 육종의 요소가 있을 때 예후가 가장 나쁘다(Jelovac and Armstrong, 2011).

8) 미분류 상피성 난소암(Unclassified Carcinoma)

약 2%의 상피성 난소암이 이 분류에 속한다. 명백한 선분화가 있지만, 샘구조나 세포 특징이 5가지 상피성 아형 어디에도 속하지 않는 경우의 상피성 암들을 말한다.

9) 암육종(Carcinosarcoma)

암육종(carcinosarcoma, malignant mixed mosodermal tumor)은 상피성 요소와 간엽성 요소(mesenchymal)를 가지는 이상성(biphasic) 암이다. 상피성 요소는 5가지 상피성 아형 모두가 가능하지만, 장액성, 자궁내막양, 그리고 미분화암이 가장 흔하다. 간엽성 요소는 육종성(sarcomatous)이다.

10) 복막암(Peritoneal Carcinoma)

원발성 복막종양은 조직학적으로 난소의 원발성 장액성 종양과 구분이 불가능하다. 경계성 장액성복막종양(borderline serous peritoneal tumor)과 장액성 복막암(serous peritoneal carcioma)의 경우에는 난소는 정상이거나, 최소한의 침범만을 보이며, 주로 종양은 자궁천골 인대, 골반복막, 대망 등을 침범한다. 경계성 장액성 복막종양은 그 예후가 아주 좋아, 난소의 경계성 장액성 종양과 비슷하다.

이전에는 난소 기질에 종양의 침윤이 거의 없거나 매우 국소적이면서 대부분의 종양이 골반 장기의 장막, 위, 대망, 광인대 등 복막강 안에 위치하는 종양을 일차성 복막 유두상 장액성 암(primary peritoneal papillary serous carcinoma)이라고 불러왔다. 그러나 앞서 언급한 바와 같이 최근 연구들에 의해 이 종양들이 주로 난관 원위부에서 발생하거나, 배란된 부위에 착상한 난관 상피가 봉입낭을 형성한 이후, 여기서 고등급 장액성 난소암이 발생할 수 있다는 이론 등이 제기되면서, 일차성 복막 유두상 장액성 암(primary peritoneal papillary serous carcinoma)의 개념은 불분명하게 되었다. 면밀한 조직검사를 통해 이 종양들 가운데 많은 수에서 난관의 초기병변이 확인되었다.

11) 복막 가성점액종(Pseudomyxoma Peritonei)

골반과 복강 내에 많은 점액질 들이 섬유조직에 둘러싸여 산재해 있는 경우를 말하며, 이러한 복막 가성점액종은, 예전에는 장관형 점액성 난소종양이 파열 되거나 특이한 형태로 전이된 것으로 알려져 있었지만, 최근의 여러 근거들에 의해, 복막 가성점액종은 복강내 비난소성 점액성 종양으로부터 발생한다고 여겨진다. 대부분 원발성 저등급 점액성 충수돌기 암종의 전이가 대부분을 차지하며, 그 외 드물게 위장관암, 자궁경부, 방광, 간담도암종의 전이로 발생한다(Berek et al., 2010). 그러므로, 복막 가성점액종의 수술 시에는 반드시 충수돌기의 절제 및 조직검사를 통하여 정확한 진단을 받도록 하는 것이 중요하다.

5. 예방

1) 생식학적/환경적 예방

끊임없는 배란이 난소암의 원인이므로, 배란을 억제하면 난소암을 예방할 수 있다. 출산 수와 난소암의 위험은 반비례한다. 한 번도 임신을 하지 않은 여성에 비해, 자녀를 가진 여성의 난소암 위험은 30-60% 감소하며, 자녀를 한 명 더 가질 때마다 난소암 위험은 약 12% 감소한다(Hanna and Adams, 2006). 따라서 자녀를 많이 갖는 것은 난소암의 예방에 확실한 도움을 주지만, 5명 출산 이후의 추가 출산은, 난소암 예방에 더 이상 도움이 되지는 않는다(Hinkula et al., 2006). 아울러 출산 후 장기간의 수유도 배란을 억제하므로 난소암의 위험을 낮출 수 있다. *BRCA1* 돌연변이 보인자에서도 출산 1회마다 난소암의 위험이 16% 감소하지만, *BRCA2*에서는 출산의 난소암 예방효과가 뚜렷하지 않다(McGuire et al., 2004; McLaughlin et al., 2007).

과체중의 예방, 유제품을 줄이고 토마토와 당근을 포함하는 야채와 과일이 풍부한 건강식, 규칙적인 운동은 난소암의 예방에 도움을 준다(Hanna and Adams, 2006).

2) 화학적 예방

경구피임약을 한 번이라도 사용했던 여성에서 난소암의 위험은 36% 감소하며, 1년 이상 사용한 경우 10-12%, 5년 이상 사용한 경우는 난소암의 위험이 50% 감소한다(Hankinson et al., 1992). 경구피임약을 주로 사용하는 시기는 폐경 전이고, 상피성 난소암은 폐경 후에 호발하지만, 경구피임약은 사용을 멈춘 후 약 15년 혹은 그 이상, 난소암의 예방효과가 있다(Bosetti et al., 2002). 이러한 경구피임약의 난소암 예방효과는 *BRCA1/2* 돌연변이 보인자와 같은 난소암 고위험 여성에서도 뚜렷하며, 3-5년 동안 사용한 경우 예방효과가 가장 뚜렷하다(McLaughlin et al., 2007). 아울러 이들 여성에서 5년 이하의 경구피임약 사용은 유방암의 위험을 증가시키지 않으므로(Milne et al., 2005), 임신을 원하지 않는 젊은 난소암 고위험 여성에게는 경구피임약이 권장된다. 지금까지 효과가 입증된, 일반 여성과 고위험 여성에서의 난소암 화학적 예방법은 경구피임약뿐이다.

3) 위험감소 난관-난소절제술

위험감소 난관-난소절제술은, 복막암과 같은 예외적인 암을 제외하면, 난소암을 획기적으로 감소시킨다. 아울러 폐경 전에 시행되면 유방암의 위험도 감소시킨다. 하지만 수술적 폐경은 심혈관질환, 고관절 골절 등으로 인하여 사망률이 증가하는 위험이 따르고, 그 외에도 폐암, 파킨슨병, 인지장애, 치매의 위험을 높일 수 있다. 수술적 폐경에 따르는 위험들은 대부분 에스트로겐요법으로 상쇄될 수 있지만, 위험감소 난관-난소절제술을 시행하기에 앞서서, 위험과 이득에 관한 환자와의 철저한 상담이 필요하다.

난소암의 위험이 높지 않은 일반 여성에서 위험감소 난관-난소절제술은 권장되지 않는다. 양성질환으로 자궁절제술을 시행받는 여성에서, 위험감소 난관-난소절제술은 개인적 위험요소, 동반된 부인과 질환의 여부(자궁내막증, 골반통, 골반염), 나이 등에 따라서 개별적인 동의와 상담이 필요하다. 가족력상 심혈관질환 혹은 신경과질환의 위험이 높거나, 에스트로겐의 사용을 꺼리는 여성에서는 폐경기까지의 난소 보전이 특히 중요하다(Berek et al., 2010).

가족력상 난소암 고위험 여성이나 *BRCA1/2* 돌연변이가 있는 여성은 35-40세 이전 혹은 출산을 완료한 후 위험감소 난관-난소절제술의 시행이 권장된다(Lancaster et al., 2007). 최근 미국 부인종양학회(Society of Gynecologic Oncology, SGO)는 상피성 난소암의 난관기원설에 기초하여, *BRCA1/2* 돌연변이가 있는 여성 중 위험감소 난관-난소절제술을 미루거나 포기하는 여성에게, 출산 완료 후 위험감소 난관절제술을 먼저 시행하고, 추후에 난소절제술을 시행하는 방법에 대한 상담을 권고하였고, 일반 여성에서도 양성질환으로 수술을 시행하는 경우나 난관결찰술을 대신하여, 위험감소 난관절제술을 권유하였다(SGO, 2013).

양성질환의 수술 시에 시행되는 위험감소 난관절제술(opportunistic salpingectomy)은 남겨진 난소의 기능에 영향을 미치지 않고, 수술 전후의 합병증을 증가시키지 않으며(Findley et al., 2013; Morelli et al., 2013; McAlpine et al., 2014), 추후 부속기 질환에 의한 재수술률을 감소시킨다(Vorwergk et al., 2014).

4) 조기선별검사

이상적인 조기선별검진은 암에 의한 사망률을 감소시킬 수 있어야 한다. 난소암은, 사망률이 높고, 초기 병기에 발견되면 효과적인 치료가 가능하며, 일부 전암 질환이 존재하지만(Brown and Palmer, 2009) 효과적인 조기검진검사의 개발은 여러 가지 어려움을 가지고 있다. 첫째로 아직 대부분의 상피성 난소암은 전암질환이 명확하지 않아, 현재의 검사 방법들이 질병의 자연사를 바꿀 수 있을 정도의 초기 병기를 발견할 수 있는지 명확하지 않다. 둘째로 고위험 여성을 제외하고, 조기선별검진을 시행해야 하는 여성 그룹을 특정하기 어렵다. 대부분의 연구들이 산발적 난소암의 호발시기인 50세 이상을 대상으로 하지만, 출산 수, 경구피임제 사용 여부, 폐경 상태 등도 그룹 특정에 고려되어야 한다. 셋째는 폐경 여성 100,000명당 약 40명 정도의 미국 유병률을 감안하면 조기선별검진검사는, 최소 75%의 민감도와 99.6%의 특이도, 10% 이상의 양성예측도(1건의 암을 발견하기 위해 수술 10건이 필요)를 가져야 한다(Chu와 Rubin, 2006).

아직까지는 일반 여성들에게 권고되는 효과적인 조기선별검진검사는 없다. 난소암 고위험 여성들에 대하여는 골반 진찰, 혈청 CA-125 수치, 질식초음파를 이용한 조기선별검진이 권고되지만, 사망률 감소에 대한 명확한 근거는 아직 없다(Moyer, 2014).

조기선별검진에 관한 연구들은 검사 방법으로 질식초음파, 혈청 CA-125 수치 혹은 두 가지 모두를 사용하고 있으며, 지금까지 종료되었거나, 결과를 기다리는 대규모 연구들은 미국 켄터키 대학 연구, 미국 PLCO (Prostate, Lung, Colon, Ovarian Cancer Screening Trial) 연구, 일본 시즈오카 코호트 연구, 영국 UKCTOCS (United Kingdom Collaborative Trial of Ovarian Cancer Screening) 연구들이 있다(Menon et al., 2014).

켄터키 대학 연구는 현재 종결된 상태로, 무증상의 일반 여성 37,293명을 대상으로 매년 질식초음파를 시행한 단일군 전향적 연구로, 조기선별검진을 받은 그룹의 난소암 환자 5년 생존율(74.8%)이 더 높았으며, 높은 민감도(81%)를 보였다(van Nagell et al., 2011).

PLCO 연구는 55-74세 일반 여성을 대상으로, 매년 혈청 CA-125 수치와 질식초음파를 시행한 조기선별검진군(34,253명)과 대조군(34,304명)을 비교한 전향적 무작위 대조 연구로 현재 종결된 상태이다. 이 연구는 낮은 민감도(69.5%)를 보였고, 조기선별검진군의 난소암 사망자는 118명, 대조군은 100명으로 사망률 이득이 없었으며, 오히려 위양성군의 수술 합병증이 높게(15%) 나타나는 좋지 않은 결과를 나타냈다(Buys et al., 2011).

일본 시즈오카 코호트 연구는 현재 사망률 결과를 기다리는 상태로, 무증상 일반 폐경 여성을 대상으로 매년 골반진찰, 초음파, 혈청 CA-125 수치를 시행한 조기선별검진군(41,688명)과 대조군(40,799명)을 비교한 전향적 무작위 대조 연구이다. 이 연구는 높은 민감도(77.1%)와 특이도(99.9%)를 나타냈고, 조기선별검진군에서 병기 I 환자들이 대조군(38%)에 비하여 높게(63%) 나타나는 등 유망한 결과가 보고되었다(Kobayashi et al., 2008).

UKCTOCS는 가장 대규모의 전향적 무작위 대조 연구로 50-74세 일반 폐경 여성을 대상으로 하였다. 대조군(101,359명)과 이중군의 조기선별검진군(101,279명)을 비교하였으며, 조기선별검진군은 매년 혈청 CA-125 수치검사를 시행하고, CA-125 수치가 상승하는 경우, 2차 검사로 질식초음파를 시행한 그룹(multimodal screening [MMS]; n=50,640)과 매년 질식초음파만을 시행한 그룹(USS; n=50,639)으로 나누어 연구가 진행되었다. CA-125 수치는 베이지안 알고리즘인 Risk of Ovarian Cancer Algorithm (ROCA)을 이용하여 분석되었다. 이 연구에서 침윤성 난소암에 대한 MMS/USS의 민감도는 89.5%/75.0%, 특이도는 99.8%/98.2%로 두 그룹에서 모두 높은 결과를 보였다. 양성예측도는 USS 그룹(2.8%=1 cancer/36 operation)에 비해 MMS그룹(35.1%=1 cancer/2.8 operation)에서 의미 있게 높게 나타났지만 이는 초음파에 의한 양성질환의 진단이 높은 것이 반영되었을 것으로 생각된다(Menon et al., 2009). UKCTOCS의 연구는 상당히 고무적인 결과를 보여주었으며, multimodal screening을 하는 경우 screening을 하지 않는 경우보다 사망율을 낮추었는데, 통계적인 유의성을 보이지는 못하였고, 추가적인 추적관찰 이후 최종적인 분석결과를 확인할 필요가 있다.

다양한 단백체분석기술을 이용한 연구들(OvaCheck™, SELDI-MS)과 바이오마커들(leptin, prolactin, HE4, PF4, CTAPIII, OVA1 등)에 대한 연구들이 있지만, 조기선별검진검사로 이용되기 위해서는 전향적인 연구가 더 필요하다(Schorge et al., 2010; Menon et al., 2014).

6. 임상 증상 및 징후

1) 증상

난소암은 진행된 병기까지 주목할 만한 증상과 징후가 없어 "침묵의 암살자(silent killer)"라는 별명을 얻어왔다. 초기 병기에서는 출혈, 질분비물 같은 흔한 부인과 증상이나, 종양 압박에 의한 빈뇨, 변비 같은 비특이적 증상이 나타나고, 암이 진행되어야 복수 혹은 복강 내 전이에 의한 복부팽만, 헛배(bloating), 구역, 변비, 식욕부진, 이른 포만감(easy satiety), 체중감소 등의 증상이 나타나 진단이 늦어진다고 여겨졌다.

하지만 최근 시행된 연구들에서, 난소암으로 진단되기 이전에 대부분의 환자들(>90%)에서 증상이 나타나지만, 난소암의 증상이 아니라고 간주하여, 환자와 의사 모두가 지나쳐 버린다는 견해도 제시되었다. 가장 흔한 증상은 이상한 헛배, 복부 포만감, 복부압박, 이상한 복통과 요통, 무기력감 등이었고, 대부분 증상들은 새롭게 생겼으며, 초기암과 진행된 암 사이에 증상의 차이가 없었다(Olsonet al., 2001). Goff 등(2000)은 난소암 병기 I/II 환자들의 89%, 병기 III/IV 환자들의 97%가 난소암 진단 전에 증상이 있었으며, 난소암을 의심해야 하는 흔한 증상들은 골반통/복통, 급박뇨/빈뇨, 헛배, 이른 포만감이었고, 이러한 증상들은 새로이(1년 미만) 시작되었거나, 자주(>12 days/month) 발생하였다고 보고하였다.

이러한 연구들을 바탕으로 미국 산부인과학회, 영국 국립보건원 등 여러 기관들은 현재까지 난소암을 조기진단하기 위한 최선의 방법으로 교육을 통해 환자와 의사들의 난소암 의심을 높게(high index of suspicion) 하는 것이며, 새롭게 발생되어 자주, 지속적으로 반복되는 헛배/이른 포만감, 골반통/복통, 급박뇨/빈뇨 등이 있는 여성에서는 반드시 감별진단에 난소암을 포함시켜, 골반진찰, 혈청 CA-125 수치, 질식초음파 등의 추가 검사를 시행하여야 한다고 강조하고 있다(ACOG, 2011; Redman et al., 2011).

2) 징후

대부분의 난소암은 골반진찰 중 무증상의 골반종양을 촉진하면서 검사가 시작된다. 잘 움직이지 않고 고정되어 있거나 표면이 불규칙한 단단한 종양이 만져지면, 특히 폐경 후 여성에서, 악성종양을 의심해야 한다.

진행된 난소암에서 가장 흔한 징후는 다량의 복수에 의해서, 복부가 커지는 것이다. 골반종괴와 더불어, 대망전이에 의해 복부에서 덩어리(omental cake)가 만져질 수 있고, 청진에 의해서 흉막 삼출액이 발견될 수 있다. 그 외에 서혜부 혹은 쇄골상 림프절이 만져질 수 있다.

7. 진단

상피성 난소암의 진단은 수술과 조직학적 검사가 이루어져야 비로소 가능하다. 수술은 암에 대한 의심 정도에 따라 결정되며, 이때 고려하여야 할 요소들은 환자의 증상, 나이, 폐경 여부, 가족력, 골반진찰 소견, 초음파검사에 나타나는 종양의 특징(크기/복잡성/양측성 여부), 혈청 CA-125 수치 등이 있다. 이들 요소들에 의하여 관찰/반복 진찰, 추가적인 영상검사, 시험적 복강경/개복술 등의 치료지침이 결정된다.

1) 수술 전 평가

(1) 초음파검사

난소종양의 평가에서 가장 핵심적인 검사는 초음파검사이다. 복부초음파검사보다는 질식초음파검사로 더 좋은 해상도를 얻을 수 있으며, 색도플러초음파(color doppler flow)검사를 이용하면 더 유용한 정보로 특이도를 높일 수 있다. 초음파검사에서 악성종양을 암시하는 소견은 ① 표면이 불규칙한 고형종양(irregular solid tumor), ② 복수, ③ 최소 4개의 유두상돌기(papillary projection), ④ 최소 10 cm 이상의 다방형 고형종양(multilocular solid tumor), ⑤ 색도플러초음파에서 강한 혈류가 보이는 종양 등이다. 대체로 ① 단방형 낭종(unilocular cyst), ② 최대 길이가 7 mm 이하의 고형 성분, ③ 음향음영(acoustic shadow)이 있는 종양, ④ 표면이 매끄러운 10 cm 미만의 다방형종양(multilocular tumor), ⑤ 색도플러초음파검사에서 혈류가 없는 종양 등의 소견을 보이면 양성종양의 가능성이 높다(Timmerman et al., 2008).

폐경 전 여성에서 악성종양의 소견이 없는 경우, 기능성 낭종의 가능성을 고려하여, 2달 이내의 간격을 두고 관찰을 하는 것이 필요하다. 이때 호르몬 억제를 위해 경구피임약의 사용도 가능하다. 기능성 낭종의 대부분은 8 cm 이하의 크기를 가지고 자연소멸 되지만, 8 cm보다 큰 경우는 대부분이 신생물종양이다. 폐경 전 여성에서, 악성종양의 소견을 보이는 큰 종양인 경우, 폐경 후 여성에서는 크기와 관계없이 악성종양이 의심되는 경우는 지체 없이 수술을 고려하여야 한다(Berek et al., 2010).

(2) 혈청 CA-125

CA-125는 배아 체강 상피(embryonic coelomic epithelium)에서 발현되는 에피토프(항원결정기, epitope)로, 난소암 세포주를 이용하여 개발된 단일클론항체로 혈청에서 검출된다. CA-125는 난관, 자궁내막, 내자궁경부, 복막 등에서도 발현되며, 대부분의 정상 난소 상피에서는 CA-125가 발현되지 않는다. 정상 혈청 CA-125 수치는 35 U/mL 이하로 간주하며, 건강한 성인의 약 1%만이 혈청 CA-125 수치가 35 U/mL 이상을 나타낸다(Bast et al., 1983). 혈청 CA-125는 생리 주기에 따라 수치의 변화를 보일 수 있으며, 생리 중 증가하고, 임신 중, 특히 임신 제1삼분기에 상승한다. 폐경 후 대부분의 혈청 수치는 20 U/mL 이하이다. 자궁내막증, 자궁근종, 골반염 등의 양성질환, 난소암 이외의 암(자궁내막암, 폐암, 유방암, 소화기암)과 간염, 췌장염, 신부전 등에서도 상승할 수 있다.

진행된 병기 상피성 난소암 환자의 약 90% 이상에서 혈청 수치가 상승(>35 U/mL)하지만, 병기 I에서는 약 50%에서만 상승하여 민감도가 다소 떨어진다. 혈청 CA-125의 상승은 장액성 난소암에서 가장 빈도가 높고, 점액성 난소암에서 가장 상승 빈도가 낮다. 난소종양의 감별진단에 사용될 경우, 상피성 난소암에 대한 혈청 CA-125의 민감도는 56-100%, 특이도는 60-92%로, 이는 절단값(cut-off value)에 따라 달라진다(Gadducci et al., 2004). 골반종양이 있는 폐경 여성에서, 혈청 CA-125 수치 상승을 65 U/mL 이상인 경우로 설정하면, 장액성 상피성 난소암에 대한 민감도는 91% 정도이다(Malkasian et al., 1988). 혈청 CA-125 수치와 질식초음파검사를 같이 사용하는 경우, 난소종양의 난소암 가능성 예측도는, 특히 폐경 후 여성에서 더욱 상승한다. 한 연구에서 CA-125 (cut-off=65 U/mL)와 질식초음파의 난소암 진단 정확도는 각각 83%, 81%이지만, 두 가지를 모두 사용하는 경우 정확도는 94%로 상승하였다(Gadducci et al., 2004).

(3) 기타 수술 전 평가

상피성 난소암을 의심하여 수술을 계획하는 경우, 일반 혈액검사, 화학적 혈액검사, 심전도, 흉부 X-검사 등을 반드시 시행하여야 한다. 컴퓨터단층촬영술(computed tomography, CT)과 자기공명영상(magnetic resonance imaging, MRI)은 일상적으로 시행할 필요는 없으나, 유용한 정보를 제공해 줄 수 있다. CT를 통하여 간과 폐 결절의 크기를 알 수 있고, 대동맥주위와 골반의 림프절 상태에 관한 정보를 얻을 수 있다. 뚜렷한 골반종양이 없이 복수가 동반되는 경우는 CT를 시행하여 간과 췌장의 종양을 살펴보아야 한다. MRI는 종양의 성상에 관한 정보를 제공하며, 종양과 골반 해부학의 관계를 명확히 해줄 수 있다. 양전자-컴퓨터단층촬영(PET-CT)은 전이성 난소암과 동반되는 악성종양의 평가와 더불어 CT보다 유용한 정보를 제공할 수 있다(Berek et al., 2010; Nam et al., 2010). 수술 전 평가에서 또 한 가지 중요한 검사는 전이성 난소암의 여부를 확인하는 것이다. 따라서 증상이나 필요에 따라 위내시경, 대장내시경, 유방촬영 및 자궁내막검사 등을 시행하여야 한다(Berek et al., 2010).

2) 감별진단

상피성 난소암과 감별하여야 하는 질환들은 난소양성종양, 기능성 난소낭종, 골반염, 자궁내막증, 유경성(peduculated) 장막하 자궁근종 등의 부인과 질환들과 대장의 염증성 혹은 신생물종양, 골반신장(pelvic kidney), 전이성 난소암 등이다(Berek et al., 2010).

8. 전이양상

상피성 난소암은 일차적으로 복강 내로 세포를 탈락시키며 직접전이되거나, 후복막 림프절 혹은 드물게 혈행 파종을 통하여 전이된다(Berek et al., 2010). 초기의 복강 내 전이와 림프절전이는 임상적으로 나타나지 않으며 세심한 병기설정수술 후의 병리검사에서만 발견된다.

1) 직접전이(Transcoelomic Spread)

가장 흔하고 특징적인 전이 양상으로 암종에서 탈락된 세포들은 호흡에 따른 복막액의 정상 순환 경로, 특히 상행결장주위 홈(gutter)을 따라서 위로 올라가 우측 횡격막 밑면에 착상하여 표면 결절로 성장하며, 그 외에 대망을 포함한 모든 복강 표면에 전이될 수 있다. 가장 흔한 직접전이 부위는 더글러스와, 대망, 결장주위 홈, 우측 횡격막, 간 표면, 장 표면과 장간막 등이다.

2) 림프절전이

후복막 림프절전이는 골반누두인대의 난소혈관을 따라서 대동맥과 대정맥 주위의 림프절에 도달하는 경로, 광인대와 자궁방조직을 따라서 골반측벽의 외장골림프절, 폐쇄림프절, 내장골림프절에 도달하는 경로를 따라서 전이된다. 때로는 원인대를 따라서 서혜부림프절전이가 일어나기도 한다.

골반 및 대동맥주위 림프절전이는 림프절생검 혹은 절제술을 시행받은 환자 다수에서 발견되며, 특히 진행된 병기 환자의 약 78%에서 발견된다(Harter et al., 2007). 병기 I로 보이는 환자의 약 9%에서 림프절전이가 있으며, 병기 II, III, IV의 36%, 55%, 88%에서 림프절전이가 보고된다

(Ayhan et al., 2008). 드물게는 서혜부 혹은 쇄골상 림프절 전이(병기 IV)가 암의 첫 징후로 발견되기도 한다(Euscher et al., 2004; Prat J, 2014).

3) 혈행전이

암 진단 시에 혈행전이는 아주 드물게 나타나며, 간실질, 폐 등으로의 전이는 2-3%로 보고되었으나, 처음 복강 내 암으로 진단된 환자의 38%에서 궁극적으로 병기 IV에 해당하는 원격전이가 나타난다는 보고도 있다(Berek et al., 2010).

9. 예후인자

상피성 난소암 환자들에서 FIGO 병기, 환자 나이, 조직학적 분류/등급, 복수의 유/무, 신체활동지수(performance status), 백금기반 항암화학요법 여부, 일차 종양감축술 후 잔류종양들은 모두 독립적인 예후인자이다(Omura et al., 1991).

1) FIGO 병기

상피성 난소암 환자들의 5년 생존율은 병기와 직접적으로 관련된다. 5,156명을 대상으로 한 연구에서 병기 I/II/III/IV의 5년 생존율은 각각 89/58/24/12%였다. 세분화 병기별 생존율은 병기 IA/IB/IC는 92/85/82%, 병기 IIA/IIB/IIC는 69/56/51%, 병기 IIIA/IIIB/IIIC는 39/26/17%, 그리고 병기 IV는 12%였다(Nguyen et al., 1993). 미국 국립보건원(NIH)에서 발표하는 5년 생존율은 localized된 암 92.3%, regional한 암 71%, 원격성(distant) 암 27.4%, 미분류(unstaged) 21.8% 등이다(Howlader et al., 2014).

2) 환자의 특징

28,165의 상피성 난소암 환자를 30세 이하, 30-60세, 60세 이상의 나이로 분류하여 비교하였을 때, 5년 생존율은 각각 78.8%, 58.8%, 35.3%로 젊은 여성의 예후가 더 좋았다(Chan et al., 2006). 20-54세 사이에 발생한 상피성 난소암의 연구에서, 46세 이하 여성에 비하여 46-54세 여성에서 더 나쁜 예후를 보였으며(hazard ratio=2.0) (Schildkraut et al., 2000), 2,123명을 대상으로 한 연구에서 나이, 잔류병변의 크기, 신체활동지수가 독립적인 예후인자였으며, 69세 이상의 여성은 다른 인자들을 보정하여도 더 나쁜 예후를 나타냈다(Thigpen et al., 1993).

3) 조직학적 분류와 등급

투명세포암의 예후가 나쁘고, 점액성 난소암과 자궁내막양 난소암의 예후가 양호하다. 장액성 경계성종양과 악성 종양의 10년 생존율은 각각 97%와 30%, 점액성의 경우 각각 94%와 65%로, 경계성 종양의 예후가 월등히 양호하다(Sherman et al., 2004). 조직학적 등급의 예후인자 여부는 논란의 여지가 있으나, 초기 병기(I/II)에서 등급 1/2/3의 5년 생존율은 각각 90/80/75%이며, 진행된 병기(III/IV)의 5년 생존율은 각각 57/31/28%라는 보고가 있다(Heintz et al., 2006).

4) 종양감축술 후의 잔류병변

종양감축술 후의 잔류병변의 크기는 예후와 밀접한 관계를 갖는다. 병기 IIIC 환자들에서, 잔류병변이 없는 경우, 병변의 크기가 1 cm 이하인 경우 그리고 1 cm 이상인 경우 각각의 전체 생존율은 의미 있는 차이를 보여, 잔류병변이 적을수록 높은 생존율을 보인다(Chi et al., 2006). 잔류병변에 대한 메타분석 결과 종양감축술로 10%의 종양이 감소하면, 중앙 생존기간(median survival time)은 5.5% 연장되고, 종양이 25% 이하로 제거된 환자들의 중앙 생존기간은 22.7개월인 반면, 75% 이상 제거된 경우는 33.9개월이었다(Bristow et al., 2002).

5) 혈청 CA-125 수치

적절한 종양감축에 대한 예측인자로써 수술 전 혈청 CA-125 수치에 대하여는 논란의 여지가 있지만, 혈청 CA-125 수치가 500 U/mL 미만인 경우 적절한 종양감축 가능성의 특이도는 54-75% 정도이다. 항암화학요법 첫 3주기 후 혈청 CA-125 수치가 정상으로 돌아오면, 그렇지 않은 경우보다 높은 생존율을 보이며, 치료 시작 후 1달 이내에 정상화되는 환자들의 5년 생존율은 약 80%로 좋은 예후를 보인다(Holschneider and Berek, 2000).

6) 종양 생물학

많은 생물학적 변수들이 상피성 난소암의 예후와 관련이 있다. DNA 배수성(ploidy)은 독립적인 예후 인자로 알려져 왔으며, 여러 연구들에서, 병기와 무관하게, aneuploid 종양에 비하여 이배수체(diploid)종양의 예후가 좋은 것으로 나타났다. HER2/neu 암유전자의 과발현은 상피성 난소암의 20-30%에서 발견되며, 병기 III/IV에서의 발현율(77%)이, 초기 병기(21%)에 비하여 훨씬 높았으며, 좋지 않은 예후와 관련되었다. p53 과발현은 단변량분석에서는 독립적인 예후인자로 보이나, 병기, 잔류병변을 고려한 다변량분석에서는 통계적 의미가 없었다(Holschneider and Berek, 2000).

10. 치료

1) 경계성 난소암의 치료

경계성 난소암은 전체 난소암 중 약 9.2-20% 정도를 차지한다고 보고되고 있으며, 침윤성 난소암보다는 젊은 가임 연령층에서 호발하고, 대부분 편측 혹은 양측 난소에 국한되며, 양성 및 악성종양에 비해 치료, 예후 등 여러 가지 측면에 있어서 다른 양상을 나타낸다. 경계성 난소암은 1929년 미국의 병리학자인 Taylor가 처음으로 보고한 이래, 1961년 FIGO에서 저급성 악성종양(carcinoma of low malignant potential)이라고 정의하였고, 1973년 WHO가 난소종양의 조직학적 분류에서 정식으로 채택하였다. 이들 환자 중 병기 I에서는 10년 생존율이 90% 이상이지만 일부에서는 치료 후 20년 뒤에도 재발하거나 사망할 수 있으므로, 이들 종양은 저급성 악성종양으로 분류하여 환자 치료에 임해야 한다.

(1) 병기 I 경계성 난소암의 치료

경계성 난소암의 대부분은 병기 I에 해당하며 출산을 원치 않는 여성에서의 치료 원칙은 전자궁절제술 및 양측 난소난관절제술이다. 그러나 출산을 원하는 여성에게는 난소낭종절제술, 일측 난소절제술 혹은 일측 난소난관절제술을 시행할 수 있다. 국내의 연구에서도 임신을 원하는 병기 I 경계성 난소암 환자에서는 이러한 보존적 수술로도 좋은 결과를 얻을 수 있음이 보고되었으나, 이때는 반대측 난소의 주의 깊은 관찰이 요구되며 필요하다면 복강내 세포검사, 조직검사 및 결장하 대망절제술을 시행해야 된다고 하였다(양오승 등, 1993). 방사선치료나 항암화학요법이 천천히 분열하는 경계성 암세포에 대해서는 효과적이지 않다는 실험실 연구 결과가 있고 반면에 병기 I 경계성 난소암 환자의 외과적 치료 후 추가적인 항암화학요법이나 방사선치료가 예후를 향상시킨다는 임상 연구 결과는 없기 때문에 추가 항암화학요법은 도움이 되지 않을 것으로 판단된다.

(2) 병기 II, III, IV 경계성 난소암의 치료

경계성 난소암 환자에서도 양측난소 침범과 더불어 표면에 유두양 돌기(papillary projection)가 있거나 복강내전이 소견이 관찰되는 경우에는 전자궁절제술 및 양측 난소난관절제술이 요구되며 더욱 진행된 경우에는 복강내 세포검사, 대망절제술, 선택적 골반 및 부대동맥 림프절절제술을 시행해야 한다. 병기 III의 경우와 같이 진행된 경우에는 림프절전이가 있을 수 있다. 외과적 치료 후 보조요법에 대해서는 아직 확립된 상태는 아니며, 여러 문헌에서 항암화학요법과 방사선요법의 추가 치료에 대한 임상 연구가 보고되었으나, 외과적 치료 단독만을 시행받은 진행된 병기의 경계성 난소암 환자군에 비해 현격한 예후의 차이를 보여주지 못하였다.

일반적인 경계성 난소암 환자의 예후에 대해서는 재발률이 7.6%, 사망률이 3.4%로 보고되는데 일부 환자에서는 치료 후 20년 뒤에도 재발이나 사망이 발생할 수 있다고 알려져 있다.

2) 상피성 난소암의 치료

난소암의 치료는 외과적 수술, 즉 병기설정 및 일차종양감축수술에 의한 수술적 FIGO 병기에 기반한다. 단, 일차적으로 수술적 치료가 어려운 경우 CT, PET/CT 등의 영상학적 검사, 세침세포검사 및 종양표지자 등에 기반하여 선택적으로 항암화학요법을 시행 후 수술적 치료(interval debulking surgery)를 시행할 수 있다. 또한 최초 개복술 시에 가능하면 많은 종양을 제거해야만 하며, 이것은 환자의 예후를 결정짓는 중요한 요인이 된다. 수술적 치료 후에는 복합항암화학요법을 시행하게 된다. 이들 환자의 치료가 종결된 후, 임상적으로 암 재발의 증거가 없고, 종양표지자가 정상인 환자를 대상으로 재평가 개복술 혹은 2차 추시개복술을 시행할 수 있으나, 통상적인 임상 진료에는 제한적으로 적용되어야 하며, 주로 임상시험 기반으로 고려될 수 있겠다.

(1) 수술적 병기 결정

난소암에 대한 적절한 치료방침을 결정하고 예후를 파악하기 위하여 수술적 병기 결정은 매우 중요한 일이다. 상피성 난소암의 병기 결정은 수술적 병기로 설정한다(표 33-3).

우선 종양의 제거와 횡격막 하면까지 이르는 전체 복강내 시진을 위해서는 중앙 절개를 실시하여야 한다. 소장 장간막 침범 등 잔류종양이 남을 가능성이 커서 수술 전 선행 항암화학요법을 일차치료로 시행할 가능성이 높은 경우에는 진단적 복강경을 우선 시행할 수 있으며, 수술 소견에 따라서 일차종양감축술을 시행하거나 항암화학요법을 시행할 수 있다. 개복 후 복강내에 복수가 발견되면 이를 채취하여 세포검사를 시행하여야 한다. 만일 복강내 복수가 없을 때에는 세포검사를 위하여 복막 표면을 50-100 mL의 생리식염수로 세척하며, 네 군데(횡격막 하면, 상행결장의

표 33-3. 원발성 난소암의 FIGO 수술적 병기

정의
1. I기 : 난소(난관)에 국한된 종양
• A기: 일측 난소(난관)에 국한; 무복수. 난소(난관) 평면에 종양이 없으며, 피막이 깨끗하다.
• B기: 양측 난소(난관)에 국한; 무복수. 난소(난관) 표면에 종양이 없으며, 피막이 깨끗하다.
• C기: IA기나 IB기 종양이면서 일측 또는 양측의 난소(난관) 표면에 종양이 있고, 피막이 파열되어 있거나, 악성세포를 지닌 복수가 있거나, 복강내 세척에서 악성세포가 나타날 때
• C1기: 수술 중 피막파열
• C2기: 수술 전 자연 피막파열
• C3기: 복수 혹은 복강세척액 내 악성세포가 나타날 때
2. II기: 골반 내 파급을 동반한 일측 혹은 양측 난소(난관)에 국한된 종양
• IIA기: 자궁 혹은 난관(난소)으로 파급 혹은 전이
• IIB기: 다른 골반조직으로 파급
• IIC기: IIA기나 IIB기 종양이면서 일측 또는 양측의 난소(난관) 표면에 종양이 있고, 피막이 파열되어 있거나, 악성세포를 지닌 복수가 있거나, 복강내 세척에서 악성세포가 나타날 때
3. III기: 일측 또는 양측 난소(난관), 복막에 종양이 있으면서 골반을 넘어 복강 내로 전이하고/하거나 후복막 또는 서혜부림프절 양성인 경우
• IIIA기: 종양이 진골반에 국한되어 있으면서 림프절은 양성인 경우 혹은 골반외 복강에 현미경적 파종이 확인된 경우
• IIIA1기: 후복막림프절 안 양성인 경우
• IIIA1(i)기: 전이가 1 cm 이하인 경우
• IIIA1(ii)기: 전이가 1 cm 이상인 경우
• IIIA2기: 골반외 복강 내 현미경적 파종이 확인된 경우
• IIIB: 복막에 조직학적으로 증명된 종양착상이 있는 경우 . 그러나 종양의 크기가 2 cm 이하이며 림프절은 음성 혹은 양성
• IIIC: 2 cm 이상 크기의 종양착상이 복부에 있으면서 후복막림프절이 음성 혹은 양성인 경우
4. IV기: 원격전이를 동반한 일측 혹은 양측 난소(난관)종양
• IVA기: 흉강삼출액에 악성세포가 확인된 경우
• IVB기: 복강을 벗어난 원격전이가 있거나 서혜부 림프절전이 혹은 복강을 벗어난 림프절전이가 확인된 경우

측방, 하행결장의 측방, 골반 복막)로부터 얻은 세척액에서 세포 블럭분석을 시행한다. 다음은 횡격막 하면을 포함하여 간장, 소장, 대장간막 등 전체 복강내에 걸쳐 자세한 시진과 촉진을 시행하고, 의심스러운 모든 부위는 절제 또는 생검을 시행한다. 설령, 육안적으로 병변이 골반 내에 국한되었더라도 현미경적 병소가 숨어 있을 수 있으므로 관련된 결장하 대망절제술(infracolic omentectomy) 또는 생검을 시행하여야 한다. 골반림프절 및 대동맥주위 림프절생검도 병기 결정과 치료 결정을 위하여 매우 중요하다.

가임 여성에서 한쪽 난소에 국한된 난소암(IA)이 강력히 시사되며, 임신을 원하는 환자의 경우 일측성 난소난관절제술과 복강 전체에 걸친 철저한 육안검사와 의심되는 부위의 조직검사를 시행함으로써 생식력 보존을 시도할 수 있다. 수술 후 조직검사 결과가 고등급 병변으로 확인되면 수술 후 항암화학요법을 투여하는데 이는 일반적으로 치료 후 임신에 영향을 미치지 않는 것으로 알려져 있다.

(2) 종양감축술(cytoreductive surgery)

최초 개복술 시 원발종양을 포함하여 전이가 이루어진 모든 전이 부위를 가능한 제거하는 종양감축술은 다른 어떤 치료보다도 중요하다. 난소암이 진단된 이후에 예후를 향상시킬 수 있는 유일한 방법이 최대한 종양을 절제하여 잔류종양을 최소화시키는 것이기 때문이다. 나이, 병기, 전이 상태, 복수, 항암제 민감성 등의 예후인자는 불변의 요인이지만, 잔류종양의 최소화는 수술자의 노력에 의해 달라질 수 있기 때문이다. 종양감축술은 자궁절제술, 양측 난소난관절제술, 대망절제술 그리고 소장이나 대장의 복막에 전이가 있는 경우 소장이나 대장의 절제술을 시행한 후 문합술을 시행한다(송 등, 2009; 박 등, 2010). 수술기구 및 수술적 기술의 발달로 이전에는 수술적으로 제거가 어렵다고 생각한 횡격막전이종양, 간실질을 침범한 종양의 절제, 간문전이 종양절제술, 횡격막 상부 림프절 등을 수술적 경험이 충분한 의료진에 의해서 안전하게 제거될 수 있으며, 국내 의료진에 의해서 이러한 수술법이 개발되고 발전되고 있다(송 등, 2011; 임 등, 2009). 이러한 외과적 수술 후에는 종양의 양이 현격하게 감소하게 되며 이를 통해 장관운동이 회복되고 환자의 전반적인 영양 상태가 양호하게 되어 추가적인 항암화학요법에도 잘 견디어 낼 수 있다.

진행된 병기의 난소암 환자치료에 있어서 종양감축술의 이론적 근거를 살펴보면 첫째, 난소암과 같은 큰 고형종양에서는 혈관 분포가 불량하기 때문에 종양 내부가 저산소 상태로 있으므로 항암제에 저항성을 보일 수 있다. 철저한 외과적 수술을 통해 이러한 치료 저항성을 최소화할 수 있다. 둘째, 고형암의 특징으로 세포 주기상 휴지기(G0 phase)에 있는 세포가 많으므로 이들 세포를 많이 제거할수록 증식기로 넘어갈 잔존 세포를 없앨 수 있는 것이다. 셋째, Skipper의 분획 세포살해 가설에 의거하여 잔류 세포수를 최소한으로 줄이는 수술이 추후 추가적인 치료에 보다 나은 결과를 가져올 수 있는 것이다. 넷째, 종괴의 크기가 클수록 이를 극복하기 위한 항암제의 노출이 증가하게 되고 이로 인해 약제 내성의 가능성이 높아지게 되는 것이다. 종양의 특징으로 내인성 돌연변이를 통해 항암제에 대한 약제 내성이 생기게 되는데 Goldie-Coldman 가설에 의거하면 이러한 약제 내성의 발현은 종양의 크기와 돌연변이 빈도 수와 관련이 있음이 알려져 있다. 또한 면역학적으로도 암세포에서 종양 항원의 다량 분비에 의해 면역 기능이 장애 받을 수 있는데 암종괴의 제거로 면역 기능을 활성화시킬 수 있다.

전술한대로 난소암의 종양절제술 후 잔류종양의 크기와 생존율의 역비례관례는 이미 여러 후향적 연구 및 메타분석으로 입증되어 있다. 난소암은 복막전이가 주요 전이 경로이므로, 하복부의 자궁, 난소, S-결장 및 골반복막에 대한 수술뿐 아니라 상복부의 여러 장기에 대한 수술이 필요하기 때문에 대장외과, 간외과, 비뇨기과, 흉부외과 등과의 다학제적 수술이 필수적이다. 최대 종양감축술을 통한 생존향상 및 삶의 질 향상을 위해서는 질환의 특성, 경과, 치료절차 등을 다학제적으로 상호 충분히 논의하여야 할 것이다.

① 종양감축술의 목적

종양감축술의 목적은 가능한 한 원발종양을 포함하여 전

이된 암 전부를 제거하거나 최대한 많이 제거하여 잔류종양을 최소화시키는 것이다. 잔류종양의 측정은 통상 육안으로 하는데, 가장 큰 종양의 긴 지름으로 한다. 간문이나 복막이 종양을 싸고 있는 경우에는 시각적으로 잔류종양이 없는 것으로 측정될 수 있으나, 촉진으로 확인할 수 있으며, 이 경우 촉진 후 주위 해부학적인 구조물을 박리하여 종양의 크기를 시각적으로 측정할 수 있다.

역사적으로 잔류종양의 의미를 정립한 Griffiths와 Fuller는 난소암 환자의 외과적 치료 후 잔류전이종양의 크기를 1.5 cm 이하로 된 환자군에서는 생존율이 증가됨을 최초로 보고하였고, Hacker and Berek의 연구를 통해 잔류종양의 크기가 5 mm 이하인 환자군의 중앙 생존값은 40개월인 반면, 1.5 cm 이상군에서는 단지 6개월밖에 되지 않음을 보고하여 종양감축술이 예후에 중요하다는 것을 보고하였다. 잔류종양이 보이지 않는 상태, 즉 현미경적 잔류종양(microscopic residual tumor)이 그렇지 않는 경우보다 생존율이 우수한 것은 명확하며, 난소암에서의 수술법은 단순히 병기설정을 위한 것이 아니라 최대종양감축을 위한 것이다(Hodeib et al., 2014; 장 등, 2012). 아직 '적절한(optimal)'에 대한 정의는 문헌상 잔류병변이 1 cm 미만이 일반적이지만, 점차 '적절한'이 눈에 보이지 않는 현미경적 잔류종양으로, 잔류종양의 크기가 1 cm 미만인 경우는 차선의 종양감축술(suboptimal cytoreduction)로, 잔류 종양의 크기가 1 cm 이상인 경우에는 부적절 종양감축술(non-optimal cytoreduction)로 분류하는 것이 타당하다고 주장하기도 한다(Gerestein et al., 2011).

② 종양감축술의 시행 및 성과

수술대에 반듯이 누운 자세로 외과적 개복술을 시행하며, 흉관삽관이 가능하도록 유방 위부터 소독을 시작하여, 저전방 및 전방절제술의 시행이 가능하도록 대퇴부의 중간까지 소독하도록 한다. 난소암 진단의 확실성, 적절한 종양감축술의 가능성을 염두하여 점차적으로 개복 범위를 확대해야 한다. 가령, 난소암 진단과 감별이 필요한 방선균증, 자궁내막증, 결핵 등 질환과의 감별이 필요하거나, 소장간막에 전이종양 침범이 의심되는 경우에는 진단적 복강경 시행을 고려하거나, 절개를 최소화하여 수술 중 동결전편검사를 시행하여 병리학적 진단 및 적절한 종양감축술 가능성 여부를 확인 후 복부 절개를 흉골부터 치골까지 확장한다. Balfour retractor를 거치하여 하복부 및 골반부위를 노출시키고, kent retractor를 이용하여 상복부를 노출시킨다(그림 33-7). 종양의 침범 부위를 전체적으로 살펴서 부인종양의사가 수술할 수 있는 범위와 대장암외과, 간암외과, 위암외과, 비뇨기과, 흉부외과 등 다학제적 팀의 도움이 필요한 부위를 정하고, 개복 즉시 각 수술팀과 수술일정을 상의하도록 한다. 복수가 있는 경우에는 복수를 채취하고, 복수가 없는 경우에는 50-100 mL의 생리적 식염수로 골반의 맹와, 좌우측 대장방구(paracolic gutter), 좌우측 횡격막하를 세척하여 세척액에 대한 각각의 세포검사를 시행하여 종양의 침범부위를 확인하도록 한다.

일차적으로 대망절제술을 시행하면서 좌측 상복부종양감축술을 함께 시행한다. 비장에 종양이 전이된 경우에는 대장절제술과 더불어 비장절제술을 시행한다. 외과적 질환으로 시행하는 통상적인 비장절제술과는 달리, 종양이 비장 표면과 횡격막 사이에 유착을 형성하는 경우가 있기 때문에 이 종양을 함께 제거하면서 출혈을 최소화하기 위해서 좌측 횡격막으로부터 비장을 먼저 박리하여 비장절제술을 진행하는 것이 안전하겠다. 또한 종양의 침범 및 유착으로 췌장 미부와 해부학적으로 구별이 어려울 수 있기 때문에 췌장손상에 유의하여야 하며, 췌장 미부의 종양침범이 있는 경우에는 췌관을 별도로 결찰할 수 있도록 분명한 절개면을 보이도록 해야 한다. 난소암수술은 복막절제 및 장기절제술을 동반되기 때문에 췌장액이 복강 내로 유출되면, 통증뿐만 아니라 수술 접합부의 약화 등의 문제가 야기될 수 있기 때문에 주의하여야 한다. 대망은 횡행결장으로부터 분리하는데, 횡행결장 장간막 혈관 손상에 유의해야 하며, 결장 바로 위의 무혈경계면(avascular line)에서 결장과 대망 박리를 시도하면, 혈관 결찰을 최소화하면서도 잔류종양을 최대한 제거할 수 있다. 위로부터 대망을 절제할 때에는 종양 침범이 없는 경우에는 위대망동맥(gastroepiploic artery) 보

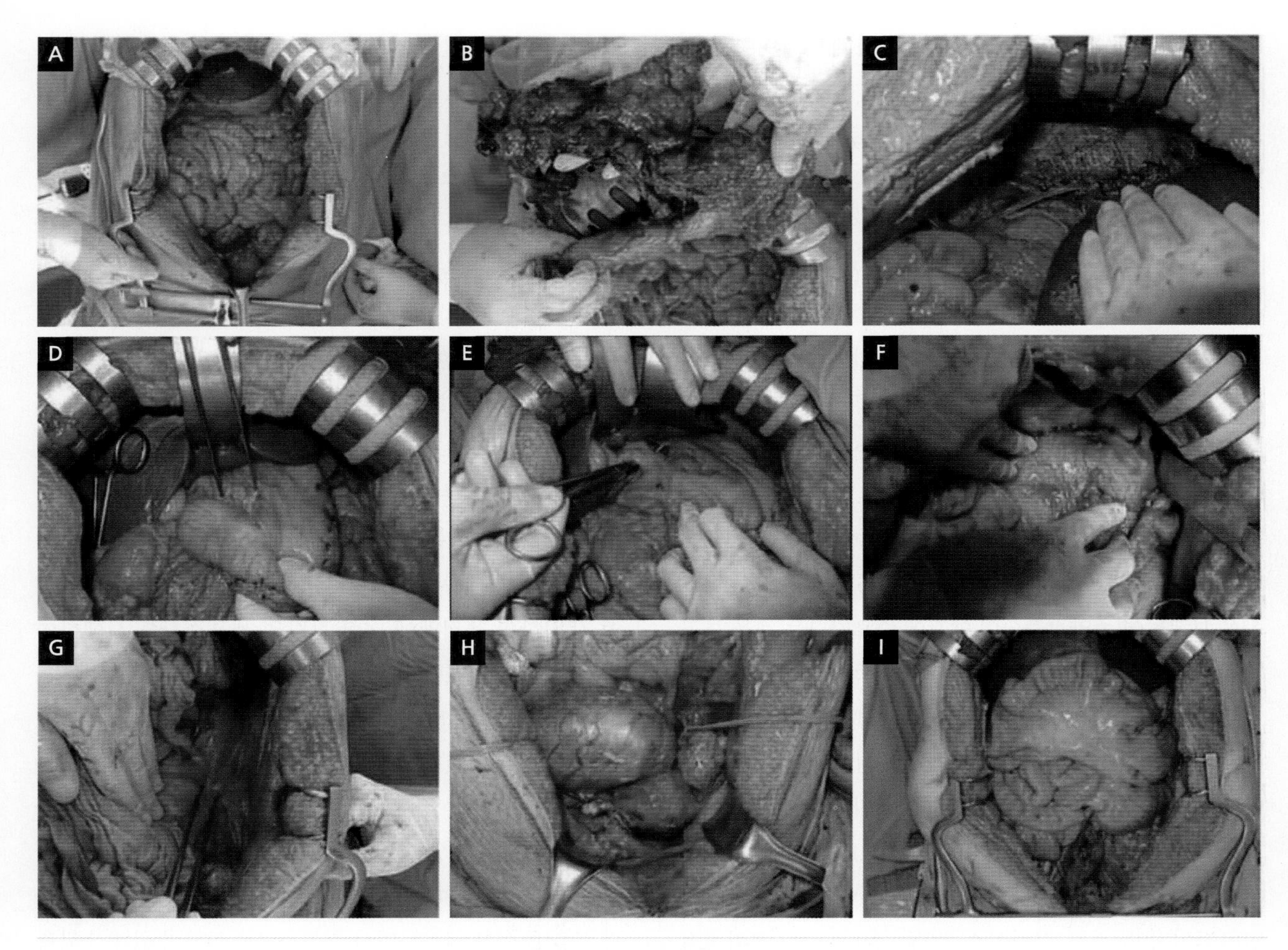

그림 33-7. **난소암의 종양감축술**

존할 수 있으며, 특히 비장절제술로 단위동맥(short gastric artery)이나 소낭(lesser sac)의 종양절제로 좌 혹은 우 위동맥(left or right gastric artery) 손상될 가능성이 있다고 판단되는 경우에는 위의 충분한 혈류량 확보를 위해서 위대망동맥(gastroepiploic artery)을 보존할 수 있다.

둘째로, 우측 상복부종양감축술을 시행한다. 우선 완전하고 안전한 횡격막종양감축술을 시행하기 위해서 간을 주변 구조물로부터 박리하여 횡격막으로부터 복부 중앙 및 우측으로 이동시킨다. 이때 간정맥 등의 주요 혈관 손상에 유의하여야 하며, 간을 견인하는 동안 간혈류량 감소 및 혈압저하가 있을 수 있기 때문에 마취과에 미리 알리고, 혈압이 저하된다면 견인을 해제하고 혈압회복 후 다시 수술을 진행하도록 한다. 셋째로, 간문, 소망, 소낭 등의 종양감축술을 시행한다. 넷째로, 소장과 대장의 장막, 장간막을 살핀 후 장수술의 범위를 결정한다. 장수술의 시작은 부대장홈(paracolic gutter)의 복막절제술을 시행하면서 양측 대장을 박리한다. 종양의 위치를 고려하여 좌측 대장을 절제하는데, 종양의 침범 정도를 고려하여 장간막을 함께 절제할지 여부를 결정한다. S-결장이나 직장에 종양 침범이 있는 경우에는 장간막 림프절전이 가능성 때문에 장간막을 함께 절제하게 된다. 요관을 우선 박리한 후 방광의 복막침범부위를 확인하여 복막 침범이 있는 경우 방광복막절제술을 시행한다. 이후 방광을 자궁으로부터 박리하고, 자궁을 절제하면서 후맹낭(posterior cul-de sac)의 복막을 들어올려서 가능한 직장이 길게 남도록 하여 일차적인 문합술을 용이하도록 한다.

잔류난소종양의 크기를 줄이기 위해 초음파흡인기(cavitron ultrasonic surgical aspirator, CUSA), 레이저를 이용한 아르곤선 응고기 등을 사용할 수 있다.

후향적인 연구 결과를 분석하여 보면 난소암 환자에게 종양감축술의 수술 이환율 및 합병증은 각각 5%와 1%로 나타나고 있다. 또한 장절제만으로는 이환율을 높이지는 않으며 병기 III 난소암 환자에서 비록 전향적인 무작위 임상 연구가 시도되고 있지는 않지만 후복막 림프절절제술을 시행하면 예후를 향상시키는 것으로 보고되고 있다.

(3) 수술 후 일차 항암화학요법

① 초기 병기의 난소암

병기 IA, 분화도 1인 초기 난소암의 경우 수술 후 보조적 항암화학요법을 치료하지 않은 군에서 암으로 사망한 경우는 없었다고 보고되었다(Guthrie et al., 1984). GOG (Gynecologic Oncology Group)의 무작위 전향적 연구에서도 병기 IA, IB, 분화도 1, 2인 환자에서 외과적 수술 후 추가적 치료를 하지 않은 환자군과 melphalan으로 보조적 화학요법을 수술 후 시행한 환자군에서 5년 생존율에 동등한 결과(94% vs 96%)를 보였다. 따라서 이러한 환자군에서는 추가적 항암치료나 방사선 치료는 필요치 않다(표 33-4).

그러나 초기 난소암의 경우라도 암세포의 분화도가 불량하거나, 복수나 복막내 세척액에서 암세포가 발견된 경우 등의 고위험군인 경우에는 보조적 항암화학요법이 반드시 필요하다. Cisplatin 혹은 carboplatin과 cyclophosphamide 혹은 paclitaxel의 복합항암화학요법이 주로 초기 난소암의 효과적인 치료로 알려져 있다. 여러 연구자들이 cisplatin과 cyclophosphamide (PC)를 1기 난소암의 치료로 사용한 결과를 보고하였으며(Vergote et al., 1992; Young et al., 2003), GOG 임상연구에서 병기 IB,

표 33-4. 초기 난소암 항암화학요법에 대한 연구

임상연구	환자수(저자, 연도)	병기	치료비교	결과
GOG 7601	81 (Young et al., 1990.)	병기 I 저위험군	단순 관찰 vs melphalan	차이 없음
GOG 7602	141	병기 I 고위험군/병기 II	^{32}P vs melphalan	차이 없음
Italian group	47 (Bolis et al., 1995)	병기 I 저위험군	Observation vs cisplatin×6	차이 없음
	104	병기 I 고위험군	^{32}P vs cisplatin×6	Cisplatin 79% vs 69% 5년 생존율
GOG 95	205 (Young et al., 2003)	병기 I 고위험군/병기 II	Cisplatin 75 mg/m^2/ Cyclophosphamide 750 mg/m^2 vs ^{32}P	Cisplatin/Cyclophosphamide 77% vs 66% 5년 생존율
Scandinavian cooperation	134 (Trope et al., 2001)	병기 I 고위험군	Carboplatin AUC×6 vs 단순관찰	차이 없음
ICON1	477 (2003)	대부분 병기 I, II(적절한 병기 설정 이루어지지 않음)	Platinum-based vs 단순관찰	73%(항암화학요법) vs 62%(단순관찰) 5년 생존율
ACTION	448 (Trimbos et al., 2003)	병기 I 고위험군, 병기 IIA (1/3만 적절한 병기설정)	Platinum-based vs 단순관찰	적절한 병기설정 환자만 생존율 향상
ICON1-ACTION	925 (Trimbos et al., 2003)	복합 분석		82%(항암화학요법) vs 72%(단순관찰) 5년 생존율
GOG 157	421	병기 I 고위험군, 병기 II	Paclitaxel 175 mg/m^2/ Carboplatin AUC 7.5 3회 vs 6회	3회와 6회 투여가 동일한 효과

* GOG, Gynecological Oncology Group; AUC, Area under the curve

IC 난소암의 추가 치료로 PC 3 cycles을 사용한 군이 복강 내 방사선 동위원소 32P를 사용한 환자군 보다 무진행 생존율(progression-free survival)이 31% 더 높았다. GICOG (Gruppo Italiano Collaborativo Oncologica Ginecologica)에 의한 연구에서도 비슷한 결과가 보고되었지만 이때에는 생존율 간의 유의한 큰 차이가 없었다(표 33-4).

초기 난소암에 대한 두 개의 무작위 제3상 임상 연구 International Collaborative Ovarian Neoplasm Trial 1 (ICON1), Adjuvant Chemotherapy Trial in Ovarian Neoplasia (ACTION)의 결과가 보고 되었다. ICON은 유럽의 84개 기관의 477명의 환자들을 대상으로 하여 보조적 항암화학요법의 효과를 확인하고자 하여 연구를 시행하였다. 수술적 병기 결정이 반드시 이루어지진 않아서 일부 Ⅲ기암을 가진 환자도 포함된 연구였다. 그러나 대부분의 환자들은 병기 I과 IIA로, 백금(platinum) 기반의 보조적 항암화학요법을 받은 241명과 추가 치료를 받지 않은 236명으로 나누어 비교를 하였을 때 5년 생존율이 73%로 대조군 62%에 비해 의미 있게 높았다(p=0.01).

ACTION trial에서는 유럽의 40개의 센터에서 무작위로 고른 448명의 환자 중에서 224명은 platinum 기반의 보조항암화학요법을 받았고 224명은 그렇지 않았다. 병기 I, II기 분화도 2, 3의 환자들이 포함되었고 3분의 1만 적절한 병기 결정을 위한 개복술이 시행되었다. 추가적 치료를 하지 않은 군에서는 적절한 병기 결정이 이루어진 경우가 생존율이 의미 있게 높은 결과를 보였으며(p=0.03), 적절하게 수술이 이루어지지 않은 환자들에서는 보조적 항암화학요법이 생존율을 높인 것으로 보고하였다(p=0.009). 그러나 적절한 병기 결정이 이루어진 경우에서는 보조적 항암화학요법이 도움이 되지 않은 것으로 나타났다. 따라서 이러한 ACTION trial의 결과를 통해 볼 때 보조적 항암화학요법은 적절한 병기 결정이 이루어지지 않아 현미경학적으로 잔류암이 의심되는 경우에서만 효과가 있을 것이라 생각된다(표 33-4).

위 두 결과를 종합하면 platinum을 기본으로 한 항암화학요법을 추가적으로 받은 465명의 환자군과 추가 치료 없이 경과 관찰만 한 460명의 환자군으로 나눌 수 있는데, 평균 4년 이상 추적한 결과, 추가 치료군의 전반적인 생존율(82%)은 관찰군(74%)보다 높았고(p=0.001), 무진행 생존율 역시 각각 76%, 65%로 같은 결과를 보였다(p=0.001)(그림 33-8). 그러나 이 연구들은 대부분의 환자들이 적절한 병기 결정이 이루어지지 않았기 때문에 해석에 있어서 주의가 필요하다. 따라서 여기서 얻을 수 있는 결론은 고위험 초기 난소암에서 적절한 병기 결정이 이루어지지 않은 환자에게는 추가적 항암화학요법이 필요하다는 것이다.

최근 GOG 157 임상연구에서는 457명의 고위험 병기 I기와 병기 II기 환자를 대상으로 paclitaxel과 carboplatin을 3회 투여한 군과 6회 투여한 군 간의 5년 내 재발률을 비교하였는데 각각 25.4%와 20.1%로 유의한 차이가 없었다. 따라서 고위험 초기 난소암 환자에서는 수술 후 paclitaxel과 carboplatin 복합항암화학요법의 경우, 적절한 항암화학요법 주기는 3-6회를 선택적으로 적용할 수 있을 것으로 제시하였다(표 33-4).

적절한 병기설정수술이 이루어진 초기 난소암에 대한 수술 후 치료 지침을 정리하면 다음과 같다.

1. 저위험 초기 난소암(병기 IA, IB, grade 1 and grade 2): 추가 치료가 필요치 않다.
2. 고위험 초기 난소암(병기 IC, grade 3, clear cell carci-

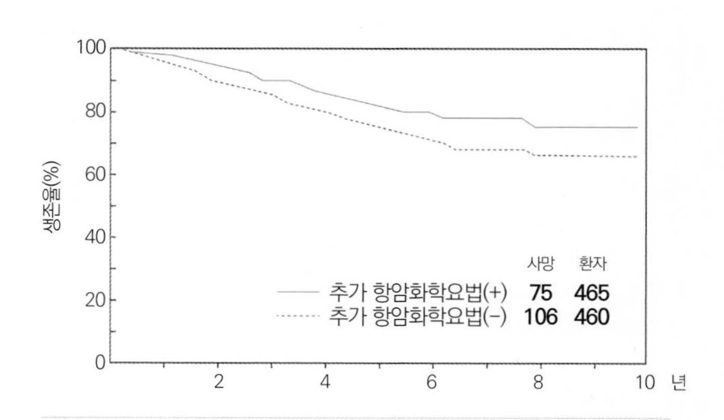

그림 33-8. **초기 난소암 환자의 생존율(ICON 1/ACTION 임상시험)**

noma): carboplatin과 paclitaxel로 3-6회 시행한다. 다만 고령이거나 내과적 동반 질환으로 항암투여가 어려운 환자의 경우는 carboplatin 단일 약제를 투여할 수 있다.

② 진행된 병기의 난소암

전신적 항암화학요법은 전이성 난소암의 치료 원칙이다. 1970년대 cisplatin이 개발된 이래 platinum 기초 화학요법은 가장 흔히 쓰이는 항암화학요법이 되었으며 paclitaxel이 1980년대 개발된 이후 1990년대부터 현재까지 paclitaxel과 platinum 복합항암화학요법이 오랫동안 표준 치료가 되어 왔다.

가. Cisplatin 복합 항암화학요법

복합 항암화학요법은 진행성 난소암에서 일차치료로 단일 약제보다 더 우수하다고 대부분의 연구에서 밝혀졌다. Cisplatin이 개발된 이후 영국에서 시행한 전향적 연구에서 cisplatin이 단일 약제로써 alkylating agent인 cyclophosphamide보다 더 우수하다고 보고되었다(Young et al., 1978). 동시에 다양한 복합 항암화학요법들이 시험되었는데 cisplatin을 포함한 요법이 더 우수하였다(Neijt et al., 1984). 메타분석에서 cisplatin을 포함한 항암화학요법을 받은 환자와 포함하지 않은 환자의 생존율을 비교하였을 때 다소 증가되는 소견이 있었으나 8년이 경과하면 그 차이가 없어졌다. 많은 연구에서 PC (cisplatin, cyclophosphamide)와 PAC (cisplatin, doxorubicin, cyclophosphamide)요법을 비교하였고 그 결과들은 대개 비슷하였다. GOG에서 시행한 무작위 연구에서도 두 요법의 생존율이 비슷한 것으로 밝혀져 doxorubicin을 추가하는 것이 독성에 비해 이득이 없음을 알 수 있었다(Omura et al., 1989).

복합 항암화학요법에서 cisplatin 용량을 50 mg/m^{2}과 100 mg/m^{2}을 적용할 경우 전반적 생존율에 있어 차이가 없고 독성은 더 높다는 연구들이 있어, cisplatin의 용량을 두 배로 늘리는 것이 생존율을 증가시키는데 도움이 되지 않는다고 하였다. 국내에서 진행된 연구에서는 고용량 cisplatin으로 비교적 안전하게 복합 항암화학요법을 시행하고 그 치료 결과를 보고한 바 있었다(윤정섭 등, 2001).

나. Paclitaxel

진행된 병기의 난소암 치료에 있어서 두 번째로 주요한 발전은 paclitaxel을 항암화학요법에 추가하게 된 것이다. 다음 표는 paclitaxel을 포함한 항암화학요법에 대한 일련의 연구들로 이들을 통해 진행된 상피성 난소암의 치료로 paclitaxel을 포함한 복합 항암화학요법이 정립되게 되었다(표 33-5).

Paclitaxel은 난소암 치료에 매우 효과적인 약제이다. 전반적 반응도는 36%로 cisplatin이 처음 치료에 이용되었을 때의 반응보다 더 높았다. GOG에 보고된 McGuire 등(1996)의 연구에 의하면 cisplatin (75 mg/m^2)과 paclitaxel (135 mg/m^2)의 복합요법이 cisplatin (75 mg/m^2)과 cyclophosphamide (600 mg/m^2) 복합요법보다 더 우수한 것으로 나타났다(표 33-5).

적절한 병기설정수술이 안 된 경우에 paclitaxel을 포함한 치료를 한 경우 사망률에서 36%의 감소를 보였다. 적절한 병기설정수술이 된 경우와 그렇지 않은 경우에 각각 cisplatin+paclitaxel과 cisplatin+cyclophosphamide 화학요법을 시행한 경우를 비교하였을 때도 두 경우 모두 paclitaxel을 포함한 경우에서 의미있게 무진행 생존율과 전반적 생존율이 증가하였다(EORTC/NOCOVA/NCIC)(표 33-5, 그림 33-9).

이들의 결과로 볼 때 진행된 병기의 난소암 치료에 paclitaxel은 반드시 포함되어야 할 것이다. 국내에서 진행된 연구에서 paclitaxel과 cisplatin 복합 항암화학요법을 일차 치료로 적용한 결과 전반적 반응률은 73%였고 평균 생존기간은 18개월이었다(김상희 등, 2001).

다. Carboplatin

2세대 platinum 유사체로 cisplatin의 부작용을 줄이기 위해 개발되었다. Cisplatin 사용 시 보이는 구역, 구토

표 33-5. 진행성 상피성 난소암 치료에 platinum+taxane에 대한 무작위 연구

연구군	저자	수술	약	최선책
GOG 111	McQuire et al.,1996	Subopt	Paclitaxel/Cisplatin vs Cyclophosphamide/Cisplatin	Paclitaxel/ Cisplatin
OV10/ EORTC/ NOCOVA/NCIC	Piccart et al., 1998	Opt/subopt	Paclitaxel/Cisplatin vs Cyclophosphamide/Cisplatin	Paclitaxel/ Cisplatin
GOG 132	Muggia et al., 2000	Subopt	Cisplatin vs Paclitaxel vs Cisplatin/Paclitaxel	Paclitaxel/ Cisplatin
GOG 158	Ozols et al., 2003	Opt	Carboplatin/Paclitaxel vs Cisplatin/Paclitaxel	Paclitaxel/ Cisplatin
SCOTROC 1	Vasey et al., 2004	Opt/subopt	Docetaxel/Carboplatin vs Paclitaxel/Carboplatin	두 요법 동일한 효과
ICON3	Collaborators, 2002	Opt/subopt	Carboplatin/Paclitaxel vs Carboplatin vs Cisplatin/Cyclophosphamide/Doxorubicin	Carboplatin
GOG 182/ ICON5	Bookman et al., 2009	Opt/subopt	Paclitaxel/Carboplatin×8 vs Paclitaxel/Carboplatin/Gemcitabine×8 vs Paclitaxel/Carboplatin/Doxorubicin×8 vs Carboplatin/Topotecan×4 이후 Paclitaxel/Carboplatin×4 vs Carboplatin/Gemcitabine ×4 이후 Paclitaxel/Carboplatin ×4	다섯 요법 동일한 효과

* Opt, optimal; subopt, suboptimal; GOG, Gynecologic oncology group; EORTC, European Organization for the Research and Treatment of Cancer; OV10, Ovarian protocol; NOCOVA, Nordic Ovarian Cancer Study Group; NCIC, National Cancer Institute of Canada; SCOTROC, Scottish Gynaecological Cancer Trials Group; ICON, International Collaborative Ovarian Neoplasm Group.

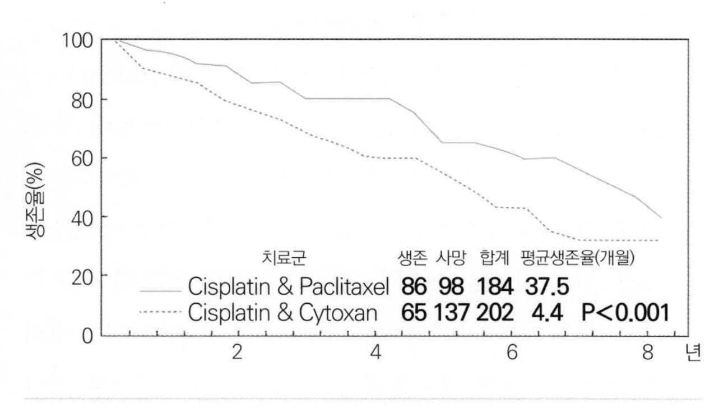

그림 33-9. **Suboptimal stage III와 stage IV 상피성 난소암 환자의 생존율(GOG 111)**

등의 위장관계 부작용, 신독성, 신경독성, 이독성은 carboplatin 사용 시 더 적게 나타난다. 대신 골수 억제는 더 심하게 나타나는 것으로 보고되고 있다. 초기 연구들에서 carboplatin은 cisplatin과 비교한 역가가 4:1로 대부분 2상 연구에서 단일 약제로 쓸 때 400 mg/m^{2}의 용량으로 쓰였다. 정확한 carboplatin의 용량은 GFR (glomerular filtration rate)과 AUC (area under the curve)를 이용해 구할 수 있다. 난소암에서 목표 AUC는 5에서 7이다. 정상 크레아티닌 치를 갖는 환자에서 일차 치료 시 대략 350-450 mg/m^2 정도가 쓰인다. 혈소판 수치는 50,000/mL 이상 유지되어야 한다. Carboplatin의 골수 독성에 대해 G-CSF를 체표면적당 250 ug을 투여하는 연구가 보고 되었다. Cisplatin에 비해 전처치로 hydration이 필요치 않아 외래에서도 투여가 가능하다.

라. Carboplatin과 paclitaxel의 복합 항암화학요법

Paclitaxel+carboplatin과 paclitaxel+cisplatin 복합 항암화학요법을 비교한 두 개의 무작위적 전향적 연구가 진행되었다. 두 연구에서 효과와 생존율 모두 큰 차이가 없었다. 그러나 독성을 고려했을 때 carboplatin을 포함한 요법이 더 적합한 것으로 나타났다. GOG protocol 158에서 carboplatin AUC 7.5와 paclitaxel 175 mg/m^{2}을 3시간에 걸쳐서 정주한 경우와 cisplatin 75 mg/m^{2}와 paclitaxel 135 mg/m^{2}을 24시간에 걸쳐서 정주한 경우를 비교하였는데, 무진행 생존은 carboplatin을 포함한 경우는 20.7개월이고 cisplatin을 포함한 경우는 19.4개월이었고, 전반적 생존은 각각 57.4개월, 48.7개월이었다. Paclitaxel+carboplatin의 사용 시 병의 진행에 대한 비교 위험도는 0.88, 사망에 대한 비교 위험도는 0.84이었다. Carboplatin의 위장관계, 신경계 독성은 cisplatin에 비해 적었다. 독일의 대규모 연구에서도 비슷한 결과를 보였다. 이때 carboplatin AUC 6, paclitaxel 185 mg/m^{2}을 3시간 정주하였고 다른 용량은 동일하였다. 따라서 이들의 결과로 볼 때 진행된 병기의 난소암 치료에는 paclitaxel과 carboplatin의 복합 항암화학요법이 더 적당한 것으로 생각된다.

ICON 3 trial은 모든 병기의 2,074명의 환자들을 대상으로 한 연구로 I, II기의 환자는 20%였다. Carboplatin+ paclitaxel 요법을 paclitaxel을 포함하지 않은 요법들과 비교하였고 치료 약제는 임상의의 임의적 선택으로 결정 하였다. 대조군인 3분의 1의 환자는 carboplatin 단일 약제나 CAP를 쓴 후, 이후 임상적 진행 증거가 있기 전에 2차 치료로 paclitaxel을 사용하였다. 평균 추적 관찰 기간은 51개월이었고, carboplatin+paclitaxel으로 치료한 군과 대조군 사이에 무진행 생존율과 전반적 생존율은 비슷하였다. 연구자들은 carboplatin 단일 약제나 CAP이 carboplatin+paclitaxel 복합요법만큼 효과적인 일차 치료라고 결론지었고, 독성들을 고려할 때 carboplatin 단일 약제만으로도 충분할 것이라 제시하였다. 그러나 이 연구는 I기에서 IV기까지의 환자들을 모두 포함하였고 수술 범위가 다양하였으며 독립적인 감시 위원회가 존재하지 않은 제한점이 있다. 한편 carboplatin 단일 약제로 일차 치료를 하고 2차 치료로 paclitaxel을 사용한 환자의 85%가 재발하였다.

마. Carboplatin과 docetaxel의 복합 항암화학요법

Docetaxel은 paclitaxel과 독성에서 차이가 있다. SCOTROC (Scottish Gynecological Cancer Trials Group) 연구에서 1,077명의 수술적 병기가 IC에서 IV까지의 상피성 난소암 환자를 대상으로 무작위로 carboplatin+paclitaxel과 docetaxel+carboplatin을 투여한 후 그 결과를 비교하였는데 두 약제의 효과는 비슷하였다. 평균 무진행 생존은 15.4와 15.1개월이었고 docetaxel 군이 신경계 독성이나 관절통, 근육통, 사지 약화 등의 부작용이 적었다. 그러나 docetaxel과 carboplatin 복합 항암화학요법을 받은 경우에서 심한 감염이나 장기간의 과립구 감소증 등의 심한 골수 억제 효과가 나타나므로 두 화학요법을 선별적으로 투여하는 것이 좋다. 예컨데 docetaxel/carboplatin 요법은 당뇨 등과 같은 합병증을 가진 환자들에서 말초신경염을 피하기 위하여 투여하기도 한다.

바. Dose dense paclitaxel과 carboplatin 요법

최근 JGOG 임상연구에서 매주 paclitaxel 80 mg/m^{2}로 3회 투여하는 dose dense paclitaxel 요법은 3주 간격의 통상적 paclitaxel (180 mg/m^2)/carboplatin 정맥 투여에 비하여 무진행생존(28개월 vs 17개월, $p=0.037$)을 증가시킬 뿐 아니라 전체생존(100.5 vs 62.2개월, $p=0.039$)을 증가시킨다고 보고하였다 (Katsumata et al., 2011). 그러나 dose dense 군에서 독성으로 인한 투약 중지가 더 흔히 관찰되었다. 또한 JGOG 연구는 일본 환자만을 대상으로 한 연구이기 때문에 최근 미국을 중심으로 GOG 252에서는 1 cm 이하로 수술이 된 난소암 환자를 대상으로, GOG 262에서는 1 cm 이상 잔류 종양이 남은 난소암 환자를 대상으로 각각 dose dense paclitaxel/carboplatin 요법과 복강내 항암화학요법, 혹은 표준 paclitaxel/carboplatin을 비교하는 연구가 진행 중이며, 유럽에서는 ICON 8 연구를 통하여 dose dense paclitaxel/carboplatin과 표준 paclitaxel/carboplatin을 비교하는 연구가 진행 중이므로 이의 결과가 주목된다.

사. 복강내 항암화학요법

복합 항암화학요법에서 cisplatin을 복강내 투여+정맥내 cyclophosphamide 투여군과 정맥내 cisplatin+cyclophosphamide 투여군을 비교한 GOG 104 연구 결과 2 cm 이하의 잔류종양이 남은 환자에서 cisplatin 복강내 투여가 전체 생존이 유의한 좋은 결과를 보였다(49 대 41개월, p<0.02) (Albert et al., 1996)(표 33-6). GOG 114에서 복강내 cisplatin+정맥내 carboplatin+정맥내 paclitaxel 투여군과 정맥내 cisplatin+paclitaxel 투여군을 비교한 연구 결과 잔류종양이 1 cm 이하인 환자에서 무진행 생존과(22개월 대 28개월, p=0.01) 전체 생존에서(52개월 대 63개월, p=0.05) 복강내 투여요법이 유의한 차이를 나타냈으나 임상에서 보편적으로 이용되지 못했다(Markman et al., 2001). 그러다가 GOG 158의 연구 결과가 발표된 이후 진행된 상피성 난소암 환자에서는 수술 후 carboplatin/paclitaxel을 이용한 정맥내 복합 항암화학요법이 표준 치료로 간주되어 왔다(Ozols et al., 2003). 그런데 2006년 1월에 GOG 172의 고무적인 연구 결과가 발표되었는데(Armstrong et al., 2006) 3기의 난소암 환자에서 적절한 일차 종양감축술 후 항암제를 정맥내 투여한 환자군(paclitaxel 135 mg/m²/24h IV/ cisplatin 75 mg/m² IV q 21 days ×6) 보다 복강내 투여군(paclitaxel 135 mg/m²/24h IV/cisplatin 100 mg/m² IP D2/paclitaxel 60 mg/m² IP D8 q 21 days ×6)에서 생존기간이 15.9개월 향상되었다고 보고되었다(65.6 vs 49.7 개월, p=0.03). 복강내 항암제 투여군 205명 중 총 6회의 복강내 항암화학요법을 끝까지 다 시행할 수 있었던 환자는 단지 86명(42%)뿐이었음에도 불구하고 생존기간이 의미 있게 증가하였으므로 복강내 항암화학요법을 6회까지 다 할 수 있는 환자의 비율을 높인다면 난소암 환자의 생존율도 더 증가할 수 있을 것으로 보고하였다.

이러한 좋은 결과를 바탕으로 1 cm 미만의 잔류종양이 남은 적절한 일차 종양감축술을 시행한 난소암 환자에서는 복강내 항암화학요법을 우선적으로 시행할 것을 추천하고 있다(그림 33-10). 그러나 복강내 항암화학요법의 경우 고농도의 cisplain과 8일째 추가로 투여하는 paclitaxel로 인하여 항암제 독성이 증가하고 항암제 투여 카테터로 인한 부작용과 항암제를 복강내로 투여한다는 새로운 방법에 대한 복잡함과 불편함 때문에 아직까지 국내에서는 임상적 적용이 거의 이루어지지 못하고 있다. 더군다나 Ozols 등(2006)은 GOG 172 연구결과를 GOG 158 연구 결과와 간접적으로 평균 생존율을 비교해보면 기존의 정맥내 항암제 투여군(IV carbo-

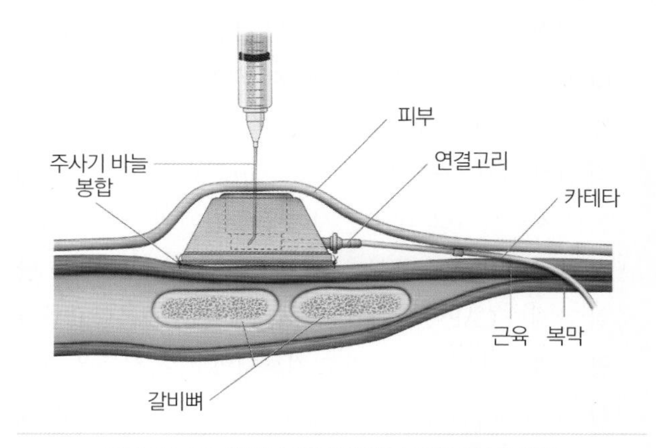

그림 33-10. **복강내 항암화학요법의 카테터 삽입**

표 33-6. 진행성 상피성 난소암에서 복강내 항암화학요법 연구

임상연구 (연도)	환자 수	잔류 종양 (cm)	항암화학요법	무진행병생존 (개월)	전체생존 (개월)
GOG 104 (1996)	546	≤2	정맥투여 Cisplatin/Cytoxan 대 복강내투여 Cisplatin/IV Cytoxan	N/A	41 vs 49 (P<.02)
GOG 114 (2001)	462	≤1	정맥투여 Cisplatin/paclitaxel 대 정맥 Carboplatin/복강내투여 cisplatin/정맥투여 paclitaxel	22 vs 28 (P=.01)	52 vs 63 (P=.05)
GOG 172 (2006)	429	<1	정맥투여 Cisplatin/paclitaxel 대 정맥투여 paclitaxel/복강내투여 cisplatin/복강내투여 paclitaxel	18.3 vs 23.8 (P=.05)	49.7 vs 65.6 (P=0.03)

platin/paclitaxel)은 57.4개월이었고 복강내 투여군은 65.6개월로 생존기간이 약 8.2개월 증가한 것으로 보이며 이것은 통계적으로 유의한 차이는 아니므로 carboplatin/paclitaxel을 대조군으로 이용한 무작위 연구결과가 발표되기 전에는 아직까지 정맥내 carboplatin/paclitaxel 투여가 표준치료로 유지되어야 한다고 주장하였다. 현재 이에 대한 추가적인 연구가 현재 GOG 252 연구에서 진행되고 있다.

아. 선행 항암화학요법

선행 항암화학요법은 수술에 대한 이환율, 사망률이 높은 위험을 가지고 있는 환자의 경우에는 적절한 선택이 될 수 있다(표 33-7). 국내에서 진행성 상피성 난소암 환자에게 선행 항암화학요법의 효용성을 연구하였는데 적절한 종양감축술이 더 잘 이루어지고, 출혈량을 줄일 수 있으며 무진행 생존과 전반적 생존에 있어 큰 차이가 없는 결과를 보였다(이선주 등, 2004). 3기말 이상의 진행된 난소암 22명을 대상으로 한 연구에서도 생존율에 있어서 고식적 치료와 큰 차이가 없으며 고령이거나 생활수행능력이 나쁜 경우, 4기암인 경우, 암 덩어리 크기가 큰 경우 등에 있어서 수술과 관련된 위험도나 삶의 질에서 우수한 효과를 거두었다고 보고하였다(김영태, 2005). Vergote 등(2010)은 거대종양(bulky)을 가진 병기 III/IV기 환자에서 시행한 무작위 3상 연구를 통하여 선행 항암화학요법군에서 일차수술을 시행한 군에 비하여 무진행 생존과 전반적 생존이 열등하지 않았다고 보고하였다. 오히려 수술에 따른 독성이 낮았으며 성공적인 종양감축술도 선행 항암화학요법군에서 유의하

표 33-7. 진행성 상피성 난소암에서 선행 항암화학요법에 대한 연구

연구	환자 수	병기(환자 수)	잔류암(cm)	약제	IDS	생존기간
Wils et al., 1986	50	NR	>1.5	CAP	24	3 years: 25%
Neijt et al., 1987	47	NR	NR	CHAP or CP	47	3 years: 30%
Lawton et al., 1989	36	III (28), IV (8)	>2	P-based	28	NR
Ng et al., 1990	27	III (32), IV (11)	>1	CP	27	NR
Jacob et al., 1991	22	III (17), IV (4)	>2	P-based	26	16
Lim et al., 1993	30	III (20), IV (10)	>5	Carbo/IFO	11	10.2
Redman et al., 1994	79	IIB (6), III (62), IV (11)	>2	PAB or CP	25	15 (IDS+) 12 (IDS-)
van der Burg et al., 1995	278	IIB (14), III (203), IV (61)	>1	CP	130	26 (IDS+) 20 (IDS-)
Surwit et al., 1996	29	III (21), IV (8)	NR	Carbo×2 or P×3	22	21
Schwartz et al., 1999	59	III (18), IV (38)	RP	P-based	41	17.5 (IDS+) 8 (IDS-)
Huober et al., 2002	38	IIB (2), III (28), V (8)	>2	TP	33	NR
Kayikcioglu et al., 2001	45	III (21), IV (24)	NR	CFP or TP	45	27
Ansquer et al., 2001	54	IIIC (46), IV (8)	NR	Carbo or P-based	43	22
Vrscaj et al., 2002	20	III (17), IV (3)	NR	P-based	20	24.7

IDS=Interval debulking surgery; NR=not reported; CAP=cyclophophamide + doxorubicin + cisplatin; CHAP=doxorubicin + cisplatin + hexamethyl-melanine + cyclophophamide; CP=cyclophophamide + cisplatin; P=cisplatin; Carbo=carboplatin; IFO=ifosfamide; TP=paclitaxol + cisplatin; CFT=cyclophophamide + farmorubicin + cisplatin; PAB=cisplatin + doxorubicin + bleomycin

[1] Before chemotherapy

게 높았으므로 거대종양을 가진 환자에서는 이 방법이 선호되어야 한다고 주장하였다. 그러나 반대로 무진행 생존과 전반적 생존이 각각 12개월, 30개월로 길지 않았다는 비판이 있었으며, 최근 메타분석 결과도 현재로서는 단 한 개의 무작위 3상 연구 결과가 효과는 유사하고 독성을 개선한 정도이므로 선행 항암화학요법이 우선될 수는 없다고 결론지었다. 최근 미국을 중심으로 일차 수술과 선행 항암화학요법을 비교하는 새로운 임상시험이 진행 중이며 앞으로 보다 명확한 선행 항암화학요법 선정 기준이 정립되어야 할 것이다.

자. 공고/유지 항암화학요법(consolidation and maintenance chemotherapy)

일차 항암화학요법으로 완전 관해된 진행된 난소암 환자의 80%까지에서 궁극적으로 재발한다고 보고되고 있다. 따라서 이런 환자들의 재발률을 낮추기 위하여 일차 치료가 끝나는 대로 추가적 약제를 투여하는 방법들이 연구되었다.

GOG와 SWOG에서 일차 항암화학요법에 완전 관해를 보인 277명의 환자를 대상으로 3-12회의 paclitaxel (175 혹은 135 mg/m^2, 4주마다) 단일 약제를 사용하였다. 중등도 이상의 신경병증은 횟수가 증가할수록 많이 발생하였다. 평균 8.5개월의 비교적 짧은 기간 동안 추적 관찰하였고 평균 9회 정도의 추가 치료를 하였는데, 평균 무진행 생존이 약 7개월가량 증가하였다(Markman et al., 2003). 그러나 유지요법이 끝난 후 재발률은 눈에 띄게 증가하였고 장기간 생존율에 있어서는 큰 차이가 없을 것으로 생각되었다.

이탈리아(DePlacido et al., 2004)와 독일(Pfisterer et al., 2003)에서 carboplatin과 paclitaxel로 6차례 항암화학요법을 받은 환자들에게 추가로 4회 동안 topotecan(이탈리아-1.25 mg/m^2 IV, 1-5일 매 3주마다 혹은 독일-1.0 mg/m^2)을 투여하여 추가 치료를 하지 않은 군과 비교한 연구 결과를 보고하였다. 결과는 무진행 생존과 전반적 생존에 큰 차이가 없었다. 또 다른 연구에서 무작위적으로 복강내 cisplatin 투여를 통해 유지요법을 한 군이 대조군에 비하여 생존율에 있어 유의한 차이가 없는 것으로 밝혀졌다. 최근 GOG 212 연구에서 일차 항암화학요법 후 완전관해를 보인 환자에서 paclitaxel 135 mg/m^2 정맥주사와 새로운 taxane의 12개월 정맥주사 유지요법, 대조군으로서 관찰군과의 세군 간의 비교 연구가 진행 중이다.

카. 분자표적치료제(molecular target therapy)

최근 미국에서 주로 진행된 GOG 218에서 FIGO III기, IV기 환자를 대상으로 수술 후 일차 항암화학요법으로 paclitaxel/carboplatin과 항 VEGF 항체인 bevacizumab을 병용 투여하고 유지 투여한 군에서 대조군인 paclitaxel/carboplatin 정맥내 투여군에 비하여 4개월의 무진행 생존기간의 증가를 보고하였다(14.1개월 vs 10.3개월, $p < 0.001$) (Burger et al., 2011). 그러나 bevacizumab을 병용 투여하고 유지요법을 하지 않은 군에서는 무진행 생존기간 증가가 관찰되지 않았다. 한편 삶의 질 지표는 각 군간의 차이가 없었다(표 33-8).

유사한 설계의 임상시험으로 유럽을 중심으로 진행된 ICON7 연구에서도 상피성 난소암 FIGO II-IV기 환자를 대상으로 paclitaxel/carboplatin과 bevacizumab을 병용 투여하고 유지 투여한 군에서 1.7개월의 무진행 생존기간의 증가(17.3개월 대 19개월, $p=0.0041$)가 관찰되었다(Perren et al., 2011)(표 33-8). 두 연구의 차이는 bevacizumab의 용량이 GOG 218에서는 15 mg/kg로 ICON7의 7.5 mg/kg의 두 배로 투여되었고, 유지요법의 투여 기간도 15개월과 12개월로 약간의 차이를 보였다. 한편 두 연구에서 모두 무진행 생존기간의 유의한 증가는 확인되었지만 전체 생존기간의 증가가 확인되지 못하였기 때문에 이에 대한 추가적인 임상시험이 요구되고 있는 실정이다. 그러나 후향적 subgroup 분석에 따르면 수술 후 1 cm 이상 잔류종양이 남거나 FIGO IV기 환자의 경우 bevacizumab을 동시/유지요법으로 투여한 군에서 무진행 생존기간은 물론 전체 생존기간의 유의한 증가가 보

표 33-8. 난소암에서 일차치료시 분자표적치료제의 3상 임상시험 결과

임상시험	약제	투여방법	무진행 생존 HR	전체 생존 HR
GOG 218	bevacizumab	동시/유지요법	0.72 (0.63-0.82)	0.89 (0.75-1.04)
ICON7	bevacizumab	동시/유지요법	0.81 (0.70-0.94)	0.99 (0.85-1.14)
AGO-OVAR12	pazopanib	유지요법	0.77 (0.64-0.91)	NA
AGO-OVAR16	nintedanib	동시/유지요법	0.84 (0.72-0.98)	0.99 (0.75-1.32)

표 33-9. 진행성 상피성 난소암의 일차 복합항암화학요법

약제	용량	투여방법	간격	치료횟수
표준약물				
Paclitaxel Carboplatin	175 mg/m2 AUC 5-6	정맥내 투여	매 3주	6-8회
Docetaxel Carboplatin	60-75 mg/m2 AUC 5-6	정맥내 투여	매 3주	6-8회
Paclitaxel Carboplatin	80 mg/m2 AUC 5-6	정맥내 투여	매주(1, 8, 15일) 매 3주	6-8회
Paclitaxel Cisplatin Paclitaxel	135 mg/m2 75-100 mg/m2 60 mg/m2	정맥내 투여 복강내 투여 정맥내 투여	매 3주(1일) 매 3주(2일) 매 3주(8일)	6회
대체약물(platinum과 같이 투여 가능)				
Topotecan	1.0-1.25 mg/m2 4.0 mg/m2		매일×3-5일 매 3주 혹은 매주	
Gemcitabine	800-1,000 mg/m2		매 3주	
Doxorubicin, liposomal	40-50 mg/m2		매 4주	

고되기도 하였다. 따라서 이에 대한 검증이 필요하며 향후 bevacizumab 치료의 반응 예측 바이오마커를 포함한 지표에 따른 적절한 적용 대상군 정립이 필요하다.

이외에도 multiple kinase inhibitor인 pazopanib (du Bois 등 2014)과 nintedanib (du Bois et al., 2013)도 병기 II-IV기 난소암 환자를 대상으로 대규모 무작위 3상 임상시험을 통하여 paclitaxel/carboplatin 일차 항암화학요법 후에 각각의 표적치료제를 유지요법 혹은 병합/유지요법을 투여한 후에, 무진행 생존기간을 각각 5.6개월(17.9개월 vs 12.3개월, HR 0.766, p=0.0021)과 0.7개월(17.3개월 vs 16.6개월, HR 0.84, p=0.0239) 연장하였다고 보고하였다. 그러나 무진행 생존 분석 단계에서는 두 약제 추가에 대한 전체 생존기간의 유의한 증가는 관찰되지 않았다(표 33-8).

이상의 임상시험 결과들을 토대로 현재 표준적인 난소암의 일차 항암화학요법은 ① paclitaxel 175 mg/m2을 세시간에 걸쳐서, carboplatin AUC 5-7.5로 한 시간에 걸쳐서 매 3주마다 투여하거나 ② dose dense 항암화학요법으로 paclitaxel 80 mg/m2를 한 시간에 걸쳐서 1, 8, 15일 투여하고 carboplatin은 AUC 6으로 한 시간에 걸쳐서 매 3주마다 투여하거나 ③ docetaxel 60-75 mg을 한 시간에 걸쳐서 정맥투여하고 carboplatin을 AUC 5-6으로 매 3주마다 투여하거나 ④ 수술 후 1 cm 이하의 잔류종양이 남은 경우에는 복강내 항암화학요법으

로 첫째날 paclitaxel을 135 mg/m² 용량으로 3시간 혹은 24시간에 걸쳐서 정맥 투여하고 둘째날 cisplatin을 75-100 mg/m²로 복강내 투여한다. 8일째 paclitaxel 60 mg/m²를 다시 복강내 투여하고 이 요법을 3주 간격으로 반복한다 ⑤ 복합 항암화학요법에 견디지 못하는 환자에게는 carboplatin (AUC=5-6) 단일요법을 사용할 수 있으며, paclitaxel에 과민성을 보이는 환자에게는 topotecan, gemcitabine이나 liposomal doxorubicin으로 대체할 수 있다(표 33-9).

항암화학요법을 시행하기 위해서는 치료 시작 전 정상 신장기능과 적절한 신체활동지수(performance status)가 필수적이다. 또한 항암화학요법을 시행할 수 없거나 영향을 미칠 수 있는 동반 질환(예컨데 신경 질환)의 확인이 필요하다. 복강내 항암화학요법의 경우에는 오심, 구토, 복부 통증 등의 카테터 관련 문제를 감소시키기 위해서는 카테터의 선택과 시술 시기, 전문 간호가 중요하다.

대부분의 항암제들은 정맥 내이든 복강내 투여이든 약물 반응을 일으킨다. 그러나 대부분의 약물 반응은 주입 후 경증의 반응을 보이는데 피부 반응, 심혈관계 반응, 호흡기계 반응 등이지만 드물게 생명의 위협이 되는 아나필락시스에 의한 쇼크가 나타나는 경우도 있다. 약물 주입에 따른 반응은 주로 paclitaxel이 가장 흔하지만 liposomal doxorubicin에서도 나타나며 알레르기 반응은 platinum 계열에서 흔히 관찰된다.

약물 투여 후 알레르기 반응을 보이는 경우에는 탈감작을 해야 한다. 탈감작은 가능한 중환자실에서 시행하는 것이 안전하며 90% 이상의 환자에서는 성공적으로 탈감작이 된다. 생명을 위협하는 알레르기 반응의 경우에는 알레르기 전문의와 탈감작의 전문가가 함께 하지 않는 경우 재투여를 하지 않는 것이 좋다. 알레르기 반응이 경미한 경우에는 재투여를 하는데 대부분 증상이 소실되더라도 탈감작 방법으로 투여하는 것이 좋다. 즉 이전에 알레르기 반응을 보인 경우는 매 주기마다 탈감작 방법으로 투여한다. Carboplatin에 대한 탈감작은 투여 시간을 연장하거나 전처치 약물 투여를 하는 방법으로 대부분 조절할 수 있다. 피부반응검사는 위음성 반응이 있을 수 있다.

수술 후 일차 항암화학요법이 종료가 된 경우는 영상학적 검사를 통하여 임상적 관해 여부를 확인한다. 만일 환자가 임상적 완전 관해를 보이면 치료가 종결되고 경과 관찰을 시행한다. 임상적 완전 관해란 증상이 없고 이학적 검사상 이상 소견이 없고, 종양표지자가 정상이며 영상의학적 검사상 종양의 증거가 없는 상태를 말한다.

타. PARP 저해제

니라파립을 BRCA변이를 보유한 일차성 난소암에서 유지요법으로 사용한 경우, 정중재발율이 10.4개월에서 21.9개월로 증가하였는데 가장 흔한 중증 합병증은 빈혈, 혈소판 감소증 및 호중구감소증이었다. 올라파립을 BRCA 변이를 보유한 일차성 난소암에서 유지요법으로 사용한 경우 hazard ratio 0.3으로 질병진행이나 사망을 감소시켰다. 이러한 PARP 저해제의 장기적인 효과 및 생존에 미치는 영향, 이차암 감소 등과 같은 결과를 확인할 필요가 있다.

파. HIPEC

선행 항암화학요법을 시행한 3기 난소암에서 종양감축술로1 cm 이하로 잔류종양이 감소할 복강내온열항암화학요법(hyperthermic intraperitoneal chemotherapy, HIPEC)을 시행하여, 정중재발기간이 10.7개월에서 14.2개월로 증가하였고, 정중 생존율이 33.9개월에서 45.7개월로 증가하였다. HIPEC의 역할에 대해서는 향후 추가적인 연구로 그 역할이 규명될 것으로 사료된다.

(4) 경과 관찰

암의 재발은 골반 통증이나 체중 감소와 같은 임상적인 증상으로 나타날 수도 있고 CA-125 증가와 같은 생화학적 재발로 나타날 수도 있으며 영상학적 검사로 확인될 수도 있다. 경과 관찰 시에는 복부/골반 CT 혹은 MRI 검사를 시행하는데 필요한 경우 흉부 CT 혹은 PET/PET-CT 등을 시행할 수 있다. 환자에게는 재발 증상에 대한 교육이 필요한데 골반 통증, 복부 팽만감, 피로감, 장폐색 등의 증상이 동반될 수 있다. 가임력 보존수술을 시행한 경우에는 초음파검사를 필요한 경우 추가적으로 시행할 수 있다.

치료 전에 CA-125가 증가되어 있었던 환자들은 치료후 경과 관찰 시에 정기적인 검사가 필요하다. 일차 치료 후 완전 관해를 보였던 환자에서 경과 관찰 중에 CA-125가 증가하면 이학적 검사와 영상의학적 검사를 시행한다. 그러나 이학적 검사와 영상의학적 검사에서 이상 소견이 관찰되지 않는 경우 치료에 대하여서는 논란이 있다. 만일 환자가 이전에 항암화학요법을 시행하지 않았던 환자의 경우 최초 암 진단을 받은 경우처럼 정밀 영상의학검사를 시행하고 수술을 포함한 치료를 시행할 수도 있다.

① 이학적 검사

재발을 발견하는 가장 저렴하고 비침습적인 방법이다. 비록 진찰자 간의 차이가 크고 영상학적 방법보다 민감도나 특이도가 낮기는 하지만 가장 기본적인 검사로서 경과 관찰 시 필요하다.

② 종양 표지자

난소암의 치료에 대한 반응과 재발을 관찰하는 데 여러 가지 종양 표지자가 사용되지만, 그중에서 혈청 CA-125가 가장 널리 사용된다. 난소암으로 치료받는 환자의 80% 정도에서 혈청 CA-125 수치는 병의 경과와 일치한다. CA-125의 연속적인 측정은 항암화학요법에 대한 반응과 관련이 있어서, CA-125가 증가하면 암의 재발을 강력히 시사한다. 명백한 재발의 징후가 나타나기 평균 4개월 전부터 혈청 CA-125의 증가가 나타난다.

이차 추시 개복술 전에 임상적으로 완전 관해를 보인 환자들에서 암의 재발을 발견하는데 혈청 CA-125의 민감도와 특이도는 62%와 93%라고 한다. 따라서 혈청 CA-125가 정상 범위라고 해서 암이 없다는 것을 의미하지는 못한다. 혈청 CA-125 범위와 이차 추시 개복술의 소견을 비교한 여섯 연구를 종합했을 때, CA-125가 정상이었던 173명 중 82명(47%)에서 실제로 암이 있었다. 그러나 혈청 CA-125를 측정하는 것이 생존율이나 삶의 질에 어떤 영향을 미치는 지에 대한 객관적인 자료는 많지 않다. UK Medical Research Council (MRC)와 the European Organization for Research and Treatment of Cancer (EORTC)에서 CA-125 경과 관찰의 유용성에 대한 다기관 공동 임상 연구를 시행하였다. 그 결과 혈청 CA-125로 경과 관찰을 하고 혈청 CA-125 기준으로 재발이 확인되었지만 증상이 없는 환자에서 즉시 이차 항암화학요법을 시행한 군과 증상이 나타날 때까지 기다린 이후 이차 항암화학요법을 시행한 군을 비교하였을 때, 조기 치료군은 약 5개월 먼저 치료를 시작하였고 중앙 생존기간에는 차이가 없었으며 삶의 질의 경우 오히려 조기 치료군에서 유의하게 나빴다고 보고하였다. 그러나 아직도 논란이 있지만 재발된 난소암의 조기 발견에 따른 이차 수술에 대한 유용성 등이 확립되지 않은 상황에서는 더 많은 연구가 필요하고 현재 SGO에서는 CA-125 경과 관찰을 선택적으로 적용하도록 권고하고 있다. 국내 연구는 없지만 대한부인종양학회는 CA-125 경과 관찰을 권고하고 있다.

③ 영상의학적 검사

초음파검사는 비침습적이고 상대적으로 비용이 적게 들어서 난소암의 재발 발견에 사용되고 있다. 하지만 사용자의 경험에 따른 차이가 크고, 복강내 질환을 발견하는 데 제한점이 있다는 단점이 있다. 임상적으로 완치라고 생각되는 난소암 환자에서, 초음파검사와 CT와 이차 추시 개복술을 비교한 연구에서, 초음파검사는 단지 18%에서 CT 외에 부가적인 정보를 줄 수 있었다. 초음파검사와 이차 추시 개복술을 비교한 연구에서 92% 정도의 음성 예측도를 보였지만, 2 cm 미만의 병변에서는 민감도가 8.6%, 현미경적 병변에서는 민감도가 6.2%로 낮았다. 따라서 난소암 환자의 치료 후 추적에는 초음파검사의 효용성이 적다.

CT는 난소암의 추적에 널리 사용되고 있다. 하지만 작은 크기의 암을 찾아내는 데는 민감도가 낮은 편이다. 이차 추시 개복술 전에 시행한 CT는 42-47% 정도의 민감도,

85-87% 정도의 특이도, 60-63% 정도의 진단 정확도, 81-84% 정도의 양성 예측도, 50-53% 정도의 음성 예측도를 보인다. 림프절, 간, 비장 등의 전이를 발견하는 데는 높은 민감도를 보이지만, 대망, 장간막, 복막전이를 발견하는 데는 낮은 민감도를 보인다. 이처럼 위음성률이 높기 때문에, 암의 정확한 상태를 알아보는데 있어서 CT가 이차 추시 개복술을 대신할 수는 없다. 하지만 특이도가 높기 때문에 암이 남아 있는 환자에서 이차 감축술(secondary cytoreductive surgery)을 시행하려고 할 때 도움이 될 수 있다.

CT와 MRI의 정확도를 이차 추시 개복술과 비교한 많은 연구들이 있지만 상반된 결과를 보이고 있다. MRI는 조영제에 과민 반응이 있는 환자에서 CT의 대용으로 사용될 수 있을 것이다.

최근에 난소암 환자의 치료 후 추적 관찰에 Positron emission tomography (PET)가 이용되고 있다. PET는 CT에 비해서 위양성률이 더 높다. 아직까지 PET의 역할은 명확치 않으나, 종양표지자가 증가하고 CT에서는 재발의 증거가 명확치 않은 환자에서 치료 계획을 세우는 데 도움을 줄 수 있을 것이다.

④ 이차 추시 수술(second-look operation)

이차 추시 수술은 수술과 항암화학요법으로 치료 후 임상적으로 잔류암이 없다고 판단되는 난소암 환자에서 치료의 반응을 결정하기 위해 시행하는 것을 말한다. 비침습적인 방법들이 암의 존재를 알아내는 데 정확도가 부족하여, 임상적으로 완전관해라고 생각되는 환자의 약 50% 이상에서 이차 추시 개복술에서 암이 확인된다. 그러나 아직 이차 추시 개복술이 난소암 환자에게 생존율의 향상을 준다는 전향적인 연구는 없다. 이차 추시 개복술을 시행해야 한다고 주장하는 사람들은 ① 비침습적인 방법들에 비해 상대적으로 정확도가 높음. ② 상대적으로 낮은 이환율 ③ 예후 인자적인 가치 ④ 공고요법(consolidation therapy)의 치료적 가치 ⑤ 이차 종양 감축술 등의 점을 들고 있다. 이에 반하여 이차 추시 개복술의 가치에 대해 회의적인 사람들은 ① 이차 추시 개복술에서 음성인 경우에도 약 35-50% 이상의 높은 재발률 ② 효과적인 구제요법(salvage therapy)이 없다는 점 ③ 입증된 공고요법이 없다는 점 등을 들고 있다.

가. 이차 추시 개복술(second-look laparotomy)

이차 추시 개복술은 병기 결정을 위한 개복술과 동일한 방법으로 시행한다. 여러 세포검체(multiple cytologic specimens)를 얻은 후 복막에서 생검을 시행하는데, 특히 전에 암이 있었던 곳에서는 암이 다시 발견되는 경우가 많기 때문에 반드시 생검을 시행해야 한다. 유착이 있거나 표면이 불규칙한 곳, 골반 측벽, 더글라스와, 방광, 장 측면, 대망 조직 중 남은 것, 횡격막 등에서 생검을 시행한다. 전에 수술에서 제거하지 않았다면 골반 및 부대동맥 림프절절제술도 시행해야 한다. 육안적으로는 병변이 없는 환자 중 약 30%에서 현미경적 전이가 발견된다. 그리고 이런 현미경적 전이의 많은 경우가 우연한 생검이나 복강내 세포 검체에서 발견되므로, 이차 추시 수술의 위음성률을 낮추기 위해서 많은 수의 생검을 해야 한다.

나. 이차 추시 복강경수술(second-look laparoscopy)

후복막 림프절절제술이 가능해지면서, 복강경을 이용한 이차 추시 수술의 유용성이 증가되고 있다. 개복수술에 비해 덜 침습적이라는 장점이 있지만, 복강내 유착 등에 의해 시야의 제한이 있을 수 있다는 단점도 있다.

(5) 재발 치료

재발 치료는 환자의 종양 용적을 감소시키고 증상 완화와 삶의 질 향상과 생존기간 연장을 위하여 투여하는 항암화학요법, 방사선 치료, 기타 치료 등을 말한다. 혈청 CA-125 증가에 따른 재발을 확인한 후 대부분 2-6개월 뒤에 임상적 재발을 확인할 수 있다. 이러한 생화학적 재발 시에 즉각적인 치료 시작은 큰 도움이 되지 않는다고 알려져 있다. 따라서 생화학적 재발의 경우 임상시험에 참여하거나 증상이 확인될 때 치료를 시작하는 것이 일반적으로 추천된다. 또 다른 방법으로는 타목시펜 같은 호르몬 투여가 고려될 수 있는데 platinum 기반 항암화학요법 후 재발한 환자에서 호르몬치료가 일부 효과가 있다는 근거에 기반하여 재발의 증거가 CA-125 상승만 확인되는 경우에는 타목시펜, letrozole, medroxyprogesterone acetate, anastrozole, leuprolide acetate 등을 투여할 수 있다.

난소암 재발은 ① 두 가지 이상의 일차 항암화학요법 투여에도 불구하고 치료의 반응을 보이지 않는 경우 platinum 무반응(platinum refractory)으로, ② 일차 항암화학요법에 반응을 보인 후 6개월 이내에 재발한 경우 platinum 저항성(platinum resistant)으로 분류하며 예후는 불량하다. ③ 일차 치료 후 6개월이 지나서 재발이 된 경우에는 platinum 민감성(platinum sensitive)으로 분류하며 platinum 기반 복합 항암화학요법 재투여에 비교적 높은 반응률을 보인다.

이차 종양감축술은 무진행 생존기간이 최소한 6개월 이상 되는 경우 시행을 고려한다. 최근의 메타분석 결과 잔류종양을 남기지 않는 수술이 된 경우에는 생존기간을 연장한다고 보고하였다. 이차 종양감축술의 정확한 적용 기준에 대하여서는 아직 논란이 있으나 기간에 대하여서는 최소한 6개월 이상의 무진행 생존기간이 필요하다.

재발 치료에 대하여 특정 regimen이 반드시 우선적이지는 않다.

① 이차 종양감축술(secondary cytoreduction)

일차 항암화학요법이 완료된 후에 종양을 감소시키기 위한 수술을 말한다. 항암화학요법을 하는 데도 계속 암이 진행하는 경우는 이차 종양감축술이 적합하지 않다. 모든 육안적으로 남아 있는 종양을 제거할 수 있다면 도움이 되는데 난소암이 재발한 경우에도 이런 수술이 적응이 될 수 있다. 일반적으로는 무병 생존기간이 최소한 6개월 이상이며 복수가 없고 모든 육안적으로 남아 있는 종양을 제거할 수 있을 때에 수술을 권하고 있다. 이러한 수술이 재발한 환자의 생존기간을 연장하는지 확인하기 위해서 GOG 213, DESKTOP III연구가 진행되었다. GOG 213은 이차종양감축술 여부를 연구자가 결정하여 수술 이후 항암치료+bevacizumab을 투여하였는데, 이차종양감축술이 생존율을 증가시키지 못했다. 2020ASCO에서 DESKTOP III가 발표되었는데, performance score 0점, ascites ≤500 mL, 첫 수술에서 잔류종양이 남지 않은 경우 정중무진행율이 14개월에서 18.4개월로 향상되었고, 정중 생존율이 46개월에서 61.9개월로 향상되었다. 재발성 난소암에서 수술의 기준과 방법에 대해서는 향후 지속적인 연구가 필요하다.

② 이차 항암화학요법

가. platinum **민감성 재발**(platinum sensitive recurrence)

Platinum 민감성 환자의 경우 paclitaxel/carboplatin, docetaxel/carboplatin, gemcitabine/carboplatin, liposomal doxorubicin/carboplatin, gemcitabine/cisplatin이 추천된다.

GEICO (Grupo Espanol de Investigacion en Cancer de Ovario) 연구에서 81명의 platinum 민감성 재발 환자를 대상으로 carboplatin 단독요법과 carboplatin+paclitaxel 복합요법을 비교한 결과 중앙 무진행 생존기간과 생존율에서 유의하게 복합요법군이 좋았다(각각 p=0.021, p=0.0021). ICON4 연구에서도 802명의 platinum sensitive 재발 환자에서 carboplatin 단독요법과 carboplatin+paclitaxel 복합요법을 비교한 결과 복합요법군에서 중앙 무진행생존기간의 유의한 증가가 관찰되었으며(HR=0.76, 0.66-0.89), 생존율이 의미 있게 증가하였고(57% vs 50%) 5개월의 평균 생존기간의 연장 효과가 있었던 것으로 나타났다. AGO-OVAR-2.5 연구에서는 156명의 platinum sensitive 재발 환자에서 carboplatin 단독요법과 carboplatin+gemcitabine 복합요법을 비교한 결과 반응률과 중앙 무진행 생존기간은 복합요법군에서 유의하게 좋았지만(각각 p=0.0016과 p=0.0031)전체 생존율은 유의한 차이를 보이지 못하였다. 전체적으로 4개의 무작위 3상 임상시험에 대한메타분석에서 platinum 기반의 복합항암화학요법이 단독요법에 비하여 유의한 무진행 생존기간 증가가 확인되었다. 따라서 platinum sensitive 재발 환자에서 platinum 기반 복합항암화학요법이 표준치료가 되었다. 또한 CALYPSO 임상시험에서는 973명의 platinum sensitive 재발 환자에서 carboplatin + liposomal doxorubicin과 carboplatin+paclitaxel을 비교한 결과 무진행 생존기간이 11.3개월과 9.4개월로(HR=0.82, p=0.005) carboplatin+liposomal doxorubicin군에서 유의한 증가를 보였으나 전체 생존율은 유의한 차이가 없었다(30.7 vs 33.0개월, HR=0.99, p=0.94). 독성에서는 두 군 간의 차이가 있었는데 carboplatin+liposomal doxorubicin군에서 탈모와 신경학적 독성이 유의하게 낮았고 반대로 점막염증과 수족증후군(hand-foot syndrome)은 유의하게 높았다.

국내에서 진행된 platinum을 기본으로 일차 항암화학요법 후 6개월 이후 재발한 환자들을 대상으로 이차 항암화학요법으로 carboplatin (5 AUC)과 paclitaxel (175 mg/m^2)을 투여한 연구에서 완전관해, 부분관해가 59%, 비진행성인 경우까지 포함한 임상적 유용성을 76%까지 보고한 바 있다(장혜진 등, 2004). 다른 국내 연구에서도 비슷한 용법으로 재발성 난소암 환자에게 적용했을 때 약제에 대한 반응률 60%를 보고한 바 있다(서형주 등, 2004).

최근에는 OCEAN 임상시험에서 무치료기간이 6개월 이상인 platinum sensitive 환자에서 gemcitabine/carboplatin 요법군과 bevacizumab 병행요법군을 비교한 결과 무진행 생존기간이 4개월 증가(12.4 vs 8.4개월, p<0.0001)하는 것을 확인하였다(표 33-10). 따라서 이전 bevacizumab을 투여받지 않은 platinum sensitive 재발 난소암 환자에서는 gemcitabine/carboplatin/bevacizumab 병행 투여 후 bevacizumab 유지요법 투여가 가능하다. ICON 6 무작위 3상 연구에서는 456명의 platinum sensitive 재발 환자에서 paclitaxel/carboplatin요법군과 cediranib 병행 후 cediranib 유지요법군을 비교한 결과 무진행생존기간이 3.2개월 증가(12.6 vs 9.4개월, p<0.00001)하였고 전체생존기간이 17.6개월과 20.3개월로(HR 0.70, p=0.0419) 유의한 증가를 확인하였다(표 33-10). 최근 PARP (Poly-ADP ribose polymerase)억제제인 olaparib이 *BRCA1*, *BRCA2* 배선 돌연변이가 있는 재발 환자에서 단독 투여로도 효과가 있고 특히 백금감수성 환자에서 백금저항성 환자에 비하여 높은 반응률을 나타낸다고 보고되었다. OV19 임상시험에서는 백금 감수성 재발 환자에서 paclitaxel/carboplatin 투여 후 olaparib 유지요법군이 paclitaxel/carboplatin만 투여하였던 대조군에 비하여 무진행 생존기간이 연장되는 것을 확인하였다(8.4 vs 4.8개월, HR=0.35, p<0.001). 이러한 연구 결과들은 대부분 무진행 생존기간의 연장은 확인할 수 있지만 전체 생존기간의 유의한 증가가 확인되지 못하는 경우가 대부분이어서 앞으로 더 많은 연구가 필요하다. 백금 민감성 난소암에 대한 PARP 저해제(올라파립, 니라파립, 루카파립) 의 사용을 재발 감소를 확인하였다. 2상 무작위 연구인 Study 19은 백금 민감성 재발성 난소암 환자를 대상으로 백금기반 항암요법 후 완전 관해 혹은

표 33-10. 난소암에서 재발치료 시 분자표적치료제의 3상 임상시험 결과

임상시험	약제	재발 대상환자	무진행 생존 HR	전체 생존 HR
OCEAN	bevacizumab	Platinum 민감성	0.53 (0.41-0.70)	0.96 (0.76-1.21)
ICON6	cediranib	Platinum 민감성	0.57 (0.44-0.74)	0.70 (0.51-0.99)
TRINOVA-1	trebananib	Platinum 민감성/저항성	0.66 (0.57-0.77)	0.86 (0.69-1.08)
AURELIA	bevacizumab	Platinum 저항성	0.48 (0.38-0.60)	0.85 (0.66-1.08)

부분 관해가 온 경우에 BRCA 돌연변이 여부에 상관없이 유지요법으로 올라파립 사용군에서 무진행 생존율(중앙 생존 기간, 8.4개월 대 4.8개월; HR=0.35; 95% CI, 0.25-0.49; P<0.001)의 향상을 보였다. SOLO-2 연구는 백금 민감성 재발성 난소암 환자 중에서 BRCA 돌연변이가 있는 환자들을 대상으로 한 3상 무작위 배정 임상연구였는데, 올라파립 유지요법 군에서 무진행 생존율(중앙 생존 기간, 19.1개월 대 5.5개월; HR=0.3; 95% CI, 0.22-0.41; P<0.001)의 향상을 보였다. ENGOT-OV16/NOVA 연구는 백금 민감성 재발성 난소암 환자를 대상으로 시행된 부작위 배정 3상 임상연구로, 백금기반 항암치료에 반응을 보인 경우 유지요법으로 니라파립군과 위약군으로 무작위 배정되었다. 생식세포 BRCA 돌연변이가 있는 군(중앙 생존 기간, 21개월 대 5.5개월; HR=0.27; 95% CI, 0.017-0.41; P<0.001)과 생식세포 BRCA 돌연변이가 없는 군(중앙 생존 기간, 9.3개월 대 3.3개월; HR=0.45; 95% CI, 0.34-0.61; P<0.001) 모두에서 무진행 생존 기간의 향상을 보였다. ARIEL 3 연구에서는 백금 민감성 재발성 난소암 환자에서 백금 기반 항암제 치료에 완전 관해 혹은 부분 관해를 보인 경우 유지요법으로 루카파립군과 위약군으로 무작위 배정한 3상 임상 연구였다. 분석은 BRCA 돌연변이 양성인 환자들, HRD-positive인 환자들, 그리고 intention-to-treatment population 세 가지로 진행되었는데, 세 경우 모두 루카파립군에서 무진행 생존율의 유의한 향상을 보였다.

나. platinum 저항성 재발(platinum resistant recurrence)

Cisplatin에 반응이 없는 환자들에게 이차 치료로 carboplatin을 투여하였을 때 그 반응률은 10% 미만이었다. Platinum을 기본으로 항암화학요법을 한 지 6개월 이내에 재발한 resistant 군의 치료에는 교차 저항성이 없는 약제를 선택해야 한다. 주로 단일 약제가 주로 쓰이는데 복합요법은 독성에 비해 얻는 이점이 적기 때문이다. 백금저항성 환자의 경우는 새로운 약제인 경우 etoposide, liposomal doxorubicin, gemcitabine, docetaxel, weekly paclitaxel, topotecan 등의 투여를 한다. 이들 약제의 반응율은 topotecan 20%, gemcitabine 19%, liposomal doxorubicin 26%, 경구 etoposide 27%, weekly paclitaxel 21%, docetaxel 22%로 전체적으로는 19-27% 정도이다.

이외 altretamine, ifosfamide, doxorubicin, cyclophosphamide, melphalan, nanoparticle albumin abound (Nab) paclitaxel, permetrexed, vinorelbine, oxaliplatin, irinotecan 등을 투여할 수 있다. Nab paclitaxel의 반응률은 64%, vinorelbine 20%, altretamine 14%, ifosfamide 12%, permetrexed 21%의 반응률을 보였으며 bevacizumab도 Platinum 저항성과 Platinum 감수성 환자에서 21%의 반응율을 보였으나 고혈압, 동맥 색전증, 장천공 등의 합병증이 보고되었다.

최근 AURELIA 3상 임상시험 결과 361명의 Platinum저항성 환자의 경우 weekly paclitaxel, liposomal doxorubicin, weekly topotecan과 bevacizumab을 병행 투여한 환자에서 항암화학요법 단독으로 투여한 경우에 비하여 3.3개월의 무진행 생존기간의 증가(6.7 vs 3.4개월, HR=0.48, p<0.001)와 증상 호전, 특히 복수 조절 등을 확인함으로써 장천공의 위험이 높지 않고 이전에 bevacizumab을 투여하지 않았던 환자의 경우에는 투여할 수 있다(표 33-10).

국내 연구에서 재발성 난소암 환자에게 paclitaxel (135 mg/m^2)+cisplatin/carboplatin 혹은 paclitaxel only (175 mg/m^2) 평균 7.4회 투여하여 전반적인 반응률이 35.5%, 평균 무진행 생존율은 10.1개월이었고, platinum 민감성인 환자군에서 저항성인 환자군보다 더 높은 반응률(54.5%>25%)과 평균 무진행 생존율(15.5개월>8.3개월)을 보였다. 가장 흔한 독성은 과립구 감소증이었고 grade 4 이상의 독성인 경우는 10%이었다(김미하 등, 1998).

- Taxane: Paclitaxel 단일 약제로 135-175 mg/m^2, 매

3주마다, 3시간 혹은 24시간 투여하여 20-30%의 반응률을 보였다. 주로 감각이상, 신경계 독성을 나타냈다. 1주일 간격으로 80 mg/m^2을 투여한 연구에서 25% 반응률과 함께 골수 억제 효과가 더 적은 결과를 보이기도 했다. Docetaxel 을 가지고 GOG에서 60명의 환자를 대상으로 한 연구에서는 22% 반응률과 평균 2.5개월의 반응 기간을 보였으나 4분의 3의 환자에서 심한 과립구 감소증을 보였다.

- Topotecan: 139명을 대상으로 한 연구에서 topotecan 1.5 mg/m^2 daily for 5 days를 투여한 결과 platinum 예민군인 경우 19%, 저항군인 경우 13%의 반응률을 보였다. 주요한 부작용은 골수 억제로 75%의 환자에서 심한 과립구 감소증을 보였다. 한 번 용량을 1.0 mg/m^2으로 줄이거나 2.0 mg/m^2으로 3일간 투여하는 변형된 방법들이 작용하여 비슷한 반응률과 적은 부작용을 보였다. 4.0 mg/m^2/week를 3주간 투여하고 1주 쉬는 방법이 새로 연구되었는데 이는 5일 용법보다 독성은 적고 효과는 비슷하여 새로운 용법으로 고려될 수 있을 것이다. 경구 topotecan 치료 역시 독성을 줄이고 비슷한 효과를 얻을 수 있다는 보고가 있었다.
국내에서 재발성 난소암에 대해 topotecan을 이차 치료로 사용한 결과를 보고한 바 있는데 platinum 예민군에서 반응률은 30.8%, platinum 저항군의 반응률은 15.9% 였다. Topotecan만 쓴 경우 반응률은 8%이었으나 platinum을 추가하였을 때는 28.1%로 단일요법으로도 효과가 있으나 복합요법인 경우에 더 효과가 높다고 하였다(이혜연 등, 2005).
국내에서 개발된 belotecan은 topotecan과 동일한 camptothecin계열 약제로 재발성 난소암에서 단독요법과 복합요법(+cisplatin 혹은 carboplatin)이 각각 보고되었는데 platinum 민감성 재발 환자의 경우 beotecan 단독요법의 반응률이 15.4-53.3%, 복합요법이 65-77.8%로 보고되었다. Platinum 저항성 재발의 경우에는 단독요법의 반응률이 20-33.3%, 복합요법이 15.4-50.0%로 보고되었다. Belotecan 0.3 mg (D1-5) +carboplatin AUC5 (D5)를 투여하였을 때 반응률이 platinum 민감성의 경우 65.0%, platinum 저항성의 경우 46.7%이었으며, 중앙 반응기간이 7개월, grade 3 이상 독성 중에서 호중구 감소증이 28.8%, 혈소판 감소증이 19.8%에서 관찰되었다(최철훈 등, 2011).
- Liposomal doxorubicine: 40-50 mg/m^2을 4주마다 투여하여 paclitaxel이나 topotecan과 비교할 만한 반응률을 얻을 수 있었고 hand-foot syndrome 등의 부작용은 더 많고 골수 독성은 더 적었다.
- Gemcitabine: 20-50%의 반응률을 보였고 골수 독성과 소화기 독성 등의 부작용이 있었다.
- Oral etoposide: 8-27%의 반응률을 보였고 골수 독성과 소화기 독성 등의 부작용이 있었다. Paclitaxel과 platinum 저항성 환자에게 효과적으로 쓰일 수 있는 약제이다.

③ 방사선요법(radiation therapy)

전이성 난소암 환자에 대한 복합 항암화학요법 이외의 다른 치료 방법으로 전복부 방사선조사요법이 있다. 현재 미국 내에서는 이러한 방사선조사요법이 별로 사용되고 있지 않지만 캐나다의 일부병원에서는 이에 대한 연구가 보고되었는데 Princess Magaret Hospital에서 moving strip 기법을 사용한 연구에서는 병기 I의 분화가 나쁜 종양과 육안적으로 잔류종양이 없거나 골반강 내 소량의 잔류종양이 있는 병기 II 및 병기 III 종양을 가진 환자에서 수술 후 치료 방법으로 방사선조사를 시행한다고 하였다. 이들의 보고에 의하면 이보다 더 진행한 경우는 방사선으로 치료되기 어렵고 그 경우는 처음부터 항암화학요법의 선행이 필요하다고 하였으며 약 55%가 치료에 반응을 나타낸다고 하였다.

④ 면역요법(immunotherapy)

현재 난소암의 치료에 있어 생물학적 반응 변환제(biologic response modifier, BRM)에 대한 관심이 높아 많은 연구가 진행되고 있으나 아직까지 일차 치료로써 괄목할 만한 효과를 입증하지는 못하였다. 구제요법(salvage therapy)의 일환으로 α-interferon, γ-interferon, interleukin-2 등의 사이토카인 제제에 대한 임상 연구가 진행되고 있다.

⑤ 호르몬요법(hormonal therapy)

진행성 상피성 난소암 환자의 일차 치료로 호르몬요법이 적절하다는 증거는 없다. 그러나 재발성 난소암 중에 환자가 항암제에 더 이상 반응하지 않는 경우 tamoxifen을 포함한 letrozole, anastrozole, leuprolide acetate, megestrol acetate 등을 투여할 수 있다.

(6) 상피성 난소암 진료권고안

대한부인종양·콜포스코피학회에서는 부인암 진료권고안 소위원회를 통해 상피성 난소암 진료권고안을 발표한 바 있으며(2010), 그 내용을 그림 33-11을 통해 요약하였다. 최근 난소암 치료에 분자표적치료제를 포함한 새로운 결과들이 보고됨으로써 진료권고안의 개정, 추가를 진행하고 있다.

11. 생존율

상피성 난소암의 생존율과 관계있는 몇 가지 예후인자들은 다음과 같다.

1) 나이

모든 병기의 환자들을 포함했을 때, 50세 이하 환자의 5년 생존율은 약 40% 정도이고, 50세 이상 환자의 5년 생존율은 약 15% 정도이다.

2) 병기

병기설정수술을 시행하여 결정된 병기에 따른 5년 생존율은 I기가 80-90%, 2기는 60-70%, III기는 20-40%, 4기는 5-10% 정도이다.

3) 세포 분화도

경계성 난소암의 예후는 아주 좋아서, 병기 I의 경우 15년 생존율이 98% 정도이며 모든 병기를 포함하더라도 5년 생존율이 85-90% 정도이다. 세포 분화도에 따른 침윤성 난소암의 5년 생존율은 병기 I의 경우 세포 분화도 1에서 91%, 2에서 75%, 3에서 75%이고, 병기 II의 경우 69%, 60%, 51%이며, 병기 III 및 IV의 경우에는 38%, 25%, 19%이다.

4) 잔류병변

병기 III의 환자에서 현미경적 잔류병변이 있는 경우 5년 생존율은 40-75%, 작은 잔류병변이 있는 경우는 30-40%, 큰 잔류병변이 있는 경우는 5% 정도이다.

5) 이차 추시 개복술의 상태

병기 III의 환자에서 이차 추시 개복술에서 잔류병변이 없는 경우 5년 생존율은 50%, 현미경적 잔류병변이 있는 경우는 35%, 육안적 잔류병변이 있는 경우는 5%이다.

12. 난관암

난관암은 서양에서는 모든 부인암의 0.3-1.0%를 차지하는 매우 드문 암으로(Hellstrom et al., 1998; Alvarado-Cabrero et al., 1999) 그 원인은 잘 알려져 있지 않으나 저출산, 만성 골반염, 자궁내막증, 불임 등과 관련이 있으며, 경구용 피임제 사용으로 발생이 감소한다. 특이한 증상이 없어 수술 전 진단이 매우 어렵다. 대부분 해부학적 근접성, 조직 소견 및 전이 양상의 유사성으로 난소암에 준하는 치료를 시행한다.

1) 병리

육안적으로는 난관이 팽대되어 있어, 난관수종, 난관혈종, 난관농양과 혼동될 수 있다. 장막은 가끔 출혈이 있고, 과립성(granular)이거나 부드러울 수도 있다. 대부분 일측성이나 양측성은 5-30%를 차지한다(Hanton et al., 1966). 조직학적으로는 선암이 90% 이상으로 가장 많고, 그 외 투명세포암, 육종, 자궁내막모양암, 악성혼합뮐러씨종양, 선편

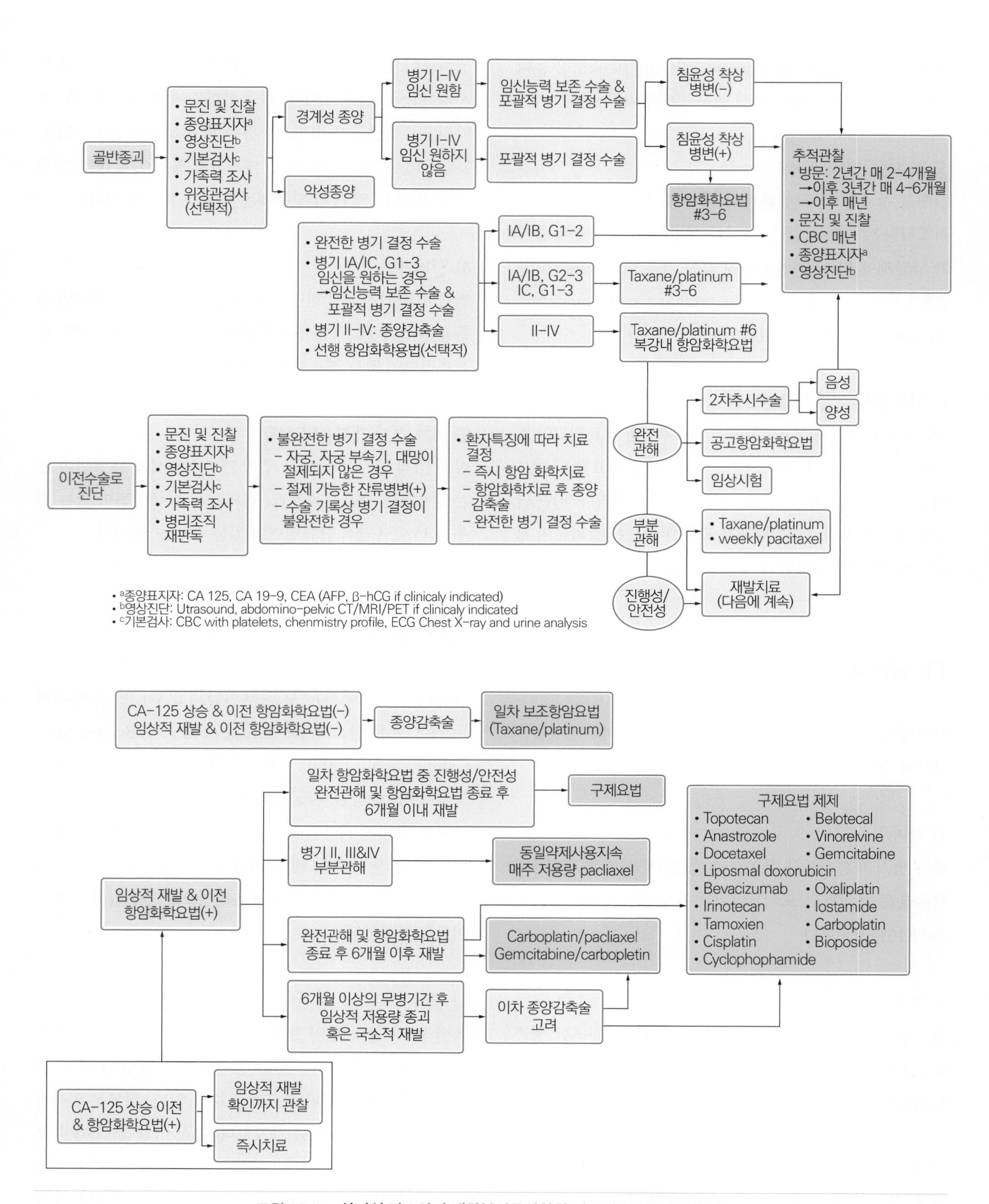

그림 33-11. **상피성 난소암의 대한부인종양학회 진료권고안(2010 현재)**

평상피암, 융모막암, 편평상피암 등이 있다. 난관에 전이되는 암의 원발성 부위로는 대부분 난소와 자궁내막이나 그 외에 유방, 소화기 등이 있다.

Hu와 Seldis에 의한 진단적 기준은 다음과 같다.

① 주된 종양이 육안적으로 난관 내에 존재하여야 하며, ② 조직학적으로 난관 점막이 침윤되고, 유두 형태(papillary pattern)를 나타내야 하며, ③ 난관벽이 침범되어 있고, 양성에서 악성으로 이행하는 부위가 반드시 증명되어야 하며 ④ 난소와 자궁은 정상이거나 종양의 크기가 난관보다 작아야 한다.

난소암과의 감별 진단이 필요한데, 난관 장막에만 병변이 있고, 난관 점막에는 병변이 없는 경우에는 난소암의 진단이 확실해진다.

2) 증상 및 징후

대부분 폐경기 이후에 나타나며 호발 연령은 50대 후반과 60대 초반이다. 난관암의 특이한 증상은 없으며 많은 환자에서는 무증상이다. 그러나 질출혈이 가장 많은 증상이며, 그 외에 질분비물, 하복통, 골반종괴 등이 나타나며, 난관암의 고전적인 3대 증상(Latzko's triad)으로 ① 많은 양의 장액성 질분비물(hydrops tubae profluens), ② 골반 통증, ③ 골반종괴를 열거하고 있으나 환자의 15%에서만 나타난다.

3) 진단

수술 전 진단은 2.5-15%(Ajithkumar et al., 2005)에서만 가능하며 그 원인은 특이한 증상이 없으며, 자궁 및 난소와 해부학적으로 근접하여 있고 또한 자궁내막 및 난소와 비슷한 유두성 선암이 많기 때문이다. 자궁경부세포검사는 0-13%(Sedlis et al., 1961; Boutselis et al., 1971; Yoonessi et al., 1979)에서 가능하며 초음파, CT, MRI에서도 특이한 소견은 나타나지 않는다. 종양 표지자인 혈청 CA-125 농도도 치료 전 65-80% 이상에서 증가되어 있으나(Baekelandt et al., 2000; Ajithkumar et al., 2005), 난소암을 비롯한 각종 산부인과 양성 및 악성질환에서도 증가되어 있어 수술 전 진단에는 별 도움을 주지 못하며, 수술 후의 항암화학요법 투여에 대한 반응이나 추적검사할 때 재발의 발견에 사용되고 있다.

4) 병기

수술 후 조직검사 결과에 따른 FIGO에 의한 분류법에 의한다(표 33-3).

난관암은 난소암의 2/3 정도가 III, IV기인 것에 비하여 I, II기에 50% 정도 진단되는 경향이 있는데, 그 원인은 질분비물이나 질출혈 등과 같은 증상이 비교적 빨리 나타나기 때문인 것으로 추정된다. 난소암에 비해 비교적 조기에 발견되는 경향이 있어 난소암에 비해 치료 성적이 약간 좋다. 전이의 형태는 난소암과 비슷하며, 42-59%의 림프절전이가 있다(Klein et al., 1999, Di Re et al., 1996).

5) 치료

원발성 난관암의 치료는 확립된 원칙을 제시하기 어려우나 상피성 난소암의 치료 원칙이 적용된다. 즉 자궁 및 양측 부속기절제술을 시행하고 전이가 없으면 복강 내 세척액 세포검사, 대망절제술, 복막 및 의심 부위의 생검, 후복막 림프절 생검을 시행하여 병기를 설정한다. 전이가 있는 경우에는 가능한 최대한의 종양 제거술을 시행한다.

수술 후 보조 치료로는 난소암과 마찬가지로 Palitaxel과 carqoplatin을 복합 항암요법요법을 투여한다. 치료 결과는 난소암과 유사하다. 난관암의 치료에 있어서 복강 전체에 방사선 치료를 하는 것은 효과가 없는 것으로 보이며 항암화학요법에 비하여 치료결과가 좋지않다. 따라서 일부 방사선치료가 필요한 환자에서만 선택적으로 시행한다.

6) 예후

가장 중요한 예후인자는 병기와 수술 후 잔류종양의 크기이며(Yoonessi et al., 1979; Baekelandt et al., 2000), 종양의 분화도에 대하여는 논란이 있다. 5년 생존율은 평균 40-51%(Podratz et al., 1986; Barakat et al., 1991)로, I기(64-95%), II기(37-75%), III기(18-69%), IV기(12-45%)라고 보고하고 있다(Podratz et al., 1986; Baekelandt et al.,

2000; Heinz et al., 2001; Korsary et al., 2002). 또한 각 병기별로 상피성 난소암에 비해 좋은 예후를 보인다.

참고문헌

- 김미하, 박노현, 김용범, 이철민, 김재원, 송용상 등. Platinum 제제를 기본으로 한 화학요법 후 재발한 난소암 환자에서 Taxol 포함 항암요법의 효용성. 대한산부회지 1998;41:2323-8.
- 김상희, 송용중, 이 향, 이삼미, 최석철, 유상영 등. 상피성 난소암에서 수술 후 일차 항암화학요법으로 시행된 Paclitaxel - Cisplatin의 효용성에 대한 연구. 대한산부회지 2001;44:2263-8.
- 김영태. Neoadjuvant chemotherapy followed by interval debulking in ovarian cancer. 대부종콜포회지(증보 1) 2005;16:60-9.
- 김우영, 최중섭, 박창수, 김병기, 이제호, 배덕수. 상피성 난소암 환자에서 생존율 분석을 통한 임상병리학적 예후 인자에 대한 고찰. 대한산부회지 2002;45:1800-7.
- 김재욱, 김동규, 성혜리, 박찬규. 난소암 환자에서 2차 추시개복술의 임상적 의의. 대한산부회지 1992;35:1300-8.
- 문을주, 전우진, 이재규, 윤병선, 유상영, 김종훈 등. 상피성 난소암 217례의 임상병리학적 특징과 생존율 분석. 대한산부회지 2000;43:1604-10.
- 서형주, 이철민, 김정선, 이혜주, 박용주, 조용균 등. Paclitaxel-Platinum 제제를 기본으로 한 항암화학요법 후 재발한 난소암 환자에서 Paclitaxel-Carboplatin 복합 항암화학요법의 효용성. 대한산부회지 2004;47:1915-20.
- 양오승, 김동규, 김재욱, 윤달영. Stage Ia 경계성 난소상피종양에 관한 임상적 고찰. 대한산부회지 1993;36:2872-6.
- 윤정섭, 김하정, 장성규, 김기형, 윤만수. 원발성 상피성 난소암에서의 고용량 Cisplatin-Cyclophosphamide의 치료성적에 관한 연구. 대부종콜포회지 2001;12:12-22.
- 윤정혜, 이현영, 박혜원, 신진우, 이종민, 박찬용. 상피성 난소암 환자의 예후 인자 분석. 대한산부회지 2006;49:566-71.
- 이선주, 이정원, 박창수, 김병기, 이제호, 배덕수. 진행선 상피성 난소암 환자에서 선행 항암화학요법의 효용성. 대한산부회지 2004;47:627-33.
- 이혜연, 이정원, 김우선, 이선주, 김병기, 이제호 등. 재발성 상피성 난소암 환자에서의 이차 항암화학요법으로 투여한 Topotecan의 효용성. 대한산부회지 2005;48:1917-25.
- 장혜진, 유희석, 임윤경, 문세희, 장기홍, 이정필. Platinum sensitive 재발성 난소암에서 Carboplatin/Paclitaxel의 효과. 대부종콜포회지 2004;14:275-80.
- 중앙암등록본부. 국가암등록사업 연례 보고서(2011년 암등록통계), 보건복지부, 2013.
- 통계청, 사망원인통계, http://kosis.kr, 접속일 02/09/2014.
- Adami HO, Hsieh CC, Lambe M Parity, age of first childbirth, and risk of ovarian cancer. Lancet 1994;344:1250-4.
- Aghajanian, C. et al. OCEANS: a randomized, double-blind, placebo-controlled phase III trial of chemotherapy with or without bevacizumab in patients with platinum-sensitive recurrent epithelial ovarian, primary peritoneal, or fallopian tube cancer. J. Clin. Oncol. 2012;30:2039-45.
- Ajithkumar TV, Minimole MD, John MM, Ashokkumar OS. Primary fallopian tube carcinoma. Obstet Gynecol Surv 2005;60:247-52.
- Alvarado-Cabrero I, Young R, Vamvakas E, Scully Re. Carcinoma of the fallopian tube: a clinicopathological study of 105 cases with observations on staging and prognostic factors. Gynecol Oncol 1999;72:367-79.
- American College of Obstetricians and Gynecologists Committee on Gynecologic Practice. Committee Opinion No. 477: the role of the obstetrician-gynecologist in the early detection of epithelial ovarian cancer. Obstet Gynecol 2011;117:742-6.
- American College of Obstetricians and Gynecologists. ACOG Practice Bulletin No. 103: hereditary breast and ovarian cancer syndrome. Obstet Gynecol 2009;113:957-66.
- Ansquer Y, Leblanc E, Clough K, Morice P, Dauplat J, Lhomme C, et al. Neoadjuvant chemotherapy for unresectable ovarian carcinoma: A French multicenter study. Cancer 2001;91:2329-34.
- Armstrong DK, Bundy B, Wenzel L, Huang HQ, Baergen R,Lele S, et al. Intraperitoneal cisplatin and paclitaxel in ovarian cancer. N Engl J Med 2006;354:34-43.
- Ayhan A, Gultekin M, Dursun P, Dogan NU, Aksan G, Guven S, et al. Metastatic lymph node number in epithelial ovarian carcinoma: does it have any clinical significance? Gynecol Oncol 2008;108:428-32.
- Baekelandt M, Nesbakken AJ, Kristenses GB, Troppe CG, Abeler VM. Carcinoma of the fallopian tube: Clinicopathological study of 151 patients treated at The Norwegian Radium Hospital. Cancer 2000;89:2076-84.
- Barakat RR, Rubin SC, Saigo PE, Champman D, Lewis JL Jr. Jones WB, et al. Cisplatin-based combination chemotherapy in carcinoma of the fallopian tube. Gynecol Oncol 1991;42:156-60.
- Bast RC Jr, Feeney M, Lazarus H. Reactivity of a monoclonal antibody with human ovarian carcinoma. J Clin Invest 1981;68:1331-7.
- Bast RC Jr, Klug TL, St John E, Jenison E, Niol ff JM, Lazarus H, et al. A radioimmunoassay using a monoclonal antibody to monitor the course of epithelial ovarian cancer. N Engl J Med 1983;309:883-7.
- Bast RC, Klug TL, John E. Radioimmunoassay using a monoclonal antibody to monitor the course of the epithelial ovary

an cancer. N Eng J Med 1983;309:883-9.

- Berek JS, Chalas E, Edelson M, Moore DH, Burke WM, Cliby WA et al. Society of Gynecologic Oncologists Clinical Practice Committee. Prophylactic and risk-reducing bilateral salpingo-oophorectomy: recommendations based on risk of ovarian cancer. Obstet Gynecol 2010;116:733-43.
- Berek JS, Friedlander M, Hacker NF. Epithelial ovarian, fallopian tube and peritoneal cancer. In: Berek and Hacker's gynecologic oncology. 5th ed. Philadelphia: PA: Lippincott Williams & Wilkins; 2010. p.443-508.
- Bolis G, Colombo N, Pecorelli S, Torri V, Marsoni S, Bonazzi C, et al. Adjuvant treatment for early epithelial ovarian cancer: results of the randomized clinical trials comparing cisplatin to no further treatment or chromic phosphate(32P). An Oncol 1995;6:887-93.
- Bosetti C, Negri E, Trichopoulos D, Franceschi S, Beral V, Tzonou A, et al. Long-term effects of oral contraceptives on ovarian cancer risk. Int J Cancer 2002;102:262-5.
- Boutselis GJ and Thompson JN. Clinical aspect of primary carcinoma of the fallopian tube: a clinical study of 14 cases. Am J Obstetr Gynecol 1971;111:98-101.
- Boyd J, Sonoda Y, Federici MG, Bogomolniy F, Rhei E, Maresco DL, et al. Clinicopathologic features of BRCA-linked and sporadic ovarian cancer. JAMA 2000;283:2260-5.
- Boyd J. Specific keynote: hereditary ovarian cancer: what we know. Gynecol Oncol 88(1 Pt 2):S8-10; discussion S11-3, 2003.
- Bristow RE, Tomacruz RS, Armstrong DK, Trimble EL, Montz FJ. Survival effect of maximal cytoreductive surgery for advanced ovarian carcinoma during the platinum era: a meta-analysis. J Clin Oncol 2002;20:1248-59.
- Brown PO, Palmer C. The preclinical natural history of serous ovarian cancer: defining the target for early detection. PLoS Med 2009;6(7):e1000114.
- Burger CW, Prinssen HM, Baak JP, Wagenaar N, Kenemans P. The management of borderline epithelial tumors of the ovary. Int J Gynecol Cancer 2000;10:181-97.
- Burger, R. A., et al. Incorporation of bevacizumab in the primary treatment of ovarian cancer. N. Engl. J. Med. 2011;365:2473-83.
- Buys SS, Partridge E, Black A, Johnson CC, Lamerato L, Isaacs C, et al. PLCO Project Team. Effect of screening on ovarian cancer mortality: the Prostate, Lung, Colorectal and Ovarian (PLCO) Cancer Screening Randomized Controlled Trial. JAMA 2011;305:2295-303.
- Cass I, Baldwin RL, Varkey T, Moslehi R, Narod SA, Karlan BY Improved survival in women with BRCA-associated ovarian carcinoma. Cancer 2003;97:2187-95.
- Chan JK, Urban R, Cheung MK, Osann K, Shin JY, Husain A, et al. Ovarian cancer in younger vs older women: a population-based analysis. Br J Cancer 2006;95:1314-20.
- Chang SJ, Bristow RE. Evolution of surgical treatment paradigms for advanced-stage ovarian cancer: redefining 'optimal' residual disease. Gynecologic oncology. 2012;125:483-92.
- Chen S, Iversen ES, Friebel T, Finkelstein D, Weber BL, Eisen A, et al. Characterization of BRCA1 and BRCA2 mutations in a large United States sample. J Clin Oncol 2006;24:863-71.
- Chi DS, Eisenhauer EL, Lang J, Huh J, Haddad L, Abu-Rustum NR, et al. What is the optimal goal of primary cytoreductive surgery for bulky stage IIIC epithelial ovarian carcinoma (EOC)? Gynecol Oncol 2006;103:559-64.
- Cho KR, Shih IeM. Ovarian cancer. Annu Rev Pathol 2009;4:287-313.
- Choi CH, Lee YY, Song TJ, Park HS, Kim MK, Kim TJ, Lee JW, Lee JH, Bae DS, Kim BG. Phase II study of belotecan, a camptothecin analogue, in combination with carboplatin for the treatment of recurrent ovarian cancer. Cancer. 15 2011;117:2104-11.
- Chu CS, Rubin SC. Screening for ovarian cancer in the general population. Best Pract Res Clin Obstet Gynaecol 2006;20:307-20.
- Clement PB, Young RH. Surface epithelial tumors: General features, serous tumors, and mucinous tumors; Surface epithelial tumors Tumors: Endometrioid, clear cell, transitional, squamous, undifferntiated, and mixed cell types. In: Atlas of gynecologic surgical pathology. Philadelphia: PA: W.B. Saunders Company; 2000. p.289-337.
- Crum CP, Drapkin R, Miron A, Ince TA, Muto M, Kindelberger DW, et al. The distal fallopian tube: a new model for pelvic serous carcinogenesis. Curr Opin Obstet Gynecol 2007;19:3-9.
- Crum CP, McKeon FD, Xian W. The oviduct and ovarian cancer: causality, clinical implications, and "..targeted prevention". Clin Obstet Gynecol 2012;55:24-35.
- Denham JW, Maclennan KA. The management of primary carcinoma of the fallopian tube: Experience of 40 cases. Cancer 1984;58:2070-5.
- DePlacido S, Scambia G, DiVagno G, Naglieri E, Lombardi AV, Biamonte R, et al. Topotecan compared with no therapy after reponse surgery and carboplatin/paclitaxel in patients with ovarian cancer: multicenter Italian trials in ovarian cancer (MITO-1) randomized study. J Clin Oncol 2004;22:2635-42.
- Di Re E, Grosso G, Raspagliesi F. Fallopian tube cancer: incidence and role of lymphatic spread. Gynecol Oncol 1996;62:199-202.
- du Bois A, Floquet A, Kim JW, Rau J, del Campo JM, Friedlander M, Pignata S, Fujiwara K, Vergote I, Colombo N, Mirza MR, Monk BJ, Kimmig R, Ray-Coquard I, Zang R, Diaz-Padilla I,

Baumann KH, Mouret-Reynier MA, Kim JH, Kurzeder C, Lesoin A, Vasey P, Marth C, Canzler U, Scambia G, Shimada M, Calvert P, Pujade-Lauraine E, Kim BG, Herzog TJ, Mitrica I, Schade-Brittinger C, Wang Q, Crescenzo R, Harter P. Incorporation of pazopanib in maintenance therapy of ovarian cancer. J Clin Oncol. 20 2014;32:3374-82.
- Easton DF, Breast Cancer Linkage Consortium Familial breast cancer risks and the BCLC database. The Breast Cancer Linkage Consortium (BCLC) and the International Collaborative Group on Familial Breast and Ovarian Cancer (ICG-FBOC). 14th General Meeting, Madrid, 2-4 June, 2003.
- Eisenhauer EA, Vermorken JB, van Glabbeke M. Predictors of response to subsequent chemotherapy in platinum pretreated ovarian cancer: a multivariate analysis of 704 patients. Ann Oncol 1997;8:963-8.
- Engeland A, Tretli S, Bjørge T. Height, body mass index, and ovarian cancer: a follow-up of 1.1 million Norwegian women. J Natl Cancer Inst 2003;95:1244-8.
- Euscher ED, Silva EG, Deavers MT, Elishaev E, Gershenson DM, Malpica A. Serous carcinoma of the ovary, fallopian tube, or peritoneum presenting as lymphadenopathy. Am J Surg Pathol 2004;28:1217-23.
- Fathalla MF. Incessant ovulation-a factor in ovarian neoplasia? Lancet 1971;2:163.
- Ferlay J, Bray F, Pisani P, Parkin DM. GLOBOCAN 2000: cancer incidence, mortality and prevalence worldwide. Version 1.0. Lyon (France): IARC Press; 2001.
- Findley AD, Siedhoff MT, Hobbs KA, Steege JF, Carey ET, McCall CA, et al. Short-term effects of salpingectomy during laparoscopic hysterectomy on ovarian reserve: a pilot randomized controlled trial. Fertil Steril 2013;100:1704-8.
- Fischerova D, Zikan M, Dundr P, Cibula D. Diagnosis, treatment, and follow-up of borderline ovarian tumors. Oncologist 2012;17:1515-33.
- Frank TS, Manley SA, Olopade OI, Cummings S, Garber JE, Bernhardt B, et al. Sequence analysis of BRCA1 and BRCA2: correlation of mutations with family history and ovarian cancer risk. J Clin Oncol 1998;16:2417-25.
- Frank TS, Manley SA, Olopade OI, et al. Sequence analysis of BRCA1 and BRCA2: correlation of mutations with family history and ovarian cancer risk. J Clin Oncol 1998;16:2417-25.
- Gadducci A, Cosio S, Carpi A, Nicolini A, Genazzani AR. Serum tumor markers in the management of ovarian, endometrial and cervical cancer. Biomed Pharmacother 2004;58:24-38.
- Gerestein CG, Eijkemans MJ, Bakker J, Elgersma OE, van der Burg ME, Kooi GS, et al. Nomogram for suboptimal cytoreduction at primary surgery for advanced stage ovarian cancer. Anticancer research. 2011;31:4043-9.
- Gershenson DM. The life and times of low-grade serous carcinoma of the ovary. Am Soc Clin Oncol Educ Book. 2013.
- Gilks CB, Prat J. Ovarian carcinoma pathology and genetics: recent advances. Hum Pathol 2009;40:1213-23.
- Goff BA, Mandel L, Muntz HG, Melancon CH. Ovarian carcinoma diagnosis. Cancer 2000;89:2068-75.
- Goff BA. Ovarian cancer: screening and early detection. Obstet Gynecol Clin North Am 2012;39:183-94.
- Gruber SB, Kohlmann W. The genetics of hereditary nonpolyposis colorectal cancer. J Natl Compr Canc Netw 2003;1:137-44.
- Gusberg SB, Frick HC II. Corscaden's Gynecology Cancer. Baltimore: Williams and Wilkins; 1970.
- Hankinson SE, Colditz GA, Hunter DJ, Spencer TL, Rosner B, Stampfer MJ. A quantitative assessment of oral contraceptive use and risk of ovarian cancer. Obstet Gynecol 1992;80:708-14.
- Hankinson SE, Hunter DJ, Colditz GA, Willett WC, Stampfer MJ, Rosner B, et al. Tubal ligation, hysterectomy, and risk of ovarian cancer. A prospective study. JAMA 1993;270:2813-8.
- Hanna L, Adams M. Prevention of ovarian cancer. Best Pract Res Clin Obstet Gynaecol 2006;20:339-62.
- Hanton EM, Malkasian GD, Dahlin DC, Pratt JH. Primary carcinoma of the fallopian tube. Am J Obstet Gynecol 1966;94:832-39.
- Harris R, Whittemore AS, Itnyre J. Characteristics relating to ovarian cancer risk: collaborative analysis of 12 US casecontol studies. III. Epithelial tumors of low malignant potential in white women. Collaborative Ovarian Cancer Group. Am J Epidemiol 1992;136:1204-11.
- Harter P, Gnauert K, Hils R, Lehmann TG, Fisseler-Eckhoff A, Traut A, et al. Pattern and clinical predictors of lymph node metastases in epithelial ovarian cancer. Int J Gynecol Cancer 2007;17:1238-44.
- Heintz AP, Odicino F, Maisonneuve P, Quinn MA, Benedet JL, Creasman WT, et al. Carcinoma of the ovary. FIGO 26th Annual Report on the Results of Treatment in Gynecological Cancer. Int J Gynecol Obstet S161.92, 2006.
- Heinz APM, Odicino F, Maisonneuve P. Carcinoma of the fallopian tube. J Epidem Biostat 2001;6:87-103.
- Hellstrom AC. Primary fallopian tube cancer: a review of the literature. Med Oncol 1998;15:6-14.
- Hinkula M, Pukkala E, Kyyronen P, Kauppila A. Incidence of ovarian cancer of grand multiparous women-a population based study in Finland. Gynecol Oncol 2006;103:207-11.
- Hodeib M, Eskander RN, Bristow RE. New paradigms in the surgical and adjuvant treatment of ovarian cancer. Minerva ginecologica. 2014;66:179-92.
- Holschneider CH, Berek JS. Ovarian cancer: epidemiology, bi-

ology, and prognostic factors. Semin Surg Oncol 2000;19:3-10.
- Howlader N, Noone AM, Krapcho M, Garshell J, Miller D, Altekruse SF, et al. SEER Cancer Statistics Review, 1975-2011, National Cancer Institute. Bethesda, MD, http://seer.cancer.gov/csr/1975_2011/, based on November 2013 SEER data submission, posted to the SEER web site, April 2014.
- Huber-Buchholz MM, Buchholz NP, Staehelin J. Analysis of 23 cases of primary carcinoma of the fallopian tube over 50 years. J Obstetr Gynecol Res 1996;22:193-9.
- Hunn J, Rodriguez GC. Ovarian cancer: etiology, risk factors, and epidemiology. Clin Obstet Gynecol 2012;55:3-23.
- Huober J, Meyer A, Wagner U, Wallwiener D. The role of neoadjuvant chemotherapy and interval laparotomy in advanced ovarian cancer. J Cancer Res Clin Oncol 2002;128:153-60.
- Jacob JH, Gershenson DM, Morris M, Copeland LJ, Burke TW, Wharton JT. Neoadjuvant chemotherapy and interval debulking for advanced epithelial ovarian cancer. Gynecol Oncol 1991;42:146-50.
- Jelovac D, Armstrong DK. Recent progress in the diagnosis and treatment of ovarian cancer. CA Cancer J Clin 2011;61:183-203.
- J L Lesnock, KM Darcy, C Tian, JA Deloia, MM Thrall, C Zahn, D K Armstrong, et al. BRCA1 Expression and Improved Survival in Ovarian Cancer Patients Treated With Intraperitoneal Cisplatin and Paclitaxel: A Gynecologic Oncology Group Study. Cancer Apr 2 2013;108:1231-7.
- Jordan SJ, Whiteman DC, Purdie DM, Green AC, Webb PM. Does smoking increase risk of ovarian cancer? A systematic review. Gynecol Oncol 2006;103:1122-9.
- Jung KW, Won YJ, Kong HJ, Oh CM, Seo HG, Lee JS. Cancer statistics in Korea: incidence, mortality, survival and prevalence in 2010. Cancer Res Treat 2013;45:1-14.
- Kaku T, Ogawa S, Kawano Y, Ohishi Y, Kobayashi H, Hirakawa T, et al. Histological classification of ovarian cancer. Med Electron Microsc 2003;36:9-17.
- Kauff ND, Satagopan JM, Robson ME, et al. Risk-reducing salpingo-oophorectomy in women with a BRCA1 or BRCA2 mutation. N Engl J Med 2002;346:1609-15.
- Kauff ND, Satagopan JM, Robson ME, Scheuer L, Hensley M, Hudis CA, et al. Risk-reducing salpingo-oophorectomy in women with a BRCA1 or BRCA2 mutation. N Engl J Med 2002;346:1609-15.
- Kayikcioglu F, Kose MF, Boran N, Caliskan E, Tulunay G. Neoadjuvant chemotherapy or primary surgery in advanced epithelial ovarian carcinoma. Int J Gynecol Cancer 2001;11: 466-70.
- Klein M, Rosen AC, Lahousen M. Lymphadenectomy in primary carcinoma of the fallopian tube. Cancer Lett 1999;147: 63-6.
- Kobayashi H, Yamada Y, Sado T, Sakata M, Yoshida S, Kawaguchi R, et al. A randomized study of screening for ovarian cancer: a multicenter study in Japan. Int J Gynecol Cancer 2008;18:414-20.
- Kosary C, Trimble EL. Treatment and survival for women with fallopian tube carcinoma: population-based study. Gynecol Oncol 2002;86:190-1.
- Kurman RJ, Shih IeM. Molecular pathogenesis and extraovarian origin of epithelial ovarian cancer--shifting the paradigm. Hum Pathol 2011;42:918-31.
- Kurman RJ, Shih IeM. Pathogenesis of ovarian cancer: lessons from morphology and molecular biology and their clinical implications. Int J Gynecol Pathol Apr 2008;27:151-60.
- Kushi LH, Mink PJ, Folsom AR, Anderson KE, Zheng W, Lazovich D, et al. Prospective study of diet and ovarian cancer. Am J Epidemiol 1999;149:21-31.
- Lacey JV Jr, Leitzmann M, Brinton LA, Lubin JH, Sherman ME, Schatzkin A, et al. Weight, height, and body mass index and risk for ovarian cancer in a cohort study. Ann Epidemiol 2006;16:869-76.
- Lakhani SR, Manek S, Penault-Llorca F, Flanagan A, Arnout L, Merrett S, et al. Pathology of ovarian cancers in BRCA1 and BRCA2 carriers. Clin Cancer Res 2004;10:2473-81.
- Lancaster JM, Powell CB, Kauff ND, Cass I, Chen LM, Lu KH et al. Society of Gynecologic Oncologists Education CommitteeSociety of Gynecologic Oncologists Education Committee statement on risk assessment for inherited gynecologic cancer predispositions. Gynecol Oncol. 2007;107:159-62.
- Lawton FG, Redman CW, Luesley DM, Chan KK, Blackledge G. Neoadjuvant (cytoreductive) chemotherapy combined with intervention debulking surgery in advanced, unresected epithelial ovarian cancer. Obstet Gynecol 1989;73:61-5.
- Ledermann J, Harter P, Gourley C, Friedlander M, Vergote I, Rustin G, et al. Olaparib maintenance therapy in platinum-sensitive relapsed ovarian cancer. N Engl JMed 2012;366:1382-92.
- Ledermann J, Harter P, Gourley C, Friedlander M, Vergote I, Rustin G, et al. Overall survival in patients with platinumsensitive recurrent serous ovarian cancer receiving olaparib maintenance monotherapy: an updated analysis from a randomised, placebo-controlled, double-blind, phase 2 trial. Lancet Oncol. 2016;17:1579-89.
- Lenhard MS, Mitterer S, Kumper C, Stieber P, Mayr D, Ditsch N, et al. Long-term follow-up after ovarian borderline tumor: relapse and survival in a large patient cohort. Eur J Obstet Gynecol Reprod Biol 2009;145:189-94.
- Li AJ, Karlan BY. Surgical advances in the treatment of ovarian cancer. Hematol Oncol Clin North Am 2003;17:945-56.
- Lim JT, Green JA. Neoadjuvant carboplatin and ifosfamide

chemotherapy for inoperable FIGO stage III and IV ovarian carcinoma. Clin Oncol(R Coll Radiol) 1993;5:198-202.
- Lim MC, Kang S, Seo SS, Kong SY, Lee BY, Lee SK, et al. BRCA1 and BRCA2 germline mutations in Korean ovarian cancer patients. Journal of cancer research and clinical oncology. 2009;135:1593-9.
- Lim MC, Lee HS, Jung DC, Choi JY, Seo SS, Park SY. Pathological diagnosis and cytoreduction of cardiophrenic lymph node and pleural metastasis in ovarian cancer patients using video-assisted thoracic surgery. Annals of surgical oncology. 2009;16:1990-6.
- Lim MC, Won YJ, Ko MJ, Kim MS, Shim SH, Suh DH, Kim JW. Incidence of Cervical, Endometrial, and Ovarian Cancer in Korea During 1999-2015. J Gynecol Oncol 2019;30:e38.
- Malkasian GD Jr, Knapp RC, Lavin PT, Zurawski VR Jr, Podratz KC, Stanhope CR, et al. Preoperative evaluation of serum CA 125 levels in premenopausal and postmenopausal patients with pelvic masses: discrimination of benign from malignant disease. Am J Obstet Gynecol 1988;159:341-6.
- Malpica A, Deavers MT, Lu K, Bodurka DC, Atkinson EN, Gershenson DM, et al. Grading ovarian serous carcinoma using a two-tier system. Am J Surg Pathol 2004;28:496-504.
- Mansoor R Mirza, Bradley J Monk, Jørn Herrstedt, Amit M Oza, Sven Mahner, Andrés Redondo, et al. ENGOT-OV16/NOVA Investigators Niraparib Maintenance Therapy in Platinum-Sensitive, Recurrent Ovarian Cancer. N Engl J Med. Dec 2016;1;375:2154-64. doi: 10.1056/NEJMoa1611310. Epub 2016 Oct 7.
- Maringe C, Walters S, Butler J, Coleman MP, Hacker N, Hanna L, et al. ICBP Module 1 Working Group. Stage at diagnosis and ovarian cancer survival: evidence from the International Cancer Benchmarking Partnership. Gynecol Oncol 2012;127:75-82.
- Markman M, Federico M, Liu PY, Hannigan E, Alberts D. Significance of early changes in the serum CA-125 antigen level on overall survival in advanced ovarian cancer. Gynecol Oncol 2006;103:195-8.
- Markman M, Liu PY, Wilezynski S, Monk B, Copeland LJ, Alvarez RD, et al. Phase 3 randomized trial of 12 versus 3 months of maintenance paclitaxel in patients with advanced ovarian cancer after complete response to platinum and paclitaxel-based chemotherapy: a Southwest Oncology Group and Gynecologic Oncology Group trial. J Clin Oncol 2003;21:2460-5.
- McAlpine JN, Hanley GE, Woo MM, Tone AA, Rozenberg N, Swenerton KD, et al. Ovarian Cancer Research Program of British Columbia. Opportunistic salpingectomy: uptake, risks, and complications of a regional initiative for ovarian cancer prevention. Am J Obstet Gynecol 2014;210:471.e1-11.
- McCluggage WG. The pathology of and controversial aspects of ovarian borderline tumours. Curr Opin Oncol 2010;22:462-72.
- McGowan L. Peritoneal fluid profiles. Natl Cancer Inst. Monogr 1975;42:76.
- McGuire V, Felberg A, Mills M, Ostrow KL, DiCioccio R, John EM, et al. Relation of contraceptive and reproductive history to ovarian cancer risk in carriers and noncarriers of BRCA1 gene mutations. Am J Epidemiol 2004;160:613-8.
- McGuire WP, Hoskins WJ, Brady MF, Kucera PR, Patredge EE, Look KY, et al. Cyclophosphamide and cisplatin compared with paclitaxel and cisplatin in patients with stage Ⅲ and stage Ⅳ ovarian cancer. N Eng J Med 1996;334:1-6.
- McLaughlin JR, Risch HA, Lubinski J, Moller P, Ghadirian P, Lynch H, et al. Hereditary Ovarian Cancer Clinical Study Group. Reproductive risk factors for ovarian cancer in carriers of BRCA1 or BRCA2 mutations: a case-control study. Lancet Oncol 2007;8:26-34.
- Menon U, Gentry-Maharaj A, Hallett R, Ryan A, Burnell M, Sharma A, et al. Sensitivity and specificity of multimodal and ultrasound screening for ovarian cancer, and stage distribution of detected cancers: results of the prevalence screen of the UK Collaborative Trial of Ovarian Cancer Screening (UKCTOCS). Lancet Oncol 2009;10:327-40.
- Menon U, Griffin M, Gentry-Maharaj A. Ovarian cancer screening-current status, future directions. Gynecol Oncol 2014;132:490-5.
- Metcalfe K, Lynch HT, Ghadirian P, Tung N, Olivotto I, Warner E, et al. Contralateral breast cancer in BRCA1 and BRCA2 mutation carriers. J Clin Oncol 2004;22:2328-35.
- Metcalfe KA, Lynch HT, Ghadirian P, Tung N, Olivotto IA, Foulkes WD, et al. The risk of ovarian cancer after breast cancer in BRCA1 and BRCA2 carriers. Gynecol Oncol 2005;96:222-6.
- Miles PA, Norris HJ. Proliferative and malignant Brenner tumors of the ovary. Cancer 1972;30:174-80.
- Milne RL, Knight JA, John EM, Dite GS, Balbuena R, Ziogas A, et al. Oral contraceptive use and risk of early-onset breast cancer in carriers and noncarriers of BRCA1 and BRCA2 mutations. Cancer Epidemiol Biomarkers Prev 2005;14:350-6.
- Morch LS, Lokkegaard E, Andreasen AH, Kruger-Kjaer S, Lidegaard O. Hormone therapy and ovarian cancer. JAMA 2009;302:298-305.
- Morelli M, Venturella R, Mocciaro R, Di Cello A, Rania E, Lico D, et al. Prophylactic salpingectomy in premenopausal low-risk women for ovarian cancer: primum non nocere. Gynecol Oncol 2013;129:448-51.
- Morice P, Uzan C, Fauvet R, Gouy S, Duvillard P, Darai E. Borderline ovarian tumour: pathological diagnostic dilemma and risk factors for invasive or lethal recurrence. Lancet Oncol 2012;13:e103-15.

- Moyer VA; U.S. Preventive Services Task Force. Risk assessment, genetic counseling, and genetic testing for BRCA-related cancer in women: U.S. Preventive Services Task Force recommendation statement. Ann Intern Med 2014;160:271-81.
- Moyer VA; U.S. Preventive Services Task Force. Screening for ovarian cancer: U.S. Preventive Services Task Force reaffirmation recommendation statement. Ann Intern Med 2012;157:900-4.
- Nam EJ, Yun MJ, Oh YT, Kim JW, Kim JH, Kim S, et al. Diagnosis and staging of primary ovarian cancer: correlation between PET/CT, Doppler US, and CT or MRI. Gynecol Oncol 2010;116:389-94.
- Naumann RW, Morris JC, Tait DL, Higgins RV, Crane EK, Drury LK, et al. Patients with BRCA mutations have superior outcomes after intraperitoneal chemotherapy in optimally resected high grade ovarian cancer. Gynecol Oncol. Dec 2018;151:477-80.
- NCCN Guideline Version 1. 2014 Genetic/Familial High Risk Assessment: breast and Ovarian," in NCCN Clinical Practice Guidelines in Oncology, 2014.
- Negri E, Franceschi S, Tzonou A, Booth M, La Vecchia C, Parazzini F, et al. Pooled analysis of 3 European case-control studies: I. Reproductive factors and risk of epithelial ovarian cancer. Int J Cancer 19 1991;49:50-6.
- Neijt JP, ten Bokkel Huinink WW, van der Burg ME, Hamerlynck JV, van Lent M, van Houwelingen JC, et al. Randomized trial comparing two combination chemotherapy regimeus (Hexa-CAF vs CHAP-5) in advanced ovarian carcinoma. Lancet 1984;2:594-600.
- Neijt JP, ten Bokkel Huinink WW, van der Burg ME, van Oosterom AT, Willemse PH, Heintz AP, et al. Randomized trial comparing two combination chemotherapy regimens (CHAP-5 v CP) in advanced ovarian carcinoma. J Clin Oncol 1987;5:1157-68.
- Ng LW, Rubin SC, Hoskins WJ, Jones WB, Markman M, Reichman B, et al. Aggressive chemosurgical debulking in patients with advanced ovarian cancer. Gynecol Oncol 1990;38:358-63.
- Nguyen HN, Averette HE, Hoskins W, Sevin BU, Penalver M, Steren A. National survey of ovarian carcinoma. VI. Critical assessment of current International Federation of Gynecology and Obstetrics staging system. Cancer 1993;72:3007-11.
- Nishimura N, Hachisuga T, Yokoyama M, Iwasaka T, Kawarabayashi T. Clinicopathologic analysis of the prognostic factors in women with coexistence of endometrioid adenocarcinoma in the endometrium and ovary. J Obstet Gynaecol Res 2005;31:120-6.
- O'Donovan PJ, Livingston DM. BRCA1 and BRCA2: breast/ovarian cancer susceptibility gene products and participants in DNA double-strand break repair. Carcinogenesis. 2010;31:961-7.
- Olsen CM, Green AC, Whiteman DC, Sadeghi S, Kolahdooz F, Webb PM. Obesity and the risk of epithelial ovarian cancer: a systematic review and meta-analysis. Eur J Cancer 2007;43:690-709.
- Olson SH, Mignone L, Nakraseive C, Caputo TA, Barakat RR, Harlap S. Symptoms of ovarian cancer. Obstet Gynecol 2001;98:212-7.
- Omura G, Bundy B, Berek JS, Curry S, DelgadoG, Mortel R. Randomized trial of cyclophosphamide plus cisplatin with or without doxorubicin in ovarian carcinoma: a Gynecologic Oncology Group study. J Clin Oncol 1989;7:457-65.
- Omura GA, Brady MF, Homesley HD, Yordan E, Major FJ, Buchsbaum HJ, et al. Long-term follow-up and prognostic factor analysis in advanced ovarian carcinoma: the Gynecologic Oncology Group experience. J Clin Oncol 1991;9:1138-50.
- Ozols RF, Bookman MA, du Bois A, Pfisterer J, Reuss A, Young RC. Intraperitoneal cisplatin therapy in ovarian cancer: comparison with standard intravenous carboplatin and paclitaxel. Gynecol Oncol 2006;103:1-6.
- Ozols RF, Bundy BN, Greer B, Fowler JM, Clarke-Pearson D, Burger RA, et al. Phase 3 trial of carboplatin and paclitaxel compared with cisplatin and paclitaxel in patients with optimally resected stage Ⅲ ovarian cancer: a Gynecologic Oncology Group study. J Clin Oncol 2003;21:3194-200.
- Park B, Park S, Kim TJ, Ma SH, Kim BG, Kim YM, et al. Epidemiological characteristics of ovarian cancer in Korea. J Gynecol Oncol 2010;21:241-7.
- Park JY, Seo SS, Kang S, Lee KB, Lim SY, Choi HS, et al. The benefits of low anterior en bloc resection as part of cytoreductive surgery for advanced primary and recurrent epithelial ovarian cancer patients outweigh morbidity concerns. Gynecologic oncology. 2006;103:977-84.
- Pelucchi C, Galeone C, Talamini R, Bosetti C, Montella M, Negri E, et al. Lifetime ovulatory cycles and ovarian cancer risk in 2 Italian case-control studies. Am J Obstet Gynecol 2007;196:83.e1-7.
- Perren, T. J., et al. A phase 3 trial of bevacizumab in ovarian cancer. N. Engl. J. Med. 2011;365:2484-96.
- Pfisterer J, Lortholary A, Kimmig R, Weber B, Du Bois H, Bourgeois H, et al. Paclitaxel/carboplatin vs paclitaxel/carboplatin followed by topotecan in first-line treatment of ovarian cancer FIGO stages Ⅱb-Ⅳ: interim results of a Gynecologic Cancer Intergroup phase Ⅲ trial of the AGO Ovarian cancer Study Group and GINECO. Proc Am Soc Clin Oncol 22: abst 1793, 2003.

- Pharoah PD, Ponder BA. The genetics of ovarian cancer. Best Pract Res Clin Obstet Gynaecol 2002;16:449-68.
- Piccart MJ, Bertelsen K, Stuart G, Cassidy J, Mangioni C, Simonsen E, et al. Long-term follow-up confirms a survival advantage of the paclitaxel-cisplatin regimen over the cyclophosphamide-cisplatin combination in advanced ovarian cancer. Int J Gynecol Cancer 2003;13:144-8.
- Piek JM, van Diest PJ, Zweemer RP, Jansen JW, Poort-Keesom RJ, Menko FH, et al. Dysplastic changes in prophylactically removed Fallopian tubes of women predisposed to developing ovarian cancer. J Pathol 2001;195:451-6.
- Pisani P, Bray F, Parkin DM. Estimates of the world-wide prevalence of cancer for 25 sites in the adult population. Int J Cancer 2002;97:72-81.
- Piver MS, Jishi MF, Tsukada Y, et al. Primary peritoneal carcinoma after prophylactic oophorectomy in women with a family history of ovarian cancer: a report of the Gilda Radner Familial Ovarian Cancer Registry. Cancer 1993;71:2751-5.
- Podratz KC, Podezaski ES, Gaffey TA, Thomas AC, Peter CO, Mark FS, et al. Primary carcinoma for the fallopian tube. Am J Obstet Gynecol 1986;154:1319-26.
- Prat J. Ovarian carcinomas: five distinct diseases with different origins, genetic alterations, and clinicopathological features. Virchows Arch 2012;460:237-49.
- Prat J; FIGO Committee on Gynecologic Oncology. Staging classification for cancer of the ovary, fallopian tube, and peritoneum. Int J Gynaecol Obstet 2014;124:1-5.
- Pujade-Lauraine E, Hilpert F, Weber B, Reuss A, Poveda A, Kristensen G, Sorio R, Vergote I, Witteveen P, Bamias A, Pereira D, Wimberger P, Oaknin A, Mirza MR, Follana P, Bollag D, Ray-Coquard I. Bevacizumab combined with chemotherapy for platinum-resistant recurrent ovarian cancer: The AURELIA open-label randomized phase III trial. J Clin Oncol. May 1 2014;32:1302-8.
- Pujade-Lauraine E, Ledermann JA, Selle F, Gebski V, Penson RT, Oza AM, et al. Olaparib tablets as maintenance therapy in patients with platinum-sensitive, relapsed ovarian cancer and a BRCA1/2 mutation (SOLO2/ENGOT-Ov21): a double-blind, randomised, placebo-controlled, phase 3 trial. Lancet Oncol. 2017;18:1274-84.
- Purdie DM, Bain CJ, Siskind V, Webb PM, Green AC. Ovulation and risk of epithelial ovarian cancer. Int J Cancer 2003; 104:228-32.
- Pujade-Lauraine E, Ledermann JA, Selle F, Gebski V, Penson RT, Oza AM, et al. Olaparib tablets as maintenance therapy in patients with platinum-sensitive, relapsed ovarian cancer and a BRCA1/2 mutation (SOLO2/ENGOT-Ov21): a double-blind, randomised, placebo-controlled, phase 3 trial. Lancet Oncol. 2017;18:1274-84.
- Ramus SJ, Bobrow LG, Pharoah PD, Finnigan DS, Fishman A, Altaras M, et al. Increased frequency of TP53 mutations in BRCA1 and BRCA2 ovarian tumours. Genes Chromosomes Cancer 1999;25:91-6.
- Rebbeck TR, Lynch HT, Neuhausen Sl, et al. for the Pevention and Observation of Surgical End Points Study Group. Prophylactic oophorectomy in carriers of BRCA1 or BRCA2 mutations. N Engl J Med 2002;346:1616-22.
- Rebbeck TR, Lynch HT, Neuhausen SL, Narod SA, Van't Veer L, Garber JE, et al. Prevention and Observation of Surgical End Points Study Group. Prophylactic oophorectomy in carriers of BRCA1 or BRCA2 mutations. N Engl J Med 2002;346: 1616-22.
- Redman C, Duffy S, Bromham N, Francis K; Guideline Development Group. Recognition and initial management of ovarian cancer: summary of NICE guidance. BMJ 21;342:d2073, 2011.
- Redman CW, Warwick J, Luesley DM, Varma R, Lawton FG, Blackledge GR. Intervention debulking surgery in advanced epithelial ovarian cancer. Br J Obstet Gynaecol 1994;101:142-6.
- Riman T. Dickman PW, Nilsson S, Correia N, Nordlinder H, Magnusson CM, et al. Risk factors for epithelial borderline ovarian tumors: results of a Swedish case-control study. Gynecol Oncol 2001;83:575-85.
- Risch HA, McLaughlin JR, Cole DE, Rosen B, Bradley L, Fan I, Tang J, et al. Population BRCA1 and BRCA2 mutation frequencies and cancer penetrances: a kin-cohort study in Ontario, Canada. J Natl Cancer Inst 2006;98:1694-706.
- Robert L Coleman, Amit M Oza, Domenica Lorusso, Carol Aghajanian, Ana Oaknin, Andrew Dean, et al. ARIEL3 investigators. Rucaparib Maintenance Treatment for Recurrent Ovarian Carcinoma After Response to Platinum Therapy (ARIEL3): A Randomised, Double-Blind, Placebo-Controlled, Phase 3 Trial. Lancet. 2017 Oct 28;390:1949-61. doi:10.1016/S0140-6736(17)32440-6. Epub 2017 Sep 12.
- Robert L Coleman, Nick M Spirtos, Danielle Enserro, Thomas J Herzog, Paul Sabbatini, Deborah K Armstrong, et al. Secondary Surgical Cytoreduction for Recurrent Ovarian Cancer. N Engl JMed. 2019 Nov 14;381:1929-39.
- Rosen AC, Ausch C, Hafner E, Klein M, Lahousen M, Graf AH, et al. A 15-year overview of management and prognosis in primary fallopian tube carcinoma. Austrian Cooperative Study Group for Fallopian Tube carcinoma. Eur J Cancer 1998;34:1725-9.
- Rubin GJ, Nelstrop AE, Tuxen MK, et al. Defining progression of ovarian carcinoma during follow-up according to CA-125: A North Thames Ovary Group study. Ann Oncol 1996;7:361-36.

- Russo A, Calo V, Bruno L, Rizzo S, Bazan V, Di Fede G. Hereditary ovarian cancer. Crit Rev Oncol Hematol 2009;69:28-44.
- Salehi F, Dunfield L, Phillips KP, Krewski D, Vanderhyden BC. Risk factors for ovarian cancer: an overview with emphasis on hormonal factors. J Toxicol Environ Health B Crit Rev 2008;11:301-21.
- Satagopan JM, Boyd J, Kauff ND, Robson M, Scheuer L, Narod S, et al. Ovarian cancer risk in Ashkenazi Jewish carriers of BRCA1 and BRCA2 mutations. Clin Cancer Res. 2002; 8:3776-81.
- Schildkraut JM, Bastos E, Berchuck A. Relationship between lifetime ovulatory cycles and overexpression of mutant p53 in epithelial ovarian cancer. J Natl Cancer Inst 1997;89:932-8.
- Schildkraut JM, Halabi S, Bastos E, Marchbanks PA, McDonald JA, Berchuck A. Prognostic factors in early-onset epithelial ovarian cancer: a population-based study. Obstet Gynecol 2000;95:119-27.
- Schildkraut JM, Risch N, Thompson WD. Evaluating genetic association among ovarian, breast, and endometrial cancer: evidence for a breast/ovarian cancer relationship. Am J Hum Genet 1989;45:521-9.
- Schorge JO, Modesitt SC, Coleman RL, Cohn DE, Kauff ND, Duska LR, et al. SGO White Paper on ovarian cancer: etiology, screening and surveillance. Gynecol Oncol 2010;119:7-17.
- Schwartz PE, Rutherford TJ, Chambers JT, Kohorn EI, Thiel RP. Neoadjuvant chemotherapy for advanced ovarian cancer: Long- term survival. Gynecol Oncol 1999;72:93-9.
- Scully RE, Tumors of the ovary and maldeveloped gonads, Washington. D.C.: Armed Forces Institute of Pathology. 1979.
- Scully RE, Young RH, Clement PB. Tumors of the ovary, maldeveloped gonads, fallopian tube, and broad ligament. In: Atlas of tumor pathology. Washington, DC: Armed Forces Institute of Pathology, 1995; Fascicle 23, 3rd series.
- Scully RE, Young RH, Clement PB. Tumors of the ovary, maldeveloped gonads, fallopian tube, and broad ligament. In: Atlas of tumor pathology. 3rd series, fascicle 23. Washington, DC: Armed Forces Institute of Pathology; 1998. p.1-168.
- Scully RE. Pathology of ovarian cancer precursors. J Cell Biochem 1995;Suppl 23:208-18.
- Segal GH, Hart WR. Ovarian serous tumors of low malignant potential (serous borderline tumors). The relationship of exophytic surface tumor to peritoneal "implants". Am J Surg Pathol 1992;16:577-83.
- Seidman JD, Ronnett BM, Kurman RJ. Pathology of borderline (low malignant potential) ovarian tumours. Best Pract Res Clin Obstet Gynaecol 2002;16:499-512.
- Seldis A. Primary carcinoma of fallopian tube. Obstet Gynecol Surv 1961;16:209-26.
- SGO Clinical Practice Statement: Salpingectomy for Ovarian Cancer Prevention, 2013. Available from: https://www.sgo.org/clinical-practice/guidelines, accessed on 17/09/2014.
- Sherman ME, Mink PJ, Curtis R, Cote TR, Brooks S, Hartge P, et al. Survival among women with borderline ovarian tumors and ovarian carcinoma: a population-based analysis. Cancer 2004;100:1045-52.
- Shih IeM, Kurman RJ. Ovarian tumorigenesis: a proposed model based on morphological and molecular genetic analysis. Am J Pathol 2004;164:1511-8.
- Siegel R, Naishadham D, Jemal A. Cancer statistics, 2013. CA Cancer J Clin 2013;63:11-30.
- Siegel RL, Miller KD, Jemal A. Cancer statistics, 2020. CA Cancer J Clin. 2020 Jan;70:7-30.
- Song T, Lee YY, Choi CH, Kim TJ, Lee JW, Bae DS, et al. Histologic distribution of borderline ovarian tumors worldwide: a systematic review. J Gynecol Oncol 2013;24:44-51.
- Song YJ, Lim MC, Kang S, Seo SS, Kim SH, Han SS, et al. Extended cytoreduction of tumor at the porta hepatis by an interdisciplinary team approach in patients with epithelial ovarian cancer. Gynecologic oncology. 2011;121:253-7.
- Song YJ, Lim MC, Kang S, Seo SS, Park JW, Choi HS, et al. Total colectomy as part of primary cytoreductive surgery in advanced Mullerian cancer. Gynecologic oncology 2009;114:183-7.
- Struewing JP, Hartge P, Wacholder S, Baker SM, Berlin M, McAdams M, et al. The risk of cancer associated with specific mutations of BRCA1 and BRCA2 among Ashkenazi Jews.N Engl J Med 1997;336:1401-8.
- Surwit EA, Childers J, Atlas I. Neoadjuvant chemotherapy for advanced ovarian cancer. Int J Gynecol Cancer 1996;6:356-61.
- Tan DS, Rothermundt C, Thomas K, Bancroft E, Eeles R, Shanley S, et al. "BRCAness" syndrome in ovarian cancer: a casecontrol study describing the clinical features and outcome of patients with epithelial ovarian cancer associated with BRCA1 and BRCA2 mutations. J Clin Oncol 2008;26:5530-6.
- Thigpen T, Brady MF, Omura GA, Creasman WT, McGuire WP, Hoskins WJ, et al. Age as a prognostic factor in ovarian carcinoma. The Gynecologic Oncology Group experience. Cancer 1993;71(2 Suppl):606-14.
- Timmerman D, Testa AC, Bourne T, Ameye L, Jurkovic D, Van Holsbeke C, et al. Simple ultrasound-based rules for the diagnosis of ovarian cancer. Ultrasound Obstet Gynecol 2008; 31:681-90.
- Titus-Ernstoff L, Perez K, Cramer DW, Harlow BL, Baron JA, Greenberg ER. Menstrual and reproductive factors in relation

to ovarian cancer risk. Br J Cancer 2001;84:714-21.
- Tobachman JK, Greene MH, Tucker MA, et al. Intraabdominal carcinomatosis after prophylactic oophorectomy in ovarian cancer- prone families. Lancet 1982;2:795-7.
- Tomas R, Staffan N, Ingermar RP. Review of epidemiological evidence for reproductive and hormonal factors in relation to the risk of epithelial ovarian malignancies. Acta Obstet Gynecol Scand 2004;83:783-95.
- Trimble CL, Kosary C, Trimble EL. Long-term survival and patterns of care in women with ovarian tumors of low malignant potential. Gynecol Oncol 2002;86:34-7.
- Trimbos JB, Parmar M, Vergote I, Guthrie D, Bolis G, ColumboN, et al. International Collaborative Ovarian Neoplasm Trial 1 and Adjuvant Chemotherapy in Ovarian Neoplasm Trial: two parallel randomized phase Ⅲ trials of adjuvant chemotherapy in patients with early-stage ovarian cancer. J Natl Cancer Inst 2003;95:105-12.
- Trimbos, Vergote I, Boils G, Vermorken JB, Mangioni C, Madronal C, et al. Impact of adjuvant chemotherapy and surgical staging in early-stage ovarian carcinoma: European Organisation for Reaseach and Treatment of Cancer-Adjuvant Chemotherapy in Ovarian Neoplasm Trial. J Natl Cancer Inst 2003;95:113-25.
- Trope C, Kaern J, Hogberg T, Abeler V, Hagen B, Kristensen G, et al. Randomized study neoadjuvant chemotherapy in stage I high-risk ovarian cancer with evaluation of DNA-ploidy as prognostic instrument. Ann Oncol 2000;11:281-8.
- Trope CG, Kaern J, Davidson B. Borderline ovarian tumours. Best Pract Res Clin Obstet Gynaecol 2012;26:325-36.
- URL: https://www.practiceupdate.com/content/asco-2020-ago-desktop-iii-highlights-importance-of-completeresection-in-recurrent-ovarian-cancer/102004
- URL: https://clinicaltrials.gov/ct2/show/NCT01091636
- van der Burg ME, van Lent M, Buyse M, Kobierska A, Colombo N, Favalli G, et al. The effect of debulking surgery after induction chemotherapy on the prognosis in advanced epithelial ovarian cancer. Gynecological Cancer Cooperative Group of the European Organization for Research and Treatment of Cancer. N Engl J Med 1995;332:629-34.
- Van Gorp T, Amant F, Neven P, Vergote I, Moerman P. Endometriosis and the development of malignant tumours of the pelvis. A review of literature. Best Pract Res Clin Obstet Gynaecol 2004;18:349-71.
- van Nagell JR Jr, Miller RW, DeSimone CP, Ueland FR, Podzielinski I, Goodrich ST, et al. Long-term survival of women with epithelial ovarian cancer detected by ultrasonographic screening. Obstet Gynecol 2011;118:1212-21.
- Vasey PA, Paul J, Birt A, Junor EJ, Reed NS, Symonds RP, et al. Docetaxel and cisplatin in combination as first-line chemotherapy for advanced epithelial ovarian cancer. Scottish Gynaecological Cancer Trials Group. J Clin Oncol 1999;17: 2069-80.
- Vergote I, Vergote-De Vos LN, Abeler V, Aas M, Lindegaard M, Kjoerstad KE, et al. Randomized trial comparing cisplatin with radioactive phosphorus or whole abdominal irradiation as adjuvant treatment of ovarian cancer. Cancer 1992;698:741-9.
- Vorwergk J, Radosa MP, Nicolaus K, Baus N, Jimenez Cruz J, Rengsberger M, et al. Prophylactic bilateral salpingectomy (PBS) to reduce ovarian cancer risk incorporated in standard premenopausal hysterectomy: complications and re-operation rate. J Cancer Res Clin Oncol 2014;140:859-65.
- Vrscaj MU, Rakar S. Neoadjuvant chemotherapy for advanced epithelial ovarian carcinoma: A retrospective case-control study. Eur J Gynaecol Oncol 2002;23:405-10.
- Watson P, Lynch HT. Extracolonic cancer in hereditary nonpolyposis colorectal cancer. Cancer 1993;71:677-85.
- Whittemore AS, Gong G, Itnyre J. Prevalence and contribution of BRCA1 mutations in breast cancer and ovarian cancer: results from three U.S. population-based case-control studies of ovarian cancer. Am J Hum Genet 1997;60:496-504.
- Whittemore AS. Characteristics relating to ovarian cancer risk: implications for prevention and detection. Gynecol Oncol 1994;55(3 pt 2):S15-S19.
- Wils J, Blijham G, Naus A, Belder C, Boschma F, Bron H, et al. Primary or delayed debulking surgery and chemotherapy consisting of cisplatin, doxorubicin, and cyclophosphamide in stage III-IV epithelial ovarian carcinoma. J Clin Oncol 1986;4:1068-73.
- Wilson JMG, Jungner G. Principles and Practice of Screening for Disease. Geneva: World health Organization. 1968.
- Yoonessi M, Leberer J, Crickard K. Primary fallopian tube carcinoma: treatment and spread pattern. j Surg Oncol 1979; 38:97-100.
- Young RC, Brady MF, Nieberg RK, Long HJ, Mayer AR, Lentz SS, et al. Adjuvant treatment for early ovarian cancer: a randomized phase Ⅲ trial of intraperitoneal 32P or intravenous cyclophosphamide and cisplatin: a Gynecologic Oncology Group study. J Clin Oncol 2003;21:4350-5.
- Young RC, Chabner BA, Hubbard SP, Fisher RI, Anderson T, Simon RM, et al. Advanced ovarian adenocarcinoma: a prospective clinical trial of melphalan (L-PAM) versus combination chemotherapy. N Engl J Med 1978;299:1261-6.
- Young RC, Walton LA, Ellenberg SS, Homesley HD, Wilbanks GD, Decker DG, et al. Adjuvant therapy in stage Ⅰ and stage Ⅱ epithelial ovarian cancer: results of two prospective randomized trials. N Engl J Med 1990;322:1021-7.

제34장

비상피성 난소종양

조치흠 | 계명의대
권선영 | 계명의대
신소진 | 계명의대
신정규 | 경상의대
이승미 | 계명의대

1. 서론

악성난소종양의 대부분은 종양의 기원에 의한 해부학적 구조에 따라 세가지 주요 유형으로 분류된다(그림 34-1). 그 중 상피성 난소암은 악성난소종양의 90-95%를 차지한다. 생식세포종양 및 성삭기질종양은 나머지 5-10%를 차지하며, 상피성 난소암과는 다른 임상적 특성을 보이므로 구별된 치료적 접근이 요구된다.

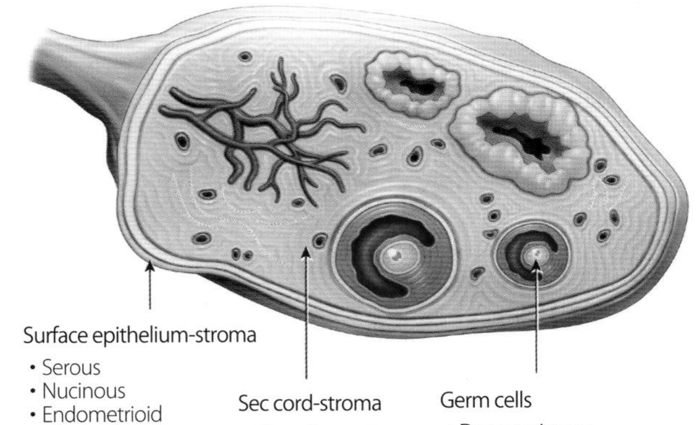

그림 34-1. **해부학적 기원에 의한 난소종양의 분류**

2. 난소의 악성생식세포종양(Ovarian Malignant Germ Cell Tumors)

1) 분류 및 역학

생식세포종양(germ cell tumor)은 배아생식샘(embryonic gonad)의 원시생식세포(primitive or primordial germ cell)로부터 유래하는 종양을 말한다. 원시생식세포(primitive germ cell)는 난황낭 내배엽(yolk sac endoderm)에서 이동하여 생식샘능선(gonadal ridge)에 도달하고 여기에서 생식세포종양이 발생한다.

난소의 생식세포종양은 대부분 임상적으로 양성인 성숙형 낭성기형종(mature cystic teratoma) 이다. 악성생식세포종양은 전체 난소암의 전체 난소암 중 5% 미만을 차지하고 있다. 20대 이전에 발생하는 난소종양의 70% 정도가 생식세포종양이며, 그중 1/3이 악성이다.

악성생식세포종양은 상피성 난소암과 구분되는 세 가

지 특징이 있다. 첫째, 주로 10대, 20대 초의 어린 나이에 발병한다. 둘째, 대부분의 종양이 1기에서 진단된다. 셋째, 진행된 병기라고 해도 항암제에 대한 민감도가 매우 높기 때문에 예후가 좋다. 따라서 추후 항암화학요법이 필요하더라도 임신을 원하는 여성에 대해서는 가임력 보존수술이 우선 시 된다.

2014년 세계보건기구(World Health Organization, WHO)는 생식세포종양의 분류체계를 개정하여 발표하였다(표 34-1). 발생 빈도별로 살펴보면 난소고환종(dysgerminoma)이 가장 흔하고, 그 다음으로는 혼합생식세포종(mixed germ cell tumor), 난황낭종양(yolk sac tumor), 미성숙기형종(immature teratoma) 순으로 흔하다. 난소의 악성생식세포종양의 분화 경로는 그림 34-2와 같다.

표 34-1. 난소 생식세포종양의 분류(WHO 분류, 2014)

1. 원시생식세포종양(primitive germ cell tumor) 1) 난소고환종(dysgerminoma) 2) 난황낭종양(yolk sac tumor) 3) 배아암종(embryonal carcinoma) 4) 뭇배아종(polyembryoma) 5) 비임신성 융모막암종(nongestational choriocarcinoma) 6) 혼합생식세포종양(mixed germ cell tumor)
2. 이상성 또는 삼상성 기형종(biphasic or triphasic teratoma) 1) 미성숙기형종(immature teratoma) 2) 성숙기형종(mature teratoma) (1) 고형성(solid) (2) 낭성(cystic) ① 유피낭종(dermoid cyst) ② Fetiform teratoma (homunculus)
3. 단배엽기형종 혹은 유피낭종과 관련된 체성 종양(monodermal teratoma and somatic-type tumors associated with dermoid cysts) 1) 갑상샘종양(thyroid tumor) (1) 난소갑상샘종(struma ovarii) ① 양성(benign) ② 악성(malignant) 2) 카르시노이드(carcinoid) 3) 신경외배엽종양(neuroectodermal tumor) 4) 암종(carcinoma) 5) 멜라닌세포성(melanocytic) 6) 육종(sarcoma) 7) 피지샘종양(sebaceous tumor) 8) 뇌하수체 관련 종양(pituitary-type tumor) 9) 그 외(others)

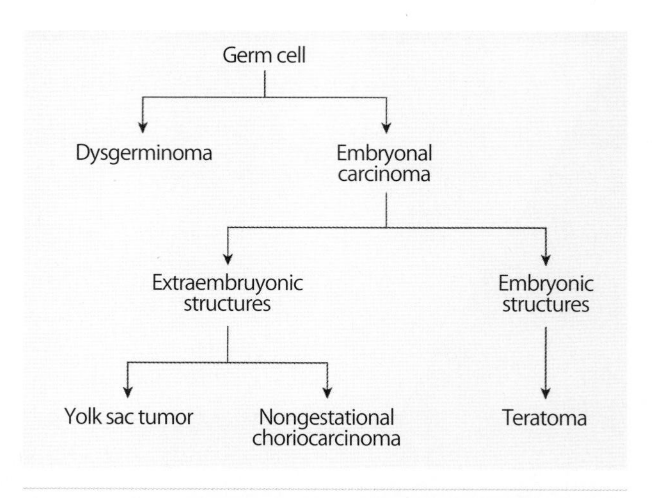

그림 34-2. **난소의 악성생식세포종양의 분화 경로**

2) 진단

(1) 임상양상

가장 흔한 증상은 복통과 하복부종괴 촉지이며, 그 외 복부팽만, 배뇨곤란, 월경불순, 질출혈 등을 보인다. 호르몬의 변화와 관련된 종양이므로 생리과다 및 부정출혈이 발생할 수 있다. 그러나 환자의 25% 정도에서는 무증상인 경우도 있어 정기검진에서 우연히 발견될 수 있다.

종양의 빠른 성장이 특징적인 소견으로 이로 인해 종양의 파열이나 출혈, 꼬임 등이 발생할 수 있으며 이는 급성 복통의 증상으로 나타날 수 있다.

보통 1개월 이내에 시작된 복통을 호소하나, 간혹 1년이상 지속되는 간헐적 만성복통을 호소하기도 한다. 모호한 골반증상은 배란이 시작되고 생리통이 시작되는 청소년들에게서 더 흔하므로, 사춘기 청소년들은 증상에 대해 감추려는 경향이 많아, 초기증상의 발견이 어려울 수 있다. 생식세포종양이 있는 어린 여성의 대부분이 정상생리를 하는 것으로 알려져 있다. 그러나 이런 종양이 생기는 것의 위험인자로는 이형성 생식샘(dysgenetic gonad)이 알려져 있으므로, 골반종괴가 있으면서 초경이 늦어지는 사춘기 청소년들은 생식샘발생장애(gonadal dysgenesis)에 대한 평가가 이루어져야 한다.

(2) 진단적 검사

난소의 생식세포종양은 여러 종양표지물질을 생성하는데 종양의 진단뿐만이 아니라 잔존 병소의 유무, 치료에 대한 반응, 재발의 예측 등에 유용하게 이용되고 있다.

사람융모생식샘자극호르몬(human chorionic gonadotropin, hCG)은 융모막암종에서, 알파태아단백(alphafetoprotien, AFP)은 난황낭종양(yolk sac tumor)에서 증가하며, 배아암종(embryonal carcinoma)에서는 hCG와 AFP가 모두 증가된 경향을 보인다(표 34-2). 젖산탈수효소(lactate dehydrogenase, LDH)는 특이적이지는 않지만 난소고환종에서 유용한 종양표지물질로 이용되기도 한다. CA-125 (cancer antigen 125) 및 CEA (carcinoembryonic antigen)도 상승된 경우에 악성 상피성 난소암과 마찬가지로 유용한 종양표지자로 사용하는 경우를 보고하고 있으나 이들의 역할은 아직 명확하지 않다.

(3) 영상검사

초음파는 대부분의 경우에서 난소종양의 양성 또는 악성과 관련된 특징을 구별하는데 유용하다.

성숙낭성기형종(mature cystic teratoma)의 경우 초음파나 CT에서 특징적인 소견을 나타낸다. 반면에 악성생식세포종양의 경우는 일반적으로 다엽의 복합적인 난소 덩어리가 나타난다. 그리고 초음파에서 컬러도플러를 확인하였을 때 격막에서 혈류가 확인된다면 악성의 가능성을 의심할 수 있다. 수술 전 CT나 MRI는 임상적으로 의심이 될 때 추가적으로 시행할 수 있다. 흉부 촬영은 폐나 종격동의 전이를 찾는 데에 도움이 될 수 있다.

표 34-2. 악성생식세포종양의 종양표지자

분류	AFP	β-hCG	LDH
난소고환종(dysgerminoma)	−	+/−	+
난황낭종양(yolk sac tumor)	+	−	+
미성숙기형종(immature teratoma)	+/−	−	+/−
혼합생식세포종양(mixed germ cell tumor)	+/−	+/−	+/−
융모막암종(choriocarcinoma)	−	+	+/−
배아암종(embryonal carcinoma)	+/−	+/−	+/−
뭇배아종(polyembryoma)	+/−	+	−

3) 각론

(1) 난소고환종(dysgerminoma)

① 역학

난소고환종은 가장 흔한 악성생식세포종양으로 전체 악성생식세포종양의 1/3을 차지하고, 전체 난소암의 1-3%를 차지한다. 또한 임신 중 발견되는 난소암 중 가장 흔하다. 전 연령대에서 발생할 수 있으나, 대부분은 10-30세 사이의 젊은 여성에서 발생한다.

일부 난소고환종 환자들은 pure (46,XY) 혹은 mixed (45,X, 46,XY) 생식샘발생장애(gonadal dysgenesis), 고환여성화(testicular feminization, 46,XY)와 같은 이상 염색체를 가진 여성에서 발생하므로, 핵형검사가 필요한 경우가 있다. 이런 환자의 이형성 생식샘(dysgenetic gonads)에는 양성생식세포종양인 생식샘모세포종(Gonadoblastoma)이 있는 경우가 흔하다. 이런 경우 종양은 저절로 퇴행하여 없어지기도 하지만 악성변화를 일으키기도 하는데, 난소고환종에서 악성변성이 가장 흔하다. 생식샘모세포종의 40% 정도에서 악성변성을 일으킨다고 보고되고 있어, 양측 난소는 제거하여야 한다.

② 임상양상

난소고환종 환자에서는 생식샘자극호르몬을 생성하는 융합영양막세포(Gonadotropin-producing syncytiotrophoblastic cell)가 있어 혈청 hCG 혹은 LDH의 증가를 볼 수 있다. 난소고환종 환자의 약 80%가 1기에 발견된다. 특히 난소고환종은 생식세포종양 중 유일하게 반대측 난소에도 발생할 수 있는 종양인데, 약 10-20%에서 양측성을 보이는 것으로 알려져 있다.

약 20% 환자가 2기 이상의 진행된 병기에서 진단이 된다. 복막이나 림프관을 통해 전이되며, 림프관을 통한 전이가 가장 흔하다. 혈행성 전파를 통한 간, 폐, 뼈로의 원격전이는 드물지만 일어날 수 있다.

③ 병리학적 특성

난소고환종은 우측 난소에서 더 흔하고 약 15%에서 양쪽에 발생하며, 종양의 모양은 원형 또는 난원형이고 크기는 작은 것에서부터 큰 것까지 다양하다. 절단면에서 종양은 고형성이고, 균일하고 얇은 결체조직에 의해 소엽으로 나눠지는 소견을 보이기도 한다. 색깔은 회백색 또는 연한 분홍색이고 종양의 크기가 큰 경우에는 출혈과 괴사가 있을 수 있다(그림 34-3, 4). 만일 낭변화나 출혈이 심하면 다른 성분의 종양이 있을 가능성이 높다. 현미경소견에서 종양은 크고 균일한 세포들로 구성된다. 세포질의 경계가 분명하고 세포질이 창백하거나 약간 호산성을 띄며 당원을 갖고 있어 면역화학염색 중 PAS (Periodic acid-Schiff) 염색에 양성이다. 세포핵은 투명하고 중앙에 위치하며 1-2개 정도의 호산핵소체(eosinophilic nucleoli)가 있고 세포분열이 자주 관찰된다. 세포의 집단이 결체조직에 의해 나뉘어 소엽을 이루고 결체조직 내에는 림프구가 다수 흩어져 침윤한다(그림 34-5). 때로 상피모양 조직구들이 육아종을 이룬다. 출혈, 괴사 및 석회화가 있을 수 있다. 종양의 3% 정도에서 융합영양막원시세포(primitive syncytiotrophoblast cell)가 출현하여 hCG를 분비할 수 있다. 또한 생식세포해서 유래하는 기형종, 난황낭종양, 배아암종 또는 융모막암종 등과 혼합형으로 발생할 수도 있다. *c-KIT* 돌연변이가 약 25-50%에서 보고되고 있다.

④ 치료

가. 수술적 치료

난소의 난소고환종의 치료원칙은 원발병소를 최대한 제거한 뒤 수술 후 보조적 항암화학요법을 시행하는 것이다. 그러나 대부분의 환자가 젊은 연령층에 발생하므로 향후 임신을 고려한 적절한 수술을 시행한다. 난소고환종은 항암제민감도가 높아서 임신을 원하는 환자에서 전이병변이 있더라도 종양이 있는 쪽의 난소난관절제술만 시행하고 반대쪽의 자궁부속기와 자궁은 보존하는 수술을 시행할 수 있다.

그러나 반대쪽에 미세전이가 있을 수 있으므로 의심스러운 병소가 관찰될 때에는 조직검사를 고려할 수 있다. 다만, 과다하고 불필요한 조직검사로 인해 향후 임신에 악영향을 미치지 않도록 주의해야 한다.

난소고환종은 약 25-30%에서 림프절전이를 보이며, 악성생식세포종양 중에서 림프절전이율이 가장 높다. 병기가 예후에 부정적인 영향을 끼치지 않으므로,

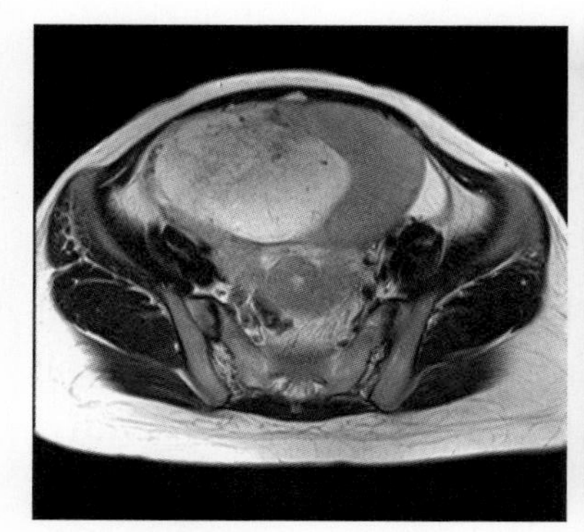

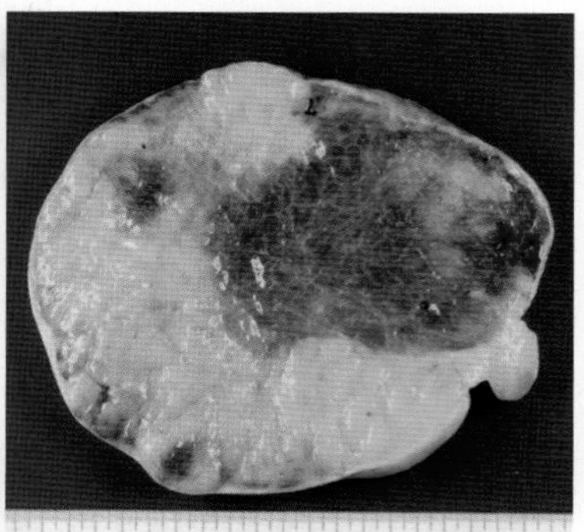

그림 34-3. **난소고환종의 영상소견**
A: MRI 소견 B: MRI 소견에 해당하는 절단면의 육안 소견

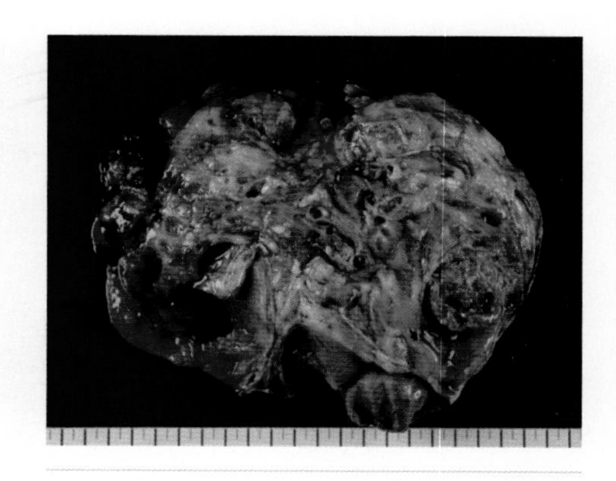

그림 34-4. **난소고환종의 육안소견**
난소고환종은 다결절의 큰 고형성 종양으로 황갈색의 절단면을 보인다.

1기 종양에서는 상황에 따른 병기설정을 시행하고 추적관찰 하는 것이 가능하다. 반대측 난소를 보존할 경우 5-10%에서 보존된 난소에서 난소고환종이 재발할 수 있다.

종양이 있는 쪽의 골반림프절은 반드시 후복막을 열고 확인을 해야 하고, 커져 있는 대동맥 주위의 림프절이 있다면 반드시 절제해야 한다. 특히 난소고환종의 경우에는 간혹 신정맥 주변의 대동맥림프절로의 전이가 발생하므로 주의해야 한다.

나. 항암화학요법

수술 후 보조적 치료로써 방사선요법과 항암화학요법이 사용될 수 있다. 항암화학요법과 방사선치료는 비슷한 치료 성적을 보이지만, 방사선치료는 난소기능 부전을 유발할 수 있어 항암화학요법이 수술 후 보조요법으로 주로 사용되고 있다.

FIGO 병기 1기 초의 난소고환종은 수술만으로 충분하나, 그 이외 진행된 병기 혹은 잔류종양이 있는 경우에는 수술 후 항암화학요법을 시행해야 한다.

난소고환종을 포함한 생식세포종양의 치료에 사용되는 항암화학요법으로는 VAC (vincristine, actinomycin, cyclophosphamide), VBP (vinblastine, bleomycin, cisplatin), BEP (bleomycin, etoposide, cisplatin) 등이 효과적인 제제로 알려져 있으나, VBP와 VAC은 최근 거의 사용되지 않는다.

1990년대 초반 미국 부인종양연구회(gynecologic oncology group, GOG)에서 수행된 전향적 연구에서 BEP시행군에서 96-98%의 완전 관해를 얻었다는 결과를 발표한 이후 3-4회 주기의 BEP가 표준 치료로 사용되고 있다(표 34-3).

표 34-3. 악성생식세포종양에 대한 항암화학요법

항암제	용량 및 용법
BEP (3주 간격)	
Bleomycin	매주 30 mg, 매 주기 1일/8일/15일
Etoposide	일일 100 mg/m2, 매 주기 1-5일
Cisplatin	일일 20 mg/m2, 매 주기 1-5일
VBP (3주 간격)	
Vinblastine	일일 0.15 mg/kg, 매 주기 1-2일
Bleomycin	매주 15 mg/m2, 5주간, 이후 4주기의 1일
Cisplatin	일일 20 mg/m2, 매 주기 1-5일
VAC (4주 간격)	
Vincristine	일일 1-1.5 mg/m2, 매 주기 1일
Actinomycin D	일일 0.5 mg, 매 주기 1-5일
Cyclophosphamide	일일 150 mg/m2, 매 주기 1-5일

* 항암제의 용량은 각 참조마다 조금씩 차이가 있을 수 있음.

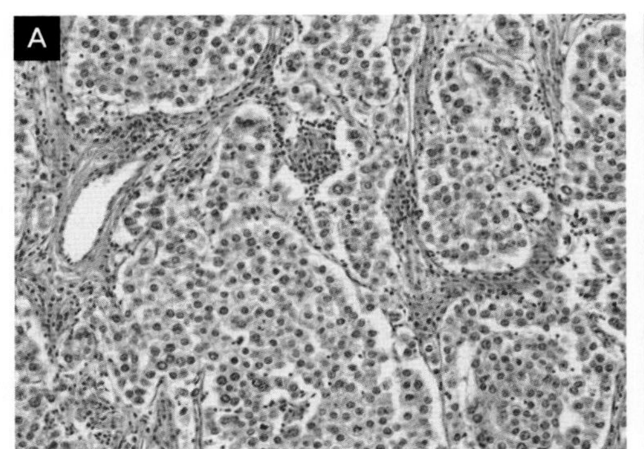

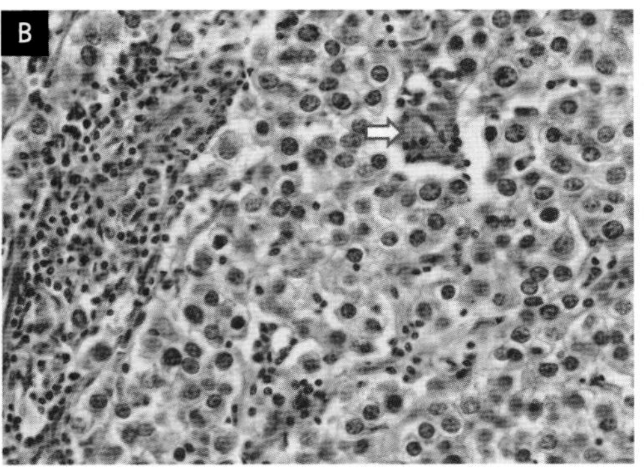

그림 34-5. **난소고환종의 병리소견**

A: 난소고환종세포는 림프형질세포성 침윤(lymphoplasmacytic infiltrates)이 있는 섬유질 중격에 의해 소엽으로 나뉜다. B: 난소고환종세포는 균일한 원형의 핵에 세포질이 투명하고 크며, 세포경계가 뚜렷하다. 호산핵소체가 뚜렷하게 관찰된다. 경계가 불분명한 육아종이 산재해 있다(화살표).

Bleomycin을 투약하였을 때 폐독성이 발생할 수 있는데, 투약을 받은 환자 중 10%까지 생명을 위협할 수 있다는 보고가 있다. Bleomycin은 지질 과산화 유도를 통해 DNA에 미치는 영향과 무관하게 세포 손상을 일으키는 것으로 알려져 있다. 이는 폐에서 특히 중요할 수 있으며 부분적으로 폐포 세포의 손상과 그에 따른 폐의 염증을 유발할 수 있다.

Bleomycin의 독성에 대한 보고서의 대부분은 폐렴과 호흡 부전의 증상 및 임상 소견에 따라 bleomycin의 폐독성을 정의하였으며, 무증상 폐독성에 대한 평가를 하기 위하여 통상적인 폐기능검사(pulmonary function test, PFT)를 시행하는 것은 권장하지 않는다.

Bleomycin으로 인한 폐독성에는 승인된 표준 치료법은 없다. 현재까지 가장 일반적인 접근법은 후속 항암화학요법에서 bleomycin을 사용을 보류하거나, bleomycin을 제외한 요법을 시행할 수 있으며, 이와 함께 코르티코스테로이드 치료를 하는 것이다. 폐섬유화의 위험으로 인해 bleomycin의 총 사용량(lifetime cumulative dose)은 400단위 미만으로 제한된다.

항암화학요법으로 인한 또다른 부작용에는 오심이 있으나 최근에는 5-HT3 대항제(5-HT3 receptor antagonist)나 aprepitant (NK1 antagonist) 등과 같은 항구토제의 개발로 오심을 조절할 수 있게 되었다.

일차 종양감축수술 및 항암화학요법 후의 이차 추시수술(second-look surgery)은 CT, MRI, PET 등의 영상진단의 발달과 종양 표지자의 민감성으로 인해 시행하지 않는다.

⑤ 경과 및 예후

예후는 아주 양호하여 1기 초(IA)의 난소고환종 환자는 일측 난소난관절제술을 시행한 것만으로 94% 이상의 5년 생존율을 보인다. 영향을 주는 예후 인자들로는 병기, 조직학적 유형, 종양의 크기, 세포분열수 및 역형성(anaplasia) 유무 등이 있고, 이 중 병기가 가장 중요한 예후인자로 보고되어 있다.

재발의 75%는 첫 치료 후 1년 안에 발생한다. 흔한 재발 부위는 골반강, 후복막림프절이며, 이런 경우에는 추가적인 항암치료가 필요하다.

(2) 미성숙기형종(immature teratoma)

① 역학

미성숙기형종, 일명 악성기형종(malignant teratoma)은 전체 난소암의 1% 미만이지만 난소의 악성생식세포종양 중 두 번째로 흔한 암종으로, 20세 이하 여성에서 발생하는 난소암의 10-20%, 이 연령대의 난소암으로 인한 사망의 30%를 차지한다. 순수 미성숙기형종(pure immature teratoma)의 약 50%가 10-20세 사이에 발생하며, 폐경 후에는 매우 드물다.

성숙기형종(mature teratoma)과 유사하게 내배엽, 중배엽, 외배엽 생식세포에서 기원한 조직으로 이루어져 있지만 차이점은 미성숙(immature) 혹은 배아(embryonic) 조직을 포함하고 있는 것이다. 각 생식세포에서 기원된 조직이 정상적 성숙(normal maturation) 과정을 거치면 성숙기형종이 되며 비정상 성숙(abnormal maturation)이 일어나면 미성숙 기형종이 되어 통제되지 않는 세포의 성장으로 인한 암화 과정이 발생하게 된다.

② 임상양상

전형적으로 미성숙기형종(14-25 cm)은 성숙기형종(평균 7 cm)에 비해 크기가 크다. 유피낭종(dermoid cyst)은 미성숙 기형종이 있는 동측 난소에서 26% 관찰되며, 10% 정도는 반대편 난소에서 관찰된다.

③ 병리학적 특성

주로 고형성이지만 낭성일 경우도 있다. 종양의 절단면은 부드러운 고형성 부분과 낭성 부분을 보인다. 고형성 부분은 신경계 조직, 연골, 뼈조직으로 구성되며, 낭성 부분은 점액, 장액, 피지, 털 등으로 채워져 있다(그림 34-6, 7). 현미경적으로 종양은 세 가지 배엽에서 기원한 다양한 조직들이 불규칙하게 섞여 있는 형태이며 이 중 최소한 한 성

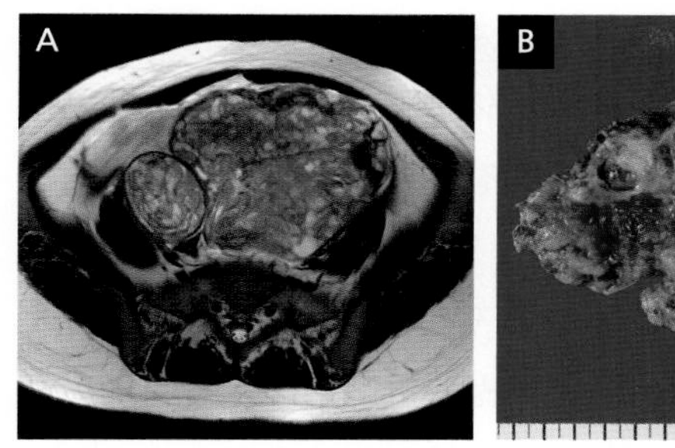

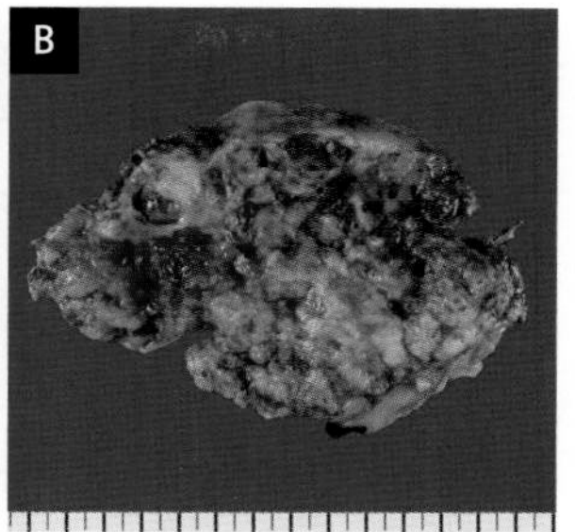

그림 34-6. **미성숙기형종의 영상소견**
A: MRI 소견, B: MRI 소견에 해당하는 절단면의 육안 소견

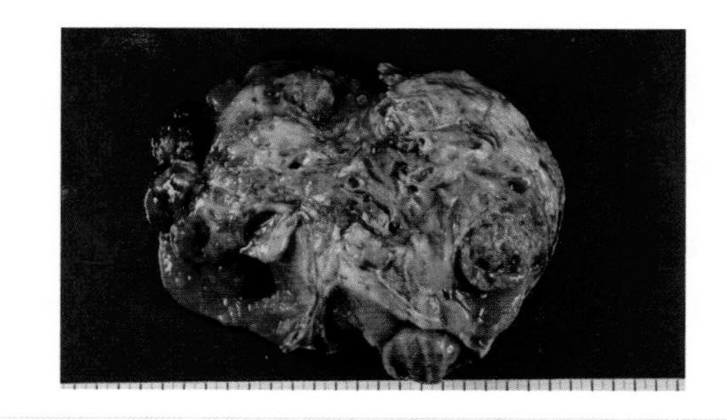

그림 34-7. **미성숙기형종의 육안 소견**
미성숙기형종의 절단면은 크고 황갈색의 주로 고형성을 보인다. 석회화, 연골조직, 젤라틴모양 변성도 관찰된다.

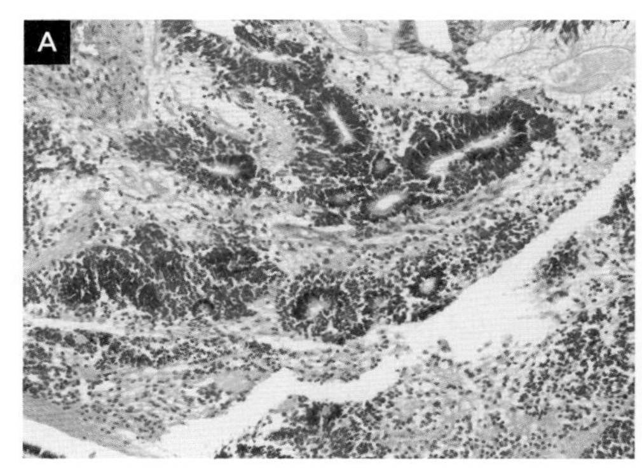

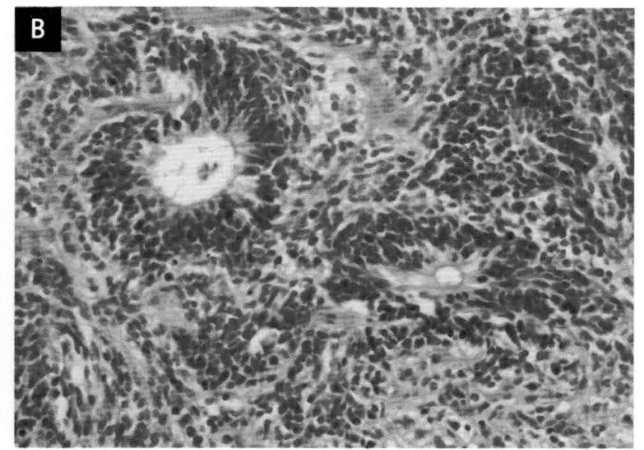

그림 34-8. **미성숙기형종의 병리 소견**
A: 저배율에서 신경아교세포직의 신경상피와 함께 미성숙한 배아 조직이 많이 나타난다. B.미성숙조직은 원시신경상피로 구성된다.

분 이상이 미분화된 배아세포로 구성된다. 미분화세포는 대부분 신경외배엽(neuroectoderm)에서 기원한다. 이들은 주로 원시신경외배엽세관(primitive neuroectodermal tubule)과 판상의 작고 둥근 악성세포들로 구성되며 아교조직(glial tissue)을 동반한다(그림 34-8).

미성숙 기형종은 미성숙신경세포(immature neuroepithelium)의 양을 저배율 광학 현미경 시야(low-power microscopic field)에서 관찰하여 1에서 3등급으로 분류한다. 1등급은 저배율에 1개 미만의 미성숙신경세포, 2등급은 1-3개의 미성숙신경세포, 3등급은 4개 이상의 미성숙신경세포가 관찰되는 것으로 정의한다. 이러한 조직학적 등급 및 미성숙신경세포의 양이 예후와 밀접한 관련이 있고 1기 암의 치료를 결정하는 요인이 된다. Norris 등과 O'Conner 등의 보고에 따르면, 58명의 1기 악성기형종 환자에서 1등급인 경우 14명 중 1명만이 재발한 반면 2, 3등급인 경우 26명 중 13명에서 재발하였다.

악성기형종뿐만 아니라 양성기형종에서도 성숙아교조직(mature glial tissue)이 복강 내에 좁쌀처럼 퍼져 있는 경우가 있는데 이를 복강내 신경아교종증(gliomatosis peritonei, GP)이라 부른다. 이런 아교조직이 서서히 증식하여 수술적 제거가 필요한 경우도 있다. 드물게 악성화하는 경우가 있는데 이런 경우에는 예후가 매우 나쁘다고 보고되고 있다.

미성숙기형종의 일부에서는 성숙기형종에서처럼 복부

의 방사선 촬영이나 초음파검사상에서 석회화를 볼 수 있다. 그리고 드물게 스테로이드호르몬의 생성과 관련되어 가성 성조숙(pseudoprecocity)이 나타나기도 한다.

양성기형종에서 체성악성변화(somatic malignant change)는 보통 40세 이후 여성에서 발생하며, 0.5-2%의 발생빈도를 보인다. 80% 이상에서 편평상피세포암(squamous cell carcinoma)이 주된 조직학적 유형으로 알려져 있다. 초기 병기 환자에서 골반방사선을 포함하거나 포함하지 않은 백금기반 항암화학요법이 고려된다.

④ 치료

가. 수술적치료

미성숙기형종을 가진 가임기 여성에서는 한쪽 난소에 국한된 경우 일측 난소절제술과 가임력을 보존하는 수술적 병기설정술을 시행한다. 폐경 후 여성에서는 양측 자궁부속기절제술과 자궁절제술을 포함한 완전 병기설정술을 시행한다. 반대측 난소의 침범은 드물기 때문에 일상적인 절제나 조직검사는 불필요하다.

가장 흔한 전파경로는 복막이며, 후복막강림프절전이와 폐, 간, 뇌 등 혈행성전이는 드물지만, 진행된 병기, 분화도가 나쁜 종양 또는 재발한 경우에는 간혹 관찰된다. 전이된 병변의 종양감축술이 복합항암화학요법에 대한 반응도를 높여주는지는 명확하지 않다.

미성숙기형종은 상피성 난소암보다 훨씬 더 항암화학요법에 민감하다. 치료 효과는 빠른 항암제 투여에 달려 있으므로, 합병증을 유발하여 항암제 치료를 연기할 가능성이 있는 정도의 수술적 치료는 피해야 한다.

나. 항암화학요법

병기 IA, 등급 1을 가진 환자들은 예후가 양호하여 추가 항암치료는 필요하지 않다. 병기 IA, 등급 2, 3 미성숙 기형종인 경우 추가 항암치료를 시행해야 한다.

생식세포종양의 표준 항암치료제는 BEP이다. BEP는 수술적으로 완전 절제된 진행성 악성기형종에서도 VAC보다 우수한 것으로 여겨지며, 잔여 종양이 남은 경우에도 선호되는 항암화학요법으로 VAC를 대체해 왔다. BEP는 종양이 수술적으로 완전 절제된 경우에는 3주기, 잔여종양이 있을 경우에는 4주기를 시행하는 경우가 많다.

미성숙기형종은 수술 후 급속히 진행하는 경우가 있으므로 항암제 투여는 가능하면 일찍 투여하는 것이 좋으며, 수술 후 7일 내지 10일 이내가 선호된다. 완전한 수술적 병기 결정이 시행된 모든 환자에서 보조항암화학요법을 시행해야 하는지는 불분명하다.

다. 방사선치료

방사선치료는 일반적으로 미성숙기형종의 일차 치료로는 사용되지 않는다. 더욱이 항암화학요법과 방사선치료의 병합요법이 항암제 단독 치료보다 치료율이 높다는 증거가 없다. 방사선치료는 항암화학요법 후 국소적으로 지속하는 병변에 사용될 수는 있다.

라. 이차 추시 개복술

수술 후 항암화학요법을 시행 받은 환자는 이차 추시 개복술의 적응증이 아니다. 그러나 기형종 조직이 포함된 종양이 일차 수술로 완전히 제거되지 않은 경우에는 이차 추시 개복술이 필요할 수 있다.

Mathew 등의 연구에 의하면 68명의 난소생식세포종양을 가진 환자에서 수술 및 항암치료 이후 35명에서 영상학적 잔류병변이 발견되었다. 35명 중 29명의 환자에서 이차 추시 개복술을 시행한 바 16명의 환자에서 세포 괴사 및 섬유화 소견, 7명에서 미성숙기형종, 3명에서 성숙기형종, 3명에서 생존 종양(viable tumor)이 발견되었다. 일차 수술에서 기형종이 포함되어 있지 않았던 난소고환종, 융모막암종을 가진 환자에서 생존 종양이 발견되지 않았고, 기형종이 포함된 난소생식세포종양을 가진 모든 환자에서 잔류병변이 발견됨을 보고하였다. 따라서 이러한 사실로 기형종이 포함된 잔류병변이 있는 환자에서 이차 추시 개복술의 필요성이 제시되었다.

⑤ 경과 및 예후

미성숙 기형종에 있어서 가장 중요한 예후인자는 병변의 등급이며, 병기와 수술 후 잔류병변의 범위는 완치율에 영향을 미친다. 수술적으로 불완전 절제된 환자의 생존율은 완전 절제된 환자에 비하여 유의하게 감소한다. 순수 미성숙기형종(pure immature teratoma)의 5년 생존율은 전체 병기에서 70-80%이고, 수술적 병기설정으로 확인된 1기의 경우는 90-95%이다.

(3) 난황낭종양(yolk sac tumor)

① 역학

난황낭종양, 일명 내배엽동종양(endodermal sinus tumor)은 세 번째로 흔한 악성생식세포종양으로 전체 악성생식세포종양의 10-20%를 차지한다. 이전에 내배엽동종양이라고 지칭하였으나 용어 개정으로 난황낭종양으로 표기한다. 난황낭종양의 발생 평균 연령은 16-18세이며 40세 이후에는 드물다. 약 3분의 1의 환자에서 초경 전에 진단된다.

② 임상양상

난황낭종양은 100% 일측성이며, 급격하게 자라나는 특징을 보이며, 30 cm에 이르는 큰 종양으로 발견되기도 한다. 생식샘발생장애(gonadal dysgenesis)와 관련되므로, 초경 전 환자에서는 수술 전 염색체 분석이 이루어져야 한다. 대부분 초기에 발견되며 71%가 1기에, 6%가 2기에, 23%가 3기로 진단된다.

③ 병리학적 특성

육안적으로 난황낭종양은 평균 15 cm 크기의 피막으로 둘러싸인 큰 종양으로 급속한 성장에 의해 난소고환종 보다 잘 부스러진다. 낭성 및 고형성 물질이 혼합되어 있으며 회색-노란색을 띠며 출혈, 괴사, 종양의 파열을 자주 볼 수 있다(그림 34-9). 조직학적으로 가장 흔한 형태는 그물망형(reticular pattern)으로 원시상피 세포들이 그물망 형태로 불규칙하게 문합하는 형태이고 이는 배자외 분화(extraembryonic differentiation)를 반영하는 소견이다. 내배엽동형(endodermal sinus pattern)에서는 Schiller-Duval body라는 특징적인 구조물이 관찰되는데, 빈 강(space) 내에 유두모양의 돌기가 있고 돌기는 종양 세포로 싸여 있으며 돌기의 중앙에는 혈관을 갖는 특징을 보인다(그림 34-10). 정상 배아의 난황소포(yolk-sac vesicle)와 유사한 소

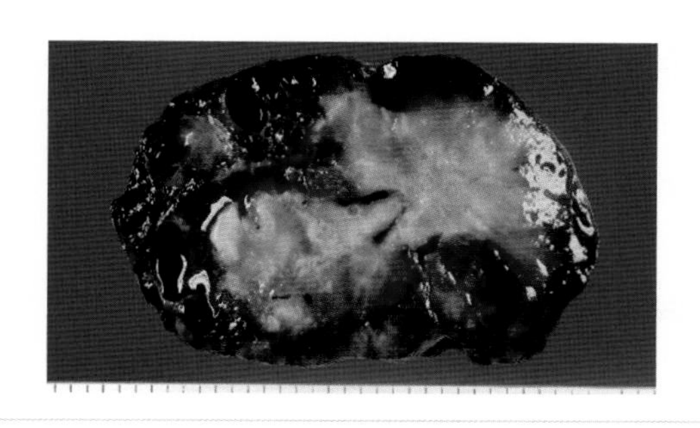

그림 34-9. **난황낭종양의 육안 소견**
고형성이며 노란색을 띠고 잘 부스러지는 양상이다. 출혈, 괴사, 낭성 변화 및 종양의 파열을 자주 볼 수 있다.

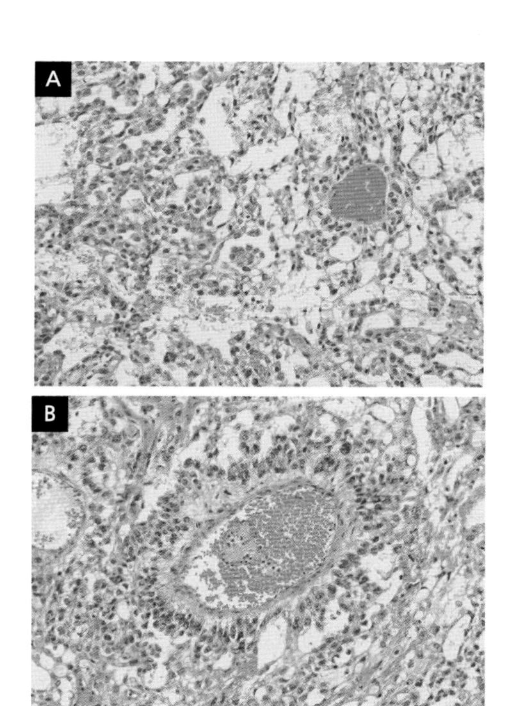

그림 34-10. **난황낭종양의 병리 소견**
A. 난황낭종양 세포의 망상구조는 미세낭종을 만드는 원시상피세포로 만들어진다, B. 쉴러-듀발 바디(Schiller-Duval body)는 중심에 모세혈관이 있고 그 주위를 종양세포가 둘러싸고 있다.

포들이 다수 보이는 종양인 경우, 다소포난황종양(polyvesicular vitelline tumor)으로 분류한다. 정상 난황소포처럼 종양성 난황막은 거의 배아형(embryonal type)으로 분화하지 않는다. 난황낭종은 원시 창자(primitive gut)와 닮은 형태의 glandular yolk-sac tumor 또는 원시 간(primitive liver)과 유사한 형태인 hepatoid yolk sac tumor를 보일 수 있다. 난황낭종양은 PAS (periodic acid-Schiff)에 양성인 유리질소체(hyaline body)를 흔히 포함한다. 거의 대부분 면역조직화학염색에서 알파태아단백(alpha-fetoprotein, AFP)에 양성이며, 드물게 알파1-항트립신(alpha 1-antitrypsin, AAT)를 발현하기도 한다.

④ 치료

가. 수술적치료

낭황낭종양은 100% 일측성이고, 호발 연령을 고려할 때 반대측 난소의 조직검사는 금한다. 자궁절제술과 반대측 자궁부속기절제술이 치료결과에 영향을 주지 못하는 것으로 알려져 있다.

일측성 자궁부속기절제술 및 진단을 위한 동결절편 조직검사를 시행한다. 육안적으로 확인되는 전이 병변을 제거해야 하지만, 모든 환자에서 항암화학요법을 해야 하며, 철저한 수술적 병기 결정은 요구되지 않는다.

나. 항암화학요법

난황낭종양은 항암제 감수성이 높은 질환이므로, 난황낭종양을 가진 모든 환자는 보조적 혹은 치료적 항암화학요법을 시행해야 한다. 보존적 수술치료와 항암화학요법을 통하여 가임력을 유지할 수 있다.

Cisplatin을 포함하는 복합 항암제 치료가 난황낭종양의 일차치료로 사용되어야 하며, 3-4주기의 BEP가 일차치료약물이다. 항암치료의 횟수는 잔여 종양 등의 예후인자를 고려하여 결정한다.

⑤ 경과 및 예후

2기에서 4기의 경우 5년 생존율이 64-91%이다. 종양이 재발하는 경우 대부분 1년 이내에 발생하며, 치료는 대개 효과가 없다고 알려져 있다.

(4) 그 외의 난소생식세포종양

① 배아암종(embryonal carcinoma)

매우 드문 질환으로 환자들의 평균 연령은 14세이다. 난소의 융모막암종과는 달리 합포영양막세포(syncytiotrophoblast cell)와 영양막세포(cytotrophoblast cell) 등이 관찰되지 않는다. 배아암종에서는 에스트로겐호르몬이 분비되어 성조숙증이 발생하기도 하고, 그로 인한 간헐적 질출혈이 나타나기도 한다. 임상증상은 난황낭종양과 유사하며 크기가 크고 진단 당시 약 3분의 2에서 일측성으로 발견된다. 순수 배아암종(pure embryonal carcinoma) 혹은 혼합생식세포종양(mixed germ cell tumor)으로 발생하며 가장 흔히 동반되는 종양은 난소고환종과 난황낭종양이다. 전형적으로 융모생식샘자극호르몬(hCG)을 분비하고 75%에서 알파태아단백(AFP)를 분비하는 것으로 알려져 있어 추적검사에 유용할 수 있다. 치료법은 난황낭종양과 동일하여 일측성 부속기절제 술 후 BEP 항암화학요법을 실시한다.

② 비임신성 융모막암종(non-gestational choriocarcinoma)

순수 비임신성 융모막암종(pure non-gestational choriocarcinoma)은 매우 드물다. 조직학적으로는 임신성 융모막암종(gestational choriocarcinoma)이 난소에 전이된 형태와 같다. 대부분 20세 이하 젊은 여성에 발생하며 융모생식샘자극호르몬 수치 변화로 항암제 효과를 평가 할 수 있다. 초경 전 융모막암종이 발생한 여성 중 융모생식샘자극호르몬이 높을 경우 약 50%에서 동성조숙(isosexual precocity)이 발생한다.

MAC (methotrexate, actinomycin D, cyclophosphamide)과 같이 임신성 융모막암종에 사용되는 항암제로 완전 관해가 있었다는 보고가 있으나, 기타 생식세포종과 마찬가지로 BEP로 치료하기도 한다. 그러나 대부분 최초 진단 시 매우 진행된 단계에서 발견되는 경우가 많고 예후는 매우 불량하다.

③ 뭇배아종(polyembryoma)

매우 드문 질환으로 배아체(embryoid bodies)로 구성된다. 즉 초기 배아가 분화되는 3배엽인 내배엽, 중배엽, 외배엽으로 구성된 조직 형태를 보인다. 초경 전 어린 여성에서 발생하며 거짓사춘기(pseudopuberty)를 보이고, 알파태아단백(AFP), 융모생식샘자극호르몬이 상승한다. 항암화학요법으로는 VAC가 효과적인 것으로 보고된다.

개념적으로 뭇배아종은 난소고환종과 같은 원시생식세포종양과 기형종과 같은 분화된 생식세포종양 사이의 가교 역할을 하는 것으로 여겨진다.

(5) 혼합생식세포종양(mixed germ cell tumor)

혼합생식세포종양은 두 가지 이상의 생식세포종양이 혼재되어 있는 경우이다. 난소고환종은 가장 흔한 구성요소이며, 전형적으로 난황낭종양이나 미성숙기형종혹은 둘 모두와 함께 나타난다(그림 34-11). 혼합생식세포종양의 양측성 발생 여부는 난소고환종 성분의 유무에 따라 달라지며, 성분 중 난소고환종이 있을 때 양측성 발생률이 증가한다. 그러나 치료와 예후는 구성요소에 의해 결정된다. 종양 내에 여러 가지 혼재된 성분에 따라 알파태아단백(AFP) 혹은 융모생식샘자극호르몬이 상승한다.

선호되는 항암제는 BEP 요법이며 항암제 치료 시작 시에 육안적으로 보이는 병변이 있었을 경우 항암치료 후 종양표지자가 정상화되어도 해당 종양표지자와 관련 있는 생식세포종양만 반영할 뿐, 종양표지자와 무관한 다른 형태의 생식세포종양은 반영하지 못할 수 있음을 유념해야 한다.

가장 중요한 예후 인자는 초기 종양의 크기 및 악성도가 높은 생식세포종양의 상대적 크기이다. 10 cm 미만의 병기 IA인 경우 생존율은 100%이며 난황낭종양, 융모막암종, 등급 3 미성숙 기형종의 비율이 3분의 1 미만일 경우 예후가 양호하다.

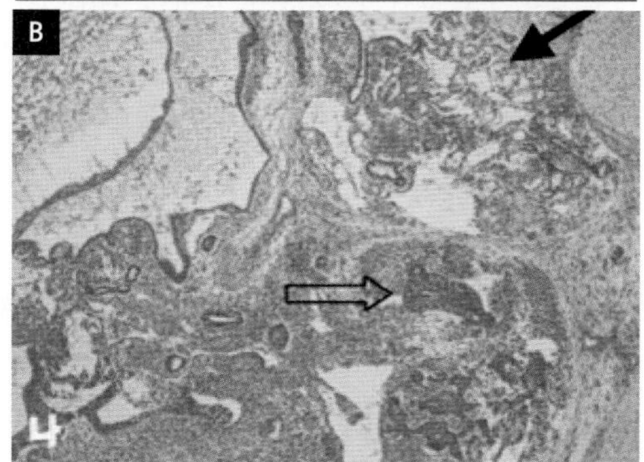

그림 34-11. **혼합생식세포종의 육안소견(A)과 현미경적 소견(B)**
A. 절단면의 육안적 소견. B. 난소고환종(←)과 난황낭종양(⇦)

4) 치료의 후기 효과(Late Effect of Treatment)

항암화학요법의 도입으로 난소생식세포종양 환자의 예후가 향상되고 생존률이 높아짐에 따라 치료 후 후기 효과의 임상적 중요성이 높아졌다.

(1) 생식샘의 기능

악성생식세포종양에서 백금기반의 항암제 투여 후 일시적인 난소기능 상실 혹은 부전이 발생할 수 있으나, 대부분 정상적 난소기능이 회복되며 출산이 가능하다. 항암 시작 나이가 고령일수록, 누적 항암제용량이 많을수록, 항암치료 기간이 길수록 생식샘기능에 악영향을 줄 수 있다.

Zanetta 등의 보고에 의하면 난소생식세포종양 환자 169명 중 138명이 가임력 보존수술을 받았고, 이 중에 81명은 추가 항암화학요법을 받았다. 치료 후 80명이 정상 생리를 회복하였고 그 중 55명이 임신을 하였다. 40명의 정상아가 만삭에 분만이 되었고 4명의 선천성 기형아가 있었다. 이 중 한 명은 항암화학요법을 받지 않은 군에서 발생하였고 3명은 항암화학요법을 받은 군에서 발견되었으나 그 차이는 통계학적인 의미가 없었다.

김대연 등의 보고에 의하면 초경 전이거나 향후 가임력 보존을 원했던 45명의 환자 중 40명에서 보존적 수술을 시행하였는데, 이 중 12명은 최초 진단 시 초경 이전이었으며 추가 항암화학요법은 31명에서 시행되었다. 항암화학요법 중 원래 정상적인 생리주기를 갖고 있던 19명 중 15명에서 월경이 없어졌으나 2명을 제외하고 모두 정상으로 회복되었다. 항암화학요법을 받은 환자 중 4명, 항암화학요법을 받지 않은 환자 중 1명에서 건강한 아기를 출산하였으며, 선천적 기형은 없었다. 항암화학요법을 받은 환자 중 2명에서 무월경이 지속되어 호르몬대체요법을 시행 중이라 하였다.

경과관찰 중 남아 있는 난소에서 기능성 낭종이 생길 수 있으며, 이러한 경우 경구피임약 시도와 지속적 초음파 관찰을 통해 재발성 종양과 감별할 수 있다.

(2) 이차악성종양

생식세포종양 치료 후 이차악성종양의 발생하는 경우가 보고되고 있다. Etoposide는 백혈병(leukemia)을 일으킬 수 있으며 항암제 투여용량과 관련이 있다고 알려져 있다. Nichols 등의 보고에 의하면 212명 환자가 etoposide 치료를 받았고, 그 중 5명에서 급성백혈병 혹은 골수형성이상증후군(myelodysplastic syndrome)이 발생하였다. 급성백혈병이 발생한 환자들은 모두 2,000 mg/m^2 이상의 etoposide를 투여 받았다.

악성생식세포종양에서 BEP 3주기 혹은 4주기 요법에 사용되는 etoposide 용량은 각각 1,500 혹은 2,000 mg/m^{2}이다. Alkylating-agent로 발생하는 급성골수성백혈병은 잠복기가 비교적 길지만, etoposide는 2-3년 이내에 백혈병이 발생한다. 그러나 악성생식세포종양에서 필요로 하는 etoposide 용량이 적기 때문에 대부분의 환자에서 이차악성종양의 발생은 낮다.

5) 추적조사

대부분의 악성난소생식세포종양은 첫 치료 후 1년 이내 재발이 많고, 암의 성장이 빠른 것으로 알려져 있어, 치료 종결 후 처음 2년간은 비교적 자주 검진하는 것을 권장한다.

종양의 종류별로 약간의 차이는 있으나, 처음 1년간 2개월마다 이학적 진찰을 시행하고 복부/골반 CT와 흉부 X선 검사를 3-4개월마다 시행하는 것을 권고한다. 그 다음 1년은 2개월마다 이학적 진찰을 시행하고 영상검사는 4-6개월마다 시행한다. 5년까지는 적어도 1년에 두 번 이학적 검사와 영상검사를 시행하는 것이 권고되며 5년 이후에는 매년 1회 이학적 검사와 영상검사를 시행하는 것을 통해 추적 관찰 할 수 있다.

보존적 치료를 시행한 경우 남아 있는 난소의 정기적인 초음파 검진이 도움이 된다고 하였다. 보존적 치료를 시행한 환자에서 출산을 모두 마친 후에 완전한 수술적 병기설정을 시행하여야 하는가에 대해서는 아직 논의 중이다.

6) 임신 시 발견된 생식세포종양의 치료

부속기종양은 임신 중 정기 초음파검사에서 우연히 발견되는 경우가 많고 이중에서 모체의 혈청 알파태아단백(maternal serum alpha-fetoprotein, MSAFP)의 급격한 상승이 있을 경우 악성생식세포종양을 시사한다.

성숙낭성기형종은 임신 중 수술적 처치를 시행하게 되는 난소종양 중 가장 흔하다. 미성숙기형종은 수술적 처치를 하게 되는 종양 중 1-2%를 차지하지만, 임신 중 발생하는 난소의 악성종양 중에서는 가장 흔하다.

수술적 병기설정은 임신하지 않은 환자와 동일하게 시행한다. 임신 중 시행하는 항암에 대한 치료 원칙은 아직 없다. 태아합병증이 발생할 수 있어서, 산욕기까지 치료를 연기하는 것을 고려해 볼 수 있다. 그러나 잔류종양이 남은 경우에는 임신 중에도 항암화학요법을 하는 것을 고려한다.

3. 난소의 성삭기질종양(Ovarian Sex Cord-Stromal Tumors)

난소의 성삭기질종양은 난소의 기질에서 기원하며, 난소 내 기질은 생식세포를 지지하고 성삭과 배아성선의 간질에서 기원하는 세포로 구성된다. 과립막세포와 세르토리세포는 성삭에서, 난포막세포, 세르토리 라이디히세포종 섬유모세포는 기질에서 기원하고 여기에서 발생한 종양을 성삭기질종양(sex cord stromal tumor, SCSTs)이라 한다. 분류는 형태학적 특징에 따르며 표 34-4과 같다. 전체 난소암의 3-5%를 차지하고 나이가 들어감에 따라 전체 난소암에서 차지하는 비율은 감소하지만, 그 빈도수는 60대까지 지속적으로 증가한다. 저등급의 악성종양으로 예후가 좋으며, 상당수가 40세 이전에 진단되고 다양한 스테로이드호르몬을 분비하는 특징이 있어 내분비 이상의 임상적 특징을 나타낸다. 과립막세포종양, 난포막종(thecoma)은 여성호르몬을, 세르톨리라이디히종양은 남성호르몬을 주로 분비하지만, 형태학적 특징으로 이들 종양의 내분비학적 기능을 예측하는 것은 어렵다.

상피 난소암이나 악성생식세포종양과는 달리 성삭기질종양은 모든 연령의 여성에서 발생할 수 있다. 흑인 여성에게서 발병할 확률이 두 배 이상 높으나, 그 원인은 분명하지 않다. 성삭기질종양의 위험요인으로 알려진 것은 없다.

표 34-4. 난소의 성삭기질종양(WHO 분류체계)

1. 과립막-기질세포종(granulosa-stromal cell tumors) 1) 과립막세포종양(granulosa cell tumor) (1) 성인형 과립막세포종양(adult granulosa cell tumor) (2) 소아형 과립막세포종양(juvenile granulosa cell tumor) 2) 난포막종-섬유종군(tumors in thecoma-fibroma group) (1) 난포막종(thecoma) (2) 섬유종(fibroma) (3) 미분류종양(unclassified)
2. 남성아세포종(androblastoma); 세르톨리라이디히 세포종(sertolileydig cell tumors) 1) 고분화도(well differentiated) (1) 세르톨리세포종(sertoli cell tumor) (2) 세르톨리라이디히종양(sertoli-leydig cell tumor) (3) 라이디히세포종(leydig cell tumor; hilus cell tumor) 2) 중등분화도(moderately differentiated) 3) 미분화도(poorly differentiated; sarcomatoid) 4) 이질성 요소(with heterologous elements)를 갖는 경우
3. 음양모세포종(gynandroblastoma)
4. 미분류 종양(unclassified)

그러나, 보이스 등(2009)이 비만과 같은 고에스트로겐 상태가 독립적으로 위험 요인으로써 관련성이 있고, 출산력, 흡연, 경구 피임약 사용이 관련성이 있다고 보고하였다.

1) 과립막-기질세포종양(Granulosa-Stromal Cell Tumor)

(1) 역학

난소암의 2% 정도를 차지하고 악성성삭기질종양의 70%를 차지한다. 어느 나이에서도 발생할 수 있지만 사춘기 전 여성에서의 빈도는 5%이고, 폐경기 주위의 여성에게 많이 발생한다. 진단할 때 평균 나이는 52세이고 양측성은 2% 정도에서 보고된다.

과립막-기질세포종에는 과립막세포종, 난포막종 및 섬유종 등이 있으며, 과립막세포종은 저분화의 악성종양이고, 드물게 난포막종 및 섬유종도 형태학적으로 악성 경향을 보일 수 있으나 이때는 섬유육종(fibrosarcoma)으로 명명된다.

(2) 임상양상

대부분은 질출혈, 복부팽만과 복통의 증상을 나타낸다. 복부팽만과 복통은 진단 당시의 종양의 크기에 기인하며 크기는 수 mm에서 30 cm 이상까지 다양하다. 평균 크기는 10 cm 정도이고 12%에서 진단 당시에 복수를 보인다. 복통은 피막의 확장, 지지인대(suspensory ligament)의 신장과 주위 조직의 압박에 의해 발생되지만 급성통증은 일반적으로 부속기 염전, 종양 내 출혈과 낭종 파열에 의한 복강 내 출혈에 기인한다.

많은 경우에서 폐경 전 여성은 월경과다, 희발월경 또는 무월경을 보이고, 폐경 후 여성은 질출혈을 보인다. 사춘기 전의 여성에서는 75% 정도에서 가성 성조숙 현상이 발현되기도 하는 등의 여성호르몬을 분비하는 종양의 임상적 특징을 나타낸다. 이러한 여성에서의 난포호르몬 양은 자궁내막암을 유발하기에 충분한 양이 되어 약 5%의 경우 자궁내막암이, 25-50%의 경우에서 자궁내막증식증이 동반되기도 한다. 드물게 남성호르몬의 분비로 인한 희발월경, 다모증, 또는 다른 남성화증후가 동반될 수 있다.

(3) 병리학적 특성

평균적으로 12 cm 정도의 크기를 나타내지만, 10-15%에서는 크기가 작아 내진할 때 만져지지 않는다. 대부분의 경우 수액 또는 응고된 혈액으로 차 있는 수많은 소엽이 중격으로 분리된 낭성 형태나 출혈을 동반한 고형 형태로 나타나며 고형부분은 회백색 또는 노란색이고 부드럽거나 딱딱하다. 드물게 얇은 벽을 가지나 종종 벽이 두껍고 다방성 또는 단방성이다(그림 34-12).

현미경적 소견은 거의 과립막세포도 주로 관찰된다. 섬유아세포가 관찰되고 전형적으로 잘 분화된 과립막세포는 세포질이 적고 원형 또는 난원형이고 홈이 진 세포핵(coffee-bean)이 흔하며, 이들 세포들이 스스로 작은 군락이나 중심부 주위로 rosette를 형성하는 경향이 있어서 원시난포와 유사한 Call-Exner body를 이루고 있다(그림 34-13).

임상증상과 조직학적 소견에 따라서 유년형과 성인형으로 구분되는데, 대부분의 과립막세포종은 성인형이다. 거의 모든 성인형에서 *FOXL2* 유전자 변이가 나타나며 이를 이용하여 병리학적으로 진단하고 분류하는데 도움이 될 수 있다는 보고도 있다.

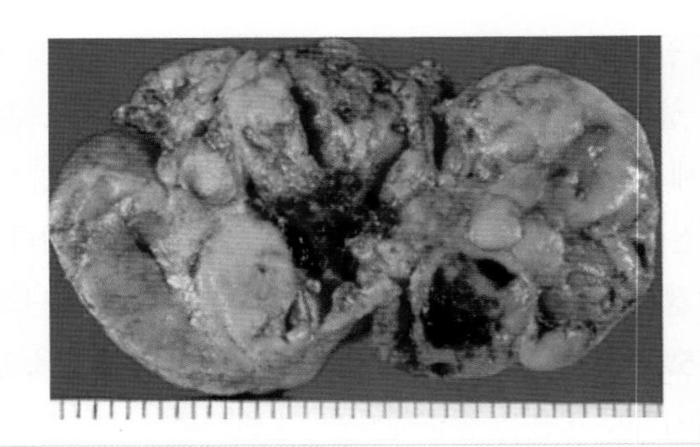

그림 34-12. **성인과립막세포종양의 육안소견**
절단면에서 출혈 및 괴사를 동반한 담황색의 낭성 및 고형성 종양이 관찰되었다.

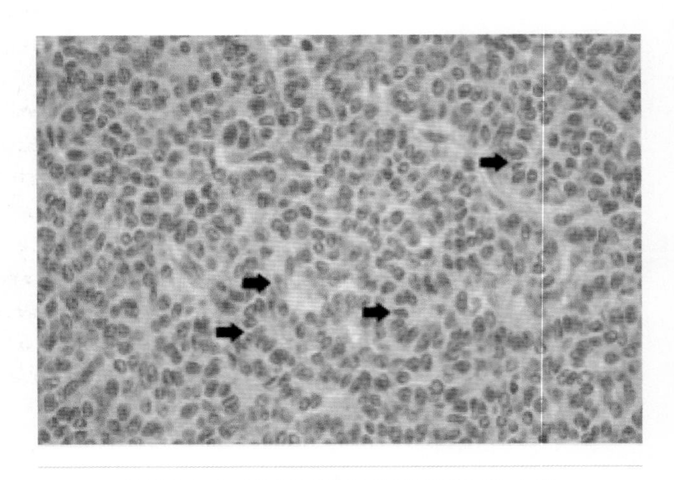

그림 34-13. **성인과립막세포종양의 현미경 소견**
종양세포는 중심부에 변성된 물질을 가지고 과립막세포들로 둘러싸인 다수의 Call-Exner 체(화살표)와 세포핵의 가운데가 홈이 진 커피콩 같은 분화된 과립막세포들로 구성되어 있다.

(4) 진단 및 치료

① 진단

임상적인 특징과 더불어, 혈청 종양 표지자를 이용하여 진단에 이용할 수 있다. 여성호르몬은 종양 세포에 의해 생성되므로 병의 상태 표지자로 이용될 수 있지만 경우에 따라서는 종종 상승되지 않거나 단지 소폭으로만 상승하기에 진단적 가치를 부여하기엔 민감도가 떨어져 이상적인 표지자로는 미흡하다.

Inhibin의 경우, Jobling 등의 연구에 의하면 27명의 환자를 대상으로 한 전향적 연구에서 inhibin 수치가 정상 난포기보다 치료 전에 7배 높고, 재발을 임상적으로 파악하기 7개월 전에 증가하는 경향을 보고하였다. 최근에는 inhibin을 이용한 면역화학조직염색법을 통해 과립막 세포종의 94%에서 양성의 결과를 얻어 진단에 유용한 지표로 이용되고 있다. 가임기 여성에서 무월경을 동반한 불임 여성에서 혈청 inhibin이 증가는 과립막세포종양을 시사한다. 또한 75%의 성인형과립막세포종 환자에서 수술 전 anti-Müllerian hormone (AMH)이 증가된 소견을 보이고 AMH는 재발을 발견하는데에 90% 이상의 민감도를 보인다고 보고되었다.

특히 혈청 inhibin은 A형과 B형이 있으며 과립막세포종의 진단과 치료 후 경과관찰에 유용한 지표로 사용될 수 있다. Mom 등의 연구에 의하며 30명의 환자를 대상으로 한 연구에서 혈청 inhibin A와 B 농도를 치료 전후에 측정한 결과 환자의 진단에 각각의 농도가 67%와 89%로 상승되어 있었으며, 재발에 각각의 농도가 58%와 85%로 상승되어 있다고 보고하였다. 이중 B형이 더 흔하게 상승을 보였다.

진단을 위해서는 상피성 난소암과 마찬가지로 다양한 영상검사가 이용될 수 있다. 초음파검사는 내부에 종격성 낭성요소와 산재성 낭성 요소를 가지는 명확한 고형성분 종괴의 소견을 보인다. 특히 자기공명 영상에서는 출혈 소견과 컴퓨터 단층 촬영에서는 확인하기 어려운 자궁내막 두께의 증가가 관찰되는 것으로 보고되기도 한다. 그러나 이러한 소견으로 다른 종류의 난소종양으로부터 과립막 세포종을 완전히 감별할 수 없는 한계가 있다.

② 치료

치료는 수술적 병기, 조직학적 형태, 환자의 나이와 출산요구, 그리고 다양한 예후인자들과 같은 치료적 결정 요소에 따른다. 방사선치료나 항암화학요법과 같은 수술 후 보조적 치료는 일반적으로 진행된 전이성 질환이나 재발성 질환에 고려되어야 하지만 대부분의 경우 수술 자체만으로 충분한 일차적 치료가 될 수 있다.

가. 수술적 치료

다른 상피성 난소암과 같이 수술적 처치가 중요하며, 기본 원칙은 상피성 난소암의 수술적 원칙과 동일 하다. 대부분(78-92%)는 FIGO 병기 1기로 발견되기 IA인 경우에, 일측성 난소난관절제술과 함께 반대측 난소의 생검 및 병기 설정을 하는 보존적 치료가 시행될 수 있다. 이러한 경우에 자궁내막이 동반될 수 있는 선암을 배제하기 위해 자궁내막소파술을 반드시 시행하여야 한다.

나. 방사선요법

과립막세포종의 수술적 치료 후 보조적인 치료법으로 방사선요법이 유효하다는 증거는 없으나, 골반에 국한되어 재발한 경우에 구제요법으로 골반방사선 조사가 도움이 될 수 있다는 보고가 있다.

다. 항암화학요법

수술 후 보조적인 항암화학요법이 생존율의 향상이 있는지에 대한 논란이 있으나 일반적으로 전이성 질환이나 재발성 질환의 경우에는 여러 가지 항암화학요법들이 사용되어 왔다. 병기 I기 환자의 경우에도 종양의 크기가 크거나 높은 유사분열 지수를 보이거나 종양이 파열되어 있는 경우에는 항암치료를 권고하고 있으며, BEP (bleomycin, etoposide, cisplatin), CP (cyclophosphamide, cisplatin)의 병합요법을 우선적으로 고려해 볼 수 있다. 이외에도 cyclophosphamide, melphalan의 단독요법과 VAC (vincristine, actinomycin D, cyclophosphamide), PAC (cisplatin, doxorubicin, cyclophosphamide)와 같은 platinum에 근거한 항암화학요법을 시행할 수 있다.

Uygun 등은 11명의 재발된 환자와 재발되거나 진행된 환자들에 대한 문헌고찰을 통해 항암치료에 대한 결과를 보고하였는데, 반응정도는 50-92%까지 다양하게 보고하였다. 국내에서 발표된 연구결과를 종합한 Lee 등의 보고에 의하면 재발된 환자 16명 중 10명이 사망하여 재발에 대한 치료 반응은 38%를 보였다.

이들 약제의 효과는 과립막세포종이 희귀한 질환이어서 전향적인 무작위 임상 시험을 통해 규명되지는 못했다. 그러나 진행된 암기의 질환에서 수술 후 사용하였을 경우 전반적인 생존율의 개선을 보이지는 못했지만, 무진행 생존 기간의 연장과는 관련됨을 보여주었다. 현재로는 결론적인 연구 결과가 제시된 것은 아니지만, 재발의 위험 요인이 있는 진행된 병기의 환자에서 무진행 생존 기간의 연장 가능성을 고려하여 수술적으로 종양을 완전히 제거했을 경우에 4-6회의 BEP 복합항암화학요법을 시행하는 것을 추천한다. 적절한 종양감축술이 이루어지지 못한 환자에서도 BEP 복합항암화학요법의 사용으로 58-83%의 전반적인 반응율을 보이는 것으로 보고되었다. 과립막세포종에서의 paclitaxel의 효과는 현재 활발한 연구 중이며, M. D. Anderson Cancer Center에서 taxane에 근거한 항암요법(일반적으로 paclitaxel과 carboplatin의 병합요법)이 과거 수년 동안 새로 진단되거나 재발된 성삭기질종양환자에서 사용되고 있다. 임상시험은 taxane에 근거한 항암요법이 유망한 것처럼 보이나 최종 분석은 현재 진행 중이다.

라. 호르몬요법

이러한 종양의 일부에서는 스테로이드호르몬 수용체를 표현하며, medroxyprogesterone acetate와 GnRH antagonist에 대해 반응이 보고되었다. Fishman 등은 재발되거나 지속되는 과립막세포종 환자 6명을 leuprolide acetate 근주로 치료한 바 부작용이 적어 환자의 순응도가 높았고, 5명의 평가 가능한 환자 중, 2명은 부분관해를, 3명에서는 더 이상의 진행은 없었다고 보고하였다. 따라서 과립막세포종에서 호르몬요법은 상당한 효과를 기대할 수 있다.

(5) 경과 및 예후

이 종양은 국소적이고 성장속도가 느린 경향이 특징이다. 재발이 늦은 저등급의 악성종양으로, 초기 치료 후 재발까지의 기간이 10년 이상인 경우가 많다. 90%가 I기에서 발견되며 10년 생존율은 I기의 경우 86-96%이고 병기에서는 경우에는 26-49%이다. 재발한 환자의 경우 평균 재발까지의 기간은 6년이며, 재발 후 평균 생존은 5.6년이라고 보고되었다.

수술적 병기가 가장 중요한 예후인자이고 수술 후 잔존종양의 정도는 무진행 생존율(progression free survival)에 특히 중요한 예후인자이다. 그리고 DNA 배수성은 생존과 관련된 독립적인 예후 인자이다. 전통적으로 종양 크기는 예후에 영향을 주나 병기에 따른 분류에서는 독립적 예후인자로의 의미는 없다. 핵의 이형증과 10배 고배율에서 높은 유사분열은 예후에 나쁜 영향을 끼치는 인자로 알려져 있으며 진행된 경우에는 고도의 핵이형증과 높은 유사분열을 보임을 보고 하였다. 따라서 그리고 DNA 배수성은 생존과 관련된 독립적인 예후 인자로 생각되어 진다.

조직학적 형태와 배수체는 예후에 미치는 영향이 있다고 보여지나 아직 논란 중이다. 일부 연구에서 p53, telomerase, Ki-67, c-myc와 Her-2/neu를 포함한 여러 가지 잠재적인 분자생물학적 표지자를 분석한 결과를 보고했지만 최근에 어떠한 분자생물학적 표지자도 병기와 조직학적 변수보다 더 나은 예후에 관한 정보를 줄 수 없다고 하였다. Ala-Fossi 등은 30명의 환자에서 inhibin 염색을 한결과 24명의 I기와 II기의 환자 모두에서 양성이었고, III기와 IV기 환자 총 6명 중 4명에서는 음성이었다. 음성인 환자는 조직학적 분화도가 낮았고 병의 진행도 빨랐다고 보고하였다.

(6) 소아형 과립막세포종(juvenile granulosa cell tumor)

소아형 과립막세포종은 매우 드물어 소아기 및 청소년기의 난소종양 중 5% 미만의 빈도를 보이며, 약 90% 정도는 I기에 진단되고 성인형에 비해 예후는 양호한 편이다. 진행된 병기의 질환에서는 BEP와 같은 cisplatin을 기본으로 하는 복합 항암화학요법에 반응이 있는 것으로 보고되었다.

2) 세르톨리라이디히종양(Sertoli-Leydig Cell Tumor)

(1) 역학

세르톨리라이디히종양은 매우 드물어서 모든 난소종양의 0.2%를 차지한다. 명칭에서 의미하듯이 종양은 세르톨리세포와 라이디히세포 요소를 포함한다. 진단할 때 평균나이는 25세이고 종양의 대부분(70-75%)은 임상적으로 10대와 20대에 발견되며, 10% 미만에서 초경 전이나 폐경기 이후에 발생한다. 또한 난소 외 전이는 대략 2-3% 정도이고, 양측성은 더욱 빈도가 낮다. 최근 세르톨리라이디히 종양은 DICER1 유전자의 체성 변이와 관련이 있다는 보고도 있다.

(2) 임상양상

일반적으로 건강한 사춘기와 젊은 여성에서 발견되며 진단 시 가장 흔한 증상은 월경이상, 남성화와 복부종괴에 의한 비특이적 증상이다. 거의 반수에서 복통이나 복부 불편감 또는 복부팽만이 나타나고, 자가 진찰 시 종괴가 촉지되어 산부인과를 방문하게 된다. 피막팽만이나 종양 내 출혈 또는 종양 괴사와 주위 장기 압박은 만성 또는 간헐적 통증을 유발하나 응급수술을 필요로 하는 급성통증은 반드시 염좌에 의한 혈관 위협을 반영한다. 병변 크기는 조직학적 분화도에 따라 다양하지만(대략 5 cm의 고도로 분화된 종양부터 15 cm 이상의 미급의 분화된 종양), 복부, 질과 직장검사에서 증상이 있는 환자의 95%에서 부속기 종양이 발견된다.

임상적으로 70-85%에서 임상적 남성화가 나타난다. 탈여성화(defeminization) 증상은 이차성 무월경, 유방위축 등이며, 가장 흔한 남성화 증상 복합체는 여드름, 다모증, 음핵비대, 목소리가 굵어지고, 여성 체형소실과 측두모발 소실이 환자에서 입증되었다. 드물기는 하지만 폐경 후 출혈과 자궁내막용종, 자궁내막증식증과 선암을 포함한 최종 장기의 여성호르몬 반응으로 추정되는 여성호르몬 현상이 입증되기도 하는데, 이는 남성호르몬의 여성호르몬으로의 말초 전환 또는 드물게 여성호르몬을 분비하는 종양에 의해 발생한다.

진단은 이학적 소견이나 임상 증상 등으로 의심할 수 있고, 호르몬검사상 혈중 testosterone, androstenedione, DHEA-sulfate의 증가를 보일 수 있다. 혈중 특이 종양 표지인자는 없지만 AFP 증가가 저명하게 나타나는 경우가 있는데, 이것은 간세포가 있는 분화도가 낮은 종양에서 잘 나타난다고 보고하고 있다. 그러나 결국 확진은 종양 제거 후 조직생검을 통하여 할 수 있다. 대부분의 탈여성화 또는 남성화의 증상을 가진 환자들은 testosterone 수치가 증가하였다. 혈청 내 androstenedione이 때때로 증가하지만 dehyroepiandrosteron을 포함한 소변 내 17-ketosteroid는 정상이거나 간혹 소량 증가한다. 증가된 testosterone/androstenedione비는 일반적으로 세르톨리라이디히종양과 같은 남성호르몬 분비 난소종양의 존재를 암시한다.

(3) 병리학적 특성

세르톨리라이디히종양은 주위 조직과의 경계가 좋고, 단면이 황색을 띠고 고형성인 종괴이다(그림 34-14). 또한 현미경적인 소견은 세르톨리세포로 구성된 소관 사이에 풍부한 세포질을 가진 라이디히 세포가 관찰된다(그림 34-15).

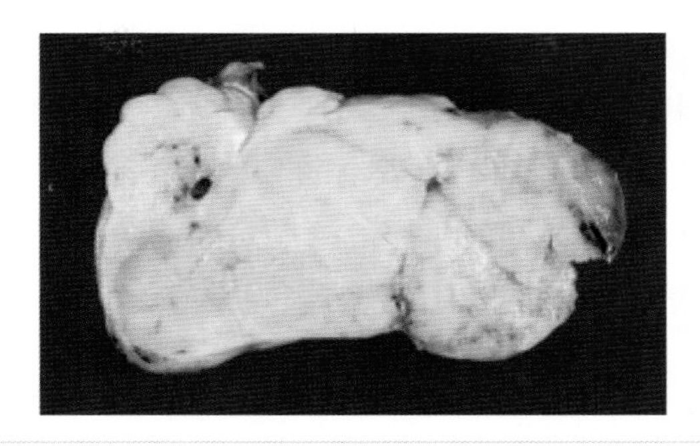

그림 34-14. **세르톨리라이디히종양의 육안 소견**
출혈 및 일부 낭성 변화를 동반한 회백색의 고형성 종괴가 관찰되었다.

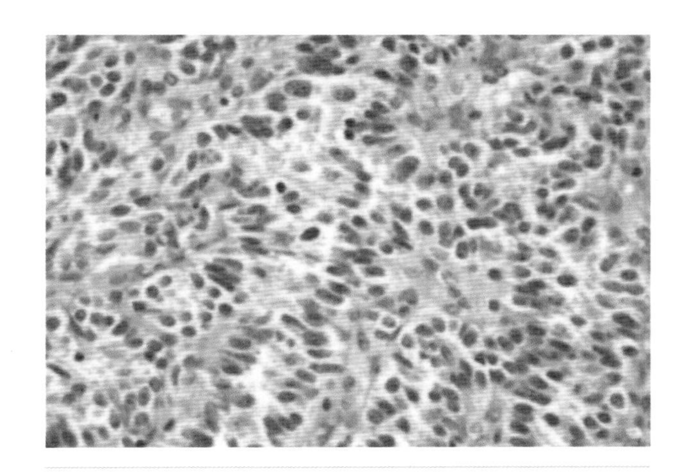

그림 34-15. **세르톨리라이디히종양의 현미경 소견**
종양세포들은 고환의 성끈조직을 닮은 중등도의 세르톨리세포들로 구성된 세관들로 구성되었다. 미성숙 세르톨리세포들은 둥글고 길쭉하거나 각진 핵들을 가지고 있었다.

(4) 치료

치료는 수술적 치료가 중심이 되며, 종양의 크기, 분화도, 환자의 나이, 임신을 원하는지의 여부에 따라 수술적 방법이 다양하다. 그러나 예후 인자에 대하여 불충분한 이해로 환자의 수술 후 치료 원칙이 정해져 있지 않다. 저등급의 악성종양이고 양측성이 1% 이하이므로 가임기 여성에서는 일측 난소난관절제술을 시행하고 반대쪽 난소가 커진 경우 생검을 시행하며, 고령의 여성에서는 전자궁절제술과 양측 부속기절제술을 시행한다. 수술 후 보조적인 방사선치료나 항암화학요법의 효과에 대해서는 충분한 연구 결과를 제시할 수는 없지만, 재발성 질환을 가지거나 극소의 병기가 높은 경우및 잔여 종괴가 큰 경우 골반방사선요법 및 항암화학요법이 유용할 수도 있다. 항암화학요법제로는 VAC (vincristine, actinomycin D, cyclophosphamide)에 대한 반응이 보고되고 있다.

(5) 경과 및 예후

치료 후 5년 생존율은 70-90%이고, 재발은 대부분 1년 이내 발생하나 드물다. 불량한 예후를 보이는 경우는 대부분 분화가 나쁜 종양의 경우이다. 수술 시 이미 난소 외의 전이나 타부위로의 전이가 있는 경우 악성도의 정도가 빠르고 심하게 나타나며 일반적으로 사망할 가능성이 많다. 치료 후 5년 생존율은 70-90%이며, 재발은 대부분 1년 이내 발생하나 드물다.

4. 난소의 전이성 및 기타 종양

악성종양이 의심되는 난소종괴를 발견하였을 경우, 타 장기에서 원발한 악성종양의 난소전이 가능성을 반드시 염두에 두는 것이 중요하다. 자세한 병력청취가 일차적으로 중요하며, 정확한 이학적 검사 또한 필요하다.

1) 부인암의 난소전이

부인암 중 난소전이를 가장 빈번하게 하는 악성종양은 자궁내막암이다. 악성종양이 의심되는 난소종괴를 발견할 경우, 반드시 질출혈 등 증상을 자세히 문진하여 자궁내막암의 가능성을 감별하고 필요 시 초음파 또는 자궁내막생검 등의 진단방법을 사용하여 감별하여야 한다. 또한, 증상이 없을 경우라도 영상 진단에서 자궁 내 종괴가 발견되었을 경우 이를 의심하여야 한다.

자궁내막암과 난소암이 각각 동시에 발생하는 경우도 있다. 전체 난소암의 약 10%에서 자궁내막암이 동시 원발하였으며, 전체 자궁내막암의 약 5%에서 난소암이 동시 원발하였다는 보고가 있다. 난소암 및 자궁내막암의 동시발현의 위험인자는 젊은 연령, 비만, 폐경 전 상태 및 미출산 등이 있다. 특히, 난소암과 자궁내막암의 발생률이 높은 린치증후군(lynch syndrome) 환자의 경우 동시성으로 자궁내막암 및 난소암이 발생하는 경우가 있다. 또한, 난소종양이 여성호르몬을 과분비하는 경우도 자궁내막암이 동시성으로 발생하는 경우가 있다. 자궁경부암, 질암, 외음부암의 경우에도 난소에 전이성 종괴를 형성할 가능성이 있다. 그러나, 이러한 암종의 경우 난소의 독립성 종괴를 형성하는 경우는 흔치 않고 오히려 원발 부위에서 진단이 되는 경우가 많기 때문에 진단의 어려움은 크지 않다. 그러나, 난소의 악성종양이 의심되는 종괴가 발견된 경우, 적절한 자궁경부암 선별검사를 시행하는 것이 반드시 필요하다. 부인암의 난소전이가 발견된 경우, 치료는 원발 부인암의 병기 및 치료방침에 근거하여 계획하여야 한다.

2) 비부인과암의 난소전이

부인암을 제외한 악성종양 중, 난소전이가 빈번한 종양은 위장관계 악성종양 및 유방의 악성종양이 있다. 위암(6-22%) 또는 대장암(15-32%)은 난소에 전이가 가장 빈번한 위장관계 악성종양이며, 유방암(8-28%) 또한 비교적 흔하게 난소에 전이를 일으킨다. 따라서, 난소의 악성종양이 의심되는 종괴가 발견된 경우, 위장관계 증상의 정확한 문진과 유방의 검진이 필요하다. 특히, 우리나라와 일본 등, 위암의 빈도가 높은 지역에서는 위암의 난소전이 또한 빈번하므로 위암에 대한 적절한 선별검사가 시행되어야 한다. 또한, 충수돌기에서 발생한 점액성 선암 또는 가성점액종(pseudomyxoma peritonei) 등이 난소에 전이될 경우도 있으므로 이를 염두에 두어야 한다.

타 장기에서 원발한 비부인과적 악성종양의 난소전이의 치료는 원발 병소의 정확한 파악이 선행되어야 하며, 해당 병소의 전문 종양의사와의 원활한 소통이 필수적이다. 수술적 치료의 역할이 정립되어 있지는 않으나, 전이가 난소에 국한되어 있을 경우에는 수술적으로 제거하는 것이 예후를 향상시킨다는 보고가 있으므로, 이 같은 상황에선 적극적으로 수술을 고려하는 것이 바람직하다. 항암 화학치료 및 방사선치료의 역할은 정립되어 있지 않으나, 원발 병소를 담당하는 의료진과 상의를 통해 결정하도록 한다.

(1) **크루켄버그종양**(krukenberg tumor)

크루켄버그종양이라는 명칭은 좁은 의미로는 위장관 계통의 원발성 종양이 난소로 전이된 것을 말하지만, 넓은 의미로는 유방으로부터의 전이까지 포함하기도 하여, 임상적으로는 사용하지 않는 것이 좋다. 또한, Krukenberg 종양이 양측성으로 발생한다고 알려져 있으나, 타 원발성 악성 종양이 반드시 일측성으로 난소에 전이하는 것은 아니므로 양측성/일측성 발생을 전이성 난소암 판정의 근거로 삼는 것은 바람직하지 않다(그림 34-16~18).

(2) **흑색종**(melanoma)

난소로 전이되는 악성흑색종은 극히 드물지만 이러한 경우, 광범위하게 여러 장기에 파종되는 것으로 보고되고 있다. 복통, 골반통, 출혈, 염전 등의 증상의 완화를 위해서는 수술적 제거가 필요하다. 난소악성흑색종은 난소성숙기형종(mature cystic teratoma)에서 드물게 발생이 되기도 한다.

(3) **유암**(carcinoid tumor)

전이성 유암은 전이성 난소암의 2% 이하를 차지한다. 원발성 유암의 약 2%만이 난소로 전이되고, 난소에서 전이성 유암이 발견되는 경우 약 40%만 유암증후군이 나타난다. 폐경이행기 및 폐경 후의 여성에서 장의 유암이 확인되면 차후의 난소전이를 예방하기 위하여 난소를 제거하는 것이 바람직하며, 난소 유암이 일단 발견되면 원발성 장병변에 대한 철저한 검사가 이루어져야 한다.

(4) **림프종과 백혈병**(lymphoma and leukemia)

림프종과 백혈병은 난소전이가 가능하며 대개 양측성이다. 호지킨 림프종(Hodgkin's lymphoma) 환자의 약 5%에서 난소전이를 보이는데 이는 전형적으로 진행성 병변에서 나타난다. 버키트 림프종(Burkitt's ymphoma)의 난소전이

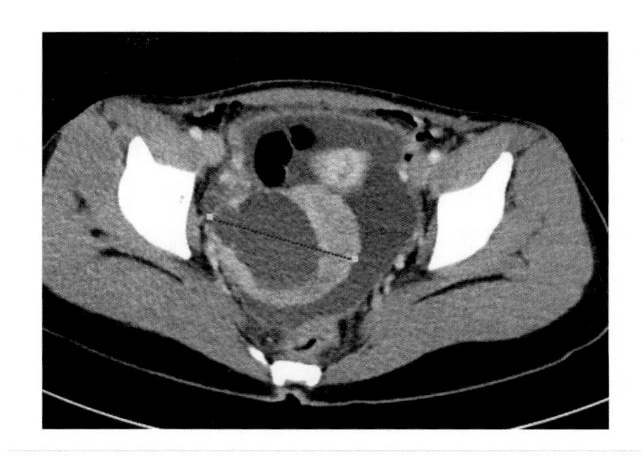

그림 34-16. **크루켄버그종양의 영상소견(CT)**

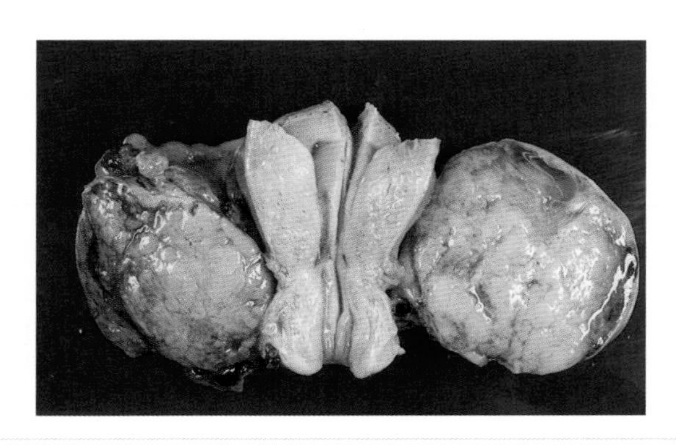

그림 34-17. **크루켄버그종양의 육안소견**
양측 난소에서 고형의 다결절의 종양이 관찰된다.

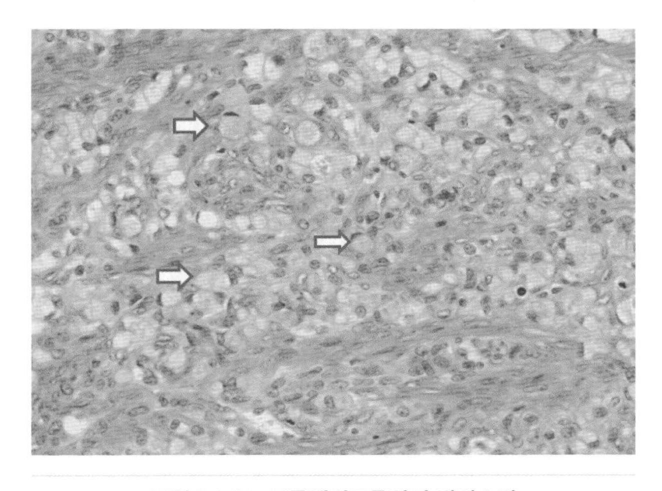

그림 34-18. **크루켄버그종양의 병리소견**
반지세포(signet ring cell)에서 초승달모양의 강하게 염색되는 핵과 호염성의 세포질 점액이 관찰된다.

는 비교적 흔하지만, 다른 유형의 림프종과 악성백혈병의 경우 난소전이는 드물다. 림프종 환자에서 간혹 난소가 복강 또는 골반 내장기침범의 첫 부위일 수도 있는데 이 경우 철저한 수술적 관찰을 필요로 한다. 수술 중에 고형 난소종괴의 동결절편검사(frozen biopsy) 소견에서 림프종으로 확인되면 혈액종양내과 전문의에게 자문을 구해야 한다. 일반적으로 대부분의 림프종에서는 비대임파절의 생검을 제외한 광범위한 병기설정수술이 필요하지 않지만 호지킨 림프종의 경우에는 좀 더 광범위한 조사가 필요하다. 치료는 일반적인 악성림프종과 백혈병에 준하며, 거대 전이 난소종양의 제거가 증상완화 및 추후 방사선 및 항암화학요법치료에 도움을 주기도 한다.

참고문헌

- 강순범, 유상영, 이철민, 김재원, 박노현, 송영상 등. 난소의 악성배 세포종양에 관한 임상병리학적 고찰 대한산부회지 1998;41:3023-8.
- 김대연, 남주현, 유항조, 김미경, 김종혁, 김용만 등. 난소의 악성 배세포종양에서 림프절절제술의 필요성 및 보존적 수술 후 난소기능 및 가임력 유지에 대한 연구. 대한산부회지 2002;45:2007-14.
- 김병택, 김종훈, 김병기, 박상윤, 이의돈, 이경희 등. 미성숙 기형종이 성숙 기형종으로 전환된 증례 1례 보고. 대한산부회지 1995:38:2199-204.
- 김소라, 나준희, 김종혁, 전대준, 김용만, 김영탁 등. 난소의 악성 생식세포종양 42예의 임상 병리학적 고찰-대부종콜포회지 1995;9:289-98.
- 김용식, 조명숙, 김철홍, 김기만, 조문경, 임소이 등. 악성 난소 배세포종양의 임상적 고찰. 대한산부회지 2005;48:910-8.
- 김인숙, 최정호, 김신호, 박현진, 김홍곤, 문형배. 난소에 발생한 Sertoli-Ley Cell Tumor 1예. 대한산부회지 2002;45:1056-9.
- 김정현, 한상원, 권장연, 정인배, 이영진, 한혁동 등. 악성 배세포종양의 임상 및 병리학적 고찰. 대한산부회지 1994;37:1840-8.
- 나오순, 이종찬, 박상윤, 이제호, 이의돈, 이경희 등. 미분화 배세포종 8례에 대한 임상적 고찰. 대한산부회지 1993:36:3326-33.
- 남주현. 생식세포종의 치료 및 향후의 임신. 대부종콜포회지 1995;6:293-304.
- 대한병리학회. 병리학=Text of pathology. 제8판. 서울: 고문사; 2017.
- 방준배, 박일수, 심재철, 최영철. 난소 악성 생식세포종양의 임상적 고찰. 대부종콜포회지 1999:10:388-96.
- 서남원, 이천준, 김도형, 안은모, 여홍태, 김준홍 등. 난소의 생식세포종양 31예의 임상 병리학적 고찰. 대한산부회지 2000;43:51-7.
- 오명석, 유중배, 조삼현, 김경태, 황윤영, 문형 등. 악성배세포종양의 임상적 고찰. 대한산부회지 1991:34:1751-9.
- 이연정, 허수영, 권인, 이귀세라, 김사진, 배석년. 난소과립막세포종의 임상적 고찰. 대한산부회지 2003;46:2417-21.
- 이인호, 권용순, 한호섭, 윤석근, 홍재식, 김태진, 이기헌, 심재욱, 목정은, 임경택. 난소의 과립막세포종양의 임상병리학적 연구. Kor JObstet Gynecol 2009;52:429-36.
- 이재열, 이미나, 이상원, 이영기, 이두진, 이승호. 악성 난소 배세포종양의 임상적 고찰. 대한산부회지 1994;37:2453-63.
- 이종찬, 나오순, 김병기, 박상윤, 이제호, 이의돈 등. 미분화 배세포종을 제외한 난소의 악성생식세포종양 14예에 대한 임상적고찰. 대부종콜포회지 1993;4:50-62.
- Aboud E. A review of granulosa cell tumours and thecomas of the ovary. Arch Gynecol Obstet 1997;259:161-5.
- Abu-Rustum NR, Aghajanian C. Mangement of malignant germ cell tumors of the ovary. Semin Oncol 1998;25:235-42.
- Ala-Fossi SL, Aine R, Punnonen R, et al. Is potential to produce inhibins related to prognosis in ovarian granulose cell tumors? Eur J Gynaecol Oncol 2000;21:187-9.
- Al-Badawi IA, Brasher PM, Ghatage P, et al. Postoperative chemotherapy in advanced ovarian granulosa cell tumors. Int J Gynecol Cancer 2002;12:119-23.
- AT. Germ cell tumors of the ovary. In: Kurman RJ(ed.). Blaustein's pathology of the female tract. New York: Springer-Verlag; 1987. p.268.
- Ayhan A, Bildirici I, Gunalp S, Yuce K. Pure dysgerminoma of the ovary: a review of 45 well staged cases. Eur J Gynaecol Oncol 2000:21:98-101.
- Azizoglu C, Altinok G, Uner A. Ovarian lymphomas;a cinicopathological analysis of 10 cases. Arch Gynecol Obstet 2000;265:91-3.
- Baker BA, Frickey L, Yu IT, Hawkins EP, Cushing B, Perlman EJ. DNA content of ovarian immature teratomas and malignant germ cell tumors. Gynecol Oncol 1998;71:14-8.
- Bakri YN, Ezzat A, Akhtar, Dohami, Zahrani. Malignant germ cell tumor of the ovary. Pregnancy considerations. Eur J Obstet Gynecol Oncol Reprod Biol 2000;90:87-91.
- Berek JS, Hacker NF. Practical gynecologic oncology, 4th ed. Philadelphia, PA: Lippincott Williams & Wilkins; 2005. p.443-541.
- Boice JD Jr, Engholm G, Kleinerman RA, Blettner M, Stovall M, Lisco H, et al. Radiation dose and second cancer risk in patients treated for cancer of the cervix. Radiat Res 1988;116:3-55.
- Bonazzi C, Peccatori F, Colombo N, Lucchini V, Cantu MG, Mangioni C. Pure ovarian immature teratoma, a unique and curable disease: 10 year's experience of 32 prospectively

treated patients. Obstet Gynecol 1994;84:598-604.
- Bremer GL, Land JA, Tiebosch A, et al. Five different histologic subtypes of germ cell malignancies in an XY female. Gynecol Oncol 1993;50:247-8.
- Brewer M, Gershenson DM, Herzog CE, Mitchell MF, Silva EG, Wharton JT. Outcome and reproductive function after chemotherapy for ovarian dysgerminoma. J Clin Oncol 1999;17:2670-5.
- Brown J, Friedlander M, Backes FJ, et al. Gynecologic Cancer Intergroup (GCIG) consensus review for ovarian germ cell tumors.Int J Gynecol Cancer 2014;24(9 Suppl 3):S48.
- Buskirk SJ, Schray MF, Podratz KC, Lee RA, Stanhope CR, Gaffey TA, et al. Ovarian dysgerminoma: a retrospective analysis of results of treatment, sites of treatment failure, and radiosensitivity. Mayo Clin Proc 1987;62:1149-57.
- Byrne J, Mulvihill JJ, Myers MH, Connelly RR, Naughton MD, Krauss MR, et al. Effects of treatment on fertility in long-term survivors of childhood or adolescent cancer. N Engl J Med 1987;317:1315-21.
- Chapman DC, Grover R, Schwartz PE. Conservative management of an ovarian polyembryoma. Obstet Gynecol 1994;83:879-82.
- Chen RJ, Huang PT, Lin MC, Huang SC, Chow SN, Hsieh CY. Advanced stage squamous cell carcinoma arising from mature cystic teratoma of the ovary. Acta Obstet Gynecol Scand 2001;80:84-6.
- Chen VW, Ruiz B, Killeen J, et al. Pathology and classification of ovarian tumors. Cancer 2003;97:2631-42.
- Cheong, J. H., Hyung, W. J., Chen, J., Kim, J., Choi, S. H., & Noh, S. H. Survival benefit of metastasectomy for Krukenberg tumors from gastric cancer. Gynecologic oncology. 2004;94:477-82.
- Cicin I, Saip P, Guney N, et al. Yolk sac tumours of the ovary: evaluation of clinicopathological features and prognostic factors. Eur J Obstet Gynecol Reprod Biol 2009;146:210.
- Creasman WT, Soper JT. Assessment of the contemporary management of germ cell malignancies of the ovary Am J Obstet Gynecol 1985;153:828-34.
- Cronje HS, Niemand I, Bam RH, et al. Review of the granulosatheca cell tumors from the Emil Novak ovarian tumor registry. Am J Obstet Gynecol 1999;180:323-7.
- Cushing B, Giller R, Ablin A, Cohen L, Cullen J, Hawkins E, et al. Surgical resection alone is effective treatment for ovarian immature teratoma in children and adolescents: a report of the Pediatric Oncology Group and the Children's Cancer Group. Am J Obstet Gynecol 1999;181:353-8.
- Dadmanesh F, Miller DM, Swenerton KD, Clement PB. Gliomatosis peritonei with malignant transformation. Mod Pathol 1997;10:597-601.
- Dark GG, Bower M, Newlands ES, Paradinas F, Rustin GJ. Surveillance policy for stage I ovarian germ cell tumors. J Clin Oncol 1997;15:620-4.
- de Kock L, Terzic T, McCluggage WG, et al. DICER1 mutations are consistently present in moderately and poorly differentiated Sertoli-Leydig cell tumors. Am J Surg Pathol 2017;41:1178-87.
- De Palo G, Lattuada A, Kenda R, Musumeci R, Zanini M, Pilotti S, et al. Germ cell tumors of the ovary: the experience of the National Cancer Institute of Milan. I. Dysgerminoma. Int J Radiat Oncol Biol Phys 1987;13:853-60.
- de Waal YR, Thomas CM, Oei AL, et al. Secondary ovarian malignancies: frequency, origin, and characteristics. Int J Gynecol Cancer 2009;19:1160.
- Deka R, Chakravarti A, Surti U, Hauselman E, Reefer J, Majumder PP, et al. Genetics and biology of human ovarian teratomas. II. Molecular analysis of origin of nondisjunction and gene-centromere mapping of chromosome I markers. Am J Hum Genet 1990;47:644-55.
- Dos Santos L, Mok E, Iasonos A, et al. Squamous cell carcinoma arising in mature cystic teratoma of the ovary: a case series and review of the literature. Gynecol Oncol 2007;105:321.
- Emons G, Schally AV. The use of luteinizing hormone releasing hormone agonists and antagonists in gynecological cancers. Hum Reprod 1994;9:1364-79.
- Ferguson AW, Katabuchi H, Ronnett BM, Cho KR. Glial implants in gliomatosis peritonei arise from normal tissue, not from the associated teratoma. Am J Pathol 2001;159:51-5.
- Fishman A, Kudelka AP, Tresukosol D, et al. Leuprolide acetate for treating refractory or persistent ovarian granulose cell tumor. J Reprod Med 1996;41:393-6.
- Fox H, Agrawal K, Langley FA. A clinicopathologic study of 92 cases of granulosa cell tumor of the ovary with special reference to the factors influencing prognosis. Cancer 1975;35:231-41.
- Fujimoto T, Sakuragi N, Okuyama K, et al. Histopathological prognostic factors of adult granulosa cell tumors of the ovary. Acta Obstet Gynecol Scand 2001;80:1069-74.
- Geisler JP, Goulet R, Foster RS, Sutton GP. Growing teratoma syndrome after chemotherapy for germ cell tumors of the ovary. Obstet Gynecol 1994;84:719-21.
- Gershenson D M, Copeland LJ, del Junco G, Edward CL, Wharton JT, Rutledge FN. Second-look laparotomy in the management of malignant germ cell tumors of the ovary. Obstet Gynecol 1986;67:789-93.
- Gershenson DM, Copeland LJ, Kavanagh JJ, Cangir A, Del Junco

G, Saul PB, et al. Treatment of malignant nondysgerminomatous germ cell tumors of the ovary with vincristine, dactinomycin, and cyclophosphamide. Cancer 1985;56:2756-61.
- Gershenson DM, Copeland LJ, Kavanauh JJ, et al. Treatment of metastatic stromal tumors of the ovary with cisplatin, doxorubicin, and cyclophosphamide. Obstet Gynecol 1987;5: 765-9.
- Gershenson DM, Del Junco G, Copeland LJ, Rutledge FN. Mixed germ cell tumors of the ovary. Obstet Gynecol 1984; 64:200-6.
- Gershenson DM, Kavanagh JJ, Copeland LJ, Del Junco G, Cangir A, Saul PB, et al. Treatment of malignant nondysgerminomatous germ cell tumors of the ovary with vinblastine, bleomycin, and cisplatin. Cancer 1986;57:1731-7.
- Gershenson DM, Morris M, Cangir A, Kavanagh JJ, Stringer CA, Edwards CL, et al. Treatment of malignant germ cell tumors of the ovary with bleomycin, etoposide, and cisplatin. J Clin Oncol 1990;8:715-20.
- Gershenson DM, Tayler WJ, Kline RC, Larson DM, Kavanagh JJ, Rutledge FN. Chemotherapeutic complete remission in patients with metastatic ovarian dysgerminoma. Potential for cure and preservation of reproductive capacity. Cancer 1986; 58:2594-9.
- Gershenson DM. Conservative management of ovarian cancer. Curr probl Obstet Gynecol Fertil 1994;17:165-92.
- Gershenson DM. Management of early ovarian cancer: germ cell and sex-cord stromal tumors. Gynecol Oncol 1994;55: S62-72.
- Gershenson DM. Menstrual and reproductive function after treatment with combination chemotherapy for malignant ovarian germ cell tumors. J Clin Oncol 1988;6:270-5.
- Gershenson DM. Update on malignant ovarian germ cell tumors. Cancer 1993;71:1581-90.
- Gordon A, Lipton D, Woodruff JD. Dysgerminoma: a review of 158 cases from the Emil Novak Ovarian Tumor Registry. Obstet Gynecol 1981;58:497-504.
- Hacker NF, Berek JS. Cytoreductive surgery in ovarian cancer. In : Albert PS. Surwit EA, eds. Ovarian cancer. Boston: Martinus Nijhoff; 1996. p.53-67.
- Homesley HD, Bundy BN, Hurteau JA, et al. Bleomycin, etoposide, and cisplatin combination therapy of ovarian granulosa cell tumors and other stromal malignancies: a Gynecologic Oncology Group study. Gynecol Oncol 1999;72:131-7.
- Imai A, FUrui T, Tamaya T. Gynecologic tumors and symptoms in childhood and adolescence: 10 year's experience. Int J Gynaecol Obstet 1994;45:227-34.
- Jobling T, Mamers P, Healy DL, et al. A prospective study of inhibin in granulosa cell tumors of the ovary. Gynecol Oncol 1994;55:285-9.
- Kanazawa K, Suzuki T, Sakumoto K. Treatment of malignant ovarian germ cell tumors with preservation of fertility: reproductive performance after persistent remission. Am J Clin Oncol 2000;23:244-8.
- Kim SH, Kim SH. Granulosa cell tumor of the ovary: common fidings and usual appearances on CT and MR. J Comput Assist Tomogr 2002;26:756-61.
- King LA, Okagaki T, Gallup DG, et al. Mitotic count, nuclear atypia, and immunohistochemical determination of Ki-67, cmyc, p21-ras, c-erbB2, and p53 expression in granulose cell tumors of the ovary: mitotic count and Ki-67 are indicators of poor prognosis. Gynecol Oncol 1996;61:227-32.
- Kobel M, Gilks CB, Huntsman DG. Adult-type granulosa cell tumors and FOXL2 mutation. Cancer Res 2009;69:9160-2.
- Kondi-Pafiti A, Kairi-Vasilatou E, Iavazzo C, et al. Metastatic neoplasms of the ovaries: a clinicopathological study of 97 cases. Arch Gynecol Obstet 2011;284:1283.
- Krepart G, Smith JP, Rutledge F, Delclos L. The treatment for dysgerminoma of the ovary. Cancer 1978;41:986-90.
- Kurman RJ, Scardino PT, McIntire KR, Waldmann TA, Javadpour N, Norris HJ, et al. Malignant germ cell tumors of the ovary and testis: an immunohistologic study of 69 cases. Ann Clin Lab Sci 1979;9:462-6.
- Lantzsch T, Stoerer S, Lawrenz K, Buchmann J, Strauss HG, Koelbl H, et al. Sertoli-Leydig cell tumor. Arch Gynecol Obstet 2001;264:206-8.
- LaPolla JP, Benda J, Vigliotti AP, Anderson B. Dysgerminoma of the ovary. Obstet Gynecol 1987;69:859-64.
- Latthe P, Shafi MI, Rollason TP. Recurrence of Sertoli-Leydig cell tumor in contralateral ovary. Case report and review of literature. Eur J Gynecol Oncol 2000;21:62-3.
- Lauszus FF, Petersen AC, Greisen J, Jakobsen A. Granulosa cell tumor of the ovary: a population-based study of 37 women with stage I disease. Gynecol Oncol 2001;81:456-60.
- Low JJ, Perrin LC, Crandon AJ, et al. Conservative surgery to preserve ovarian function in patients with malignant ovarian germ cell tumors: a review of 74 cases. Cancer 2000;89:391.
- Malmstrom H, Hogberg T, Risberg B, et al. Granulosa cell tumors of the ovary: prognostic factors and outcome. Gynecol Oncol 1994;52:50-5.
- Mann JR, Raafat F, Robinson K, Imeson J, Gornall P, Sokal M, et al. The United Kingdom Children's Cancer Study Group's second germ cell tumor study: carboplatin, etoposide, and bleomycin are effective treatment for children with malignant extracranial germ cell tumors, with acceptable toxicity. J Clin Oncol 2000;18:3809-18.
- Marina NM, Cushing B, Giller R, Cohen L, Laure SJ, Albin A,

et al. Complete surgical excision is effective treatment for children with immature teratomas with or withour malignant elements: a Pediatric Oncology Group. Children's Cnacner Group Intergroup Study. J Clin Oncol 1997;17:2137-43.
- Mathew GK, Singh SS, Swaminathan RG, et al. Growing teratoma syndrome after chemotherapy residue in ovarian germ cell tumors. J Postgrad Med 2006;52:262-5.
- Matias-Guiu X, Pons C, Prat J. Mullerian inhibiting substance, alpha-inhibin, and CD99 expression in sex cord-stromal tumors and endometrioid ovarian carcinomas resembling sex cord-stromal tumors. Hum Pathol 1998;29:840-5.
- Messing MJ, Gershenson DM, Morris M, Burke TW, Kavanagh JJ, Wharton JT. Primary treatment failure in patients with malignant ovarian germ cell neoplasms. Int J Gynecol Cancer 1992;2:295-300.
- Miller BE, Baron BA, Wan JY, Delmore JE, Silva EG, Gershenson DM. Prognostic factors in adult granulosa cell tumor of the ovary. Cancer 1997;79:1951-5.
- Mitchell MF, Gershenson DM, Soeters RP, Eifel PJ, Delclos L, Wharton JT. The long-term effects of radiation therapy on patients with ovarian dysgerminoma. Cancer 1991;67:1084-90.
- Mitchell PL, Al-Nasiri N, A'Hern R, Fisher C, Horwich A, Pinkerton CR, et al. Treatment of nondysgerminomatous ovarian germ cell tumors: an analysis of 69 cases. Cancer 1999;85:2232-44.
- Mom CH, Engelen MJ, Willemse PH, et al. Granulosa cell tumors of the ovary: The clinical value of serum inhibin A and B levels in a large single center cohort. Gynecol Oncol 2007;105:365-72.
- Moore RG, Chung M, Granai CO, et al. Incidence of metastasis to the ovaries from nongenital tract primary tumors. Gynecol Oncol 2004;93:87.
- Morikawa K, Hatabu H, Togashi K, Kataoka ML, Mori T, Konishi J. Granulosa cell tumor of the ovary: MR findings. J Comput Assist Tomogr 1997;21:1001-4.
- Muram D, Gale CL, Thompson E. Functional ovarian cysts in patients cured of ovarian neoplasms. Obstet Gynecol 1990;75:680-3.
- Newlands ES, Southall PJ, Paradinas FJ. Management of ovarian germ cell tumorus. In: Williams CJ, Kaikorian JG, Gren MR. eds. Textbook of uncommon cancer. New York, NY: John Wiley and Sons; 1988. p.47.
- Nichols CR, Breeeden ES, Loehrer PJ, Williams SD, Einhorn LH. Secondary leukemia associated with a conventional dose of etoposide: review of serial germ cell tumor protocols. J Natl Cancer Inst 1993;85:36-40.
- Nichols CR, Tricot G, Williams SD, van Besien K, Loehrer PJ, Roth BJ, et al. Dose-intensive chemotherapy in refractory germ cell cancera phase I/II trial of high-dose carboplatin and etoposide with autologous bone marrow transplantation. J Clin Oncol 1989;7:932-9.
- Nielson SN, Scheithauer BW, Gaffey TA. Gliomatosis peritonei. Cancer 1985;56:2499-503.
- Norris HJ, Zirkin HJ, Benson WL. Immature (malignant) teratoma of the ovary: a clinical and pathologic study of 58 cases. Cancer 1976;37:2359-72.
- O'Connor DM, Norris HJ. The influence of grade on the outcome of stage I ovarian immature (malignant) teratomas and the re-producibility of grading. Int J Gynecol Pathol 1994;13:283-9.
- Obata NH, Nakashima N, Kawai M, Kikkawa F, Mamba S, Tomoda Y. Gonadoblastoma with dysgerminoma in one ovary and gonadoblastoma with dysgerminoma and yolk sac tumor in the contralateral ovary in a girl with 46, XX karyotype. Gynecol Oncol 1995;58:124-8.
- Ohel G, Kaneti H, Schenker JG. Granulosa cell tumors in Israel: A study of 172 cases. Gynecol Oncol 1983;15:278-86.
- Oliva E, Andrada E, Pezzica E, Prat J. Ovarian carcinoma with choriocarcinomatous differentiation. Cancer 1993;72:2441-6.
- Peccatori F, Bonazzi C, Chiari S, Landoni F, Colombo N, Mangioni C. Surgical management of malignant ovarian germ-cell tumors: 10 year's experience of 129 patients. Obstet Gynecol 1995;86:367-72.
- Pedersen-Bjergaard J, Brondum-Nielsen K, Karle H, Johansson B. Chemotherapy-related late occurring Philadelphia chromosome in AML, ALL and CML. Similar events related to treatment with DNA topoisomerase II inhibitors? Leukemia 1997;11:1571-4.
- Pedersen-Bjergaard J, Daugaard G, Hansen SW, Philip P, Larsen SO, Rorth M. Increased risk of myelodysplasia and leukemia after etoposide, cisplatin, and bleomycin for germ-cell tumours. Lancet 1991;338:359-63.
- Pins MR, Young RH, Daly WJ, Scully RE. Primary squamous cell carcinoma of the ovary. Report of 37 cases. Am J Surg Pathol 1996;20:823-33.
- Pui CH, Ribeiro RC, Hancock ML, Rivera GK, Evans WE, Raimondi SC, et al. Acute myeloid leukemia in children treated with epipodophyllotoxins for acute lymphoblastic leukemia. N Engl J Med 1991;325:1682-7.
- Quirk JT, Natarajan N: Ovarian cancer incidence in the United States, 1992-1999. Gynecol Oncol 2005;97:519.
- Robbins, et al. Robbins and Cotran Pathologic Basis of Dis ease. 9th ed. Philadelphia, PA: Elsevier/Saunders; 2015.
- Robbins ML, Sunshine TJ. Metastatic carcinoid diagnosed at laparoscopic excision of pelvic endometriosis. J Am Assoc

Gynecol Laparosc 2000;7:252-3.
- Rose PG, Tak WK, Reale FR. Squamous cell carcinoma arising in a mature cystic teratoma with metastasis to the paraaortic nodes. Gynecol Oncol 1993;50:131-3.
- Roth LM, Anderson MC, Govan AD, et al. Sertoli-Leydig cell tumors: a clinicopathologic study of 34 cases. Cancer 1981;48:187-97.
- Salzberg M, Thurlimann B, Bonnefois H, Fink D, Rochlitz C.Current concepts of treatment stategies in advanced or recurrent ovarian cancer. Oncology 2005;68:293-8.
- Sanchez D, Zudaire JJ, Fernandez JM, Lopez J, Arocena J, Sanz G, et al. 18F-fluoro-2-deoxyglucose-positron emission tomography in the evaluation of nonseminomatous germ cell tumours at relapse. BJU Int 2002;89:912-6.
- Saunders DM, Ferrier AJ, Ryan J. Fertility preservation in female oncology patients. Int J Gynecol cancer 1996;6:161-7.
- Savage P, Constenla D, Fisher C, Shepherd JH, Barton DP, Blake, et al. Granulosa cell tumors of the ovary: Demographics, survival and the management of advanced disease. Clin Oncol (R Coll Radiol) 1998;10:242-5.
- Scarabelli, C, Gallo A, Carbone A. Secondary cytoreductive surgery for patients with recurrent epithelial ovarian carcinoma. Gynecol Oncol 2001;83:504-12.
- Schumer ST, Cannistra SA. Granulosa cell tumor of the ovary. J Clin Oncol 2003;21:1180-9.
- Schwartz PE. Combination chemotherapy in the management of ovarian germ cell malignancies. Obstet Gynecol 1984;64:564-72.
- Scott ME, Nick MS, Wei-Chien Ml. "Optimal" cytoreduction for advanced epithelial ovarian cancer: A commentary. Gynecologic Oncology 2006;103:329-35.
- Scully RE, Young RH, Clement PB. Tumors of the ovary, maldeveloped gonads, fallopian tube, and broad ligament. In: Atals of tumor pathology, Washington, DC: Armed Forces Institute of Pathology, Fascicle 23, 3rd series, 1998.
- Segal R, DePetrillo AD, Thomas G. Clinical review of adult granulosa cell tumors of the ovary: Gynecol Oncol 1995;56:338-44.
- Segelov E, Campbell J, Ng M, Tattersall M, Rome R, Free K, et al. Cisplatin-based chemotherapy for ovarian germ cell malignancies: the Australian experience. J Clin Oncol 1994;12:378-84.
- Shah SP, Kobel M, Senz J, et al. Mutation of FOXL2 in granulosa- cell Tumors of the ovary. N Engl J Med 2009;360:2719-29.
- Shen DH, KU, Zhang Y, Cheung ANY. Cytogenetic study of malignant ovarian germ cell tumors by chromosome in situ hybridization. Int J Gynecol Cancer 1998;8:222-32.
- Simesek T, Trak B, Tunoc M, Karaveli S, Uner M, Seonmez C. primary pure choriocarcinoma of the ovary in reproductive age: a case report. Eur J Gynaecol Oncol 1998;19:284-6.
- Slayton RE, Hreshchyshyn MM, Silverberg SC, Shingleton HM, Park RC, DiSalia PJ, et al. Treatment ofmalignant ovarian germ cell tumors: response to vincristine, dactinomycin, and cyclophosphamide (preliminary report). Cancer 1978;42:390-8.
- Slayton Re. Management of germ cell and stromal tumors of the ovary. Semin Oncol 1984;11:299-313.
- Soliman PT, Slomovitz BM, Broaddus RR, et al. Synchronous primary cancers of the endometrium and ovary: a single institution review of 84 cases. Gynecol Oncol 2004;94:456.
- Spanos WJ. Preoperative hormonal therapy of cystic adnexal masses. Am J Obstet Gynecol 1973;116:551-6.
- Stewing JT, Hazekamp JT, Beecham JB. Granulosa cell tumors of the ovary: A clinicopathological study of 118 cases with long-term follow up. Gynecol Oncol 1979;7:136-52.
- Swenson MM, MacLeod JS, Williams SD, Miller AM, Champion VL. Quality of life among ovarian germ cell cancer survivors: a narrative analysis. Oncol Nurs Forum 2003;30:380.
- Tavassoll FA, Devllee P, editors. World Health Organization classification of tumours. Pathology and Genetics of Tumours of the Breast and Female Genital Organs. Lyon: France: IARC Press; 2003. p.114-5.
- Tay SK, Tan LK. Experience of a 2-day BEP regimen in postsurgical adjuvant chemotherapy of ovarian germ cell tumors. In J Gynecol Cancer 2000;10:13-8.
- Thomas GM, Rider WD, Dembo AJ, Cummings BJ, Gospodarowicz M, Hawkins NV, et al. Seminoma of the testis: results of treatment and patterns of failure after radiation therapy. Int J Radiat Oncol Biol Phys 1982;8:165-74.
- Tomlinson MW, Treadwell MC, Deppe G. Platinum based chemotherapy to treat recurrent Sertoli-Leydig cell ovarian carcinoma during pregnancy. Eur J Gynaecol Oncol 1997;18:44-6.
- Tresukosol D, Kudelka AP, Edwards CL, et al. Recurrent ovarian granulosa cell tumor: a case report of a dramatic response to Taxol. Int J Gynecol Cancer 1995;5:156-9.
- Uygun K, Aydiner A, Saip P, et al. Clinical parameters and treatment results in recurrent granulosa cell tumor of the ovary. Gynecol Oncol 2003;88:400-3.
- van der Burg ME, van Lent M, Buyse M, Kobierska A, Colombo N, Favalli G, et al. The effect of debulking surgery after induction chemotherapy on the prognosis in advanced ovarian cancer. Gynecological Cancer Cooperative Group of the European Organization for Research and Treatment of Cancer. N Engl J Med 1995;332:629-34.
- Williams S, Blessing JA, Liao SY, Ball H, Hanjani P. Adjuvant

therapy of ovarian germ cell tumors with cisplatin, etoposide, and bleomycin: a trial of the Gynecologic Oncology Group. J Clin Oncol 1994;12:701-6.
- Williams SD, Birch R, Einhorn LH, Irwin L, Greco FA, Loehrer PJ. Treatment of disseminated germ-cell tumors with cisplatin, bleomycin, and either vinblastine or etoposide. N Engl J Med 1987;316:1435-40.
- Williams SD, Blessing JA, DiSaia PJ, Major FJ, Ball HG 3rd, Liao SY. Second-look laparotomy in ovarian germ cell tumors: the gynecologic oncology group experience. Gynecol Oncol 1994;52:287-91.
- Williams SD, Blessing JA, Hatch KD, Homesley HD. Chemotherapy of advanced dysgerminoma: trials of the Gynecologic Oncology Group. J Clin Oncol 1991;9:1950-5.
- Williams SD, Blessing JA, Moore DH, Homesley HD, Adcock L. Cispatin, vinblastine, and bleomycin in advanced and recurrent ovarian germ-cell tumors. A trial of the Gynecologic Oncology Group. Ann Intern Med 1989;111:22-7.
- Williams SD, Kauderer J, Burnett A, Lentz SS, Aghajanian C, Armstrong DK. Adjuvant therapy of completely resected dysgerminoma with carboplatin and etoposide: a trial of the Gynecologic Oncology Group. Gynecol Oncol 2004;95:496-9.
- Williams SD, Stablein DM, Einhorn L H, Muggia FM, Weiss RB, Donohue JP, et al. Immediate adjuvant chemotherapy versus observation with treatment at relapse in pathological stage II testicular cancer. N Engl J Med 1987;317:1433-8.
- Williams SD, Wong LC, Hgan HYS. Management of ovarian germ cell tumors. In: Gershenson DM, McGuire WP, eds. Ovarian cancer. New York, NY: Churchill Livingston, 1998; 399-415.
- Williams SD. Ovarian germ cell tumors: an update. Semin Oncol 1998;25:407-13.
- Wolf JK, Mullen J, Eifel PJ, et al. Radiation treatment of advanced or recurrent granulosa cell tumor of the ovary. Gynecol Oncol 1999;73:35-41.
- Yanai-Inbar I, Scully RE. Relation of ovarian dermoid cysts and immature teratomas: an analysis of 350 cases of immature teratoma and 10 cases of dermoid cyst with microscopic foci of immature tissue. Int J Gynecol Pathol 1987;6:203-12.
- Young RH, Scully RE. Malignant melanoma metastatic to the ovary: a clinicopathologic analysis of 20 cases. Am J Surg Pathol 1991;15:849-60.
- Young RH, Scully RE. Ovarian sex cord-stromal tumors: problems in differential diagnosis. Ann Pathol 1988;23:237-96.
- Zaino R, Whitney C, Brady MF, et al. Simultaneously detected endometrial and ovarian carcinomas-a prospective clinicopathologic study of 74 cases: a gynecologic oncology group study. Gynecol Oncol 2001;83:355.
- Zanagnolo V, Sartori E, Galleri G, Pasinetti B, Bianchi U. Clinical review of 55 cases of malignant ovarian germ cell tumors. Eur J Gynaecol Oncol 2004;25:315-20.
- Zanetta G, Bonazzi C, Cantu M, Binidagger S, Locatelli A, Bratina G, et al. Survival and reproductive function after treatment of malignant germ cell ovarian tumors. J Clin Oncol 2001;19:1015-20.
- Zeba NS, Manoj KS, Prem C. Sertoli-Leydig cell tumor with malignant heterologous element and raised alpha-fetoprotein: A case report. J Obstet Gynecol Res 1996;22:595.

제35장

임신성 융모질환

이 찬 | 차의과학대
배재만 | 한양의대
심승혁 | 건국의대

1. 포상기태(Hydatidiform Mole)

임신영양막병은 영양막(trophoblast)에서 발생되는 수태산물의 종양으로서 포상기태, 침윤기태(invasive mole), 융모막암종(choriocarcinoma) 및 태반부착부위 영양막종양(placental site trophoblastic tumor)으로 나눌 수 있다(표 35-1).

이 중 포상기태는 산과적 진단, 치료뿐만 아니라 융모막암종의 50-60%가 포상기태에서 발생하기 때문에 임상적으로 더욱 중요하다. 영양막질환(trophoblastic disease) 중 가장 흔한 포상기태는 비정상적으로 발달된 융모막 융모(chorionic villi)를 가진 태반으로써 최근 세포유전학 및 분자생물학의 발달로 포상기태는 완전포상기태(complete hydatidiform mole)와 부분포상기태(partial hydatidiform mole)로 나눌 수 있으며 또한 이들은 병리학적인 소견과 임상양상이 확연히 다르다는 것이 밝혀졌다.

표 35-1. 임신영양막병의 임상적 분류(미국국립보건원)

1. 양성임신영양막병
1) 완전포상기태
2) 부분포상기태
2. 악성임신영양막병
1) 비전이성(침윤기태 또는 융모막암종)
2) 전이성
(1) 융모막암종(choriocarcinoma)
(2) 태반 부착 부위 영양막종양(placental site trophoblastic tumor)
(3) 상피모양 영양막종양(epitheloid trophoblastic tumor)

1) 정상 영양막(Normal Trophoblast)

다양한 기능을 가진 영양막은 착상 전 배아의 외부세포더미(outer cell mass)에서 유래하는 유일한 조직이며, 또한 자궁내막에 부착하는 배아의 첫 기관이다. 영양막세포는 융모(villous), 융모 밖(extravillous) 및 중간(intermediate) 영양막세포의 세 종류로 크게 나눌 수 있으며, 융모 영양막세포는 주로 세포영양막(cytotrophoblast)으로 구성되어 있다. 융모밖 영양막세포는 주로 중간영양막세포로 구성되어 있고 자체의 분비기능 및 항원성을 가지고 있으며(Gosseye and Fox, 1984; Bulmer and Johnson, 1985) 융모 간 공간에서 융모주(trophoblastic column)를 형성하여 탈락막(decidua), 나선동맥 및 자궁근층으로 침습하며, 이는 융합영양막(syncytiotrophoblast)과 서로 구별된다. 영양막 세포는 이식항원을 가지고 있지 않기 때문에 거부 반응 없이 무난히 모체의 조직 즉, 탈락막과 혈관으로 침입

표 35-2. 면역 조직화학적 표지자를 통한 임신영양막질환의 감별진단

표지자	적용
Ki-67, PCNA, p53	자연유산(음성) 임신영양막질환(양성) 융모막암종(50%의 세포에서 광범위한 양성) 태반부착부위 영양막종양(10% 이상의 양성 표지지수)
p63	태반부착부위 영양막종양(음성) 상피모양 영양막종양(양성) HLA-G 비융모 중간영양막(양성) 태반부착부위 영양막종양(착상부위 중간 영양막 양성) 상피모양 영양막종양(융모막형 중간영양막 양성)
β-hCG	융모막암종(융합영양막 양성)
Inhibin α	융모막암종(영양막과 중간영양막양성) 태반부착부위 영양막종양(광범위한 양성) 상피모양 영양막종양(광범위한 양성)
hPL	융모막암종(중간영양막 양성) 태반부착부위 영양막종양(광범위한 양성)
Mel-CAM	태반부착부위 영양막종양(광범위한 양성)
Cytokeratin	융모막암종(모든 세포에서 양성) 태반부착부위 영양막종양(광범위한 양성) 상피모양 영양막종양(광범위한 양성)
p57kip2	완전포상기태(양성) 부분포상기태(양성)
Cyclin E	상피모양 영양막종양(상대적으로 태반부착부위결절보다 강한 염색)

할 수 있는 침윤성과 전이성을 가지고 있으며, 이러한 점이 양성과 악성을 구별하는 것을 어렵게 하고 있다. 또한 영양막은 사람융모생식샘자극호르몬(human chorionic gonadotropic hormone, hCG) 등 단백호르몬과 스테로이드호르몬 및 임신 특이 단백을 분비하는 등 내분비학적 기능을 가지고 있으며 임신 기간에 따라 분비 양상이 다르게 나타난다. 영양막질환은 세 종류의 영양막세포에서 발생할 수 있고 각 세포의 항원 발현 차이로 구별한다(표 35-2).

2) 발생빈도(Incidence)

발생빈도는 조사방법의 차이나 보고자에 따라 다르지만 일반적으로 일본을 포함한 아시아 지역이 구미 지역보다 높고, 백인보다 동양인에서 높다고 보고되고 있으나 그 원인은 확실하지 않다. 포상기태의 빈도는 총 임신에 대한 빈도로 표시하는 것이 일반적으로, 지역별 포상기태의 발생률은 미국의 경우 1,000임신당 2.23에서 1.1까지 인종에 따른 차이를 보인다(Smith HO et al., 2003; Yen and MacMahon, 1968). 한국의 경우 연도별 발생 추이를 보면 병원 분만에 기초를 둔 통계에서 1,000분만당 발생 빈도는 1970년대에는 40.0명에서 1990년대에는 2.0명으로 현저한 감소를 보인 것을 알 수 있다(Kim et al., 2004).

3) 발병위험인자(Risk Factors)

포상기태의 발병에 관여하는 위험인자는 많은 보고가 있으나 아직 논란이 많다. 또한 완전포상기태와 부분포상기태는 발생원인과 임상경과가 독립된 질환으로 조사되어야 하나 아직 부분포상기태에 관한 연구는 완전포상기태보다 미진한 상태이다.

(1) 임신 연령 및 산과력

임신 시의 산모의 연령이 포상기태의 발병에 중요한 영향을 미친다고 하는 것은 거의 일치된 견해이다. 연령별 빈도는 25-29세 군을 기준으로 하여 40세 이상에서 높아져서 50세 이상이 될 때는 약 411배 높아진다(Bagshawe et al., 1986). 또한 20세 미만의 여성에서도 상대적으로 높은 빈도를 나타낸다고 하며 Bandy (1984) 등은 산모 연령이 가장 위험한 요소로서 10대 임신에서 위험률이 높다고 하였다. 부성 연령과 모성 연령은 서로 상관관계가 있으며 이들이 서로 독립적인 위험요소인지는 확실하지 않은 상태이나 La Vecchia (1984) 등은 부성 연령이 45세 이상인 임신에서 높다고 하였다. 분만력은 산모 연령의 간접적인 영향이며 분만 횟수와는 관계가 없는 것으로 보이며 자연유산의 횟수가 증가할수록 포상기태의 발병률이 높다고 한다(Parazzini et al., 1985). 포상기태임신 후 재발은 60임신당 1회 정도이며 대부분이 바로 전 임신과 같은 형태의 재발을 보였고 산과적인 합병증은 낮은 것으로 알려져 있다(Sebire et al., 2003).

(2) 유전적 인자

ABO 혈액형은 정상인과 같은 빈도이나 반복성 포상기태는 B형에서 많다(Lorigan et al., 2000). Lawler 등(1982)은 세포유전학적 연구에서 균형전좌(balanced translocation)가 완전포상기태의 경우 그 빈도가 4.6%로써 정상 여성의 0.6%보다 아주 높다고 하였다. 이것은 유전학적으로 균형전좌가 잠재된 여성은 감수분열 과정이 방해되어 난자의 핵이 퇴화될 가능성이 증가하기 때문일 것으로 추측된다. 가족성 포상기태를 일으키는 유전자는 19q13.4.의 1.1 Mb 부위에 위치하며 이의 변이로 인하여 발생한다고 보고 있다(Fisher et al., 2004).

(3) 음식과 영양

음식과 영양상태가 미치는 영향에 대해서는 아직 결론이 없고 이는 다른 사회경제적인 요소와 지리적인 영향과 관계가 있다고 볼 수 있다. 단백질 결핍이 포상기태의 발병에 영향을 미친다는 보고는 아직 이견이 많다. 그러나 이러한 변화가 포상기태의 발병의 원인인지 그 결과인지 확실치 않다. Berkowitz 등(1985)은 비타민 A의 결핍이 원인이며 따라서 카로틴 보충으로 포상기태를 예방할 수 있다고 하였으나 중국에서의 후향 연구결과는 식이와는 무관한 것으로 알려져 있다(Brinton LA et al., 1989).

(4) 인종 및 사회경제학적 요인

포상기태 발생빈도의 지리적 차이는 환경적, 문화적, 사회경제학적 또는 인종적 요인에 의한 것 외에 조사 방법의 차이에 의한 변이가 있을 수 있다. McCorriston (1968)은 이러한 지역 간의 인종적 차이보다는 오히려 환경적 요인이라고 보고하였다. 영양결핍, 사회경제적 상태가 낮은 지역에서 포상기태의 발생률이 높다는 보고가 있으나 이것을 증명할 만한 증거는 없다고 한다. 포상기태의 원인으로써 생식세포의 이상, 세포유전학적 이상, 면역학적 이상, 영양결핍, 바이러스 감염 등 현재까지 많은 원인들이 제시되었으나 아직까지 확실한 것은 없다. 그러나 포상기태 환자의 두 가지 특징은 모성 연령이 높고 포상기태조직의 유래가 남성기원이 많다는 점이다.

4) 병리 및 유전학적 특징

포상기태는 육안적, 조직학적 또는 세포유전학적 특성에 따라 완전포상기태와 부분포상기태로 나눌 수 있다.

(1) 완전포상기태

육안적으로 포도송이와 유사한 수포체를 간직한 고전적 기태로서 영양막의 증식, 전반적인 융모의 부종 및 배아 또는 태아조직이 없는 것이 특징이다(그림 35-1).

핵형은 대부분 46,XX이나 5-10%에서는 46,XY의 핵형을 나타내며 이들 모두가 부계로부터 받은 것이다. 세포유전학적 연구에 의하면 완전포상기태는 순전히 부계의 수태산물의 증식이며 이것은 23,X를 가지고 있는 정자와 난자가 수정되나 모체측 핵물질이 없어지고 정자만 배가된 것이다. 때때로 두 개의 정자가 수정되어 46,XX 또는 46,XY가 된다(그림 35-2).

이러한 유전적 이상이 세포영양막 또는 융합영양막의 이상 증식을 일으킨다. 전형적인 조직학적 소견은 융모의 수포성 부종과 융모의 부적절한 혈관발달을 보이며 융모는 세포영양막과 융합영양막로 둘러싸여 있다(그림 35-3).

(2) 부분포상기태

부분포상기태는 최근까지 완전포상기태와 동일한 질병으로 알았으나 형태학적으로나 유전학적으로 서로 다른 질병이다. 융모는 부분적으로 팽창, 증식되어 있고, 혈관증식은

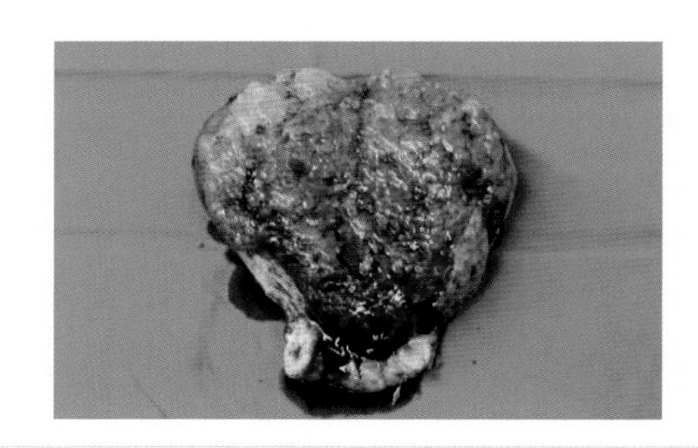

그림 35-1. **포상기태의 자궁절제술 후 사진**
육안적으로 포도송이 와 유사한 다양한 크기의 투명한 수포체가 보인다.

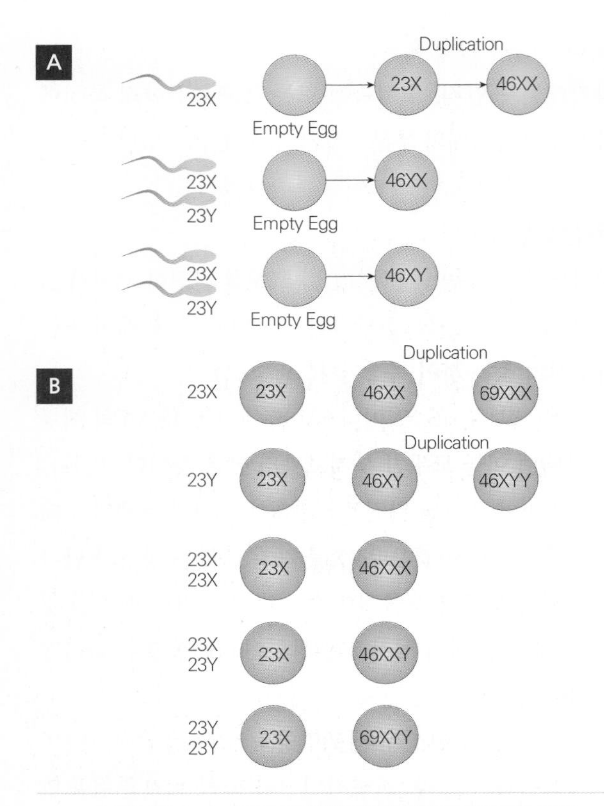

그림 35-2. **A: 완전포상기태, B: 부분포상기태의 핵형**

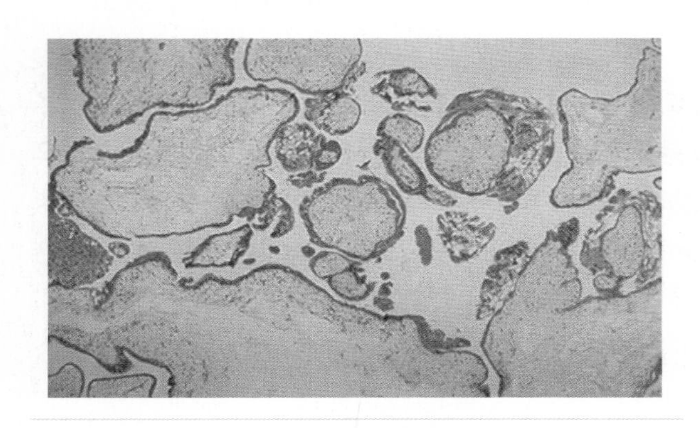

그림 35-3. **포상기태의 조직학적 사진**
융모의 수포성 부종과 융모 내에는 세포가 없이 부적절한 혈관발달을 보이며 융모는 세포영양막과 융합영양막으로 둘러싸여 있는 것이 보인다.

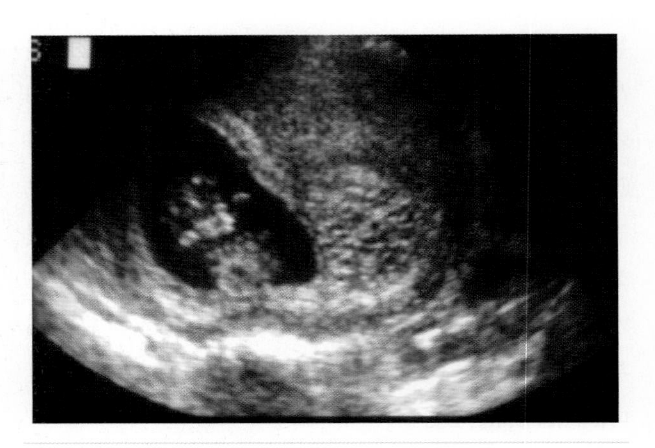

그림 35-4. **부분포상기태의 초음파 소견**
눈보라 모양의 포상기태조직을 보이며 태아가 같이 있다.

없으며 배아 또는 태아 조직을 동반하고 있다(그림 35-4). 핵형은 대부분 69,XXY, 69,XXX 및 69,XYY와 같은 3배수체를 가지는데 이는, 정상 난자와 두 개의 정자가 수정된 것이 대부분이나 아베수체 난자와 한 개의 정자가 수정된 경우도 발견된다. 따라서 부분포상기태는 태아와 관계가 있으며 이들은 삼배수체의 특징인 성장지연, 선천성 기형 등을 동반할 수 있다(그림 35-2). 완전포상기태와 부분포상기태는 지속성 임신영양막질환의 가능성, 악성화의 정도, 재발률 등이 다르므로 이들의 구분은 상당히 중요하다.

5) 내분비학적 특징

영양막질환은 태반조직의 이상 증식으로서, 나타나는 제반 현상이 정상임신과 유사하다. 그러나 특히 포상기태에서는 정상임신과 달리 태아의 소실 및 융모 사이 간격의 간질 세포부종을 동반함으로써 정상임신과 다른 내분비 상태를 만든다. 따라서 이 호르몬들을 연구 및 관찰하여 병태생리를 파악할 수 있다.

(1) 사람융모생식샘자극호르몬(human chorionic gonadotropic Hormone, hCG)

hCG는 융합영양막에서 합성되며 α 및 β chain으로 구성되어 있는 당단백호르몬이다. α chain은 당단백호르몬인 LH, FSH 및 TSH의 α chain과 동일하며, β subunit가 이 호르몬의 특이성을 나타내는 것으로서 임신 반응검사의 기본이 되고 있다. α 및 β subunit는 각기 다른 mRNA에 의해서 독립적으로 합성되며 α와 β가 결합을 이룸으로써 생물학적 활성을 띠게 된다. hCG는 1개의 성분이 아니고 regular hCG, large carbohydrate varients of hCG, nicked hCG, β-hCG가 소실된 hCG 및 free subunit의 혼합물이다. 이들은 특히 임신영양막질환에서 중요하며 이러한 다양한 형태의 hCG가 혈액에서 발견된다. 그러므로 hCG 검사는 이러한 모든 형태의 hCG와 free β subunit을 측정할 수 있는 방법을 선택해야 된다(Cole and Sutton, 2003).

(2) 기타 호르몬

영양막질환에 드물게 합병되는 갑상선항진증은 오래 전부터 많이 논의되어 왔다. 이러한 갑상선항진증은 갑상선자극호르몬과 구조가 유사한 hCG 때문이라고 하였으나(Higgins and Hershman, 1978), Amir 등(1984)은 영양막질환 환자에서 생물학적으로 활성인 갑상선 자극물질이 있음을 보고하였다. 융모성 질환의 영양막과 다른 종양 세포가 태반락토젠의 생산능력이 있다는 보고는 잘 알려진 사실이다. 태반락토젠의 측정으로 정상임신과 영양막질환을 감별할 수 있을 것이라고 제안한 바 있으나 정상임신에 비해 영양막질환은 상대적으로 수치가 낮고 예외가 많아 감별 진단으로 부적당하는 것이 일반적인 견해이다. 최근에는 태반단백인 pregnancy-specific β-glycoprotein (SP1)이 hCG와 관련이 있는 것으로 생각되었고, placental protein10 (PP10)은 포상기태 조직에서는 측정되나 융모막암종의 경우는 측정되지 않았다는 보고가 있다. 정병현 등(1991)은 영양막질환에서는 정상임신보다 PP10과 SP1/β-hCG 비율을 측정함으로 포상기태의 악성도와 예후를 예측할 수 있다고 하였다.

6) 임상증상 및 증후

(1) 완전포상기태

① 질출혈

가장 흔한 증상으로 환자의 80%에서 나타나며 대개 적자색을 띠고 있다(강정권 등, 2002). 환자의 약 반수에서 질출혈에 의한 빈혈 증상을 나타낸다.

② 자궁 크기

대부분 재태 연령보다 큰 편이며 이는 자궁 내에 영양막조직과 혈괴로 팽창되어 있기 때문이다. 자궁 크기는 혈중 hCG의 값과 비례한다. 약 30-40%의 환자에서는 임신 주수와 같은 자궁 크기를 보이고 15-20%는 재태 연령보다 자궁의 크기가 작다.

③ 자간전증

완전포상기태 환자의 약 27%에서 볼 수 있으며 임신 초기에 자간전증 증상이 나타나면 포상기태를 의심해야 한다. 고혈압, 단백뇨 및 반사 이상 항진 등은 자주 연관되나 경련은 드물다. 자간전증은 자궁이 크고 hCG가 높은 환자에서 볼 수 있다.

④ 임신과다구토(hyperemesis gravidarum)

완전포상기태 환자에서 항구토제 또는 수액요법이 필요한 임신과다구토는 약 26%에서 볼 수 있으나 그 원인은 알려져 있지 않다.

⑤ 갑상선항진증

임상적 증상이 뚜렷한 갑상선항진증은 완전포상기태 환자의 약 7%에서 볼 수 있으며 심계항진, 피부의 온난감(warm skin), 진전(tremor)을 나타내며 T4와 T3을 측정함으로써 진단할 수 있다. 갑상선항진증이 의심되면 기태 제거 전에 β-차단제를 투여하여 갑상선 중독발작(thyroid storm) 및 심혈관계 합병증을 예방하여야 한다.

⑥ 호흡곤란증후군(respiratory distress syndrome)

과거 포상기태의 제거 후 나타나는 흉통, 호흡곤란, 빠른 호흡, 심계 항진증 등을 나타내는 호흡곤란증의 원인을 영양막세포의 폐색전증에 의해 나타나는 것으로 보았으며 이는 약 2%에서 볼 수 있다. 그러나 Hankins 등(1987)은 포상기태 제거 후 폐혈관에서 영양막 세포를 드물게 관찰할 수 있어 폐색전증으로 보기는 어렵다 했다. 호흡곤란증후군의 원인은 좌측심실기능의 부전과 동반된 빈혈 증상, 갑상선항진증, 임신성고혈압 등으로 생각되고 있으며(Twigs LB, 1979) 이는 임신 14-16주 크기보다 큰 자궁에서 잘 발생한다.

⑦ 난포막황체낭(theca-lutein cyst)
완전포상기태의 약 반수에서 지름이 6 cm보다 큰 난포막황체 난종을 볼 수 있다. 대개 양측성으로 오며 다낭성이다. 난포막황체낭은 hCG치가 높은 환자에서 볼 수 있으나 고프로락틴혈증과도 연관이 있다고 한다. 난포막황체낭은 기태 제거 후 약 2-4개월에 소실되므로 합병증이 없으면 수술적 적응증이 되지 않는다.

⑧ 포상기태조직의 전이(molar metastasis)
포상기태조직은 자궁경부, 질벽 및 외음부로 전이될 수 있으며 약 10%의 환자에서는 폐에서 방사선비투과성(radioopacity)을 보여 폐전이와 감별을 요한다. 극히 제한된 예에서 뇌, 후복강, 서혜부림프절, 난관막(김승조, 1985) 등에서 기태조직을 발견할 수 있다.

(2) 부분포상기태
완전포상기태와는 달리 특징적인 임상적 증상은 없다. 일반적으로 불완전유산 또는 계류유산의 증상을 보이며 대부분은 기태 제거 후 조직학적으로 진단된다. 자궁 크기는 약 67%에서 재태연령보다 작으며 약 30%에서는 임신 주수보다 자궁이 크다.

7) 진단
진단은 대부분 초음파 진단으로 이루어지며 일반적 임상증상과 생화학적 검사를 이용한다. 대체로 임신 및 절박유산과 유사하여 감별이 어려울 때가 있으나 초음파상 특이소견이 나타나면 진단은 쉽게 되는 것이 보통이다.

(1) 초음파 촬영
초음파 촬영은 포상기태와 정상임신을 구별하는 데 가장 좋은 방법이다. 그러나 포상기태와 퇴행성 수태물과의 감별은 상당히 어렵다. 초음파 촬영상 눈보라 모양(snowstorm pattern)이 관찰되면 포상기태로 진단할 수 있으나 계류유산 또는 자궁근종을 동반한 정상임신, 임신 10-13주의 정상태반의 비스듬 절단(tangential section) 및 자궁 내 혈종과 감별을 요한다. 최근 Color Doppler 초음파검사로서 자궁 내의 혈류상태를 알 수 있어서 포상기태의 예후를 예측할 수 있게 되었다.

(2) 양막 조영법
과거 사용되던 방법으로 양막에 조영제를 주입하여 X-선 촬영 후 벌집모양이 관찰되면 포상기태로 진단한다(Hernandez-Torres and Pelegrina, 1966).

8) 감별 진단
포상기태의 진단에서 감별을 요하는 경우는 다태임신, 절박유산, 불완전유산, 자궁외임신 및 계류유산 등의 비정상적인 임신과 자궁근종, 난포막 황체낭 등을 동반한 임신 등이다.

9) 치료 및 임상적 관리
포상기태의 관리는 크게 포상기태 제거 후 적절한 추적검사만 하는 경우와 예방 목적으로 항암화학요법을 추적검사와 병행하는 것으로 나눌 수 있다.

(1) 기태 제거
기태의 제거방법은 임상적으로 매우 중요하다. 흡입소파술, 자궁절제술, 자궁절개술 및 약제 처치법 등이 있으나 흡입 소파술이 가장 안전하고 효과적인 것으로 알려져 있다. 자궁절제술은 더 이상의 임신을 원하지 않는 경우에 시행할 수 있으며 자궁이 크고 혈관조직이 왕성한 관계로 기술적 어려움과 위험이 따를 수 있다. 자궁절개술과 약제에 의한 내과적 배출술은 흡입소파를 시행하지 못할 경우 간혹 이용되나 이것은 매우 침습적이고 위험한 방법이고 영양막 및 파괴된 자궁내 조직들의 전이 및 폐전색을 유발할 수 있기 때문에 가급적 사용하지 말아야 한다.

흡입소파술 시행 시에는 자궁경부를 개대시킨 후 옥시토신을 점적주입하면서 흡입소파술을 시행한다. 가능한 굵은 카눌라를 이용하여 시행하고 자궁저부에 손을 올려 문질러 자궁수축을 유도하면서 흡입하여 자궁천공을 예방하는 것이 좋다. 완전 제거가 되고 나면 조심스럽게 날카로운 큐렛으로 다시 긁어내어 조직검사를 따로 보내도록 한다. 처치 후 적어도 2시간 동안 환자의 호흡 상태와 출혈 상태를 관찰해야 한다. Rh 음성 환자에게는 처치 전 준비된 Rho (D) 면역 글로불린을 투여한다.

(2) 추적검사

기태 제거 후 추적검사를 하는 목적은 영양막의 활성여부를 조기 판단하여 치료를 하고, 임신을 원하는 환자에서는 적절한 시기를 선택하게 하는 데 있다. 포상기태 제거 후 영양막의 존재 여부를 가장 잘 반영하는 hCG를 연속적으로 측정하여야 하며 이 동안은 피임하여야 한다. 임신하지 않은 정상인의 경우 혈청 β-hCG는 측정되지 않는다. 기태 제거 후 혈청 β-hCG 값이 8-12주에 측정되지 않는 수준으로 감소하며 국내보고에서는 12.8주에 완전 소실되며 로그지수 소퇴 곡선을 따라 감소하는 양상을 보인다(강정권 등, 2002). 기태 제거 후 4주 이상이 지나도 혈청 hCG 값이 25,000 mlU/mL 이상을 보이는 경우도 있는데 이는 영양막이 상당한 활성을 지닌 것을 의미하며, 이러한 경우는 침윤기태를 의심해야 한다. 기태 제거 후 hCG의 측정은 정상치에 이를 때까지 매주 또는 2주에 한 번 시행해야 하며 3주 연속적인 세 번의 검사에서 정상이면 저위험군에서는 6개월간, 고위험군에서는 1년간 매달 측정을 하여 정상이 되면 임신을 원할 경우 임신을 하도록 한다. 추적검사 기간 동안에는 피임을 해야 한다. 임신을 하게 되면 hCG 값이 상승하므로 지속성 임신영양막질환에 의한 hCG 값의 상승과 감별이 되지 않고 또한 잔여 영양막이 임신으로 인해 자극될 가능성도 배제할 수 없기 때문이다.

(3) 피임

자궁내 장치는 자궁천공의 위험성 및 감염과 출혈이 높기 때문에 hCG가 정상이 될 때까지 삽입해서는 안 된다. 경구피임제의 사용은 지속성 임신영양막질환의 빈도를 높인다는 보고가 있었으나 이는 오히려 LH의 생성분비를 억제시킴으로써 hCG 측정 시 LH와의 교차 반응을 방지할 수 있는 이점이 있으므로 사용해도 무방하다는 것이 일반적 견해이다.

10) 포상기태의 자연사(Natural History)

포상기태의 자연사는 진단, 치료뿐만 아니라 향후 지속성 임신영양막질환으로 진행할 수 있기 때문에 매우 중요하다. 완전포상기태의 제거 후 15%의 환자에서 자궁침윤을 보이고 4%에서 전이를 보인다. 따라서 기태 제거 직전 혹은 직후 미리 이러한 증식성 합병증을 유발할 위험요소의 가능성에 대해 고려해 보는 것은 중요한 임상적 의의가 있는 것이다. 완전포상기태와는 달리 부분포상기태에서는 약 90%에서 계류유산 또는 불완전유산으로 진단되기 때문에 자연사가 완전포상기태보다 잘 알려져 있지 않은 상태이다. 완전포상기태는 다음과 같은 경우 위험도가 높은 고위험군으로 분류한다(표 35-3).

양측성으로 난포막황체낭이 동반한 경우 비증식성 합병증을 일으킬 위험도가 높고 화학요법을 요할 가능성이 크다고 알려져 왔다. 그러나 자궁이 클 때 자간전증이 합병할 가능성은 높으나 자궁 크기나 자간전증 자체를 증식증 위험인자로 볼 수는 없다(Bagshawe et al., 1969). hCG 값이 100,000 mlU/mL 이상일 때 그 이하에 비해 현저히 화학요법을 받은 경우가 많았음을 Bagshwe (1969)를 위시하여 많은 연구자들이 보고하였으며 가장 중요한 예후인자 중 하나이다. Menczer 등(1980)은 역시 기태 제거 전 hCG

표 35-3. 고위험군 완전포상기태의 기준

1. 기태 제거 전 hCG값이 100,000 mlU/mL 이상일 경우
2. 재태 연령보다 자궁이 더 클 경우
3. 6 cm 이상의 난포막황체낭

값이 예후에 영향을 미친다고 했으며 아마도 hCG 값과 자궁 크기는 서로 연관성이 있기 때문일 것으로 생각된다. 또한 hCG의 free β가 높을 경우 악성화의 경향이 높다고 한다(김미란 등, 1995).

정상임신에서도 나타날 수 있는 영양막의 폐색전증은 포상기태에서는 그 정도와 빈도가 더 심하다. Goldstein 등(1981)은 폐색전증의 경우 화학요법이 적용된다고 했으나 이는 색전을 일으킨 기태조직을 소멸시키기 위해 필요한 것이지 융모막암종으로 진행될 위험이 크기 때문은 아닌 것이다. Curry 등(1975)은 자궁절개술(hysterotomy)이 가장 악성화 빈도가 높고 그 다음이 자궁절제술이라 했으며 김미란 등(1993)은 자궁절제술 시에 악성화 빈도가 높다고 보고하였다. 따라서 기태 제거는 흡입소파가 기본 방법으로 임상적으로 중요한 의미가 있다. Bandy 등(1984)은 환자의 연령이 고령인 경우 예후와 관계가 있다고 했으며 연령이 낮은 경우는 위험도와의 관계는 없는 것으로 알려져 있다. 포상기태는 주로 동형접합체이나 5-10%는 이형접합체이며, 이형접합체는 동형접합체보다 지속성 임신영양막질환으로 발전될 확률이 높다고 하였으나(Wake et al., 1984), 아직까지 논란이 많다(Fisher and Lawler, 1984). 홍승덕 등(1991)은 포상기태조직을 유식세포분식기로 분석한 결과 염색체의 수체가 2배체성인 경우와 세포 증식률이 높을 경우 지속성 임신영양막질환으로 될 빈도가 높다고 하였다. 배석년 등(1996)은 포상기태조직에서 텔로메레이즈의 활성은 지속성 임신영양막질환의 위험인자로 보고했다. 과거 복합경구피임제 사용은 악성화 빈도를 높이는 것으로 알려져 있으나 특별한 관계가 없는 것으로 알려져 기태 제거 후 경구피임제 사용이 일반화되어 있다.

11) 경쾌판정 기준 및 치료 적응증

기태 제거 후 추적검사에 의해 잔여 영양막이 소멸되고 완전히 경쾌되었다는 임상적 판단기준은 일반적으로 매주 측정한 β-hCG 값이 연속 3회 이상 음성(1.5 mlU/mL)으로 판정됨을 기준으로 삼고 있다. 기태 제거 후 자궁출혈이 다시 시작되는 경우가 있는데 기태 제거가 만약 완전했다면 증식성 변화를 일으키고 있다는 증거일 수 있으므로 조심스럽게 소파술을 시행하여 조직검사를 하고 혈청 hCG β- subnuit 값의 변화를 잘 관찰해야 한다. 그러나 다른 악성종양과는 달리 반드시 소파로 얻은 조직검사가 필요한 것은 아니다. 영양막은 조직학상 양성과 악성의 감별이 어렵고 내막 조직소견과 임상경과 사이에 연관성이 없으며, 또한 악성 변화 정도에 관계없이 이 질환은 화학요법에 극히 잘 반응한다는 이유 때문이다. 추적검사 중 지속성 임신영양막종양으로 간주, 화학요법의 적응증이 되는 것은 표 35-4와 같다.

표 35-4. 지속성 임신영양막질환 진단 기준(FIGO 2000)

1. hCG 값의 비정상 쇠퇴곡선 적어도 3주간 매주 측정한 hCG의 감소가 적어도 3주 동안 감소하지 않는 경우(1, 7, 14, 21일)
2. 매주 측정한 hCG가 적어도 2주 동안 10% 이상 증가하는 경우
3. hCG 값이 기태 제거 후 6개월까지 정상화되지 않을 경우
4. 조직병리학적으로 융모막암종이 진단되었을 경우

12) 예방적 화학요법

예방적 화학요법은 포상기태 제거 후 악성화의 빈도를 낮추기 위한 것이나, 포상기태의 자연사가 알려지고 화학요법제가 사용되고부터 포상기태 제거 후 항암요법에 대해서는 아직까지 논란이 많다. 이는 화학요법제의 인체에 미치는 독성과 치료효과는 임상적으로 신중하게 판단하여야 하기 때문이다. 최근에는 몇 가지 예후인자가 임상적으로 규명되고부터 융모막암종으로 진행될 위험도가 높은 환자에게만 예방적 약제사용 또는 조기 화학요법치료를 실시하자는 주장들이 있으며 어떤 기관들은 저위험군 및 고위험군 포상기태에 대한 임상적 정의를 규정하고 그에 대한 치료를 구별하고 있다(Kim et al., 1988).

13) 포상기태가 향후 임신에 미치는 영향

포상기태 환자의 가장 중요한 관심사는 향후 임신에 관한 것이다. 포상기태의 1-2%가 재발하며(Lurain et al., 1982),

Wu (1973)는 9회 연속으로 포상기태가 발병한 예를 보고하였다. Garner 등(2002)에 따르면 포상기태 후 임신은 정상적인 결과를 가져올 수 있으므로 환자에게 정상적인 임신을 할 수 있다는 확신을 갖도록 하는 것이 중요하다. 그러나 임신 초기에 초음파검사 등으로 정상임신임을 확인하는 것이 중요하며 반드시 분만 또는 유산 후에는 수태산물에 대한 병리학적 검사가 필요하고 6주 후에 hCG 측정으로 융모막암종의 발생 여부를 확인하여야 한다(Kim et al., 1998).

2. 임신영양막종양(Gestational Trophoblastic Tumor, GTT)

임신영양막종양은 포상기태, 자연유산, 자궁외임신, 사태임신, 그리고 정상 분만 후 발생할 수 있는 영양막의 악성종양 질환이다. 이들 선행임신 중 임신융모막암종이 발생하는 빈도는 포상기태가 50%, 유산 25%, 정상 분만 22.5%, 자궁외임신이 2.5%를 차지한다고 보고되고 있으나 한국융모성질환 연구소의 보고에 의하면 포상기태가 2/3를 차지한다고 한다.

임신영양막종양이란 침윤기태 또는 융모막암종의 조직 및 임상적 용어로써 선행임신 또는 영양막질환 종결 후 hCG 값이 지속 또는 상승하는 경우로 정의할 수 있다.

조직학적으로는 포상기태 종결 후 자궁근층이나 타 장기에 기태조직 또는 융모막암종의 조직 소견을 보이고 비포상기태임신 종결 후에 발생하는 종양의 경우는 단지 융모막암종의 소견만 보인다.

지속성 임신영양막종양은 대부분 침윤기태이거나 융모막암종이지만 융모막암종의 아주 드문 변이형으로 태반이 자궁에 부착되었던 장소에서 발생하는 태반부착부위 영양막종양(placental-site trophoblastic tumor)이 있다.

1) 비전이성 임신영양막종양(Non-Metastatic GTT)

완전 포상기태 제거 후 약 15%에서 지속적인 국소성 침윤성 임신영양막종양이 발생하며 기타 다른 임신의 종결 후에는 드물게 나타난다.

비전이성 임신영양막종양의 환자에서 주된 임상 증상은 다음과 같다.

(1) 부정기적 질출혈(irregular vaginal bleeding)

(2) 난포막황체낭의 존재(theca-lutein cyst)

(3) 자궁의 퇴축부전 또는 비대칭 비대(uterine subinvolution or asymmetric enlargement)

(4) 지속적 hCG 값의 상승

영양막종양이 자궁근층을 침범하여 자궁천공을 일으키면 복강내 출혈을 유발하고 자궁 내 혈관에 쉽게 침입하여 질출혈의 원인이 된다. 그 외에 상당한 크기의 괴사성종양이 되어 자궁패혈증을 초래하기도 한다.

포상기태 제거 후 발생하는 지속성 임신영양막질환에서는 조직학적으로 포상기태조직 또는 융모막암종의 소견을 보이나 비포상기태 후 발생하는 지속성 임신영양막종양에서는 항상 융모막암종의 조직 소견만 보인다.

융모막암종의 진단에 중요한 조직학적 특징은 융모막융모(chorionic villi)가 소실된 역형성 융합영양막과 세포영양막(Anaplastic syncytiotrophoblast and cytotrophoblast)의 소견을 보이는 것이다.

2) 전이성 임신영양막종양

전이성 영양막종양은 침윤기태 또는 융모막암종의 증상이 있으면서 병소가 이미 자궁체부를 넘어선 것을 말한다. 영양막종양의 전이는 완전포상기태 제거 후 약 4%에서 발생하고, 드물게 비포상기태임신 후에 발생할 수 있다.

전이 장소로는 폐(80%), 질(30%), 골반(20%), 뇌(10%), 간(10%) 순이며 국내의 보고에 의하면(이상태 등, 1984) 폐(60.9%), 질(11.8%), 골반(7.9%), 뇌(5%), 간(3.8%), 신장(1.5%) 순으로 나타났다(표 35-5).

표 35-5. 융모막암종의 전이 장소와 발병률

전이장소	발병률(%)
폐	80
질	30
골반	20
뇌	10
간	10
장, 신장, 비장	5
기타	5

(1) 폐전이

진단 시 흉부 X-선 촬영을 하면 전이성 임신영양막종양 환자의 80%에서 폐의 침범을 확인할 수 있다. 폐전이가 일어난 경우 흉통, 기침, 객혈, 호흡곤란 등의 임상 증상을 보이고 이런 증상은 급성, 혹은 만성으로 수개월 지속되기도 하고 X-선상에 무증상의 병변이 관찰되기도 한다.

흉부 X-선 촬영하면 다음과 같은 4가지 특징적인 주된 양상을 관찰할 수 있다.

① 폐포 또는 눈보라 양상(an alveolar or snowstorm pattern)
② 분리된 둥근 음영 또는 동전 모양(discrete round density)
③ 흉막 삼출(pleural effusion)
④ 폐동맥 폐쇄에 의한 색전성 양상(an embolic pattern caused by pulmonary arteriol occlusion)

호흡기 증상과 방사선검사 소견이 명확하게 때문에 원발성 폐질환 환자로 생각하기 쉬우며 광범위한 폐의 침범에도 불구하고 생식기관에는 영양막종양의 증거가 없는 경우도 있다. 특히 비포상기태 선행임신이 영양막종양의 원인이 된 경우 불행히도 개흉술 후 진단이 되기도 한다. 영양막세포의 색전으로 폐동맥의 폐쇄가 일어나 이차적으로는 폐고혈압이 발생하기도 하며 기관 삽입을 필요로 하는 임상적으로 조기 호흡부전증을 초래하기도 한다.

(2) 질전이

질전이는 전이성 임신영양막종양 환자의 약 30%에서 일어나며 생검을 시행하는 경우 심한 혈관의 발달로 심각한 출혈을 초래하므로 꼭 시행하여야 하는 검사는 아니다. 주로 질 원개(fornix)나 요도 하부에 전이가 잘되며 조직의 괴사로 출혈이나 고약한 냄새의 분비물을 보인다.

(3) 간전이

간전이는 파종성 영양막종양 환자의 약 10%에서 볼 수 있으며 대개 진단이 지연되고 광범위한 종양을 갖게 된다. 상복부 통증과 종괴가 촉지되기도 하며 간 파열이 일어나면 출혈로 사망하기도 한다. 간전이 환자는 진단이 어렵고 항암화학요법에 대한 반응이 나빠 예후가 매우 불량하다.

(4) 중추신경계전이

전이성 영양막종양 환자의 약 10%에서 일어나며 대개는 진행된 암에서 관찰된다. 대뇌에 전이된 경우 폐나 질의 침범도 동시에 관찰되는 경우가 많다. 자연적인 뇌출혈로 인하여 급작스러운 신경장애를 초래하거나 진단 혹은 치료가 이루어지기 전에 사망할 수도 있으며 예후가 매우 불량하다. 최근에는 주로 뇌 전산화단층촬영과 척수액 내 hCG 측정이 진단에 사용된다.

3) 임신영양막종양의 임상적 분류

치료를 위한 임상적 분류는 여러 학자와 기관과 그리고 나라마다 많은 분류가 제시되었지만 대표적인 것으로 병기분류법(staging system)과 예후점수분류법(scoring system)이 있다.

조직학적으로는 침윤기태나 융모막암종으로 진단된 환자는 양성의 병리학적 소견을 보이더라도 임상적 분류로는 동일한 분류법을 사용한다. 그 이유는 조직학적으로는 양성소견일지라도 임상적으로는 모두 악성종양과 동일한 임상양상을 나타내고 있으며 동일한 치료 관리를 요하기 때문이다.

(1) 병기분류법(staging system)

해부학적 병기분류법은 그동안 많은 논의를 거쳐 1991년 International Federation of Obstetrics and Gynecology (FIGO)에 의해서 채택되었으며, 최근에는 2000년 FIGO에 의해서 채택된 병기법을 사용한다.

Stage I은 지속적인 hCG 값의 상승과 종양이 자궁에 국한된 경우, II는 종양이 자궁 밖으로 전이되었으나 질 혹은 골반에 국한된 경우, III는 자궁, 질, 골반에 종양의 존재 유무와 관계없이 폐전이가 된 경우, IV는 뇌, 간, 신장, 위장관 전이가 있거나 기타 장소에 전이가 된 경우로 각각 분류하였다(표 35-6).

표 35-6. 임신영양막질환의 병기

전이장소	발병률(%)
1 기	병변이 자궁 내에만 국한
2 기	골반 또는 질부위 전이
3 기	폐전이
4 기	그 외 다른 장기로의 전이

(2) 예후점수제 분류법(prognostic scoring system)

임신영양막종양 환자들의 예후인자들을 점수화해서 위험도를 측정하는 방법으로 2000년 FIGO에서 채택한 분류방법이다. 이 분류법은 환자 진료에 있어서 항암제 선택과 치료에 대한 예후를 예측하고 치료의 결과를 향상시키는데 있어 병기분류법과 함께 치료 전 환자 평가의 중요한 역할을 한다.

점수가 7 이상일 때는 고위험군에 속하며 이런 경우 강력한 복합항암화학요법을 시행하여 치료하게 된다(표 35-7).

4) 진단 방법과 치료 전 평가

임신영양막종양을 적절히 치료하기 위해서는 치료 전에 질병의 범위에 대하여 철저한 사전 조사와 평가가 필요하다.

지속성 종양을 가진 보통 환자는 다음과 같은 세심한 치료 전 평가가 이루어져야 한다(표 35-8).

(1) 완전한 병력청취 및 전신검사

(2) 혈중 hCG 값의 측정

(3) 간, 갑상선, 신장기능검사

표 35-7. FIGO 2000 scoring에 의한 점수분류

	FIGO score 0	FIGO score 1	FIGO score 2	FIGO score4
나이(세)	≤39	>39		
이전 임신력	포상기태	유산	만삭임신	
이전 임신 종결 후 약물치료				
시작까지의 간격(개월)	<4	4-6	7-12	>12
혈중 hCG 값(mIU/mL)	$<10^3$	10^3–$<10^4$	10^4–$<10^5$	$\geq 10^5$
가장 큰 종양 크기(직경)	<3 cm		≥5 cm	
자궁내 종양 포함				
전이 장소	폐	비장	위장관	뇌
		신장		간
확인된 전이 종양의 숫자		1-4	5-8	>8
이전 항암제 사용요법			단독	복합

환자 개개인의 병기와 위험 점수의 표기 방식은 병기는 로마 숫자로, 점수는 아라비아 숫자로 표기하며 병기와 위험점수는 콜론(:)으로 구분한다.
각 예후 인자의 점수의 합이 6 이하인 경우 저위험군, 7 이상인 경우 고위험군.

표 35-8. 임신영양막종양 치료 전 검사

1. 기본검사 1) 완전 병력청취(complete history) 월경력(menstrual history) 산과력(obstetric history) 선행임신(Antecedent pregnancy) 치료종류와 내용(previous treatment history) 2) 전신검사(physical examination) 3) hCG 측정(serum) 4) 기능검사(liver, kidney, thyroid function test) 5) 혈액학적 검사(Hb, WBC, platelet)
2. 전이 여부 검사에 포함될 것들 1) 흉부 X-선검사 혹은 전산화단층촬영 2) 복강 및 골반의 초음파 혹은 전산화단층촬영 3) 두부의 전산화단층촬영 또는 자기공명영상촬영 4) 양전자단층촬영
3. 선택적으로 시행할 것들 1) 뇌척수액의 hCG 측정 2) 필요와 적응에 따른 복부나 골반 장기의 선택적 혈관조영술

(4) **혈액검사**(WBC, platelet)

전이 여부를 알기 위해서는 다음 사항들이 포함되어야 한다.

① 흉부 X-선검사 혹은 전산화단층촬영
② 복부 및 골반초음파 혹은 전산화단층촬영
③ 두부전산화단층촬영 또는 자기공명영상촬영
④ 양전자방출단층촬영(positron emission tomography, PET)

대부분 골반검사와 흉부 X-선검사에서 음성인 경우는 타 장기의 전이는 드물게 관찰된다. 복부 초음파 또는 전산화단층촬영은 간기능검사에서 이상을 보이는 환자에서 간전이를 판단하는 데 유용하며 두부전산화단층촬영 또는 자기공명검사는 무증상의 뇌 병변을 조기에 발견할 수 있다. 그리고 흉부전산화단층촬영은 X-선검사에서 보이지 않는 미세 전이 병변을 알아낼 수 있다. PET 스캔은 성장 가능한 종양의 잠재 전이 부위 발견에 유용한것으로 알려져 있다. 따라서, 폐전이가 방사선학적 검사상 관찰되지만 성장 가능성이 의심스럽다면 PET 스캔이 도움이 될 수 있다.

융모막암종과 전이성 임신영양막종양 환자에서 뇌 전산화단층촬영 소견이 정상이라 하더라도 뇌전이를 조기에 발견하기 위하여 뇌척수액 내 hCG 값을 반드시 측정해야 하며 혈장과 뇌척수액 내 hCG 값의 비율이 60 이하이면 중추신경계 영양막종양전이를 강력히 의심할 수 있다. 그러나 혈장 내 hCG 값이 빨리 변하기 때문에 한 번의 검사로 단정하기는 어렵다. 골반 초음파검사는 종양의 확장정도를 정확히 알 수 있어 자궁절제술이 필요한 환자를 선별해 내는 데 도움이 된다.

3. 임신영양막종양의 처치

1956년 Bethesda의 치료성적이 발표되기 전까지의 임신영양막질환에 대한 치료는 원발병소를 수술적으로 제거하였고 전이된 병소까지도 외과적 절제를 시행하였다. 따라서 전이를 가진 환자들의 사망률은 95%를 넘었다. 자궁에 제한된 병변을 가진 경우에도 수술로 인해 생식력을 상실해야 했다.

임신영양막종양의 치료에 있어 현대적 항암화학요법의 시작은 1956년 미국 Bethesda에서 시작되었다고 봐야 할 것이다. 최신요법의 시작은 1948년 Hertz가 실험동물에서 여성호르몬으로 초래된 성장을 anti-folic acid compound 인 amethopterin로 억제할 수 있는 것을 발견하고부터이다. Li와 Hertz (1956)는 anti-folic agents (Methotrexate, MTX)가 전이성 융모막암종 환자에게 매우 효과적이라는 것을 보고하게 되었다. Ross 등 (1965)은 Bethesda에서 MTX와 Actinomycin-D 병용요법으로 전이성 환자 50명 중 74%를 완쾌시켰다고 보고했다. 단일요법 저항군에 대해서 병용요법 그리고 다시 triple therapy (MAC), 그리고 CHAMOCA (Bagshawe, 1969)의 복합화학요법이 나왔으나 이들의 독성과 화학제 내성 문제는 계속 남아있게 되었다. 임신영양막종양의 치료에 있어서 etoposide (VP16)의 발견은 고위험 전이성 임신영양막종양 치료에 또 다른 획기적인 시대를 열게 되는 계기가 되었다. VP16 제제를 포함한 EMA/CO regimen은 그 약제효과의 탁월함과 낮은 독성 때문에 현재 널리 쓰이고 있다.

1) 진단방법과 치료 전 평가

임신영양막종양은 포상기태 제거 후 hCG 값의 증가, 3주 이상 hCG 값의 변동이 없거나(±10%) 전이성병소가 발견되는 경우이며 조직학적으로는 융모막암종(choriocarcinoma), 태반부착부위 영양막종양(placental- site trophoblastic tumor), 혹은 침습기태(invasive mole)가 포함된다. 임신영양막종양 환자의 1/2에서 2/3는 포상기태 제거 후에 발생되며 나머지는 만삭임신, 자연유산 혹은 자궁외임신 이후에 발생된 융모막암종 환자이다.

hCG가 낮은 값에서 변동이 없는 환자에서는 치료를 개별화하여야 하며 hCG의 실험실 측정값이 위양성이 있을 수 있음을 고려해야 한다. 위양성 결과의 원인은 다양한데 human anti-mouse antibodies (HAMA), heterophile antibodies, 그리고 비특이 단백질 간섭 등이 가장 흔한 원인이다. 위양성 hCG 값 때문에 불필요한 치료를 받게 되는 환자들이 있을 수 있으므로 단순히 비정상적인 hCG 값에만 근거하여 치료를 하게 되는 상황에서는 hCG 값의 확실성을 재확인하는 단계를 거치는 것이 필요하다. 반복적인 실험에서도 유사한 위양성 결과가 있을 수 있기 때문에 우선 고려해 볼 수 있는 것은 방해물질들이 뇨로 배설되지 않기 때문에 요중 hCG 값을 측정하는 것이다.

최고의 치료성적을 얻기 위해서는 적정치료(optimal treatment)를 해야 하고 그러기 위해서 정확한 환자의 평가를 해야 하는데 결국 종양의 침범(extent) 범위와 장소 그리고 그에 따른 합병증상을 정확하게 평가(assessment)해야 한다. 따라서 임신영양막종양을 치료하기 위해서는 질병의 범위에 대해 철저한 조사(staging evaluation)가 필요하다. 환자는 완벽한 과거력 분석과 이학적 검사를 받아야 하며 동시에 hCG 값과 간, 갑상선 및 신장기능검사를 받도록 한다. 전이병소에 대한 검사를 위해 흉부 X-선검사, 전산화단층촬영(CT)을 이용한 흉부, 복부 및 골반내검사를 시행하며 두부검사는 자기공명영상(MRI)을 사용한다. 발달된 영상기법 때문에 이전에 많이 사용하던 복부 및 골반구조물에 대한 선택적 혈관조형술은 특수한 경우에만 시행하기도 한다(표 35-8). 비전이성 임신영양막종양 환자로 생각하였던 경우 중 약 40%에서 전산화 단층촬영으로 전이병소를 발견할 수가 있었다(Mutch et al., 1986).

임신영양막종양의 처치는 첫째, 포상기태 제거 후 임신영양막종양으로 진행될 가능성이 있는 환자를 사전에 예측하여 조기 발견을 하여야 하며 둘째, 임신영양막종양이 의심되면 정확하고 적절한 진단적 평가와 치료계획을 수립한 후 셋째, 적절한 항암제를 선택함으로써 약제내성을 감소시켜 완치하게 하는 것이다. 넷째, 지속적인 추적 관리를 통해 재발의 위험성이 있는 환자를 조기 발견하여 치료할 수 있어야 한다.

융모막암종 환자 중에서 폐에 전이성 병변을 가진 환자에서는 중추신경계에 임신영양막종양이 전이될 가능성이 있어 뇌척수액 내의 hCG를 측정한다. 혈장과 뇌척수액 내의 hCG 비율이 60 이하이면 중추신경계에 임신영양막종양이 있음을 암시한다(Bagshawe and Harland, 1976; 심명례 등, 1980; Bercowitz et al., 1981). 최근에는 영상기술의 발달로 이러한 혈장과 뇌척수액의 hCG 값을 비교하기 위한 요추천자는 기본적인 술기로 사용되지 않고 있다.

임신영양막종양은 두 가지 이유 때문에 치료 효과가 매우 좋다. 그 하나는 좋은 종양표지물(hCG)이 있는 것이고 다른 하나는 민감한 항암제(MTX, Act-D, Etoposide)들이 있기 때문이다.

2) 병기결정(Staging)과 예후 예측 점수제

최근에는 임신영양막종양의 병기결정체계로 2000년 FIGO에서 제안된 해부학적 병기결정법과 예후점수체계를 함께 사용한다(표 35-6, 7).

FIGO 2000 예후 인자 점수체계의 경우 일반적인 표준 병기결정 방법과 달리 이차 치료 시에 일차 치료를 받은 환자를 재평가할 수 있게 되어 있고 hCG 값은 그동안 환자가 보였던 가장 높았던 수치를 이용하는 것이 아니고 항암제 치료를 계획하기 직전의 수치를 이용하고 있다. 질병의 기간은 직전 임신이 끝난 시점 혹은 증상이 나타나기 시작한 시점에서부터 치료를 시작하는 시점까지의 기간을 계산하는 것이다. 또 이러한 고위험인자에 대한 개념은 한번 평가나 단일화로 분리된 것이 아니라 서로 연관되고 지속적인 평가를 함으로써 치료 실패율을 낮출 수 있다.

3) 치료방법

최근 항암제의 개발과 적절한 약물의 선택으로 임신영양막종양은 대부분 항암제만으로도 치료될 수 있는 질환이 되었다. 따라서 임신영양막종양은 조직학적 감별 진단이 요구되지 않고 중요 장기로의 전이 유무와 약제 내성인자들에 대한 평가를 기준으로 항암제를 선택하여 치료한다. 치료방법은 전이성 병변의 유무와 예후인자를 분석하여 환자마다 개별화된 치료를 수립하여 결정한다. 약제 내성이 있는 환자에서는 선택적으로 외과적 절제술 혹은 방사선 치료를 병행한다. 외과적 치료는 약물내성을 보이는 환자에서 선택적으로 실시한다. 약물요법에 반응하여 hCG 값이 정상화 되는 경우에는 외과적 치료가 필요없다.

(1) 각 병기와 위험인자에 따른 치료

① 비전이성(병기 I) 임신영양막종양의 치료

자궁 내에 국한된 병변을 가진 비전이성 임신영양막종양 환자는 단일 항암제만으로도 치료가 가능하다. 따라서 이러한 환자에서는 치료방법의 결정에 예후인자를 사용하지 않는다. 가장 흔히 사용되는 약제는 methotrexate (MTX)와 dactinomycin이다(표 35-9). 8일간 MTX와 Leucovorin을 격일로 투여한다. Dactinomycin은 MTX에 반응이 없거나 간독성이 심한 경우에 대체약제로 사용한다. 항암제 치료는 혈중 hCG 값이 정상화될 때까지 반복적으로 사용하며 완치된 후에는 1회의 추가치료를 한다.

환자가 더 이상의 임신을 원하지 않는 경우에는 자궁절제술을 첫 번째 항암제 사용 중에 시행한다. 자궁절제술과 항암제 사용을 동시에 하는 이유는 첫째, 수술 중 종양세포가 다른 곳으로 파종되는 가능성을 감소시키고 둘째, 수술 중 종양세포가 파종되는(disseminated) 경우 조직 및 혈액 내에서 약제의 세포독성도를 유지하기 위해서이며 셋째, 이미 존재할지도 모르는 잠재성 전이병소를 치료하기 위해서이다. 수술 후 합병증의 증가 없이 자궁절제술 후에 화학요법을 실시할 수 있다. New England Trophoblastic Disease Center (NETDC)는 일차 자궁절제술 후 1회의 보조화학요법을 시행하여 100%의 완전관해를 보고하였다.

임신능력의 유지를 원하는 여성에서는 단일 약제의 화학요법을 실시한다. 일반적으로 일차 단일 약제의 화학요법만으로도 대부분 완전관해를 개대할 수 있다. 일차 약제에 내성을 보이는 경우에 복합화학요법을 사용하며 여기에도 저항하고 임신을 원하는 경우에는 약제내성 종양의 위치를 정확하게 파악한 후 국소적 절제술을 시술하기도 한다(Berkowitz et al., 1983).

표 35-9. 저위험 임신영양막질환의 항암화학요법

Regimen	Primary Remission Rate (%)
MTX 0.4 mg/kg (max 25 mg)/day IV or IM for 5 d; repeat every 2 wk	87–93
MTX 30–50 mg/m^2 IM weekly	49–74
MTX 1 mg/kg IM days 1, 3, 5, and 7; folinic acid 0.1 mg/kg IM days 2, 4, 6, and 8; repeat every 15–18 d or as needed	74–90
MTX 100 mg/m^2 IVP, then 200 mg/m^2 in 500 mL D5W over 12 h; folinic acid 15 mg IM or PO every 12 h for 4 doses beginning 24 h after start of MTX; repeat every 18 d or as needed	69–90
Act D 10–13 mg/kg IV every day for 5 d; repeat every 2 wk	77–94
Act D 1.25 mg/m^2 IV every 2 wk (max 2 mg/day)	69–90
Alternating MTX 0.4 mg/kg (max 25 mg)/day IV or IM for 5 d and Act D 10–13 mg/kg IV every day for 5 d	100

태반부착부위 영양막종양(placental-site trophoblastic tumor)은 일반적으로 화학요법에 저항성을 보이는 경우가 많으며, hCG 값은 병소의 크기를 나타내지 않을 뿐만 아니라 항암제에 대한 반응을 예측할 지표로 사용할 수 없다. 이러한 종양의 대부분은 조직학적으로 진단되거나 비교적 낮은 hCG 값과 관련된 자궁내 병소를 근거로 추정할 수 있다. 단일 항암제로는 반응이 없으며 비전이성 종양인 경우에는 자궁절제술이 주 치료법이다. 전이성 태반부착부위 영양막종양에서는 복합항암제요법(EMA/CO 혹은 EP/EMA)을 사용한다. Cisplatin을 초기에 사용함으로써 치료효과를 증가시킬 수 있지만 다양한 양식의 강력한 치료에도 불구하고 장기간의 생존자는 드물다. 10 high-power field에서 mitoses가 5개 이상인 태반부착부위 영양막종양 환자는 전이될 가능성이 높고 예후는 아주 불량하다(Lathrop et al., 1988).

② 전이성 임신영양막종양의 치료

가. 병기 II

질부 전이병소(병기 II)는 혈관성이 풍부하고 쉽게 손상받으므로 심한 출혈을 할 수 있는데 지혈을 위해 질부 packing이나 국소절제술을 시행한다. 대부분 한두 번의 화학요법 후 현저한 종괴 크기의 축소와 혈관성의 감소를 초래할 수 있게 되지만 때로는 지혈목적으로 혈관조영에 의한 내장골동맥(hypogastric artery)의 색전을 시도하기도 한다.

나. 병기 III

폐전이 환자의 대부분에서 완전관해를 기대할 수 있다. 단일화학요법만으로 치료를 할 수 있으나 단일화학요법에 저항을 보인 환자에서는 복합화학요법에 대부분이 완전관해를 보인다. Sekharan 등 은 저위험의 전이성 임신영양막종 환자 147명 중 128명(87.1%)에서 단일화학요법을 시행하여 완전완화(complete ression)에 도달하였다고 보고하였다. Ayhan 등에 의하면 단일화학요법에 저항성을 보인 환자 중 두 명을 제외한 모든 환자가 복합화학요법을 통해 완전완화에 도달하였다. 개흉술의 역할은 제한되어 있는데 강력한 화학요법에도 불구하고 폐병변의 감소가 없을 때에 폐절제술을 시행한다. 다른 장소에 지속성 병변이 있는 것을 배제하기 위해 철저한 전이병소 확인 조사를 실시해야 한다. hCG 측정으로 완전관해가 확인된 환자에서도 흉부 X-선검사상 섬유성 결절들이 계속 나타날 수 있다. 수술 후 미세전이의 가능성을 고려하여 항암제의 지속적인 투여가 필요하다.

다. 병기 II, III의 저위험군

FIGO 2000 점수체계에서 점수가 6 이하의 환자들은 대부분 단일 약제를 사용하여 치료한다(표 35-9). 단일 약제의 사용으로 독성의 위험성은 감소되나 비전이성 환자에 비해 실패율은 상당히 높아진다. Dactinomycin 혹은 복합항암제의 사용은 Leukemia와 같은 이차 악성종양을 유발할 수 있어 장기간(long-term)의 독성이 적은 Methotrexate를 먼저 사용한다. Methotrexate의 급성 독성은 dactinomycin보다 덜하기 때문에 dactinomycin은 methotrexate에 반응하지 않는 환자를 대상으로 사용한다.

최근 5-fluorouracil (5-FU)와 etoposide를 단일 약제로 시도하나 methotrexate에 비해 독성에 대한 장점이 없다. 치료는 hCG 값이 정상화될 때까지 계속하며 정상화 후에는 얼마나 많은 치료를 필요로 했는가에 따라 일차 혹은 이차의 추가 치료를 한다.

자궁출혈이나 패혈증을 통제하기 위해 전이 병소를 가진 환자에서도 자궁절제술을 선택적으로 시행할 수 있다. 자궁절제술은 치료기간 중에 시행한다. 임신력 보존을 원하지 않는 여성에서 시행되는 자궁절제술의 이점은 첫째, 큰 자궁내 종괴를 가진 환자인 경우 자궁절제술은 종양의 부피를 감소시켜 항암제 사용량을 감소시키는 효과가 있다. 둘째, 항암제에 저항할 수 있는 병소를 제거할 수 있다. 자궁절제술 후 조직검사에서 볼 수 있는 임신영양막종양의 병소 주위 조직에 있는 섬유화는 약제 내성을 초래할 수 있다. 두 가지 단일 약제에 반응하지 않는 환자는 고위험군이기 때문에 환자의 평가를 다시 하고 복합항암제요법을 시행하여야 한다(표 35-10).

라. 병기 II, III의 고위험군

FIGO 2000 점수 체계에서 합이 7 이상인 경우 초기에 복합항암제를 사용한다(표 35-11, 12).

마. 병기 IV

전이성 병소 중 뇌와 간은 가장 예후가 나쁘다. 동시에 뇌와 간에 전이가 있으면 더욱더 예후가 불량해진다. 모든 환자들은 강력한 치료에도 불구하고 급격히 진행되기 쉬운 고위험군에 속한다. 따라서 처음부터 강력한 복합화학요법을 사용하여야 하며 선택적으로 방사선, 수술요법 등을 병용하여 약 70% 정도의 완전완화를 구할 수 있다(표 35-13).

뇌전이가 있는 경우에는 뇌척수액 내에 치료 수치의 약물 농도를 유지할 수 있게 고농도의 methotrexate를 정맥 내에 투여한다. 뇌전이가 있는 환자에서는 methotrexate 1,000 mg/m^{2}을 24시간 동안 지속적으로 정맥 내에 주입하며 methotrexate 주입 시작 후 32시간부터 매 6시간마다 leucovorin 15 mg을 p.o./i.m.으로 12회 투여한다. 폐에서 뇌로 전이되는 것을 예방하기 위해 총 12.5 mg/m^{2}의 methotrexate를 2주 간격으로 CO cycles와 함께 수막공간내(intrathecal) 주입을 하는 기관도 있다. 고도의 혈관성 및 중심 괴사 병소인 종양에 의한 뇌부종과 뇌출혈에 의한 신경학적 부전을 환자가 가질 수 있어 치료 전에 신경과/신경외과적 협진을 구하여야 한다. 뇌부종에 대한 처치로 dexamethasone을 사용한다. 보상작용의 상실에 대해 응급으로 신경외과적 수술을 할 필요가 있으며 이러한 환자에서는 외과적 절제가 구조치료가 될 수 있다. 개두술은 생명을 위협하는 합병증이 동반된 경우에 두뇌압 감소와 지혈 목적으로 실시하며 화학요법으로 완쾌할 수 있는 시간을 벌 수 있게 한다. 때로는 항암제에 내성을 보이

표 35-10. 저위험 임신영양막종양의 치료

초기 치료	MTX 단일화학요법
구조 치료	dactinomycin 단일화학요법 실패시 복합화학요법 선택적 환자에 있어서 자궁절제술

표 35-11. 고위험 임신영양막종양의 치료

초기 치료	EMA/CO 복합화학요법 뇌와 간전이의 경우 복합화학요법과 방사선 및 수술요법
구조 치료	복합화학요법 개별적인 복합화학요법 약제 내성일 경우 외과적 절제술

표 35-12. 고위험 악성영양막종양 치료를 위한 EMA/CO 항암 화학요법

Treatment Day	Regimen	
1	Etoposide	100 mg/m^2 IV over 30 min
	Act	D 0.5 mg IVP
	MTX	100 mg/m^2 IVP, then 200 mg/m^2 in 500 mL D5W over 12 h
2	Etoposide	100 mg/m^2 IV over 30 min
	Act D	0.5 mg IVP
	Folinic acid	15 mg IM or PO every 12 h for 4 doses starting 24 h after start of MTX (on day 1)
3	Cyclophosphamide	600 mg/m^2 IV
	Vincristine	1.0 mg/m^2 IVP

표 35-13. 병기 IV 임신영양막종양 환자의 치료지침

1. 초기치료
- 복합화학요법
- 뇌전이: 수막공간내(Intrathecal) MTX 주입두부방사선 조사(3,000 rads) 개두술(합병증치료)
- 간전이: 절제(합병증치료)간장 동맥내 항암제 주입법

2. 약제저항성 종양
- 이차성 복합화학요법

3. 추적관리
- hCG: 3회 연속 정상값을 보일 때까지 매주 측정하며 24개월 동안 연속 정상값을 보일 때까지 매월 측정
- 피임: 24개월간 정상 hCG 값을 보일 때까지 실시

는 종양을 제거하기 위해 시술하기도 한다. 다행스럽게도 뇌전이를 보였던 환자에서 완쾌된 후에 신경 손상을 보이는 경우는 거의 없다. 뇌전이 병변이 발견될 경우 일부기관에서 지혈효과와 종양파괴능력을 보이는 두부 방사선조사를 시행하고 있으나 최근에는 환자의 생명이 위협받는 응급상황이 아니면 방사선사용을 하지 않는 추세이다. 화학요법과 방사선요법의 병용으로 뇌출혈 위험도를 감소시킨다는 보고가 있다. 화학요법만 사용한 뇌전이 환자 25명 중 11명(44%)이 뇌출혈로 사망하였으나 방사선요법을 추가한 18명에서는 사망한 예가 없었다.

간병변의 치료는 특히 문제가 많으나 만약 환자가 전신화학요법에 저항을 보이면 선택된 환자에서 항암제의 간동맥 내 주입을 시도하기도 한다. 심한 출혈을 보이거나 저항성을 보이는 종괴를 제거하기 위해 간절제술, 방사선 조사, 간동맥 결찰술을 시행한다.

복합항암제요법으로는 주로 etoposide-methotrexate-dactinomycin (EMA)와 cyclophosphamide-vincristine (CO)를 교대(EMA/CO)로 사용한다(표 35-12). EMA/CO에 반응하지 않는 환자에서는 cisplatin-etoposide (EP)를 EMA와 교대로 사용하는 EP/EMA 약물요법(표 35-14)으로 즉시 대체한다.

표 35-14. EMA/CO 저항성 고위험 영양막종양의 약물요법

Regimen	Patients	Complete Response, No. (%)	Survival, No (%)
EMA/EP	19	11 (58)	9 (47)
BEP	16	11(69)	9 (56)
VIP	2	1 (50)	1 (50)
ICE	6	4 (67)	3 (30)
TP/TE	3	2 (67)	1 (33)
Totals	46	29 (63)	23 (82)

EMA/EP, etoposide, methotrexate, actinomycin-D, etoposide, cisplatin; BEP, bleomycin, etoposide, cisplatin; VIP, etoposide, ifosfamide, carboplatin; ICE; ifosfamide, carboplatin, etoposide; TP/TE; paclitaxel, cisplatin/paclitaxel, etoposide

4) 치료 후 추적관리

병기 I, II, III 임신영양막종양 환자들은 3주 연속 정상 hCG 값을 구할 때까지는 매주 검사하고 그 후에는 매월 측정하여 12개월간 검사한다. 환자들에게 추적검사 기간 중 피임제 사용을 권유한다. 병기 IV 환자들은 3주 연속 정상 hCG 값을 구할 때까지는 매주 검사하고 그 후에는 매월 측정하여 24개월간 검사한다. 병기 IV인 경우 후에 재발되는 경우가 많으므로 장기간 추적관리를 받도록 한다.

Hertz 등(1961)이 National Cancer Institute(미국, NCI)에 보고한 바에 의하면 항암치료 후 8%의 재발률을 보였지만 Hammond와 Parker (1970)는 3-4%의 재발률을 보고하고 있다. 재발이 일어날 때에는 보통 치료 종료 후 수개월 내에 일어나지만 3년이 지나서 늦게 재발이 발견되기도 한다. 이러한 것은 치료 후 추적검사가 엄격히 지켜져야 한다는 것을 의미한다. 환자와 치료기관 간의 긴밀한 유대관계가 중요하며 내진 등을 통한 임상검사는 3개월 간격으로 하는 것이 좋다.

환자가 임신을 원하는 경우는 대부분 기관에서 완전완화 후, 1-2년 후에 임신을 하도록 권장하고 있다.

Hammond 등은 융모막암종 치료 후의 다음 임신에서 융모상피암의 합병된 비율을 1:500이라 보고한 바 있지만 아직 잘 규명되어 있지 않으며 영구피임의 근거가 될 수 없다.

또한 많은 보고자들이 융모막암종에서 화학요법치료와 다음 임신과의 어떤 관련성을 찾기 위해 유산, 선천성기형 및 그 외 합병증에 대한 조사를 한 바 있지만 특별한 관련성은 없다는 것이 보편적 의견이다.

4. 태반부착부위 융모성종양(Placental Site Trophoblastic Tumor, PSTT)

태반부착부위 융모성종양(PSTT)은 임신영양막종양의 드문 형태로 태반이 자궁에 착상된 부위에서 발생하며 융모막융모(chorionic villi)는 거의 없이 대부분 단핵성 중간영양막세포들(mononuclear intermediate trophoblastic cells)로 구성되어 있다(Shih et al., 2002). 1895년 Marchand가 처음 atypical epithelioma라고 하였고 이후 atypical choriocarcinoma, syncytioma, chorioepitheliosis, trophoblastic pseudotumor 등으로 불렸다. 임상경과가 좋고 전이가 적어 처음에는 양성으로 생각하였으나 Twiggs 등(1981), Scully와 Young (1981)이 전이에 의한 사망 예를 보고하여 악성 가능성이 고려되면서 PSTT로 명명되었다. 이 질환은 일반적으로는 양성이나 환자의 약 15%에서 전이에 의한 치명적인 악성양상을 나타내며, 다른 임신성 융모종양과는 달리 화학요법에 잘 반응하지 않기 때문에 외과적 절제술이 일차적 치료이고 지속하거나 재발, 또는 전이가 있는 경우는 복합화학요법을 사용한다(Chang et al., 1999; Janni et al., 1999; Randall et al., 2000).

1) 임상양상

주로 가임기 여성에서 생기며 평균나이는 30세 정도이고, 19세에서 62세 사이에 발생할 수 있다. 주증상은 무월경 혹은 부정기적 질출혈이며 자궁비대가 동반되기 때문에 종종 임신 또는 계류유산으로 오인되기도 한다. 혈청 hCG는 일반적으로 낮으며 드물게 남성화, 신증후군, 적혈구증가증 등이 동반될 수 있다(김종호 등, 1994; Shih et al., 2002). 융모막암종과는 달리 대부분 정상임신이나 비포상기태 유산 후에 발생하며 단지 5-8%의 환자만이 완전포상기태의 과거력을 갖는다. 태반부착부위 융모성종양 환자의 85% 이상에서 과거력이나 유전자검사상 선행임신이 여성인 것으로 보아 발병기전에 부계의 X 염색체가 연관되는 것으로 추측된다(Hui et al., 2000).

2) 병리소견

육안 소견은 미세한 병변에서부터 자궁을 변형시키는 큰 종괴에 이르기까지 다양하다. 폴립양상의 종괴가 자궁내강으로 돌출되거나, 근층으로 광범위하게 침습하기도 하고 자궁천공을 야기할 수도 있으며, 자궁부속기의 침범도 매우 드물게 보일 수 있다. 종양의 경계는 대부분 뚜렷하고 절단면은 부드럽고 황갈색이며 간혹 국소적인 출혈과 괴사를 동반하기도 한다(그림 35-5).

현미경 소견은 다각형의 둥글거나 방추형의 중간영양막세포들로 구성되어 있다. 세포질은 풍부하고 투명하며 핵은 대부분 단핵성이며 크기와 모양은 다양하고 불규칙한 핵막에 싸여있으며 종양주위에서 단일세포 또는 작은 세포군의 형태로 근섬유와 섬유다발사이, 혈관 벽에 침투하는 것이 특징적이다(그림 35-6).

면역조직화학검사는 cytokeratin, epithelial membrane antigen (EMA), inhibin-α에 면역반응하며 hPL, Mel-CAM에는 넓게 양성을 보이나 hCG, PALP에 대해서는 부분적으로 양성반응을 보인다(Shih et al., 2002).

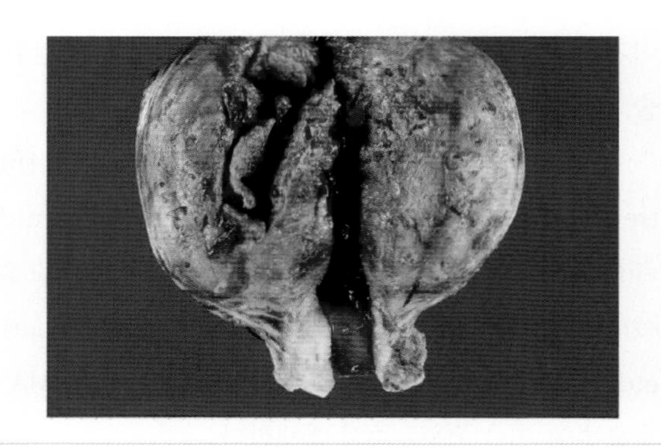

그림 35-5. **태반부착부위 영양막종양의 육안 소견**

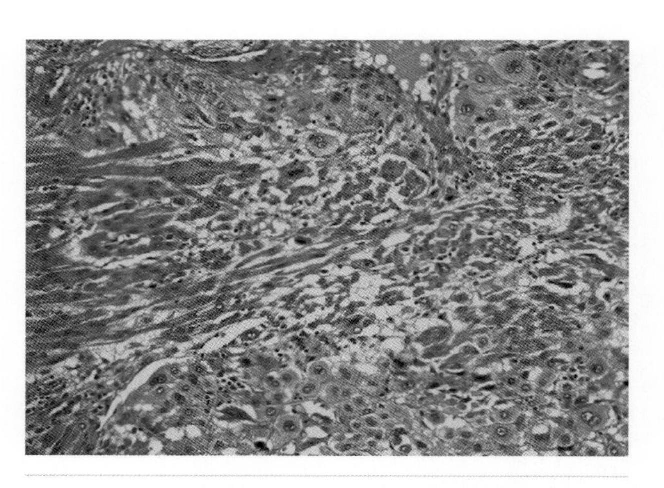

그림 35-6. **태근섬유 사이로 침투한 중간영양막세포들이 군집을 형성한 태반부착부위 융모성종양의 현미경 소견**

3) 감별진단

과대 태반부착부위(exaggerated placental site), 융모막암종, 상피성 영양막종양(epithelioid trophoblastic tumor), 상피성 평활근종양(epithelioid smooth muscle tumor), 불량 분화암(poorly differentiated carcinoma), 전이성 흑색종(metastatic melanoma) 등과 구별하여야 한다.

과대 태반부착부위는 PSTT와 같이 태반부착부위의 자궁내막과 근층에 중간영양막세포의 침윤이 심한 형태이나 생리적 현상으로 종괴를 형성하지 않는다. 세포의 크기가 작고, 핵분열상이 낮은 중간영양막세포들로 구성되며 이들은 초자성 부분에 의해 분리되며 대개 탈락막, 융모막융모와 섞여있다. Ki-67 면역염색하면 PSTT에서는 의미 있게 상승(14±6.9%)하나 과대 태반부착부위는 거의 제로이므로 감별에 도움이 된다(Shih et al., 1998).

융모막암종은 PSTT와는 달리 세포 영양막세포, 합포 영양막세포의 이중 양상(biphasic pattern)을 보이며 면역염색에서 hCG가 넓게 양성분포를 보이고, Ki-67 면역염색의 양성은 69±20%로 PSTT보다 높다.

상피성 영양막종양은 평활 융모막 부위에 중간영양막세포(chorion type intermediate trophoblast)로 이루어진 종양을 말하며 주변부에서는 국소적 침윤을 보이나 일반적으로 결절형으로 자라고 국한되어 나타난다. 세포는 PSTT보다 작고 무리지어 증대하는 경향이 있으며 PSTT와 다르게 혈관 침윤은 잘 일어나지 않으며 hPL, Mel-CAM 염색에 국소적으로 면역반응한다.

상피성 평활근종양, 불량 분화암, 전이성 흑색종 등은 자궁근층 침범 시 비슷하나 PSTT와 같은 특징적인 혈관 침범과 섬유소 침착을 볼 수 없으며 hCG, hPL, inhibin-α, cytokerin 18을 이용한 면역화학염색이 감별진단에 유용하다(Shih et al., 2002).

4) 임상경과 및 치료

PSTT는 빈번히 자궁근층을 통해 장막까지 침범하기 때문에 내막 소파술 시에 천공될 수도 있다. 자궁근층으로 깊은 침범이 있더라도 대부분은 한정적이며 소파술만으로도 완치되기도 한다. 환자의 약 10-15%는 임상적으로 악성 경과를 보이며 복합 항암화학요법에도 반응하지 않고 사망에 이른다. 악성인 경우 폐, 간, 복강, 뇌 등으로 광범위한 전이가 보고되고 있으며 이러한 전이병변은 원발성 병변과 유사한 조직학적 소견을 보였다고 한다(김종호 등, 1994; Twiggs et al., 1981).

PSTT는 주로 중간영양막세포로 구성되므로 혈청 hCG는 융모막암종보다 훨씬 낮아 1,000-2,000 mIU/mL 범위이며 hCG가 낮더라도 변동이 있으면 질환이 진행하고 있음을 고려해야 한다(How et al., 1995; Kim 2003). 혈청 hCG가 아주 낮은 경우는 β-hCG의 뇨 β-core fragment를 치료경과의 지표로 사용할 수 있다(Rinne et al., 1999).

임상경과가 염색체배수, 조직소견, 면역화학염색소견, 혈청 hCG 수치 등과 연관이 잘 안되기 때문에 예후를 알기가 어려우나 전이병소가 있거나, 선행임신과의 기간이 2년 이상인 경우, 10 high-power field에서 mitoses가 5개 이상인 경우, Ki-67 면역염색이 양성인 경우 등이 악성 위험인자로 보고되고 있다(Feltmate et al., 2001; Shih et al., 2002).

치료는 종양이 자궁에만 국한된 경우 자궁절제술이 일차적 치료이다. 종양이 국소적이고 임신력 보존을 원하면 소파술이나 부분 절제술을 고려할 수 있으나 수술 후 종양이 지속되거나 혈청 hCG가 증가되어 있는 경우는 자궁절제술이 추천한다(How et al., 1995; Hui et al., 2000). 종양이 자궁을 넘어 광범위하거나 지속, 재발, 전이되어 있는 경우는 화학요법이 필요하다. PSTT에서는 다른 임신성 임신영양막종양보다는 화학요법의 효과가 적으며 일반적으로 EMA/CO 화학요법을 먼저 사용하고 난 후 재발이나 지속, 진행된 경우는 EMA/EP 화학요법을 사용하고, Cisplatin이 효과가 없는 경우는 taxol/cisplatin 또는 taxol/etoposide을 시도한다(Kim, 2003; Newlands et al., 2000; Papadopoulos et al., 2002). 종양이 자궁에 국한되고 선행임신과의 기간이 2년 이내인 경우 수술과 화학요법으로 치료율이 높으며, 자궁 밖에 전이되어 있고 선행임신과의 기간이 4년 이상인 경우, 재발성 전이성 환자에서는 화학요법이 효과는 있으나 완전완화는 쉽지 않다(Chang et al., 1999; Janni et al., 1999; Papadopoulos et al., 2002; Randall et al., 2000).

결론적으로 화학요법의 향상과 진행된 병변을 찾아내는 진단기술, 국소적 절제와 혈청 hCG를 이용한 집중적 경과관찰로 대부분의 태반부착부위 융모성종양 환자의 치료는 개선될 수 있을 것이다.

5. 항암화학요법

각 환자의 stage와 위험도에 따라 화학요법 제제를 사용하게 된다.

1) 저위험군 화학요법제

저위험군 환자에서는 methotrexate와 actinomycin-D를 단독투여하는 것이 원칙이다.

(1) Methotrexate (MTX)

Methotrexate는 임신영양막종양 치료에 가장 기본적이고 가장 효과적인 항암제이다. Methotrexate는 융모상피세포인 영양배엽세포 효소인 DHFR (dihydrofolate reductase)와 folate의 결합부에서 서로 경쟁하는 항대사성 물질(antimetabolite)로써 folate가 tetrahydrofolate로 환원되는 것을 방해한다. Tetrahydrofolate는 DNA 합성과정에 one-carbon unit의 공급에 관여하는 것으로 결국 이 과정이 방해되어 DNA 합성이 원천적으로 억제되는 것이다.

Methotrexate는 현재까지 알려진 화학요법 중 유일하게 leukovorin (citovorum factor: folinic acid)이라는 길항해독제(antidote)가 있다. 이 약제는 methotrexate에 의해 방해되는 DHFR의 결핍과정을 무시하고 뛰어넘어 DNA 합성과정이 원활히 진행되도록 약제독성을 감소시키고 예방할 수 있기 때문에 methotrexate의 대량 투여가 가능하게 되었다. 그러나 methotrexate는 간을 통해 대사되므로 간기능 부전이 있는 환자에게는 사용하지 말아야 한다.

근육 혹은 정맥주사 투여가 다 가능하나 어느 쪽이 더 효과적인지는 아직 확실하지 않다. 또한 methotrexate는 혈액-뇌장막(blood-brain barrier)을 잘 통과하지 못하기 때문에 뇌전이성 고위험군 환자에서는 일찍부터 척추액내 주입방법이 시행되고 있다.

1974년부터 1984년까지 미국 NETDC에서의 치료결과 보고에 의하면 일차 MTX-FA 요법을 받은 185명의 임신영양막종양 환자 중 162명(87.6%)의 환자가 완전완화를 보였다. 병기 I의 임신성 임신영양막종양 환자 163명 중 147명(90.2%), 병기 II와 III의 저위험군 환자 22명 중 15명(68.2%)에서 완전완화를 각각 볼 수 있었다. 융모상피암과 전이성 임신영양막종양 환자들, 그리고 치료 전 혈중 hCG 값이 50,000 mIU/mL 이상인 환자에서 치료에 저항하는 경우가 많았다. MTX-FA 치료 후 혈소판 감소증, 괴립구 감소증, 그리고 간독성이 각각 1.6%, 5.9%, 14.1%에서 나타났으나 특별한 치료를 요하는 환자는 없었다.

(2) Actinomycin-D

Actinomycin-D는 DNA와 결합함으로써 RNA 합성을 방해한다. 대사는 간에서 이루어지며 중심정맥을 통해 간에서 배설된다. 혈액-뇌 장막을 통과할 수 없으며 투여방법은 정맥내 주사에 의한다. 만약 정맥내 주입 시 약제가 혈관주위 조직으로 스며나오면 심한 조직괴사 현상을 초래하기 때문에 주의가 필요하다. 임신영양막종양에서 methotrexate와 거의 대등한 치료효과를 가지며 주고 methotrexate 내성군, 혹은 간독성군에 사용한다. 투여방법은 하루 체중 kg당 12 μg의 양을 5일간 계속 사용하는 것이 원칙이다.

약제독성은 methotrexate와 엽산(folinic acid)을 사용한 경우보다 심하게 나타나며 주로 각 장기의 점막을 침범하고 골수억제 현상 중 특히 혈소판 감소증이 뚜렷하다.

Actinomycin-D와 methotrexate 약제는 모두 비전이성 및 전이성 임신영양막종양의 치료에 좋은 결과를 보여준다. 유병 기간은 짧게 하면서 완쾌율을 극대화하는 것이 가장 좋은 치료법이다. 현재 가장 널리 사용되고 있는 치료법은 methotrexate와 folinic acid rescues의 동시 사용이다.

2) 고위험군 복합화학요법제

고위험군 임신영양막종양 환자군에서는 복합화학요법을 시행하며 MAC 화학요법제와 CHAMOCA 요법제 등이 사용되었으나 최근 etoposide제가 포함된 EMA/CO 복합요법제가 최근 사용되고 있다. 이들 복합화학요법에 내성이 있을 때에는 cisplatin이 포함된 EP/EMA를 사용한다.

(1) CHAMOCA

1976년 Bagshawe에 의해 처음 보고된 복합화학요법이다. Folinic acid가 사용되고부터, 다량의 투여가 가능해져 고위험 환자에 유효하고 뇌전이 융모상피암의 치료로 인정받고 있다. 초기에는 고전적인 치료지침에는 melphalan이 사용되었는데 Surwit 등(1979)에 의해 골수억제 부작용이 비교적 적은 cyclophosphamide로 대체되었다. 약제는 hydroxyurea, actinomycin-D, vincristine, methotrexate, folinic acid, cyclophosphamide 및 adriamycin이 사용되며 약제독성이 심할 때는 마지막 날 투여하는 cyclophosphamide와 adriamycin을 생략하는 수도 있다(CHAMO). 약제투여 기간은 8일이며, 6일째와 7일째는 약제독성을 고려하여 쉬는 날이다. 뇌전이 융모상피암의 경우는 6일째 쉬는 날 MTX 13 mg을 척수액 내 주입한다. 치료가 끝나고 다음 치료까지의 기간은 10-14일이다.

(2) MAC

삼제(triple) 화학요법 MAC은 methotrexate, actinomycin-D 및 cyclophosphamide를 투여하는 고전적인 복합화학요법제이다. 최근에는 대체적으로 중증도 위험군 화학요법제로 인정되고 있으며, 약제독성이 너무 강하게 나타나는 경우가 있다.

(3) EMA/CO

Newland와 Bagshawe (1982)가 융모상피암에서 etoposide (VP16)의 치료효과를 보고한 후 CHAMOCA 복합제에 축적되는 약제독성을 극복하기 위해 약제독성이 적은 etoposide로 약제를 대체시킨 MECA 요법에 vincristine을 추가하여 EMA/CO 요법이라고 했으며 CHAMOCA 요법에 대한 내성군에도 높은 치료효과를 보이고 있다. 약제는 etoposide, actinomycin-D, MTX, folinic acid, vincristine 및 cyclophosphamide가 사용되며 마지막 날의 vincristine과 cyclophosphamide 투여를 생략한 것이 EMA 요법으로 중간 위험군의 치료에도 사용할 수 있으며 약제독성도 거의 없기 때문에 장기간 치료를 요하는 환자에게 적합하다. EMA/CO 요법의 투여기간은 8일이며 3일째부터 7일째까지는 쉬는 날이다. 뇌전이 융모상피암일 경우는 6일째 쉬는 날 MTX 12 mg을 척수액 내 주입한다. 치료가 끝나고 다음 치료까지의 기간은 7일이다.

(4) EMA/EP 요법제

EMA/CO에 반응하지 않는 환자에서 사용하며 EMA/EP에서의 EMA는 EMA/CO 때와 달리 골수기능억제 때문에 2일째에는 약물투여가 없다. EP/EMA 약물요법은 골수기능억제와 cisplatin에 의한 신기능장애로 신장으로 배설되는 methotrexate의 독성을 항진시킬 수 있어 조심해야 한다. 싸이토카인을 사용할 필요가 있다.

(5) 항암제치료결과

NETDC에서는 MTX-FA, Act-D, 그리고 cyclophosphamide를 사용하여 14명의 고위험 전이성 환자 중 10명(71.4%)에서 완전완화를 볼 수 있었다(Berkowitz et al., 1984). 그러나 예후점수가 8점 이상인 고위험군의 전이성 임신영양막종양 환자의 치료에는 3가지 약제의 혼합사용 역시 충분하지 못할 때도 있다(Dubeshter et al., 1987). 11명의 고위험군 환자 중 5명(45%)만이 완화를 보였다. Curry 등(1989)과 Gordon 등(1989) 역시 비슷한 치료효과를 보고하였다. Etoposide (VP-16)은 GTT에서 아주 효과적인 항암효과를 보이는 것으로 보고되고 있다. 1차 약제로써 VP-16의 경구투여로 비전이성 및 전이성 임신영양막종양 환자 60명 중 56명(93.3%)에서 완전완화를 볼 수 있었다(Wong et al., 1986).

Bagshawe (1984)가 VP-16, MTX, Act-D, Cyclo-phosphamide, 그리고 vincristine (EMA/CO)을 고위험군 환자에 사용하여 83%의 완화를 보고한 이후 전이성 및 고위험군 환자의 치료에 주로 널리 사용되고 있다(Bolis et al., 1988). 가장 좋은 약제의 혼합은 MTX, Act-D, VP-16 (EMA) 그리고 기타 다른 약제들을 가장 강한 용량으로 함께 사용하는 것이다(Surwit, 1987). 복합화학요법이 필요한 환자들에게 완화를 얻기 위해서는 아주 강력한 치료를 해야 하므로 3주 이상 혈중 정상 hCG 값을 유지할 때까지 환자가 약물독성에 견딜 수 있는 한 자주 약제를 사용한다. 정상 hCG 값이 유지된 후에는 재발의 위험성을 제거하기 위해 추가 약제를 사용한다. 한국에서의 고위험군 환자들에 대한 치료결과는 Kim 등(2004)의 보고에 의하면 생존율이 1970년대 62.9%, 1980년대에는 86.7%, 1990년 후반부터 2000년대에는 96.6%에 이르고 있고, 비전이성과 저위험군의 경우 100%의 생존율을 보고하고 있다.

(6) 임신과 임신영양막병

임신영양막병의 치료경험이 있는 여성에서 다음 임신에서 임신영양막병에 걸릴 수 있는 위험인자는 약 1%로 알려져 있다.

그러므로 다음 임신에서 임신영양막병의 위험인자를 피하기 위해서 다음과 같은 두 가지 접근방법이 필요하다.

① 정상임신이 확인될 때까지 임신 제1삼분기 동안 초음파 검사를 시행한다.
② 임신영양막병을 제외시킬 수 있도록 임신 6주 후에 hCG 검사를 시행한다.

(7) 치료 향상을 위한 고위험 인자 예측

임신영양막병의 고위험 인자를 미리 예측하고 피하는 일이 무엇보다 중요하다. Kim 등(1998)의 보고에 의하면, 고위험 인자로써 환자 치료를 어렵게 하는 것은 첫째, 발견하여 치료까지의 기간이 12개월 이상인 경우, 둘째, 전이된 기관의 수, 셋째, 불완전한 치료 특히 부적절한 항암제 치료 등을 들고 있다.

참고문헌

- 조헌영, 김현희, 김영재 등. 임신성 융모성 질환에서 혈청 β-HCG의 소실기간과 양상에 관한 연구. 대한산부회지 2002;4:45:593-601.
- 김미란, 김장흡, 정재근, 김승조: 고위험 포상기태의 예후인자로서 혈중 태반단백(SP1)과 유리 β-human chrionic gonadotropin의 측정값. 대한산부회지 1995;38:213-21.
- 김미란, 정재근, 권용일, 이경훈, 김찬주, 김승조: 융모성종양의 치료에 있어서 수술요법의 의의. 대한암학회지 1993;25:680-6.
- 김승조: 한국에 있어서의 융모성질환. 대한산부회지 1985;28:1-17.
- 김종호, 서정호, 이영기, 이두진, 박윤기, 이태형 등. 신증후군과 동반된 태반부 영양아세포종 1예. 대한산부회지 1994;37:2285-9.
- 배석년, 정제근, 최은아, 김재선, 김동주, 안현영, 등. 임신성 융모성 질환과 Telomerase 활성도의 관계. 대한산부회지. 1998;6;41:1704-8.
- 심명례, 정윤조, 나종구, 정구윤, 김승조: 융모성질환 환자에 있어서 뇌전이 진단을 위한 hCG β-subunit의 Plasma/CSF비에 관한 관찰. 대한산부인과학회지 1980;23:435-43.
- 이상태, 이한양. 강홍일, 김은중, 강병철, 송승규. 뇌, 간 및 신전이 융모성질환의 치료효과. 대한산부인과학회지 1984;27:591-9.
- 정병헌, 마수영, 정재근, 고광덕, 김대훈, 김승조. 임상적 및 생화학적 위험인자를 이용한 포상기태 임신의 임상적 분류. 대한산부회지 1991;34:270-8.
- 홍승덕, 한상균, 안용식, 정재근, 이헌영, 김승조. 포상기태에 있어서 유식세포 분석기에 의한 DNA 분석과 임상적 예후. 대한산부회지 1991;34:838-47.
- Amir SM, Osathanondh R, Berkowitz RS, Goldstein DP. Human chorionic gonadotropin and thyroid function in patients with hydatidiform mole. Am J Obstet Gynecol. 1984;15:150:723-8.
- Ayhan A, Yapar EG, Deren O, Kisnisci H. Remission rates and significance of prognostic factors in gestational trophoblastic tumors. J Reprod Med 1992;37:461-5.
- Bagshawe KD, Golding PR, Orr AH. Choriocarcinoma after hydatidiform mole. Studies related to effectiveness of follow-up practice after hydatidiform mole. Br Med J 1969;27;3:733-7.
- Bagshawe KD: Risks and probnostic factors in trophoblastic neo-plasia. Cancer 1976;38:1373-5.
- Bagshawe KD: Trophoblastic tumors: Chemotherapy and developments. Br Med J 1963;2:1303.
- Bagshawe KD, Dent J, Webb J. Hydatidiform mole in England and Wales 1973-83. Lancet 1986;20;2:673-7.
- Bagshawe KD, Lequuin RM, Sizaret P, Tatarinov YS: Pregnancy β-glycoptrotein and chorionic gonadotropin in the serum of patients with trophoblastic and non-trophoblstic tumors. European J. Cancer 1978;14:1331-5.
- Bagshawe KE: Treatment of high-risk choriocarcinoma. J Reprod Med 1984;29:813-20.

- Bandy LC, Clarke-Pearson DL, Hammond CB. Malignant potential of gestational trophoblastic disease at the extreme ages of reproductive life. Obstet Gynecol. 1984;64:395-9.
- Berkowitz RS, Birnholz J, Goldstein DP, Bernstein MR: Pelvic ultrasionography and the management of gestational trophoblastic disease. Gynecol Oncol 1983;15:403-12.
- Berkowitz RS, Cramer DW, Bernstein MR: Risk factors for complete molar pregnancy from a case-control study. Am J Obstet Gynecol 1985;152:1016-20.
- Berkowitz RS, Cramer DW, Bernstein MR, Cassells S, Driscoll SG, Goldstein DP. Risk factors for complete molar pregnancy from a case-control study. Am J Obstet Gynecol. 1985;15:152:1016-20.
- Berkowitz RS, Goldstein DP, Bernstein MR: Modified triple chemotherapy in the management of high-risk metastatic gestational trophoblastic tumors. Gynecol Oncol 1984;19:173-81.
- Bolis G, Bonazzi C, Landoni F, Mangili G, Vergadoro F, Zanaboni F, Mangioni C: EMA/CO Regimen in high-risk gestational trophoblastic tumor (GTT). Gynecol Oncel 1955;31:439-44.
- Brinton LA, Wu BZ, Wang W, Ershow AG, Song HZ, Li JY, Bracken MB, Blot WJ. Gestational trophoblastic disease: a casecontrol study from the People's Republic of China. Am J Obstet Gynecol 1989;161:121-7.
- Bulmer JN, Johnson PM. Antigen expression by trophoblast populations in the human placenta and their possible immunobiological relevance. Placenta Review 1985;6:127-40.
- Bulmer JW, Johnson PM: Antigen expessim by trophoblast populations in human placenta and their possible immunobiologic relevance. Placenta 1985;6:127-40.
- Chang YL, Chang TC, Hsueh S, Huang KG, Wang PN, Liu HP, Soong YK. Prognostic factors and treatment for placental site trophoblastic tumor: report of 3 cases and analysis of 88 cases. Gynecol Oncol 1999;73:216-22.
- Cole LA, Sutton JM. HCG tests in the management of gestational trophoblastic diseases. Clin Obstet Gynecol 2003;46:523-40.
- Curry SL, Hammond CB, Tyrey L, Creasman WT, Parker RT. Hydatidiform mole: diagnosis, management and long-term followup of 347 patients. Obstet Gynecol 1975;45:1-8.
- Curry SL, Schlaerth JB, Kohorn EI, Boyce JB, Gore H, Twiggs LB, Blessing JA L Hormonal contraception and trophoblastic sequelase after hydatidiform mole (A Gynecologic Oncology Group Study). Am J Obstet Gynecol 1989;160:805-11.
- Dubeshter B, Berkowitz RS, Goldstein DP, Craamer DW, Bernstein MR: Metastatic gestational tropoblastic disease: Experience at the New England Trophoblastic Disease Center, 1965-1985. Obstet Gynecol 1987;69:390-5.
- Ewing J: choriocarcinoma. Surg. Gynecol. Obstet 1910;10:366.
- Fisher RA, Hodges MD, Newlands ES. Familial recurrent hydatidiform mole: a review. J Reprod Med 2004;49:595-601.
- Fisher RA, Lawler SD. Heterozygous complete hydatidiform moles: do they have a worse prognosis than homozygous complete moles? Lancet 1984;7;2:51.
- Garner EI, Lipson E, Bernstein MR, Goldstein DP, Berkowitz RS. Subsequent pregnancy experience in patients with molar pregnancy and gestational trophoblastic tumor. J Reprod Med 2002;47:380-6.
- Goldstein DP, Berkowitz RS, Bernstein MR: Management of molar pregnancy. J Repord. Med 1981;26:208-12.
- Gordon AN, Gershensosn DM, Copeland LJ, Stringer CA, Morris M, Wharton JT: High-risk metastatic gestational trophoblastic disease: further stratification into clinical entities. Gynecol Oncol 1989;34:54-6.
- Gosseye S, Fox H: An immunological comparision of the secretory capacity of villous trophoblast in the human placenta. Placenta 1984;5:329-48.
- Gosseye S, Fox H. An immunohistological comparison of the secretory capacity of villous and extravillous trophoblast in the human placenta. Placenta 1984;5:329-47.
- Hankins GD, Wendel GD, Snyder RR, Cunningham FG. Trophoblastic embolization during molar evacuation: central hemodynamic observations. Obstet Gynecol 1987;69:368-72.
- Hernandez-Torres A, Pelegrina IA: Transabdominal intrauterine contrast medium injection: An aid in the early diagnosis of hydatidiform mole. Am J Obstet Gynecol 1966;94:936.
- Hertig AT, Sheldon WH: Hydatidiform mole: A pathological-clinical correlation in 200 cases. Am J Obstet Gynecol 1947;53:1.
- Higgins HP, Hershman JM. The hyperthyroidism due to trophoblastic hormone. Clin Endocrinol Metab 1978;7:167-75.
- How J, Scurry J, Grant P, Sapountzis K, Ostor A, Fortune D, Armes J. Placental site trophoblastic tumor. Report of three cases and review of the literature. Int J Gynecol Cancer 1995;5:241-9.
- Hui P, Parkash V, Perkins AS, Carcangiu ML. Pathogenesis of placental site trophoblastic tumor may require the presence of a paternally derived X chromosome. Lab Invest 2000;80:965-72.
- Janni W, Hantschmann P, Rehbock J, Braun S, Lochmueller E, Kindermann G. Successful treatment of malignant placental site trophoblastic tumor with combined cytostatic-surgical approach: case report and review of literature. Gynecol Oncol 1999;75:164-9.
- Kim JH, Park DC, Bae SN, Namkoong SE, Kim SJ Subsequent

reproductive experience after treatment for gestational tro phoblastic disease, Gynecol Oncol 1998;71:108-12.
- Kim SJ, Jung JK, Kang BC, Namkoong SE, Lee JW: In vivo release of beta human chorionic gonadotropin dy luteinizing hormone releaseing hormone stimulation and its clinical application as a remission critorion in patients with gestational trophoblastic disease. Int J Gynecol Oncol 1988;27:193-8.
- Kim SJ, Lee C, Kwon SY, Na YJ, Oh YK, Kim CJ. Studying changes in the incidence, diagnosis and management of GTD: the South Korean model. J Reprod Med 2004;49:643-54.
- Kim SJ. Placental site trophoblastic tumor. Best Prac Res Clin Obstet Gynaecol 2003;17:969-84.
- La Vecchia C, Parazzini F, Decarli A: Age of parents and risk of gestational trophoblastic disease. JNCI 1984;73:639-42.
- Lathrop JC, Lauchlan s, Nayak R, Ambler M: Clinical characteristics of placental site trophoblastic tumor (PSTT). Gynecol Oncol 1988;31:32-42.
- Li MC, Hertz R, spencer DB: Effect of methotrexate upon choriocarcinoma and chorioadenoma. Proc Soc Exp Biol Med 1956;93:361.
- Lorigan PC, Sharma S, Bright N, Coleman RE, Hancock BW. Characteristics of women with recurrent molar pregnancies. Gynecol Oncol 2000;78:288-92.
- Lurain JR, Sand PK, Carson SA, Brewer JI. Pregnancy outcome subsequent to consecutive hydatidiform moles. Am J Obstet Gynecol 1982;15;142:1060-1.
- McCorriston CC: Racial incidence of hydatidiform mole: A study in an contained polyracial community. Am J Obstet Gynecol 1968;101:377.
- Menczer J, Modan M, Serr DM: Prospective follow up of patients with hydatidiform mole. Obstet. Gynecol 1980;55:346.
- Mutch DG, Sope JT, Baker ME, Banky LC, Cox EB, clarke-Pearson DL, Hammond CB: Role of computed axial tomography of the chest in staging patients with nonmetastatic gestational trophoblastic disease. Obstet Gynecol 1986;68:348-52.
- Papadopoulos AJ, Foskett M, Seckl MJ, McNeish I, Paradinas FJ, Rees H, Newlands ES. Twenty-five years' clinical experience with placental site trophoblastic tumors. J Reprod Med 2002;47:460-4.
- Parazzini F, La Vecchia C, Pampallona S, Franceschi S: Reproductive patterns and the risk of gestational trophoblastic diasease. Am J Obstet Gynecol 1985;152:866-70.
- Randall TC, Coukos G, Wheeler JE, Rubin SC. Prolonged remission of recurrent, metastatic placental site trophoblastic tumor after chemotherapy Gynecol Oncol 2000;76:115-7.
- Rinne K, Shahabi S, Cole L. Following metastatic placental site trophoblastic tumor with urinaryβ-core fragment. Gynecol Oncol 1999;74:302-3.
- Ross GT, Goldstein DP, Hertz R, lipsett MB, Odell WD: Sequential use of methotrexate and actinomycin D in the treatment of metastatic choriocarcinoma and related trophoblastic disease in women. Am J Obstet Gynecol 1965;93:22.
- Sebie J, Fisher RA, Foskett M, Rees H, Seckl MJ, Newlands ES. Risk of recurrent hydatidiform mole and subsequent pregnancy outcome following complete or partial hydatidiform molar pregnancy. BJOG 2003;110:22-6.
- Sekharan PK, Sreedevi NS, Radhadevi VP, Beegam R, Raghavan J, Guhan B. Management of postmolar gestational trophoblastic disease with methotrexate and folinic acid: 15 years of experience. J Reprod Med 2006;51:835-40.
- Shih IM, Kurman RJ. Ki-67 labeling index in the differential diagnosis of exaggerated placental site, placental site trophoblastic tumor, and choriocarcinoma: a double immunohistochemical staining technique using Ki-67 and Mel-CAM antibodies. Hum Pathol 1988;29:27-33.
- Shih IM, Mazur MT and Kurman RJ. Gestational trophoblastic disease and related lesions In: Kurman RJ, Editors, Blautein's Pathology of the Female Genital Tract (fifth ed.), Springer; 2002. p.1225-47.
- Smith HO, Hilgers RD, Bedrick EJ, Qualls CR, Wiggins CL, Rayburn WF, et al. Ethnic differences at risk for gestational trophoblastic disease in New Mexico: A 25-year population-based study. Am J Obstet Gynecol 2003;188:357-66.
- Surwit EA: Management of high-risk gestational trophoblastic disease. J Repord Med 1987;32:657-62.
- Twiggs LB, Morrow CP, Schlaerth JB. Acute pulmonary complications of molar pregnancy. Am J Obstet Gynecol. 1979;15: 135:189-94.
- Twiggs LB, Okagaki T, Phillips GL, et al. Trophoblastic pseudotumor. evidence of malignant disease potential. Gynecol Oncol 1981;12:238-48.
- Wake N, Seki T, Fujita H: Malignant potential of homozygous and heterozygous complete mole. Cancer Res 1984;44:1226-30.
- Wong LC, Choo YC, Ma HK: Primary oral etoposide therapy in gestational trophoblastic disease: An update. Cancer 1986; 58:14-7.
- Wu FY. Recurrent hydatidiform mole. A case report of nine consecutive molar pregnancies. Obstet Gynecol 1973;41:200-4.
- Yen S, MacMahon B: Epidemiologic features of trophoblastic disease. Am J Obstet Gynecol 1968;101:126-32.

제36장

유방질환

안태규 | 조선의대
김민정 | 가톨릭의대
이태화 | 고신의대

1. 유방의 해부학

유방은 예로부터 여성상을 나타내는 대표적인 기관이며 동시에 기능적으로 모유를 생산하므로 여성에게 없어서는 안 될 아주 중요한 기관이다. 여성의 유방은 모유를 생산하는 조직과 지방으로 만들어지며, 지방의 양이 유방의 크기를 결정한다.

1) 위치

유방은 대흉근(pectoralis major muscle), 전방거근(serratus anterior muscle) 그리고 외복사근(external oblique muscle) 위에 놓여있는 형태로 상하로 2번째 늑골과 6번째 늑골 사이에 있고 좌우로 흉골에서 액와중앙선(midaxillary line) 사이에 위치하고 있으며 외상방으로 꼬리모양의 유방조직이 뻗어나가는데 이 부분을 액와미부(axillary tail, tail of spence)라고 한다(그림 36-1).

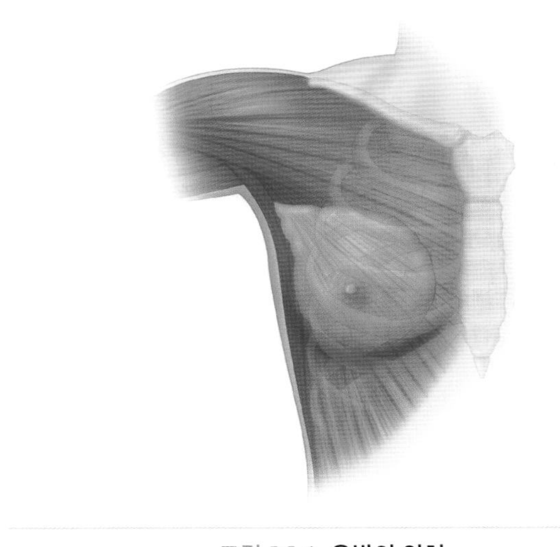

그림 36-1. **유방의 위치**

2) 유방의 구조

유방은 15-20개의 유엽으로 이루어지며 각각의 유엽은 다시 20-40개의 소엽으로 되어 있으며 한 개의 소엽에는 10-100개의 소포(acini)가 있다. 유방실질(paranchyma)이란 유엽, 소엽 및 소포이고 유방간질(interstitium)은 지방조직과 이들 사이의 결체조직이다. 기능적으로는 소엽단위에서 모유를 생산하여 유관을 거쳐 유두 바로 아래 약간 넓은 공간인 유선관팽대부(lactiferous sinus)를 거쳐 유두에 있는 15-20개의 개구부를 통해 모유가 나온다. 쿠퍼씨인대(cooper's ligament)의 기능은 유방의 위치를 고정시키고 모양을 유지시키는 역할을 하는데 이것은 쇄골(clavicle)과

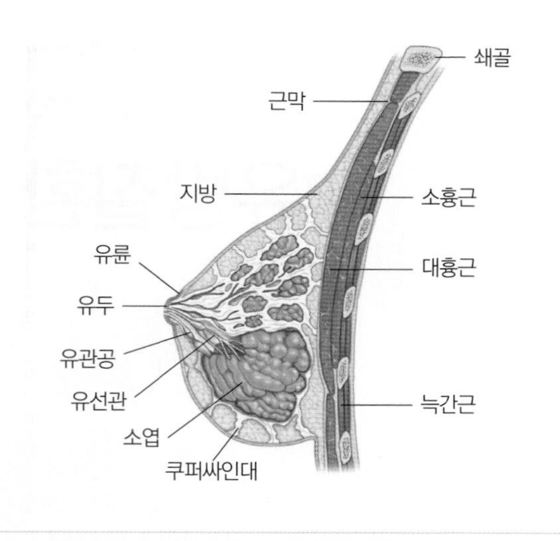

그림 36-2. **유방의 구조**

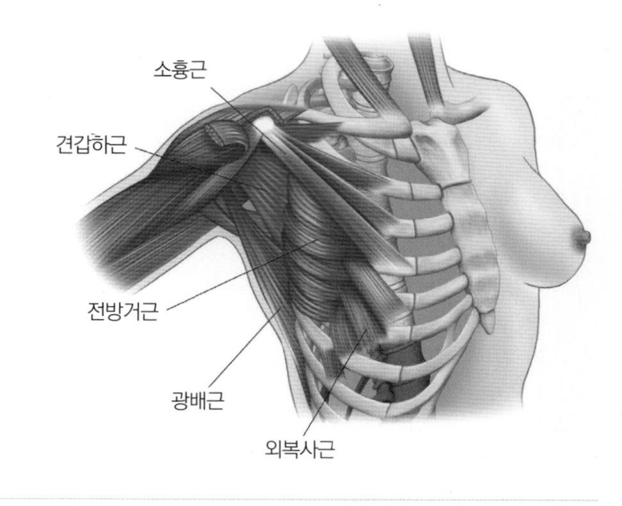

그림 36-3. **유방의 근육**

쇄골흉근근막에서 시작하여 유방조직과 주위조직을 통과하여 유방 진피에 연결되어 있다. 나이가 들거나 어떤 원인으로 인해 인대가 늘어지면 유방이 처지고 정상 형태를 유지하기 어렵다. 유방을 표피에서 대흉근까지 단면으로 표시하면 유방 표피 아래에 피하지방층이 있고 유방실질 밑에는 다시 지방층이 있는데 이를젖샘 뒤공간(retromammary space)이라고 하며 림프관과 작은 혈관들이 분포해 있다(그림 36-2).

3) 유방의 근육

(1) **대흉근**(pectoralis major muscle)

두꺼운 부채 모양의 근육으로 가슴의 상부를 넓게 덮고 있는 근육으로 쇄골의 내측전반, 흉골의 외측전반의 절반, 2-6, 7번 늑연골, 외복시근과 복직근 건막상부에서 시작하여 상완골의 결절간흠(interbubercular groove)의 외측 가장자리 끝 부분과 삼각근건(deltoid tension)에 부착되며 주로 상박을 내전(adduction)시키는 작용을 하고, 굴곡(flection) 및 내측회전(medial rotation)도 시킨다.

(2) **소흉근**(pectoralis minor muscle)

얇은 삼각 모양의 근육으로 대흉근과 전방거근 사이에 위치한다. 2, 3, 4, 5번 늑연골의 상외부 변연에서 시작하여 견갑골의 오훼돌기(coracoids process)에 부착하며 주로 견갑골의 상하운동을 하고 호흡운동을 돕는다.

(3) **전방거근**(serratus anterior muscle)

소흉근 아래쪽에 위치하는 얇은 근육층이며 견갑골의 운동에 관여하기도 하며 호흡운동에 작용한다.

(4) **외복사근**(external oblique muscle)

복부의 앞쪽과 옆쪽에 위치하는 얇은 표재성 근육으로 8번 늑골외면, 전방거근, 광배근(lattisimus dorsalis muscle)의 아래에서 시작하여 백선(linea alba), 서혜인대(inguinal ligament), 장골유기(iliac crest)에 부착한다.

(5) **복직근**(rectus abdominis muscle)

유방하부에서 시작하여 하복부까지 길게 있는 근육으로 호흡운동 및 척추 굴곡에 관여한다(그림 36-3).

4) 유두와 유륜

유두는 보통 쇄골 정중선(midclavicular line)에서 4번째 늑간틈(intercostal space)에 위치하며 유륜과 함께 유두유륜

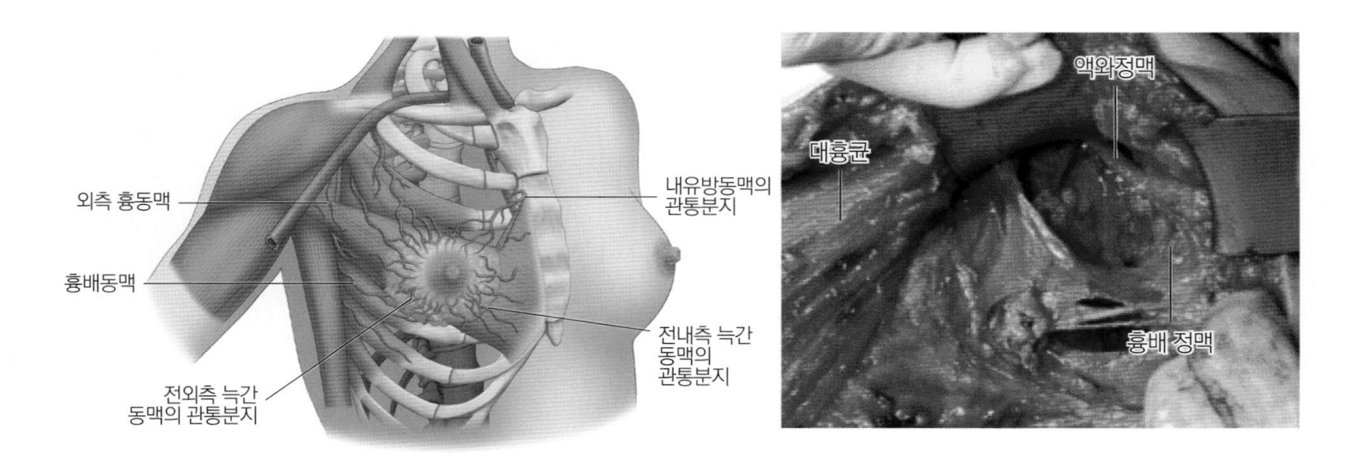

그림 36-4. **우측 유방의 동맥혈, 좌측 액와부의 정맥혈 혈관계**

복합체(nipple-areolar complex)라고 표현한다. 유두에는 15-20개의 개구부가 존재하고 유륜 표면에는 동그랗고 작은 크기의 결절들이 있는데 이를 몽고메리결절(Montgomery tubercle)이라 하고 이 결절은 두 가지 구성을 가지고 있는데 피지체(sebaceous apparatus)와 유방실질에서 올라오는 유관이다. 그러므로 유방의 질환은 유륜에도 같이 올 수 있다(Smith et al., 1982).

5) 유방의 혈관계

유방으로 가는 주된 혈관은 모두 액와동맥의 분지로서 내유방동맥(internal mammary artery 또는 internal thoracic artery)의 관통분지(perforating artery)가 유방내측에 혈액을 공급하고, 외측흉동맥(lateral thoracic artery)의 관통분지(perforating artery)가 외측유방에 혈액을 공급한다(Anson et al., 1939). 정맥혈은 internal mammary vein이나 목 하부로 가는 표재정맥과 내유방정맥(internal mammary vein), 액와정맥(axillary vein), 늑간정맥(intercostal vein)으로 가는 심부정맥이 있으며 정맥 배출은 중요한데 그 이유는 림프의 경로를 나타내서가 아니라 암전이의 통로가 되기 때문이다(Turner-Warwick et al., 1959) (그림 36-4).

6) 림프배액

유방의 림프통로는 악성종양의 전이에 관계되므로 임상적으로 중요하다. 유방의 림프배액의 대부분은 액와부로 가고 내유방 림프절로는 많이 가지 않는다. 처음에는 림프가 많은 층에서 표재성으로 배액되고 이것이 유륜주위 림프총(periariolar plexus)을 거쳐서 액와부로 간다. 이는 감시

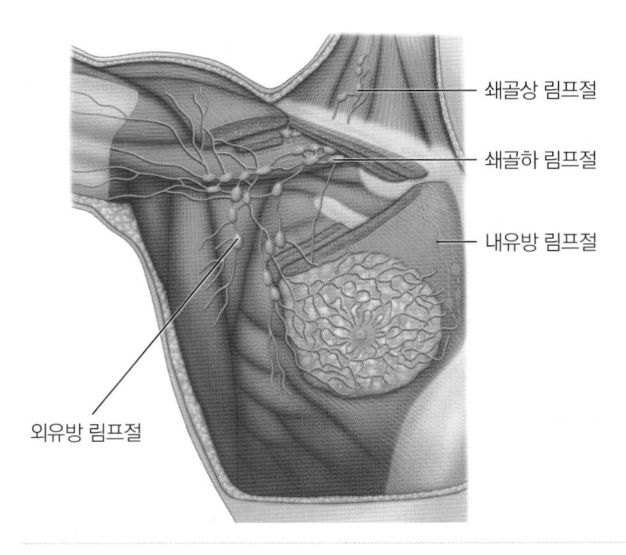

그림 36-5. **림프절**

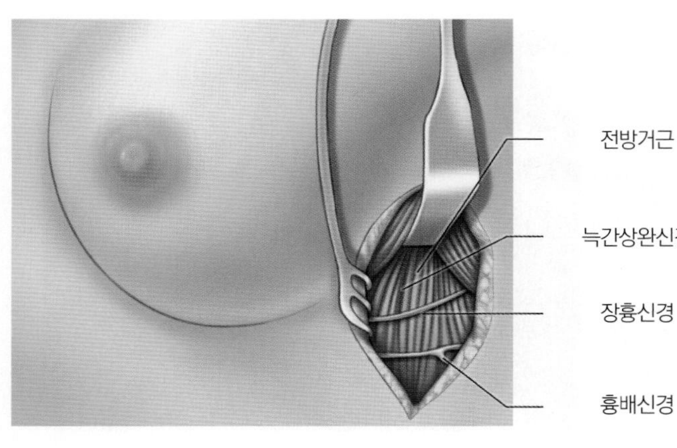

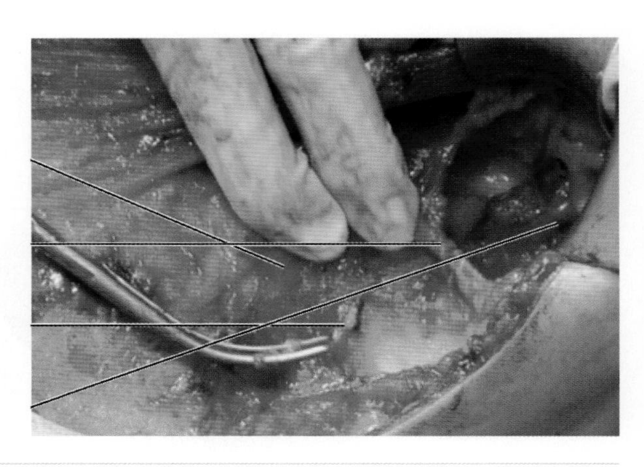

그림 36-6. **유방 수술 시 주의할 신경**

림프절생검(sentinal lymph node biopsy)할 때 유륜 근처의 피하에 메틸렌 블루(methylene blue)를 주사해보면 림프의 표재성 이동경로를 쉽게 볼 수 있다. 액와부 림프절은 위치에 따라 세 부분으로 나눌 수 있는데 레벨 I은 소흉근의 외측과 아래쪽에 위치한 림프절이고 레벨 II는 소흉근의 안쪽에 있는 림프절이며 Level III는 소흉근의 위쪽과 내측에 위치하는 림프절이다(Kuerer, 2010)(그림 36-5).

7) 신경분포

유방의 감각을 담당하는 신경분포는 3-5번 흉신경(thoracic nerve)에서 나오는 늑간신경(intercostal nerve)의 전외측 분지(anterolateral branches)와 전내측 분지(anteromedial branches)로부터이다. 그리고 경신경총(cervical plexus)의 아래쪽 섬유질에서 유래된 쇄골상신경(supraclavicular nerve)은 유방의 위쪽과 외측을 지배한다. 유두의 감각은 4번 흉신경의 외측피부신경(lateral cutaneous branch)이 전방거근을 뚫고 나와 대흉근 하방 경계부에서 유방 실질 내로 들어가고 피부층 근처에서 여러 개의 속상(fasciculi)으로 나뉘어 유두에 도달한다(Farina et al., 1980; Jaspars et al., 1997). 유방수술 시에 특별히 조심해야 할 신경은 흉근신경(Pectoral nerve), 흉배신경(thoracodorsal nerve), 장흉신경(long thoracic nerve)이다(그림 36-6). 흉근신경은 소흉근 주위를 지나거나 관통하여 대흉근으로 가며 손상 시 대흉근과 소흉근의 근 위축을 가져온다. 흉배신경은 액와부 절제 시 꼭 보존해야 하는 신경이지만 만약 광배근(lattismus dorsi muscle)을 이용한 유방재건 시에는 이 신경을 절제함으로써 신경지배를 제거한다. 장은 견갑골을 지배하는 신경으로 손상시 견갑골의 날개흉(winging scapula)을 초래한다(박해린, 2005)(그림 36-7).

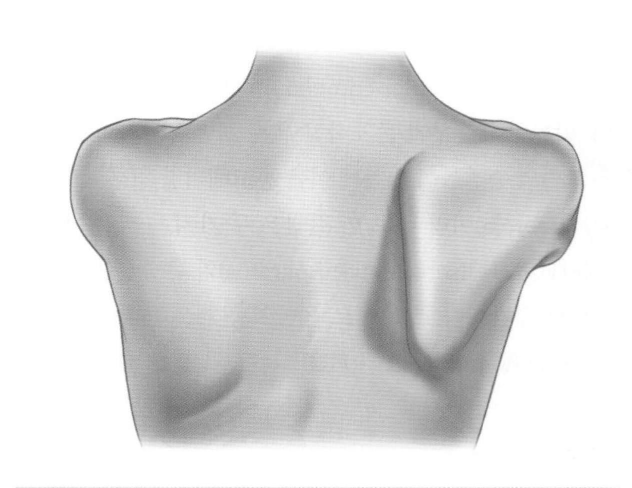

그림 36-7. **우측 견갑골의 날개흉**

2. 유방에서 나타나는 증상들

우리나라의 유방 검진에 대한 권고안은 나이에 따라 분류된다. 30세 이후는 매월 유방 자가 검진, 35세 이후는 매월 자가 검진하면서 2년 간격으로 의사에 의한 임상 검진, 40세 이후에는 매월 자가 검진하면서 1-2년 간격으로 임상 진찰과 유방 촬영이다. 즉 유방 촬영은 40세 이후로 권고되고 있는데 그 이유는 40세 이전에는 치밀 유방이 심하여 병변을 구분하는 데 어려움이 있어서이다. 유방암에 걸린 적이 있거나 가족력이 있는 고위험군에서는 나이와 상관없이 의사와 상담해서 더욱 주의를 해야 하고 필요하면 유전자 검사, 초음파 및 자기공명영상도 촬영하여야 한다. 권고안에서 보듯이 유방 자가 검진은 평생 시행하여야 할 가장 기본검사이다. 가장 적절한 시기는 생리 끝나고 2-3일 후이며 생리가 나오지 않는 여성은 매월 일정한 날을 정하여 정기적으로 시행하여야 한다. 순서는 시진과 촉진을 하는데 먼저 거울에 자신의 유방의 비추어서 피부변화와 형태를 관찰하여 색이 변한 곳이 있거나 주름진 곳이 있는지를 확인하고 난 후 검사하고자 하는 반대측 손가락으로 원형을 그리거나 상하, 좌우 방향으로 빠진 곳이 없도록 꼼꼼히 만져보고 마지막으로 유두를 짜서 분비물이 나오는지 확인하여야 한다. 만약 검사에서 이상 소견이 보이면 바로 의사와 상담하여야 한다. 다음은 의사와 상담이 필요한 이상 소견들이다.

1) 유방통

유방통은 병원을 찾은 환자들에게서 가장 많이 호소하는 증상이며 여성의 약 70%에서 느낄 수 있다(Padden, 2000). 유방통을 일으키는 원인은 생리적인 원인부터 유방암에 이르기까지 아주 다양하다. 그러므로 유방통을 주소로 내원하는 환자에서 먼저 만져지는 종괴가 있는지의 확인 여부가 우선적으로 필요하다. 만약 만져지는 종괴가 있다면 종괴에 대한 적극적인 검사가 필요하다. 주기적인 유방통이 있을 때 유방암이 발견되는 경우는 0-3.2%이나(Goodwin et al., 1995) 규칙적이지 않은 유방통인 경우 유방암이 발견되는 경우는 2-7%로(Smith and Pruthi, 2004) 상당히 낮은 편이다. 반대로 유방암에서 유방통을 느끼는 경우는 연구자들에 의해 다양하여 약 5-18%이다(Lumachi et al., 2005). 종양과 연관되지 않은 순수한 형태의 유방통은 크게 생리주기 유방통과 비주기성 유방통으로 나눈다.

(1) 주기성 유방통

특징적으로 생리주기에 관계되며 양측성으로 온다. 주로 폐경 전 여성에서 나타나며 황체기에 시작하여 월경 때까지 점점 심해지다가 월경이 시작하면서 소진된다. 대부분 유방의 외상방에 부종, 동통, 멍울 그리고 묵직함을 느끼거나 심한 동통을 느낄 수 있다. 비만한 여성에서 잘 나타나는 경향이 있고 포화지방산의 과섭취와 밀접한 관계가 있다. 그리고 커피, 홍차와 같이 말초 혈관이나 자율 신경계에 영향을 줄 수 있는 음식, 약물 등에 의해서도 유방통이 나타날 수 있다. 카페인과 포화지방산을 줄이는 식이습관을 포함하여 좋아질 것이라는 확신을 주는 것이 치료의 첫 걸음이다. 두 번째로 스포츠 브라를 사용하여 잠자는 동안 유방을 안정시키고(Rosolowich et al., 2006) 간혹 NSAID 같은 약물을 쓸 수도 있다. 비타민 E는 그 치료효과에 대한 논란이 있기도 하지만(Ernster et al., 1985) 유방통의 치료방법으로 40년 이상 사용되어온 지용성 항산화제로 400 U/day를 한 달간 사용해 볼 수 있다. 만약 비타민 E에 효과를 보이지 않으면 omega-6 필수지방산이 다량 함유된 달맞이꽃 종자유(evening primrose oil, EPO)를 사용한다. 주기성 유방통에 58%, 비주기성에서는 38%의 효과를 보이고 있다(Gateley et al., 1992). 그러나 최근에 연구된 메타 분석에서 EPO의 효과를 위약과 비교했을 때 특별한 치료의 이득을 볼 수 없었다고는 하나(Srivastava et al., 2007) 약물적인 치료 전에 꼭 시도해보아야 한다. 다음 단계로는 호르몬치료로 타목시펜(tamoxifen, 10 mg/day), 다나졸(danazole, 200 mg/day), 브로모크립틴(bromocriptine 1.25 mg at night) 등을 사용할 수 있으며 지속적인 사용 시(타목시펜, 6개월; 다나졸, 2-4개월; 브로모크립틴, 2-4개월) 주기성 유방통에서 77%의 효과를 볼 수 있다(Pye et al., 1985).

(2) 비주기성 유방통

생리주기와는 상관없고 유방의 어느 부위에도 올 수 있으며 한쪽 또는 양측성으로 올 수도 있다. 이 경우에는 먼저 주의 깊게 유방 검진을 하여 통증 부위에 이상 소견이 있는지 확인하여야 한다. 즉 종괴, 피부나 유두의 함몰을 확인 후 유방촬영과 초음파를 시행한다. 비주기성 유방통인 경우 늑연골염(costochondritis: Tietze's syndrome)에 대한 경우도 생각해야 하는데 이것은 늑골 늑연골관절의 공간(costochondral joint space)에 염증이 생긴 것으로 모든 연령대의 여성에서 흔하게 발생한다. 늑연골염에 의한 유방통인 경우는 병소가 있는 연골부위에 스테로이드가 섞인 리도케인(1% lidocaine)을 주사하면 효과적이다(Maddo et al., 1989). 만약 아무런 병변이 없으면 카페인을 줄이고 유방을 안정화시키고 염증을 줄이는 목적으로 스포츠 브라(sports bra)를 취침 중에 1개월간 착용하게 한다(Rosolowich et al., 2006). 비주기성에서는 약물요법에 대체로 잘 반응하지 않고 호르몬치료의 효과도 낮은 편이다.

2) 유두분비(Nipple Discharge)

유두에서 분비물이 나오는 증상은 여성에서 아주 흔하여 유방의 불편감을 호소하는 여성의 3-10%에서 볼 수 있고 양성유방질환의 10-50%에서 나타난다(Newman et al., 1983; Gülay et al., 1994). 유두분비는 생리적으로 올 수 있는데 신생아에서 볼 수 있는 기유(witch's milk), 사춘기 초, 임신 시, 유두 자극이나 성적 흥분상태 그리고 수유를 끝낸 후에도 정상적으로 있을 수 있다. 생리적 유두분비의 원인은 생리적 원인 이외에도 만성신부전증, 갑상샘저하증, 뇌하수체 샘종 그리고 약물(호르몬 투여, psychotropic, antihypertensive, H2 receptor antagonist) 등이 있다(Simmons et al., 2003; Hussain and Policarpio 2006). 이러한 생리적인 유두분비의 특징은 유방을 압박하거나 짤 때 나오며 양측성이며 다수의 유관에서 나온다.이때 나오는 색깔은 회색, 녹색, 갈색이다. 만약 여러 유관에서 나오는 우유색 또는 녹색 분비물이라면 특별한 검사는 필요없고 지속적인 유즙분비가 있으면 고프로락틴혈증(hyperprolactinemia)에 대한 검사를 해본다(Breninet et al., 2004).

유두분비를 일으킬 수 있는 가장 흔한 유방병변으로는 유관 유두종(duct papilloma)이며 이어서 유관 확장증(duct ectasia)이다. 그 외에도 유두습진(nipple eczema), 파제트병, 유방농양, 유방암 등이 원인이며 이 중 유방암이 차지하는 비중은 약 10%(범위 2-15%)로 보고되고 있다(Cheung and Alagaratnam, 1997). 유관 확장증이나 섬유낭성변화일 때는 양성일 때 볼 수 있는 회색이나 녹색인 데 반해 유방암일 경우에는 장액성(serous), 장액혈성, 혈성 또는 수성(watery)이며 유방을 압박하거나 짜지 않아도 자연스럽게 나오며 한쪽 유방에 국한되며 단일 유관에서 분비된다(표 38-1). 최근 Montroni 등의 후향적 연구에 의하면 유두분비 중 혈성 분비가 유방암과 가장 큰 상관 관계를 갖고 장액혈성이나 유색 분비물은 유방암의 위험도가 낮은 것으로 나타났다(Montroni et al., 2010). 유두분비가 있을때 그 가능성이 낮더라도 암을 배제하기 위해 반드시 세포병리검사(cytology)를 시행하여야 한다. 중요한 것은 세포병리검사결과는 민감도가 낮으므로 음성이 나오더라도 유방촬영이나 초음파로 유두아래 종괴나 유관 확장을 확인하여야 한다(Ambrogetti et al., 1996). 관조영촬영술(ductography)은 혈성 분비물의 가장 많은 원인이 되는 유두종을 아는 데 많은 도움을 주지만 널리 이용되지는 않는다(Brennan and Houssami, 2005). 유두분비가 지속되는 경우 진단과 치료 목적을 위해 외과적 절제 생검 또는 선택적 유관절제술(selective dochectomy)을 시행한다.

표 36-1. 유두분비

생리적 분비	병적 분비
비자발적	자발적
양측성	일측성
다수의 관에서 분비	한 개 관에서
회색, 녹색, 갈색, 우윳빛	혈성 또는 맑음(crystal clear)

3) 만져지는 종괴(Palpable Mass)

유방 자가 검진, 임상의에 의한 진찰 중 또는 파트너에 의해 발견되는 촉지되는 종괴는 의사를 찾는 많은 원인 중 하나이다. 이러한 종괴는 양성부터 악성까지 종류가 다양한데, 이 중 섬유선종이 제일 흔하며(72%) 다음으로 낭성병변(4%), 섬유성낭성변화(fibrocystic change; 3%), 악성(1%) 순서이다(Vargas et al., 2005). 나이에 따라서 보면 신생아에서 유즙분비와 함께 종괴가 촉지되는 것은 엄마에게서 받은 호르몬 영향으로몇 달 이내 사라진다. 대개 8살 이후 여자 어린이에서 2차 성징의 발달이 시작되는(tanner stage 2기) 시기에 유방 종괴를 호소하는데 이는 유방발육(thelarche or breast bud) 때문이며 사춘기의 첫 번째 신체 변화이다(WiKipedia, Internet). 남자에서도 호르몬 영향으로 사춘기(14-15세)에 유방의 종괴가 만져질 수 있다. 여성에서는 생리주기에 유방통 등의 증상과 함께 생리적으로 종괴가 만져질 수 있다. 40세 이전에 촉지되는 대부분의 종괴는 양성임을 잊지 말아야 한다. 환자가 유방종괴를 주소로 내원하였을때 생리주기와의 연관성을 포함한 기본적인 병력청취와 함께 유방의 물리적 손상이 있었는지 꼭 확인하는데 이는 종양과 구분이 힘든 지방괴사(fat necrosis)를 구별하기 위함이다. 다음으로는 유방 진찰, 유방촬영, 초음파 등을 시행하여 필요하면 세침흡인세포검사(fine needle aspiration cytology, FNAC) 또는 조직검사를 하여야 한다.

(1) 낭성병변(cystic lesions)

모든 연령대의 여성에서 흔히 발견되며 단순낭종은 악성위험이 없으나 고형 성분이 혼합되어 있을 때는 주의를 요한다(Berg et al., 2003). 단순 낭종일지라도 유방촬영에서는 변연이 깨끗한 종괴 형태로 보일 수 있으며 초음파에서 쉽게 에코가 없는 BI-RADS 카테고리 2인 낭종을 확인할 수 있다. 하지만 복합 고형낭종(complex solid and cystic mass)일 경우에는 반드시 세침흡인세포검사를 통해 농양, 유선낭종, 지성낭포(oil cyst), 혈종(hematoma), 지방괴사, 섬유성낭성변화 등과 감별해야 한다. 특히 복합 고형낭종에서 악성이 나올 가능성이 0.3%로 낮을지라도(Venta et al., 1999) 고형성분이 혼합되어 있으면 악성 가능성이 있으므로 반드시 세침흡인검사를 하여야 한다.

(2) 고형성병변(solid lesions)

제일 흔한 고형병변은 섬유선종이며 그 외에도 엽상종(phylloides tumor), 유두종(유방 주변부에 생기는 다수의 유두종은 lobulated mass 형태를 보임), 지방종 등이 있다. 유방촬영만으로도 양성을 확인할 수 있는 지방종, 과오종, 양성 림프종 등은 정기적인 추적관찰이 가능하나 대부분은 초음파로 꼭 확인을 하고 초음파상 양성이 확실하다면 크기의 변화를 지켜볼 수 있지만 조금만 의심이 되더라도 조직검사를 시행하여 종괴의 성향을 확인하는 것이 필요하다.

(3) 임신과 관계된 병변(pregnancy-associated lesions)

젖낭종(galactocele)은 임신 및 수유와 관계되어 만져질 수 있는 가장 흔한 유방병변으로(Son and oh, 2006) 낭종 내에는 우유성분의 액체가 있다. 특징적인 초음파 소견은 대체로 낭종 형태를 보인 반면 임신과 관계없는 젖낭종은 여러 형태의 초음파 소견을 볼 수 있고 고형성분의 초음파 소견을 보이기도 한다(Park et al., 1993). 임신 및 수유에 관계되는 또 다른 양성종괴인 수유선종(lactating adenoma)은 임신 중 증가된 에스트로겐의 영향으로 유방이 자극되어 생긴 종괴로 수유를 끝내고 몇 달 후에 자연스럽게 사라지며 필요하면 브로모크립틴(bromocriptine)을 사용할 수 있다(James et al., 1988).

3. 유방질환의 진찰과 진단방법

편안하고 조용한 환경에서 충분한 시간을 가지고 유방 진찰은 시행되는 것이 좋으며, 공개되지 않은 장소에서 보조자의 참여하에 신체검사가 이루어져야 한다. 양측 유방, 흉부 전면과 양측 겨드랑이 그리고 경부에 대한 시진과 촉진이 이루어져야 한다.

1) 문진

유방질환에 대한 과거력과 병력에 대한 문진이 유방 진찰 전에 시행되는 것이 도움이 되며, 유방암은 증상이 없이 발견되는 경우가 많은데 유방촬영에서 종괴가 발견되어 내원하는 경우가 대부분이다. 한국유방암학회 발표에 따르면 유방암 환자의 증상으로 유방종물이 가장 많으며, 증상 없이 정기검진에서 진단되거나 그 외 유방통증과 불쾌감, 유두분비물, 겨드랑이 종물, 함몰유두, 유방피부 변화 등의 순서로 나타났다. 최근 유방촬영술의 일반화와 유방 정기 검진의 시행으로 초기 유방암이 진단되는 비율이 증가하고 있다(한국유방암학회, 2013; Brunicardi et al., 2005).

초경연령, 결혼여부와 결혼연령, 임신횟수, 출산횟수와 초산연령, 수유여부와 기간, 유방암의 가족력, 과거 유방수술력(이전 조직검사 등) 등을 모든 환자에게 확인하여야 하며, 폐경 전 여성에서는 마지막 월경일, 월경주기의 기간과 규칙성, 피임약의 복용여부와 시기, 폐경 후 여성에서는 폐경시기, 호르몬요법 시행 여부를 확인해야 한다.

유방 종괴가 있는 경우 발견 시기, 통증유무, 월경에 따른 통증과 크기의 변화와 유두 변화유무를 확인하는 것이 도움이 된다. 유방 통증이 있는 경우 통증의 정도와 기간, 월경에 따른 통증 정도의 변화, 월경 시기와의 관계, 통증과 식품 또는 약물과의 연관성, 체중 변화여부와 근골격계 또는 심혈관계 질환 여부 등을 확인해야 한다.

유두분비물이 있는 경우 양측성, 하나 또는 다수의 유관에서 분비 여부, 분비물 색깔과 양상, 유두분비 증가와 관련된 약물복용력 등을 검토해보아야 하며, 유방질환과 관련된 증상을 살필 때는 증상의 성질과 유방암 위험인자를 파악하는 것이 가장 중요하다. 통증, 압통, 유두분비를 유발하는 인자를 파악하고, 이러한 증상들이 생리 주기에 따라 달라질 경우 양성질환일 가능성이 높아진다.

2) 유방 진찰

유방 진찰은 생리 시작 후 7-10일 또는 생리 끝난 후 3-4일에 시행하는 것이 가장 좋다.

(1) 시진

환자가 서 있거나 앉은 자세에서 시행하며, 상체를 세워 허리를 곧게 펴고 양쪽 팔은 편안하게 내린 자세에서 환자의 양측 유방 모양을 관찰하게 한다. 유두의 변형이나 피부 함몰 등의 미세한 변화를 놓치지 않는 것이 중요하다. 유방 아래쪽의 미세한 이상 여부는 환자의 팔을 머리 위로 들어 올리게 함으로써 좀 더 쉽게 관찰할 수 있다. 양측 유방 모양과 크기를 비교하여 차이가 있거나 피부 함몰이 있는 경우에는 유방암을 포함한 유방질환 동반 여부에 대한 확인이 필요하며, 부종이나 발적이 있는 경우에는 염증성 질환이나 염증성 유방암 등의 가능성을 고려해야 한다. 특히 겨드랑이에서 만져지는 부유방이 있을 수 있으므로 자세히 검사해보아야 한다.

(2) 촉진(그림 36-8, 9)

유방의 촉진은 양손을 사용하여 부드럽게 시행하며, 촉진하는 순서는 유륜을 중심으로 동심원을 그리면서 또는 좌우로 이동하면서 또는 네 부분으로 나눈 후 순서대로 시행하는 등 다양한 방법이 있다. 촉진 중 미세하게 두꺼워진 부분은 반드시 반대측과 비교하여 의미있는 변화인지 확인해야 한다. 분비물이 있는 경우는 분비물이 나오는 유선관의 위치를 유심히 살펴보는 것이 중요하다. 분비물의 성상도 중요한데 우유와 같은성상을 보이거나, 장액성, 또는 녹갈색의 분비물은 양성질환 가능성이 높다. 혈성 분비물이 있을 경우 그 원인으로는 유관내 유두종(intraductal papilloma) 가능성이 가장 크지만 악성종양의 가능성을 염두에 두어야 한다.

환자를 먼저 앉힌 상태에서 경부, 쇄골상부 및 겨드랑이의 종물과 이상소견을 확인하며, 겨드랑이의 깊은 부위 촉진을 위해서는 검사하는 쪽의 팔을 잡고 받치거나 검사자의 어깨 위로 걸쳐서 이완된 상태에서 검사를 시행한다.

(3) 유두 분비물

유두에서 분비물이 나오거나 브래지어 등 속옷에 분비물이 묻어 있으면 유방암의 가능성을 생각해 보아야 한다. 병적인 유두 분비물은 한쪽 유관에서만 분비되며 분비물의 색깔은 붉은색, 갈색 또는 탁한 액체인 경우가 많으나 때로는 맑은 색인 경우도 있으므로 주의가 필요하다. 병적인 분비물이 있을 경우 약 10% 정도에서 유방암이 동반되며 혈액이 나오는 경우나 폐경기 이후에 유두 분비물이 있을 경우 위험성이 증가하며, 유관내 유두종, 유관확장증, 섬유낭포성 질환 등의 양성유방질환이 동반되어 있을 수 있다.

따라서, 유두 분비물이 자발적이면서 혈액이나 흑갈색의 탁한 액체가 나오거나, 한쪽 유관에서만 나오는 경우, 종괴와 동반되어 있는 경우, 폐경 후 여성이나 남성에서 분비물이 보일 때 유방암 동반 여부에 대한 정밀검사가 필요하다.

앉은 자세에서 촉진

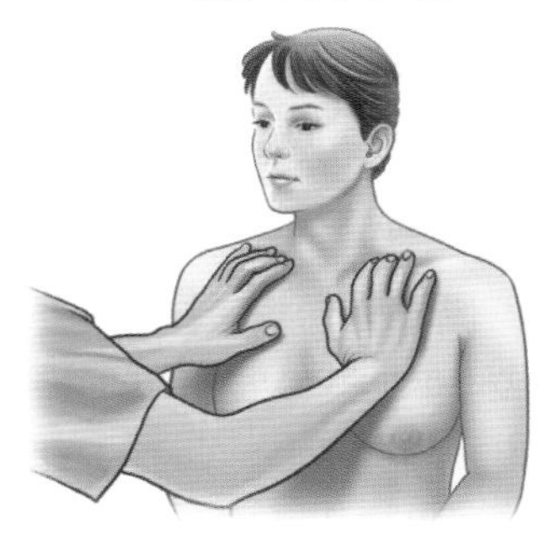

Palpate Supraclavicular & Infraclavcicular lymph nodes

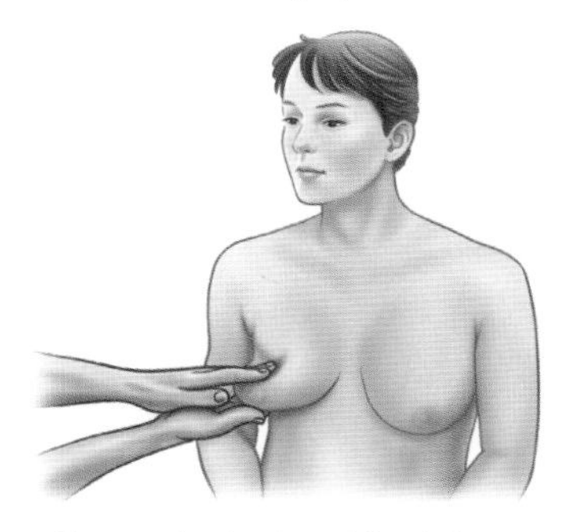

Bimanual palpation while sitting

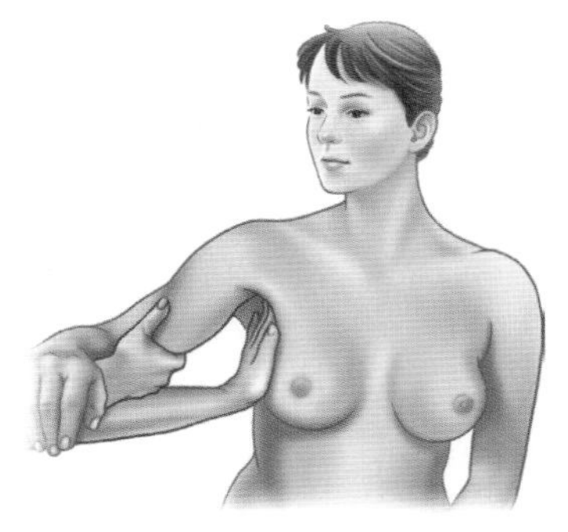

Palpation of Axillary Nodes while sitting

그림 36-8. **유방촉진(앉은 자세)**

누운 자세에서 촉진

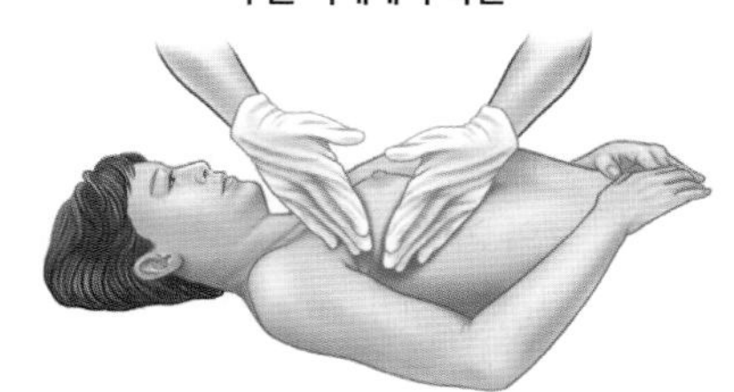

Palpation of Glandular tissue

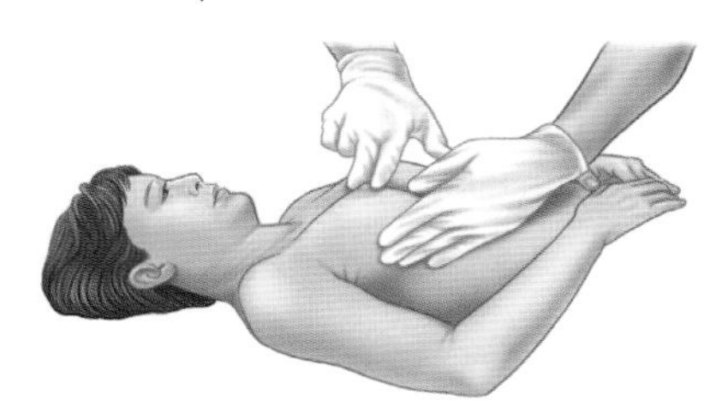

Palpation of Areola

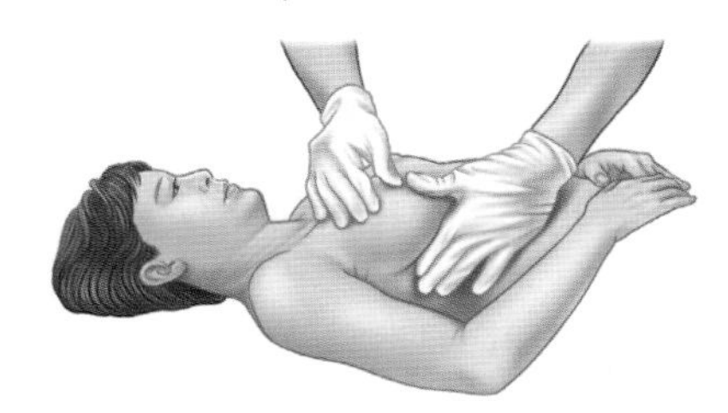

Palpation of Nipple

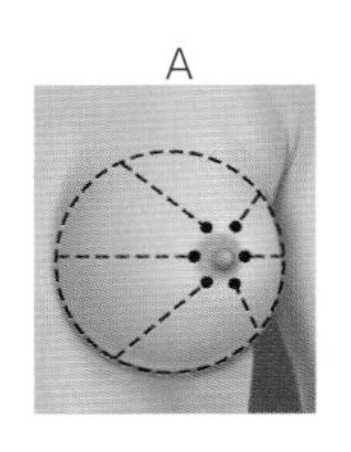

Palpation Methods
- Wedge
- Concentric lines
- Parallel lines

그림 36-9. **유방촉진(누운 자세)**

3) 영상검사

(1) 유방촬영술(mammography)

유방촬영술은 유방질환을 발견하고 진단하는 데 가장 간단하면서도 기본이 되는 검사로, X-ray를 이용하여 지방, 섬유 유선조직, 석회, 종괴 등의 서로 다른 조직에 흡수되는 X-ray 양의 차이를 나타낸다. 적합한 유방촬영을 얻기 위해 적절한 유방촬영기계의 사용, 적절한 자세 잡기(positioning)와 압박(compression), 화질관리를 포함한 종합적 관리가 필수적이다. 유방촬영술은 기본적으로 시행하는 표준촬영(standard view)과 문제점을 해결하기 위한 보조촬영(supplemental view)으로 나눌 수 있다. 내외사위촬영(mediolateral oblique view)과 상하촬영(craniocaudal view)이 유 방촬영술의 기본이며, 표준촬영 후에 병소의 유무 확인, 한쪽 사진에만 보이는 병소의 평가와 위치 확인을 위한 추가촬영이 보조촬영이며 국소압박촬영(spot compression view), 확대촬영(magnification view), 90도 측면촬영(lateral view), 강조상하촬영(exaggerated craniocaudal view), 계곡촬영(valley view), 틈새촬영(cleavage view), 접사면촬영(tangenital view), 성형물전위촬영(implant displacement view), 액와촬영(axillary view) 등이 있다.

유방촬영술에서 정상 유선조직은 하얀 부분으로 보이며, 지방조직은 검게 보이며, 지방, 섬유질, 유선조직의 분포와 구성비율에 따라 다양한 양상을 보인다. ACR (American College of Radiology)의 유방영상보고 자료체계인 BI-RADS (Breast Imaging and Reporting Data System) (ACR, 2013)가 새로 개정되었으며 분류체계에 따라 관리 방침까지를 제시하고 있다(표 36-2).

BI-RADS의 평가는 범주 0-6으로 나누는데, 범주 0은 평가유보(incomplete)로 추가 검사가 필요한 경우이고, 범주 1은 정상(negative), 범주 2는 분명한 양성(benign), 범주 3은 양성의증(probably benign), 범주 4는 악성의심병소(suspicious abnormality), 범주 5는 악성의 가능성이 매우 높은 병소(highly suggestive malignancy), 범주 6은 유방암으로 진단받은 경우(known malignancy)에 해당한다. 범주 4, 5인 경우 조직검사의 대상이며 범주 3은 악성확률이 1-2% 이하인 군으로 6개월 추적관찰로 재평가할 것을 권

표 36-2. 최종 판정(미국방사선의학회 BI-RADS 5판)

카테고리 0	• **판정유보** 추가 검사 또는 이전 검사와의 비교가 필요한 경우	추가적 검사
카테고리 1	• **정상** 아무런 이상 소견이 없는 경우	정기적 검진
카테고리 2	• **양성** 판독지에 전형적인 양성 소견을 기술한 경우로 카테고리 1과 함께 정상 판독에 해당 예: 석회화된 섬유선종, 분비성 석회화, 지방을 포함한 병변(지방종, 과오종, 지방낭종, 혈관 석회화, 유방성형물)	정기적 검진
카테고리 3	• **양성 추정** 양성 가능성이 높으나 악성일 가능성(2% 미만)을 완전히 배제할 수 없는 경우로 짧은 추적 검사가 요구되는 경우 6개월 간격으로 2-3년간 추적 검사하는 것을 권장 예: 석회화가 없는 경계가 좋은 고형 종괴, 국소 비대칭, 군집성 원형 석회화	6개월 간격 추적관찰 또는 유방촬영술 추적검사
카테고리 4	• **악성 의심** 악성병변이 의심되어 조직검사가 필요한 경우 4A-낮은 악성 가능성(low suspicion for malignancy >2% to ≤10%) 4B-중간 악성 가능성(Moderate suspicion for malignancy >10% to ≤50%) 4C-높은 악성 가능성(High suspicion for malignancy >50% to <95%)	조직검사
카테고리 5	• **악성** 95% 이상의 악성 가능성이 있는 병변으로 조직검사를 반드시 시행	조직검사
카테고리 6	• **확진된 유방암** 소견에 대해 2차 자문을 받거나 수술 전 신항암화학 요법을 받은 경우	임상적 적응 시 수술적 절제

하고 있다. 범주 4는 악성확률 2-94% 군으로 a, b, c로 세분하며 4a는 악성확률이 2-10%, 4b는 11-50%, 4c는 51-94%로 나누며, 4a의 경우 조직검사 결과가 양성으로 나올 경우 6개월 후 추적관찰, 4b 또는 4c의 경우 조직검사가 양성이 나올 경우 불일치로 보고 재조직검사나 수술을 할 것이 권고된다. 과거력과 검사의 목적, 이전 초음파검사력 유무와 비교, 검사범위와 사용된 기술, 병변에 대한 분석으로 병변 크기와 위치, 최종판정과 이후 처치에 대한 권고사항이 포함되어야 한다.

젊은 여성에서는 치밀유방의 비율이 지방형유방의 비율보다 높기 때문에 유방촬영술의 유방암 민감도가 폐경 후 여성에서보다 감소한다. 50대 이상에서 위음성률이 10% 정도인 데 비해 40대에서의 위음성률은 25% 정도이다.

(2) 유방초음파

우리나라에서는 40-50세 젊은 여성에서 유방암 발생률이 높고 치밀유방이 70-80%을 차지하기 때문에 유방검진에 있어 유방초음파가 보조적인 역할을 하고 있다. 특히 고위험군 여성에서는 유방촬영술과 함께 유방초음파 검진을 함으로써 조기에 유방암 진단을 높일수 있지만, 검사자에 따른 차이가 많고 진단과정에서 위양성률이 높아 환자에게 불안감과 추가 검사, 조직검사 등으로 비용이 필요하여 선별검사에 일차적으로 적용하기에는 어려움이 있다. 하지만 우리나라의 상황을 고려해 볼 때 치밀형유방을 보이고 고위험군인 여성에 있어 초음파의 적용은 유용할 것으로 생각된다. 유방 초음파는 유방촬영에서 치밀유방을 보이는 젊은 여성과 정상 유방 검진에서 이상이 의심되나 유방촬영상 정상인 여성의 평가 그리고 미묘한 이상을 보이는 유방촬영의 추가적 검사에 유용하다. 특히 방사선 조사의 위험이 없고 검사 중 불편함이 없는 것이 큰 장점이며 유방촬영술로 검사하기 힘든 변연부나 액와부의 병변 평가 및 조직검사 유도에 유용하다.

적응증은 만져지는 종괴 또는 유방촬영술의 이상소견, 유방보형 삽입물, 조직검사의 유도, 종괴의 양성과 악성의 감별진단, 유두분비물 등 임상 증상의 평가, 유방암수술 전 위치 파악, 수술 후 추적검사와 고위험군 여성에 대한 선별검사 등이다.

유방초음파 선별검사는 많은 이점에도 불구하고 높은 비용, 높은 가양성비율, 낮은 양성생검률 등의 문제가 있다. 유방초음파를 시행하면 추가적인 암을 발견할 수 있는데 발견된 암은 비교적 크기가 작고 일반적으로 낮은 병기로 유방초음파가 사망률을 낮추고 환자가 좀 더 나은 치료를 받을 수 있는 기회를 줄 수 있을것으로 보이나 좀 더 연구가 필요하다. 유방초음파검사 단독의 판정은 불완전하며, 유방촬영술과 항상 같이 연관되어서 시행해야 한다.

(3) 유방자기공명영상(MRI)

유방자기공명영상은 유방촬영술에 비해 유방암 진단의 민감도가 뛰어나다는 장점이 있으나 특이도가 낮고 비용이 많이 든다는 단점이 있다. BI-RADS-MRI lexicon이 개발되어 판독의 표준화가 시도되고 있으나 진단기준은 아직 명확하지 않다.

유방자기공명영상검사의 적응증은 다음과 같다.

- 수술 전 유방암의 침윤범위, 다발성 암 유무 확인과 정확한 병기 결정과 수술계획(Hata et al., 2004)
- 유방암 항암화학요법의 효과를 판정하는 데 도움(Gilles et al., 1994)
- 유방암 종괴절제 후 절제연 양성으로 확인된 상태에서 남아있는 병소나 다발성 병소의 유무를 평가
- 유방보존술과 방사선 조사 후 섬유화 반흔, 육아조직 등 정상변화와 재발유방암의 감별
- 유방촬영술과 유방초음파검사로는 특성을 파악하기 어려운 병소
- 유방내 실리콘 또는 파라핀이 주입된 경우이거나 유방삽입물의 피막내 또는 피막외 파열을 진단
- 자가조직이식재건술 환자에서 지방괴사, 섬유화병소, 재발유방암의 진단
- 고위험군의 치밀유방을 갖는 젊은 여성에서 유방암 선별검사에 이용

비록 유방자기공명영상만으로 진단하기는 어렵지만 여러 진단방법에 대한 보완적 검사방법으로 효과적이고 가치가 있으며, 민감도가 높아 고위험군의 치밀유방을 가진 젊은 환자의 유방암 선별검사로서 활용될 수 있다.

4) 조직검사

이학적 검사상 촉지되는 종괴나, 정상이라고 할 수 없는 의심스러운 부위는 병리학적 진단을 위해 조직검사를 시행해야 한다.

(1) 세침흡인 세포검사(fine needle aspiration biopsy, FNAB)

세침흡인검사는 단시간 내에 간단히 진단을 할 수 있고 치료방침을 정해 불필요한 수술이나 조직검사를 피할 수 있고, 비교적 정확도가 높으며 환자의 불편이 적고 비용이 저렴하여 바로 시행할 수 있다는 장점이 있다(Abati and Simsir, 2005; Gelabert et al., 1990). 유방낭종의 경우 세침흡인으로 진단뿐만 아니라 치료도 가능하다.

세침흡인 세포검사의 민감도는 약 65-98%, 특이도는 34-100%로 알려져 있으며(Giard and Hermanas, 1992), 위음성률은 0-4% 정도로(Wollenberg et al., 1985), 암이 의심되는 경우 단독으로 진단하는 것은 한계가 있다.

위음성의 원인으로는 불충분한 검체 수집, 수집된 검체의 부적절한 처리 또는 병리 의사의 오진 등을 들 수 있다. 방법은 간단하여 19-20게이지 바늘을 10 또는 20 mL 주사기에 꽂아 시행한다. 바늘의 끝을 병변에 위치시킨 후 조금씩 주사기를 당겨 검체를 채취한다. 모아진 검체는 슬라이드 위에 도말하며 고정액을 뿌려 고정하고 염색한 후 관찰한다. 흡인 후 병변이 없어지지 않거나 혈성분비물을 보이면 중앙부 침생검(core needle biopsy)을 시행한다.

(2) 중앙부 침생검(core needle biopsy)

중앙부 침생검은 수술보다 덜 침습적이면서 충분한 양의 조직을 얻을 수 있고 진단의 정확도가 높아 최근 많이 시행하고 있다. 임상적으로 양성소견을 보이지만 악성을 완전히 배제하지 못하는 경우나 악성이 의심되어 수술을 계획하고 있을 때 확진을 위한 조직검사 방법으로 유용하다.

침생검은 여러 보고에서 약 75-97%의 민감도와 95-100%의 특이도, 2-6%의 위음성률 및 67-98%의 진단적 정확도를 보이며, 종괴의 크기와 병리적 특징 또는 바늘 두께와 생검 횟수 등이 위음성률에 영향을 미치는 것으로 알려져 있다.

14-18게이지 바늘이 달린 biopsy gun을 이용하여 4-5조각의 조직을 얻는 방법으로, 바늘이 들어갈 부위를 소독, 국소마취 후 피부절개를 시행한다. 충분한 양을 얻기 위해 최소 2회 이상 반복하며, 출혈 방지를 위해 상처부위를 압박하며, 좀 더 많은 조직을 얻기 위해 진공보조 유방생검(vacuum assisted breast biopsy)을 시행하기도 한다.

(3) 절개생검(incisional biopsy), 절제생검(excisional biopsy)

절개생검은 병리학적 진단을 위해 종괴의 일부분을 절개하는 것으로 최근에는 세침검사나 중앙부 침생검의 발전으로 제한적으로 시행하고 있다. 종괴의 크기가 너무 커서 종괴 전체의 절제생검을 시도했을 때 큰 절개 상처가 예상되는 경우에 시행한다. 전기소작기를 조직의 변연부에 사용하는 것은 금기로 인위적인 세포변형에 의해 병리 판독에 영향을 줄 수 있기 때문이다.

절제생검은 병소를 주위조직과 함께 또는 병소만을 완전히 제거하는 방법으로, 2008년 이후 촉지성 유방종괴의 초기 진단의 표준방법으로 여겨지지 않으나, 세침검사가 기술적으로 어려운 경우, 이학적 검사와 방사선검사가 일치하지 않는 경우, 또 세포검사상 비정형세포와 같은 위험군에서는 절제생검을 시행한다.

5) 유방 자가 검진

유방의 자가검진은 유방암의 조기 발견법 중 하나이다. 논란의 여지가 있으나 그 효용성은 국제보건기구가 1987년 발표한 연구에서 대단위 연구를 시행한 후 여러 나라에서 교육을 통해 증명되고 있다. 유방 자가 검진은 비용이 들지 않으며 위험성이 없는 안전하고 좋은 진단방법이지만 유방암으로 인한 사망률을 감소시킬 수 있는지에 대해서는 논란이 많다. 특히 우리나라 여성은 치밀 유방인 경우가 많아 유방촬영술의 정확도가 떨어지므로, 자가 검진 및 초음파 검사의 중요도가 크다. 더구나 비용이 들지 않고 누구나 쉽게 시행할 수 있다는 장점도 있어 유용한 검사 방법이다.

유방암을 조기에 발견하기 위한 우리나라 국가 암 조기 검진 프로그램은 다음과 같다.

- 30세 이상의 여성은 매월 유방 자가 검진
- 35-40세의 여성은 2년에 한 번 의사에 의한 유방임상 진찰
- 40세 이상의 여성은 2년마다 유방촬영술과 유방임상 진찰

(1) 유방 자가 검진 시기

유방 자가 검진(breast self examination)은 매달 월경이 끝난 후 1주일 이내 유방통증이 가장 없을 때 시행하는 것이 정확하며, 폐경기가 지난 여성은 매달 1일 또는 일정한 날짜에 유방과 겨드랑이를 만져보고, 유두를 짜본 후에 유방에서 비정상적으로 만져지는 종괴, 유두의 분비물, 유두함몰, 색깔변화, 대칭성과 겨드랑이의 림프절 등을 관찰하고 이상이 있다면 즉시 검진을 시행해야 한다.

(2) 유방 자가 검진 방법

자가 검진 방법은 크게 시진과 촉진으로 나눌 수 있으며, 두 가지 모두 시행해야 한다. 시진은 거울 앞에서 양팔을

유방 자가 검진 3단계

• 평상 시 유방특성을 파악한 후 • 매달 정기적으로 • 유방 전체를 꼼꼼하게 검진합니다.

1단계
거울을 보면서 육안으로 관찰
평상 시 유방의 모양이나 윤곽의 변화를 비교

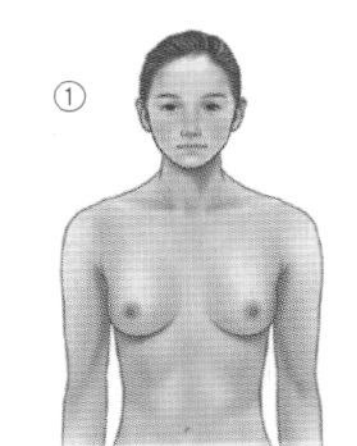

양팔을 편하게 내려 놓은 후 양쪽 유방을 관찰한다.

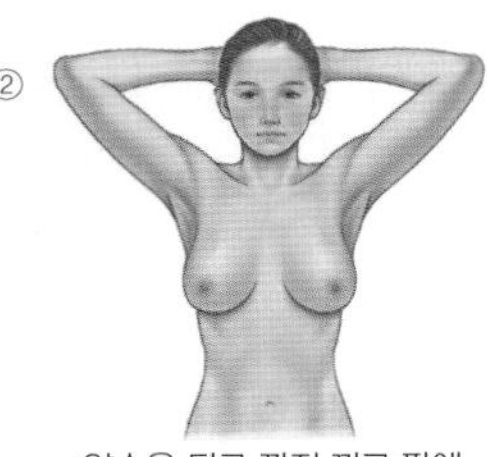

양손을 뒤로 깍지 끼고 팔에 힘을 주면서 앞으로 내민다.

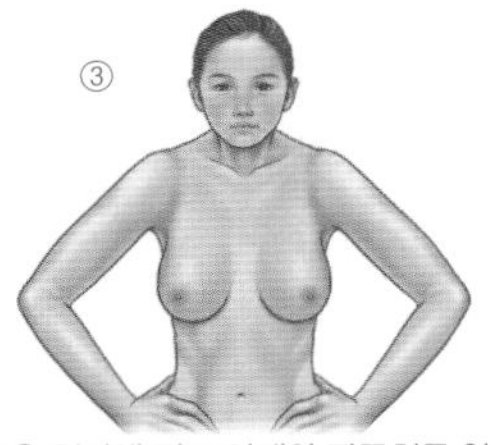

양손을 허리에 짚고 어깨와 팔꿈치를 앞으로 내밀면서 가슴에 힘을 주고 앞으로 숙인다

2단계
서거나 앉아서 촉진
로션 등을 이용 부드럽게 검진

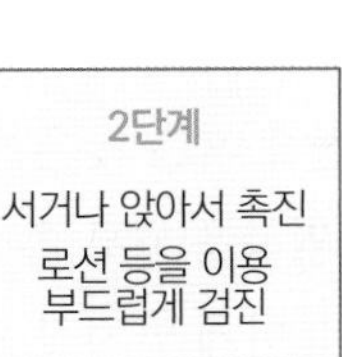
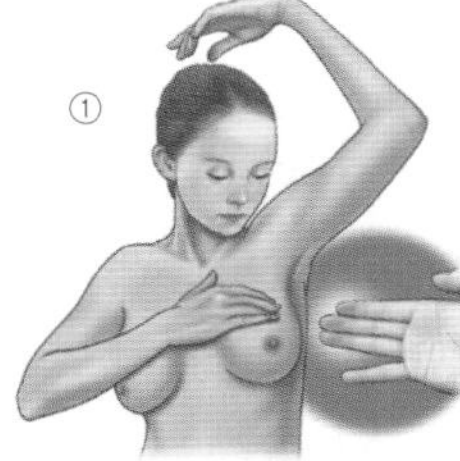

검진하는 유방쪽 팔을 머리 위로 들어 올리고 반대편 2, 3, 4번째 손가락 첫 마디 바닥 면을 이용해 검진한다.

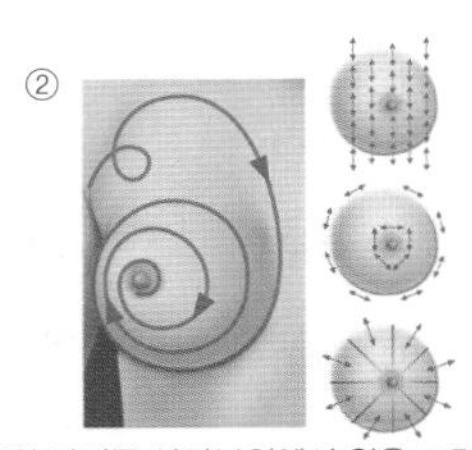

유방 주위 바깥쪽 상단부위에서 원을 그려가면서 안쪽으로 반드시 쇄골의 위, 아래 부위와 겨드랑이 밑에서부터 검진한다. 동전크기만큼씩 약간 힘주어 시계 방향으로 3개의 원을 그려가면서 검진한다. 유방 바깥쪽으로 원을 그리고 좀 더 작은 원을 그리는 식으로 한 곳에서 3개의 원을 그린다.

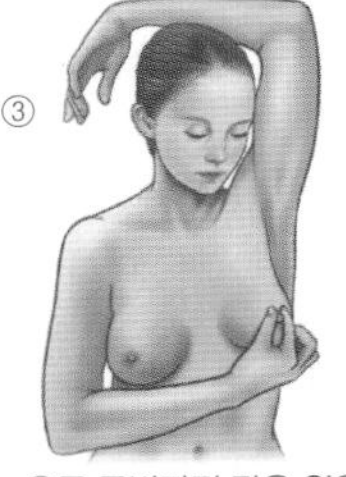

유두 주변까지 작은 원을 그리며 만져본 후에는 유두의 위아래와 양옆에서 안쪽으로 짜보아서 비정상적인 분비물이 있는지 확인한다.

3단계
누워서 촉진
2단계를 보완, 자세를 바꿈으로써 문제조기 발견

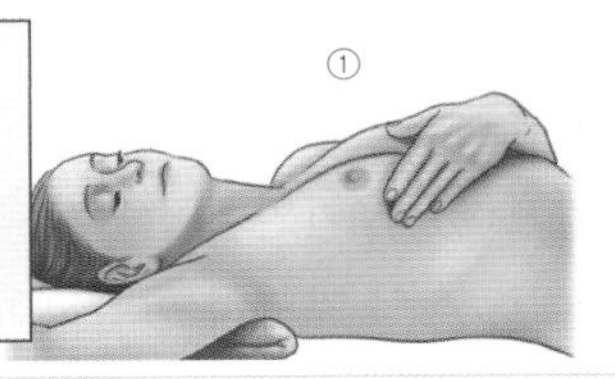

편한 상태로 누워 검사하는 쪽 어깨 밑에 타올을 접어서 받친 후 검사는 한쪽 팔을 위쪽으로 올리고 반대편 손으로 2단계의 방법과 같이 검진한다.

그림 36-10. **유방 자가 검진법**

자가 검진 후 다음과 같은 증상이 있으면 반드시 유방 전문의와 상담하십시오.

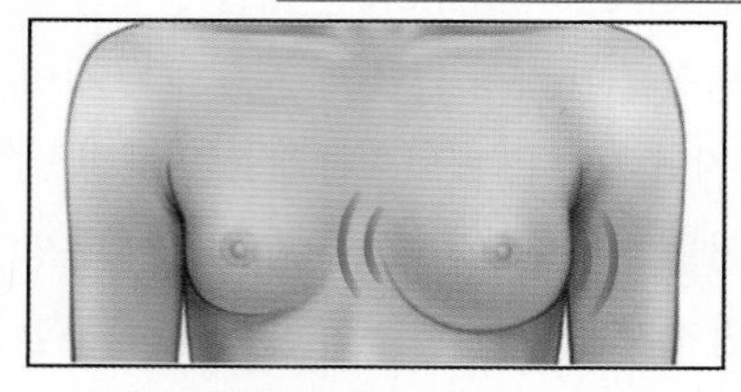
1. 한쪽 유방의 크기가 평소보다 커졌다.

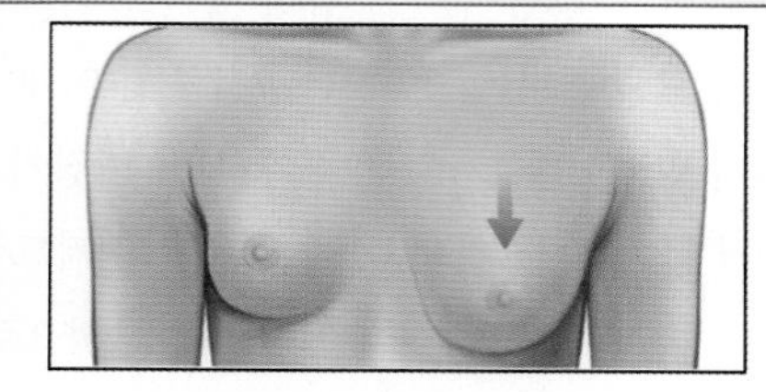
2. 한쪽 유방이 평소보다 늘어졌다.

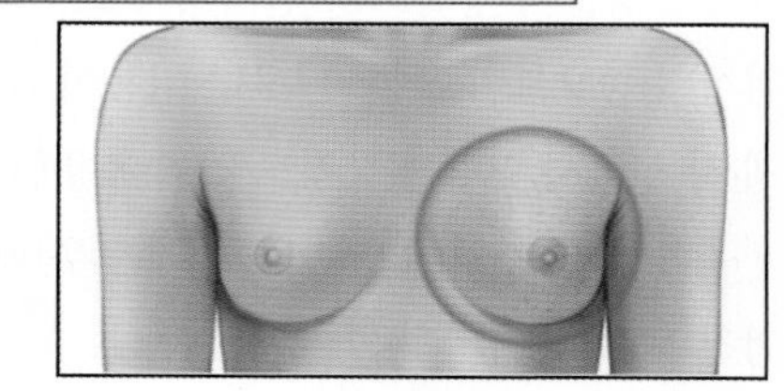
3. 피부가 귤껍질 같다.

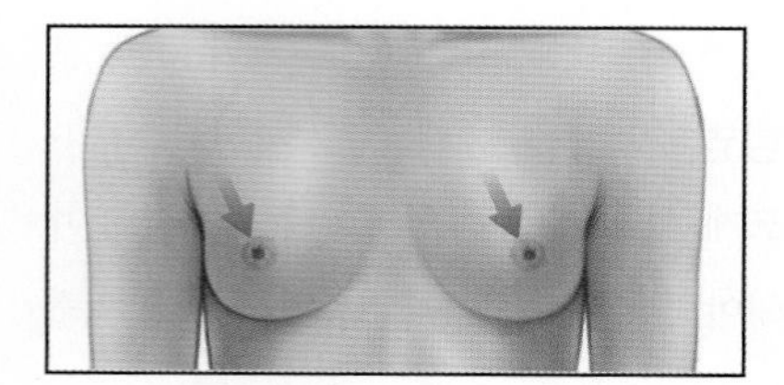
4. 평소와 다르게 유두가 들어가 있다.

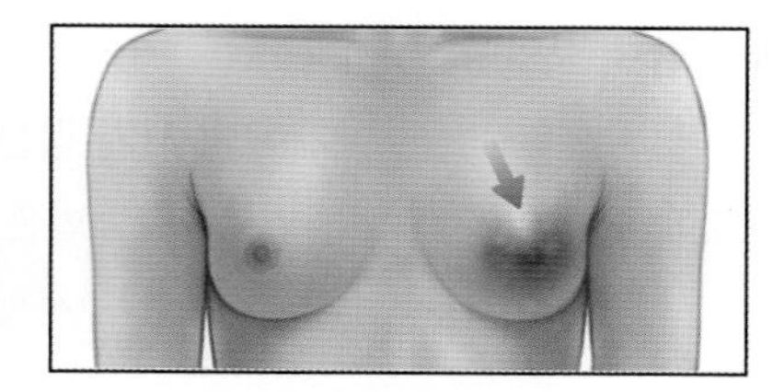
5. 유두의 피부가 변하였다.

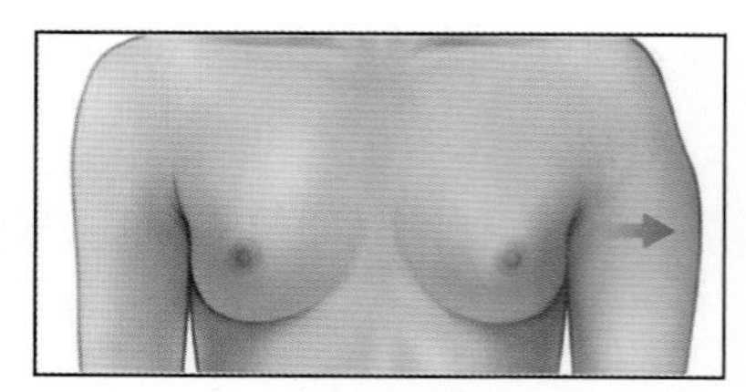
6. 평소와 달리 윗팔이 부어있다.

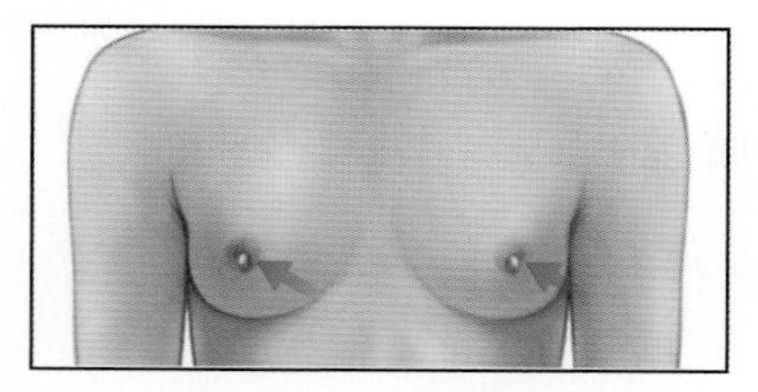
7. 유두에서 분비물이 나온다.

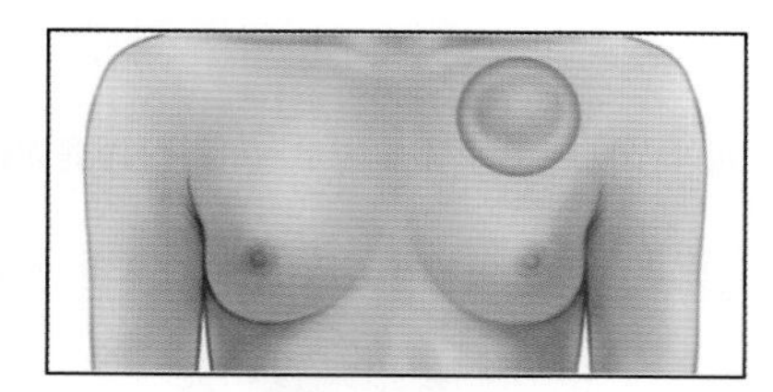
8. 비정상적인 덩어리가 만져진다.

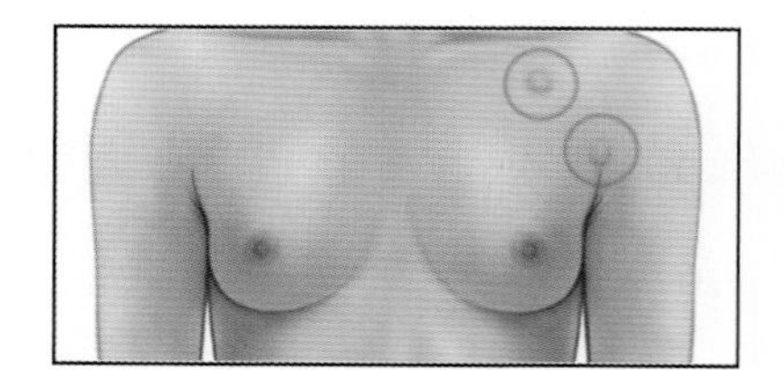
9. 림프절이 커져있다.

그림 36-11. **유방 검진 시 유의할 이상 소견**

내린 자세, 양팔을 올린 자세, 양손을 허리에 대고 대흉근을 긴장시킨 자세 3가지를 시행한다(그림 36-10). 관찰해야 할 항목은 양측 유방의 크기, 모양변화, 피부와 유두의 부종, 함몰이나 미란 여부, 종괴 등이며, 양측을 비교하도록 한다. 촉진은 똑바로 누운 상태에서 팔을 머리 위로 올린 자세에서 반대쪽 손가락으로 시행한다. 이는 유방이 고루 잘 펴져서 작은 혹도 쉽게 촉진하도록 하기 위함이다. 유방을 손바닥으로 쥐어서는 안 되며 반드시 가운데 세 손가락을 이용하여 여러 방향에서 부드럽게 촉진하도록 한다. 방향은 방사형, 지그재그형, 일직선형 등 여러 방법으로 시행할 수 있으며 익숙한 방법 한 가지로 지속적으로 시행하도록 교육하는 것이 좋다. 유방의 촉진과 더불어 액와의 촉진도 시행해야 하는데, 대개 누운 상태 혹은 앉은 상태에서 팔을 내린 자세로 액과의 위, 안, 옆쪽을 고루 촉진하도록 한다. 단, 촉진 시 늑골이 울퉁불퉁하게 만져질 수 있으므로 종괴로 오인하지 않도록 주의한다. 이처럼 만져지는 종괴를 확인하는 이외에 유두에서 비정상적인 분비물이 나오지 않는지 살짝 짜서 확인해 본다. 이러한 시진이나 촉진은 샤워 혹은 목욕 시 비눗물을 발라서 시행하면 좀 더 효과적일 수 있다. 만일 시진이나 촉진에서 이상 소견이 관찰되면, 더 이상 자극하지 말고 병원에서 진찰을 받도록 한다(그림 36-11).

4. 양성유방질환

유방에 발생하는 대부분의 질환은 양성질환으로 섬유낭성 질환(fibrocystic disease)이 가장 흔하다. 최근 섬유낭성 질환이 정상 여성의 절반 이상에서 존재하고 임상적 의의가 없다는 것이 알려지면서 섬유낭성 변화(fibrocystic change)라는 용어가 일반적으로 사용되게 되었다. 대부분 종괴나 불편감 또는 영상학적 검사상 이상 소견으로 진단되며, 영상학적 검사와 조직학적 검사가 불일치할 때 암과의 감별이 반드시 필요하다. 양성유방질환은 대부분 20대에 시작되어 40-50대에 증가되며, 유방암의 경우 서구에서는 폐경 후 점점 증가하여 70대에 최고치를 나타내나(Morrow, 1992; Kelsey and Gammon, 1990; Rungruang and Kelley, 2011) 우리나라에서는 45-49세에 최고치를 나타내고 점점 감소하는 것으로 알려져 있다(보건복지부 건강정책국 암정책과, 2010).

1) 유방의 비증식성 및 증식성 병소

여성에게서 가장 흔한 양성질환은 관상피의 변화를 중심으로 다양한 병리학적 소견을 보이는 유방형성이상과 섬유낭성 질환이다. 흔히 관찰되는 병변은 낭종, 섬유증, 선증, 아포크린 화생, 상피세포 증식, 방사상 반흔, 유두종 등으로 이들 병변이 낭성 또는 고형 구조를 형성한다. 폐경 전 여성에서 발생하며 난소로부터 에스트로겐이 과다하게 생성되거나 프로게스테론 농도에 비해 상대적으로 에스트로겐의 농도가 높은 상태와 연관성이 있다(Vorherr, 1986). 섬유낭성 변화의 의미는 '일부는 생리학적 변화이고 일부는 병리학적 변화인 이질적인 병소의 군'으로서 임상적 의미를 전달하기 어렵다.

최근에는 양성병소가 악성변화와 어느 정도 연관이 있는지에 대한 연구들이 이루어지고 있으며 대표적인 연구가 Nashivelle 연구이다(Dupont and Page, 1985). Dupont과 Page 분류에(표 36-3) 의해 양성유방질환의 유방암 발생위험도에 따라 크게 비증식성 병소, 비정형성이 없는 증식성 병소, 비정형성 증식병소로 나눌 수 있다.

표 36-3. 양성유방질환의 병리학적 분류

유방의 비증식성 병소	낭종과 아포크린 화생 유관확장증 경도 관상피증식증 석회화 침착
비정형 세포가 없는 증식성 병소	경화성 선증 방사형 반흔과 복합 섬유성 병소 개화성 관상피증식 관내유두종 섬유선종과 유관병소
비정형증식성 병소	비정형관상피증식증 비정형소엽증식증

섬유낭성 변화의 치료는 기본적으로 국소적 단순 절제와 정기적인 추적관찰이다. 단순 낭종일때는 낭종을 수술적으로 제거할 필요 없이 세침흡인을 함으로써 검사와 치료를 동시에 할 수 있다. 조직검사에서 비정형 유관상피증식증이 미리 확인되었거나 유방암의 가족력이 있는 경우에는 단순 절제술보다는 병변주위의 조직을 넓게 포함하는 절제를 고려한다. 많은 경우 섬유낭성 변화는 유방통을 동반하므로 유방통에 사용하는 보존적 치료나 약물요법을 섬유낭성 변화에 적용할 수 있다.

(1) 비증식성 병소

대체로 유방암의 위험도가 낮은 질환들이지만, 예외적으로 낭이 있으면서 가족력이 있는 경우 암 발생의 위험도가 3배 증가한다.

낭(cyst), 유두상 아포크린화생(papillary apocrine metaplasia), 상피관련 석회화(epithelial-related calcification), 보통의 경도 관상피증식증(mild duct hyperplasia of usual type) 등이 포함된다. 대체로 유방암의 위험도가 낮은 질환들이지만, 낭이 있으면서 가족력이 있는 경우 가족력이 없을 때에 비해 암 발생의 위험도가 3배 증가한다.

(2) 비정형성이 없는 증식성 병소

이러한 병소들의 암 발생 위험도는 약 1.9배 증가한다.

① 중등도 및 개화성 관상피증식증(moderate and florid ductal hyperplasia)

관상피세포의 증식이 5층 이상 나타나는 경우로 관강을 가로지르거나 관의 확장이 관찰될 수있다. 세포의 크기, 모양, 방향이 다양하며 비정형성이 없다. 1.5-2배의 유방암 발생위험이 있으며 비정형관상피증식증, 저등급 관상피내암과 구분하는 것이 중요하다.

② 경화성선증(sclerosing adenoma)

선구조와 기질이 중심 소엽성으로 증식하고 변형되며 섬유화 소견을 보이며, 선구조의 변형이 가능하여 침윤성 암과 감별이 필요하다. 경화성선증에 가장 흔히 동반되는 암종은 소엽상피내암(lobular carcinoma in situ)이며, 암 발생위험은 일반인에서보다 1.7배 정도 높다(Jensen et al., 1989).

③ 방사형 반흔(radial scar)과 복합경화병소

방사형 반흔과 복합경화병소는 중심부 경화 현상과 다양한 정도의 상피세포 증식, 아포크린화생, 유두종 형성을 특징으로 하는 양성 증식성 병소이다. 대개 1 cm 이하로 우연히 발견되는 경우가 많으며, 병리학적으로 관상암과 감별이 필요하며, 암과 동반되는 경우에는 대개 관상피내암보다 소엽상피내암과 관련된다.

④ 섬유선종(fibroadenoma)

섬유선종은 10-20대 여성에게 호발하는 양성종양으로 종말 유선관-소엽단위의 상피와 기질에서 발생한다. 경계가 분명하며 주위 조직과는 확실히 구분되며 표면은 매끈하고, 크기는 2-4 cm로 다양하며, 청소년기 환자에서 10 cm에 이르는 거대 섬유선종이 발견되기도 한다. 정확한 병인은 알려져 있지 않으며, 호르몬 불균형에 의한 섬유질의 이상증식에 의해 발생하는 것으로 알려져 있다.

임상 증상으로는 유동성이 좋은 딱딱한 결절이 만져지며, 주로 외상측에서 발견된다.

섬유선종과 유방암 발생 위험도는 아직까지 확실히 알려져 있지 않으며, 0.1-2% 정도로, 다른 병변이 동반된 경우 위험도가 증가된다. 또한 가족 중 유방암의 위험도가 있을 경우 유방암으로의 변화가능성이 있으므로 주의 관찰이 필요하다(Carter et al., 2001; El-Wakeel and Umpleby, 2003).

⑤ 과오종(hamartoma)

유방의 과오종에는 성숙지방조직과 소엽구조가 섞여 나타나는 선지방종(adenolipoma), 평활근조직이 포함되면 근육과오종, 성숙지방조직과 유리연골로 이루어진 연골지방종(chondrolipoma) 등이 있다.

⑥ 유두선종(nipple adenoma)

유두관에서 발생하는 상피성종양으로 육안적으로 경계가 불분명한 1 cm 정도의 회색의 유두종괴로 나타난다. 유두상 증식과 선종성 증식이 동시에 일어나며, 관구조에서 상피세포의 유두상 증식이 보이고 아포크린 화생이나 경화증을 동반할 수 있다.

⑦ 점액류 유사종양(mucocele-like tumor)

점액암종과 반드시 감별해야 하는 종양으로서, 단순 유방촬영에서 경계가 분명한 분엽성 종괴로 나타난다. 대개 종괴형태의 낭종으로 만져질 수 있으며 다양한 크기의 낭성 구조들이 1 cm 내외의 종괴를 형성한다. 점액암과의 감별이 필요하며, 드물게 점액암을 동반할 수 있다. 완전히 절제한 후 주기적인 추적 관찰이 필요하다.

(3) 비정형 증식증

① 비정형 관상피증식증(atypical ductal hyperplasia)

조직학적으로 관상피내암과 일부 유사하지만 완전히 일치하지 않는 병소로, 특히 병리학자에 따라 관상피내암과의 감별에 있어 진단이 불일치하는 경우가 많아 여러 가지 분류 기준이 적용되고 있다. 일반인에 비해 유방암의 위험도가 4-5배 증가하며, 만일 유방암 가족력이 있으면 8-9배로 증가한다. 장기 추적 관찰 시 10% 내외에서 침윤성 암이 발생한다.

② 비정형 소엽증식증(atypical lobular hyperplasia)

소엽상피내암과 유사하나 비정형세포가 75% 이하를 차지하며, 후발암 위험은 4배 이상이고 소엽상피내암 환자는 10배의 위험을 나타낸다. 양성유방질환 조직검사의 1% 미만에서 발견되며 대부분 폐경 전후 여성에서 발견된다. 가족성 유방암 환자에서 많이 발견되며 직계가족의 유방암 가족력과 비정형소엽증식이 동시에 존재하는 환자의 후발암 위험은 비정형소엽증식만 진단된 환자의 후발암 위험보다 두 배 높다(Dupont et al., 1993).

2) 기타 양성종양

(1) 관내유두종(intraductal papilloma)

유두상 구조물이 관내로 증식하는 소견은 보이는데, 관상피세포의 아포크린 화생, 증식, 기질의 경화 등 여러 양상이 동반될 수 있다. 배출관에서 유발되는 경우 대개 단일성으로, 종말유선과 소엽단위에서 발생하는 경우 대개 다발성으로 나타난다.

(2) 엽상종양(phylloides tumor)

섬유상피종양으로 섬유선종과 감별하기 어렵다. 초음파상 섬유선종과 유사하게 보이지만 급속하게 자라고 제거 시 국소재발이 흔하다. 엽상종양이 의심 시 침생검을 시행하고, 절제 시 재발 위험성을 줄이기 위해 완전히 절제하는 것이 중요하다.

(3) 지방종(lipoma)

성숙된 지방세포로 구성된 양성 종괴로, 부드러우며 통증이 없고 경계가 잘 지어지는 엽상 종괴이다. 진단은 세침흡인검사나 절개생검을 통해 이루어진다.

3) 유방의 염증성 변화

유방의 염증성 질환은 대부분 18-50세 사이의 가임기 여성에서 발생한다. 수유기의 염증성 질환과 비수유기의 염증성 질환으로 구분할 수 있다.

(1) 수유기 유방염과 농양

수유 중인 산모의 약 2.5%에서 발생하며, 10% 미만에서 농양으로 발전한다. 황색포도상구균이 가장 흔한 원인균으로 대개 유두부위의 균열이나 유두피부에 상처가 나면서 세균이 과증식되면서 염증이 발생한다. 수유시작 후 6주와 이유기에 흔히 발생하며, 통증, 발적, 부종, 압통 등의 증상과 오한, 발열 등의 전신 증상이 동반된다. 농양 형성 전에 적절한 항생제를 투여하면 대부분 치료가 되며, 항생제 투여에도 호전되지 않으면 농양 형성을 확인해야 한다. 유방염이나 유방농양을 치료할 때 수유를 중단할 필요는 없으며, 수유 자체가 치료에 도움이 되기도 한다.

(2) 비수유기 유방염과 농양

유관확장증과 연관된 유륜주위염증, 유관누공 등이 있다.

4) 그 외 병변

(1) 유관확장증(mammary duct ectasia)

노화현상의 일부로 알려져 있으며 중년 이후의 여성에서 호발한다. 농축된 유두 분비물과 죽은 세포 등으로 유관이 막혀서 염증을 일으키고 유관이 확장된다. 임상적 증상으로는 유방의 통증, 멍울, 유두분비물, 유방염, 농양 등이 나타난다. 흡연과 연관이 있으며, 특히 젊은 나이에 과도한 흡연을 하는 경우 발병 확률이 증가한다(Rahal et al., 2005).

일반적으로 수술적 치료를 요하지 않으며, 암발생률을 증가시키지는 않지만 진단 시에 유두분비와 유륜하 종괴, 유두함몰의 증상을 보이는 경우가 흔하고 유방촬영술상 유관 내의 미세한 석회 음영이 보이기 때문에 악성종양과 감별이 필요한 경우가 많다.

(2) 지방괴사(fat necrosis)

지방조직의 비화농성 염증성 변화로 수술이나 외상 후에 이차적으로 발생하거나, 암 또는 섬유낭성 변화에 동반되는 괴사성 변화에 의해 생길 수 있다. 유방촬영술상 경계가 불분명하거나 침상형 변연을 가지는 종괴와 함께 피부위축을 보일 수 있어 암과의 감별이 어렵다. 대부분 수술적 제거는 필요하지 않으며, 통증완화를 위해 진통제를 복용할 수 있다.

(3) 유선낭종(galactocele)

유관이 막히면서 발생하는 낭성 변화로 부드러운 낭성 종괴로 진단 시 절제가 필요하지는 않다.

(4) 가성혈관종성증식증(pseudoangiomatous stromal hyperplasia)

혈관을 닮은 복잡한 구조의 공동을 함유한 기질의 섬유화로, 근육섬유모세포증식이 특징이며 혈관육종괴와 감별해야 한다(Vuitch et al., 1986).

5) 유방통(Mastalgia)

여성의 60-70%에서 나타나는 매우 흔한 증상으로, 아직 정확한 원인과 치료방법이 정립되어 있지 않다. 생리주기와 연관하여 주기적인 유방통과 비주기적 유방통으로 나누어 볼 수 있다.

(1) 주기적 유방통

통증이 생리에 이르러 나타나거나 생리 때 가장 심한 것을 말한다. 무거운 느낌, 꽉 찬 느낌 또는 압통 등 다양한 불편감이 생리가 시작되기 수일 전부터 발생하여 생리가 끝나면서 없어지는 현상은 정상적인 것으로 간주하지만, 이러한 불편감이 1주일 이상 지속되거나 일상생활에 지장이 있을 정도라면 치료가 필요하다.

주기적 유방통은 전체 유방통의 약 70%를 차지하며, 대부분 양측성이고 상외측에 호발한다.

유방암과 감별해 주어야 하며, 심리적 안정과 특별한 치료 없이 지켜보는 것만으로도 대부분 환자에서 증상 완화를 볼 수 있다. 그 외에 유방의 움직임을 줄여주는 견고한 브래지어나, 진통제, 식이요법 등을 고려해 볼 수 있으며, 타목시펜, 다나졸 등을 사용해 볼 수 있다.

(2) 비주기적 유방통

대부분 한쪽에만 발생하며 유방의 외상방에 결절과 함께 나타나고 30대의 여성에 호발하며 50%의 환자에서 자연적으로 없어진다. 유방 자체의 통증뿐만 아니라 유관확장증, 관주위유방염, 경화성 선증, 유방낭종, 늑연골염 등이 원인이 될 수 있다.

6) 요약

양성유방질환은 여성에게 매우 흔하며, 환자가 유방종괴 및 증상을 호소하는 경우, 주의 깊은 병력청취와 신체검진, 영상학적 검사와 조직검사가 선택적으로 시행되어야 한다. 대부분의 환자들은 양성질환이지만, 유방암의 위험도가 증가되어 있는 환자의 경우 정확한 진단이 반드시 필요하므로, 조직학적 검사와 환자의 위험도에 따른 개별화된 접근이 필요하다.

5. 유방암

1) 서론

유방암의 발생은 옛날부터 서양에서 흔히 발생하였음을 과거 문헌이나 미술 작품에서 추정할 수 있고 현대에 와서도 매우 흔하게 발생하고 있는데, SEER (Surveillance, Epidemiology and End Results Program) Cancer Statistics review에 의하면 현재 미국에서 태어난 여아의 평생 유방암 발생이 8명에 1명이 될 정도로 매우 흔한 여성암이다. 치료로는 1894년 Halsted가 근치적 유방절제술을 최초로 시도하면서 수술적인 방법은 유방암의 치료 기본이 되었으며 현재 시행하고 있는 변형 근치적 유방절제술(modified radical mastectomy)로 변형되어 왔다.

하지만 여성호르몬(성스테로이드호르몬)이 유방암의 발생뿐만 아니라 치료 및 재발 예방에도 중요한 변수로 작용하게 되는 것을 알게 되었고 항암제의 눈부신 발전과 더불어 Her-2/neu의 발견으로, 유방의 치료방향은 수술, 방사선, 다양한 호르몬치료, 표적치료 등을 순차적으로 또는 병합시켜 시행하게 되었다. 그래서 처음으로 유방암을 접하게 되면 그 치료 과정이 복잡하고 방대하여 쉽게 접근하기가 어려운 것이현실이다. 뿐만 아니라 유방은 모유를 생산하는 기능적인 면 이외에도 여성의 아름다움을 상징하는 기관으로 만약 유방절제(mastectomy)를 시행하게 되면 수술 후 올 수 있는 정신적인 고통은 상상을 초월하므로 암 치료와 동시에 반드시 미용적인 면까지도 생각을 하여야 한다. 또한 치료 도중 거의 모든 환자에게서 경험하게 되는 폐경으로 인한 고통도 매우 중요하므로 치료 시작 전 치료계획을 종합적으로 치밀하게 결정해야만 한다. 현재 우리나라 유방암은 갑상샘암에 이어 두 번째 발생률을 보이나 사망률은 제일 높으며 서구화된 식습관 즉 포화지방산 또는 정제된 탄수화물의 과섭취와 운동부족으로 인해 내인성 에스트로겐(endogenous estrogen)이 증가하고 이로 인해 유방암의 발생이 촉진되므로 유방암의 발생률은 앞으로도 계속 증가될 전망이다. 유방암 발병의 원인에 중요한 부분을 차지하는 것이 스테로이드호르몬이고 또한 유방암 예방 및 재발을 효과적으로 억제시키는 것도 호르몬의 역할이며 이때 나타나는 에스트로겐 결핍증상의 치료도 호르몬이다. 이렇듯이 유방암에 있어서 호르몬의 작용은 처음부터 끝까지 관계가 있음을 알아야 하고 이러한 호르몬에 반응을 하는 난소, 자궁내막, 질과 같은 기관과의 상호 작용도 항상 유념에 두면서 치료에 임해야 한다.

2) 발생인자(Predisposing Factor)

유방암에서 발생연령은 예후 판정에 중요하여 젊은 연령 특히 20대에 발생한 경우 매우 불량한 경과를 나타낼 것으로 예상되나 특별히 그 이상의 고령층과 비교하여 불량하다는 증거는 없다(Lee et al., 2001; Earley et al., 1969; Bonnier et al., 1995; Backhouse et al., 1987). 2011년 우리나라 국가암등록사업 연례보고서에 따르면 45-49세의 유방암 발생자 수가 19%로 가장 많고 그 다음이 50-54세로 18%, 그리고 40-45세, 55-59세가 각각 15%, 11%이었다. 30세 미만의 여성에서도 유방암의 1%가 발생한다(보건복지부 건강정책국 암정책과, 2013). 유방암은 연구가 많이 된 암 중 하나인데도 환경적 요인과 유전적 요인 두 가지에 의해 발생한다는 추측 외에는 아직 확실하게 유방암의 원인으로 밝혀진 것은 없지만 여러 연구 및 환자 분석을 통한 역학적 특성을 살펴보았을 때 유방암을 발병시키는 발생인자를 예상해 볼 수 있다.

(1) 호르몬 인자

유방조직은 내인성 에스트로겐에 의해 증식 분화하므로 에스트로겐에 노출되는 기간과 양이 증가하면 할수록 유방암 발생 위험이 증가한다. 즉, 유방세포 증식이 암세포의 수를 증대시킬 수 있으므로 에스트로겐과 프로게스테론에 노출되는 것이 여성 유방암을 일으키는 환경요인으로 가장 중요하며 이러한 요인으로는 이른 초경, 늦은 폐경, 늦은 첫 출산, 임신경험 없는 경우 등이 있다(Yoo et al., 1992). 유방암조직에서 에스트로겐 수용체의 양성률은 양성유방질환과 비교하여 높으므로 유방조직에서 에스트로겐 수용체의 높은 양성률이 유방암을 유발할 수 있는 위험요인이라 할 수 있다(배정원 등, 2000).

폐경연령이 늦은 여성일수록 에스트로겐에 노출되는 기간이 길어져 유방암 위험이 증대되는데 이러한 현상은 병원 환자 대조군과의 비교연구와 지역 주민 대조군과의 비교 연구 모두에서 관찰되고 있다(Suh et al., 1996). 또한 임신과 유방암의 발생에 관한 많은 논란이 있지만 많은 연구자의 동의가 이루어진 것은 장기간의 관찰결과에서, 임신여부 및 출산을 많이 할수록 유방암 발생의 위험은 감소하고 첫 만삭 분만이 늦어질수록 유방암 위험이 증가한다는 것이다. 하지만 단기간의 관찰에서는 임신 및 분만에 의해 유방암의 증가 경향이 있고 첫 임신 때보다 두 번째 이상 임신에서 그리고 첫 분만과 두 번째 분만 사이의 기간이 짧을수록 유방암 발생이 높다(Albrektsen et al., 2005). 그 이유는 임신에 의해 에스트로겐의 농도가 높아지고 유사분열이 활성화(mitotic activity) 되기 때문이며, 나이 증가에 따른 에스트로겐호르몬 수용체가 높아지는 것을 감안하면 첫 분만이 늦어질수록 유방암이 증가함을 알 수 있다(Chie et al., 2000). 우리나라의 연구에서는 15-22세에 첫 출산을 한 여성에 비해 29세 이후에 출산한 여성에서 유방암의 발생위험이 2.2배 높다(Kim et al., 2007). 출산 간격이 짧을수록 유방암 발생의 위험이 감소하는 결과들이 보고되었고(Rosner et al., 1994), 모유수유는 역학적 쟁점이 되고 있는데 국내 연구결과에서는 만삭의 경험이 있는 여성에서는 모유를 수유한 자식의 수가 많을수록, 수유한 총 기간이 길수록 유방암 발생의 상대적 위험도는 감소한다는 보고가 있다(Lee et al., 2003).

결론적으로 내인성 성호르몬 중 에스트로겐은 유방암을 유발한다는 연구결과를 찾을 수 있고 항에스트로겐을 투여하면 반대되는 효과를 볼 수 있고, 나이가 증가함(폐경 이후)에 따라 더욱 유의성이 있다(강병모 등 2006).

폐경 여성에서 테스토스테론은 유방암 발생증가와 관련이 있고, 프로락틴 역시 폐경 후 여성에서 프로락틴 수치가 높을수록 유방암 발생이 증가하고 유방암종양의 과반수 이상에서 프로락틴 수용체가 발견되는 실험실 연구결과를 살펴볼 수 있다. 경구피임제는 연구결과상에서 유방암 발생률을 증가시킨다는 보고가 있긴 하지만 Key 등의 연구결과에서 경구피임제가 유방암 발생위험에 큰 영향을 주진 않는다고 하였다(Key et al., 2001).

(2) 식이요인

우리나라 여성에서의 유방암은 서양인에 비해서 아직 낮은 발병률로 추정되고 있지만 최근 출산과 수유 방법의 변화 및 식생활의 서구화 등으로 그 발생률이 증가하고 있다. 최근 들어 유방암 발생에 있어서 환경적 요인 중 식이요인과의 연관성에 대한 관심이 집중되고 있다. 유방암과 식이와의 연관성에 관한 동물실험의 경우 고지방 식이가 유방암의 발생과 연관이 있다고 알려져 있으나 생태학적 연구 및 분석 역학적 연구의 결과는 아직까지 논쟁이 되고 있는 요인들이 많다. 많은 역학 연구들을 통해 유방암의 발생과 연관이 있는 것으로 알려진 식이요인으로는 고지방 섭취및 알코올 섭취, 총열량 섭취의 증가, 육류의 섭취, 동물성 단백질 섭취 등이 위험인자이며, 항산화 비타민인 Vit A, C, E 섭취 및 야채와 과일의 섭취 등은 대체적으로 보호효과를 가진 인자로 알려져 있다. 연구결과에서 살펴보면 우리나라 여성의 경우 총 에너지 섭취와 총 지방 섭취의 증가는 유방암의 위험도와 연관이 없었다. 반면 섬유질의 섭취는 폐경 후의 여성에서보호효과가 있는 것으로 나타났으며 비타민 C의 섭취는 유의적으로 전체 여성에서 유방암 발생을 낮추고, 비타민 E의 섭취는 폐경 후 여성에서 유방암 발생에 보호효과가 있는 것으로 밝혀졌다(도민희 등, 2000). 이로써 식이요인은 고찰에 여지가 남아있어 지속적인 연구가 필요할 것으로 보인다. 신체질량지수(BMI)와의 연관성여부를 살펴보면 60세 이전의 유방암 환자의 BMI가 정상 여성에 비해 낮은 경향이었고 특히 30대와 50대에서는 유의하게 낮았다. 하지만 60대 이상에서는 유방암 환자의 BMI가 오히려 높게 나타났다(고승상 등 2002). 비만과 유방암과의 관련성에 대한 연구보고들을 살펴보면 일반적으로 키가 크거나 체중이 많이 나가는 여성에서 유방암 발생률이 더 높다고보고하고 있다. 한국의 유방암 환자 BMI는 일반 여성과 차이가 없다고 보고하였다(Minn et al., 2002). 따라서 이에 대한 연구도 더욱 많이 이루어져야 할 것으로 보인다.

(3) 유전학적 요인: 가족/유전성 유방암(familial/hereditary breast cancer)

전체 유방암 중 70-75%는 산발적(sporadic) 발생을 하고 가족 내에서 여러 명의 유방암이 발견되지만 유전패턴을 따라가지는 않는 가족성(familial) 발생은 20-25%, 유전자와 관계되어 발생하는 유전성(heriditary)은 5-10%에 해당된다. 5-10%에 해당되는 유전성 유방암 중에서 *BRCA1, 2*가 차지하는 비율은 20%이고, 다른 유전자들이 약 5-10% 정도이며, 나머지 70-75%는 어떤 유전자와 관련이 있는지 알려져 있지 않다(Bradbury and Olopade 2007). 분자생물학의 발달로 인해 가족/유전성 유방암과 관련하여 *BRCA1*과 *BRCA2*를 포함하여 약 10개의 유전자가 발견되었다. 이 10개의 유전자는 돌연변이를 가지고 있는 여성에게서 유방암이 일어날 가능성에 따라 고위험, 중위험, 저위험 3군으로 분류된다(Mavaddat et al., 2010).

고위험군에 속하는 *BRCA1/2*와 p53의 돌연변이 유전자를 가진 경우 유방암에 걸릴 확률이 10-20배 증가하며, 중위험군에 속한 *CHK2, ATM, CDH1, PTEN, BRIP1/FANCJ* 그리고 *PALB2*/FANCA은 약 2-4배 정도 높아지고, 저위험군인 *FANCA*와 *FANCE*는 약 2배 정도 높아진다(Mavaddat et al., 2010). 대표적인 종양 억제 유전자(tumor suppressor gene)인 p53은 17번 염색체에 있으며(17p13.1) Li-Fraumeni cancer syndrome에서 세포 돌연변이(germ line mutation)가 발견됐다(Aylon and Oren, 2007). 10번 염색체(10q23.31)에 있는 종양 억제 유전자(tumor suppression gene)인 *PTEN*은 Cowden syndrome에서 세포 돌연변이(germline mutation)가 발견됐다(Liaw et al., 1997).

① BRCA1

BRCA1 돌연변이를 가진 여성이 80살까지 유방암에 걸릴 확률은 90%이고 *BRCA2* 돌연변이의 경우 약 40%이다(Offit, 2006). *BRCA1* 돌연변이는 가족/유전성 유방암의 약 50% 정도를 차지한다. *BRCA1* 유전자는 1994년에 발견됐고 *BRCA2* 유전자는 1995년에 발견됐다(Miki et al., 1994). 가족/유전성 유방암이나 난소암에서 결정적인 역할을 하는 *BRCA1*은 가족성으로 의심되는 환자에서 17번 염색체(17q)에서 자주 나타나는 LOH (loss of heterozygosity)로 인한 것으로 연구 결과 밝혀졌다(한세준, 2001).

가족/유전성 유방암과 난소암에 대하여 가족력이 있는 고위험군에 속하는 여성들은 유전자검사를 권장하는데 여기에는 다음과 같은 기준이 있다(Schlehe and Schmutzler, 2008).

1. 가족 중에 최소한 2명 이상이 유방암이 발병했고, 그중에 한 명은 50세 이전에 발병했을 경우
2. 가족 중에 최소한 한 명의 유방암과 한 명의 난소암이 발병했을 경우
3. 가족 중에 최소한 한 명이 유방암이나 난소암이 발병했고, 또는 난소암에 걸린 사람이 2명 이상일 경우
4. 가족 중에 최소한 한 명 이상이 50세 이전에 양쪽유방암에 걸렸을 경우
5. 가족 중에 최소한 한 명이 35세 이전에 한쪽에 유방암이 발병했을 경우
6. 가족 중에 최소한 한 명이 남자 유방암이 발병했고, 추가로 유방암이나 난소암에 걸린 여성이 있는 경우

현재 BRCA 유전자 돌연변이(*BRCA1*, *BRCA2*)에 관한 우리나라의 보험 심사기준은 다음과 같다.

1. 유방암 혹은 난소암이 진단되고 환자의 가족 및 친척(2nd degree 이내)에서 1명 이상 유방암 혹은 난소암이 있는 경우
2. 환자 본인에게 유방암, 난소암 동시에 발병한 경우
3. 40세 이전에 진단된 유방암
4. 양측성 유방암
5. 유방암을 포함한 다장기암
6. 남성 유방암
7. 상피성 난소암

산발성(sporadic) 유방암과 달리 *BRCA1* 돌연변이에 의한 유방암은 Ki-67에 측정되는 매우 높은 증식 지수(proliferactive index)를 나타내는데 이는 세포주기를 촉진하는 단백질인 cyclin E, cyclin A 그리고 cyclin B1, 또한 p27 유비퀴틴화(ubiquitination)에 필요한 ubiquitin-protein ligase인 SKP2도 증가시킨다(Palacios et al., 2003). 반대로 에스트로겐과 프로게스테론에 의해 조절되는 cyclin D1은 감소된다. *BRCA1* 종양은 p16, p27 그리고 p21과 같이 cyclin-CDK 복합체를 방해하는 단백질을 감소시킨다(Palacios et al., 2005).

*BRCA1*의 돌연변이에 의해 발생한 유방암은 다른 유방암과 조직병리학적(histopathological) 차이가 있는데 높은 grade, 에스트로겐 수용체 음성, 프로게스테론 수용체 음성, Her2 음성이다(Lakhani, 1999). 그리고 유방의 유관세포(luminal cell)보다 기저상피세포(basal epithelial cell)의 세포 표지자(cell marker)가 더 많이 발현한다(Arnes et al., 2005).

유방은 호르몬 수용체에 따라 5개의 아형(subtype)으로

나눌 수 있는데 이는, i) 에스트로젠 수용체 양성 luminal A&B ii) Her-2 양성(Her 2-positive) iii) 에스트로젠 수용체와 Her-2 음성 iv) 에스트로젠 수용체, Her-2 그리고 프로게스테론 수용체 음성, 즉 삼중 음성(triple negative)이다(Perou et al., 2000). 특히 *BRCA1*의 돌연변이에 의해 발생한 유방암 중에서 에스트로겐 수용체 음성 기저형 유방암은 가장 좋지 않은 예후를 나타낸다. *BRCA1* 돌연변이와 기저형 유방암(basal-like breast cancer)은 페전이가 더 잘 일어나서 예후가 좋지 않다(Tischkowitz and Foulkes, 2006). *BRCA1* 돌연변이로 생긴 유방암은 대부분 삼중 음성(triple-negative)이다(Parker et al., 2009). (ER-, PR-, HER2-negative) 삼중 음성암과 기저형 유방암(basal- like breast cancer)의 특징 중의 하나는 종종 젊은 연령에서 발생한다는 것이다. 그러나 조기 발병 삼중 음성 유방암(early-onset triple-negative breast cancer)의 약 10%만이 *BRCA1* 양성이다(Foulkes et al., 2003). 따라서 발병 나이는 유전자검사 시행에 있어 절대적인 기준은 되지 않는다. 삼중 음성암은 기저형 유방암(basal-like breast cancer)과 형태학적, 유전적 이상 등을 공유한다. 삼중 음성암과 기저형 유방암은 겹치는 부분이 있기는 하지만 동일하지는 않다. 기저형 유방암의 일정 부분은 이 세 개의 생물학적 표지자 중에 적어도 하나는 양성인 것이 있거나 또는 삼중 음성암과 동일한 유전자 발현 윤곽(gene expression profile)을 보여주기도 한다(Sotiriou et al., 2003).

BRCA1 돌연변이로 인해 생성된 유방암은 형태학상(morphological)과 면역조직화학적(immunohistochemical) 특성상 삼중 음성(triple-negative)과 기저형 유방암이 유사하지만, *BRCA2* 돌연변이로 의해 생성된 유방암(*BRCA2* mutation)은 산발성 유방암(sporad-ic cancer)과 크게 차이가 없다. *BRCA2* 돌연변이에서는 기저형 표현형(basal-like phenotype)이 가끔 발견되는데에스트로겐 수용체와 프로게스테론 수용체 양성이다(Pathology of familial breast cancer, 1997).

암이 생기기 전에 돌연변이가 있는지를 알아내는 것은 초기 단계에서 예방법으로써 중요하지만 *BRCA1*, *BRCA2*와 관련된 암은 서로 다르고 산발성 암과도 조직병리학적, 세포학적 그리고 구조상의 특성상 다르다(Lakhani, 1999). *BRCA1* 돌연변이로 의해 생성된 유방암은 저분화 관암종(poorly differentiated ductal carcinoma)이 대부분이다. 산발성 암에 비해 높은 등급(high grade), 더 높은 유사분열 횟수(higher mitotic count), 더 높은 정도의 다형성 핵(great degree of nu-clear pleomorphism)으로 형성된다(Lakhani, 1999). 이 암은 조직학상 수질암종(medulary carcinoma)으로 나타난다. 삼중 음성암(triple negative cancer)은 최근 유방암 중에서 공격성이 강하고, 좋지 않은 예후, 그리고 마땅한 표적 치료의 부재로 임상 및 생물학의 관심이 집중되고 있다(Schneider et al., 2008). 기존의 항암화학요법(chemotheraphy)이 효과적으로 쓰이고 있지만 새로운 치료방법이 요구된다.

*BRCA1*과 *BRCA2* 돌연변이를 가지고 있는 여성은 유방촬영술보다 민감한 MRI 검사를 매년 받도록 한다(Warner et al., 2004). 6년간의 추적 연구(follow-up study)에서 매년 MRI 검사를 한 *BRCA1* 돌연변이 군에서 진행된 유방암(2 cm 이상이거나 림프절 양성)의 발생이 약 70% 정도 줄어들었다는 보고가 있다(Warner et al., 2011). MRI 선별검사는 25세에서 65세 사이에 매년 받도록 권장하며 이를 다 합하면 일생 동안 총 40번이 된다(Antoniou et al., 2003). 일생 동안 유방암에 걸릴 확률은 *BRCA1* 돌연변이를 가지고 있는 여성은 약 70%이고, *BRCA2* 돌연변이를 가지고 있는 여성은 약 60%이다. 난소암에 걸릴 확률은 *BRCA1* 돌연변이를 가지고 있는 여성은 약 40%이고 *BRCA2*는 약 20%이다(Antoniou et al., 2003). 타목시펜은 가족력, 또는 개인적인 경험 등으로 유방암에 걸릴 위험이 큰 여자에게 사용한다(Gronwald et al., 2006). 타목시펜은 에스트로겐 수용체를 표적으로 해서 만들어진 제제로 에스트로겐 수용체 음성이 대부분인 *BRCA1* 돌연변이로 생긴 유방암 여성에게는 적당하지 않다.

일반적인 유방암 예방법은 폐경 전 여성인 경우 5년 동안 타목시펜을 복용하는 것이나 *BRCA1* 돌연변이를 가지고 있는 여성은 유방암 발병의 위험에 놓여있다. 타목시펜은 *BRCA1* 돌연변이를 가지고 있는 여성에서 발생되는 반대쪽 유방암(contralateral breast cancer)을 약 70% 정도 감소시켜준다. 따라서 반대쪽 유방에 대해 타목시펜은 일차적 예방에 효과적이다(Narod, 2010).

난소절제술은 *BRCA1*과 *BRCA2* 돌연변이를 가지고 있는 여성에 난소암과 유방암의 위험을 줄여준다. *BRCA1* 돌연변이를 가지고 있는 여성의 약 절반이 40세 전에 난소암이 발생하므로 조기의 난소절제술은 예방에 중요하다. 50세 이후에 난소절제술은 유방암의 위험을 줄이는 데 별 효과가 없다.

많은 여성들은 타목시펜, 난소절제술 그리고 MRI 선별검사 외에 예방적 유방절제술을 선호한다. 양쪽의 전유방절제술은 암을 100% 예방한다(Heemskerk-Gerritsen et al., 2007).

② *BRCA2*

*BRCA2*는 염색체(chromosome) 13q12에서 발견됐고, 27개의 exon으로 구성되어 있으며, 3,418개의 아미노산(amino acids)으로 구성되어 있다. *BRCA1*과 마찬가지로 *BRCA2*는 유사한 구조를 가진 단백질(protein)이 거의 없다. *BRCA2*의 중앙에 8개의 BRC-서열(sequence)이 있는데 이는 Rad51 또는 BRAF35와 결합하는 곳이다(Bork et al., 1996). 카르복시종단(carboxy-terminus)에는 단일가닥 DNA (single-strand DNA)와 직접 결합(binding)하는 3개의 OBF (oligonucleotide binding folds)가 있고, 또한 2개의 핵 국지화 신호(nuclear localization signal)가 있다(McAlliste et al., 2007). *BRCA2*는 1995년에 복제(cloning)됐다. 감수 분열(meiosis)과 이중가닥 손상 복구(double-strand break repair) 시에 상동재조합(homologous recombination)에서 중요한 역할을 한다(Thorslund and West 2007). *BRCA2*는 DSS1과 PALB2와 결합한다. *BRCA2*의 2개의 대립유전자(allele)가 돌연변이(mutation)에 의해 불활성화(inactivation)되면 판코니 빈혈(fanconi anemia)이 일어난다(D'Andrea and Grompe 2003). *BRCA2*의 돌연변이(mutation)로 일어난 유방암은 높은 등급 침윤성 관암종(high-grade invasive ductal carcinomas)을 나타내고 또한 tissue microarray에서 luminal phenotype을 일으키고 *BRCA2* 돌연변이는 Li-Fraumeni-like syndrome을 일으키고 특정 유방암에 걸릴 위험이 증가한다(Bane et al., 2007).

③ 남성 유방암(male breast cancer)

많은 발생률은 아니지만 유방암은 남성에게서도 일어난다. 유방암은 전체 남성암의 1% 미만이다(American Cancer Society, 2005). 남성 유방암의 평균 진단 나이는 68세이다. 그리고 71세에 제일 많이 발병된다. 여성의 경우 평균 발병 나이가 62세인 것을 비교하면 늦게 나타나고, 여성 유방암은 조기 발병(early-onset)과 늦은 발병(late-onset)의 정점(peak)은 각각 52세와 71세이다(Giordano et al., 2004). 남성의 경우 호르몬과 관계가 없는(hormon-independent) 상피 발암(epithelial carcinogenesis)과 관계가 있다(Pike et al., 1983).

여성 유방암과 마찬가지로 가족력이 있다. 모든 남성 유방암의 약 20%는 1등친(first-degree relative: 부모, 자식, 형제/자매) 이내 가족에 가족력이 있다. 일반적으로 1등친 이내 가족 중에 남성 유방암이나 여성 유방암 환자가 있는 가족력이 있으면 남성 유방암의 위험이 약 2-3배 정도 증가한다(Ewertz et al., 2001). 또한 암에 걸린 1등친 가족의 수가 증가하고 이 중에 조기 발병이 있으면 그만큼 유방암의 위험이 증가된다. 또한 남성 유방암의 경우 유전성 비용종성 대장 직장암증후군(hereditary non-polysis colorectal cancer syndrome, HNPCC)과 Cowden syndrome이 있는 가족력에서도 발생한다(Boyd et al., 2002). 모든 여성 유방암의 5-10%는 가족력이 있지만 남성의 경우 1등친 이내 가족 중에 유방암 환자가 있으면 약 4-7% 정도 된다(Tischkowitz et al., 2002).

남성 유방암은 높은 침투도(high penetrance)를 가진 유전자인 *BRCA2*의 돌연변이에 의해 자주 일어나지만 상대적으로 똑같이 높은 침투도를 가진 유전자인 *BRCA1*의 돌연변이로는 잘 일어나지 않는다. 남성유방암의 원인 중 *BRCA2*의 돌연변이로 인한 경우는 77%인 반면 *BRCA1*의 돌연변이는 약 19%이다(Ford et al., 1998). 따라서 *BRCA2*의 돌연변이가 남성 유방암의 주요 원인이라 할 수 있다. 또한 낮은 침투도(low penetrance)를 가진 유전자인 Chek2의 돌연변이도 자주 나타나지만 유방암으로 발전될 위험은 낮다(Falchetti et al., 2008).

BRCA2 돌연변이를 가지고 있는 남성은 일생 동안 유방암에 걸릴 확률은 약 6.9%이다. 이는 일반적으로 보통 인구군 보다 80-100배 정도 높다(Thompson and Easton, 2001). *BRCA1*과 *BRCA2*의 돌연변이가 있는 여성의 경우 유방암에 걸릴 위험은 70세 까지 약 40-80% 정도고, 남성의 경우 *BRCA2* 돌연변이로 유방암에 걸릴 위험은 약 4-10% 정도이다(Tischkowitz et al., 2002).

여성유방암과 달리 액와 림프절전이(axillary node metastasis)가 더 일반적이고, 또한 에스트로겐 수용체와 프로게스테론 수용체가 양성이다(Flynn et al., 2008). 따라서 호르몬치료가 중요한 역할을 한다. HER2는 막관통 수용체(transmembrane receptor)인데 이것을 표적으로 만들어진 약제들은 trastuzumab, lapatinib 그리고 trastuzumab-DM1이다. 호르몬치료와 HER2를 표적으로 하는 복합적 치료가 유방암에 사용되고 있는데, 이는 남성유방암에서도 적용될 수 있으리라 본다(Clemens et al., 2007).

3) 조직학적 분류

유방암은 암이 기원한 세포의 종류 및 침윤 정도 등에 따라 다양하게 분류된다. 우선 발생 부위에 따라 유관과 소엽 등의 실질조직에서 생기는 암과 그 외 간질조직에서 생기는 암으로 나눌 수 있으며, 유관과 소엽에서 발생하는 암은 다시 암세포의 침윤 정도에 따라 침윤성 유방암과 비침윤성 유방암(상피내암)으로나눌 수 있다. 침윤성 유방암은 세계보건기구(World Health Organization, WHO) 질병분류 제2개정판(2003)에 따라 침윤성 관암종, 침윤성 소엽암종, 관상암종, 침윤성 체모양암종, 수질암종, 점액암종, 침윤성 유두상암종, 침윤성 미세유두상암종, 화생암종, 아포크린암종, 선양낭성 암종, 유파골세포형 거대세포를 동반한 유방암종, 분비성 암종, 투명한 세포질을 갖는 암종, 낭성과분비암종, 호산성세포암종, 융모암종성 소견을 보이는 유방암종, 신경내분비암종, 염증성 암 등으로 분류한다. 비침윤성 암종은 크게 관상피내암과 소엽상피내암으로 나눌 수 있고, 그 외에 특징적인 임상소견을 갖는 파제트 병이 있다.

(1) 분류

① 침윤성 유방암

가. 침윤성 관암종(invasive ductal carcinoma)

침윤성 관암종은 유방의 구조 가운데 유관 상피세포에서 기원하여 유방의 기저막을 침범한 암으로 유방암 중 가장 많은 빈도로 발견된다. 전체 유방암의 65-80%를 차지하며 넓은 연령층에서 발생하나 주로 40대에 발생하며 평균 연령은 47세 정도이다(Rosen, 2001) 임상적으로는 단단하고 경계가 불명확한 멍울로 나타나며 주위조직과 유착된 경우가 많다. 피부나 유두의 함몰, 유두의 혈성 분비물 등을 호소하기도 한다(이경식, 2002).

다른 유방암종과 같이 특수한 유형을 나타내지 않는 일반형(simple or usual, not otherwise specified, NOS)인 경우를 통칭하여 침윤성 관암종이라고 부르기도 하며, 다른 특수형이 섞여 있지 않거나 섞여 있더라도 10% 미만인 순수형이 가장 흔하다. 그 외에 일반형이 50% 이상이면서 특수형이 10% 이상 49% 미만 섞여 있는 복합형(mixed type)이 25%, 종양의 90% 이상이 특수형으로 이루어진 특수형(special variant)이 나머지 25%를 차지한다. 일반형 침윤성 관암종은 예후와 연관하여 Elston과 Ellis (1991)가 제안한 조직학적 등급이 가장 널리 사용되고 있으며 특수형인 경우는 특징적인 성장형태와 세포학적 특징 외에 면역조직화학적 특징을 가지며 이런 것들이 조직학적 등급과 더불어 예후에 영향을 미치는 것으로 알려져 있다. 임상적으로 예후과 관계있는 것은 The American Joint Committee on Cancer Staging에 따른 임상병기이며(American Joint Committee, 1997), 병리학적으로 침윤성 관암종의 예후와 관련 있는 인자들을 보면 원격전이가 있는 경우가 가장 예후가 나쁘다. 원격전이가 없는 경우 예후에 영향을 미치는 인자로는 림프절전이, 국소적으로 진행된 병변(피부나 수의근 침범), 종양의 크기, 조직학적 유형, 조직학적 등급(Bloom and Richardson, 1957), 여성호르몬 수용체의 유무, 종양세포의 림프관 또는 혈관 침범, 증식지수, 유세포 측정기의 결과 중 DNA 함량, 혈관 형성 정도와 종양 단백분해효소의 양 등이 있다(Cotran et al., 1999; Isola et al., 1990).

나. 침윤성 소엽암종(invasive lobular carcinoma)

침윤성 유방암 가운데 두 번째로 흔한 형태로, 전체 유방암종에서 차지하는 비율은 약 5-15%이다(Sastre-Garau et al., 1996) 침윤성 소엽암은 유방의 구조 가운데 소엽을 이루는 세포에서 기원한 암으로 침윤성 유관암과 예후에는 큰 차이가 없는 것으로 알려져 있다. 대부분 40대에 발생하며 평균연령은 45세 정도이다. 임상소견에서 경계가 불명확한 멍울로 나타나며 유두분비물이나 파제트 병은 볼 수 없다. 일반적으로 침윤성 관암종에 비해 늦은 연령에 발생하고 종양의 크기가 크다고 하나 국내의 경우는 아직 정확한 통계가 없다. 침윤성 소엽암종은 침윤성 관암종에 비해 핵등급이 낮으며 에스트로겐 양성률이 높고 p53 단백의 발현이 낮으며(Domagala et al., 1993), 일반적으로 침윤성 관암종에 비해 다발성과 양측성이 높다고 한다. 8-19%에서 양측성으로 나타나는 특징이 있으며 소엽상피내암과 함께 나타나는 경우가 매우 흔하다. 종양세포는 접착력이 떨어지는 작은 세포들이 개개로 또는 일렬로 서서 간질 내로 침윤하는 특징적인 모습을 취하며 80-100%에서 E-cadherin expression이 소실되어 침윤성 관암종과의 감별에 도움이 된다(Goldstein et al., 2001; Moll et al., 1993).

다. 유방 관상암종(breast tubular carcinoma)

관상암종은 병리학적으로 잘 분화된 세관을 특징적으로 보이는 침윤성 유방암종의 드문 형태로 전체 유방암의 약 2%를 차지한다(Declan et al., 1997; McBoyle et al., 1997). 40-60대에 흔하며 평균 40대 중후반에서 정점을 이루어 다른 유방암보다는 젊은 나이에서 발생률이 높다고 알려져 왔으며(Elson et al., 1993; Liebma et al., 1993; McDivitt et al., 1982), 대부분 통증이 없고 대개 1 cm 내외의 작은 크기로, 선별검사로 시행되는 유방촬영술에서 우연히 발견되거나 수술 후 병리 조직학적으로 확인되는 경우가 많다.

유방관상암종은 유방암 중 분화도가 좋은 종양으로 병리학적으로 유방 세관을 닮은 신생 세관을 가지고 있는 것이 특징적이며 이 세관은 섬유성 기질에 둘러싸여 있는 일정한 모양의 세포로 이루어진 한 층의 세포층이다(Feig et al., 1978; Cyrlak et al., 1999) 순수형 관상암종은 관상구조가 적어도 90% 이상인 경우를 말하며 대개 림프절전이가 없어 좋은 예후를 보이는 것으로 알려져 있지만 일부 저자들은 순수한 유방관상암종에서도 림프절전이의 예를 보고하고 있다(Winchester et al., 1996; Cooper et al., 1978). 관상암종은 관상구조가 적을수록 림프절전이, 원격전이가 많고 여러 개의 결절을 동반할 가능성이 많아지며 나쁜 예후를 보이는 것으로 알려져 있다(Peters et al., 1981)

라. 수질암종(medullary carcinoma)

수질암은 모든 유방암의 5-6%를 차지하고 있으며, 일반적인 유방암보다 비교적 젊은 나이에서 발생하는 것으로 알려져 있다. Moore 등은 수질암의 10% 정도가 35세 이하에서 발병한다고 하였다(Moore and Foote, 1949). 육안으로 경계가 분명하여 임상적으로 섬유선종으로 오진할 수 있으나 현미경 소견은 분화가 안 된 세포로 구성되어 있으며 간질은 거의 없고 림파구나 형질세포의 침윤이 심하며 간혹 주변에서 유관상피내암이 관찰된다(Meyer et al., 1989). 면역 조직학적으로 주로 p53(+), HER-2/neu(-)의 소견을 보이며(Rapin et al.,1988), *BRCA1* 변이를 가진 유방암 중 약 19%가 수질암 형태를 보인다고 한다. 이 경우 환자는 비교적 발병

연령이 낮고 ER(-), p53(+) 양상을 보인다고 알려져 있다(Eisinger et al., 1998).

마. **점액암종**(mucinous carcinoma)

유방의 점액성 암종은 점액을 포함하는 종양으로 침윤성 유방암의 1-7%를 차지하는 비교적 드문 종양이다(Gallager, 1984). 점액성 암종은 고령의 환자에서 잘 발생하며 다른 유방암에 비해 예후가 좋은 것으로 알려졌다. 점액성 암종은 점액류양종양(mucocele-like tumor)과 함께 관찰되거나 관상피내암종이 동반되기도 한다(Hamele-Bena et al., 1996). 점액성 암종은 다른 침윤암이 동반되었는지에 의해 순수 점액성 암종과 혼합 점액성 암종으로 조직학적 분류가 된다. 이러한 분류는 예후와 밀접한 관련이 있고 순수 점액성 암종이 혼합 점액성 암종이나 침윤성 암에 비해 예후가 좋다. 이는 종양 내 점액이암세포들과 주위 실질 사이에서 방어벽 역할을 하고 종양의 크기에 비해 실제 암세포가 차지하는 크기가 작기 때문이라 한다(Yoneyama et al., 2003).

점액성 암종이 점액류양종양(mucocele-like tumor)과 함께 발견되기도 하는데 이는 점액류양종양이 양성 점액류양종양에서부터 점액성 암종까지 포함하는 하나의 연속체이기 때문이다. 일련의 과정 중 관상피세포증식, 이형성 관상피세포증식, 관상피내암종, 점액성 암종 등이 모두 존재할 수 있다(Weaver et al., 1993). 점액류양종양이 점액성 암종 및 관상피내암종과 함께 발견된 보고도 있었다(Kim et al., 2005). 점액류양종양의 평균 연령이 40세인 것에 비해 점액성 암종은 평균 67세로 폐경 후에 잘 발병한다고 알려졌다(Cardenosa et al., 1994).

바. **염증성 유방암**(inflammatory carcinoma)

염증성 유방암은 유방의 피부조직까지도 포함하는 형태로 매우 드물며 전체 유방암의 1-3%를 차지한다. 염증성 유방암은 유방암 군에서는 예후가 불량하고, 임상적으로 심한 유방염 또는 유방농양과 소견이 유사하며, 유방촬영술만으로는 감별이 어려워 진단 및 치료가 지연되는 경우가 흔하고 조직검사로 확진된다(고미경 등, 1999). 침윤성 유방암의 임상적 형태의 일종으로 침윤성 유방암이 많이 진행되어 피부의 림프관을 막아 염증이 생긴 것처럼 피부가 두껍고 빨개지면서 마치 귤껍질처럼 변하게 되는데 이를 피부부종(peau d'orange)이라고 한다. 일반적으로 멍울이나 종양은 없으나 발적이 있고 가슴이 커지고 딱딱해지면서 가려운 증상이 수반되므로 초기 단계에서 감염으로 오인되기도 한다. 6판 AJCC의 분류에 의하면 액와림프절전이 유무 또는 원격전이 유무 등에 따라 stage IIIb, IIIc, 또는 IV에 속할 수 있으며, 병리검사에서 해당 부위의 진피림프관에서 암세포가 보이지 않을 수도 있다(Greene et al., 2002; Haagensen, 1956). 염증성 암종세포는 에스트로겐 수용체와 프로게스테론 수용체에 음성인 경우가 흔하며 HER-2/neu 유전자의 증폭은 다른 침윤성 암종에 비해 드문 편으로 병리학적 평가 및 수술 전 항암요법을 위한 호르몬 수용체와 HER-2/neu의 상태를 반드시 확인해야 한다(Paradiso et al., 1989; Turpin et al., 2002; Cristofanilli et al., 2007; Panades et al., 2005). 예후는 불량한 편으로 치료는 반드시 복합요법(수술 전 항암화학요법, 수술, 방사선요법, 또는 호르몬요법 등)을 시행하도록 권유한다(Korea Breast Cancer, 2008).

② 비침윤성 유방암

가. **관상피내암**(ductal carcinoma in situ, DCIS)

유방의 관상피내암은 유관 상피세포에서 기원하여 유방의 기저막을 침범하지 않은 것으로 0기 암이라고도 한다. 침윤성 유방암보다 훨씬 예후가 좋지만 암세포가 기저막을 뚫고 성장할 경우 침윤성 유관암으로 진행할 수 있다. 과거에는 발생빈도가 적고 수술로서 비교적 치료가 쉽게 되어 별다른 주목을 받지 못했으나 건강에 대한 관심이 증가하고 유방촬영술과 같은 건강검진의 시행이 널리 확대되면서 그 빈도가 증가하고 있다. 한국유방암학회의 보고에 따르면 관상피내암의 빈도는

1996년에 4.2%에 불과했으나 2002년도에 전체 유방암의 7.6%, 2004년에는 10%로 증가하였다(Korean Breast Cancer, 2006). 관상피내암은 주로 촉지되는 종괴, 유두분비 또는 유방촬영술상 미세석회화군집으로 발견되며 관상피내암 환자가 증가하면서 유방촬영술상 미세석회화로 발견되는 환자가 증가하고 있다(Park et al., 1997). 관상피내암은 성장형태가 다양하며 서로 혼합된 형태가 많으며 전형적인 형태를 가지는 면포형, 체모양, 미세유두상, 고형의 크게 네 가지로 나눌 수 있으며, 드문 형태로 유두상, 밀착형, 아포크린형, 반지세포형, 낭성과분비형, 내분비형, 방추세포형 등이 있다(Azzopardi, 2003). 그러나 성장형태에 따른 분류는 객관적이지 않고 예후를 반영하기 어려우므로 예후를 판정하기 위하여 조직학적 특징을 이용한 다른 여러 가지 기준이 제시되었는데 1996년 Silverstein 등이 제시한 Van Nuys 분류법이 대표적이며 저자들은 종양의 크기, 절제연에서 종양까지의 거리, 핵등급과 면포형 괴사여부를 평가하여 재발 가능성을 예측하고 치료지침을 제시하였다. 2003년 수정된 Van Nuys 분류법이 제시되었는데 이를 MVNPI라고 하며 환자의 진단 당시의 연령이 추가된 것이다. 앞의 4가지 평가요인을 각각 1, 2, 3점으로 평가한 후 총점을 계산하여 이를 3가지 아형으로 나누어 총점이 4-6점일 경우 유방종괴절제술, 7-9점일 경우 유방종괴절제술과 방사선치료, 10-12점일 경우 유방전절제술을 하는 것이 재발률을 낮출 수 있다고 제시하였다. 유방의 관상피내암에서는 부분적으로 기질침윤을 보일 수 있는데 유방의 관상피내암에서 미세침윤의 정의는 연구자마다 다르다. 흔히 침범된 범위가 직경 1 mm 이하인 경우이거나(Wong et al., 1990; Frykberg and Bland, 1994) 2 mm 이하인 경우(Zavotsky et al., 1999)로 정의되었으며, 1997년 AJCC에서는 기저막 침윤이 1 mm 이하인 경우를 미세침윤으로 정의하고 TNM 병기에서 T1mic로서 새로이 분류하였다(Silver and Tavassoli, 1998). 미세침윤과 관련해서 Gump 등은 임상적으로 종괴가 만져지는 관상피내암은 만져지지 않는 경우보다 침윤, 국소재발, 액와 림프절전이율이 높고 생존율이 낮다고 보고하였고, Schwartz 등은 조직의 세부형이 면포형일 때 비면포형일 때보다 흔히 미세침윤과 연관되어 있다고 보고하였으며, Silverstein 등은 종괴의 크기가 클수록 미세침윤이 있을 가능성이 높다고 보고하여, 관상피내암에서 종괴가 크고 만져지며 조직형이 면포형일 때 미세침윤의 가능성이 높다는 것을 알 수 있다. 그러므로 일반적으로 유방의 관상피내암에서 종괴가 크게 만져지며 조직형이 면포형이고 핵분화도가 나쁜 경우 재발과 연관이 있다고 보고 고위험군으로 분류하고 있다(Pendas et al., 2007; Solin et al., 1992).

나. 소엽상피내암(lobular carcinoma in situ, LCIS)

유즙을 만들어내는 소엽을 이루는 세포에서 생긴 암으로, 소엽의 기저막을 침범하지 않아 0기 암이라고도 한다. 다른 병소의 조직검사를 시행하는 도중 우연히 진단되는 경우가 많고 관상피내암에 비해 드물지만 젊은 연령층에 흔하고 다발성, 양측성의 빈도가 높으므로 주의해야 한다(Page et al., 1991). 현미경으로 종양세포들이 소엽을 침범한 정도에 따라 비정형소엽증식증과 소엽상피내암으로 나누지만 이들 간의 형태학적 차이는 크지 않아 구별하기 쉽지 않다(한국유방암학회. 2005). 또한 종양세포들은 p53이나 C-erb-B2에 음성반응을 보이고 에스트로겐 수용체 양성반응을 보이며(Porter, 1991), 증식능이 낮아 비교적 이차 암 발생의 위험도가 낮은 편이며, 15년 이상 관찰하였을 때 21%에서 침윤암의 발생이 나타났다는 보고가 있다. 그러나 경화성 선증에서 발생한 경우는 침윤성 암종과 유사하게 보일 수 있고, 암세포가 기저막을 뚫고 성장할 경우 침윤성 유관암 및 침윤성 소엽암으로 진행할 수 있으므로 감별검사가 필수적인 경우도 있으며 6개월 내지 1년 간격의 이학적 검사를 시행하고 매년 유방촬영술을 권장하고 있다(Kopan, 1998; Rosen et al., 1978).

다. Paget disease

파제트 병은 유관에서 암이 생겨 유두 및 유륜의 피부에 퍼진 유방암의 특수한 형태로 전체 유방암의 1-2% 미만을 차지하는 비교적 드문 암이다. 따라서 유두와 유륜의 피부가 각질이 생겨 벗겨지며 빨갛게 변하여 만성습진으로 오인하는 경우가 있으며 병변이 유두와 가깝기 때문에 유두에서 혈성 분비물이 나오는 경우가 많다(Yoon et al., 2006). 이것은 침윤성 암뿐만 아니라 상피내암종과도 관련성이 있으므로 습진 양병변의 치료 후에도 유두와 유륜에 증상이 지속된다면, 파제트 병에 관한 감별을 시행해야 한다.

4) 병기

유방암의 병기는 종괴의 크기, 주변 림프절로의 전이, 다른 장기에 침범한 정도를 기준으로 하여 4가지로 분류되며 병의 진행 상태를 알려주기 때문에 병기의 결정은 치료 방법을 선택하는 데 있어서 매우 중요한 척도이다. 유방암전이를 확인하는 검사로 흉부 X선, 유방 X선검사, 골(bone) 스캔, 전산화단층촬영술, 자기공명영상, 초음파, 양전자방출단층촬영검사 중 하나 이상을 시행할 수 있다. 유방암 병기를 설명하는 데 사용되는 가장 일반적인 시스템은 AJCC/TNM 시스템으로 종괴의 크기(T), 림프절전이 정도(N), 다른 장기 침범 여부(M)를 고려하고 T, N, M 다음의 숫자로 암에 대한 상세 정보를 제공한다. 이 모든 정보를 병기 분류라는 과정으로 조합하여 흔히 말하는 병기를 1-4기로 크게 분류하고, 일부는 세부적으로 A, B, C로 구분하게 된다. 병기별로 TNM의 조합을 보면 다음과 같다(국가암정보센터, 2010)(표 36-4, 5).

5) 치료

(1) 수술적 요법

① 근치적 유방절제술(radical mastectomy)

근치적 유방절제술이란 유방 전체, 가슴의 근육, 액와부 림프절과 주위의 지방조직, 피부 등을 하나의 구획으로 제거하는 수술 방법이다. 19세기 말 Halsted 등이 처음 소개한 이후 70여 년간 유방암의 표준 수술 방법으로 시행되어 왔으나 최근에는 거의 시행되고 있지 않다.

가. 적응증

광범위한 종양이나 흉벽을 침범한 경우, 3기 이상의 유방암 환자에서 항암화학요법 및 방사선요법 시행 후 선택적으로 시행된다(Marchant, 1994; Noguchi, 2007).

나. 수술법

종양과 이전의 조직검사로 인한 상처, 유두-유륜 복합체를 모두 포함하여 제거할 수 있도록 타원형으로 절개부위를 정하도록 하고, 피판의 범위는 위쪽으로는 쇄골의 아래 경계, 아래쪽으로는 복직근초, 안쪽으로는 흉골의 중앙선, 바깥쪽으로는 광배근의 앞까지로 잡는다.

② 변형 근치적 유방절제술(modified radical mastectomy)

변형 근치적 유방절제술은 현재 수술이 가능한 유방암을 치료하는 데 가장 흔하게 시행되는 술식으로 유방 전체, 액와부의 림프절, 가슴 근육의 막을 제거하나 가슴 근육 자체는 보존된다. 소흉근의 보존 여부에 따라서 두 가지 술식으로 나뉘는데, Auchincloss 술식은(Pickren et al., 1965) 대흉근과 소흉근을 모두 보존하며, Petey 술식(Patey and Dyson, 1948)은 대흉근은 보존하고 소흉근은 절제한다. 대흉근이 보존될 경우 가슴 부위가 움푹 들어가지 않아 비교적 정상에 가까운 모습을 유지할 수 있으며, 견갑부 주위의 근육을 보존하여 향후 유방 재건술을 시행하는 데 유리하다.

가. 적응증

유방이나 액와부에서 유방암이 진단되었으나 대흉근이나 근막에 침윤이 없는 경우 시행된다(Staunton et al., 1993).

나. 수술법

기본 술기는 근치적 유방절제술과 비슷하다. 같은 방법

표 36-4. TNM 분류

TNM병기		정의
종괴의 크기(T)	Tx	원발암에 대한 평가 불가능
	T0	원발암의 증거 없을 때
	Tis	상피내암(DCIS, LCIS), Paget's disease
	T1	종양의 크기가 2 cm 이하 T1mi : 1 mm 이하 1 mm <T1a ≤5 mm 5 mm <T1b ≤10 mm 10 mm <T1c ≤20 mm
	T2	T2 20 mm <T2 ≤50 mm
	T3	T3 종양의 크기가 5 cm 초과
	T4	종양이 흉벽, 피부를 침범하거나 염증성 유방암일 때 T4a: 흉벽 침범(흉근 포함되지 않음) T4b: 염증성 유방암의 조건에 충족되지 않으면서 피부 궤양, 부종(귤껍질피부 포함), 동측 유방의 위성피부결절 T4c: T4a와 T4b가 동시에 있는 경우 T4d: 염증성 유방암
림프절전이(N) (임상적 분류)	NX	부위 림프절 확인 불가능(예, 이전 수술로 제거)
	N0	액와 림프절전이가 없을 때
	N1	동측 레벨 I, II 움직이는 림프절전이
	N2	N2a: 동측 레벨 I, II 액와림프절에 전이되고 림프절이 서로 붙어있거나 다른 구조물에 고정 N2b: 임상적으로 발견된 액와림프절전이는 없으나 동측 내유방 림프절(internal mammary nodes)의 임상적*인 발견
	N3	N3a: 동측 쇄골하 림프절전이 N3b: 동측 액와 림프절과 내유방 림프절전이 N3c: 동측 쇄골상 림프절전이
림프절전이(pN) (병리학적 분류)	pNX	부위 림프절 확인 불가능(예, 이전 수술로 제거)
	pN0	조직학적으로 부위 림프절전이 없음 참고: 격리종양세포군(isolated tumor cell cluster, ITC)이란 0.2 mm 이하 크기 또는 단독 종양세포 또는 병리의 한 구역에서 세포 200개 이하를 말하며 병리학적 또는 면역염색법으로 발견. ITC만 있는 림프절은 양성 림프절 수에서는 제외되나 전체 림프절 수에는 포함됨.
	pN0(i-)	조직학적으로나 면역염색으로 부위 림프절전이 없음
	pN0(i+)	부위 림프절에 0.2 mm 이하 크기의 악성세포(격리종양세포를 포함하고 H&E 또는 면역염색으로 발견)
	pN0(mol-)	조직학적 또는 분자생물학적(RT-PCR) 방법으로 부위 림프절전이가 없음
	pN1	pN1mi: 미세전이(0.2 mm보다 크거나 세포가 200개 이상 그러나 2.0 mm보다 작다) pN1a: 액와 림프절 1-3개에 전이(최소한 림프절 한 개 이상에서 2.0 mm 이상 암종 침윤) pN1b: 임상적으로 분명치 않으나 내유 감시 림프절 검사에서 미세전이 pN1c: 액와 림프절 1-3개에 전이되고 임상적으로 분명치않은 내유 감시 림프절 검사에서 미세전이
림프절전이(pN) (병리학적 분류)	pN2	pN3a: 액와 림프절 10개 이상 전이(최소한 림프절 한 개 이상에서 2.0 mm 이상 암종 침윤) 또는 동측 쇄골하 림프절(level III)전이 pN3b: 하나 이상의 액와 림프절전이와 임상적으로 분명한 동측 내유방 림프절전이 또는 3개 이상의 액와 림프절전이와 임상적으로는 분명치 않지만 내유 감시 림프절검사에서 미세전이 pN3c: 동측 쇄골상 림프절전이
	pN3	pN3a: 액와 림프절 10개 이상 전이(최소한 림프절 한 개 이상에서 2.0 mm 이상 암종 침윤) 또는 동측 쇄골하 림프절(level III) 전이 pN3b: 하나 이상의 액와 림프절전이와 임상적으로 분명한 동측 내유방 림프절전이 또는 3개 이상의 액와 림프절전이와 임상적으로는 분명치 않지만 내유 감시 림프절검사에서 미세전이 pN3c: 동측 쇄골상 림프절전이
	MX	원격 전이 여부 확인 불가능
	M0	다른 장기에 전이가 없을 때
	M1	다른 장기에 전이가 있을 때

* 림프신티그래피를 제외한 영상진단에서 발견되거나 임상적으로 발견되거나 세침흡인세포검사에 의한 병리적 확인

표 36-5. 유방암의 병기

병기	종괴의 크기(T)	림프절전이(N)	타장기 침범(M)
0	Tis	N0	M0
1A	T1	N0	M0
1B	T0	N1mi	M0
	T1	N1mi	M0
2A	T0	N1	M0
	T1	N1	M0
	T2	N0	M0
2B	T2	N1	M0
	T3	N0	M0
3A	T0	N2	M0
	T1	N2	M0
	T2	N2	M0
	T3	N1	M0
	T3	N2	M0
3B	T4	N0	M0
	T4	N1	M0
	T4	N2	M0
3C	모든 T	N3	M0
4	모든 T	모든 N	M1

으로 대흉근과 소흉근을 노출시킨 후, Auchincloss 술식은 소흉근을 절제하지 않고 level I과 II 액와 절제를 위해 근육을 위쪽, 안쪽으로 당겨서 시행하고, Petey 술식은 level III 액와 절제를 위해 소흉근의 기시부에 가까운 곳부터 흉근 신경지 바깥쪽까지 절제하여 시행한다.

③ 전유방절제술(total mastectomy)

전유방절제술의 경우 유두-유륜 복합체를 포함한 유방의 전체가 제거되나 림프절과 주위의 근육은 보존된다.

가. 적응증

유방 크기에 비해 상대적으로 종양의 크기가 큰 경우, 다발성종양인 경우, 광범위 미세 석회화가 동반된 경우, 국소절제술을 2회 이상 시행하였음에도 절제연이 양성인 경우, 방사선요법이 금기인 경우(임신, 교원 혈관 질환, 흉부에 방사선요법을 시행한 과거력이 있는 경우)에 해당한다(Leach et al., 1995; Silverstein et al., 2002; Corral and Mustoe, 1996; Ross et al., 1993).

나. 수술법

기본 술기는 근치적 유방절제술과 같으며 액와림프절제술을 시행하지 않는다는 차이가 있다.

④ 유방보존술(breast conserving surgery)

유방의 형태를 보존하면서 일차적인 종양조직을 제거하는 방식으로 부분 유방절제술, 종괴절제술 등이 포함된다. 이 술식은 종양과 이를 둘러싸고 있는 주위 조직을 제거한다.

가. 적응증

이전에는 큰 유방에서 수술이 가능한 작은 종양의 경우, 종양이 중앙부보다 변연부에 위치하는 경우, 유두가 침범되지 않은 경우, 다발성병변이 아닌 경우에 한정하여 시행하였으나(Winchester and Cox, 1992; Danoff et al., 1985) 현재는 반드시 그렇지는 않다.

나. 수술법

일반적으로 종양을 둘러싸고 있는 정상 조직을 1-2 cm 가량 붙여 절제하나 실제 조직학적으로는 1 mm 정도의 여유 변연만 있어도 충분하다(Holland et al., 1985). 피부 절개는 종양의 바로 표층에서 시행한다. 추가적인 액와부 횡절개를 시행하여 감시 림프절이나 액와부 림프절절제를 시행할 수 있다. 액와 림프절의 수술은 변형 근치적 유방절제술에서와 같은 방법으로 시행한다. 수술 범위는 위쪽으로는 액와 혈관, 바깥쪽으로는 광배근, 안쪽으로는 흉벽, 아래쪽으로는 액와미부까지 이루어진다. 유방 보존수술 후에 보존된 나머지 유방에서 국소재발 방지를 위하여 방사선치료를 하게 된다(Fisher et al., 2002).

다. 유방 보존술의 단점(Veronesi et al., 2002; Blichert-Toft et al., 2008)

가) 반복적 수술이 필요할 수 있다.
나) 반복적 생검이 필요할 수 있다.
다) 유방 촬영술(mammograms)을 반복적으로 시행하여야 한다.
라) 혈종, 장액종의 발생
마) 재발
바) 추가적인 방사선치료가 필요할 수 있다.
사) 가슴의 크기가 대칭적이지 못한 경우가 많아 시각적으로 좋지 않다.

라. 유방보존술의 절대적 금기(Winchester and Cox, 1998)

가) 한쪽 가슴에 1개 이상의 병변이 발견된 경우
나) 비교적 작은 가슴 크기에 큰 종양이 발생한 경우
다) 유방이나 흉벽에 이전 고용량 방사선치료를 받은 과거력이 있는 경우
라) 방사선치료를 원치 않는 경우
마) 임신 1기 또는 2기
바) 유방 촬영술에서 악성으로 의심되거나 악성이 명백한 미만성 미세 석회화 병소가 있는 환자
사) 생검 결과 절제연이 양성인 경우

마. 유방 보존술의 상대적 금기

가) 피부를 침범한 활동성 결합 조직 질환: 루퍼스, 공피증 등
나) 5 cm 이상 큰 종양

⑤ 액와림프절곽청술(axillary lymph node dissection)

액와림프절을 절제하는 주 이유는 적절한 병기 결정을 하여 향후 치료 방침을 정하기 위해서이다(Blichert-Toft et al., 1991). 이를 위해서는 10개 이상의 충분한 림프절을 얻어야 하며(Kiricuta et al., 1992; Axelsson et al., 1992), level I(액와 혈관의 원위부와 소흉근 외측)과 level II(소흉근 하방)의 림프절절제가 권장된다. 수술 시 level I이나 level II의 전이가 확인된 경우에는 level III(소흉근 내측 림프절군)의 림프절절제가 필요하다(Graversen et al., 1992; Sabel et al., 2004). 변형 근치적 유방절제술을 시행할 때는 별도의 피부 절개가 필요하지 않으나 이외의 경우에는 액와 피부 주름에서 2 cm 아래의 피부선을 따라 평행하게 절개하고 앞쪽은 대흉근 외측 가장자리 뒤, 뒤쪽은 광배근의 외측 가장자리 앞까지 시행한다. 길이는 액와의 너비에 따라 결정하고, 팔을 몸 쪽으로 붙였을 때 절개선이 보이지 않도록 한다.

⑥ 피부보존 유방절제술(skin-sparing mastectomy)

피부보존 유방절제술은 1962년 Freeman에 의해 처음 시도되었고, 1991년 Toth와 Lappert에 의해 정의 및 기본 개념이 정립되었다. 피부보존 유방절제술은 대부분의 피부 및 피하지방은 보존하면서 유두-유륜 복합체와 피하 지방 아래의 유방 실질은 모두 제거한다. 이는 수술 후 피부 괴사의 방지를 위해 피하 지방과 유방 실질과의 경계를 따라 시행하여 불필요한 피하 지방의 제거 없이 최소 두께의 피하 지방을 남기고 유방 실질을 모두 제거하며 이는 피하 지방을 충분히 남기는 것과 피부를 더 많이 남긴다는 것 외에는 변형 근치적 유방절제술과 크게 다르지 않다. 변형 근치적 유방절제술에 비해 가장 큰 이점은 유방 실질을 싸고 있는 피부 및 피하 지방과 유방하단 주름선(inframammary fold)의 보존 후 즉시 유방재건술을 시행함으로써 보다 자연스럽고 미용적으로 우수한 유방 모양을 재건할수 있다는 것이다. 피부보존 유방절제술은 유방암의 크기가 5 cm 이하, 다발성 유방암, 넓은 부위의 관상피내암 또는 고위험 환자에서 예방적 유방절제술이 필요한 경우 고려할 수 있다(Cunnick and Mokbel, 2006)

⑦ 유두-유륜 복합체 보존 유방절제술(nipple-areolar complex conserving mastectomy)

Kissin 등이 최초로 유두를 보존하는 유방절제술에 대한 시도를 보고한 이래로 유두-유륜 복합체를 보존하면서 피

부보존 유방절제술을 시행하는 수술법에 대한 관심이 높아지고 있다. 유방절제술 시행 시, 수술 전에 발견되지 않은 종양 세포가 유두-유륜 복합체를 침범할 가능성이 높기 때문에 함께 제거하는 것이 일반적이다. 발표된 여러 연구에 따르면 유두-유륜 복합체가 침범될 가능성은 5.6-10.6%, 이미 잠재성 종양이 존재할 가능성은 8-50%이다. 유두-유륜 복합체를 침범할 가능성이 높은 경우는 원발종양과의 거리가 가깝거나, 다발성인 경우, 조직 분화도가 나쁜 경우, 림프절전이가 있는 경우, 크기가 큰 경우(2 cm 이상) 등으로 알려져 있다. 아직까지는 연구기관에 따라 기준의 차이가 있으나 원발종양의 크기가 2 cm 이하로 작고, 원발종양이 유두-유륜 복합체로부터 4-5 cm 이상 떨어져 있거나, 림프절전이가 없는 경우 등을 신중히 선별하여 안전하고 미용 효과가 뛰어난 유두-유륜 복합체 보존 유방절제술을 시행할 수 있다(Fisher et al., 1975; Smith et al., 1976; Lagios et al., 1979).

(2) 항암화학요법

항암화학요법은 시행 시기 및 목적에 따라 선행 항암화학요법, 보조 항암화학요법, 완화 항암화학요법으로 구분할 수 있다. 선행 항암화학요법은 술 전 암의 크기를 줄이거나 수술 시 절제 범위를 줄이는 것을 목적으로 하고, 보조 항암화학요법은 수술 후 재발 및 전이 방지를 위해 시행하는 경우이며, 완화 항암화학요법은 재발 및 전이 유방암 환자에게 완치보다는 증상을 완화시키는 목적으로 시행하는 치료를 뜻한다.

① 선행 항암화학요법(neoadjuvant chemotherapy)

선행 항암화학요법은 근치적 수술이 어려운 환자에서 수술이나 방사선치료 등의 국소 치료가 가능하도록 종양 혹은 전이 림프절의 반응을 유도하기 위해 시행하거나, 근치적 수술이 가능한 환자에서는 유방 보존술이 가능하게 하기 위해 수술 전 시행하는 항암화학요법을 의미한다. 선행 항암화학요법을 시행하여 종양의 화학요법 감수성을 알아볼 수 있고 그에 의한 병리학적 완전 관해는 생존률을 향상시키는 예후 인자로 사용될 수 있다. 하지만 선행 항암화학요법의 효과가 보조 항암화학요법에 비해 우월한 생존율을 나타내지는 못하였다. 보조 항암화학요법에 사용되는 약제들이 선행 항암화학요법에도 사용될 수 있다(Slamon et al., 2006; Wolmark et al., 2001; Rastogi et al., 2008)

조기 유방암에서 선행 항암화학요법을 계획할 경우, 원발종양 및 액와 림프절(전이가 의심되는 경우)에 대한 조직검사를 시행할 것이 추천된다. 선행 항암화학요법 후에 육안으로 원발종양을 발견할 수 없는 경우를 대비하여 항암화학요법 시작 전에 유방 촬영술을 시행하는 등의 방법을 사용하는 것을 권장한다. 권장되는 약제로는 FEC (fluorouracil + epirubicin + cyclophosphamide), AT (anthracycline + taxane), AC (anthracycline + cyclophosphamide), AC 요법 후 taxane 병합요법 등이 있다.

국소 진행 유방암은 anthracycline 병합요법이 주로 시행되어 왔으나, 보조 항암 화학요법에서와 마찬가지로 taxane을 포함한 요법이 생존율에 우위를 보임에 따라 권장되고 있다(Mieog et al., 2007;.Hutcheon et al., 2003; Heys et al., 2005). 2006년 international expert panel들의 권고안에서 수술이 가능한 유방암 환자에서 선행 화학요법은 anthracycline 또는 taxane을 포함한 병합요법을 4-6개월 동안 최소 6회를 투여하도록 권장하였다.

HER-2 양성일 경우 보조 항암화학요법과 마찬가지로 trastuzumab을 포함한 병합요법을 고려해야 한다(Buzdar et al., 2005). 선행 항암화학요법 2-3회를 마친 후에는 반응평가를 실시하여 계획된 항암화학요법을 지속할 것인지 새로운 요법으로 바꾸거나 국소 치료를 먼저 시행할지 결정하여야 한다.

염증성 유방암은 HER-2 양성인 경우가 많고 에스트로겐 수용체, 프로게스테론 수용체 음성의 빈도가 더 높고 예후가 불량하기 때문에, 반드시 복합요법(선행 항암화학요법, 수술, 방사선치료, 또는 호르몬요법 등)의 치료를 시행해야 한다. 선행 항암화학요법은 anthracycline을 포함하는 병합요법을 사용하고, taxane 계열의 약제 병합요법이 전체 생존율 향상에 도움이 된다(Therasse et al., 2003;

Cristofanilli et al., 2004).

항암화학요법에 사용되는 약제는 trastuzumab의 포함 여부에 따라 구분할 수 있다. Trastuzumab을 쓰지 않을 때는 TAC (docetaxel + doxorubicin + cyclophosphamide), Dose-dense AC (doxorubicin + cyclophosphamide) 이어서 paclitaxel, 2주 간격으로 AC (doxorubicin + cyclophosphamide) 이어서 매주 paclitaxel, TC (docetaxel + cyclophosphamide), AC (doxorubicin + cyclophosphamide), FAC/CAF (5-fluorouracil + doxorubicin + cyclophosphamide), FEC/CEF (cyclophosphamide + epirubicin + 5-fluorouracil), CMF (cyclophosphamide + methotrexate + 5-fluorouracil), AC 이어서 3주 간격으로 docetaxel, AC 이어서 3주 간격으로 paclitaxel, EC (epirubicin + cyclophosphamide), A→T→C (doxorubicin 투여 후 paclitaxel 이어서 cyclophosphamide) 2주마다 filgrastim 보조요법, FEC→T (5-fluorouracil + epirubicin + cyclophosphamide 투여 후 docetaxel), FEC 이어서 매주 paclitaxel이 있다. Trastuzumab을 포함할 경우에는 AC 이어서docetaxel + concurrent trastuzumab, TCH (docetaxel + carboplatin + trastuzumab), docetaxel + trastuzum-ab 이어서 FEC, AC 이어서 docetaxel + trastuzumab 요법이 있다.

② 보조 항암화학요법(adjuvant chemotherapy)

보조 항암화학요법은 수술 후 추가되는 항암화학요법으로 전이 위험성이 있거나 재발의 확률이 높을 때 시행할 수 있다. 유방암의 단계와 호르몬 수용체, HER-2 유무에 따라 권고되는 치료에 차이가 있다.

유방암은 AJCC Cancer Staging Manual 7th edition (2010)의 기준에 의하면 0기, 조기유방암(IA기, IB기, IIA기, IIB기), 국소 진행 유방암(IIIA기, IIIB기, IIIC기), 4기로 구분할 수 있다.

비침습 유방암인 관상피내암과 소엽상피내암은 타목시펜으로 호르몬요법은 가능하나 항암화학요법은 시행하지 않는다(Fisher et al., 2001).

조기 유방암은 예후가 양호한 조직학적 아형(tubular carcinoma, colloid carcinoma)일 경우에는 호르몬 수용체 여부와 같이 생각해야 한다. 호르몬 수용체 양성에서 림프절전이가 없거나, 림프절 미세침윤이면서 크기가 1 cm 미만이면 보조 치료가 필요 없다. 종양의 크기가 1-3 cm이면 호르몬요법을 고려할 수 있고 3 cm 이상이면 보조호르몬요법을 시행한다. 호르몬 수용체 양성에서 림프절전이가 있으면 보조적 호르몬치료를 시행하고 보조 항암화학요법을 고려할 수 있다. 호르몬 수용체가 없는 경우에는 일반적인 조직형(ductal, lobular, mixed or metaplastic)에서 호르몬 수용체 없는 경우의 원칙에 맞추어서 시행한다 (Loprinzi and Thomé, 2001).

일반적인 조직형에서는 림프절이 음성이거나 미세 침윤일 경우와 림프절 양성 여부에 따라 항암화학요법의 기준이 달라진다. 우선 림프절전이가 양성인 경우 보조 항암화학요법을 실시하는 것이 원칙이다. 그러나 음성이거나 림프절 미세침윤(2 mm 이하)인 경우는 종양 크기에 따라 달라진다. 종양 크기가 0.5 cm이거나 조직 미세침윤 (1 mm 이하)에서 림프절전이 음성에서는 더 이상 치료가 필요 없으나 림프절의 미세 침윤(2 mm 이하)에서는 항암화학요법을 고려할 수 있다. 종양의 크기가 0.6-1.0 cm인 경우에는 항암화학요법을 고려할 수 있다. 종양 크기가 1.0 cm 이상이면 보조 항암 화학요법을 시행한다(Goldhirsch et al., 2009). HER-2 양성의 경우는 trastuzumab 치료 대상이다. Trastuzumab 사용 시 심장 독성의 증가가 보고되고 있어 적절한 평가가 병행되어야 한다. 국소 진행 유방암은 선행 항암화학요법을 시행한 경우 계획된 투여 주기가 수술 후에 남아 있으면 이를 완료하도록 한다. 약제 선택은 anthracycline 기반요법이나 anthracycline 계열과 taxane 계열의 병합요법을 선택하는 것이 권장된다. 에스트로겐 수용체 음성 또는 호르몬 수용체 저발현 유방암과 HER-2 과발현 유방암은 우선적으로 anthracycline 계열과 taxane 계열의 병합요법(순차적요법 또는 병합요법)을 선택하는 것이 권장된다. HER-2 과발현 유방암에서 림프절 양성이거나, 림프절 음성이면서 고위험군인 경우, 항암화학요법과 동시에 1년 동안 trastuzumab을 투여하는 것이 권고된다.

③ 완화 항암화학요법(palliative chemotherapy)

완화 항암화학요법은 재발 및 전이 유방암 환자를 대상으로 한다. 병의 완치보다는 증상의 감소와 예방, 생명을 연장시키고 삶의 질을 향상시키는 것을 목적으로 한다.

암으로 인해 수행 능력 상태가 저하된 경우 항암화학요법을 시행할 수 있으며 특히 뼈, 림프절, 피부에 전이된 경우 간이나 폐에 전이되었을 때보다 치료 반응이 좋다. 한 가지 약제를 사용하는 것보다 두 가지 이상의 약제를 병합하여 사용하는 것이 완화 항암화학요법에 적합한 것으로 보고되고 있다. 그러나 병합요법은 단일 약제를 순차적으로 사용하는 것보다 독성이 심하게 나타나나 생존율에는 큰 차이가 없다.

단독요법으로 많이 사용하는 항암제에는 Doxorubicin, Epirubicin, Paclitaxel, Docetaxel, Capecitabine, Vinorelbine, Gemcitabine 등이 있다. 병합요법 항암제로는 FAC/CAF (Cyclophosphamide + doxorubicin + 5-Fluorouracil), FEC (5-Fluorouracil + epirubicin + cyclophosphamide), AC (Doxorubicin + cyclophos-phamide), EC (Epirubicin + cyclophosphamide), AT (Doxorubicin + docetaxel/paclitaxel), ET (Epirubicin + docetaxel/paclitaxel), CMF (Cyclophosphamide + methotrexate + 5-Fluorouracil), Capecitabine + docetaxel/paclitaxel Gemcitabine + docetaxel/paclitaxel, Vinorelbine + docetaxel/paclitaxel, Vinorelbine + epirubicin, Vinorelbine + 5-FU, Gemcitabine + vinorelbine 등이 있다.

(3) 방사선요법

방사선치료는 고에너지를 이용하여 암세포를 파괴시키는 방법으로 수술적 치료와 함께 유방암의 국소적인 치료 방법에 포함된다. 보통 일주일에 5회씩 5-6주간 시행한다. 항암화학요법과 마찬가지로 조기유방암과 국소 진행 유방암에 따라 치료를 구분할 수 있다.

조기 유방암에서 유방전절제술을 시행한 경우 절제연이 양성이거나 1 mm 미만으로 근접한 경우, 종양의 직경이 5 cm 이상인 경우에 흉벽에 대한 방사선요법을 시행한다.

유방보존술을 시행한 경우에는 전유방에 대한 방사선치료가 필요하다. 분획선량은 1.8-2 Gy로 하여 일주일에 5회, 총 45-50 Gy를 조사한다. 이후 수술 전 종양의 위치로 범위를 감소시켜 분획선량은 그대로, 일주일에 5회, 총 10-15 Gy를 추가 조사한다. 액와 림프절에 1-3개의 전이가 있는 유방암에서는 쇄골상 림프절 조사를 고려할 수 있다. 일부 예후가 좋은 환자군에서 수술 후 근접 방사선치료나 외부 방사선치료를 이용한 가속저분할 부분 유방 방사선치료를 고려할 수 있다.

국소 진행 유방암 환자에서 선행 및 완화 목적의 방사선요법을 고려할 수 있다. 유방전절제술 시행 후 방사선치료를 결정하기 위해 종양의 크기, 림프절전이 상태 및 절제연 상태를 고려해야 한다. 유방전절제술 후 액와림프절이 1-3개 양성일 경우 항암화학요법 후에 흉벽과 동측 쇄골상 림프절에 대한 방사선요법을 고려할 수도 있으나, 액와림프절이 4개 이상이면 항암화학요법 후 흉벽과 동측 쇄골상 림프절에 대한 방사선요법을 시행해야 한다. 액와림프절전이가 없더라도 종양 크기가 5 cm 이상이거나 절제연이 양성인 경우 흉벽에 대한 방사선요법을 시행해야 하며, 이 경우 동측 쇄골상 림프절에 대한 방사선요법을 함께 시행할 수 있다. 최근 보고에 의하면 유방전절제술 후 액와림프절에 전이가 있는 경우에 흉벽과 동측 부위 림프절에 방사선요법을 시행하면 국소 재발률을 낮추고 무병 생존율과 전체 생존율을 향상시킨다고 하였다. 유방보존술을 시행한 경우에는 남은 유방에 대한 전유방 방사선치료와 추가 조사 및 동측 쇄골상 림프절에 대한 방사선요법을 시행해야 하며, 범위는 유방전절제술과 마찬가지로 림프절전이 상태에 따른다. 선행 항암화학요법을 시행한 경우 수술 후 방사선요법은 항암화학요법의 반응 정도와 무관하게 진단 시 임상적 병기 상태에 따라 시행해야 한다(McGuire et al., 2007; Huang et al., 2004).

완화요법으로 시행하는 방사선요법은 뇌전이, 척수 압

박, 뼈전이, 동통을 유발하는 연부 조직전이, 소화기 폐쇄, 요로 폐쇄, 담도 폐쇄, 기도 폐쇄, 조절되지 않는 암성 출혈 등의 경우에 시행한다. 척수 압박이 있을 경우 방사선치료는 증상 완화 측면에서 수술과 동일한 효과를 가진다. 방사선치료 전에 보행 가능하고, 방광 또는 배변 기능을 유지하고 있던 경우에 결과가 좋다. 뼈전이로 인한 통증 등의 증상에서 고식적 방사선치료는 매우 효과적이다. 단일 혹은 제한된 숫자의 뇌전이가 있는 경우 외과적 절제수술 및 전뇌 방사선치료 또는 방사선수술(radiosurgery)을 시행한다(Andrews et al., 2004; Flickinger et al., 1994). 이때 외과적 절제수술을 대체하여 감마나이프와 같은 방사선수술을 시행할 수 있다(Harwood and Simson, 1977). 다수의 뇌전이가 있으면 뇌전이로 인한 증상 완화를 목적으로 전뇌 방사선치료를 시행한다(Kurtz et al., 1981; Priestman et al., 1996).

(4) 호르몬보조요법

70세 미만의 모든 연령군에서 수술 후 보조적인 전신요법을 고려해야 한다. 그중 호르몬요법은 부작용이 적고 재발률을 낮추는 데에도 효과적이어서 널리 사용된다. 원발종양의 에스트로겐 수용체, 프로게스테론 수용체 발현 여부를 검사하여 호르몬 수용체가 10% 이하가 되더라도 항에스트로겐호르몬요법을 시작하는데 환자 나이, 액와 림프절전이 여부, 수술 후 항암 화학요법 여부, HER-2 유무 등에 관계없이 호르몬요법을 시행한다(Hirst, 1994).

수술, 항암 화학요법 그리고 방사선치료가 끝난 후 사용되는 보조적 호르몬요법(adjuvant hormone therapy)의 기본 개념은 에스트로겐의 효과를 감소시켜서 유방조직의 자극을 감소시켜 유방암의 재발을 막는 데 있다. 현재 사용하고 있는 약제는 선택적 에스트로겐 수용체 조절제(selective estrogen receptor modulator, SERM)와 아로마타제 억제제(aromatase inhibitor)이다.

① 선택적 에스트로겐 수용체 조절제

1960년대 에스트로겐 수용체의 발견으로 인해 선택적인 호르몬치료가 가능하게 되었다. SERM 제재는 각 장기에 따라 길항적 또는 항진적으로 작용하는 특성을 가지고 있어 타목시펜 같은 경우 유방에 대해서는 길항적, 자궁과 뼈에 대해서는 항진적 작용을 한다. 랄록시펜(Raloxifene)은 유방과 자궁에 대해서 길항적, 뼈에 대해서는 항진적이서 유방암 억제에 대한 효과가 동등하다면 이론적으로는 랄록시펜이 더 유용하다고 생각할 수 있다(표 36-6).

SERM 계열은 작용 기전에 따라 세 가지로 나눌 수 있다. 첫 번째는 내인성 에스트로겐호르몬과 같이 모든 조직에 항진적 작용을 하는 것이다. 두 번째는 조직에 따라 길항 또는 항진을 하는 것으로 타목시펜, 랄록시펜 등이 해당된다. 세 번째는 모든 조직에 대해 완전 길항적 작용을 하는 것으로 풀베스트란트(fulvestrant, Faslodex®)이다. 타목시펜은 전체 생존률 및 무병생존율을 향상시키고, 반대측 유방암의 발생율을 감소시킨다(Goldhurush and Gelber, 1996). 용량은 하루에 20 mg을 경구 투여한다. 일반적인 SERM 제재의 부작용은 안면 홍조, 피로감, 질 위축 같은 폐경 증상, 혈전색전증 그리고 뇌졸중 등이 올 수 있다. 유방암 치료 후 보조호르몬요법으로 30년 이상 사용되어온 타목시펜의 가장 큰 부작용으로는 1,000명당 2명 정도 발생하는 자궁내막암이므로 이 약제를 사용하는 환자 중 질출혈 같은 증상이 없으면 일 년 단위의 규칙적인 골반암검사

표 36-6. 선택적 에스트로겐 수용체 조절제 종류

종류	작용	사용할 수 있는 경우
Tamoxifen	유방 억제 뼈, 자궁내막 증식	유방암
Raloxifene	유방, 자궁내막 억제 뼈 증식	유방암, 골다공증
Toremifene	타목시펜과 비슷	유방암
Lasofoxifene	유방, 자궁내막 억제	유방암, 골다공증, 질위축
Clomifene	시상하부 억제	배란 유도
Femarelle	뼈 증식, 뇌 활동 증가	폐경 증상, 골다공증
Ormeloxifene	유방, 자궁내막 억제 뼈 증식	피임

를 하고 증상이 있는 경우는 반드시 질 초음파를 해야 한다. 특히, 폐경된 여성에서 타목시펜을 사용하는 경우에는 규칙적인 질 초음파가 필요하지는 않지만 증상 여부를 매우 주의 깊게 보아야 한다.

② 아로마타제 억제제

아로마타제는 C19 스테로이드가 C18 스테로이드로 전환될 때 이용되는 효소로서 이 효소를 억제하면 C18 스테로이드의 생성이 억제되고 결국 에스트로겐의 생성이 억제된다. 이러한 아로마타제 억제제는 작용 기전에 따라 두 가지로 나뉜다. 아로마타제 억제제와 영구 결합하는 엑세메스탄(Aromasin®)이 있고 아로마타제 억제제와 경쟁적으로 결합하는 아나스트로졸(Arimidex®) 또는 레트로졸(Femara®)이 있다. 이 약제들은 타목시펜보다 반대측 유방암 발생, 국소 재발, 전이 예방 효과가 더 우수하다. 타목시펜과는 달리 아로마타제 억제제에서는 자궁내막증식, 혈전, 뇌졸중 같은 부작용이 더 적다. 하지만 근육통이나 관절통이 올 수 있고 폐경 증상이 흔하며, 골다공증과 골절이 올 수 있으므로 골밀도 증진을 위한 적절한 칼슘 및 Vitamin D 제제와 함께 비스포스포네이트(bisphosphonate) 또는 랄록시펜 제제를 써야한다. 그러나 아로마타제 억제제는 폐경 전 유방암 환자에서 난소의 배란을 유도할 수 있으므로 폐경 이후 유방암 환자의 표준요법중 하나로 사용된다.

③ 폐경 전 여성 유방암에 대한 호르몬요법

호르몬 수용체 양성인 폐경 전 여성에서는 타목시펜 투여를 우선적으로 고려하고 사용기간은 5년을 원칙으로 한다(Early Breast Cancer, 2005). 타목시펜 사용 중에 GnRH agonist 의 투여나 난소 억제 치료를 병합하여 사용할 수 있다. 난소 절제, 난소에 대한 방사선치료 등을 포함한 난소 억제요법과 타목시펜의 병합요법은 CMF 항암 화학요법과 동등한 치료성적을 보인다.

④ 폐경 후 여성 유방암에 대한 호르몬요법

술 후 보조적 호르몬요법으로 아로마타제 억제제의 투여는 현재까지 여러 가지 방식이 시도되었다. 아로마타제 억제제를 처음부터 타목시펜 대신 5년간 투여하거나(선행요법, upfront therapy), 2-3년간 타목시펜을 투여한 후 아로마타제 억제제를 투여하는 방법(순차요법, switching therapy as sequential with tamoxifen), 호르몬 수용체 양성인 폐경 전 여성에서는 타목시펜을 5년간 사용한 뒤 아로마타제 억제제를 투여하는 방법(연장요법, extended therapy) 등이 있다. 아로마타제 억제제의 전체 투여기간은 선행요법 또는 연장요법에 상관없이 5년을 넘지 않도록 한다. 아로마타제 억제제 단독 5년 요법(선행요법)과 순차요법은 국소 재발, 반대편 유방암 발생 및 원격전이 위험을 낮추는 것으로 알려져 있고 두 군 사이의 재발률이나 생존율의 차이는 없는 것으로 나타났다. 순차요법의 경우 아로마타제 억제제를 투여하기 전 타목시펜 치료의 적절한 기간에 대한 비교 연구는 아직 없기 때문에 그 기간을 단정 지을 수는 없으나, 타목시펜을 2-3년 유지해온 환자에서는 아로마타제 억제제로 전환할 것을 권하고 있다. 14,15 아로마타제 억제제 금기인 여성이거나 아로마타제 억제제 사용에 적합하지 않은 경우 타목시펜을 5년간 투여할 수 있다(Goss et al., 2005).

⑤ 전신전이의 호르몬요법

재발 및 전이 유방암 환자에서 호르몬요법을 우선 고려할 수 있는 경우는 에스트로겐호르몬 수용체 양성 또는 프로게스테론 수용체 양성이면서 뼈 또는 연부조직에만 국한된 전이, 내부 장기 전이 등이다. 폐경 전에서는 초기 유방암에서와 마찬가지로 재발 또는 전신 전이 유방암에 타목시펜 또는 GnRH agonist 단독요법보다는 두 치료의 병용요법이 이득이 있는 것으로 보인다. 이 경우 순차적으로 투여하거나 또는 동시에 투여하는 방법에 따른 차이는 확실히 알려진 바 없고 GnRH agonist와 아로마타제 억제제의 병용요법에 대한 임상 연구는 현재 진행되고 있다. 폐경 후 재발 및 전이 유방암 환자에서는 선택적 아로마타제 억제제를 투여하거나 항에스트로겐 제제를 사용할 수 있다. 호르몬치료에 반응하는 유방암 환자는 재발하거나 전이가 발생하면 추가적인 호르몬 용법으로 효과를 볼 수 있으며, 병소의 감소나 안정화 되는 양상을 보이면 지속적으로 투여해야 된다. 그러나 호르몬 용법 시도 후에도 병이 진행되거나 반응이 없는 경우에는 항암 화학요법이나 표적 치료를 고려하여야 한다.

6) 예후

우리나라 유방암의 발생률은 매우 빠른 속도로 증가하고 있다 . 한국 중앙 암 등록 사업과 한국 유방암 등록 사업 보고에 따르면 1996년 여성 인구 10만 명당 유방암 환자 수는 16.7명이었지만 2002년에는 31.5명, 2006년 37.9명, 2008년에는 42.1명으로 지속적으로 증가하고 있고 이러한 발생률의 급격한 증가는 유방암으로 인한 사망률의 꾸준한 증가로 이어지고 있다. 그러나 초기 유방암이 차지하는 비율이 높아지고 새로운 약제의 개발과 다양한 임상시험의 결과에 따라 유방암의 생존율은 모든 병기에서 점점 더 향상되고 있다(Ahn, 2006).

유방암도 다른 암과 마찬가지로 초기에 발견했을 경우 생존율이 높다. 2005년 발표된 한국 유방암학회 보고서에 따르면 유방암수술 환자의 5년 생존율은 0기는 99%, 2기는 89%, 3기는 59%, 4기는 28% 순으로 나타났으며 1 병기별 재발률은 0기 약 5% 1기, 15%, 2기 20-25% 3기 이상 60%인 것으로 나타났다.

치료 후 재발에 관한 최근의 국내 보고에 의하면 첫 5년 내 재발률이 17.7%, 10년 내 재발률이 23.4%였고, 가장 재발의 위험이 높은 시기는 첫 치료 후 2-3년 사이였다. 병기별 재발률을 보면 진행성 유방암일수록 재발의 위험도는 높아지며, 재발이 되기까지의 기간 또한 짧았다(Son et al., 2006). 이들 재발성 유방암 환자들의 예후는 매우 다양하게 보고되고 있는데 대개 재발 후 2년 정도의 평균 생존기간을 보이고 10%에서는 5년 이상의 생존율을 보고하기도 한다. 이러한 생존율의 차이는 무병기간, 재발 장소, 진단 당시의 액와 림프절의 침범 유무, 호르몬 수용체의 발현, Her2/neu 유전자의 발현 등이 예후 인자로 알려져 있으며 이들은 각각 독립적인 예후 인자이다(Wood et al., 2005). 많은 보고에서 이러한 예후 인자들의 단변량 및 다변량 연구를 통해 유사한 결과를 보여 주고 있다.

호르몬 수용체의 발현 유무는 수술 후 생존율뿐만 아니라 재발 후 생존율에도 영향을 주는 인자이다. 호르몬 수용체 음성인 경우 그렇지 않은 경우보다 약 2.0배의 나쁜 예후를 보여 주고 있으며 이는 전이된 조직에서의 수용체 유무보다도 원발 암조직에서의 호르몬 수용체 유무에 더 큰 영향을 받는다고 보고되고 있다.

수술 당시 액와 림프절의 상태도 중요한 예후 인자로 작용한다. 액와 림프절이 침범되고 호르몬 수용체 발현이 없는 경우에 가장 악성도가 높고, 무병기간이 짧으며, 재발 후 생존율이 불량하다(Insa et al., 1999).

또한 여러 보고에서 재발 장소에 의한 생존율을 분석하였는데 크게 장기성(organic)과 비장기성(non organic)으로 나누었으며 장기성 전이에서 약 1.6배의 나쁜 생존율이 보고되고 있다.

재발 환자를 대상으로 한 국내 연구에 따르면 유방암의 첫 수술 후 재발되기까지의 무병기간은 매우 중요한 예후 인자이다. 무병기간을 2년 기준으로 나누어 보았을 때 2년 이후 재발한 군의 생존기간의 중앙값은 44개월이었으나 2년 이내 재발은 26개월에 불과하였다.

7) 임신 관련 유방암

임신과 관련된 유방암은 환자의 임신기간 중이나 아니면 출산 후 1년 이내에 유방암 진단이 이루어진 경우를 말한다. 발생빈도는 임신과 동반된 악성종양 중 자궁경부암 다음으로 흔하며 약 3,000명 내지 10,000명의 임산부 중 1명 정도로 발견된다고 한다(Antonelli et al., 1996) 전체 유방암 환자의 1-2%가 임신과 동반되어 발견되는데, 40세 이하의 유방암 환자 중에서는 약 15% 정도가 임신과 연관된 유방암 환자이며, 35세 이하의 유방암 환자들 중에서 10%는 임신기간 중에 발견되었고 15%는 출산 후 1년 내에 발견되어 총 25%가 임신과 연관되어 있다고 하였다(Horsley et al., 1969). 임신과 관련된 유방암의 평균연령은 33세이고 40세 이상에서는 2-3배 암 발생이 증가되는 추세이다. 과거에 비해 임신 관련 유방암이 증가추세를 보이는 이유는 임산부의 평균연령이 상승하는 추세에 따라 30대나 40대에서도 임신을 경험하는 빈도가 높아지고 유방암에 대한 일반인의 인식이 높아지면서 젊은 연령의 집단에서 유방촬영이나 유방초음파 등의 진단방법을 활용함에 따라 발견율이 증가하기 때문인 것으로 생각된다.

임신과 관련된 유방암의 성장 기전에 대해서는 여러 가지 가설이 있으나 현재로는 두 가지 설로 요약할 수 있다. 첫째로는 에스트로겐 생산의 급격한 증가와의 관련성을 생각할 수 있다. 이로 인하여 코르티코스테로이드 수치가 2배 내지 3배가량 증가하게 되고 코티솔과 성장호르몬 수치도 증가하게 된다. 또한 소포(acini) 상피가 성숙된 모유 생산세포로 변환되도록 인슐린, 프로락틴 등의 호르몬이 증가한다. 따라서 이러한 호르몬 변화에 의해 암세포의 성장이 촉진될 수 있다. 임신 기간 중의 또 하나의 특성은 세포 매개성 면역계의 기능 저하이다. 이 기전이 이물질인 태아세포가 모체에 착상하는 데 중요한 역할을 하게 되는데 이때 T 림프구의 감소, T4 : T8 비율의 반전, 림프구의 유사분열물질(mitogen)에 대한 반응의 장애, 림프절 중심(germinal center)의 고갈 등과 관련이 있는 것으로 알려져 있다. 이러한 면역반응의 저하는 암세포에 대한 인체의 방어능력을 저하시킴으로써 비임신 기간에서보다 더욱 암세포의 성장을 촉진시킨다고 한다(이령아 등, 1999).

그러나 임신 및 수유 자체가 유방암의 원인 또는 진행에 직접적으로 작용한다는 근거는 아직 없으며 단지 임신 및 수유 중 산모의 신체적 변화 및 진단 방법의 제한성 때문에 진단이 지연되어 임신 관련 유방암의 예후는 나쁜 것으로 보고되어 왔다. 임신이 진행함에 따라 유방은 생리적인 변화로 인해 단단해지고 증대되며 결절이 많아져 유방종괴를 촉진하기 어려워진다. 보통 이 기간 중에는 유방 촬영술을 시행하지 않으므로 비촉지성 유방종괴는 잘 발견되지 않아 임신 관련 유방암은 비임신 시에 비해 진행된 경우가 많고 예후도 나쁜 것으로 나타나고 있다(Hindle et al., 2002). 임신 관련 유방암의 경우 비임신 기간의 유방암에서보다 진단 시의 병기가 높다고 하는데 이는 위와 같은 유방의 변화에 의해 조기발견이 어렵기 때문이다. 따라서 정상 임신과 유방암의 감별이 어려워 진단이 지연되기 쉬우므로 숙련된 전문가에 의해 정기적인 산전 진찰을 통한 이학적 유방검사가 필요하다. 임신 관련 유방암은 평균 5-7개월 지연되어 진단되고 무통성 종괴로 진단되며 90%에서 자신이 발견한다. 유방암의 진단은 가능한 빨리 해야 하는데 종괴가 만져지는지, 유두나 피부의 함몰, 피부변화 액와부 림프절 종대여부를 지속적이고 정기적으로 확인해야 한다.

임신과 수유 기간 중에 유방병변을 진단할 수 있는 방법으로는 방사선과적 진단방법인 유방촬영과 유방 초음파가 있고 외과적 생검이 있다. 유방촬영은 임신 중의 증가된 유방음영 때문에 촉지성 병변에서도 위음성 소견을 보이기 쉬워 그 용도가 매우 한정적이고, 태아에 대한 방사선 조사의 위험을 무시할 수 없으므로 임상적으로 사용하는 데 한계가 있다. 실제로 유방촬영시의 방사선 조사량은 1회에 약 1 cGy(=1 rad) 정도로 매우 낮으므로 태아에 큰 영향을 미치지 않는다는 보고도 있으나 산모나 보호자들이 꺼리므로 임상적으로는 사용하기 어렵다. 그에 비해 유방 초음파는 민감도와 특이도가 높고 방사선 조사의 위험도가 없어 안전하며 임신과 수유기간 등에서와 같이 조직의 밀도가 증가되어 있는 상태에서도 진단이 가능하므로 최근 임신과 수유 시 유방암의 진단에 많이 사용되고 있다. 이는 또한 유관증대의 소견을 병변부와 구별하여 확인할 수 있고 병변이 있는 경우 낭성병변과 고형성병변을 쉽게 구분할 수 있어 진단에 도움이 된다. 위와 같은 진단방법을 사용하여 병변의 유무를 확인한 상태에서는 생검이 필요하다. 일차적 방법으로 세침 흡입 세포검사(FNAC)를 사용하는데 22게이지 바늘을 사용하여 조직을 얻은 후 슬라이드에 도말하여 95% 에칠알코올에 30분간 담갔다가 공기 중에 건조시켜 염색 후 관찰하게 된다. 세침흡입 세포검사는 간편하고 비교적 정확하지만 판독할 때 반드시 경험 많은 병리의사가 필요하다. 왜냐하면 임신 조직은 정상적으로도 세포의 핵이 크고 세포 수가 풍부하기 때문에 암과의 구별이 쉽지만은 않기 때문이다. 그러나 이 방법은 임신 유방의 정상적인 반응인 비정형 증식(atypical hyperplasia)을 진성 유방암과 구분하기 어려워 위양성의 가능성이 높은 방법이다. 따라서 악성의 결과가 나오면 절제적 생검이 대부분 필요하게 되어 이것으로 향후 진단과 치료의 지침을 결정하는 것이 바람직하다. 생검은 부분마취하에서도 시행할 수 있으나 임신 중에는 유방의 혈관분포가 증가하므로 생검 후 철저하게 지혈을 하여야 하며 모유는 세균이 자라기 좋은 영양분이 되므로 생검 후 감염 예방에 유의하여야 한다.

임신과 관련된 유방암은 비임신기 유방암에 비해 처음 발견 당시 진행된 병기를 보인다. 이처럼 임신과 관련된 유방암 환자에서 진행된 병기의 환자가 많은 것은 임신기의 유방암 자체가 좀 더 침윤적인 양상 때문인지 진단의 지연으로 인한 것인지, 또는 이 두 가지가 모두 병합되어 작용하기 때문인지에 대해서는 아직 밝혀지지 않았다.

임신 관련 유방암 치료에 앞서 병기 결정이 중요한데 폐, 간, 골 등의 전이가 많으므로 흉부촬영, 복부 초음파, 자기 공명검사, 골 주사 등을 시행할 수 있다. 전이에 대한 검사는 태아에 미치는 영향을 고려하여 제한된 범위 내에서 시행해야 한다. 자기공명영상은 간, 뇌 등의 전이가 있는 경우 매우 유용한 방법이다. 그러나 자기공명영상은 방사선은 없으나 임신 관련 유방암의 진단에는 제한점이 있으며 위험성보다 이득이 확실할 때만 이용될 수 있다. 골전이가 의심될 때는 골주사검사와 자기공명영상을 이용할 수 있다.

임신과 관련된 유방암 환자들은 비임신 관련 유방암 환자들에 비해 가족력이 3배 정도 높다는 보고도 있다. 한 연구에서는 40세 이하 유방암 환자 292명을 조사한 결과 *BRCA1/2* 유전자의 생식세포 돌연변이(germ-line mutation) 보인자들이 임신 중 유방암을 일으킬 가능성이 크다고 하였다.

많은 연구에서 임신 관련 유방암의 경우 호르몬 수용체 양성을 보이는 경우가 적어서 에스트로겐 수용체는 31-44%에서 프로게스테론 수용체는 24-29%에서 양성을 보인다. 이는 젊은 여성에서 비교적 낮게 발견되는 호르몬 수용체의 비율보다 낮은 수치이다. 임신 중에는 에스트로겐과 프로게스테론이 증가하기 때문에 이들이 세포내 호르몬 수용체의 결합부위에 포화된 상태로 있어 실제로 검사상으로는 호르몬 수용체가 발견되지 않을 수 있다. 수용체 자체가 예후에 중요하다는 증거는 없으며 병리학적으로는 같은 연령의 임신하지 않은 유방암 환자와 비교해서 예후에 커다란 차이는 없다.

임신과 관련된 유방암의 치료는 기본적으로 임신주수와 관계없이 비임신성 유방암과 동일하게 생각하는 것이 원칙이다. 하지만 일반적으로 stage I, II의 경우 임신 초기, 중기(1st trimester, 2nd trimester)에는 전유방절제술을 시행하고 임신 말기(3rd trimester)에는 유방보존술을 시행할 수 있다. satgeIII, IV에서는 임신 초기(1st trimester)에서는 치료적 유산 후 유방암 치료가 원칙이며 말기(3rd trimester)에서는 조기분만 후 치료가 원칙이나 중기(2nd trimester)에서는 산모의 상황을 고려하여 환자와 상의 후 치료 방향을 결정하게 된다.

수술 후 방사선치료는 유방보존술을 한 경우나 종양 크기가 크고 광범위 림프절전이, 경계 부위에 종양 양성 소견을 보인 유방암에서 유방절제술을 한 경우 필요하지만, 임신 중 방사선치료는 태아의 유해한 영향을 끼치므로 가급적 피해야 한다. 임신 중에 유방 보존술을 한 경우도 방사선요법은 분만 후로 연기시키고, 국소적으로 진행된 유방암은 임신 중 선행 항암화학요법을 실시하고 분만 후에 수술이나 추가 방사선요법을 시도할 수 있다(변영지 등, 2004)

조직검사상 액와 림프절 양성인 경우 또는 림프절 음성이라도 종양의 크기가 1 cm 이상일 때는 4-6개월간 항암화학요법을 시행한다(Berry et al., 1999) 임신관련 유방암에 사용되는 항암제의 기전은 세포 분화를 억제하는 데 있기 때문에 산모뿐만 아니라 태아에도 영향을 미쳐 자연유산, 기형 유발, 장기 손상이나, 지연성 성장발육부전, 성선 장애 등의 부작용을 야기할 수 있다. 따라서 항암 화학요법은 임신 중기 이후에 사용하여야 하며 임신중절은 임신 초기에 항암화학요법이 필요하거나 급속히 진행하는 중증 암인 경우에만 선택적으로 시행된다. 하지만 대부분 항암제가 모체 태반을 통과하고, 태아의 신장이나 간은 빨리 항암제를 대사, 배출시킬 수 없기 때문에 분만 1개월 전에는 항암 치료를 피하는 게 좋다고 한다. 항암제 사용 시 기형 유발률을 결정하는 요인은 항암제를 투여한 시기와 항암제의 종류(akylating agent, antimetabolite)이다. 항암제 치료 후 분만은 산모나 신생아의 감염성 합병증의 위험 감소를 위해 마지막 항암제 투여 후 최소 2주 후에 시행해야 하며, 유도분만은 산모의 백혈구 수가 최적이고 태아성숙도가 확인된 후에 고려되어야 한다. 이는 분만과 동시에 태아의 약물대사가 태반에서 신생아의 신장과 간으로 전해지므로 신생아에 약물이 누적될 수 있고 백혈구 감소증인 산모에서 백혈구 감소증인 태아가 태어나기 때문이다. 분만 후에 항암 화학요법을 지속할 여성은 수유도 가급적 피해야 한다.

예후에 영향을 미치는 가장 중요한 인자는 암의 병기와 림프절전이 유무이다. 치료 결과에 대한 각각의 보고들이 병기 분류 방법에 차이가 있기 때문에 정확한 비교는 힘들지만 확실한 것은 병기에 따라 생존율에 큰 차이가 있다는 것이다. 일반 환자군과 병기 대 병기를 맞추어서 상대적인 위험도를 비교해 보았을 때는 둘 사이에 통계적으로 유의한 차이는 없었다.

일반적으로 유방암 치료 후 재발의 위험성은 치료 종결 후 2년 정도이므로 다음 임신은 최소 2년 후에 하도록 권고되고 있다.

8) 폐경 여성의 호르몬요법과 유방암(Menopausal Hormone Therapy and Breast Cancer Risk)

안면홍조, 식은땀, 질 위축 같은 폐경 증상을 치료하기 위해 에스트로겐을 1930년부터 사용하다가 자궁내막암의 위험을 줄이기 위해 프로게스토겐을 같이 투여하여 왔다. 1980년부터 유방암과 호르몬요법의 연관성에 관한 발표가 있었지만 여전히 유방암에 관해서 긍정적인 부분을 주장하는 발표가 많았다. 즉, 유방암의 증가는 가능하지만 유방암에 걸리더라도 호르몬요법을 받은 군에서 림프절이나 원격전이가 더 적고 암종 크기가 적으며, 분화도가 좋고 병기가 낮다고 하였다. 그러나 2002년 미국 국립보건원에서 WHI (Women Health Initiatives)를 통해 호르몬요법의 효과를 조사하여 에스트로겐-프로게스틴(equine conjugated estrogen-medroxyprogesterone acetate, MPA) 복합군에서 유방암 발생이 24% 증가하고 여성 만 명당 8명이 더 발생한다는 발표 이후, 이 연구에 대한 분석이 제대로 이루어지지 않은 상태에서 언론에 대대적인 발표가('A Shock to the Medical System'- New York Times; 'HRT trial halted over health fears'- BBC News) 됨으로써 많은 사람들에게 막연히 호르몬제는 매우 위험하다는 인식을 심어주게 되었다. 하지만 이 연구는 유방암이 잘 발생하는 50세부터 79세의 여성을 대상으로 하였고 과거에 호르몬을 사용한 군이 연구대상의 26%를 차지하고 있으며 유방암 발생 원인인 비만한 여성이 다수 참여한다는 점에서 그 대표성을 나타낸다고 하기가 어렵다. 2004년 WHI발표에서 에스트로겐 단독요법인 경우 유방암 위험도(Hazard Ratio)가 0.77(95% CI=[0.59-1.01])로 에스트로겐-프로게스틴 군보다 낮다고 하였으며 유방암 발생증가의 원인이 MPA일 것으로 예측했다. 2004년 발표했던 WHI 연구의 대상 여성 10,739명을 계속 관찰하여 2006년도에 데이터 재분석하여 발표한 결과 자궁적출술을 시행한 폐경 여성에서 7.1년간의 에스트로겐 단독요법은 유방암 증가와 관계가 없을 뿐더러 유방암의 위험을 오히려 감소시킨다고 했다. WHI 발표에서 유방암 발생을 증가시킬 것으로 생각했던 프로게스틴에 대한 연구가 1990년부터 2002년까지 프랑스에서 진행되었다. 전향적 코호트 연구로서 프로게스틴의 투여 경로 및 제제 종류에 따라서 유방암의 증가에 영향을 준다는 최초의 연구였다. 이 연구에서 에스트로겐-프로게스테론 투여군과 에스트로겐-디드로게스테론 투여군에서는 유방암 위험도가 증가를 보이지 않았으나 에스트로겐-다른 종류의 프로게스타겐(other progestagens)군에서는 유의한 유방암 증가를 보였다(RR, 1.69, 95% CI 1.50-1.9). Chlebowski 등은 WHI 연구가 종료된 이후 추적 관찰한 결과, 에스트로겐-프로게스틴 사용군에서 시간이 지날수록 점차 유방암 위험도가 감소한다는 발표도 있었으나 현재 에스트로겐-프로게스틴 사용은 어느 정도 유방암 증가 위험이 있다는 데 동의한다. 이것은 새로운 병변의 발달이 아니고 기존에 있던 유방암을 활성화시켜 조기 진단이 되었을 가능성이 있다. 최근의 발표 중 북미폐경학회(NAMS)의 2010년 지침은 눈여겨 볼만하다. (1) 에스트로겐-프로게스틴 투여군에서 특정 계열의 프로게스토겐이 유방암에 미치는 영향은 아직 확실하지 않다 (2) 기존에 존재하던 유방암을 활성화시킨 결과 위험이 증가하는 것처럼 보인다. (3) 2002년 발표된 WHI데이터는 확실한 증거가 없다. (4) 폐경 후 호르몬요법 투여시기가 짧을수록 유방암 발생이 증가한다. (5) 에스트로겐 단독요법은 모든 연령군에서 유방암 위험도가 유의하게 감소한다. 특히 2011년 WHI 연구에서 보면 자궁절제술 후 호르몬요법을 시행한 여성 중 5.9년간의 에스트로겐 단독요법을 시행한 경우는 유방암 발생 감소와 더불어 심근경색, 심장마비, 심부정맥혈전증, 뇌졸중, 고관절 골절, 대장암 등을 감소시킨다고 했다. 그러므로 폐경 여성에게 호르몬요법에 의한 유방암의 위험도는 매우 적다는 것을 알려주고 개개인의 상황에 맞게 약제를 잘 선택한다면 폐경 후 여성에게 삶의 질 향상을 도와줄 수 있으리라 생각된다.

참고문헌

- 강병모, 정진향, 임양수, 박호용, 이영하. Journal of breast cancer 2006;9:323-9.
- 강세훈, 김성원, 강희준, 윤여규, 오승근, 최국진, 노동영. 임신과 관련된 유방암. 대한외과학회 2001;60:380.
- 고미경, 정수영, 양익, 박종호, 이경원, 이열 등. 화농성 유방농양과 염증성 유방암의 영상 비교 진단: 자기공명 영상을 중심으로. 대한방사선의학회지 1999;41:593-9.
- 고승상, 김승기, 김승일, 박병우, 이경식. 체질량지수와 유방암의 위험도 및 예후와의 상관성. 대한외과학회지 2002;63:449-57.
- 국가암정보센터. 유방암. 2010.
- 도민희, 김현자, 이상선, 정파종 이민혁. 대한외과학회지 2000;59:163-74.
- 박진경, 박철훈, 이현승, 김태응, 노덕영, 정재근, 오세정, 맹이소. 임신관련 유방암 2예. 대한산부회지 2004;47:1423.
- 박해린. 유방수술의 도해. 서울: 가본의학; 2005. p.24-7.
- 배정원, 엄준원, 이재복, 이은숙 등. 유방조직의 에스트로겐 수용체 발현에 따른 유방암 발생예측과 예방에 관한 연구. 대한외과학회지 2000;59:154-62.
- 변영지, 양정인, 유희석, 오기석, 박희붕, 임현이. 임신과 동반된 유방암 1예 대한산부회지 2004;47:1814.
- 보건복지부 건강정책국 암정책과. 2008년 국가암등록사업 연례보고서. 2010;109.
- 보건복지부 건강정책국 암정책과. 2011년 국가암등록사업 연례보고서. 2013;44.
- 안세현, 손병호, 이병찬, 박정미, 장혜숙, 김우건. 임신 중 또는 수유기에 발생한 유방암. 외과학회지 1999;57:202.
- 양정현, 김태수, 우제홍. 임신 및 수유중 발생한 유방암 치험예·외과학회지 1999;43:898.
- 이경식. 유방암의 진단과 치료의 실제, 의학문화사. 2002.
- 이령아, 문병인, 김옥영. 임신 중 발견한 유방암 치험예·외과학회지 1999;57:902.
- 이천준, 전창완. 임신 중 급격히 커진 유방암 1예. 대한산부회지 2004;47:1800.
- 이해경. 임신성 유방암 8예에 대한 임상 분석. 대한외과학회 2001;60:41.
- 전리라, 홍상기, 백수경, 오종은, 서승식, 이영호. 임신 중 발견한 유방암 1예. 대한산부회지 2002;45:504.
- 한국유방암학회. 2013 유방암백서 통권 제 1호; c2013 [cited 2013 Oct]. Available from: http://www.kbcs.or.kr
- 한세준. 가족/유전성 유방-난소암. 광주: 원경출판사; 2001:28-9.
- A Comparative Study of Breast Cancer of Korean Women according to Age in Radiological, Pathological, and Clinical Findings. J Breast Cancer 2002;5:91-101.
- Aapro MS. Adjuvant therapy of primary breast cancer: a review of key findings from the 7th international conference, St.Gallen, February 2001. Oncologist 2001;6:376-85.
- Abati A, Simsir A. Breast fine needle aspiration biopsy: prevailing recommendations and contemporary practice. Clin Lab Med 2005;25:631-54.
- Abrams JS. Adjuvant therapy for breast cancer-results from the USA consensus conference. Breast Cancer 2001;8:298-304.
- Ahn SH. Survival analysis of Korea breast cancer patients. 2006 Annual Meeting of Korean Breast Cancer Society. Korean J Breast Cancer 2006;9(Suppl 1):82-90.
- AJCC; 7th Edition Staging Posters[Internet]. Chicago: Amrican Joint Committee on Cancer; [cited 2011Oct24]. Available from: http://www.cancerstaging.org
- Albain KS, Nag SM, Calderillo-Ruiz G, Jordaan JP, Llombart AC, Pluzanska A, et al. Gemcitabine plus Paclitaxel versus Paclitaxel monotherapy in patients with metastatic breast cancer and prior anthracycline treatment. J Clin Oncol 2008;26:3950-7.
- Albrektsen G, Heuch I, Hansen S, Kvåle G. Breast cancer risk by age at birth, time since birth and time intervals between births: exploring interaction effects. Br J Cancer 2005;92:167-75.
- Ambrogetti D, Berni D, Catarzi S, S. C. The role of ductal galactography in the differential diagnosis of breast carcinoma. Radiol Med 1996;9:198-201.

- American Cancer Society Cancer Facts and Figures 2005. Atlanta: American Cancer Society 2005.
- American Joint Committee. Breast In: AJCC cancer staging manual. 5th ed. Philadelphia: Lippincott-Raven Publishers; 1997. p.171-80.
- Andrews DW, Scott CB, Sperduto PW, Flanders AE, Gaspar LE, Schell MC, et al. Whole brain radiation therapy with or without stereotactic radiosurgery boost for patients with one to three brain metastases: phase III results of the RTOG 9508 randomised trial. Lancet 2004;363:1665-72.
- Anson BJ. Wright RR, Wolfer JA. Blood supply of the mammary gland. Surg Gynecol Obstet 1939;69:468-73.
- Antonelli NM, Potters DJ. katz VL, Kuller JA, Cancer in pregnancy AReview of th Literature, Part 1, Obstet Gynecol Surv 1996;51:145-34.
- Antoniou, A., et al. Average risks of breast and ovarian cancer associated with BRCA1 or BRCA2 mutations detected in case series unselected for family history: a combined analysis of 22 studies. Am. J. Hum. Genet 2003;72:1117-30.
- Antypas C, Sandilos P, Kouvaris J, Balafouta E, Fetal dose evaluation during breast cancer rediotherapy A registry if 5405 cases, Am J Obstet Gynecol 1989;161:1178.
- Arimidex, Tamoxifen, Alone or in Combination (ATAC) Trialists' Group, Forbes JF, Cuzick J, Buzdar A, Howell A, Tobias JS, et al. Effect of anastrozole and tamoxifen as adjuvant treatment for early-stage breast cancer: 100-month analysis of the ATAC trial. Lancet Oncol 2008;9:45-53.
- Arnes JB, Brunet JS, Stefansson I, et al. Placental cadherin and the basal epithelial phenotype of BRCA1-related breast cancer. Clin Cancer Res 2005;11:4003-11.
- Axelsson CK, Mouridsen HT, Zedeler K: Axillary dissection of level I and II lymph nodes is important in breast cancer classification. The Danish Breast Cancer Cooperative Group (DBCG). Eur J Cancer 1992:28A(8-9):1415-8.
- Aylon Y, Oren M. Living with p53, dying of p53. Cell 2007; 130:597-600.
- Azzopardi, 1979 : WHO, 2003.
- Backhouse CM Llyd-Davies ERV Shousha S Burn JI, Carcinoma of breast in somen aged 35 or less Br J Surg 1987;74:591-3.
- Bane AL, Beck JC, Bleiweiss I, Buys SS, Catalano E, Daly MB, Giles G, Godwin AK, Hibshoosh H, Hopper JL, John EM, Lay-Weld L, Longacre T, Miron A, Senie R, Southey MC, West DW, Whittemore AS, Wu H, Andrulis IL, O'Malley FP BRCA2 mutation-associated breast cancers exhibit a distinguishing phenotype based on morphology and molecular proWles from tissue microarrays. Am J Surg Pathol 2007;31:121-8.
- Barnavon Y, Wallack MK. Management of the pregnant patientwith carcinoma of the breast Surg Gynecol Obstet 1990; 171:347.
- Barron WM: the pregnant surgical patient: Medical evaluation and management, Ann Int Med 1984;01:683.
- Baum M, Hackshaw A, Houghton J, Rutqvist, Fornander T, Nordenskjold B, et al. Adjuvant goserelin in pre-menopausal patients with early breast cancer: Results from the ZIPP study. Eur J Cancer 2006;42:895-904.
- Berg WA, Campassi CI, OB. I. Cystic lesions of the breast: sonographic-pathologic correlation. Radiology 2003;227:183-91.
- Berry D, Theriault R, Homes F, Parisi V, Booser D, Singletary S, et al. Management of breast cancer during pregnancy using a standerdized protocol. F Clin Oncol 1999;17:855.
- BIG 1-98 Collaborative Group, Mouridsen H, Giobbie-Hurder A, Goldhirsch A, Thürlimann B, Paridaens R, et al. Letrozole therapy alone or in sequence with tamoxifen in women with breast cancer. N Engl J Med 2009;361:766-76.
- Bilimoria MM, Winchester DJ, Sener SF, Motykie G, Sehgal UL, Winchester DP. Estrogen replacement therapy and breast cancer: analysis of age of onset and tumor characteristics. Ann Surg Oncol 1999;6:200-7.
- Blichert-Toft M, Axelsson CK, Graversen HP: Axillary dissection in breast cancer. Lancet 1991;337:988.
- Blichert-Toft M, Nielsen M, During M, Moller S, Rank F, Overgaard M, Mouridsen HT: Long-term results of breast conserving surgery vs. mastectomy for early stage invasive breast cancer: 20-year follow-up of the Danish randomized DBCG-82TM protocol. Acta Oncol 2008;47:672-81.
- Blichert-Toft M, Rose C, Andersen JA, Overgaard M, Axelsson CK, Andersen KW, et al. Danish randomized trial comparing breast conservation therapy with mastectomy: six years of life-table analysis. Danish Breast Cancer Cooperative Group. J Natl Cancer Inst Monogr 1992;11:19-25.
- Bloom HJG, Richardson WW. Histologic grading and prognosis in breast cancer. Br J Cancer 1957;11:359-77.
- Bonneterre J, Thürlimann B, Robertson JF, Krzakowski M, Mauriac L, Koralewski P, et al. Anastrozole versus tamoxifen as first-line therapy for advanced breast cancer in 668 postmenopausal women: results of the Tamoxifen or Arimidex Randomized Group Efficacy and Tolerability study. J Clin Oncol 2000;18:3748-57.
- Bonnier P, Romain S, Charpin C, Lejeune Christiane Tuniana N, mARTIN p, et al. Age as a prognostic factor in breast cancer: relationship to pathologic and biologic features int J Cancer 1995;62:138-44.
- Bork P, Blomberg N, Nilges M. Internal repeats in the BRCA2 protein sequence. Nat Genet 1996;13:22-3.
- Boyd J, Rhei E, Federici MG, et al. Male breast cancer in the hereditary nonpolyposis colorectal cancer syndrome. Breast

Cancer Res Treat 1999;53:87-91.

- Bradbury AR. and Olopade OL. Genetic susceptibility to breast cancer. Rew. Endocr Meta Disorder 2007;8:255-67.
- Breast cancer and hormone replacement therapy: collaborative reanalysis of data from 51 epidemiological studies of 52,705 women with breast cancer and 108, 411 women without breast cancer. Collaborative Group on Hormonal Factors in Breast Cancer. Lancet 1997;11;350(9084):1047-59.
- Breast cancer fact & figure The Korean Breast Cancer Society 2006-2008.
- Brenin D. Management of the palpable breast mass. In:Harris JR, Lippman ME, Morrow M, et al. eds. Disease of the breast. 3rd ed. Lippincott Williams & Wilkins; 2004. p.33-45.
- Brennan M, Houssami N, J. F. Management of benign breast conditions. Part 3-Other breast problems. Aust Fam Physician 2005;34:353-5.
- Brunicardi FC, Anderson DK, Billiar TR, et al. Schwartz's Principles of surgery: The breast: McGraw-Hill; 2005. p.475-6.
- Buzdar A, Douma J, Davidson N, Elledge R, Morgan M, Smith R, et al. Phase I II, multicenter, double-blind, randomized study of letrozole, an aromatase inhibitor, for advanced breast cancer versus megestrol acetate. J Clin Oncol 2001;19:3357-66.
- Buzdar AU, Ibrahim NK, Francis D, Booser DJ, Thomas ES, Theriault RL, et al. Significantly higher pathologic complete remission rate after neoadjuvant therapy with trastuzumab, paclitaxel, and epirubicin chemotherapy: results of a randomized trial in human epidermal growth factor receptor 2-positive operable breast cancer. J Clin Oncol 2005;23:3676-85.
- Buzdar AU, Valero V, Ibrahim NK, Francis D, Broglio KR, Theriault RL, et al. Neoadjuvant therapy with paclitaxel followed by 5-fluorouracil, epirubicin, and cyclophosphamide chemotherapy and concurrent trastuzumab in human epidermal growth factor receptor 2-positive operable breast cancer: an update of the initial randomized study population and data of additional patients treated with the same regimen. Clin Cancer Res 2007;13:228-33.
- Buzdar AU. Preoperative chemotherapy treatment of breast cancer-a review. Cancer 2007;110:2394-407.
- Cardenosa G, Doudna C, Eklund GW. Mucinous (colloid) breast cancer: clinical and mammographic findings in 10 patinents. AJR Am J Roentgenol 1994;162:1077-9.
- Carlson RW, Theriault R, Schurman CM, Rivera E, Chung CT, Phan SC, et al. Phase II trial of anastrozole plus goserelin in the treatment of hormone receptor-positive, metastatic carcinoma of the breast in premenopausal women. J Clin Oncol 2010;28:3917-21.
- Carrick S, Parker S, Wilcken N, Ghersi D, Marzo M, Simes J. Single agent versus combination chemotherapy for metastatic breast cancer. Cochrane Database Syst Rev 2005;2:CD003372.
- Carter BA, Page DL, Schuyler P, Parl FF, Simpson JF, Jensen RA, et al. No elevation in long-term breast carcinoma risk for women with fibroadenomas that contain atypical hyperplasia. Cancer 2001;92:30-6.
- Cheung KL, Alagaratnam TT. A review of nipple discharge in Chinese women. J R Coll Surg Edinb 1997;42:179-81.
- Chie WC, Hsieh C, Newcomb PA, Longnecker MP, Mittendorf R, Greenberg ER, et al. Age at any full-term pregnancy and breast cancer risk. Am J Epidemiol 2000;151:715-22.
- Chiedozi LC, Iweze FI, Aboh IF, Ajabor LN : Breast cancer in pregnancy and lactation, Trop Geogr Med 1988;40:26.
- Clemens M, Kaufman B, Mackey JR, et al. Trastuzumab plus anastrozole may prolong overall survival in postmenopausal women with HER2-positive, hormone-dependent metastatic breast cancer: Results of a post-hoc analysis from the TAnDEM study. ASCO Breast Cancer Symposium 2007(abstr 231).
- Blichert-Toft M, Axelsson CK, Graversen HP: Axillary dissection in breast cancer. Lancet 1991;337(8747):988.
- Blichert-Toft M, Nielsen M, During M, Moller S, Rank F, Overgaard M, Mouridsen HT: Long-term results of breast conserving surgery vs. mastectomy for early stage invasive breast cancer: 20-year follow-up of the Danish randomized DBCG-82TM protocol. Acta Oncol 1991;47:672-81.
- Blichert-Toft M, Rose C, Andersen JA, Overgaard M, Axelsson CK, Andersen KW, et al. Danish randomized trial comparing breast conservation therapy with mastectomy: six years of life-table analysis. Danish Breast Cancer Cooperative Group. J Natl Cancer Inst Monogr 1992;11:19-25.
- Bloom HJG, Richardson WW. Histologic grading and prognosis in breast cancer. Br J Cancer 1957;11:359-77.
- Bonneterre J, Thürlimann B, Robertson JF, Krzakowski M, Mauriac L, Koralewski P, et al. Anastrozole versus tamoxifen as first-line therapy for advanced breast cancer in 668 postmenopausal women: results of the Tamoxifen or Arimidex Randomized Group Efficacy and Tolerability study. J Clin Oncol 2000;18:3748-57.
- Bonnier P, Romain S, Charpin C, Lejeune Christiane Tuniana N, mARTIN p, et al. Age as a prognostic factor in breast cancer: relationship to pathologic and biologic features int J Cancer 1995;62:138-44.
- Bork P, Blomberg N, Nilges M. Internal repeats in the BRCA2 protein sequence. Nat Genet 1996;13:22-3.
- Boyd J, Rhei E, Federici MG, et al. Male breast cancer in the hereditary nonpolyposis colorectal cancer syndrome. Breast Cancer Res Treat 1999;53:87-91.

- Bradbury AR. and Olopade OL. Genetic susceptibility to breast cancer. Rew. Endocr Meta Disorder 2007;8:255-67.

- Breast cancer and hormone replacement therapy: collaborative reanalysis of data from 51 epidemiological studies of 52,705 women with breast cancer and 108,411 women without breast cancer. Collaborative Group on Hormonal Factors in Breast Cancer. Lancet 1997;11;350(9084):1047-59.
- Breast cancer fact & figure The Korean Breast Cancer Society 2006-2008.
- Brenin D. Management of the palpable breast mass. In:Harris JR, Lippman ME, Morrow M, et al. eds. Disease of the breast. 3rd ed. Lippincott Williams & Wilkins; 2004. p.33-45.
- Brennan M, Houssami N, J. F. Management of benign breast conditions. Part 3-Other breast problems. Aust Fam Physician 2005;34:353-5.
- Brunicardi FC, Anderson DK, Billiar TR, et al. Schwartz's Principles of surgery: The breast: McGraw-Hill 2005. p.475-6.
- Buzdar A, Douma J, Davidson N, Elledge R, Morgan M, Smith R, et al. Phase I II, multicenter, double-blind, randomized study of letrozole, an aromatase inhibitor, for advanced breast cancer versus megestrol acetate. J Clin Oncol 2001;19: 3357-66.
- Buzdar AU, Ibrahim NK, Francis D, Booser DJ, Thomas ES, Theriault RL, et al. Significantly higher pathologic complete remission rate after neoadjuvant therapy with trastuzumab, paclitaxel, and epirubicin chemotherapy: results of a randomized trial in human epidermal growth factor receptor 2-positive operable breast cancer. J Clin Oncol 2005;23:3676-85.
- Buzdar AU, Valero V, Ibrahim NK, Francis D, Broglio KR, Theriault RL, et al. Neoadjuvant therapy with paclitaxel followed by 5-fluorouracil, epirubicin, and cyclophosphamide chemotherapy and concurrent trastuzumab in human epidermal growth factor receptor 2-positive operable breast cancer: an update of the initial randomized study population and data of additional patients treated with the same regimen. Clin Cancer Res 2007;13:228-33.
- Buzdar AU. Preoperative chemotherapy treatment of breast cancer-a review. Cancer 2007;110:2394-407.
- Cardenosa G, Doudna C, Eklund GW. Mucinous(colloid) breast cancer: clinical and mammographic findings in 10 patinents. AJR Am J Roentgenol 1994;162:1077-9.
- Carlson RW, Theriault R, Schurman CM, Rivera E, Chung CT, Phan SC, et al. Phase II trial of anastrozole plus goserelin in the treatment of hormone receptor-positive, metastatic carcinoma of the breast in premenopausal women. J Clin Oncol 2010;28:3917-21.
- Carrick S, Parker S, Wilcken N, Ghersi D, Marzo M, Simes J. Single agent versus combination chemotherapy for metastatic breast cancer. Cochrane Database Syst Rev 2005;2:CD003372.
- Carter BA, Page DL, Schuyler P, Parl FF, Simpson JF, Jensen RA, et al. No elevation in long-term breast carcinoma risk for women with fibroadenomas that contain atypical hyperplasia. Cancer 2001;92:30-6.
- Cheung KL, Alagaratnam TT. A review of nipple discharge in Chinese women. J R Coll Surg Edinb 1997;42:179-81.
- Chie WC, Hsieh C, Newcomb PA, Longnecker MP, Mittendorf R, Greenberg ER, et al. Age at any full-term pregnancy and breast cancer risk. Am J Epidemiol 2000;151:715-22.
- Chiedozi LC, Iweze FI, Aboh IF, Ajabor LN : Breast cancer in pregnancy and lactation, Trop Geogr Med 1988;40:26.
- Clemens M, Kaufman B, Mackey JR, et al. Trastuzumab plus anastrozole may prolong overall survival in postmenopausal women with HER2-positive, hormone-dependent metastatic breast cancer: Results of a post-hoc analysis from the TAnDEM study. ASCO Breast Cancer Symposium 2007(abstr 231).
- Cooper HS, Patchefsky AS, Krall RA. Tubular carcinoma of the breast. Cancer 1978;42:2334-42.
- Corral C, Mustoe T: Controversy in breast reconstruction. SurgClin North Am 1996;76:309-26.
- Cotran RS, Kumar V, Collins T. Pathologic basis of disease. 6th ed. Philadelphia: WB Saunders; 1999. p.1114-6.
- Coudert BP, Largillier R, Arnould L, Chollet P, Campone M, Coeffic D, et al. Multicenter phase II trial of neoadjuvant therapy with trastuzumab, docetaxel, and carboplatin for human epidermal growth factor receptor-2-overexpressing stage II or III breast cancer: results of the GETN(A)-1 trial. J Clin Oncol 2007;25:2678-84.
- Cristofanilli M, Gonzalez-Angulo AM, Buzdar AU, Kau SW, Frye DK, Hortobagyi GN. Paclitaxel improves the prognosis in estrogen receptor negative inflammatory breast cancer: the M.D. Anderson Cancer Center experience. Clin Breast Cancer 2004;4:415-9.
- Cristofanilli M, Valero V, Buzdar AU, Kau SW, Broglio KR, Gonzalez-Angulo AM, et al. Inflammatory breast cancer (IBC) and patterns of recurrence: understanding the biology of a unique disease. Cancer 2007;110:1436-44.
- Cunnick GH, Mokbel K. Oncological considerations of skin-sparing mastectomy. Int Semin Surg Oncol 2006;3:14.
- Curigliano G, Viale G, Bagnardi V, Fumagalli L, Locatelli M, Rotmensz N, et al. Clinical relevance of HER2 overexpression/amplification in patients with small tumor size and node-negative breast cancer. J Clin Oncol 2009;27:5693-9.
- Cyrlak D, Carpenter PM, Rawal Bs. Imaging case of the day. Radiographics 1999;19:813-6.
- D'Andrea AD & Grompe M. The Fanconi anaemia/BRCA pathway. Nat Rev Cancer 2003;3:23-34.
- Danish Breast Cancer Cooperative Group, Nielsen HM, Overgaard M, Grau C, Jensen AR, Overgaard J. Study of failure

pattern among high-risk breast cancer patients with or without postmastectomy radiotherapy in addition to adjuvant systemic therapy: long-term results from the Danish Breast Cancer Cooperative Group DBCG 82 b and c randomized studies. J Clin Oncol 2006;24:2268-75.
- Dankila R, Heinavaara S, Hakulinen T, Survival of breast cancer patients after subsequent term pregnancy 'Healthy mother effect. Am J Obstet Gynecol 1994;170:818.
- Danoff BF, Haller DG, Glick JH, Goodman RL: Conservative surgery and irradiation in the treatment of early breast cancer. Ann Intern Med 1985;102:634-42.
- Dawood S, Cristofanilli M. What progress have we made in managing inflammatory breast cancer? Oncology (Williston Park) 2007;21:673-9.
- Declan GS, Gary JW, Phan TH, et al. Tubular carcinoma of the breast: mammographic and sonographic features. AJR Am J Roentgenol 2000;174:253-7.
- Doll Dc, Ringenberg S, Yarbo JW: Management of during pregnancy, Arch Intern Med 1988;148:2058.
- Domagala W, Harezga B, Szadowska A, Markiewski M, Weber K, Osborn M. Nuclear p53 protein accumulates preferentially in medullary and high-grade ductal but rarely in lobular breast carcinomas. Am J Pathol 1993;142:669-74.
- Dupont WD, Page DL. Risk factors for breast cancer in women with proliferative breast disease. N Engl J Med 1985;312:146-51.
- Dupont WD, Parl FF, Hartmann WH, Brinton LA, Winfield AC, Worrell JA, et al. Breast cancer risk associated with proliferative breast disease and atypical hyperplasia. Cancer 1993;71:1258-65.
- Earley TK, Gallangher JQ, Champman KE, Carcinoma of the breast in women under thirty year of age Am J Surg 1969;118:832-4.
- Early Breast Cancer Trialists' Collaborative Group (EBCTCG). Effects of chemotherapy and hormonal therapy for early breast cancer on recurrence and 15-year survival: an overview of the randomised trials. Lancet 2005;365:1687-717.
- Early Breast Cancer Trialists' Collaborative Group. Ovarian ablation in early breast cancer: overview of the randomized trials. Lancet 1996;348:1189-96.
- Early Breast Cancer Trialists' Collaborative Group. Polychemotherapy for early breast cancer: an overview of the randomized trials. Lancet 1998;352:930-42.
- Eisen, A., et al. Breast cancer risk following bilateral oophorectomy in BRCA1 and BRCA2 mutation carriers: an international case-control study. J. Clin. Oncol 23, 7.
- Eisinger F, Iacquemier J, Charpin C: Mutations at BRCA1: the medullary breast carcinoma revisited. Cancer Res 1998;58:1588-92.
- Elson BC, Helvie MA, Frank TS, Wilson TE, Adler DD. Tubular carcinoma of the breast: mode of presentation, mammographic appearance, and frequency of nodal metastases. AJR Am J Roentgenol 1993;161:1173-6.
- El-Wakeel H, Umpleby HC. Systematic review of fibroadenoma as a risk factor for breast cancer. Breast 2003;12:302-7.
- Ernster VL, Goodson WH 3rd, Hunt TK, Petrakis NL, Sickles EA, R. M. Mastalgia. Surgery 1985;97:490-4.
- Ewertz M, Holmberg L, Tretli S, et al. Risk factors for male breast cancer-a case-control study from Scandinavia. Acta Oncol 2001;40:467-71.
- Falchetti M, Lupi R, Rizzolo P, et al. BRCA1/BRCA2 rearrangements and CHEK2 common mutations are infrequent in Italian male breast cancer cases. Breast Cancer Res Treat 2008;110:161-7.
- Farina MA, Newby BG, Alani HM. Innervation of the nippleareola complex. Plast Reconstr Surg 1980;66:497-501.
- Feig SA, Shaber GS, Patchefsky AS, Schwartz GF, Edeiken J, Nerlinger R. Tubular carcinoma of the breast: mammographic appearance and pathological correlation. Radiology 1978;129:311-4.
- Findlay GF. Adverse effects of the management of malignant spinal cord compression. J Neurol Neurosurg Psychiatry 1984;47:761-8.
- Fiorica JV: special problem; breast cancer pregnancy. Obstet Gynecol clin North Am 1994;21:721.
- Fisher B, Anderson S, Bryant J, Margolese RG, Deutsch M, Fisher ER, et al. Twenty-year follow-up of a randomized trial comparing total mastectomy, lumpectomy, and lumpectomy plus irradiation for the treatment of invasive breast cancer. N Engl J Med 2002;347:1233-41.
- Fisher B, Land S, Mamounas E, Dignam J, Fisher ER, Wolmark N. Prevention of invasive breast cancer in women with ductal carcinoma in situ: an update of the National Surgical Adjuvant Breast and Bowel Project experience. Semin Oncol 2001;28:400-18.
- Fisher ER, Gregorio RM, Fisher B, Redmond C, Vellios F, Sommers SC: The pathology of invasive breast cancer. A syllabus derived from findings of the National Surgical Adjuvant Breast Project (protocol no. 4). Cancer 1975;36:1-85.
- Fleming RY, Asmar L, Buzdar AU, McNeese MD, Ames FC, Ross MI, et al. Effectiveness of mastectomy by response to induction chemotherapy for control in inflammatory breast carcinoma. Ann Surg Oncol 1997;4:452-61.
- Flickinger JC, Kondziolka D, Lunsford LD, Coffey RJ, Goodman ML, Shaw EG, et al. A multi-institutional experience with stereotactic radiosurgery for solitary brain metastasis.

Int J Radiat Oncol Biol Phys 1994;28:797-802.

- Flynn LW, Park J, Patil SM, et al. Sentinel lymph node biopsy is successful and accurate in male breast carcinoma. J Am College Surgeons 2008;206:616-21.
- Ford D, Easton DF, Stratton M, et al. Genetic heterogeneity and penetrance analysis of the BRCA1 and BRCA2 genes in breast cancer families. The breast cancer linkage consortium. Am J Hum Genet 1998;62:676-89.
- Foulkes, W. D., et al. Germline BRCA1 mutations and a basal epithelial phenotype in breast cancer. J. Natl Cancer Inst. 2003;95:1482-5.
- Fournier A, Berrino F, Clavel-Chapelon F. Unequal risks for breast cancer associated with different hormone replacement therapies: results from the E3N cohort study. Breast Cancer Res Treat 2008;107:103-11.
- Freeman BS: Subcutaneous mastectomy for benign breast lesions with immediate or delayed prosthetic replacement. Plast Reconstr Surg Transplant Bull 1962;30:676-82.
- Frykberg ER, Bland KI. Management of in situ and minimally invasive breast carcinoma. World J Surg 1994;18:45-57.
- Gallager HS. Pathologic types of breast cancer: their prognoses. Cancer 1984;53:623-9.
- Gateley CA, Miers M, Mansel RE, LE. H. Drug treatments for mastalgia: 17 years experience in the Cardiff Mastalgia Clinic. J R Soc Med 1992;85:12-7.
- Gelabert HA, Hsiu JG, Mullen JT, Jaffe AH, D'Amato NA. Prospective evaluation of the role of fine-needle aspiration biopsy in the diagnosis and management of patients with palpable solid breast lesions. Am Surg 1990;56:263-7.
- Gemignani ML, Petrek JA, Borgen PI.Breast cancer and pregnancy. SCNA 1999;79:1157-69.
- Gianni L, Eiermann W, Semiglazov V, Manikhas A, Lluch A, Tjulandin S, et al. Neoadjuvant chemotherapy with trastuzumab followed by adjuvant trastuzumab versus neoadjuvant chemotherapy alone, in patients with HER2-positive locally advanced breast cancer (the NOAH trial): a randomised controlled superiority trial with a parallel HER2-negative cohort. Lancet 2010;375:377-84.
- Giard RW, Hermanas J. The value of aspiration cytologic examination of the breast. A statistical review of the medical literature. Cancer 1992;69:2104-10.
- Gilles R, Guinebretiere JM, Lucidarme O, Cluzel P, Janaud G, Finet JF, et al. Nonpalpable breast tumors: diagnosis with contrast-enhanced subtraction dynamic MR imaging. Radiology 1994;19:625-31.
- Giordano S, et al. Breast carcinoma in men: a population-based study. Cancer 2004;101:51-7.
- Goldhirsch A, Coates AS, Gelber RD, Glick JH, Thürlimann B, Senn HJ, et al. First-select the target: better choice of adjuvant treatments for breast cancer patients. Ann Oncol 2006;17:1772-6.
- Goldhirsch A, Ingle JN, Gelber RD, Coates AS, Thürlimann B, Senn HJ, et al. Thresholds for therapies: highlights of the St Gallen International Expert Consensus on the primary therapy of early breast cancer 2009. Ann Oncol 2009;20:1319-29.
- Goldhirsch A, Wood WC, Gelber RD, Coates AS, Thürlimann B, Senn HJ, et al. Progress and promise: highlights of the international expert consensus on the primary therapy of early breast cancer 2007. Ann Oncol 2007;18:1133-44.
- Goldhurush A, Gelber RD: Endocrine therapies of breast cancer. Semin Oncol 1996;23:494.
- Goldstein NS, Bassi D, Watts JC, Layfield LJ, Yaziji H, Gown AM. E-cadherin reactivity of 95 noninvasive ductal and lobular lesions of the breast. Implications for the interpretation of problematic lesions. Am J Clin Pathol 2001;115:534-42.
- Gonzalez-Angulo AM, Litton JK, Broglio KR, Meric-Bernstam F, Rakkhit R, Cardoso F, et al. High risk of recurrence for patients with breast cancer who have human epidermal growth factor receptor 2-positive, node-negative tumors 1 cm or smaller. J Clin Oncol 2009;27:5700-6.
- Goodwin PJ, DeBoer G, Clark RM, Catton P, Redwood S, Hood N, et al. Cyclical mastopathy and premenopausal breast cancer risk. Results of a case-control study. Breast Cancer Res Treat 1995;33:63-73.
- Goss PE, Ingle JN, Martino S, Robert NJ, Muss HB, Piccart MJ, et al. Efficacy of letrozole extended adjuvant therapy according to estrogen receptor and progesterone receptor status of the primary tumor: National Cancer Institute of Canada Clinical Trials Group MA.17. J Clin Oncol 2007;25:2006-11.
- Goss PE, Ingle JN, Martino S, Robert NJ, Muss HB, Piccart MJ, et al. Randomized trial of letrozole following tamoxifen as extended adjuvant therapy in receptor-positive breast cancer: updated findings from NCIC CTG MA.17. J Natl Cancer Inst 2005;97:1262-71.
- Graversen HP, Zedeler K, Andersen JA, Axelsson CK, Blichert- Toft M: [Axillary dissection in primary surgical treatment of breast cancer: risk of false-negative axillary status]. Ugeskr Laeger 1992;154:3392-5.
- Greene FL, Leis HP: management of breast cancer in pregnancy: a thirth-five multi-institutional wxperience. proc Am Soc Clin Oncol 1989;8:25.
- Greene FL, Page DL, Fleming ID, Fritz A, Balch CM, Haller DG, et al. eds. AJCC Cancer staging manual. 6th edition. New York: Springer-Verlag. 2002.
- Grenko RT, Lee KR: Fine needle aspiration cytology of lactating adenoma of the breast: A comparative light microscopic

and morphometic study. Acta cytologica 1990;34:21.

- Gronwald, J., et al. Tamoxifen and contralateral breast cancer in BRCA1 and BRCA2 carriers: an update. Int. J. Cancer 2006; 118:2281-4.
- Gülay H, Bora S, Kìlìçturgay S, Hamaloglu E, HA. G. Management of nipple discharge. Gülay H, Bora S, Kìlìçturgay S, Hamaloglu E, Göksel HA 1994;178:471-4.
- Gump FE, Jicha DL, Ozello L. Ductal carcinoma in situ(DCIS): a revised concept. Surgery 1987;102:790-5.
- Gwyb K, Theriault R. Breast cancer during pregnancy. Oncolgy (Hunting) 2001;15:39.
- Haagensen CD. Inflammatory carcinoma; disease of the breast. Philadelphia: WB saunders; 1956. p.488-98.
- Hackshaw A, Baum M, Fornander T, Nordenskjold B, Nicolucci A, Monson K, et al. Long-term effectiveness of adjuvant goserelin in premenopausal women with early breast cancer. J Natl Cancer Inst 2009;101:341-9.
- Halsted WS: I. The Results of Operations for the Cure of Cancer of the Breast Performed at the Johns Hopkins Hospital from June, 1889, to January, 1894. Ann Surg 1894;20:497-555.
- Hamele-Bena D, Cranor ML, Rosen PP. Mammary mucocele like lesions: benign and malignant. Am J Surg Pathol 1996; 20:1081-5.
- Harb W, George W, Sledge JR. Treatment decision process in metastatic breast cancer. In: Bland Kl, Copeland EM, eds. The Breast: Comprehensive Management of Benign and Malignant Disorders. 4th ed. Philadelphia: Saunders; 2008.
- Harding C, Knox WF, Faragher EB, Baildam A, Bundred NJ. Hor-mone replacement therapy and tumour grade in breast cancer: prospective study in screening unit. BMJ 1996;29: 312(7047):1646-7.
- Harris L, Fritsche H, Mennel R, Norton L, Ravdin P, Taube S, et al. American Society of Clinical Oncology 2007 update of rec-ommendations for the use of tumor markers in breast cancer. J Clin Oncol 2007;25:5287-312.
- Hartmann LC, Sellers TA, Frost MH, Lingle WL, Degnim AC, Ghosh K, et al. Benign breast disease and the risk of breast cancer. N Engl J Med 2005;353:229-37.
- Harwood AR, Simson WJ. Radiation therapy of cerebral metastases: a randomized prospective clinical trial. Int J Radiat Oncol Biol Phys 1977;2:1091-4.
- Hata T, Takahashi H, Watanabe K, Takahashi M,Taquchi K, Itoh T, et al. Magnetic resonance imaging for preoperative evaluation of breast cancer: a comparative study with mammography and ultrasonography. J Am Coll Surg 2004;198: 190-7.
- Heemskerk-Gerritsen, B. A, et al. Prophylactic mastectomy in BRCA1/2 mutation carriers and women at risk of hereditary breast cancer: longterm experiences at the Rotterdam Family Cancer Clinic. Ann Surg Oncol 2007;14:3335-44.
- Hellman S. Stopping metastases at their source. N Engl J Med 1997;337:996-7.
- Herbert C, Hoover J: Breast cancer during pregnancy and lactation. SCNA 1990;70:1151.
- Heys SD, Sarkar T, Hutcheon AW. Primary docetaxel chemotherapy in patients with breast cancer: impact on response and survival. Breast Cancer Res Treat 2005;90:169-85.
- Hindle WH, and Gonzalez S. Diagnosis and treatmentof invasive breast cancer during pregnancy and lactation. Clinical obstet and Gyneco 2002;45:770.
- Hirst C. Sonographic appearance of breast cancers 10 mm or less in diameter. In: Madjar H, Teubner J, Hackeloer BJ; International Association for Breast Ultrasound, editors. Breast Ultrasound Update. Basel: Karger; 1994. p.127-39.
- Holland R, Veling SH, Mravunac M, Hendriks JH: Histologic multifocality of Tis, T1-2 breast carcinomas. Implications for clinical trials of breast-conserving surgery. Cancer 1985;56: 979-90.
- Holli K, Isola J, Cuzick J. Hormone replacement therapy and biological aggressiveness of breast cancer. Lancet 1997;6:350: 1704-5.
- Horsley JS III, Alrich EM, Wright CB, Carcinoma of the breast in women 35 ywars of age or younger, Ann surg 1969;196:839.
- Howell A, Osborne CK, Morris C, Wakeling AE. ICI 182,780 (Faslodex): development of a novel, "pure"antiestrogen. Cancer 2000;89:817-25.
- Howell A, Pippen J, Elledge RM, Mauriac L, Vergote I, Jones SE, et al. Fulvestrant versus anastrozole for the treatment of advanced breast carcinoma: a prospectively planned combined survival analysis of two multicenter trials. Cancer 2005; 104:236-9.
- Howell A, Robertson JF, Abram P, Lichinitser MR, Elledge R, Bajetta E, et al. Comparison of fulvestrant versus tamoxifen for the treatment of advanced breast cancer in postmenopausal women previously untreated with endocrine therapy: a multinational, double-blind, randomized trial. J Clin Oncol 2004;22:1605-13.
- Howell A, Robertson JF, Quaresma Albano J, Aschermannova A, Mauriac L, Kleeberg UR, et al. Fulvestrant, formerly ICI 182,780, is as effective as anastrozole in postmenopausal women with advanced breast cancer progressing after prior endocrine treatment. J Clin Oncol 2002;20:3396-403.
- Huang EH, Tucker SL, Strom EA, McNeese MD, Kuerer HM, Buzdar AU, et al. Postmastectomy radiation improves localregional control and survival for selected patients with locally advanced breast cancer treated with neoadjuvant chemo-

therapy and mastectomy. J Clin Oncol 2004;22:4691-9.
- Hulley SB, Grady D. The WHI estrogen-alone trial-do things look any better? JAMA 2004;14:291:1769-71.
- Hussain AN, Policarpio C, MT. V. Evaluating nipple discharge. Obstet Gynecol Surv 2006;61:278-83.
- Hutcheon AW, Heys SD, Sarkar TK; Aberdeen Breast Group. Neoadjuvant docetaxel in locally advanced breast cancer. Breast Cancer Res Treat 2003;79(Suppl 1):S19-24.
- Insa A, Lluch A. Prosper F, Marugan I, Agullo AM, Conde JG. Prognostic factors predicting survival from first recurrence in patients with metastatic breast cancer: analysis of 439 patients. Breast Cancer Res Treat 1999;56:67-78.
- Ishida T, Kasumi F, Dakamonto G, Makita M, Tominaga T, Simonzuma K, Enomoto K, fujiwara K, Nanasawa T, Fukutomi T, Hirota T, fukuda M, Miura S, Koyama H, Inaji H, sonoo H: Clinicopathologic chracteristics and prognosis of breast cancer patients associated sith pregnancy and lactation: Analysis of case-control study in Japan, Jpn J cancer Res 1992;83:1143.
- Isola JJ, Helin HJ, Helle MJ, Kallioniemi OP. Evaluation of cell proliferation in breast carcinoma: Comparison of Ki-67 immunohistochemical study, DNA flow cytometric analysis, and mitotic count. Cancer 1990;65:1180-4.
- Jakesz R, Hausmaninger H, Kubista E, Gnant M, Menzel C, Bauernhofer T, et al. Randomized adjuvant trial of tamoxifen and goserelin versus cyclophosphamide, methotrexate, and fluoro-uracil: evidence for the superiority of treatment with endocrine blockade in premenopausal patients with hormone-responsive breast cancer-Austrian Breast and Colorectal Cancer Study Group Trial 5. J Clin Oncol 2002;20:4621-7.
- James K, Bridger J, Anthony PP. Breast tumour of pregnancy ('lactating' adenoma). J Pathol 1988;156:37-44.
- Jaspars JJ, Posma AN, van Immerseel AA, Gittenberger-de Groot AC. The cutaneous innervation of the female breast and nipple-areola complex: implications for surgery. Br J Plast Surg. 1997;50:249-59.
- Jensen RA, Page DL, Dupont WD, Rogers LW. Invasive breast cancer risk in women with sclerosing adenosis. Cancer 1989; 64:1977-83.
- Joensuu H, Kellokumpu-Lehtinen PL, Bono P, Alanko T, Kataja V, Asola R, et al. Adjuvant docetaxel or vinorelbine with or without trastuzumab for breast cancer. N Engl J Med 2006;354:809-20.
- Johannsson O, Loman N, Borg A, Olxxon H, Pregnancy-associtated breast cancer in BRCA1 and BRCA2 germ-line mutation carriers, Lancet 1998;352:1359.
- Katz A, Buchholz TA, Thames H, Smith CD, McNeese MD, Theriault R, et al. Recursive partitioning analysis of locoregional recurrence patterns following mastectomy: implications for adjuvant irradiation. Int J Radiat Oncol Biol Phys 2001;50: 397-403.
- Katz A, Strom EA, Buchholz TA, Thames HD, Smith CD, Jhingran A, et al. Locoregional recurrence patterns after mastectomy and doxorubicin-based chemotherapy: implications for postoperative irradiation. J Clin Oncol 2000;18:2817-27.
- Katz A, Strom EA, Buchholz TA, Theriault R, Singletary SE, McNeese MD, et al. The influence of pathologic tumor haracteristics on locoregional recurrence rates following mastectomy. Int J Radiat Oncol Biol Phys 2001;50:735-42.
- Kaufmann M, Hortobagyi GN, Goldhirsch A, Scholl S, Makris A, Valagussa P, et al. Recommendations from an international expert panel on the use of neoadjuvant (primary) systemic treatment of operable breast cancer: an update. J ClinOncol 2006;24:1940-9.
- Kaufmann M, von Minckwitz G, Bear HD, Buzdar A, McGale P, Bonnefoi H, et al. Recommendations from an international expert panel on the use of neoadjuvant (primary) systemic treatment of operable breast cancer: new perspectives 2006. Ann Oncol 2007;18:1927-34.
- Kelsey JL, Gammon MD. Epidemiol Rev 1990;12:228-40.
- Key TJ Verkasalo Banks E. Epidemiology of breat cancer Lancet Oncol 2001;2:133-40.
- Kim JY, Han BK, Choe YH, Ko YH. Benign and malignant mucocele-like tumors of the breast: mammographic and sonographic appearances. AJR Am J Roentgenol 2005;185:1310-6.
- Kim Y, Choi JY, Lee KM, Park SK, Ahn SH, Noh DY, et al. Dose dependent protectove dffect of lactation against breast cancer in ever-lactated women in Korea. Eur j Cancer Prev 2007;16:124-9.
- King RM, Welch JS, Martin JL, Colman CB: carcinoma of the breast associated with pregnancy. Surg Gynecol Obastet 1985;160:228.
- Kiricuta CI, Tausch J: A mathematical model of axillary lymph node involvement based on 1446 complete axillary dissections in patients with breast carcinoma. Cancer 1992; 69:2496-501.
- Kissin MW, Kark AE: Nipple preservation during mastectomy. Br J Surg 1987;74:58-61.
- Klijn JG, Blamey RW, Boccardo F, Tominaga T, Duchateau L, Sylvester R, et al. Combined tamoxifen and luteinizing hormone-releasing hormone (LHRH) agonist versus LHRH agonist alone in premenopausal advanced breast cancer: ametaanalysis of four randomized trials. J Clin Oncol 2001;19:343-53.
- Kopan DB, Breast imaging. 2nd ed. Philadelphia; Lippincott Williams & Wilkins; 1998. p.592-3.
- Korea Breast Cancer Society Practice Recommendations of

Breast Cancer 2008.
- Korean Breast Cancer Society. Nationwide Korean breast cancer data of 2004 using breast cancer registration program. J Breast Cancer 2006;9:151-61.
- Kuerer H. Breast surgical oncology. In:Kuere editors.Texas: Mc Graw Hill; 2010. p.345-1.
- Kurtz JM, Gelber R, Brady LW, Carella RJ, Cooper JS. The palliation of brain metastases in a favorable patient population: a randomized clinical trial by the Radiation Therapy Oncology Group. Int J Radiat Oncol Biol Phys 1981;7:891-5.
- LaCroix AZ, Chlebowski RT, Manson JE, Aragaki AK, Johnson KC, Martin L, et al. Health outcomes after stopping conjugated equine estrogens among postmenopausal women with prior hysterectomy: a randomized controlled trial. JAMA 2011;6:305:1305-14.
- Lagios MD, Gates EA, Westdahl PR, Richards V, Alpert BS: A guide to the frequency of nipple involvement in breast cancer. A study of 149 consecutive mastectomies using a serial subgross and correlated radiographic technique. Am J Surg 1979;138:135-42.
- Lakhani SR. The pathology of familial breast cancer: morpho-logical aspects. Breast Cancer Res 1999;1:31-5.
- Lambe Mm Ekbom A: Cancer coinsiding with child brearing: delayed diagnosis during pregnancy. BMJ 1995;311:1607.
- Leach S, Feig B, Berger D: Invasive breast cancer. Boston: Little, Brown and Company 1995.
- Lee KM. Natural history of breast cancer. In: The Korean Breast Cancer Society. The Breast. 2nd ed. Seoul: Ilchokak; 2005. p.342-56.
- Lee SD, Park HL, Nam SJ, Yang JH, Ko YH. In patients with breast cancer. J Korean Surg Soc 2001:60:36-40.
- Lee SY Kim SW. et al., Effect of lifetime lactation on breast cancer risk: a Korean women's cohort study int J Cancer 2003;105:390-3.
- Liaw D, Marsh DJ, Li J, Dahia PL, Wang SI, Zheng Z, Bose S, Call KM, Tsou HC, Peacocke M, Eng C, Parsons R Germline mutations of the PTEN gene in Cowden disease, an inherited breast and thyroid cancer syndrome. Nat Genet 1997;16:64-7.
- Liebman AJ, Lewis M, Kruse B. Tubular carcinoma of the breast: mammographic appearance. AJR Am J Roentgenol 1993;160:263-5.
- Loprinzi CL, Thomé SD. Understanding the utility of adjuvant systemic therapy for primary breast cancer. J Clin Oncol 2001;19:972-9.
- Lumachi F, Ermani M, Brandes AA, et al. Breast complaints and risk of breast cancer: population-based study of 2,879 self-selected women and long-term follow-up. Biomed Pharmacother 2002;56:88-92.
- Maddox PR, Harrison RE, Mansel LE, LE H. Non-cyclical mastalgia: An improved classification and treatment. Br J Surg 1989;76:901-4.
- Marchant DJ: Invasive breast cancer. Surgical treatment alternatives. ObstetGynecolClin North Am 1994;21:659-79.
- Mavaddat N., Antoniou A.C, Easton D.F., an Garcia-Closas M. Genetic susceptibility to breast cancer. Mol Oncol 2010;4: 174-91.
- McAllister KA, Haugen-Strano A, Hagevik S, Brownlee HA, Collins NK, Futreal PA, Bennett LM, Wiseman RW. Characterization of the rat and mouse homologues of the BRCA2 breast cancer susceptibility gene. Cancer Res 1997;1:57:3121-5.
- McBoyle MF, Razek HA, Carter JL, Helmer SD. Tubular carcinoma of the breast: an institutional review. Am Surg 1997; 63:639-45.
- McDivitt RW, Boyce W, Gersell D. Tubular carcinoma of the breast: clinical and pathological observations concerning 135 cases. Am J Surg Pathol 1982;6:401-11.
- McGuire SE, Gonzalez-Angulo AM, Huang EH, Tucker SL, Kau SW, Yu TK, et al. Postmastectomy radiation improves the outcome of patients with locally advanced breast cancer who achieve a pathologic complete response to neoadjuvant chemotherapy. Int J Radiat Oncol Biol Phys 2007;68:1004-9.
- Menopause. Tsgo. Clinical Characteristics of Breast Cancers Diagnosed in Korean Women on Hormone Therapy. J Korean Soc Menopause 2009;15:172-7.
- Meyer JE, Amin E, Lindfors KK: Medullary carcinoma of the breast: mammographic and US appearance. Radiology 1989; 170:79-82.
- Mieog JS, van der Hage JA, van de Velde CJ. Neoadjuvant chemotherapy for operable breast cancer. Br J Surg 2007;94: 1189-200.
- Miki Y, Swensen J, Shattuck-Eidens D, Futreal PA, Harshman K, Tavtigian S, Liu Q, Cochran C, Bennett LM, Ding W. A strong candidate for the breast and ovarian cancer susceptibility gene BRCA1. Science 1994;266:66-71.
- Ministry of Health and Welfare, Republic of Korea. Annual Report of the Central Cancer Registry in Korea 2009.
- Ministry of Health and Welfare, Republic of Korea. Annual Report of the Central Cancer Registry in Korea. 2002.
- Minn YK, Park CM< Kim WB, Cho SJ, Kim A, Kim NR, et al. Distribution and prognostic effect on adjuvant hormone therapy of Body Mass Index (BMI) in Korean Breast Cancer Patients. J Korean Surg Soc 2002:62:275-81.
- Mitere BK, Kanbour AI, Mauser N: Fine needle aspiration giopsy of breast carcinoma in pregnancy and lactation. Acta Cytologica 1997;41:1121.
- Moll R, Mitze M, Frizen UH, Birchmeier W. Differential loss of

Ecadherin expression in infiltrating ductal and lobular breast carcinomas. Am J Pathol 1993;143:1731-42.
- Montroni I, Santini D, Zucchini G, Fiacchi M, Zanotti S, Ugolini G, et al. Nipple discharge: is its significance as a risk factor for breast cancer fully understood? Observational study including 915 consecutive patients who underwent selective duct excision. Breast Cancer Res Treat 2010;123:895-900.
- Medullary carcinoma of the breast. Cancer 1949;2:635-42.
- Morrow M. Pre-cancerous breast lesions: implications for breast cancer prevention trials. Int J Radiat Oncol Biol Phys. 1992;23:1071-8.
- Mouridsen H, Gershanovich M, Sun Y, Pérez-Carrión R, Boni C, Monnier A, et al. Superior efficacy of letrozole versus tamoxifen as first-line therapy for postmenopausal women with advanced breast cancer: results of a phase III study of the International Letrozole Breast Cancer Group. J Clin Oncol 2001;19:2596-606.
- Narod SA. BRCA mutations in the management of breast cancer: the state of the art Nat Rev Clin Oncol 2010;7:702-7.
- Nettleton J, Long J, Kuban D, WUR, Shacffer J, ElMahdii A: Breast cancer during prgnancy; quantifying the risk of treatment delay. Obs Gyn 1996;87:414.
- Newman HF, Klein M, Northrup JD, Ray BF, M. D. Nipple discharge. Frequency and pathogenesis in an ambulatory population. N Y State J Med 1983;83:928-33.
- Nicklas A, Baker M, Imaging strategies in pregnant cancer patients, Semin Oncol 1983;27:623-32.
- Noguchi M: Role of breast surgeons in evolution of the surgical management of breast cancer. Breast Cancer 2007;14:1-8.
- Nugent P, O'Connell Tx : Breast cancer and pregnancy. Arch Surg 1985;120:1221.
- Offit K. BRCA mutation frequency and penetrance: new data, old debate. J Natl Cancer Inst 2006;98:1675-7.
- Olivotto IA, Bajdik CD, Ravdin PM, Speers CH, Coldman AJ, Norris BD, et al. Population-based validation of the prognostic model ADJUVANT! for early breast cancer. J Clin Oncol 2005;23:2716-25.
- Osborne CK, Pippen J, Jones SE, Parker LM, Ellis M, Come S, et al. Double-blind, randomized trial comparing the efficacy and tolerability of fulvestrant versus anastrozole in postmenopausal women with advanced breast cancer progressing on prior endocrine therapy: results of a North American trial. J Clin Oncol 2002;20:3386-95.
- O'Shaughnessy J, Miles D, Vukelja S, Moiseyenko V, Ayoub JP, Cervantes G, et al. Superior survival with capecitabine plus docetaxel combination therapy in anthracycline-pretreated patients with advanced breast cancer: phase III trial results. J Clin Oncol 2002;20:2812-23.
- Overgaard M, Hansen PS, Overgaard J, Rose C, Andersson M, Bach F, et al. Postoperative radiotherapy in high-risk premenopausal women with breast cancer who receive adjuvant chemotherapy. Danish Breast Cancer Cooperative Group 82b Trial. N Engl J Med 1997;337:949-55.
- Overgaard M, Jensen MB, Overgaard J, Hansen PS, Rose C, Andersson M, et al. Postoperative radiotherapy in high-risk postmenopausal breast-cancer patients given adjuvant tamoxifen: Danish Breast Cancer Cooperative Group DBCG 82c randomised trial. Lancet 1999;353:1641-8.
- Overgaard M, Nielsen HM, Overgaard J. Is the benefit of postmastectomy irradiation limited to patients with four or more positive nodes, as recommended in international consensus reports? A subgroup analysis of the DBCG 82 b&c randomized trials. Radiother Oncol 2007;82:247-53.
- Owen JR, Ashton A, Bliss JM, Homewood J, Harper C, Hanson J, et al. Effect of radiotherapy fraction size on tumour control in patients with early-stage breast cancer after local tumour excision: long-term results of a randomised trial. Lancet Oncol 2006;7:467-71.
- Padden D. Mastalgia: evaluation and management. Nurse Pract Forum 2000;11:213-8.
- Page DL, Kidd TE Jr, Dupont WD, Simpson JF, Rogers LW. Lobular neoplasia of the breast: higher risk for subsequent invasive cancer predicted by more extensive disease. Hum Pathol 1991;22:1232-9.
- Palacios J, Honrado E, Osorio A, Cazorla A, Sarrió D, Barroso A, et al. Immunohistochemical characteristics defined by tissue microarray of hereditary breast cancer not attributable to BRCA1 or BRCA2 mutations: Clin Cancer Res 2003;9:3606-14.
- Palacios J, Honrado E, Osorio A, Cazorla A, Sarrió D, Barroso A, Rodríguez S, Cigudosa JC, Diez O, Alonso C, Lerma E, Dopazo J, Rivas C, Benítez J: Phenotypic characterization of BRCA1 and BRCA2 tumors based in a tissue microarray study with 37 immunohistochemical markers. Breast Cancer Res Treat 2005;90:5-14.
- Panades M, Olivotto IA, Speers CH, Shenkier T, Olivotto TA, Weir L, et al. Evolving treatment strategies for inflammatory breast cancer: a population-based survival analysis. J Clin Oncol 2005;23:1941-50.
- Paradiso A, Tommasi S, Brandi M, Marzullo F, Simone G, Lorusso V, et al. Cell kinetics and hormonal receptor status I n inflammatory breast carcinoma. Comparison with locally advanced disease. Cancer 1989;64:1922-7.
- Park MS, Oh KK, Kim EK, SI. L. Multifaces of sonographic findings of galactocele: comparison according to its association with pregnancy. J Korean Radiol Soc 1993;42:699-703.
- Park SJ, Bae JW, Choe KJ. Breast cancer and pregnancy. In

edited by The Korean Breast Cancer Socitety. The Breast. 1st ed. Seoul: Ilchokak; 1999. p.676-83.

- Park YC, Kim JS, Noh DY, Park IA, Youn YK, Oh SK, et al. Clinical and histopathologic analysis of ductal carcinoma in situ. J Korean Surg Soc 1997;52:379-92.
- Park YH, Kim ST, Cho EY, Choi YL, Ok ON, Baek HJ, et al. A risk stratification by hormonal receptors (ER, PgR) and HER-2 status in small(<or = 1 cm) invasive breast cancer: who might be possible candidates for adjuvant treatment? Breast Cancer Res Treat 2010;119:653-61.
- Parker, JS., et al. Supervised risk predictor of breast cancer based on intrinsic subtypes. J. Clin. Oncol 2009;27:1160-7.
- Patey DH, Dyson WH: The prognosis of carcinoma of the breast in relation to the type of operation performed. Br J Cancer 1948;2:7-13.
- Pathology of familial breast cancer: differences between breast cancers in carriers of BRCA1 or BRCA2 mutations and sporadic cases. Breast Cancer Linkage Consortium. Lancet 1997;349:1505-10.
- Pendas S, Dauway E, Giuliano R, Ku N, Cox CE, Reintgen DS. Sentinel node biopsy in ductal carcinoma in situ patients. Ann Surg Oncol 2000;7:12-20.
- Perez CA,Brady LW, Halperin EC, et al. Section IV. Palliative and supportive care. In: Halperin EC, Perez CA, Brady LW, eds. Principles and Practice of Radiation Oncology. 5th ed. Philadelphia: Lippincott Williams & Wilkins; 2008.
- Perou CM, Sørlie T, Eisen MB, et al. Molecular portraits of human breast tumours. Nature 2000;406:747-52.
- Peters GN, Wolff M, Haagensen CD. Tubular Carcinoma of the breast. Clinical pathologic correlations based on 100 cases. Ann Surg 1981;193:138-49.
- Petreck JA: Breast cancer and pregnancy. Disease of the breast. Lippincott-Raben, Philadelphia & New York; 1996. p.883.
- Piccart-Gebhart MJ, Procter M, Leyland-Jones B, Goldhirsch A, Untch M, Smith I, et al. Trastuzumab after adjuvant chemotherapy in HER2-positive breast cancer. N Engl J Med 2005;353:1659-72.
- Pickren JW, Rube J, Auchincloss H, Jr.: Modification of Conventional Radical Mastectomy; a Detailed Study of Lymph Node Involvement and Follow-up Information to Show Its Practicality. Cancer 1965;18:942-9.
- Pike MC, et al. 'Hormonal' risk factors, 'breast tissue age' and the age-incidence of breast cancer. Nature 1983;303:767-70.
- Poggi MM, Danforth DN, Sciuto LC, Smith SL, Steinberg SM, Liewehr DJ, et al. Eighteen-year results in the treatment of early breast carcinoma with mastectomy versus breast conservation therapy: the National Cancer Institute Randomized Trial. Cancer 2003;98:697-702.
- Porter, 1991: Lagios, 1995.
- Priestman TJ, Dunn J, Brada M, Rampling R, Baker PG. Final results of the Royal College of Radiologists' trial comparing two different radiotherapy schedules in the treatment of cerebral metastases. Clin Oncol (R Coll Radiol) 1996;8:308-15.
- Prowell TM, Davidson NE. What is the role of ovarian ablation in the management of primary and metastatic breast cancer today? Oncologist 2004;9:507-17.
- Pye JK, Mansel RE, LE H. Clinical experience of drug treatments for mastalgia. Lancet 1985;2:373-7.
- Ragaz J, Jackson SM, Le N, Plenderleith IH, Spinelli JJ, Basco VE, et al. Adjuvant radiotherapy and chemotherapy in node-positive premenopausal women with breast cancer. N Engl J Med 1997;337:956-62.
- Ragaz J, Olivotto IA, Spinelli JJ, Phillips N, Jackson SM, Wilson KS, et al. Locoregional radiation therapy in patients with high-risk breast cancer receiving adjuvant chemotherapy: 20-year results of the British Columbia randomized trial. J Natl Cancer Inst 2005;97:116-26.
- Rahal RM, de Freitas-Junior R, Paulinelli RR. Risk factors for duct ectasia. Breast J 2005;11:262-5.
- Rapin V, Contesso G, Mouriesse H: Medullary carcinoma: a reevaluation of 95 cases of breast cancer with inflammatory stroma. Cancer 1988;61:2503-10.
- Rastogi P, Anderson SJ, Bear HD, Geyer CE, Kahlenberg MS, Robidoux A, et al. Preoperative hemotherapy: updates of National Surgical Adjuvant Breast and Bowel Project Protocols B-18 and B-27. J Clin Oncol 2008;26:778-85.
- Ravdin PM, Siminoff LA, Davis GJ, Mercer MB, Hewlett J, Gerson N, et al. Computer program to assist in making decisions about adjuvant therapy for women with early breast cancer. J Clin Oncol 2001;19:980-91.
- Recht A, Edge SB, Solin LJ, Robinson DS, Estabrook A, Fine RE, et al. Postmastectomy radiotherapy: clinical practice guidelines of the American Society of Clinical Oncology. J Clin Oncol 2001;19:1539-69.
- Ribeiro GG, Palmar MK: Breast carcinoma associated with pregnancy: A clinical dilemma, Br Med J 1977;2:1524.
- Robertson JF, Osborne CK, Howell A, Jones SE, Mauriac L, Ellis M, et al. Fulvestrant versus anastrozole for the treatment of advanced breast carcinoma in postmenopausal women: a prospective combined analysis of two multicenter trials. Cancer 2003;98:229-38.
- Romond EH, Perez EA, Bryant J, Suman VJ, Geyer CE Jr, Davidson NE, et al. Trastuzumab plus adjuvant chemotherapy for operable HER2-positive breast cancer. N Engl J Med 2005;353:1673-84.
- Rosen PP, Kosloff C, Lieberman PH, Adair F, Braun DW Jr.

Lobular carcinoma in situ of the breast. Detailed analysis of 99 patients with average follow-up of 24 years. Am J Surg Pathol 1978;2:225-51.
- Rosen PP. Rosen's breast pathology. 2nd ed. Philadelphia: Lippincott William and Wilkins; 2001. p.325-64.
- Rosner B Cilditz GA Wilett WC, Reproductive risk factor in a prospective study of breast cancer the nurses health study Am J Epidemiol 1994;139:819-35.
- Rosolowich V, Saettler E, Szuck B, Lea RH, Levesque P, Weisberg F, et al. Mastalgia. Society of Obstetricians and Gynecologists of Canada (SOGC). J Obstet Gynaecol Can 2006;28:49-71.
- Rosolowich V. Saettler E, Szuck B, et al.: Society of Obstetricians and Gynecologists of Canada (SOGC). Mastalgia. J Obstet Gynaecol Can 2006;28:49-71.
- Ross J, Hussey D, Mary N, Davis C: Acute and late reactions to radiation therapy in patients with collagen vascular diseases. Cancer 1993;71:3744-52.
- Ross RK, Paganini-Hill A, Wan PC, Pike MC. Effect of hormone replacement therapy on breast cancer risk: estrogen versus estrogen plus progestin. J Natl Cancer Inst 2000;16:92: 328-32.
- Rungruang B, Kelley J. Benign breast diseases: epidemiology, evaluation, and management. Clin Obstet Gynecol 2011;54: 110-24.
- Sabel MS, Degnim A, Wilkins EG, Diehl KM, Cimmino VM, Chang AE, Newman LA: Mastectomy and concomitant sentinel lymph node biopsy for invasive breast cancer. Am J Surg 2004;187:673-8.
- Sanders ME, Scroggins T, Ampil FL, Li BD. Accelerated partial breast irradiation in early-stage breast cancer. J Clin Oncol 2007;25:996-1002.
- Sankila R, Heinavaara. S, Hakulinen T, Survival of breast cancer patients after sbusequent term pregnancy Healthy mother dffect, Am J Obstet Gynecol 1994;170:207-20.
- Sarrazin D, Lê MG, Arriagada R, Contesso G, Fontaine F, Spielmann M, et al. Ten-year results of a randomized trial comparing a conservative treatment to mastectomy in early breast cancer. Radiother Oncol 1989;14:177-84.
- Sastre-Garau X, Jouve M, Asselain B, et al. Infiltrating lobular carcinoma of the breast: clinicopathologic analysis of 975 cases with reference to data on conservative therapy and metastatic patterns. Cancer 1996;77:113-20.
- Schlehe B. and Schmutzler R. Hereditäres Mammakarzinom Chirurg 2008;79:1047-54.
- Schneider BP, Winer EP, Foulkes WD, Garber J, Perou CM, Richardson A, Sledge GW, Carey LA. Triple-negative breast cancer: risk factors to potential targets. Clin Cancer Res 2008;15:14:8010-8.
- Schwartz GF, Patchefsky AS, Finklestein SD, Sohn SH, Prestipino A, Feig SA, et al. Nonpalpable in situ ductal carcinoma of the breast: Predictors of multicentricity and microinvasion and implications for teatment. Arch Surg 1989;124:29-32.
- Schwartz SI, Shires GT, Spencer FX: Pronciples of surgery. 6th ed. New-York: McGraw Hill; 1994. p540.
- Shuvvers SA, Miller DS: Preinvasive and invasive breast and cervical cancer prior to or during pregnancy. Clin in Perinatol 1997;24:369.
- Silver SA, Tavassoli FA. Mammary ductal carcinoma in situ with microinvasion. Cancer 1998;82:2382-90.
- Silverstein M, Parker R, Grotting J, Cote R, Russel C: Ductoal carcinoma i situ of the breast: diagnostic and therapeutic controversies. J Am CollSurg 2001;192:196-214.
- Silverstein MJ, Lagios MD, Craig PH, Waisman JR, Lewinsky BS, ColburnWJ, et al. A prognostic index for ductal carcinoma in situ of the breast. Cancer 1996;77:2267-74.
- Silverstein MJ, Waisman JR, Gamagami P, Gierson ED, Colburn WJ, Rosser RJ, et al. Intraductal carcinoma of the breast (208 cases): Clinical factors influencing treatment choice. Cancer 1990;66:102-8.
- Silverstein MJ. The University of Southern California/Van Nuys Prognostic index for ductal carcinoma in situ of the breast. Am J Surg 2003;186:337-43.
- Simmons R, Adamovich T, Brennan M, Christos P, Schultz M, Eisen C, et al. Nonsurgical evaluation of pathologic nipple discharge. Ann Surg Oncol 2003;10:113-6.
- Slamon D, Eiermann W, Robert N, Pienkowski T, Martin M, Pawlicki M, et al. Phase III trial comparing AC-T with AC-TH and with TCH in the adjuvant treatment of HER2 positive early breast cancer patients: second interim efficacy analysis. 29th annual San Antonio Breast Cancer Symposium, 2006. abstract #52.
- Sledge GW, Neuberg D, Bernardo P, Ingle JN, Martino S, Rowinsky EK, et al. Phase III trial of doxorubicin, paclitaxel, and the combination of doxorubicin and paclitaxel as frontline chemotherapy for metastatic breast cancer: an intergroup trial (E1193). J Clin Oncol 2003;21:588-92.
- Smith BD, Arthur DW, Buchholz TA, Haffty BG, Hahn CA, Hardenbergh PH, et al. Accelerated partial breast irradiation consensus statement from the American Society for Radiation Oncology (ASTRO). Int J Radiat Oncol Biol Phys 2009;74:987-1001.
- Smith DM Jr. Peters TG, Donegan WL. Montgomery's areolar tubercle. A light microscopic study. Arch Pathol Lab Med 1982;106:60-3.
- Smith I, Procter M, Gelber RD, Guillaume S, Feyereislova A, Dowsett M, et al. 2-year follow-up of trastuzumab after

adjuvant chemotherapy in HER2-positive breast cancer: a randomized controlled trial. Lancet 2007;369:29-36.

- Smith IE, Dowsett M, Yap YS, Walsh G, Lønning PE, Santen RJ, et al. Adjuvant aromatase inhibitors for early breast Early Breast Cancer Trialists' Collaborative Group (EBCTCG). Effects of chemotherapy and hormonal therapy for earlybreast cancer on recurrence and 15-year survival: an overview of the randomised trials. Lancet 2005;365:1687-717.
- Smith J, Payne WS, Carney JA: Involvement of the nipple and areola in carcinoma of the breast. Surg Gynecol Obstet 1976; 143:546-8.
- Smith RL, Pruthi S, LA. F. Evaluation and management of breast pain. Mayo Clin Proc 2004;79:353-72.
- Solin LJ, Foeble BL, Yeh IT, Kowalyshyn MJ, Schultz DJ, Weiss MC, et al. Microinvasive ductal carcinoma of the breast treated with breast-conserving surgery and definitive irradiation. Int J Radiat Oncol Biol Phys 1992;23:961-8.
- Solomayer EF, Diel IJ, Meyberg GC, Gollan Ch, Bastert G. Metastatic breast cancer: clinical course, prognosis and therapy related to the first site of metastasis. Breast Cancer Res Treat 2000;59:271-8.
- Son BH, Ahn SH, Kwak BS, Kim JK, Kim HJ, Hong SJ, et al. The recurrence rate, risk factors and recurrence patterns after surgery in 3,700 patients with operable breast cancer. Korean J Breast Cancer 2006;9:134-44.
- Son EJ, Oh KK, Kim EK. Pregnancy-associated breast disease: radiologic features and diagnostic dilemmas. Yonsei Med J 2006;28:47:34-42.
- Sotiriou C, Neo SY, McShane LM, et al. Breast cancer classify cation and prognosis based on gene expression profi les from a population-based study. Proc Natl Acad Sci USA 2003;100: 10393-8.
- Srivastava A, Mansel RE, Arvind N, Prasad K, Dhar A, Chabra A. Evidence-based management of Mastalgia: a meta-analysis of randomised trials. Breast 2007;16:503-12.
- Staunton MD, Melville DM, Monterrosa A, Thomas JM: A 25-year prospective study of modified radical mastectomy (Patey) in 193 patients. J R Soc Med 1993;86:381-4.
- Stefanick ML, Anderson GL, Margolis KL, Hendrix SL, Rodabough RJ, Paskett ED, et al. Effects of conjugated equine estrogens on breast cancer and mammography screening in postmenopausal women with hysterectomy. JAMA 2006;12: 295:1647-57.
- Suh JS Yoo KY Kwon OJ, et al. menstrual and reproductive factor related to the risk of breast cacer in korea Ovarian Hormone effect on breast cancer J Korean Med Sci 1996;11: 501-8.
- Therasse P, Mauriac L, Welnicka-Jaskiewicz M, Bruning P, Cufer T, Bonnefoi H, et al. Final results of a randomized phase III trial comparing cyclophosphamide, epirubicin, and fluorouracil with a dose-intensified epirubicin and cyclophosphamide + filgrastim as neoadjuvant treatment in locally advanced breast cancer: an EORTC-NCIC-SAKK multicenter study. J Clin Oncol 2003;21:843-50.
- Thompson D, Easton D. Variation in cancer risks, by mutation position, in BRCA2 mutation carriers. Am J Hum Genet 2001;68:410-9.
- Thorslund T, West SC. BRCA2: a universal recombinase regulator. Oncogene 2007;10:26:7720-30.
- Tischkowitz MD, et al. Male breast cancer: aetiology, genetics, and clinical management. Int J Clin Pract 2002;56:750-4.
- Tischkowitz, MD. and Foulkes, WD. The basal phenotype of BRCA1-related breast cancer: past, present and future. Cell Cycle 2006;5:963-7.
- Toth BA, Lappert P: Modified skin incisions for mastectomy: the need for plastic surgical input in preoperative planning. Plast Reconstr Surg1991;87:1048-53.
- Turgeon JL, McDonnell DP, Martin KA, Wise PM. Hormone therapy: physiological complexity belies therapeutic simplicity. Science 2004;28:304:1269-73.
- Turner-Warwick R. The lymphatics of the breast. Br J Surg 1959;46:574-82.
- Turpin E, Bièche I, Bertheau P, Plassa LF, Lerebours F, de Roquancourt A, et al. Increased incidence of ERBB2 overexpression and TP53 mutation in inflammatory breast cancer. Oncogene 2002;21:7593-7.
- Ueno NT, Buzdar AU, Singletary SE, Ames FC, McNeese MD, Holmes FA, et al. Combined-modality treatment of inflammatory breast carcinoma: twenty years of experience at M.D. Anderson Cancer Center. Cancer Chemother Pharmacol 1997;40:321-9.
- Untch M, Rezai M, Loibl S, Fasching PA, Huober J, Tesch H, et al. Neoadjuvant treatment with trastuzumab in HER2-positive breast cancer: results from the GeparQuattro study. J Clin Oncol 2010;28:2024-31.
- Utian WH, Bachmann GA, Cahill EB, Gallagher JC, Grodstein F, Heiman JR, et al. Estrogen and progestogen use in postmenopausal women: 2010 position statement of The North Ameri can Menopause Society. Menopause 2010;17:242-55.
- Van Dongen JA, Bartelink H, Fentiman IS, Lerut T, Mignolet F, Olthuis G, et al. Randomized clinical trial to assess the value of breast-conserving therapy in stage I and II breast cancer, EORTC 10801 trial. J Natl Cancer Inst Monogr 1992;11:15-8.
- Vargas HI, Vargas MP, Eldrageely K, Gonzalez KD, Burla ML, Venegas R, et al. Outcomes of surgical and sonographic assessment of breast masses in women younger than 30. Am

Surg 2005;71:716-9.

- Venta LA, Kim JP, Pelloski CE, Morrow M. Management of complex breast cysts. AJR Am J Roentgenol 1999;173:1331-6.
- Veronesi U, Cascinelli N, Mariani L, Greco M, Saccozzi R, Luini A, Aguilar M, Marubini E: Twenty-year follow-up of a randomized study comparing breast-conserving surgery with radical mastectomy for early breast cancer. N Engl J Med 2002;347:1227-32.
- Vogel CL, Azevedo S, Hilsenbeck S, East DR, Ayub J. Survival after first recurrence of breast cancer. The Miami experience. Cancer 1992;70:129-35.
- Vorherr H. Fibrocystic breast disease: pathophysiology, pathomorphology, clinical picture, and management. Am J Obstet Gynecol 1986;154:161-79.
- Vuitch MF, Rosen PP, Eralandson RA. Pseudoangiomatous hyperplasia of mammary stroma. Hum Pathol 1986;17:185-91.
- Wallack MK, Wolf JA, Bedwinek J, Denes AE, Glagow G, Kumar B, Meyer JS, Rigg LA, Wilson Krechel S: Gestational carcinoma of the female breast. Curr Probl cancer 1983;7:1.
- Warner E, Hill K, Causer P, Plewes D, Jong R, Yaffe M, Foulkes WD, Ghadirian P, Lynch H, Couch F, Wong J, Wright F, Sun P, Narod SA. A prospective study of breast cancer incidence and stage distribution in women with a BRCA1 or BRCA2 mutation under surveillance with and without magnetic resonance imaging. J Clin Oncol 2011;1:29:1664-9.
- Warner E, Plewes DB, Hill KA, Causer PA, Zubovits JT, Jong RA, Cutrara MR, DeBoer G, Yaffe MJ, Messner SJ, Meschino WS, Piron CA, Narod SA. Surveillance of BRCA1 and BRCA2 mutation carriers with magnetic resonance imaging, ultrasound, mammography, and clinical breast examination. JAMA 2004:292:1317-25.
- Weaver MG, Abdul-Karim FW, al-Kaisi N. Mucinous lesions of the breast: a pathological continum. Pathol Res Pract 1993;189:873-6.
- Whelan T, MacKenzie R, Julian J, Levine M, Shelley W, Grimard L, et al. Randomized trial of breast irradiation schedules after lumpectomy for women with lymph node-negative breast cancer. J Natl Cancer Inst 2002;94:1143-50.
- Whelan TJ, Julian J, Wright J, Jadad AR, Levine ML. Does locoregional radiation therapy improve survival in breast cancer? A meta-analysis. J Clin Oncol 2000;18:1220-9.
- White TT: Carcinoma of the breast and pregnancy, Ann Surg 1954;139:9.
- WiKipedia [Internet]. Wikimedia Foundation, Inc; [cited-2011Sep24]. Available from: http://en.wikipedia.org/.
- Winchester DJ, Sahin AA, Tucker SL, Singletary SE. Tubular carcinoma of the breast: predicting axillary nodal metastases and recurrence. Ann Surg 1996;223:342-7.
- Winchester DP, Cox JD: Standards for breast-conservation treatment. CA Cancer J Clin 1992;42:134-62.
- Winchester DP, Cox JD: Standards for diagnosis and management of invasive breast carcinoma. American College of Radiology. American College of Surgeons. College of American Pathologists. Society of Surgical Oncology. CA Cancer J Clin 1998;48:83-107.
- Wollenberg NJ, Caya JG, Clowry LJ. Fine needle aspiration cytology of the breast. A review of 321 cases with statistical evaluation. Acta Cytol 1985;29:425-9.
- Wolmark N, Wang J, Mamounas E, Bryant J, Fisher B. Preoperative chemotherapy in patients with operable breast cancer: nine-year results from National Surgical Adjuvant Breast and Bowel Project B-18. J Natl Cancer Inst Monogr 2001;30: 96-102.
- Wong JH, Kopald KH, Morton DL. The impact of microinvasion on axillary node metastases and survival in patients with intraductal breast cancer. Arch Surg 1990;125:1298-302.
- Wood WC, Muss HB, Solin LJ, Olopade OI. Malignant tumors of the breast. In: Devita VT, Hellman S, Rosenberg SA, editors. Cancer. Principles and Practice of Oncology. 7th ed. Philadelphia: Lippincott Williams and Wilkins; 2005. p.1415-71.
- Yoneyama F, Tsuchie K, Sakaguchi K. Massive mucinous carcinoma of the breast untreated for 6 years. Int J Clin Oncol 2003;8:121-3.
- Yoo KY, Tajima K, Kuroishi T, et al. Independent protective effect of lactation against breast cancer; a case-control study in Japan. Am J Epidemiol 1992;135:726-33.
- Yoon MK, Jeon YE, Park YH, Kim SJ, Kang JB, Jang BR, et al. Case Reports: A case of vulvar adenocarcinoma associated with extramammary Paget's disease. Korean Journal of Obstetrics & Gynecology 2006;49:939-44.
- Zavotsky J, Hansen N, Brennan MB, Turner RR, Giuliano AE. Lymph node metastasis from ductal carcinoma in situ with microinvasion. Cancer 1999;85:2439-43.
- Zemlickis D Lishner M, Degendorfer P, Panzarella T, Burke B, Sutcliffe SB, et al. Maternal and fetal outcome after breast cancer in pregnancy. Am J Obstet Gynecol 1992;166:7814.

소아 및 미성년 여성의학

제37장 **사춘기**

제38장 **소아 및 미성년의 생식기 양성질환**

제39장 **선천성기형 및 성발달장애**

제37장

사춘기

최두석 | 성균관의대
윤보현 | 연세의대
이사라 | 울산의대

사춘기란 이차성징이 발현되고 생식 능력을 획득하는 시기를 말한다. 즉 소아에서 성인으로 성숙해 가는 시기를 말하는 것으로, 생물학적인 성장과 생식 능력을 갖게 될 뿐만 아니라 사회적으로 정신적으로 독립적인 성인이 되어가는 시기이다. 그러므로 사춘기는 그 공동체에서 성인의 일원으로 곧 받아들여진다는 것을 의미하게 된다. 본 단원에서는 정상 사춘기의 발달 과정과 시작 기전 그리고 비정상적인 사춘기 발달로 성조숙증과 지연사춘기에 대해 살펴보고자 한다.

1. 정상 사춘기 발달

사춘기의 시작 연령은 개인 간에 차이가 있다. 유전적 요인 외에도 영양 상태 및 사회지리적 환경, 건강 상태 등에 따라서 많이 좌우된다. 그러나 일단 사춘기에 들어서면 일련의 변화가 미리 정해진 성장 순서에 따라 순차적으로 일어난다. 사춘기 동안 나타나는 신체 변화의 내용과 각 변화가 나타나는 연령은 남녀 간에 현저한 차이를 보인다.

1) 사춘기 발달에 영향을 미치는 요소

사춘기 발달에는 인종적 부분을 포함하여 유전적 요인이 가장 크게 작용한다. 흑인이 백인보다는 빠른 사춘기 발달을 보이며, 사춘기 발달이 빠른 가계에서는 자손, 자매가 일찍 사춘기 발달을 시작한다. 그 외에 지적 인자, 햇빛에 노출 여부, 전신 건강 상태 및 영양 상태 그리고 심리적 요인 등이 영향을 주는 것으로 생각되고 있다. 적도에 가까운 지역, 고도가 낮은 지역에 거주하는 아이들이 이와 반대되는 경우의 아이들에 비해 사춘기가 빠르다. 도시에 사는 아이들, 심리적 스트레스가 많은 아이들, 그리고 중등도의 비만을 가진 아이들 또한 사춘기가 더 일찍 시작된다.

초경 연령은 유전적 요인과 환경적 요인의 영향을 받는다. 쌍생아를 대상으로 한 연구에서 환경적 인자보다는 유전적 인자가 초경 연령에 더 중요하게 작용한다고 밝혀졌다(Kaprio et al., 1995). 유전자로는 6q21과 9q31.2 유전자변이 및 SNP가 밝혀졌고, 이중 6q21의 LIN28B gene의 변이가 초경연령과 연관이 있다는 연구들이 많은 연구 집단에서 밝혀졌다(He et al., 2009; Perry et al., 2009; Viswanathan et al., 2008). 환경적 요인의 중요성 또한 여러 연구를 통해 발표되었다. 태아기와 출생 후 성장 시기의 영양 상태 및 생활 수준 개선은 어린이의 키와 체중의 성장을 촉진하고 초경을 빠르게 한다. 전세계적으로 초경 연령은 6-12개월 정도 빨라졌는데, 이는 영양상태 개선과 스트레스의 감소 영향으로 생각되고, 비만유병율의 증가와 초경연령의 감소가 연관이 있다. 한국의 경우, 남한보다 북한의 초경연령이 늦다고 보고되었다(Cho et al., 2010). 일반적으로 체중, 체지방량이 높은 어린이가 초경연령이 낮고, 중요한 점은 초경연령이 낮은 것은 성인 신장이 약간 감소하고 비만 위험도가 증가하는 것과 연관이 있다는 점이다(Garn et al., 1986; Biro et al., 2003; Ma et al., 2009). 맹인인 경우 정상 시력을 갖는 소녀들에 비해 초경이 더 빠르다(Zacharias et al., 1964).

2) 여성의 사춘기 발달

여성의 사춘기 발달에는 4.5년(1.5-6년 범위) 정도의 기간이 소요된다. 사춘기 진입의 첫 신호는 키의 성장이 빨라지는 것이지만 인지가 가능한 첫 증후는 유방이 볼록하게 발달(thelarche)하는 것이다. 그 다음으로 음모의 출현(pubarche), 최고성장속도 도달, 초경(menarche)의 순으로 이어진다. 그러나 약 20%의 여아는 첫 증후로 음모가 출현한다.

(1) Tanner 발달단계

사춘기의 발달 과정은 Tanner가 제안한 사춘기 발달단계를 널리 사용하고 있다. Tanner 사춘기 발달단계에 따르면 유방, 생식기 그리고 음모의 변화는 남녀 모두 5단계로 나뉜다(Tanner, 1962). 제1단계는 사춘기 전 단계이고 제5단계는 성인에 해당된다.

이런 변화는 성사춘기와 부신사춘기의 결과로 나타나는 것으로 생각된다. 성사춘기의 시작으로 여아에서 에스트로겐은 유방, 자궁과 질의 성장을 촉진하고 초경을 유도하며, 남아에서 고환이 발달하도록 하고, 부신사춘기의 시작은 음모와 액와부 털의 발달을 유도하고 특히 남아에서는 목소리의 변화 등을 유도하는 것으로 생각된다.

① 유방의 발달

유방의 발달과정을 살펴보면 Tanner 발달 제1단계는 사춘기 이전 상태로 유선조직이 촉지되지 않고 소아의 모습을 보이는 시기이다. 제2단계부터 유방의 발달이 본격적으로 시작된다(표 37-1, 그림 37-1).

제4단계가 되면 대부분의 여성은 유방 위로 유륜과 유두가 볼록하게 상승하는 특징적인 모습(secondary mound)을 보인다. 제5단계에 이르러 유륜의 상승이 없어지면서 유방의 윤곽과 일치하게 되면 비로소 유방의 발달이 완성된다. 유두는 어느 단계보다도 색이 짙어지고 유륜 주위로 유륜샘(Montgomery's gland)이 나타난다. 완전한 유방은 대개 3-3.5년에 걸쳐서 발달하게 되는데 때로는 2년 만에 발달이 완성되기도 하고 반대로 첫 임신 때까지 제4단계를 넘어서지 못하기도 한다. 주의할 점은 유방의 크기는 유방의 성숙과정과 연관이 없다는 것이다.

② 음모의 발달

사춘기에 음모가 발달하는 동안에는 음모의 양과 분포 모

표 37-1. 여성의 사춘기 발달단계

발달단계	유방발달	음모발달
1단계	사춘기 전 단계-유두만 돌출함	사춘기 전 단계-음모 없음
2단계	유방과 유두가 상승하여 볼록해지고 유륜이 커짐	약간 착색된 부드러운 직모가 대음순의 내측경계에 드문드문 나타남
3단계	유방과 유륜이 더 커지며 윤곽에 차이 없음	더 짙어지고 곱슬곱슬해지고 많아짐, 두덩이에도 나타남
4단계	유륜과 유두가 유방 위로 이차 융기함	거칠고 곱슬곱슬한 음모 발달하지만 아직 성인만큼 많지 않음
5단계	유두는 돌출되고 유륜이 퇴거하여 성숙한 유방모습 형성함	대개 삼각형으로 분포하며 때로는 대퇴의 내측까지도 분포하여 성인유형 완성됨

두가 변화한다. Tanner 발달 제1단계는 성호르몬 자극에 의한 음모가 없는 상태이다. 그러나 외부 생식기관에 음모가 아닌 솜털(nonsexual hair)이 있을 수도 있다. 제2단계에서는 드문드문하게 길고 직모 형태의 음모가 처음으로 대음순을 따라서 나타난다(표 37-1, 그림 37-2).

제3단계에서는 털이 곱슬거려지고 치구(mons pubis)에까지 분포하게 된다. 제4단계에서는 음모의 밀집 정도나 분포 모양에 있어서 성인과 유사하지만 분포부위가 대퇴부까지 이르지는 않는다. 제5단계에서는 대퇴부의 내면에까지 음모가 자라게 되는데 아시아인과 미국 인디안 원주민은 성인이 되어도 대퇴부까지 음모가 분포하는 경우는 드물다.

③ 키의 성장

사춘기 동안 일정간격으로 키의 성장을 그려보면 사춘기 발달단계와 키의 성장에 특징적인 상관관계가 있음을 알 수 있다(그림 37-3).

일반적으로 사춘기 진입 시 제일 먼저 나타나는 현상은 키의 성장이 빨라지는 것이지만 대개는 인지를 못 하고 넘어간다. 여성의 경우 Tanner 발달 제2단계와 제3단계 사이,

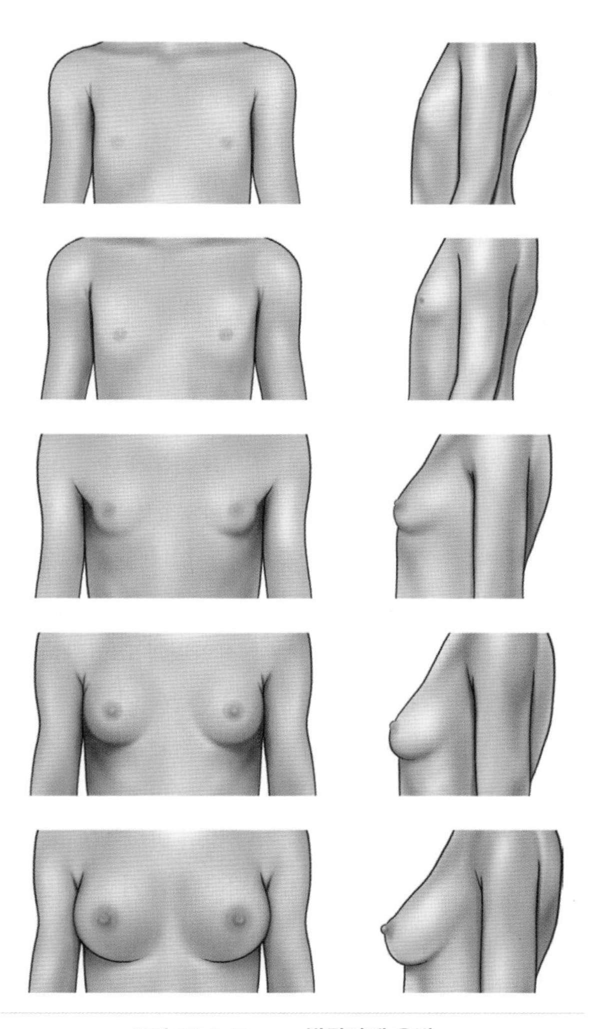

그림 37-1. **Tanner 발달단계-유방**

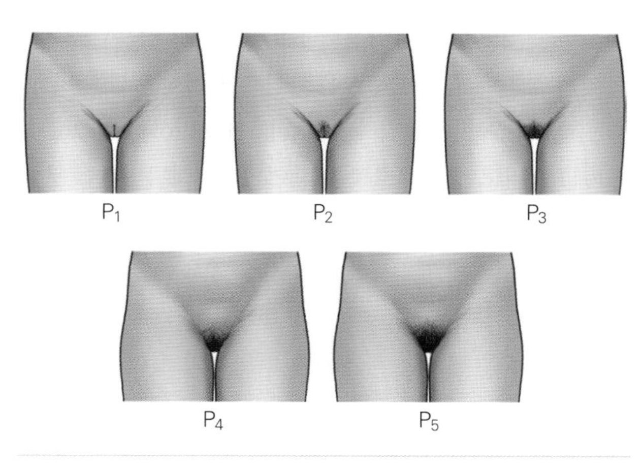

그림 37-2. **Tanner 발달단계-여성의 음모**

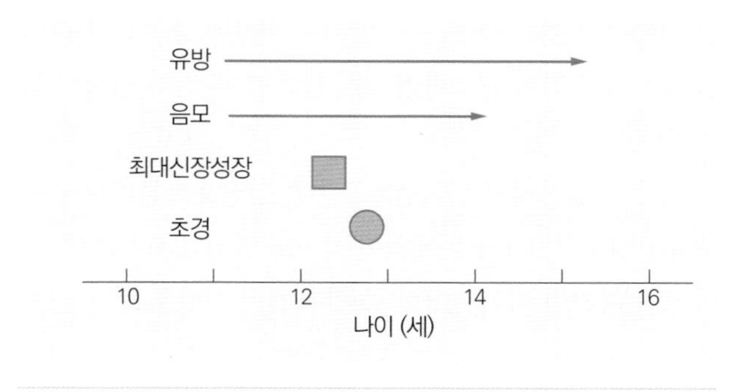

그림 37-3. **여성의 사춘기 발달과 평균 연령**

화살표는 발달의 시작과 끝을 의미한다. 즉 화살표의 꼬리는 발달시작을, 화살표의 머리는 발달 완성을 의미한다.

즉 유방의 발달이 시작된 이후에 최고성장속도에 도달한다. 최고성장기를 지나 약 6개월 후 월경이 시작되고 그 후에는 성장이 느려진다. 그 결과 초경 후 키의 성장은 대개 6 cm를 넘지 않는다고 한다. 남성은 최대성장기가 생식기발달 제3단계와 제4단계 무렵에 나타나는데 이는 여성보다 약 2년 정도 늦은 것이다. 최대성장시기에 여성은 1년에 평균 9 cm, 남성의 경우 평균 9.5 cm 정도 신장이 커진다.

키의 성장 초기에는 장골만 커지고, 몸통 길이는 변화가 없어 하체가 상체보다 더 길어 보이게 된다. 그 후 차츰 척추가 성장하여 성인의 키에 도달한다.

그 결과 미국인의 경우 성장 가속기 동안 여성은 평균 25 cm, 남성은 평균 28 cm 키가 커진다. 성장 가속기가 시작될 때 이미 남성이 여성보다 키가 크기 때문에 성장이 끝난 성인이 되면 남성이 여성보다 13 cm 정도 키가 더 크다.

키 성장기에 호르몬 조절은 복잡하게 얽혀 있다. 성장호르몬, 인슐린유사성장인자 1 (insulin-like growth factor-1, IGF-1) 그리고 생식샘호르몬 등이 주요호르몬이다. 부신안드로겐은 상대적으로 중요도가 낮다. 사춘기 성장에 있어 남녀 모두에게 에스트로겐이 가장 중요한 성장 인자로 작용한다.

성장호르몬 분비는 사춘기때 최고치이고 이후 감소하여 매 7년마다 50%가 감소한다. 성장호르몬의 증가속도가 사춘기 성장속도의 가장 중요한 결정인자로 성장속도가 느린 아이는 성장호르몬의 박동성 분비가 적고, 낮은 진폭을 보여 혈중 성장호르몬 농도가 점진적으로 상승한다.

한편 인슐린유사성장인자-1의 농도는 출생 시는 매우 낮다가 사춘기에 최고치가 되어 약 7배 증가하고 다시 20세까지 급격히 감소하여 50% 감소한 후 점차 서서히 감소한다.

사춘기 성장에서 생식샘호르몬은 성장호르몬이나 인슐린유사성장인자-1과 관계없이 적어도 일정 정도 역할을 한다고 보여지며 이는 성조숙증 환자에서 성장호르몬, 인슐린유사성장인자-1 농도는 정상인 상태에서도 상당한 성장속도 증가가 유발된다는 것을 보고 알 수 있다 그러나 정상적인 사춘기의 성장은 성장호르몬, 인슐린유사성장인자-1, 생식샘호르몬의 복합적인 작용이 필요하며 최종 신장은 생식샘호르몬이 성장판을 닫히게 하는 작용으로 제한된다.

사춘기에 성장을 하던 장골은 성장판이 닫히면서 길이 성장이 멎는다. X-선으로 손목, 무릎, 팔꿈치의 뼈를 촬영하여 골연령(bone age)을 측정할 수 있다. 이렇게 측정한 골연령과 실제 나이, 현재의 키를 Bayley-Pinneau 표에 대응하여 개개인에서 성인이 되었을 때의 키를 예측할 수 있다. 성인이 되었을 때의 키를 예측하는 다른 방법으로는 부모의 키를 통해 알아보는 방법이 있다. 수정 부모 중간신장 예측법(adjusted midparental height)은 남아인 경우 어머니의 키에 13 cm를 더한 후 아버지의 키와 평균을 구하고, 여아의 경우 어머니의 키와 아버지의 키에서 13 cm을 뺀 수와의 평균을 구한다. 이 수치에 8.5 cm을 더하고 뺀 범위가 예측 성인 신장이 된다. 이 범위가 어린이가 성인이 되었을 때 신장의 3-97백분위수(percentile)에 해당된다.

남아: (어머니의 키 + 아버지의 키 + 13)/2 ± 8.5
여아: (어머니의 키 + 아버지의 키 − 13)/2 ± 8.5

④ 월경의 개시

초경은 일반적으로 사춘기가 시작되고 2-3년(평균2.6년) 후인 최고 성장속도 이후에 일어난다. 초경 후 첫 12-18개월 동안은 월경주기가 대개 불규칙하고 무배란성이며 4년 후까지도 지속될 수 있지만 대개 3년 후에는 약 90% 정도에서 월경주기가 규칙성을 갖는다. 이렇게 H-P-O axis의 성숙은 에스트로겐의 양성되먹임의 발달로 LH surge와 배란을 자극하는 것인데 이는 초경연령과도 연관이 있어서 초경 연령이 13세 이후인 경우는 4.5년이 지나도 50% 정도에서만 배란주기를 갖는다. 사춘기 전에는 난소에 주로 원시난포(primordial follicle) 또는 전방난포(preantral follicle)가 대부분이지만 성숙됨에 따라 방난포(antral follicle)가 발달한다. 더 시간이 지나 사춘기가 되면 난소는 초음파상 크기가 균일한 또는 다양한 크기의 다수의 난포(polycystic 또는 multicystic)를 보인다.

⑤ 기타 변화
사춘기 동안에는 우리 몸의 여러 부분에 변화가 있다. 신장과 체중의 증가와 더불어 두위, 심장, 폐, 복부 장기들, 근골격기관 등의 모든 장기들이 커지며 여성의 경우는 지방조직의 증가가 뚜렷하다. 여성은 지방이 주로 대퇴, 엉덩이에 축적됨에 따라 성인 여성의 체형으로 변하게 된다. 사춘기 전에는 소년과 소녀 간에 제지방량(lean body mass), 골량, 체지방에 큰 차이가 없으나 성숙함에 따라 여성은 남성의 2배에 해당하는 체지방을 갖게 되고, 남성은 제지방량과 골량이 많아져 여성의 약 1.5배가 되며 이 기간 동안에 근육강도가 증가한다. 특히 여성에 있어 사춘기는 일생 중 골밀도가 가장 많이 증가하는 시기로 최대 골량의 60% 이상이 10대에 획득된다. 골량이 가장 빠른 속도로 증가하는 시기는 초경 무렵으로 일반적으로 키 성장이 최고속도를 보이는 시기보다 약 1년 정도 늦게 나타난다(McKay HA et al., 1998). 여성의 골밀도 추적연구 보고에 의하면 사춘기 골밀도 증가는 보통 만 11-14세 사이에 이루어지며, 초경 후 2-4년까지 지속되다가 만 16세경이 되면서 골밀도의 증가속도가 현저히 감소하였다(Theintz G et al., 1992).

변성도 사춘기의 특징 중 하나이다. 안드로겐에 의해 인후와 성대가 커지는 것이 주된 원인이다. 또 부신 안드로겐은 피지샘을 자극하여 면포(comedo)와 여드름이 나타나도록 한다. 만일 코 주변이나 귓바퀴 뒤에 면포가 나타나면 사춘기 발달이 임박함을 시사하는 것이다.

그 외에 심박동수, 혈압, 적혈구의 수, 혈색소, 기초대사율, 알카리인산분해효소(alkaline phosphatase), 아포크린샘(apocrine gland) 등의 증가도 관찰된다.

2. 사춘기 발달의 역학

1) 외국의 역학
1990년대 초에 미국소아과학회(American Academy of Pediatrics)는 소아과 진료실을 찾아 온 소녀들을 대상으로 조사한 연구에서 백인의 경우 유방 발달은 평균 9.96세, 음모의 발달은 10.51세, 초경은 12.88세에 시작하였으며, 흑인의 경우 위의 항목들의 평균 나이가 각각 8.87세, 8.78세, 12.16세로 나타났다(Herman-Giddens et al., 1997). 한편 1988년부터 1994년까지 실시된 미국의 제3차 건강영양실태조사(National Health and Nutrition Examination Survey) 자료를 토대로 8-16세 사이 소녀들의 자료를 분석한 결과를 보면, 유방, 음모, 월경의 개시가 미국 백인은 각각 10.3세, 10.5세, 12.7세, 흑인에서는 9.5세. 9.5세, 12.1세였다(Wu et al., 2002).

이와 같이 이차성징은 흑인이 백인보다 일찍 나타난다. 평균적으로 흑인 소녀들은 사춘기가 8-9세 사이에 시작하고, 백인 소녀들은 10세 무렵에 시작된다. 그렇지만 유방발달 또는 음모 발달은 흑인의 경우 빠르면 6세 무렵, 백인의 경우 7세에 나타나기도 하는데 이는 정상으로 간주한다. Tanner 발달 단계는 건강한 유럽의 소녀들을 대상으로 만들어진 것이므로 북미의 기준과 비교하면 북미가 유럽보다 각 단계마다 6개월 정도 빠르다.

서유럽과 미국에서는 1850년대부터 1960년대까지 매 10년마다 약 4개월씩 초경 연령이 앞당겨졌으나(Tanner, 1962), 1960년대 이후부터는 하향추세가 둔화되거나 멈추었다(Tryggvadotir et al., 1994). 미국의 경우 초경 연령은 12.1-12.9세이다(Zacharias et al., 1976; Wu et al., 2002).

2) 우리나라의 역학
국내의 연구에서도 유방의 발달이 음모의 발달보다 약간 앞서서 시작된다고 조사되었다. 서울 및 경기도의 학생을 대상으로 한 조사연구에서 유방발달의 개시는 평균 11.3세, 음모의 발달은 평균 12.3세, 초경 연령은 1980년대 출생자는 평균 12.4±1.1세, 1990년대 출생자는 평균 12.0±1.0세로 초경연령은 조금씩 빨라지고 있다고 하였다(박미정 등, 2006)(표 37-2).

또한 초경 연령은 1910-30년대 출생 여성은 10년당 평균 0.2년 앞당겨지는 경향을 보였으나(구병삼, 1976) 1930년대 이후 1990년대까지는 매 10년마다 평균 6.6개월 빨라졌다(신재철 등, 1996). 2001년 안산지역에서 중

표 37-2. 한국 여성의 사춘기 발달 단계별 평균 연령(박미정 등, 2006)

	발달단계	평균연령(세)	범위(평균±2표준편차)
유방	제2단계	11.3	8.7-13.9
	제3단계	13.1	9.7-16.5
	제4단계	14.0	11.2-16.8
	제5단계	14.9	12.5-17.3
음모	제2단계	12.3	9.1-15.1
	제3단계	14.0	11.1-17.1
	제4단계	14.4	12.9-16.9
	제5단계	15.4	13.4-17.4

학생을 대상으로 한 연구에서는 15세군은 98.4%가 초경을 경험하였으며 이들의 평균 초경 연령은 12.6세였다(정연경 등, 2002). 출생연도별 초경나이를 조사한 연구에서는 1925-29년 생은 평균초경연령이 16.59±1.82세였으나 1980-84년생은 13.11±1.52세, 1990-94년생은 12.60±1.14세로 점점 초경연령이 감소했다(안주현 등, 2013).

3. 사춘기 시작 기전(Pubertal Activation: Physiology of Puberty)

사춘기 동안 일련의 변화를 유발하는 중요한 기전 중의 하나는 시상하부-뇌하수체-난소 축(hypothalamic-pituitary-ovarian axis, H-P-O axis)의 활성화이다(pubertal activation). 인간의 사춘기는 크게 부신사춘기(adrenarche)와 성사춘기(gonadarche) 과정으로 이루어진다. 부신사춘기는 부신의 내층인 망상대(zona reticularis)로부터 디하이드로에피안드로스테론(dehydroepiandrosterone, DHEA)과 디하이드로에피안드로스테론 황산염(dehydroepiandrosterone sulphate, DHEA-S)의 분비가 증가되는 시기를, 그리고 성사춘기는 난소나 고환에서 성호르몬 분비가 활성화되는 시기를 지칭한다.

1) 사춘기 전: 태아기, 유아기, 유년기

태아와 신생아, 그리고 사춘기 이전의 아동에서도 시상하부와 뇌하수체 그리고 생식샘은 성인의 혈중 농도에 이를 수 있을 정도의 호르몬을 분비할 능력을 갖고 있다. 따라서 혈중 생식샘자극호르몬은 태생기 12주부터 혈중분비되고 이 시기부터 매우 다양한 변화를 보이는데, 태생기에 난포자극호르몬(follicle stimulating hormone, FSH)과 황체화호르몬(luteinizing hormone, LH)의 혈중 농도는 태생 20-24주에는 성인치에 이르다가 이후 10주간은 태반의 고농도의 스테로이드호르몬의 음성 되먹이기(negative feedback) 기전에 의하여 감소하게 된다. 생후 신생아가 모체와 태반의 에스트로겐과 프로게스테론의 영향에서 벗어나게 되면, 음성 되먹이기 기전으로 억제되고 있던, 신생여아의 뇌하수체에서 FSH와 LH의 분비가 급격히 증가하게 되어, 이러한 생식샘자극호르몬의 증가가 성인 여성의 월경주기와 비슷한 것을 볼 수 있다. 그 결과 일시적으로 에스트라디올(estradiol)의 분비가 증가하여 성인 월경주기의 난포기 중반 농도와 유사하게 되며, 이와 함께 난소에서 난포의 성숙과 퇴화(atresia)가 발생한다. 이와 같이 신생아기에 체내에서 높은 수준의 성호르몬치를 유지한다는 사실은 시상하부-뇌하수체-난소 축이 이 시기에도 생식샘자극호르몬분비호르몬(gonadotropin releasing hormone, GnRH)과 생식샘자극호르몬을 분비할 수 있음을 보여주며(그림 37-4), 이 호르몬들은 여아는 생후 12-18개월. 남아는 생후 3-6개월에 최고치를 보인다.

그러나 생후 곧 음성 되먹이기 기전이 완전해지면서 성

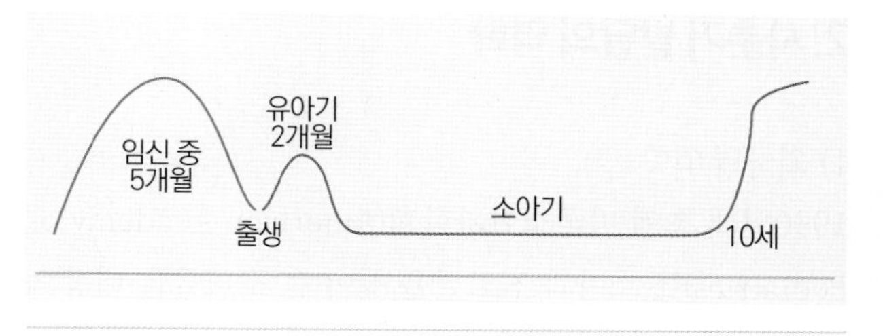

그림 37-4. 사춘기 전의 생식샘자극호르몬의 분비

호르몬과 생식샘자극호르몬이 감소하여 여아는 생후 24-36개월 이후, 남아는 생후 9-12개월 이후에는 매우 낮은 농도로 유지된다(prepubertal pause). 이 시기 동안에 생식샘자극호르몬을 조절하는 생식기능중추(gonadostat)의 에스트로겐에 의한 음성 되먹이기 기전은 성인의 6-15배 정도로 매우 예민하여 10 pg/mL 정도의 매우 낮은 에스트라디올 농도에서도 작동하여 생식샘자극호르몬의 분비를 억제한다.

그러나 사춘기 전의 생식샘자극호르몬이 낮게 유지되는 것은 전적으로 예민한 음성 되먹이기 기전에 의한 것만은 아니다. 생식샘이형성(gonadal dysgenesis)과 같은 생식샘 기능 저하증이 있는 아동에서도 5세부터 11세까지는 이 시기의 정상 아동들과 마찬가지로 FSH와 LH의 농도가 매우 낮은데, 이들에게 GnRH를 투여하면 FSH와 LH가 증가하는 것으로 보아 내인성 GnRH와 생식샘자극호르몬의 합성을 억제하는 비스테로이드성 물질이 중추에 존재할 것으로 생각된다.

이와 같이 유아기와 사춘기 전까지의 시기는 LH, FSH, 에스트로겐이 낮게 유지되는 상태지만 시상하부-뇌하수체-난소 축의 활동성이 없는 것은 아니며, 상대적으로 낮은 강도이긴 하나 LH와 FSH의 박동성 분비가 사춘기 전까지 계속 나타나고, 특히 밤(0-2시)에는 높은 빈도로 나타나며, 또한 외부에서 투여하는 GnRH 자극에 대해서도 뇌하수체의 성호르몬이 약하긴 하나 분명히 반응을 하는 것을 볼 수 있다.

2) 사춘기의 생식내분비계

(1) 부신사춘기(adrenarche, pubarche)

음모와 액모의 성장은 사춘기 때 부신 안드로겐(androgen)의 생성이 증가하기 때문으로 이 시기를 부신사춘기라고 한다. 부신 피질의 내층인 망상대는 태생기 때 상대적으로 크기가 컸다가 출생 후 위축되어 있던 부분인데, 이 부위가 다시 자라게 되면서 분화되어, 부신 피질의 기능이 항진되면서 혈중 DHEA, DHEAS, 안드로스테네디온(androstenedione, ADD)의 농도가 6-7세경부터 13-15세경까지 서서히 증가한다. 부신사춘기의 가장 좋은 지표는 혈중 DHEA-S 농도로, 1-5세의 정상치(5-35 μg/dL)보다 높은 40 μg/dL 이상이면 부신사춘기가 시작됨을 나타낸다. 일반적으로 부신사춘기는 H-P-O axis의 활성화 즉 gonardache보다 약 2-3년 일찍 시작되어 최대성장기나 초경보다 먼저 발생하므로, 부신의 안드로겐 분비 증가가 사춘기의 변화를 선도하는 것으로 생각되어 왔으나 근래에는 모두 별개의 독립적인 발달단계로 추정되고 있다. 이를 뒷받침하는 증거로는, 기능이 없는 생식샘을 가진 터너증후군이나 칼만증후군 환아에서도 부신사춘기는 정상적으로 유발되고, 조기 음모나 액모의 발현을 보이는 부신사춘기 조숙증(premature adrenarche) 환아라고 해서 반드시 성사춘기 조숙증(premature gonadarche)이 유발되지는 않으며, 1차성 부신부전증(primary adrenal insufficiency) 환아가 정상 성사춘기 발달 과정을 보이는 것 등을 들 수 있다. 예전에는 부신사춘기가 일어나는 기전이 p450c17 효소의 활성이 갑자기 증가하면서 부신사춘기가 일어난다고 생각되었으나, 최근에는 초기 유년시절부터 시작된 점진적인 성숙과정이라는 보고도 있어 현재까지 명확하게 규명되어 있지 않다. 부신의 안드로겐이 지속적으로 증가하면 음모가 출현(pubarche)하고 모낭과 피지샘 즉 모피지선단위(pilosebaceous unit)가 발달 및 활성화된다.

(2) 성사춘기(gonadarche)

① 생식샘상의 억제작용 감소

유아기부터 사춘기 전기에 이르는 약 8년의 기간 동안 FSH와 LH는 매우 낮은 농도로 유지되는데, 이와 같은 생식샘자극호르몬 억제의 작용기전은, 아주 낮은 농도의 에스트로겐에 의해서도 시상하부와 뇌하수체의 음성 되먹이기 작용이 매우 예민하게 반응하고, 중추신경계에 GnRH의 분비를 억제하는 어떤 물질이 존재하기 때문이다. 초기 유년기에는 에스트로겐의 음성 되먹이기 기전이 더 중요한 역할을 하지만 그 이후에는 중추의 내인성 억제제가 주로 작용하게 된다. 시상하부의 후부가 손상 받을 경우엔 억제기전 역시 손상되기 때문에 성조숙증이 일어날 수 있다. 사춘기가 되면 GnRH에 대한 내인성 억제의 감소와 에스트로겐의 음성 되먹이기 기전의 예민성이 감소하면서 GnRH에 대한 뇌하수체 전엽의 반응성이 증가하게 되어, 생식샘자극호르몬의 합성과 분비가 다시 활성화되고 FSH와 LH에 대한 난포의 반응성도 증가됨으로써 성사춘기가 발생하게 된다.

② 호르몬 상호작용의 변화와 증폭

FSH와 LH는 10세 이전에 서서히 증가하기 시작하며 그 후에 에스트로겐이 증가하게 된다. 정상 여성에서 사춘기가 되면 GnRH에 대한 생식샘자극호르몬의 반응이 변화하게 되는데, FSH는 사춘기 초기 GnRH에 대한 반응성이 급격히 증가하였다가 점차적으로 감소하는 양상을 보이는 반면, LH는 사춘기 전기에는 반응성이 약하나 사춘기를 거치면서 현저하게 증가하게 된다. 그리하여 일반적으로 FSH는 처음에는 증가하나 사춘기 중기 이후에는 고원부(plateau)를 이루게 되며 LH는 천천히 증가하여 사춘기 후기에는 성인 수준에 도달하는 양상을 보이게 된다. 이러한 LH의 파동 진폭(pulse amplitude) 증가는 FSH보다 높아 사춘기 동안 LH/FSH 비율이 증가하게 된다. 사춘기 초기(Tanner stage 1-3)에는 낮보다 밤에 LH의 최고치가 높지만, 사춘기 후기(Tanner stage 5)가 되면 주야간에 차이가 없어진다. 그러나 생식샘자극호르몬의 파동 주기(pulse frequency)는 사춘기 내내 변하지 않고 일정한 양상을 보인다. 또한 GnRH는 뇌하수체 전엽의 생식샘자극세포(gonadotrope cell)에 존재하는 자신의 특이 수용체를 상향조절하여 작용을 증가시킨다.

생식샘자극호르몬의 분비가 증가함에 따라 난소의 에스트로겐 분비도 증가하게 되는데 사춘기 중기까지는 에스트로겐이 뇌하수체에서 생식샘자극호르몬, 특히 LH의 분비를 증가시키는 양성 되먹이기 기전을 일으킬 정도로 증가하게 되며 이 형태의 되먹이기에 의하여 배란이 일어나게 된다. 사춘기가 점진적으로 진행되면서 사춘기 내내 성호르몬이 급격하게 증가되는데 혈중 에스트론(estrone)은 2배, 에스트라디올은 약 10배 증가된다. 그리고 사춘기의 모든 호르몬 변화들은 역연령(chronological age)보다 골연령(bone age)과 더 밀접한 상관관계를 보인다.

3) 사춘기 유발에 영향을 주는 인자들

(1) 유전적 요인

초경연령을 포함한 사춘기 시기는 각 가계, 종족, 인종 간에 고유한 특성을 보인다. 한 연구에서 일란성 쌍생아의 경우 사춘기 일치도가 0.65인데 반해 이란성쌍생아의 경우 0.18로 확인되어 일란성 쌍생아의 경우 사춘기 시기의 높은 일치도를 보였으며, 또한 모녀나 자매 사이에도 초경나이에 상당한 유사성이 나타난다. 여러 연구들을 통하여 추산되는 유전적 요인의 기여도는 50-80% 정도였다(Treloar SA et al., 1990, Silventoinen K et al., 2008).

(2) 체중과 체지방률

사춘기 개시의 기전은 아직도 잘 모르는 것이 많다. 그런데 비만 유병율이 증가할수록 사춘기 연령은 점차 낮아지고 있어서 임계체중(critical body weight)과 체성분조성이 사춘기 시작 시기와 진행에 중요한 역할을 할 것으로 보이며, 기아나 만성 영양부족이 사춘기를 지연시키는 것도 확인되어 대사 신호가 뇌하수체의 GnRH 파동성 분비에 영향을 주고 있음을 시사한다. 한 연구에 의하면 여성의 초경은 체중과 밀접한 관계가 있어 임계체중이 47.8±0.5 kg 정도는 되어야 시작된다고 한다. 그러나 임계체중 자체보다 체중당 지방 성분의 백분율(fatness)이 더 중요하며 초경을 일으킬 수 있는 최소한의 지방치는 체중의 17%, 규칙적인 배란성의 월경을 위해서는 최소 22%의 지방이 필요한 것으로 보인다. 실제로 정상체중보다 20-30% 정도 초과하는 여성에서 정상체중의 여성보다 초경이 먼저 나타나며 반대로 식욕부진 환자나 운동량이 많은 운동 선수들은 초경이 지연되거나 이차성 무월경을 보이기도 한다. 그러나 사춘기의 시작이 체내 지방성분의 증가나 분포와 관계가 없다는 보고들도 많고, 사실 GnRH와 생식샘자극호르몬(gonadotropin)의 분비는 초경이 일어나기 수년 전부터 시작되기 때문에 최근에는 오히려 반대로 성숙시기가 향후의 신체조정 및 체지방률에 영향을 끼친다고 생각되고 있어 체중과 초경의 관계는 확실치 않다. 또한 영양관련 생식 기능 조절 역할을 하는 것으로 인슐린, Ghrelin, galanin-like peptide, 유리지방산이 제시되고 있으며, 최근 연구에서 ghrelin은 키스펩틴 분비를 억제하고 뉴로펩티드-Y와 POMC도 키스펩틴 분비에 영향이 있다고 밝혀졌으나 어떤 기전으로 역할을 하는지는 아직 더 연구가 필요하다(Roa J et al., 2011).

(3) 생활환경

도시지역의 청소년이 농촌지역의 청소년에 비해 초경을 일찍 경험하며, 가정의 경제력이나 부모의 교육 수준이 높은 경우 초경연령이 빠르다는 연구결과가 보고된 바 있다. 개발도상국에서 선진국으로 입양되는 여아의 경우 초경연령이 유의하게 빠르게 나타나는데, 입양 후의 환경 및 영양의 개선과 관련된 따라잡기 성장(catch up growth)이 유력한 원인으로 추정된다(Ma HM et al., 2009; Parent A-S et al., 2003).

(4) 환경호르몬

최근에는 환경호르몬이 사춘기 시기에 미치는 영향에 관하여 다양한 연구가 이루어지고 있다. 흔히 환경호르몬이라고 불리는 내분비교란 화학물질(endocrine disrupting chemicals, EDC)은 주로 공업용제나 윤활제, 플라스틱, 가소제, 농약, 의약품 등에 포함되어있으며, 대부분 에스트로겐 및 안드로겐 등의 성호르몬과 유사한 구조를 갖고 있어서 생체 내에서 성호르몬 수용체에 작용하여 장기간 노출될 경우 사춘기 시기에 영향을 미칠 것으로 추정되고 있다.

(5) 렙틴(leptin)

최근에 생식 기능에서 렙틴의 역할을 규명하려는 많은 연구들이 시행되었다. 지방세포에서 분비된 호르몬인 렙틴은 최근 밝혀진 비만 유전자의 산물로써 영양 상태, 에너지 대사, 그리고 가임 능력에 영향을 주는 신경 내분비적인 특성을 가진다고 알려져 있고 체질량지수와 강한 연관성을 보이며 소아기 동안 증가된다. 혈중 렙틴의 농도는 여아와 남아 모두에서 사춘기 발달 시기 동안 주기성을 가지는 것이 관찰되는데, 이는 성별에 따라 특징적인 양상을 보여서, 여아에서는 에스트라디올, 테스토스테론(testosterone)과 렙틴 수치가 양의 상관관계를 가지며, 남아에서는 이러한 연관성이 보이지 않는다. 렙틴이 생식내분비계를 촉진하는 역할을 할 것이라는 것은 동물 실험에서 잘 나타나는데, 어린 생쥐에 렙틴을 투여하면 사춘기 발달이 며칠씩 빨라지며, 렙틴을 결여시킨, 생식능력이 없는 생쥐에서 렙틴을 투여하면 생식능력을 획득하였다(Ahima RS et al.,1996). 사춘기 연령의 아이가 선천성 렙틴결여증인 경우 재조합 렙틴을 투여시 사춘기가 시작되었고, 렙틴 혹은 렙틴수용체가 결여된 성인은 모두 심한 저생식샘자극호르몬성 생식샘기능저하증이 있었는데(Farooqi IS et al, 1999), 반면 사춘기 이전 연령의 더 어린 아이에게 렙틴을 투여한다고 해도 성조숙증이 발생하지는 않은 결과(Farooqi IS, 2002)로 보아 렙틴은 사춘기 시작에 중요한 역할을 하지만 허용(permissive) 역할을 하는 것뿐이라고 생각되고 있다.

(6) 인슐린유사성장인자-1(insulin-like growth factor-1, IGF-1)

성호르몬의 증가가 정상 사춘기나 성조숙증 환자에서 혈중 성장호르몬(growth hormone, GH), IGF-I, 그리고 IGF결합단백질-3 (IGFBP-3)를 증가시킨다는 것은 잘 알려져 있으며, 에스트로겐의 농도에 따라 미치는 효과가 달라서, 저농도의 에스트로겐은 성장호르몬, IGF-I을 촉진하는 작용이 있고, 고농도의 에스트로겐은 이를 감소시키는 작용이 있는 것으로 알려져 있다. 따라서 사춘기 시작을 조절하는 데에 이 IGF-1이 관여할 것이라는 가능성이 제시되고 있는데, 이를 뒷받침하는 근거로써 중추성 성조숙증 환자에서 GnRH 작용제(agonist) 치료 후에 IGF-I과 IGFBP- 3치가 감소하지 않는 이유를, 사춘기 때 증가된 성호르몬으로 인해 중추신경계가 성숙되어 GH-IGF-I 축이 이미 비가역적으로 활성화되어 버렸기 때문이라는 보고가 있다(Belgorosky et al., 1998). 또한 선천성 부신증식증 환자에서 성조숙이 유발되는 이유로, 증가된 부신호르몬이 GH- IGF-I 축 및 GnRH의 파동성 분비 중추(pulse generator)를 비가역적으로 활성화시키기 때문이라는 주장도 있다. 그러나 IGF-I의 변화 양상을 사춘기의 시작 기전으로 설명하기 위해서는 향후 더 많은 연구가 시행되어야 한다.

(7) 신경 내분비 요인

사춘기 발달의 신경 내분비 조절 기전은 동물 실험으로 광범위하게 연구되어 왔다. 근래에 시상하부의 정중융기(median eminence)의 신경세포와 성상세포(astrocyte)가 GnRH를 분비하는 신경세포를 조절하여 포유류 암컷의 사춘기를 조절하는데 중요한 역할을 한다는 증거가 제시되고 있다. 이 가설에 의하면 변형전환성장인자 -α (transforming growth factor-α, TGF-α)는 사춘기 전과 사춘기 동안 증가되는데, 시상하부의 성상세포가 분비하는 TGF-α와 뉴레귤린(neuregulin)이 각각의 수용체를 통해 간접적으로 포유류 암컷의 사춘기를 유발한다는 것이다(Ojeda et al., 1998). 즉 포유류 암컷에서는 신경세포를 통한 신호 전달 체계가 GnRH의 생성을 자극할 때 사춘기가 시작되고 TGF-α나 뉴레귤린의 작용이 중추에서 차단되면 사춘기가 지연된다고 하였다. 그러나 이러한 동물 실험의 결과들을 인간에게 적용하기 위해서는 많은 추가 연구가 필요하다. 한편 GABA는 뇌하수체 특정 뉴런에서 생성되는 억제성 신경전달물질로 GnRH 파동성 분비의 활성을 조절하는데 중요한 역할을 하는 것으로 생각되며, 사춘기 전 암컷 원숭이에게 GABA-A수용체 억제제를 만성적으로 투여하면 성조숙증 및 초경이 발생하는 것이 관찰되므로(Keen KL et al., 1999) GABA-A수용체 조성이 사춘기가 시작될 때 GnRH 분비가 억제되어 있던 것을 풀어줌으로써 역할을 할 것으로 생각된다(Fritschy JM et al,1994). Kisspeptin은 KISS1 유전자에 코딩되며, KISS1R 유전자에 의해 코딩되는 G-protein-coupled receptor (GPR-54)을 통해 신호전달을 하는 뉴로펩타이드이다. 뇌하수체에서의 이 kisspeptin-GPR54 신호전달체계가 사춘기 시작을 촉진하는 신경생리 기전의 중요한 요인이며 kisspeptin이 뇌하수체 GnRH 파동성 분비 중추(pulse generator)에 연료 역할을 한다고 제시되고 있다.즉 뉴로펩타이드인 kisspeptin과 뉴로펩타이드 Y, 그리고 신경전달물질인 글루타메이트와 GABA가 GnRH 분비에 영향을 끼쳐 사춘기 발생에 역할을 한다고 보고있다.

(8) 기타

만성적 스트레스나 가족 간의 갈등과 같은 정신적인 문제가 행동양상, 사춘기의 시작, 조기 성행위에 영향을 줄 수 있다는 보고가 있다. 이러한 연구들은 소규모의 연구라서 일반화하기에는 다소 문제점을 가지고 있으나, 정신적인 문제가 사춘기에 영향을 줄 수 있다는 점은 고려되어야 할 것이다(Kim K et al., 1998). 최근 한 연구에 의하면 초경 연령에 영향을 주는 인자 중의 하나로 칼슘이 거론되고 있는데, 사춘기 전에 섭취한 칼슘의 양이 많을수록 초경 연령이 낮아지게 된다고 하였다(Chevalley et al., 2005).

요약

1. 사춘기의 시작에 핵심적 역할을 하는 시상하부-뇌하수체-난소 축은 태생기나 초기 영아기 동안에도 분화되고 기능을 할 수 있는 능력을 갖추고 있으나, 사춘기 시작 전까지의 prepubertal pause기간 동안에는 에스트로겐의 음성 되먹이기 기전에 대한 생식샘상의 과민반응과 중추에 존재하는내인성 억제제가 그 기능을 억제하고 있다가 이 시기가 지나게 되면 GnRH의 분비가 다시 재개되어 성사춘기가 시작되는 것이다.
2. 부신사춘기는 성사춘기보다 몇 년 일찍 시작되는데, 이 두 과정은 중복되어 나타나기는 하나, 그 조절은 서로 독립적이라고 생각되고 있다. 음모와 액모가 자라는 것은 주로 부신에서 생산되는 안드로겐에 의해 시작되며 여기에 생식샘에서 분비되는 안드로겐도 일부 관여한다. 부신사춘기는 골격계의 성장에 거의 영향을 미치지 않으며, 성사춘기와는 일시적으로는 연관될 수 있지만 서로 독립적이며 전혀 다른 기전으로 나타나는 현상이다.
3. FSH와 LH는 10세 이전에 서서히 증가하기 시작하며, 그 후에 에스트로겐이 증가하게 된다. LH의 분비증가는 처음에는 수면 중에만 일어나지만 점차 낮 시간에서도 나

타나게 되어 성인이 되면 LH분비의 파동은 대략 1.5-2시간의 간격을 두고 일어난다. 생식샘자극호르몬의 분비가 증가함에 따라 난소의 에스트로겐 분비도 증가하게 되는데 사춘기 중기까지는 에스트로겐이 뇌하수체에서 생식샘자극호르몬, 특히 LH의 분비를 증가시키는 양성 되먹이기 기전을 일으킬 정도로 증가하게 된다.

4. 사춘기 중반에 이르러 난소의 에스트로겐 분비가 어느 정도 충분해지면 자궁내막의 증식이 일 어나 초경이 발생하게 된다. 초경과 그 이후의 월경은 처음에는 무배란성이다가 에스트라디올의 양성 되먹이기 기전이 형성되면 LH의 급격한 증가가 발생하여 사춘기 후반에는 배란이 일어나게 된다.
5. 사춘기의 시기를 결정짓는 요소로는 유전적 인자, 체중, 체중 당 지방성분의 백분율, 지리적 위치, 일조량, 영양 및 건강상태, 심리적인 요인, 렙틴, GH-IGF-I 축, 칼슘의 섭취 등이 관여하는 것으로 사료되나 아직 더 많은 연구가 필요한 실정이다.

4. 성조숙증

성조숙증은 사춘기의 신체 변화인 이차성징(유방 발육 또는 음모 출현)이 지나치게 이른 나이(평균 연령의2.0 표준편차 이하)에 나타나는 것으로 과거에는 여아에서는 8세, 남아에서는 9세를 기준으로 하였으나 최근에 상당수의 여아에서 8세 전에 이차성징이 발현되는 것으로 알려져(Herman-Giddens et al., 1997) 성조숙증의 진단 연령을 7세(흑인은 6세)로 낮추는 새로운 기준이 제시되었다. 하지만 7세(또는 6세) 이후의 성 발달도 질병에 의한 성조숙증의 가능성을 완전히 배제할 수는 없다는 연구 결과들이 있어 연령 기준에 대한 논란이 남아 있다.

성조숙증은 조발 부신사춘기(premature adrenarche)처럼 단순히 정상 성발달의 변이정도로 나타날 수도 있지만 뇌의 종양 같은 심각한 문제가 원인일 수도 있으므로 주의 깊게 진단하고 정신적, 사회적 문제 혹은 성장에 문제가 발생하지 않기 위해 즉각적인 조치가 필요할 수 있다.

6세 이하 여아가 유방발달 혹은 음모발생이 있거나, 8세 이하 여아가 유방발달과 음모발생이 같이 있으면 원인을 밝히기 위한 철저한 검사가 필요하다. 그렇지만 8세 이하 여아가 단순 유방발달 초기 소견이 있거나 음모발생만 있다면 문진과 신체진찰을 주의깊게 하고 최소한 골연령을 측정한 후 신장을 자주 추적관찰하여 최종 신장이 작아지지 않도록 해야 한다. 6-8세 사이의 연령에서 처음 검사 이후 추가 검사를 할 것인지에 대해서는 부모의 불안감도 고려하여 결정해야 한다.

특히 기질적인 뇌병변의 위험이 높아서 영상검사를 비롯하여 철저히 검사해야 하는 요인으로는 6세 이전의 성조숙증, 사춘기 발달속도가 급속히 진행되거나, 두통, 뇌전증, 국소적 신경학적 이상등과 같은 증상을 동반하는 경우이다.

중추성 또는 진성 성조숙증(central or true precocity)은 시상하부에서 GnRH의 파동성 분비가 조기에 시작되어 시상하부-뇌하수체-난소 축이 활성화되어서 나타나는 것으로 GnRH 의존성 혹은 완전 성조숙증이라고 한다. 말초성 또는 가성 성조숙증(peripheral precocity or precocious pseudopuberty)은 시상하부 GnRH의 분비 없이 말초에서 성호르몬 또는 비뇌하수체성 생식샘자극호르몬 등이 분비되는 것으로 GnRH 비의존성 또는 불완전 성조숙증이라고 한다. 성조숙증이 반대되는 성으로 발현되는 경우를 이성 성조숙증(contrasexual or heterosexual precocity)이라고 한다.

1) 빈도 및 임상 양상

성조숙증은 남아보다 여아에서 흔한 질환이다(백경훈과 진동규, 2002; Kim YJ et al., 2019). 국민건강영양자료에서 2008년부터 2014년 사이에 성조숙증으로 진단받은 여아의 수는 37,890명, 남아는 1,220명으로 빈도가 10만 명당 122.8명(여아 262.8명, 남아 7.0명)이었고 연구기간동안 진성 성조숙증의 빈도가 계속 가파르게 증가하고 있고 2004년부터 2010년의 자료에서도 같은 양상을 보여(Kim SH et al., 2015) 그 원인에 대한 연구가 필요하다(Kim YJ et al., 2019). 여아 성조숙증의 약 80%는 진성 성조숙증이며 이 중 대부분은 기질적인 뇌병변이 발견되지 않는 특발성 성조숙증이다. 이러한 결과는 국내의 연구결과에서도 유사하다(김소라 등, 2009)(표 37-3).

뇌의 기질적 병변은 성조숙증의 발생 연령이 어릴수록 많으나 모든 연령에서 그 가능성을 완전히 배제할 수는 없다. 남아에서는 가성 성조숙증이 약 30%로 여아에 비해 많고 진성 성조숙증 중에서도 기질적 뇌병변의 빈도가 여아보다 높다. 성조숙증 여아는 유방 발달, 음모 출현, 질출혈 등의 증상을 보이며 증가된 성호르몬에 의해 키의 성장이 빨라지고(>6 cm/yr) 결과적으로 골단부가 조기에 유합되어 최종 성인 키에 결손이 초래된다. 이러한 키의 손실은 성조숙증이 어린 나이에 시작되었거나 진행 속도가 빠를수록 심하며 성조숙증을 치료 하지 않을 경우 대략 151-155 cm 정도의 성인 키를 획득하게 된다. 정상 사춘기에서와 같이 성조숙증에서도 여성호르몬에 의해 인슐린유사성장인자-1과 성장호르몬이 증가되어 뼈의 성장과 골단부 유합을 촉진하는 것으로 알려져 있다. 저신장이 모든 성조숙증에서 나타나는 것은 아니며 성조숙증이 간헐적이거나 느리게 진행되는 경우나 7세 이후에 시작된 경우 등은 별 치료 없이 유전적 표적 신장을 획득한다.

표 37-3. 한국 여아 성조숙증의 원인 빈도

원인질환	환자 수(139)	(%)
중추성 성조숙증	116	83.5
특발성 성조숙증	96	69.1
기질적 뇌병변	20	14.4
말초성 성조숙증	4	2.8
난소낭종, 난소종양	1	0.7
McCune Albright 증후군	2	1.4
갑상샘기능저하증	1	0.7
사춘기 발달변이	19	13.7
유방 조기발육증	17	12.3
음모 조기발생증	0	
초경 조기발생증	2	1.4

2) 성조숙증의 원인

(1) 중추성 성조숙증(GnRH 의존성, 진성)

시상하부 GnRH의 박동성 분비 증가가 조기에 일어나서 시상하부-뇌하수체-난소 축이 활성화되고 그 결과 난소에서 분비되는 에스트로겐이 증가하여 모두 동성 성조숙증으로 나타난다.

① 특발성 성조숙증

중추성 성조숙증 중에서 영상학적 검사 상 뇌 병변이 발견되지 않은 경우를 말하며 여아 성조숙증의 대부분을 차지한다. 6-8세 사이에 호발하나 더 어린 나이에도 발생한다. 성조숙의 진행 속도는 다양하며 일반적으로 뇌 병변에 의한 경우보다는 느린 편이다. 뇌의 기질적 병변이 없이 시상하부와 뇌하수체의 기능이 조기에 활성화되는 기전은 명확히 밝혀져 있지 않다.

② 뇌의 기질적 병변에 의한 성조숙증

뇌 병변에 의한 성조숙증은 여아에서는 비교적 드문 원인이며 특발성 성조숙증에 비해 발병 연령이 낮고 성조숙증의 진행 속도가 빠른 편이다.

기질적 뇌 질환 중 비교적 흔한 시상하부 과오종(hypothalamic hamartoma)은 3-4세 미만의 어린 나이에 성조숙증이 나타나서 빠르게 진행되며 국소성 경련, 행동 및 정신장애 등이 동반되기도 한다. 진성종양은 아니며 비후된 신경세포에서 GnRH를 분비함으로써 성조숙증을 유발 한다(Judge et al., 1977).

그 외에도 뇌의 종양 및 감염, 두부 외상, 두부 방사선 치료, 뇌를 침범하는 전신 질환 등에 의해서도 진성 성조숙증이 발생할 수 있다(표 37-4).

③ 속발성 진성 성조숙증

말초성 성조숙증이 장기간 지속되는 경우 뼈 나이가 사춘기 수준에 이르면 시상하부-뇌하수체-난소축이 활성화되어 이차적으로 진성 성조숙증이 발생한다. 선천성 부신 증식증, 부신종양, McCune Albright 증후군 등이 주요 원인이다.

표 37-4. 여아 성조숙증의 원인

<table>
<tr><th colspan="2">중추성(GnRH 의존성, 진성, 완전) 성조숙증</th></tr>
<tr><td colspan="2">특발성</td></tr>
<tr><td colspan="2">기질적뇌병변</td></tr>
<tr><td>선천성기형</td><td>• 뇌종양
• 감염
• 손상
• 전신질환의 이환</td></tr>
<tr><td colspan="2">속발성 중추성 성조숙증</td></tr>
<tr><th colspan="2">말초성(GnRH 비의존성, 가성, 불완전) 성조숙증</th></tr>
<tr><td colspan="2">난소종양</td></tr>
<tr><td colspan="2">부신질환: 부신종양, 선천성 부신증식증</td></tr>
<tr><td colspan="2">McCune Albright 증후군</td></tr>
<tr><td colspan="2">원발성 갑상샘 기능저하증</td></tr>
<tr><td colspan="2">의인성(Iatrogenic): 에스트로겐 제제, 내분비계 교란물질 등</td></tr>
<tr><th colspan="2">이성(Heterosexual) 성조숙증</th></tr>
<tr><td colspan="2">선천성 부신증식증</td></tr>
<tr><td colspan="2">난소, 부신의 남성호르몬 분비 종양</td></tr>
<tr><td colspan="2">의인성(Iatrogenic): 안드로겐 제제</td></tr>
<tr><th colspan="2">사춘기 발달 변이(Normal variants)</th></tr>
<tr><td colspan="2">유방 조기발육증</td></tr>
<tr><td colspan="2">음모 조기발생증</td></tr>
<tr><td colspan="2">초경 조기발생증</td></tr>
</table>

(2) 말초성 성조숙증(GnRH 비의존성, 가성)

시상하부-뇌하수체-난소 축의 활성화 없이 말초에서 성호르몬, 생식샘자극호르몬 또는 hCG 등이 증가되어 나타나는 것으로 증가되는 호르몬의 종류에 따라 여성화 또는 남성화 증상이 나타난다. 주로 난소나 부신의 종양에서 자율적으로 분비되며 외부호르몬 유입에 의해 발생하기도 한다.

① 난소의 자율성 난포낭(autonomous ovarian follicular cysts)

여아에서 가장 흔하게 볼 수 있는 말초성 성조숙증의 원인이다. 혈청 에스트로겐이 상승하는 경우도 있으나 기초 상태나 GnRH 자극검사 결과 생식샘자극호르몬의 농도는 낮다. 골연령은 증가하지 않고, 저절로 호전되기 때문에 치료는 필요하지 않다. 재발성 자율성 난포낭은 McCune Albright 증후군의 초기 증세일 수 있다.

가. McCune Albright 증후군

여아 성조숙증의 약 5% 정도를 차지한다. 신체 일부의 체세포 돌연변이에 의해 나타나며 성조숙증, 골 섬유형성이상(polyostotic fibrous dysplasia), 피부 반점(café-au-lait spots) 등이 특징이고 갑상샘, 뇌하수체, 부신피질, 부갑상샘 등의 기능 항진이 동반되기도 한다(Albright et al., 1937). GTP 결합단백의 알파 소단위(Gs α)를 부호화하는 유전자(GNAS1)가 돌연변이에 의해 활성화되어 아데닐레이트 사이클라제의 기능이 자율 항진되므로 c-AMP의 생산이 지속적으로 증가하여 나타난다(Weinstein et al., 1991).

성조숙증은 주로 2세 미만의 어린 나이에 시작되고 증가된 여성호르몬에 의해 자궁이 커지며 질출혈이 흔하다. 난소에 자율성 난포낭이 잘 형성된다. 난소에서 자율적으로 호르몬을 분비하므로 혈중 에스트로겐은 상당히 높으나 황체형성호르몬은 매우 낮고 GnRH 자극검사 후에도 증가되지 않는다. 뼈의 섬유형성 이상은 골 피질의 낭성 변화로 단순 방사선 촬영이나 골주사검사에서 확인되며(그림 37-5), 이로 인해 뼈의 변형과 골절 등이 초래될 수 있다.

② 난소종양

난소종양은 말초성 성조숙증의 드문 원인 중 하나이다. 가장 흔한 것은 과립세포종(granulosa cell tumor)이며 그 외에 낭샘종(cystadenoma), 생식샘모 세포종(gonadoblastoma), 기형종(teratoma), 배아세포종(germ cell tumor), 남성배세포종(arrhenoblastoma), 지질세포종(lipoid cell tumor), 난소 암종(ovarian carcinoma) 등에 의해서도 성조숙증이 발생한다. 종양에서 분비되는 호르몬은 에스트로겐, 안드로겐 및 hCG 등 다양하며 그에 따라 유방 발육, 음모 발생, 질출혈, 남성화 등의 증상이 다양하게 나타난다.

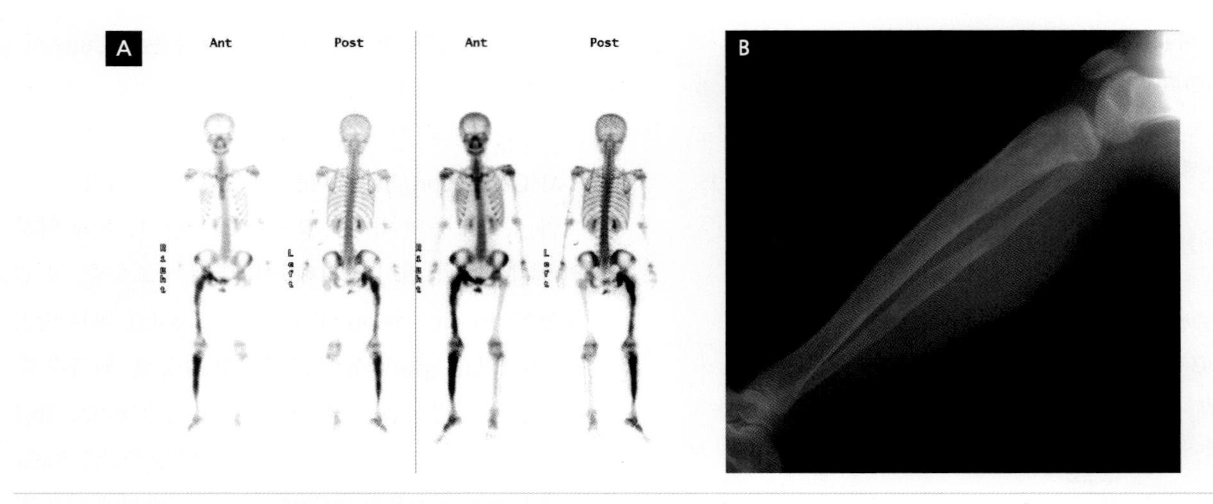

그림 37-5. **McCune Albright 증후군.** A: 우측 장골, 대퇴골 및 경골을 침범한 골주사 소견, B: X-선 검사의 낭성 변화

③ 부신 질환

여아 성조숙증에서 부신종양은 비교적 드문 원인에 속한다. 부신종양의 상당수는 여성호르몬 및 남성호르몬, 이외 기타호르몬을 분비한다. 양성 선종은 주로 에스트로겐을, 악성종양은 에스트로겐과 기타호르몬을 분비하는 양상을 띈다. 이외에도 선천성 부신증식증이 이성(Heterosexual) 성조숙증을 일으키는 대표적인 부신 질환이다.

④ 갑상샘기능저하증

하시모토 갑상선염 등과 같은 원발성 갑상샘기능저하증이 장기간 치료되지 않을 경우 난소 낭종, 유방 발육, 질출혈 등 성조숙증의 증상이 나타날 수 있다. 다른 성조숙증과는 달리 골격계의 성숙은 지체되어 있으며, 프로락틴의 상승과 유즙 분비가 동반되기도 한다. 갑상샘호르몬을 투여하기 시작하면 성조숙증의 증상이 호전된다.

⑤ 의인성(iatrogenic)

소음순 유착 시 바르는 에스트로겐 크림의 장기 사용에 의해 나타날 수 있다. 경구피임약 등의 경구약 섭취는 드문 원인이다. 음식 물 중 특정 육류, 식물성 식품 등 식품에 함유된 에스트로겐 유사 물질(Andersson and Skakkebaek, 1999), 환경요인에서 기인하는 내분비계 교란물질 등은 여아에서의 조기 유방발육, 남아에서 여성유방증을 일으킬 수 있다.

(3) 이성 성조숙증(heterosexual precocity)

성적 발달(Sexual characteristics)과 생물학적 성이 일치하지 않는 경우이다. 여아에서 다모증, 여드름, 음핵 비대 등의 남성화 증상이 나타나는 경우 남성호르몬 분비와 관련된 기질적 질환을 의심해야 한다. 난소의 남성배세포종이나 기질세포종 등이 남성호르몬을 분비하며 그 외에도 부신종양, 선천성 부신증식증, 쿠싱증후군, 외부 남성호르몬에의 노출 등도 감별해야 한다.

(4) 사춘기 발달 변이

① 유방 조기발육증(premature thelarche)

유방 조기발육증은 다른 성조숙증의 진행 없이 한쪽 혹은 양쪽 유방이 발육되는 것으로 대개 2세 미만에서 발생하며 4세 이후에는 드물다(Ilicki et al., 1984). 경우에 따라, 신생아에서 출생 후 10개월이내 유방발육이 소실되지 않는 경우 유방 조기발육증이라고 한다. 유방 발육은 대개 초기 단계로 대부분 수개월 내에 자연 소실되며 2세 이내 사라진다(Pasquino and Tebaldi, 1985). 약간의 혈청 에스트로겐 증가가 관찰되기도 하나 뼈 성장, 자궁 증대 등은 드물며 황체 형성호르몬도 증가되지 않는다. 정상의 변이로 별 다른 치료는 필요 없으나 소수에서 추후에 진성 성조숙증으로 발전하기 때문에, 급속한 키 성장이 나타나지 않는지 추적 관찰이 필요하다.

② 초경 조기발생증(premature menarche)

소아기에 성조숙증의 징후 없이 주기적인 질출혈이 나타나는 것이다. 기전은 명확하지 않으며 대부분 자연 소실되나 매우 드문 현상이므로 반드시 종양, 감염, 이물질, 외상, 성학대 등 출혈을 초래하는 다른 질환을 감별하여야 한다.

③ 음모 조기발생증(premature adrenarche)

8세 이전 여성화나 남성화의 증세 없이 음모만 나타나는 현상이다. premature pubarche란 용어와 혼재되어 사용되고 있다. 엄밀히 말해, adrenarche는 부신피질의 조기 남성호르몬의 분비를, pubarche는 조기 음모 발생을 의미한다. 다른 이차성징 없이 음모만 조기에 나타나는 것으로 동양인보다는 흑인에 흔하다. 부신 겉질의 남성호르몬 분비 증가에 비례하며 대부분 서서히 진행되고 자기 제한적이어서 별다른 치료가 필요치 않으나 일부에서 사춘기에 다낭성난소증후군으로 발전한다(Ibanez et al., 1993).

3) 성조숙증의 진단

성조숙증의 진찰에서는 뇌, 난소 및 부신 등의 종양질환과 출혈 관련 질환 등 심각한 원인 질환이 있는지 살펴보아야 하며 성조숙증의 진행 속도 및 예후를 판단하여 치료 여부를 결정하여야 한다.

(1) 기본 검진

① 문진

증상의 발현 시기, 진행 속도, 키 성장 추이 등을 관찰하며 출생 병력, 두부 외상, 감염, 호르몬제 노출, 가족력, 유전 병력 등을 확인한다.

② 이학적 검사

키와 체중의 연령 별 백분율을 기록하고, 시신경검사를 포함한 신경학적 검사, 피부(여드름, 액와부위, 음모, 카페오레 반점 여부), 갑상선을 촉진하여 확인한다. 유방 및 음모의 Tanner 등급을 구분한다. 외음부검사는 frog-leg 자세를 통해 쉽게 확인할 수 있는데, 여성호르몬 효과(질점막의 색, 소음순, 생리적 분비물), 음핵 비대, 이물질, 감염, 종양 여부 등을 확인한다. 사춘기 전 여아의 음핵 크기는 직경 3 mm 이내이며, 음핵 크기가 직경 5 mm 보다 크거나 index (길이 × 너비)가 35 mm^2 보다 크면 남성호르몬에 노출된 증세로 본다(Sane and Pescovitz, 1992).

③ 골연령(bone age)

손의 X-선 촬영을 통한 뼈 나이 측정은 간편하며 골격계의 호르몬 성숙 정도를 반영하므로 성조숙증을 진단하는 데 유용한 검사 중의 하나이다.

기본 검진에서 여성호르몬 증가 소견이 관찰되지 않은 경우는 유방 조기발육증 등의 가능성이 있으므로 3개월 후 재검진을 시행한다. 그러나 키의 성장 속도가 유의하게 증가하거나 뼈 나이가 증가한 경우(역연령보다 1년 이상 앞설 경우), 성조숙증이 진행되고 있거나, 이학적 검사에서 여성호르몬 증가가 의심되는 경우에는 추가 검사를 실시하여야 한다.

(2) 추가 검사

① 초음파검사

복부초음파검사로 자궁과 난소의 크기와 형태, 난소 및 부신의 종양 여부를 확인한다. 성조숙증으로 여성호르몬 분비가 증가한 경우에는 자궁과 난소가 연령별 정상치보다 유의하게 커지나 유방 조기발육증과 같이 여성호르몬 증가가 미약한 경우에는 자궁의 크기가소아 정상치에 해당된다 (그림 37-6). 사춘기 전 소아의 정상 자궁의 길이는 대략 3.0-3.5 cm 미만으로 4.0 cm 이상인 경우는 드물다(Herter et al., 2002).

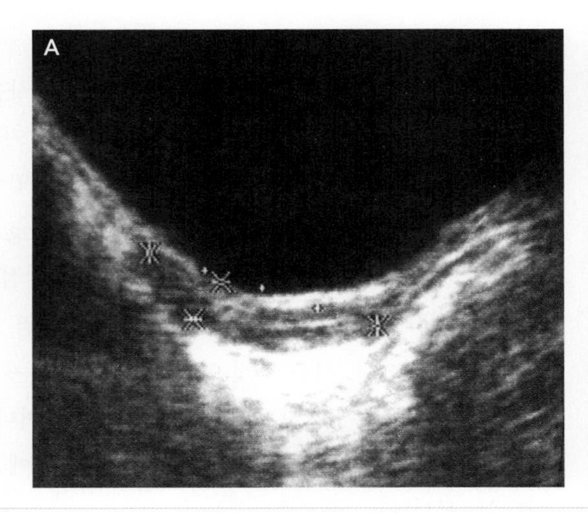

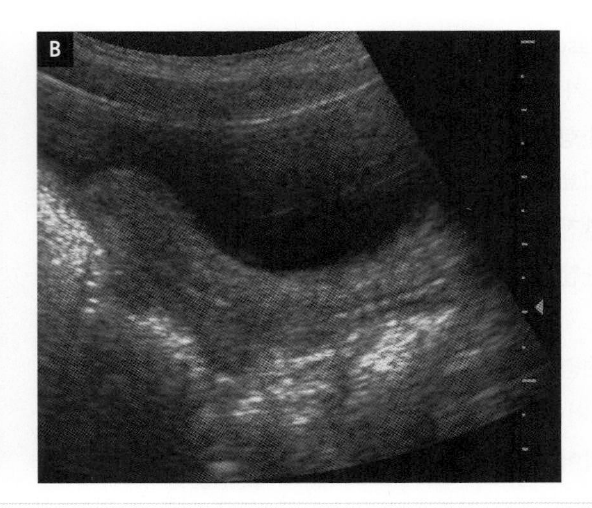

그림 37-6. **소아 자궁의 초음파 소견.** A: 정상 소아, B: 크기가 증가한 3세 성조숙증 여아의 자궁

② 기저 혈청호르몬검사

기본 혈액검사로 황체화호르몬, 난포자극호르몬, 난포호르몬, 갑상샘자극호르몬 등을 측정하고 그 외에 HCG, DHEA-S, 테스토스테론, 17-수산화프로게스테론 등을 선별하여 검사한다. 특히 황체화호르몬과 난포자극호르몬은 사춘기에서 수면 주기와 연관되어 있으므로, 아침 8시 이전 채혈이 적절하다(Neely and Hintz, 1995). 아침에 검사한 황체화호르몬이 0.3 IU/L 보다 증가한 경우 GnRH 자극검사에서도 유의한 반응 증가와 관련이 있어, 무작위 검사보다 아침 검사가 더 진단에 예민하다(Kang and Yoo, 2017). 생식샘자극호르몬 중 난포자극호르몬은 정상 소아나 유방 조기발육증 등에서도 흔하게 증가하므로 성조숙증의 감별 시 진단적 가치가 적다. 생식샘자극호르몬은 파동성으로 분비하기 때문에 1회 검사한 황체 형성호르몬 수치가 낮아도 진성 성조숙증을 완전히 배제할 수는 없으며 추가적인 감별을 위해 GnRH 자극검사를 시행한다.

③ GnRH 자극검사

GnRH 자극검사는 GnRH를 투여한 후 뇌하수체의 생식샘자극호르몬을 측정하는 것으로 진성 성조숙증과 유방 조기발육증, 가성 성조숙증 등을 감별하는 데 중요하다. 자연형 GnRH 60 μg/m² (또는 2.5 μg/kg)를 정맥 주사한 후 황체형성호르몬이 일정 수준 이상으로 증가하면 사춘기 반응이 있는 것으로 간주되며 중추성 성조숙증을 의심할 수 있다(Brito et al., 1999). 말초성 성조숙증에서는 주사 후에도 황체형성호르몬이 증가하지 않으며 정상 소아나 유방 조기발육증에서는 난포자극호르몬 증가는 흔하나 황체형성호르몬은 증가하지 않는다.

④ 뇌의 진단 영상학적 검사

중추성 성조숙증으로 판단되는 경우 기질적인 뇌 병변을 감별해야 한다. 자기공명영상은 뇌종양, 선천성 기형 등의 감별뿐만 아니라 뇌하수체의 크기와 모양도 확인할 수 있어 일차 검사로 이용된다. 6세 전에 발생한 중추성 성조숙증과 6세 이후라도 에스트로겐이 현저히 증가된 경우에는 시행하는 것이 좋다(Chalumeau et al., 2003).

4) 성조숙증의 치료

성조숙증 치료의 목적은 (1) 뇌종양, 난소종양 등 심각한 질환의 진단과 치료, (2) 정상 연령까지 성 발달 억제와 이미 발생한 이차성징의 해소, (3) 최종 키 손실의 최소화 등이며 그 외에도 정서적문제 예방, 성학대 위험도 경감 등도 치료 목적에 포함된다.

(1) 진성 성조숙증

진성 성조숙증 치료의 1차적 선택약제는 GnRH 작용제이다. 치료의 적응증은 성조숙의 진행이 빨라 3-6개월 이내 다음 단계로 진행하거나, 키 성장 속도가 연 6 cm 이상 이거나, 골연령이 1년 이상 더 진행되었거나, 최종 성인 키의 결손이 예상 되는 경우 등이다(Carel and Leger, 2008).

① GnRH 작용제

GnRH 작용제는 사춘기를 억제하는 효과가 처음 알려진 이후로(Crowley and Comite, 1981) 현재까지 진성 성조숙증 치료의 일차 선택제제로 이용되고 있다.

가. 작용 기전

GnRH의 일부 아미노산을 변형시켜서 만들어진 GnRH 작용제는 역가가 높고 혈중에서 쉽게 분해되지 않아 효과가 오래 지속된다. 초기에는 잠시 생식샘자극호르몬 분비를 증가(flare) 시키지만, 이후 뇌하수체에 대한 지속적인 자극이 GnRH 수용체의 하향 조절과 탈민감(desensitization)을 초래하여 역설적으로 생식샘자극호르몬의 분비를 극도로 억제하게 된다(Belchets et al., 1978).

나. 적응증

GnRH 작용제의 가장 큰 효과를 기대할 수 있는 군은 진성 성조숙증 중에서 진행 속도가 빨라 최종적인 성인 키에 결손이 예상되는 경우이다. 6세 미만의 성조숙증 여아에서 GnRH 작용제를 투여했을 때 9-10 cm 키 성장을 기대할 수 있고, 골연령이 많이 증가하지 않은 6-8세 환아에서는 평균 4-7 cm 키 성장을 기대할 수 있다. 성조숙증이 7세 이후에 시작되었거나 서서히 진행하는 경우, 예측 성인 키가 150 cm 이상인 경우에는 치료를 통한 최종 키의 향상을 기대하기 어렵다(Carel and Eugster, 2009). GnRH 작용제는 특발성 성조숙증뿐만 아니라 속발성 진성 성조숙증, 기질적 뇌 병변에 의한 성조숙증 등 다른 진성 성조숙증에서도 치료 효과를 보인다.

다. 투여 방법

과거 여러 연구에 의하면 GnRH 작용제는 30-100 μg/kg(최대 300 μg/kg)을 4주마다 근육 또는 피하 주사하거나 매일 비강 내 분무하는 방법을 제시하였으나, 비강 분무형보다는 28일 형 주사제가 키의 향상에 더 효과적이라고 보고되었다(Carel et al., 1995). 실제 임상에서는 20 kg 이상에서는 GnRH 작용제 3.75 mg, 20 kg 미만에서는 1.875 mg을 투여하는 방법이 많이 사용되고 있으나, 임상증상과 검사결과를 보고 용량을 조절하는 것이 좋다. 보통 3-6개월 간격으로 신체검진과 골연령을 주기적으로 검사한다. 임상에서 자주 사용되는 약제는 다음과 같다(Antoniazzi and Zamboni, 2004; Lahlou and Carel, 2000; Partsch and Sippell, 2002).

Buserelin 6.3 mg 2개월마다
Goserelin 3.6 mg 1개월 마다, 혹은 9.5 mg 3개월마다
Histerelin 50 mg 매년
Leuprolide 3.75-7.5 mg 매달, 혹은 11.25 mg 3개월마다
Triptorelin 3.0-3.75 mg 매달, 혹은 11.25 mg 3개월마다

라. 치료 효과

GnRH 작용제를 투여하면 약 2-4주 후부터 호르몬 분비가 성조숙증 이전 상태로 돌아간다. 호르몬 분비가 적절하게 억제된 경우 혈중 난포호르몬은 10 pg/mL 이하로 유지되며 황체화호르몬은 기저치뿐만 아니라 GnRH 자극검사 후에도 증가하지 않는다. 투여 수개월 내에 유방의 크기가 감소하고 질출혈이 소실되며 골격계의 성숙 속도가 완화된다. GnRH 작용제 치료에서 주의해야 할 점은 불충분한 용량이 투여되면 시상하부-뇌하수체-생식샘 축이 억제되지 않고 오히려 자극되어, 골 성숙이 진행되면서 성조숙증이 악화되어 최종 신장이 작아질 수 있으며(Oostdijk et al., 1996), 반대로 많은 용량이 투

여되어 시상하부-뇌하수체-생식샘 축이 완전히 억제되면 성장호르몬 분비가 감소되고 IGF-1의 생성이 감소되어 매우 낮은 성장 속도를 보이게 된다(Caufriez et al., 1997). 따라서 임상증상과 검사결과를 종합하여 적정량의 치료제를 투여하는 것이 중요하다.

마. 치료 종결

치료를 종결하는 시점에 대해서는 아직 명확한 지침이 없고 많은 요소를 고려하여야 하는데 그 중 최종 신장에 대한 예후가 가장 중요하겠다. 일반적으로 사춘기가 정상적으로 진행되어도 될 적절한 연령에 도달하였을 때, 예측 신장이 치료를 중단해도 될 만큼 성장하였을 때, 그리고 환자가 정신적으로 초경에 대한 준비가 되었을 때 GnRH 작용제 치료를 종료한다. 그러나 치료를 종료하는 연령은 환자 개인별로 결정되어야 한다.

과거 연구를 보면 여아에서 역연령 11세 혹은 골연령 11.5세까지 치료를 하거나(Ohyama et al., 1998), 골연령 12.0-12.5세까지 치료를 하는 것이 보고되었지만(Arrigo et al., 1999), 통상적으로는 역연령 11세, 골연령 11.5세에서 치료를 종료하고 있다. 이 이후에도 GnRH 작용제를 계속 투여하는 것은 최종 신장을 증가시키는 데 도움이 되지 못하고 오히려 치료 후 성장 급증을 감소시켜 최종 신장을 감소시킬 수 있다.

반대로 GnRH 작용제 치료를 너무 일찍 중단하는 경우 골연령이 사춘기에 도달하기 전에(10.5-11.0세 이전) 치료가 중단되어 사춘기 수준의 성호르몬이 분비되지 않게 되면 치료 후 성장 급증이 일어나지 않아 최종 신장이 작아지게 된다. 이러한 치료의 조기 중단은 최종 신장을 증가시키려는 GnRH 작용제 치료의 목표를 달성하는 데 오히려 해가 되므로 추천하지 않는다(Lee, 1999).

③ 기질적 뇌 병변에 의한 성조숙증

성조숙증을 초래하는 뇌종양의 경우 수술적 제거가 이상적이나 종양의 위치, 주변부로의 침윤 등에 의해 수술적 제거가 여의치 않은 경우가 많으며 이러한 경우에는 화학요법이나 방사선 치료 등을 고려하기도 한다. 뇌 병변 중에서 가장 흔한 시상하부 과오종(hypothalamic harmatoma)은 장기적인 관찰 시 급격한 크기 증가가 드물어 수술에 따르는 위험도 등을 감안하여 GnRH 작용제로 치료하기도 한다.

(2) 가성 성조숙증

① 난소 및 부신종양

성조숙증을 유발하는 난소나 부신의 종양은 수술적 제거가 원칙이며 종양의 제거 후에는 이차성징이 해소된다.

난소의 자율성 난포낭은 자연 소실되는 경우가 많으며 경구 프로게스테론 제제(MPA)가 낭종의 퇴화를 촉진시킬 수 있다. 난포낭이 약물치료에도 감소하지 않아 진성종양과 구별하기 어려운 경우에는 수술을 통한 낭종 제거를 고려해야 한다.

② McCune Albright 증후군

아로마타아제 억제제인 testolactone은 난소의 난포호르몬 생성을 억제하므로 McCune Albright 증후군의 증상을 완화시키며(Foster et al., 1985) 최근에는 치료 효과를 향상시킨 anastrozole, letrozole 등 3세대 아로마타아제 억제제가 소개되었다. 그 외에 타목시펜도 질출혈, 뼈 성장 억제 등에 효과가 있는 것으로 보고되었다. 반복되는 난포낭의 수술적 제거는 증세 호전에 효과가 없으므로 바람직하지 않다.

5) 예후

특발성 진성 성조숙증인 경우 예후는 비교적 양호하여 치료를 적절하게 시행하면 상당수의 환자가 유전적 표적 신장에 도달한다. 또한 대부분의 환자에서 월경 주기 및 생식능력 등에 별 문제가 발생하지 않는다. 최종 성인 신장에 대한 예후인자 중 가장 중요한 것은 치료 전 신장으로 치료 시작 시 골연령에 대한 신장이 클수록 최종 신장에 대한 예후가 좋은 것으로 알려져 있다(Oostdijk et al., 1996). 결론적으로 조기에 치료를 시작하고 치료 기간이 길수록, 치료 시작 시 역연령과 골연령이 어릴수록 가장 좋은 예후를 보인다(Klein et al., 2001).

다른 성조숙증의 예후는 원인 질환의 악성 여부(난소 및 부신종양), 신경학적 결손 여부(기질적 뇌 병변), 다른 질환의 동반 여부(McCune Albright 증후군) 등에 따라 달라진다.

성적 성숙이 어린이의 심리적, 행동적 발달에 미치는 영향에 대해서는 경미한 정신 병리학적 증상 외에는 지능 지수 및 학업 성취도 등의 결손은 드문 것으로 알려졌으며 성 학대나 소아 임신 등도 비교적 드물게 관찰되었다.

5. 사춘기 지연발달

사춘기 지연발달은 사춘기 평균 시작 연령에서 2배의 표준편차를 지나도록 이차성징이 나타나지 않는 상태로, 보통 여아의 경우 13세까지 이차성징 발현이 결여되어 있을 때로 정의한다(Harlan et al., 1980). 이차성징의 발현은 유전적 요인, 인종 그리고 환경적 요인 등에 영향을 받기 때문에 나라에 따라 연령 기준이 다소 차이가 날 수 있다. 최근 사춘기 시작 연령의 감소 추세를 고려할 때, 12세로 연령 기준을 낮추어 생각하기도 하지만, 우리나라 여아의 2차 성징 시작 연령이 유방발육이 평균 11세, 음모 발달이 12.9세이고 2 표준편차 범위가 평균 8.7세, 13.9세임을 감안할 때, 13세까지 이차성징 발현이 없을 때 지연 사춘기로 진단할 수 있을 것이다(Lee, 2009). 또한 사춘기 지연발달은 여아에서는 흔하지 않아, 일정 나이가 되도록 이차성징이 없는 여아의 경우 유전적 결함 혹은 시상하부-뇌하수체축의 이상 여부를 확인해야 한다.

가장 흔한 원인인 체질적 지연은 유전적 질환, 만성 질환 그리고 다른 내분비 질환들이 배제되어야 진단될 수 있으며, 17세까지도 이차성징이 나타나지 않는 경우는 체질적 지연보다 원인 질환들이 있는 사춘기 지연일 가능성이 높다.

1) 진단

원인 진단을 위해 철저한 병력 조사, 진찰, 이학적 검사를 시행한다. 환자의 병력청취를 통해 만성 질환 이환 여부, 발레나 체조 혹은 육상과 같은 심한 운동을 하는지의 여부를 확인하고 가족력, 신생아 병력, 환자의 과거 병력 및 현재 특이 증상 여부를 자세히 조사해야 한다. 구체적으로 사춘기 지연 발달은 가족력이 있는 경우가 많으므로, 가족 구성원의 신장, 어머니, 언니 혹은 할머니의 초경 나이, 유전적 질환을 앓고 있는 가족 유무, 난소종양의 가족력 및 자가면역 질환의 가족력 여부를 확인하여야 한다. 그리고, 임신 시 혹은 출생 시 특이 사항과 유아기 질환 여부 및 신경계 증상, 소화계증상, 후각장애 여부, 정신적 스트레스 등의 현재 신체 증상 여부도 알아본다.

진찰을 통해 신장, 체중, 활력 증후, 유방 및 음모와 액모의 발달 여부 및 정도, 상체와 하체의 비 등을 측정한다. 신경계검사를 통해 후각장애, 시야장애 여부를 검사하고 안저검사 그리고 필요에 따라 뇌 자기공명영상(MRI)검사를 시행한다. 그리고, 고안드로겐혈증의 임상적 양상인 여드름 및 다모증이 있는지도 주의 깊게 살피고, 음핵비대, 처녀막(hymen) 이상 등의 외성기 이상을 확인하며 질 입구에 에스트로겐에 의한 변화가 있는지를 관찰한다.

병력조사 및 진찰이 끝나면 생식샘자극호르몬, 프로락틴, 갑상선 및 부신호르몬을 측정한다. 이 중 가장 핵심이 되는 생식샘자극호르몬검사를 통해 사춘기 지연발달이 시상하부나 뇌하수체축의 이상인지 난소 자체의 이상인지를 감별하게 된다. 생식샘자극호르몬 수치가 높은 경우에는 염색체검사를 시행하여야 한다. 생식샘자극호르몬 수치가 낮은 경우에는 체질적 지연과의 감별 진단을 위해 GnRH 자극검사가 유익한데, 100 μg 혹은 2.5 μg/kg의 GnRH를 정맥 투여하고 0, 20 그리고 60분 후에 생식샘자극호르몬을 측정한다. 체질적 지연인 경우 호르몬 투여 후 생식샘자극호르몬 수치가 증가하나, 생식샘자극호르몬 결핍의 경우 호르몬 수치가 변화하지 않는다. 원인을 알 수 없는 사춘기 지연 환자나 만성 질환이 의심되는 경우 적혈구 침강속도(ESR)나 일반화학검사(chemistry profile)를, 성장 장애가 있는 경우는 성장호르몬, 인슐린유사성장인자(IGF-I)나 인슐린유사성장인자 결합단백질(IGFBP-3) 등을 측정하여 성장호르몬 결핍을 감별한다.

비우성(non-dominant) 측 손의 방사선 촬영을 통해 골연령(bone age)을 측정하여 신장연령(height age)과 비교하는 것이 감별진단에 도움이 되기도 한다. 예를 들어 갑상선 기능 저하증으로 인한 사춘기 지연발달의 경우 신장 연령보다 골연령의 지체가 더 심하나, 체질적 지연인 경우 비슷한 정도의 신장연령과 골연령의 지연이 관찰된다(Emans et al., 2005).

2) 원인 질환

사춘기 지연발달의 원인은 크게 저생식샘자극호르몬생식샘저하증, 고생식샘자극호르몬 생식샘저하증 그리고 정상생식샘자극호르몬증의 세 군으로 나눌 수 있다(표 37-5).

저생식샘자극호르몬생식샘저하증의 원인은 중추신경계, 갑상선, 혹은 부신의 장애이며, 고생식샘자극호르몬 생식샘저하증은 주로 난소자체의 이상이다. 뮐러관기형 등의 생식기 발생장애나 다낭 난소증후군 환자들은 생식샘자극호르몬치가 정상으로 나타나며, 이차성징을 동반한 일차성 무월경으로 병원을 방문하는 경우가 많다.

표 37-5. 사춘기 지연의 원인 질환

저생식샘자극호르몬생식샘저하증	
중추신경계 원인	체질적 지연 만성 질환(크론 병, 천식, 염증장병, 만성 신부전 등) 신경성 식욕부진증 운동과 스트레스(육상선수, 발레) 종양(두개인두종, 배아종, 별아교세포증, 신경아교종 등) 유전적 질환(Kallman 증후군, Laurence-Moon-Biedl 증후군, Prader-Willi 증후군)
갑상선기능 이상	갑상선기능 저하증
부신기능 이상	쿠싱증후군
고생식샘자극호르몬 생식샘저하증	
난소 이상	터너증후군 순수 생식샘발생장애 항암치료, 방사선치료
정상생식샘자극호르몬	
해부학적 이상	뮐러관기형, 질 중격, 폐쇄 처녀막 안드로겐 무감응증 부적절한 양성되먹임(다낭성난소증후군 등)

(1) 저생식샘자극호르몬생식샘저하증

저생식샘자극호르몬생식샘저하증은 체질적 지연, 만성 질환, 신경성 식욕부진증(anorexia nervosa), 중추신경계종양, 유전적 증후군(Kallman syndrome, Prader-Willi syndrome, Laurence-Moon-Biedl syndrome) 등의 중추신경계 원인들과 갑상선 혹은 부신의 이상으로 인한 사춘기 지연발달이다.

사춘기 지연발달의 가장 흔한 원인은 체질성 지연으로 10-30%를 차지하며, 신장이 작고 가족력이 있는 경우가 많다. 건강 상태는 양호하나 유아기 때부터 성장속도가 5백분위수(percentile) 이하이고 사춘기 발달도 지연된다. 대부분에서 늦지만 정상적인 성장을 하게 되나, 일부에서는 예상 신장의 하한선에 머무는 경우도 있다.

사춘기 지연발달을 유발하는 만성 질환들로는 크론씨병이나 염증장병(inflammatory bowel syndrome), 만성 신부전, 천식 등이 있다. 크론씨 병이나 염증장병 환자들에서 나타나는 사춘기 지연발달은 영양 부족과 염증성 반응 시 분비되는 물질들 때문이다. 염증성 소화기관에서 분비되는 인터루킨 -6나 -1은 스테로이드호르몬 합성에 장애를 가져오고, 생식샘자극호르몬분비호르몬의 분비를 억제함으로 사춘기 발달이 지연된다. 만성 신부전은 시상하부-뇌하수체 기능 이상 등의 다양한 신경내분비 장애를 일으킨다. 천식 환자에는 고용량의 글루코코티코이드가 장기간 사용되는 경우가 많은데, 이 치료는 성장 지연과 사춘기 지연발달을 초래하게 된다. 특히 아토피성 천식의 경우 저신장과 골성장 지연을 보이는 경우가 많은데(Baum et al., 21), 천식환자들의 82%가 평균보다 열량 섭취가 적고 영양 상태가 불량한 경우가 많아, 불량한 영양상태가 사춘기 지연발달의 주요 원인이라고 하기도 한다(Cogswell et al., 1982; Zeitlin et al., 1992).

신경성 식욕부진증은 만성 영양 결핍과 연관되어 이차성징의 발달이 지연되거나 정지 혹은 퇴행할 수 있으나 이 질환이 회복되면 성장이 정상화된다. 발레나 육상을 하는 운동선수들은 사춘기 발달지연 혹은 생리 불순 및 무월경이 흔하게 나타나는데, 정확한 원인은 알려지지 않았으나 지나치게 낮은 지방과 대사 및 영양 손상(metabolic/nutritional insult)이 원인으로 생각되고 있다(Traggiai et al., 2002). 사춘기 여아에서 흔히 볼 수 있는 자가 체중 조절로 인한 영양 부족과 체중 감소는 성장실패뿐 아니라 사춘기 발달 지연을 일으킬 수 있다.

시상하부와 뇌하수체의 종양은 생식샘자극호르몬 분비 장애를 유발할 수 있으며, 두개인두종(cranio-pharyngioma)이 생식샘자극호르몬의 분비에 장애를 일으키는 가장 흔한 뇌종양이고, 이외에도 배아종(germinoma), 별아교세포종(strocytoma), 신경아교종(gliomas), 조직구증(Langerhans' cell histiocytosis) 등이 있다.

일부 유전자 돌연변이(mutation)가 사춘기 지연발달을 유발하는데, 특발성 저생식샘자극호르몬생식샘저하증(Idiopathic hypogonadotropic hypogonadism)/Kallman 증후군은 FGFR, KAL2, DAX1, GNRHR, PC1, GPR54, KISS1/KISS1R, TAC3/TAC3R, LEP/LEPR 등 관련 유전자 이상에 대한 보고가 증가하고 있다.

Kallman 증후군은 후각장애, 저생식샘증, 색맹의 증상을 특징으로 하며, 구개열, 구개순, 소뇌성 운동실조(cerebellar ataxia), 신경성 난청, 구갈장애, vasopressin 분비 장애 등의 증상이 나타날 수 있다. 발생빈도는 10,000명의 남성당 한 명, 50,000명의 여성당 한 명이 이환되고, 후각신경구(olfactory bulb)의 무형성의 특징적인 소견을 보여 후각-생식선 이형성증(olfacto-genital dysplasia)라고 명명되기도 한다.

임상적으로 전형적인 성적 미숙증과 유사 환관증(eunuchoid habitus)의 소견을 보이지만, 유방은 어느 정도 발달할 수 있으며, 일차성 무월경이 반드시 나타난다. 난소는 아주 작은 크기이며 난포는 원시난포기(primordial stage) 이후로 발달하지 않는다. 혈중 생식샘자극호르몬 수치는 매우 낮으며, 박동성으로 외인성 GnRH를 투약하면 배란 유도가 가능하다. 임신을 원치 않는 여성은 에스트로겐 및 프로게스틴을 투약할 수 있다.

Prader-Willi 증후군은 비만, 근육긴장저하(muscular hypotonia), 지능저하, 저신장, 손발이 짧은 것을 특징으로 하며 상염색체 우성(autosomal dominant) 양상으로 유전된다. 그리고 황체화호르몬 혹은 난포자극호르몬의 소단위(subunit) 유전자의 이상은 사춘기 발달의 장애와 일차성 무월경을 유발한다.

고프로락틴혈증의 경우에도 사춘기 지연 발달이 있을 수 있으며, 이는 고프로락틴혈증과 생식샘자극호르몬 저하가 연관되어 있기 때문이다. 유즙 분비는 유방발달이 완전히 이루어지지 않은 상태에서도 나타날 수 있다. 뇌하수체 프로락틴종은 사춘기 시절에는 드물지만 증상과 징후가 나타나면 반드시 의심해 보아야 한다. 프로락틴종 환자대부분은 초경 연령이 늦은 특징이 있다. 또한 향정신성약물 및 안정제와 같은 약물 복용과도 관련이 있다. 일차성 갑상샘 기능 저하증도 증가된 갑상샘자극호르몬분비호르몬이 프로락틴의 분비를 증가시키기 때문에 고프로락틴혈증과 연관될 수 있다.

(2) 고생식샘자극호르몬 생식샘저하증

고생식샘자극호르몬 생식샘저하증의 가장 흔한 원인은 생식샘 발육부전(gonadal dysgenesis)이다. 터너증후군, 순수 생식샘 발육부전(pure gonadal dysgenesis), 항암 혹은 방사선 치료, 자가면역 질환 및 성호르몬 합성에 관여하는 효소 이상 등이 이 범주에 속한다.

일차 생식샘부전의 가장 흔한 원인인 터너증후군은 2,500 여아당 한 명이 이환된다. 대부분 이환된 환아의 핵형은 45,XO이고 모자이시즘을 보이는 경우도 있다(45,XO/46,XX,45,XO/46,XY). 난자 소실과 스테로이드 합성의 이상이 원인이며, 유아기 중기까지는 생식샘자극호르몬이 낮게 유지되다가 11-12세가 되면 증가한다. 이차성징은 20-30%의 여아에서 나타나며, 15%에서는 초경을 경험한다. 5% 미만에서 지속적인 규칙적 월경이 있으며 0.5% 미만에서 임신이 이루어진다. 순수 생식샘 발육부전 환자는 터너증후군 환자와 다른 임상적 소견을 보이는데, 특히 표현형이 여성인 경우에는 신장은 정상이며 사춘기 발달이 부분적 혹은 전체적으로 장애를 보이나, 호르몬검사상 터너증후군 환자와 같은 소견을 보이므로 감별을 위해 염색체검사가 필수적이다.

사춘기 이전 혹은 사춘기 동안의 항암 치료는 난소 손상을 유발한다. 여러 항암제 중 알킬화 약물(alkylat-ing agent)이 가장 난소에 치명적이라고 알려져 있고 대표적인 약물로는 cyclophosphamide가 있다. 방사선 치료도 난소에 직접적인 손상을 주거나 혹은 시상하부-뇌하수체 축의 내분비기능의 장애를 일으키므로 사춘기 발달장애를 일으킬 수 있다.

③ 정상 생식샘자극호르몬 정상 생식샘호르몬

생식샘자극호르몬이 정상이면서 사춘기 지연발달을 일으키는 질환들로는 처녀막폐쇄, 질중격, 뮐러관기형과 안드로겐 무감응증 그리고 다낭성난소증후군과 같은 질환들이 있다. 이러한 환자들은 완전 혹은 부분적인 이차성징의 발달이 있으며, 일차성 무월경을 주소로 병원을 찾게 된다.

3) 치료

사춘기 지연발달의 치료는 교정가능한 원인 질환의 치료가 우선되어야 한다. 갑상샘저하증일 경우 갑상샘호르몬 치료를 하고, 성장호르몬 결핍의 경우 성장호르몬 투여를 하며, 염증장병 경우 충분한 영양 공급과 함께 질환을 완화상태로 유지하는 등 우선적으로 사춘기 지연을 유발하는 원인을 치료해야 한다.

생식샘저하증 환자들의 치료는 이차성징의 발현을 유도하고 골질량을 증가시켜 향후 성인의 골감소증의 위험을 예방하며 지나친 사춘기 발달 지연으로 인한 사회적 적응장애와 정신적 문제점을 최소화하기 위해 호르몬 치료를 시행한다(de Lucas et al., 21; Pozo et al., 23). 호르몬 치료를 통해 규칙적인 월경을 경험하는 것은 각자의 성정체성(gender identity)을 확립하는 데도 중요한 역할을 한다.

터너증후군 환자에서 호르몬 치료는 일반적으로 수년간의 성장호르몬 치료가 끝난 후, 12-13세경, 혹은 골연령 11-12세 이후에 시작하게 된다. 그러나, 환자 및 가족들과 유방 발달과 최종 신장에 대한 충분한 상담이 선행되어야 하며, 환자와 보호자가 원하는 시기에 또한 연령에 맞는 사춘기 발달을 위한 적절한 시기라고 생각될 때 시작하여야 한다(Reiter et al., 22). 호르몬 치료 시작 시 최소 용량으로 시작하여 사춘기 발달에 동반되는 호르몬 농도, 순응도, 반응 및 치료에 대한 행동적, 정신적 적응 여부에 따라 서서히 1-2년에 걸쳐 용량을 증가시키며, 6-12개월마다 사춘기 발달과 골성숙도를 평가하여 환자 개인에 따라 용량을 조절하여야 한다(MacGillivray et al., 24). 또한 치료 중 고혈압이 발생할 수 있으므로 주의 깊게 살펴보아야 한다. 생식샘저하증 환자에서는 골량 증가 및 유지를 위해 적절한 칼슘과 비타민 D를 보충해야 한다. 칼슘은 1,300 mg/일, 비타민 D는 400-1,000 IU/일을 권한다(Ross and Taylor, 2011).

체질적 지연은 보통 환자와 보호자를 안심(reassur-ance)시키는 것 외에 특별한 치료가 필요하지 않는 경우가 많으나, 6개월 후에 재검사를 통해 치료 여부에 대해 결정하게 된다.

체질적 지연 환자들에서 사춘기 발달의 시작을 위해, 혹은 정지된 이차성징 발달의 재개를 위해 호르몬 치료가 필요할 수 있다. 그러나 여아의 경우 체질적 사춘기 지연이 남아보다 적은 빈도로 나타나고, 이러한 치료에 대한 경험도 부족하여 아직 치료시작 시기나 치료법에 대해 확립된 것이 없는 실정이다. 체질적지연 환자들에서 에스트로겐 치료를 시작하기 전 고려해야 할 사항은 신장이다. 아무리 적은 에스트로겐 용량이라도 골말단 융합(epiphyseal fu-sion)을 일으킬 수 있으므로(Reiter et al., 2002), 예상되는 최종 신장이 매우 작은 경우에는 성장호르몬 치료를 먼저 고려하는 것이 좋다.

고생식샘자극호르몬생식샘저하증 환자들은 염색체검사를 시행하게 되는데, Y 유전자가 있는 경우에는 생식샘종양의 가능성으로 인해 생식샘 제거를 하고 호르몬 치료를 한다.

참고문헌

- 구병삼. 우리나라 여성 초경에 관한 연구. 대한산부회지 1977;20:623-47.
- 김소라, 전균호, 김성훈, 채희동, 김정훈, 강병문. 여아에서 성조숙증의 임상양상. 대한산부인과내분비학회지 2009;1:31-40.
- 박미정, 이인숙, 신은경, 정효지, 조성일. 한국 청소년의 성성숙기 및 장기간의 초경연령 추세분석. 소아과 2006;49:610-6.
- 백경훈, 진동규. 중추성 및 말초성 성조숙증의 원인분석에 대한 대한 연구. 대한소아내분비학회지 2002;7:199-205.
- 신재철, 이찬, 문준, 오민정, 김탁, 구병삼 등. 한국 10대 여성의 초경에 관한 연구. 대한산부회지 1996;39:865-79.
- 이미화. 최신임상강좌: 한국 청소년 여성에서의 비정상 사춘기 발달. Obstetrics & Gynecology Science. 2009;52:1197-203.
- 정연경, 소재희, 피대훈, 신영규, 이기형, 은백린 등. 안산지역 사춘기 여학생의 초경과 무배란성 자궁출혈에 대한 연구. 소아과 2002;45:16-23.
- Ahima RS, Prabakaran D, Mantzoros C, Qu D, Lowell B, Maratos-Flier E, et al. Role of leptin in the neuroendocrine response to fasting. Nature. 1996;382:250-2.
- Ahn JH, Lim SW, Song BS, Seo J, Lee JA, Kim DH, et al. Age at menarche in the Korean female: secular trends and relationship to adulthood body mass index. Ann Pediatr Endocrinol Metab. 2013;18:60-4.
- Albright F, Butler AM, Hampton AO, Smith P. Syndrome characterized by osteitis fibrosa disseminata, areas of pigmentation and endocrine dysfunction, with precocious puberty in females. N Engl J Med 1937;216:727-46.
- Andersson AM, Skakkebæk NE. Exposure to exogenous estrogens in food: possible impact on human development and health. Eur J Endocrionol 1999;140:477-85.
- Antoniazzi F, Zamboni G. Central precocious puberty: current treatment options. Paediatr Drugs. 2004;6:211-31.
- Antoniazzi F, Zamboni G, Bertoldo F, Lauriola S, Mengarda F, Pietrobelli A, et al. Bone mass at final height in precocious puberty after gonadotropin-releasing hormone agonist with and without calcium supplementation. J Clin Endocrinol Metab. 2003;88:1096-101.
- Arrigo T, Cisternino M, Galluzzi F, Bertelloni S, Pasquino AM, Antoniazzi F, et al. Analysis of the factors affecting auxological response to GnRH agonist treatment and final height outcome in girls with idiopathic central precocious puberty. Eur J Endocrinol 1999;141:140-4.
- Baum WF, Schneyer U, Lantzsch AM, Kloditz E. Delay of growth and development in children with bronchial asthma, atopic dermatitis and allergic rhinitis. Exp Clin Endocrinol Diabetes 2002;110:53-9.
- Belchets PE, Plant TM, Nakai Y, Keogh EJ, Knobil E. Hypophysial responses to continuous and intermittent delivery of hypothalamic gonadotropin-releasing hormone. Science 2002;202:631-3.
- Belgorosky A, Rivarola MA. Irreversible increase of serum IGF-I and IGFBP-3 levels in GnRH-dependent precocious puberty of different etiologies: implications for the onset of puberty. Horm Res 1998;49:226-32.
- Biro FM, Lucky AW, Simbartl LA, Barton BA, Daniels SR, Striegel-Moore R, et al. Pubertal maturation in girls and the relationship to anthropometric changes: pathways through puberty. J Pediatr. 2003;142:643-6.
- Brito VN, Batista MC, Borges MF, Latronico AC, Kohek MB, Thirone AC, et al. Diagnostic value of fluorometric assays in the evaluation of precocious puberty. J Clin Endocrinol Metab 1999;84:3539-44.
- Carel JC, Eugster EA, Rogol A, Ghizzoni L, Palmert MR, Group E-LGACC, et al. Consensus statement on the use of gonadotropin-releasing hormone analogs in children. Pediatrics. 2009;123:e752-62.
- Carel JC, Leger J. Clinical practice. Precocious puberty. N Engl J Med. 2008;358:2366-77.
- Caufriez A. The pubertal spurt:effects of sez steroids on growth hormone and insulin-like growth factor I. eur J Obstet Gynecol Reprod Biol 1997;71:215-7.
- Chalumeau M, Hadjiathanasiou CG, Ng SM, Cassio A, MulD, Cisternino M, et al. Selecting girls with precocious puberty for brain imaging: validation of European evidence-based diagnosis rule. J Pediatr 2003;143:445-50.
- Chevalley T, Rizzoli R, Hans D, Ferrari S, Bonjour JP. Interaction between calcium intake and menarcheal age on bone mass gain: an eight-year follow-up study from prepuberty to postmenarche. J Clin Endocrinol Metab 2005;90:44-51.
- Cho GJ, Park HT, Shin JH, Hur JY, Kim YT, Kim SH, et al. Age at menarche in a Korean population: secular trends and influencing factors. Eur J Pediatr. 2010;169:89-94.
- Cogswell JJ, El-Bishti MM. Growth retardation in asthma: role of calorie deficiency. Arch Dis Child 1982;57:473-5.
- Comite F, Cutler GB, Rivier J, Vale WW, Loriaux DL, Crowley WF. Short-term treatment of idiopathic precocious puberty with a long-acting analogue of luteinizing hormone-releasing hormone. A preliminary report. N Engl J Med 1981;305:1546-50.
- Crowley WF, Jr., Comite F, Vale W, Rivier J, Loriaux DL, Cutler GB, Jr. Therapeutic use of pituitary desensitization with a long-acting lhrh agonist: a potential new treatment for idiopathic precocious puberty. J Clin Endocrinol Metab. 1981;52:370-2.
- De Luca F, Argente J, Cavallo L, Crowne E, Delemarre-Van de Waal HA, De Sanctis C, et al. International Workshop on

Management of Puberty for Optimum Auxological Results. Management of puberty in constitutional delay of growth and puberty. J Pediatr Endocrinol Metab 2001;14(Suppl 2):953-7.
- Emans SJ, Laufer MR, Goldstein DP. Pediatric & adolescent gynecology. 5th ed. Philadelphia: Lippincott Williams & Wilkins; 2005.
- Farooqi IS. Leptin and the onset of puberty: insights from rodent and human genetics. Semin Reprod Med. 2002;20:139-44.
- Farooqi IS, Jebb SA, Langmack G, Lawrence E, Cheetham CH, Prentice AM, et al. Effects of recombinant leptin therapy in a child with congenital leptin deficiency. N Engl J Med. 1999 16;341:879-84.
- Foster CM, Pescovitz OH, Comite F, Feuillan P, Shawker T, Loriaux DL, et al. Testolactone treatment of precocious puberty in McCune-Albright syndrome. Acta Endocrinol 1985; 109:254-7.
- Fritschy JM, Paysan J, Enna A, Mohler H. Switch in the expression of rat GABAA-receptor subtypes during postnatal development: an immunohistochemical study. J Neurosci. 1994;14:5302-24.
- Garn SM, LaVelle M, Rosenberg KR, Hawthorne VM. Maturational timing as a factor in female fatness and obesity. Am J Clin Nutr. 1986;43:879-83.
- Harlan WR, Harlan EA, Wurtman RJ. Secondary sex cjaratersistics of girls 12 to 17 years of age: the U.S. health examintaiton Survey. J Pediatr 1980;96:1074.
- He C, Kraft P, Chen C, Buring JE, Paré G, Hankinson SE, et al. Genome-wide association studies identify loci associated with age at menarche and age at natural menopause. Nat Genet. 2009;41:724-8.
- Herman-Giddens ME, Slora EJ, Wasserman RC, Bourdony CJ, Bhapkar MV, Koch GG, et al. Secondary sexual characteristics and menses in young girls seen in office practice: a study from the Pediatric Research in Office Settings network. Pediatrics 1997;99:505-12.
- Herter LD, Golendziner E, Flores JA, Moretto M, Di Domenico K, Becker E Jr, et al. Ovarian and uterine findings in pelvic sonography: comparison between prepubertal girls, girls with isolated thelarche, and girls with central precocious puberty. J Ultrasound Med 2002;21:1237-46.
- Ibanez L, Potau N, Vardis R, Zampolli M, Jerzi C, Gussinye M, et al. Postpubertal outcome in girls diagnosed of premature pubarche during childhood: increased frequency of functional hyperandrogenism. J Clin Endocrinol Metab 1993;76: 1599-603.
- Ilicki A, Lewin RP, Kauli R, Kaufman H, Schachter A, Laron Z. Premature thelarche-natural history and sex hormone secretion in 68 girls. Acta Pediatr Scand 1984;73:756-62.
- Institute of Medicine Committee to Review Dietary Reference Intakes for Vitamin D, Calcium. The National Academies Collection: Reports funded by National Institutes of Health. In: Ross AC, Taylor CL, Yaktine AL, Del Valle HB, editors. Dietary Reference Intakes for Calcium and Vitamin D. Washington (DC): National Academies Press (US) National Academy of Sciences. 2011.
- Judge DM, Kulin HE, Page R, Santen R, Trapukdi S. Hypothalamic hamartoma: A source of luteinizing hormonereleasing factor in precocious puberty. N Engl J Med 1977;296:7-10.
- Kang YS, Yoo DY, Chung IH, Yoo EG. Diurnal variation of gonadotropin levels in girls with early stages of puberty. Ann Pediatr Endocrinol Metab. 2017;22:183-8.
- Kaprio J, Rimpela A, Winter T, Viken RJ, Rimpela M, Rose RJ. Common genetic influences on BMI and age at menarche. Hum Biol 1995;67:739-53.
- Keen KL, Burich AJ, Mitsushima D, Kasuya E, Terasawa E. Effects of pulsatile infusion of the GABA(A) receptor blocker bicuculline on the onset of puberty in female rhesus monkeys. Endocrinology. 1999;140:5257-66.
- Kim K, Smith PK. Childhood stress, behavioural symptoms and mother–daughter pubertal development. J Adolesc 1998; 21:231-40.
- Kim SH, Huh K, Won S, Lee KW, Park MJ. A Significant Increase in the Incidence of Central Precocious Puberty among Korean Girls from 2004 to 2010. PLoS One. 2015;10:e0141844.
- Kim YJ, Kwon A, Jung MK, Kim KE, Suh J, Chae HW, et al. Incidence and Prevalence of Central Precocious Puberty in Korea: An Epidemiologic Study Based on a National Database. J Pediatr. 2019;208:221-8.
- Klein KO, Barnes KM, jones JV,Feuillan PP, Cutler GB Jr. Increased final height in precocious puberty after long-term treatment with LHRH agonist:the National Institutes of Health experience. J Clin Endocrinol Metab 2001;137:819-25.
- Lahlou N, Carel JC, Chaussain JL, Roger M. Pharmacokinetics and pharmacodynamics of GnRH agonists: clinica implications in pediatrics. J Pediatr Endocrinol Metab. 2000;13 Suppl 1:723-37.
- Lee PA. Central precocious puberty; An overview of diagnosis, treatment, and outcome. Pediatr Endocrinol 1999;28:901-18.
- MacGillivray MH. Induction of puberty in hypogonadal children. J Pediatr Endocrinol Metab 2004;17 Suppl 4:1277-87.
- Ma HM, Du ML, Luo XP, Chen SK, Liu L, Chen RM, et al., Pediatrics. 2009;124:e269-77.
- McKay HA, Bailey DA, Mirwald RL, Davison KS, Faulkner RA. Peak bone mineral accrual and age at menarche in adolescent

girls: a 6-year longitudinal study. J Pediatr 1998;133:682-7.
- Neely EK, Hintz RL, Wilson DM, Lee PA, Gautier T, Argente J, et al. Normal ranges for immunochemiluminometric gonadotropin assays. J Pediatr. 1995;127:40-6.
- Ohyama K, Tanaka T, Tachibana K, Niimi H, fujieda K, Matsuo N, et al. Timing for discontinuation of treatment with a long-acting gonadotropin-releasing hormone analog in girls with central precocious puberty. TAP-144SR CPP Study Group. Endocr J 1998;45:351-6.
- Oostdijk W, Rikken B, Schreuder S, Otten B, Odink R, Rouwe C, et al. Final height in central precocious puberty after long term treatment with a slow release GnRH agonist. Arch Dis Child 1996;75:292-7.
- Parent A-S, Teilmann G, Juul A, Skakkebaek NE, Toppari J, Bourguignon J-P. The timing of normal puberty and the age limits of sexual precocity: variations around the world, secular trends, and changes after migration. Endocr Rev 2003;24:668-93.
- Partsch CJ, Sippell WG. Treatment of central precocious puberty. Best Pract Res Clin Endocrinol Metab. 2002;16:165-89.
- Pasquino AM, Tebaldi L, Cioschi L, Cives C, Finocchi G, Maciocci M, et al. Premature thelarche: a follow up study of 40 girls. Natural history and endocrine findings. Arch Dis Child. 1985;60:1180-2.
- Perry JR, Stolk L, Franceschini N, Lunetta KL, Zhai G, McArdle PF, et al. Meta-analysis of genome-wide association data identifies two loci influencing age at menarche. Nat Genet. 2009;41:648-50.
- Reiter EO, Lee PA. Delayed puberty. Adolesc Med 2002;13:101-18.
- Roa J, Navarro VM, Tena-Sempere M. Kisspeptins in reproductive biology: consensus knowledge and recent developments. Biol Reprod. 2011;85:650-60.
- Sane K, Pescovitz OH. The clitoral index: a determination of clitoral size in normal girls and in girls with abnormal sexual development. J Pediatr. 1992;120(2 Pt 1):264-6.
- Silventoinen K, Haukka J, Dunkel L, Tynelius P, Rasmussen F. Genetics of pubertal timing and its associations with relative weight in childhood and adult height: the Swedish Young Male Twins Study. Pediatrics 2008;121:e885-91.
- Tanner JM. Growth at adolescence. 2nd ed. Oxford: UK: Blackwell Scientifc Publications; 1962.
- Theintz G, Buchs B, Rizzoli R, Slosman D, Clavien H, Sizonenko PC, et al. Longitudinal monitoring of bone mass accumulation in healthy adolescents: evidence for a marked reduction after 16 years of age at the levels of lumbar spine and femoral neck in female subjects. J Clin Endocrinol Metab 1992;75:1060-5.
- Traggiai C, Stanhope R. Delayed puberty. Best Pract Res Clin Endocrinol Metab 2002;16:139-51.
- Treloar SA, Martin NG. Age at menarche as a fitness trait: nonadditive genetic variance detected in a large twin sample. Am J Hum Genet 1990;47:137-48.
- Tryggvadottir L, Tulinius H, Larusdottir M. A decline and a halt in mean age at menarche in Iceland. Ann Hum Biol 1994;21:179-86.
- Viswanathan SR, Daley GQ, Gregory RI. Selective blockade of microRNA processing by Lin28. Science. 2008;320:97-100.
- Weinstein LS, Shenker A, Gejman PV, Merino MJ, Friedman E, Spiegel AM. Activating mutations of the stimulatory G protein in the McCune-Albright syndrome. N Engl J Med 1991;325:1688-95.
- Wu T, Mendola P, Buck GM. Ethnic differences in the presence of secondary sex characteristics and menarche among US girls: the Third National Health and Nutrition Examination Survey, 1988-1994. Pedicatrics 2002;110:752-7.
- Zacharias L, Rand WM, Wurtman RJ. A prospective study of sexual development and growth in American girls: the statistics of menarchie. Obstet Gynecol Surv 1976;31:325-7.
- Zacharias L, Wurtman RJ. Blindness: Its relation to age of menarche. Science 1964;144:1154-5.
- Zeitlin SR, Bond S, Wootton S, Gregson RK, Radford M. Increased resting energy expenditure in childhood asthma: does this contribute towards growth failure? Arch Dis Child 1992;67:1366-9.

제38장

소아 및 미성년의 생식기 양성질환

송용중 | 부산의대
전승주 | 가천의대

1. 비정상 자궁출혈

1) 사춘기 전

(1) 질출혈

초경 전 모든 질출혈은 보통 9세 이전에는 나타나지 않으므로 반드시 평가되어야 하고, 평가 시에는 성 성숙 단계에 대한 이해가 필요하다. HPO axis에 관련된 호르몬에 대한 이해는 질출혈이 시작되었을 때 필요한 적절한 치료를 위해 중요하다. 초경은 유방발육이 Tanner stage 3일 또는 4일 때 나타난다. 유방 발육 없이 질출혈이 있다면 이 또한 반드시 평가 되어야 한다.

(2) 초경 전 질출혈의 감별진단

출생 후 며칠간은 모체의 고농도 에스트로겐으로 인한 소퇴성 질출혈이 있을 수 있다. 신생아 이후 질출혈의 원인은 다양하다(표 38-1). 유방 발육 이전에 초경이 있지는 않으므로, 2차 성징이 없는 질출혈은 면밀히 평가되어야 한다.

이 시기 질출혈의 원인은 내과적으로 일상적인 일에서부터 생애를 위협할 만큼의 악성종양에 이르기까지 다양하다. 종종 질출혈이 어디에서 나오는지 규명하기 어렵기도 하고, 기저귀나 속옷에 묻은 출혈을 발견한 부모들은 요로, 질 또는 항문 어디에서 출혈이 있는 것인지 구분하기 힘들다. 따라서 소아들의 질출혈은 요로계 원인, 설사 또는 항문 열창(fissure), 염증성 장염을 고려해야 한다. 외음부 증상을 동반하는 질출혈이 있는 소녀들은 반드시 성학대에 대해서도 고려 해야 한다. 성학대에 대한 진단의 간과는 그 소녀를 더 위험한 상황에 처하게 할지도 모르기 때문이다.

표 38-1. 소아 및 미성년의 비정상 자궁출혈의 흔한 원인

신생아	소아(사춘기 전)	청소년
모체의 에스트로겐	생식기 외상 이물질 외음부 질염 종양	무배란성 출혈 임신 외부 호르몬 혈액응고장애

① 외음부 병변

외음부 자극은 외음부 피부의 긁힌 상처(excoriation), 짓무름(maceration) 또는 출혈이 있는 열창(fissure)을 동반한 소양증을 유발할 수 있다. 요도탈출(urethral prolapse), 콘딜로마, 경화태선(lichen sclerosus), 물사마귀(molluscum contagiosum)는 사춘기 전 연령의 소녀에게서 육안으로 확인할 수 있는 출혈의 외부 요인이다. 요도탈출은 약간의 출혈과 압통이 동반되는 연약한(friable) 종괴가 만져지며 갑작스럽게 일어난다. 이는 요도 주변 대칭적으로 종괴가 관찰되는데, 이것은 에스트로겐의 국소적 도포로 치료할 수 있다. 콘딜로마가 관찰되면 성학대를 즉시 의심해야 하며, 생후 2-3년 내 콘딜로마가 관찰될 때에는 모체의 주산기(perinatally) 사람유두종바이러스 감염을 생각해 볼 수 있다. 사춘기 전 경화태선이 있다면 찰과상(excoriation) 및 표재성 출혈(superficial hemorrhage)이 관찰되고 외부 출혈을 유발할 수 있는데, 이는 성학대로 오인될 수 있다. 경화태선은 대부분 폐경 후 여성에게 나타나지만, 1.0%에서는 있을 수 있다. 경화태선의 원인은 알려져 있지 않으나, 진단된 소녀들의 12-17%에서는 가족력과 연관이 있는 것으로 보인다.

② 이물질

질 내 이물질(foreign body)은 가장 흔한 화농성 질분비물 및 질출혈의 원인이다. 어린이들은 몸의 모든 해부학적 입구에 호기심을 가지며 때론 탐색해서, 질 내에도 다양한 작은 물질을 넣을 수 있다. 작은 플라스틱 장난감은 직장검사로 만져질 수도 있고, 종종 질 입구로 뽑아 낼 수도 있다. 가장 흔한 질 내 이물질은 작은 화장지 조각들이다. 질 내 이물질을 발견하지 못 하는 경우에는 질협착, 방광질누공, 요관협착, 신부전 등 합병증이 발생할 수 있다. 그렇기 때문에 질분비물이 동반되는 사춘기 전 소녀들에게 질 내 이물질이 없는 것을 확인하는 것은 매우 중요한 일이다. 골반 엑스선(X-ray), 초음파, 자기공명영상(MRI) 등의 검사들도 진단에 도움이 되지만, 정확한 진단 및 필요시 이물질 제거를 위하여 마취하에 질내시경검사(vaginoscopy)를 시행하는 것이 중요하다. 질 내 이물질은 성학대의 증거로 볼 수도 있으나, 항상 그런 것은 아니며 다만 성학대의 가능성은 항상 염두에 두어야 한다.

③ 성조숙

성조숙(precocious puberty)은 진성 성조숙증과 가성 성조숙증으로 구별된다. 시상하부-뇌하수체-생식샘 축이 조기에 성숙되는 경우를 진성 성조숙증(central precocious puberty)이라고 하는데 약 90%에서는 특별한 원인 없이 발생하는 특발성 진성 성조숙증이다. 특발성 진성 성조숙증은 여아의 경우 약 50%에서 6-7세 사이에 유방 발달, 외부 생식기 발달, 질분비물 증가 등으로 발현이 된다. 다른 원인에 의한 조기 성숙을 가성 성조숙증(peripheral precocious puberty)이라고 하는데 난소에 에스트로겐(estrogen)을 분비하는 낭종 혹은 종양이 생겨 질출혈이 야기될 수 있다.

④ 외상

외상은 생식기 출혈의 원인이 될 수 있다. 성학대에 의한 외상은 구별하기 어려우므로 부모나 보모들에게서 자세한 병력을 청취해야 한다. 외상은 의도적이든 비의도적으로든 어린이 학대를 의심할 수 있다. 신체 진찰에서 병력과 일치하지 않는 부분이 있다면, 즉시 전문가 또는 사회적 팀에게 자문을 구해야 한다. 어린이 성학대는 명확히 보고되어야 하고, 보고하지 않는 사람도 성학대자로 포함할 만큼 법이 광범위하다. 양다리의 부상과 동반된 외음부 앞 또는 양측의 병변은 우발적 외상의 가능성이 높은 반면에 소음순 병변 또는 처녀막 주위의 병변과 동반된 관통상은 우연한 외상(accident trauma)일 가능성이 낮다.

⑤ 성학대

어린이 성학대의 의학적 평가는 전문가의 신체 진찰, 혈액검사와 아이의 말과 행동에 의해 평가된다. 생식기 소견은 다음과 같은 범주를 가진다.

- 정상 혹은 정상적인 변화
- 검사의 시간에 따른 학대의 결과일 수 있는 비특이적 발견, 다른 원인에 의한 것 일 수도 있다.
- 학대의 증거로 입증되지 않은 발견과 학대를 의심하지만 충분하지 않은 자료를 포함한 학대나 외상으로 의심되는 것

둔력(blunt force)이나 관통상(penetrating trauma)의

명백한 증거 학대 가능성의 분류는 다음과 같다.

- 학대 증거 없음
- 학대 가능성(possible abuse)
- 거의 확실한 학대(probable abuse)
- 학대나 성적 접촉의 명백한 증거

대부분의 어린이 성학대는 급성상해(acute injury)와 함께 나타나지 않으며, 정상 또는 비특이적인 생식기 소견을 동반한다. 희롱(fondling)이나 손가락 삽입(digital penetrating)과 같은 형식의 학대는 눈으로 확인할 수 있는 생식기 병변이 없을 수 있다.

⑥ 기타 원인

드물지만 심각한 질출혈을 유발하는 원인 중에 질종양(vaginal tumor)이 있다. 사춘기 이전 나이에서 가장 흔한 종양은 횡문근육종(rhabdomyosarcoma)이며, 90% 이상에서는 5세 이하에서 진단된다. 환자는 질출혈과 외음부에 포도모양의 종괴를 동반한다. 다른 형태의 질종양은 드물지만 출혈의 다른 명백한 외적 원인이 발견되지 않는다면, 마취하에 질내시경검사를 통한 질종양을 배제하여야 한다.

호르몬 분비성 난소종양은 자궁내막 증식과 질출혈을 유발할 수 있다. 마찬가지로 외인성호르몬 제재의 복용 또는 정주(exogenously administered estrogen)도 질출혈을 유발할 수 있다. 드물지만 음문질염(vulvovaginitis)이나 음순유착 치료를 위해 지속적 에스트로겐 제재의 도포, 또는 우연한 에스트로겐제 복용 또한 질출혈의 원인이 될 수 있다.

(2) 사춘기 전 출혈의 진단

① 검진

어린이가 생식기 증상을 가질 때는 조심스러운 진찰을 해야 한다. 사춘기 이전 어린이의 진찰 기술은 제 1장에 기술되어 있다. 만일 확실한 출혈의 원인이 외적으로 보이지 않거나, 질 말단부에 없다면 마취 후 질내시경검사를 이용하여 질과 자궁경부를 면밀히 봐야한다. 이러한 진찰은 소아 및 청소년의 질내시경검사 경험이 있는 임상의에 의해 이루어져야 한다.

② 영상 진단

만일 난소종괴나 질종괴가 의심된다면 복부 골반 초음파가 유용한 정보를 제공할 수 있다. 크기나 자궁의 모양(configuration)뿐만 아니라 난소의 상태(사춘기 전 정상 크기, 부피, 난포의 성장, 낭성 또는 고형)가 기록되어 있어야 한다. 사춘기 전 자궁의 특징적 모습은 자궁 경부와 저부(fundus)의 비가 같고, 경부 길이는 약 2-3.5 cm이고, 너비는 1 cm 정도이다. 사춘기를 거치게 되면, 자궁저부는 에스트로겐 자극에 의해 커지게 되어 자궁 경부보다 더 큰 가임기 여성의 자궁 형태를 갖추게 된다. 검진 시 처음에 시행되는 영상학적 도구로는 초음파가 권장되며 컴퓨터단층촬영술(CT) 또는 자기공명영상(MRI)는 방사선 노출과 비용문제로 초기 진단적 도구로는 권장되지 않는다.

(3) 사춘기 전 질출혈의 치료

사춘기 전 질출혈은 원인에 대한 직접적인 치료를 해야 한다. 만일 치료에도 불구하고 출혈성 분비물이 비특이적 음문질염 때문이라고 생각된다면 이물질의 존재를 배제하기 위한 추가 검진이 필요하다. 만성 가려움 같은 피부 병변과 경화태선증(lichen sclerosus)은 치료하기 어렵지만 국소 스테로이드제 도포로 치료될 수 있다. 경화태선증은 종종 최고 효능의 국소 스테로이드제의 지속적 유지요법이 필요하기도 하다. 질과 난소 종괴는 부인종양분과에 의뢰한다.

2) 청소년기

청소년기에 질병과 통증에 대한 경험과 표현은 매우 다양하게 나타난다. 대부분의 청소년들에게서 음부 통증 및 불편감 또는 질출혈과 같은 문제를 경험하는 것은 흔한 일은 아니다. 최악의 통증을 경험한 청소년도 상당히 편안한 것처럼 통증이나 증상에 대해 올바른 표현을 하지 못할 수 있다. 따라서 통증을 호소하는 성인 여성의 증상과는 다르게 해석해야 한다. 질병과 통증에 대한 개인적인 반응은 학습된 행동양식 내에 있다는 걸 기억해야 한다.

(1) 청소년기 비정상 질출혈

① 청소년기의 정상 생리

청소년기의 질출혈을 평가하기 위해서 정상 생리 주기를 이해하는 것이 필요하다. 초경 후 첫 2-5년 동안 대부분 생리 주기는 무배란성임에도 불구하고 그 주기는 약 21-45일 범위 내에서 비교적 규칙적이다. 이러한 21-45일 주기(±10일) 패턴은 소녀들의 1/4 이상에서는 첫 3번째 주기, 1/2에서는 7번째 주기, 그리고 2/3에서는 초경 2년 내에 확립된다.

평균 생리는 7일간 지속되고, 각 주기마다 소실되는 평균 출혈양은 35 mL, 생리분비물의 주요 구성물은 자궁내막조직이다. 주기마다 80 mL 이상의 출혈은 과다 생리로 정의되고, 이 과다 생리가 반복되면 빈혈을 일으킬 수 있다. 각 개인의 생리양에 대한 적절한 평가는 어렵지만 만약 매시간 패드를 교환하고, 동전 크기 보다 큰 혈전이 나오고, 오버나이트 패드의 교환이 필요하다면 80 mL 보다 많은 양이 측정되었다고 판단할 수 있다.

청소년기의 무배란 주기에서 배란 주기로의 이행은 초경 후 첫 몇 년에 걸쳐 이루어진다. 이는 에스트로겐 농도가 증가하여 황체형성호르몬(LH) surge와 배란(ovulation)을 촉발시키는 양성 되먹임 기전, 소위 시상하부-뇌하수체-난소 축(HPO axis)의 성숙으로 나타난다. 대부분의 청소년기 생리 주기는 무배란성 주기를 포함하여 대략 21-42일의 비교적 좁은 범위 내에 있고, 초경 2년째부터는 정상 배란 주기를 가진다.

(2) 청소년기 비정상 출혈의 감별진단

초경이 있은 지 2년 후 임에도 불구하고 42일보다 긴 주기, 21일보다 짧은 주기, 그리고 7일 이상 지속되는 출혈은 비정상이며 초경 첫해에도 주기가 90일 이상 되는 것은 비정상적이다. 청소년기 생리 주기는 성인 여성보다 불규칙하지만, 확실한 빈혈이나 출혈이 없다면 이러한 불규칙한 생리 주기는 일반적으로 허용되기도 한다. 그러나 주기가 표면적으로 정상범위를 유지하거나, 이전에 규칙적이었으나 불규칙하게 되어 가는 경우, 특히 안드로겐 과다증후군 같은 무배란의 원인, 또는 섭식장애, 체중변화, 스트레스, 운동 등과 같이 희발 월경의 원인이 되는 기저질환이 없는지를 자세한 문진을 통하여 확인해 보아야 한다.

① 무배란

긴 무월경의 기간 후 무배란성 질출혈은 빈번하게, 기간이 길게, 또는 양이 많게 나타날 수 있다. 이러한 양상의 생리는 에스트로겐 농도의 증가로 난포자극호르몬(FSH)이 감소하는 결과를 나타내는 되먹임 기전의 실패와 연관이 있다. 무배란성 주기에서, 지속적 에스트로겐 분비에 따른 자궁내막의 불안정한 연속적 성장 및 탈락으로 특징되는 자궁내막 증식증이 나타난다. 이는 임상적으로 불규칙적이고 지연성의 과다 질출혈이 특징적이다. 초경의 나이가 어릴수록 규칙적 배란이 더 일찍 나타난다. 한 연구에 따르면, 생리 주기의 50% 가 배란성이 될 때까지 시간은 초경시기에 따라 차이가 나는데, 초경이 12세전에 발생했던 소녀들은 1년, 초경이 12세와 12.9세 사이 발생한 소녀는 3년, 초경이 13세나 그 이후에 발생한 소녀는 4.5년이었다.

② 임신관련 출혈

청소년기 비정상 질출혈 평가시 반드시 임신의 가능성을 고려해야 한다. 임신성출혈은 자연유산, 자궁외임신, 또는 포상기태임신과 같은 임신과 연관된 합병증과 관련 있다. 보건복지부 보고에 따르면 한국에서 첫 성관계 경험의 평균 나이는 13.6세이고(2012년), 고등학생 성관계 경험률은 8.1%(2010년)로 나타났다.

③ 호르몬제의 사용

외인성호르몬 복용과 관련한 비정상 출혈의 원인은 호르몬 복용 없이 발생하는 출혈과 매우 다르다. 경구 피임약의 사용은 파탄성 출혈(breakthrough bleeding)과 관련있고, 복합 제제를 사용하는 첫 주기 동안 무려 30-40%에서 발생하였다. 불규칙적 출혈은 약을 꾸준히 복용하지 않은 결과이며 경구 피임약을 복용하는 많은 환자들이 매일 정확하게 약을 복용하는 것은 쉽지 않은 일이다. 한 연구에 따르면 여성들 중 약 40%만이 매일 꾸준히 약을 복용한다고 보고하고 있다. 다른 연구에 의하면 청소년들은 성인들보다 경구 피임약 복용을 훨씬 어려워해 평균적으로 매달 3알 정도의 약 복용을 잊어버린다고 한다. 도시에 사는 10대를 대상으로 한 연구에 의하면, 매 3달 간격으로 볼 때 세 개 이상 연속적으로 경구 피임약 복용을 잊어버리는 일이 적어도 2회 이상 일어난다고 한다. 이런 경향을 볼 때, 일부 개인들이 불규칙한 출혈을 경험한다는 것은 놀라운 일이 아니다. 이에 대한 해결방법은 규칙적 약 복용을 꾸준히 강조하는 것이다. 만일 매일 약을 복용하는 일이 어렵거나 불가피하다면, 대안으로 이틀에 1번씩 복용하는 방법이 추천된다.

비록 출혈에 대해 통일된 방법론이 제시 되지 못해 정확한 비교를 하는 것은 어렵지만, 프로게스틴-단일 미니필이나, 복합제제, 피임패치, 링, 자궁내 피임장치 그리고 주사 및 삽입 피임장치 등 모든 종류의 호르몬 피임제들은 비정상적인 출혈과 관련이 있다. DMPA (depomedroxy progesterone acetate) 사용자들 중 50% 이상에서 사용 1년 후쯤부터 무월경이 발생하고, 복용 동안 불규칙한 출혈이 흔히 나타나므로 사용자에 대한 사전 교육이 매우 중요하다. 이런 호르몬제 복용에 의한 출혈의 기전에 대해선 아직 잘 정립된 바 없다. 위축된 자궁내막 또는 신생혈관생성 연관 요소들이 관련 있을 거라 생각하여 치료방법 선택 시 이러한 사항이 고려되고 있다. 하지만 호르몬 피임 제제 복용 중 발생하는 출혈을 단지 호르몬 작용에 의한 질출혈이라고만 단정지어서는 안 된다. 자궁경부염 또는 자궁내막염 같은 다른 국소적인 출혈의 원인들이 호르몬 치료를 하는 도중 발생할 수 있다. 특히나 성매개병(STDs)의 위험성이 있는 청소년들에겐 더 각별한 주의가 필요하다.

④ 혈액질환

청소년기 그룹에서 비정상 출혈이 혈액학적 원인일 가능성에 대해서도 고려해 보아야 한다. 한 고전적 연구에서 과다 출혈을 비롯한 비정상 출혈 증상으로 응급실을 방문한 사례를 분석한 결과, 혈액응고장애에 의한 질출혈의 원인으로는 가장 많은 경우가 특발혈소판감소자색반병(ITP)이었고, 그 다음은 von Willebrand 병이었다. 환자 문진을 통하여 최근에 멍은 잘 들지 않았는지, 잇몸출혈은 없었는지, 코피는 잘 나지 않았는지, 혈액질환의 가족력은 없는지를 문의해야 한다. Von Willebrand 병의 발병률은 1% 내외로, 가벼운 증상인 생리과다가 유일한 증상이다. 특히 초경 시 심각한 생리 과다가 있는 청소년들은 von Willebrand 병을 포함해 혈액응고장애 선별검사를 해보아야 한다.

⑤ 감염에 의한 출혈

자궁경부염, 특히 클라미디아 감염이 있는 여성은 불규칙한 질출혈 또는 성교 후 출혈 등을 보일 수 있다. 청소년들은 다른 어느 연령대 보다 클라미디아 감염률이 높으므로, 성적으로 왕성한 십대의 경우 클라미디아에 대한 선별검사를 반드시 시행해야 한다. 성 전염 매개체에 감염된 환자에게 과다생리가 초기 증상으로 나타날 수 있다. 성적경험이 있는 다른 어떤 연령 그룹보다도 청소년기는 골반 내 감염 발병률이 높다.

⑥ 기타 내분비 이상 또는 전신성 질환

비정상 출혈은 갑상선 기능이상과도 연관이 있다. 십대에서 갑상선 질환의 징후나 증상은 비교적 감지하기 힘들 수 있다. 간 기능이상은 응고인자형성장애로까지 이어질 수 있기 때문에 반드시 고려되어야 한다. 고프로락틴혈증은 무월경이나 불규칙 출혈을 유발할 수 있다.

사춘기 동안 다낭성난소증후군(PCOS)는 발생할 수 있고 진단 기준이 아직 명확하지 않지만, 안드로겐의 과다생성(다모증, 여드름)은 신속히 평가할 수 있다. 안드로겐 장애는 성인여성 약 5 내지 10%에서 발생하고, 가장 흔한 여성 내분비장애이다. 사춘기 시기에 다낭성난소증후군은 기능적 난소 고안드로겐 혈증 또는 지연 부분 발현하는 선천성 부신 과형성증을 유발할 수 있다. 이러한 장애는 종종 간과되고 인식되지 않으며 치료되지 않기도 한다. 경미한 증상을 보이는 여성들은 정상 체중을 위한 생활양식 개선을 포함한 중재적 시술과 비정상 출혈, 다모증을 조절하기 위해서 약물적인 처치를 실시한다. 이러한 장애는 제2형 당뇨병, 자궁내막암, 뇌혈관질환의 전구인자로 볼 수 있다. 여드름, 다모증, 불규칙한 생리는 종종 청소년기에 정상으로 여겨지지만, 이는 고안드로겐혈증의 징후일 수 있다. 안드로겐 기능이상은 청소년기를 넘어서까지 유지될 수 있으며 비만, 다모증, 여드름은 상당한 정신사회적인 비용을 최소화하기 위해서도 평가되어져야 한다. 안드로겐 변화를 조기에 감지하고, 적절히 대처한다면 부분적으로나마 정상으로 되돌릴 수가 있다. 생활양식과 행동변화요법(식이요법, 운동요법)이 강하게 권고되지만, 진료실에서 구두로 설명만 하고 추적관찰을 하지 않는 경우에는 목표를 달성하기 어려우므로 지속적인 외래 추적관찰을 통하여 환자와 소통하고 지지해주는 것이 중요하다. 흑색가시세포증(acanthosis nigricans)이 확인되면 이에 대한 적절한 평가 및 처치가 필요하다.

⑦ 해부학적 원인

폐쇄성, 부분 폐쇄성 생식기 기형에 따른 임상증상은 청소년기에 특징적으로 나타난다. 폐쇄성 세로 질 격막이나 중복자궁과 같은 복합 뮐러관 형성장애는 질 혈종이나 자궁혈종을 유발할 수 있다. 이러한 폐쇄성 기형에서 작은 유출구가 있다면, 진한 갈색의 질분비물(old blood)이 관찰되거나 이는 골반종괴와 동반해서 나타날 수 있다. 자궁과 질의 다양한 기형이 존재할 수 있고, 이는 이러한 생식기 기형을 전문으로 다루는 임상의에 의해서 정확한 진단 및 치료가 이루어져야 한다.

(3) 청소년기의 비정상적 질출혈의 진단

① 검진

흑색가시세포증, 얼굴, 가슴 혹은 유륜부 주위나 복부에서 털이 자라는 것과 같은 안드로겐 과다 징후는 일반적인 신체진찰에서 발견되어 질 수 있다. 많은 여성과 소녀들에게 체모는 관습적으로 잘 받아들여지지 않기 때문에 제모 방법(표백, 왁싱, 제모기 사용, 면도, 털뽑기)과 관련된 질문도 신체진찰을 하는 중에 물어봐야 한다. 완전한 골반 진찰은 성관계를 하는 여성, 극심한 골반 및 허리 통증이 있거나 해부학적인 기형을 가진 환자들에게는 시행되어야 한다. 성생활이 활발한 환자라면 질경검사를 하는 중에 임질, 클라미디아 감염에 대한 검사를 하는 것이 적절하다. 전형적인 무배란의 경력이 있고, 성적인 활동이 없으며, 향후 추적검사 및 평가를 위한 재방문이 가능한 10대 환자의 경우 제한적 부인과 검진과 골반 초음파검사를 시행 할 수 있다.

② 진단검사

비정상 출혈이 있는 청소년에서 임신 테스트는 성관계 여부와 상관없이 실시해야 하고, 임신에 대한 합병증도 적절하게 평가되어야 한다. 임신 테스트와 혈소판 수치가 포함된 일반혈액검사(complete blood count, CBC)와 혈액응고인자, 혈소판기능장애를 선별하는 검사를 실시해야 한다. 국제 전문가 위원회에서는 부인과 의사가 출혈장애를 의심하고 진단을 할 경우에 대한 권고안을 만들어 놓았다. 권고안은 공통적 검사로 일반혈액검사(CBC), 혈소판수와 기능, PT, aPTT, VWF (ristocetin cofactor activity와 antigen, factor VIII 측정), 피브리노겐 측정을 시행하고, 혈액전문가와 협진을 권고하고 있다. 갑상선호르몬 수치 또한 검사해볼 필요가 있으며, 성매개병(STDs)검사는 자궁경부조직뿐 아니라 DNA 증폭기술을 이용한 소변검체를 이용하여 확인한다. 일반적으로 자궁 경부 세포진검사는 과도한 출혈로 응급실로 내원하거나 급하게 방문한 청소년들에게는 적절하지 않다.

③ 영상 진단

만약 임신반응검사가 양성인 경우, 자궁내임신을 확인하고 자연유산이나 자궁외임신을 감별하는데 초음파검사는 필수적이다. 만약, 부인과 신체검진에서 골반종괴가 의심되고 추가정보가 더 필요한 경우 골반초음파는 유용한 검사방법이다. 비록 질식초음파검사가 복부초음파보다 골반구조를 알아내는데 더 유용하더라도 어린 소녀나 탐폰 사용경험이 없고, 성경험이 없는 여성에게 질식 탐식자(probe)를 사용하는 것은 적절하지 못하다. 성적활동이 있는 청소년의 경우, 질식초음파검사의 맹목적인 금지보다는 의학적 판단이 우선될 필요가 있다.

초기 검사로는 적용되지 않지만 몇몇 경우에는 초음파 이외의 영상학적 검사가 도움이 될 수 있다. 만약골반 초음파검사를 통해 질격막, 자궁격막, 자궁중복, 질의 무형성이 의심이 되지만 해부학적으로 명확하지 않을 때, 자기공명영상(MRI)이 해부학적 이상을 진단하는데 도움이 된다. 복강경이 비정상 구조를 명확히 하는데 사용 될 수도 있지만, 이러한 영상학적 검사가 자궁과 질 발달 이상을 평가하는데 많은 도움이 된다. 컴퓨터단층촬영술(CT)은 생식기 외의 복강내이상을 발견하는데 유용할 수 있다.

(4) 비정상 질출혈의 치료

임신, 갑상선 기능이상, 간 기능이상, 혈액학적 이상 혹은 안드로겐과다증후군과 관련된 비정상 출혈의 치료는 그 기저원인에 따라 달라진다. 경구피임약은 안드로겐과다증후군, 선천적 출혈 이상과 무배란에 도움이 된다. 그러나 호르몬 경구피임약을 시작하기 전에 적절한 평가가 이루어져야 한다.

Mefenamic acid 등과 같은 비스테로이드성 소염제의 사용은 위약에 비해 생리양을 감소시켰다. 항섬유소용해제인 tranexamic acid는 과도한 생리혈을 감소시키는데 보다 효과적이며, 2009년 미국식약청(FDA)의 승인을 받았다. 적절한 검사에 의한 특정 진단이 감별된 후, 경구피임약 등의 호르몬 치료를 해 볼 수 있다.

① 무배란: 경미한 출혈

혈색소 수치가 적절하고 일상생활에 약간의 지장만이 있는 경미한 비정상 출혈이 있는 청소년들에게는 생리주기 양상 파악, 잦은 면담 및 추적관찰을 하고 필요시 철분을 보충해 주는 것이 가장 적절하다. 만약 환자에게 과도한 출혈이 있거나 출혈의 기간이 연장되는 상황이 발생할 때 혹은 과도한 출혈 이후 자연적으로 출혈이 감소되더라도 향후 반복적으로 출혈이 발생할 가능성이 높기 때문에, 원인에 따른 적절한 평가 및 처치가 이루어져야 한다. 간헐적 출혈은 주로 무배란성 출혈일 가능성이 높으며, 이는 치료가 동반되지 않으면 지속될 가능성이 높다.

경미한 빈혈이 있는 환자는 호르몬 치료를 할 경우 이득을 볼 수 있다. 환자가 평가기간에 출혈이 없고, 에스트로겐 사용 시 금기사항이 없는 경우, 피임 시 사용하는 것과 같은 방식으로 저용량 복합 경구피임약을 사용할 수 있다. 만약 환자가 성경험이 없다면 환자가 계속 이 처방을 유지할 것인지 결정하도록 3-6주기 후, 재평가되어야 한다. 부모들은 간혹 딸이 성경험이 없는 경우, 경구피임약을 사용하는 것에 대해 반대할 수 있다. 이러한 반대는 주로 경구피임약의 잠재적 위험성에 대한 오해에서 근거한 것으로, 이는 의학적 치료로서의 경구피임제의 역할을 주의 깊게 설명함으로써 극복할 수 있다. 호르몬요법이 첫 성경험 시기를 재촉한다는 이유로 경구피임제 사용을 반대하는 경우도 있을 수 있으나, 이를 뒷받침하는 자료는 없다. 만약 경구피임약 투약에 금기증이 될 만한 개인력 및 가족력이 없다면 복합 경구피임약이 청소년기의 비정상 출혈의 치료에 여러 가지 이유로 적절하다.

- 성관계를 경험한 10대의 비율은 5.3%이다.
- 성관계 시작 나이는 2006년 14.2세, 2007년 14세, 2011년 13.6세로 점차 빨라지고 있다.
- 청소년들은 첫 성경험 후 적절한 의학적 피임법을 찾기 위해 수 개월을 기다린다.
- 성관계를 경험한 여학생의 10.5%는 임신을 경험한 적이 있다.

이런 이유로 경구 피임약의 지속적 사용에 대한 논의가 있어야 하고, 그리하여 의학적 위험요소가 적다는 것에 대해 부모님을 안심시켜야 한다. 피임을 위해 경구피임약을 유지할지 혹은 비피임성의 이익(여드름개선, 생리통의 감소, 생리주기의 규칙성, 자궁내막암과 난소암의 방지효과)

을 선택할 수 있다. 때때로 부모님들에게 경구피임약의 안전성에 대한 정확한 정보가 제공되어야 하는데, 60-70년대 사용된 제제보다 저용량의 에스트로겐이 함유되어 있음을 주지시켜야 한다. 그리고 경구피임약의 피임 효과를 전혀 원하지 않는 경우, 호르몬 불균형으로 인한 증상을 해결하기 위하여 주기적 프로게스틴요법을 시도해 볼 수 있다. 무배란성 출혈의 치료에 대한 복합호르몬요법과 프로게스틴 단독요법을 비교한 결과 단독요법의 효능을 지지하는 증거가 보고되었다. 부인과 초음파에서 특이 소견이 관찰되지 않았다면 MPA (medroxyprogesterone acetate) 5-10 mg/day을 매 1-2달, 10-13일 동안 복용하는 요법은 과도한 자궁내막증가와 에스트로겐 자극의 무저항에 의한 불규칙한 탈락을 방지한다. 이 요법은 주기적으로 재평가 되어야 하고, 경구 철복용과 함께 고려되어야 한다. 고안드로겐혈증과 같은 기저질환이 없는 경우에는, HPO axis의 최종 성숙이 대게 규칙적 생리를 완성할 수도 있다.

② 급성 출혈

가. 중등도 출혈

급성 출혈이 있지만, 안정적 상태이고 입원이 요구되지 않는 환자는 무배란성 출혈을 효과적으로 멈추기 위해 기존 경구피임약 용량보다 고용량을 복용하는 것이 권장된다. 효과적인 요법으로는 20-25 ㎍의 ethinyl estradiol이 함유되어 있는 복합단상제제인 경우 매 6시간마다 약을 투약하다가 질출혈이 줄어들면 매 8시간마다, 매 12시간마다 그리고 하루에 한 번으로 호르몬 제제 투약을 점점 줄여볼 수 있다. 이러한 복합경구피임약은 부인과 초음파에서 자궁내막이 정상이거나 두꺼워져 있는 경우 투약을 고려해 볼 수 있으며, 고용량으로 투약을 시작하는 경우 대개 24-40시간 이내에 출혈이 줄어드는 것을 확인할 수 있다. 그 이후에는 용량을 줄여 지속적으로 투약을 하다가 중단해야 하는데, 이는 비동시적 자궁내막(dyssynchronous endometrium)의 탈락과 출혈을 멈추게 하기 위함이다. 이 요법을 시행할 때는 환자와 부모에게 고용량호르몬요법의 잠재적 부작용(오심, 유방압통, 파탄성 출혈)에 대한 주의사항을 경고해야 한다. 환자는 복용을 중단하기 보다는 어떠한 이상 소견에 대해서도 의료진에게 연락하도록 교육받고 호르몬 복용 중단 시 과다 생리가 재발할 수 있음을 이해하여야 한다. 고용량 호르몬을 이용한 과다 출혈조절 후 감량요법의 첫주기 동안에는 소퇴성 출혈의 양이 많을 수 있다는 사실을 숙지해야 한다. 이러한 출혈은 이후 저용량 복합경구피임약으로 조절될 수 있고 3-6달의 시속적 복용으로 규칙적인 소퇴성 출혈을 유도할 수 있다. 만약 환자가 성적 활동이 왕성하지 않을 경우, 3-6달 복용 후 약을 중단함으로써 정상적인 생리주기 회복을 기대해 볼 수 있다. 또한 에스트로겐 투약에 금기가 되거나 부인과 초음파상 자궁내막 두께가 정상이거나 두꺼운 중등도 무배란성 출혈이 있는 경우 고용량의 프로게스틴 단일 제제(medroxyprogesteroe acetate 10-10 mg twice a day, megestrol acetate 20-40 mg twice a day) 투약을 고려해 볼 수 있다. 한번 투약을 시작하면 약 3주간은 지속해야 하며 투약 7-10일 이후 출혈의 양이 줄어들면 약 용량도 줄이면 된다.

나. 응급조치

환자의 입원 결정은 현재 출혈정도와 빈혈의 중증도에 따른다. 실제적인 급성 출혈량은 초기 일반혈액검사에 충분히 반영되지 못하고 대신 연속적 혈색소 평가로 알 수 있다. 급성생리과다의 원인으로 일차성 혈액응고장애가 있을 수 있으므로 급성 생리과다가 있는 청소년기 환자에게 국제위원회 권고사안에 명시되어 있는 혈액응고검사는 반드시 시행되어야 한다.

Von Willebrand 병, 혈소판장애, 혈액학적 악성종양이 과다생리의 원인이 될 수 있다. 환자의 혈역학적 안정성을 고려하여 혈액검사가 진행되어야 하며 수혈을 시행하는 것에 대한 결정은 신중하게 내려져야 한다. 또한 수혈을 함으로서 발생할 수 있는 이득과 위험성은 청소년 환자와 부모에게 알려주어야 한다. 대개, 환자가 혈역학적으로 불안정하지 않는 한 수혈은 필요하지 않다.

예외적으로 무배란성 출혈으로 진단된 환자에게 호르몬 치료를 먼저 시도해 볼 수 있으며, 필요에 따라 수술적 치료(경관 확대 소파술, 자궁경 혹은 복강경수술) 또한 고려될 수 있다. 심각한 출혈로 입원한 환자에게는 다음과 같은 적극적인 치료가 필요하다.

- 환자가 안정된 후, 적절한 검사를 통해 무배란성 출혈임이 진단된다면, 호르몬요법으로 출혈은 대개 조절된다.
- Ethinyl estradiol 20-25 ㎍이 함유되어 있는 복합경구피임약을 복용하는 경우 7일 동안 하루 최대 4번까지 복용이 가능하며, 대개 24-40시간 이내에 효과가 나타난다. 다른 방법으로는 결합 에스트로겐(conjugated estrogen)을 첫 24시간 동안은 매 4시간마다 25 mg 정맥주사로 투약하거나, 매 6시간마다 2.5 mg 경구로 투약하는 방법이 효과적이다. 고용량의 에스트로겐을 투약하는 경우 오심이 발생할 수 있으므로 항구토제를 함께 투약하기도 하며, 혈전색전증의 위험이 증가할 수 있음을 주지시키는 것이 중요하다.
- 만약 이와 같은 호르몬요법이 효과를 보이지 않는다면, 환자는 재평가를 통하여 진단이 다시 이루어져야 한다. 호르몬요법의 실패는 출혈의 원인이 국소적이라는 것을 의미할 수 있으며 이러한 경우, 골반초음파를 통해서 해부학적 원인에 의한 출혈(자궁근종, 자궁내막용종 혹은 자궁내막증식증)과 자궁의 수축을 방해하여 출혈을 지속시키는 자궁내의 혈전의 유무를 확인하여야 한다. 청소년에게서 해부학적인 원인에 의한 과다생리는 드물지만 가임기여성으로 갈수록 흔하게 나타난다.
- 만약 자궁내 혈전들이 발견된다면, 흡입 소파술및 경관확대 소파술으로 그 혈전들을 제거하여야 한다. 경관 확장 소파술이 출혈을 멈추게 하는데 즉각적인 효과를 보이지만, 청소년에게는 잘 시행되어지지 않는다.

경관 확대 소파술 외에 더욱 과감한 형태의 치료법(레이저 혹은 냉동요법을 통한 자궁내막절제술)들은 난임의 원인이 될 수 있으므로 청소년들에게 시행하는 것은 부적절하다.

만약 정맥주사 혹은 경구를 통한 호르몬요법이 출혈을 조절할 수 있다면 자궁내막을 안정시키기 위해서 경구 프로게스틴(medroxyprogesterone acetate 5-10 mg daily for 7-10 days) 복용을 추가하거나 복합경구피임제로 바꾸어주는 것이 필요하다. Ethinyl estradiol 30-35 ㎍ 함유되어 있는 복합경구피임약을 투약하게 되는 경우에는 감량요법(tapering regimen)으로 약 용량을 조절하게 된다. 첫 4일간은 하루에 4알, 그 이후 3일간은 하루에 3알, 그 이후 2일간은 하루에 2알, 그 이후 3주간은 하루에 한 알 복용을 할 수도 있으며, 또 다른 방법으로는 첫 날에는 하루 5알, 둘째 날에는 하루 4알, 셋째 날에는 하루 3알, 넷째 날에는 하루 2알, 그 이후로는 2-3주간 하루 1알로 지속 투약할 수도 있다. 복용하는 약의 정도는 점점 줄여서 결국에는 복용을 중단하도록 하여 매우 두꺼워져 있을 수 있는 자궁내막의 소퇴성 출혈이 있도록 한다. 정상적인 생리주기를 위해서 하루 한 번 복용하는 저용량 복합경구피임약 복용은 3-6주기 동안 지속하고, 원한다면 더 오래 사용할 수도 있다. 최초의 고용량경구피임약 치료 후 용법을 조절하여 경구피임약의 복용량을 늘이거나 줄이면서 하루에 2-3번 복용하는 것은 추천되지 않고 있다.

일반적으로, 비정상적인 출혈을 경험한 젊은 여성에서 정상적인 배란주기를 유지하고 정상적인 임신을 하게 되는 예후는 좋다. 특히 초경 후 첫 몇 해간의 무배란으로 인한 비정상 출혈이 있었던 환자나 다른 특별한 문제가 없는 환자에서는 더욱 그러하다. PCOS와 같은 다른 기저질환이 있는 청소년들은 사춘기 중, 사춘기 후, 그리고 성인이 되어서도 비정상적인 출혈이 있을 것이기 때문에 지속적인 경구피임약의 복용을 통해 다모증, 여드름, 생리불순을 관리할 수 있다. 이러한 사람들에서는 임신을 위해서 결국에는 배란 유도가 필요할 것이다. 하지만 청소년 환자들에게 자신들이 난임이라고 생각하지 않도록 알려주어야 할 것이다. 응고장애가 있는 환자들은 tranexamic acid 혹은 intranasal desmopressin과 같은 경구피임약의 지속적인 사용으로 관리가 가능할 것이다.

프로게스틴을 방출하는 자궁내 피임장치(IUD)가 과다 출혈에 효과적일 수 있으며, 청소년에게 사용하는것도 적합할 수 있다. Levonorgestrel 분비 IUD는 피임을 해야하는 여성에서, 그리고 월경량이 많거나 월경통이 심한 여성에서 치료법으로 FDA 승인을 받았으며, 이러한 경우에 가장 선호되는 치료법으로 추천되고 있다.

③ 장기 생리 억제요법

혈액응고장애, 화학요법을 요하는 암, 발달장애와 같은 기저질환을 가지고 있는 환자에서는 장기간의 생리억제를 통한 치료적 무배란을 아래 방법을 따라 시행하는 것이 필요하고 도움이 될 수 있다.

- 경구 norethindrone, norethindrone acetate, 또는 medroxyprogesterone acetate와 같은 프로게스틴의 매일 지속적 복용
- 경구 에스트로겐과 프로게스틴의 지속적(비주기적) 복합요법 또는 위약 기간(placebo week) 동안 소퇴성 출혈을 유발하지 않는 비경구 복합 에스트로겐/프로게스틴(경피적 패치, 질내 링)
- 에스트로겐 병합 또는 병합되지 않은 프로게스틴의 depot 제제(DMPA)
- 에스트로겐 보충약물요법 포함 또는 포함되지 않은 생식샘자극호르몬분비호르몬 작용제(GnRHa)
- Levonorgestrel 뷰 장치(IUD)

용법의 선택은 에스트로겐 기능을 못하게 하는 활동성 간 질환 같은 다른 금기증이 있는지와 임상의의 경험에 달려 있다. 이런 장기간 억제 치료의 목표가 무배란임에도 불구하고, 모든 용법은 파탄성 출혈을 동반한다. 1년간 무배란율은 주기 복합 경구 피임제는 90%, DMPA는 50%, levonorgestrel 분비 IUD는 50%에 이른다. DMPA와 GnRH 작용제가 골밀도에 불리한 영향을 미치기 때문에, 강력한 위험요소와 의학적 이익을 비교해 보아야 한다. 규칙적 추적검사와 지속적 환자 격려는 또한 필요하다. 혈색소 수치 감소가 동반되지 않은 점상 출혈, 파탄성 출혈은 경과관찰해도 되지만, 파탄성 출혈이 혈색소 수치에 영향을 미칠 경우 기저질환이 있는지 평가해야 한다. 예를 들어, 기저 혈소판 기능장애를 가진 환자가 파탄성 출혈을 일으키면 낮은 혈소판 수치를 보인다. 간 질환을 가진 환자의 출혈은 간 기능의 악화를 의미한다. 다른 특별한 원인이 없는 과도한 파탄성 출혈에서는 호르몬제 단일 치료보다 비스테로이드성 소염제와 저용량 호르몬의 보충 치료가 도움이 될 수 있다.

2. 골반종괴

소아 및 생식기가 미성숙된 연령에서는 골반종괴는 자궁과 부속기(난소, 난관)인 경우가 대부분이고, 그 외에 개복수술이나 복강내손상이 있었던 경우에 복막의 유착부위에 생기는 복막의 포함물낭(peritoneal inclusion cyst)이 있다. 이외에 태생기 발달장애로 인하여 생기는 여러 선천성 종괴들이 있을 수 있다. 부인과적인 원인 이외에도 비뇨기계 또는 위장관계에서 종괴가 유래할 수 있다.

1) 초경 전 소아의 골반종괴

신생아에서부터 초경 전 소아의 경우에는 골반이 매우 작고 좁기 때문에 골반종괴가 종종 복부에 위치하게 되므로 복부종괴와 감별이 필요하다. 증상으로 급성 통증이 흔하고 이는 염전에 의한 경우가 많다. 크기가 커짐에 따라 골반종괴는 난소인대가 길어지게 되고이는 염전의 원인이 될 수 있다. 대부분의 경우 증상이 없으며 복부초음파를 하다가 우연히 발견된다. 이 시기의 골반종괴는 난소가 가장 많고 다음으로 콩팥에서 흔하다. 그러므로 선천성 이상을 포함하여 복강내 여러 장기에 대한 검사가 필요하다. 진단은 주로 초음파검사가 유용하고 처녀막이 온전한 경우에는 항문을 통하여 조심스럽게 질식 탐식자를 삽입하여 초음파검사를 하면 좋은 영상을 얻을 수 있다. 10세 미만 소

아에서 가장 흔한 종양은 생식세포종이며, 사춘기에는 빈도가 줄고 상피성 신생물은 나이가 들어가면서 빈도가 증가한다.

신생물종양이 발달장애생식샘(dysgenetic gonads)에서 발생할 수 있다는 것은 잘 알려져 있다. Y 염색체를 가진 환아의 발달장애생식샘의 25%에서 악성종양이 발견된다. XY형 또는 모자이시즘의 생식샘발달장애를 가진 환자에서 생식샘제거술이 반드시 필요하다.

단방성 낭종은 거의 대부분 양성이고 3-6개월 이내에 자연 퇴행되므로, 난소절제나 난소낭종절제 등의 수술적 치료를 시행하지 않는다. 기능성 난소종괴에 대한 조급한 수술적 치료가 골반내 유착을 일으켜 향후 임신에 영향을 줄 수 있기 때문이다. 단, 난소염전이 강력히 의심되면 진단적 복강경을 고려해야 한다. 수술을 시행하게 되는 경우에는 장차 내분비기능과 가임능력에 미칠 영향에 대해 반드시 주의를 기울여야 하며, 양성종양 환자에서는 난소조직의 보존이 최우선 순위이다. 컴퓨터 단층촬영, 자기공명영상 및 도플러 혈류검사 등의 추가적 영상검사가 진단에 도움을 줄 수 있다. 고형부분의 소견이 보이면 생식세포종의 위험이 높으므로 수술적 평가(동결 절편)이 필요하다.

2) 초경 후 청소년 연령의 골반종괴

(1) 자궁종괴

자궁의 평활근종은 이 연령에서 드물다. 이 연령기에 발견되는 자궁종괴는 주로 폐쇄성 자궁-질 기형이며, 초경 혹은 그 직후에 나타난다. 특히 최초에 산부인과가 아닌 의사가 환자를 보는 경우에 자궁의 선천적 이상을 확인하지 못하여 진단이 늦어지게 된다. 자궁기형에 의한 임상양상은 기형종류에 따라 다양하게 나타난다. 자각증상으로는 주기적 통증, 무월경, 질분비물, 종괴(복부, 골반 또는 질)가 있다. 조직 간의 구별이 어렵거나 기형이 의심되면 MRI 검사가 가장 좋고 감별진단에 도움이 된다. 월경과 증상에 대한 병력청취와 골반진찰이 진단에 필수적이다. 골반진찰을 처음 경험하는 것에 대한 불안과 함께 성경험에 관련된 질문의 비밀보장 또한 청소년에게는 중요한 문제이다. 다른 연령에서와 같이 청소년기 골반종괴 진단에 있어 초음파검사가 기본 진단법이다. 질식초음파검사가 복부초음파에 비해 더 세밀하기는 하지만 청소년에게 질식초음파검사는 적당하지 않은 경우가 많다. 초음파검사만으로 결론을 내리기가 어려운 경우 전산화 단층촬영이나 자기공명영상검사 촬영이 도움이 된다. 임상병리검사로써 성관계 경험 여부를 고려하여 임신반응검사를 실시해야 하며, 혈액학검사가 염증성 질환 진단에 도움이 된다. 종양표지물질로 알파태아단백(alpha-fetoprotein)과 hCG 검사를 시행하는데 생식세포종양에 대한 수술 전 검사 및 추적검사에 유용하다. 수술하기 전에 해부학적 구조에 대한 정확한 평가가 필수적이며 자궁과 질의 기형이 있는 경우 특히 중요하다. 청소년기의 여성이 복통을 호소하는 경우 반드시 적절한 영상 의학적검사를 실시하는 것이 필요한데, 이는 복합적인 자궁과 질의 기형이 있다면 면밀한 수술 계획과 결정에 도움이 되기 때문이다.

(2) 난관종괴

성활동이 왕성한 경우에는 골반염증성 질환 발생의 가능성이 높아서, 골반 통증을 호소하는 경우 골반에서 염증성 종괴가 발견되는 것이 드물지 않다. 그런 종괴로는 난관난소복합체(tubo-ovarian complex), 난관난소고름집(tubo-ovarian abscess), 고름난관(pyosalpinx), 물난관증(hydrosalpinx)등이 있다.

골반염증성 질환의 진단은 일차적으로 문진과 진찰에 의하여 임상적으로 결정된다. 하복부나 골반 또는 자궁 부속기 부위의 압통, 자궁목을 흔들 때 생기는 동통, 점액 고름성 질분비물, 체온 상승, 백혈구의 증가 등으로 결정한다.

영상학적 방법으로 초음파검사를 하여 자궁부속기에 의심되는 종괴를 확인 할 수 있으며, 더욱 정밀한 조사를 위해서는 MRI 검사가 도움이 된다. CT 검사는 연조직 간의 구별이 어렵다.

치료는 골반염증성 질환에 준하여 치료를 하지만 가임력을 최대한 확보하도록 애써야 한다.

임상적으로 골반염이나 난소난관농양으로 진단된 후

항생제 투여 후에도 증상이 계속되는 환자에서는 정확한 진단을 위하여 복강경을 실시하여야 한다. 진단이 부정확한 경우가 1/3에 이르므로, 복강경수술을 시행하여 정확한 진단과 함께 필요에 따라 세척, 유착제거, 배농 및 난관이나 난소난관고름집을 세척하거나 염증조직을 제거하는 수술을 실시한다. 염증성 종괴에서 수술이 필요한 경우는 드물지만, 난소난관농양이 파열되거나 광범위항생제 치료에 반응하지 않는 경우는 수술을 고려한다. 이러한 경우에도 가임력 보존을 위해 한 쪽 부속기 절제를 시행하는 선에서 수술을 실시한다.

난관곁낭종(paratubal cyst)은 부인과 수술 중에 우연히 발견된다. 흔히 여러 개가 있으며 직경 0.5 cm부터 20 cm까지 크기가 매우 다양하다. 대부분의 낭종은 증상이 없으며 서서히 커진다. 난관곁낭종은 중간콩팥관(mesonephric duct, Wolffian duct), 중피(mesothelial) 또는 중간콩팥곁관(paramesonephric duct, Mǘllerian duct)에서 기원하는 것으로 알려져 있다. 대부분의 난관결낭종은 난관에서 기원하고 난관처럼 내부에서 점막주름과 내강이 존재하며, 나머지 난관곁낭종은 중피에서 기원한다.

난관곁낭종은 매끈한 얇은 벽이 있고 속은 깨끗한 액체로 차 있으며 종종 작은 낭 여러 개가 있다. 때로는 낭의 내부에 유두종 모양의 증식이 발견된다.

대부분의 난관곁낭종은 증상이 없으며 보통 부인과 수술시 우연히 발견된다. 증상이 있을 땐 보통 둔통을 유발한다. 대체적으로 골반진찰에서 난소종괴와 구별하기가 매우 어렵다. 수술시 보면 난관이 늘어나 커다란 난관곁낭종을 감싸고 있는 것을 흔히 볼 수 있다. 이런 경우 난관곁낭종만 박리하여 제거하고 늘어난 난관은 반드시 그대로 두어야 하며 나중에 정상크기로 돌아온다. 직경 5cm 이상의 난관곁낭종 중에서 내부에 유두상돌기가 있는 경우에는 드물게 저등급 악성신생물도 발견되므로 흡입하거나 복강 내에서 터지지 않도록 하는 게 바람직하다. 난관곁낭종은 임신 시 급격히 커질 수 있으며, 임신이나 산욕기에 염전이 발생할 수 있다.

(3) 정상임신 및 자궁외임신

골반종괴의 원인으로 반드시 임신 가능성을 염두에 두어야 한다. 한 연구에서는 20세 미만 여성 중 5.2%가 성경험이 있는 것으로 조사되었으며(구병삼 등. 1996), 성의식의 급격한 변화로 점차 증가할 것으로 보인다. 청소년은 부모나 친구에게 알려질 것에 대한 두려움 또는 월경주기와 가임시기에 대한 지식이 낮아서 병력청취 시 임신 가능성을 부인할 가능성이 높으므로 성관계 경험에 대하여 진술하는 것에 관계없이 임신반응검사를 실시하는 것이 바람직하다. 자궁외임신에서도 골반통과 부속기종괴가 나타날 수 있다. 베타 hCG 정량측정이 가능해진 덕분에 자궁외임신이 파열되기 전에 발견되는 수가 많아지게 되어 난관을 보존하면서 복강경수술이나 methotrexate를 이용한 약물치료도 가능하다.

(4) 난소종괴

초경 이후에는 기능성 종괴가 발생할 가능성이 높아지며, 악성 신생물의 위험은 청소년기보다 소아연령에서 더 높다. 10세 미만 소아에서 가장 흔한 종양은 생식세포종이며, 사춘기에는 빈도가 줄고 상피성 신생물은 나이가 들어가면서 빈도가 증가한다. 청소년기에서는 양성 유피기형종이 가장 흔한 신생물이며, 20세 미만 여성에서 생식 난소신생물의 절반 이상을 차지한다. 자궁내막증은 빈도가 낮지만 사춘기에 발생가능하다. 만성 통증으로 의뢰된 사춘기 소녀 절반이상이 자궁내막증을 가진다. 자궁내막증이 있는 청소년은 관련된 폐쇄성 기형이 없지만, 월경역류로 자궁내막증이 일어날 수 있다. 젊은 여성에서의 자궁내막증 병변은 전형적이지 않아서 색소침착이 없거나 잔물집(vesicle), 복막의 주름 등으로 나타난다.

무증상의 단방성인 낭종은 악성의 가능성이 낮으므로 수술하지 않고 보존적인 치료를 한다. 즉 증상이 있거나 진단이 불확실하여 수술이 필요한 것으로 판단되면 수술 후 골반 내 유착에 의한 불임의 위험성을 최소화하기 위해 주의를 기울여야 한다. 또한, 난소조직을 보존하여야 한다. 한쪽 난소의 악성종양이 있다면 전이가 있는 경우에라도 자궁과 반대쪽 난소를 보존하면서 한쪽 난소절제만 실시할 수도 있다.

(5) 복막의 포함물낭(peritoneal inclusion cyst)

복막의 유착된 부위에 복막액이 국소적으로 고이는 것을 말하며, 과거의 개복수술, 자궁내막증, 또는 골반염증성 질환과 관련있다. 복막이 감염되거나 물리적인 손상을 받으면 성질이 변화되어, 액체의 흡수가 느려지고 복막액의 제거가 감소하여 결국 비정상적으로 액체가 고이게 된다. 이 복막액은 활동성 난소에서 삼출되는 액으로 형성된다. 이는 그 액 속에 난소에서 생산되는 스테로이드호르몬이 혈액보다 더 높은 농도로 있는 것으로 보아 증명된다. 임상증상은 때때로 하복부 팽만, 불편감, 동통으로 나타난다. 진단은 임상적인 과거력과 영상진단으로 가능하다. 특히, 복막의 유착이 있으면서 복강 내에 액체가 방을 형성하고 있는 게 확인될 때, 낭의 안쪽에서 난소가 확인되거나(spider web pattern) 한쪽 벽에서 같은 쪽의 완전한 난소가 확인될 때 더욱 확실하다.

초음파의 소견을 보면, 대개는 한 쪽에만 생기고(65%), 경계가 불분명하고 흐릿하며 형태는 불규칙한 경우가 대부분이지만(81%) 때로는 낭성형태를 나타내기도 한다. 많은 경우 사이막형성을 하고 있고(81%), 낭의 내용물이 대부분 무에코이지만(77%) 일부 낮은 에코를 보이기도 한다. 같은 쪽의 난소가 낭의 안이나 벽 또는 낭의 밖에서 확인된다(81%).

수술은 골반통(50%), 자궁부속기종괴(50%), 복부 불편감과 팽만(27%)으로 수술을 하게 된다. 복강경 또는 개복수술로 유착을 제거하고 낭을 해소하는 것은 제한적으로 시술해야 할 것이며 수술 후에도 재발이 많아서 주의가 필요하다.

비수술적 치료로 복부나 질을 통과하여 카테터를 낭 속에 삽입하고, 100% povidone-iodine 또는 순수 알코올을 안에 주입하여 낭의 내부를 쪼그라들게 하는 경화요법(sclerotherapy)가 있다. 90%에서 성공하며, 재발하면 다시 시도하거나 또는 수술할 수 있다.

이 시기에 발생하는 종괴의 대부분은 양성 질환에 의하지만 드물게 난소의 악성종양도 발생 가능하므로 의심되면 종양표지물질, 초음파검사, 컴퓨터 촬영을 통하여 평가후 수술을 진행하게 된다. 종양 감축술을 시행할 때에도 가능하면 가임력 보존을 염두에 두고 수술을 진행하여야 한다. 소아 및 미성년 여아의 경우 산부인과적인 질환을 우선적으로 고려하기가 쉽지 않아 치료 시기가 늦어져 생식 능력 저하 또는 불임을 초래하는 경우가 있을 수 있어서 주의를 요한다.

참고문헌

- 보건복지부, 질병관리본부, 교육과학기술부. 제2차(2006년) 청소년 건강행태온라인조사 통계. 2007.
- 보건복지부, 질병관리본부, 교육과학기술부. 제3차(2007년) 청소년 건강행태온라인조사 통계. 2008.
- 보건복지부, 질병관리본부, 교육과학기술부. 제3차(2011년) 청소년 건강행태온라인조사 통계. 2012.
- 신연승, 강길전, 남상륜, 이기환. 소아 및 청년기 부인과 질환의 분포에 관한 연구. 대한산부회지 2001;44:1128-36.
- 최병철, 임승욱, 엄기남, 송경철, 이종민, 김광준, 김석영, 이순표, 이지성, 황병철, 박찬용, 이의돈, 최유덕. 소아 및 청소년기에서 난소종물에 대한 임상병리학적 경험. 대한산부회지 2001;44:769-74.
- Aho T, Upadhyay V. Vaginal water-jet injuries in premenarcheal girls. N Z Med J 2005;118:U1565.
- American Academy of Pediatrics Committee on Adolescence, American College of Obstetricians and Gynecologists Committee on Adolescent Health Care, Diaz A, Laufer MR, Breech LL. Menstruation in girls and adolescents: using the menstrual cycle as a vital sign. Pediatrics 2006;118:2245.
- Anveden-Hertzberg L, Gauderer MW, Elder JS. Urethral prolapse: an often misdiagnosed cause of urogenital bleeding in girls. Pediatr Emerg Care 1995;11:212.
- APGO educational series on women's health issues. Clinical management of abnormal uterine bleeding. Association of Professors of Gynecology and Obstetrics, 2006.
- Bevan JA, Maloney KW, Hillery CA, Gill JC, Montgomery RR, Scott JP. Bleeding disorders: A common cause of menorrhagia in adolescents. J Pediatr 2001;138:856.
- Chi CC, Kirtschig G, Baldo M, Brackenbury F, Lewis F, Wojnarowska F. Topical interventions for genital lichen sclerosus. Cochrane Database Syst Rev 2011;CD008240.

- Committee on Adolescent Health Care, Committee on Gynecologic Practice. Committee Opinion No.580: von Willebrand disease in women. Obstet Gynecol 2013;122:1368.
- DeLago C, Deblinger E, Schroeder C, Finkel MA. Girls who disclose sexual abuse: urogenital symptoms and signs after genital contact. Pediatrics 2008;122:e281.
- Demers C, Derzko C, David M, Douglas J; Society of Obstetricians and Gynaecologists of Canada. Gynecological and obstetric management of women with inherited bleeding disorders. Int J Gynaecol Obstet 2006;95:75.
- Ekinci S, Karnak I, Tanyel FC, et al. Prepubertal vaginal discharge: Vaginoscopy to rule out foreign body. Turk J Pediatr 2016;58:168-71.
- Evans JM, South MM, Karram MM. Vesicovaginal fistula due to remote history of vaginal foreign body. Female Pelvic Med Reconstr Surg 2012;18:374-5.
- Fernandez-Pineda I, Spunt SL, Parida L, Krasn MJ, Davidoff AM, Rao BN. Vaginal tumors in childhood: the experience of St. Jude Children's Research Hospital. J Pediatr Surg 2011;46:2071.
- Fields KR, Neinstein LS. Uterine myomas in adolescents: case reports and a reveiew of the literature. J Pediatr Adolesc Gynecol 1996;9:195-8.
- Gray SH, Emans SJ. Abnormal vaginal bleeding in the adolescent. In: Emans, Laufer, Goldstein's Pediatric & Adolescent Gynecology, 6th, Emans SJ, Laufer MR. (Eds), Lippincott Williams & Wilkins, Philadelphia 2012. p.159.
- Giugno S, Risso P, Ocampo D, Rahman G, Rubinstein DA. Vulvovaginitis in a pediatric population: relationship among etiologic agents, age and Tanner staging of breast development. Arch Argent Pediatr. 2014;112:65.
- Hallatt JF, Steele CH Jr, Snyder M. Ruptured corpus luteum with hemoperitoneum: a study of 173 surgical cases. Am J Obstet Gynecol 1984;149:5-9.
- Hallberg L, Högdahl AM, Nilsson L, Rybo G. Menstrual blood loss-a population study. Variation at different ages and attempts to define normality. Acta Obstet Gynecol Scand 1966;45:320.
- Hauk L, American College of Obstetricians and Gynecologists. ACOG relases guidelines on management of abnormal uterine bleeding associated with ovulatory dysfunction. Am Fam Physicians 2014;89:987-8.
- Heintz J, Chason J, Kramer A. Bilateral ureteral obstruction caused by vaginal foreign body: a case report. Can J Urol 2009;16:4870-2.
- Hill NC, Oppenheimer LW, Morton KE. The etiology of vaginal bleeding in children. A 20-year review. Br J Obstet Gynaecol 1989;96:467.
- Kaplowitz PB, Oberfield SE. Reexamination of the age limit for defining when puberty is precocious in girls in the United States: implications for evaluation and treatment. Drug and Therapeutics and Executive Committees of the Lawson Wilkins Pediatric Endocrine Society. Pediatrics 1999;104:936.
- Laufer MR, Goitein L, Bush M, et al. Prevalence of endometriosis in adolescent girl with chronic pelvic pain not responding to conventional therapy. J Pediat Adolesc Gynecol 1997;10:199-202.
- Mashayekhi S, Flohr C, Lewis FM. The treatment of vulval lichen sclerosus in prepubertal girls: a critically appraised topic. Br J Dermatol 2017;176:307-16.
- Mitan LA, Slap GB. Adolescent menstrual disorders. Update. Med Clin North Am 2000;84:851.
- Murram D, Dewhurst J, Grant DB. Premature menarche: a follow-up study. Arch Dis Child 1983;58:142.
- Pinola P, Lashen H, Bloigu A, Puukka K, Ulmanen M, Ruokonen A, et al. Menstrual disorders in adolescence: a marker for hyperandrogenaemia and increased metabolic risks in later life? Finnish general population-based birth cohort study. Hum Reprod 2012;27:3279.
- Siddiqui NY, Paraiso MF. Vesicovaginal fistula due to an unreported foreign body in an adolescent. J Pediatr Adolesc Gynecol 2007;20:253-5.
- Simon DA, Berry S, Brannian J, et al. Recurrent, purulent vaginal discharge associated with longstanding presence of a foreign body and vaginal stenosis. J Pediatr Adolesc Gynecol 2003;16:361-3.
- Slap GB. Menstrual disorders in adolescence. Best Pract Res Clin Obstet Gynaecol 2003;17:75.
- Southam AL, Richart RM. The prognosis for adolescents with menstrual abnormalities. Am J Obstet Gynecol 1966;94:637.
- Stricker T, Navratil F, Sennhauser FH. Vaginal foreign bodies. J Paediatr Child Health 2004;40:205.
- Toth M, Patton DL, Esquenazi B, Shevchuk M, Thaler H, Civon M. Association between Chlamydia trachomatis and abnormal uterine bleeding. Am J Reprod Immunol 2007;57:361.
- Verstraelen H, Verhelst R, Vaneechoutte M, Temmerman M. Group A streptococcal vaginitis: an unrecognized cause of vaginal symptoms in adult women. Arch Gynecol Obstet 2011;284:95.

제39장

선천성기형 및 성발달장애

이미화 | 차의과학대
김성훈 | 울산의대

1. 선천성생식기기형

생식기기형은 태생기의 발육 이상으로 생식기가 정상적인 형태를 갖추지 못하고 비정상적인 해부학적 구조를 갖게 되는 것을 말한다. 여성생식기의 정상적인 발달을 위해서는 태생기에 관련 세포의 분화, 이동, 융합 및 재흡수 등 복잡한 발달과정이 조화롭게 진행되어야 하는데 세부과정에 오류가 생기면 다양한 형태의 비가역적인 기형이 발생한다. 생식기기형은 정상에서 벗어나는 변형의 종류와 정도에 따라 습관성 유산, 조산, 태위이상과 같은 산과 문제뿐만 아니라 불임, 월경곤란증, 만성골반통 등 생식 및 부인과 문제를 유발한다.

본 장에서는 여성생식기의 정상적인 발달과정을 고찰하고 선천성생식기기형의 임상양상, 진단 및 각각의 치료에 관해 기술하고자 한다.

1) 발생학

성분화 전 단계인 원시생식샘의 발생은 태생기 3-4주경에 시작된다. 이 시기에 비뇨생식기능선이 중간중배엽으로부터 파생되어 배아 중심선 부위에 형성되는데 이 중 생식능선(genital ridge)의 체강상피가 증식하여 생식샘능선(gonadal ridge)을 형성한다. 형성된 생식샘능선에 배아 밖 난황낭에서 분화하여 이동한 원시종자세포(primordial germ cell)가 침투하여 융합되면 원시생식샘이 만들어지게 되는데 이 생식샘은 향후 남성 또는 여성의 생식샘으로 모두 분화가 가능하기 때문에 양잠재성생식샘(bipotential gonad)이라고 한다.

같은 시기에 생식관(genital duct)의 발생도 진행된다. 중간콩팥의 중간콩팥세관에서 중간콩팥관(mesonephric duct)이 먼저 형성되고 다음으로 생식샘능선의 체강상피가 함입되면서 중간콩팥곁관(paramesonephric duct)의 발생이 시작되어 중간콩팥관의 주행을 따라 배아의 꼬리방향으로 자라는데 처음에는 외측에서 주행하다가 중간콩팥관을 가로질러 내측을 따라 주행한다. 중간콩팥관은 볼프관(Wölffian duct)으로 불리며 남성에서 남성의 내부생식기로 분화하게 되고 중간콩팥곁관은 뮐러관(Müllerian duct)으로 불리며 여성에서 여성의 내부생식기로 분화한다.

성분화가 시작되는 태생기 6주경의 배아에는 양잠재성생식샘과 두 쌍의 생식관이 모두 존재한다. 태생기 6주경에 성분화가 시작되는데 Y 염색체 존재 여부에 따라 성이 결정된다. Y 염색체 단완에 위치한 'Y 염색체 성결정부위(sex-determining region of Y, SRY) 유전자가 성결정 연쇄

과정의 초기 단계에 관여하여 *SRY* 유전자가 있는 경우는 양잠재성생식샘이 남성의 고환으로 분화하고 *SRY* 유전자가 없는 경우는 여성의 난소로 분화한다. 이러한 생식샘의 분화 결과에 따라 생식관의 분화 방향이 결정되고 내부생식기와 외부생식기의 성분화가 남성 또는 여성의 방향으로 순차적으로 진행된다.

(1) 남성으로의 성분화

SRY 유전자가 있는 개체(46,XY)에서는 태생기 6주경부터 양잠재성생식샘이 단계적으로 고환으로 분화하는데 이 과정에 SRY 유전자가 지배적인 역할을 한다. *SRY* 유전자는 *+KTS-WT1*, *GATA4* 등의 유전자에 의해 활성화되며 궁극적으로 *SOX9* 유전자를 활성화하여 양잠재성생식샘의 체세포가 세포 분화를 통해 세르톨리세포(Sertoli cells)로 분화하는 과정을 주도한다. 이 과정에 *SF1*, *FGF9* 등의 유전자가 활성화되어 관여하며 생식샘의 여성화를 유도하는 유전자들은 억제된다. 증식된 세르톨리세포에서 뮐러관억제물질(Müllerian inhibiting substance, MIS)로 불리는 항뮐러관호르몬(anti-Müllerian hormone, AMH)이 생성되는데 이 호르몬에 의해 태생기 9주에서 10주 사이에 동 측의 뮐러관이 퇴화되고 여성의 내부생식기가 만들어지지 않게 된다. 고환의 라이디히세포(Leydig cells)는 태생기 9주경부터 증식하여 남성호르몬인 테스토스테론(testosterone)을 생성하는데 이 호르몬에 의해 태생기 10주경부터 동측의 볼프관이 남성의 내부생식기인 부고환(epididymis), 정관(vas deferens) 및 정낭(seminal vesicle)으로 분화되기 시작하여 임신 중기까지 분화가 진행된다. 외부생식기가 남성의 형태로 발달하는 과정도 남성호르몬의 작용으로 이루어지며 태생기 10주부터 19주경까지 진행된다. 라이디히세포에서 생성된 테스토스테론이 5-알파 환원효소(5α-reductase)에 의해 강력한 디히드로테스토스테론(dihydrotestosterone)으로 전환되면 이 호르몬의 작용으로 생식기결절(genital tubercle)은 음경귀두(glans penis)로, 요도주름(urethral folds)은 음경요도(penile urethra)로, 그리고 생식기주름(genital folds)은 음낭(scrotum)으로 분화된다.

(2) 여성으로의 성분화

SRY 유전자가 없는 개체(46,XX)에서는 *SRY*, *SOX9* 등의 고환 분화 유전자들이 결핍되어 있는 환경에 의해 양잠재성생식샘이 고환으로 분화하지 않고 난소로 분화하는데 *DAX1 (NROB1)*, *WNT4*, *RSPO1* 및 *FOXL2* 등의 유전자가 생식샘이 난소로 분화하는 과정을 촉진하거나 고환으로의 분화를 억제하는 역할을 하는 것으로 알려져 있다. 고환이 없어서 AMH가 만들어지지 않으므로 뮐러관이 퇴화하지 않고 지속해서 발달하여 여성 내부생식기인 난관(fallopian tube), 자궁(uterus) 및 상부 2/3의 질(vagina)로 분화된다. 볼프관은 테스토스테론이 없는 환경에 의해 자연히 퇴화하게 된다. 뮐러관은 태생기 5-6주경부터 꼬리 방향으로 자라기 시작하는데 AMH가 없는 환경에서는 이 성장이 지속되고 태생기 8주경부터 양측 뮐러관의 하부가 하나로 합쳐지는 융합(fusion)이 시작된다. 태생기 9주부터 융합으로 생긴 중격의 재흡수(reabsorption)가 시작되는데 이로 인해 중격이 완전히 소실되면 온전한 하나의 관이 만들어지게 된다. 뮐러관의 중상부는 분리된 채로 남아 양측 난관을 형성한다. 태생기 9주에서 12주 사이에 꼬리 방향으로 자라던 뮐러관이 비뇨생식굴(urogenital sinus)에 도달, 자궁질관(uterovaginal canal)을 형성하고 이 관이 비뇨생식굴에서 파생된 뮐러관결절(Müllerian tubercle)과 합쳐진다. 태생기 12주경에는 뮐러관결절의 말단부위에서 굴질망울(sinovaginal bulb)이 만들어지며 이 구조물에서 질판(vaginal plate)이 돌출되어 자라는데 질판이 충분히 성장하면 관형성이 원위부에서 근위부 방향으로 진행되어 임신 5개월까지 하부 질을 만든다. 굴질망울의 일부 세포들이 증식하여 처녀막을 만드는데 출생 전에 처녀막 중앙에 구멍이 만들어진다. 고환과 그로 인한 남성호르몬의 분비가 없는 여성에서의 외부생식기는 남성화 과정이 진행되지 않으므로 여성의 형태로 남게 되는데 생식기결절은 음핵(clitoris)으로, 요도주름은 소음순(labia minora)으로 그리고 생식기주름은 대음순(labia majora)으로 각각 분화된다.

2) 선천성 자궁-질 기형

(1) 발생기전 및 발생빈도

선천성 자궁-질 기형은 태생기에 뮐러관의 기관형성, 융합 및 격막 재흡수과정의 이상으로 발생하기 때문에 흔히 뮐러관기형(Müllerian anomaly)으로 불린다. 뮐러관의 기관형성부전(agenesis)은 뮐러관의 발생이 이루어지지 않기 때문에 자궁 및 상부 질이 만들어지지 않는 것을 말한다. 양측 뮐러관 중 한 쪽 뮐러관에서만 기관형성부전이 발생하는 경우에는 반쪽의 자궁인 단각자궁이 형성된다. 뮐러관의 융합과정에 이상이 생기는 경우에는 완전히 반으로 갈라진 중복자궁이나 부분적으로 반으로 갈라진 쌍각자궁이 초래되며 자궁격막이 재흡수되지 않으면 자궁강 내에 중격이 남게 된다.

선천성 자궁-질 기형은 복잡한 발생 과정에 관여하는 다양한 유전자와 후성적요인이 복합적으로 작용하는 다인자 병인에 의한 결과로 추정된다. 대다수 환자는 특별한 가족력 없이 산발적(sporadic)으로 발병하는데 소수에서 상염색체 우성유전 양상의 가족력이 확인되었다. 현재까지 *LHX1*, *HNF1B*, *TBX6*, *WNT4* 등 뮐러관 발달에 관여하는 일부 유전자의 결함이 소수의 뮐러관기형 환자에서 발견되었다. 외부요인에 의한 생식기기형도 보고되었는데 임신 8주에서 12주 사이에 모체 태내에서 합성호르몬의 일종인 디에틸스틸베스트롤(diethylstilbestrol, DES)에 노출되었던 환자에서 T-자 형태의 자궁기형이 확인된 바 있다.

자궁-질 기형이 있는 경우 배아의 착상과 임신 유지에 문제가 발생하기 때문에 일반인구보다 난임환자 및 습관성 유산 환자에서 발생빈도가 높게 나타난다. 대체로 일반인구에서 3-7%, 난임환자에서 4-8%, 그리고 습관성 유산환자에서 13-17% 정도의 발생빈도를 보인다(Acien P, 1997; Chan et al., 2011).

(2) 분류

① AFS 분류법

1979년 Buttram과 Gibbons은 뮐러관기형 환자의 임상 양상, 치료방법, 산과적 예후 등을 기준으로 6개의 유형으로 분류하여 발표하였는데(Buttram and Gibbons, 1979), 이 분류법은 단순하고 명확하며 사용하기 편리한 이점으로 1988년에 발표된 미국불임학회(American Fertility Society, AFS) 분류법의 바탕이 되었다(American Fertility Society, 1988).

AFS 분류법은 Buttram과 Gibbons의 분류법에서 쌍각자궁(bicornuate)에 포함되었던 궁상자궁(arcuate)을 독립된 군으로 만들어서 I. 형성저하증(hypoplasia) 또는 무형성(agenesis), II. 단각자궁(unicornuate), III. 중복자궁(didelphus), IV. 쌍각자궁(bicornuate), V. 중격자궁(septate), VI. 궁상자궁(arcuate), VII. DES 연관 기형(DES drug related) 등 총 7개 군으로 분류하였다(그림 39-1). AFS 분류법에 따르는 선천성자궁기형의 유형별 빈도는 중격자궁이 약 35%로 가장 많고 다음으로 쌍각자궁 26%, 궁상자궁 19%, 단각자궁 9.6%, 중복자궁 8.2%, 자궁무발생 3% 순으로 알려져 있으나(Grimbizis et al., 2001), 일부 연구에서는 궁상자궁의 빈도를 가장 높게 보고하였다(Chan et al., 2011).

AFS 분류법은 이후 뮐러관기형의 대표적인 분류법으로 사용되었으나 여러 부위의 기형이 복합된 기형이면 분류가 어렵고 자궁기형을 중심으로 분류하였기 때문에 질이나 부속기관 등의 선천성기형 분류에 취약한 문제점을 보였다.

② ESHRE/ESGE 분류법

2013년 European Society of Human Reproduction and Embryology (ESHRE)와 European Society for Gynaecological Endoscopy (ESGE)가 공동으로 연구하여 새로운 분류법을 발표하였다(Grimbizis et al., 2013)(그림 39-2). 이 분류법은 해부학적 소견을 일차적인 근거로 삼고 발생학적 기원을 보조 근거로 하여 분류하였는데 자궁의 기형(U0-U6)과 함께 자궁경관(C0-C4)과 질(V0-V4)의 기형도 독립적으로 평가하여 기술하도록 하였다.

이 분류법에서는 태생기 재흡수과정의 이상으로 발생하는 중격자궁(septate uterus, U2), 융합과정의 이상으로 발생하는 중복자궁(bicorporeal uterus, U3), 한쪽 자궁만 발육되고 반대쪽은 형성되지 않는 일측자궁(hemi-uterus,

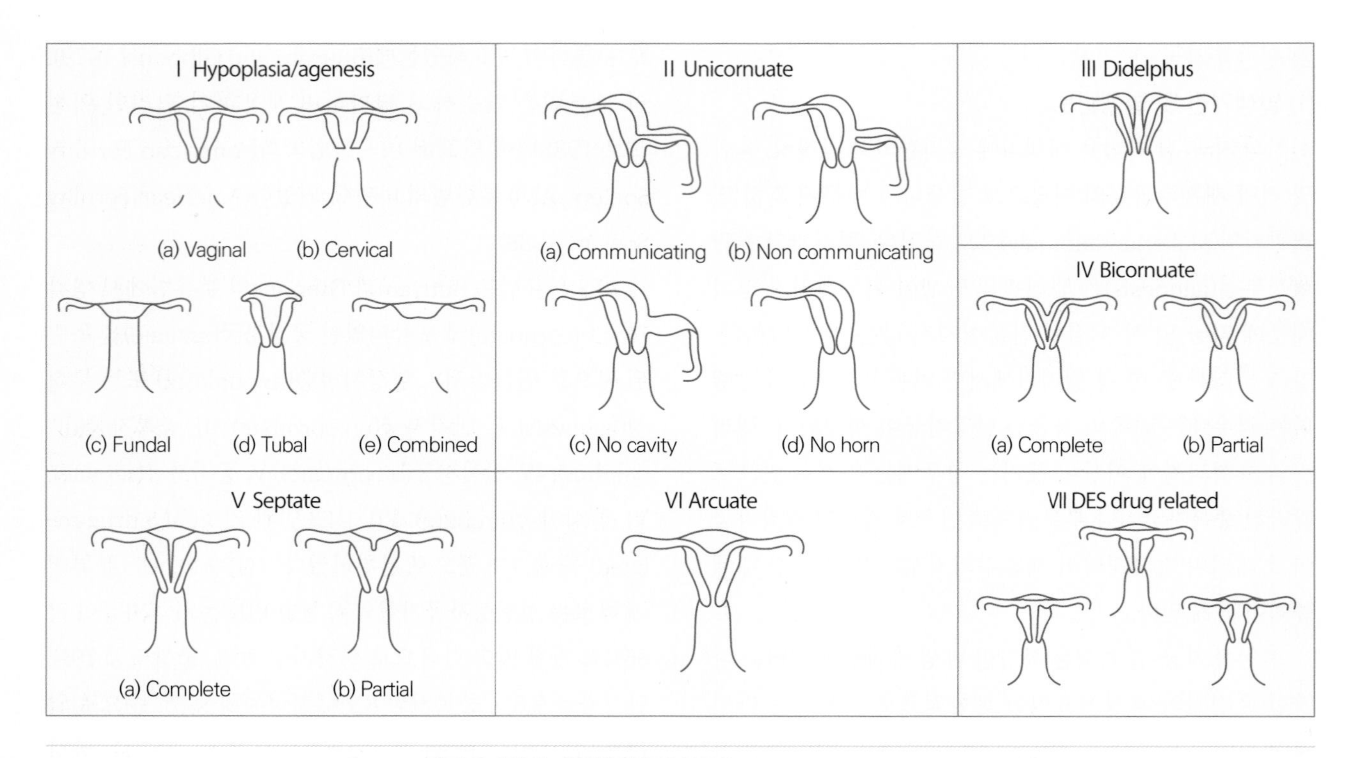

그림 39-1. **뮐러관기형의 미국불임학회 분류(American Fertility Society, 1988)**

U4), 자궁 전체가 형성되지 않는 자궁무형성증(aplastic uterus, U5) 등으로 나누어 AFS 분류법보다 좀 더 발생의 기원에 맞춰서 분류하도록 노력하였다. 이로 인해 AFS 분류법의 중복자궁과 쌍각자궁이 하나의 분류로 합쳐졌고 궁상자궁은 분류에서 삭제되었다.

중격자궁(U2)은 자궁저부 중앙부위(fundal midline)의 내측면에 자궁강 안으로 중격이 형성된 것으로 외측면은 편평한 정상형태를 갖추고 있으면서 내측면이 자궁벽 두께의 50% 이상의 깊이로 자궁강 안으로 함입(indentation)되는 것으로 정의하였다. 중격이 자궁내경구(internal cervica os)까지 미치지 못한 경우는 부분중격자궁(U2a), 중격이 자궁내경구까지 완전하게 형성된 경우 완전중격자궁(U2b)으로 분류하였다.

중복자궁(U3)은 자궁이 두 개로 갈라져 있는 것으로 자궁저부의 외측면 중앙부위가 자궁벽 두께의 50% 이상의 깊이로 함입된 경우 진단된다. 부분중복자궁(partial bicorporeal uterus, U3a)은 함입부위가 자궁내경구까지 도달하지 않아 자궁상부만 두 개로 갈라져 있는 모양으로 AFS 분류법에서 쌍각자궁이 이에 해당한다. 완전중복자궁(complete bicorporeal uterus, U3b)은 자궁경관까지 완전하게 자궁이 둘로 갈라져 있는 경우로 AFS 분류법에서 중복자궁이 이에 해당한다.

일측자궁(U4)은 양측 뮐러관 중 한쪽만 발육이 진행되고 반대쪽은 형성이 되지 않은 경우를 말한다. 형성부전이 발생한 쪽에 기능성 자궁내막강을 포함한 흔적자궁이 있는 경우(U4a)와 그렇지 않은 경우(U4b)로 세분류하였다. AFS 분류법에서 단각자궁이 이에 해당한다.

자궁무형성증(U5)은 자궁의 형성부전에 의해 전체 자궁이 없는 경우로 역시 기능성 자궁내막강을 포함한 흔적자궁의 유무에 따라 세분류(U5a, U5b)하였다. AFS 분류법에서는 자궁형성저하증/자궁무형성(Type I)이 이에 해당한다.

ESHRE/ESGE classification
Female genital tract anomalies

	Uterine anomaly		Cervical/vaginal anomaly	
	Main class	*Sub-class*	*Co-existent class*	
U0	Normal uterus		C0	*Normal cervix*
			C1	*Septate cervix*
U1	Dysmorphic uterus	a. T-shaped b. Infantilis c. Others	C2	*Double 'normal' cervix*
U2	Septate uterus	a. Partial b. Complete	C3	*Unilateral cervical aplasia*
			C4	*Cervical aplasia*
U3	Bicorporeal uterus	a. Partial b. Complete c. Bicorporeal septate	V0	*Normal vagina*
U4	Hemi-uterus	a. With rudimentary cavity (communicating or not horn) b. Without rudimentary cavity (horn without cavity/no horn)	V1	*Longitudinal non-obstructing vaginal septum*
			V2	*Longitudinal obstructing vaginal septum*
U5	Aplastic	a. With rudimentary cavity (bi- or unilateral horn) b. Without rudimentary cavity (bi- or unilateral uterine remnants/aplasia)	V3	*Transverse vaginal septum and/or imperforate hymen*
			V4	*Vaginal aplasia*
U6	Unclassified malformations			
U			*C*	*V*

Associated anomalies of non-Müllerian origin:

Drawing of the anomaly

그림 39-2. **뮐러관기형의 ESHRE/ESGE 분류**
From Grimbizis GF et al. The ESHRE-ESGE consensus on the classification of female genital tract congenital anomalies. Gynecol Surg 2013;10:199-212; Hum reprod 2013;28:2032-44.

그 밖의 분류로는 정상 자궁(normal uterus, U0), 이상형태자궁(dysmorphic uterus, U1) 및 분류가 불가능한 기형(unclassified malformation, U6) 등이 있다.

(3) 질환 별 임상양상 및 치료

① 뮐러관무형성증

질무형성증(vaginal agenesis) 또는 뮐러관무형성증(Müllerian agenesis)은 선천적으로 질이 만들어지지 않으면서 다양한 형태의 자궁발육부전을 동반하는 기형을 말한다. AFS 분류에서는 자궁형성저하증/자궁무형성증(Type I)으로, ESHRE/ESGE 분류에서는 흔적자궁강을 동반하지 않는 전형적인 형태인 경우 U5bC4V4로 분류된다. 대부분 환자에서 질과 자궁이 모두 형성되지 않으나 약 10%의 환자에서는 자궁경관이 없는 폐쇄형 자궁이나 기능성 자궁내막을 포함하는 흔적자궁이 확인된다. 발생빈도는 인구 5,000명당 1명이다(Aittomaki et al., 2001). 뮐러관무형성증은 1829년에 Mayer에 의해서 처음으로 기술되었는데, 이후로 증례 보고, 질환 고찰 등으로 질병의 규명에 이바지한 의료진들을 기념하여 Mayer-Rokitansky-Küster-Hauser (MRKH) 증후군으로 명명되었다(Hauser and Schreiner, 1961).

뮐러관무형성증은 무형성의 형태와 동반기형 여부에 따라 두 개의 군으로 분류되는데 1형은 전형적인 형태로 자궁과 상부 질이 형성되지 않으면서 다른 동반 기형이 없는 경우이다. 흔적자궁이 있는 경우 완전한 대칭적 형태로 존재하면서 기능성 자궁내막을 포함하지 않아야 한다. 2형은 비전형적인 형태로 자궁과 질에 비대칭적인 흔적이 남아있거나 난관의 기형이나 생식기계 이외의 기형이 동반되는 경우를 말한다. 뮐러관무형성증에 동반되는 생식기계 이외의 기형 중 가장 많은 것은 비뇨기계기형으로, 현재까지 신장무형성증(renal agenesis), 이소성신장(ectopic kidney), 말굽콩팥(horseshoe kidney), 이상집합관(abnormal collecting ducts) 등이 보고되었다. 그 밖의 생식기계 이외의 기형 또는 기능 이상으로는 척추, 안면부 및 사지 등의 골격계기형, 심장기형 및 청력장애 등이 보고되었다.

주 증상은 원발성무월경으로 대부분의 환자들이 초경을 하지 않아 병원에 내원하게 된다. 기능성 자궁내막강을 포함하는 흔적자궁이 있는 경우 폐쇄된 공간 안에 축적되는 월경혈이 외부로 배출되지 못하여 주기적인 하복통을 유발한다. 대부분 난소의 발달은 정상적으로 이루어지기 때문에 사춘기호르몬의 분비가 정상적으로 진행되고 그 결과 유방 및 음모 등 이차성징 발현은 정상이다.

신체검진은 뮐러관무형성증의 진단에서 중요한 부분을 차지하며 외음부관찰 시 다른 외음부의 형태는 정상 여성의 형태를 보이나 질이 형성되어 있지 않기 때문에 질 입구가 관찰되지 않는다.

영상검사 중 일차적으로 시행되는 초음파검사에서는 양측 난소가 정상적으로 관찰되고 자궁이 없는 것이 특징적인 소견이며 흔적자궁이 있는 경우 확인된다. 또한, 초음파검사는 신장무형성증이나 이소성신장과 같은 비뇨기계 기형 진단에도 도움이 된다. 3차원 초음파나 골반 MRI 검사는 초음파검사보다 자궁의 부재와 흔적자궁의 진단에 정확도가 높아 신체검진과 초음파검사만으로 진단이 어려운 경우에 선별적으로 시행된다. 염색체핵형은 46,XX이며 난소의 호르몬분비에는 이상이 없으므로 호르몬검사는 정상 여성의 수치를 보인다.

뮐러관무형성증과 감별해야 하는 질환으로 완전 남성호르몬 불감증후군이 있다. 이 질환은 유방이 발달하고 외음부도 여성의 형태를 보이지만 질은 없거나 짧은 맹관으로 되어있고 자궁이 없는 등의 신체소견이 뮐러관무형성증과 유사하다. 하지만 남성호르몬 무감응증 때문에 음모와 액와모가 발현되지 않는 것이 뮐러관무형성증과 다른 점이며 핵형은 46,XY이고 혈액검사에서 테스토스테론이 남성의 정상치를 보인다.

뮐러관무형성증의 치료는

가. 정상적으로 성생활을 할 수 있는 질을 인위적으로 만드는 것과
나. 기능성 자궁내막을 포함한 흔적자궁이 있는 경우 골반통증이나 자궁내막증 등의 합병증을 유발하므로 수술을 통해 제거하는 것이다.

질의 형성을 위해 비수술적 또는 수술적 방법이 모두 가능한데 비수술적인 치료법인 질확장법(vaginal dilation therapy)은 질이 없는 일부 환자에서 지속적인 성생활만으로도 질이 부분적으로 만들어지는 것에 착안하여 고안된 방법이다. 막대형 몰드를 환자가 직접 회음부에 대고 압력을 가하여 질의 길이와 너비를 점진적으로 확장시키는 Frank 법이 개발된 이후로(Frank, 1938), 근래에는 회음부에 몰드를 착용하고 자전거 안장 위에 앉아서 체중을 이용해 질확장을 시도하는 등의 방법적인 개선이 이루어졌다(Ingram, 1981). 질확장법은 비침습적이어서 부작용이 적고 상대적으로 비용이 많이 들지 않아 미국산부인과학회에서는 질형성을 위한 일차치료법으로 권고하였다 (ACOG, 2013).

질형성을 위한 수술기법 중에서 과거로부터 현재까지 많이 이용되고 있는 방법은 방광과 직장 사이에 회음부에서부터 시작되는 맹관형의 신생질(neovagina)을 만들고 내부표면을 부분층피부이식(split thickness skin graft)으로 덮어서 분리면이 다시 붙지 못하도록 유지하는 Abbe-McIndo 법이다(McIndoe, 1950). 수술로 형성된 신생질을 유지하기 위해 피부이식 외에도 구불결장(sigmoid colon), 골반복막, 볼점막(buccal mucosa), 양막(amnion) 조직 등이 다양하게 사용되었다. 또한 올리브라고 하는 아크릴물체를 회음부에 부착하고 이를 복벽에 부착된 견인장치에 연결하여 지속적으로 당겨 올려서 질을 만들어주는 복강경적 Vecchietti 법은 높은 치료성공률로 최근 많이 이용되고 있는 수술기법이다(Gauwerky et al., 1992).

생식기능과 관련해서 자궁이 없는 뮐러관무형성증은 정상적인 임신이 불가능하다. 하지만, 난소 기능이 정상이면 보조생식술로 만들어진 배아를 타인의 자궁에 이식하여 출산하는 방법이 일부 국가에서 허용되고 있다. 또한, 최근에 타인의 자궁을 이식받은 인간 여성에서의 성공적인 임신이 보고된 바 있으나(Erman et al., 2013), 임신을 위한 자궁이식이 보편화하기 위해서는 안전성과 윤리성 등에 대한 추가적인 고찰과 연구가 필요하다.

② 단각자궁

단각자궁은 태생기에 양측 뮐러관의 형성과정에서 한쪽 뮐러관의 발달이 이루어지지 않거나 불완전하게 되어서 나타나는 기형이다. ESHRE/ESGE 분류로는 일측자궁(hemi-uterus, U4)이 이에 해당한다. 뮐러관의 발달이 이루어지지 않은 동측의 자궁은 없거나 흔적자궁의 형태로 나타나고 반대쪽 자궁은 외측 자궁각만 가진 단각자궁으로 형성된다.

단각자궁은 평소에 별다른 임상 증상이 없으므로 초음파검사 등을 통해 우연히 발견되는 경우가 많다. 그러나 자궁내막강을 가진 흔적자궁이 단각자궁과 연결되지 않은 형태로 동반된 경우(그림 39-1, II-b)는 월경곤란증이나 만성골

반통증이 초래될 수 있으므로 감별해야 한다.

영상검사 중 골반초음파검사에서는 부피가 감소한 자궁이 중심선에서 벗어나서 발견되며 골반 MRI 검사에서는 단각자궁이 바나나 형태로 좁고 길게 구부러진 모양으로 관찰된다. 초음파검사와 골반 MRI 검사에서는 흔적자궁 유무도 확인할 수 있다. 자궁난관조영술에서는 방추형의 자궁내강이 중심에서 벗어나서 관찰된다.

단각자궁은 정상적인 자궁에 비해 자궁강의 용적이 작고 왜곡된 비대칭적 형태를 보이기 때문에 산과적 합병증이 증가한다. 단각자궁 환자에서 자연유산 및 조산의 위험도는 각각 37%와 16%로 증가하며 생아출생율(live birth rate)은 55%로 낮은 편이다(Grimbizis et al., 2001). 또한, 역위태아, 자궁 내 태아발육부전 등의 합병증도 증가한다.

자궁내막강을 가진 흔적자궁이 없는 단각자궁(그림 39-1, II-c 및 II-d)은 산과적 합병증 외에는 별다른 문제를 유발하지 않기 때문에 치료가 필요하지 않으나 자궁내막강을 가진 흔적자궁이 있는 경우는 단각자궁과의 연결 여부에 따라 자궁내막증과 같은 합병증이 발생하거나(그림 39-1, II-b)임신 시의 합병증 가능성이 증가하므로(그림 39-1, II-a) 수술을 통해 흔적자궁을 제거해야 한다.

단각자궁은 뮐러관기형 중에서 비뇨기계기형의 동반빈도가 가장 높아 약 40%의 환자에서 한쪽 신장이 없는 기형이 동반되는 것으로 보고되었다.

③ 중복자궁

중복자궁은 태생기에 양측 뮐러관의 융합이 이루어지지 않을 때 발생하는 기형이다. 자궁 전체가 융합되지 않기 때문에 자궁체부뿐만 아니라 자궁경관도 두 개로 관찰된다. 중복자궁 환자 4명 중 3명에서 세로질중격이 동반된다. 중복자궁 환자에서도 산과적 합병증이 증가하는데 자연유산 및 조산의 위험도는 각각 33%와 29%이며 생아출생율은 57% 정도이다(Grimbizis et al., 2001). 대부분의 환자에서 별다른 임상증상이 나타나지 않으므로 우연히 발견되는 경우가 많다. 자궁난관조영술, 골반초음파 및 골반 MRI 검사를 이용해서 진단되며 이 기형에 의해서 습관성 유산 등이 발생할 경우 자궁기형의 교정을 위한 수술을 고려한다.

중복자궁에 동반된 질 중격이 한쪽 질을 가로막아 막힌 부위 위쪽으로 자궁과 연결되는 폐쇄성 공간을 만드는 경우 일측질폐쇄(obstructed hemivagina)라고 하며 Herlyn-Werner-Wunderlich (HWW) 증후군으로 명명한다. 대부분 질폐쇄가 발생한 동측의 콩팥도 형성되지 않아서 없으므로 OHVIRA (obstructed hemivagina with ipsilateral renal anomaly)라고도 한다. 일반적으로 폐쇄되지 않은 자궁을 통해 정상적으로 월경을 하므로 폐쇄된 쪽의 자궁에서 배출된 월경혈이 질혈종이나 자궁혈종(hematometra)을 만들어 심한 월경곤란증이나 골반통증이 초래될 때까지 진단이 지연되는 경우가 많다. 일측질폐쇄는 질을 통해서 폐쇄를 유발하는 질중격을 제거하여 치료하는 것이 원칙이다. 일측질폐쇄에 의해서 생긴 질혈종이나 자궁혈종을 다른 골반종괴로 오인하지 않도록 주의해야 한다.

④ 쌍각자궁

쌍각자궁은 태생기에 양측 뮐러관의 융합이 자궁하부에서만 이루어지고 자궁상부는 융합되지 않아서 나타난다. 쌍각자궁 환자의 자연유산 및 조산의 위험도는 각각 36%와 26%이며 생아출생율은 55% 정도이다(Grimbizis et al., 2001). AFS 분류법에서는 자궁저부의 외측면 함입이 1 cm 이상이면서 내측면 함입이 1.5 cm 이상인 경우로 정의하였는데, ESHRE/ESGE 분류법에서는 자궁저부의 외측면 함입이 자궁벽 두께의 50% 이상인 경우로 정의하였다.

대부분의 환자에서 수술적 치료가 필요하지 않으나 임신 중 자궁경관무력증 발생률이 38% 정도로 높게 나타나기 때문에 임신 초기에 자궁경부결찰술(cervical cerclage)을 고려하기도 한다.

⑤ 중격자궁

중격자궁은 태생기에 양측 뮐러관이 융합한 후에 자궁질중격이 재흡수되는 과정에 문제가 있어서 재흡수가 전혀 되지 않거나 불완전하게 이루어져서 나타나는 기형이다. 보통 자궁의 외형은 정상이나 중격이 있는 부위의 자궁내강이 두 개로 나뉘어져 있다. 중격이 자궁경관까지 도달해서 전체 자궁내강이 분리되어 있는 경우를 완전중격자궁, 중격이 자궁상부에만 부분적으로 확인되는 경우를 부분중격자궁이라고 한다. 다른 기형에 비해서 생식기능에 미치는 영향이 가장 나쁜 편으로 자연유산 및 조산의 위험도는 각각 44%와 22%이며 생아출생율은 50% 정도이다(Grimbizis et al., 2001).

AFS 분류법에서는 자궁저부의 외측면 함입이 1 cm 미만이면서 내측면 함입이 1.5 cm 이상인 경우로 정의하였는데, ESHRE/ESGE 분류법에서는 자궁저부의 외측면 함입이 자궁벽 두께의 50% 이하이면서 내측면 함입이 자궁벽 두께의 50% 이상인 경우로 정의하였다.

다른 기형에 비해 생식기능 및 산과적 예후가 좋지 않지만 자궁경수술을 통해 중격을 제거할 경우 생식기능의 향상이 뛰어난 편이다.

⑥ 궁상자궁

궁상자궁은 자궁저부 내측면이 경미하게 자궁강 안으로 함입된 것으로 태생기의 격막이 거의 다 흡수되고 일부만 남아서 발생하게 된다. 가임능력이나 산과적 예후가 정상인과 크게 다르지 않기 때문에 정상의 한 변이로 간주하고 특별한 치료를 하지는 않는 편이다. ESHRE/ESGE 분류에서는 이 진단이 삭제되었다.

⑦ 가로질중격(transverse vaginal septum)

가로질중격은 태생기에 비뇨생식굴과 뮐러관의 융합과정 중에 관 형성이 정상적으로 이루어지지 않아서 발생하는 것으로 추정된다. 중격의 위치에 따라 상부(high), 중간부(middle), 하부(low)로 구분하는데 이전의 연구에서는 질의 상부와 중간부에 많이 발생하는 것으로 보고되었으나 최근의 연구에서는 질 하부에 발생하는 경우가 72%로 가장 높은 것으로 보고하였다(Williams et al., 2014).

구멍이 없는 폐쇄성가로질중격인 경우 초경 후 월경이 배출되지 않아 원발성무월경과 질혈종을 초래하고 주기적인 하복통의 원인이 된다. 전체 환자의 약 40%에서는 중격의 중간에 구멍이 관찰되는데 이 경우 작은 구멍을 통해 월경이 배출되어 월경과소증, 월경곤란증 및 악취를 동반한 질분비물이 주 증상이 된다.

폐쇄성가로질중격이 상부 질에 있는 경우 자궁경관무형성(cervical agenesis)과 감별해야 하고 하부 질의 가로질중격은 처녀막막힘증 및 원위부질폐쇄와 감별해야 한다.

골반초음파검사와 필요한 경우 골반 MRI 검사를 통해 중격의 위치와 두께를 측정하고 자궁체부와 자궁경부의 모양을 확인하여 유사질환을 감별한다. 치료는 수술을 통해 중격을 제거하는 것이다.

⑧ 세로질중격(longitudinal vaginal septum)

세로질중격은 태생기에 좌·우측 뮐러관의 융합과정이 하단부분에서 불완전하게 이루어져서 발생하는데 단독으로 나타나서 중복 질(double vagina)을 만들거나 자궁경관이나 자궁체부의 중복에 동반되어 나타나기도 한다. 폐쇄로 인한 임상 증상이 동반되는 가로질중격과는 달리 세로질중격을 가진 여성의 경우 대부분 별증상이 없으므로 치료가 필요하지 않으나 성교통 등 문제가 발생하면 수술을 통해 중격을 제거해야 한다.

⑨ 원위부질폐쇄(distal vaginal atresia)

태생기에 비뇨생식굴로부터 아래쪽 1/3의 질이 형성되는데 이 과정이 정상적으로 이루어지지 않으면 원위부질폐쇄가 발생한다. 하부질무형성(lower vaginal agenesis)이라고도 하며 폐쇄성 가로질중격과 마찬가지로 폐쇄부위 위쪽의 상부 질과 자궁경부, 자궁 등은 정상적인 형태를 갖추고 있다. 사춘기에 원발성무월경과 질혈종 및 주기적인 하복통이 폐쇄성 가로질중격과 유사한 양상으로 나타난다.

외음부 진찰에서 질입구가 정상적인 개구부가 없이 막혀있으며 폐쇄부위가 처녀막막힘증과 달리 두터우므로 질혈종에 의한 질 입구의 피부 팽만이 관찰되지 않는다. 골반초음파검사와 골반 MRI 검사를 통해 폐쇄부위의 두께를 측정하고 이를 바탕으로 적절한 수술 술기를 선택해야 한다.

3) 외부생식기기형

(1) 처녀막이상

① 처녀막막힘증(imperforate hymen)

처녀막막힘증은 처녀막의 중심부위가 정상적인 개구부 없이 얇은 조직으로 막혀있는 상태로 외부생식기 막힘증 중에서는 가장 흔하며 발생빈도는 인구 1,000명당 0.5명 정도이다(Parazzini and Cecchetti, 1990). 막힌 처녀막 상부의 질이나 자궁 등의 구조와 기능에는 이상이 없다.

대부분 소아기에는 증상 없이 지내다가 초경이 시작되면 자궁에서 만들어진 월경이 질 밖으로 배출되지 못하고 질혈종(hematocolpos)을 만들기 때문에 하복통 등의 증상이 발현되어 진단된다. 주 증상은 아직 초경을 하지 않은 청소년에서 나타나는 주기적인 하복통이며 자궁에서 월경이 배출되는 시기에 증상이 심해진다. 질혈종이 커지면 덩이효과(mass effect)에 의한 허리통증, 요잔류(urinary retention), 변비 등의 증상이 동반되기도 한다. 간혹 신생아기에도 일시적인 여성호르몬분비로 증가한 질분비물이 질 안에 고이면서 막힌 처녀막이 밖으로 돌출되어 발견되기도 한다.

진단에서는 문진과 신체검사가 중요하다. 이차성징은 정상적으로 발달하였으나 아직 초경을 하지 않은 청소년이 주기적인 하복통을 호소하는 경우 다른 통증질환과 함께 처녀막막힘증도 감별해야 한다. 외음부 진찰에서 처녀막이 내공없이 막혀있는 소견이 확인되는데 막의 두께가 얇아서 질혈종에 의해 외측으로 볼록하게 돌출되어 보이는 것이 특징이다. 질혈종의 크기가 큰 경우 직장 복부검사를 통해 만져진다. 골반초음파검사에서는 질혈종과 함께 정상 모양의 자궁과 부속기를 확인하여 다른 생식기기형을 배제해야 한다. 일반적으로는 외음부진찰과 초음파검사를 통해 진단할 수 있고 동반 기형이 드물어서 추가검사가 필요하지 않으나 하부가로질중격(low transverse vaginal septum)이나 원위부질폐쇄(distal vaginal atresia)와 같은 유사질환과 감별하기 어려우면 골반 MRI 검사가 도움이 된다.

수술을 통해 처녀막조직의 중심부위를 제거해서 정상 크기의 내공을 만드는 처녀막절개술(hymenotomy)이 보편적인 치료법이다.

② 기타 처녀막이상

미세천공처녀막(microperforate hymen)은 처녀막 내공이 매우 작은 처녀막이다. 처녀막막힘증과 혼동하기 쉬우나 처녀막막힘증과는 달리 대부분 사춘기의 월경 배출에 문제가 발생하지 않는다. 사춘기 성장이 완료된 후에도 정상적인 성생활에 부적합할 정도로 내공이 작은 경우 과도한 처녀막조직의 제거 수술이 필요하다.

격막처녀막(septate hymen)은 처녀막 내공의 중앙에 띠 형태의 수직 가로막이 있는 것이다. 미세천공처녀막과 마찬가지로 사춘기 월경 배출에 문제가 없으며 성관계에 어려움이 발생하면 격막제거술을 시행한다.

(2) 소음순이상

① 소음순비대(labial hypertrophy)

소음순비대는 소음순의 크기가 지나치게 커진 상태를 말하는데 일반적으로 한쪽 소음순의 너비가 3-4 cm 이상이면 정상에서 벗어난 것으로 간주한다. 원인은 명확하지 않으나 선천적인 요인에 의할 것으로 추정되며 양측성 또는 일측성으로 발생한다. 보통 의학적인 문제를 초래하지 않기 때문에 무증상일 경우 치료가 필요하지 않으며 외음부 불편감, 성교통, 미용 문제 등이 심각할 경우 소음순축소술을 시행한다.

② 소음순유착(labial adhesions)

소음순유착은 외부생식기의 선천성기형은 아니나 소음순을 포함한 외음부 전정(vestibule)의 피부 유착으로 외음부가 막혀있는 것으로 보이기 때문에 흔히 선천성기형으로 오인되는 질환이다. 주로 생후 3개월에서 4세 사이에 호발하며 유병률은 1.8% 정도이다(Leung et al., 1993). 발병기전은 명확하지 않으나 에스트로겐결핍, 만성 피부자극 등이 요인으로 추정된다. 대부분 소아의 성장과 함께 자연히 분리되기 때문에 무증상이면 치료가 필요하지 않으나 오줌

누기장애나 요로감염 등의 증상이 있는 경우에는 치료를 고려해야 한다.

4) 모호생식기(Ambiguous Genitalia)

외부생식기가 전형적인 여성생식기 및 남성생식기에 모두 부합하지 않는 비전형적인 모양을 보이는 경우를 모호생식기라고 한다. 모호생식기보다 넓은 개념인 성의 이상발육(disorders of sex development, DSD)은 염색체 성(chromosomal sex), 생식샘 성(gonadal sex) 및 해부학적 성(anatomical sex) 중 어느 한 가지 이상에서 선천적인 비전형성을 보이는 모든 경우를 의미하기 때문에 모호생식기뿐만 아니라 외부생식기가 정상이면서 염색체, 생식샘, 내부생식기 등에 이상이 있는 경우도 모두 포함된다(Lee et al., 2006).

전체 DSD환자 중에서 소수만이 모호생식기를 보이며 모호생식기의 발생빈도는 신생아 1,000명당 1-2명이다. 모호생식기를 포함한 전체 DSD의 원인질환은 성염색체 결과를 바탕으로 성염색체 DSD, 46,XY DSD, 46,XX DSD 등 세 개 군으로 나누며 각 질환에 대한 세부내용은 아래 '2. 성의 이상발육' 단원에 기술되었다.

(1) 모호생식기의 외음부소견

모호생식기는 태생기의 생식기 분화과정 중 남아에서 남성화가 부족하거나 여아에서 남성화가 과도한 경우에 발생하며 이에 따라 외부생식기가 전형적인 여성이나 남성의 어느 한쪽으로 완전히 분화하지 못하고 불완전한 중간단계를 보이게 된다.

모호생식기에서 생식기결절은 남성의 음경과 여성의 음핵의 중간발달상태를 보이기 때문에 결절의 길이를 측정하여 남성화정도를 구분한다. 생식기결절의 길이뿐만 아니라 외요도구의 위치도 중요한데 남성화가 약해지면 외요도구의 위치가 정상남성의 위치인 결절 말단부(또는 음경귀두)에서 결절의 몸통부위나 회음부로 이동하는 요도하열(hypospadias)을 초래한다. 외요도구의 위치가 회음부에 더 가까울수록 외부생식기의 남성화가 약화하였다고 볼 수 있다.

모호생식기에서의 생식기주름은 남성의 음낭이나 여성의 대음순으로 분화하지 못하고 불완전하게 유합하여 후음순유합부터 갈린 음낭(bifid scrotum)까지 다양한 형태로 나타난다. 여성의 외음부 형태를 보이는 모호생식기에서 후음순유합이 심해지면 질입구와 요도입구가 하나의 공간으로 합쳐져 있는 비뇨생식굴이 확인된다.

(2) 진단

① 문진

여아면 출생 전 태내에서 과도한 남성호르몬에 노출되었는지 확인해야 한다. 임신 중 모체의 남성호르몬이나 합성프로게스토겐 약물노출 여부, 난소의 남성호르몬 분비종양 여부, 다모증 또는 남성화증상 발현 여부를 확인해야 한다.

가족력에서는 모호생식기, 생식기기형, 비정상사춘기발달, 무월경, 불임, 선천부신과다형성(congenital adrenal hyperplasia, CAH) 및 원인미상의 신생아 사망이 있었는지 확인해야 한다. 또한 상염색체 열성유전과 관련하여 혈족 내의 근친결혼 여부를 확인하는 것이 중요하다.

② 신체검사

모호생식기와 관련한 일반신체검사에서는 선천부신과다형성과 동반되어 나타나는 부신위기(adrenal crisis)의 징후가 있는지 확인해야 한다. 선천부신과다형성의 대부분을 차지하는 21-수산화 효소결핍은 46,XX 핵형의 신생아 모호생식기 중 가장 흔하며 효소결핍에 의한 알도스테론 및 코르티솔의 결핍으로 부신위기가 초래된다. 탈수, 심혈관 허탈, 저나트륨혈증, 고칼륨혈증 및 저혈당 등이 나타나는데 대부분 출생 직후보다는 생후 수일-일주일 이후에 시작되므로 지속해서 활력 징후, 체중, 소변량을 관찰하고 혈액검사를 통해 전해질 불균형을 확인해야 한다.

외음부 진찰에서는 생식기결절(음경 또는 음핵)의 길이를 측정하고 외요도구의 위치를 기록한다. 또한, 음순음낭유합의 정도를 기록하고 질 입구와 요도 입구가 각각 분리되어 있는지 하나로 합쳐져서 비뇨생식굴을 형성했는지 확인한다. 그 밖에 음낭, 음순음낭주름, 대음순 및 서혜부를 세심하게 만져 생식샘 유무를 확인한다. 이 부위에서 생식샘이 만져지는 경우 대부분 난소가 아닌 고환이나 난소고환(ovotestis)이므로 46,XX 핵형일 가능성이 매우 낮다.

③ 검사실 검사

모호생식기가 의심되는 신생아에서 검사실 검사로 확인해야 하는 것은 염색체핵형, 전해질, 소변검사 및 호르몬검사 등이다. 염색체핵형검사는 모호생식기의 원인질환 감별에 꼭 필요한 검사인데 특히 46,XX로 확인되는 경우 선천부신과다형성의 가능성을 염두에 두고 부신위기 등의 심각한 위험성에 대처해야 하므로 가능한 생후 수일 이내에 결과를 확인하는 것이 좋다.

호르몬검사에서는 선천성부신과다형성 중 21-수산화효소결핍 시 증가하는 17-수산화 프로게스테론을 검사하고 그 밖에 생식샘자극호르몬, 테스토스테론, AMH, 코티솔, 디히드로에피안드로스테론 등으로 다양한 원인질환을 감별해야 한다.

④ 영상검사

영상검사는 모호생식기를 가진 신생아에서 내외부 생식기의 해부학적 구조와 생식샘의 위치를 확인하고 비뇨기계 및 골격계 등의 동반 기형과 부신 이상 여부를 진단하고자 시행한다.

초음파검사가 일차적으로 시행되는 영상검사인데 골반 내 자궁 유무를 확인하고 생식샘의 위치와 종류를 감별하는 것이 주요 목적이다. 또한, 콩팥의 위치와 형태, 부신피질의 크기 측정에도 유용하며 서혜부와 회음부의 검사에도 도움이 된다. 대부분의 골반 내 자궁과 생식샘은 초음파검사로 확인되나 골반을 벗어나 복부에 있는 생식샘은 초음파검사로 확인이 어려우며 이 경우 복부 MRI 검사가 도움이 된다. 조영제를 이용한 방광요도조영술(cystourethrography)이나 생식기조영술(genitography)은 요도와 질 및 자궁경부 등의 해부학적 구조와 상호 연관성을 확인하는 데 유용하다.

2. 성의 이상발육(Disorders of Sexual Development)

성(性)은 여러 종에서 한 개체의 특성을 결정지을 수 있는 두 가지 주요 유형의 하나로 남과 여로 분류되며, 한 개체의 정체성을 결정하는 가장 중요한 요소이다. 대부분의 경우에 한 사람의 성적 정체성을 규정하는 데에 큰 어려움이 없으나 불완전한 성의 분화를 보이는 신생아가 태어나면 진단을 내리는 것이 어렵다. 성을 결정하는 데에는 해부학, 유전학 그리고 발생학에 대한 충분한 지식을 바탕으로 해야 하며, 개개인의 잠재적인 해부학적, 성적 기능이 반영되어야 한다. 특히 신생아의 모호생식기의 경우, 생명을 위협할 수 있는 선천부신과다형성(congenital adrenal hyperplasia, CAH)의 가능성이 있기 때문에 신속한 진단과 처치가 더욱 필요하다 할 수 있겠다. 그러나 이제까지 모호생식기의 용어 정립이 제대로 되지 않아 그에 따른 진단과 치료도 제각각이었던 것이 사실이다.

이에 소아내분비유럽학회(The European Society for Paediatric Endocrinology)와 Lawson Wilkins 소아내분비학회(Lawson Wilkins Pediatric Endocrine Society)에서 내분비, 외과, 유전학, 정신과 등 각 분야 의료진과 환자 그룹의 모임을 주최하였고(Chicago Consensus) 다음과 같이 세 가지 범주로 용어를 새롭게 정비하였다(Pasterski et al., 2010)(표 39-1).

- 46,XX disorders of sex development (DSD)
- 46,XY DSD
- Sex Chromosome DSD

1) 46,XX DSD (Female Pseudohermaphroditism)

(1) 선천부신과다형성(congenital adrenal hyperplasia, CAH)

부신피질에서 남성호르몬이 과다하게 생성되는 질환으로 46,XX DSD 중 가장 흔하다(Parisi et al., 2007; Romao et al., 2011). 이환된 여아는 양쪽에 만져지지 않는 생식샘을 가지며, 외부생식기의 남성화는 다양화(labioscrotal fold의 융합, 음핵 비대, 질과 요도의 변형)될 수 있는데, 이는

표 39-1. **성의이상발육 질환의 원인 분류**

	46,XX DSD	46,XY DSD	Sex Chromosome DSD
Disorders of gonadal development	Ovotesticular DSD XX sex reversal (testicular DSD) Gonadal dysgenesis	Pure gonadal dysgenesis Partial gonadal dysgenesis Ovotesticular DSD Gonadal regression or vanishing testis syndrome	47,XXY (Klinefelter syndrome) 45,X (Turner syndrome) 45,X/46,XY (Mixed gonadal dysgenesis) Ovotesticular DSD
Disorders related to androgen synthesis or action	Androgen excess (a) Maternal Luteoma Exogenous (medications) (b) Fetoplacental Aromatase deficiency (c) Fetal Congenital adrenal hyperplasia (21-hydroxylase deficiency, most common)	Androgen action (a) Androgen insensitivity syndrome Androgen synthesis (a) LH receptor mutation (b) 17-beta hydroxysteroid dehydrogenase deficiency (c) 5-alpha reductase deficiency (d) Male CAH (eg, 3-beta deficiency)	

발병 시기와 노출된 남성호르몬의 양, 노출의 기간에 따라 다르다. 반면에 내부생식기의 형성과 분화는 이상이 없는데, AMH의 비정상적인 생성이 없기 때문에 난관, 자궁, 질 상부가 모두 정상적으로 형성되며 고환으로부터 나오는 고농도의 국소적인 남성호르몬에 의한 측분비 효과도 없으므로 볼프관(wölffian duct) 구조 역시 지속될 수 없다. 또한, 내부생식기의 형성이 임신 10주경에 완료되는 반면, 부신피질은 임신 10-12주가 되어야 기능을 나타낼 수 있다는 사실도 중요한 요인으로 작용할 수 있다.

외부생식기의 경우 임신 10-12주에 남성호르몬이 과다 생성될 경우 남성화의 정도가 극심하게 나타날 수 있는 반면에 임신 18-20주에 남성호르몬이 과다 생성될 경우에는 모호생식기가 극히 경미하게 나타날 수도 있는데, 이 경우 남성호르몬 과다의 정도에 따라 음핵의 크기가 결정되는 것으로 알려져 있다. 선천부신과다형성의 병태생리는 부신 글루코코르티코이드(glucocorticoid) 생성의 결함 때문이다. 시상하부-뇌하수체 축은 코티솔(cortisol) 농도가 저하됨에 따라 정상적인 코티솔 농도를 복원하기 위하여 ACTH를 과다분비하게 되고 이로 인하여 부신피질이 과자극되어 코티솔의 전구체와 함께 남성호르몬이 과다하게 생성될 수 있다(그림 39-3). 또한, 염 소모, 고혈압, 저혈당 등의 대사적 이상이 발생할 수 있다. 남성화를 보이는 CAH 환자의 약 75%에서 염 소모에 따른 전해질 불균형이 초래될 수 있는데, 생후 1-2주 사이에 성장장애, 반응 저하, 구토, 저나트륨혈증, 고칼륨혈증, 산혈증이 극심하게 나타날 수 있다. 상대적으로 드물지만 CAH 환자의 약 5%에서는 고혈압이 발생할 수 있다. 결핍되어있는 효소의 차이에 따라 이렇게 임상적인 양상에 차이가 발생하는데, 외부생식기의 남성화를 초래할 수 있는 효소의 결핍으로는 21-hydroxylase deficiency, 11β-hydroxylase deficiency, 3β-hydroxysteroid dehydrogenase deficiency가 있다.

21-hydroxylase (P450 c21) deficiency는 CAH의 가장 흔한 유형(95%)으로 생식기모호증과 신생아기의 사망을 초래하는 내분비질환 중 가장 흔한 원인으로 알려져 있다. 염 소모형(salt-wasting), 단순남성화형(simple virilizing) 및 비고전형(non-classical)의 3가지 임상적 유형이 존재하며 상염색체 열성방식으로 유전된다. 21-hydroxylase는 미토콘드리아에 존재하는 P450 효소로, 유전자인 *CYP21*은 6번 염색체 단완에 존재하는데, 21-hydroxylase deficiency를 초래하는 *CYP21* 돌연변이의 90% 이상은 결손, gene conversion, point mutation에 의한 것으로 보고된 바 있다(Wedell, 1998).

11β-hydroxylase (P450c11) deficiency는 코티솔 형성의 마지막 단계에서 장애가 발생한 경우로 축적된 전구물질들

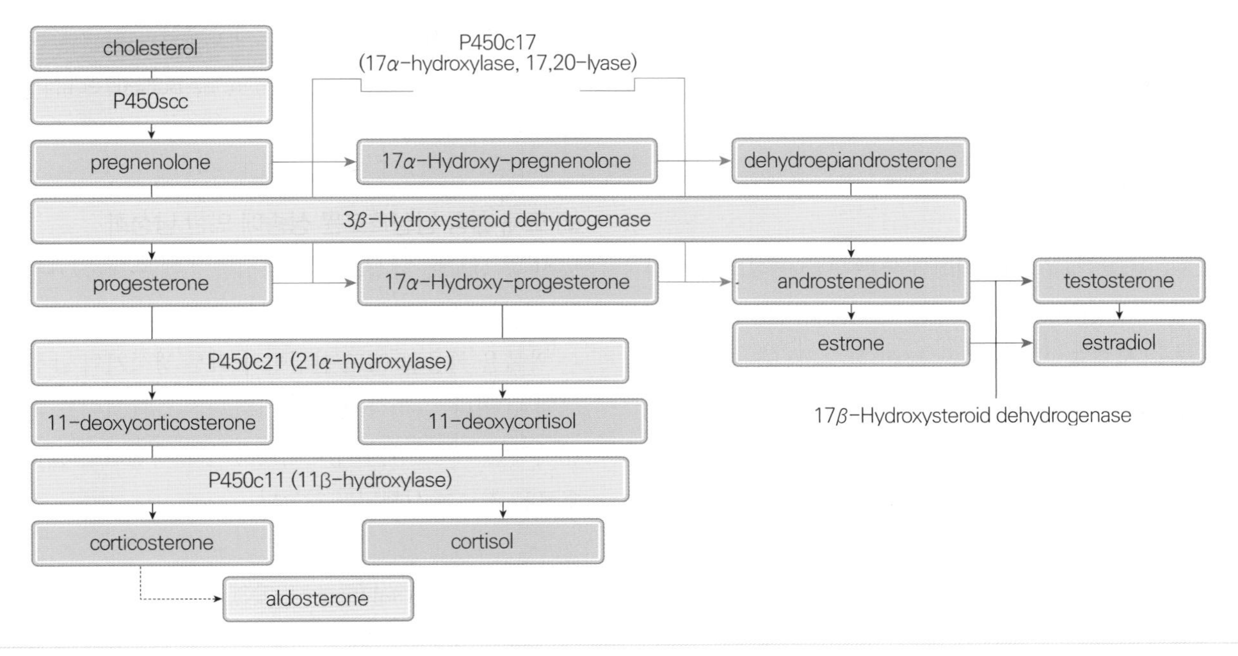

그림 39-3. **스테로이드 생합성 경로**

로 인하여 남성호르몬 생성이 증가함으로써 21-hydroxylase deficiency와 유사한 남성화를 나타내고 강력한 염 흡수호르몬인 데옥시코티솔(deoxycortisol)과 데옥시코르티코스테론(deoxycorticosterone)이 축적됨에 따라 과혈량증과 고혈압을 초래할 수 있다. 유전자는 8번 염색체 장완에 존재하며 상염색체 열성으로 유전된다(Chua et al., 1987).

3β-hydroxysteroid dehydrogenase deficiency는 필수적인 과정의 장애로 인하여 난소와 부신피질에서 생성되는 여러 스테로이드의 합성에 장애가 초래되는데, 글루코코르티코이드, 광물코르티코이드(mineralocorticoid), 안드로겐 및 에스트로겐 등의 생성이 모두 감소한다. 신생아는 출생 시 전신상태가 극히 불량하며 여아의 경우에는 DHA의 심한 증가로 인하여 외부생식기의 경미한 남성화를 보일 수 있고 남아의 경우에는 남성호르몬의 감소로 인하여 불완전한 남성화와 요도하열을 보일 수 있다. 유전자는 1번 염색체에 위치하고 상염색체 열성으로 유전되며 효소결핍의 정도를 외부생식기의 남성화 정도로 추정할 수는 없다(Simpson and Elias, 2003).

① 내과적 치료

CAH는 치료하지 않으면 여아에서 출생 후 지속적인 남성화를 나타내게 된다. 2-4세경에 음모가 나타나고 골연령이 2세 앞서 진행되어 유아기에는 상대적으로 신장이 클 수 있으나 골단유합(epiphyseal closure)이 조기에 이루어져서 성인의 신장은 단축되게 된다. 가장 기본이 되는 치료로 글루코코르티코이드 투여는 부족한 코티솔을 보충하고 과도한 안드로겐 생성을 억제한다(New et al., 1990). 특히 hydrocortisone은 반감기가 짧아서 소아에게 투여하기 좋다. 일반적인 용량은 일일 10-15 mg/m^{2}이나 나이에 따라서 감량하거나 증량한다. 성인의 경우 성장억제 효과와 관계없이 dexamethasone이나 prednisone과 같이 작용시간이 더 긴 약물을 사용한다(Speiser et al., 2010). 또한 선천부신과다형성환자의 3/4이 전형적인 염 소모 형태이기 때문에 fludrocortisone 같은 광물코르티코이드 투여가 필요하다(Rodrigo et al., 2012). 치료효과 판정은 아침에 채취한 혈액에서 17-OHP와 안드로스텐디온(androstenedione)의 혈중농도로 판단하며, 염 소모 형태를 가진 환자는 나트륨, 칼륨, 레닌 수치를 같이 측정해야 한다. 소아의 경우 방문 시마다 키와 몸무게를 측정하고, 매년 골연령을 측정해야 한다.

② 성의 결정

46,XX CAH인 경우 90% 이상에서 본인을 여성으로 생각하고 있으며, 내부생식기는 추후 생식능력과도 관계가 있으므로 여성으로 인정해주는 것이 합당하다(Lee, 2006; Hughes, 2008). 그러나 최근 연구에 따르면 남성화가 많이 진행된 경우 남성으로 성을 결정해주는 것도 고려해야 하며 이 경우 자궁 및 양측 부속기 적출술 및 잠복고환수술을 하게 된다(Romao et al., 2011).

③ 외과적 치료

선천부신과다형성의 수술적 치료 시기에 대해서는 논란이 많다. 보통 유아기에 여성으로서의 수술을 하게 되며 이 경우 clitoroplasty, labioplasty, vaginoplasty 등이 포함되는데 이 시기의 수술은 환자 스스로 성결정을 할 수 없다는 점에서 최근 윤리학자와 환자지지 그룹에서 사춘기까지 수술을 연기하는 것이 논의되고 있다. 또한, 너무 이른 수술은 미용상으로나 기능 면에서 실패할 확률이 크며, 성인이 되었을 때 재수술할 빈도가 높다(Warne et al., 2005). 그러나 그럼에도 불구하고 환자의 삶의 질이나 신체적 정신적 건강검사를 바탕으로 살펴보면 적어도 청소년기 이전에 수술적 치료를 하는 것이 좋으며, 심한 남성화를 보이는 신생아의 경우 가족들이 3-9개월 이내에 성을 결정하고 수술을 하는 것이 요구된다(Romao et al., 2011). 그러나 이는 좀 더 논의되어야 할 사안이며, 장기적인 추적관찰이 필요하다.

④ 산전 치료

산전 dexamethasone 치료가 여성 태아의 남성화를 예방하는 데 효과가 있으며 임신 4-5주 전, 9주가 지나기 전에 투여해야 효과가 좋다. 하지만 산전 치료가 태아와 산모에 부작용을 초래할 수 있으므로 임신 초기에 융모막 생검으로 유전적 확진 이후에 이환된 여아에서만 치료를 지속하는 것이 바람직하다(Mercè Fernández-Balsells et al., 2010; Nimkarn and New, 2007).

(2) 모체 혈중 남성호르몬 상승에 의한 남성화

임신 중 산모에 남성호르몬 생성종양이 존재하거나 산모가 progestin이나 danazol과 같은 남성화를 초래할 수 있는 약물을 복용할 때도 신생아가 외부 생식기의 남성화를 보일 수 있다. 그러나 이 경우에는 다른 스테로이드 대사에 문제가 없으므로 외부 생식기의 수술적 복원만이 필요하고 호르몬 치료는 시행되지 않는다.

(3) XX sex reversal (testicular DSD)

매우 드문 증후군으로 염색체 성과 생식샘 성이 일치하지 않는 경우이다. 크게 *SRY*-양성인 경우와 음성인 경우로 분류할 수 있다. 약 90%의 경우 남성의 생식세포 분열 과정에서 X 염색체와 Y 염색체 단완의 끝부분 사이의 비정상적인 재조합으로 Y 염색체의 *SRY* 유전자가 X 염색체로 전이됨으로써 발생하게 되는데, 10%의 경우에는 *SRY* 유전자가 확인되지 않기 때문에 고환이 발생하는 기전을 알 수 없다. 표현형은 다양하게 나타날 수 있는데 *SRY*-양성이면 일부분에서는 생식기모호증으로 나타나는 경우가 있으나 대부분은 불임남성으로 키가 작은 형태로 발현된다. 하지만 *SRY*-음성인 경우에는 많은 경우에 생식기모호증이 있고 여성형 유방과 함께 남성화가 부적절하게 진행되는 것으로 보고되고 있다(Ergun-Longmire et al., 2004; Domenice et al., 2004; Rajender et al., 2006; Wang et al., 2009).

2) 46,XY DSD

(1) 완전 남성호르몬 불감증후군(complete androgen insensitivity syndrome, CAIS, Testicular feminization syndrome)

남성호르몬 수용체의 기능이 완전히 결여되어 있어 남성호르몬에 대한 반응이 전무하기 때문에 외형적으로는 완전한 여성으로 성장하게 된다. 이러한 경우 유아기에 진단이 될 수도 있으나 여성 표현형을 가진 소아에서 정소조직이 만져지거나 서혜부탈장 등의 형태로 발견되거나, 또는 사춘기에 무월경으로 진단되기도 한다. 남성호르몬에 의한 볼프관의 유도가 불가능하여 볼프관의 형성은 일어나지 않으나 AMH는 정상적인 기능을 하기 때문에 뮐러관도 형성되지 않는다. 유방의 발육은 정상적으로 이루어지나 질은 짧은 맹관으로 존재하기에 단순하게 확장하거나 혹은 결장 질성형술처럼 재건술이 필요하다. 혈액학적으로는 테스토스테론은 정상이거나 약간 상승된 남성의 수치를 보이고 혈중 LH와 에스트라디올은 상승하며 FSH는 정상 또는 약간 증가된 수치를 보인다. 남성호르몬의 중추신경계에 대한 작용이 없기 때문에 시공간 능력이 떨어질 수 있다(Imperato-McGinley et al., 1991).

Y 염색체를 함유하는 다른 dysgenetic gonad 질환과 달리 생식샘절제술은 16-18세 이후에 시행하는데 이는 이 질환에서 gonadal tumor의 발병이 25세 전에는 극히 드물기 때문에 사춘기의 내인성 호르몬 변화를 통해 자연스러운 성장을 도모하기 위해서이다. 생식샘절제술 이후에는 에스트로겐을 투여하여 골밀도를 유지하는 것이 바람직하다. 오랜 추적관찰 결과 대개 여성으로서 잘 적응된 상태로 생활함에도 불구하고 만족도가 높지 않은 경우가 많은 것으로 나타났고 보다 장기간의 정신적 치료가 필요할 것으로 생각된다(Köhler et al., 2012).

(2) **부분적 남성호르몬 불감증후군**(partial androgen insensitivity syndrome, PAIS)

Complete form의 1/10로 비교적 드물며, 거의 남성화가 이루어지지 않은 경미한 음핵 비대에서부터 완전히 남성화된 정상고환에서 무정자증 경우까지 임상적으로 다양한 양상을 보인다. 일반적으로 안드로겐 신호전달 또는 수용체 유전자의 결손 때문이라는 가설이 우세하나, 최근에는 유전적, 환경적 요인이 관여하리라는 것이 밝혀졌으며 이는 성을 결정하고 수술을 정하는 데 있어 중요한 역할을 한다(Hughes, 2008). 한 연구에 따르면 42.5%에서 안드로겐 수용체에 돌연변이를 갖거나, 5-a reductase gene (SRD5A2)의 돌연변이와 연관된 다형성 때문인 것으로 밝혀졌고 여기에 관여하는 유전자로는 steroidogenic factor 1 (SF-1)와 mastermindlike domain-containing 1 (MAMLD1) 등이 있다(Fernández-Cancio et al., 2011). 남성호르몬 수용체 기능의 변화는 미세한 질적인 변화부터 완전한 상실까지 다양하게 나타날 수 있는데, 수용체의 함량과 남성화의 정도 사이에는 상관관계가 없는 것으로 알려져 있다(Weidemann et al., 1998).

성의 결정에서는 과거에는 심하게 남성화가 진행하지 않는 환자의 경우 생식샘제거술과 여성화수술을 하고 호르몬 보충요법을 하여 대부분 여성으로 결정을 하였으나 부분적으로 진행된 모호생식기를 가진 경우에는 성 결정에 문제가 발생할 수 있다. 실제로 자기 성에 만족하지 못하거나 다시 성을 결정하고자 하는 빈도가 높게 나타났다(Köhler et al., 2012). 따라서 최근에는 적어도 하나의 기능적인 정소가 있거나 음경조직이 어느 정도 있는 경우 남성으로 성을 결정하기도 한다(Houk et al., 2010).

아직 남성화되지 않은 남아에 있어서는 고환제거술 여부에 상관없이 요도하열에 대한 수술이 요구된다. 고환제거술은 출생 후 첫 일 년 이내에 해야 한다는 점에서는 거의 이견이 없지만, 심한 요도하열에 대한 수술에 대해서는 기관별로도 진단기준이 다르고 치료방침도 다르다. 그러나 심한 요도하열이라고 판단되면 배변 훈련하기 전에 이를 교정해 주고 심하게 구부러져 있는 경우 피부이식 등을 통해 요도면을 편평하게 하는 수술이 6-8개월 이후에 이루어져야 한다(Manzoni et al., 2004).

(3) **완전 또는 부분적 생식샘발생장애**(complete or partial gonadal dysgenesis)

46,XY 생식샘발생장애는 그 표현형이 다양하다. 46,XY 염색체를 가진 개체에서 어떤 원인에 의해서 생식샘이 고환으로 분화하지 못하면 테스토스테론과 AMH의 생성이 이루어지지 않기 때문에 내부와 외부생식기가 완전한 여성형으로 발생하게 된다. 잘 알려진 Swyer 증후군 같은 경우도 여성표현형을 가지나 무월경으로 진단을 받게 되는 경우가 대부분이다. 부분적 성기 이상의 경우 그 범주는 더 다양한

표 39-2. **뮐러관 무형성증, 완전 남성호르몬 불감증후군 및 Swyer 증후군의 특징**

	뮐러관무형성증	완전 남성호르몬 불감증후군	Swyer 증후군
염색체 핵형	46,XX	46,XY	46,XY
유전	-	X-linked	-
동반기형	요로계, 골격계 기형	-	-
자궁존재	없음	없음	정상
외부 생식기	맹관	맹관	정상 질 형성
음모발육	정상	미약함	정상
유방발육	정상	정상	없음
생식샘적출	불필요	16-18세 이후 생식샘적출 필요	진단 즉시 생식샘적출 필요

데 정상 남성표현형을 가진 경우에 내부 뮐러관 구조의 존재를 불임클리닉에서 진단받게 된다(Ahmed et al., 2010). 10-15%에서는 *SRY* 유전자의 변이가 그 원인으로 제시되고 있으나 대부분에서는 확실한 원인을 알 수 없다. 최근에는 *DAX1*, *SOX9*, *WT1*, *GATA4* 등 여러 유전자의 변이가 일부 환자에서 증명되고 있다(Simpson and Elias, 2003). Eunuchoidal skeletal development, 골 연령의 지체, 난소 기능부전, 자궁이 있으면서 유방발육이 전혀 없는 점 등이 감별에 도움을 줄 수 있고, 생식샘의 악성 가능성이 높기 때문에 진단 즉시 퇴화한 생식샘을 제거하고 호르몬 대체요법을 시행하는 것이 원칙이다. 원발성무월경의 원인이 되는 뮐러관무형성증, 완전 남성호르몬 불감증후군, Swyer 증후군의 특성이 표 39-2에 요약되어 있다.

(4) androgen biosynthesis defects

① 남성에서의 CAH

선천부신과다형성을 가진 남성의 경우 CYP 21 결핍이 원인이 되며, 모호한 성기를 가지지 않는다. 그러나 정소 부신의 잔여종양과 연관하여 불임이 가장 큰 문제가 된다(Speiser, 2010).

② 5α -reductase deficiency

46,XY 염색체를 가진 개체에서 상염색체 열성으로 유전되는 질환이다. 심한 요도하열과 질의 미성숙이 특징적이기 때문에 불완전 남성호르몬 불감증후군과 유사한 양상을 보인다. 그러나 출생 시에는 거대 음핵을 가진 여아로 판정될 수 있지만 사춘기가 되면 불완전 남성호르몬 불감증후군과는 달리 정상적인 고환의 기능이 나타나서 남성화가 진행되고 유방도 발육되지 않는다.

진단은 혈중 T (testosterone): DHT 비율이 증가되어 있는 것으로 가능한데, 특히 HCG 자극 시에 이환된 환자의 경우 T/DHT ratio가 저명하게 증가하게 된다. 음경의 발달이 적절하지 않은 경우에는 여성으로 성 결정한 후 남성화가 진행되지 않도록 조기에 생식샘절제술을 시행한다. 음경이 어느 정도 형성된 경우에는 조기에 잠복고환(cryptorchidism)과 요도하열을 교정하여 수정 능력을 보존하고 남성으로의 생활이 가능하도록 한다. 여성으로 성장하던 환자가 사춘기에 진단이 이루어져서 남성으로 성 결정이 역전되는 경우가 있을 수 있는데, 이 경우에는 반대의 경우와는 달리 심리학적으로 큰 문제가 야기되지 않는 것으로 보고되고 있다(Imperato-McGinley et al., 1979).

③ 17β -hydroxysteroid dehydrogenase deficiency

출생 시 외부생식기는 여성표현형이면서 자궁이 없고 서혜부에 고환이 만져져서 남성호르몬 불감증후군과 같은 임상소견을 보이며 내부생식기는 정상적인 남성과 같으며 뮐러관 구조는 생성되지 않는다. 사춘기가 되어 남성호르몬이 증가하면서 남성화를 보이게 되는데 그 이유는 사춘기로 인하여 혈중 안드로스텐디온이 급격하게 증가하면 17β-hydroxysteroid dehydrogenase isoenzyme에 의하여 안드로스텐디온이 테스토스테론으로 전환되기 때문이다. 여성으로 성 결정이 이루어진 경우 사춘기의 남성화와 고환종양의 발생을 방지하기 위하여 조기에 생식샘절제술을 시행하도록 한다.

3) Sex Chromosome DSD

이 범주에 속하는 질병으로는 터너증후군이나 클라인펠터증후군뿐만 아니라 환자와 부모의 다양한 변이의 모자이크 핵형까지 모두 포함된다. 가장 흔한 모자이크 핵형은 45,X/46,XY이며 이는 대개 mixed gonadal dysgenesis (MGD)와 연관되어 가장 많이 진단된다(Parisi et al., 2007; Romao et al., 2011). 이러한 환아들은 모호한 성기와 비대칭적인 외부생식기를 가지며, 흔히 서혜부탈장을 동반하기도 한다. 또한, 한쪽에는 streak gonad를 가지며 다른 한쪽에 이형성 정소를 가지게 되는데, 남성화 정도는 이형성 정소에서 생성되는 테스토스테론의 정도에 따라 결정된다. 성의 결정은 여러 요인을 고려하여 이루어져야 하며 대개 남녀의 비율은 비슷하다(Romao et al., 2011).

4) 난소고환증(Ovotesticular DSD)

이전에 진성반음양증으로 불리던 것이 난소고환증으로 바뀌었으며, 염색체핵형과 관계없이 한 개체가 난소와 고환조직을 모두 가지고 있는 경우를 말한다. 즉, 한 개의 생식샘에 난소와 정소조직이 혼재되어 있을 수도 있고, 난소와 정소가 각각 개별적으로 존재하는 경우 혹은 한쪽에는 혼재된 조직과 한쪽에는 난소 또는 정소가 있는 경우 등이 포함된다. 성분화이상의 드문 원인으로 60%는 46,XX이며 46,XX/46,XY, 46,XY, 46,XX/47,XXY와 다른 mosaicism도 보고되고 있다(Simpson and Elias, 2003). 임상적 표현형이 다양한데 모호생식기가 가장 흔한 특징으로 관찰되며 사춘기에 비정상적인 유방의 발육도 대부분에서 관찰된다. 철저한 이학적 검사가 필요하며 한쪽의 음순음낭주름에서 생식샘이 만져지는 경우 중요한 감별점이 될 수 있다.

난소고환증의 확진은 생식샘의 조직학적 검사를 통해서만 가능하기 때문에 의심될 경우에는 시험적 개복술이 필요하다. 성 결정은 환자가 정상적인 생식능력과 성기능을 가질 수 있는 쪽으로 이루어져야 하는데, 여성으로 결정된 경우 수술 시 고환과 흔적 생식샘 조직 및 볼프관 구조들을 모두 제거해야 하고 남성으로 결정된 경우에는 난소조직과 뮐러관 구조들을 모두 제거한 후 필요할 경우 정소고정술(orchiopexy)을 시행해야 한다(Simpson and Elias, 2003). 난소고환증 환자들은 대부분에서 평균 지능과 수명을 가지며, 다른 기형을 동반하지 않으나, 다른 성분화이상과 같이 수술 시기나 정신적 지지치료에 대한 논의는 필요하다.

5) 성의 이상발육의 치료방침

비정상적인 성분화로 인한 질병은 많은 지식을 바탕으로 다재적으로 접근되어야 한다. 특히 성을 결정하는 데 있어서 다음과 같은 사항들을 고려해야 한다. (1) 성인이 되었을 때의 성 정체성과 기능이 가장 중요한 요인이다. (2) 환자 가족의 가치와 선호를 존중해야 한다. (3) 소아의 경우 선택된 성에 따라서 양육되지만, 장기적인 성결정에 참여할 수 있어야 한다. 이전에는 남성화된 여성의 경우 모두 여성으로 간주하여 성장시키는 것이 바람직하다고 여겨졌으며, 이는 적절한 치료를 통하여 모든 여성이 수정 능력을 가질 수 있기 때문이다. 이외에 수정 능력을 가질 수 있는 이상으로는 남성으로 단순 요도하열이나 복원된 단순 잠복고환 또는 탈자궁증후군을 가진 경우가 있을 수가 있으며 이들 외의 다른 모호생식기에서는 대부분 수정 능력이 없다고 간주할 수 있다. 그러나 최근 들어 이러한 병들의 치료에 있어 전문가집단의 의견뿐만 아니라 환자가 가장 원하는 것이 무엇인지를 맞춰주는 방향으로 초점이 맞춰지고 있으며, 개개인에게 맞는 치료를 찾는 것이 필요하다(Brain et al., 2010).

참고문헌

- Acien P. Incidence of Müllerian defects in fertile and infertile women. Hum Reprod 1997;12:1372-6.
- ACOG. Committee opinion number 562: Müllerian agenesis: diagnosis, management, and treatment. Obstet Gynecol 2013; 121:1134-7.
- Ahmed SF, Rodie M. Investigation and initial management of ambiguous genitalia. Best Pract Res Clin Endocrinol Metab 2010;24:197-218.
- Aittomaki K, Eroila H, Kajanoja P. A population based study of the incidence of Müllerian aplasia in Finland. Fertil Steril 2001;76:624-5.
- American Fertility Society. The American Fertility Society classifications of adnexal adhesions, distal tubal occlusion secondary due to tubal ligation, tubal pregnancies, müllerian anomalies and intrauterine adhesions. Fertil Steril 1988;49: 944-55.
- Brain CE, Creighton SM, Mushtaq I, Carmichael PA, Barnicoat A, Honour JW, et al. Best Pract Res Clin Endocrinol Metab 2010;24:335-54.
- Buttram VC Jr, Gibbons WE. Müllerian anomalies: a proposed classification. (An analysis of 144 cases.) Fertil Steril 1979;32: 40-6.
- Chan YY, Jayaprakasan K, Zamora J, Thornton JG, Raine-Fenning N, Coomarasamy A. The prevalence of congenital uterine anomalies in unselected and high-risk populations: a systematic review. Hum Reprod Update 2011;17:761-71.
- Chua SC, Szabo P, Vitek A, Grzeschik KH, John M, White PC. Cloning of cDNA encoding steroid 11 beta-hydroxylase (P450c11). Proc Natl Acad Sci USA 1987;84:7193-7.
- Domenice S, Correa RV, Costa EM, Nishi MY, Vilain E, Arnhold IJ, et al. Normal and abnormal sexual development. In: Marc A. Fritz & Leon Speroff, editors. Clinical Gynecologic Endocrinology and Infertility. 8th ed. Philadelphia (PA): Lippincott Williams & Wilkins; p.348, 2011.
- Ergun-Longmire B, Vinci G, Alonso L, Matthew S, Tansil S, Lin-Su K, et al. Normal and abnormal sexual development. In: Marc A. Fritz & Leon Speroff, editors. Clinical Gynecologic Endocrinology and Infertility. 8th ed. Philadelphia (PA): Lippincott Williams & Wilkins; p.348, 2011.
- Erman Akar M, Ozkan O, Aydinuraz B, Dirican K, Cincik M, Mendilcioglu I, et al. Clinical pregnancy after uterus transplantation. Fertil Steril 2013;100:1358-63.
- Fernández-Cancio M, Audí L, Andaluz P, Torán N, Piró C, Albisu M, et al. SRD5A2 gene mutations and polymorphisms in Spanish 46, XY patients with a disorder of sex differentiation. Int J Androl 2011;34:e526-5.
- Frank RT. The formation of an artificial vagina without operation. Am J Obstet Gynecol 1938;35:1053-4.
- Gauwerky J, Wallwiener D, Bastert G. An endoscopically assisted technique for construction of a neovagina. Arch Gynecol Obstet 1992;252:59-63.
- Grimbizis GF, Camus M, Tarlatzis BC, Bontis JN, Devroey P. Clinical implications of uterine malformations and hysteroscopic treatment results. Hum Reprod Update 2001;7:161-74.
- Grimbizis GF, Gordts S, Di Spiezio Sardo A, Brucker S, De Angelis C, Gergolet M, et al. The ESHRE-ESGE Consensus on the Classification of Female Genital Tract Congenital Anomalies. Gynecol Surg 2013;10:199-212.
- Grimbizis GF, Gordts S, Di Spiezio Sardo A, Brucker S, De Angelis C, Gergolet M, et al. The ESHRE/ESGE consensus on the classification of female genital tract congenital anomalies. Hum Reprod 2013;28:2032-44.
- Hauser GA, Schreiner WE. Mayer-Rokitansky-Kuester syndrome: rudimentary solid bipartite uterus with solid vagina [article in German]. Schweiz Med Wochenschr 1961;91:381-4.
- Houk CP, Lee PA. Approach to assigning gender in 46, XX congenital adrenal hyperplasia with male external genitalia: replacing dogmatism with pragmatism. J Clin Endocrinol Metab 2010;95:4501-8.
- Hughes IA. Disorders of sex development: a new definition and classification. Best Pract Res Clin Endocrinol Metab 2008;22:119-34.
- Imperato-McGinley J, Peterson RE, Gautier T, Sturla E. Androgens and the evolution of male-gender identity among male pseudohermaphrodites with 5 alpha-reductase deficiency. N Engl J Med 1979;300:1233-7.
- Imperato-McGinley J, Pichardo M, Gautier T, Voyer D, Bryden MP. Cognitive abilities in androgen-insensitive subjects: comparison with control males and females from the same kindred. Clin Endocrinol 1991;34:341-7.
- Ingram JM. The bicycle seat stool in the treatment of vaginal agenesis and stenosis: a preliminary report. Am J Obstet Gynecol 1981;140:867-73.
- Köhler B, Kleinemeier E, Lux A, Hiort O, Grüters A, Thyen U; DSD Network Working Group. Satisfaction with genital surgery and sexual life of adults with XY disorders of sex development: results from the German Clinical Evaluation Study. J Clin Endocrinol Metab 2012;97:577-88.
- Lee PA, Houk CP, Ahmed SF, Hughes IA; International Consensus Conference on Intersex organized by the Lawson Wilkins Pediatric Endocrine Society and the European Society for Paediatric Endocrinology. Consensus statement on management of intersex disorders. International Consensus Conference on Intersex. Pediatrics 2006;118:e488-500.
- Leung AK, Robson WL, Tay-Uyboco J. The incidence of labial

fusion in children. J Paediatr Child Health 1993;29:235-6.
- Manzoni G, Bracka A, Palminteri E, Marrocco G. Hypospadias surgery: when, what and by whom? BJU Int 2004;94:1188-95.
- McIndoe A. The treatment of congenital absence and obliterative condition of the vagina. Br J Plast Surg 1950;2:254-67.
- Mercè Fernández-Balsells M, Muthusamy K, Smushkin G, Lampropulos JF, Elamin MB, Abu Elnour NO, et al. Prenatal dexamethasone use for the prevention of virilization in pregnancies at risk for classical congenital adrenal hyperplasia because of 21-hydroxylase (CYP21A2) deficiency: a systematic review and meta-analyses. Clin Endocrinol (Oxf) 2010;73:436-44.
- New MI, del Balzo P, Crawford C, Speiser PW. The adrenal cortex. In: Kaplan SA, ed. Clinical pediatric endocrinology. Philadelphia: Saunders; 1990. p.81-234.
- Nimkam S, New MI. Prenatal diagnosis and treatment of congenital adrenal hyperplasia. Horm Res 2007;67:53-60.
- Parazzini F, Cecchetti G. The frequency of imperforate hymen in northern Italy. Int J Epidemiol 1990;19:763-4.
- Parisi MA, Ramsdell LA, Burns MW, Carr MC, Grady RE, Gunther DF, et al. A gender assessment team: experience with 250 patients over a period of 25 years. Genet Med 2007;9:348-57.
- Pasterski V, Prentice P, Hughes IA. Consequences of the Chicago consensus on disorders of sex development (DSD): current practices in Europe. Arch Dis Child 2010;95:618-23.
- Rajender S, Rajani V, Gupta NJ, Chakravarty B, Singh L, Thangaraj K. Normal and abnormal sexual development. In: Marc A. Fritz & Leon Speroff, editors. Clinical Gynecologic Endocrinology and Infertility. 8th ed. Philadelphia (PA): Lippincott Williams & Wilkins; 2011. p.348.
- Rodrigo L.P. Romao, Joao L. Pippi Salle, Diane K. Wherrett. Update on the management of disorders of sex development. Pediatr Clin N Am 2012;59:853-69.
- Romao R, Bägli D, Lorenzo A. Patterns of presentation, diagnosis and gender assignment in a Canadian multidisciplinary clinic of disorders of sex development (DSD). Can Urol Assoc J 2011;5:S3-114.
- Simpson JL, Elias S. Abnormal genital development. In: Simpson JL, Elias S, editors. Genetics in obstetrics and gynecology. 3rd ed. Pennsylvania: Elsevier Science Science; 2003. p.291-321.
- Speiser PW, Azziz R, Baskin LS, Ghizzoni L, Hensle TW, Merke DP, et al. Congenital adrenal hyperplasia due to steroid 21-hydroxylase deficiency: an Endocrine Society clinical practice guideline. J Clin Endocrinol Metab 2010;95:4133-60.
- Wang T, Liu JH, Yang J, Chen J, Ye ZQ, Normal and abnormal sexual development. In: Marc A. Fritz & Leon Speroff, editors. Clinical Gynecologic Endocrinology and Infertility. 8th ed. Philadelphia (PA): Lippincott Williams & Wilkins; 2011. p.348.
- Warne G, Grover S, Hutson J, Sinclair A, Metcalfe S, Northam E, et al. A long-term outcome study of intersex conditions. J Pediatr Endocrinol Metab 2005;18:555-67.
- Wedell A. Molecular genetics of congenital adrenal hyperplasia (21-hydroxylase deficiency): implications for diagnosis, prognosis and treatment. Acta Paediatr 1998;87:159-64.
- Weidemann W, Peters B, Romalo G, Spindler KD, Schweikert HU. Response to androgen treatment in a patient with partial androgen insensitivity and a mutation in the deoxyribonucleic acid-binding domain of the androgen receptor. J Clin Endocrinol Metab 1998;83:1173-6.
- Williams C, Nakhal R, Hall-Craggs M, Wood D, Cutner A, Pattison S, et al. Transverse vaginal septae: management and long-term outcomes. BJOG 2014 Jun 19. doi: 10.1111/1471-0528.12899. [Epub ahead of print].

비뇨 부인과학

제40장 **골반저 해부와 생리**

제41장 **요실금**

제42장 **골반장기탈출증**

제43장 **항문직장 기능장애**

제40장

골반저 해부와 생리

채희동 | 울산의대
김철홍 | 전남의대

1. 골반저 해부

골반저부(pelvic floor)는 지지 기능을 갖고 있어 골반장기 탈출을 방지하고 대변과 소변의 자제(continence) 및 배출을 조절한다. 골반뼈(bony pelvis)에 붙어있는 근육과 인대가 골반저부를 만들어서 골반장기인 비뇨기, 생식기, 소화기 등을 떠받쳐주고 있으며 그 기관들의 아랫부분이 각각 골반저부를 관통하여 바깥쪽으로 개구한다. 골반저부는 복막(peritoneum)으로부터 외음부(vulva) 피부층 사이까지의 여러 층으로 구성되어 있으며 위에서부터 골반장기와 골반 측벽을 덮고 있는 복막층, 골반장기와 그것들을 골반벽에 부착시키는 골반내근막(endopelvic fascia), 항문올림근(levetor ani muscles)과 꼬리근(coccygeus muscle)으로 이루어지는 골반가로막(pelvic diaphragm), 비뇨생식가로막(urogenital diaphragm) 그리고 회음근(perineal muscles)들이 순서대로 배열되어 있다.

1) 골반가로막(Pelvic Diaphragm)

골반뼈에 붙어 골반장기를 지지해주는 골반가로막은 양방향으로 달리는 두 쌍의 항문올림근과 꼬리근으로 구성되어 있으며 항문올림근은 두덩꼬리근(pubococcygeus muscle), 두덩곧창자근(puborectalis muscle), 엉덩꼬리근(iliococcygeus muscle)의 3가지 근육으로 구성되어 있다(Sarah, 2017)(그림 40-1, 2, 3).

두덩꼬리근은 가장 앞쪽에 위치하고 있으며 두덩뼈의 뒷면과 양측 골반 측면의 항문올림근힘줄활(arcus tendinous levator ani)의 앞쪽 부위에서 시작하여 질과 직장의 측면을 지나 항문꼬리뼈인대(anococcygeal ligament)와 꼬리뼈(coccyx)에 부착한다. 두덩꼬리근은 두덩질근(pubovaginalis muscle)과 두덩요도근(pubourethralis)을 포함한다(Jonathan, 2020).

두덩곧창자근은 두덩꼬리근 아래에 위치하며 곧창자 주변으로 U자 모양의 두꺼운 근육을 형성한다. 이 근육은 항상 수축되어 있음으로써 곧창자와 질과 요도를 두덩뼈쪽으로 당겨주게 되며 이 장기들의 내경을 좁혀주게 되어 대소변을 조절할 수 있게 되고 아울러 골반장기를 지지하게 된다.

엉덩꼬리근은 항문올림근힘줄활의 뒤쪽 부위와 궁둥뼈가시(ischial spine)에서 시작하여 항문꼬리뼈 봉합선(anococcygeal raphe)과 꼬리뼈에 부착하여 비교적 수평적인 막을 형성한다.

꼬리근은 삼각형 모양으로 궁둥뼈가시에서 시작되어

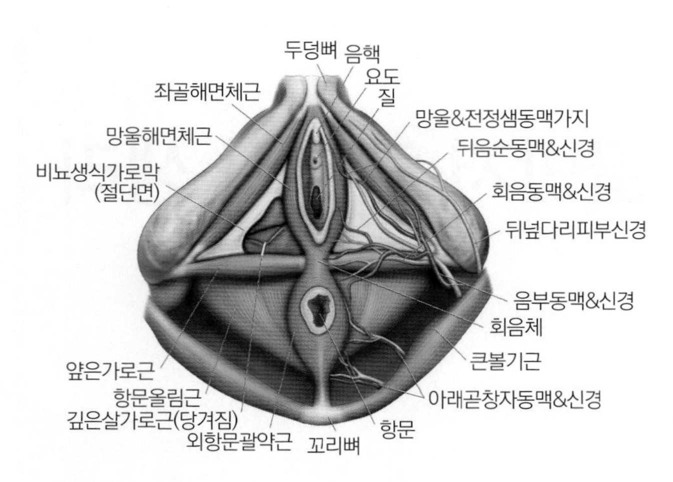

그림 40-1. **골반저부를 지지해주는 뼈와 근육을 아래에서 본 그림**

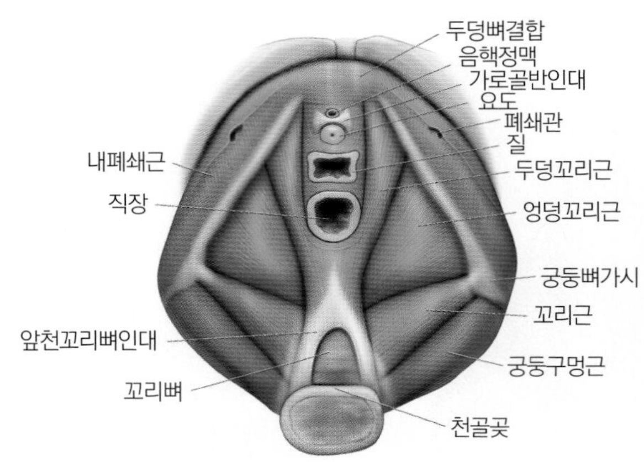

그림 40-2. **골반저부를 지지해주는 뼈와 근육을 위쪽에서 본 그림**

엉치뼈(sacrum)의 측면에 부착되어 있다. 양측이 모두 고정되어 있기 때문에 움직임이 거의 없는 근육이다.

항문올림근은 앞쪽으로는 두덩뼈부터 뒤쪽으로는 꼬리뼈, 골반의 한쪽에서 다른쪽까지 넓은 곡선의 근육판으로 요도, 질, 항문관이 관통한다. 항문올림근은 두덩뼈의 몸통(body)에서 궁둥뼈가시까지 뻗은 항문올림근힘줄활에서 시작한다. 항문올림근힘줄활은 속폐쇄근막(obturator fascia)이 두꺼워져 형성되고 가쪽부위의 이정표와 질걸기수술(vaginal suspension procedure)의 부착지점으로 역할한다(Jonathan, 2020).

항문올림근은 복강과 골반강 장기를 포함하는 앞쪽 복벽근육을 도와주고 질 뒤쪽부분을 지지하고 대변을 용이하게 하며 배변자제를 유지하는 데 도움을 준다. 또한 분만 시 자궁경부가 이완되는 동안 태아머리를 지지한다(Lien KC et al., 2004). 항문올림근의 앞쪽부위는 비뇨생식구멍(urogenital hiatus)을 닫고 요도, 질, 회음부, 곧창자를 두덩뼈쪽으로 당겨준다. 이와 반대로 뒤쪽부위는 꼬리뼈와 곧창자 사이의 후방 근섬유의 융합으로 올림근판(levator plate)을 형성하는데 올림근판은 수평면으로 놓여있어 골반 내장장기를 지지하는 역할을 한다(Jonathan SB, 2020).

따라서 항문올림근의 기능이 정상적인 한 골반저부는 닫히고 근막과 인대는 긴장을 받지 않게 된다. 그러나 어떤 원인으로 근육이 손상되었거나 신경의 손상으로 근육이 수축되어 있지 못하게 되면 골반장기의 받침이 약해지고 근막과 인대는 지속적인 긴장을 받아 늘어나게 되므로 비뇨생식구멍(urogenital hiatus)의 처짐과 확장이 일어나면서 골반장기의 탈출 같은 문제들이 발생하게 된다.

항문올림근은 일정한 휴식기 수축(resting contraction)을 하는 다량의 제1형(type I, slow twitch) 근섬유와 기침이나 재채기와 같은 복압의 급격한 변화에 신속하게 작용하여 요도의 폐쇄를 유지하는 제2형(type II, fast twitch) 근섬유로 구성되어 있는데 이 두 가지 형태의 근섬유의 반사적 수축은 골반내 모든 장기의 지지를 돕는다.

2) 비뇨생식가로막(Urogenital Diaphragm)

골반가로막 아래에 위치하며 회음막(perineal membrane)이라고도 하며 깊은샅가로근(deep transverse perineal muscle)의 하부와 상부근막층으로 되어 있다. 앞쪽으로는 두덩뼈에서 시작하여 양측 궁둥두덩뼈가지(ischiopubic rami)에 연결되어 회음체(perineal body)에 가서 붙어서 골

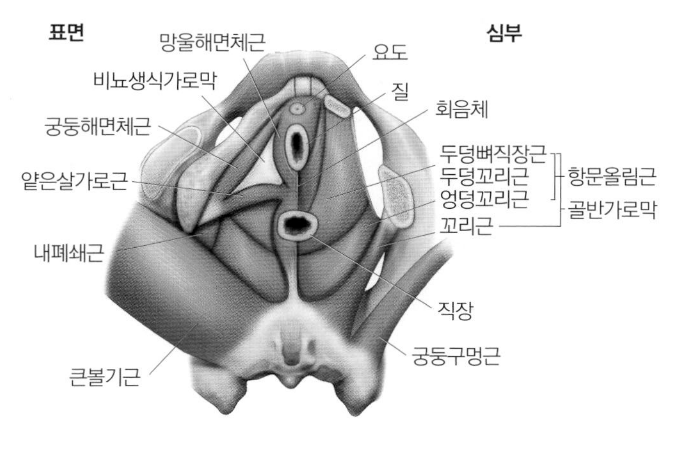

그림 40-3. **회음부의 근육들**
심부는 표면에서 표재성 근육층을 제거한 그림이다.

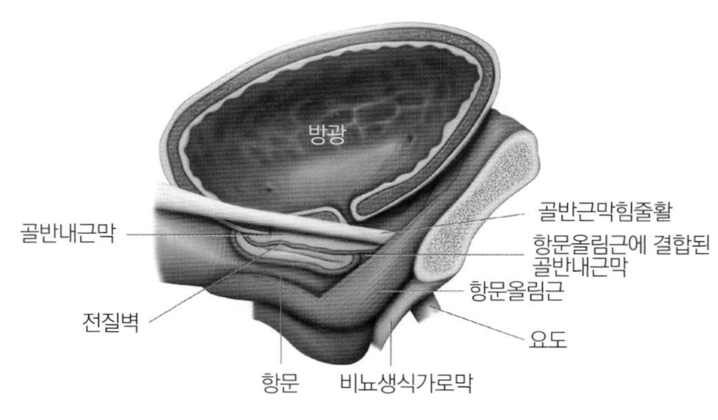

그림 40-4. **골반내근막**
골반장기를 지지하는 구조물을 측면에서 본 그림으로 전질벽이 골반내근막에 의해 양쪽의 골반근막힘줄활에 부착되어 방광경부와 요도를 지지하게 된다.

반출구(pelvic outlet)의 앞쪽 삼각형을 이룬다. 골반가로막 앞쪽을 강화해주고 궁극적으로 질과 요도에 작용한다. 비뇨생식가로막이 분만으로 파열되면 생식구멍이 넓어지며 골반장기의 하강 및 요도의 과운동성(hypermobility)이 나타나며 회음체가 짧아진다(그림 40-1).

3) 회음근(Perineal Muscles) 및 회음체(Perineal Body)

비뇨생식가로막 바깥쪽으로는 궁둥해면체근(ischio-cavernosus muscle), 망울해면체근(bulbocavernosus muscle), 얕은샅가로근(superficial transverse perineal muscle) 같은 회음근들이 있다. 이 중 궁둥해면체근과 망울해면체근은 지지역할을 담당하지 않고 주로 성기능에만 관여하며 얕은샅가로근은 회음체를 고정하는 역할을 한다(그림 40-1).

회음체 또는 중심회음인대(central perineal tendon)는 항문과 질 사이 중간선에 존재하는 피라미드 모양의 섬유성 근육구조로서 망울해면체근, 얕은샅가로근, 바깥항문조임근(external anal sphincter)이 만나서 형성된다. 회음체는 골반저부의 근육과 근막의 지지구조를 고정하는 역할을 한다. 또한 골반가로막과 비뇨생식가로막의 두 층의 중심연결점이 된다. 분만 동안 회음체가 손상될 경우 골반장기 탈출이 발생할 수 있다(Sarah, 2017).

4) 골반내근막(Endopelvic Fascia) 및 결합조직(Connective Tissue)

골반내근막은 방광, 요도, 질, 자궁에 걸쳐 붙어있는 결합조직으로 골반장기들을 골반벽에 부착시켜준다(그림 40-4). 복막 바로 밑에 위치하며 특별한 부위마다 그 두께나 조밀함이 다양하다. 골반내근막은 관절을 연결해주는 강한 인대와는 달리 다양한 양의 콜라겐, 탄력소(elastin), 평활근세포, 섬유모세포, 신경, 혈관 등 여러 종류의 조직들로 구성된 내장근막(visceral fascia)이다.

골반내근막의 가장 상층은 항문올림근과 골반장기를 연속된 막으로 덮고 있으며 이것들을 골반벽에 부착시킨다. 골반내근막이 자궁에 부착된 부분을 자궁주위조직(parametrium)이라 하며 질에 부착된 부분을 질주위조직(paracolpium)이라고 한다. 자궁주위조직과 질주위조직의 가장 두드러진 두 주름부분을 임상적으로 자궁엉치인대(uterosacral ligament)와 기인대(cardinal ligament)라고 부른다. 이 두 개의 두드러진 인대는 자궁경부와 질 상부에서 엉치뼈의 가쪽으로 뻗어있으며 항문올림근과 질벽의 전면과 측면을 지지하는 데 중요한 역할을 한다.

골반근막힘줄활(arcus tendinous fascia pelvis)과 항문올림근힘줄활(arcus tendinous levator ani)은 단단하게 밀집된 주로 콜라겐으로 이루어진 결합조직의 다발로서 골반 측면의 지지를 담당한다. 항문올림근힘줄활과 골반근막힘줄활은 골반내근막보다 더 조직적으로 섬유화된 콜라겐으로 이루어져 있기 때문에 말단사지의 근골격조직에 있는 힘줄(tendon)과 같은 인대와 비슷하다. 항문올림근힘줄활의 앞쪽 면은 두덩뼈가지의 양쪽으로 부착되고 뒤쪽 면은 궁둥뼈가시나 그 근처로 부착되며 내폐쇄근(obturator internus muscle)을 덮고 있다. 골반근막힘줄활의 앞쪽 면은 항문올림근힘줄활의 안쪽에 놓여있고 두덩뼈결합부 근처에 부착되며 뒤쪽 면은 항문올림근힘줄활과 합쳐져서 궁둥뼈가시 또는 그 위쪽으로 부착된다(그림 40-5). 항문올림근힘줄활은 항문올림근인 엉덩꼬리근, 두덩꼬리근의 활동적 지지를 위한 부착부분을 제공한다. 골반근막힘줄활은 요도가 지나가고 지지되는 앞쪽 질벽을 측면으로 부착시키는 부위를 제공한다. 항문올림근힘줄활과 골반근막힘줄활의 두 개의 측면 근막 지지는 앞쪽 질벽의 안쪽으로 교차되어 방광과 요도의 아래쪽을 지지하게 된다. 골반근막힘줄활으로부터 두덩경부근막(pubocervical fascia)과 두덩요도근막(pubourethral fascia)의 분리는 가쪽 방광탈출증을 초래한다.

5) 질주위조직의 지지

1992년 DeLancey는 질을 지지하는 질주위조직을 세 개의 레벨로 나누는 개념을 도입하였다(DeLancey, 1992)(그림 40-6).

(1) 상부(Level I)

질 위쪽 1/3 (level I) 지지는 꼭대기를 매달고 있는 자궁주위조직과 기인대-자궁엉치인대 복합체로 구성된 수직 축이다. 기인대는 질을 골반 측면에 부착시키고 자궁엉치인대는 엉치엉덩뼈관절(sacroiliac joint) 하부를 싸는 전면 엉치뼈근막(presacral fascia)에 질을 부착시킨다. 질의 상부 결손은 주로 질주위조직과 자궁주위조직의 정상 지지력의 손실에 의한 것이라고 생각되며 따라서 자궁탈출, 후질벽탈장(enterocele), 자궁절제술 후의 질원개탈출(vaginal vault prolapse)과 관계된다.

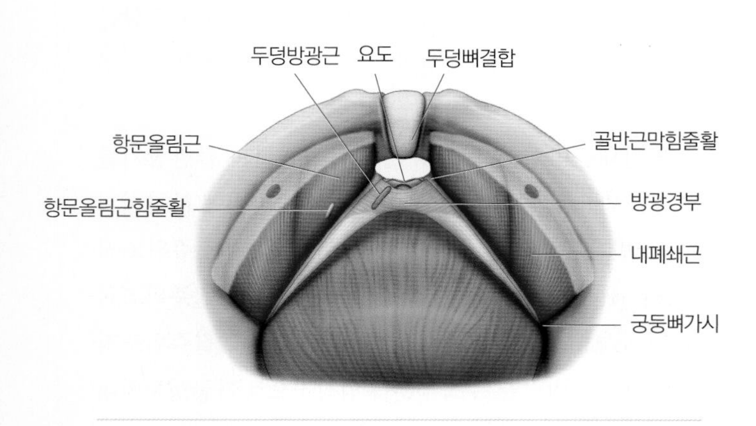

그림 40-5. **두덩뼈 후벽 공간인 레지우스 공간의 그림**
골반근막힘줄활 및 항문올림근힘줄활의 두 개의 측면 근막 지지는 앞쪽 질벽의 안쪽으로 교차되어 방광과 요도의 아래쪽을 지지한다.

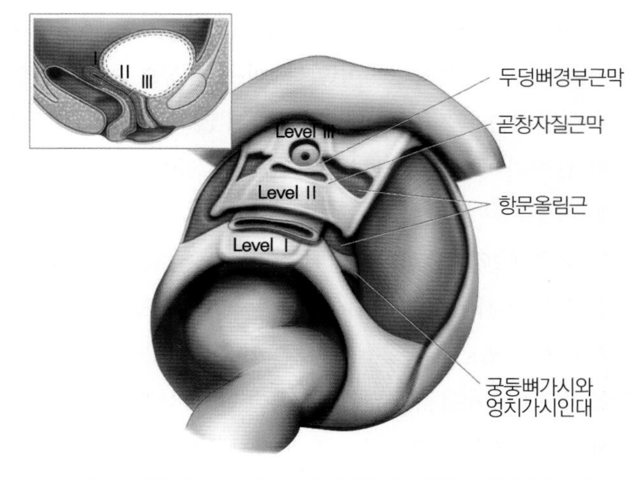

그림 40-6. **질을 지지하는 구조물에 대한 모식도**

(2) **중간부**(Level II)

질 중간 1/3(level II) 지지는 골반근막힘줄활과 항문올림근의 상부근막을 통해 질에 가쪽으로 부착되어 있는 자궁주위 조직으로 수평 축이다. 골반내근막을 매개로하여 질을 방광과 곧창자에 대하여 횡으로 당기는 구조물로 방광과 전면 질벽 사이에서 두덩경부근막(pubocervical fascia)이 양측의 골반근막힘줄활에 부착되어 방광이 탈출되지 않도록 도우며 후질벽과 곧창자 사이에서 곧창자질근막(recto-vaginal fascia)이 양측의 항문올림근힘줄활에 부착되어 곧창자이 탈출되지 않도록 돕는다. 따라서 질의 중간부위 결손은 질이 측면지지에서 정상 유지력을 잃게 되는 것으로 방광탈출(cystocele), 상위 직장류(high rectocele)가 발생한다.

(3) **하부**(Level III)

질 하부 1/3(level III) 지지는 질 하부와 항문올림근, 회음막, 회음체가 부착된 수직 축이다. 질의 하부에서는 전면 질벽과 요도가 비뇨생식가로막에 부착되고 후질벽은 회음체에 부착되며 측면 질벽은 항문올림근에 부착된다. 골반내근막은 방광저보다 특히 요도 아래에서 더욱 발달되어 방광경부를 지지한다. 질의 하부 결손은 회음체의 유지 결손이나 말단 요도가 두덩뼈에 합쳐지지 않음으로써 요도의 과운동성을 유발하여 복압성 요실금(stress urinary incontinence)이나 하위 직장류(low rectocele)가 발생한다.

Level I의 손상은 자궁이나 질원개탈출을 초래하고 Level II, III의 손상은 질의 전벽과 후벽의 탈출을 초래한다. 모든 레벨의 손상은 재건수술 시 교정되어야 한다.

2. 하부요로의 구조와 기능

하부요로는 방광과 요도로 구성되어 있으며, 해부학적으로 골반저근육, 근막, 결합조직 및 골반내 신경조직으로 구성된 복합체에 의하여 지지되고 자율신경계(autonomous nervous system)와 체신경계(somatic nervous system)의 지배를 받는다. 요도가 방광으로 들어가는 입구부분을 방광목(vesical neck)이라고 한다. 요관은 엄밀히 말하면 상부요로계에 속하나 골반수술에 있어 골반 내에 존재하는 하부요관에 대한 해부학적 지식은 필수적이다. 본 단원에서는 이러한 요관, 방광, 방광목, 요도에 관한 해부학 및 그 기능에 대해 살펴보고자 한다.

1) 하부요로의 구조

(1) **요관**

요관은 콩팥과 방광을 이어주는 소변이 통과하는 확장성의 근육성 관이다. 이행상피층이 평활근층에 의해 지지되는 구조이다. 요관은 후복막에 위치하며 골반내근막(en-dopelvic fascia)에 싸여있다. 이 골반내근막에 존재하는 세동맥에 의해 혈액공급을 받는다. 요관은 콩팥의 내측에서 기시하여 허리근(psoas muscle)의 내측에서 아래 방향으로 주행한다. 골반내 요관은 골반가장자리(pelvic brim)에서 총장골동맥(common iliac artery)을 지날 때 비교적 쉽게 알 수 있다. 여기서부터 내장골동맥의 가지를 따라 주행하며 그 연동운동을 복막 위에서 관찰할 수 있다. 골반내 요관은 자궁경부에 부착하는 자궁엉치인대와 매우 가깝게 위치한다(Buller et al., 2001; Campbell et al., 1950). 엉치뼈수준에서 요관은 자궁엉치인대와 4 cm가량 떨어져 있으나 자궁경부수준에서는 1 cm보다 가깝다. 자궁엉치인대부근을 지나서는 자궁동맥의 아래를 지나 내측으로 주행하며 두덩자궁경부근막(pubocervical fascia) 위에서 방광삼각(trigone)으로 들어간다.

(2) **방광**

방광은 배뇨근을 중심으로 안쪽에 이행상피층(transitional epithelium)과 점막하층, 그 바깥에 외막(adventitia)과 장막(serosa)로 덮여있는 구조를 가진다. 배뇨근의 근육층은 일정한 패턴을 가지지는 않으나 세로(longitudinal)의 바깥층기본구조에 안쪽으로 원형 또는 경사(oblique)층을 가진다. 가장 안쪽 근층은 그물망처럼 형성되어 방광경하에 방광 육주 형성(trabeculation)으로 보일 수 있다. 방광 내에는 삼각(trigone)으로 불리는 삼각형 모양의 구조물이 있으며 두 개의 요관구멍과 내요도구멍(internal urethral meatus)이 삼각형의 꼭지점을 형성한다. 삼각형의 밑변을 형성하는 요관구멍 사이의 선은 interureteric ridge라 불리며 방광경시술 시 요관구멍을 찾는 중요한 해부학적 구조물이다. 방광삼각(trigone)은 방광의 다른 부분과 발생학적으로 다른 기원을 가지며 요관의 평활근과 연속한 구조를 가지고 이는 요도와도 그러하다(Woodburne et al., 1965). 삼각의 점막은 편평상피이행화(squamous metaplasia)를 가지는 경우가 많으며 방광내 다른 상피층과 구분된다. 방광은 기능적으로 요관구멍을 기준으로 윗부분의 천장(dome)과 아랫부분의 기저부(base)로 나뉘며 천장은 상대적으로 얇고 기저부는 두껍다. 발생학적으로 방광삼각을 포함한 기저부는 천장과 다른 기원을 가지며 삼각은 방광목과 요도로 확장되는 특화된 평활근을 가진다.

(3) 요도

여성의 요도는 3-4 cm의 길이와 약 6 mm의 직경을 지닌다. 요도근위부의 15%는 방광기저부의 근층 내에 위치하고 원위부 20%는 샅막(perineal membrane)을 통과하는 부위이다. 요도가 두덩뒤공간(retropubic space)을 지날 때 약간의 굴곡을 가지며 그 길이의 대부분이 앞질벽과 융합되어 있다. 근위부 1/3가량은 질과 떨어져있지만 아랫부분은 단단히 붙어있다. 조직학적으로 요도는 점막, 점막하, 안쪽요도괄약근(평활근), 가로무늬 바깥쪽요도괄약근의 네 개의 층으로 이루어진다(그림 40-7). 점막하층은 혈관분포가 많은 층으로 요도의 휴지기긴장도의 1/3을 유지한다(Bump et al., 1988). 나머지의 긴장도는 안쪽 및 바깥쪽 요도괄약근이 유지한다. 안쪽 요도괄약근은 주로 경사 및 세로평활근섬유로 이루어지며 바깥쪽은 원형섬유로 이루어진다. 이러한 세로평활근의 기능은 정확히 알려져 있지 않지만, 원형평활근 및 가로무늬요도괄약근의 효율을 높이기 위한 충전제의 역할을 할 것으로 생각된다(Schafer et al., 2001). 요도평활근은 삼각 및 배뇨근의 평활근과 연결되어 있지만, 발생학적이나 형태학적으로 다름을 알아야 한다. 안쪽세로근육층(inner longitudinal)과 바깥원형근육

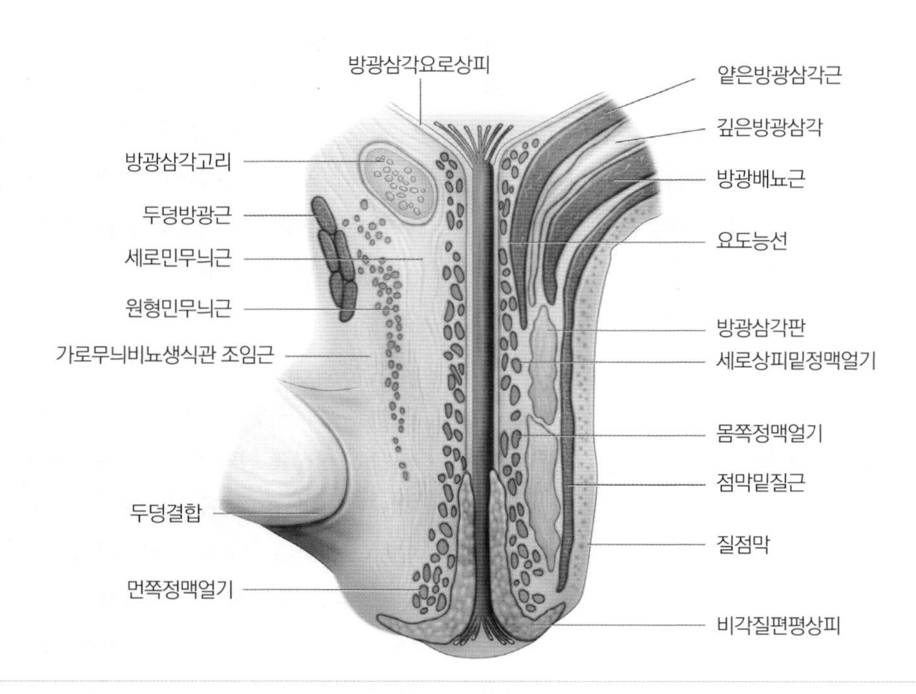

그림 40-7. **여성 요도의 절개단면**

층(outer circular layer)으로 이루어지며 안쪽세로근육층이 더 두드러진다. 이러한 평활근은 요도의 상부 4/5 정도를 감싸고 있다. 요도괄약근의 골격근성분은 요도압박근과 요도질근과 함께 바깥요도괄약근으로 이루어진다(그림 40-8). 이 세 가지 근육들은 하나의 단위로 작용하게 되며 가로무늬 비뇨생식괄약근으로 불리기도 한다. 이 근육들은 2.5 cm의 길이를 가지고 방광목 바로 아래에서 중간위치로 요도를 감싸게 되고 깊은샅공간에 위치한다. 가로무늬 비뇨생식괄약근은 요도휴지긴장도의 1/3을 담당하고 자제를 유지하기 위한 요도내부압력의 자발적이고 반사적인 상승을 돕는다. 정상적인 요도의 기능은 요도의 정상적 지지와 내인성괄약근기전에 의한다. 질의 지지처럼 항문올림근복합체와 요도의 결합조직지지의 상호작용은 중요하다. 요도는 요도주위내골반근막과 앞질벽으로 이루어진 걸이침대 같은 지지층에 놓여있다. 복압의 상승은 이러한 걸이침대 같은 층에 대해 요도를 압박하여 그 내강을 닫는다. 요도밑조직의 안정성은 앞질벽과의 연결 및 골반근막힘줄활인대 및 항문올림근으로의 결합조직연결에 의한다. 이러한 조직의 손상은 가까운쪽요도지지의 결손(요도과운동성) 또는 앞질벽탈출증(방광탈출증)을 야기하며 복압성 요실금을 유발한다. 요도의 요로상피층은 방광의 이행상피의 확장으로 이루어지는데 에스트로겐에 민감한 특성을 가진다(Huisman et al., 1983; Smith, 1972). 원위부요도는 중층편평상피를 가진다. 두 상피층의 경계는 호르몬의 작용에 민감하여 폐경인 경우 중부요도정도, 가임기인 경우 방광쪽으로 이동하게 된다.

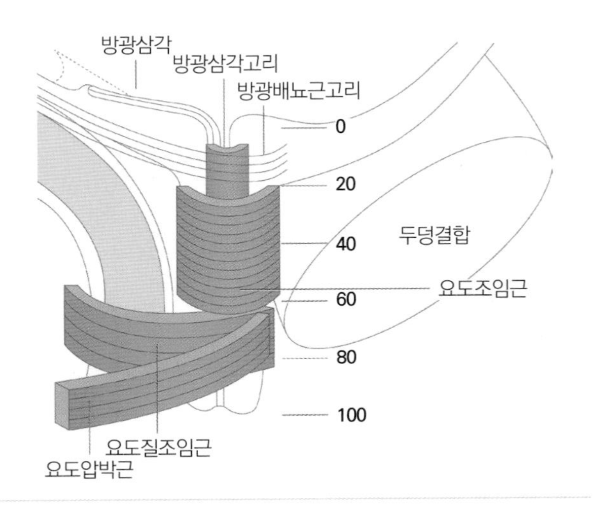

그림 40-8. **여성 요도의 가로무늬괄약근 구조**

2) 하부요로의 기능과 조절

정상적인 하부요로(lower urinary tract, LUT)의 기능은 소변을 새지 않고 낮은 방광 내압 상태에서 저장하며 배뇨를 통해서 자발적으로 배출하는 것이다. 이러한 기능은 방광과 요도에 분포되어 있는 자율신경 및 체신경 운동세포의 조절에 의한다. 하부요로의 운동신경은 적절한 기능을 유지하기 위해 상호 보완적인 방식으로 하부요로를 조절한다. 예를 들면, 방광 충만 시 방광평활근은 이완되는 반면 내, 외요도괄약근은 수축하여 요 누출을 방지한다. 요배출 시 이와는 반대로 방광은 수축하고 요도괄약근은 이완한다. 이러한 방광의 저장 및 배출 과정은 중추신경계(central nervous system, CNS), 자율신경계(autonomic nervous system), 그리고 체신경계(somatic nervous system)의 조화에 의해 이루어진다. 방광은 자율신경계에 의해 조절되지만, 대뇌피질과 같은 고위신경중추에 의한 자발적인 배뇨 조절이 가능하다는 점은 자율신경계에 의해 조절되는 다른 장기와 다른 특징이라 할 수 있다(Chai et al., 1996).

(1) 방광 및 요도의 신경분포

배뇨조절은 뇌, 척수, 자율신경, 그리고 체신경의 복잡하지만 체계적인 상호작용으로 이루어진다. 중추신경계는 대뇌와 척수로 구성되고, 말초신경계(peripheral nervous system)는 감각(구심, afferent)과 운동(원심, efferent) 신경으로 구성되어 중추신경계와 소통한다. 말초신경계는 자율신경과 체신경으로 구분된다. 체신경은 자발적 조절하에 외요도괄약근과 항문올림근을 제어한다. 자율신경계는 교감신경과 부교감신경으로 구분되며 방광의 수축과 이완을 포함한 하부요로의 기능을 조절한다. 방광은 일차적으로 자율신경계에 의해 조절된다(Fowler, 1996). 교감신경은 등허리(thoracolumbar) 척수 부위, T10-L2 척수에서 기시한다. 신경신호 전달은 척추옆신경절(paraspinal ganglia)을 통해 이루어지며, 아랫배신경(hypogastric nerve)을 통해 골반내로 이동한다. 교감신경은 노르에피네프린이 주된 신경절이후(postganglionic) 신경전달물질로 분비되어 요도와 방광목(bladder neck) 부위의 α 수용체에 작용하여 이 부위의 근육을 수축시키고, 배뇨근에 위치한 β 수용체를 자극하여 방광을 이완시킨다(Chai et al., 1996; Andersson et al., 2004). 부교감신경은 엉치(sacral) 척수 부위, S2-4 척수에서 기시한다. 신경절이전신경세포(preganglionic neuron)는 척수의 배쪽(ventral)에서 나와 골반신경(pelvic nerve)을 형성하게 되고, 골반얼기(pelvic plexus) 혹은 방광벽안에 존재하는 신경절과 시냅스를 이룬다(Chai et al., 1997; Unger et al., 2014). 신경절이후 신경세포에서 분비된 아세틸콜린은 신경전달물질로 작용하여 방광평활근세포의 무스카린수용체와 결합하여 배뇨근 수축을 일으킨다(Fowler, 1996). 무스카린수용체 이외의 다른 수용체가 근육수축을 유발할 수도 있다. 퓨린계 성분인 삼인산아데노신(adenosine triphosphate, ATP)이 방광근육수축을 유발할 수 있다(Hoyle et al., 1989). 삼인산아데노신 매개 수축은 방광평활근의 P2X1 수용체에 의해 일어난다(Hardy et al., 2000). 또한, 다른 신경절 이후 신경세포에서는 아산화질소(nitric oxide, NO)가 분비되어 요도평활근에 작용하여 요도를 이완시켜 배뇨를 촉진하

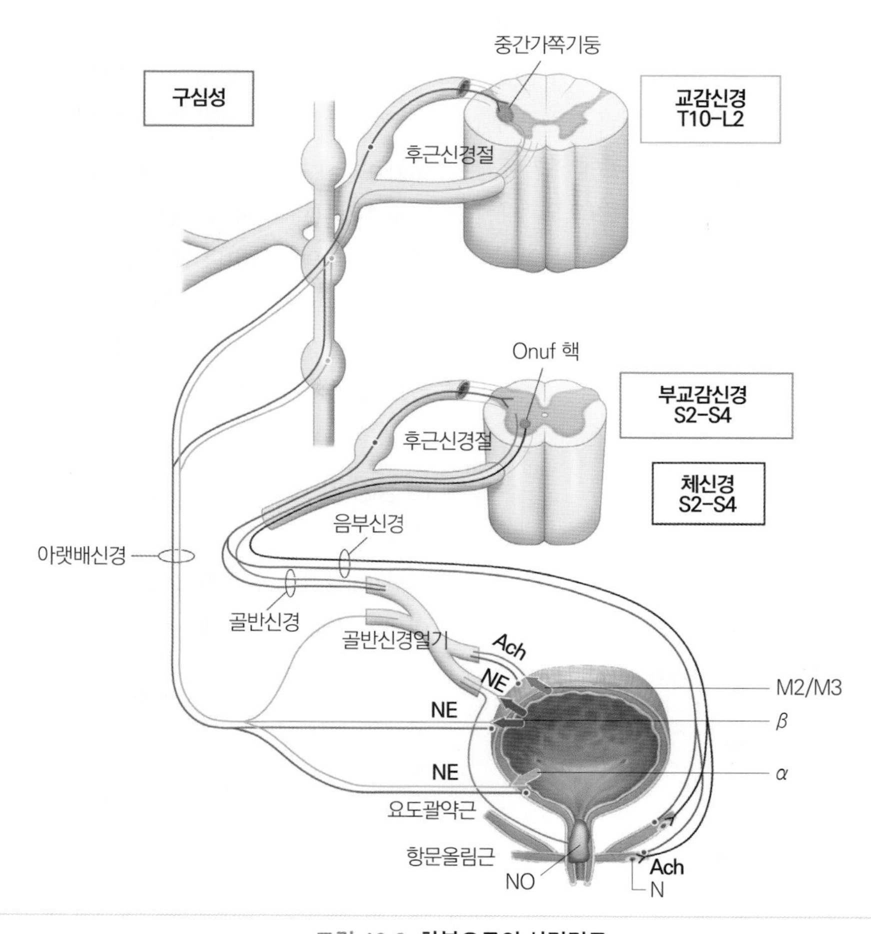

그림 40-9. **하부요로의 신경경로**
β, β-수용체; α, α-수용체; Ach, 아세틸콜린; M2/M3, 무스카린수용체; N, 니코틴수용체; NE, 노르에피네프린; NO, 아산화질소

게 된다(Andersson at al., 2004). 체신경계는 하부요로에 부수적인 역할을 한다. 음부신경(pudendal nerve)은 엉치(sacral) 척수 부위, S2-4 척수에서 기시하여 외요도괄약근과 항문올림근의 운동신경, 그리고 회음부의 감각신경으로서의 역할을 한다(Fowler, 1996). 음부신경으로부터 분비된 아세틸콜린이 신경전달물질로 작용하여 외요도괄약근에 위치한 니코틴수용체와 결합하여 자발적인 요조절을 하게 된다(Fry et al., 2013)(그림 40-9). 대뇌피질은 소변을 보기에 적절한 장소 혹은 상황인지를 파악하여 배뇨반사를 조절하여 자발적인 배뇨여부를 결정한다(Griffiths et al., 2008). 뇌줄기(brain stem)에 위치한 연수(pons)는 배뇨중추(micturition center) 역할을 하여, 소뇌와 대뇌피질로부터의 신호에 의해 엉치배뇨반사를 조절한다. 이러한 복잡한 대뇌피질, 소뇌, 그리고 뇌줄기의 상호작용에 의해 방광에 소변이 저장되는 동안 배뇨반사를 억제하고 방광에서 소변을 배출하는 동안 배뇨반사를 자극하게 된다(DeGroat, 1993).

(2) 방광저장 및 배뇨

방광의 일차적인 역할은 콩팥에서 생성된 소변을 요관을 통해 저장하고 요도를 통해 배출하는 것이다. 요저장의 기능은 소변이 방광에 채워질 때 방광용적 증가에 대한 방광평활근 자체의 유연성, 그리고 자율신경계 및 체신경계의 적절한 상호작용에 의해 가능하게 된다. 요저장 시기 동

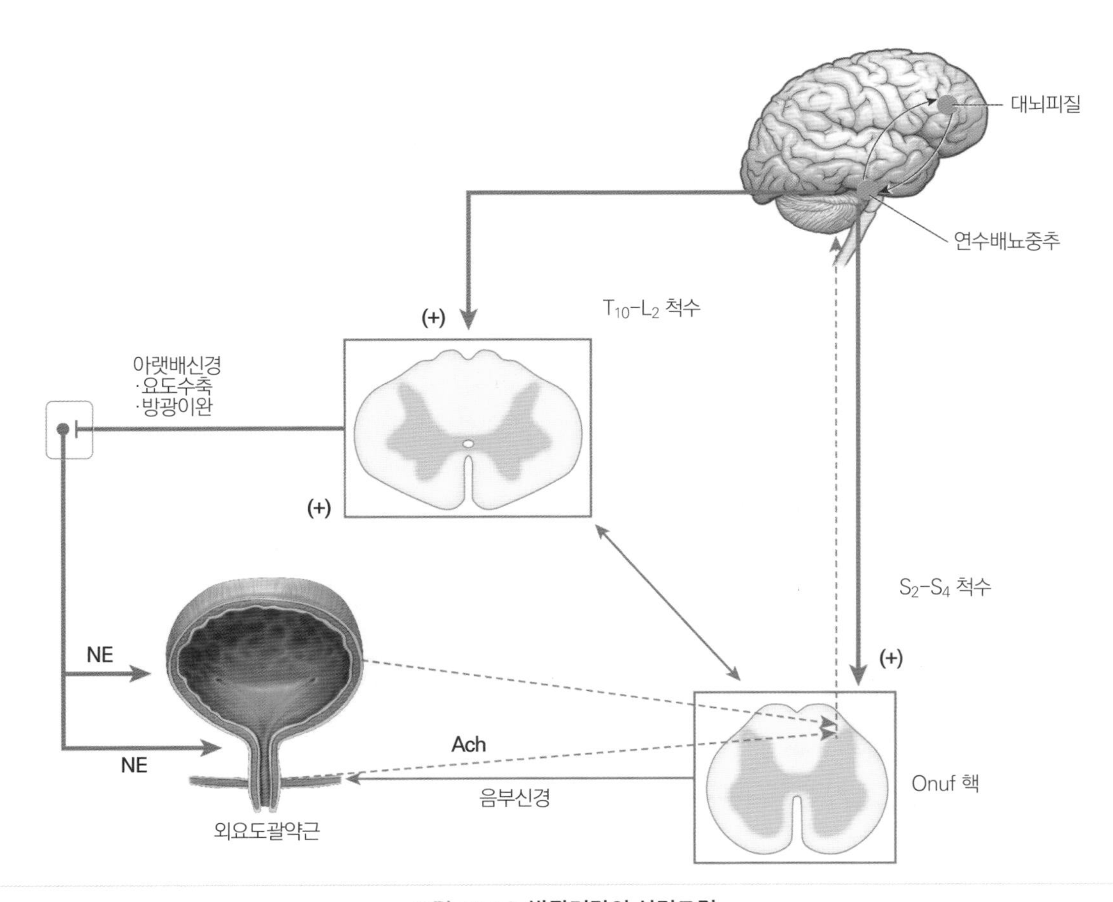

그림 40-10. **방광저장의 신경조절**
ACh, 아세틸콜린; NE, 노르에피네프린; 자극 (+) 및 억제 (-) 기전

안 방광용적이 증가하면서 방광벽의 기계수용체(mechanoreceptor)가 활성화되어 골반신경을 통해 척수에 구심성 자극이 전달된다. 결과적으로 중추신경계의 교감신경을 통한 엉치배뇨반사와 방광평활근에 대한 억제가 이루어져 아랫배신경을 통해 요도와 방광목 부위의 α 수용체에 작용하여 이 부위의 근육을 수축시키고, 배뇨근에 위치한 β 수용체를 자극하여 방광을 이완시킨다(Chai et al., 1996; Sugaya et al., 2005)(그림 40-10).

방광이 팽창되면서 방광의 구심성 신경섬유에서 골반신경을 통해 엉치척수에 방광팽만 신호를 전달하게 된다. 이러한 감각신경 활성에 의해 배뇨반사를 자극하고 또한 대뇌로 신호가 전달되어 의식적인 배뇨여부를 결정하게 된다. 만약 사회적으로 소변을 보기에 부적절한 장소 혹은 상황일 경우 음부신경을 통해 골반저근육과 외요도괄약근을 수축시키고 교감신경을 통한 배뇨반사억제를 유지시킨다. 반대로, 소변을 보기에 적절한 경우 대뇌의 신호에 따라 음부신경을 통해 자발적으로 골반저근육과 외요도괄약근을 이완시키고, 연수배뇨중추에 의해 부교감신경을 통한 배뇨반사를 활성화시킨다. 결과적으로 아세틸콜린 분비에 의해 무스카린수용체를 자극하여 방광을 수축시키고 또한 아산화질소 분비와 교감신경신호 차단을 통해 내, 외요도괄약근을 이완시켜 자발적인 배뇨를 시작하게 한다(Bensen, 1989; Sugaya et al., 2005; Clemens, 2010)(그림 40-11).

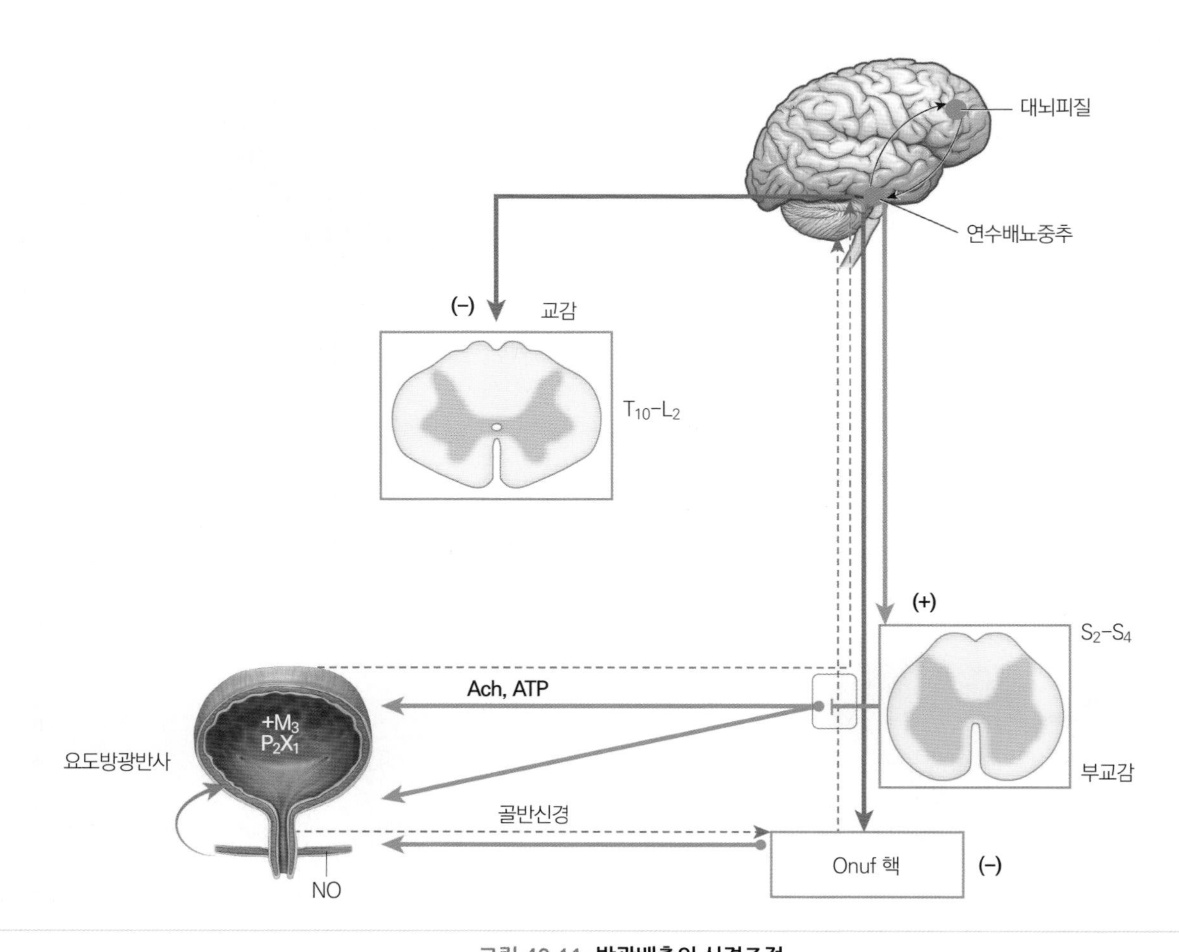

그림 40-11. 방광배출의 신경조절
ACh, 아세틸콜린; NE, 노르에피네프린; NO, 아산화질소; 자극 (+) 및 억제 (-) 기전

참고문헌

- Andersson KE, Arner A. Urinary bladder contraction and relaxation: physiology and pathophysiology. Physiol Rev. 2004; 84:935-86.
- Bensen JT. Neurophysiologic control of lower urinary tract. Obstet Gynecol Clin North Am. 1989;16:733-52.
- Braverman AS, Ruggieri MR. Selective alkylation of rat urinary bladder muscarinic receptors with 4-DAMP mustard reveals a contractile function for the M2 muscarinic receptor. J Recept Signal Transduct Res. 1999;19:819-33.
- Buller JL, Thompson JR, Cundiff GW, Krueger Sullivan L, Schon Ybarra MA, Bent AE. Uterosacral ligament: description of anatomic relationships to optimize surgical safety. Obstet Gynecol. 2001;97:873-9.
- Bump RC, Friedman CI, Copeland WE, Jr. Non-neuromuscular determinants of intraluminal urethral pressure in the female baboon: relative importance of vascular and nonvascular factors. J Urol. 1988;139:162-4.
- Campbell RM. The anatomy and histology of the sacrouterine ligaments. Am J Obstet Gynecol. 1950;59:1-12, illust.
- Chai TC, Steers WD. Neurophysiology of micturition and continence. Urol Clin North Am. 1996;23:221-36.
- Chai TC, Steers WD. Neurophysiology of micturition. Int Urogynecol J. 1997;8:85-97.
- Chess-Williams R, Chapple CR, Yamanishi T, Yasuda K, Sellers DJ. The minor population of M3-receptors mediate contraction of human detrusor muscle in vitro. J Auton Pharmacol. 2001;21:243-8.
- Clemens QJ. Basic bladder neurophysiology. Urol Clin North Am. 2010;37:487-94.
- DeGroat WC. Anatomy and physiology of the lower urinary tract. Urol Clin North Am. 1993;20:383-401.
- DeGroat WC, Saum WR. Synaptic transmission in parasympathetic ganglia in the urinary bladder of the cat. J Physiol. 1976;256:137-58.
- De Groat WC, Theobald RJ. Reflex activation of sympathetic pathways to vesical smooth muscle and parasympathetic ganglia by electrical stimulation of vesical afferents. J Physiol. 1976;259:223-37.
- DeLancey JO. Anatomic aspects of vaginal eversion after hysterectomy. Am J Obstet Gynecol. 1992;166:17-28.
- DeLancey JO. Structural support of the urethra as it relates to stress urinary incontinence: the hammock hypothesis. Am J Obstet Gynecol.1994;170:1713-20; discussion 20-3.
- Drake MJ, Harvey IJ, Gillespie JI, Van Duyl WA. Localized contractions in the normal human bladder and in urinary urgency. BJU Int. 2005;95:1002-5.
- Fetscher C, Fleichman M, Schmidt M, Krege S, Michel MC. M(3) muscarinic receptors mediate contraction of human urinary bladder. Br J Pharmacol.2002;136:641-3.
- Fowler C. Investigation of the neurogenic bladder. J Neurol Neurosurg Psychiatry. 1996;60:6-13.
- Fry CH, Chacko S, Wachter S, Kanai AJ, Takeda M, Young JS. Cell biology. In: Abrams P, Cardozo L, Khoury S, Wein A (eds) Incontinence, 5th edn. Health Publications, Plymouth; 2013.
- Griffiths D, Tadic SD. Bladder control, urgency, and urge incontinence: evidence from functional brain imaging. Neurourol Urodyn. 2008;27:466-74.
- Hardy LA, Harvey IJ, Chambers P, Gillespie JI. A putative alternatively spliced variant of the P2X(1) purinoreceptor in human bladder. Exp Physiol. 2000;85:461-3.
- Hegde SS, Choppin AAA, Bonhaus D, Briaud S, Loeb M, Moy TM, et al. Functional role of M2 and M3 muscarinic receptors in the urinary bladder of rats in vitro and in vivo. Br J Pharmacol. 1997;120:1409-18.
- Hoyle CH, Chapple C, Burnstock G. Isolated human bladder: evidence for an adenine dinucleotide acting on P2X-purinoceptors and for purinergic transmission. Eur J Pharmacol. 1989;174:115-8.
- Huisman AB. Aspects on the anatomy of the female urethra with special relation to urinary continence. Contrib Gynecol Obstet. 1983;10:1-31.
- Jonathan S. Berek, editor. Berek & Novak's Gynecology. 16th edition. Philadelphia: Wolters Kluwer; 2020.
- Lien KC, Moonery B, Delancy JO, Ashton-Miller JA. Levator ani muscle stretch induced by a simulated vaginal birth. obstet gynecol. 2004;103:31-40.
- Morgan C, Nadelhaft I, de Groat WC. The distribution of visceral primary afferents from the pelvic nerve to Lissauer's tract and the spinal gray matter and its relationship to the sacral parasympathetic nucleus. J Comp Neurol.1981;201: 415-40.
- Sarah M Eickmeyer. Anatomy and Physiology of the Pelvic floor. Phys Med Rehabil Clin N Am. 2017;28:455-60.
- Singh K, Jakub M, Reid WM, Berger LA, Hoyte L. Three-dimensional magnetic resonance imaging assessment of levator ani morphologic features in different grades of prolapse. Am J Obstet Gynecol. 2003;188:910-5.
- Schafer W. Some biomechanical aspects of continence function. Scand J Urol Nephrol Suppl. 2001:207:44-60; discussion 106-25.
- Smith P. Age changes in the female urethra. Br J Urol. 1972; 44:667-76.
- Sugaya K, Nishijima S, Miyazato M, Ogawa Y. Central nervous control of micturition and urine storage. J Smooth Muscle Res. 2005;3:117-32.

- Sun Y, Chai TC. Up-regulation of P2X3 receptor during stretch of bladder urothelial cells from patients with interstitial cystitis. J Urol. 2004;171:448-52.
- Unger CA, Tunitsky-Bitton E, Muffly T, Barber MD. Neuroanatomy, neurophysiology, and dysfunction of the female lower urinary tract: a review. Female Pelvic Med Reconstr Surg. 2014;20:65-75.
- Woodburne RT. THE URETER, URETEROVESICAL JUNCTION, AND VESICAL TRIGONE. Anat Rec. 1965;151:243-9.
- Wyndaele JJ, De Wachter S. The basics behind bladder pain: a review of data on lower urinary tract sensations. Int J Urol. 2003;10 Suppl:S49-55.

제41장

요실금

배상욱 | 연세의대
김현철 | 차의과학대
선우재근 | 순천향의대

1. 하부요로장애

하부요로는 기본적으로 방광과 요도로 구성되어 있으며, 주된 기능은 방광과 요도가 정상적인 배뇨 시까지 통증 없이 요를 저장하고(저장기) 또한 배뇨 시에는 방광과 요도가 통합적으로 작용하여 요를 완전히 배출하는 것이다(배출기). 따라서 하부요로장애란 이러한 과정이 정상적으로 이루어지지 못하여 발생하는 것으로 크게 저장장애, 배출장애, 감각장애 등으로 분류할 수 있다. 저장장애가 있을 경우에는 소변이 새는 요실금 형태의 증상이 주로 나타나고 배출장애 시에는 소변배출이 잘 이루어지지 않는 배뇨지연, 요정체 등의 증상이 주로 나타난다. 본 장에서는 하부요로장애의 분류 및 표준적인 용어에 대해 소개하고 하부요로장애의 대표적인 질환인 요실금에 대해 알아보고자 한다.

1) 하부요로장애 증상의 분류 및 표준용어

여성의 하부요로장애 증상은 매우 복잡하며 따라서 이에 대한 증상들을 체계적으로 표준화하는 작업은 쉽지 않다. 이 작업을 주도적으로 해온 단체는 ICS(국제요자제학회, International Continence Society)인데 ICS에서는 1988년에 하부요로장애에 대한 표준화된 용어(standardization of terminology)를 발표하였다(Abrams et al., 1988). 이후 여성의 하부요로장애 진단이 세밀해지고 복잡해짐에 따라 2002년 ICS에서는 하부요로장애에 대한 정의를 새롭게 자세히 규정하였고(Abrams et al., 2002) 최근까지 표준으로 받아들여져 사용되어 왔다. 그러나 이후 하부요로장애에 대한 연구가 진행되면서 비뇨부인과 연구자들 및 단체들 간에 하부요로장애 증상들에 대한 정의를 더욱 세밀하게 개정할 필요가 있다는 합의가 이루어져 2010년 ICS와 IUGA (국제비뇨부인과학회, Internationa Urogynecological Association)가 연합하여 하부요로장애 증상의 분류 및 정의를 규정하여 발표하였다(Haylen et al., 2010). 여기에서는 이를 바탕으로 하여 여성의 하부요로장애를 분류하고 이에 따른 증상 및 용어들에 대해 정리해 보고자 한다.

(1) 저장장애(abnormal storage) 증상

① 요실금(urinary incontinence): 불수의적으로 소변이 새는 것

② 복압성 요실금(stress urinary incontinence): 육체적 운동을 하거나 기침, 재채기 등을 할 때 불수의적으로 소변이 새는 것

③ 절박성 요실금(urgency urinary incontinence): 소변이 마려우면 참지 못하고 소변이 새는 것
④ 기립성 요실금(postural urinary incontinence): 체위를 바꿀 때(앉거나 누워 있다가 일어날 때)소변이 새는 것
⑤ 야뇨증(nocturnal enuresis): 잠자는 중에 소변이 새는 것
⑥ 혼합성 요실금(mixed urinary incontinence): 복압성 요실금과 절박성 요실금이 같이 있는 것
⑦ 지속성 요실금(continuous urinary incontinence): 소변이 계속 새는 것
⑧ 무감각 요실금(insensible urinary incontinence): 소변이 새는 것을 인지하지 못한 상태로 소변이새는 것
⑨ 성교 요실금(coital incontinence): 성교 시에 소변이 새는 것
⑩ 주간 빈뇨(increased daytime urinary inconti-nence): 주간의 활동시간에 정상적인 배뇨 횟수보다 더 자주 소변을 보는 것(통상적으로 7회 이내가 정상으로 간주된다)
⑪ 야간뇨(nocturia): 수면 중 1회 이상 배뇨 때문에 잠이 깨는 것
⑫ 요절박(urgency): 갑자기 참기 어려울 정도로 소변이 마려운 것
⑬ 과민성 방광(overactive bladder, OAB): 하부요로계의 감염이나 병리적 소견이 없는 상태에서 요절박 증상이 빈뇨와 야간뇨 증상과 동반되어 나타나는 것(절박성 요실금은 동반될 수도 있고 동반되지 않을 수도 있다)

(2) **감각장애**(abnormal sensory) **증상**

① 방광감각 증가(increased bladder sensation): 방광에 소변이 찰 때 이전보다 배뇨 욕구가 일찍 나타나거나 더 지속적으로 나타나는 것(소변이 마려우나 배뇨를 늦출 수 있다는 것이 요절박과의 차이점이다)
② 방광감각 저하(decreased bladder sensation): 소변이 차는 것은 느끼지만 이전에 비해 배뇨 욕구가 늦게 나타나는 것
③ 방광 무감각(absent bladder sensation): 방광에 소변이 차는 느낌과 소변이 마려운 느낌이 없는 것

(3) **배출장애**(abnormal emptying) **증상**

① 배뇨 지연(hesitancy): 배뇨의 시작이 지체되는 것
② 느린 배뇨(slow stream): 배뇨 시 소변흐름이 이전보다 또는 다른 사람에 비해 느리다고 느껴지는 것
③ 간헐뇨(intermittency): 배뇨 중 1회 이상 배뇨가 중단되었다가 다시 시작되는 것
④ 긴장뇨(straining to void): 배뇨를 시작하거나 유지하기 위해 많은 힘(복압, 발살바)을 주어야 하는 것
⑤ 요줄기의 분열(spraying of urinary stream): 배뇨 시 요줄기가 한줄기로 나가지 않고 갈라져서 나오거나 분무형으로 배출되는 것
⑥ 불완전 배뇨(feeling of incomplete emptying): 배뇨 후 방광이 완전히 비워지지 않았다는 느낌이 드는 것
⑦ 재배뇨 욕구(need to immediately re-void): 배뇨 직후 추가적인 배뇨가 필요한 것
⑧ 배뇨 후 요실금(postmicturition leakage): 배뇨가 완료된 후 추가적으로 소변이 새는 것
⑨ 체위성 배뇨(position-dependent micturition): 소변을 잘 보기 위해 특정한 자세가 필요한 것
⑩ 배뇨통(dysuria): 배뇨 중 작열통 또는 하부요로계의 내인적 불편감이 있는 것
⑪ 요정체(urinary retention): 힘을 계속 주어도 소변이 나오지 않는 것

2. 요실금

1) 유병률

요실금은 전세계적으로 2천만 명 이상이 갖고 있는 것으로 추정되며(Norton et al., 2006), 요실금의 정의, 종류, 연구 대상, 연구의 디자인, 자료의 분석 등에서 차이가 나기 때문에 발생 빈도는 5-69%로 다양하나 통상적으로는 25-45%로 보고되고 있다(Milsom et al., 2009). 2008년 4번째

International Consultation on Incontinence의 발표에 의하면, 17개국에서 시행한 36개의 연구에서 40-60대 여성에서 요실금의 유병률이 가장 높으며, 나이가 들수록 절박성 요실금과 혼합성 요실금의 비중이 증가한다. 매년 새롭게 발생하는 여성의 요실금은 3-11%이나, 반면 나이가 증가함에 따라 완전 관해되는 비율도 0-13%에 이르는 것으로 보고되고 있다(Brian et al., 2010).

우리나라의 경우 건강보험심사평가원 자료에 의하면 2013년 요실금 환자가 102,515명으로 남녀 비율로는 각각 남성이 4,494명(4.4%) 여성이 98,021명(95.6%)을 차지하고 있었고, 요실금의 종류 중 복압성 요실금이 59%로 가장 많은 빈도를 보이고 있다. 다른 연구로 18세 이상의 성인 남녀 2,000명을 대상으로 한 전화 설문조사에서는 요실금의 유병률이 남성에서는 2.9%, 여성에서는 28.4%로 조사되었다. 종류별로 보면 여성에서는 복압성 요실금의 유병률이 가장 많았고(20.7%), 혼합성 요실금(4.1%)이 그 다음으로 나타났다(이영석 등, 2011).

2) 분류

요실금의 형태에 대한 분류 방법은 저자에 따라서 약간의 차이를 보이나 표 41-1과 같이 분류되고 있다.

(1) 복압성 요실금

가장 많은 형태의 요실금으로 기침, 재채기, 운동에 의해 복압이 높아질 때 방광압이 요도압보다 커져 소변이 새는 경우이다. 요도방광접합부(urethrovesical junction) 지지조직의 해부학적인 결핍이나 내인성 요도괄약근 기능부전 때문에 나타나며 내인성 요도괄약근 기능부전은 후천적으로 척수손상이나 방사선조사 혹은 과거의 요실금수술 후에 자주 오는데, 드물게는 선천적일 수도 있다. 복압성 요실금은 개개인의 생활 습관에 따라 다양하게 발현되며 이에 영향을 미치는 요인을 생체행동모델(biobehavioral model)이라고 일컫는다.

요실금의 생체행동모델은 소변자제 조임근의 생리적 강도, 소변자제에 영향을 미치는 육체적 스트레스의 정도, 소변을 조절하고자 하는 환자의 기대라는 세 가지 변수에 의하여 규정된다. 이 모델은 환자의 증상과 요실금에 대한 반응에 따라 다양하게 나타난다. 예를 들어 운동할 때 요실금이 있는 환자 중, 일부는 운동을 포기하여 요실금을 간단히 해결하겠지만 생활의 질에서는 손해를 볼 것이며, 다른 사람은 골반근육운동을 열심히 하여 요실금을 극복하려고 할 것이고, 또 다른 사람은 가끔씩 나타나는 약간 양의 요실금을 대수롭지 않게 생각할 수도 있다. 따라서 의사는 이러한 개개인의 다양성을 고려하여 환자의 치료 방침을 정해야 할 것이다.

(2) 절박성 요실금과 과민성 방광

절박성 요실금은 나이가 많은 여성에서 가장 많은 형태이다(Wall, 1990). 상당히 많은 과민성 방광 환자에서 요실금 증상을 볼 수 있는데, 과민성 방광이란 스스로 참으려는 의지에 상관없이 방광근육이 저절로 수축하여 급하게 소변을 보고 싶고, 또 자주 보는 증상을 말한다. 2002년 International Continence Society의 용어표준화회의에서 과민성 방광을 정의하였는데, 과민성 방광이란 절박성 요실금의 유무에 관계없이 절박뇨가 주로 빈뇨 및 야간뇨와 같이 있는 경우를 말하며, 이때 하부요로에 감염증 같은 국소적 병변이나 대사 질환이 없어야 하고 단지 증상으로만 정의되므로 요역동학검사로 확인할 필요는 없다고 하였다. 요역동학검사로 방광근의 불수의적 수축이 객관적으로 확인되면 배뇨근 과활동(detrusor overactivity)이라고 하며 원인에 따라 특발성 배뇨근 과활동(idiopathic detrusor over-

표 41-1. 요실금의 분류

표 41-1. 요실금의 분류
복압성 요실금(stress urinary incontinence)
절박성 요실금과 과민성 방광(urge urinary incontinence and overactive bladder: detrusor overactivity)
혼합성 요실금(mixed incontinence)
기능성 및 일과성 요실금(functional and transient incontinence)
요도외 요실금(extraurethral incontinence)

activity)과 신경인성 배뇨근 과활동(neurogenic detrusor over-activity)으로 나눈다(Abrams, 2002). 과민성 방광에서 정의하는 빈뇨는 스칸디나비아의 연구에 의하면 하루에 8회 이상 소변을 보는 것이지만(Larrson and Victor, 1998), 최근 미국의 대단위 연구에서는 건강한 여성의 하루 평균 소변 횟수가 8회이며 95%의 소위 건강군에서는 12회 미만이라고 하였기에(Fitzgerald et al., 2002), 12회 이상을 빈뇨라고 주장하는 의견도 있다.

(3) 혼합성 요실금

복압성 및 절박성 요실금이 같이 있는 경우를 말하며 많은 요실금 환자들이 여기에 해당한다. 젊은 여성들은 복압성 요실금이 많지만 나이 든 여성에서는 혼합성 요실금이 많다.

(4) 기능성 및 일과성 요실금

기능성 요실금은 생리적 배뇨기능은 정상이나 다른 신체 능력이 저하된 노인 여성에서 흔히 나타난다. 소변이 나오려고 하는데 미처 화장실을 찾지 못하거나 도착을 못하든지, 속옷을 많이 껴입어서 빨리 내리지 못하는 경우에 올 수 있고, 환경이 개선되거나 옷을 편하게 입으면 해소될 수 있다.

3) 위험 요인

연구자들마다 차이가 있어서 일반적인 요실금의 위험 요인을 단정짓기에는 무리가 있으나, 나이, 임신, 출산, 비만, 기능장애나 지각장애 등이 요인이 된다고 알려져 있다(Hunskaar et al., 2003). Abrams와 Arti-bani (2004)는 요실금의 위험 요인을 세분하여 소인 인자(predisposing factors), 자극 인자(inciting factors), 촉진 인자(promoting factors), 대상부전 인자(decom-pensating factors) 4가지로 나누었다.

(1) 소인 인자

유전적 요소로서 어머니나 자매가 요실금이 있으면 이환의 가능성이 많고, 60세 이상의 여성은 동년배의 남성보다 1.5-2배 많으며 젊은 여성은 3-7배 많다. 코카시안 민족에서 많이 오는 편이고, 비뇨기의 해부학적 기형이나 선천적 후천적 원인에 의한 신경 및 근육의 이상이 소인이 된다.

(2) 자극 인자

임신을 하면 8-85%의 여성이 요실금을 경험하게 되나 대부분 분만 후에는 정상화된다. 첫 임신 때 생긴 요실금이 분만 후 3개월 이내에 없어진 여성의 5년 후 요실금의 빈도는 42%이나, 3개월 후까지 지속된 경우 5년 후 92%에서 요실금이 생겼다. 출산이 골반저부의 항문거근을 약화시키고 방광경부를 하강시키며 여기에 분포하는 배뇨 자제에 관련되는 신경을 손상시키기 때문이다. 제왕절개수술을 하면 첫 분만에서는 골반저부 손상이 덜 하나 다산에서는 별로 도움이 안 되는 것으로 알려져 있다.

(3) 촉진 인자

비만은 복압과 방광압을 증가시키고 골반의 근육과 결체조직을 약화시켜 요실금을 4.2배 증가시키고(Moller et al., 2000), 만성적인 변비도 골반조직의 약화와 손상을 초래하여 요실금과 변실금을 일으킨다. 만성기관지염이나 기흉 같은 폐질환이 있거나 담배를 피우는 사람에게 요실금이 많다. 요로감염은 급성요실금을 일으키나 계속 영향을 미치는지에 대한 논란이 있고, 뇌졸중이나 파킨슨병, 우울증, 다발성경화증 같은 신경 질환, 복압을 증가시키는 힘든 직업, 갱년기, 알파-아드레날린 길항제나 이뇨제 같은 약물들이 촉진 인자이다.

(4) 대상부전 인자

대상부전 인자는 일시적이나 영구적으로 요자제를 방해하지만 그 자체로 요실금을 일으키지는 않는다. 그러나 소인, 자극, 촉진 인자가 있으면 실금 쪽으로 추를 기울게 한다. 노령, 치매, 육체적 정신적인 건강 상태, 당뇨나 심장병 같은 내과 질환, 약물복용의 여부, 환경 변화 같은 인자가 있다.

4) 진단

하부요로장애 환자의 진단에 중요한 것은 의사에 의하여 직접 이루어지는 세심한 병력의 청취와 자세하고 전문적인 비뇨부인과적 진찰 소견이다. 아울러 필요한 이학적 검사와 기능적 검사 및 방사선이나 초음파 등의 영상 시각적 검사를 시행함으로써 추가적인 도움을 받을 수 있다. 진단 자체가 어렵지는 않지만 체계적으로 접근하는 것이 좋으므로 진단의 흐름도를 정해서 활용하는 것이 좋다.

(1) 병력 청취

병력만으로 확진을 내릴 수는 없지만 적절한 검사를 선택하는 데 참고가 될 수 있다. 전신적인 건강 상태는 어떠한지, 분만력은 어떠하였는지, 당뇨, 혈관질환, 만성호흡기 질환, 신경질환 등 내과적 문제는 없는지, 요실금이나 자궁탈출증 등으로 일상 생활에 얼마나 많은 지장을 받고 있는지, 과거에 요실금이나 자궁탈출증수술을 받았는지, 방사선 치료를 받은 적이 있는지, 호르몬을 복용하거나 배뇨나 요실금에 영향을 미치는 약물(표 41-2) 복용은 없는지 등을 문진한다. 요실금, 자극적 배뇨 증상, 빈뇨, 절박뇨, 야간뇨, 요저류, 소변이 가는지, 참지 못하는지 등 환자 자신을 괴롭히는 배뇨장애 증상이 어떤 것인지를 물어보고, 변실금(fecal incontinence), 배변장애, 변비나 설사, 불완전 배변 유무의 동반을 확인한다. 아울러 성기능장애 여부를 알아보고 요통이나 아래가 빠지는 것 같은 느낌이나 하복통 같은 골반 불쾌감이 없는지 알아본다.

이 모든 사항을 일일이 물어보기는 어려우므로 설문으로 만들어서 환자로 하여금 스스로 기록하게 하면 쉽게 정보를 얻을 수가 있다. 요실금이 환자의 일상 생활에 얼마나 영향을 미치고 괴롭히느냐를 확인하기 위하여 잘 디자인된 설문지를 사용하는 것이 좋으며 Urogenital Distress Inventory (UDI)-6, Urge UDI, King's Health Questionnaire, Quality of life in persons with urinary incontinence (I-QOL), Urge-II Q 등 몇 가지 설문 모델이 사용된다.

(2) 신체검사

환자의 일반적 상태 즉 영양 상태, 정신 상태, 운동 능력 등을 살펴보고 기본적인 진찰을 한 다음 환자들이 표현하는 배뇨장애 증상이 정확하고 계량적이지 않으므로 이를 객관화하기 위하여 배뇨일지를 기록하게 한다. 하부요로의 기능에 영향을 미치거나 요실금을 유발할 수 있는 심혈관부전증이나 호흡기질환 혹은 신경계질환(다발성경화증, 뇌졸중, 파킨슨병, 척수 질환 등)을 갖고 있는지를 반드시 확인하고 부인과적 신체검사도 시행한다.

① 신경학적 검사

환자의 걸음걸이가 부자연스럽거나 다리를 저는 경우 등

표 41-2. 배뇨나 요실금에 영향을 미치는 약물

중추신경 작용제	Serotonin, Dopamine	중추 신경에 작용하여 배뇨 억제
진정제, 수면제, 최면제	Benzodiazepins	정신이 혼미해져서 이차적으로 요실금 발생
알코올		지각행동장애와 소변 과다
항콜린제	Terodiline, Nifedipine	배뇨근 수축력을 감소시켜 배뇨장애를 일으키고 소변이 넘쳐 흘러 범람 요실금 발생
알파-아드레날린 작용제		출구 저항을 증가시켜 배뇨장애 발생
알파-아드레날린 차단제	Prazosin, Terazosin	출구 저항을 감소시켜 요실금 발생
베타-아드레날린 작용제	Terbutaline	배뇨근 수축력을 감소시켜 배뇨장애 발생
칼슘-채널 차단제	Terodiline, Nifedipine, Diltiazepam, Verapamil	배뇨근 수축력을 감소시켜 배뇨장애 발생

에 신경학적 이상을 의심해 볼 수 있다. 하복부와 옆구리를 검사하여 방광의 팽창여부, 탈장, 종괴 등이 있는지를 살펴보고 항문괄약근의 수축력과 회음부감각도 평가한다. 그러나 항문괄약근 기능 평가나 구부해면체반사 등을 이용한 검사 등 신경검사에서 정상적인 반사 반응이 나타나지 않는 경우도 정상 여성의 30%에서 나타난다.

② 부인과적 검사

신경학적 검사를 한 후 부인과적 검사를 실시한다. 환자의 질 외형을 관찰하여 기형이나 발육 이상이 없는지 확인하고 외음부의 위축 정도, 질벽의 이완 정도, 자궁이나 방광, 요도, 질의 탈출 여부와 정도, 직장류나 탈장, 회음부 이완 등을 살펴본다. 질분비물이 많거나 나빠보이면 질분비물 도말검사와 배양검사를 하고 자궁경부 세포검사를 한다. 요도의 염증성 질환이나 요도게실이 있는지를 확인한다. 요실금을 확인하기 위하여 stress test와 Q-tip test를 실시하여 요실금 여부와 요도축(urethral axis)을 확인하고 여건이 허락하면 패드검사를 해서 요실금이 확실히 있는지, 있다면 그 양이 얼마나 되는지 객관적으로 측정한다. 요실금이 있는 여성에서 요도축은 요도방광접합부의 지지 구조들을 살펴보는 간단한 방법으로 구해지며 요도축의 변화는 요도의 과운동성(urethral hypermotility)을 의미하는데, 이의 유무는 요실금 치료 후 결과에 많은 영향을 미친다. Lateral beam chain cystogram, 방광조영검사, 초음파, 투시검사 등 많은 방법들이 방광경부 운동성(bladder neck mobility)을 측정하는 데 사용되어 왔지만 면봉을 이용하는 Q-tip test가 외래에서 간단히 해볼 수 있는 방법으로 추천된다. 윤활제를 바른 소독된 면봉을 요도방광접합부(외요도구에서 2-3 cm 안쪽)의 안쪽 부위까지 집어넣고 아랫배에 강한 힘을 주게 하거나 기침을 시켜서 수평 상태에서 면봉이 최대로 휘는 정도를 측정한다(그림 41-1). 전면의 질 지지구조와 요도의 과운동성을 방지하는 기능이 손실된 여성은 방광경부가 떨어지고 면봉이 위쪽으로 휘게 된다. 최대 휘는 각도는 수평면 각도를 0°로 잡고 플라스틱 각도기를 이용해 쉽게 측정할 수 있다. 대부분의 임상의들은 기준 상태에서 최대 각도가 20-30° 변하면 요도의 과운동성이 있다고 진단한다. Q-tip test는 비교적 쉽게 몸쪽 요도부의 과운동성을 측정할 수는 있으나 민감도와 특이도가 낮으므로 이것만으로 요실금을 결정적으로 진단하기에는 부적합하다.

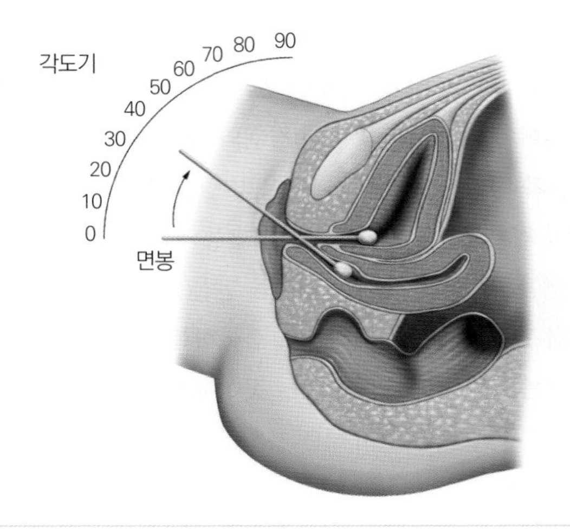

그림 41-1. Q-tip test

그리고 골반내 종괴 등이 있는지 확인하고 골반장기탈출증이 있다면 그 정도를 정해진 방법으로 진찰하여 기록하고 필요한 경우 초음파검사를 실시한다. 검사에 대한 결과가 알기 쉽고 공통적으로 사용하는 방법으로 기록이 되지 않으면 환자를 보존적으로 관찰하거나 수술적 치료 후에 효과를 판단하기 어려우므로 기록에 주의를 기울여야 한다.

(3) **배뇨일기**(voiding diary)

환자로 하여금 여러 날의 배뇨와 증상을 기록하게 하면 요실금의 상태와 정도를 더욱 정확하게 얻을 수 있다. 기록지에는 24시간 단위로 배뇨시간, 배뇨빈도와 소변량, 요실금의 정도와 패드사용, 수분섭취 및 절박감 여부, 실금한 상황과 유발 인자 등의 내용을 기록하여야 하며 이 기록에 따른 분석은 다음과 같다.

주간 빈뇨란 아침에 잠자리에서 일어나서 잠자기 전까

지 배뇨 횟수가 잦은 것이며, 야간 빈뇨는 밤에 잠자는 동안 배뇨 횟수가 잦은 것이고, 24시간 빈도는 24시간 동안의 배뇨 횟수가 된다. 24시간 동안의 소변량을 측정할 수 있는데, 다뇨(polyuria)란 24시간 소변량이 2.8 L 이상인 경우가 된다. 야간 요량은 잠잘 때 만들어지는 소변의 총양을 말하고, 야간 다뇨란 잠잘 때의 소변량이 많은 것이며, 최대배뇨량은 한 번 소변을 본 것 중 가장 많은 소변량을 말한다. 보통 24시간 배뇨기록지를 사용하며 하루 동안의 소변 보는 횟수와 전체 소변량, 평균 소변량, 기능적 방광용적(최대 소변량)을 알 수 있는데, 정상 일일 소변량은 1,500-2,500 mL, 평균 소변량은 250 mL, 기능적 방광 용적은 400-600 mL이다. 잘 기록되어진 배뇨일기는 요역동학검사로 얻을 수 없는 24시간 생체정보를 얻을 수 있으므로 배뇨장애의 행동치료요법에 기본적 도움이 될 수 있다. 배뇨일기 기록지는 위의 내용이 충분히 포함되게 만들어서 사용하면 되며 그림 41-2는 그 한 예이다.

배뇨일기

날짜 이름 진찰권 번호

만약 요실금 때문에 소변량을 알 수 없으면 하루에 사용한 패드의 크기와 수를 적어 주세요.

패드 크기(대: 개, 중: 개, 소: 개)

시간	소변량	요실금 발생 여부	연관 활동과 유발인자 수면 여부	음료 및 음식섭취 종류와 양
오전 0-1시				
1-2시				
2-3시				
3-4시				
4-5시				
5-6시				
6-7시				
7-8시				
8-9시				
9-10시				
10-11시				
11-12시				
오후 0-1시				
1-2시				
2-3시				
3-4시				
4-5시				
5-6시				
6-7시				
7-8시				
8-9시				
9-10시				
10-11시				
11-12시				

그림 41-2. **배뇨일기 기록지**

(4) 소변검사

비뇨기 감염이나 대사질환, 신장과 요로, 방광의 질환 유무를 알아보기 위하여 반드시 필요한 검사이다. 소변의 세균배양검사를 하여 감염증이 있는지를 알아보고 기본검사는 아니지만 자극적 배뇨증상을 가진 50세 이상의 여성은 비뇨기종양의 배제를 위하여 소변세포검사를 가급적 해보는 것이 좋다. 혈뇨가 있으면 소변세포검사와 정맥신우조영술(IVP)과 방광경검사를 실시하고 의심되는 병변이 있으면 조직검사를 실시해야 한다.

(5) 배뇨 후 잔뇨량 측정(postvoid residual urine volume, PVR)

배뇨 후 잔뇨량이 많다는 것은 방광에 소변이 많이 차 있다는 뜻이므로 결과적으로 방광의 기능적 용량이 감소되어 있음을 의미한다. 항상 소변이 차 있기 때문에 감염이 쉽게 될 수 있고 방광의 과팽창이나 불수의적 배뇨근 수축으로 인하여 요실금이 올 수 있다. 검사는 배뇨를 충분히 시킨 다음 도뇨관을 이용하여 측정하거나 방광 초음파를 사용한다. 잔뇨량이 50 mL 미만이면 정상으로 보고 200 mL 이상인 경우에는 확실히 요배출에 문제가 있다고 판단한다.

(6) 기침유발검사(cough stress test)

방광을 가득 채운 다음 기침을 시켜 보아 소변이 새는지 확인하고 누운 자세에서 유출이 없으면 선 자세에서 확인해야 한다. 배뇨근 과활동에 의한 절박성 요실금 때에도 나타날 수 있다.

(7) 패드검사(pad test)

요실금 진단에 있어 단기 혹은 장기간의 패드 사용에 대한 많은 연구들이 있어왔고, 패드검사 결과와 요실금 및 하부요로증상의 증상점수의 관련성에 대한 연구와 요실금의 치료 효과를 예측하기 위한 패드검사의 유용성에 대한 연구가 있었다(Franco et al., 2008). International Continence Society에서는 검사 15분 전 500 mL의 수분섭취 후 패드를 착용하고 1시간 동안 각종 활동을 하게 하여 패드 무게가 1 g 이상 증가할 경우 요실금을 진단할 수 있으며, 더 자연스런 상황에서 요실금을 판단하기 위한 경우 24시간 동안 패드를 채운 후 무게를 재어봐서 1.3 g 이상 증가되어 있으면 소변이 실금되어 패드에 흡착되었다는 증거가 된다고 하였다. 이 검사를 함으로써 요실금이 있을 때 새는 소변량을 계량할 수 있고, 치료 결과도 예측할 수 있다고 한다(Ward et al., 2004). 그러나 실제로는 환자의 불편함으로 많이 시행되지는 않는다.

(8) 요역동학검사(urodynamic study)

요역동학검사는 일반적으로 방광 및 요도기능에 대한 모든 검사를 포함한 의미로 크게 검사실에서 도관을 이용하여 인위적으로 방광을 충전하여 검사하는 전통적 요역동학검사와, 환자가 일상생활을 하면서 자연스럽게 소변이 차면 검사하는 이동 요역동학검사가 있다.

요역동학검사는 요실금의 정확한 원인을 파악하고, 배뇨근 기능을 평가하여 수술 후 배뇨장애 가능성에 대해 예측하고 또한 배뇨근-괄약근협조장애나 저방광유순도, 방광출구폐색이나 방광요관역류 같은 상부요로이상을 초래하는 원인을 확인하기 위한 목적으로 시행한다. 환자의 소변량을 확인하고 도뇨를 하여 배뇨 후 잔뇨량을 측정하고 배뇨일기를 기록하는 것만으로도 가치 있는 요역동학적 정보를 얻을 수 있으므로, 반드시 경비가 많이 들고 복잡한 검사를 꼭 해야만 하는 것은 아니라는 주장도 있지만(Amundsen et al., 1999), 이의 유용성에 대한 논란은 아

표 41-3. 요역동학검사의 적응증

- 환자의 증상과 일치하지 않는 소견이 있을 때
- 요실금은 호소하나 다른 방법으로 증명이 되지 않을 때
- 기본적인 간단한 검사로 진단을 내리기 어려울 때
- 보존적인 치료에 반응하지 않을 때
- 과거에 요실금수술을 받은 적이 있거나 요실금수술이 고려될 때
- 혼합성 요실금의 증상이 있어서 주 증상의 원인 규명이 필요할 때
- 직장암이나 자궁암 등으로 근치수술이나 방사선 조사를 받았을 때
- 신경 질환의 의심이 있을 때
- 심한 골반장기탈출증이 동반되었을 때
- 잔뇨량이 많을 때 감염증이 없으면서 혈뇨가 있을 때

직 진행 중이다. 현실적으로 모든 요실금 환자를 대상으로 요역동학검사를 시행할 수는 없다고 하여도 표 41-3에 해당되는 경우에는 검사를 해보는 것이 추천된다(양승철, 2003).

일반적인 요로와 방광에 대한 검사는 방광충전검사와 방광배출검사로 구분할 수 있다. 방광이 채워질 때 검사하여 요실금과 과민성 방광을 진단할 수 있고 방광이 비워질 때 검사하여 비정상적이거나 부적절한 소변배출을 평가하게 된다. 요역동학검사의 기준이 되는 방법들은 요도방광내압측정검사(urethrocystometry), 요도내압검사(urethral pressure profilometry), 요류검사(uroflowmetry) 등이 있다.

① 단순 방광충전검사(simple bladder filling test)

단순 방광충전검사는 요도관을 통하여 방광에 삽입된 단일 도관을 이용하여 방광내압만을 측정 기록하는 방법으로, 이것만으로도 중요한 정보를 얻을 수 있다. 우선 소변을 보게 하고 양을 잰다. 10이나 12 French 도뇨관을 방광에 삽입하여 잔뇨를 측정한 후에, 60-75 mL/min의 속도로 증류수나 생리적 식염수를 방광으로 천천히 넣어서 기능적 방광 용적을 측정한다. 방광은 원심성과 구심성 신경의 영향을 받아 배뇨를 조절하는데, 소변이 차면 방광벽의 tension-stretch 수용체가 활성화되고 이를 원심성 신경에서 감지하여 요의를 느끼게 되며 정상인 경우 150-200 mL에서 나타난다. 방광을 채우는 도중에 기침을 시켜서 복압을 상승시켜 보아 그 때 요실금이 발생하면 복압성 요실금이며, 절박한 요의를 느끼면서 요실금을 나타내면 배뇨근 과활동에 의한 절박성 요실금의 가능성이 높다. 혼합성 요실금이 의심되거나 기침으로 계속 소변이 새는 경우에는 추가 검사가 필요하다.

② 다중채널 요역동학검사(multichannel urodynamic studies)

단순 방광충전검사의 단점은 복압에 의한 방광압을 알 수 없기에 순수한 배뇨근의 수축에 의한 압력을 측정할 수 없다는 것이다. 다중채널 요역동학검사는 복압을 재는 도관이 따로 있으므로 이러한 단점을 보완할 수 있다. 방광과 요도의 생리적 기능을 확인하는 데 필요하지만 주의 깊은 문진과 신체검사가 선행되어야 도움이 될 수 있다. 다양한 연구들이 있지만 일반적으로 이 검사에는 충전 방광내압측정(filling cystometry), 요도내압검사, 요누출압(leak point pressure), 요류검사, 압력-요류검사(pressure-flow study)가 포함된다(그림 41-3).

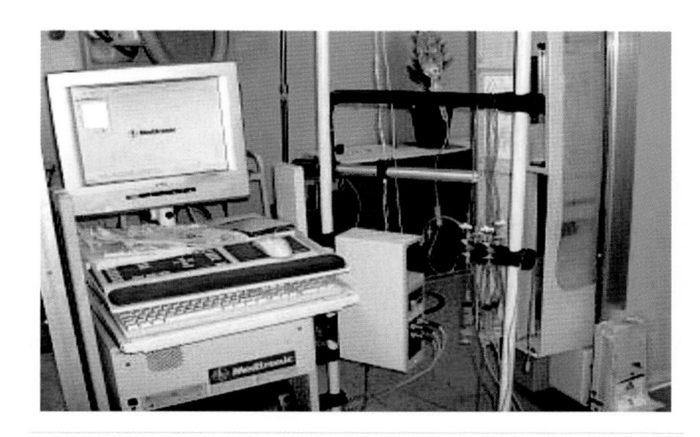

그림 41-3. **방사선 투시실에 준비된 다중채널 요역동학검사기**

③ 비디오 요역동학검사(videocystourethrography)

다중채널 요역동학검사를 하면서 방광을 용액으로 채울 때 방사선 조영제를 섞어서 사용하고 방사선 투시검사를 같이 하면 방광기능을 평가하는 데 많은 도움을 받을 수 있다. 비디오 요역동학검사는 방광내압과 직장내압뿐 아니라 요도와 방광, 그리고 골반저 사이의 상호 역동적인 연관성을 비디오 화면으로 이미지화시켜 볼 수 있으며 녹화하여 이를 다시 검증할 수 있는 자료로 남길 수도 있는 장점이 있다.

④ 방광충전검사(bladder filling phase test)

최초 방광충전 감각과 최초 배뇨 요의 및 강한 요의가 언제 나타나는지를 확인하고, 환자가 정상적인 요의를 느껴 충전이 중지되는 방광용적인 방광내압측정 용적(cystometric capacity)과 환자가 더 이상 소변을 도저히 참지 못할 때의 용량인 최대 방광내압측정 용적(maximum cystometric capacity)을 검사한다.

가. 방광내압측정법(cystometry)

방광내압과 양의 관계를 측정하는 방법으로 충전 방광내압측정(filling cystometry)과 배출 방광내압측정(voiding cystometry; pressure-flow study)으로 구분된다. 연속되는 방광내압측정(continuous cystometry)의 기본적인 원칙은 방광이 채워지는 동안 방광의 압력을 측정하는 것이다. 단순 방광충전검사는 배뇨근 자체의 활동이나 방광주위 장기의 압력 때문에 단순히 방광압만이 측정되는 것이 아니므로 복압이 증가한 경우 방광압력이 증가한 것인지 구분이 되지 않을 수 있다. 따라서 이의 구분을 위하여 공제 방광내압측정(subtracted cystometry)의 개념을 이용하여 방광내압(Pves)에서 복압(Pabd)을 빼서 계산한 공제 배뇨근압(Pdet=subtracted detrusor pressure=true detru-sor pressure)을 산출한다. 공제 배뇨근압(Pdet=Pves-Pabd) 측정은 복압에 의한 압력 변화의 문제를 피할 수 있기 때문에 좀 더 타당한 방법으로 간주된다. 방광내압은 압력을 다양하게 측정할 수 있는 도관을 방광 내에 넣어서 직접적으로 측정하며 복압은 질이나 직장에 도관을 넣어서 간접적으로 측정하게 된다. 측정 도관은 전자식 미

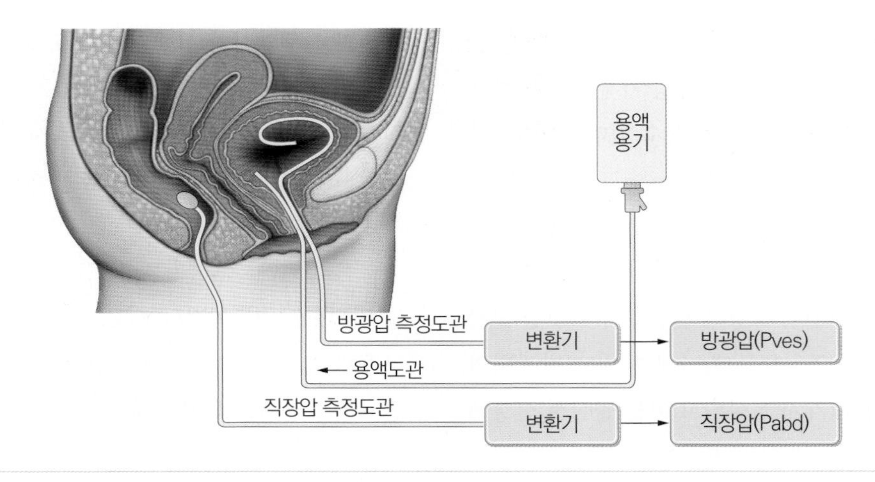

그림 41-4. **방광내압측정**
압력을 측정하는 도관이 방광과 직장에 들어가 있고 또 다른 방광에 삽입된 도관으로 액체를 방광에 주입한다.

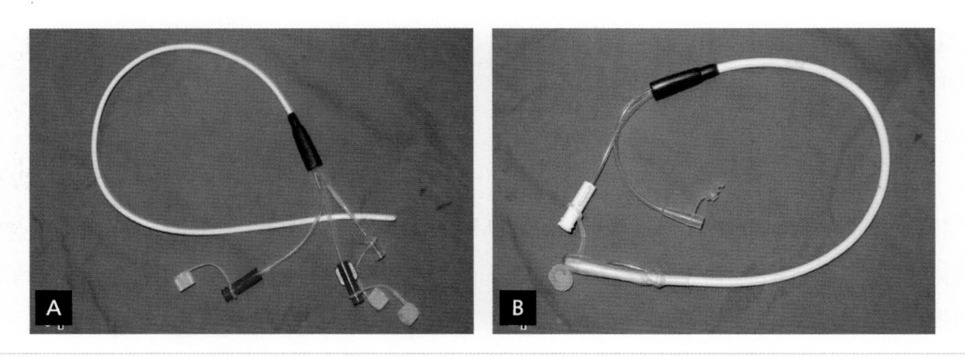

그림 41-5. **방광(A)과 직장(B)에 삽입하는 전자식 도관**

세첨단도관(electronic microtip transducer pressure catheter)과 액체충전식 압력도관(fluid-filled pressure catheter)이 있다(그림 41-4, 5).

방광내압측정의 방법은 아주 다양하며 표준으로 삼을 만한 이상적인 방법은 아직 결정된 바 없지만, 일반적으로 방광을 채우는 용액은 체온과 비슷한 온도의 생리식염수나 증류수, 가끔은 조영제를 사용하며 50-100 mL/min 속도로 주입한다. 환자를 검사할 때 완전히 또는 반쯤 눕히거나 앉힐 수도 있지만 가능하다면 기립 자세로 검사하는 것이 가장 이상적이다. 방광을 채우면서 소변 유출이 있는지 주의 깊게 살피고 최초 방광충전 감각과 최초 요의 및 강한 요의가 언제 나타나는지를 확인하며, 환자가 정상적인 요의를 느껴 충전이 중지되는 방광용적인 방광내압측정 용적과 환자가 더 이상 소변을 도저히 참지 못할 때의 용량인 최대 방광내압측정 용적을 검사한다. 방광의 감각이 둔해졌는지 예민해졌는지를 확인하고 절박뇨나 방광통이 나타나는지 검사한다. 방광을 채우는 동안 배뇨근의 기능을 검사해서 정상인지, 방광을 채우는 동안 불수의적으로 배뇨근이 수축하는 배뇨근 과활동인지, 파동 모양으로 나타나는 위상 배뇨근 과활동(phasic detrusor overactivity)인지, 배뇨근 과활동이 있으면서 요실금이 있는 것인지(detrusor

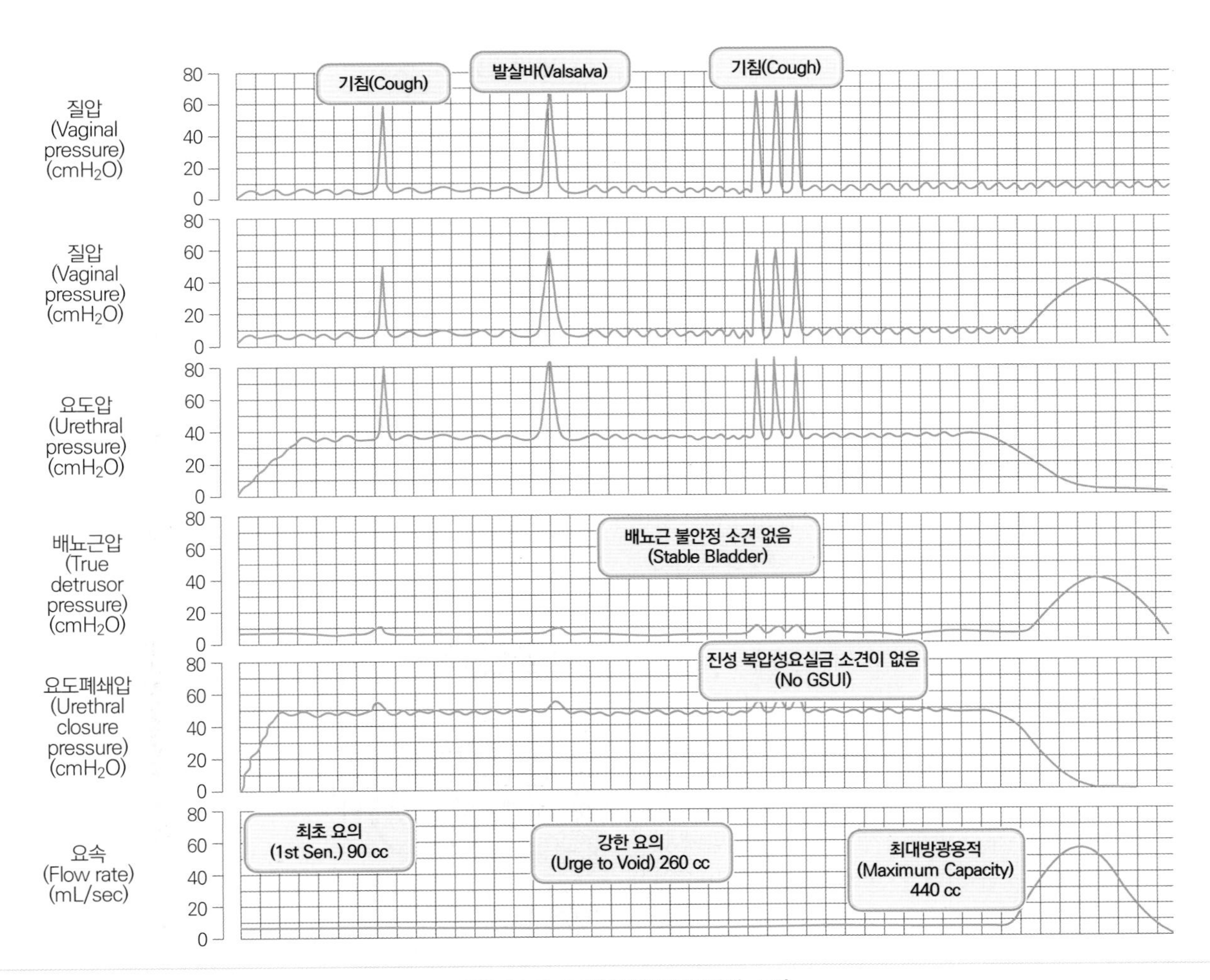

그림 41-6. **요역동학검사의 정상 소견**

overactivity incontinence) 알아본다. 배뇨근 과활동은 신경성 배뇨근 과활동과 특발성 배뇨근 과활동으로 구분한다. 환자가 평소에 불편을 느끼는 바를 재현하기 위하여 증상을 유발할 수 있는 상황, 즉 기침을 하도록 하거나, 뒤꿈치를 반복해서 들게 하거나 물 흐르는 소리를 만들어서 검사에서 이상이 나타나는지를 확인한다. 정상적인 여성 방광기능은 다음과 같다.

잔뇨는 50 mL보다 적고, 최초 요의는 150-250 mL의 용액을 넣을 때까지는 일어나지 않는다. 강한 요의는 250 mL까지는 일어나지 않으며, 방광 용적은 400-600 mL이다.

방광 유순도는 방광 용적에 도달 60초 후에 20-100 mL/cmH_2O이며, 용액을 채울 때 유발을 시키더라도 불수의적인 배뇨근의 수축은 없어야 한다. 유발을 시키더라도 복압성 또는 절박성 요실금이 없어야 하며, 배뇨근 수축을 수의적으로 시작하거나 유지함으로써 배뇨가 일어난다. 배뇨압은 50 cmH_2O보다 적으며 요속은 15 mL/sec보다 크다. 요역동학검사의 정상적 소견은 그림 41-6에서 보여주고 있다. 방광내압측정 용적에 도달하면 충전용 도관은 제거하고 압력측정용 도관을 남겨둔다. 1분 후에 방광 유순도(bladder compliance)를 계산한다. 방광 유순도는 방광의 신축성과 유연성을 나타내는 지표로서 방광용적 변화를 배뇨근압 변화로 나누어서 구한다. 즉 방광압이 1 cmH_2O 증가할 때 방광 용량이 얼마나 증가하는가를 표시하며 mL/cmH_2O로 표현된다. 측정이 끝나면 소변을 보게 하고 방광배출검사인 요류검사와 압력-요류검사를 실시한다.

⑤ 요도기능검사(urethral function tests)

요도기능검사에는 요도내압검사(urethral pressure profile, UPP), 발살바 요누출압검사(valsalva leak point pressure, VLPP), 방사선 투시나 방광경 방광경부 관찰법이 있다. 요도내압검사는 요도 저항을 측정하는 검사로서 내인성 괄약근 기능부전을 가진 복압성요실금 환자의 진단에 사용하여 왔다. 요도내압검사는 기능적 요도를 따라 압력 곡선을 만들 수 있는 방법으로, 측면에 구멍이 있는 요도관을 천천히 밖으로 뽑으면서 그 구멍으로 액체를 주입하여 요도의 압력을 측정하는 방법으로 소개되었다. 요즘은 전자식 미세첨단도관의 발달에 힘입어 더 쉽게 검사를 할 수 있다. 요도폐쇄압(urethral closure pressure)은 요도압에서 방광압을 빼면 된다(Pclos=Pure-Pves). 기능요도길이(functional urethral length, FUL)와 최대요도폐쇄압(maximal urethral closure pressure, MUCP)은 대부분 이 결과 곡선으로 계산된다. 기능성 요도 길이는 요도압이 방광압보다 클 때의 요도의 길이로 표시되며 최대요도폐쇄압은 요도압과 방광압의 차이가 가장 클 때를 나타낸다(그림 41-7). 요실금 환자의 요도폐쇄압이 20 cmH_2O보다 낮으면 요실금수술의 결과가 좋지 않을 수 있다고 알려져 있다(Sand et al., 1987).

압력전달 비(pressure transmission ratio, PTR)는 긴장 시 방광내압의 증가에 대하여 동시에 일어나는 요도압의 증가 퍼센트를 말하며 정상적으로 100 이상이어야 하고 복압성 요실금, 특히 요도 과운동성을 가진 환자는 압력전달비가 낮다.

⑥ 발살바 요누출압검사(valsalva leak point pressure, VLPP)

내인성 괄약근 기능부전이 동반된 복압성 요실금을 감별진단하는 데 도움이 된다. 방광을 150-300 mL까지 채운 후 방

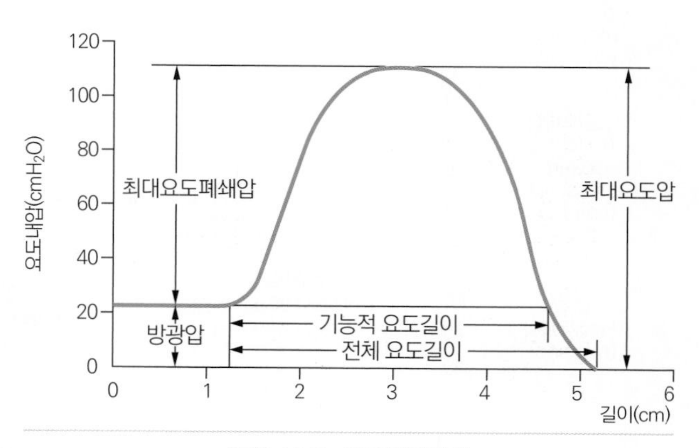

그림 41-7. **요도내압검사**

광내압측정을 하는 도중에 시행한다. 요 누출이 일어날 때까지 환자에게 숨을 참고 배에 힘을 주어 무언가를 밀어내듯 해보라고 요구하는 발살바법(valsalva maneuver)을 천천히 시행하게 한다. 만약 요의 유출이 관찰되지 않으면 기침을 시켜 요 누출을 살펴본다. 압력 변화가 60 cmH_2O 이하에서 소변 유출이 있으면 내인성 괄약근 기능부전을 의미한다. 만약 150 cmH_2O보다 높은 압력에서도 요실금이 있다면 요도 이상이 원인이 아닐 가능성이 많다. 방사선 투시나 방광경 방광경부 관찰법은 복압이 주어질 때 방광경부가 열림을 육안으로 확인하여 요실금을 증명하는 방법이지만 요실금이 없는 정상인에서도 이런 현상이 나타난다는 증거가 있으므로 절대적인 것은 아니다(Versi et la, 1986).

⑦ 방광배출검사(bladder emptying phase test)

방광이 비워질 때의 검사로 방광이 요를 배출할 수 있는 능력과 각 상태에서의 압력을 알기 위한 검사이다. 소변을 본다는 것은 배뇨근압과 요배출구의 열림과 막힘, 요도괄약근의 기능 등 여러 요인들의 상호 작용에 의하여 결정되는데, 이를 측정하는 방법으로 요류검사와 압력-요류검사가 있다.

가. 요류검사(uroflowmetry)

요류검사를 통해 방광이 비워지는 속도와 양상을 비침습적으로 측정할 수 있다. 소변을 보는 데 관여되는 여러 가지 변수 때문에 이것만으로 확진이 되지는 않지만 잔뇨와 함께 해석하면 배뇨에 관한 많은 정보를 얻을 수 있다. 적절한 배뇨 환경을 조성하기 위해 환자는 편안히 앉아 평상시 배뇨 상태와 유사한 상태에서 검사해야 한다. 환자가 소변 유량계에 배뇨를 하면(그림 41-8), 요역동학검사지에 소변을 보는 상태가 기록된다.

International Continence Society에 의하면 요류검사의 평가방법은 다음과 같다. 요류 곡선의 y축은 요속(mL/sec), x축은 시간(sec)을 나타낸다. 배뇨량은 배뇨된 소변량 전부를 말하고, 최대 요속(maximum flow rate=Qmax)은 시간당 요류의 최대 측정치를, 최대 요류 도달시간(time to maximum flow)은 소변을 보기 시작하여 최대 요류에 도달할 때까지의 시간을 말한다. 요류시간(flow time)은 실제로 소변을 본 시간을 말하며, 평균 요속(average flow rate=Qmean)은 배뇨량을 요류시간으로 나눈 값이다(그림 41-9). 정상적인 요류 곡선의 모양은 지속적이고 부드럽게 올라갔다 내려오는 종의 모양이며, 비정상적인 경우에는 요류가 끊어지거나 시간이 지연되는 모습을 보이게 된다. 절대적인 기준 값은 없으나 일반적으로 평균 요속이 10 mL/s 이하이거나 최대 요속이 15 mL/s 이하인 경우를 비정상으로 간주한다(Abrams et al., 1988).

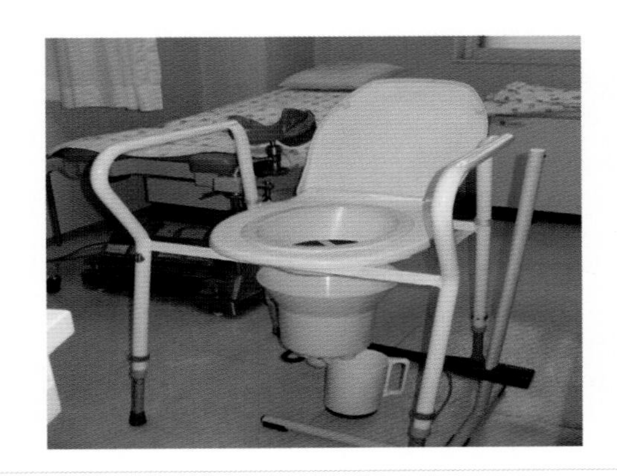

그림 41-8. **환자가 편안하게 소변을 볼 수 있는 소변 유량계**

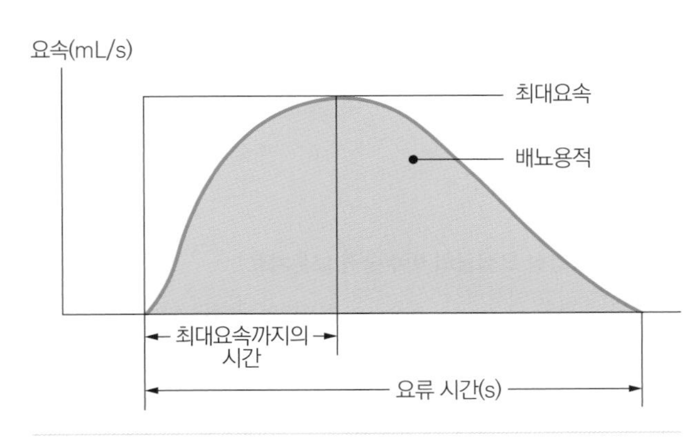

그림 41-9. **정상 요류 곡선**

나. 압력-요류검사(pressure-flow study)

요류검사만으로는 방광출구 폐쇄와 배뇨근 기능저하를 감별하기에 불충분하다. 압력-요류검사는 이 둘을 구분할 수 있는 객관적 검사 방법으로서 측정하는 변수는 방광내압, 직장압, 요도내압, 요속, 괄약근 근전도검사 등이다. 요류검사를 먼저 시행하고 도관을 넣어 잔뇨를 측정한다. 그런 후 방광내압측정을 하고 환자가 소변을 참기 어려울 때 요류검사를 다시 하여 처음의 요류검사 결과와 비교한다.

5) 치료

요실금은 모두 치료해야 하는 것이 아니고, 사회생활에 제약을 주거나 관계를 해칠 정도로 심할 경우에만 치료한다. 치료 목적은 요실금에서 벗어나거나 최대한 정상 생활을 하도록 개선하는 것이다. 치료방법에는 비수술적 치료와 수술적 치료가 있다. 복압성 요실금은 요도와 그 주위를 받치고 있는 조직이 이완되어 발생하므로 이를 회복시키면 치료할 수 있다. 수술이 가장 효과적이나 증상이 경한 젊은 여성의 경우는 물리치료를 시행해 볼 수 있다. 그러나 요실금이 심하거나 다른 치료에 실패한 경우, 나이가 많아 골반저근 수축기능이 약한 경우는 수술을 하는 것이 좋다. 절박성 요실금은 급작스럽고 강한 배뇨 충동으로 소변이 급하고 자주 마려운 증상을 흔히 동반한다. 이때는 방광수축을 억제하는 약제와 함께 방광훈련과 같은 행동치료를 병행하는 것이 효과적이다. 약제에 잘 반응하지 않는 경우는 약제와 함께 전기자극치료, 바이오피드백(biofeedback), 자기장 신경치료 등을 시행한다.

범람 요실금은 요배출구가 막히거나 신경 손상으로 방광이 수축되지 않는 것이 원인이므로 요 배출구를 확보하거나, 약물치료와 함께 신경회복을 기다리거나, 만족스럽지 못할 때는 카테터(catheter)를 삽입한다. 범람 요실금은 신장에 악영향을 미칠 수 있으므로 반드시 치료해야 한다 (표 41-4).

(1) 비수술적 치료

Kegel (1948)이 복압성 요실금에서 골반저근운동을 사용하여 높은 성공률(84%)을 보고한 이래 여러 방법이 시도되어 왔다(표 41-5). 주요 적응증으로는 고령환자, 임신 중 또는 임신을 원하는 환자, 출산 환자, 수술이 곤란하거나 수술을 꺼려하는 환자, 스포츠 등 특별한 경우에만 요실금이 있는 환자, 요실금을 심각한 문제로 생각하지 않는 환자, 배뇨곤란이나 혼합성 요실금이 있는 환자 등이다. 비수

표 41-4. 요실금 치료의 일반적 원칙

	복압성 요실금	절박성 요실금	범람 요실금
1차 치료	행동치료(골반저근운동)	행동치료(방광훈련)	간헐적 카테터 삽입
2차 치료	약물치료(드물게 사용) (α-아드레날린성 제제, 에스트로겐)	약물치료(항무스카린 제제, β3-adrenoceptor agonists)	유치 카테터 삽입
3차 치료	수술치료	수술치료(드물게 사용)	치골위 카테터 삽입

표 41-5. 복압성 요실금의 비수술적 보존치료

생활양식 변화	체중감소, 자세변화, 카페인섭취 감소
물리치료	골반저근운동(Kegel 운동), 기구를 이용한 골반저 운동, 전기자극치료, 체외자기장 신경치료, 바이오피드백, 질 콘
약물치료	α-아드레날린성 제제, 에스트로겐(질크림), Duloxetine
기구치료	요도장치 질내장치: 방광경부지지 인공삽입물, 페사리

술적 치료는 비용이 적게 들고 합병증이 적으며 나중에 수술을 시행하더라도 수술 결과에 지장이 없는 장점 때문에 1차 치료로 추천된다(Dwyer and Kreder, 2005).

① 물리치료

물리치료는 복압성 요실금의 효과적인 치료 선택으로 골반저근운동, 전기자극치료, 바이오피드백, 질 콘 등이 있다. 치료 효과는 적절한 환자의 선택, 치료자의 지식과 경험, 효과적인 치료 과정의 평가, 환자의 노력 등에 많은 영향을 받는다. 치료 결과의 예측요인은 환자의 나이, 요실금의 정도, 골반저수술 유무, 환자의 순응도 등이며(Truijen et al., 2001), 출산력, 체중, 치료 시 질내압과는 관련이 없다(Wilson et al., 1987).

가. 골반저근운동(pelvic floor muscle exercise)

골반저근운동은 외요도괄약근(external urethral sphincter)과 항문거근(levator ani muscle), 특히 치골미골근(pubococcygeal muscle)을 강화시켜 요실금을 방지하는 운동으로 Kegel 운동이라고도 한다. 이 운동은 소대변을 참기 위해 근육을 바짝 죄는 것과 같은 운동으로 요도, 질 및 항문을 감싸고 있는 근육의 강도와 기능을 복구시키는 데 목적이 있다. Cochrane 요실금 그룹은 골반저근운동이 치료하지 않은 군에 비해 증상이 개선되고, 후에 시행하는 수술에 나쁜 영향을 주지 않는다는 장점이 있어 복압성 요실금의 1차 치료로 추천된다고 주장하였다(Vierhout, 2005). 이 운동은 골반저근을 10초간 수축하고 10초간 휴식하는 것을 연속적으로 20-30회 반복하고, 이러한 일련의 운동을 하루에 3차례, 주당 3-4회를 적어도 6주간 시행한다. 또는 5-10초간 수축시킨 후 빠른 수축을 3-4회 연속적으로 하고 5-10초간 이완시키는 동작을 20-30회 반복하여 이를 하루 3차례 시행하기도 한다. 골반저근운동을 적절하게 할 경우 경한 요실금은 완치되기도 하고, 50-75% (Karram et al., 1996; Weinberger, 1995; Bo and Talseth, 1996)에서 수술의 필요성을 감소시킬 수 있는 것으로 보고되었다. 치료 효과는 운동을 정확하게, 규칙적으로, 적절한 기간 동안 시행하였는가와 관계가 있고, 바이오피드백을 이용하면 치료 효과를 극대화할 수 있을 것으로 기대되나 골반저근운동 단독보다 더 나은 이점은 없다는 보고도 있다(Hay-Smith et al., 2001).

나. 전기자극치료와 체외자기 신경감응치료(extra corporeal magnetic innervation)

전기자극치료는 질이나 항문에 삽입한 전극을 통해 간헐적으로 낮은 교류파(alternating pulse)를 흘려보내 골반저근뿐 아니라 측요도부 골격근과 평활근을 수축시켜 복압성 요실금을 치료한다(Walters et al., 1992). 전류가 35 mA 이하로 낮은 전기자극은 골반저근, 특히 고속 연축근섬유을 수축시켜 복압증가 시 반사성 수축이 강화된다. 그러나 65 mA 이상의 전류에서는 골반저근의 수축 외에 방광도 이완시키므로 과민성 방광에도 도움이 된다. 보통 하루 15-30분, 1주일에 2-3회를 5-6주간 치료하며 그 후로도 지속적인 운동으로 골반저근을 유지시켜 주어야 한다. 치료성적은 복압성 요실금의 37-92% (Sand et al., 1995; Eriksen and Eik- Nes, 1989)에서 성공적이다. 전기자극치료는 시간과 비용이 많이 들고 자극 부위에 통증을 유발하는 단점이 있다. 그러나 수술받기 어렵거나 수술 후 재발한 환자, 방사선 치료 후 생긴 요실금 환자, 골반저근운동을 할 수 없거나 하기 힘든 노인 환자, 요도괄약근이 약화된 환자, 절박성 요실금 환자 등에 사용할 수 있다. 체외자기 신경감응치료는 골반저근과 요도괄약근의 휴식기 강도(resting tone)를 증가시키고 요도괄약근의 수축력을 증가시켜 요실금을 치료한다(Galloway et al., 2000). 이 치료는 옷을 입은 채로 의자에 앉아 치료한다는 장점이 있고(Yamanishi et al., 1999), 단기 치료결과는 전기자극치료와 유사하다.

② 약물치료

약물치료는 경한 복압성 요실금의 경우에 개선 혹은 완치의 효과가 있으나 심한 경우는 좋은 효과를 기대하기 어렵다. 경한 경우에도 약제 복용을 중단하면 증상이 다시 나타나므로 지속적인 운동요법과 함께 치료하는 것이 바람직하다. 방광경부(bladder neck)와 몸쪽 요도(proximal urethra)에는 α-아드레날린 수용체가 있어 이를 자극하면 평활근이 수축하여 최대요도폐쇄압이 증가한다. α-교감신경작용제로는 ephedrine, pseudoephedrine, phenylpropranolamine, norepinephrine 등이 있으나, 혈관 긴장도를 증가시켜 고혈압과 뇌혈관 질환의 위험성을 증가시킬 수 있어 주의가 요구된다. 에스트로겐은 요도, 방광, 항문거근의 α-아드레날린 수용체를 2-3배 증가시키므로 함께 사용하는 것이 효과적이라는 보고도 있으나(Ahlstrom et al., 1990), 에스트로겐을 사용하고 있는 여성에서 1년 후 요실금의 빈도와 증상이 악화되었다는 연구도 있어 요실금의 치료만을 위해 처방하지는 않는다. 그러나 에스트로겐이 방광과 요도의 감각역치를 증가시키고 비뇨생식기 위축을 교정하기 때문에 과민성 방광에는 도움이 되는 것으로 알려져 있다. 삼환계 항우울제는 방광의 수축력을 떨어뜨리고 출구저항을 증가시키기 때문에 소변저장을 촉진시키는 데 유용하다. 그래서 일차적으로 과민성 방광 치료에 사용하나 일부 복압성 요실금의 치료에도 사용한다. β-교감신경차단제인 propranolol은 α-아드레날린수용체에 대한 노르에피네프린의 효과를 증진시켜 요자제를 일으킨다.

Duloxetine은 세로토닌 및 노르에피네프린의 재흡수 억제제(selective serotonin reuptake inhibitor, SSRI)로, 방광이 흥분된 상태에서는 중추 세로토닌 수용체를 통해 방광을 억제하고 세로토닌과 α1-교감신경을 통해 요도괄약근 활성을 높여 복압성 요실금과 혼합성 요실금의 치료에 효과적이다. 일일 duloxetine 80 mg을 투여한 환자에서 요실금 빈도가 64% 감소하였을 뿐 아니라(Norton et al., 2002), 삶의 질도 향상되었다(Drutz et al., 2003). 부작용으로 구역, 갈증, 피로, 불면증 등이 있고, 이러한 부작용 때문에 약을 끊는 경우는 15-20.5%이었다(Hurley et al., 2005).

③ 기구치료

치료라기보다는 요누출을 줄이거나 예방하는 방법으로 요실금의 치료와 병행하여 사용할 수 있다. 이는 신체활동 시 가끔 요실금을 경험하거나 다른 치료법에 효과가 없는 경우, 수술을 할 수 없거나 수술 전에 일시적으로 사용된다.

가. 질내 지지 장치

탐폰(tampon), 피임용 격막(contraceptive diaphragm), 여러 종류의 페사리(hodge with supports, incontinence dish, incontinence ring)가 사용되며, 운동에 의한 복압성 요실금의 예방효과가 좋다. 탐폰은 경한 요실금을 가진 부인의 86%에서 운동하는 동안 요자제가 가능하나, 심한 경우는 29%만이 효과가 있다. 페사리는 경도 또는 중등도의 전질벽 탈출이 있는 복압성 요실금 환자에서 사용한다. 이는 요도폐쇄압을 증가시키고 요도와 요도방광접합부의 운동성을 줄이며 방광경부를 올려줌으로써 복압성 요실금과 절박성 요실금의 치료효과를 나타낸다(Bhatia et al., 1983). 급성방광염, 질점막 자극, 동통 등의 부작용으로 첫 1개월에 사용을 중지하게 되는 경우도 있지만 6개월 이상 사용하는 경우도 과반수에 달한다. 페사리 사용방법은 삽입 후 2-4주마다 제거하여 깨끗하게 닦은 후 다시 삽입하고, 질 위축이 있는 환자에게는 에스트로겐 크림을 같이 투여하는 것이 좋다.

나. 요도내 또는 요도외장치

요도 삽입물은 요도에 설치하는 일회용 무균 삽입장치로, 배뇨 전에 제거하고 배뇨 후 새 장치를 설치한다. 이는 재발성 요로감염력이 없고 세균뇨와 같은 합병증이 없는 복압성 요실금 환자에게 적합하다. 요도 주변에 설치하는 폐쇄장치도 배뇨 전에 제거해야 하며, 외음부 및 아래요도 자극, 요로감염 등의 부작용이 있다. Foam pads (Miniguard®, UroMed®, Impress®, Softpatch®)는 접착성 수화겔(hydrogel)로 요도 주변에 유치하는 일회용 거품장치이며, urethral caps (FemAssist®, CapSure®)는 요도 입구에 접착성 겔과 진공으로 고정하는 장치로 재사용이 가능하다. 제거하고 삽입하는 것을 반복해야 하므로 사용이 많이 되고 있지는 않다.

다. 패드나 특수 팬츠의 착용

가장 소극적인 대응 방법으로 흘러나오는 소변을 패드, 소변받이, 속바지, 성인 기저귀, 침대 패드 등의 흡수대로 처리하는 것이다. 흡수 용품은 일시적인 안전감을 주기는 하지만 근본적인 문제를 해결할 수 없다는 단점이 있고, 경제적인 부담도 적지 않다. 피부염, 피부손상, 연조직염(cellulitis) 등을 유발할 수 있으므로 자주 갈거나 개인적인 청결에 특별한 관심을 가져야 한다.

(2) 수술적 치료

수술을 할 것인가는 적절한 진단에 기초하여 비수술적 치료의 결과를 보고 결정해야 한다. 수술은 복압성 요실금 환자에서 보존치료에 실패하거나 환자가 원할 때 시행한다(Christofi and Hextall, 2005). 이때 고려해야 할 사항은 복압성 요실금의 유형, 방광의 용적, 요누출의 정도, 골반장기탈출의 동반 유무, 수술을 요하는 골반내 이상 등의 동반 유무 등이다. 수술 방법에는 크게 두 가지로 나눌 수 있는데, 즉 요도와 방광경부를 올리고 지지판을 만들어주어 복압의 영향권 내로 복원해주거나, 내인성 괄약근에 의한 요도 저항을 증대시키는 것이다. 어떤 수술을 할 것인가는 수술의 효과(수술 성공률과 삶의 질 변화), 최소침습수술 여부, 부작용의 유무, 비용-효과 등을 고려해야 한다(Vervest, 2005). 수술에 실패하거나 재발하면 재수술하는 경우도 있지만 성공률이 감소하므로 처음부터 가장 효과적인 방법을 택하는 것이 좋다. 또 가장 좋은 수술은 술자가 가장 잘할 수 있는 수술이다.

미세침습수술, 특히 무긴장성 질테이프술(tension-free vaginal tape, TVT)이 소개되면서 복압성 요실금의 수술치료에 큰 변화가 일어났다. 즉 요실금의 1차 및 2차 수술에서 선호하는 방법으로 모두 TVT를 선택하게 되었고 다음이 질걸기(sling)였다(Jha et al., 2005).

복압성 요실금의 수술법 분류를 편의상 접근하는 경로에 따라 복부접근, 질접근, 기타로 구분한다(표 41-6). 수술의 선택은 내인성 괄약근 기능부전(intrinsic sphincter deficiency, ISD) 유무, 다른 골반질환에 의한 개복의 필요성, 골반장기탈출의 동반 유무 및 그 정도, 연령, 건강상태, 환자와 술자의 선호도 등에 따라 결정된다.

① 경복수술법

1949년 Marshall 등이 복부 방광요도걸기인 Marshall - Marchetti-Krantz (MMK) 수술법을 개발하면서 치골뒤 요도고정술(retropubic urethropexy)이 시작되었다. 1961년 Burch는 방광경부를 쿠퍼인대(Cooper's ligament)에 걸어주는 방법을 소개하여 치골결합 후면에 걸어주던 MMK 수술의 문제점인 치골염과 요도폐쇄로 인한 배뇨장애 등을 개선하였다. 버치수술법은 늘어진 요도주위 근막을 견인하여 방광목과 몸쪽 요도를 치골 뒤로 복원시키는 방법으로 요도조임근 기능이 좋은, 요도과운동성 복압성 요실금에 유용하다. 수술방법으로는 개복 버치수술법(open burch procedure)과 복강경하 버치수술법(laparoscopic burch procedure)이 있다.

표 41-6. 복압성 요실금의 수술적 시술의 분류

복부 접근	Marshall-Marchetti-Krantz 수술 Burch 질걸기	개복 Burch 수술, 복강경 Burch 수술
질 접근	전통적 전질벽봉축술 견인바늘 방광경부걸기 걸이술	전통적 치골질걸이(방광경부걸이): 자가근막, 제공자근막, 합성망사, 최소침습적 중요도걸이 치골뒤걸이: TVT (Gynecare), SPARC 경폐쇄공걸이: TOT, TVT-O (Gynecare)
기타	요도주위 충전제 주사(요도, 직장, 질 접근)	

가. 개복 버치수술법

치골결합위 1인치 부위에 10 cm가량 횡절개하고 피하조직, 근막, 복직근 및 복막을 박리한 후 치골뒤공간(retropubic space; Retzius space)으로 들어간다. 방광주변공간과 질주변 근막을 노출시킨 후 방광요도접합부의 2 cm로부터 전질벽을 2-3 바늘 떠서 쿠퍼인대에 꿰매게 되는데, gortex, polytetrafluoroethylene, ethibond, tycron 등의 영구봉합사를 사용한다. 수술 후 치골뒤공간에 섬유증이나 흉터 형성이 잘 되도록 적어도 3개월 동안은 복압을 증가시키는 활동이나 무거운 것을 들거나 웅크리는 자세를 제한한다. 치료성공률은 기간이 지남에 따라 감소하고, 수술 전 배뇨근 과활동성, 방광경부수술 기왕력 등이 있을 때 낮다. 그 외 실패 위험이 높은 경우는 비만, 폐경, 자궁절제력, 내인성 괄약근 기능부전 등이다. 흥미있게도 혼합성 요실금의 60%에서 수술 후 배뇨근 과활동성이 치료되고 20-30%에서는 지속되는데, 특히 고압 배뇨근 과활동성이나 방광순응도가 나쁜 경우 지속되는 경향이 있다. 그래서 혼합성 요실금의 경우는 배뇨근 과활동성을 위한 비수술 치료를 먼저 시행해야 한다. 수술 후 배뇨근 과민성(7-27%), 배뇨곤란(10.3%), 탈장이나 직장류(rectocele), 입원과 회복기간이 길다는 등의 단점이 있다(Abrams et al., 2002; Perk et al., 2003). 배뇨곤란은 버치수술 7일 이내에 대부분 회복되나 요도폐쇄으로 인한 유속 감소는 오래 지속될 수 있다. 탈장은 버치수술 1-2년 후 7.6-13.6%에서 발생하여 수술적 교정이 필요하다(Burch, 1961; Langer et al., 1988). 그래서 예방적인 조치로 자궁천골인대걸기(uterosacral ligament suspension)나 McCall 골반강성형술(culdoplasty)을 함께 하는 경우도 있고, 증상이 있는 직장류가 있다면 교정해야 한다. 자궁을 절제하는 것은 요실금 치료에 상승적 효과가 없으므로 자궁병리나 자궁질탈출이 있을 때만 시행한다.

나. 복강경하 버치수술법

복강경하 버치수술법은 절개를 거의 하지 않으므로 혈액손실과 동통이 적고 회복이 빨라 입원기간이 짧다는 장점이 있다(Moehrer et al., 2003). 그러나 수술시간이 길고 합병증도 많으며, 고난도의 술기, 고가의 장비와 수술재료로 비용이 많이 든다는 단점이 있다(Lapitan et al., 2005). 수술방법은 복강경을 이용한다는 점 외에는 개복수술과 같다.

② 경질수술법

가. **전질벽봉축술**(anterior vaginal repair or anterior colporrhaphy)

1914년 Howard Kelly가 전질벽봉축술을 소개한 이래 20세기 중반까지 요실금 치료의 지침으로 활용되었다. 전질벽을 중앙 절개하여 방광경부 근처 요도주위조직을 주름잡아 봉합하는 수술로, 요실금 증상이나 요도이동이 경미할 때 일시적 효과를 얻지만 장기간 성공률은 35-65%로 낮기 때문에 요실금 치료를 위한 단독수술로는 권장되지 않고 복압성 요실금이 심하지 않은 방광류 환자에서 사용할 수 있다.

나. **견인바늘걸기술**(needle suspension procedures)

1959년 Pereyra 이후 여러 술자들에 의하여 약간씩 변화되면서 발달되어 왔다. Stamey는 견인바늘걸기술을, Raz는 변형 페레이라 방광경부걸기(modified Pereyra's bladder neck suspension)를, Gittes는 피부절개 없이 수술하는 요도고정법을 시술하였다. 견인바늘걸기술은 큰 근막절개를 하지 않아 이환율이 적고, 개복술에 비해 수술과 입원기간이 짧아 일상생활에 쉽게 복귀할 수 있으며 수술흉터가 작은 장점이 있다. 그러나 초기 성공률은 70-90%이지만 시간이 지남에 따라 감소하여 5년 성공률이 50% 이하로 낮아져 현재는 거의 사용하지 않는다(Abrams et al., 2002).

다. **전통적 치골질걸이술**(pubovaginal sling operation)

걸이는 전질벽을 열고 치골뒤공간을 박리한 후 긴 띠를 방광경부에 설치하고 위로 당겨 올려 복직근막에 고정시키는 수술로(Bodell and Leach, 2002) 걸이에 사용되는 띠가 요도괄약근 부위를 받쳐 줌으로써 약해진 괄약근 기능을 회복시킨다는 것이 이론적 배경이다. 걸이의 목적은 요도방광접합부에 지지 "등판"을 제공하고 요도를 약간 압박하는 것이다. 그럼에도 방광출구 폐쇄나 요저류를 예방하기 위해 장력이 너무 심하지 않게 하는 것이 중요하다. 치골질걸이술은 요실금의 1차 수술이 실패했거나 내인성 괄약근 기능부전이 있는 환자에게 주로 시술하고(Bodell and Leach, 2002; Sutherland, 2004), 요도과운동성이 없는 경우, 질벽의 심한 위축이나 혼합성 요실금이 있는 경우, 요도재건술이 필요한 경우는 중요도걸이(midurethral sling)가 유행하는 지금에도 치골질걸이술을 하는 것이 추천된다(Wilson and Winters, 2005). 수술은 가급적 덜 침습적인 견인바늘 수술기법을 사용하며, 띠로 사용되는 재료는 자가근막(autologous fascia), 동종이식 근막(allograft fascia), 이종이식 근막(xenograft fascia), 그리고 인조물질들을 사용한다(표 41-7). 이중 자가근막과 합성물질을 이용한 장기 성공률은 80% 이상이고(Abrams et al., 2002), 첫 수술에 국한하였을 때 요자제율은 94%이다(Jarvis, 1994). 합성재료의 장점은 효과적이고 쉽게 구할 수 있으나, goretex나 silastic은 이물질 염증반응을 일으켜 질이나 요도의 미란(erosion), 샛길 형성(fistula formation)과 같은 부작용의 발생과 같은 단점이 있다. 만성합병증은 배뇨장애와 절박뇨 등으로, 수술 후 배뇨장애율은 평균 12.8%, 장기간 자가-카테터삽입률(self-catheterization)은 7.8%이었고, 4주 이상 지속되는 증상은 저절로 좋아지지 않았다(Sweeney and Leng, 2005). 질 및 요도미란율은 5%로 대부분 합성재료 사용 후 발생하였고, 걸이의 교정이나 제거율은 합성재료 사용 후 1.8-35%이었다.

표 41-7. 요도밑 걸이의 여러 재료형태

이식 방법	재료 형태
자가이식	복직근막, 대퇴근막, 건, 원인대, 복직근, 질벽
동종이식	시체 대퇴근막, 시체 진피
이종이식	숫소 경막, 돼지 진피, 돼지 심장막
합성물질	Polypropylene, Mersilene, Goretex, Silastic, Marlex

라. 중요도(midurethral)걸이술

가) 무긴장성 질테이프술(tension-free vaginal tape, TVT)

TVT는 1996년 Ulmsten 등이 처음으로 개발하였고, 현재까지 복압성 요실금과 그 치료의 병태생리적 기작에 기초하여 개발된 유일한 수술법으로, 치골요도인대의 장애가 복압성 요실금의 일차적인 원인 중 하나라는 이론(Petros and Ulmsten, 1990)에 근거한다. 그 뿐 아니라 치골요도인대(pubo-urethral ligament)가 있는 요도부위의 지지손실, 전질벽의 지지손실, 치골미골근(pubococcygeal muscle)의 기능이상 등이 복압성 요실금을 일으키기 때문에(Perk et al., 2003) TVT에 의한 요도지지는 방광경부가 아닌 중요도(midurethra)에서 조절되어야 한다는 것이다(Debodinance et al., 2002).

TVT 수술방법은 치골요도인대를 보강하기 위해 치골 바로 위 피부에 5 mm의 작은 절개 2개를 만들고 중요도 질벽에도 1-2 cm의 절개를 넣어 요도 주위를 박리한 후 40×1 cm 되는 좁은 prolene 망사(mesh) 테이프를 방광경부가 아닌 중요도 아래에 긴장 없이 설치한 후 5 mm의 굽은 뚫개를 이용하여 골반내 근막(endopelvic fascia), 치골뒤공간 및 복직 근막(rectus muscle fascia)을 통과시키고 이를 고정하지 않은 채 치골위 피하조직에 놔둔다. 그래서 요도받침과 같은 작용으로 요도의 이동을 제한하고 이식반흔으로 요도측면도 지지하게 하여 복압이 증가할 때 요도의 운동성을 감소시키고 요도를 비틀리게 하여 요자제 효과를 가져오게 한다. 원발성 복압성 요실금에서 시행한 TVT 수술의 영국 다기관시험 장기결과(6.6-12.6년, 평균추적기간 10년)를 보면 1년 후 치료율이 93%, 10년 추적연구에서 치료율이 73%로 다소 낮아진 것으로 나타났다. 환자가 느끼는 복압성 요실금의 심한 정도에 대한 설문 조사에서도 수술 전 불편감이 93%인 거에 비해 10년 후에는 26.9%로 감소하였다(Zainab et al., 2014). 수술 후 요자제를 성취하는데 불리한 인자로는 요실금수술 기왕력, 혼합성 요실금, 골반 방사선 치료 등이다. 수술 중 합병증은 mesh가 노출되는 경우 1.6%, 걸이가 느슨해져 효과가 없는 경우가 3.2%라고 보고된 바 있으며(Zainab et al., 2014), 방광 천공이 1-9%에서 발견되나(Canis-Sanchez et al., 2005; Ward and Hilton, 2002) 수술 중 방광 천공을 발견하면 메쉬를 뺀 후 다시 삽입하면 되며, 장기 후유증이 발생한 경우는 없었다(El-Barky et al., 2005). 단기 요저류율은 4-13.9%(Paick et al., 2005)로 간헐적 카테터 삽입이나 요도 확장으로 좋아졌으며, 테이프를 절단해야 하는 경우는 1-2.8% (Klutke et al., 2001)로 보고되었다. 새로 발생한 절박뇨는 1.6%였고, 7.9%에서 절박뇨 증상의 치료를 위해 항무스카린제제를 투여하거나, 1.6%에서 보톡스가 투여되기도 하였다(Zainab et al., 2014). 장 미란은 TVT의 드문 합병증으로 대개 수술 후 며칠 내에 발생하며 복막염이나 장폐쇄 증상을 나타낼 수도 있다(Bafghi et al., 2005). 치골뒤공간에는 정맥총이 발달되어 시술 중 손상을 입거나 뚫개가 외측으로 빗나가 폐쇄혈관(obturator vessel)이나 외장골(external iliac), 아래명치, 대퇴 등의 혈관손상(≤9/100,000)으로 많은 출혈과 골반혈종이 드물게 발생할 수 있다. 12년 동안 추적관찰 결과 재수술한 경우는 2.3%로 나타났다(Zainab et al., 2014).

나) 경폐쇄공 테이프술(Transobturator Tape, TOT)

TOT는 요도지지 구조를 강화하기 위한 최소 침습수술을 유지하면서 TVT의 합병증을 피하기 위하여 개발된 수술방법으로, Delorme (2001)가 치골요도인대와 유사한 걸기를 찾다가 처음 소개하였다(표 41-8). TOT의 원리는 TVT와 비슷하지만, 치골뒤공간과 앞 복벽 대신 폐쇄공을 통한다는 것이 다르다. 폐쇄공는 폐쇄막이라는 두꺼운 막과 안팎에 있는 내외 폐쇄근으로 덮여 있다. 뚫개는 치골뒤공간과 복벽을 통과하지 않고, 통과 공간은 폐쇄혈관과 폐쇄신경으로부터 3.5 cm 이상 떨어져 있어 삽입하기에 안전하다. 그래서 TOT는 요로 합병증과 치골뒤 혈종의 가능성이 적고 심각한 합병증, 즉 큰 혈관손상과 심한 출혈, 장 천공 등의 합병증이 없고 신경손상의 위험도 없다(Mansoor, 2003). 수술 중 방광손상도 거의 없어 방광경검사를 하지 않아도 됨으로써 시술이 신속하다(Fischer et al., 2005). 현재까지 보고된 요로계 합병증으로 방광 천공 4례, 요도 천공 2례로 매우 드물지만 발생이 아주 없는 것은 아니므로 방광손상을 확인하기 위해 방광경검사를 권하는 술자도 있다. 또한 걸이방향이 요도에 직각으로 받치는 TVT와는 달리 수평에 가깝게 받치도록 고안되었기 때문에 수술 직후 요저류나 절박뇨의 발생빈도가 낮다. 그리고 수술방법이 쉬워 습득 시간이 짧으며 수술 전 배뇨기능장애가 있는 환자, 근치골반수

표 41-8. 경폐쇄공 무긴장 질테이프술의 수술절차(단계 1-6)

수술단계	수술 내용
단계 1	중요도 아래 질점막에 작은 절개(2 cm)를 만든다.
단계 2	요도주위 질벽을 골반근막까지 박리한다
단계 3	긴모음근 건부착부(adductor longus tendinous insertion) 하방 1 cm 서혜부에 5 mm의 절개를 만든다.
단계 4	질절개부에 넣은 지시 손가락의 유도하에 침을 서혜부 절개를 통해 폐쇄공을 경유하여 폐쇄막을 뚫는다.
단계 5	침을 질 절개 밖으로 꺼내 테이프를 연결하고 서혜부 절개를 통해 꺼낸다.
단계 6	테이프의 장력을 조정한 후 여분의 망사를 잘라내고 절개를 닫는다.

술의 기왕력이 있는 환자, 비만 환자에서도 비교적 안전하게 시행할 수 있다. 그러나 간혹 보행 시 대퇴 안쪽이 불편하다든지, 성기능장애가 있다는 보고가 있다. 걸이돌출이 12.1%, 배뇨기능장애가 1.1%에서 발생하여서 합병증이 TVT에 비하여 적다는 장점이 있으나(Naidu et al., 2005), 걸이 방향이 요도에 수평인 수술의 특성 때문에 요실금에 덜 효과적일 수도 있어 요실금이 심하거나 내인성 괄약근 기능부전 환자에서는 TVT 등 다른 방법을 고려하는 것이 좋다.

다) 미니슬링법(mini-sling)

Mini-sling법은 2006년에 처음 소개되었으며, 하나의 질 내 절개를 통해 TVT나 TOT에 비하여 짧은 걸이를 이용하는 수술법이다. 이 수술의 장점은 기존의 TVT, TOT와는 달리 짧은 걸이를 이용하게 되므로 양쪽의 치골뒤부위와 서혜부 근육을 찔러서 통과하지 않으므로써 합병증을 줄이면서 기존의 수술과 마찬가지의 유사한 수술결과를 기대할 수 있다는 것으로 생각되었다. 그러나 아직까지 중단기 추적관찰에 따르면 기존의 수술 방법과 비교하여 그 효과는 유사하면서 수술 후 합병증 등이 더 적다는 데 논란의 여지가 있다(Mohamed et al., 2011).

마. 충전제 주입술(bulking procedures)

충전제(bulking agents) 주입술은 요도 주위에 물질을 주입하여 요실금을 방지하는 시술로서 약물을 주입하여 방광경부나 요도괄약근을 두텁게 하고 기능적요도길이를 늘려 출구 저항을 높이는 것을 이론적 근거로 하고 있다. 이는 합병증이 없는 복압성 요실금, 내인성 괄약근 기능부전증(VLPP가 60 cmH_2O 이하인 경우), 보존치료나 요실금수술에 실패하고 방광경부의 운동성이 없는 복압성 요실금 등에서 고려될 수 있다(Chapple et al., 2005). 장점으로는 수술보다 덜 침습적이고 피부절개가 필요 없으며 국소마취 하에서도 시술이 가능하여 외래에서 시술을 받을 수 있다는 것이다. 충전제는 인콜라겐 등의 자가조직과 gluteraldehyde cross-linked (GAX) bovine collagen 등의 이종물질, 그리고 carbon coated beads, silicone microimplants, carbon-coated zirconium beads, microballoons, cross-linked hyaluronic acid, hyaluronic acid와 dextranomer microspheres, ethylene vinyl alcohol copolymer 등의 합성물질이 있다(표 41-9).

충전제는 요도점막 밑에 역방향 또는 앞방향 형식으로, 요도주위 또는 요도를 경유하여 주입된다. Contigen™의 경우는 작은 주사바늘로 쉽게 주입할 수 있으나 Durasphere™는 콜라겐보다 주입하기가 힘들어 보다 큰 주사바늘을 사용해야 한다. 문제점은 내구성으로, 콜라겐 주입 결과 치료율은 평균 48%, 전체 성공률은 평균 76%이다(Dmochowski and Appell, 2000). 그러나 실

표 41-9. 충전제의 분류

분류	예
Cross-linked collagen*	Contigen™, Permacol™
Biocompatible copolymer implant*	Tegress™ (URYX®)
Carbon-coated beads*	Durasphere™
Spherical particles of calcium hydroxylapatite*	Coaptite®
Polytetrafluoroethylene Silicone microimplants Carbon-coated zirconium beads, Microballoons Cross-linked hyaluronic acid, Hyaluronic acid와 dextranomer microspheres Ethylene vinyl alcohol copolymer Autologous collagen, fat, cartilage	Teflon® Macroplastique®

리콘 주입의 경우 주관적 성공률이 3개월 후, 6개월 후, 1년 후에 각각 72%, 65%, 60%로 시간이 지남에 따라 성공률이 감소하여 매 1-2년마다 추가적인 약물주입이 필요하다. 이의 원인은 입자의 이동, 콜라겐의 생리적 재흡수, 그리고 진행되는 괄약근 변성 때문으로 추측되고 있다. 합병증으로는 Contigen™의 알레르기 반응, 지방의 색전증 등이 있으나 대체적으로 복압성 요실금의 치료에 수술 대체요법으로 좋다(Corcos et al., 2005).

③ 수술의 합병증

수술치료를 선택하는 데 있어 고려해야 할 점은 수술 성공률과 합병증 발생률이 된다. TVT와 버치수술을 비교할 때 TVT는 버치수술보다 방광 천공(9% vs. 2%)은 많았으나 고열(1% vs. 5%)이나 장기간 카테터삽입률(3% vs. 13%)은 적었다(Ward and Hilton, 2002). 혈관손상과 혈종의 경우 TVT는 각각 1%와 2%에서 발생하였으나 버치수술의 경우는 없었다. 50만 이상의 TVT 수술 환자에서 7명이 사망하였는데, 6례는 장 천공 때문이었고 1례는 혈관 손상 때문이었으나 버치수술의 경우는 자료가 없다. 핀란드에서 시행한 1,445례의 TVT 중 합병증은 367례에서 있었다. 200 mL 이상의 출혈이 1.9%, 치골뒤 혈종이 1.9%, 치골뒤 이외의 부위에 발생한 혈종이 0.5%, 아래명치혈관 손상이 0.1%, 폐쇄신경 손상이 0.1%, 방광 천공이 3.8%이었다(Kuuva and Nilsson, 2002). TVT의 경우 이식에 의한 미란율이 치골뼈질걸이술에서 사용된 합성물질에 비하여 낮다. 버치수술과 TVT를 비교한 한 무작위 시험에서 TVT를 한 170명 중 첫 6개월에 미란은 1례, 6-24개월 후 미란이나 메쉬 노출은 2례 있었다(Ward and Hilton, 2004). 복압성 요실금을 위한 수술 후 흔한 부작용은 요로감염, 완치실패, 새로 발생한 배뇨근 과민성, 배뇨장애, 생식기 탈출, 방광 천공 등으로 각각 5-10%의 빈도를 보인다. 요실금수술 후 배뇨근 과민성이 새로이 발생하였다면 방광내 메쉬가 있는지를 확인하기 위하여 방광경검사를 고려해야 한다. 그외 적게 발생하는 부작용으로는 대량출혈, 상처감염, 동통, 신경손상, 절개부 탈장 등으로 각각 2-5%에서 발생한다.

④ 수술적 치료 요약

복압성 요실금은 수술치료가 가장 효과적인 치료로서 오랫동안 선택되어 왔다. 그러나 치료성공률이 수술 2-5년 사이에 80-90%이던 것이 수술 10년 이후에는 60-70%로 감소될 뿐 아니라 수술 후 발생할 수 있는 합병증으로 인하여 그 만족도가 환자에 따라 매우 큰 차이를 보일 수 있다. 반면 복압성 요실금의 비수술적 치료는 수술에 비해 치료성공률은 떨어지나 치료비용과 수술로 인한 위험도는 크지 않다는 점을 고려할 때 수술 전에 1차 치료로 비수술적 치료를 고려해 봄이 좋을 수 있다. TVT와 TOT 같은 중요도걸이술은 그물편(mesh)을 중요도에 두기 때문에 요도주위 박리가 덜 필요하고 동통도 적으며, 시술이 대개 30분 이내에 끝나고 빨리 회복되어 일상 활동으로 조기 복귀할 수 있다(Bezerra et al., 2004)는 장점이 있어 최근에는 복압성 요실금의 수술에 있어 표준치료가 되고 있으며, 최근에는 복압성 요실금뿐만 아니라 혼합성 요실금과 재발한 요실금 치료에도 널리 적용되고 있다(Moss et al., 2002).

(3) 골반장기탈출증이 있는 복압성 요실금 치료

복압성 요실금이 방광류를 동반하는 경우는 흔하며, 방광류가 있는 경우 복압성 요실금 증상이 명백하게 나타나기도 하고 무증상일 수도 있다. 이때 탈출된 기관을 교정하면 복압성 요실금이 발생할 위험성이 있다. 이를 잠복 복압성 요실금이라 한다. 복압성 요실금 증상이 있는 질탈출의 경우 많은 수술선택이 있다. 천골질고정술에서와 같이 탈출을 복부로 교정할 경우 버치질걸이를, 탈출증을 질로 교정하는 경우에는 질걸이술을 이용할 수 있으나, 요실금의 중증도, 연령등을 고려하여 수술방법을 선택할 수 있다.

(4) 과민성 방광 및 절박성 요실금 환자의 치료

과민성 방광이란 복합적인 증상증후군으로 절박뇨, 빈뇨, 야간뇨, 절박성 요실금 증이 나타나는 경우이다. 절박뇨란 소변이 마려우면 급하고 반드시 화장실에 가야만 하는 증상이고, 절박성 요실금은 소변이 마려우나 화장실에 도달하기 전이나 옷을 내리기 전에 소변을 흘리는 요실금이다. 빈뇨는 24시간에 8회 이상 소변을 보는 것을 말하고, 야간뇨는 자다가 두 번 이상 일어날 때를 말한다. 그리고 절박뇨와 이러한 증상은 있으나 절박성 요실금이 없다면 과민성 방광 건조형(OAB dry), 절박성 요실금이 있다면 과민성 방광 습형(OAB wet)이라고 한다. 과민성 방광의 여성은 흔히 소변량이 적고, 다 본 것 같지 않으며, 배뇨 후 일어설 때 똑똑 떨어짐을 느끼고, 물 흐르는 소리, 찬 물 등으로 절박감이 발생한다. 일단 절박뇨, 빈뇨, 야간뇨 등이 있으면 병력, 신체진찰, 소변검사, 배뇨 후 잔뇨를 조사하고 정확한 진단 없이도 정 진단 하에 치료를 시작하게 된다.

처음 문진 시 폐경 여부, 수분 및 카페인 섭취, 조절이 잘 안 되는 당뇨병, 이뇨제 복용 여부 등을 알아본다. 배뇨일기를 작성하여 소변의 횟수와 양을 조사하고, 간단한 소변검사를 통해 당뇨병, 요로감염 여부를 알아본다. 요류측정검사(uroflowmetry)가 정상이면서 잔뇨가 거의 없으면 저장장애와 배출장애는 없다고 생각할 수 있다. 간단한 요류측정검사로는 stopwatch로 배뇨시간을 재고 소변량을 측정하여 소변 배출량이 초당 15 mL 이상이면 배출장애가 없는 것으로 판단하고 소변량이 300 mL 이상이면 저장 증상도 없다고 생각할 수 있다. 과민성 방광 및 절박성 요실금의 치료방법은 행동요법, 약물치료, 수술치료 등이 있으나, 1차적인 치료는 행동치료와 약물요법이다. 이들은 수술치료에 비해 간편하고 초기비용이 저렴하며 부작용의 위험이 적은 장점이 있다. 그러나 치료에 대한 환자의 동기와 노력이 필요하다.

① 행동요법

행동요법은 환자교육, 수분조절, 방광훈련, 골반저근운동, 전기자극치료, 바이오피드백(biofeedback) 등이 있다. 치료 중심은 행동 변화로 방광훈련이라는 과정을 통해 수행할 수 있고 골반저근운동과 함께 하는 것이 좋다. 골반저의 긴장도가 좋으면 제때에 화장실에 갈 수 있고 절박뇨 자체를 억제하여 방광훈련 과정을 돕기 때문이다.

가. 환자교육

방광을 자극하는 음식을 먹으면 절박성 요실금이 생길 수 있으므로 그러한 음식을 금하거나 제한하도록 한다. 이러한 음식에는 알코올, 카페인 함유제품, 유제품, 매운 음식 등이다. 그리고 이뇨작용이나 방광기능에 영향을 주는 약물은 주의하여 복용케 한다. 또 비만은 복압을 올리므로 체중 조절에 대한 교육이 필요하다.

나. 수분조절

배뇨 횟수와 소변량을 분석하여 소변 총 양이 많고 1회 양이 충분하다면 수분 섭취를 제한한다. 물론 심한 수분 제한은 전해질 불균형, 변비, 농축소변으로 방광을 자극하게 되고, 변비는 방광압을 증가시키며, 심할 경우 장내 가스가 차서 방광을 자극하게 된다. 따라서 적당한 운동과 하루 6-8잔의 수분 섭취는 바람직하다.

다. 방광훈련

방광훈련이란 배뇨습관을 변화시켜 방광기능을 수정하는 방법이다. 이는 배뇨 간격과 방광용적을 증가시키고 화장실에 도착할 때까지 소변을 참을 수 있도록 절박감을 조절한다. 일정한 간격을 두고 소변을 보게 하는데, 대개 1주일 간격으로 가장 짧은 간격에서 30분씩 늘려 3-4시간마다 300 mL 이상의 소변을 보게 하는 것이 목표이다. 방광훈련의 주요 요소는 용변 계획으로, 배뇨일기를 참조하여 첫 배뇨 간격을 편안한 배뇨 간격 중 가장 긴 것을 택한 다음 환자가 잠에서 깨어난 후 방광을 비우고 그 후 배뇨 간격에 맞추어 소변을 보게 한다. 간혹 소변을 보고싶은 마음이 간절하면 정해진 간격에 도달할 때까지 긴장을 풀게 하고 암산, 심호흡, 조용히 노래하기 등으로 정신을 흐트려 화장실로 달려가지 않도록 한다. 절박감을 감소시키는 다른 방법은 골반근을 여러 번 빠르게 수축시키는 것이다. 이러한 프로그램은 6주 정도 소요되며, 약물요법보다 부작용이 적고 성공률이 73% 정도이나 재발률이 높다는 것이 문제이다.

행동훈련의 1차적인 기법은 골반저근 훈련이지만,

절박감의 억제에 초점을 둔다. 골반저근을 마음대로 수축시킬 정도로 습득하면 방광출구를 강화시켜 소변누출을 감소시키고 배뇨근 수축을 억제한다. 치료의 다른 요소로는 배뇨일정, 절박감 억제, 수액치료 등이다. 신경인성 과민성 방광을 가진 환자는 특발 과민성 방광보다 행동요법에 잘 듣지 않는데 이는 피질 억제기전보다 신경 경로 파괴가 원인이기 때문이다.

② 약물 요법

과민성 방광의 가장 중요한 치료는 약물치료로, 행동요법 등의 보존적 치료 방법과 함께 사용할 때 효과가 더 좋다. 가장 널리 쓰이는 주요 약물은 항콜린성 제제로, 부교감 신경을 차단하는 무스카린 수용체 길항제(muscarinie receptor antagonist)이다. 항무스카린제는 방광 평활근 수축을 억제함으로써 소변을 오래 저장하여 배뇨 횟수를 줄일 수 있다. 현재 흔히 사용되는 약들은 표 41-10에 열거되어 있다. 이 약들 중 몇몇은 유사한 효능을 보이며 이러한 약물은 작용 기간(immediate-release 즉시방출형, extended release 연속방출형)과 투여 경로(경구, 패치 또는 젤)에서 차이가 있다(표 41-10).

표 41-10. 절박성요실금에서 흔히 사용되는 약제

약제(일반명 및 상품명)	경구 투여량 범위
Oxybutynin chloride (Ditropan) Oxybutynin chloride extended release (Ditropan XL) Oxybutynin transdermal patch (Oxytrol)	5 mg 3–4 times daily 5, 10 or 15 mg once daily One patch applied twice weekly
Tolterodine tartrate (Detrol) Tolterodine tartrate long acting (Detrol LA)	2 mg twice daily 4 mg once daily
Fesoterodine fumarate (Toviaz)	4 or 8 mg once daily
Solifenacin succinate (Vesicare)	5 or 10 mg once daily
Trospium chloride (Sanctura) Trospium chloride extended release (Sanctura)	20 mg twice daily 60 mg once daily
Darifenacin (Enablex)	7.5 or 15 mg once daily
Mirabegron (Betmiga)	25 or 50 mg once daily

Immediate-release oxybutynin은 FDA가 승인한 최초의 항콜린성 제제였으나 반감기가 짧아 하루에 3회를 복용해야만 최적의 효과를 발휘할 수 있다. Extended release oxybutynin은 하루에 한 번만 투여해도 되고 immediate-release oxybutynin에 비해 부작용이 적기 때문에 보다 환자들의 순응도가 높다. 항무스카린제로 치료를 시작할 때는 적은 양에서부터 시작하여 필요에 따라 용량과 횟수를 증가시킨다. 대개 2주간 사용해서 효과가 없으면 다른 제제로 바꾸어 사용한다. 효력을 정확하게 알기 위해서는 치료 전과 치료 중 절박감이나 절박성 요실금의 횟수를 매일 기록하는 것이 도움이 된다. 부작용에는 여러 가지가 있으나 그 중 가장 문제가 되는 것은 구강건조인데, 약제 간에 차이가 있다. Oxybutynin은 환자의 37%가 구강건조 때문에 치료를 중단한다. 이때 구강건조가 갈증 때문이 아니라는 것을 알릴 필요가 있다. 만일 갈증 때문이라고 생각하여 수분섭취를 증가시키면 요실금은 그만큼 더 악화될 것이다. 그래서 껌을 씹는다든지, 단단한 사탕을 빨아먹는다든지, 물기 있는 과일을 한 조각 먹게 하면 구강건조가 줄어든다. 그리고 연속방출형 oxybutynin을 사용하면 구강건조 등이 덜 하고(Sand et al., 2004), 방광 내 존재하는 M3 수용체를 선택적으로 봉쇄하는 tolterodine을 사용하면 oxybutynin에 비해 구강건조를 1/10로 줄인다.

항무스카린제는 방광 무스카린 수용체에만 작용하는 것이 아니기 때문에 복용 시 다른 장기들에도 작용하여 부작용이 발생하는 경우가 흔하다. 침샘에 작용하여 구강건조를 일으키고 미주신경 차단으로 인한 빈맥, 위장관운동 감소로 인한 변비, 그리고 홍체괄약근과 수정체 섬모근의 차단으로 시력이 흐려지기도 한다.

과민성 방광, 절박성 요실금 치료를 위한 두번째 약물은 β-agonist로, 대표 약제로는 베트미가가 있다. Mirabegron(베트미가®)는 $\beta 3$-adrenoceptor agonists로서 2013년 식약청에 승인을 받았으며, 아드레너직 수용체와 결합하여 방광유순도를 증가시켜 방광 근육의 이완을 증가시켜 방광의 저장능력을 증가시키고 배뇨간격을 연장시킴으로 작용한다. 항콜린성 약물과 같은 효과를 내지만, 항콜린성 약물과는 작용기전이 다르므로 동반사용을 통해 시너지 효과를 볼 수 있다. 항콜린성 약물과 달리 입이 마르고 변비가 생기거나 시력이 흐려지는 부작용은 없으나 통제되지 않는 고혈압, 신장이나 간 장애가 있는 여성에게는 주의해서 사용해야 한다.

야간뇨(nocturia)와 야뇨증(nocturnal enuresis)의 치료약제는 다음 3가지 목적 중 하나를 갖고 있다. 즉 수면 및 배뇨중추에 작용하여 불안정한 방광수축을 감소시키고 방광용적을 증가시킨다. Vasopressin의 유사물질인 DDAVP는 야뇨증 아이들에게 널리 사용되어 왔고, 일부 성인에게도 유용한 것으로 보고되었다. 합병증으로는 저나트륨혈증으로 수액섭취가 심히 많은 환자의 경우 혈장 나트륨 농도를 주기적으로 측정해야 한다. 그리고 연속방출형 항콜린제를 취침 1시간 전에 사용하여 좋은 결과를 얻었다는 경험이 있다. 또한 삼환 항우울제, 특히 imipramine은 수면기작을 바꾸고, 항콜린이나 항우울 효과를 내며, 항이뇨호르몬을 분비하게 하여 작용한다. Imipramine의 초기 용량은 취침 시 25 mg으로 75 mg까지 증량시킬 수 있다. 노인의 경우는 기립성 저혈압으로 골반골절의 위험이 증가하므로 주의해서 사용해야 한다. 고리이뇨제(loop diuretic)인 bumetanide 1 mg을 야간에 사용하면 25% 정도 야간뇨를 감소시킨다(Pedersen and Johansen, 1988). 밤에 전체 소변의 1/2을 만드는 환자의 경우 늦은 오후에 furosemide 20 mg을 사용하면 계통 간 수액 이동으로 야간에 소변생성을 감소시켜 좋은 효과를 얻기도 한다.

③ 수술요법

항콜린성 약물은 고려할 만한 부작용이 있으며, 3개월 지속율이 20% 이하이다. 절박성 요실금은 질식자궁절제술 후에 잘 발생하며, 골반장기탈출증이 있는 환자에서 절박성 요실금이 비교적 잘 나타난다. 수술치료는 행동요법에 실패하고 약물치료에 반응이 없는 경우, 특히 상부요로계 손상이 예상될 때 시행한다. 수술에는 중추신경계로 접근해서 거미막밑 차단마취(subarachnoid block)를 하든지 또는 전골신경 뿌리절제술(sacral rhizotomy), 방광 탈신경(bladder denervation, 방광 주변 조직을 훑어 탈신경시키는 방법), 배뇨근절제술(detrusor myomectomy), 신경조절술(neuromodulation) 등이 쓰일 수 있다.

최근 새로운 수술법으로 자궁천골인대의 회복, 강화(repair of USL, ligament augmentation)가 2006년 독일에서 시작되었다. 자궁천골인대는 배뇨자제를 유지하는 데 중요한 역할을 하며, 절박성 요실금 환자는 자궁천골인대가 남아 있지 않는 경우가 많다. 이 수술의 치료율은 78%이며, PVDF (polyvinylidenfluorid), Dynamesh를 사용한다.

④ 보툴리늄톡신(botulinumtoxin)

Clostridium botulinum은 자연계에서 가장 강력한 신경독을 생산한다. 보툴리늄톡신은 아세틸콜린 신경 전달물질의 방출을 억제시키고 구심성 신경뉴론에 영향을 미친다. 보툴리늄톡신을 신경성 배뇨근 과다활동 치료로서 배뇨근 내에 주입하는 것이 2011년 FDA (Food and Drug Administration) 승인을 받아 이용되고 있고, 아직 과민성 방광에 대해서 승인은 없지만 비공식적으로 사용하여 효과가 있음이 여러 연구를 통해서 밝혀졌다(Denys et al., 2012; Duthie et al., 2011). Botulinum A toxin bladder injection (Botox®)의 적응증으로는 신경인성 방광, 난치성 방광, 신경인성 배뇨근 과활동성, 특발성 배뇨근 과활동성, 방광출구폐쇄 등이 있다. 사용방법은 100-300단위로 시작하며, 한 번에 15-40회, 평균 30회의 주입이 필요한데, 방광저부와 체부에 주입하나 방광삼각부에는 주입하지 않는다. 효과는 1-2주에 시작되어 4-6주에 최고치에 도달하며, 24-46주간 지속된다. 재주입은 8-9달 후에 하는 것이 좋다. 합병증으로는 주입부위의 통증이 가장 많고, 감염(2-32%), 경증의 혈뇨(2-21%), 요정체 등이다. 보툴리늄 주입은 60-80% 정도의 증상개선 효과가 있는 비교적 간단한 치료방법이나 투여방법에 대해서 아직 명확히 확립되어 있지 않다.

⑤ 천골 신경조절(sacral neuromodulation)

천골 신경조절은 기존의 치료방법에 실패한 여성의 난치성

OAB, 절박성 요실금에 대해 FDA가 승인한 또 다른 치료방법이다. Sacral neuromodulation (interstim®-Medtronic)은 방광, 요도 괄약근, 골반저근에 영향을 주는 천골신경을 자극한다. 적응증으로는 절박성 요실금, 급뇨빈뇨증후군, 비폐쇄성 폐뇨 등이 있으며, 그 외 간질성 방광염, 만성골반통, 배변장애, 변실금 등이 있다.

두 개의 단계로 적용하게 되는데, 1단계는 치료 반응을 평가하기 위해 1-2주 간 시험적인 전극 리드를 경피적으로 배치하고, 그 중 최소 50%의 증상 개선을 보이는 환자들을 대상으로 2단계로 영구적인 전극 리드를 천골 신경 뿌리에 배치하는 2단계를 시행한다. 이 전극은 환자의 피하에 이식된 삽입성 박동발생기{Subcutaneous IPG (implantable pulse generator)}에 연결되어 있다.

부작용은 심하지 않으며 IPG의 이동의 문제와 감염과 통증이 드물게 나타난다. 비폐쇄성 폐뇨에서 79.8%, 신경인성 방광 66.7%이며, 절박성 요실금 45%, 급뇨빈뇨증후군에서 31%의 성공율을 보이고 있다.

(5) 혼합성 요실금 치료

혼합성 요실금이란 복압성 요실금과 절박성 요실금 이 함께 있는 경우를 말한다. 이때 치료는 증상이 심하고 괴로운 것부터 시작한다. 절박성 요실금이 심하면 절박성 요실금을 먼저 치료하고 만족스럽게 해결된 후 복압성 요실금에 대한 추가적인 약물치료나 수술을 한다. 절박성 요실금은 항무스카린 치료가 1차 치료이며, 이는 복압성 요실금에 의해 영향을 받지 않는다(Khullar et al., 2004). 그러나 항무스카린 치료에 반응이 없을 경우에는 복압성 요실금수술을 먼저 하는데, 수술 후 절박성 요실금이 지속되는 경우가 많으므로 장기간 약물치료나 행동 치료를 함께 해야 한다.

참고문헌

- 건강보험심사평가원. 2014.
- 양승철. Urodynamic Study. 대한 비뇨부인회지 2003;5:21-8.
- Abrams P, Artibani W. Understanding stress urinary incontinence. Lier, Belgium: Ismar Healthcare 2004.
- Abrams P, Blaivas JG, Stanton SL, Andersen JT. The standardization of terminology of lower urinary tract function. Scand J Urol Nephrol 1988;114:5-19.
- Abrams P, Cardozo L, Khoury S, Wein A, Incontinence. 2nd ed. Plymouth, UK: Health Publication Ltd; 2002.
- Abrams P, Cardozo LD, Fall M, Griffiths D, Rosier P, Ulmsten U, et al. The standardization of terminology of lower urinary tract function: Report from the standardization sub-committee of the International Continence Society. Neurourol Urodyn 2002;21:167-78.
- Ahlstrom K, Sandahl B, Sjoberg B, Ulmsten U, Stormby N, Lindskog M. Effect of combined treatment with phenylpropanolamine and estriol, compared with estriol treatment alone, in postmenopausal women with stress urinary incontinence. Gynecol Obstet Invest 1990;30:37-43.
- Amundsen C, Lau M, English SF, Maguire EJ. Do urinary symptoms correlate with urodynamic findings? J Urol 1999; 7:1871-4.
- Bates P, Bradly WE, Glen E, Griffiths D, Melchior H, Rowan D, et al. Standardization of terminology of lower urinary tract function. First and second reports: International Continence Society. Urol 1977;9:237-41.
- Bezerra CA, Rodrigues AO, Seo AL, Ruano JM, Borrelli M, Wroclawski ER. Laparoscopic Burch surgery: is there any advantage in relation to open approach? Int Braz J Urol 2004; 30:230-6.
- Bhatia NN, Bergman A, Gunning JE. Urodynamic effects of a vaginal pessary in women with stress urinary incontinence. Am J Obstet Gynecol 1983;147:876-84.
- Bo K, Talseth T. Long-term effect of pelvic floor muscle exercise 5 years after cessation of organized training. Obstet Gynecol 1996;87:261-5.
- Bodell DM, Leach GE. Needle suspension procedures for female incontinence. Urol Clin North Am 2002;29:559-74.
- Burch JC. Urethrovesical fixation to Cooper's ligament for correction of stress incontinence, cystocele and prolapse. Am J Obstet Gynecol 1961;81:281-90.
- Buckley BS, Lapitan MCM. Prevalence of urinary incontinence in men, women, and children-current evidence: findings of the Fourth International Consultation on Incontinence. Urology 2010;76:265-70.
- Chapple CR, Wein AJ, Brubaker L, Dmochowski R, Pons ME, Haab F, et al. Stress incontinence injection therapy: What is

best for our patients? Eur Urol 2005;48:552-65.
- Christofi N, Hextall A. Which procedure for incontinence? J Br Menopause Soc 2005;11:23-7.
- Corcos J, Collet JP, Shapiro S, Herschorn S, Radomski SB, Schick E, et al. Multicenter randomized clinical trial comparing surgery and collagen injections for treatment of female stress urinary incontinence. Urol 2005;65:898-904.
- Debodinance P, Delporte P, Engrand JB, Boulogne M. Tension-free vaginal tape (TVT) in the treatment of urinary stress incontinence: 3 years experience involving 256 operations. Eur J Obstet Gynecol Reprod Biol 2002;105:49-58.
- Delorme E. Transobturator urethral suspension mini-invasive procedure in the treatment of stress urinary incontinence in women, Prog Urol 2001;111:1306-13.
- Dmochowski RR, Appell RA. Injectable agents in the treatment of stress urinary incontinence in women: where are we now?Urol 2000;56:32-40.
- Dumoulin C, Cacciari LP, Hay-Smith EJC. Pelvic floor muscle training versus no treatment, or inactive control treatments, for urinary incontinence in women Cochrane Database Syst Rev. 2018(10):CD005654.
- Dwyer NT, Kreder KJ. Conservative strategies for the treatment of stress urinary incontinence. Curr Urol Rep 2005;6: 371-5.
- Eriksen BC, Eik-Nes SH. Long-term electrostimulation of the pelvic floor: Primary therapy in female stress incontinence? Urol Int 1989;44:90-5.
- Franco AV, Lee F, Fynes MM. Is there an alternative to pad tests? Correlation of subjective variables of severity of urinary loss to the 1-h pad test in women with stress urinary incontinence. BJU Int 2008;102:586-90.
- Fischer A, Fink T, Zachmann S, Eikenbusch U. Comparison of retropubic and outside-in transobturator sling systems for the cure of female genuine stress urinary incontinence. Eur Urol 2005;48:799-804.
- Fitzgerald MP, Stablein U, Brubaker L. Urinary habits among asymptomatic women. Am J Obstet Gynecol 2002;187:1384-8.
- Galloway NT, El-Galley RE, Sand PK, Appell RA, Russell HW, Carlin SJ. Update on extracorporeal magnetic innervation (EXMI) therapy for stress urinary incontinence. Urol 2000;56: 82-6.
- Hurley DJ, Turner CL, Yalcin I, Viktrup L, Baygani SK. Duloxetine for the treatment of stress urinary incontinence in women: An integrated analysis of safety. Eur J Obstet Gynecol Reprod Biol Sep 24, 2005.
- Hussain SM, Bray R. Urethral bulking agents for female stress urinary incontinence. Neurourol Urodyn. 2019;38:887-92.
- Jha S, Arunkalaivanan AS, Davis J. Surgical management of stress urinary incontinence: a questionnaire based survey. Eur Urol 2005;47:648-52.
- Khan ZA, Nambiar A, Morley R, Chapple CR, Emery SJ, Lucas MG. Long term follow-up of a multicentre randomised controlled trial comparing TVT, Pelvicol TM and autologous fascial slings for the treatment of stress urinary incontinence in women. BJU international 2015;115:968-97.
- Karram MM, Partoll L Rahe J. Efficacy of nonsurgical therapy for urinary incontinence. J Reprod Med 1996;41:215-9.
- Khullar V, HillS, Laval KU, Schiotz HA, Jonas U, Versi E. Treatment of urge-predominant mixed urinary incontinence with tolterodine extended release: A randomized, placebo-controlled trial. Urol 2004;64:269-74.
- Kim HL, Gerber GS, Patel RV, Hollowell CM, Bales GT. Practice patterns in the treatment of female urinary incontinence: a postal and internet survey. Urology 2001;57:45-8.
- Kummeling MTM, Egberts J, Elzevier HW, van Koeveringe GA, Putter H, Groenendijk PM. Exploratory analysis of the effect of mirabegron on urodynamic sensation parameters and urethral pressure variations. Int Urogynecol J. Available from: https://doi.org/10.1007/s00192-019-04193-4.
- Kuuva N, Nilsson CG. A nationwide analysis of complications associated with the tension-free vaginal tape (TVT) procedure. Acta Obstet Gynecol Scand 2002;81:72-7.
- Langer R, Ron-El R, Neuman M, Herman A, Bukovsky I, Caspi E. The value of simultaneous hysterectomy during Burch colposuspension for urinary stress incontinence. Obstet Gynecol 1988;72:866-9.
- Lapitan MCM, Cody JD, Mashayekhi A. Cochrane Incontinence Group. Open retropubic colposuspension for urinary incontinence in women Cochrane Database Syst Rev. 2017(7): CD002912.
- Leach GE, Dmochowski RR, Appell RA. Female Stress Urinary Incontinence Clinical Guidelines Panel summary report on surgical management of female stress urinary incontinence. AUA. J Urol 1997;158:875-80.
- Lee Y-S, Lee K-S, Jung JH, Han DH, Oh S-J, Seo JT, et al. Prevalence of overactive bladder, urinary incontinence, and lower urinary tract symptoms: results of Korean EPIC study. World journal of urology 2011;29:185-90.
- M Abdel-Fattah, JA Ford, CP Lim, P Madhuvrata Single-Incision Mini-Slings Versus Standard Midurethral Slings in Surgical Management of Female Stress Urinary Incontinence: A Meta-Analysis of Effectiveness and Com plications European Urology 2011;60:468-80.
- Matsukawa Y, Gotoh M, Factors contributing to the efficacy of two add-on therapies of fesoterodine or mirabegron to silodosin monotherapy for persistent overactive bladder in

men with lower urinary tract symptoms. Int J Urol 2000;27:85-6.

- Moller LA, Lose G, Jorgensen T. The prevalence and bothersomeness of lower urinary tract symptoms in women 40-60 years of age. Acta Obstet Gynecol Scand 2000;79:298-305.
- Monga AB, Dmochowski R, Miller D, Altman D Prospective, randomized clinical trial of a novel, noninvasive, patient managed neuromodulation system (PMNS) using a sacral patch for the treatment of patients with overactive bladder. Int Urogynecol J 2011;22(Suppl 1):S138.
- Moss E, Toozs-Hobson P, Cardozo L, Emens M, Pogmore JR, Contantine G. A multicentre review of the tension-free vaginal tape procedure in a clinical practice. J Obstet Gynecol 2002;22:519-22.
- Norton PA, Zinner NR, Yalcin I, Bump RC. Duloxetine Urinary Incontinence Group. Duloxetine versus placebo in the treatment of stress urinary incontinence. Am J Obstet Gynecol 2002;187:40-8.
- Norton P, Brubaker L. Urinary incontinence in women. Lancet 2006;367:57-67.
- Paick JS, Ku JH, Shin JW, Oh SJ, Kim SW. Complications associated with the tension-free vaginal tape procedure: the Korean experience. Int Urogynecol J Pelvic Floor Dysfunct 2005;16:215-9.
- Pedersen PA, Johansen PB. Prophylactic treatment of adult nocturia with bumetanide. Br J Urol 1988;62:145-7.
- Perk H, Soyupek S, Serel TA, Kosar A, Sayin A, Hoscan MB. Tension free vaginal tape for surgical treatment of stress urinary incontinence: Two years follow-up. Int J Urol 2003;10:132-5.
- Petros PE, Ulmsten UI. An integral theory of female urinary incontinence, experimental and clinical considerations. Acta Obstet Gynecol Scand 1990;69:7-31.
- Sand PK, Bowen LD, Panganiban R. The low pressure as a factor in failed retropubic urethropexy. Obstet Gynecol 1987;69:399-402.
- Sand PK, Miklos J, Ritter H, Appell R. A comparison of extended-release oxybutynin and tolterodine for treatment of overactive bladder in women. Int Urogynecol J Pelvic Floor Dysfunct 2004;15:243-8.
- Sand PK, Richardson DA, Staskin DR. Pelvic floor electrical stimulation in the treatment of genuine stress incontinence: A multicenter, placebo-controlled trial. AmJ Obstet Gynecol 1995;173:72-9.
- Sutherland SE. Treatment options for female urinary incontinence. Med Clin North Am 2004;88:345-66.
- Sweeney DD, Leng WW. Treatment of postoperative voiding dysfunction following incontinence surgery. Curr Urol Rep 2005;6:365-70.
- Truijen G, Wyndaele JJ, Weyler J. Conservative treatment of stress urinary incontinence in women: Who will benefit? Int Urogynecol J 2001;12:386-90.
- Versi E, Cardozo LD, Studd JW. Internal urinary sphincter in maintenance of female continence. Br Med J 1986;292:166-7.
- Vervest HAM. Which sling for stress urinary incontinence? Int Congress Series 2005;1279:426-37.
- Vierhout ME. Increase in number of operations for stress urinary incontinence. Ned Tijdschr Geneeskd 2005;149:1704-6.
- Wall LL. Diagnosis and management of urinary incontinence due to detrusor instability. Obstet Gynecol Surv 1990;45:1S-47S.
- Ward KL, Hilton P; UK and Ireland TVT Trial Group. A prospective multicenter randomized trial of tension-free vaginal tape and colposuspension for primary urodynamic stress incontinence: two-year follow-up. Am J Obstet Gynecol 2004;190:324-31.
- Walters MD, Realini JP, Dougherty M. Nonsurgical treatment of urinary incontinence. Curr Opi Obstet Gynecol 1992;4:554-8.
- Weinberger MW. Conservative treatment of urinary incontinence. Clinical Obstet Gynecol 1995;38:175-83.
- Wilson PD, Al Samarrai T, Daekin M, Kolbe E, Brown AD. An objective assessment of physiotherapy for female genuine stress incontinence. Br J Obstet Gynecol 1987;94:575-82.
- Wilson WJ, Winters JC. Is there still a place for the pubovaginal sling at the bladder neck in the era of the midurethral sling? Curr Urol Rep 2005;6:335-9.
- Yamanishi T, Yasuda K, Suda S, Ishikawa N. Effect of functional continuous magnetic stimulation on urethral closure in healthy volunteers. Urol 1999;54:652-5.

제42장

골반장기탈출증

유은희 | 경희의대
서동훈 | 서울의대
전명재 | 서울의대

골반장기탈출증은 골반내 장기가 정상 위치에서 질벽을 통해 아래쪽으로 또는 앞쪽으로 이동하여 탈출하는 것으로 그 정도가 경증의 이완으로부터 완전한 자궁탈출과 질의 외번까지 포함된다. 골반장기탈출증의 정의와 분류체계에 따른 유병률의 정확한 이해가 부족하다. 또한 환자들의 증상 또한 다양하여 증상이 없거나 하부 비뇨기계 증상, 요통, 골반통, 대장직장 증상과 관련된 증상을 호소하기도 한다. 그러므로 치료방법의 선택은 증상의 중증도와 환자의 전반적인 건강상태, 활동성 등을 고려하여 결정하게 된다.

1.골반해부학

1) 구조적 해부학(Structural Anatomy)

(1) 골반뼈(pelvic bone)

골반뼈는 그림에서 보는 바와 같이, 각각 엉덩뼈(ilium), 궁둥뼈(ischium), 두덩뼈(pubis)로 구성된 2개의 볼기뼈(hip bone)와 엉치뼈(sacrum), 꼬리뼈(coccyx)로 구성되어 있다(그림 42-1A). 골반뼈로 둘러싸인 골반강은 일종의 굽어진 관으로 볼 수 있는데, 허리엉치뼈(lumbosacral)의 척추앞굽음(lordosis)으로 인해 골반입구는 수평선 기준 60° 각도를 형성하며 뒤쪽이 높게 들린 형상이다. 즉, 이런 골반입구의 각도 꺾임으로 인해 골반 내로부터 아래로 향하는 힘이 골반출구와 비뇨생식기 구멍(urogenital hiatus) 쪽보다는 두덩결합(symphysis pubis) 상부 쪽으로 향하게 된다. 이로써, 정상적인 골반 해부학적 구조를 가진 여성에서는 골반출구는 어떤 아래쪽으로 쏠리는 힘에 대해서 구조적으로 보호를 받게 되어 있다(그림 42-1B).

(2) 골반가로막(pelvic diaphragm)

골반저(pelvic floor)를 형성하는 근육을 통칭하여 골반가로막이라고 부르며, 사실상 해먹처럼 펼쳐져 아래에서 떠받치는 양상으로 골반의 일차 지지체를 형성한다. 골반가로막은 여러 개의 근육들로 이루어진 항문올림근(levator ani muscles)과 꼬리근(coccygeus muscle)으로 구성된다(그림 42-2). 항문올림근은 두덩꼬리근(pubococcygeus), 두덩곧창자근(puborectalis), 엉덩꼬리근(iliococcygeus)으로 이루어지고, 두덩꼬리근은 붙는 장기에 따라서 세분하여 두덩질근(pubovaginalis), 두덩항문근(puboanalis) 등으로 나누기도 한다.

복잡하지만, 결국 요도와 질, 항문을 바로 감싸고 있는 두덩꼬리근과 그 외 부위로 생각하면 이해하는데 쉽다. 두

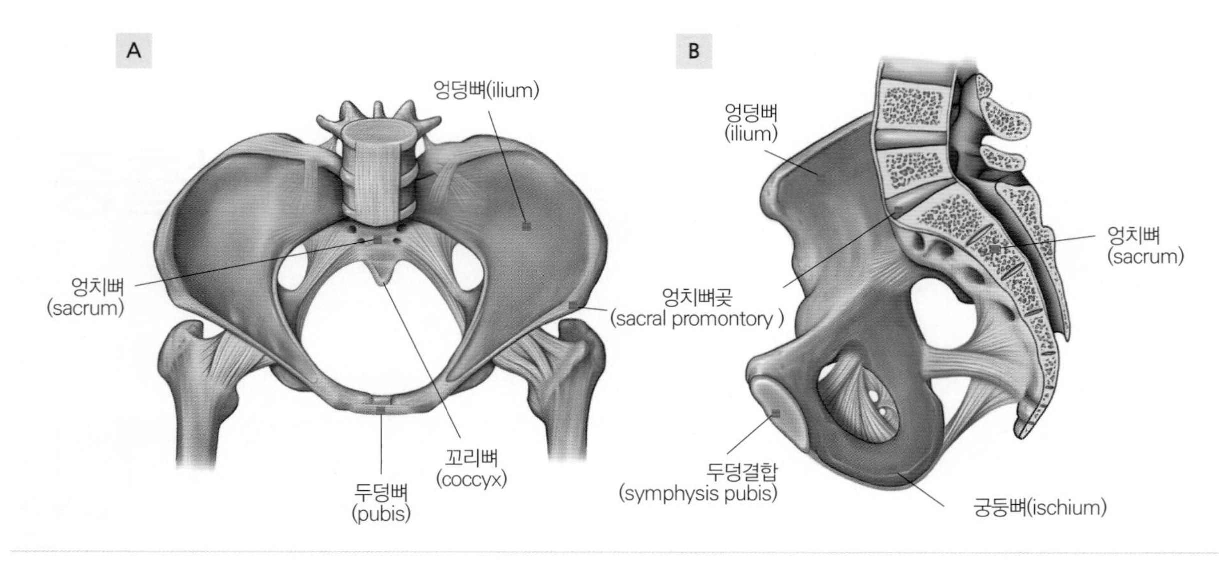

그림 42-1. **A: 골반뼈 B: 정중절단면**

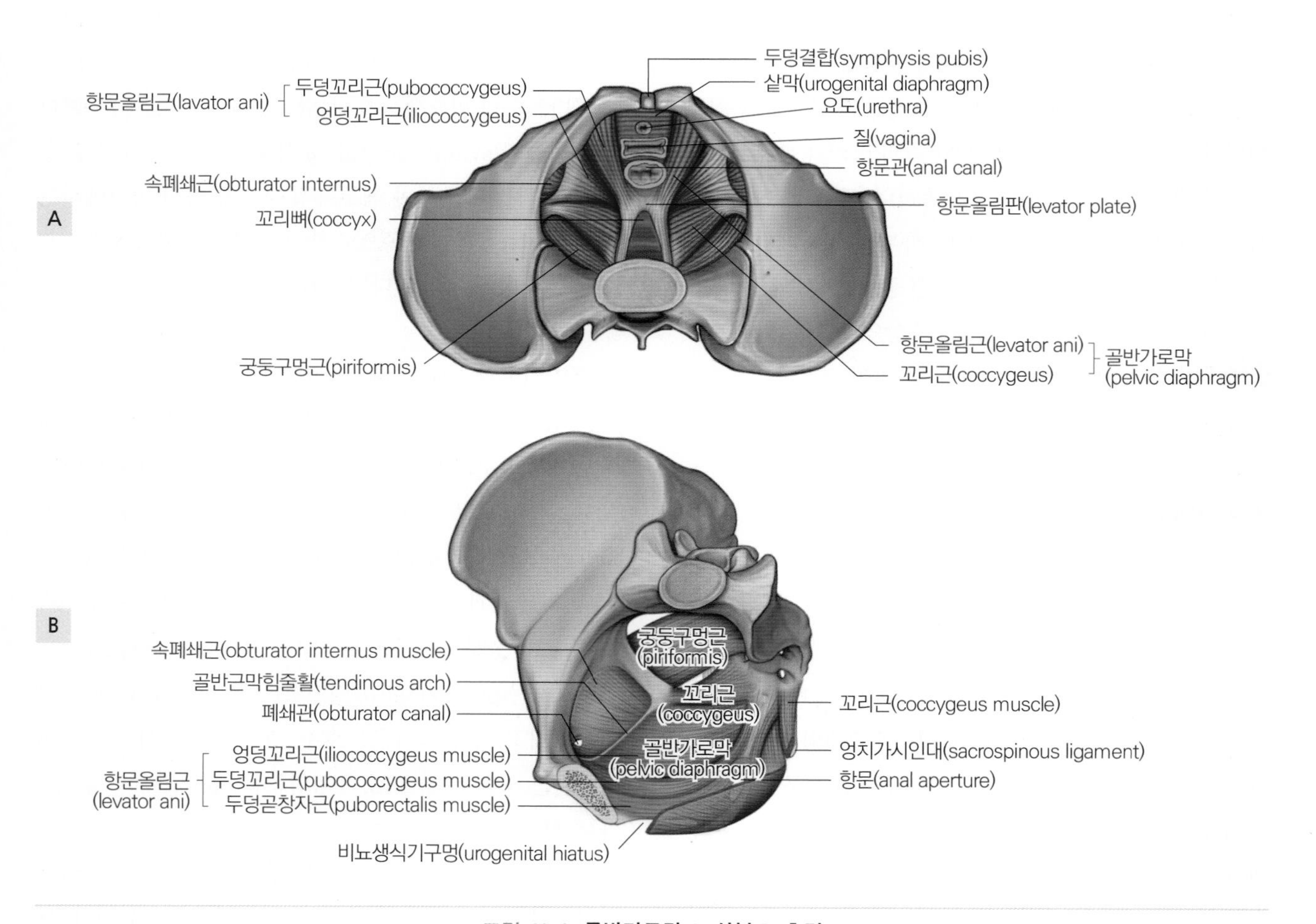

그림 42-2. **골반가로막 A: 상부 B: 측면**

덩꼬리근은 여러 골반 장기들에 붙기 때문에 두덩내장근(pubovisceral muscle)이라고도 불린다. 술자는 이름으로부터 그 부착 부위를 좀 더 기능과 연관지어 유추할 수 있기 때문에 두덩꼬리근보다 두덩내장근 명칭을 더 선호한다. 항문올림근은 평상시 지속적으로 기본적인 긴장도를 유지하여, 비뇨생식기 구멍을 좁게 유지하며 골반가로막 위에 골반장기들이 얹혀져 있을 수 있게 받치는 역할을 한다. 배뇨, 배변 시에만 이러한 항문올림근의 긴장도가 풀려 기능을 조절한다.

- 임상적 연관 설명: 정상적인 해부학적 구조를 가진 여성에서는 서있는 자세에서 질 상부 2/3의 방향 각도는 거의 수평에 가까워 항문올림근판(levator plate)의 평면 위를 평행하게 주행하는 모양이다. 골반저근육이 약해져서 늘어나게 되면, 해먹과 같은 골반가로막이 아래로 쳐지고, 골반저근육 사이에 끼어서 구멍을 좁게 유지해오던 비뇨생식기 구멍이 넓어지고, 이는 질 상부의 수평적 주행 각도를 수직으로 변화시켜 골반장기탈출 호발 환경이 조성된다(그림 42-3). 따라서, 골반장기탈출 교정수술에서는 질의 각도를 원래대로 수평에 가깝게 복원시키는 것이 재발 방지에 중요하다.

(3) **샅막**(perineal membrane=urogenital diaphragm)

샅막은 골반가로막 아래에 위치한 질긴 근섬유조직으로 구성된 판(sheet)모양의 막으로서, 앞쪽 골반출구를 덮고 있다. 양쪽 가장자리는 궁둥두덩뼈가지(ischiopubic rami)에 붙고, 안쪽으로는 원위부 1/3 요도와 질, 뒤쪽으로는 샅힘줄중심(perineal body)에 붙어있다. 샅막은 원위부 요도와 질을 지지하는 중요 구조물이다. 또한, 샅막 바로 위에 비뇨생식기 조임근 복합체(urogenital sphincter complex)가 위치한다.

(4) **골반내근막**(endopelvic fascia)(그림 42-4A)

① **벽쪽근막**(parietal fascia)

이 구조물은 골반벽근육들의 골반 안쪽면에 위치한 질긴 막으로서 근육이 골반뼈에 붙을 수 있도록 부착 부위를 제공하는 역할을 한다. 대표적으로 항문올림근힘활줄(ATLA, arcus tendinous levator ani)와 일명 백색선(white line)으로 불리는 골반근막힘활줄(ATFP, arcus tendinous fascia pelvis)가 있다. ATLA는 내폐쇄근(obturator internus)의 내측면을 덮는 근막이 뭉친 구조물(condensation)로서, 이곳으로부터 엉덩꼬리근이 시작된다. ATFP는 ATLA 바로 아래에 엉덩꼬리근의 벽쪽근막이 두꺼워져 형성된 구조물로서, 두덩자궁목근막(pubocervical fascia)과 곧창자질사이막(rectovaginal septum)의 외측 부착 부위이다.

② **깊은 골반내 결합조직**(deep endopelvic connective tissue)

이 구조물의 역할은 자궁목을 골반 뒤에 고정시킴으로써 항문올림근판(levator plate) 위에 질이 놓이게 하고, 이로써 비뇨생식기 구멍으로 탈출 되지 않게 하는 것이다. 다음

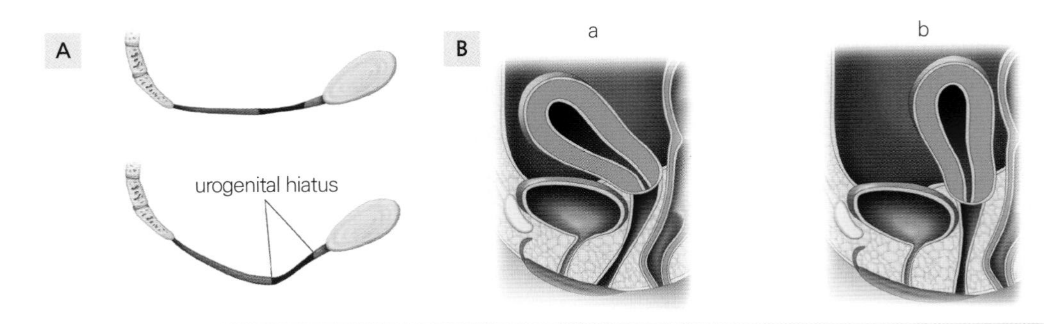

그림 42-3. **A: 항문올림근판 근긴장도 감소하면 아래로 쳐지고 비뇨생식기 구멍으로 골반장기탈출 호발하게 됨**
B: 정상적인 질의 각도(a), 샅힘줄중심 결손으로 인해 정상 질각도를 잃어버리고 수직에 가깝게 됨(b)

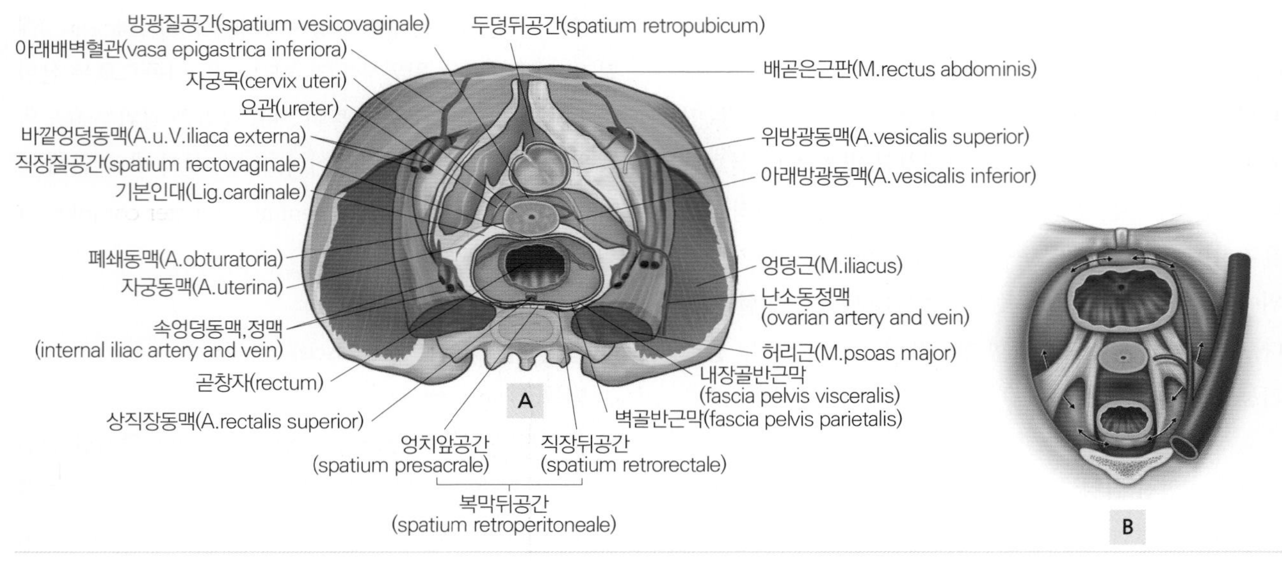

그림 42-4. **A: 골반내근막, B: 자궁목주위인대**

과 같이 총 6개의 자궁목주위인대(paracervical ligaments)가 질주위조직(paracolpium)을 형성한다(그림 42-4B).

가. 두덩자궁목인대(pubocervical ligaments)

두덩자궁목인대는 두덩뼈가지 상부와 ATFP로부터 기시하여 질상부 자궁목의 앞쪽 외측에 부착한다. 방광기둥(bladder pillar)라고도 불린다.

나. 기본인대(cardinal ligaments)

기본인대는 질상부 자궁목의 외측에 부착하는 구조물로서 아랫배혈관뿌리(hypogastric root)와 외측 골반벽에서 기시한다. 인대 내부에는 자궁동맥과 자궁정맥이 지나가며, 자궁동맥 아래로 요관이 주행한다.

다. 자궁엉치인대(uterosacral ligaments)

자궁엉치인대는 질상부 자궁목의 뒤쪽 외측에 부착하는 구조물로서 S2-4 척추뼈막에서 기시한다. 자궁목을 골반 뒤쪽으로 고정시킴으로써 자궁의 전방경사(anteversion)를 유지시키는 역할을 한다.

2) 기능적 지지 복합체(Functional Support Complex)

(1) 자궁과 질(uterus and vagina): 3단계 이론

1992년 DeLancey 등에 의해 보고된 바에 의하면, 질을 위에서 아래로 3등분했을 때, 각 단계를 지지하는 서로 다른 지지 결합조직 부착 복합체(connective tissue attachment complex)가 있다(DeLancey JO, 1992). 각 부분에 부착하는 결합조직은 사실상 연속된 구조물로서 상호 영향을 주는(interdependent) 관계이지만, 이 개념은 비교적 명확하게 해당 구조물과 그 구조물들이 지지하는 부위를 각 단계별로 잘 매칭시키고 있어, 최근까지도 골반장기탈출이 있는 환자의 기능적 해부학을 이해하고, 실제 교정수술에 적용하는데 있어 매우 유용하다(그림 42-5).

① Level I

자궁엉치인대/기본인대 복합체-위에서 언급한 바와 같이, 이 복합체는 질상부 자궁목의 뒤쪽과 외측에 부착하여, 질의 축을 거의 수평으로 유지하여 항문올림근판 위에 놓이도록 만들고, 자궁목을 궁둥뼈가시(ischial spine)와 같은 높이에 유지시키는 역할을 한다.

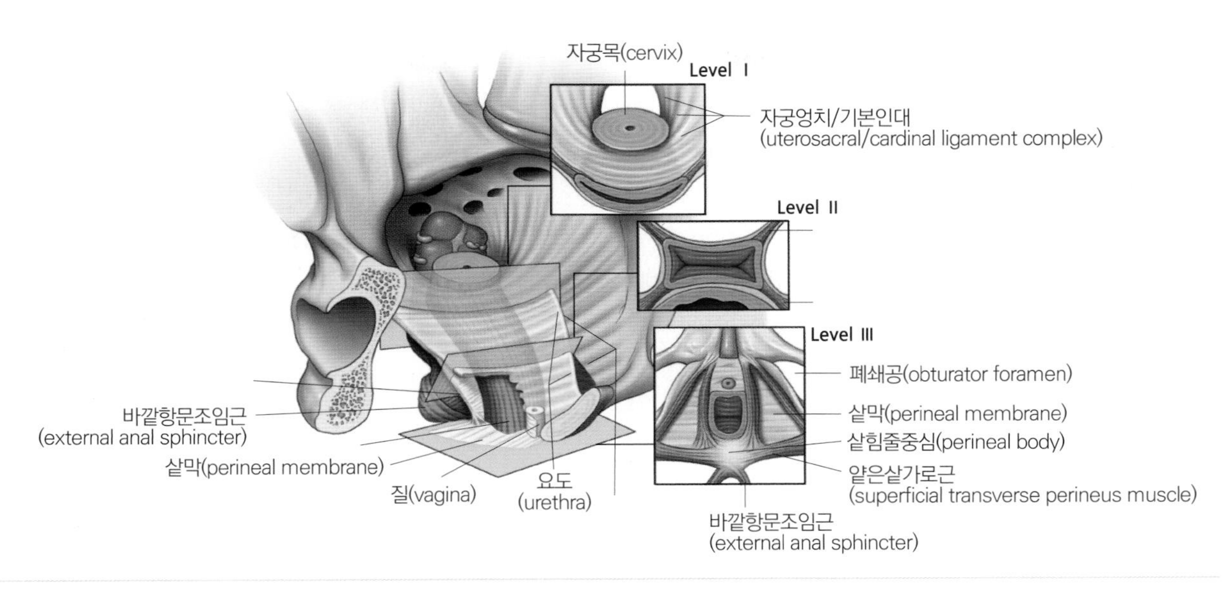

그림 42-5. **DeLancey의 3단계 질 지지 결합조직 부착 복합체**

- 임상적 연관성 설명: level I 구조물의 손상은 자궁목 탈출(cervical prolapse), 자궁절제 후 질원개(vaginal vault) 탈출, 탈장(enterocele)을 초래한다.

② Level II

궁둥뼈가시 높이에서 ATFP (앞쪽으로)와 arcus tendineus rectovaginalis (뒤쪽으로) 연결되는 질옆 부착부위(paravaginal attachments)이다. 이 구조물의 주요 기능은 직장 바로 위에서 질을 중앙선에 위치시키는 역할이다. ATFP와 arcus tendineus rectovaginalis는 질에 부착하여, 각각 앞쪽 외측 질고랑(vaginal sulci)과 뒤쪽 외측 질고랑을 형성한다. Arcus tendineus rectovaginalis는 사실상 항문올림근의 벽쪽근막으로, 아래로는 샅힘줄중심으로부터 올라오고, 외측으로는 항문올림근을 따라 이어져 ATFP의 중간지점에서 서로 교차한다. 즉, ATFP가 ATLA와 함께 질상부 축이 수평을 유지하게 하는 것에 반하여, 이렇게 arcus tendineus rectovaginalis와 연결된 뒤쪽 외측 질옆 지지구조는 질원위부 축의 수직 방향 유지에 기여한다.

- 임상적 연관성 설명: level II 구조물의 손상은 전후 질탈출을 초래할 수 있다. 또한, 전질벽의 항문올림근 부착부위가 기침할 때 관찰되는 방광목 거상 현상을 담당하기 때문에 이 부위의 손상은 복압성 요실금을 일으킬 수 있다.

③ Level III

샅힘줄중심(perineal body), 샅막(perineal membrane), 얕은/깊은 샅근육(perineal muscles), 골반내근막들로 구성된다. 이 구조물들은 질원위부 1/3과 질입구를 지지하여 정상적인 위치에 유지시키는 역할을 하며, 질 지지 구조물들 중 가장 강한 것으로 생각되어, 융합축(fusion axis)이라고도 불린다.

- 임상적 연관성 설명: level III 구조물의 손상은 요도탈출, 샅결손을 초래할 수 있다. 샅힘줄중심은 질원위부 지지와 항문관 기능에 중요한 기능을 하기 때문에, 샅막으로부터 분리되는 손상이 있을 경우, 샅하수(perineal descent)와 변실금이 초래될 수 있다.

(2) **요도**(urethra)

전통적으로 요도와 방광목은 두덩요도인대(pubourethral ligaments), 살막, 골반저근육들에 의해 지지되는 것으로 생각되었다. 하지만, 최근에는 이러한 인대구조물에 의해 지지되는 개념보다는, ATFP에서 골반가로막(항문올림근)에 부착되어있는 전질벽 자체가 걸이(sling) 형태로 근위부 요도와 방광기저부를 지지하는 것으로 밝혀졌다(DeLancey JO, 1988).

- 임상적 연관성 설명: 전질벽의 ATFP에의 부착부위 손상은 이러한 근위부 요도 지지의 결손을 초래하여 요도 과운동성(urethral hypermobility)와 함께 전질벽탈출, 복압성요실금을 일으키게 된다.

2. 유형

골반장기탈출증은 다양한 형태로 나타난다, 정상 골반저(pelvic floor)는 질전벽, 질후벽, 질첨부로 구획을 나누어 볼 수 있다(그림 42-6). 방광류(cystoecele)는 질전벽을 통해 방광이 이탈하는 것이다(그림 42-7). 자궁탈출증은 기인대(cardinal ligament)나 자궁천골인대의 접착부인 질첨단부의 지지가 좋지 않음으로 발생한다(그림 42-8). 직장류(rectocele)는 직장이 질후벽을 통해 탈출되는 것으로, 직장을 뒤쪽으로 잡아주고 있는 직장의 근육층과 질방 근결합 조직의 약화로 인한 것이다(그림 42-9). 탈장(enterocele)은 복막과 소장이 질강을 통해 탈출하는 것이다. 완전자궁질 탈출증(procidentia)은 자궁과 질이 모두 탈출하는 것을 일컬으며, 질원개탈출증(vaginal vault prolapse)은 전자궁절제술 후 질원개가 질강을 통해 탈출하는 것이다(그림 42-10).

3. 분류

탈출되는 골반장기와 정도에 대한 객관적이고 정량적인

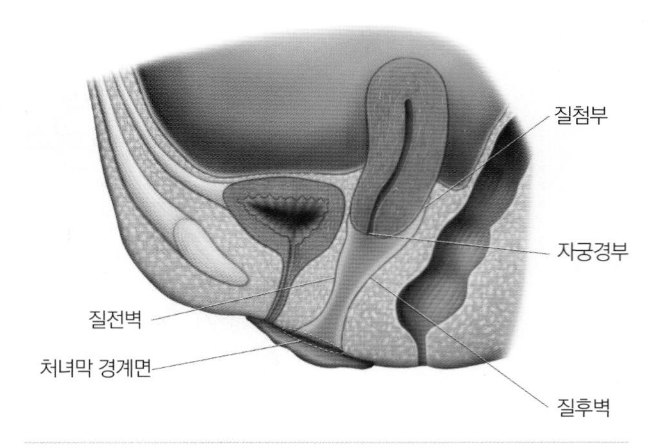

그림 42-6. **정상 골반저의 해부학적 구조**

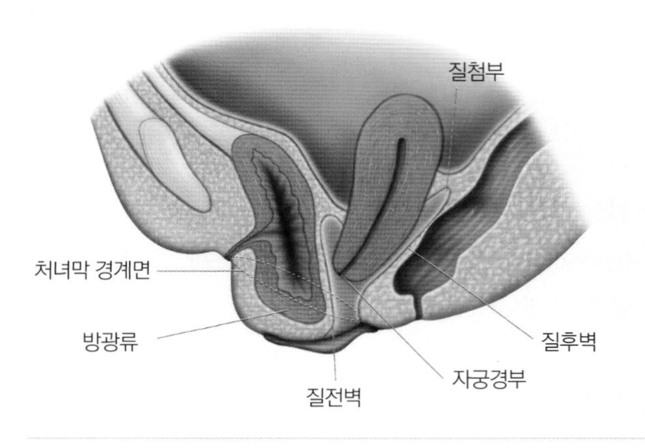

그림 42-7. **방광류**

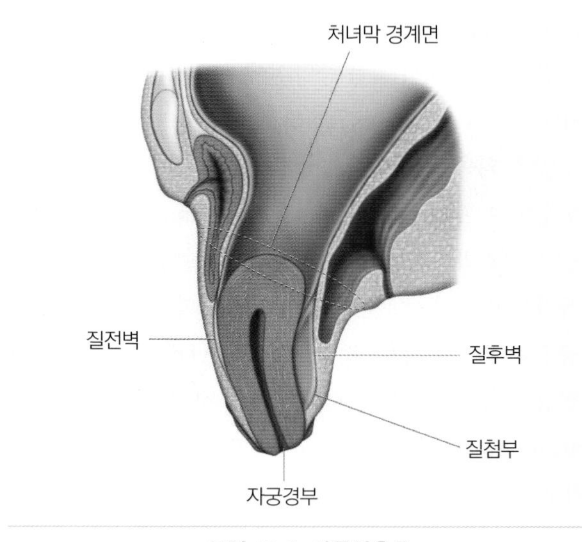

그림 42-8. **자궁탈출증**

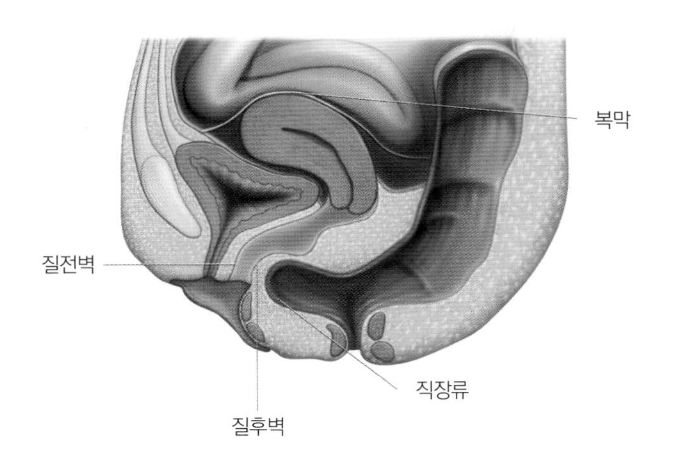

그림 42-9. **직장류**

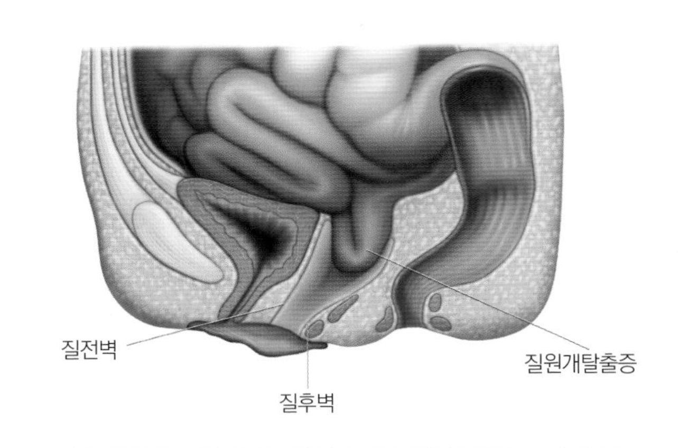

그림 42-10. **질원개탈출증**

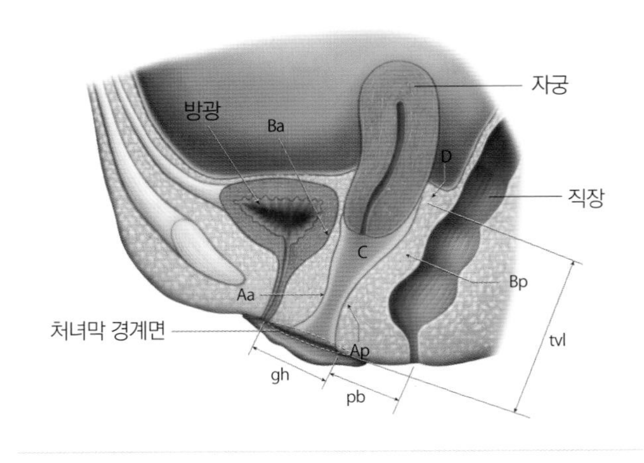

그림 42-11. **POP-Q 표준화 체계**

기술체계를 확립하는 것은 진찰소견을 객관적으로 기록하고 치료방법에 따른 그 결과를 기록하고 추적관찰하는 데 중요하다. 이러한 기술체계를 재현성 있고 신뢰성이 있는 표준화된 여러 체계가 그동안 사용되어 왔으나 1996년 International Continence Society에 의해 체계화된 Pelvic Organ Prolapse Quantification System (POP-Q) 표준화 체계가 채택되어 사용되고 있다(그림 42-11)(Bump et al., 1996). POP-Q 표준화 체계는 질전벽, 질후벽, 질첨부에서 측정되는 6개의 기준점(Aa, Ba, Ap, Bp, C, D)과 다른 3개의 기준점(tvl, gh, pb)을 이용하여 기술하게 된다.

질전벽에서 측정되는 Aa, Ba 지점의 기준은 외요도 입구를 기준으로 측정하는 지점이며, 질후벽에서 측정되는 Ap, Bp는 처녀막을 기준으로 측정하는 지점이 되며, 모든 측정은 cm를 사용하며, 기준점 위, 아래 또는 근위부, 원위부로 표현하며 각각 음성, 양성으로 표시한다.

Aa점은 외요도 입구에서 내측으로 3 cm에 위치하는 전질벽의 기준점으로 처녀막을 기준으로 -3에서 +3의 범위를 가진다. Ba점은 질전벽 중 가장 많이 탈출되어 돌출된 부위로 처녀막을 기준으로 -3에서 질길이의 범위를 가진다. C점은 자궁경부나 질원개(vaginal vault)의 위치를 의미한다. D점은 자궁절제술을 하지 않은 경우에 후원개(posterior vagina fornix)의 위치를 의미한다. Ap점은 처녀막에서 내측으로 3 cm에 위치하는 후질벽의 기준점으로 처녀막을 기준으로 -3에서 +3의 범위를 가진다. Bp점은 질후벽 중 가장 많이 탈출되어 돌출된 부위로 처녀막을 기준으로 -3에서 질 길이의 범위를 가진다. gh점은 생식기(genital hiatus)의 길이로 외부 요도구 중간부위부터 처녀막의 후방 중심선(posterior midline hymen) 까지의 길이이다. pb점은 샅힘줄중심(perineal body)의 길이로 성기 열공의 후방 가장자리로부터 항문입구 중앙(mid-anal opening)까지 측정한 길이이다. tvl점은 질전체(total vaginal length)의 길이로 질첨단부가 완전히 정상위치까지 복원되어 있을 때 질의 최대길이를 측정한 값이다.

이러한 9점의 숫자들은 단순하게 하나의 열로 예를 들어 -2. -2, -7, -9, -3, -3, 11, 3, 3으로 기록할 수 있다. 이는

Aa	Ba	C
gh	pb	tvl
Ap	Bp	D

그림 42-12. **골반장기탈출증의 정량적 기록을 위한 3×3 격자**

차례대로 Aa, Ba, C, D, Ap, Bp, tvl, gh, pb를 가리킨다. 또는 3×3 격자의 형태로 목록표로 기록할 수 있다(그림 42-12). 이러한 9개의 지점을 이용한 측정방법은 탈출증의 최말단부에 위치한 정도에 따라 탈출증의 정도를 0, 1, 2, 3, 4기로 분류한다(표 42-1).

4. 증상

골반장기탈출증이 있는 여성의 경우 흔히 하부요로 증상을 동반할 수 있다. 빈뇨, 절박뇨 및 요실금과 같은 요저장장애 증상 혹은 요폐색과 같은 배뇨장애 증상을 경험할 수 있으며, 심한 경우 무뇨증(anuria)을 호소할 수 있다. 또한 질부위 하중감, 이물감 및 불편감 혹은 하부 요통을 호소할 수 있다. 이외에도 변비, 설사, 변실금 및 성교통 등도 호소한다. 하지만, 골반장기탈출증의 심한 정도 및 유형과 증상과의 연관성은 적다고 알려져 있다(Brubaker et al., 2005). 진행된 골반장기탈출증과 연관된 유일한 증상은 질부위 돌출감(bulge sensation)이다(Bradley et al., 2005). 많은 여성에서 골반장기탈출증이 있는 경우 복압성요실금을 동반하며, 실제로 골반장기탈출증이 있는 여성의 약 40%에서 복압성요실금의 증상이 있다고 보고된다(Grody, 1998). 요실금 증상이 없는 골반장기탈출증 환자에서 탈출증을 교정 혹은 정복(reduction) 후에 복압성 요실금이 비로소 관찰되는 경우 잠재 요실금(occult stress urinary incontinence)으로 명명된다(Haylen et al., 2010). 이는 골반장기탈출증에 의한 요도의 꼬임 혹은 압박에 의해 요자제가 유지되고 있었지만, 탈출증의 교정에 따른 해부학적 상황의 반전에 의한다(Bump et al., 1988).

5. 발생기전

앞서 기술한 바와 같이 골반장기의 정상적인 위치는 항문올림근(levator ani muscle)과 골반내근막(endopelvic fascia)에 의한 해부학적 지지에 의해 유지된다. 항문올림근은 두덩꼬리근(pubococcygeus muscle)과 엉덩꼬리근(iliococcygeus muscle)으로 구성되어 있으며, 이들 근육의 긴장성 수축에 의해서 샅막(urogenital diaphragm)의 폐쇄가 이루어져 골반내 장기들을 정상적인 해부학적 위치에 유지하게 된다. 골반내근막은 골반내 장기를 골반벽에 부착시켜 주는 결체조직물로, 마찬가지로 골반내 장기의 정상적인 위치를 유지시키며 또한 골반내장기들의 유동성에 도움을 준다. 따라서, 골반장기탈출증은 골반저(pelvic floor)의 지지층이 선천적 혹은 후천적으로 약해 있

표 42-1. POP-Q 표준화체계에서 규정하는 골반장기탈출증의 분류

stage 0	탈출증이 없는 경우. 즉 Aa, Ap, Ba, Bp점 모두가 모두 -3 cm에 위치하고 C점이 전체 질 길이와 (전체 질 길이 -2 cm) 사이에 위치하는 경우
stage Ⅰ	탈출증의 말단부가 처녀막면의 1 cm 이상 상방에 위치하는 경우
stage Ⅱ	탈출증의 말단부가 처녀막면의 상방 1 cm와 하방 1 cm 사이에 위치하는 경우
stage Ⅲ	탈출증의 말단부가 처녀막면의 하방 1 cm 이내이나 (전체 질 길이 -2 cm)보다는 덜 탈출된 경우
stage Ⅳ	질의 완전외번. 탈출증의 말단부가 (전체 질길이 - 2 cm) 보다 더 탈출된 경우

거나 손상을 받은 경우 발생하게 된다. 골반저 지지기능에 영향을 주는 요인으로는 질식분만, 자궁절제술, 만성적으로 복압이 상승하게 되는 상황, 노화 및 결체조직 이상 혹은 손상 등이며, 이러한 요인들에 의해 항문거근의 이상을 유발하게 되어 결과적으로 탈출증이 발생하게 된다. 골반장기탈출증의 원인은 다양하며 여러 위험인자들이 상호작용하여 나타난다. 이 중 질식분만, 고령, 비만 등이 중요한 위험인자들이며, 특히 질식분만은 가장 중요한 위험인자로 항문올림근에 해부학적 외상 및 신경학적 손상을 일으키며, 또한 분만력이 증가할수록 탈출증 발생가능성은 높다(Hunskaar et al., 2005). 하지만, 제왕절개술이 탈출증을 예방할 수 있는지 혹은 임신 자체가 탈출증의 위험인자인지에 대해서는 확실하지 않다. 골반장기탈출증의 병태생리적 측면에서 항문올림근 손상은 중요한 부분을 차지하지만 모든 골반장기탈출증의 발생기전을 설명할 수는 없다. 골반장기탈출증 환자에서 엘라스틴과 콜라겐의 감소, 콜라겐 아형 비율의 변화, 콜라겐 대사 이상 및 질벽 평활근(smooth muscle) 감소 등이 관찰될 수 있으나, 이들 자체가 탈출증의 원인인지 혹은 탈출증에 의한 영향인지에 대해서는 확실하지 않다(Mei et al., 2013). Ehlers-Danlos 증후군 혹은 Marfan 증후군과 같은 결체조직이상 환자에서 탈출증 발생 위험은 증가한다(Carley et al., 2000). 최근, 삭제 돌연변이(null mutation)를 통한 유전연구에서 탄력섬유(elastic fiber)의 항상성이 골반장기탈출증의 병태생리에 중요한 역할을 한다고 보고 있다(Rahn et al., 2009). 폐경 후 에스트로겐 감소와 골반장기탈출증 발생과의 연관성은 희박하다고 여겨진다(Nygaard et al., 2004). 탈출증 발생에 있어서 유전적 요인 및 인종적 차이에 대한 연구결과도 제시되고 있으며, 모친이 탈출증이 있는 경우 질환 발생가능성이 높으며(Chiaffarino et al., 1999), 중남미 그리고 아시아 여성에서 방광류가 발생할 확률이 높다고 보고된다(Hendrix et al., 2002). 골반뼈의 방향 및 모양변형도 탈출증 발생과 관계가 있다. 특히 요추전만(lumbar lordosis)의 소실 및 골반입구(pelvic inlet)의 방향이 덜 수직인 경우 흔히 탈출증과 연관이 있다(Mattox et al., 2000). 정상적으로 복압은 치골결합(symphysis pubis)의 앞쪽으로 향하지만, 골반입구의 방향이 변형된 경우 복압의 상당 부분이 직접적으로 골반내 장기 및 결체조직과 근육에 전달되어 골반장기탈출증이 발생될 수 있다.

6. 검사 및 진단

환자들은 '자궁이 빠지는 것 같다', '덩어리가 아래로 내려오는 느낌이다', 특히 '기침을 하거나 무거운 것을 들 때 심해진다'고 증상을 호소한다. 그 이외에도 하부요통, 무게감, 질질 끌리는 기분을 느끼며, 배뇨하기 위해 탈출을 손가락으로 재위치시켜야 하는 경우도 있다고 말한다. 이러한 환자들에게는 골반장기탈출증이 있는지 살펴보고, 특히 질을 지지시키는 여러 구조들을 세심하게 관찰하여야 한다. 또한 탈출 여부의 평가를 위해 시진, 촉진 등을 시행하며 질경을 비롯한 기구를 이용하여 하향 정도를 평가한다.

먼저, 기본 쇄석위(standard lithotomy position)자세에서 골반기저부에 대한 이학적 검사를 시행하고, 환자가 호소하는 정도의 탈출증이 확인되지 않을 경우에는 특히 서 있을 때 증상이 악화되므로 직립자세에서 환자를 진찰하는 것이 진단에 도움이 된다. 환자가 한쪽 발을 발 받침대에 올려놓고 선 채로 생식기부위를 노출시킨 후 내진을 시행하면 탈출증의 증상이 가장 악화되었을 때의 평가를 가능하게 해준다. 이 자세에서 엄지와 검지를 이용하여 직장질 검사를 시행하면 더글라스와에 탈장된 소장이 촉지 가능하므로 눈으로 관찰되지 않는 탈장을 쉽게 감지할 수 있다.

또한, 골반장기탈출증 환자들이 요도의 과운동성을 갖는 경우가 많으므로 진찰의 일부로서 요도의 과운동성을 측정해볼 수 있다. 이는 요도의 과운동성과 요실금 증상이 동반될 때, 요실금수술을 함께 시행할지 여부를 결정하는 데에 도움을 줄 수 있기 때문이다. 베타딘과 리도케인을 묻힌 면봉(Q-tip)을 요도에 넣으면 이 면봉은 요도방광의 접합부(urethrovesical junction)에 위치하게 되며 이때 각도계를 사용하여 기저 요도각과 복압상승 시의 요도각을 측정하게 된다. 복압을 증가시켰을 때 요관의 각도가 수평면에 대해 30도 이상인 경우 요도의 과운동성이 있는 것이므로 수술적 교정을 고려하여야 한다. 하지만, 2-4기 골반장기탈출증 환자 거의 모두가 요도의 과운동성이 있고, 무증상 경산부 평균 최대 요도각이 54도임을 보고한 연구 결과를 보면 이 검사 결과만으로 수술 여부를 결정하는 것에는 한계가 있다(Walters et al., 1987, Caputo et al., 1993).

골반장기탈출증 환자를 진찰할 때, 전통적인 질경검사와 함께 Sims 질경과 같은 하나의 날을 가진 질경이나 당기개(tenaculum)를 사용함으로써 질의 전방과 후방의 결손을 확인하는 데 도움이 될 수 있다. 질 전 방을 앞쪽으로 젖히고서 후방부위를 관찰하고, 질 후방을 뒤쪽으로 젖히고서 전방부위를 확인하게 된다. 일반적으로 처녀막링 평면 위쪽 질강 내로 돌출된 탈출증은 특히 증상이 없는 경우에 있어서 그 중요도가 높진 않다.

한편 골반장기탈출증 환자의 경우 요도가 꺾이면서 요실금 증상이 나타나지 않기도 한다. 따라서 기본적인 방광기능검사를 시행해 보는 것이 좋다. 요검사상 감염의 증상은 없는지, 배뇨 후 잔뇨량은 많지 않은지, 요의는 정상적으로 느끼는지 확인해야 한다. 배뇨 후 잔뇨는 150 mL를 넘기면 비정상으로, 100 mL 이하는 정상범위로 간주한다.

직장류가 있는 경우 동반증상은 있는지, 결손의 위치는 어디인지 정확히 진찰하여야 한다. 변비, 배변 시 통증, 변실금 등의 증상이 있다면 적절한 평가와 수술 전후의 지속적인 치료가 필요하다.

진단을 위해 영상학적 검사를 반드시 해야 하는 것은 아니지만, 필요하다면 방광조영술, 질초음파, 배변조영술 및 자기공명촬영(MRI)을 시행해볼 수 있다.

7. 치료

골반장기탈출 소견이 관찰되더라도 연관된 증상이 없는 경우 치료를 필요로 하지 않는다. 연관된 증상이 있는 경우에는 탈출의 정도, 환자의 연령과 전신 건강상태, 향후 임신계획, 치료선호도에 따라 비수술적 또는 수술적 방법을 통해 치료한다.

1) 비수술적 치료

탈출이 심하지 않거나 향후 임신을 원하는 경우, 환자가 수술을 받기 어려운 상태이거나 수술을 원치 않는 경우 대증요법이나 페사리를 이용하여 치료한다.

비수술적 치료의 목표는 탈출 악화 예방, 증상 완화, 골반지지근육 강화, 수술을 피하거나 미루기 위함이다(Hagen et al., 2004).

(1) 대증요법

대증요법에는 생활방식개선과 골반저근운동(pelvic floor muscle exercise)과 같은 물리치료요법이 있다.

생활방식개선으로는 체중 감량, 복압 상승을 초래하는 활동 줄이기 등이 있으나 효과가 입증되어 있지는 않다.

골반저근운동은 탈출 정도가 심하지 않은 경우 진행을 막고 연관 증상을 경감시키는 데 도움이 될 수 있으나, 질 입구를 넘어서는 탈출이 있는 경우에는 덜 효과적이다(Thakar et al., 2004).

바이오피드백(Biofeedback)과 같은 행동치료는 배변장애(impaired defecation)가 동반된 직장류가 있는 일부 환자에게 효과적인 치료법이 될 수 있다(Mimura et al., 2000).

(2) 페사리(pessary)

페사리는 환자가 수술을 원치 않거나 다른 질환으로 인해 수술을 받기 힘든 경우, 다른 비수술적 치료에 적합하지 않은 심한 탈출이 있는 경우에 주로 사용되며, 임신 중 골반장기탈출증 치료로도 사용된다.

페사리는 지지형(support)과 공간채움형(space filling)의 두 종류로 구분되며, 전통적으로 링 페사리(그림 42-13)와 같은 지지형 페사리는 1, 2기 탈출증에, Gellhorn 페사리와 같은 공간채움형 페사리는 3, 4기 탈출증에 사용된다(Cundiff et al., 2000).

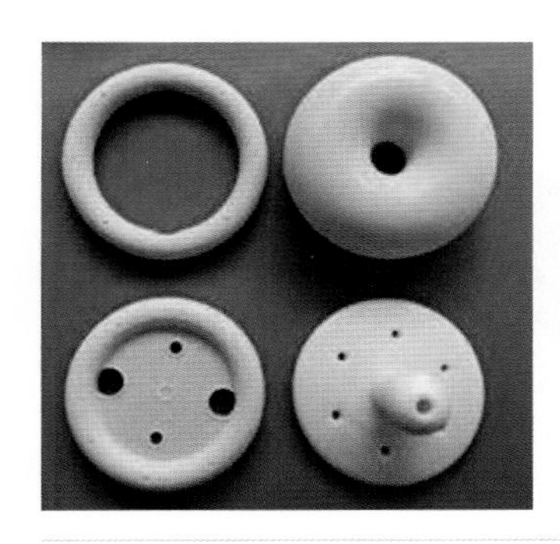

그림 42-13. **페사리 종류**

페사리를 사용하는 경우 삽입 전에 라텍스 알레르기가 없는지 확인 후 적합한 크기의 페사리를 선택하여 삽입해야 한다. 적합한 크기의 페사리인 경우 삽입된 상태에서 페사리와 질벽 사이에 검지를 넣어 훑을 수 있을 정도의 여유 공간이 있어야 하며, 서 있는 상태나 기침 또는 발살바 시 페사리가 빠져나오지 않고, 페사리 착용으로 인한 불편감이나 배뇨장애가 없어야 한다.

페사리 사용과 연관된 합병증으로는 악취를 동반한 질 분비물, 질 미란 및 이로 인한 자극, 복압요실금 발생 또는 증가 등이 있으며, 드물게 방광질 또는 직장질 샛길, 소장포획, 수신증 등이 발생할 수도 있다(Abdulaziz et al., 2015). 질 위축이 있는 경우에는 경질 에스트로겐 치료를 병행하고, 페사리 삽입과 제거를 환자 스스로 할 수 있도록 교육한다. 삽입 후 1-2주 이내, 4-6주째, 이후 최소 3-6개월 간격으로 방문하도록 하고, 이 때 페사리와 질 상태, 합병증 발생 유무를 점검한다.

2) 수술적 치료

수술의 목적은 탈출과 연관된 증상을 완화시키고, 질의 해부학적 위치를 원상복귀시키는 데 있다. 일반적으로 비수술적 치료를 원치 않거나 비수술적 치료 결과에 만족하지 않는 경우 수술을 시행한다. 수술은 재건술과 폐쇄술(colpocleisis)로 크게 나뉘며, 재건술은 이식물(graft) 사용 유무, 접근방식(질식, 복식, 두 방식 병행)에 따라 다시 나뉜다. 수술방법의 선택은 탈출의 유형과 정도, 술자의 숙련도와 경험, 환자의 선호도 등에 달려 있다.

(1) 질재건술

전질벽, 후질벽, 질첨부 중 유의한 탈출이 있는 부위를 지지하는 조직을 봉합 또는 보강하는 수술법이다. 증상을 동반한 골반장기탈출증의 경우 대부분 여러 부위의 탈출이 함께 발생하므로, 완전한 재건술을 시행하는 데에는 긴 수술시간이 소요된다.

① 질첨부지지술

적절한 질첨부지지는 수술 성공에 있어 필수 요소이다. 전질벽 또는 후질벽 탈출이 있는 경우 질첨부탈출이 대개 동반되어 있으며(Rooney et al., 2006), 질첨부지지술을 시행하지 않고 전질벽 또는 후질벽교정술만 시행할 경우 재발 위험이 증가한다(Eilber et al., 2013).

전통적으로 자궁탈출이 있는 경우 자궁절제술을 시행해 왔으나, 자궁절제술만으로 충분하지 않으며 질첨부지지술을 함께 시행해야 한다(Downing, 2012). 질첨부지지술은 접근방식에 따라 질식, 복식수술로 나뉘며, 질식수술에는 엉치가시인대고정술(sacrospinous ligament fixation), 엉덩꼬리지지술(iliococcygeal suspension), 복식수술에는 엉치질고정술(sacrocolpopexy)이 있으며, 자궁엉치인대지지술(uterosacral ligament suspension)은 질식, 복식으로 모두 시행 가능하다.

가. 엉치가시인대고정술

질첨부를 엉치가시인대에 봉합하여 고정시키는 수술로서, 대개 우측 엉치가시인대에 고정한다. 복막외 접근방식으로 장 손상 위험이 적은 장점이 있으나, 질 축이 후방 편향됨으로 인해 술 후 전질벽탈출 발생 위험이 높고 수술 중 음부(pudenal)신경 및 혈관 손상 발생 위험이 있으며, 질 길이가 짧은 여성에게 시행하기 어려운 단점이 있다(Morgan et al., 2007)(그림 42-14).

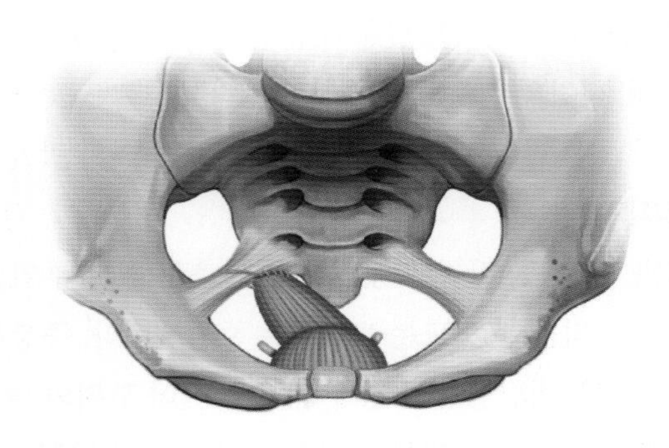

그림 42-14. **엉치가시인대고정술**

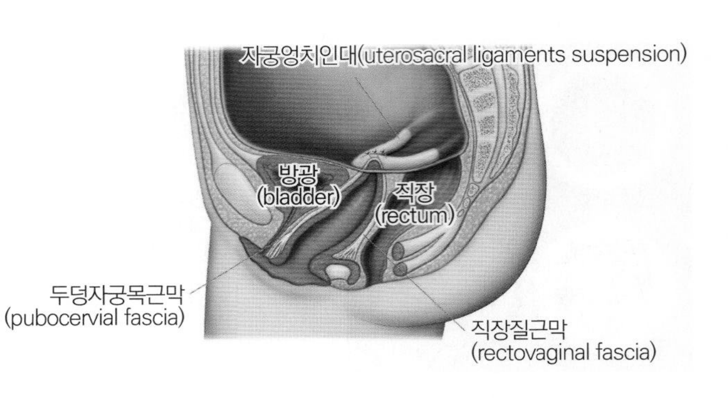

그림 42-16. **자궁엉치인대지지술**

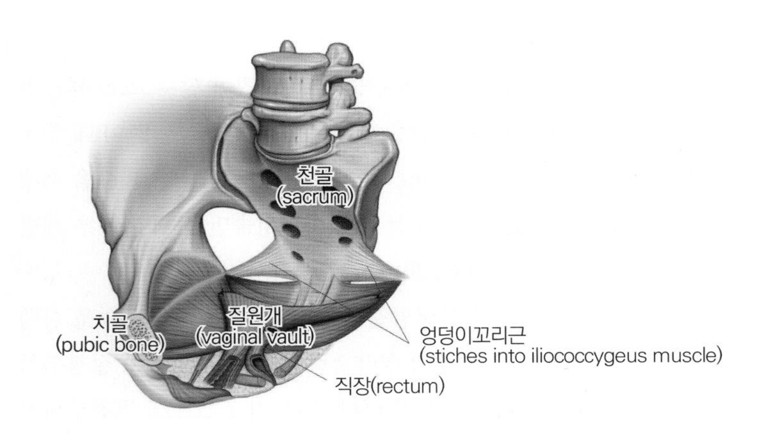

그림 42-15. **엉덩꼬리지지술**

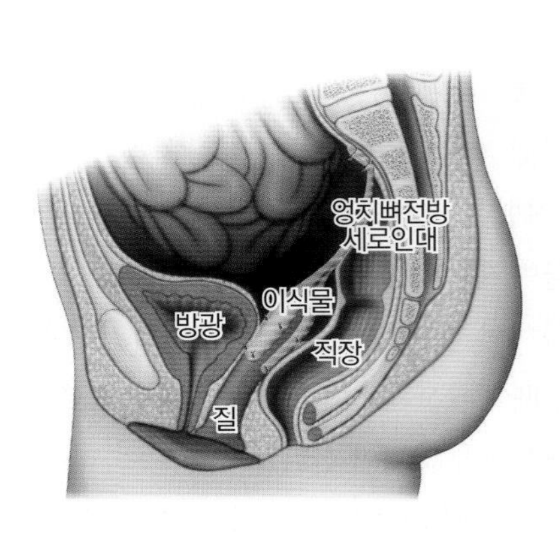

그림 42-17. **엉치질고정술**

나. 엉덩꼬리지지술

질첨부를 양측 엉덩꼬리 근육과 근막에 봉합하여 고정시키는 수술이다. 엉치가시인대고정술과 마찬가지로 복막외 접근방식으로 시행하나, 질 축을 후방 편향시키지 않고 질 길이가 짧은 여성에게도 시행 가능한 장점이 있다. 다른 질식 질첨부지지술에 비해 주요 혈관, 신경, 요관 손상 위험이 상대적으로 낮다(Shull et al., 1993)(그림 42-15).

다. 자궁엉치인대지지술

질첨부를 궁둥뼈가시 상방 자궁엉치인대에 봉합하여 고정시키는 수술이다. 다른 질식 질첨부지지술과는 달리 복강내 접근을 필요로 하나, 질 축과 길이를 정상적으로 유지할 수 있으며 수술 후 중재를 요하는 신경통이 적게 발생하는 장점이 있다(Barber et al., 2014). 주요 합병증으로 요관폐색이 많게는 11%에서 발생할 수 있어 수술 중 방광경을 통해 요관 개통 여부를 확인해야 한다(Silver et al., 2006)(그림 42-16).

라. 엉치질고정술

이식물의 한쪽은 질첨부에, 다른 쪽은 엉치뼈 전방 세로인대에 봉합하여 질첨부를 지지하는 수술이다. 질 길이가 짧은 경우에도 시행 가능하며 질식 질첨부지지술에 비해 재발율과 이로 인한 재수술율이 낮은 장점이 있으나, 보다 긴 수술시간이 소요되며(Maher et al., 2016), 색전증, 장마비 또는 소장폐색, 이식물 미란 등의 합병증이 보다 빈번히 발생한다(Siddiqui et al., 2015)(그림 42-17).

② 전질벽교정술

가. 전질벽봉합술(anterior colporrhaphy)

전질벽의 중앙 결손을 교정하기 위한 수술로써, 전질벽을 중앙 절개한 후 질점막을 박리하여 섬유근층과 분리시키고 섬유근층을 중앙 주름잡기(midline plication) 한 후 남는 질상피를 절제하고 봉합한다. 재발율은 정의에 따라 다양하나 많게는 70%까지 높게 보고되고 있다(Weber et al., 2001).

나. 질주위봉합술(paravaginal repair)

전외측질고랑(anterior lateral vaginal sulcus)을 ATFP에 재부착시켜주는 수술로써, 질식 또는 두덩뼈뒷공간(개복 또는 복강경) 접근을 통해 대개 양측 모두 시행한다. 일부 연구에서 단기 치료성공률이 76-100%로 높게 보고되고 있다(Maher et al., 2006). 하지만 진찰을 통한 질주위결손 진단은 신빙성이 낮고(Barber et al., 1999), 전질벽협축술과 질주위봉합술을 함께 시행할 경우 봉합선에 반대방향의 긴장이 형성됨으로써 좋은 결과를 얻기 어렵다.

다. 질식메쉬수술(transvaginal mesh)

기존의 전질벽교정술 후 발생하는 높은 재발율을 낮추기 위해 고안된 수술법으로써, 약해진 조직을 보강하기 위한 목적으로 합성 폴리프로필렌(polypropylene) 메쉬를 주로 사용한다. 재발율을 낮출 수 있는 장점이 있으나 메쉬 질미란 또는 수축에 따른 골반통과 성교통이 2-19%에서 발생한다(Jeon et al., 2007). 따라서, 재발성 전질벽탈출과 같이 재발 위험이 높은 경우 한하여 제한적으로 사용하도록 권고하고 있으며, 수술 전 메쉬 사용에 따른 이득과 위험성에 대해 환자와 충분히 상의한 후 시행 여부를 결정해야 한다.

③ 후질벽교정술

초기엔 두덩꼬리근을 중앙주름잡기하는 방식으로 시행되었으나 수술 후 성교통 발생이 빈번함에 따라 근막을 중앙주름잡기하는 방식으로 변형하여 주로 시행한다. 샅결손이 있는 경우에는 샅봉합술(perienorrhaphy)을 함께 시행한다. 수술 성공률은 76-80%로 우수한 편이나, 변비나 변실금과 같은 배변장애 개선효과는 크지 않다. 수술 후 성교통이 8-26%에서 발생하며, 질 협착, 반흔형성, 항문올림근 경련, 봉합 또는 박리와 연관된 신경통 등이 그 원인이 될 수 있다. 결손이 있는 근막 부위를 찾아 단순봉합하는 방식으로 후질벽교정술을 시행하기도 하는 데, 이 경우 성교통 발생을 낮출 수 있으나 중앙근막주름잡기하는 방식에 비해 재발율이 높게 보고된 바 있다(Kudish et al., 2010).

(2) 질폐쇄술

질강을 폐쇄시킴으로써 성생활을 지속할 수 없는 단점이 있으나, 재건술에 비해 수술에 소요되는 시간이 짧고 출혈량이 많지 않아 몸이 쇠약한 고령 여성에게 시행하기 적합한 수술이다. 재발 가능성을 낮추기 위해 고도(high) 샅봉합술과 두덩곧창자근 주름잡기술을 대개 함께 시행한다.

심각한 이환율 증가 없이 탈출 증상을 완화시켜 줄 수 있으며, 재발율이 매우 낮고 만족도도 높은 수술방법으로 알려져 있다(Abbasy et al., 2010).

참고문헌

- A bbasy S, Kenton K. Obliterative procedures for pelvic organ prolapse. Clin Obstet Gynecol 2010;53:86-98.
- Abdulaziz M, Stotherr L, Lazare D, Macnab A. An integrative review and severity classification of complications related to pessary use in the treatment of female pelvic organ prolapse. Can Urol Assoc J 2015;9:E400-6.
- Barber MD, Cundiff GW, Weidner AC, Coates KW, Bump RC, Addison WA. Accuracy of clinical assessment of paravaginal defects in women with anterior vaginal wall prolapse. Am J Obstet Gynecol 1999;181:87-90.
- Brubaker L, Bump R, Jacquetien B. Pelvic organ prolapse. In:

Abrams P, Cardozo L, Khoury S, et al., eds. Incontinence, 21st ed. Paris: Health Publications; 2005. p.243-65.
- Bump RC, Fantl JA, Hurt WG. The mechanism of urinary continence in women with severe uterovaginal prolapse: results of barrier studies. Obstet Gynecol 1988;72(3 Pt 1):291-5.
- Bump RC, Mattiasson A, Bo K, Brubaker LP. The standadization of terminology of female pelvic organ prolapse and pelvic floor dysfunction. Am J Obstet Gynecol 1996;175:10-7.
- Caputo RM1, Benson JT. The Q-tip test and urethrovesical junction mobility. Obstet Gynecol 1993;82:892-6.
- Carley ME, Schaff er J. Urinary incontinence and pelvic organ prolapse in women with Marfan or Ehlers Danlos syndrome. Am J Obstet Gynecol 2000;182:1021-3.
- Chiaffarino F , Chatenoud L , Dindelli M, Meschia M , Buonaguidi A , Amicarelli F, et al. Reproductive factors, family history, occupation and risk of urogenital prolapse. Eur J Obstet Gynecol Reprod Biol 1999;82:63-7.
- Cundiff GW, Weidner AC, Visco AG, Bump RC, Addison WA. A survey of pessary use by members of the American Urogynecologic Society. Obstet Gynecol 2000;95(6 Pt 1):931-5.
- DeLancey JO. Structural aspects of the extrinsic continence mechanism. Obstet Gynecol. 1988 Sep;72(3 Pt 1):296-301.
- DeLancey JO. Anatomic aspects of vaginal eversion after hysterectomy. Am J Obstet Gynecol. 1992 Jun;166(6 Pt 1):1717-24; discussion 1724-8.
- Downing KT. Uterine prolapse: from antiquity to today. Obstet Gynecol Int 2012:64959.
- Eilber KS, Alperin M, Khan A, Wu N, Pashos CL, Clemens JQ, et al. Outcomes of vaginal prolapse surgery among female Medicare beneficiaries: the role of apical support. Obstet Gynecol 2013;122:981-7.
- Grody MH. Urinary incontinence concomitant prolapse. Clin Obstet Gynecol 1998;41:777-85.
- Hagen S, Stark D, Maher C, Adams E. Conservative management of pelvic organ prolapse in women. Cochrane Darabase Syst Rev 2004;(2):CD003882.
- Haylen BT, de Ridder D, Freeman RM, Swift SE, Berghmans B, Lee J, et al. An International rogynecological Association (IUGA)/International Continence Society (ICS) joint report on the terminology for female pelvic floor dysfunction. Int Urogynecol J 2010;21:5-26.
- Hendrix SL, Clark A, Nygaard I, Aragaki A, Barnabei V, McTiernan A. Pelvic organ prolapse in the Women's Health Initiative: gravity and gravidity. Am J Obstet Gynecol 2002;186:1160-6.
- Hunskaar S, Burgio K, Clark A. Epidemiology of urinary and fecal incontinence and pelvic organ prolapse. In: Abrams P, Cordozo L, Koury S, Wein A, eds. Third international consultation on incontinence, 1st edn. Paris: Health Publication, 2005.
- Jeon MJ, Bai SW. Use of grafts in pelvic reconstructive surgery. Yonsei Med J 2007;48:147-56.
- Kudish BI, Iglesia CB. Posterior wall prolapse and repair. Clin Obstet Gynecol 2010;53:59-71.
- Maher C, Baesseler K. Surgical management of anterior vaginal wall prolapse. Int Urogynecol Pelvic Floor Dysfunct 2006; 17:195-201.
- Maher C, Feiner B, Baesseler K, Christmann-Schmid C, Haya N, Brown J. Surgery for women with apical vaginal prolapse. Cochrane Database Syst Rev 2016;10:CD012376.
- Mattox TF, Lucente V, McIntyre P, Miklos JR, Tomezsko J. Abnormal spinal curvature and its relationship to pelvic organ prolapse. Am J Obstet Gynecol 2000;183:1381-4.
- Mei S1, Ye M, Gil L, Zhang J, Zhang Y, Candiotti K, Takacs P. The role of smooth muscle cells in the pathophysiology of pelvic organ prolapse. Female Pelvic Med Reconstr Surg. 2013;19:254-9.
- Mimura T, Rov AJ, Storrie JB, Kamm MA. Treatment of imparied defecation associated with rectocele by behavorial retraining (biofeedback). Dis Colon Rectum 2000;43:1267-72.
- Morgan DM, MD, Rogers MAM, Huebner M, Wei JT, DeLancey JO. Heterogeneity in anatomic outcome of sacrospinous ligament fixation for prolapse. Obstet Gynecol 2007;109:1424-33.
- Rahn DD, Acevedo JF, Roshanravan S, Keller PW, Davis EC, Marmorstein LY, et al. Failure of pelvic organ support in mice deficient in fibulin-3. Am J Pathol 2009;174:206-15.
- Rooney K, Kenton K, Mueller ER, FitzGerald MP, Brubaker L. Advanced anterior vaginal wall prolapse is highly correlated with apical prolapse. Am J Obstet Gynecol 2006;195:1837-40.
- Shull BL, Capen CV, Riggs MW, Kuehl TJ. Bilateral attachment of the vaginal cuff to iliococcygeus fascia: an effective method of cuff suspension. Am J Obstet Gynecol 1993;168:1669-77.
- Siddiiqui NY, Grimes CL, Casiano ER, Abed HT, Jeppson PC, Olivera CK, et al. Mesh sacrocolpopexy compared with native tissue vaginal repair: a systematic review and meta-analysis. Obstet Gynecol 2015;125:44-55.
- Silver WA, Pauls RN, Segal JL, Rooney CM, Kleeman SD, Karram MM. Uterosacral ligament vault suspension: five-year outcomes. Obstet Gynecol 2006;108:255-63.
- Thakar R, Stanton S. Management of genital prolapse. BMJ 2004;324:1258-62.
- Walters MD, Diaz K. Q-tip test: a study of continent and incontinent women. Obstet Gynecol 1987;70:208.
- Weber AM, Walters MD, Piedmonte MR, Ballard LA. Anterior colporrhaphy: a randomized trial of three surgical techniques. Am J Obstet Gynecol 2001;185:1299-306.

제43장

항문직장 기능장애

이석환 | 경희의대

항문직장 기능장애는 정상적인 배변 활동에 지장을 초래하는 다양한 질병군이며, 크게 변배출장애(defecatory dysfunction)와 대변실금(fecal incontinence)으로 분류할 수 있다. 본 장에서는 변배출장애 중 부인과에서 흔히 접할 수 있는 직장탈출증과 난소암수술 시 직장절제술을 했을 때 환자들에게서 흔히 나타나는 저위전방절제술증후군(low anterior resection syndrome) 및 대변실금, 그리고 분만손상 후 발생할 수 있는 직장질루의 치료에 대해 기술하고자 한다.

1. 직장탈출증

직장탈출증이란 직장벽의 전층 또는 일부가 항문 밖으로 탈출되는 것을 말한다. 흔히, 직장 전 층이 항문 밖으로 탈출된 완전 탈출증을 의미하며, 그 외의 경우를 부분 탈출증 또는 잠복 탈출증이라고 분류하기도 한다.

모든 연령층에도 생길 수 있으며 어린이에서는 대개 3세 미만에서 남녀 동등하게 발생되며, 성인에서는 남성에 비해 여성에서 6 대 1 정도로 더 흔히 발생한다고 알려져 있다. 여성에서는 50대 이후에서, 남성에서는 연령별 균등하게 발생한다. 이 질환은 다양한 원인으로 발생할 수도 있으나 원인불명인 경우가 많고 그 병태생리도 확실하지 않다. 종종 항문출혈, 변비, 대변실금, 설사, 점액변 등의 증상을 동반하여 환자들의 사회적 활동에 지장을 주기도 한다. 지난 100여 년 동안 다양한 수술적 치료방법이 소개되었지만, 질환의 재발 방지와 배변기능개선 등 많은 부분에서 논쟁의 여지가 남아 있다.

1) 원인

직장 탈출증의 원인은 아직까지 명확하지 않다. 여러 유발인자의 복합적인 작용에 의하여 유발되는 것으로 생각되며, 직장 탈출을 유발한다고 여겨지는 공통된 인자들이 다수 보고되고 있다. 변비, 설사, 대변실금 등의 배변장애로 배변 시 과도한 근육긴장으로 인한 복강내압의 상승이 주요한 원인으로 생각되며, 이외에도 말총증후군(cauda equina syndrome), 다발성경화증, 척수종양 같은 신경과적 질환과 골반바닥기능부전, 수술, 과거력, 분만에 의한 산과적 외상의 기왕력, 낭포성섬유증, 백일해, 기생충감염 등이 부가적인 유발인자로 알려져 있다. 치매, 신경성식욕부진증, 자폐증, 강박장애 등의 정신 질환과의 관련성도 보고되고 있다. 다만, 여성에 있어 임신으로 인한 복강내압의 증가나 분만으로 인한 손상과는 관계가 없다는 보고도 있다. 공통적으로 관찰되는 해부학적 변화는 항문거근의 이개 및 내골반근막의 약화, 직장의 정상적인 후막곡선의 소실, 비정상적으로 깊은 더글라스 주머니, 긴 직장에스결장, 항문괄약근의 약화 등이다.

직장탈출증의 발병기전을 설명하고자 다양한 이론들이 제시되었다. 모슈코위츠는 해부학적 이상에 기초하여 직장탈출증 환자에서 공통적으로 깊은 더글라스 주머니가 동반됨을 발견하고, 골반근막의 결합부위를 통한 직장전벽의 활주탈장에 의한 직장탈출증 이론을 제시하였다. 또한, 직장에스결장이 과도하게 길어서 배변 시 지나친 긴장이 발생하고, 이러한 배변 시 과도한 긴장의 결과로 골반바닥 근육의 약화를 유발하여 직장의 탈출을 유발한다고 주장하였다. 이 이론을 기초로 깊은 더글라스 주머니의 활주탈장을 교정하는 수술법을 제시하였으나, 수술 후 높은 재발률을 보여 논란의 여지가 있다. 브로덴과 스넬만은 장충첩의 진행에 기초하여 항문연에서 6-8 cm 상방에서 발생한 원주형의 장중첩증이 직장탈출증의 시작이라고 주장하였다. 이는 비디오배변조영술로 골반의 역동적 소견을 관찰할 수 있게 된 후부터 더욱 설득력 있는 가설로 받아들여지고 있다. 또한, Parks. A 등은 반복적인 과도한 복부 긴장이 골반바닥 전 층의 하강을 유발하고, 음부신경의 견인손상을 초래하며 이러한 신경의 손상은 이차적으로 항문괄약근의 손상을 일으켜 결과적으로 직장탈출증의 원인이 된다고 주장하였다. 하지만 이는 직장 탈출을 유발하는 독립적인 질환이라기보다 골반 출구의 폐쇄를 일으키는 각종 질환에 수반되는 부수적인 현상으로 보는 견해가 많다.

2) 임상증상

실제로 가장 흔한 증상은 직장이 항문 밖으로 돌출되는 것으로, 주로 '항문 안쪽이 묵직한 느낌', '항문 안쪽에 뭔가가 내려오는 느낌', '공을 깔고 앉은 느낌' 등을 호소한다. 대부분 직장 탈출은 점차적으로 진행한다. 초기에는 배변 시에만 돌출되나 진행이 되면 기침이나 가벼운 긴장에서도 유발되며, 심지어는 보행 시에도 돌출되기도 한다. 초기에는 저절로 회복되는 직장 돌출과 함께 점액 분비가 흔하며, 점액 분비량이 늘어나면서 점막이나 항문주위의 표피박리, 궤양, 항문소양증을 유발할 수 있다. 또한, 점막의 정맥울혈 및 손상으로 출혈을 유발하기도 한다. 불완전한 배변으로 뒤무직(tenesmus)이나 직장통증 야기하기도 한다. 직장탈출증 환자의 70%에서 변비를 동반하며, 비정상적인 장운동, 괄약근의 기능장애, 장중첩 등이 유발원인으로 생각된다. 변비를 동반한 환자의 50-75%에서 대변실금이 동반되며, 내괄약근의 손상 및 이완으로 지속적인 직장의 탈출과 음부신경 신경손상이 원인으로 생각된다. 여성의 경우 요실금이나 자궁탈출증, 방광탈출중 등의 다른 골반바닥 질환을 동반하는 경우도 있다. 드물게는 탈출된 직장이 감돈되어 괴사변화를 일으킬 수 있다.

직장탈출증과 유사한 증상을 보이는 질환들이 있다. 내치핵의 탈출과 직장탈출증은 환자의 호소만으로는 구별하기 힘들며, 화장실에서 대변을 보듯이 힘을 준 후 탈출된 모양을 통해 감별 진단이 가능하다. 직장탈출증은 동심원 모양으로 직장 점막이 항문 밖으로 탈출되며, 치핵의 탈출은 항문 쿠션이 분포하는 3시, 7시, 11시 방향에서 내치핵이 탈출하므로 방사상모양으로 점막이 탈출된다(그림 43-1).

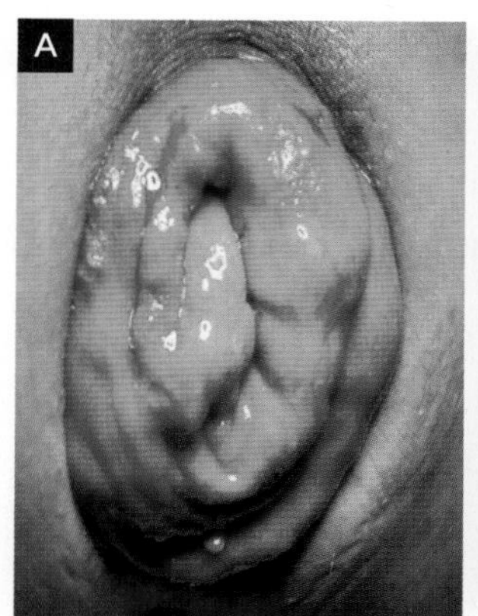

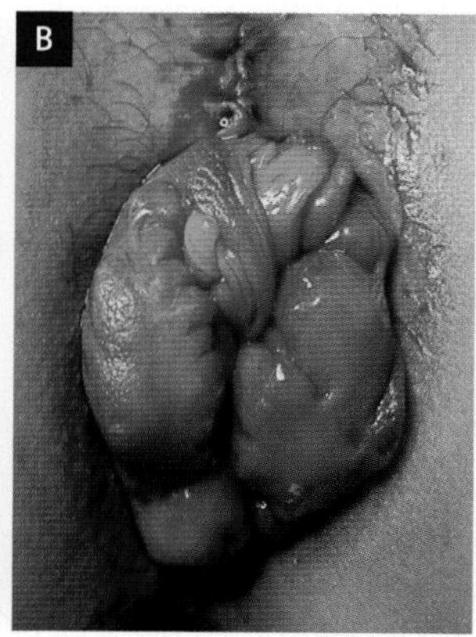

그림 43-1. 직장탈충증과 치핵의 감별
직장탈출증(A)은 동심원 주름을 관찰할 수 있으며, 치핵(B)은 방사상 주름이 관찰된다.

드물게 직장의 악성종양이 항문 밖으로 나오거나 장중첩을 유발시키는 경우도 있어 감별에 주의를 요한다.

3) 분류

직장 탈출증은 그 정도와 양상에 따라 다음과 같이 분류할 수 있다. 점막층만 탈출된 경우는 부분 탈출증 또는 점막 탈출증이라고 하고 직장의 전층이 탈출된 경우를 완전 탈출증, 직장이 항문관을 통하여 완전히 빠져나오지 못하고 상부직장이나 하부직장으로 내려오는 상태를 직장내 장중첩증 또는 잠복 탈출증이라 한다.

직장부분 탈출증과 완전 탈출증의 감별 진단을 위해서는 탈출된 직장의 길이, 탈출된 점막의 모양, 항문의 위치, 항문과 탈출된 직장 사이에 고랑(sulcus)의 존재 여부 등이 고려되어야 할 것이다. 잠복 탈출증은 대장, 직장의 문제를 가진 환자의 약 5%에서 발견된다. 증상으로는 불완전한 배변 또는 막힌 듯한 느낌이 있으며 통증, 출혈, 점액배출, 소양증 및 설사 등의 증상이 있을 수 있어 직장 탈출증의 초기병변으로 여기는 견해들이 있다.

4) 진찰소견과 검사방법

직장 탈출증 환자의 초진 시 육안상 돌출된 병변이 관찰되지 않는 경우가 종종 있어 세심한 병력 청취와 신체 검사가 진단 및 향후 치료를 결정하는 데 중요한 역할을 한다. 나이, 성별, 동반 질환, 산과력, 수술 기왕력, 신경학적 증상 등 향후 치료 및 수술기법의 선택에 다양한 접근이 필요하다. 또한 대변실금, 요실금, 변비 등과 같은 증상과의 관련성을 고려해야 한다. 시진 시에는 항문 밖으로 돌출된 병변, 점액성 분비물, 점막 궤양, 출혈 등을 확인해야 한다. 진단이 불명확한 경우 환자로 하여금 발살바법(Valsalva Maneuver)이나 쪼그려 앉기 혹은 웅크린 자세에서 배변 시와 같이 힘을 주게 하는 등 복부에 압력을 가하여 돌출되는 병변을 확인할 수 있다. 직장손가락검사를 통하여 이완되어 있는 항문괄약근 및 항문 주위 구조물의 기능장애를 확인할 수 있으며, 때로는 돌출된 조직이 촉지되기도 한다. 또한 검사 시 직장류, 방광류, 장류와 같은 질탈출증의 동반 여부도 고려해야 한다.

점막 병변, 게실 질환, 궤양, 종양 같은 다른 질환들과 관련 여부를 감별하기 위해 대장내시경과 대장조영술이 추천된다. 추가적으로 배변조영술, 항문내압 계측검사, 근전도 검사, 대장통과시간측정검사 등이 있으며, 환자의 상태 및 동반 증상에 따라 적절하게 시행되어야 한다.

배변조영술은 신체 검사에서 직장탈출이 명확한 환자에게는 필요하지 않으며, 직장탈출증이 의심이 되나 확진이 안 될 때 시행할 수 있다. 부분 직장 탈출증이나 직장류, 장류, 자궁탈출 등 동반된 질환에 대한 정보를 얻을 수 있다. 또한, 골반바닥 근육의 해부학적 구조나 이상 소견을 확인하는 데 유용하다.

항문내압 계측검사는 만성적인 직장 탈출로 항문괄약근에 손상을 입은 환자에게서 괄약근의 기능을 평가하는 데 유용하다. 주로 대변실금을 동반한 환자에게 사용되며, 휴식기압과 최대 수축기압의 감소를 확인할 수 있다. 또한, 수술 후 대변실금이 남을 가능성이 있는 환자를 예측하는 데 도움을 받을 수 있다. 대변실금의 원인으로는 과도한 직장탈출로 인한 음부신경의 당김손상(traction injury) 때문인 것으로 생각되며, 이를 확인하는 데 근전도 검사가 도움이 된다. 대장통과시간 측정검사는 심각한 변비를 동반한 직장 탈출증 환자에게서 적합한 수술방법을 결정하는 데 필요한 검사다. 대장통과시간이 연장된 직장탈출증 환자에게서 직장고정술과 결장절제술을 같이 시행하는 것이 직장고정술 단독 치료보다 효과가 좋은 것으로 알려져 있다. 대장 전반에 걸쳐 대장통과시간의 지연을 보이는 경우에는 전체대장절제술과 회장직장문합술을 고려해야 한다.

그 외에 항문초음파와 자기공명영상을 시행하여 괄약근이나 골반바닥 구조물의 손상 및 기능이상을 확인할 수 있다. 또한, 골반 주변 장기의 탈출 여부를 감별하는 데도 도움을 받을 수 있다. 특히 자기공명영상 배변조영검사(MR defecogaphy)는 배변 시 역동적 영상을 얻을 수 있으며, 직장탈출증과 동반된 방광탈출증, 장탈출증의 동반 여부를 확인하는 데 유용하다.

5) 치료

직장 탈출증은 수술적 치료가 원칙이지만, 직장 탈출증 환자는 보통 고령이거나, 수술의 위험도가 높은 경우가 많아 몇몇 비수술적 치료방법이 소개되었다.

하루에 25-30 g의 식이섬유와 1-2 L 수분 보충 등의 변비교정, 배변습관교정, 항문괄약근 수축운동 및 생체되먹임 훈련, 수지정복 및 이후 테이핑으로 고정, 경화제 주사를 이용하여 직장을 엉치뼈에 유착하는 방법 등이 도움이 된다고 알려져 있다. 하지만, 이러한 비수술적 치료법은 일시적이고 증상 완화에만 효과를 보일 뿐 직장 탈출의 교정에는 효과가 없는 경우가 많다.

수술적 치료의 목적은 직장탈출의 교정과 배변조절 장애의 교정, 재발 방지에 있다.

수술방법은 크게 복부접근법과 회음부접근법 두 가지로 분류할 수 있다. 복부접근법은 회음부접근법에 비해 재발이 적고 기능개선 측면에서 효과적이라고 알려져 있다. 하지만, 전신마취가 필요하며, 상대적으로 수술이 침습적이며, 감염 등의 합병증의 발생 가능성이 더 높다. 회음부접근법은 상대적으로 간단하면서 덜 침습적인 수술법으로 고령이나 수술의 위험도가 높은 환자에게 주로 사용할 수 있다. 최근에는 복강경을 위한 복부접근법이 소개되어 많이 적용되고 있다.

(1) 복부접근법

① 직장고정술

직장고정술은 복부접근법 중 가장 간단히 시행할 수 있는 수술법이다. 이 술식은 가동화한 직장을 충분히 당겨 엉치뼈 앞쪽 근막에 비흡수성 봉합사를 이용하여 고정하는 것이다. 원리는 봉합 후 섬유화와 유착과정에 의하여 직장을 고정하는 것이다. 재발률은 0-27%이고, 대변실금은 수술 후 상당수의 환자들에서 호전되나, 변비의 개선 효과는 아직 논란이 여지가 있다. 직장을 고정하는 데 단순 봉합사보다 메쉬 등의 이물을 이용하는 것이 섬유화와 유착을 유도하는 데 더 효과적이라는 보고도 있다.

② 에스결장절제 후 직장고정술

에스결장절제술은 에스결장의 길이가 긴 환자에게서 변비를 교정하고자 하는 목적과 장 감돈 및 꼬임을 예방하고자 시행된다. 그러나 양성질환인 직장탈출증의 치료로서 장절제를 한다는 부담이 있으며 시술에 있어서는 수술 술기의 확실한 습득이 필요하다. 직장고정술 단독 술식에 비해 이환율이 상대적으로 높아지나, 재발률은 0-5%로 낮게 보고된다. 기능적인 측면에서 직장탈출증과 동반된 변비는 56%에서 개선되었고, 대변실금 개선의 효과에 대해서는 아직 논란이 있다.

③ 립스타인 술식

1963년에 소개된 후로 미국에서 가장 보편적으로 사용되는 술식이다. 립스타인은 직장이 엉치뼈에 고정이 되지 않은 상태에서 상부직장의 점차적인 하강으로 장중첩증과 같은 양상의 직장탈출이 생긴다고 보고하였다. 수술방법으로 전방의 전이되어 있는 직장 및 결장을 미골 끝까지 완전히 가동화하여 제위치로 복원시키고, 테플론 메쉬를 이용하여 직장을 감싼 후 엉치뼈근막에 고정하는 방법을 시도하였다. 직장이 충분히 견인되지 않는 경우 재발률이 높아진다. 게다가 엉치뼈과 직장 사이가 과도하게 좁으면 변비나 대변메막힘(fecal impaction) 등을 유발하게 된다. 문헌상 재발률은 0-13%, 사망률은 0-2.8%로 보고되었다. 수술 중 합병증에는 골반 농양, 장루, 협착, 대변메막힘, 출혈 등이 있다. 특히 남성이나 골반강이 좁은 환자의 경우 엉치뼈신경다발총의 출혈 및 혈종이 종종 발생한다. 이를 예방하기 위해서는 직장의 가동화 시에 적절한 박리면을 찾아야 하고 엉치뼈 앞쪽 근막의 봉합 시 세심한 주의를 요한다. 립스타 인술식은 재발이 적은 확실한 방법으로 생각되고 있으나 수술 후 배변 시 폐쇄증상이 문제가 되어 직장 전방벽을 노출시키는 등의 여러 가지 변형법이 많이 사용되고 있다.

④ 웰스 술식(이발론 스펀지 술식)

직장을 충분히 가동한 후 인공물을 엉치뼈과 직장 후벽에 삽입하여 고정하는 방식이다. 인공물에 의한 섬유화를 유도하여 항문직장각을 회복시킨다. 재발률은 3-12% 정도이고, 사망률은 골반 패혈증에 의하여 1-2%로 보고된다. 직장의 전면부는 노출되므로 대변메막힘이나 협착은 생기지 않지만 그 외의 합병증은 립스타인술식과 비슷하다. 최근 이발론스펀지 대신 말렉스메쉬 등의 다른 재료를 사용함으로써 재발률의 차이 없이, 골반 패혈증 같은 심각한 합병증을 낮춘다는 보고가 있다. 감염의 증거가 보이면 인공물은 제거해야 한다.

⑤ 복강경 배쪽 직장고정술(laparoscopic ventral rectopexy)

복강경수술은 상처의 크기를 줄여서 수술 후 회복이 빠르며, 일상생활의 복귀가 빠른 장점으로 인해 현대수술의 주류로 평가되고 있다. 개복 직장고정술에 비해 상처감염을 줄일 수 있으므로 최근들어 수술에 활발히 적용되고 있으며, 특히 골반장기탈충증이 동반된 경우에 질고정술과 함께 시행할 수 있다는 장점이 있다. 2004년 드후어 등이 직장탈출증 환자들에게 복강경으로 직장 앞쪽벽을 엉치뼈곶에 고정하는 배쪽직장고정술을 발표하면서, 직장중첩증뿐 아니라 완전직장탈출증에서도 좋은 결과를 보이면서 최근 가장 선호되는 수술방법이다. 후방 직장고정술에 비해 수술 후 변비증상이 완화된다고 보고하고 있다. 복강경수술뿐 아니라 로봇으로도 좋은 결과들이 발표되고 있다.

(2) 회음부접근법

① 티르쉬 술식

티르쉬 술식은 나이가 많고 전신상태가 나쁜 예에서 특히 배변조절 기능이 저하된 경우에 종종 시행된다. 나일론 등의 봉합사나 실리콘 고무, 실래스틱, 그물편(mesh) 등의 인공물을 이용하여 항문 개구부를 에워싸 내경을 좁혀주는 수술방법으로 국소마취로 간단히 시행할 수 있어 환자들의 만족도가 비교적 높다. 항문 개구부가 너무 좁아진 경우 대변메막힘이 발생할 수 있다. 수술 후 상처감염이 비교적 흔하며, 인공물에 감염이 있으면 소견이 보이면 인공물을 제거해야 한다. 상처가 회복된 후 인공물의 재삽입을 고려해 볼 수 있다. 현재 수술의 위험도가 높은 환자에게서 선택적으로 사용되며, 재발률은 30-50%로 알려져 있다. 하지만 이 술식은 직장 탈출을 근본적으로 교정하는 것이 아니고, 시야에서만 보이지 않게 하는 것이어서 완화치료로 여겨지고 있다.

② 알트마이어 술식(경회음부 직장에스결장절제술)

이 술식은 주로 미국이나 유럽에서 선호되어 왔던 수술법이다. 탈출된 직장을 치상선 2 cm 상방에서 절제하여 에스결장 장간막을 충분히 당겨 결찰하여 절제한 후 수기 혹은 기계 문합한다. 대변실금을 예방하기 위해 전방항문거상근성형술을 병행하기도 한다. 복부접근법에 비해 문합부 누출의 위험이 적고, 골반바닥 근육의 보강에 유용하다. 합병증은 10% 미만에서 발생하며, 재발률은 16-30%로 보고되었다.

③ 델로르메 술식

델로르메 술식은 과도하게 탈출된 직장의 점막을 절제하고 노출된 직장 근육층을 주름을 만들어 항문직장 점막과 봉합해주는 술식이다. 술식의 간단함에 비해 비교적 만족할 만한 효과를 볼 수 있고 탈출된 직장의 복원에 덧붙여 약화된 항문괄약근을 보강해 줄 수 있다는 점과 환자의 적용, 마취 및 수술상의 장점으로 국내에서 보편적으로 많이 선호된다. 또한 재발 시 이 술식을 다시 시도할 수 있다는 장점이 있다. 합병증으로는 출혈, 혈종, 상처 벌어짐, 협착 등이 보고되었다. 사망률은 0-4%, 재발률은 4-38%로 알려져 있다. 수술 후 직장주변에 섬유화가 일어나 엉치뼈에 고정되기 전까지 다른 술식에 비해 높은 재발률을 보여, 수술 후 복부에 과도한 압력이 가해지지 않도록 주의해야 한다. 주름진 근육층의 기능적 효과에 대해서는 아직 논란이 많다. 절제하는 직장 점막의 길이에 대해서는 명확한 기준은 없다. 박리한 점막을 당겼을 때 저항이 느껴질 정도에서 절제하는 것을 추천하며, 완전직장탈출증의 경우 보통 15-20 cm 정도 절제하게 된다.

6) 결론

직장탈출증은 흔하지는 않지만, 사회적, 정신적, 신체적으로 매우 고통스러운 질환이다. 수술적 치료법은 매우 다양하지만 직장 탈출의 명확한 원인이 알려지지 않았고 동반된 배변기능장애가 다양해서 이에 대한 완벽한 치료법은 없는 상황이다. 최적의 수술법을 선택하고 좋은 결과를 얻기 위해서는 수술 전 환자의 동반된 질환 및 배변기능장애를 세심하게 평가하는 것이 중요하다. 또한 수술 후 배변기능회복을 위해 음식조절, 적당한 약물치료, 골반바닥운동 및 생체되먹임 등의 적극적인 보존적 치료가 도움이 될 수 있다.

2. 저위전방절제술증후군

저위전방절제술은 주로 직장암의 치료에 적용되는 수술법이지만 난소종양을 치료하는 부인과 영역에서도 종양 감량 수술(debulking surgery)을 하면서 직장절제술을 자주하게 되면서 수술 후 환자들이 배변과 관련된 다양한 증상을 호소한다. 본문에서는 저위전방절제술증후군(lower anterior resection syndrome)의 진단과 치료에 대해 최근 문헌을 중심으로 고찰하도록 한다.

1) 원인 및 분류

저위전방절제술증후군은 괄약근 보존 직장절제술을 받은 환자들이 수술 후 경험하는 다양한 배변관련 증상들을 통칭한다. 직장절제술에 의해 직장의 주요 기능인 저장낭 기능이 소실되며, 직장절제술 중 직장으로 분포하는 자율신경이 절단되므로 배변활동의 부조화가 발생하게 되는 것이 주 원인이지만 여러가지 요인이 복합적으로 작용한다고 알려지고 있다.

(1) 항문 괄약근의 손상

직장절제술 후 항문의 휴지기 압력이 감소하는 것은 일반적인 현상인데 휴지기 압력은 내괄약근의 기능이며 손상된 후에는 회복되지 않는다. 또한 외괄약근의 기능인 최대수축기 압력의 감소도 나타나는데, 직접적인 괄약근의 손상으로 인한 결과가 아니라, 직장절제술 중 발생한 신경절단술의 결과로 해석된다.

(2) 장문합 방법 및 신직장(neorectum)의 모양

직장은 대변을 저장하는 저장낭의 기능이 직장절제술로 인해 상실되어 증상이 발생한다. 새롭게 형성된 신직장(neorectum)은 대변을 저장할 수 있는 부피가 감소하게 되며, 결장과 직장 또는 결장과 항문 문합을 단단문합으로 할 경우에는 대변을 참을 수 없는 증상이나, 대변실금을 유발하게 된다. 문합방법을 단측문합으로 하거나, 결장낭을 이용해서 직장의 저장낭 기능을 보강하는 수술법이 적용되고 있으나, 이러한 수술법으로 인한 기능 개선은 최대 수술 후 24개월까지 관찰되며, 이후에는 차이가 없다고 보고되고 있다. 또한 수술 후 신직장의 탄성(compliance)이 수술 전 방사선 항암화학요법 등으로 감소하는 것도 중요한 원인으로 생각된다. 탄성의 감소로 인해 급박감, 배변 횟수 증가, 급박 대변실금과 같은 증상이 유발된다.

(3) 결장과 신직장의 운동

대변은 결장에서 분절운동을 통해 직장으로 이동하는데, 직장절제술 후 이러한 분절운동이 증가하는 것을 관찰할 수 있다. 또한 식사 후 생기는 위-대장반사 역시 직장절제술 후 증가하며, 이로 인해 배변 후 속옷에 대변을 묻히는 증상(fecal soiling), 급박감, 잦은 배변, 잔변감을 느낄 수 있다.

2) 임상 증상

대변실금을 호소하는 경우가 0-71%로 보고되고 있으며, 대변배출장애 증상을 호소하는 경우가 12-74%까지 보고되고 있다. 주요 증상은 설사, 가스나 액상변에 대한 대변실금, 배변의 급박감, 배변 횟수의 증가, 변비, 배변 후 잔변감, 변배출장애와 같은 다양한 증상을 나타낸다. 증상의 정도는 직장절제술의 범위에 따라 수술 후 문합부 누출과 같은 합병증의 유무에 따라 다양하게 나타나며, 특히 배변을 참을 수 없는 급박감이나, 잔변감은 환자가 외출을 꺼리게 되는 주요 증상으로 적절히 치료하지 않으면 환자의 삶의 질에 매우 나쁜 영향을 미친다.

수술 후 회복 초기에 변의를 느끼면 참을 수 없는 급박함, 잔변감으로 인해 하루 20-30회 이상 화장실을 가게되면 항문주위의 피부가 벗겨지는 현상(perianal excoriation)이 나타나며, 이로 인해 항문주위에 심한 통증을 호소하기도 한다. 수술 후 1년 정도 지나면 증상이 호전된다고 알려져 왔으나, 수술 후 2-15년이 지난 환자에게서 배변장애 증상이 지속됨이 보고되어 치료에 많은 관심이 필요하다.

3) 진단

저위전방절제술증후군의 진단은 표준화된 설문지를 이용하여 진단할 수 있다(표 43-1). 설문항목은 가스 및 액상변에 대한 대변실금, 배변횟수, 잔변감, 변을 참을 수 없는 급박함에 대한 설문이며, 각 질문의 점수를 합산하여 0-20점이면 저위전방절제술증후군이 아닌것으로 판단하고, 21-29점은 경증, 30-42점은 중증 저위전방절제술증후군으로 진단할 수 있다.

4) 치료

저위전방절제술증후군을 치료하기 위한 구체적인 치료방법은 아직까지는 확립되어 있지 않으며, 환자의 증상을 완

표 43-1. 저위전방절제술증후군 한글 설문지

당신은 가스배출(방귀)을 조절할 수 없는 경우가 있습니까?	
아니요, 전혀 없음	0
예, 일주일에 한 번 미만으로 있음(예를 들면 한 달에 1-3번 정도)	4
예, 적어도 일주일에 한 번 이상 있음	7
당신은 액체상태의 무른 변이 우연히 새어 나온 적이 있습니까?	
아니요, 전혀 없음	0
예, 일주일에 한 번 미만으로 있음(예를 들면 한 달에 1-3번 정도)	3
예, 적어도 일주일에 한 번 이상 있음	3
당신은 얼마나 자주 대변을 보십니까?	
하루(24시간)에 7회 이상	4
하루(24시간)에 4-7회	2
하루(24시간)에 1-3회	0
하루(24시간)에 1회 미만(예를 들면 2-3일에 한 번 정도)	5
당신은 마지막 대변을 본 후 1시간 이내에 다시 대변을 보아야 했던 적이 있습니까?	
아니요, 전혀 없음	0
예, 일주일에 한 번 미만으로 있음(예를 들면 한달에 1-3번 정도)	9
예, 적어도 일주일에 한 번 이상 있음	11
당신은 급하게 화장실에 달려가야 할 정도의 강한 충동을 경험한 적이 있습니까?	
아니요, 전혀 없음	0
예, 일주일에 한 번 미만으로 있음(예를 들면 한 달에 1-3번 정도)	11
예, 적어도 일주일에 한 번 이상 있음	16

0-20점: 정상, 21-29점: 경증, 30-42점: 중증.

화하는 치료를 시작하면 된다. 대변실금이 심할 경우에는 로페라마이드와 같은 대변경화제를 처방하거나, 배변 후 직장세척을 하는 것이 도움이 된다. 또한 바이오피드백치료, 엉치신경자극술(sacral nerve stimulation) 등의 치료를 시도해 볼 수 있다. 대변실금에 대한 치료는 다음 항에서 더 자세히 기술하고자 한다.

수술 후 회복기에 대변횟수가 잦을 경우에는 환자들에게 대변을 본 후 휴지로 닦는 대신 좌욕을 하도록 권하는 것이 항문 주위 피부의 손상을 줄일 수 있는 방법이며, 잦은 배변으로 인해 식사량을 줄이지 않고, 약물 치료를 하도록 하는 것이 중요하다. 수술 후 1년 정도까지 증상이 지속되다가 서서히 환자가 증상에 적응하게 된다. 짜거나 맵고 기름진 자극적인 음식으로 인해 설사가 생기지 않도록 환자 교육을 하여야 한다.

5) 결론

저위전방절제술증후군은 직장절제술 후에 흔히 나타나는 배변기능의 이상이 다양한 증상으로 나타나는 경우이며, 부인과 영역에서는 난소암으로 직장을 절제했을 경우 나타난다. 증상은 환자의 삶의 질을 악화시키는 주요 요인이 될 수 있으므로 간과해서는 안 될 것이다. 환자가 배변과 관련된 증상을 호소할 경우, 대장항문전문의와 협진을 통해 증상개선을 위한 치료를 시작하는 것이 좋다.

3. 대변실금

대변실금의 유병률은 2-3%로 보고되고 있지만, 연령이 증가함에 따라 유병률은 3-17%로 높아지고, 요양원에 입원한 노인들에게서는 46-54%까지 높게 보고되고 있다. 대변실금은 고형변이나 액상변 또는 가스를 자의적으로 통제하지 못하여 항문괄약근의 기능이 손상된 상태이다. 가스나 변의 형태에 따라 또한 얼마나 대변실금이 발생하는냐에 따라 삶의 질에 지대한 영향을 미친다. 일반적으로 고령, 여성, 신체활동이 적은 경우, 전신 건강상태가 나쁜 경우에 잘 발생한다.

대변실금은 개인뿐 아니라 사회적으로도 막대한 정신적, 경제적 문제를 야기하는 심각한 질환이다. 변조절과 같은 가장 기본적인 생리 기능이 소실될 경우, 정서적인 충격뿐아니라 자존감이 낮아지며, 우울증을 유발하고, 사회로 부터 격리되기도 하므로 삶의 질에 중대한 영향을 미치게된다. 미국의 경우, 대변실금이 요양원 입원의 주요 원인이며, 전체 환자의 1/3 정도만이 치료를 받는 것으로 보고되고 있다. 우리나라의 경우, 대변실금 환자를 대상으로 조사한 연구에서 환자의 64%가 대변실금을 질병으로 여기지 않거나, 치료되지 않는 병으로 알고 있어 지속적인 계몽이 필요한 시기가 도래하였다.

건강보험심사평가원 자료에 따르면, 대변실금으로 진단받은 환자 수는 2010년 4,984명에서 2018년 10,560명으로 8년간 2.12배(111.9%) 증가하였다. 2018년 통계에 따르면, 전체 대변실금 환자의 77%가 60세 이상이었으며, 연령이 증가함에 따라 대변실금 환자의 비율은 높아져 70대는 0.11%, 80대는 0.12%를 보이고 있다. 우리나라는 인구의 고령화가 급속히 진행되고 있으며, 2025년에는 65세 이상 고령환자의 비율이 21%를 초과하는 초고령사회로 진입할 것으로 예상되며, 대변실금의 잠재 환자 수 역시 증가할 것으로 예상된다.

1) 원인 및 분류

대변실금은 변자제와 관련된 한 가지 이상의 원인이 여러 가지 보상작용에 의해 지탱되다가 더 이상 지탱되지 못하는 상황에 발생하게 된다. 대변실금 환자의 80%는 한 가지 이상의 생리학적 병리학적 이상을 보이는데, 항문괄약근의 손상과 약화, 회음신경의 장애, 항문직장 감각의 손상, 직장 탄성의 변화, 불완전한 배변 등이 관여된다. 대변실금의 주요 원인은 분만손상, 외음신경장애, 항문수술로 인한 괄약근 손상 및 대변메막힘이다. 또한 변비로 인해 배변 시 힘을 지나치게 주게되는 경우에도 시간이 지난 후 대변실금으로 발전하기도 한다.

분만손상의 경우, 질식 분만의 진통 시간이 긴 경우, 중심 회음절개를 시행한 경우, 겸자 분만을 한 경우에 항문괄약근 손상이 동반되면서 발생한다. 첫 분만 여성의 35%에서 질식 분만 시 괄약근의 손상이 발견되며, 중심 회음부 절개를 시행한 경우 50%에서 발견된다. 이러한 괄약근의 손상은 즉시 대변실금으로 증상을 나타내지 않는 경우가 대부분이지만 고령이 되면서 대변실금 증상을 나타낸다.

대변실금의 정도를 평가하고 치료 결과를 비교하기 위해서는 표준화된 점수체계가 필요하다. 대변실금은 요실금과 다르게 고형변, 액상변, 가스 등을 포함하기 때문에 점수체계가 매우 복잡하다. 가장 널리 사용되고 있는 웩스너 점수(Wexner score)는 사용하기 쉽고 삶의 질을 반영할 수 있는 생활의 변화와 기저귀의 사용 여부를 포함하고 있지만 증상에 따른 가중치가 없다는 단점이 있다(표 43-2). 점수의 합이 0이면 완전 변자제이며, 9점 이상인 경우 삶의 질에 영향을 미치며, 20점이면 완전 대변실금을 의미한다.

2) 임상 증상

대변실금은 매우 주관적인 증상이므로 속옷에 변이 묻는 변지림과 변을 참을 수 없는 급박대변실금 등 다양하게 나타난다. 환자에게 자세한 기왕력을 물어야 하며, 필요에 따라서는 배변일기를 작성하여 정확한 대변실금의 정도와 횟수를 확인하여야 한다.

남자의 경우에는 당뇨병의 유무 및 동성간 성관계가 있는지를 확인하는 것이 중요하다. 당뇨병에 의한 대변실금의 경우에는 발기부전이 동반되었을 가능성이 크다.

3) 진단

대변실금의 진단을 위해서는 항문부위의 감각이상이 있는지, 수술 상처가 있는지를 자세히 살펴야 하며, 직장손가락 검사를 실시하여 대변메막힘이 있는지 또는 직장암의 동반 여부를 확인하여야 한다. 고령 환자의 경우 대장내시경이나 에스결장경 검사를 추가하여야 한다.

배변자제에 대한 객관적인 정보를 얻기 위해서는 생리기능검사를 추가하여야 한다. 항문내압검사, 근전도검사, 항문초음파검사와 자기공명영상검사, 배변조영술 및 자기공명배변조영검사(MR defcography)를 통해 항문의 해부학적 변화와 기능의 소실 정도를 객관적으로 파악하여야 한다.

4) 치료

경미한 증상을 가진 대부분의 환자들은 보존적 치료로 증상이 개선되므로 보존적 치료를 권하는 것이 좋다. 그러나 괄약근의 급성 손상을 입은 분만 손상에 의한 대변실금이나, 항문 초음파에서 괄약근의 손상이 명백한 경우에는 수술을 고려하여야 한다.

(1) 지지요법 및 약물요법

식이관리와 항문주위 피부 관리가 중요하다. 일회용 기저귀를 사용하도록 하며, 배변 후 좌욕을 한 후 회음부를 잘 건조시키는 것이 중요하다. 마른 휴지보다는 물휴지를 사용하는 것이 권장된다.

표 43-2. 대변실금 중증도 판정을 위한 웩스너 점수체계

실금의 종류	횟수				
	없다	월 1회 미만	주 1회 미만-월 1회 이상	하루 1회 미만-주 1회 이상	하루 1회 이상
고형변	0	1	2	3	4
액상변	0	1	2	3	4
가스	0	1	2	3	4
기저귀 착용	0	1	2	3	4
생활의 변화	0	1	2	3	4

식이관리도 중요한데, 카페인이 들어있는 음료와 맥주, 유제품, 감귤류 등의 과일은 위대장 반사를 증가시켜 갑작스런 변의를 유발하므로 자제하는 것이 좋다. 설사를 일으킬 수 있는 자극적인 음식이나, 기름진 음식 역시 피하는 것이 좋다.

변배출 횟수를 줄여주는 것이 중요하므로 지사제를 처방하는 것이 도움이 된다. 코데인 포스페이트나 로페라마이드 같은 변경화제를 사용하는 것이 좋다. 로페라마이드는 장통과시간을 늦추며, 소장에서 수분 재흡수를 증가시켜 변의 무게와 배변 횟수를 감소시키며, 급박감과 대변실금의 횟수를 감소시키며 괄약근 기능을 강화시킨다.

(2) 항문경화요법

직장 점막아래층에 확장성 물질(실리콘, 카본비드, 지방세포, 콜라겐)을 주입하여 휴지기 내괄약근의 약화를 보상하는 치료 방법이 소개되고 있으나, 결과에 일관성이 없으며 주입방법과 주입량 등이 표준화되지 않아 널리 사용되고 있지는 않다.

항문 괄약근에 고주파에너지를 이용해 콜라겐 수축력을 변화시키고, 점막의 원형을 보존하여 항문을 조여주는 효과를 얻기 위해서 고주파 에너지 전달 기계를 사용하기도 한다. 이 치료 방법은 위식도 역류증, 전립선비대증, 폐쇄성무수면증, 코골이 치료에 적응될 수 있다. 2002년 대변실금에 대해서도 미국 식품의약국의 승인을 받아 사용되고 있다.

(3) 괄약근 성형술

괄약근 성형술은 외괄약근이 육안적으로 손상된 경우에 일차적인 치료법이다. 분만손상을 받은 경우나 항문수술로 인해 외괄약근의 손상이 있는 경우에 시행한다.

절단된 괄약근 끝부분의 반흔조직을 이용하여 단단문합을 하거나 중첩봉합을 시행하는데, 두 수술 방법에 따른 수술 결과의 차이는 없는 것으로 알려지고 있다. 수술 후 상처감염의 위험성이 높거나(당뇨, 비만), 재수술인 경우, 고위 직장질루가 있는 경우에는 항문 괄약근 성형술을 할 때 분변을 우회하는 결장루수술을 고려할 수 있다.

(4) 엉치신경자극술(sacral nerve stimulation)

엉치신경 자극술은 요실금환자에서 전기자극을 통해 잔류기능이 회복되는 것을 보고한 이후 대변실금에도 적용되고 있다. 엉치신경 2-4번째 신경에 자극기를 삽입하여 대변실금의 증상 개선이 있는 경우에 영구신경자극기를 피부밑에 삽입하는 시술이다. 이 방법은 비교적 안전하고 시술이 간단하며 효과가 좋다고 알려져 있으며, 우리나라에서도 보존적 치료에 실패한 경우 엉치신경자극술을 환자에게 적용할 수 있게 되었다.

(5) 기타 대변실금 치료법

기능을 잃은 항문 괄약근을 보강하기 위해 볼기근(gluteus miuscle), 두덩정강근(gracilis muscle)을 이용한 수술을 할 수 있다. 그러나 단순히 뼈대근육(skeletal muscle)을 항문주변에 보강하는 것으로 치료효과를 보기는 어려우며, 항문주변에 두른 뼈대근육에 지속적인 전기자극을 가해 근육의 성질을 급속연축근에서 피로저항성근육으로 바꿔야 한다는 주장이 있다.

여러 가지 치료에 모두 실패한 경우 환자의 삶의 질 개선에 대한 욕구가 강한 경우에는 인공괄약근삽입술(artificial bowel sphincter)을 고려할 수 있다. 항문 주변에 항문을 닫을 수 있는 튜브모양의 인공괄약근을 삽입한 후 환자가 원할 경우 튜브를 채우고 있는 액체가 두덩결합(pubic symphysis) 근처에 위치한 저장소(reservior)로 이동하면서 변배출을 할 수 있게 하는 장치이다. 수술 후 감염성 합병증으로 인해 인공괄약근의 재삽입이 문제가 되면서 현재는 별로 추천되지 않는 치료법이다.

삶의 질에 심각한 영향을 미치는 대변실금의 모든 치료가 실패한 경우에는 장루조성술을 할 수밖에 없다. 장루는 배를 통한 소화기관의 배출구를 의미하며, 장루조성으로 인해 환자의 신체상(body image)에 변화가 오기 때문에 수술 후 환자들이 극심한 우울증을 겪기도 하므로 수술 전에 환자의 정서를 잘 지지해 주어야 한다.

5) 결론

대변실금은 고령화, 항문수술, 분만손상, 직장절제수술 후 등 다양한 원인에 의해 발생하며 이환된 환자의 삶의 질을 저하시키는 주요질환이지만, 대부분의 환자들은 증상 자체를 숨기거나 고칠 수 없는 병으로 여기고 있다. 증상의 범위도 다양하기 때문에 정확한 진단을 통해 환자의 증상을 개선할 수 있는 치료법을 선택하여 환자의 삶의 질을 개선시키는 것이 중요하다. 인구의 고령화와 함께 더욱 많은 환자들이 발생할 것으로 예상되며, 체계적인 치료를 위한 준비가 필요하다.

4. 직장질루

누공은 서로 다른 두 개의 상피세포층 사이에 생긴 비정상적 연결을 의미하는 것으로, 직장질루는 선천적 또는 후천적으로 형성된 직장과 질 사이의 비정상적 상피세포로 덮여 있는 누관을 말한다.

1) 원인 및 분류

직장질루는 다양한 원인으로 발생할 수 있는데, 그 중 가장 많은 비중을 차지하는 것이 분만 손상으로, 전체 질식분만 후 0.1%에서 발생하는 것으로 보고되고 있다. 이 외에도 이전 질 또는 항문 질환으로 수술을 받은 경우, 외상, 크론병 등과 같은 염증성 장질환, 결핵을 포함한 감염질환, 방사선 손상, 원발성 혹은 재발성 악성종양, 쇄항 등의 선천성 기형, 자궁내막증 등이 원인이 될 수 있다.

직장질루의 분류는 누공의 크기, 위치 및 발생 원인 등을 기준으로 분류하며 크게 단순형과 복잡형으로 분류할 수 있는데, 질의 중부 혹은 하부에 위치하면서 크기가 2.5 cm 이하로 기저 질환이 없는 경우를 단순형, 크기가 2.5 cm 이상이면서 질 상부에 위치하고 원인 질환이 있거나 재발한 경우를 복잡형으로 분류한다.

2) 임상 증상

누관의 크기나 위치, 기저 원인 질환에 따라 다양한 임상 증상이 나타날 수 있다. 가장 흔하게 호소하는 증상은 질을 통하여 가스나 대변이 배출되는 것이며, 악취를 동반한 질 분비물이나 반복적인 질염을 호소하기도 한다. 이 경우 환자는 정신적으로도 불안정한 경우가 많다.

3) 진단

진단을 위하여 환자의 병력 청취는 가장 중요한 과정 중의 하나이다. 병력 청취 시에는, 이전 항문이나 질 또는 회음부의 수술력을 반드시 확인하여야 하며, 이외에도 질식 분만의 경험 및 방사선 조사, 염증성 장질환, 골반내 암 치료 등의 병력을 확인하여야 한다.

진찰 시에는 직장질루를 확인하고 누공의 위치 및 크기, 주변 조직의 손상 정도를 파악하는 것이 중요한데, 양손을 이용하여 항문, 질 진찰을 시행하여 회음체의 두께를 확인하고, 직장경 검사로 누공의 위치를 확인하도록 한다. 이와 함께 항문괄약근의 손상 여부와 정도를 파악하는 것은 수술 방법을 계획하기 위하여 필요하다. 질확대경 검사를 통하여도 누공을 확인할 수 있고 질 내에서 대변이 확인되거나 질염의 소견을 관찰할 수 있다. 신체검사 중에 누관을 확인하기 위하여 탐침(probing)을 시행하는 것은 보통 심한 통증을 유발하므로 권고되지 않는다.

추가적인 검사는 누관의 확진과 기저 질환의 진단과 정도를 확인하기 위하여 시행할 수 있다. 누관이 확실하지 않은 경우에는 조심스럽게 질조영술, 바륨관장술 등을 시행하거나 질에 탐폰을 넣어 메틸렌 블루가 염색되는 것을 확인하는 방법도 시행해 볼 수 있다. 누관이 있는 환자에서 대변실금에 대한 평가가 필요하며, 특히 분만 손상의 경우 항문괄약근의 손상 여부를 반드시 확인하여야 한다. 항문경유초음파검사와 자기공명영상촬영(MRI)은 괄약근 손상을 확인하기 위하여 유용한 검사 방법이고 항문내압검사 등의 기능 검사를 시행할 수 있다.

4) 치료

직장질루의 근본적 치료는 수술로, 수술 전에 조직의 염증을 최소한으로 유지하면서 기저 질환의 진행을 막는 것이 필요하다. 수술 방법은 누공의 위치나 크기, 원인 질환에 따라 선택하도록 한다.

누공이 질 상부에 위치하면서 방사선 조사, 악성종양, 염증성 장질환 등이 원인 질환인 경우에는 복부를 통하여 손상된 조직을 제거하고 건강한 장을 재연결하는 방법이 가장 성공적인 것으로 보고되고 있다. 만약 복부를 통한 접근이 어려운 경우, 분변 전환술(fecal diversion)을 시행한 뒤 직장질루 염증이 회복되는 것을 기다리는 방법도 시도해 볼 수 있다.

그러나 대부분의 경우 누공은 질의 하부에 위치하는 단순형이 많기 때문에, 항문, 질 또는 회음부를 통한 다양한 방법이 소개되었다. 또한, 질식 분만 손상으로 직장질루가 발생한 경우에는 상당수가 저절로 치유되므로, 국소 염증 반응이 사라질 때까지 3-6개월 정도 기다려 보는 방법도 고려할 수 있겠다.

(1) 항문으로 접근한 수술 방법

항문으로 접근하는 수술법은 괄약근 손상이 없는 직장질루에 적합한 수술법이다. 임상 경험에 근거하여 수술 후 염증과 변비의 발생 확률을 낮추기 위하여 수술에 앞서 기계적 장세척을 시행한다. 크게 층층봉합법과 직장 내 전진피판법으로 나눌 수 있다.

① 층층봉합법(layered closure)

층층봉합법은 항문을 통하여 누관의 전층을 절제한 뒤 질점막은 배액을 위하여 열어두면서 직장질 중격, 근육 및 직장 점막을 차례로 층층이 봉합하는 방법이다. 이때, 가장 중요한 것은 긴장 없이 봉합하는 것(tension-free approximation)으로 질후벽과 직장전벽을 충분히 가동화하도록 한다.

② 직장 내 전진피판법(endorectal advancement flap)

전진피판은 건강한 조직으로 안쪽 개구부를 막아 직장질루의 치료 및 재발을 방지하는 것이 그 원리이다. 누공의 안쪽 개구부의 원위부에서 U자 모양으로 경계를 만든 후 점막, 점막하조직, 원형 근육층을 포함한 전진피판을 만든 뒤 누관을 제거한다. 이후 내괄약근을 봉합한 뒤 피판을 항문쪽으로 당겨 내려 붙임으로써 안쪽 개구부를 건강한 조직으로 대체하는 효과를 기대한다.

(2) 회음부로 접근한 수술 방법

회음부로 접근하는 수술법은 4도의 회음부 열상처럼 만든 후 누관을 완전히 노출시키고 잘라낸 뒤 직장점막, 괄약근, 항문거근, 회음체, 질점막순으로 층층히 재봉합하는 방법이다. 이 방법은 직장질루와 함께 괄약근 손상이 있는 경우 같이 복원해 줄 수 있는 이점이 있다.

(3) 질을 통한 수술 방법

주로 산부인과 의사들에 의하여 이용되는 방법으로, 내번법과 층층봉합법이 있다.

① 내번법(inversion technique)

내번법은 항문쪽에서 질을 들어올려 누관을 질 쪽으로 노출시킨 후 질점막을 환상으로 절개하여 질점막을 누관으로부터 박리한 뒤 쌈지봉합을 이용하여 누공을 직장쪽으로 내번시키고 직장 근육층과 질점막을 층별로 봉합하는 방법이다.

② 층층봉합법(layered closure)

층층봉합법은 질 쪽의 누공 주위를 박리하여 누관을 절제한 뒤 직장점막, 근육, 직장질 중격, 질 점막을 단계적으로 봉합하는 방법이다.

이 외에도 최근에는 누공 내에 플러그(plug)를 삽입하거나 괄약근간 공간 내에서 누공관을 확인하여 분리한 뒤 각각 결찰하는 괄약근간 누관결찰술(LIFT) 등도 소개되고 있으나 좀 더 광범위한 경험이 필요한 실정이다.

5) 결론

직장질루는 의사뿐만 아니라 환자에게도 고통스러운 질환으로, 다양한 원인에 의해 발생할 수 있음을 반드시 고려하여야 한다. 특히, 산부인과 의사가 접하게 되는 직장질루의 대부분은 분만 손상으로 인한 경우가 많으므로, 수술 전 누공의 위치, 크기 및 항문괄약근의 손상 정도를 파악하는 것이 중요하다. 분만 손상에서 기인한 경우 수술적 치료는 높은 성공률을 보이지만 그 외의 원인이 있는 경우, 특히 염증성 장질환이나 방사선 조사, 악성종양으로부터 생긴 경우에는 단순형에 비하여 치료에 어려움이 있으므로 대장항문외과의와 긴밀한 협조하에 성공적인 치료 결과를 볼 수 있을 것이다.

참고문헌

- 김재오, 전수한. 복잡치루에 대한 괄약근보존술식. 대한대장항문학회지 1995;11:9-13.
- 박은철. 대변실금 현황 및 관리방안 연구. 대한대장항문학회. 2019.
- 박재갑. 대장항문학 제 4판, 일조각; 2012.
- 이동균. 치루의 외과적 치료. 대한대장항문학회지 2006;22:214-20.
- Aitola P, Hiltunen K, Matikainen M. Functional results of operative treatment of rectal prolapse over an 11-year period: emphasis on transabdominal approach. Dis Colon Rectum 1999;42:655-60.
- Allen-Mersh TG, Wilson EJ, Hope-Stone HF, Mann CV. The management of late radiation-induced rectal injury after treatment of carcinoma of the uterus. Surg Gynecol Obstet 1987;164:521-4.
- Altemeier WA, Culbertson WR, Schowengerdt C, Hunt J. Nineteen years experience with the one-stage perineal repair of rectal prolapse. Ann Surg 1971;173:993-1006.
- Altemeier WA, Giuseffi J, Hoxworth P. Treatment of extensive prolapse of the rectum in aged or debilitated patiens. Arch Surg 1952;65:72-80.
- Altomare DF, Binda GA, Dodi G, Torre FL, Romano G, Rinaldi M, et al. Disappointing longterm results of the artificial anal sphincter for fecal incontinence. Br J Surg 2004;91:1352-3.
- Altringer WE, Saclarides TJ, Dominguez JM, Brubaker LT, Smith CS. Four-contrast defecography: pelvic "floor-oscopy". Dis Colon Rectum 1995;38:696-9.
- Baker R, Senagore A, Luchtefeld M. Laparoscopic assisted vs open resection: rectopexy offers excellent results. Dis Colon Rectum 1995;38:199-201.
- Beahrs O, Theurkauf F, Hill J. Procidentia: surgical treatment. Dis Colon Rectum 1972;15:337-46.
- Baeten CG, Bailey HR, Bakka A, Belliveau P, Berg E, Buie WD, et al. Safety and efficacy od dynamic graciloplasty for fecal incontinence: Report of a prospective, multicenter trial. Dynamic Geaciloplasty Therapy Study Group. Dis Colon Rectum 2000;43:743-51.
- Beck DE, Wexner SD. Fundamentals of Anorectal Surgery. 2nd ed. Philadelphia: W.B. Saunders; 1998.
- Beck DE, Whitlow CB. Rectal prolapse and intussusception. In: Beck DE, editor. Handbook of colorectal surgery. 2nd ed. New York: Marcel Dekker; 2003. p.301-24.
- Boreham MK, Richter HE, Kenton KS, Nager CW, Gregory WT, Aronson MP, et al. Anal incontinence in women presenting for gynecologic care: prevalence, risk factors, and impact upon quality of life. Am J Obstet Gynecol 2005;192:1637-42.
- Broden B, Snellman B. Procidentia of the rectum studied with cineradiography: a contribution to the discussion of causative mechanism. Dis Colon Rectum 1968;11:330-47.
- Brown AJ, Nicol L, Anderson JH, McKee RF, Finlay IG. Prospective study of the effect of rectopexy on colonic motility in patients with rectal prolapse. Br J Surg 2005;92:1417-22.
- Bruch HP, Herold A, Schiedeck T, Schwandner O. Laparoscopic surgery for rectal prolapse and outlet obstruction. Dis Colon Rectum 1999;42:1189-94.
- Bryant CL, Lunniss PJ, Knowles CH, Thaha MA, Chan CLH. Anterior resection syndrome. Lancet Oncol 2012;13:e403-8.
- Chew SS, Rieger NA. Transperineal repair of obstetric-related anovaginal fistula. Aust N Z J Obstet Gynaecol 2004;44:68-71.
- Davila GW, Ghoniem GM and Wexner SD. Pelvic Floor Dysfunction:a Multidisciplinary Approach. London: Springer-Verlag; 2006.
- de Hoog DENM, Heemskerk J, Nieman FHM, van Gemert WG, Baeten CG, Bouvy ND. Recurrence and functional results after open versus conventional laparoscopic versus robot-assisted laparoscopic rectopexy for rectal prolapse: a case-control study. Int J Colorectal Dis 2007;24:1201-6.
- Deen KI, Grant E, Billingham C, Keighley MR. Abdominal resection rectopexy with pelvic floor repair versus perineal rectosigmoidectomy and pelvic floor repair for fullthickness rectal prolapse. Br J Surg 1994;81:302-4.
- D'Hoore A, Cadoni R, Penninckx F. Long-term outcome of laparoscopic ventral rectopexy for total rectal prolapse. Br J Surg 2004;91:1500-5.
- Delorme E: On the treatment of total prolapse of the rectum by excision of the rectal mucous membranes. Bull Mem Soc-

Chir Paris 1900;26:499.
- Dietzen C, Pemberton J. Perineal approaches for the treatment of complete rectal prolapse. Neth J Surg 1989;41:140-4.
- Dvorkin LS, Chan CLH, Knowles CH, Williams NS, Lunniss PJ, Scott SM. Anal sphincter morphology in patients with full-thickness rectal prolapse. Dis Colon Rectum 2004;47:198-203.
- Felt-Bersma RJ, Janssen JJ, Klinkenberg-Knol EC, Hoitsma HF, Meuwissen SG. Soiling: anorectal function and results of treatment. Int J Colorectal Dis 1989;4:37-40.
- Frykman HM, Goldberg SM. The surgical treatment of rectal procidentia. Surg Gynecol Obstet 1969;129:1225-30.
- Frykman HM. Abdominal proctopexy and primary sigmoid resection for rectal procidentia. Am J Surg 1955;90:780-9.
- Goldberg SM, Gordon PH. Treatment of rectal prolapse. Clin Gastroenterol 1975;4:489-504.
- Hamalainen KJ, Raivio P, Antila S, Palmu A, Mecklin JP. Biofeedback therapy in rectal prolapse patients. Dis Colon Rectum 1996;39:262-5.
- Heemskerk J, de Hoog DENM, van Gemert WG, Baeten CGMI, Greve JWM, Bouvy ND. Robot-assisted vs. conventional laparoscopic rectopexy for rectal prolapse: a comparative study on costs and time. Dis Colon Rectum 2007;40:1825-30.
- Hiltunen K, Matikainen M, Auvinen O, Hietanen P. Clinical and manometric evaluation of anal sphincter function in patients with rectal prolapse. Am J Surg 1986;151:489-92.
- Homsi R, Daikoku NH, Littlejohn J, Wheeless CR, Jr. Episiotomy: risks of dehiscence and rectovaginal fistula. Obstet Gynecol Surv 1994;49:803-8.
- Howard D, DeLancey JO, Burney RE. Fistula-in-ano after episiotomy. Obstet Gynecol 1999;93:800-2.
- Huber F, Stein H, Siewert J. Functional results after treatment of rectal prolapse with rectopexy and sigmoid resection. World J Surg 1995;19:138-43.
- Hwang Y, Person B, Choi JS, Nam YS, Singh JJ, Weiss EG, et al. Biofeedback therapy for rectal intussusception. Tech Coloproctol 2006;10:11-5.
- Joh HK, Seong MK, Oh SW. Fecal incontinence in elderly Korean. J Am Geriatr Soc 2010;58:116-21.
- Juul T, Ahlberg M, Blondo S, Espin E, Jimenez LM, Matzel KE, et al. Low anterior resection syndrome and quality of life: an international mulricenter study Dis Colon Rectum 2014;57:585-91.
- Kairaluoma M, Kellokumpu I. Epidemiologic aspects of complete rectal prolapse. Scand J Surg 2005;94:207.
- Keighley M, Fielding J, Alexander-Williams J. Results of Marlex mesh abdominal rectopexy for rectal prolapse in 100 consecutive patients. Br J Surg 1983;70:229.
- Kim CW, Jeong WK, Son GM, Kim IY, Park JW, Jeong S, et al. Validation of Korean version of low anterior resection syndrome score questionnaire. Ann Coloprotocol 2020;36:83-7.
- Kim DS, Tsang CB, Wong WD, Lowry AC, Goldberg SM, Madoff RD. omplete rectal prolapse: evolution of management and results. Dis Colon Rectum 1999;42:460-6.
- Kim DW, Yoon HM, Park JS, Kim YH, Kang SB. Radiofrequency energy delivery to tha nal canal: Is it a promising new approach to the treatment of fecal incontinence? Am J Surg 2009;197:14-8.
- Kim KH, Yu CS, Yoon YS, Yoon SM, Lim S, Kim JC. Effectiveness of biofeedback therapy in the treatment of anterior resection syndrome after rectal cancer surgery. Dis Colon Rectum 2011;54:1107-13.
- Kimmins MH, Evetts BK, Isler J, Billingham R. The Altemeier repair outpatient treatment of rectal prolapse. Dis Colon Rectum 2001;44:565-70.
- Kimose HH, Fischer L, Spjeldnaes N, Wara P. Late radiation injury of the colon and rectum. Surgical management and outcome. Dis Colon Rectum 1989;32:684-9.
- Kiyasu Y, Tsunoda A, Takahashi T, Nomura M. laparoscopic ventral rectopexy with sacrocolpopexy for coexisting pelvic organ prolapse and external rectal prolapse. J Anus Rectum Colon 2017;1:141-6.
- Kodner IJ, Mazor A, Shemesh EI, Fry RD, Fleshman JW, Birnbaum EH. Endorectal advancement flap repair of rectovaginal and other complicated anorectal fistulas. Surgery 1993;114:682-9.
- Kranawetter M, Ataseven B, Grimm C, Schneider S, Riss S, Alesina P, et al. Low anterior resection syndrome (LARS) in patients with epithelial ovarian cancer after primary debulking surgery. Gynecol Oncol 2019;154:577-82.
- Lechaux JP, Lechaux D, Perez M. Results of Delorme's procedure for rectal prolapse: advantages of a modified technique. Dis Colon Rectum 1995;38:301-7.
- Lee S, Lakhtaria P, Canedo J, Lee Y, Wexner SD. Outcome of laparoscopic rectopexy versus perineal rectosigmoidectomy for full-thickness rectal prolapse in elderly patients. Surg Endosc 2011;25:2699-702.
- Madoff R, Mellgren A. One hundred years of rectal prolapse surgery. Dis Colon Rectum 1999;42:441.
- Mollen R, Kuijpers H, van Hoek F. Effects of rectal mobilization and lateral ligaments division on colonic and anorectal function. Dis Colon Rectum 2000;43:1283-7.
- Morgan C, Porter N, Klugman D. Ivalon sponge in the repair of complete rectal prolapse. Br J Surg 1972;59:841-6.
- Moschcowitz A. The pathogenesis, anatomy and cure of prolapse of the rectum. Surg Gynecol Obstet 1912;15:7-21.

- Neill M, Parks A, Swash M. Physiological studies of the anal sphincter musculature in faecal incontinence and rectal prolapse. Br J Surg 1981;68:531-6.
- Nelson R, Norton N, Cautley E, Furner S. Communioty-based prevalence of anal incontinence. JAMA 1995;274:559-61.
- Norton C, Whitehead WE, Bliss DZ, Harari D, Lang J. Conservative mangement of fecal incontinence in adults. Committee of the internatinoal consultation on incontinence. Management of fecal incontienece in adults. Neurourol Urodyn 2010;29:199-206.
- Novell JR, Osborne MJ, Winslet Mc, Lewis AA. Prospective randomized trial of Ivalon sponge versus sutured rectopexy for full-thickness rectal prolapse. Br J Surg 1994;81:904-6.
- Nowacki MP. Ten years of experience with Parks' coloanal sleeve anastomosis for the treatment of post-irradiation rectovaginal fistula. Eur J Surg Oncol 1991;17:563-6.
- Park JG. Coloproctology. 4th ed. Seoul: Ilchogak 2012.
- Parks A, Swash M, Urich H. Sphincter denervation in anorectal incontinence and rectal prolapse. Gut 1977;18:656-65.
- Penfold J, Hawley P. Experiences of Ivalon sponge implant for complete rectal prolapse at St Mark's Hospital. Br J Surg 1972;59:846-8.
- Rahman MS, Al-Suleiman SA, El-Yahia AR, Rahman J. Surgical treatment of rectovaginal fistula of obstetric origin: a review of 15 years' experience in a teaching hospital. J Obstet Gynaecol 2003;23:607-10.
- Renzi A, Izzo D, Sarno GD, De luri A, Bucci L, Izzo G, et al. Cinedefecographic findings in patients with obstructed defecation syndrome: a study in 420 cases. Minerva Chir 2006;61:493-9.
- Riansuwan W, Hull TL, Bast J, Hammel JP, Church JM. Comparison of perineal operations with abdominal operations for full-thickness rectal prolapse. World J Surg 2010;34:1116-22.
- Ripstein CB. Surgical treatment of rectal prolapse. Pac Med Surg 1967;75:329-32.
- Rojanasakul A, Pattanaarun J, Sahakitrungruang C, Tantiphlachiva K. Total anal sphincter saving technique for fistula-in-ano; the ligation of intersphincteric fistula tract. J Med Assoc Thai 2007;90:581-6.
- Saclarides TJ. Rectovaginal fistula. Surg Clin North Am 2002;82:1261-72.
- Safar B, Vernava A. Abdominal approaches for rectal prolapse. Clin Colon Rectal Surg 2008;21:94-9.
- Sayfan J, Pinho M, Alexander-Williams J, Keighley MR. Sutured posterior abdominal rectopexy with sigmoidectomy compared with Marlex rectopexy rectal prolapse. Br J Surg 1990;77:143-5.
- Schultz I, Mellgren A, Oberg M, Dolk A, Holmström B. Whole gut transit is prolonged after Ripstein rectopexy. Eur J Surg 1999;165:242-7.
- Seow-Choen F, Nicholls RJ. Anal fistula. Br J Surg 1992;79:197-205.
- Sielezneff I, Malouf A, Cesari J, Brunet C, Sarles JC, Sastre B. Selection criteria for internal rectal prolapse repair by Delorme's transrectal excision. Dis Colon Rectum 1999;42:367-73.
- Solomon M, Young C, Eyers A, Roberts RA. Randomised clinical trial of laparoscopic versus open abdominal rectopexy for rectal prolapse. Br J Surg 2002;89:35-9.
- Speakman C, Madden M, Nicholls R, Kamm MA. Lateral ligament division during rectopexy causes constipation but prevents recurrence: results of a prospective randomized study. Br J Surg 1991;78:1431-3.
- Spencer R. Manometric studies in rectal prolapse. Dis Colon Rectum 1984;27:523-5.
- Sultan AH, Thakar R. Lower genital tract and anal sphincter trauma. Best Pract Res Clin Obstet Gynaecol 2002;16:99-115.
- Sun WM, Read NW, Verlinden M. Effects of loperamide oxide on gastrointestinal trnasit time and anorectal function in patients with chronic diarrhoea and faecal incontinence. Scand J Gastroenterol 1997;32:34-8.
- Theuerkauf FJ, Beahrs OH, Hill JR. Rectal prolapse: causation and surgical treatment. Ann Surg 1970;171:819-32.
- Tjandra JJ, Lim JF, MAtzel K. Sacral nerve stimulation: an emerging tgreatment for fecal incontinence. ANZ J Surg 2004;74:1098-106.
- Wexner SD, Fleshman JW. Colon and rectal surgery: Anorectal operations. Philadelphia: Lippincott Williams & Wilkins Inc; 2012.
- Whitehead WE, Wald A, Norton NJ. Treatment options for fecal incontinence. Dis Colon Rectum 2001;44:131-44.
- Wolff BG, Fleshman JW, Beck DE, Pemberton JH, Wexner SD. The ASCRS textbook of Colon and Rectal Surgery. New York: Springer; 2007.
- Woods R, Voyvodic F, Schloithe A, Sage MR, Wattchow DA. Anal sphincter tears in patients with rectal prolapse and faecal incontinence. Colorectal Dis 2003;5:544-8.
- Yoshioka K, Ogunbiyi O, Keighley M. Pouch perineal rectosigmoidectomy gives better functional results than conventional rectosigmoidectomy in elderly patients with rectal prolapse. Br J Surg 1998;85:1525-6.

부인과 진료 영역에서의 윤리적 · 법적 문제

제44장 **의료윤리와 법 (총론적 고찰)**

제45장 **의료윤리와 법 (각론적 고찰)**

제46장 **진료의 의료법적평가**

제44장

의료윤리와 법 (총론적 고찰)

이충훈 | 경기도의료원 수원병원
김재연 | 전주에덴산부인과

1. 의료윤리

사람이 마땅히 행하거나 지켜야 할 도리를 윤리라고 하며, 의료윤리는 의료인이 마땅히 행하거나 지켜야 할 도리를 말한다. 의료윤리는 개인적인 윤리 이상의 사회적 공감대와 합리성에 기여하는 사회윤리의 영역이다. 따라서 의료윤리는 인문, 사회과학 및 의료정책적 사고를 의료행위와 결부시켜 폭넓게 다루어져야 한다.

의료윤리는 실천윤리이며 각기 다른 성격을 갖는 생명윤리(Bioethics), 임상윤리(Clinical ethics), 전문직윤리(Professional ethics)로 나눌 수 있다.

생명윤리는 사람의 생명에 관한 생명과학기술과 관련된 윤리 문제를 다룬다. 배아줄기세포, 유전자검사, 장기이식, 시험관아기, 임상시험 등이 여기에 속한다. 임상윤리는 주로 의료인과 환자 사이에서 일어나는 갈등을 다룬다. 의사와 환자와의 관계, 충분한 설명에 근거한 동의에 의한 진료, 환자와 의사간의 진실 말하기, 환자의 비밀엄수 등 의료인이 갖추어야 할 윤리적인 내용과 관련이 있다. 연명치료중단, 한정된 자원의 배분 등이 여기에 속한다. 전문직윤리는 의사가 갖춰야 할 직업윤리를 말한다. 환자에게 진실 말하기, 환자의 사생활 보호, 환자의 비밀보호, 환자의 이익 우선하기, 이해상충의 관리, 의료자원의 절약 등이 여기에 속한다(정유석 등, 2008).

그러나 전문직윤리는 의사의 일상적 의료행위와 직접적으로 관련되어 있어 그 전달 과정에서는 법적 측면에 대한 고려가 더 중요하다. 따라서 의료윤리는 의료행위에 대하여 윤리적 쟁점만을 논하는 것보다는 현행 법령 하에서 의료행위가 어떻게 평가되는지를 검토해 보아야 한다(박형욱 등, 2008).

2. 의료윤리의 4개 원칙

Beauchamp 등(2008)이 의료윤리적인 문제에 대하여 이를 분석하고 결론을 내릴 수 있도록 주창한 '의료와 윤리의 4개 원칙(Principles of biomedical ethics)'이 있다. 이 4개 원칙은 자율성 존중의 원칙, 악행 금지의 원칙, 선행의 원칙, 정의의 원칙이다.

1) 자율성 존중의 원칙

개인은 누구나 자신의 일을 스스로 결정할 자율권을 가지며, 그것이 타인에게 피해를 주지 않는 한 어느 누구도 그 권리를 침해해서는 안 된다. 모든 인간은 존엄한 인격체로서 자신이 처한 다양한 상황 속에서 독립적으로 자신의 신념과 자유로운 의사에 따라 결정할 기본적 권리를 지니며 그러한 결정에 따른 행위가 다른 사람의 기본적 권리를 침해하지 않는 한 최대한 존중되어야 한다(손영수, 2010).

환자의 자율성 보장은 충분한 정보에 근거한 동의(Informed consent)이다. 의사는 환자에게 자율성 존중에 의한 정보 공개, 동의 획득, 신뢰, 사생활 보호 등의 의무를 진다.

의사는 이성적인 개인의 자율적인 선택을 존중하기 위해 의료행위를 하기 전에 충분한 정보를 주고 환자의 자율적인 의지에 따른 동의를 얻어야 한다. 하지만 전문지식을 가지고 있지 못한 환자의 경우 환자의 동의가 진정한 동의인가, 또한 의미 있는 동의를 위해서는 어느 정도까지 의료행위에 대한 정보를 알려주어야 하는 것인가도 문제가 된다.

2) 악행 금지의 원칙

악행이란 넓게는 명예, 재산, 사생할, 자유 등의 훼손이나 좁은 의미로는 신체적, 심리적 이해관계의 훼손을 의미한다. 악행 금지란 환자에게 해를 입히거나, 환자의 상태를 악화시키는 의료행위 또는 인체실험이나 치료는 하지 말라는 것이다.

3) 선행의 원칙

선한 일을 위해 의술을 사용하라는 것이며 온정적 간섭주의(paternalism)가 관여된다. 악행금지의 원칙이 어떤 행위를 하지 말라는 소극적 의미를 가진다면, 선행의 원칙은 어떤 행위를 하라는 적극적인 의미를 갖는다.

온정적 간섭주의는 의사가 환자의 병에 대하여 가장 잘 알고 있는 반면, 환자는 자신의 병에 대한 정보가 거의 없다는 전제에서 시작된다. 그렇기 때문에 선행의 원칙이 자율성 존중의 원칙과 부딪치는 경우를 흔히 본다. 예를 들어 환자가 수혈을 하지 않는다면 치명적인 결과가 초래될 경우나 종교적인 문제로 거부할 경우에도 수혈을 하여야 하는가 등의 문제이다.

4) 정의의 원칙

모든 재화의 분배는 정의로워야 한다는 것이며, 의료 현장에서 사회의 정의가 어떻게 실현되어야 하는가이다. 의료자원의 공정한 배분과 약자 및 소수자 인권의 보호와 관련하여 경제적 지불 능력과 관계없이 의료에 대한 최소한의 권리를 가진다는 것이다. 한정된 의료 자원을 어떻게 나누는 것이 정의로운지에 대하여는 개인의 가치관에 따라 달라질 수 있다(임영호, 2015). 이식할 장기를 어떻게 배분할 것인가를 정하는 문제가 여기에 해당한다.

우리가 진료 현장에서 부딪히는 윤리적인 문제들을 어떻게 해석하고 결정을 해야 할지는 위 4개 원칙에 대입시켜 보면서 이에 부합하는지를 생각해 보아야 한다(이명진, 2014).

3. 히포크라테스의 선서, 의사윤리 강령, 의사윤리 지침

'히포크라테스 선서'는 BC 5세기경 히포크라테스 학파에 의해 만들어졌으며 후대에까지 전해 내려와 의사들이 지켜야할 전문 직업성과 의료윤리의 기초를 이루고 있다. 현 시대에도 히포크라테스의 선서가 의료윤리의 근본 원칙으로 적용되고 있다. 그러나 의학의 발달과 함께 원래의 히포크라테스 선서는 시대의 요구에 맞게 문구의 개정이 이루어져 현재 문구는 1948년 스위스 제네바에서 개최된 제2차 세계의사회(World Medical Association, WMA)에서 개정된 제네바 선언이며, 1968년 시드니 제22차 세계의사회에서 수정되고 2006년 프랑스 제173차 세계의사회에서 편집되었다. 제네바 선언은 현 시대에 맞지 않거나 부족한 히포크라테스 선서를 현대화하기 위하여 개정된 것이다(이명진, 2012).

다만 오랫동안 지켜 온 의사의 계율은, 예컨대 임신중절의 허용이나 비밀 준수의무, 시기(始期)와 종기(終期)에 대한 내용은 이미 효력을 잃은 것도 적지 않다. 그러므로 히포크라테스적 의료윤리만으로는 현대의학이 제기하는 새로운 문제와 갈등을 해결할 수 없다. 최근 들어 신 의료기술과 의료기기의 발달로 현대의학에서 요구되는 인간 존엄의 보호나 유전학적 출생의 비밀 등 알 권리와 같은 문제는 히포크라테스가 알지 못한 새로운 윤리적 의무를 부과하고 있다. 의사와 환자 사이의 관계도 전통적 의료윤리에 따른 배려 원칙보다는 환자 자치의 사상에 의하여 지배되는 방향으로 전환되고 있다(김민중, 2011).

【히포크라테스 선서】

1948년 스위스 제네바, 제2차 세계의사회 채택
1968년 호주 시드니, 제22차 세계의사회 개정
1983년 이탈리아 베니스, 제35차 세계의사회 수정
1994년 스웨덴 스톡홀름, 제46차 세계의사회 수정
2005년 프랑스 디본느 레 방, 제170차 세계의사회 수정
2006년 프랑스 디본느 레 방, 제 173차 세계의사회 수정

이제 의업에 종사할 허락을 받음에:

- 나의 생애를 인류 봉사에 바칠 것을 엄숙히 서약하노라.
- 나의 은사에 대하여 존경과 감사를 드리겠노라.
- 나의 양심과 위엄으로서 의술을 베풀겠노라.
- 나의 환자의 건강을 첫째로 생각하겠노라.
- 나는 환자가 알려준 모든 비밀을 환자가 사망한 후까지라도 지키겠노라.
- 나는 의업의 고귀한 전통과 명예를 유지하겠노라.
- 나는 동업자를 형제처럼 생각하겠노라.
- 나는 인종, 종교, 국적, 정당정파 또는 사회적 지위 여하를 초월하여 오직 환자에게 대한 나의 의무를 지키겠노라.
- 나는 인간의 생명을 지상의 것으로 존중히 여기겠노라.
- 비록 위협을 당할지라도 나의 지식을 인도에 어긋나게 쓰지 않겠노라.

이상의 서약을 나의 자유의사로 나의 명예를 받들어 하노라.

대한의사협회에서는 "의사윤리강령"과 "의사윤리지침"을 제정하여 의사윤리의 지침으로 삼고 있다.

【의사윤리강령(Doctors Ethics)】

제정: 1997 .04 .12
개정: 2006. 04. 22
개정: 2017. 04. 23

01 의사는 인간의 존엄과 가치를 존중하며, 의료를 적정하고 공정하게 시행하여 인류의 건강을 보호 증진함에 헌신한다.

02 의사는 의학적으로 인정된 지식과 기술을 기반으로 전문가적 양심에 따라 진료를 하며, 품위와 명예를 유지한다.

03 의사는 새로운 의학지식·기술의 습득과 전문 직업성 함양에 노력하며, 공중보건의 개선과 발전에 이바지한다.

04 의사는 환자와 서로 신뢰하고 존중하는 관계를 유지하며, 환자의 최선의 이익과 사생활을 보호하고, 환자의 인격과 자기결정권을 존중한다.

05 의사는 환자의 알 권리를 존중하며, 직무상 알게 된 환자의 비밀과 개인정보를 보호한다.

06 의사는 환자에 대한 최선의 진료를 위해 모든 동료의료인을 존경과 신의로써 대하며, 환자의 안전과 의료의 질 향상을 위해 함께 노력한다.

07 의사는 국민 건강 증진과 삶의 질 향상을 위해 기여하며, 의료자원을 적절히 사용하고, 바람직한 의료 환경과 건강한 사회를 확립하기 위해 법과 제도를 개선하도록 노력한다.

08 의사는 의료정보의 객관성과 신뢰성 확보를 위해 노력하며, 개인적 이익과 이해상충을 적절히 관리함으로써 환자와 사회의 신뢰를 유지한다.

09 의사는 사람의 생명과 존엄성을 보호하고 존중하며, 죽음을 앞둔 환자의 고통을 줄이고, 환자가 인간답게 자연스런 죽음을 맞을 수 있도록 최선을 다한다.

10 의사는 사람 대상 연구에서 연구 참여자의 권리, 안전, 복지를 보호하며, 연구의 과학성과 윤리성을 유지하여 의학 발전과 인류의 건강 증진에 기여한다.

우리 의사는 위의 의사윤리강령을 자유의사에 따라 성실히 이행할 것을 엄숙히 선언한다.

【의사윤리지침】

제정 2001. 04. 19.
개정 2006. 04. 22.
개정 2017. 04. 23.

제1조(목적) 이 〈의사윤리지침〉은 대한의사협회가 제정, 공포한 〈의사윤리강령〉의 기본정신을 구체적으로 규정하여 의사가 신뢰와 존경을 받으면서 학문에 기초하여 양심과 전문적 판단에 따라 환자를 진료하며 윤리적인 의료를 펼칠 수 있도록 함으로써 인류의 생명과 건강을 보호하고 인권을 신장하는데 기여함을 목적으로 한다.

제2조(지침에 대한 의무) 대한의사협회 및 회원은 의사윤리지침을 준수하여야 한다.

제1장 의사의 일반적 윤리

제3조(의사의 사명과 본분) 의사는 고귀한 사람의 생명과 건강을 보전하고 증진하는 숭고한 사명의 수행을 삶의 본분으로 삼아, 모든 의학 지식과 기술을 인류의 복리 증진을 위하여 사용하여야 한다.

제4조(최선의 의료행위 및 교육이수)
① 의사는 주어진 상황에서 최선의 의료를 시행하도록 노력하여야 한다.
② 의사는 새로운 의학 지식과 기술을 끊임없이 습득하고 연마하며, 그에 따르는 사회적, 윤리적 문제를 이해하고, 그 해결을 위하여 노력하여야 한다.

제5조(공정한 의료 제공)
① 의사는 의료가 모든 사람에게 공정하게 제공될 수 있도록 최선의 노력을 기울여야 한다.
② 의사는 환자의 인종과 민족, 나이와 성별, 직업과 직위, 경제상태, 사상과 종교, 사회적 평판 등을 이유로 의료에 차별을 두어서는 안 된다.
③ 의사는 진료 순위를 결정하거나 의료자원을 배분할 때 의학적 기준 이외에 정치적·경제적·사회적 조건 등을 고려하여서는 안 된다.

제6조(품위 유지)
① 의사는 의사윤리지침을 준수하고, 사회 상규를 지키며, 의료의 전문성을 지키는 등 의료인으로서 품위를 유지하여야 한다.
② 의사는 의료행위뿐 아니라, 인터넷, 소셜 미디어, 저서, 방송활동 등을 통한 언행에 있어 품위를 유지하여야 한다.

제7조(진료에 임하는 의사의 정신적, 육체적 상태)
① 의사는 마약, 음주, 약물 등으로 인하여 환자의 생명과 신체에 위해를 가져올 수 있는 상태에서 진료를 하여서는 안 된다.
② 의사는 자신의 정신적 또는 육체적 질병으로 인하여 환자의 생명과 신체에 위해를 가져올 수 있는 상태에서 진료를 하여서는 안 된다.

제8조(의사의 사회적 책무) 의사는 인간의 생명, 건강, 삶의 질 향상을 위하여 노력하여야 하며, 법과 제도를 개선하여 바람직한 의료 환경과 사회체계를 확립하는데 이바지 한다.

제9조(의무기록 등의 정확한 기록)
① 의사는 의무기록과 진단서를 정확하고 성실하게 작성하여야 한다.
② 의사는 환자가 요청하는 경우, 환자의 진료를 위하여 불가피한 경우 이외에는 의무기록을 확인할 수 있게 하여야 한다.
③ 의사는 환자의 동의나 법률적 근거 없이 제3자에게 환자의 진료에 관한 사항을 알게 하여서는 안 된다.
④ 의사는 의무기록을 고의로 위조, 변조, 누락, 추가 등 사실과 다르게 기재하여서는 안 된다.

제10조(의료인 양성의 의무) 의사는 후학들의 교육 및 임상능력 증진과 전문적 덕성 함양을 위하여 노력하여야 한다.

제2장 환자에 대한 윤리

제11조(의사와 환자의 상호 신뢰)
① 의사는 환자와 서로 신뢰하고 존중하는 관계가 유지되도록 노력하여야 한다.
② 의사는 환자의 자율적인 의사를 최대한 존중하고, 환자의 권익이 보장될 수 있도록 최선의 노력을 다하여야 한다.
③ 의사는 환자가 본인의 의사를 표명하기 어려운 심각한 정신질환이나 의식불명의 상태인 경우, 가족 등 환자 대리인의 의사와 판단을 존중하되, 환자의 평소 의사와 이익이 최대한 존중되고 보장되도록 노력하여야 한다.
④ 의사는 환자가 미성년자인 경우 환자 본인 및 환자 대리인의 의사를 확인하여, 환자의 이익이 최대한 존중되고 보장되도록 노력하여야 한다.
⑤ 의사는 환자의 의사와 이익을 최대한 존중·보장하기 위하여 삶과 죽음에 대한 환자의 가치관과 태도를 미리 알고자 하는 노력을 하여야 한다.

【의사윤리지침】

제12조(환자의 인격과 사생활 존중)
① 의사는 환자를 단순히 치료의 대상으로 여기는 것이 아니라 인격을 가진 존재로 대우하여야 한다.
② 의사는 환자의 사생활을 존중하여야 하며, 치료목적 이외에 불필요하게 침해해서는 안 된다.
③ 의사는 성적으로 수치심을 느낄 수 있는 신체 부위를 진찰할 때 환자가 원하는 경우 제3자를 입회시켜야 한다.
④ 의사는 진료 관계가 종료되기 이전에는 환자의 자유의사에 의한 경우라 할지라도 환자와 성적 접촉을 비롯하여 애정 관계를 가져서는 안 된다.

제13조(환자의 선택권 존중 등)
① 의사는 자신의 환자를 기망하여 다른 의사에게 진료를 맡겨서는 안 된다.
② 의사는 진료의 일부를 다른 의사에게 맡길 경우에는 그 필요성과 해당 의사의 전문 분야, 경력 등에 관하여 환자에게 설명해 주어야 한다.

제14조(진료의 거부금지 등)
① 의사는 진료의 요구를 받은 때에는 이를 거부해서는 안 된다. 다만, 진료에 지속적으로 협조하지 않거나 의학적 원칙에 위배되는 행위를 요구하는 등 정당한 사유가 있을 경우에는 그러하지 아니하다.
② 의사는 환자의 진료에 필수적인 인력, 시설 등을 갖추지 못한 경우 환자를 타 의료기관으로 전원해야 한다.
③ 의사는 환자를 진료하기 위하여 상당한 시간이 지체될 것으로 예상되는 경우에는 환자 또는 보호자에게 충분한 설명을 한 후 타 의료기관으로 전원을 권유할 수 있다.

제15조(환자의 알 권리와 의사의 설명 의무)
① 의사는 긴급한 경우나 환자에게 기타 특별한 상황이 없는 한, 진료를 시행함에 있어서 질병상태, 예후, 치료의 필요성, 의료행위의 내용, 효과, 위험성 및 후유증 등에 대하여 설명하여야 한다.
② 의사는 환자 진료 중에 예상하지 못한 문제나 결과가 발생하였을 경우 이에 대해 환자나 보호자에게 설명하여야 한다.
③ 의사는 환자가 결정하기 어려운 경우에는 제1항의 내용을 가족 등 환자의 대리인에게 설명하여야 한다.
④ 의사가 제1항의 설명을 환자에게 하는 것으로 인하여 환자의 불안감을 가중하는 등의 정서적 문제를 일으킬 수 있고, 이로 인하여 향후 치료 진행이나, 건강 회복에 나쁜 영향이 미칠 수 있다고 판단되는 경우에는 가족 등 대리인에게 설명할 수 있다.

제16조(회복 불능 환자의 진료 중단)
① 의사는 의학적으로 회생의 가능성이 없는 환자의 경우라도 생명유지치료를 비롯한 진료의 중단이나 퇴원을 결정하는 데 신중하여야 한다.
② 의학적으로 회생의 가능성이 없는 환자나, 가족 등 환자의 대리인이 생명유지치료를 비롯한 진료의 중단이나 퇴원을 명시적으로 요구하는 경우, 의사가 의학적으로 무익하거나 무용하다고 판단하는 생명유지치료에 대하여 그러한 요구를 받아들이는 것은 허용된다. 그러나 통증 완화를 위한 의료행위와 영양분 공급, 물 공급, 산소의 단순 공급은 시행하지 않거나 중단되어서는 안 된다.
③ 의사의 충분한 설명과 설득 이후에도 환자, 또는 가족 등 환자 대리인이 회생의 가능성이 없는 환자에 대하여 의학적으로 무익하거나 무용한 진료를 요구하는 경우, 의사는 그것을 받아들이지 않을 수 있다.

제17조(환자 비밀의 보호)
① 의사는 그 직무상 알게 된 환자의 비밀을 보호하여야 한다.
② 의사가 환부 촬영 등 의무기록상 필요한 사항 이외의 진료장면을 촬영하는 경우에는 사전에 환자의 동의를 받아야 한다.
③ 의사는 미성년 환자의 진료에 필요하다고 판단하는 경우 부모 나이에 준하는 보호자에게 진료에 관한 사항을 알릴 수 있다.
④ 의사는 환자가 자신이나 다른 사람에게 심각한 위해를 가할 명백한 의도를 가지고 있고, 그 계획이 구체적인 경우 위해를 방지하기 위하여 불가피하다고 판단되는 경우에는 환자의 비밀을 제3자에게 알릴 수 있다.
⑤ 의사는 의학적 조사 및 연구 등을 수행함에 있어 환자의 개인정보를 보호하여야 한다.

제18조(응급의료 및 이송) 의사는 응급환자에 대하여 자신의 능력 범위 내에서 필요한 최선의 의료를 시행하여야 한다. 다만, 자신의 능력과 시설로는 그 환자에 대하여 적정한 응급의료를 행할 수 없다고 판단한 때에는 지체 없이 그 환자를 치료가 가능한 다른 의료기관으로 이송하여야 한다.

제3장 동료 보건의료인에 대한 윤리

제19조(동료 의료인 등의 존중)
① 의사는 환자에 대한 최선의 진료를 위해 의료 현장에 함께 일하는 모든 사람을 존중하고 신뢰하여야 한다.
② 의사는 동료 의료인이 수행하는 직무의 가치와 내용을 이해하여야 하며, 상호간에 협력적인 직무관계를 이루도록 노력을 다하여야 한다.

제20조(정당한 지시·조언 존중) 의사는 의료행위와 관련하여 상급자와 동료의 정당한 지시나 조언을 존중하여야 한다.

【의사윤리지침】

제21조(근무환경 개선) 의사는 환자와 의료진의 안전을 위하여 의료 현장의 근무환경과 근로조건을 적절히 유지하고 개선하는데 노력하여야 한다.

제22조(불공정 경쟁금지 등)
① 의사는 영리를 목적으로, 다른 의료기관을 이용하려는 환자를 자신의 의료기관으로 유인하거나 대가를 지급하고 제3자로부터 소개·알선을 받는 행위를 하여서는 안 된다.
② 의사 및 의료기관은 환자를 유치할 목적으로 차량 운행, 진료비 할인 등 진료와 직접적인 관계가 없는 편의 제공과 같은 불공정한 행위를 하여서는 안 된다.

제23조(동료 의사의 잘못에 대한 대응)
① 의사는 동료 의사가 의학적으로 인정되지 않는 의료행위를 시행하거나 이 지침에서 금지하고 있는 행위를 하는 경우 그것을 바로잡도록 노력하여야 한다.
② 전 항의 노력에는 의료기관, 의사회, 전문학회 등의 윤리위원회나 대한의사협회 윤리위원회에 알리는 것이 포함된다.
③ 대한의사협회 등은 제보자가 불이익을 받지 않도록 보호하여야 한다.

제24조(의사의 사회적 책무)
① 의사는 지역사회, 국가, 인류사회와 그 구성원들의 생명 보전, 건강 증진, 삶의 질 향상을 위하여 최선의 노력을 다하여야 한다.
② 의사는 의료 자원의 편성과 배분에 능동적으로 참여하여 보건의료체계를 유지·발전시키는데 기여하여야 하며, 사회의 안녕을 증진하고 미래 의료변화에 대응해야 한다.

제25조(보건의료 위기 상황 시 구호활동)
① 의사는 대규모의 감염 병이나 천재지변과 재난 등으로 다수의 환자가 발생하는 경우 개인적 또는 집단적으로 환자의 구호를 위해 가능한 자원을 동원하여 적극적인 활동을 벌여야 한다.
② 의사는 공중보건 위기 상황이 발생하였을 때 지역사회 구성원 및 이해관계자를 대상으로 적절하게 소통하고 상호 협력할 수 있어야 한다.

제4장 의사의 사회적 역할과 의무

제26조(인권 보호 의무) 의사는 진료 시 고문, 아동학대, 가정폭력, 성폭력 등 인간의 신체와 정신을 침해하는 행위를 알게 된 경우 피해자의 인권을 보호하기 위한 조치를 취하여야 한다.

제27조(의료자원의 적절한 사용) 의사는 보건의료분야에 적정한 자원이 투입되도록 하여야 하며, 투입된 의료 자원이 불필요하게 소모되지 않도록 노력하여야 한다.

제28조(부당 이득 추구 금지)
① 의사는 자신이나 자신이 소속한 의료기관의 부당한 영리 추구를 목적으로 의료행위를 하여서는 안 된다.
② 의사는 진료비 이외의 금품 등을 부당하게 요구하거나 받아서는 안 된다.
③ 의사는 어떤 이유에서든지 비 의료인에게 고용되어 환자의 이익보다 사적인 이익을 추구하는 목적으로 하는 진료행위에 가담하여서는 안 된다.

제29조(이해상충의 관리)
① 의사는 제약회사나 의료기기회사 등으로부터 진료약제와 의료기기 등의 채택 및 사용과 관련하여 금품과 향응 등 부당한 이득을 취해서는 안 된다.
② 의사는 제약회사나 의료기기회사 등으로부터 연구비나 국내외학술대회와 관련된 후원을 받을 때 그 방법과 절차가 공정하고 공개적이어야 한다.
③ 의사는 자신이 직접 운영하거나, 운영에 관여하는 회사에서 생산하는 물품(의약품, 건강식품, 진료재료, 장비 등), 혹은 자신의 고안이나 특허를 이용하여 생산되는 물품을 자신의 진료에 사용하거나 광고할 경우, 자신이 이러한 행위를 통해서 이익을 얻고 있음을 공개해야 한다.

제30조(과잉·부당진료 금지)
① 의사는 경제적 이득을 위하여 환자에게 의학적으로 불필요한 진료를 하여서는 안 된다.
② 의사는 환자나 진료비 지급기관에 허위 또는 과다한 진료비를 청구하여서는 안 된다.

제31조(허위·과대광고 등 금지)
① 의사는 법령이 허용하는 한도에서 신문, 방송, 유인물, 통신, 인터넷등과 같은 대중 매체를 이용하여 의료정보를 제공할 수 있다.
② 의사는 허위·과대광고, 다른 의사를 비방·비하하는 광고, 의사와 의료의 품위를 훼손하는 저속한 광고를 하여서는 안 된다.
③ 의사는 의료정보를 제공하는 목적으로 의료광고를 하는 경우 의학계에서 인정하지 않는 시술 명칭이나 진단 명칭 등을 사용하여서는 안 된다.

【의사윤리지침】

④ 의사는 의사 또는 의사 아닌 사람이나 단체가 국민의 건강을 해치는 허위·과장 정보를 전파하거나 광고할 경우 이를 지적하고 바로잡을 수 있도록 노력하여야 한다.

제32조(대중매체의 부당한 이용 금지)
① 의사는 방송 등 대중매체 참여 과정에서 그 목적, 내용 등을 신중하게 고려하여 전문가의 품위를 유지할 수 있도록 해야 한다.
② 의사는 의학적 지식을 정확하고 객관적으로 전달해야 하며, 의학적으로 검증되지 않은 의료행위를 안내해서는 안 된다.
③ 의사는 방송 등 대중매체 참여를 영리 목적으로 이용하거나 광고 수단으로 이용해서는 안 된다.
④ 의사는 방송 등 대중매체 참여의 대가로 금품 등을 주어서는 안 된다.

제5장 개별 의료 분야 윤리: 출산과 임종, 장기이식, 의학연구 등

제33조(태아 관련 윤리)
① 의사는 태아의 생명 보전과 건강 증진에 최선을 다하여야 한다.
② 의사는 의학적으로 적절하고 합당한 경우라도 인공임신중절수술을 시행하는데 신중하여야 하며, 산모의 건강과 태아의 생명권에 특별한 주의를 기울여야 한다.

제34조(보조생식술 관련)
① 의사는 의학적으로 질병을 회피하기 위한 경우와 같은 특별한 사유가 있는 경우를 제외하고 적극적 유전 선택을 하면 안 된다.
② 의사는 정자와 난자의 매매행위에 관여하여서는 안 된다.
③ 의사는 정자 또는 난자를 제공하는 사람의 신원을 누설하거나 공개하여서는 안 된다.

제35조(연명의료)
① 의사는 죽음을 앞둔 환자의 신체적, 정신적 고통을 줄이고 삶의 질을 향상시키는데 최선의 노력을 다하여야 한다.
② 의사는 말기환자가 품위 있는 죽음을 맞이할 수 있도록 노력하여야 한다.
③ 의사는 말기환자의 의사를 존중하여 치료가 이루어지도록 노력하여야 하며, 적절한 시기에 환자 및 가족과 함께 연명의료 결정 및 호스피스·완화의료 등에 관한 논의를 하도록 노력하여야 한다.

제36조(안락사 등 금지)
① 의사는 감내할 수 없고 치료와 조절이 불가능한 고통을 겪는 환자에게 사망을 목적으로 물질을 투여하는 등 인위적, 적극적인 방법으로 자연적인 경과보다 앞서 환자가 사망에 이르게 하는 행위를 하여서는 안 된다.
② 의사는 환자가 자신의 생명을 끊는데 필요한 수단을 제공함으로써 환자의 자살을 도와주는 행위를 하여서는 안 된다.

제37조(뇌사의 판정) 의사는 뇌사를 판정하는 경우 그 환자의 보호자에게 충분한 설명을 하고, 적법한 절차를 거쳐 신중하게 하여야 한다.

제38조(장기이식술과 공여자의 권리 보호)
① 의사는 자발적인 장기 및 신체조직 기증을 권장하는 노력을 해야 한다.
② 의사는 잠재적 장기 기증자로부터 장기 및 조직을 적출하고자 하는 경우 동의 여부를 확인하고, 유가족 등 기증 결정자가 경제적, 사회적 유인으로부터 자유롭게 의사결정을 할 수 있도록 보호해야 한다.
③ 의사는 정당한 의료행위의 대가 외에는 장기기증 및 이식에 따른 경제적 이득을 취해서는 안 된다.
④ 의사는 기증 장기의 수혜자를 선택함에 있어서 의학적인 적합성과 시급성에 기초해야 하며, 어떠한 사회, 경제, 종교, 인종적 배경이 개입해서는 안 된다.

제39조(장기 등 매매 금지)
① 의사는 장기 등 매매에 관여하거나 이를 교사·방조하여서는 안 된다.
② 의사는 진료시 장기 등의 매매 행위를 알게 된 경우 그러한 사실을 묵인하거나 은폐해서는 안 된다.

제40조(의학연구)
① 의사는 사람을 대상으로 연구를 함에 있어서, 연구 참여자의 권리, 안전, 복지를 최우선으로 고려하여야 한다.
② 의사는 사회경제적 약자들의 취약점을 이용하여 의학 연구의 대상으로 삼아서는 안 된다.
③ 의사는 기관생명윤리위원회에서 연구계획을 승인을 받은 후에 연구를 수행해야 하고, 연구 과정에서 위원회와 지속적인 협조관계를 유지하여야 한다.
④ 의사는 제약회사나 의료기기회사 등의 지원으로 연구하는 경우, 연구결과와 이의 발표에 대한 간섭을 허용해서는 아니 되며 정당한 보상 이외에 연구결과와 관련하여 보상을 받아서는 안 된다. 연구결과를 발표할 때에는 연구비 지원기관을 공개하여야 한다.

【의사윤리지침】

제41조(연구의 진실성) 의사는 연구할 때에 정확하고 검증된 연구 자료에 의거하여 연구를 수행하고 진실에 부합하는 연구결과를 도출하여 발표하여야 하며, 위조, 변조, 표절, 부당한 중복게재 등의 행위를 해서는 안 된다.

제42조(연구결과의 발표) 의사는 관련 학계에서 충분히 검증되지 않은 연구결과를 학술발표 이외의 방법으로 대중에게 광고하거나 환자의 진료에 사용하여서는 안 된다.

제6장 윤리위원회

제43조(윤리위원회 설치)
① 의료기관, 의사회, 전문학회 등은 각각의 소임에 걸맞은 윤리위원회를 두도록 한다.
② 윤리위원회는 상호간에 유기적이고 협조적인 관계를 유지하여야 한다.
③ 윤리위원회의 구성 등에 관한 사항은 대한의사협회 정관에 규정한다.

제44조(윤리위원회 역할)
① 윤리위원회의 역할은 의사들에 대한 징계보다 의료윤리의 제고에 역점을 두며, 나아가 국민의 건강권과 의사들의 진료권 신장에 이바지하여야 한다.
② 윤리위원회는 변화하는 의료 환경에 대응하기 위하여 의사윤리강령 및 지침 등을 지속적으로 연구하고, 적절한 제안을 하여야 한다.
③ 윤리위원회는 회원의 윤리의식 제고를 위해 의료윤리 교육계획을 수립하여 정기적으로 교육하여야 한다.

3. 생명윤리와 법적 규제

생명과학의 비약적인 발달은 인류의 영원한 숙원인 무병장수의 꿈을 가능하게 하고 있다. 그러나 생명과학의 발달은 언제나 규범적으로 도덕적, 윤리적, 법률적 문제를 수반하고 있으며, 생명과학의 발달에 수반하여 생명윤리에 대한 논의의 중요성이 더해지고 있다.

생명윤리의 임무는 과학 기술 발달의 방향을 제시하여 인간의 존엄과 가치를 향상시키는데 있다. 생명윤리는 생명과학 기술에 그 토대를 가지고 있으며, 법적 규제와도 매우 밀접한 연관성을 가지고 있다(최훈 등, 2015). 생명에 대한 과학기술의 위력이 커지면서 출산과 생명 문제에서 전통적으로 정신적, 도덕적 길잡이 역할을 해 온 의사들의 영향력은 줄어들고 있다.

의료윤리 또는 생명윤리의 입법화는 오늘날 세계적인 추세이다. 직업윤리에 맡겨두면 된다고 생각했던 이슈들이 점점 법적 논의의 범주로 넘어가고 있다. 사회복지 체계의 확립으로 의료에 대한 사회적 통제와 함께 규격화가 늘어나는 데도 그 원인이 있겠으나, 근본적으로는 현대 과학기술의 발전 방향이 인간존엄과 사회제도를 위협할지도 모른다는 불안감으로 법에 의존하게 된다.

법이 생명과학기술의 발전영역에서 담당해야 하는 일정한 역할은 부인할 수 없지만, 법제도 자체가 갖는 한계를 고려하면 일반인 혹은 윤리학자, 과학자들의 법에 대한 맹목적 믿음은 경계해야 한다(김재연, 2009).

생명윤리에 관한 법령으로는 ‘생명윤리 및 안전에 관한 법률’, ‘모자보건법’, ‘장기이식 등에 관한 법률’ 등이 있다. 또한 생명의료윤리와 관련된 많은 쟁점들이 의료사고에 따른 손해배상 사건으로 전환되어 민사법의 원리가 적용되기도 한다(권복규 등, 2005).

4. 진료권

1) 의사의 진료권

진료권이란 의사가 환자에게 행하는 문진과 상담, 이학적 진찰과 검사, 진단과 처방, 조제와 처치, 그리고 환자에 대한 경과 관찰과 추적 관리 등 환자를 진료하면서 일어날 수 있는 모든 의사의 행위를 포함한다.

진료행위는 의료법 제12조(의료기술 등에 대한 보호) 제1항 "의료인이 하는 의료·조산·간호 등 의료기술의 시행(의료행위)에 대하여는 이 법이나 다른 법령에 따로 규정된 경우 외에는 누구든지 간섭하지 못한다"에 의하여 의사에 의해서만 이루어지며, 의사 이외의 누구에게도 의뢰하거나 양도할 수 없다. 진료권의 법적 사회적 보장은 의사 이외의 타인으로 하여금 의사의 진료 범위를 침범하지 못하도록 규제함으로써 궁극적으로 국민건강을 수호하는 결과를 가져온다. 의사들이 의업의 임무와 소명에 충실할 수 있도록 하기 위해서는 진료 현장에서 최선의 진료를 수행할 수 있는 자유와 권한을 보장해 주어야 한다.

의사가 환자의 진료에 임하여 가능한 모든 방법으로 최선의 진료를 행하여야 하는 것은 의업의 기본 임무이며, 그 직업적 소명을 다하는 것이기도 하다. 의사는 환자에게 이익이 된다는 믿음이 있을 때는 언제든지 진단상 혹은 치료상 최선의 서비스가 제공될 수 있도록 하기 위하여 다른 의사 혹은 의료 제공자에게 환자를 의뢰하여야 한다. 특정 전문가에게 환자를 의뢰할 때, 그 전문가는 환자가 필요로 하는 서비스를 제공해 줄 수 있는 능력과 권한을 가지고 있어야 하며 필요한 서비스가 법규와 승인된 과학적 기준에 따라서 합당하게 제공될 것이라는 확신이 없는 경우에는 의뢰해서는 안 된다(박윤형 등, 2012).

의사는 모든 국민이 지니는 평등한 진료권의 보장을 위하여 정당한 사유 없이 진료를 거부할 수 없으며(의료법 제15조 제1항), 특히 응급환자에 대하여는 응급의료에 관한 법률이 정하는 바에 따라 최선의 처치를 하여야 한다.

환자는 종합병원·병원 또는 요양병원에서는 자신이 원하는 특정한 의사를 선택하여 진료를 받을 수 있는 진료 선택권을 갖는다(의료법 제46조). 이때 자유선택의 개념은 환자가 의사를 자유롭게 선택할 수 있는 권리를 보장하는 것이지만, 의사에게도 특정 개인을 환자로 받아들이는 것을 거절할 수 있는 정당한 사유가 인정되어야 할 것이다. 그러나 의사가 환자를 거절하는 경우에 있어서도 다른 의사의 진료를 받을 수 있도록 조치해 주어야 하는 것이 직업적 의무의 일환이다(박윤형 등, 2012).

한편 의사의 직업 수행의 권리는 환자의 필요에 따른 적정·최선의 진료를 받을 권리, 즉 환자의 진료권에 기인한다(김나경, 2012). 따라서 의사의 직업 수행 권리는 적정·최선의 진료라는 의료윤리적·의료법리적 평가가 수반된다.

2) 환자의 진료권

모든 환자는 국민 개개인이 가지는 '인간다운 생활을 할 권리(헌법 제34조)'의 정책 실현인 의료 및 의료보험 관련 법률의 규정에 따라 언제든지 자신의 필요에 따른 적정·최선의 진료를 받을 권리를 갖는다. 모든 국민이 차별없이 자신의 필요에 따른 적정·최선의 진료를 받을 수 있는 권리는 의료 평등 기본권의 핵심 개념이다.

최근 들어 국민들의 생활수준과 의식수준의 향상 및 정보의 다양화 등으로 병원을 찾는 환자들이 의사에게 전적으로 의탁하던 과거의 입장과는 달리 의료 서비스의 선택과 치료방법의 결정에 이르기까지 자신의 권리를 행사하고자 하는 주도적인 주체로 변화하고 있다. 인터넷의 발달로 인해 일반인들이 빠르고 폭넓게 다양하고 전문적인 정보에까지 쉽게 접근할 수 있게 되면서 환자의 권리의식이 증진되고 있다.

자신의 질병이나 자신에게 행해질 여러 가지 검사 및 약물, 앞으로의 진료 방향 등에 대한 설명을 통해 환자가 충분히 인식한다는 것이 자기결정 실현의 기본 바탕이다. 환자가 진료 과정에서 스스로 선택하고 결정하는 것은 환자 측면에서는 보다 더 적극적인 진료에 참여할 수 있게 함으로써 긍정적인 치료의 효과를 기대할 수 있게 하며, 의료진에게는 결정권을 환자 측에 내어줌으로써 필요 이상의 윤리적 고민에서 벗어날 수 있게 하는 효과가 있다. 이와 같이 설명을 기초로 한 환자중심의료로의 전환은 환자의 권리와 책임을 강화하여 환자에게는 더 나은 서비스와 건강수준 향상을, 의료 제공자에게는 질 향상과 의료사고 감소라는 이득을 줄 수 있다(김윤, 2008).

5. 환자의 권리

인간은 누구나 남녀노소, 국적, 직업, 사회적 신분, 건강 등에 관계없이 인간으로서의 존엄과 가치를 지닌다. 환자도 인간으로서 존엄과 가치를 지니며(헌법 제10조), 의료행위에서 생명, 신체, 자유, 인격을 존중받을 권리가 있다.

오래된 기본적인 의사의 윤리강령으로서 히포크라테스의 선서는 물론, 세계의사회가 채택한 선언이 명시적으로 환자의 권리를 인정하고 있는 등 국제기구나 세계 각국이 환자의 권리를 선언하여 보장하고 있는 것이 일반적 경향이다(김민중, 2011).

환자의 권리 선언의 대표적인 예는 세계의사회가 채택한 '환자의 권리에 관한 리스본 선언'이다. 이는 1981년 포르투갈 리스본에서 열린 제34차 WMA에서 채택된 후 2회의 개정, 편집을 거쳐 2015년 제200차 WMA 평의회 회의에서 재확인 되었다.

【환자의 권리에 관한 리스본의 WMA 선언】

1981년 포르투갈 리스본, 제34차 세계의사회, 채택
1995년 인도네시아 발리, 제47차 WMA 총회, 개정
2005년 칠레 산티아고, 제171차 WMA 평의회 회의, 편집
2015년 노르웨이 오슬로, 제200차 WMA 평의회 회의, 재확인

〈전문〉

최근 의사, 환자 및 지역사회와의 관계에 상당한 변화가 일고 있다. 의사는 항상 자신의 양심에 따라 환자의 최선의 이익을 위해 진료하여야 하는 한편 환자의 자율성과 정의를 보장하기 위해서도 노력하여야 한다. 다음 선언은 환자가 누릴 수 있는 권리이다. 환자의 건강을 돌보는 의사, 의료진 또는 의료기관은 이러한 권리를 인정하고 유지해야 할 공동 책임이 있다. 의사는 법률이나 행정 조치 또는 기관이 환자의 권리를 침해할 때에는 이를 저지하거나 환자의 권리를 회복할 수 있는 적절한 방법을 찾아야 한다.

〈원칙〉

1. 양질의 진료를 받을 권리
   a. 모든 사람은 차별 없이 적절한 진료를 받을 권리가 있다.
   b. 모든 환자는 외부의 간섭 없이 자유롭게 임상적, 윤리적 판단을 할 수 있는 의사에게 진료를 받을 권리가 있다.
   c. 환자는 항상 자신의 최선의 이익에 따라 치료를 받아야 한다. 환자에게 적용되는 치료는 일반적으로 적용되는 의료 원칙에 따라야 한다.
   d. 환자의 건강 증진을 위하여 항상 질 관리가 유지되어야 한다. 특히 의사는 의료의 질 관리에 대한 책임을 져야 한다.
   e. 공급이 제한된 특정 치료를 받아야 할 경우 선택을 하여야 할 때 환자는 해당 치료에 대하여 공정한 선택을 받아야 한다. 그 선택은 의학적 기준에 근거하여야 하며 차별 없이 이루어져야 한다.
   f. 환자는 건강관리를 지속적으로 받을 권리가 있다. 의사는 다른 의료진과 치료에 대하여 협조할 의무가 있다. 의사는 환자에게 다른 더 나은 치료 기회를 제공할 수 있지 않는 한, 치료를 중단해서는 안 된다.

2. 선택의 자유에 대한 권리
   a. 환자는 의사 또는 의료기관을 자유롭게 선택하고 변경할 수 있는 권리가 있다.
   b. 환자는 모든 단계에서 다른 의사의 소견을 구할 권리가 있다.

3. 자기 결정권
   a. 환자는 자기 자신이 스스로 자유로이 결정을 할 권리가 있다. 의사는 환자 결정에 대한 결과에 대하여 정보를 제공한다.
   b. 의식이 있는 성인 환자는 모든 진단 절차 또는 치료에 동의하거나 거부할 권리가 있다. 환자는 자기 자신이 스스로 결정을 내리는데 필요한 정보를 얻을 권리가 있다. 환자는 검사 또는 치료의 목적이 무엇인지, 예후는 어떠할지, 동의를 하지 않을 때의 결과는 어떠할 지에 대하여 명확하게 이해하여야 한다.
   c. 환자는 연구 또는 의학 교육에 참여하는 것에 대하여 거부할 권리가 있다.

【환자의 권리에 관한 리스본의 WMA 선언】

4. 무의식 환자
   a. 환자가 의식이 없거나 자기 의사를 표현할 수 없는 경우, 가능하면 법적 대리인에게 사전 동의를 얻어야 한다.
   b. 법적 대리인이 없지만 응급진료가 필요한 경우에는 환자가 이전에 치료를 승낙하지 않을 것이라는 의사표현이 명확하지 않은 한 환자의 동의는 유보될 수 있다.
   c. 그러나 의사는 환자가 자살 시도로 인해 무의식 상태에 처한 경우에는 환자의 생명을 구하려고 노력하여야 한다.

5. 법적 무능력자
   a. 환자가 미성년자이거나 법적 무능력자인 경우에는 법적 대리인의 동의가 필요하다. 그럼에도 불구하고 환자는 최대한 의사 결정에 참여하여야 한다.
   b. 법적 무능력자가 합리적 결정을 내릴 수 있는 경우, 그의 결정을 존중되어야 하며 법적 대리인에게 정보 공개를 하지 않을 권리가 있다.
   c. 환자의 법적 대리인 또는 환자가 승인한 사람이 환자의 최선의 이익을 위한 의사의 의견에도 치료를 거부하는 경우, 의사는 관련 기관에 이의를 제기하여야 한다. 응급 상황인 경우 의사는 환자의 최선의 이익을 위해 진료하여야 한다.

6. 환자의 의사에 반한 시술
   환자의 의사에 반한 진단을 위한 시술이나 치료는 법률에 의해 예외적으로 허용되고, 의학적 윤리 원칙을 준수하는 경우에만 수행될 수 있다.

7. 정보에 대한 권리
   a. 환자는 자신의 의무기록에 기록된 자신의 정보와 상태에 대한 의학적 소견을 포함한 자신의 건강 상태에 대하여 알 권리가 있다. 그러나 제3자와 연관이 있는 비밀 정보는 해당 제3자의 동의 없이 환자가 알게 해서는 안 된다.
   b. 예외적으로 정보가 자신의 생명이나 건강에 심각한 위험을 초래할 수 있다고 믿을만한 충분한 이유가 있는 경우에는 환자에게 정보 제공이 보류될 수 있다. 정보는 환자의 문화에 적합한 방식과 환자가 이해할 수 있는 방식으로 제공되어야 한다.
   c. 환자는 명시적으로 요청하면 다른 사람의 생명을 보호하기 위하여 필요하지 않는 한 통보받지 않을 권리가 있다.
   d. 환자는 누구든지 자신을 대신하여 정보를 제공받을 사람을 선택할 권리가 있다.

8. 비밀 유지권
   a. 환자의 건강 상태, 진단, 예후 및 치료에 대한 모든 식별 가능한 정보 및 기타 개인 정보는 사망 후에도 비밀로 유지하여야 한다. 예외적으로, 직계자손은 건강 정보에 접근할 권리가 있다.
   b. 비밀 정보는 환자가 명시적으로 동의하거나 법에 명시된 경우에만 공개할 수 있다. 환자가 명시적으로 동의하지 않는 정보는 엄격하게 알아야 할 필요가 있는 다른 의료진에게만 공개할 수 있다.
   c. 식별 가능한 모든 환자의 자료는 보호하여야 한다. 자료 보호는 저장 방식에 적합하여야 한다. 식별 가능한 자료가 도출될 수 있는 인체 유래물질도 보호되어야 한다.

9. 건강 교육에 대한 권리
   모든 사람은 개인 건강 유지와, 이용 가능한 건강 서비스의 현명한 선택을 위하여 건강 교육을 받을 권리가 있다. 교육에는 생활 습관, 질병 예방 및 조기 발견에 대한 정보가 포함되어야 한다. 자신의 건강 유지에 대하여는 개인적인 책임이 강조되어야 한다. 의사는 교육에 적극적으로 참여할 의무가 있다.

10. 존엄할 권리
    a. 환자의 존엄과 프라이버시권은 항상 존중되어야 한다.
    b. 환자는 현존하는 의학 지식 수준에서 고통을 경감받을 권리가 있다.
    c. 환자는 인간적인 말기 치료를 받을 자격이 있으며, 품위 있고 편안하게 임종할 수 있도록 가능한 모든 도움을 받을 수 있다.

11. 종교적 지원의 권리
    환자는 자신이 선택한 종교의 도움을 포함한 영적, 도덕적 위안을 받거나 거절할 권리가 있다.

참고 문헌

- 권복규, 김현철. 생명 윤리와 법. 서울: 한영문화사; 2005.
- 김나경. 의료 보험의 법 정책. 서울: 집문당; 2012.
- 김민중. 의료의 법률학. 서울: 신론사; 2011.
- 김재연. 생명 윤리와 법 그리고 낙태. 메디칼 타임즈. 2009.11.6.
- 김윤. 환자중심의료. 서울대학교 의과대학 의료관리학 교실; 2008.
- 박윤형, 장동익. 의료윤리규약과 윤리적 쟁점사례(2010-2011). 서울: KMA의료정책연구소; 2012.
- 박형욱, 김소윤, 손명세. 법적인 측면에서 바라본 수련의 의료윤리 교육목표. 한국의료윤리학회지 2009;12:235-50.
- 손영수. 의학에서의 생명 윤리. 생명윤리 2010;11:77-84.
- 이명진. 히포크라테스 선서와 제네바 선언. 의협신문. 2012.
- 이명진. 의사를 전문가답게 만들어주는 "의료윤리". 메디컬 업저버. 2014.3.14.
- 정유석, 고윤석, 권복규, 김옥주, 박재현, 손명세 등. 전공의를 위한 의료윤리 교육목표의 개발. 한국의료윤리교육학회지 2008;11:183-90.
- 최훈, 김대영. 생명과학기술, 생명윤리, 그리고 생태학적 관점의 관계 고찰-로이스 로리의 「더 기버」를 중심으로. 영어권문화연구 2015;8:75-103.
- A.R. Jonsen. The Birth of Bioethics. New York: Oxford University Press; 1998.
- TL Beauchamp, JF Childress. Principles of Biomedical Ethics. 6th ed; 2008.
- 지침

  의사윤리지침. 2017.

  의사윤리 강령(Doctors Ethics). 2017.

  환자의 권리에 관한 리스본 선언. 2015.

제45장

의료윤리와 법 (각론적 고찰)

김재연 | 전주에덴산부인과
이충훈 | 경기도의료원 수원병원

1. 인체실험의 윤리와 법

인체실험의 목적은 질병의 원인을 밝히고, 진단·치료·예방법을 연구·개발하여 궁극적으로는 인간의 건강 증진, 수명연장 및 삶의 질 향상을 위함이다.

의학 기술의 진보와 의약품의 개발은 인간을 대상으로 하는 인체실험이 없이는 불가능하다. 인체실험은 인간을 대상으로 한다는 점에서 윤리적 문제를 내포한다. 인체실험에서 가장 중요한 기본적인 전제는 실험대상이 되는 사람의 자발적 동의이다. 그러나 오늘날 조속한 연구 성과를 얻으려 하거나 상업적 이윤추구의 목적으로 자발적 동의를 할 수 없는 사람이나 자기의 권리를 주장할 수 없는 사람 또는 아동을 대상으로 손쉽게 임상시험을 하려는 의도가 있다는 것이 의·생명과학분야의 중요한 윤리문제로 제기된다.

1) 헬싱키 선언

세계의사회(WMA)는 1964년 제18차 헬싱키총회에서 사람을 대상으로 하는 의학연구에 관한 윤리지침인 '헬싱키 선언'을 채택하였다. 이후 의·생명과학 연구범위의 확대로 여러 번의 수정을 거쳐 2013년 브라질 포르탈레지 총회에서 제7차 개정을 거쳐 오늘에 이르면서 인간 대상 의학연구의 윤리원칙을 제안하고 발전시켰다.

세계의사회 헬싱키 선언에서는 첫째, 인간 대상 의학연구의 근본적인 목적은 질병의 원인, 발생 과정, 경과를 이해하고, 예방법, 진단절차, 치료법을 향상시키는 데 있으며 연구대상자 개인의 권리와 이익보다 우선할 수 없다. 둘째, 의료행위와 의학연구에서 대부분의 의학적 중재행위는 위험과 부담을 수반하므로 연구 목적의 중요성이 연구대상자의 위험과 부담보다 더 중대할 경우에 한하여 수행할 수 있다. 셋째, 연구 대상자의 위험이 잠재적 이익을 초과하는 것으로 밝혀지는 경우 의사는 그 연구를 계속할지, 변경할지 또는 즉각 중단할지를 평가해야 한다. 넷째, 연구를 시작하기 전에 연구계획서를 연구윤리위원회에 심의, 조언, 지도, 승인을 위하여 제출하여야 한다. 다섯째, 각 연구 대상자에게 각 연구의 목적, 방법은 물론 예견되는 이익과 잠재적 위험, 연구에 수반되는 불편 등에 대해 충분하게 설명하여야 한다. 여섯째, 연구자는 연구의 결과를 일반대중에게 공개할 의무가 있으며 긍정적 결과뿐 아니라 부정적이고 확정되지 않은 결과도 출판하거나 다른 방법으로 대중에게 공개하여야 한다는 원칙을 권장하였다. 또한 위약의 사용은 새로운 시술의 이익, 위험, 부담 및 효과가 입증된 최선의 시술의 이익과 위험, 부담, 효과와 비교 검증하여 입증된 시술이 없는 경우에 허용할 수 있다고 하였다(세계의사회 헬싱키 선언: 인간 대상 의학연구 윤리 원칙. 2014).

2) 임상시험의 단계

임상시험은 각 단계마다 특정 정보를 수집하기 위한 제1상, 제2상 및 제3상 임상시험의 3단계로 구성 진행된다. 임상시험의 목적으로 하는 질병의 종류, 병기 및 환자의 상태에 따라서 임상시험 대상의 선택이 달라지며, 대체로 임상시험의 초기단계보다 후기단계에 참여하는 환자의 수가 많은 것이 일반적이다.

제1상 임상시험에서는 적은 수의 환자를 대상으로 새로운 치료를 시행하는데, 의사들은 새로 개발한 약제를 투여하거나 치료법을 시행할 수 있는 방법과 안전하게 투여할 수 있는 약제의 양과 치료의 크기를 찾는 동시에 부작용의 발현에 대해서도 관찰한다. 새로운 치료는 제1상 임상시험을 하기 전에 이미 실험실내 실험 연구나 동물실험 연구에서 안정성과 유효성이 입증된 것이기는 하지만 환자들에 대하여 안전성과 유효성을 보장하지는 못하는 것이므로 제1상 임상시험의 대상은 주로 기존의 치료가 도움이 되지 않는 환자들이 된다. 이때 검증된 치료방법이 없는 환자가 제1상 임상시험에 참여함으로써 생명구조, 건강회복 및 고통경감에 도움을 받는 경우도 있다.

제2상 임상시험에서는 새로운 약제나 치료법의 치료 효과를 결정하게 되며, 실험실내 연구, 동물실험 연구 및 제1상 임상시험을 통해 효과가 있을 것으로 판단되는 질병 또는 환자군을 선택하여 제1상 임상시험에서 결정된 용량 및 투여방법 등으로 치료를 시행하고 그 효과를 객관적으로 평가한다.

제3상 임상시험에서는 새로운 약제나 치료법이 기존의 검증된 치료에 비해서 장점을 가지고 있는지를 평가한다. 즉 제2상 임상시험에서 특정 질병이나 환자군에 대하여 고무적인 효과가 있다고 판단되는 경우, 제3상 임상시험을 통하여 기존의 검증된 치료를 대체할 수 있는지를 평가한다.

3) 인체실험 계약의 법리

의학의 발전은 인체실험에 근거한 연구를 기본으로 이루어진다. 그러나 인체실험이 인간 생명의 보존 및 건강의 향상을 위한 의학의 발전을 위하여 불가피하게 허용될 수밖에 없다고 하더라도 피실험자의 의사에 반하여 실험을 시행할 수는 없다. 인체실험에 있어서 실험자와 피실험자간의 법률관계는 원칙적으로 피실험자의 동의를 요한다는 점에서 민법상의 계약관계라고 할 수 있다(김천수, 1990).

인체실험은 사람을 실험의 대상으로 한다는 점에서 민법 제103조의 사회질서에 반하는 행위로서 무효인 법률행위가 되는지의 여부가 문제된다. 개인의 인격존중이라는 법원칙에만 입각하여 생각한다면 인체실험 계약이라는 것은 항상 무효가 되어 허용될 수 없지만, 의학발전을 위한 인체실험의 필요성은 어느 누구나 인정하는 것이므로 그 허용성은 인정된다. 다만 허용하기는 하되 개인의 인격존중과 의학발전을 위한 불가피한 침해의 필요성간의 조화와 균형을 찾아야 한다.

4) 인체실험의 계약 당사자

계약 당사자가 국가 또는 법인인 경우에는 실험을 실제로 수행하는 자의 자격이 문제가 된다. 세계의사회의 헬싱키 선언에서는 의사에게 우선 적용하고 다른 연구자들도 이 원칙을 준수하도록 권장한다. 의사는 지식과 양심에 따라 의학연구와 관련된 사람을 포함하여 환자의 건강, 안녕 및 권리를 증진시키고 보호하는 의무를 갖는다. 의사는 연구대상자의 생명, 건강은 물론 존엄, 완전성, 자기결정권, 사생활 및 개인정보의 비밀을 보호할 의무가 있다. 연구대상자가 동의를 하였다고 하더라도 보호의 책임은 항상 의사에게 있다.

피실험자인 연구대상자는 자발적이어야 하며 연구에 관하여 충분한 설명을 들은 다음 연구사업에 등록하여야 한다. 의사는 연구대상자가 연구에 관련된 사항을 충분히 이해하였다는 것을 확인한 후 연구대상자의 자유의지에 따른 설명 동의를 가급적 서면으로 받아야 한다. 연구대상자는 행위능력자이고, 충분한 설명을 듣고 이해한 후 그 실험의 본질과 위험을 판단할 수 있으며 그에 기초하여 자신의 의사를 결정할 수 있을 때에만 피실험자가 될 수 있다. 법적 무능력자, 육체적·정신적 장애로 인해 동의를 할 수 없는 자, 또는 행위 무능력자인 미성년자를 연구대상자로 하는 경우에는 반드시 법정대리인에게 설명하고 동의를 받아야 한다.

피실험자로서 적격이 문제가 되는 자는 죄수·포로·수용자 등의 피억류자, 유아·정신병자·의식불명자 등의 의사무능력자, 환자·학생·피고용인 등의 특수한 종속관계에 있는 자 등이다. 그 외에도 배아, 태아 및 죽은 자의 사체도 문제가 될 수 있다. 죄수·포로·수용자 등의 피억류자들은 행위능력 및 의사능력은 있지만 의사결정의 자유 즉 자유의지가 그들이 처한 상황에 의해서 제한된 사람들이므로 그들이 행한 동의의 유효성에 대하여 문제가 제기될 수 있다.

배아, 태아 및 죽은 자의 사체 등의 경우는 인간을 대상으로 하는 의·생명과학연구의 전형은 아니지만 헬싱키 선언의 정신에 입각하여 인체실험에 준하여 생각해야 한다.

배아에 대한 논의는 최근 인공수태, 유전학, 인간복제 등의 의·생명과학기술의 발달과 함께 윤리적 논의가 되고 있으며 수정 후 14일 이내에 한정하여 학문실험의 대상으로 삼자는 주장이 강력히 대두되고 있다. 배아 역시 잠재적 인간으로서의 인간성을 지니는 대상이므로 이들에 대해서는 태어날 수 있는 기회와 권리를 최대한 보장한 이후에 정당한 법적 절차를 거친 사회적 합의를 통해 제한적으로 학문실험을 허용하여야 할 것이다. 태아의 경우에는 출생 시 부모가 되거나 적법한 동의권자가 될 수 있는 사람의 동의 하에 최후적 치료실험에 한하여 허용하는 것이 타당하다.

2. 생명공학과 생명윤리

21세기 생명공학의 성과는 게놈분석/유전자조작기술, 배아조작/배아복제기술 및 뇌 고차기능 해석 기술이라는 3대 기술 분야로 집약된다. 이러한 기술들은 다른 첨단기술과 융합하면 인위적인 생명조작도 가능하게 할 수 있다. 다가오고 있는 최첨단 기술이 인류의 복지를 위해 어떻게 사용되어야 하는지에 대하여 풀어야 할 숙제로서 윤리적·법적 문제가 있다.

1) 게놈분석과 유전자조작기술에 있어서의 생명윤리

인간 게놈 프로젝트의 완성으로 염기서열이 해독됨에 따라 포스트 게놈 시대(Post-Genome Era)가 도래하고 있다. 포스트 게놈 시대에 등장할 연구방법론과 개발될 응용기술들은 예상보다 훨씬 다양하다. 유전자 이상을 검출하는 유전자 진단(gene diagnosis), 비정상적인 유전자를 정상적인 유전자로 치환하여 유전적 결함을 치료하거나 새로운 기능을 추가하는 유전자 치료(gene therapy), 원하는 표적 유전자를 변형하는 유전자 편집(genome editing), 유전자 도입 또는 유전자 재조합 등의 기술로 유전자를 인위적으로 조작하는 유전자 공학(genetic engineering) 등의 기술이 가능할 것으로 예상된다.

DNA 정보를 활용하는데 있어 게놈 지도에 대한 악용과 남용을 방지할 수 있는 생명윤리가 더욱 절실히 요구된다. 유전자 분석에 따른 유전자 차별, 착상 전 진단에 따른 낙태, 강자에 의한 우생 사상의 부활 등이다.

유전자 치료는 체세포 유전자치료이거나 생식세포 유전자치료이거나 이를 통하여 형성된 유전적 변화가 다음 세대로 전달될 가능성이 우려되고, 유전자 편집기술은 질병의 치료를 넘어 맞춤아기의 제작, 유전자 귀족의 출현 등으로 연결될 가능성이 우려되며, 유전자 공학은 의학의 무한한 가능성과 함께 생물학적 위험성(biohazard)이 경고되고 있다. 유전자 조작으로 새로운 생물을 만들어 낼 경우 그 안정성에 대한 확인은 결코 쉽지 않기 때문이다.

1997년 유네스코는 유전자 무단채취와 개인의 유전자 정보를 바탕으로 사회적 차별의 확대와 개인의 프라이버시 침해 등 인권문제가 발생하지 않도록 '인간게놈과 인권에 관한 보편선언(Universal Declaration on the Human Genome and Human Rights)'을 채택하였다(URL:http://www.cre.or.kr/board/?board=bioethics_articles&page=2&no=1385854). 2003년에는 생물 다양성

보호의 측면에서 '생물 다양성에 관한 조약(Convention on Biological Diversity, CBD)'이 체결된 바 있다.

우리나라는 2013년 급격히 발전하고 있는 생명 과학 기술에 있어 생명윤리 및 안전을 확보하여 인간의 존엄과 가치를 보장하고, 국민의 건강과 삶의 질 향상을 위하여 질병 치료 및 예방 등에 필요한 생명과학기술을 개발·이용할 수 있는 제도적 장치를 마련하기 위하여 '생명윤리 및 안전에 관한 법률'이 전부 개정되었다. 이 법의 주요내용은 국가적 차원의 생명윤리기관으로서의 국가생명윤리심의위원회의 설립, 인간 대상 연구와 연구 대상자의 보호, 배아 등의 생성과 연구, 인체 유래물 연구 및 인체 유래물 은행 및 유전자치료 및 검사 등이다. 세부 내용으로는 유전정보에 의한 차별금지(제46조), 유전자 치료에 관한 연구(제47조) 및 유전자 검사의 제한(제50조) 등이다.

2) 배아조작과 배아복제기술에 있어서의 생명윤리

인간의 몸은 한 개의 수정란으로부터 출발하여 발생된다. 성인의 몸을 구성하는 약 60조 개의 세포는 수명이 있음에도 불구하고 그 숫자는 사망에 이르기까지 유지된다. 세포의 사멸에도 불구하고 세포의 총수가 유지되는 이유는 다양한 줄기세포시스템이 필요에 따라 작동하기 때문이라고 알려져 있다.

배아 줄기세포는 정자와 난자가 결합한 수정란에서 유래하여 모든 종류의 세포 또는 장기로 분화할 수 있고 자궁에 이식하면 개체로 성장할 수 있다. 특히 장기이식에 필요한 환자의 체세포 핵치환을 이용하여 배아줄기세포를 만들면 거부반응이 없는 장기를 생성할 수 있을 것으로 기대된다. 실제로 1997년 스코틀랜드 에든버러 대학(University of Edinburgh)의 로슬린 연구소(Roslin Institute)에서는 난자에서 핵을 제거하고 성숙한 양의 젖샘 세포핵을 이식하는 소위 체세포 핵치환(somatic cell nuclear transplantation)의 방식으로 복제양 돌리(Dolly)의 탄생을 발표한 바 있다.

복제양 돌리가 탄생하면서 인간복제의 가능성이 현실화되자 세계 각국은 인간복제에 관한 법률의 제정을 서두르게 되었다. '유럽협약(European Convention on Human Rights and Biomedicine)'에 의하여 기초되었고 2000년 12월 7일 선포된 유럽연합(EU)의 '기본 권리 헌장(The Charter of Fundamental Rights of the European Union)'은 인간복제를 명시적으로 금지하였다(URL: http://eur-lex.europa.eu/legal-content/EN/ALL/?uri=CELEX:32000X1218(01)).

유엔(UN)은 2005년 '인간의 존엄성에 위배되는 모든 형태의 인간복제의 금지를 촉구하는 선언서(United Nations Declaration on Human Cloning)'를 채택하였다.

우리나라는 '생명윤리 및 안전에 관한 법률'에 인간복제의 금지(생명윤리 및 안전에 관한 법률 제20조), 이종 간의 착상 등의 금지(제21조), 임신 외의 목적 배아생성 금지, 성 선택 목적 수정금지, 사망한 자의 생식세포 수정금지, 미혼인 미성년자의 생식세포 수정금지 및 배아·정자·난자의 매매금지 및 배아의 생성에 관한 준수사항(제23조)이 규정되어 있다.

그러나 배아의 법적 지위와 줄기세포를 얻기 위한 행위의 위험성 등에 대하여 일치된 견해는 없다.

3) 뇌 고차기능 해석기술에 있어서의 생명윤리

뇌기능에 대한 과학적 접근은 자기공명영상장치(MRI) 등의 장비에 힘입어 비약적으로 발전하고 있다. 파킨슨병, 알츠하이머병 등 뇌질환에 대한 원인규명과 치료방법에 대한 도전이 계속되고 있다. 뿐만 아니라 신경망을 전기회로로 대체하여 주위의 자극에 반응하는 컴퓨터의 제작 등 바이오 컴퓨터의 개발도 시도되고 있다. 이러한 뇌에 관한 과학기술의 진보가 비정상적인 정신활동을 치료하고 정상적인 정신활동을 제어하는 데에 사용된다면 별다른 문제는 없을 것으로 보인다. 그러나 이와는 반대로 자의든 타의든 다른 사람을 지배하기 위한 목적으로 사용한다면 자기결정권이나 인간의 존엄성에 커다란 문제를 야기할 것으로 예측된다. 제4차 산업혁명의 중요한 분야 중의 하나인 인공지능(AI)은 벌써부터 그 개념만으로도 기대와 공포를 동시에 예고하고 있다.

3. 인공수태술에 있어서의 생명윤리

환경오염이 심화되고 사회가 복잡해지면서 스트레스가 많은 현대인들은 과거에 비해 난임의 비율이 높아지고 있다. 생명과학에 관한 연구는 난임을 비롯한 질병 치료, 생명 연장, 식량문제 해결과 같은 긍정적 영향과 함께 유전자 변형에 따른 위험성, 기본권 침해 등 부정적 영향을 동시에 갖고 있다. 그렇기 때문에 각 이익 주체 간에 적절하고 균형 있는 법적 규율이 필요하다(김지연, 2015).

1978년 영국의 브리스톨에서 시험관아기로 태어난 루이스 브라운(Louise Joy Brown)이 최초의 체외수정 사례이다. 체외수정에 의한 인공생식은 불임부부의 고민을 해결해주는 꿈과 희망이다. 그러나 인공생식은 성공률이 여전히 기대에 미치지 못하는 수준이고, 충분한 수의 난자를 확보하기 위한 다량의 배란유도제의 사용, 다태임신의 발생, 배우자 이외의 제3자 관련 가능성, 특히 대리모의 등장, 태어난 아이의 부모를 알 권리, 낳은 자 또는 기른 자 사이의 가족관계, 착상 전 유전자진단에 의한 선별임신 등은 윤리적·법적으로 해결해야 할 문제이다. 이 중에서 가장 큰 문제는 비배우자 간 생식보조술이 초래할 전통적인 가족의 개념과 관계에 대한 파탄이다.

임신목적 외의 배아생성행위, 특정의 성을 선택할 목적으로 난자와 정자를 선별하여 수정시키는 행위, 사망한 사람의 난자 또는 정자로 수정하는 행위, 혼인하지 아니한 미성년자의 난자 또는 정자로 수정하는 행위 또는 배아·정자·난자의 매매행위 등의 행위는 금지되고 있다(생명윤리 및 안전에 관한 법률 제22조). 한편, 수정란이 착상되기 전에 유전자를 검사하는 착상 전 유전자 검사(preimplantation genetic diagnosis, PGD)와 관련하여서는 유전병의 발견 등 여러 가지의 유용성에도 불구하고 원하지 않는 생명체를 폐기하게 될 우려가 제기되고 있다.

1) 인공수태술의 법률문제

인공수태술과 관련된 의료(인공수정, 체외수정, 대리모임신)에서도 의료과오나 설명의무 위반에 따른 의사의 책임이 발생할 수 있다. 의료행위로 인한 의사의 책임은 불임의 여성이나 그 배우자 등에게 필요한 설명을 제대로 하지 아니 하거나, 필요한 동의 없이 인공수태술을 시행한 경우에 발생한다. 또한 의사의 주의의무 위반에 의하여 인공수정에 손상된 정자나 유전적 질환 및 질병에 감염된 정자를 사용한 결과로 아이가 사산되거나 기형으로 태어난다든지, 선천적으로 질병에 감염된다든지 하는 경우에 민사책임이 문제될 수 있다.

인공수정에 의하여 아이가 태어난 후에 원하지 않는 다른 아이가 자연 수태에 의하여 태어난다든지, 기형인 아이가 태어난다든지 하여 인공수정에 의해 태어난 아이에 의해 '더 필요하게 된 지출'이 발생한 경우 의사는 손해배상의무를 부담할 수 있다. 그러나 태어난 아이나 기형인 아이 자신이 손해배상청구의 주체가 되는가의 문제도 제기된다.

당사자의 동의가 없거나 의사에 반하여 이루어진 인공수태술은 신체의 불가침성 혹은 인격권 침해의 불법행위가 문제될 수 있다. 부인의 동의 없는 인공수태술에 그 배우자가 관여한 경우에는 불법행위책임이 인정될 수 있다. 이러한 경우 부인이 손해를 청구할 수 있는 대상은 원하지 않는 아이의 출생으로 인한 부양의무에 따른 손해와 임신 출산을 통하여 받은 정신적 고통에 따른 위자료 등이 될 것이다. 반대로 부(아버지)의 동의 없이 의사에 반하여 아이가 태어났다면 동의 없는 정자 채취는 신체에 대한 위법한 침해가 되고 불법행위가 된다. 이 또한 마찬가지로 손해를 배상하여야 한다. 그러므로 정자가 사용되어도 좋은가 아닌가는 제3자가 아니라 남편이 스스로 결정하여야 한다. 동의 없는 정자의 사용에 의하여 아이가 태어난 경우에 부양의무의 비용과 원하지 않는 아버지로의 역할 그자체도 비재산적 손해로 고려될 수 있다. 또한 정자의 손상에 의한 경우에도 손해배상을 청구할 수 있다(김민중, 2011).

2) 체외수정의 윤리

체외수정은 자연적인 체내수정의 가능성이 없는 불임부부를 대상으로 과배란을 유도한 후 성숙난자를 채취하여 남편의 정자와 함께 체외에서 수정을 유도한 후 배아를 인위적으로 자궁강 내에 주입해 주어 임신이 되도록 하는 인공수태술의 한 방법이다. 체외수정시술이 배우자 간에 시행되는 경우 자연적인 수태과정을 인위적으로 체외에서 실현한다는 점에서 종교윤리적 비난은 있을 수 있으나, 그 외에는 특별히 윤리적·법적으로 문제가 될 만한 것은 없다. 그러나 체외수정시술이 비배우자간에 시행되는 경우에는 정자, 난자 및 자궁이 누구의 것이냐에 따라서 비배우자간 인공수정, 난자공여 및 대리모에서와 마찬가지로 윤리적·법적 문제가 발생할 수 있다(김향미 등, 2013).

3) 비배우자간 인공수정의 윤리

인공수정은 배우자간 인공수정과 비배우자간 인공수정이 있다. 배우자간 인공수정은 남편의 정자를 인위적으로 채취·처리하여 부인의 자궁강 내로 주입해 주는 것으로서 부부간에 이루어지는 불임의 치료과정이므로, 윤리적으로나 법적으로 특별한 문제점이 없다. 그러나 문제가 될 수 있는 경우로는 남편의 정자를 냉동보존한 후 남편이 사망하였을 때 부인이 냉동보존된 정자를 이용한 인공수정을 원하는 경우가 있다. 이에 반해, 제3의 남성인 정자공여자의 정자를 인위적으로 부인에게 주입하여 수태시키는 비배우자간 인공수정의 경우에는 이로부터 야기되는 윤리적·법적 문제가 많다. 비배우자간 인공수정이 남편의 불임요인을 극복하기 위하여 시행되었으므로 이는 정당한 치료행위로서 인정할 수 있는 것인지 아니면 간통이라는 비윤리적 행위로서 비난받아야 하는 행위인지가 문제가 된다. 또한 비배우자간 인공수정으로 태어난 출생자의 권리와 지위도 문제가 된다. 비배우자간 인공수정은 부부 사이에 특별한 관계의 제3의 남성이 등장함으로써 정상적인 혼인 및 가정생활을 침해할 수 있다. 비배우자간 인공수정은 익명의 정자공여자의 정자를 이용하여 임신을 하는 것이므로 출생자의 입장에서는 자신의 정체성에 혼란을 겪을 수 있고, 정자공여자를 아버지로서 알 권리가 있는지도 문제가 될 수 있다.

이러한 여러 가지 윤리적·법적 문제점을 줄이기 위해서는 비배우자간 인공수정 시술 시 준수해야 할 의학적 기본지침을 철저히 지켜야 할 것이다. 우선, 시술대상 환자의 선택에 있어서, 비배우자 인공수정 이외의 방법에 의해서는 임신이 불가능한 남성불임증의 경우에만 이를 시행해야 하고, 시술의사는 정자공여자의 선택에 최선을 다해야 한다. 시술의 모든 과정에 책임을 질 수 있는 상황에서 시술을 해야 함은 물론이고 어떠한 경우에도 영리를 목적으로 시술 또는 정자보관을 하여서는 안 된다. 한편, 비배우자간 인공수정과 관련된 윤리적·법적 문제점들은 난자공여의 경우에도 똑같이 존재한다(김향미 등, 2013).

4) 냉동배아 윤리

인간세포와 조직의 냉동보존에 대한 연구는 짧은 기간 동안에 커다란 발전을 이루어 왔으며, 최근에는 체외수정시술 후 잔여배아의 안전한 보존의 필요성과 함께 더욱 발전하였다. 배우자간에 이루어지는 체외수정시술에서는 잔여배아의 냉동보존 및 해동에 의한 수태나 그 출생자와 관련하여 특별한 윤리적·법적 문제점은 없다. 그러나 냉동보존된 배아를 다른 불임부부 또는 다른 여성에게 공여하는 경우 혹은 폐기하는 경우에는 정자공여나 난자공여 시보다 더욱 심각한 윤리적·법적 문제를 야기할 수 있다. 즉, 냉동보존된 배아의 부모가 이혼하는 경우 배아의 소유에 관한 권리가 누구에게 있을까의 문제가 발생할 수 있고 부모의 일측 또는 양측이 사망하는 경우에는 태어나지 않은 배아가 상속권을 가질 수 있을까의 문제도 발생할 수 있다. 특히 냉동보존기간의 설정과 배아의 폐기와 관련하여 배아의 태어날 권리와 배아의 생명권이라는 측면에서 윤리적·법적 논의가 많다(김향미 등, 2013).

5) 대리모

1988년 베이비 엠 사건(In Re Baby M, 1988; 1986년 3월 27일 출생)에서 뉴저지 주 대법원은 대리모의 모든 권리를 포기한 계약이 타당하지 못함을 선언하였고 대리모에게 어머니로서의 권리를 부여할 것을 인정하였으며, 대리모도 면접권을 인정한 판결을 계기로 대리모에 대한 격렬한 논쟁이 벌어졌다. 이 사건을 계기로 국제적으로 대리모 출산을 규제하려는 움직임이 시작되었다. 이러한 문제들과 관련하여 우리나라에서는 아직 윤리적·법적 공백이 크게 존재한다. 다만 대리모와 관련하여서는 민법상 '선량한 풍속 기타 사회질서에 위반한 사항'으로서 대리모 계약은 무효라고 해석하는 정도에 그치고 있다(민법 제103조).

대리모를 대별하면 자궁만을 임신기간 동안 제공해 주는 경우와 자신의 난자와 자궁을 함께 제공하여 아기를 낳아주는 경우로 나누어진다. 전자의 경우 출생자는 유전적으로는 대리모와 연관이 없고 단지 임신과 출산의 과정만을 대리로 감당해 준다. 이에 비해 후자의 출생자는 유전적으로 대리모의 유전물질을 계승하여 유전적 관계가 유지된다.

전자의 대리모의 적응증으로는 자궁적출술 후 젊은 여성, 심한 당뇨나 고혈압 등의 의학적 이유로 임신을 하지 못하는 여성, 자궁기형이나 병변으로 태아의 생존 가능 시기까지 임신을 유지하지 못하는 여성 등이며, 후자의 대리모의 적응증은 자궁적출술과 양측난소절제술을 함께 시행한 경우처럼 자궁과 난소의 기능이 없는 불임여성이다. 그 외에도 자궁은 없으나 난소의 기능은 있어서 난자의 생산은 가능하나 부인의 난자를 통해 수태하는 경우 치료 불가능한 유전질환을 피할 수 없을 때에도 후자의 대리모의 적응증이 될 수 있다.

자연적 수태와 출산의 질서를 파괴하고 인간관계의 원천이 되는 모자관계를 모호하고 복잡하게 만든다는 대리모 시술에 대한 윤리적 논의를 차치하더라도, 대리모 시술은 비의학적인 이유로 시행하여서는 안되며, 특히 금전거래의 대상이 되거나 영리추구의 목적이 되어서는 안된다(김향미 등, 2013).

모성난자를 제공받거나 자궁을 빌려서 임신하는 대리모 시술을 통하여 출산하게 되는 자의 입장에서는 당연히 부모로부터 양육을 받아야 할 권리가 있다. 이러한 시술을 위한 제공자들은 임신이나 출산을 하고자 하는 목적의 달성이나 임무의 완성뿐만 아니라 태어난 자에 대하여 부모와 유사한 지위를 인수할 수 있다는 가능성에 대한 인식을 가져야 한다.

인간으로의 완성에 있어 중요한 점으로, 태어나는 자는 완전한 모성을 획득하여야 한다는 점에서 그에 대한 기회가 박탈되고, 모성의 부분적인 결핍이 있다는 문제가 발생한다. 따라서 장애인, 노약자, 어린이, 소수자 등과 마찬가지로 우리 사회가 특별히 보호하고 배려하여야 한다. 왜냐하면, 그들 역시 온전한 한 인간 존재의 성립을 위한 기본 전제에 커다란 결손을 가지고 사회에 태어나는 것이기 때문이다. 불임치료의 현장에서 난자 공여 혹은 대리모 시술 등을 고려하는 경우에는 시술을 담당하는 의사는 이러한 모성생명윤리에 입각하여 시술받는 부부, 난자 공여자 및 대리모 지원자 등에 대하여 진지한 사전 상담 및 동의 절차를 거쳐 시술을 결정하여야 한다. 대리모 시술을 통하여 태어나는 자는 성장과정에서 또는 성인이 된 이후 언제라도 자신의 유전자가 어디에서 비롯되었는지에 대한 알 권리를 행사할 수 있도록 보장하는 것이 필요하다(이상돈, 2003).

4. 사망에 관한 윤리와 법

1) 사망의 판단과 확정

현대 의학의 발달로 죽어가는 사람의 생명을 인위적으로 상당기간 연장할 수 있게 되었고, 그와 함께 사망의 결정은 더욱 어렵게 되었다. 의학적으로 죽음이란 하나의 사건이 아니라 일련의 과정을 거쳐 일어난다. 한 사람의 사망에 따라 관례로 정해진 행동과 절차를 진행해야 하는 인간사회와 그 구성원들은 어느 한 시점에서 죽음이라는 명확한 사건이 일어났다고 정의하고 선언해 주기를 원한다. 그러한 사회적 요구와 필요에 따라 의학적 관례는 특정한 시점에 사망이라는 명확한 사건이 일어났다고 결정한다.

사람은 생존해 있는 동안 권리와 의무의 주체가 된다(민법 제3조). 사람이 사망하면 인간으로서의 법적 권리와 의무는 모두 사라진다. 사망은 폐와 심장이라는 가장 중요한 두 장기의 영구적 기능 정지가 마지막 과정으로 일어난다. 임종 시 폐의 기능 정지와 심장의 기능 정지는 거의 동시에 일어날뿐만 아니라, 임상의학에서는 비교적 용이하게 정확한 심장 기능 상태를 마지막 순간까지 전기적으로 감시할 수 있기 때문에 심장사를 기준으로 사망의 의학적 판단과 법적 확정이 함께 이루어진다.

그러나 1960년대 이후 장기이식술의 발달은 심장사 이전에 인체의 중요 장기의 적출을 강력하게 요청하는 사회적 요구가 있고, 우리나라를 비롯한 많은 국가들이 장기이식술을 전제로 장기적출을 하는 경우에 한하여 심장사 대신 뇌사를 사망으로 간주하는 것을 법률로 규정하고 있다(김향미 등, 2013).

2) 뇌사

(1) 뇌사설

뇌사설은 사망의 개념을 '뇌기능의 영구적인 소실'이라고 정의한다. 정확하게는 뇌간을 포함한 뇌 전체의 영구적 기능상실을 의미하며, 뇌사가 개체 사망의 기준이 되어야 한다는 것이다. 뇌사설은 1968년 호주 시드니에서 개최된 세계의사회 제22차 학술대회에서 사망 시기의 결정에 관한 가장 적절한 기준으로 채택된 이후 많은 나라에서 장기이식과 관련한 법체계로 받아들여지고 있다. 개체가 뇌사에 이르면, 필연적으로 호흡과 심장박동의 불가역적 정지가 따라 오게 되어 시간에 다소의 차이는 있더라도 결국에는 심장사를 하게 된다. 장기이식의 문제가 대두되기 전에는 뇌사 상태에 대한 분명한 인식이 없었을 뿐만 아니라, 실제로 뇌사와 심장사 사이의 시간 간격은 얼마 되지 않기 때문에 사망의 판단에 문제가 되지 않았다. 뇌사와 심장사의 시간 간격을 이용하여 살아 있는 튼튼한 장기를 적출하여 이를 다른 사람에게 이식해 주는 장기이식술은 이미 세계적으로 실용화 및 보편화되었고, 뇌사 상태인 환자에 대하여 무의미하게 생명만을 연장하는 것은 오히려 인간의 존엄을 해치는 일이 될 수 있다는 주장이 뇌사설 지지자들의 입장이다(김향미 등, 2013).

(2) 뇌사의 판단기준

뇌사의 정의와 관련하여 고전적으로 받아들여지고 있는 것은 1968년 미국 Harvard 의대의 불가역적 혼수설이다(Medina, 1996). 그러나 불가역적 혼수상태에서도 호흡 등의 뇌간 기능이 유지되는 경우에는 뇌사의 정의에 합치하지 않는다.

뇌간사의 개념은 뇌간 기능이 영구적으로 상실되면 인공호흡기 및 기타 생명유지장치를 사용하더라도 대개 1-2주 후에는 심장사로 이어진다고 하는 것이다.

Harvard 의대의 뇌사 판단기준은 무호흡, 무반사, 무반응, 평탄뇌파의 4개로 하고 있으며 이 기준이 최초 심장이식수술 성공 이듬해인 1968년 시드니에서 개최된 제22차 세계의사회에서 '시드니 선언'으로 채택되었다. 그 이후 미국에서는 Harvard 기준의 난점을 해결하고 사망에 대한 개념을 통일되게 정립하기 위하여 설치된 '의학, 생체의학 및 행동과학 탐구에 있어 윤리적 문제의 연구를 위한 사망의 판단에 관한 의학자문위원회(Medical Consultant on the Diagnosis of Death to the President's Commission for the Study of Ethical Problem in Medical and Biomedical and Behavioral Research)'에서 1981년 다음과 같은 사망의 판단기준을 정하여 발표하였다. 위원회의 사망판단 기준은 "첫째, 순환 및 호흡기능이 불가역적으로 정지된 사람은 사망한 것으로 판단한다. 둘째, 뇌간을 포함한 뇌 전체의 기능이 불가역적으로 정지된 사람은 사망한 것으로 판단한다."이다.

뇌사 판단에서의 핵심은 대뇌 및 뇌간의 기능이 소실되고, 또한 그 소실이 불가역적이라는 것을 증명하는 것이다. 뇌기능의 소실상태의 증거로는 운동 및 지각반응이 소실되는 것으로서 통상적으로 혼수상태라는 말로 표현되는 상태이다. 그러나 완전 운동마비 같은 무반응 환자의 경우도 외견상 혼수상태로 보일 수 있기 때문에 한 번의 임상적 검사로 혼수상태의 진단을 내려서는 안 되며 반드시 반복검사를 통해서 확진을 하여야 한다. 뇌간반사 소실의 증명이 뇌사 판단의 필수조건임은 물론이며 이를 위한 확인검사로는 안구두반사(oculocephalic reflex), 대광반사(pupillary light reflex), 각막반사(corneal reflex), 안구전정반사(oculovestibular reflex), 인두반사와 기침반사(gag reflex and cough reflex) 등의 검사가 있다.

뇌사 판단의 기준으로 빼 놓을 수 없는 것은 자발적 호흡의 불가역적 소실이다. 이에 대한 진단은 단순히 외견상 흉곽 운동의 정지에 의해서는 안 되고, 동맥혈산소분압(PaO_2)을 안전한 수준으로 유지하며 동맥혈이산화탄소분압($PaCO_2$)을 올려서 호흡중추의 반응성을 확인하는 무호흡검사를 반드시 시행해야 한다.

또한 뇌사 판단의 기준에 입각하여 사망을 판단할 때에 반드시 확인검사를 시행해야 한다는 데에도 이견이 없다. 우선적으로 불가역적 두개내 병변에 대한 진단이 이루어져야 하고, 그 질환이 치유 불가능한 것이라는 판단을 위한 검사가 이루어져야 한다. 따라서 원인불명의 혼수상태에 있는 환자에 대해서는 절대로 뇌사의 판단이 내려져서는 안 된다(문국진, 1989).

3) 뇌사와 장기이식

장기이식에 대한 의학적, 의료법 및 생명윤리적 논의는 뇌사의 문제와 깊이 연관되어 있다. 장기이식수술을 위하여 생명장기를 적출하려고 할 때 우선적으로 문제되는 것은 장기공여자에 대한 죽음의 확정이다.

의학적으로는 장기이식수술의 적응에 대한 진지한 검토를 거쳐서 이식수술이 환자에게 최선의 치료방법인가를 신중히 결정하여야 한다. 장기이식수술은 특별한 시설과 장비가 필요할 뿐 아니라 술기의 난이도가 높은 수술에 속하며 거부반응 등의 심각한 합병증의 발생이나 일생 동안 면역억제제를 투여해야 하는 어려움이 있기 때문이다. 따라서 장기이식수술은 환자의 질병과 그에 대한 치료에 대하여 종합적인 재평가를 하고 수술 전후의 생존 가능 기간, 수술의 성공 가능성, 생명의 위험도, 수술 전후의 삶의 질 등을 종합적으로 고려하여 신중하게 결정하여야 할 것이다.

우리나라는 2000년 '장기 등 이식에 관한 법률'이 시행되어 장기이식수술을 위한 생명장기적출은 형법상의 살인죄와 관련된 법적 논쟁을 벗어나 적법하게 시술할 수 있게 되었다.

'장기 등 이식에 관한 법률' 제4조는 '살아있는 사람', '뇌사자'를 분명하게 구분하고 있다. 제21조 제1항은 "뇌사자가 이 법에 따른 장기 등의 적출로 사망한 경우에는 뇌사의 원인이 된 질병 또는 행위로 인하여 사망한 것으로 본다."라고 하여 장기적출 관련 의료행위가 형법상의 살인죄의 구성요건이 될 수 있는 위험을 해결하였다. 또한 같은 조 제2항에서는 사망한 시점의 확정에 대한 논란을 피하기 위하여 "뇌사자의 사망시각은 뇌사판정위원회가 제18조 제2항에 따라 뇌사판정을 한 시각으로 한다."라고 규정하고 있다. 법 제22조 제3항에서는, 뇌사자와 사망한 자의 장기 등은 본인이 뇌사 또는 사망하기 전에 장기 등의 적출에 동의한 경우나 반대한 사실이 확인되지 아니한 경우로서 그 가족 또는 유족이 장기 등의 적출에 동의한 경우에 한하여만 적출이 가능하도록 하고 있다.

이 법이 뇌사자 판정 기준과 절차를 규정하고는 있지만, 이는 장기 적출과 이식을 목적으로 하는 경우에만 적용되는 것이므로, 장기이식이 전제되지 않는 경우에 뇌사자로부터 인공호흡기 등의 생명유지장치를 임의로 제거하는 경우에는 형법상 살인죄, 민법상의 불법행위책임을 질 가능성이 있다. 한편 민법, 친족상속법, 형법, 보험법 등에서는 여전히 심장의 기능이 불가역적으로 정지된 때에만 사망한 것으로 판정한다.

장기이식수술을 준비하는 의료진으로서는 장기공여자의 최후 순간에 제공되는 장기의 기능보전을 위하여 충분한 수액공급, 저체온 처치 등 의학적 처치가 매우 중요하겠지만, 장기공여자의 생명에 영향을 줄 수 있는 어떠한 처치도 뇌사 판정 이전에 시행하여서는 안 된다.

뇌사의 판정은 의사라고 해서 누구나 할 수 있는 것은 아니고, 뇌사판정의료기관으로 지정된 의료기관에서만 할 수 있도록 엄격히 제한하고 있으며, 그 절차에 있어서도 해당 의료기관에 설치된 뇌사판정위원회에서 법이 정한 절차를 거쳐서 뇌사판정이 내려지게 되고 당해 뇌사판정에 참여한 의사는 당해 뇌사자의 장기이식수술에 관여하지 못하게 하여 장기이식수술의 목적으로 무리한 뇌사판정이 내려지지 않도록 하고 있다.

뇌사자의 보호를 위하여 '장기 등 이식에 관한 법률' 제18조 제2항은 "제1항에 따라 뇌사판정의 요청을 받은 뇌사판정위원회는 전문의사인 위원 2명 이상과 의료인이 아닌 위원 1명 이상을 포함한 과반수의 출석과 출석위원 전원의

찬성으로 뇌사 판정을 한다. 이 경우 뇌사 판정의 기준은 대통령령으로 정한다."라고 하여 그 판정 절차와 기준을 엄격·명확하게 규정하고 있다.

5. 연명의료

현대 의료기술의 발달은 건강증진과 생명유지기술을 발전시켰지만 때로는 죽음에 이르는 과정만을 연장시키는 기술로 사용되기도 한다. 이러한 경우 단순 연명의료는 본인에게는 물론 가족과 주변 사람들에게도 큰 부담과 고통을 주게 된다. 과연, 이러한 상태의 환자에 대해서 단순한 생명유지만을 위한 치료를 계속하여야 할 것인가? 그리고 생명유지치료를 중단한다면 언제 이를 중단할 것인가? 라고 하는 문제는 현대의학이 안고 있는 가장 큰 과제 중의 하나이다.

1) 보라매병원 사건과 김할머니 사건

우리나라는 '보라매병원 사건(대법원 2004.6.4. 선고 2002도995 판결)'과 '김할머니사건(대법원 2009.5.21. 선고 2009다17417 판결)' 후 연명의료결정법이 만들어지게 되었다.

1997년 발생한 보라매병원 사건은 환자에 대한 의학적 판단에 근거하지 않고, 가족의 부당한 퇴원 요구에 응한 의료진이 인공호흡기 착용을 중단하고 퇴원시킴으로써 환자가 사망한 사건이다. 이때 의료인들에게 살인 방조죄가 적용되었고, 의료계는 연명의료 중단과 관련하여 소극적이고 방어적인 태도를 취하게 되었다. 2009년 김할머니 사건에 대하여 대법원은 "의학적으로 회생 가능성이 없는 환자라면 해당 환자가 남긴 사전의료지시나 환자 가족이 진술하는 환자의 의사에 따라 연명치료를 중단하는 것이 가능하다"고 판결하였다. 이후 의학적으로 의미가 없는 연명의료의 유보나 중단에 관한 사회적 공감대를 형성하여 '호스피스·완화의료 및 임종 과정에 있는 환자의 연명의료결정에 관한 법률(연명의료결정법)'이 제정되었다.

2) 목적과 정의

연명의료결정법의 목적은 '임종과정에 있는 환자'라는 의학적 판단이 선행된 환자에 대하여 연명의료를 시행하지 않거나 중단할지를 환자 스스로 결정할 수 있도록 하고, 그 결정을 법적으로 보호함으로써, 환자의 최선의 이익을 보장하고 자기결정을 존중하여 인간으로서의 존엄과 가치를 보호하는 것을 목적으로 하고 있다. 모든 환자는 최선의 치료를 받으며, 자신이 앓고 있는 상병의 상태와 예후 및 향후 본인에게 시행될 의료행위에 대하여 분명히 알고 스스로 결정할 권리를 보장받아야 하며, 의료인은 환자에게 최선의 치료를 제공하고, 연명의료중단등결정에 관하여 정확하고 자세하게 설명하며, 그에 따른 환자의 결정을 존중하여야 한다(연명의료결정제도 안내, 2019).

회생의 가능성이 없고, 치료에도 불구하고 회복되지 아니하며, 급속도로 증상이 악화되어 사망에 임박한 상태를 '임종과정'이라 하며, 담당의사와 해당 분야의 전문의 1명으로부터 임종과정에 있다는 의학적 판단을 받은 자를 '임종과정에 있는 환자'라고 한다.

'연명의료'란 임종과정에 있는 환자에게 하는 심폐소생술, 혈액 투석, 항암제 투여, 인공호흡기 착용 및 그 밖에 대통령령으로 정하는 의학적 시술(체외생명유지술, 수혈, 혈압상승제 투여 등)로서 치료효과 없이 임종과정의 기간만을 연장하는 것을 말하며, '연명의료중단등결정'이란 임종과정에 있는 환자에 대한 연명의료를 시행하지 않거나 중단하기로 하는 결정을 말한다.

'연명의료계획서'란 말기환자 등의 의사에 따라 담당의사가 환자에 대한 연명의료 중단 등 결정 및 호스피스에 관한 사항을 계획하여 문서로 작성한 것을 말하며 '사전연명의료의향서'란 19세 이상인 사람이 자신의 연명의료중단등결정 및 호스피스에 관한 의사를 직접 문서로 작성한 것을 말한다.

3) 이행

담당의사는 연명의료중단등결정을 이행하기 전에 해당 환자가 임종과정에 있는지 여부를 해당 분야의 전문의 1명과 함께 판단하고 기록하여야 한다.

임종과정에 있는 환자에 대하여 연명의료중단등결정을 이행하려는 담당의사는 ① 연명의료계획서, ② 사전연명의료의향서, ③ 환자의 의사에 대한 환자가족 2인 이상의 일치하는 진술 중 하나로 환자의 의사를 확인하고 기록하여야 한다. 위의 방법으로 환자의 의사를 확인할 수 없고, 환자도 자신의 의사를 표현할 수 없는 의학적인 상태인 경우, 담당의사와 해당 분야 전문의 1명은 환자의 연명의료중단 등 결정에 관한 의사로 보기에 충분한 기간 동안 일관하여 표시된 연명의료중단 등에 관한 의사에 대하여는 19세 이상의 환자가족 2명 이상의 일치하는 진술을 확인하면 환자의 의사로 간주한다. '환자가족'이란 19세 이상인 사람으로 ① 배우자와 직계 존속 및 직계 비속을 말하며, 이에 해당하는 사람이 모두 없는 경우, ② 형제자매가 포함된다.

연명의료계획서나 사전연명의료의향서 또는 환자가족의 진술 등으로 환자의 의사를 확인할 수 없고, 환자가 자신의 의사를 표현할 수 없는 의학적 상태일 때에는 환자가족 전원의 합의로 연명의료중단등결정의 의사 표시를 하고, 이를 담당의사와 해당 분야 전문의 1명이 확인하여 이행한다.

담당의사는 확인된 환자의 연명의료중단등결정을 존중하여 이행하여야 하며 이행하는 경우에도 통증 완화를 위한 의료행위와 영양분 공급, 물 공급, 산소의 단순 공급은 시행하지 않거나 중단해서는 안 된다.

6. 낙태의 법률관계

과거 헌법재판소는 2012년 낙태죄 규정을 합헌으로 결정하였다. 이후에도 낙태죄 폐지에 대한 논란은 지속되어 왔다. 낙태죄의 존폐 논란은 이미 형법 제정 당시부터 있었던 것으로, 대한민국의 근대 입법과정과 역사를 같이 한다. 당시 형법 제정과정에서 낙태죄의 전면삭제를 주장하면서 수정안을 제출했던 국회의원들은 사회·경제적 적응 사유를 핵심적인 제안 이유로 제시하기도 하였다(이석배, 2019).

현재 낙태는 형법에 의한 엄격한 규율과 통제 하에 있다. 하지만 낙태죄는 현재 사문화되어 있다고 하여도 과언이 아니다. 낙태라는 꾸준한 의료 수요를 강제로 억압할 경우 나타나는 부작용이 법익보다 더 큰 문제가 있어 이에 대한 엄정한 법집행이 어려운 것이다. 엄격한 규율보다는 낙태의 임신 주수별 기준과 사회 경제적 사유가 반영된 법 개정을 통해 현실화하는 것이 현재의 사회적인 요구이다(김재연. 2009).

2019년 헌법재판소는 업무상 승낙 낙태에 대한 위헌소송에서 임신한 여성의 자기낙태를 처벌하는 형법 제269조 제1항과 의사가 임신한 여성의 촉탁 또는 승낙을 받아 낙태하게 한 경우를 처벌하는 형법 제270조 제1항 중 '의사'에 관한 부분은 모두 헌법에 합치되지 아니하며, 위 조항들은 2020.12.31.을 시한으로 입법자가 개정할 때까지 계속 적용된다는 헌법 불합치 결정을 하였다(헌법재판소 2017헌바127 형법 제269조 제1항 등 위헌소원).

이 판결의 헌법불합치 의견은 "태아가 모체를 떠난 상태에서 독자적으로 생존할 수 있는 시점인 임신 22주 내외에 도달하기 전이면서 동시에 임신 유지와 출산 여부에 관한 자기결정권을 행사하기에 충분한 시간이 보장되는 시기까지의 낙태에 대해서는 국가가 생명보호의 수단 및 정도를 달리 정할 수 있다고 봄이 타당하다"고 하였다. 그리고 "태아의 생명을 보호하기 위하여 낙태를 금지하고 형사 처벌하는 것 자체가 모든 경우에 헌법에 위반된다고 볼 수는 없으며 입법자는 결정 가능 기간을 어떻게 정하고 결정 가능 기간의 종기(終期)를 언제까지로 할 것인지와 사회적·경제적 사유를 구체적으로 어떻게 조합할 것인지, 상담 요건이나 숙려 기간 등과 같은 일정한, 절차적 요건을 추가할 것인지 여부 등에 관하여 헌법재판소가 설시한 한계 내에서 입법재량을 가진다"고 하였다. 이로써 1953년 형법의 제정 시부터 지속된 낙태의 죄에 관한 형법 제27장과 관련 법률로서 1973년에 제정된 모자보건법 제14조(인공임신중절수술의 허용한계)의 전면 개정이 불가피해졌다.

이에 대한 2019년 대한산부인과학회가 주관한 낙태법

특별위원회의 입장은 다음과 같다(최안나 등, 2020).

1) 의료인이 낙태를 거부할 권리

낙태를 합법적으로 허용하고 있는 많은 나라에서 의료인의 낙태 거부권이 인정되고 있는데 특히 미국과 유럽연합 28개 회원국 중 프랑스, 영국, 독일, 이탈리아 등 21개 국가는 낙태에 대한 양심적 거부를 법률로 보장하고 있다(Heino et al., 2013; Moon et al., 2019).

우리나라는 의료법 제15조(진료 거부 금지 등)에 의료인 또는 의료기관 개설자는 정당한 사유 없이 진료 요청을 거부하지 못하도록 되어 있다. 그런데 진료를 거부할 수 있는 정당한 사유는 법률로 규정되어 있지 않고 복지부 유권해석에 따르도록 되어 있으며 그동안 낙태에 대한 진료 거부권이 '정당한 진료 거부 사유'에 해당하는지에 대해 논의된 바가 없다. 그러나 낙태 문제에 있어 의사가 낙태 관련 의료행위나 시술기관으로 안내하는 등 관련 절차에 참여하거나 제공을 거부하는 경우 이를 이유로 불이익을 받아서는 안 될 것이다.

2) 시술의 체계

(1) 시술 의료기관 안내 체계

여성의 낙태 접근성 문제이다. 또한 낙태 시술을 하지 않는 산부인과가 낙태를 원하는 환자들과의 마찰을 피하기 위해서도 시술 기관에 대한 안내 체계가 있어야 한다. 시술 기관이 아닌 '미시술 의료기관 신고제'를 통해 시술 의사들의 부담을 감소시키면서 여성들의 접근성을 보장하고 시술 거부 의사들의 권리도 보호하여야 할 것이다.

(2) 상담제도

세계보건기구(WHO)의 '안전한 낙태에 관한 가이드라인'에서도 안전한 낙태를 위한 필수적인 요소로서 상담을 제시하고 있다(WHO, 2012).

3) 의학적 측면을 고려한 비의학적 사유의 낙태 허용 시기

낙태로 인한 모성 사망의 상대적 위험도는 임신 8주 이후 각각 2주마다 두 배로 증가한다고 하며 이른바 '안전한 낙태'를 위해서는 임신 제1삼분기에 잘 훈련된 전문 의료인의 도움을 받아 낙태가 시행되고 낙태 전후로 적절한 의료 서비스와 돌봄이 제공되는 것이 중요하다.

대한산부인과학회는 비의학적 사유의 낙태 허용은 합병증 위험이 증가하고 태아 검사 및 성감별에 의한 낙태가 가능한 임신 14주까지가 아니라, 비교적 안전하며 태아 검사가 어렵고 대부분의 낙태가 이뤄지고 있는 임신 10주 미만으로 해야 한다는 의견을 제출하였다. 임신 10주부터 태아 DNA 선별검사(non-invasive prenatal test, NIPT)를 포함하여 광범위하게 태아 검사가 이뤄지고 있는 우리나라 의료 현실을 감안하여 비의학적 사유의 낙태는 태아에 대한 의학적 개입이 이뤄지기 전인 임신 10주(70일) 미만으로 하는 것이 타당하다는 의견이다.

4) 의학적 낙태 사유: 태아 사유와 모체 사유

산전 검사에서 태아의 장애나 질환이 진단되는 경우 출산을 포기하는 경우가 많은 것이 우리 사회의 현실이다. 그러나 치료하거나 양육하기 어려운 환경이라는 이유로 낙태하는 것은 의학적 필요에 의한 낙태가 아니라 의학적 진단에 따른 사회경제적 사유의 낙태라 할 수 있다.

법적으로 인공임신중절 사유에 해당되는 태아 이상의 경우는 부모에게 적법하게 낙태할 결정권이 있으므로 의사가 이를 산전 진단하지 못하면 부모의 낙태 결정권을 침해하는 것이며 이에 대한 배상 책임을 지게 된다(이충훈, 2010). 다운증후군을 비롯하여 생존 가능성이 높은 태아 이상이 진단되는 경우에도 많은 부모들이 출산을 포기하는 현실이나 그렇다고 다운증후군과 같은 태아 질환이 반드시 산전 진단을 하여 낙태해야 하는 질환에 해당된다고는 할 수 없다.

낙태법 특별위원회에서는 낙태 허용 범위에 태아 사유를 포함하는 것에 반대하며 임신 10주 이후에 사회 경제적 사유의 낙태가 허용될 경우 태아 사유를 별도로 정하지 말고 사회경제적 사유에 포함해야 한다고 하였다. 만약 임신 10주 이후 사회경제적 사유의 낙태가 허용되지 않을 경우

의학적 사유의 낙태 허용 범위와 절차에 대해서는 다음과 같이 요구하였다.

(1) 모체 사유: 임부 생명에 대한 위험 또는 건강 상태의 중한 위험이 의학적으로 판단되는 경우
(2) 태아 사유: 출생 전후 태아의 생존 가능성이 없다고 의학적으로 판단되는 경우
(3) 위의 의학적 사유에 해당하는 경우 '산부인과 전문의와 해당 질환 과목 전문의를 포함한 위원회'에서 승인한다. 또한 사회경제적 사유의 허용 기간은 정부가 다양한 이해관계자의 여론 수렴을 거쳐 결정하도록 한다.

5) 배우자 동의

모자보건법 제14조에 의하면 배우자의 동의를 받아 낙태할 수 있는데 OECD 국가 중 낙태 시 배우자 동의 요건을 요구하는 국가는 우리나라와 일본, 터키 3개국뿐이다(Jang, 2019).

일반적인 의료 시술 시 의료법 제24조 2항(의료행위에 관한 설명)에 의하면 의사 결정 능력이 있는 환자 본인에게 설명하고 동의를 받도록 되어 있어 성인의 경우 환자의 동의만으로 일반적인 의료 시술을 하고 있다.

6) 미성년자의 보호자 동의

현행 모자보건법상 합법 낙태에 대해 연령에 대한 동의 제한 규정은 없다. 개별법에 동의에 대한 연령 규정을 별도로 두는 경우가 연명의료결정법에는 19세, 장기기증에 관한 법률에는 16세로 되어 있다. 낙태에 관한 법률에도 동의 연령을 규정하여 그 이하의 경우 부모 또는 법정 대리인의 동의를 구해야 하는지에 대하여 논란이 되고 있다(Jang, 2019; Kim & Lee, 2019).

이에 낙태법 특별위원회에서는 미성년자의 낙태 시술에 있어 부모 등 법정 보호자의 동의가 필요하다는 입장이다. 단 미성년자가 부모 등 법정 보호자의 동의 단계를 거부하는 경우는 정부가 정한 상담 및 승인 절차를 거치도록 할 것을 요구하였다.

참고문헌

- 김민중. 의료의 법률학. 서울: 신론사; 2011.
- 김재연. 생명 윤리와 법 그리고 낙태. 메디칼 타임즈. 2009.11.6.
- 김지연. 인공수정자의 법적 지위에 관한 연구. 의료법학 2015;16: 83-124.
- 김천수. 인체에 대한 생체의학적 연구(인체실험)에 관한 법적 고찰(인체실험계약의 유효조건과 손해배상책임을 중심으로). 법정논총 1990;5:28.
- 김향미, 손영수. 의·생명과학의 법·윤리적 이해(개정증보판). 제주시:제주대학교출판부; 2013.
- 문국진. 생명법의학. 서울: 고려대학교 법의학연구소; 1989.
- 세계의사회 헬싱키 선언: 인간 대상 의학연구 윤리 원칙. 대한의사협회지 2014:57:899-902.
- 연명의료결정제도 안내. 보건복지부, 국가생명윤리정책원. 2019.
- 이상돈. 생명공학과 법-생명의 공학화와 생명문화의 절차적 재생산-대우학술총서. 서울: 아카넷; 2003.
- 이석배. 낙태죄 헌법재판소 헌법불합치 결정의 취지와 법률개정방향-헌법재판소 2019.4.11. 선고 2017헌바127 전원재판부 결정에 따라-. 의료법학 2019;20:3-39.
- 최안나, 박용원, 김세광, 김승철, 이필량, 황경주 등. 낙태법 개정 관련 의료적 이슈와 산부인과의 입장. 한국모자보건학회지 2020; 24:9-17.
- 이충훈. 인공임신중절에서 발생할 수 있는 의료계약상 의사의 책임. 대한산부인과학회 학술대회지 2010;101-11.
- Heino A, Gissler M, Apter D, Fiala C. Conscientious objection and induced abortion in Europe. Eur J Contracept Reprod Health Care 2013;18:231-3.
- Jang DH. Issues on the sexuality and reproduction health policy through foreign abortion laws. In: National Assembly Discussion Meeting, 2019.6.19.
- Kim JK, Lee JM. Issues and legislative tasks in accordance with the decision not to comply with the constitution on abortion. NARS Curr Issues Anal 2019;52:1-16.
- Medina JJ. The Clock of Ages. New York: Cambridge; 1996.
- Moon HN, Kim MH. Review of domestic and foreign legal status and issues of conscientious objection to abortion. Asia Pac J Health Law Ethic 2019;12:57-81.
- URL: http://eur-lex.europa.eu/legal-content/EN/ALL/?uri=CELEX:32000X1218(01)
- URL: http://www.cre.or.kr/board/?board=bioethics_articles&page=2&no=1385854
- World Health Organization. Safe abortion: technical and policy guidance for health systems. 2012.
- 대법원 2004.06.04 선고 2002도995 판결
- 대법원 2009.05.21. 선고 2009다17417 판결
- 헌법재판소 2017헌바127 형법 제269조 제1항 등 위헌소원
- In re Baby M, 537 A.2d 1227, 109 N.J. 396 (N.J. 02/03/1988)

- 법령
  모자보건법
  민법
  생명윤리 및 안전에 관한 법률
  의료법
  장기 등 이식에 관한 법률
  형법
  호스피스·완화의료 및 임종과정에 있는 환자의 연명의료결정에 관한 법률

제46장

진료의 의료법적평가

이충훈 | 경기도의료원 수원병원
김재연 | 전주에덴산부인과

사람은 누구나 건강하고 행복한 삶을 보다 오랫동안 누리고자 하는 공통된 소망을 가지고 있다. 인간의 생명을 돌보는 의료인은 자신이 습득한 의료전문지식과 의료기술 그리고 경험을 바탕으로 최선을 다하여 진료에 임하고 있다. 그러나 전체적인 생활수준의 향상과 보험제도의 확충, 사회보장제도의 확립으로 의료가 확대, 대중화되고 수술과 의약품, 진단장비에 의존하는 등 의료 기술 중심화가 심화되면서 의료 분쟁은 점차 증가하고 있다(이충훈, 1996).

인간의 탄생이라는 생명의 근원적 영역을 담당하고 있는 산부인과는 생명의 출발점에서부터 인간의 건강과 행복에 이바지하고 있다. 한편 산부인과는 다른 어떤 의료 직역보다 높은 사고의 위험에 노출되어 있어 그에 따른 의료분쟁 역시 많으며, 이는 의사로서의 삶에 심각한 위험요소가 되고 있다. 그러나 의사들은 예전에 비해 민주화된 환자와의 관계, 국민들의 의료 시혜에 대한 높은 기대, 의료인에 대한 법적 의무의 다양화 및 고도화를 쉽게 받아들이지 못하고 의사의 민사법적 의무와 책임에 대하여 잘 이해하지 못함으로써 의료분쟁은 점차 심화되고 있다(안법영 등, 2014).

1. 의료행위와 법적책임

1) 의료사고와 민사책임

의료행위가 개시되어 그 종료에 이르기까지의 과정에서 예기하지 아니한 결과가 발생한 경우를 총칭하는 개념으로, 예기하지 못했던 원치 않은 결과가 발생한 것을 '의료사고'라고 하며, 의료행위가 당시의 의학지식 내지 의료기술의 원칙에 따라 의료인에게 요구되는 주의의무를 게을리함으로써 적합한 것이 되지 못한 것을 '의료과실'이라고 한다.

고의 또는 과실로 인한 의료사고가 발생한 경우, 현행법상 민법 제390조의 채무불이행책임과 민법 제750조의 불법행위책임 등에 의한 손해배상책임을 진다.

이와 같은 손해배상책임은 피해자에게 손해를 가한 자 또는 그 사용자가 부담하고, 그 전제로서 주의의무 위반을 요건으로 한다. 대법원은 "의료행위에 있어서 주의의무위반으로 인한 불법행위 또는 채무불이행으로 인한 책임이 있다고 하기 위해서는 의료행위상 주의의무의 위반, 손해의 발생 및 주의의무의 위반과 손해 발생과의 사이에 인과관계가 존재하여야"라고 판시하였다(대법원 2000, 9. 8. 선고 99다48245 판결).

2) 의료과실과 주의의무

의사가 행하는 의료행위는 환자의 생명과 건강을 관리하는 행위이기 때문에 최선의 조치를 다하여야 할 주의의무가 요구된다.

의료소송에서 의사에게 손해배상을 청구하기 위해서는 의료과실이라는 전제가 필요한데, 의료과실은 의사가 의료행위를 함에 있어서 의사의 주의의무를 다하지 못한 것을 의미한다. 대법원은 "인간의 생명과 건강을 담당하는 의사에게는 그 업무의 성질에 비추어 보아 위험방지를 위하여 필요한 최선의 주의의무가 요구된다. 따라서 의사로서는 진료 당시의 의학적 지식에 입각하여 그 치료방법의 효과와 부작용 등 모든 사정을 고려하여 최선의 주의를 기울어 그 치료를 실시하여야 하며"라고 판시하였다(대법원 2013.12.12. 선고 2013다31144판결).

위와 같은 주의의무는 결과예견의무와 결과회피의무로 구성되는데, 결과예견의무는 의사가 결과 발생을 예견할 수 있었음에도 불구하고 그 결과 발생을 예견하지 못한 것을 말하고, 결과회피의무는 그 결과 발생을 회피할 수 있었음에도 불구하고 그 결과 발생을 회피하지 못한 것을 말한다.

대법원은 분만 중 태아가 뇌손상을 입고 두개강내 출혈이 생겨 뇌성마비가 발생한 사안에서 "통상의 주의력을 가진 산부인과 의사라면 아두골반불균형상태 또는 경계아두골반불균형 상태의 가능성이 있음을 의심할 수 있다고 보이는데도 이러한 가능성을 전혀 예상하지 아니하여 이에 대한 대비를 하지 아니하였고, 분만 2기에 있어 5분마다 한 번씩 측정하여야 할 태아심음측정을 4회나 하지 아니한 채 만연히 통상의 질식분만의 방법으로 분만을 진행시키다가 뒤늦게 아두골반불균형 또는 이와 유사한 상태의 경우에는 피하여야 할 시술방법인 흡인분만의 방법을 무리하게 계속하여 태아를 만출시킨 의료상의 과실이 있다"고 판시하였다(대법원 1992.5.12. 선고 91다23707 판결).

3) 의료과실의 판단기준

대법원은 의료수준에 부합하지 않는 의료행위를 주의의무 위반이라고 보면서, 의료수준을 정할 때에는 의학상식이나 의학 교과서 및 의료기관의 프로토콜과 같은 의료지침을 기준으로 과실여부를 판단한다(대법원 2013.12.12. 선고 2013다31144판결). 뿐만 아니라 대법원은 그러한 진료가 의학적인 규범을 벗어날 때 과잉 진료가 될 수도 있다는 판단까지도 하고 있다(이재경, 2016).

의사의 주의의무를 판단하는 기준인 의학 지식과 의료기술은 의학수준을 의미하지 아니하고 의료수준을 의미한다. 의료수준은 연구수준에 있는 진료 방법이 임상의사의 지식과 의료기술의 습득에 의하여 보편화되고 그 진료방법의 유효성, 합병증, 부작용 등이 명확하게 된 단계를 의미한다. 의사가 이미 보편화된 새로운 의학 지식이나 의료 기술에 못 미치는 의료행위를 하면 의료과실이 되어 환자에게 발생한 손해를 배상하여야 할 책임을 부담한다.

의사의 결과예견의무는 발생 가능성이 극히 낮은 경우에도 인정되고, 진단이나 치료 전의 검사, 치료 방법의 선택, 치료 행위, 수술 후의 관리나 지도 등 의료행위의 모든 과정에서 부담한다. 그리고 의료행위에 따른 위험에 대한 예견 가능성이 인정된 이상, 의사는 최선을 다해서 악결과에 대한 회피 조치를 강구하여야 하는 결과회피의무를 부담한다. 다만 의사의 결과회피의무는 현대의학의 지식이나 기술에 의하여 회피할 수 있는 위험, 즉 회피가능성이 인정되는 위험에 대하여서만 인정된다. 과학적으로 합리적 근거가 인정되고 임상적으로 확립된 수단을 강구하여도 위험을 회피할 수 없는 경우에는 의사에게 결과회피의무가 부과되지 않는다.

의료행위에 필요한 의사의 결과회피의무는 대부분 의학이나 임상에 의한 경험에 의하여 객관화되어 있고, 그러한 회피수단을 강구하였음에도 의료사고가 발생한 경우에는 주의의무위반이 인정되지 않는다.

또한 대법원은 "의사는 진료를 행함에 있어 환자의 상황과 당시의 의료수준 그리고 자기의 지식경험에 따라 적절하다고 판단되는 진료방법을 선택할 상당한 범위의 재량을 가지며, 그것이 합리적인 범위를 벗어난 것이 아닌 한 진료의 결과를 놓고 그중 어느 하나만이 정당하고 이와 다른 조치를 취한 것은 과실이라고 말할 수 없다"고 판시함으로써

(대법원 2015.2.26. 선고 2013다27442 판결) 진료방법의 재량성을 인정하고 있다.

그 밖에 의료행위에 따른 주의의무로 전원의무가 있다. 전원의무란 의사가 병원의 시설이나 의료진의 기술 등의 이유로 특정환자를 치료하기에 부적합하다고 판단한 경우 그러한 인력과 시설을 갖춘 병원으로 환자를 이송하여 환자에게 적절한 의사나 시설을 갖춘 병원에서 의료행위를 받도록 하는 의무를 말한다(김영태, 2013). 전원의무는 환자들에게도 널리 인식되어 있어 적절한 전원시점을 놓치게 되어 의료사고가 발생하였다고 의심되는 상황에서는 전원의무위반 여부와 관련한 법적분쟁이 종종 발생한다(최현태, 2019).

4) 인과관계

의료소송에 있어서는 인과관계의 존부가 다툼의 중요한 대상이 된다. 의료가 가지는 고도의 전문성과 재량성, 폐쇄성, 밀실성, 치료결과의 예측곤란성으로 인하여 인과관계의 존부 판단에는 어려움이 많다. 의료행위는 현대 의학이 가지고 있는 한계와 발생한 나쁜 결과가 환자의 특이한 체질적 소인이나 기왕증에 기인할 수도 있기 때문에 의사의 의료과실과 나쁜 결과 사이의 인과관계의 판단이 쉽지 않다.

(1) 입증책임의 완화

과실과 인과관계의 입증책임은 원칙적으로 환자측이 부담하지만 그 정도를 완화하거나 경감시키자는 입증부담의 완화론이 제기되어 왔다. 대법원은 "의료행위가 고도의 전문적 지식을 필요로 하는 분야이고, 그 의료의 과정은 대개의 경우 환자나 그 가족이 일부를 알 수 있는 점 외에 의사만 알 수 있을 뿐이며, 치료의 결과를 달성하기 위한 의료기법은 의사의 재량에 달려 있는 것이기 때문에 손해발생의 직접적인 원인이 의료상의 과실로 말미암은 것인지 여부는 전문가인 의사가 아닌 보통인으로서는 도저히 밝혀낼 수 없는 특수성이 있어서 환자측이 의사의 의료행위상의 주의의무위반과 손해의 발생 사이의 인과관계를 의학적으로 완벽하게 입증한다는 것은 극히 어려우므로, 이 사건에 있어서와 같이 환자가 치료 도중에 사망한 경우에 있어서는 피해자 측에서 일련의 의료행위 과정에 있어서 저질러진 일반인의 상식에 바탕을 둔 의료상의 과실있는 행위를 입증하고 그 결과 사이에 일련의 의료행위 외에 다른 원인이 개재될 수 없다는 점, 이를테면 환자에게 의료행위 이전에 그러한 결과의 원인이 될 만한 건강상의 결함이 없었다는 사정을 증명한 경우에 있어서는 의료행위를 한 측이 그 결과가 의료상의 과실로 말미암은 것이 아니라 전혀 다른 원인으로 말미암은 것이라는 입증을 하지 아니하는 이상, 의료상 과실과 그 결과 사이의 인과관계를 추정하여 손해배상책임을 지울 수 있도록 입증책임을 완화하는 것이 손해의 공평·타당한 부담을 그 지도원리로 하는 손해배상제도의 이상에 맞는다고 하지 않을 수 없다"고 판시함으로써(대법원 1995.2.10. 선고 93다452402판결), 일정한 요건 하에서 인과관계의 입증을 완화하고 있다.

그러나 원인불명의 의료사고의 경우에는 환자측뿐만 아니라 의료인 측에서도 사건 과정을 해명할 수 없으므로 사고 과정이 확정되기 어렵다는 이유만으로 의사에게 책임을 전가시킬 수는 없다(안법영, 2000).

(2) 인과관계의 추정과 추정의 제한

대법원은 "의료행위는 고도의 전문적 지식을 필요로 하는 분야로서 전문가가 아닌 일반인으로서는 의사의 의료행위의 과정에 주의의무 위반이 있는지의 여부나 그 주의의무 위반과 손해발생 사이에 인과관계가 있는지 여부를 밝혀내기가 극히 어려운 특수성이 있으므로 수술 도중 환자에게 사망의 원인이 된 증상이 발생한 경우 그 증상 발생에 관하여 의료상의 과실 이외의 다른 원인이 있다고 보기 어려운 간접사실들을 입증함으로써 그와 같은 증상이 의료상의 과실에 기한 것이라고 추정하는 것도 가능하다"고 판시함으로써(대법원 2012.5.9. 선고 2010다57787 판결) 인과관계를 추정하고 있다.

그러나 대법원은 "의사의 과실로 인한 결과발생을 추정할 수 있을 정도의 개연성이 담보되지 않는 사정들을 가지고 막연하게 중한 결과에서 의사의 과실과 인과관계를 추정함으로써 결과적으로 의사에게 무과실의 입증책임을 지우는 것까지 허용되는 것은 아니다"고 판시함으로써(대법원 2013.6.27. 선고 2010다96010 판결) 의료행위에 과실이 있는지 여부가 불분명하고 의사의 의료행위와 환자에게 발생한 나쁜 결과 사이에 인과관계가 있다고 보기도 어려운 경우, 단지 의료행위 시행 전후 환자 상태 등의 간접사실만으로 의료과실과 인과관계를 추정하는 것을 제한하고 있다.

대법원은 자연질식분만 도중 흡입분만을 실시하여 분만한 신생아가 분만 후 경막하출혈, 골막하출혈 등으로 사망한 사건에서 "골막하출혈의 경우 자연질식분만에서도 발생할 수 있는 합병증이므로 망아에게 골막하출혈이 있었다는 사정만으로 의사가 흡입컵의 음압과 그 증가속도를 제대로 살피지 아니하여 망아의 머리에 무리한 힘이 가해지도록 한 과실이 있다고 단정하기 어려움에도, 흡입분만 시술과정에 의사의 과실이 있었고 그 과실과 망아에게 생긴 경막하출혈 등 사이의 인과관계도 추정된다고 단정한 데 에는 의사의 주의의무에 관한 법리를 오해하여 필요한 심리를 다하지 않은 위법이 있다"고 판시하면서, 과실 및 인과관계를 추정한 원심 판결을 파기하였다(대법원 2011. 3. 10. 선고 2010다72410 판결).

⑶ 위자료 배상책임이 문제될 수 있는 불성실한 의료행위의 기준

의료과실소송에서 의사의 진료상 과실이 인정되나 그 진료상 과실과 환자에게 발생한 손해 사이에 인과관계가 존재하지 않는 경우에도, 의사의 불성실한 진료가 일반인의 처지에서 보아 수인한도를 넘어설 만큼 현저하게 불성실한 진료를 행한 것이라고 평가될 정도에 이른 경우라면 그 자체로서 불법행위를 구성하며, 그로 인하여 환자나 가족이 입게 된 정신적 고통에 대한 위자료의 배상이 가능할 수도 있다. 대법원은 "사람의 생명·신체·건강을 관리하는 업무인 의료행위의 속성상 환자의 구체적인 증상이나 상황에 따라 위험을 방지하기 위하여 요구되는 최선의 조치를 취하여야 할 주의의무를 부담하는 의료인 및 의료종사원 등 의료진이 그와 같은 환자의 기대에 반하여 환자의 치료에 전력을 다하지 아니한 경우에는 그 업무상 주의의무를 위반한 것으로 보아야 하나, 이러한 주의의무 위반과 환자에게 발생한 악결과 사이에 상당인과관계가 인정되지 않는 경우에는 그에 관한 손해배상을 구할 수 없다. 그렇지만 그 주의의무 위반의 정도가 일반인의 처지에서 보아 수인한도를 넘어설 만큼 현저하게 불성실한 진료를 행한 것이라고 평가될 정도에 이른 경우라면 그 자체로서 불법행위를 구성하여 그로 말미암아 환자나 그 가족이 입은 정신적 고통에 대한 위자료의 배상을 명할 수 있다"고 판시하였다(대법원 2006. 9. 28. 선고 2004다61402판결, 대법원 2009. 11. 29. 선고 2008다12545판결).

2. 의료소송

의료사고가 발생하면 많은 경우 의료분쟁으로 비화하는 것이 오늘날 우리 사회의 현실이다. 의료사고가 발생한 경우 최선을 다하여 진료한 의사와 의료진이 겪는 고통은 헤아릴 수가 없다. 특히 심각한 의료사고가 발생하면, 환자와 가족은 의료사고 자체로 인하여 가족 구성원 상호 간의 심각한 심리적 갈등을 겪게 되고, 그 화살은 일차적으로 의사와 의료진을 향하게 된다.

의료행위가 고도의 전문적 지식을 필요로 하는 분야이고, 그 의료의 과정은 대개의 경우 환자나 그 가족이 일부를 알 수 있는 점 외에 의사만 알 수 있을 뿐이며, 치료의 결과를 달성하기 위한 의료기법은 의사의 재량에 달려 있는 것이기 때문에 손해발생의 직접적인 원인이 의료상의 과실로 말미암은 것인지 여부는 전문가인 의사가 아닌 보통인으로서는 밝혀낼 수 없는 특수성으로 인하여(대법원 1999.09.03. 선고 99다10479 판결) 현실적인 의료분쟁 상황에서 의사와 환자간의 불신의 간극을 메우기는 대단히 어렵다.

의료행위상 과실의 기본적 의미에서는 민사법리와 형

사법리에 차이가 크게 없으나, 민사법적 절차에서는 의사의 과실로 인하여 환자 혹은 가족이 입은 손해에 대한 구제라는 측면이 핵심이고, 형사법적 절차에서 다루는 것은 주로 의사의 업무상 과실치상 혹은 업무상 과실치사라는 범죄성립 여부와 그에 따른 형벌의 부과라는 측면이 핵심이 된다. 따라서 형사법적인 절차에서 의사의 유죄를 인정할 때에는 민사법적인 절차에 비하여 훨씬 더 엄격한 평가와 판단 기준을 적용하게 된다.

의료사고 자체는 누구의 잘못이라는 평가가 되지 않은 가치중립적 용어이나, 형사소송에서는 의료인 등의 과실로 인하여 피해자에게 상해 또는 사망의 결과가 발생하였는지 여부가 그 판단 대상이 된다.

형사소송에서는 수사기관에서 증거를 수집하지만, 그 수집된 증거를 통해 책임의 존부(存否)를 판단하는 것은 민사소송절차에서의 판단과정과 거의 유사하다. 즉 의료인의 과실, 그 과실과 발생한 결과와의 인과관계 등을 모두 고려하여 의료인의 형사법적 책임을 부여하게 된다(안법영 등, 2014).

의료분쟁에 있어서 형사법적 절차의 진행은 민사소송에서 사용할 증거를 수집하고 의료인의 과실을 확인하기 위한 목적의 형사고소에 의하여 개시되는 경향이 있다. 의료분쟁에 관한 수사 및 재판 등 형사 사법절차는 주로 업무상과실치사상에 기한 형사처벌 여부를 결정하기 위한 것으로, 통상 민사절차보다 빠르게 진행된다. 그리고 형사사건에 있어 법원의 판결은 의료인의 과실 인정 여부에 대하여는 신중히 판단하되 의무기록의 추가 또는 변경, 관련 의료인에 대한 진술변경 종용과 같은 증거조작의 우려가 있는 행위가 있는 경우 유죄로 인정될 시 양형이 상향되는 경향을 보인다.

의료와 관련하여 형법상 업무상과실치사상죄(제268조), 허위진단서작성죄(제233조), 업무상비밀누설죄(제317조) 등이 있고, 의료법, 국민건강보험법 등 의료 관련 법률에는 각 규정 위반 시 형벌을 부과할 수 있는 벌칙규정이 있다. 의료형사소송은 위 각 죄와 관련하여 의료인의 법 위반행위 및 고의·과실 여부, 인과관계 등을 판단하여 형사책임 유무를 결정하는 소송절차이다.

의료사고로 환자가 상해 또는 사망에 이르게 된 경우 환자 쪽에서 민사소송을 제기할 뿐만 아니라 업무상과실치사상죄로 형사고소를 함께 진행함으로써 증거수집에 있어 편의를 도모하는 경향이 있다(안법영 등, 2014).

3. 의사의 설명의무

의사의 설명의무는 헌법 제10조에 규정된 인간으로서의 존엄과 가치 그리고 행복추구권에 그 근거를 둔다. 의사의 설명의무는 의사 측의 충분한 설명과 제공된 정보에 기반한 환자 측의 동의라는 내용이 포함되며, 핵심은 환자의 자기결정권의 보장에 있다(범경철, 2003).

환자는 의료의 전 과정에서 자신에게 행해질 의료행위에 대하여 그것을 수용할 것인지, 즉 동의할 것인지 거절할 것인지를 선택할 자유가 있으며 그 자유의 적극적 실현을 위해 자기결정권을 갖는다(석희태, 2017).

대법원은 "일반적으로 의사는 환자에게 수술 등 침습을 가하는 과정 및 그 후에 나쁜 결과 발생의 개연성이 있는 의료행위를 하는 경우 또는 사망 등의 중대한 결과 발생이 예측되는 의료행위를 하는 경우에 있어서 응급환자나 그 밖에 특단의 사정이 없는 한 진료계약상의 의무 내지 침습 등에 대한 승낙을 얻기 위한 전제로서 당해 환자나 그 법정대리인에게 질병의 증상, 치료방법의 내용 및 필요성, 발생이 예상되는 위험 등에 관하여 당시의 의료수준에 비추어 상당하다고 생각되는 사항을 설명하여 당해 환자가 그 필요성이나 위험성을 충분히 비교해 보고 그 의료행위를 받을 것인가의 여부를 선택할 수 있도록 할 의무가 있다"고 판시하였다(대법원 1994.4.15. 선고 93다60953 판결; 대법원 1999.9.3. 선고 99다10479 판결, 대법원 2002.10.25. 선고 2002다48443 판결).

의료행위는 인체에 대한 침습행위를 내포하고 있으므로 전적으로 환자의 동의가 있는 경우에 한하여 허용된다. 즉, 환자의 동의는 의료행위의 전제조건이다. 그리고 환자는 자기의 질병상태, 의료행위의 목적, 방법, 위험성, 대체적 치료 방법 등에 관하여 의사로부터 올바른 설명을 받고 그 내용을 이해한 후에야 의료행위를 동의하거나 거부할 수 있다(이충훈, 2003).

의료 현장에서도 의사가 환자에게 설명의무를 부담한다는 점에 대하여는 이견이 없으나, 구체적으로 어느 정도의 설명이 필요한가에 대하여는 아직도 논의가 더 필요하다.

1) 의료법상 설명의무

설명의무와 관련하여 의료법은 사람의 생명 또는 신체에 중대한 위해를 발생하게 할 우려가 있는 의료행위를 하는 경우 설명의무를 규정하고 서면으로 동의를 받도록 하고 있다(제24조의 2 제1항). 동의를 받아야 하는 사항은 1. 환자에게 발생하거나 발생 가능한 증상의 진단명, 2. 수술 등의 필요성, 방법 및 내용, 3. 환자에게 설명을 하는 의사 및 수술 등에 참여하는 주된 의사의 성명, 4. 수술 등에 따라 전형적으로 발생이 예상되는 후유증 또는 부작용, 5. 수술 등 전후 환자가 준수하여야 할 사항 등이다(제24조 제2항). 동의를 받은 사항 중 수술 등의 방법 및 내용, 수술 등에 참여한 주된 의사가 변경된 경우에는 변경 사유와 내용을 환자에게 서면으로 알려야 한다(제24조 제4항). 환자에게 설명을 하지 아니하거나, 서면 동의를 받지 아니하거나, 환자에게 변경 사유와 내용을 서면으로 알리지 아니하면 300만원 이하의 과태료 처분을 받게 된다(제92조 제1항).

2) 설명의무의 내용과 범위

의사는 질병의 종류, 중대성 및 진료와 관련하여 환자가 부담하는 위험에 대한 일반적인 사항을 고지하여 환자로 하여금 합리적인 결정을 할 수 있도록 하여야 한다. 원칙적으로 환자는 동의하기 전에 향후 시행될 진료의 본질적 내용, 의미 및 기대효과를 파악할 수 있어야 하고, 진료에 따르는 위험의 감수 여부에 대하여 합리적인 판단을 할 수 있도록 의사로부터 설명을 자세히 그리고 충분히 들을 수 있어야 한다. 의사는 원칙적으로 환자에게 문진, 시진, 촉진, 타진 및 각종 검사 등 각종 진료 방법을 동원하여 알아 낸 질병에 대하여 환자에게 설명할 의무를 부담한다. 이와 같은 진단 결과의 고지를 통하여 환자는 질병의 본질을 이해할 수 있게 하고, 환자 스스로 자신에게 행해질 치료방법을 선택·결정할 수 있도록 도움을 주는 것이다.

다수의 치료방법이 존재하는 경우에는 환자가 특정한 치료방법을 선택할 수 있도록 각각의 치료방법에 대하여 설명하여야 한다. 의사는 계획하고 있는 진료행위에 수반될 수 있는 부작용과 후유증 등 예상 가능한 위험성에 대하여 환자에게 설명하여야 한다. 다만, 진료에 따르는 위험의 발생이 진료행위의 당연한 결과로 인한 것이거나, 환자가 이미 알고 있거나, 상식적인 내용에 대하여까지 설명할 필요는 없다(대법원 2011. 11. 24. 선고 2009다70906 판결).

발생 가능성이 극히 희박한 위험에 대하여 설명할 필요가 있는가에 대하여는 논란이 있으나, 대법원은 "의사의 설명의무는 그 의료행위에 따르는 후유증이나 부작용 등의 위험발생 가능성이 희소하다는 사정만으로 면제될 수 없으며, 그 후유증이나 부작용이 당해 치료행위에 전형적으로 발생하는 위험이거나 회복할 수 없는 중대한 것인 경우에는 그 발생 가능성의 희소성에도 불구하고 설명의 대상이 된다."고 판시한 바 있다(대법원 1995.01.20. 선고 94다3421 판결).

그리고 의사는 그 진료 목적의 달성을 위하여 환자 또는 그 보호자에 대하여 요양의 방법 기타 건강관리에 필요한 사항을 상세히 설명하여 후유증 등에 대비하도록 할 요양방법의무(지도설명의무, 조언설명의무)를 부담한다(대법원 1997.07.22. 선고 95다49608 판결).

질식분만 시도 시 분만에 따른 위험성에 대한 설명에 대하여 대법원은 "질식분만을 하게 되면 산모 또는 태아의 생명 신체 등에 중대한 위험을 초래할 개연성이 있어 제왕절개수술을 실시할 필요가 있다고 판단되는 경우에 의사는 특별한 사정이 없는 한 산모로 하여금 제왕절개수술을 받을지 여부를 결정하도록 하기 위해 질식분만을 실시할 경우 예상되는 위험, 대체적인 분만방법으로 제왕절개수술이 있다는 점 및 제왕절개수술을 실시할 경우 예상되는 위험 등을 설명할 의무가 있으나, 위와 같이 제왕절개수술을 실시할 상황이 아니라면 질식분만이 가장 자연스럽고 원칙적인 분만방법이므로 의사가 산모에게 질식분만을 실시힐 경우 발생할 수 있는 위험 등을 설명하지 않았다고 하여 설명의무를 위반하여 산모의 자기결정권을 침해하였다고 할 수는 없다"고 판시함으로써(대법원 2011.3.10. 선고 2010다72410 판결), 질식분만 시도 시 분만에 따른 위험성에 대하여 설명하여야 할 의무는 없다고 하였다.

3) 설명의 시점과 제한

설명은 해당 진료행위를 시작하기 전에 하여야 하며, 환자가 심사숙고하고 가족들과 충분히 의논할 수 있도록 시간적 여유를 주어야 한다. 단, 병증이 긴급한 치료를 요하는 경우에는 그와 같은 시간적 여유가 줄어들 것이며, 의학적으로 긴급한 생명 위협 상황이 발생하였으나 환자 혹은 보호자(법정대리인)의 동의를 받을 시간적 여유가 없을 때에는, 먼저 필요한 진료행위를 한 후 사후에 설명을 하고 추인을 받을 수 있다.

일반적으로 치료가 긴급할수록 설명의무의 범위는 축소되고, 침습이 긴급하지 않을수록 그 범위는 확대된다. 대법원은 "의사로서는 성형수술이 그 성질상 긴급을 요하지 아니하고 성형수술을 한다 하더라도 외관상 다소간의 호전이 기대될 뿐이며 다른 한편으로는 피부이식수술로 인한 피부 제공처에 상당한 상처로 인한 후유증이 발생할 가능성이 있음을 고려하여 수술 전에 충분한 검사를 거쳐 환자에게 수술 중 피부이식에 필요하거나 필요하게 될 피부의 부위 및 정도와 그 후유증에 대하여 구체적인 설명을 하여준 연후에 그의 사전동의를 받아 수술에 임하였어야 할 업무상 주의의무가 있음에도 불구하고 이에 이르지 아니한 채 막연한 두피이동술 및 식피술 등의 수술에 관한 동의만 받았을 뿐 양대퇴부의 피부이식에 대한 내용 및 그 후유증 등에 대하여 구체적으로 설명하여 주지 아니하고 수술에 이르렀다면 이 사건 성형수술로 피해자가 입은 상해는 의사의 위와 같은 주의의무를 다하지 아니한 과실로 인한 것이라고 할 것이다."라고 판시함으로써(대법원 1987.04.28. 선고 86다카1136 판결) 긴급성을 설명의무의 범위를 한정할 수 있는 요소로 보고 있다.

4) 설명의무 위반에 따른 손해배상

설명의무 위반에 따른 손해배상으로는 위자료 청구나 전 손해에 대한 청구가 가능하다. 의사가 설명의무를 위반한 채 수술을 하여 환자에게 사망과 같은 중대한 결과가 발생한 경우에 환자 측에서 선택의 기회를 잃고 자기결정권을 행사할 수 없게 된 사실에 대한 위자료만 청구할 때에는 의사의 설명 결여 내지 부족으로 인하여 선택의 기회를 상실한 사실만 입증하면 족하고 설명을 받은 경우라고 하면 사망 등의 결과는 생기지 않는다고 하는 관계까지 입증할 필요는 없다(대법원 2002.01.11.선고 2001다27449 판결).

그러나 의사의 설명의무 위반의 결과로 인한 모든 손해, 즉 전 손해를 청구하는 경우에는 그 중대한 결과와 의사의 설명의무 위반 내지 승낙 취득과정에서의 잘못과의 사이에 상당한 인과관계가 존재하여야 한다(대법원 1996.4.12. 선고 95다56095 판결). 그리고 전 손해를 청구하는 경우에는 의사의 설명의무 위반이 환자의 생명, 신체에 대한 구체적 치료과정에서 요구되는 의사의 주의의무 위반과 동일시할 정도의 것이어야 한다(대법원 2004,10.28. 선고 2002다45185 판결).

환자에게 중대한 결과가 발생하였다고 하더라도 그것이 의료행위와 관련이 없었다면, 의료행위에 대한 설명의무가 제대로 이행되었는지가 문제되지 않는다. 의료행위로 인하여 나쁜 결과가 발생한 것이 아닌 경우, 의료행위에 대한 자기결정권을 충분히 행사하였는지 여부에 따라 결과가 달라지지 않기 때문이다(대법원 2016. 9. 23. 선고 2015다66601 판결).

5) 설명의무 위반에 대한 입증책임

설명의무는 침습적인 의료행위를 시행하는 과정에서, 그 의무의 중대성에 비추어 의사로서는 환자에게 설명한 내용을 문서화하여 보존할 필요가 있다. 특히 응급 의료에 관한 법률 제9조 제1항, 시행규칙 제3조는 응급 의료에 종사하는 의사는 응급 환자에게 응급 의료에 관하여 설명하고 그

동의를 얻어야 한다고 규정하고 있다. 그러므로 긴급을 요하는 응급 의료의 경우에도 의료행위의 필요성, 의료행위의 내용, 의료행위의 위험성 등을 설명하고, 그 설명을 문서화한 서면에 동의를 받을 법적의무가 의사에게 부과되어 있다.

의사가 문서에 의하여 설명의무를 이행한 때에는 그 사실을 입증하기는 매우 용이한 반면, 환자 측에서 설명의무가 이행되지 않은 사실을 입증하기는 극히 어려운 측면이 있다. 그러므로 특별한 사정이 없는 한 의사 측에 설명의무를 이행한 데에 대한 증명 책임이 있다고 해석하는 태도가 손해의 공평, 타당한 분담을 그 지도 원리로 하는 손해배상제도의 이상 및 법체계의 통일적 해석의 요구에 부합한다(대법원 2007.05.31.선고 2005다5867 판결). 결국 설명의무의 이행여부에 대한 입증책임은 의사에게 있다고 볼 수 있다(김민중, 2011).

4. 소송 대체적 분쟁해결수단(Alternative Dispute Resolution, ADR)

의료사고로 인한 신체·건강·생명의 피해와 손해는 본질적으로 원상회복이 곤란할 뿐만 아니라, 의료행위의 내용 중에서 과실여부를 가려내기가 사실상 어렵다. 이와 같은 의료소송이 갖는 비경제성·비신속성·비소통성·비수용성을 개선하기 위한 노력의 일환으로 제기되는 것이 '대체적 분쟁해결제도(Alternative Dispute Resolution, ADR)'이다(김경례 2012). 우리나라에는 소비자기본법에 의한 한국소비자원의 피해구제 및 소비자분쟁조정위원회의 조정, 의료사고 피해구제 및 의료분쟁 조정 등에 관한 법률(의료분쟁조정법)에 의한 한국의료분쟁조정중재원의 조정 등이 있으며, 사법형 조정제도는 민사조정법에 의한 법원조정센터와 수소법원의 조정제도가 있다(전병남, 2015).

1) 소비자기본법상의 소비자분쟁조정을 통한 의료분쟁조정

소비자기본법은 소비자의 권익을 증진하기 위하여 소비자정책의 종합적 추진을 위한 기본적인 사항을 규정함으로써 소비생활의 향상과 국민경제의 발전에 이바지함을 목적으로 하고 있으며(소비자기본법 제1조), 소비자의 불만이나 피해가 신속·공정하게 처리될 수 있도록 소비자분쟁조정에 관한 규정을 두고 있다.

(1) 소비자분쟁조정절차

소비자분쟁조정위원회에 분쟁조정의 신청은 소비자와 사업자 사이에 발생한 분쟁에 관하여 국가 및 지방단치단체가 소비자분쟁의 해결을 위해 설치한 기구에서 소비자분쟁이 해결되지 아니하거나 소비자단체가 행한 합의권고에 따른 합의가 이루어지지 아니한 경우 당사자나 그 기구 또는 단체의 장이 신청할 수 있다(제65조 제1항).

한국소비자원에 의료피해구제가 신청되면 피해구제접수통보서를 발송해 사실조사(의료기관의 의견 포함)를 한 후에 전문가 자문을 거쳐 합의권고를 하며, 권고에 따라 양 당사자가 합의를 하게 되면 합의서 작성 후 종결된다. 처리기간은 30일(2회 연장, 총 90일)이고, 합의가 결렬되면 조정신청을 하게 된다. 피해구제 중에 당사자가 소를 제기한 사실을 알게 되면 피해구제 절차가 중지되고 이를 당사자에게 통지한다(제55조-제59조). 소비자분쟁조정위원회가 분쟁조정을 신청받은 경우 지체 없이 분쟁조정절차를 개시하여야 하고, 분쟁조정을 위하여 필요한 경우에는 전문위원회에 자문할 수 있다. 또한 분쟁조정절차에 앞서 이해관계인·소비자단체 또는 관계기관의 의견을 들을 수 있다(제65조 제2항-제4항). 소비자분쟁조정위원회는 분쟁조정의 신청을 받은 날부터 30일 이내에 그 분쟁 조정을 마쳐야 하지만, 부득이한 사정으로 30일 이내에 그 분쟁조정을 마칠 수 없는 경우에는 그 기간을 연장할 수 있는데, 이 경우 그 사유와 기한을 명시하여 당사자 및 그 대리인에게 통지하여야 한다(제66조).

(2) 분쟁조정의 효력

소비자분쟁조정위원회의 위원장은 분쟁조정을 마친 때에는 지체없이 당사자에게 그 분쟁조정의 내용을 통지하여야 하고, 이 통지를 받은 당사자는 그 통지를 받은 날부터 15일 이내에 분쟁조정의 내용에 대한 수락 여부를 조정위원회에 통보하여야 한다. 이 경우 15일 이내에 의사표시가 없는 때에는 수락한 것으로 간주하게 된다(제67조 제1항·제2항). 당사자가 분쟁조정의 내용을 수락하거나 수락한 것으로 보는 경우 그 분쟁조정의 내용은 재판상 화해와 동일한 효력을 갖는다(제67조 제3항·제4항).

2) 의료분쟁조정법을 통한 조정과 중재 제도

(1) 의료분쟁조정법

의료분쟁조정법은 의료분쟁을 신속·공정하고 효율적으로 해결하고, 의료인에게 안정적인 진료환경을 조성하기 위한 목적으로 제정되었다(의료분쟁조정법 제1조). 의료분쟁 당사자는 이 법을 통하여 소송이 아닌 조정 및 중재절차를 해결방법으로 선택할 수 있다(제40조). 의료분쟁조정법은 임의적 조정전치주의를 취하고 있으므로 조정절차를 거치지 않고 소송을 제기할 수 있으며, 조정신청이 있은 후에도 당사자는 법원에 소송을 제기할 수 있다.

(2) 조정절차

의료분쟁조정법에서는 조정의 대상을 의료사고로 인한 다툼인 의료분쟁으로 하고 있고(제2조 제2호), 이 때 의료사고는 보건의료인이 환자에 대하여 실시하는 진단, 검사, 치료, 의약품의 처방 및 조제 등의 행위로 인하여 사람의 생명, 신체 및 재산에 대하여 피해가 발생한 경우를 의미한다(제2조 제1호). 따라서 보건의료인의 과실이 인정되지 아니하고 해당 의료사고가 보건의료기관이 사용한 의약품, 의료기기 또는 혈액의 흠 등에 의한 것으로 의심되는 경우에는 조정대상에 포함되지 않는다(제36조 제5항).

조정의 신청은 의료사고의 원인이 된 행위가 종료된 날로부터 10년, 피해자나 그 법정대리인이 그 손해 및 가해자를 안 날로부터 3년 이내에 하여야 하고(제10조), 당사자 또는 대리인은 조정신청서를 작성하여 조정을 신청할 수 있다(제27조 제1항, 같은 법 시행규칙 제8조 및 제9조).

한편 의료분쟁조정원장은 조정을 신청한 분쟁에 대하여 법원에 소가 제기된 경우, 소비자기본법 제60조에 따른 소비자분쟁조정위원회에 분쟁조정이 신청된 경우, 의료사고가 아닌 것이 명백한 경우에는 조정 신청을 각하한다(제27조 제3항).

또한 조정신청이 있은 후에 신청인이 조사에 응하지 않거나 2회 이상 출석요구에 응하지 아니한 때, 조정신청 후 의료법 제12조 제2항의 의료기관의 의료용 시설·기재·약품, 그 밖의 기물 등을 파괴·손상하거나 의료기관을 점거하여 진료를 방해하거나, 형법 제314조 제1항의 허위의 사실을 유포하거나 기타 위계로써 사람의 신용을 훼손하거나 위력으로 업무를 방해하는 행위를 한 때, 피신청인이 조정신청서를 송달받은 날로부터 14일 이내에 조정절차에 응하고자 하는 의사를 통지하지 아니한 경우 의료분쟁조정원장은 조정신청을 각하한다(제27조 제8항).

그러나 조정신청의 대상인 의료사고가 사망 또는 1개월 이상의 의식불명, 장애인복지법 제2조에 따른 장애인 중 장애 정도가 중증에 해당하는 경우로서 대통령령으로 정하는 경우에는 지체 없이 조정절차가 개시된다(제27조 제9항).

조정부가 조정결정을 한 때에는 그 조정결정서 정본을 7일 이내에 신청인과 피신청인에게 송달하고, 송달 받은 신청인과 피신청인은 그 송달을 받은 날부터 15일 이내에 동의 여부를 조정중재원에 통보하여야 한다. 만약 15일 이내에 의사표시가 없는 때에는 동의한 것으로 간주하며, 성립된 조정은 재판상 화해와 동일한 효력이 있다(제36조).

(3) 중재절차

의료분쟁조정법상 의료사고 당사자는 분쟁에 관하여 조정부의 종국적 결정에 따르기로 서면으로 합의하고 중재를 신청할 수 있고, 조정절차 계속 중에도 중재를 통하여 해결하기로 합의하여 중재신청을 할 수 있다(제43조 제1항 제2항).

당사자는 합의로써 조정위원회의 위원장에게 중재 절차를 담당할 조정부를 선정하여 줄 것을 위임할 수 있고, 위임을 하지 아니한 경우 조정위원회의 위원장이 제시하는 조정부 중 하나를 합의로써 선택할 수 있다. 만약 중재부 선택에 관하여 합의하지 못한 경우 조정위원회의 위원장은 조정사건의 내용, 의료사고의 원인이 된 진료의 분야 등을 고려하여 중재절차를 담당할 조정부를 지정할 수 있다. 이 경우 당사자는 조정부 지정에 대하여 이의하거나 불복할 수 없다(같은 법 시행령 제18조). 중재판정은 확정판결과 동일한 효력이 있고, 중재판정에 대한 불복과 중재판정의 취소에 관하여는 중재법 제36조에 따르게 된다(제44조).

⑷ 불가항력 분만사고에 대한 보상제도

의료분쟁조정법 제46조는 "불가항력 의료사고 보상" 규정을 두고 있다. 사업의 시행주체는 조정중재원이고, 그 대상은 보건의료인이 충분한 주의의무를 다하였음에도 불구하고 불가항력적으로 발생한 분만에 따른 의료사고로 인한 피해이며, 의료사고 보상심의위원회에서 결정한다. 구체적인 보상의 범위는 1. 분만 과정 또는 분만 이후 분만과 관련된 이상 징후로 인한 신생아의 뇌성마비, 2. 분만 과정 또는 분만 이후 분만과 관련된 이상 징후로 인한 산모의 사망, 3. 분만 과정에서의 태아의 사망 또는 분만 이후 분만과 관련된 이상 징후로 인한 신생아의 사망(같은 법 시행령 제22조)이고, 보상사업에 드는 비용은 국가가 100분의 70을, 보건의료기관개설자 중 분만 실적이 있는 자가 100분의 30을 부담하도록 하였다(시행령 제21조 제1항).

5. 진료기록

1) 진료기록 작성의무

의료인은 각각 진료기록부, 조산기록부, 간호기록부, 그 밖의 진료에 관한 기록(진료기록부 등)을 갖추어 두고 환자의 주된 증상, 진단 및 치료 내용 등 보건복지부령으로 정하는 의료행위에 관한 사항과 의견을 상세히 기록하고 서명하여야 한다(의료법 제22조 제1항). 의료법 시행규칙 제14조는 진료기록부에 기록해야 할 의료행위에 관한 사항과 의견으로 가. 진료를 받은 사람의 주소·성명·연락처·주민등록번호 등 인적사항, 나. 주된 증상. 이 경우 의사가 필요하다고 인정하면 주된 증상과 관련한 병력·가족력, 다. 진단결과 또는 진단명, 라. 진료경과, 마. 치료 내용(주사·투약·처치 등), 바. 진료 일시를 명기하고 있다.

그러나 이와 같은 규정에 의하더라도 여전히 진료기록의 '상세성'에 관하여는 불명확한 부분이 남아 있다. 대법원은 "의사가 환자를 진료하는 경우에 그 의료행위에 관한 사항과 소견을 상세히 기록하고 서명한 진료기록부를 작성하여야 하며, 진료기록부를 작성하지 않은 자는 처벌하도록 하고 있는바, 이와 같이 의사에게 진료기록부를 작성하도록 한 취지는 진료를 담당하는 의사 자신으로 하여금 환자의 상태와 치료의 경과에 관한 정보를 빠뜨리지 않고 정확하게 기록하여 이를 그 이후 계속되는 환자치료에 이용하도록 함과 아울러 다른 의료관련 종사자들에게도 그 정보를 제공하여 환자로 하여금 적정한 의료를 제공받을 수 있도록 하고, 의료행위가 종료된 이후에는 그 의료행위의 적정성을 판단하는 자료로 사용할 수 있도록 하고자 함에 있다."라고 판시함으로써(대법원 1998.1.23.선고 97도2124 판결) 진료기록 작성의무의 취지를 명확히 하고 있다.

또한, 대법원은 진료기록부 작성에 있어서 '상세성'의 정도와 관련하여 "의사는 진료기록부에 환자의 상태와 치료의 경과 등 의료행위에 관한 사항과 그 소견을 환자의 계속적인 치료에 이용할 수 있고 다른 의료인들에게 적절한 정보를 제공할 수 있으며, 의료행위가 종료된 이후에는 그 의료행위의 적정성 여부를 판단하기에 충분할 정도로 상세하게 기록하여야 한다."라고 판시하였고, 아울러 진료기록부 작성의무의 주체와 관련하여 "의사가 환자를 진료하는 경우에는 의료법에 의하여 그 의료행위에 관한 사항과 소견을 상세히 기록하고 서명한 진료기록부를 작성하여야 하고, 진료기록부를 작성하지 않은 자는 처벌하도록 규정되어 있는 바, 진료기록부에 의료행위에 관한 사항과 소견을 기록하도록 한 의료법상 작위의무가 부여된 의무의 주체는 구체적인 의료행위에 있어서 그 환자를 담당하여 진료를 행하거나 처치를 지시하는 등으로 당해 의료행위를 직접 행한 의사에 한하고, 아무런 진료행위가 없었던 경우에는 비록 주치의라고 할지라도 그의 근무시간 이후 다른 당직의에 의하여 행하여진 의료행위에 대하여까지 그 사항과 소견을 진료기록부에 기록할 의무를 부담하는 것은 아니다."라고 판시하였다(대법원 1997.11.14. 선고 97도2156 판결).

2) 진료기록의 작성방법과 진정성

대법원은 진료기록부의 작성방법과 관련하여 "의료법에서 진료기록부의 작성방법에 관하여 구체적인 규정을 두고 있지 아니하므로, 의사는 의료행위의 내용, 치료의 경과 등에 비추어 효과적이라고 판단하는 방법에 의하여 진료기록부를 작성할 수 있다. 따라서 의사는 이른바 문제중심의무기록 작성방법(Problem Oriented Medical Record), 단기의무기록 작성방법, 또는 기타의 다른 방법 중에서 재량에 따른 선택에 의하여 진료기록부를 작성할 수 있을 것이지만, 어떠한 방법에 의하여 진료기록부를 작성하든지 의료행위에 관한 사항과 소견은 반드시 상세히 기록하여야 한다."라고 판시하였다(대법원 1998.1.23.선고 97도2124 판결).

진료기록부 등의 진정성은 국민건강보험과 각종 민간보험의 진료비 심사와 의료분쟁 혹은 의료소송 시 및 형집행정지 등 법무행정 심사과정 등에서 허위 작성, 변조 및 위조 등이 특히 문제가 되는데, 의료법 제22조 제3항에서는 "의료인은 진료기록부 등을 거짓으로 작성하거나 고의로 사실과 다르게 추가기재·수정하여서는 아니 된다."라고 명기하고 있다.

한편 대법원은 진료기록이 가필된 사안에서 "당사자 일방이 입증을 방해하는 행위를 하였더라도 법원으로서는 이를 하나의 자료로 삼아 자유로운 심증에 따라 방해자 측에게 불리한 평가를 할 수 있음에 그칠 뿐 입증책임이 전환되거나 곧바로 상대방의 주장 사실이 증명된 것으로 보아야 하는 것은 아니다."라고 판시하고 있다(대법원 1999. 4. 13.선고 98다9915 판결).

3) 진료기록의 보존의무

의료기관의 개설자 또는 관리자는 진료에 관한 기록을 보존하여야 한다. 환자 명부는 5년, 진료기록부는 10년, 처방전은 2년, 수술기록은 10년, 검사소견기록은 5년, 방사선사진 및 그 소견서는 5년, 간호기록부는 5년, 조산기록부는 5년, 그리고 진단서 등의 부본(진단서·사망진단서 및 시체검안서 등을 따로 구분하여 보존)은 3년간 각각 보존하여야 한다(의료법 시행규칙 제15조 제1항).

진료에 관한 기록은 마이크로필름이나 광디스크 등에 원본대로 수록하여 보존할 수 있으나(의료법 시행규칙 제15조 제2항), 그와 같은 방법으로 진료에 관한 기록을 보존하는 경우에는 필름촬영책임자가 필름의 표지에 촬영 일시와 본인의 성명을 적고, 서명 또는 날인하여야 한다(의료법 시행규칙 제15조 제3항).

진료기록부 등은 반드시 서면으로 작성하여 보관해야 하는 것은 아니다. 진료기록부 등을 "전자서명법"에 따른 전자서명이 기재된 전자의무기록으로 작성·보관할 수 있으나(의료법 제23조 제1항), 이때에는 전자의무기록을 안전하게 관리·보존하기 위하여 첫째, 전자의무기록의 생성과 전자서명을 검증할 수 있는 장비, 둘째, 전자서명이 있은 후 전자의무기록의 변경 여부를 확인할 수 있는 장비, 셋째, 네트워크에 연결되지 아니한 백업저장시스템 장비를 갖추어야 한다(의료법 시행규칙 제16조).

6. 환자의 개인정보

진료 과정에서는 불가피하게 개인의 신상정보, 건강정보 및 유전정보 등이 노출될 수밖에 없다. 의사는 진료와 관련하여 환자의 비밀누설 금지 등 환자의 프라이버시를 보호해야 할 윤리적·법리적 의무와 책임을 지고 있다. 한편 진료의 필요성과 환자의 알 권리의 보호를 위하여 본인 또는 본인의 위임을 받은 대리인 및 법률이 정하는 기관 혹은 직원에 대하여 진료기록을 열람케 하거나 사본을 교부·제출해야 하는 법적 의무를 함께 지고 있는데, 때로는 이들 양자간의 충돌이 발생하여 그 조정에서 어려움을 겪는 경우가 발생한다. 법률상 의무에 따라 진료기록을 공개·노출하여야만 하는 경우에도 환자 본인에게 고지·통지하는 것은 물론, 그 범위를 필요한 최소한에 그치도록 최대한의 주의를 기울여야 한다(손영수, 2008).

1) 개인정보와 프라이버시의 법적 성격

우리나라 '헌법' 제17조는 "모든 국민은 사생활의 비밀과 자유를 침해받지 아니한다."라고 규정하여 모든 국민의 사생활의 비밀과 자유의 불가침을 보장하고 있다. 사람은 누구나 자기 스스로의 뜻에 따라 삶을 영위해 나가며 개성을 신장시키기를 바라기 때문에 사생활의 내용에 대한 외부의 간섭을 원하지 않을 뿐만 아니라, 다른 사람에게 알리고 싶지 않은 자신만의 영역을 혼자 소중히 간직하기를 바라기 때문에 바로 이러한 자신만의 영역이 자신의 의사에 반하여 다른 사람에게 알려지는 것을 당연히 거부한다. 이와 같이 사생활의 내용과 양상을 스스로의 뜻에 따라서 정하고, 자신만의 영역을 자신 한 사람 속에서만 간직할 수 있다는 것이 사생활의 비밀과 자유이다. 사생활의 비밀과 자유는 인간행복의 최소한의 조건으로서, 어떤 사람이 사생활의 내용에 대해서 외부적인 간섭을 받거나 자신만의 영역이 타의에 의해서 외부에 노출되었을 때에는 누구나 인간의 존엄성에 대한 침해와 함께 인격적인 모욕감을 느끼게 된다.

사생활의 비밀과 자유는 인격권의 범주에 속하는 권리로서 프라이버시권과 개인정보 자기결정권이 그 핵심을 이룬다고 할 수 있다. 전통적으로 개인정보를 지칭하는 용어로는 '비밀' 혹은 '프라이버시'라는 말이 사용되어 왔다.

비밀이란 일반적으로 알려지지 않은 사실 또는 특정된 소범위의 사람들에게만 알려져 있는 사실로서 타인에게 알리지 않음으로써 본인에게 이익이 있는 사실을 말한다(정성근, 1996). 이와 같은 비밀에 대해서 보호받을 수 있는 개인의 권리는 프라이버시권의 한 내용이 된다.

개인정보란 종래의 개인의 비밀이나 프라이버시처럼 완전한 비밀의 대상이 되는 것은 아니라 하더라도 일정한 통제하에서 정보주체의 자기결정권하에서 활용의 대상이 되는 개인관련정보라고 정의할 수 있을 것이다. 개인정보라는 개념 속에는 해당 정보의 특성과 그와 같은 정보의 사용에 관한 개인의 합리적인 기대가 내포되어 있다(김일환, 1997). 개인관련정보란 구체적인 사람에 관한 정보를 포함할 뿐만 아니라 명확히 한 사람에게 귀속시킬 수는 없으나 다른 정보들의 도움을 받아서 그 신분의 동일성을 확인할 수 있는 모든 개개정보를 포함한다. 협의의 개인정보는 생존하는 개인에 관한 정보로서 성명, 주민등록번호 등 주어진 정보만으로 그 사람을 식별할 수 있는 것(직접식별 개인정보)이거나, 특정 개인정보만으로는 그 사람을 식별할 수 없더라도 다른 정보와 용이하게 결합하여 그 사람을 식별할 수 있도록 해 주는 것(간접식별 개인정보)을 말한다(정보통신망 이용촉진 및 정보보호 등에 관한 법률 제2조 제6호). '정보통신망 이용촉진 및 정보보호 등에 관한 법률'에서는 생존하는 개인에 관한 정보를 전제로 하고 있지만, 죽은 사람의 정보라 하더라도 죽은 사람의 명예에 관련된 것이거나, 생존하는 유족과의 관계에서 특별한 사적 의미를 지니는 정보는 보호되어야 할 것이다(김연수, 2001).

개인정보 자기결정권이란 정보처리의 모든 과정 즉 수집, 저장, 사용에 있어서 개인이 자신에 관한 사적 정보를 주체적으로 지배·관리하는 권리를 말한다. 정보사회에서 개인의 사생활의 자유는 자기정보에 관한 통제권을 의미하는 개인정보 자기결정권으로 강화되어야 한다. 허용되지 않는 정보처리를 통한 개인정보 자기결정권의 침해는 시민의 개인적 기회를 제한할 뿐만 아니라 공공복리를 심각하게 제한할 수 있기 때문이다.

2) 진료기록과 환자의 프라이버시 보호

진료과정에서는 진료상의 목적을 이루기 위하여 불가피하게 환자의 모든 개인적 프라이버시의 노출이 필요한 경우가 흔하다. 대부분의 대형 의료기관에서는 환자권리장전을 선포하여 이의 실천을 위하여 노력을 기울이고 있다.

보건의료기본법, 제13조(비밀 보장)에서는 "모든 국민은 보건의료와 관련하여 자신의 신체상·건강상의 비밀과 사생활의 비밀을 침해받지 아니한다."라고 규정하여 헌법에서 보장하고 있는 사생활의 비밀과 자유의 불가침의 보장을 보건의료와 관련하여 개별법적으로 보호하고 있다.

그러나 의무기록 등은 사회생활상의 다양한 용도 혹은 개인적 목적에 따라서 그 사본의 교부 혹은 열람이 필요한 경우가 많다. 환자의 기록정보는 가장 엄밀하게 보호되어야 할 개인정보임에도 현행 의료법은 환자진료기록의 열람·사본 교부 등 내용확인을 요구하는 자의 범위가 환자 본인 외에도 환자의 배우자, 직계 존속·비속으로 광범위하고, 의료법 외의 다른 법령에 의한 경우에도 가능하여 엄격히 보호되어야 할 환자의 진료관련 정보가 환자 본인의 동의 없이 누출될 우려가 있기 때문에 환자 본인이 아닌 경우 환자진료기록 열람을 엄격히 제한할 필요성이 제기된다.

의료법 제21조(기록 열람 등) 제2항에서는 형사소송법·민사소송법 등 열람근거를 (1) 환자의 배우자, 직계 존속·비속 또는 배우자의 직계 존속이 환자 본인의 동의서와 친족관계임을 나타내는 증명서 등을 첨부하는 등 보건복지부령으로 정하는 요건을 갖추어 요청한 경우 (2) 환자가 지정하는 대리인이 환자 본인의 동의서와 대리권이 있음을 증명하는 서류를 첨부하는 등 보건복지부령으로 정하는 요건을 갖추어 요청한 경우 (3) 환자가 사망하거나 의식이 없는 등 환자의 동의를 받을 수 없어 환자의 배우자, 직계 존속·비속 또는 배우자의 직계 존속이 친족관계임을 나타내는 증명서 등을 첨부하는 등 보건복지부령으로 정하는 요건을 갖추어 요청한 경우 (4) "국민건강보험법" 제14조, 제47조, 제48조 및 제63조에 따라 급여비용 심사·지급·대상여부 확인·사후관리 및 요양급여의 적정성 평가·가감지급 등을 위하여 국민건강보험공단 또는 건강보험심사평가원에 제공하는 경우 (5) "의료급여법" 제5조, 제11조, 제11조의 3 및 제33조에 따라 의료급여 수급권자 확인, 급여비용의 심사·지급, 사후관리 등 의료급여 업무를 위하여 보장기관(시·군·구), 국민건강보험공단, 건강보험심사평가원에 제공하는 경우 (6) '형사소송법' 제106조, 제215조 또는 제218조에 따른 경우 (7) '민사소송법' 제347조에 따라 문서제출을 명한 경우 (8) '산업재해보상보험법' 제118조에 따라 근로복지공단이 보험급여를 받는 근로자를 진료한 산재보험 의료기관(의사를 포함한다)에 대하여 그 근로자의 진료에 관한 보고 또는 서류 등 제출을 요구하거나 조사하는 경우 (9) '자동차손해배상 보장법' 제12조 제2항 및 제14조에 따라 의료기관으로부터 자동차보험진료수가를 청구받은 보험회사 등이 그 의료기관에 대하여 관계 진료기록의 열람을 청구한 경우 (10) '병역법' 제11조의 2에 따라 지방병무청장이 징병검사와 관련하여 질병 또는 심신장애의 확인을 위하여 필요하다고 인정하여 의료기관의 장에게 징병검사 대상자의 진료기록·치료 관련 기록의 제출을 요구한 경우 (11) '학교안전사고 예방 및 보상에 관한 법률' 제42조에 따라 공제회가 공제급여의 지급 여부를 결정하기 위하여 필요하다고 인정하여 '국민건강보험법' 제42조에 따른 요양기관에 대하여 관계 진료기록의 열람 또는 필요한 자료의 제출을 요청하는 경우 (12) '고엽제후유의증 환자지원 등에 관한 법률' 제7조 제3항에 따라 의료기관의 장이 진료기록 및 임상소견서를 보훈병원장에게 보내는 경우 (13) '의료사고 피해구제 및 의료분쟁 조정 등에 관한 법률' 제28조 제3항에 따른 경우 (14) '국민연금법' 제123조에 따라 국민연금공단이 부양가족연금, 장애연금 및 유족연금 급여의 지급심사와 관련하여 가입자 또는 가입자였던 사람을 진료한 의료기관에 해당 진료에 관한 사항의 열람 또는 사본 교부를 요청하는 경우로 구체적·명시적으로 한정하여 규정하고 있다.

그 외에도, 의료인은 다른 의료인으로부터 진료기록의 내용 확인이나 환자의 진료경과에 대한 소견 등을 송부할 것을 요청받은 경우에는 해당 환자나 환자 보호자의 동의를 받아 송부하여야 한다. 다만, 해당 환자의 의식이 없거나 응급환자인 경우 또는 환자의 보호자가 없어 동의를 받을 수 없는 경우에는 환자나 환자 보호자의 동의 없이 송부할 수 있고(의료법 제21조의 2 제1항), 진료기록을 보관하고 있는 의료기관이나 진료기록이 이관된 보건소에 근무하는 의사는 자신이 직접 진료하지 아니한 환자의 과거 진료 내용의 확인 요청을 받은 경우에는 진료기록을 근거로 하여 사실을 확인하여 줄 수 있으며(제21조 제4항), 의료인은 응급환자를 다른 의료기관에 이송하는 경우에는 지체 없이 내원 당시 작성된 진료기록의 사본 등을 이송하여야 한다(제21조의 2 제2항).

진료 과정에서는 불가피하게 개인의 신상정보, 건강정보 및 유전정보 등이 노출될 수밖에 없을 뿐만 아니라, 실제로 현대정보사회에서는 다양한 정보 체계와 정보 처리 기술이 발달하여 개인정보자료의 광범위한 수집, 축적, 이용이 용이하게 되었으므로 진료과정에서 노출되는 결정적인 개인정보 및 프라이버시 보호의 필요성은 날로 증대되고 있다. 특히, 오늘날과 같은 첨단생명과학의 시대에는 유전체분석 등을 통하여 한 사람의 개인적, 사회적 특성인자를 다양한 방면에 걸쳐 분석해 낼 수 있게 되었으므로 이러한 정보의 노출로 인해 발생할 수 있는 인간으로서의 존엄과 생명의 보호 및 피해 예방의 노력이 절실하다.

의사는 진료와 관련하여 진료의 필요성과 환자의 알 권리의 보호를 위하여 본인 혹은 본인의 위임을 받은 대리인 혹은 법정 기관에 대하여 진료기록을 열람케 하거나 사본을 교부해야 하는 법적 의무를 가지고 있지만, 그와 함께 환자의 비밀누설 금지 등 환자의 프라이버시를 보호해야 할 직업상의 법적·윤리적 의무와 책임을 동시에 지고 있다는 점을 유념하여야 한다.

참고문헌

- 김경례. 소송외적 의료분쟁해결(한국소비자원 의료피해구제 사례분석을 중심으로). 고려대학교대학원 법학박사 학위논문. 2012.
- 김민중. 의료의 법률학. 서울: 신론사; 2011.
- 김연수. 개인정보보호. 서울: 사이버출판사; 2001.
- 김영태. 전원의무 관련 쟁점 및 대법원판례 고찰. 의료법학 2017;14:281-313.
- 김일환. 개인정보보호법제의 정비방안에 관한 연구. 서울: 한국 법제연구원; 1997.
- 범경철. 의료분쟁소송. 법률정보센타. 2003.
- 석희태. 의사 설명의무의 법적 성질과 그 위반의 효과. 의료법학 2017;18:3-46.
- 손영수. 진료기록과 환자의 프라이버시. 대한산부인회지 2008;51:129-36.
- 안법영, 이충훈. 산부인과 의료소송 판례선. 서울: 신조사; 2014.
- 이재경. 의료사고에 있어서 과실-과실판단에 대한 판례의 태도를 중심으로-. 의료법학 2016;17:29-56.
- 이충훈. 수술전 동의서의 작성 방법 및 법적효력. 제89차 대한산부인과학회 교육강연 2003;166-74.
- 이충훈. 산부인과영역에 있어서 의료분쟁의 예방과 대책-분만을 중심으로-. 의료와 법률 1996:28-32.
- 전병남. 한국소비자원 의료분쟁 조정제도의 개선방안. 의료법학 2015;16:255-88.
- 정성근. 형법각론. 서울: 법지사; 1996.
- 최현태. 의사의 전원의무위반의 판단기준과 전원시점 판단. 의료법학 2019;20:163-201.
- 법령
  민법
  보건의료기본법
  소비자기본법
  의료법
  의료사고 피해구제 및 분쟁조정 등에 관한 법률
  정보통신망 이용촉진 및 정보보호 등에 관한 법률
  헌법
  형법
- 판례
  대법원 1987.04.28. 선고 86다카1136 판결
  대법원 1992.05.12. 선고 91다23707 판결
  대법원 1994.04.15. 선고 93다60953 판결
  대법원 1995.01.20. 선고 94다3421 판결
  대법원 1995.02.10. 선고 93다452402 판결
  대법원 1996.04.12. 선고 95다56095 판결
  대법원 1997.07.22. 선고 95다49608 판결
  대법원 1997.11.14. 선고 97도2156 판결
  대법원 1998.01.23. 선고 97도2124 판결
  대법원 1999.04.13. 선고 98다9915 판결
  대법원 1999.09.03. 선고 99다10479 판결
  대법원 2000,09.08. 선고 99다48245 판결
  대법원 2002.01.11. 선고 2001다27449 판결
  대법원 2002.10.25. 선고 2002다48443 판결
  대법원 2004,10.28. 선고 2002다.45185 판결
  대법원 2006.09.28. 선고 2004다61402 판결
  대법원 2007.05.31. 선고 2005다5867 판결
  대법원 2009.11.26. 선고 2008다12545 판결
  대법원 2011.03.10. 선고 2010다72410 판결
  대법원 2011.11.24. 선고 2009다70906 판결
  대법원 2012.05.09. 선고 2010다57787 판결
  대법원 2013.06.27. 선고 2010다96010 판결
  대법원 2013.12.12. 선고 2013다31144 판결
  대법원 2015.02.26. 선고 2013다27442 판결
  대법원 2016.09.23. 선고 2015다66601 판결

색인

기호 및 숫자

αFP 94
2단계 등급 847
2차 추시개복술 859
3α-AG 469
3α-androstanediol glucuronide 469
3α-안드로스텐디올 글루쿠로니드 469
4R 726
5α-reductase 469
5α-reductase deficiency 1052
5α-환원효소 469
5α-환원효소 결핍 448
17α-hydroxylase 446
17α-수산화효소 결핍 450
17β-hydroxysteroid dehydrogenase deficiency 1052
17, 20-lyase 446

A

468
Abdominal pregnancy 167
Abnormal sensory 1072
Abnormal storage 1071
Absent bladder sensation 1072
Acanthosis nigricans 473, 1028
Acrosome reaction 70
Actinomycin 895
Actinomycin D 900, 905, 936
Active immune therapy 734
Activin 53
ADA 152
Add-back regimen 351
Additivity 727
Adenocarcinoma 819
Adenocarcinoma in situ, AIS 393
Adenocarcinoma in situ of cervix 773
Adenoma malignum 774
Adenomyomectomy 131
Adjusted midparental height 1000
Adjuvant chemotherapy 973
Adrenarche 469, 1002, 1003
AFP 893, 901
AFS 분류법 1039
AGC 383
Agonist 50
Alpha-fetoprotien 893
Ambiguous genitalia 1046
Anastrozole 875
Androgen biosynthesis defects 1052
Androgen insensitivity 422, 453
Androstenedione 468, 907
Aneuploidy 35, 107
Anococcygeal ligament 1059
Anovulation 411
Antagonist 50
Anterior colporrhaphy 1088, 1111
Anterior vaginal repair 1088
Anti-estrogens 739
Anti-Müllerian hormone, AMH 34, 519, 640, 904, 1038
Antiphospholipid syndrome 625
Antisperm antibodies 570
Antral follicle 63
Apoptosis 692
Arcuate 1039
Arcus tendinous levator ani 1059
ARID1A 344
Aromatase inhibitor 353, 546, 740, 975
ASC-H 383
ASC-US 381
Asherman syndrome 452
ASRM 분류 344
Assisted hatching 604
Atrophic vaginitis 428
Atypia 412
Atypical ductal hyperplasia 956
Atypical endometrial hyperplasia 413, 826
Atypical lobular hyperplasia 957
Atypical vessel 373
Autonomous ovarian follicular cysts 1009
Autophagy 693
Axillary lymph node dissection 971

B

Bacterial vaginosis 144
Balanced translocation 622
Barbed suture material 311
Bartholin's duct cysts 424
Bayley-Pinneau 표 1000
bcl-2 102
Benign metastasizing leiomyoma 835
BEP 895, 898, 900, 901, 905
Beta-catenin 702
Bevacizumab 870, 871, 876
Bicornuate 623, 1039
Bimanual palpation 9
Bipotential gonad 1037
BI-RADS 950
Bisphosphonate 645
Bladder 25
Bladder atony 783
Bladder compliance 1082
Bladder emptying phase test 1083
Bladder filling phase test 1079
Bladder hypotonia 783
Bleomycin 896
BMD 644
Bone age 1000, 1004, 1011
Borderline serous peritoneal tumor 851
Brachytherapy 727, 831
BRAF 702, 840

BRCA1 702, 703, 723, 841, 842, 961
BRCA1/2 840
BRCA1 돌연변이 962
BRCA2 702, 703, 723, 841, 842, 961, 963
BRCA2 돌연변이 962
Breast conserving surgery 970
Breast imaging and reporting data system 950
Breast tubular carcinoma 965
Brenner tumor 407, 850
Bromocriptine 463
Bulbocavernosus muscle 1061
Bulking procedures 1091

C

c-myc 과발현 702
c-myc 암유전자 705
CA-125 99, 337, 408, 741
Cabergoline 463
CAH 1047
CAIS 1050
Call-Exner body 904
Capacitation 70
Carboplatin 865
Carboplatin과 docetaxel의 복합 항암화학요법 867
Carboplatin과 paclitaxel의 복합 항암화학요법 866
Carcinoid tumor 909
Carcinosarcoma 832, 836, 851
Cardinal ligaments 1102
Cavernous hemangioma 421
CC 543
CCCT 520
CCRT 790, 796
CDK inhibitor 704
Cediranib 876
Cell death 692
Cell proliferation 691
Cellular leiomyoma 104
Cellular senescence 693
Central or true precocity 1007
Central perineal tendon 1061
Cervical Intraepithelial Neoplasia 772
Cervical pregnancy 166
Cervix 24
Cesarean scar ectopic pregnancy 168
CHAMOCA 937
Chancre 159
Chemotherapy 832
Chlamydia trachomatis 126, 158
Choriocarcinoma 893, 917
Chronic myofascial pain syndrome 134
Chronological age 1004
CIN 772
CIN1 391
CIN2/3 392
Cisplatin 865, 895, 900, 905
c-KIT 돌연변이 894
Clear cell carcinoma 826, 849
Clear cell tumors 406
Clitoris 28
Clomiphene citrate 485, 543
Clomiphene citrate challenge test 520
Clue 세포 143
Coccygeus muscle 1099
Coccyx 1059
Coital incontinence 1072
Cold knife conization 391
Colon 853
Colposcopy 373
Colposcopy directed biopsy 380
Colpotomy 313
Complete androgen insensitivity syndrome 1050
Complete hydatidiform mole 917
Complete or partial gonadal dysgenesis 1051
Computed tomography 13
Concurrent chemoradiation therapy 790
Condyloma 368
Condyloma acuminate 424
Cone biopsy 380
Congenital adrenal hyperplasia 1047
Congenital lipoid adrenal hyperplasia 448
Conization 389
Continuous urinary incontinence 1072
Contrasexual or heterosexual precocity 1007
Cooper's ligament 15
Core needle biopsy 952
Cornual pregnancy 167
Cornual resection 177
Corpus 24
Corpus luteum cyst 12, 403
Cortical reaction 71
Cosmetic measures 476
Cough stress test 1078
CP 905
CRH 51
Cryosurgery 387
CT 873, 881
CTLA-4 억제항체 치료제 737
Culdocentesis 175
Culdotomy 313
Cushing syndrome 488
Cut-off value 856
Cyclophosphamide 895, 900, 905
Cyproterone acetate 475
Cystic lesions 947
Cystometry 1080
Cytoreductive surgery 860

D

Dactinomycin 930
Decreased bladder sensation 1072

Deep endopelvic connective tissue 1101
Deep transverse perineal muscle 1060
Defecatory dysfunction 1113
Dehydroepiandrosterone 468
Dehydroepiandrosterone sulphate 468
Depo-provera 90
Depot-medroxyprogesterone acetate 203
Dermoid cyst 96
Detrusor overactivity 1073
DHEA 468
DHEAS 468
DHEA-sulfate 907
DHT 468
Didelphus 1039
Dienogest 352
Diethylpropion 684
Differentiated VIN 428
Dihydrotestosterone 34, 468
Diploid 33
Discriminatory zone 172
Disorders of sex development, DSD 1046
Disorders of sexual development 1047
Disseminated peritoneal leiomyomatosis 835
Distal vaginal atresia 1044
DMPA 203
DNA 배수성 858, 906
DNA 복구 843
Dominance 62
Dopamine agonist 553
Dose dense paclitaxel과 carboplatin 요법 867
Double decidual sac sign 173
Double flap method 117
Doubling time 172
Doxorubicin 905
Dual energy xray absorptiometry 644
Ductal carcinoma in situ, DCIS 966
dVIN 428
DXA 644
Dysgenetic gonads 893
Dysgerminoma 892, 893
Dysuria 1072

E

E-cadherin 700
ECC 379
EGFR을 표적으로 하는 단일클론항체 745
EIN 824
EIN분류체계 413
Electrocautery 387
Electromechanical morcellator 312
EMA/CO 929, 931, 933, 937
EMA/EP 937
Embryo 33
Embryo transfer, ET 602
Embryonal carcinoma 893, 900
Endocervical curettage 374, 379, 825
Endodermal sinus tumor 899
Endometrial biopsy 825
Endometrial intraepithelial neoplasia 824
Endometrial stromal sarcoma, ESS 832
Endometrioid adenocarcinoma 825
Endometrioid endometrial cancer 413
Endometrioid tumors 406, 848
Endometriosis fertility index 347
Endopelvic fascia 1061, 1101
ENZIAN 자궁내막증 병기 346
Epdidymovasostomy 573
EP/EMA 931, 933
Epidermal inclusion cyst 424
Epithelioid leiomyosarcoma 836
ERAS 275
ERBB2 840
ERT 831
ESHRE/ESGE 분류법 1039
Etoposide 895
Excisional biopsy 952
Extended field irradiation 829
Extra corporeal magnetic innervation 1085
Extraembryonic differentiation 899

F

Fallopian tube 23
Familial/hereditary breast cancer 960
Fat necrosis 957
Fecal incontinence 1113
Feeling of incomplete emptying 1072
Female pseudohermaphroditism 1047
Fetus 33
Fibroadenoma 956
Fibroblast growth factor, FGT 700
Fibrosarcoma 903
FIGO 등급 체계 847
FIGO 병기 857
FIGO 수술적 병기결정 826
Fimbrial evacuation 177
Finasteride 475
Fine needle aspiration biopsy 952
Fitz-Hugh-Curtis 증후군 126
Flare-up effect 113
Flutamide 475
FMR1 유전자 457
FNAB 952
Follicular cell 37
Follicular cyst 12, 403
Folliculitis 424
Follistatin 53
Founder effect 842
FOXL2 유전자 변이 904
Fragile histidine triad, FHIT 702
Fragile X syndrome 457

FUL 1082
Full-thickness skin flap 809
Functional cyst 401
Functional urethral length 1082

G

Gadnerella vaginalis 143
Galactocele 958
Galactose-1- phosphate uridyl transferase 458
Gallwey (mFG) 점수체계 472
Gamate 33
Genealogical tree 843
Genetic counselling 843
Genetic testing 844
Genital ridge 1037
Germ cell tumor 891
Gestational trophoblastic tumor, GTT 925
Gestrinone 352
Ghrelin 50
GHRH 51
Glandular crowding 414
Glassy cell carcinoma 775
Gliomatosis peritonei, GP 897
GnIH 54
GnRH 47
GnRH agonist 112, 350, 594, 739, 741
GnRH antagonist 353, 596
GnRH 길항제 50, 113
GnRH 비의존성 1009
GnRH 의존성 1008
GnRH 자극검사 1012, 1015
GnRH 작용제 50, 1013
Goblet cell 848
Gonadal agenesis 446
Gonadal dysgenesis 422, 444, 899
Gonadal ridge 1037
Gonadarche 1002, 1003
Gonadoblostoma 893
Gonadotropin 487
Gonadotropin-inhibitory hormone 54
Gonadotropin-producing syncytiotrophoblastic cell 893
Gonadotropin-releasing hormone 739, 741
Gonadotropins 537
Granulosa-stromal cell tumor 903
Groin lymphadenectomy 809

H

Hamartoma 956
Haploid 33
hCG 94, 893, 918, 920
HDL 콜레스테롤 678
HE4 99, 408
Heavy menstrual bleeding 86
Hepatoid yolk sac tumor 900
HER-2/neu 705
Hereditary nonpolyposis coloretctal cancer 706
Herlyn-Werner-Wunderlich (HWW) 증후군 1043
Herpes simplex virus (HSV) 160
Hesitancy 1072
Heterosexual precocity 1010
Heterotopic pregnancy 168
HIFU 116
HIPEC 872
Hirsutism 470
HMB 86
HNPCC 706, 845
HNPCC 증후군 843
Hobnail cell 849
Hormonal therapy 879
Hot flush 642
HPV 700, 771
HPV prophylactic vaccine 395
HPV test 376
HSG 526
HSIL을 배제할 수 없는 비정형 편평세포 383
Human chorionic gonadotropic hormone 918, 920
Human chorionic gonadotropin 893
Human epididymis protein 4 408
Human papilloma virus 700, 771
HWW 1043
Hyaline 102
Hyaline body 900
Hydatidiform mole 917
Hydrosalpinx 578
Hymenotomy 1045
Hyperemesis gravidarum 921
Hypogastric artery 931
Hypogonadotropic hypogonadism 447
Hypospadias 1046
Hysterosalpingo-contrast sonography 527
Hysterosalpingography 13, 526

I

ICON 6 876
Ileocolostomy 725
Ileus 270
Iliococcygeal suspension 1109
Iliococcygeus muscle 1059
Immature teratoma 892, 893, 896
Immune-checkpoint inhibitor 832
Immune therapy of cancer 733
Immunologic factor 624
Immunotherapy 799, 878
Imperforate hymen 1045
IMRT 790
Incisional biopsy 952
Increased bladder sensation 1072
Increased daytime urinary inconti-nence 1072
Infertility 515

Inflammatory carcinoma 966
Informed consent 5
Infracolic omentectomy 860
Inguinal-femoral lymphadenectomy 810
Inguinal ligament 15
Inherited cancer susceptibility 694
Inherited thrombophilia 626
Inhibin 53, 65, 904
Insensible urinary incontinence 1072
Insulin-like growth factor-1, IGF-1 1005
Integration 701
Intensity modulated radiation therapy 790
Intermenstrual bleeding 86
Intermittency 1072
Intersexual disorder 421
Interstitial pregnancy 167
Interval debulking surgery 859
Intestinal bypass surgery 725
Intracavitary brachytherapy 787
Intracytoplasmic sperm injection, ICSI 604
Intraductal papilloma 957
Intralipid 633
Intrauterine adhesion 580
Intravenous leiomyomatosis 835
Intravenous urography 12
Invasive adenocarcinoma of cervix 773
Invasive ductal carcinoma 964
Invasive lobular carcinoma 965
Invasive mole 917
Invasive squamous cell Carcinoma of cervix 772
Inversion 622
In vitro fertilization 601
Irritable bowel syndrome, IBS 133
Ischiocavernosus muscle 1061
Isosexual precocity 900
ITP 1027
IVF 601

J

Jejunocolostomy 725
Juvenile granulosa cell tumor 906

K

Kallman 증후군 1017
Keratosis 373
Keyes 펀치생검 807
Kisspeptin 48, 1006
Klinefelter syndrome 35
K-ras 702, 705, 840
K-ras 돌연변이 708
Krukenberg tumor 909

L

Labial adhesions 1045
Labial agglutination 421
Labial hypertrophy 1045
Labia majora 27
Labia minora 28
LACC 임상시험 785
Lactate dehydrogenase, LDH 893
Laparoscopic uterosacral nerve ablation, LUNA 139
Large loop excision of transformation zone, LLETZ 389
Laterally extended endopelvic resection 798
LDL 콜레스테롤 678
LEEP 389
LEER 798
Leiomyosarcoma 109, 832, 834
Leptin 50, 1005
Letrozol 114
Letrozole 486, 741, 875
Leukemia 909
Leuprolide acetate 741, 875
Levator ani 17
Levator ani muscles 1099
Levator plate 1060
Levonorgestrel intrauterine system 352
Leydig cells 34, 1038
LH/FSH 52
Lichen planus 425
Lichen sclerosus 421, 425
Lipoma 957
Liquid based cytology 372
Liraglutide 684
LMS 834
LNG-IUD 417
LNG-IUS 89, 352
Lobular carcinoma in situ, LCIS 967
Longitudinal vaginal septum 1044
Low-grade endometrial stromal sarcoma 833
LSIL 384
Lung 853
Lymphatics 19
Lymphoma 909
Lynch II 증후군 723
Lynch syndrome 707
Lynch 증후군 843

M

MA 417
MAC 900, 937
Magnetic resonance imaging 13
Male Infertility 555
Malignant teratoma 896
Mammary duct ectasia 957
Mammography 950
Masupialization 424

Matrix metalloproteinases 700
Maximal urethral closure pressure, MUCP 1082
Mayer-Rokitansky-Küster-Hauser (MRKH) 증후군 1041
Mazindol 684
McCune Albright 증후군 1008, 1009
McIndoe split thickness graft technique 456
Medroxyprogesterone acetate 417, 831, 875
Medullary carcinoma 965
Megestrol acetate 417, 831
Melanoma 909
Melphalan 905
Menstruation 60
Mesonephric duct 1037
Metformin 486
Methotrexate 94, 166, 900, 930, 936
mFG 472
Microinvasive cancer 772
Microperforate hymen 1045
Microscopic residual tumor 861
Midurethral 1089
Mifepristone 352
Mini-sling 1091
Mismatch repair 843
Mixed epithelial carcinoma 851
Mixed germ cell tumor 892, 893, 900, 901
Mixed urinary incontinence 1072
MLH1 843
MMPs 700
MMR 유전자 843
Moderate and florid ductal hyperplasia 956
Modified Ferriman 472
Modified radical mastectomy 958, 968
Molar metastasis 922
Monoclonal antibody 744, 745
Monosomy 35
Morcellation 115, 312
Mosaicism 373
MPA 417
MRI 775, 874, 881, 951
MRKH 1041
MRKH 증후군 452
MSH2 843
MSH6 843
MTX 166, 936
Mucinous carcinoma 966
Mucinous tumor 848
Mucocele-like tumor 956
Müllerian anomalies 452
Müllerian duct 38, 1037
Müllerian inhibiting factor, MIF 34
Müllerian inhibiting substance, MIS 34, 1038
Müllerian tubercle 1038
Multichannel urodynamic studies 1079
Multi-port laparoscopic surgery 308
Mumps 458
Mycoplasma genitalium 150
Myocutaneous flap 809
Myofascial syndrome 134
Myxoid leiomyosarcoma 835

N

Naltrexone/bupropion 685
Natural killer cell 625
Natural orifice transluminal endoscopic surgery, NOTES 314
Necroptosis 693
Necrosis 693
Needle suspension procedures 1088
Need to immediately re-void 1072
Neisseria gonococcus 126
Neisseria gonorrheae 157
Neoadjuvant chemotherapy 972
Nerve-sparing radical hysterectomy 784
Neuropathic pain 755
Neuropeptide Y 50
Night sweat 642
Nintedanib 871
Nipple adenoma 956
Nipple-areolar complex conserving mastectomy 971
Nipple discharge 946
NK cell 625
Nociceptive pain 755
Nocturia 1072
Nocturnal enuresis 1072
Non-atypical endometrial hyperplasia 413
Non-gestational choriocarcinoma 900
Non-metastatic GTT 925
Non-steriodal anti-inflammatory drugs 350
NSAIDs 350

O

Obstructed hemivagina 1043
Occult stress urinary incontinence 1106
OCT 644
Olaparib 876
Oncogene 695
Oocyte 37
Oocyte maturation inhibitor, OMI 62
Oocyte retrieval 601
Oogonium 37
Opportunistic salpingectomy 853
Optimal 861
Orlistat 684
Ovarian cancer screening trial 853
Ovarian hyperthecosis 490
Ovarian malignant germ cell tumors 891
Ovarian pregnancy 166
Ovarian remnant syndrome 133
Ovarian sex cord-stromal tumors 902
Ovary 23
Overactive bladder, OAB 1072

Ovotesticular disorder of sexual development 454
Ovotesticular DSD 1053

P

P13K/ATK/mTOR 708
p53 702, 704, 707, 840, 842
PAC 905
Paclitaxel 865
Pad test 1078
Paget disease 968
PAIS 1051
Palliative care 751
Palliative chemotherapy 974
PALM-COEIN 86
Papillary squamous and transitional carcinoma 774
Paramesonephric duct 1037
Parasitic 104
Paravaginal repair 1111
PARP 876
PARP (poly ADP ribose polymerase) 억제제 704
PARP 저해제 872
Partial androgen insensitivity syndrome 1051
Partial hydatidiform mole 917
PAS 894, 900
Passive immune therapy 734
Pazopanib 871
PCOS 456, 1027
PD-1 수용체 737
Pearl index 187
Pedigree analysis 843
Pelvic bone 1099
Pelvic congestion syndrome 132
Pelvic diaphragm 17, 1059, 1101
Pelvic exenteration 820, 831
Pelvic floor 31, 1059
Pelvic floor muscle exercise 1085, 1108
Pelvic Organ Prolapse Quantification System (POP-Q) 표준화체계 1105
Pelvic ultrasonography 11
Pelvic varicosity 132
Pembrolizumab 832
Performance status 857, 872
Perineal body 29, 1061
Perineal membrane 1060, 1101
Perineal muscles 1061
Periodic acid-Schiff 894
Peripheral precocity or precocious pseudopuberty 1007
Peritoneal carcinoma 851
Permanent urinary diversion 721
Persistent ectopic pregnancy 178
Persistent trophoblastictissue 178
Pessary 1108
PET-CT 776
Phendimetrazine 684
Phentermine 684
Phentermine/topiramate 684
Phylloides tumor 957
Physiologic delay 447
Phytoestrogen 659
PIK3CA 702
Pineal gland 56
Piver 분류법 780
Placental site trophoblastic tumor 917, 933
Platinum refractory 875
Platinum resistant 875
Platinum sensitive 875
Platinum 무반응 875
Platinum 민감성 875
Platinum 저항성 875
PLCO 853
PLCO 연구 853
Ploidy 858
PMS1 843
PMS2 843
Point A 788
Point B 788
Poly-ADP ribose polymerase 876
Poly ADP ribose polymerase (PARP) inhibitors 746
Polycystic ovary, PCO 481
Polyembryoma 893, 901
Polyvesicular vitelline tumor 900
Position-dependent micturition 1072
Positron emission tomography, PET 874
Postmicturition leakage 1072
Postoperative adjuvant radiotherapy 791
Postural urinary incontinence 1072
Postvoid residual urine volume 1078
Powder-burn 342
Prader-Willi 증후군 1017
Preantral follicle 63
Preimplantation genetic test, PGT 600, 607
Premature adrenarche 1003, 1011
Premature gonadarche 1003
Premature menarche 1011
Premature ovarian insufficiency 640
Premature thelarche 1010
Preovulatory follicle 64
Presacral neurectomy 130, 139
Pressure-flow study 1084
Primary oocytes 37
Primitive sex cord 35
Primordial follicle 37, 63
Proband 843
Progestin 417
Progestins 737, 740
Prolapse 426
Proliferative phase 59
Prostate 853
Psammoma body 96, 846
Psedomy-xomaperitonei 406
Pseudoangiomatous stromal hyperplasia 958

Pseudogestational sac 173
Pseudomyxoma peritonei 852, 908
Pseudoprecocity 898
Pseudopuberty 901
PSN 139
PSTT 933
Psychogenic pain 755
PTEN 702
PTEN 돌연변이 707
Pubarche 1003
Pubocervical ligaments 1102
Pubococcygeus muscle 1059
Puborectalis muscle 1059
Pubourethralis 1059
Pubovaginalis muscle 1059
Pubovaginal sling operation 1088
Punch biopsy 379
Punctation 373
Pure embryonal carcinoma 900
Pure gonadal dysgenesis 446
PVR 1078
Pyospermia 569

Q

Q-tip 1107
Q-tip test 1076
Quantitative computed tomography 644
Quantitative ultrasound 644
Querleu -Morrow 분류법 781
QUS 644

R

Radial scar 956
Radical abdominal trachelectomy, RAT 786
Radical mastectomy 968
Radical vaginal trachelectomy 785
Radical vulvar en bloc resection 808
Radical vulvectomy 808
Radiograplic absorptiometry, RA 644
Radiotherapy 786
ras 돌연변이 702
Reanastomosis 721
Recruitment 62
Rectovaginal examination 9
Recurrent Disease 830
Residual ovary syndrome 133
Respiratory distress syndrome 921
Retrograde ejaculation 570
Rho (D) 면역 글로불린 923
Risk of Ovarian Cancer Algorithm, ROCA 854
Risk reducing salpingo-oophorectomy 844
Risk-reduction strategy 844
Robertsonian translocation 622
ROMA 99
ROMA (risk of ovarian malignancy algorithm) score 408
Rotterdam 479
RRSO 844
RVT 785

S

Sacrocolpopexy 1109
Sacrospinous ligament fixation 1109
Salpingectomy 177
Salpingostomy 177
Sarcoma 819
Sarcoma botryoides 84
Schiller-Duval body 899
Schiller test 373
Sclerosing adenoma 956
Secondary cytoreduction 875
Second-look laparotomy 874
Second-look operation 874
Secretory phase 59
Selection 62
Selective estrogen receptor modulator, SERM 646, 650, 975
Seletive serotonin reuptake inhibitor 642
Sella turcica 442
Semen analysis 563
Sentinel lymph node 785
Septate 1039
Septate hymen 1045
Seromucinous tumor 850
Serous borderline tumors with micropapillary pattern 846
Serous peritoneal carcioma 851
Serous psammocarcinoma 847
Serous tumor 846
Sertoli 34
Sertoli cells 1038
Sertoli-leydig cell tumor 906
Sex chromosome DSD 1053
Sex chromosome mosaicism 622
Sex determination 33
Sex-determining region of Y 1037
Sex hormone binding globuline 468
Sexual abuse 427
Sexual differentiation 33
SHBG 468
Simple bladder filling test 1079
Single-port laparoscopic surgery 308
Single-port robotic surgery 313
Sinovaginal bulb 1038
Skin-sparing mastectomy 971
Slow stream 1072
Smead-Jones 봉합 719
Smooth muscle tumor of uncertain malignancy 834
Solid lesions 947
Somatic malignant change 898
Somatic pain 755
Sonohysterogram 13, 111

Sonohysterography 416, 527
Spatial cooperation (indepent action) 727
Spironolactone 475
Spraying of urinary stream 1072
SPRM 114
Squamous cell carcinoma 805, 898
SRY 445
SRY 유전자 34, 1037
SSRI 642
Sterilization reversal 578
Straining to void 1072
Strawberry cervix 145
Stress incontinence 109
Stress test 1076
Stress urinary incontinence 1071
Stromal microinvasion 847, 848
Study 19 876
STUMP 834
Subadditivity 727
Superficial transverse perineal muscle 1061
Supradditivity 727
Swyer 증후군 1051
Synchronous multifocal disease 849
Syphilis 159

T

Tamoxifen 548, 740
Targeted therapy 798
Teletherapy 727
Tension-free vaginal tape 1089
Testicular DSD 1050
Testicular feminization syndrome 1050
Testicular sperm extraction, TESE 574
Testis-determining factor, TDF 35
Testolactone 1014
Testosterone 468, 907
Theca-lutein cyst 96, 403, 922
Thecoma 903
The endogenous opiate 49
The revised bethesda guidelines 707
Thromboembolism 271
Tiboine 645
Tissue selective estrogen complex, TSEC 646, 650
Topical eflornithine 476
Torsion 125
Total mastectomy 970
Total parenteral nutrition, PTN 765
Transcoelomic spread 856
Transcutaneous electrical nerve stimulation, TENS 130
Translocation, balanced 919
Transobturator tape, TOT 1090
Transvaginal mesh 1111
Transverse vaginal septum 1044
Trebananib 876
Treponema pallidum 159
TRH 51
Trichomonas vaginalis 145, 162
Trichomoniasis 162
Trisomy 35
Tubal ectopic pregnancy 165
Tubal occlusion 577
Tumor suppressor gene 697
TVT 1089
Two-cell two-gonadotropin theory 64
Type I 706, 823, 840, 845
Type II 706, 823, 840, 845
Type I hysterectomy 780
Type II hysterectomy 780
Type III hysterectomy 781
Type IV hysterectomy 781
Type V hysterectomy 781

U

UKCTOCS 853, 854
Ulcers 424
Ulipristal acetate 114
Unclassified carcinoma 851
Unicornuate 623, 1039
United Kingdom collaborative trial of ovarian cancer screening 853
Ureter 25
Ureteral stricture 783
Ureteroneocystostomy 721, 725
Urethra 25, 1104
Urethral caruncles 426
Urethral closure pressure 1082
Urethral function tests 1082
Urethral hypermotility 1076
Urethral pressure profile, UPP 1082
Urethrovesical junction 1073
Urgency 1072
Urgency urinary incontinence 1072
Urinary diversion 725
Urinary incontinence 1071
Urinary retention 1072
Urodynamic study 1078
Uroflowmetry 1083
Urogenital diaphragm 17, 1060, 1103
Urogenital sinus 1038
Usual VIN 428
Uterine curettage 175
Uterine didelphys 623
Uterine papillay serous carcinoma, UPSC 826
Uterine sarcoma 832
Uterine septum 623
Uterine suspension 139
Uterosacral ligaments 1102
Uterosacral ligament suspension 1109
Uterus 23
uVIN 428

V

VAC 895, 901, 905, 908
Vagina 24, 41
Vaginal brachytherapy 829
Vaginal dilation therapy 1042
Vaginal intraepithelial neoplasia, VAIN 430
Vaginal plate 1038
Valsalva leak point pressure, VLPP 1082
Varicocelectomy 572
Vascular endothelial growth factor 700
Vasovasostomy 573
VBP 895
VEGF 700
VEGF를 표적으로 하는 단일클론항체 744
Verrucous carcinoma 774
Vesicovaginal fistula 792
Videocystourethrography 1079
VVinblastine 895
Vincristine 895, 905
Virilization 467
Visceral pain 755
Voiding diary 1076
Von Willebrand 병 1027
Von Willebrand 질환 89
Vulva intraepithelial neoplasia, VIN 428
Vulvar pain syndrome 426
Vulvar vestibulitis 426
Vulvodynia 426

W

White epithelium 372
WHO 94 분류 체계 413
WHO 2014 413
Wide local excision 808
Winging scapula 944
Withdrawal bleeding 437
WMA 선언 1140
Wölffian duct 1037

X

XX DSD 1047
XX sex reversal 1050
XY DSD 1050

Y

Yolk sac tumor 892, 893, 899
Y 염색체 성결정부위 1037

Z

Zygote 33

ㄱ

가계도 843
가계 분석 843
가로질중격 1044
가바펜틴 643
가성 1009
가성 성조숙 898
가성 성조숙증 1007
가성점액종 908
가성혈관종성 증식증 958
가임력 보존 785
가임력을 보존하는 수술적 병기 설정술 898
가족/유전성 유방암 960
각화증 373
간 독성 732
간질임신 167
간헐뇨 1072
간헐적 만성복통 892
갈락토오스-1-포스페이트우리딜전이효소 458
감각장애 1072
감마 인터페론 152
감별진단 856
감수분열 37
감시림프절 785
감염조직 270
갑상샘자극호르몬 55
갑상샘자극호르몬분비호르몬 51
갑상선항진증 921
강내근접치료 787
강도변조방사선요법 790
개복 버치수술법 1088
갱년기 240
거짓사춘기 901
격막처녀막 1045
견인바늘걸기술 1088
결장폐색 270
결장하 대망절제술 858, 860
경계성 난소암의 치료 858
경계성 브레너종양 850
경계성 자궁내막양종양 848
경계성 장액성 복막종양 851
경계성 장액성종양 846
경계성 점액성종양 848
경계성종양 845
경관확장 자궁소파술 415
경구피임약 186, 844, 852
경량적초음파 644
경직장초음파검사 95
경쾌판정 기준 924
경폐쇄공 테이프술 1090
경피선 태선 421
경피형 복합호르몬 198
경화성선증 956
경화요법 349
경화태선 425

고강도 집속초음파 치료 116
고등급 자궁내막 간질육종 834
고령화 사회 639
고리전기절제술 389
고생식샘자극호르몬생식샘저하증 444, 1017
고위험군 완전포상기태의 기준 923
고인슐린혈증 477
고프로락틴혈증 457, 462
고형성병변 947
고환 35
고환결정인자 35
고환조직 정자 채취술 574
곧창자질진찰 9
골다공증 644
골밀도 644
골반가로막 1059, 1099
골반격막 17
골반결핵 151
골반근육 18
골반기저층 31
골반내근막 1061, 1101
골반내용물적출술 820, 831
골반림프절 860
골반림프절절제술 808
골반방사선 조사 905
골반봉와직염 269
골반뼈 15, 1099
골반신경 21
골반염 841
골반 염증성 질환 150
골반장기 19
골반장기 탈출증 1099
골반저근운동 1110, 1085
골반저부 1059
골반초음파 11
골반통 335
골반혈관 18
골연령 1000, 1004, 1011
공고/유지 항암화학요법 870
공동성 혈관종 421
공장결장연결술 725
공제 배뇨근압 1080
과립막-기질세포종양 903
과립막세포종 903
과립막세포종양 903
과민반응 733
과민성 방광 1072, 1073, 1092
과배란유도 591
과오종 956
관내유두종 957
관상피내암 966
광범위국소절제술 808
광범위자궁절제술의 Piver-Rutledge-Smith 분류 780
괴사성근막염 269
교감신경 1065
구리자궁내장치 199
구연산클로미펜부하검사 520
국소적 에플로니틴 476
국소전이 795
굴질망울 1038
궁상자궁 1039, 1044
균형전위 622
균형전좌 919
그레린 50
근막통증증후군 134
근육피부판 809
근접방사선치료 727
근접치료 831
근종 용해술 116
근치외음일괄절제술 808
근치외음절제술 808
근치자궁절제술 820
근치적 복식 자궁경부절제술 786
근치적 유방절제술 968
근치적 자궁절제술의 합병증 782
근치적 질식 자궁경부절제술 785
근치질절제술 820
기능성 낭종 401
기능성 및 일과성 요실금 1074
기능요도길이 1082
기립성 요실금 1072
기본인대 1102
기생성 근종 104
기저세포암종 816
기저 혈청호르몬검사 1012
기질 미세침윤 847, 848
기초체온검사법 523
기침유발검사 1078
긴장뇨 1072
깊은 골반내 결합조직 1101
깊은샅가로근 1060
꼬리근 1099

ㄴ

나이 879
낙태 1153, 1154, 1155
난관개구술 177
난관결찰술 841
난관-난소절제술, 위험감소 852
난관 내 자궁외임신 165
난관농양 879
난관불임술의 복원 578
난관수술 186, 299
난관수종 578, 879
난관술 짜기 177
난관암 879
난관요인 526
난관임신 124
난관절제술 177, 299
난관폐쇄 577

난관혈종 879
난모세포 37
난소 23, 37
난소고환발달이상 454
난소고환종 892, 893, 900
난소고환증 1053
난소과자극증후군 551, 600
난소 난포막과다형성 490
난소낭종절제술 858
난소반응 591
난소부전 553
난소수술 299
난소암 화학적 예방법 852
난소예비력 518, 592
난소요인 522
난소의 성삭기질종양 902
난소의 자율성 난포낭 1009
난소임신 166
난소잔류물증후군 133
난소절제술 289
난자 69
난자성숙억제인자 62
난자세포질내정자주입술 604
난자채취 601
난조세포 37
난포 62
난포기 56, 63
난포낭종 12, 401
난포 동원 62
난포막종 903
난포막황체낭 922
난포막황체낭종 403
난포 선택 62
난포세포 37
난황낭종양 892, 893, 899, 900
날개흉 944
남성불임 555
남성형 탈모 480
남성호르몬불감증 422
남성화 467
낭성기형종 96
낭성병변 947
낭종절제술 349
내당능장애 482
내배엽동종양 899
내인성 아편유사제 49
내인성 요도괄약근 기능부전 1073
내장골동맥 931
내장 통증 755
냉도 원뿔절제술 391
냉동수술 387
냉응고법 389
네크롭토시스 693
노르에피네프린 50
농정액증 569
뇌하수체 51
누공 271
느린 배뇨 1072
능동면역치료 734
니라파립 872, 877

ㄷ

다공 복강경수술 310
다낭성 난소 481
다낭성난소증후군 88, 456, 1027
다모증 470
다소포난황종양 900
다이하이드로테스토스테론 468
다중채널 요역동학검사 1079
다태임신 599
단각자궁 1039, 1042
단순 방광충전검사 1079
단순 재연결 721
단일공 로봇수술 313
단일공 복강경수술 308
당뇨병 676
대동맥주위 림프절생검 860
대동맥주위 림프절절제술 719
대리모 1147, 1149
대망절제술 861
대변실금 1113
대사당량 683
대사증후군 483
대음순 27
대장암 908
대체의학 221
더글라스와천자 175
데노수맙 646
데포 메드록시프로게스테론 아세테이트 203
데하이드로에피안드로스테론 468
델로르메 술식 1117
도파민 48
도파민작용제 553
동결절편 조직검사 900
동난포 63
동성조숙 900
동시다발성종양 849
동시항암화학방사선요법 796
동시항암화학방사선치료 790
두덩자궁목인대 1102
두배수체 33
두자궁 623
두 종류의 세포와 두 종류의 생식샘자극호르몬이론 64
드로스피레논 189
디에노게스트 189, 352
디히드로테스토스테론 34

ㄹ

라이디히세포 34, 1038
레보놀게스트렐분비 자궁내장치 201

레이저요법 388
레트로졸 486, 741
렙틴 50, 459, 669, 1005
로모소주맙 646
로버트슨전위 622
로봇 785
루프로라이드 아세테이트 741
리스본 선언 1140
린치증후군 707
림프계 19
림프낭종 783
림프절전이 856
림프종 909
립스타인 술식 1116

ㅁ

마약성 진통제 756
마약성 진통제 부작용 758
마약성 진통제 용량 적정 758
만성골반통 238
만성 근막통증증후군 134
만성 자궁내막염 416
만성 재발성 외음부 및 질칸디다증 148
말초성 1007
말초성 성조숙증 1009
말초형 신경병증성 통증 755
망울해면체근 1061
매독 159, 425
맥인도부분층피부이식술 456
메드록시프로게스테론 90
메트포민 486
면봉 1107
면역관문억제제 737, 832
면역글로불린투여 631
면역요법 878
면역학적 요인 624
모낭염 424
모자이시즘 373, 376
모호생식기 1046
무감각 요실금 1072
무긴장성 질테이프술 1089
무배란 411, 535
무정자증 566
물리적 통증조절법 762
뭇배아종 901
뮐러관 38, 1037
뮐러관결절 1038
뮐러관기형 452
뮐러관무형성증 1041
뮐러관억제물질 1038
뮐러억제물질 34
뮐러억제인자 34
미골 1059
미골근 1059
미늘봉합사 311
미니슬링법 1091
미분류 상피성 난소암 851
미분화 자궁육종 834
미성숙기형종 892, 893, 896
미세유두상 경계성종양 846
미세천공처녀막 1045
미용적 제모술 476
민감도 856

ㅂ

바르톨린 농양 424
바르톨린 도관 낭종 424
바르톨린샘암종 815
바소프레신 55
반복유산 621
반음양 장애 421
발단자 843
발살바 요누출압검사 1082
방광 25, 1063
방광감각 저하 1072
방광감각 증가 1072
방광기능장애 782
방광긴장저하증 783
방광내압측정법 1080
방광 무감각 1072
방광무긴장증 783
방광배출검사 1083
방광복막절제술 862
방광 유순도 1082
방광질루 792
방광충전검사 1079
방광훈련 1093
방사선치료 726, 786, 796
방사선치료 시 예후인자 787
방사선흡수 644
방사형 반흔 956
방향화효소 결핍 446
방향화효소억제제 114, 353, 546
배뇨곤란 892
배뇨근 과활동 1073
배뇨일기 1076
배뇨 지연 1072
배뇨통 1072
배뇨 후 요실금 1072
배뇨 후 잔뇨량 측정 1078
배란 67
배란유도 534
배란전난포 64
배상세포 848
배아 33
배아암종 893, 900
배아이식 602
배액관 310
배자외 분화 899
배출기 1071

배출장애 1071, 1072
백금기반 항암화학요법 898
백금기반 항암화학요법 여부 857
백반 376
백색병변 343
백색 상피 372
백혈병 909
범발성 복막근종증 835
변배출장애 1113
변형 근치적 유방절제술 958, 968
병기 879
병기설정 859
병기 설정술 827
병력 청취 6
병합임신 168
보완대체의학 221
보완의학 221
보조부화술 604
보조생식술 591
보조 항암화학요법 973
보통 유형 428
복강경검사 334
복강경 난관절개술 299
복강경수술 297
복강경하 골반 719
복강경하 림프절절제술 784
복강내 골반농양 269
복강내 세포검사 858
복강내 신경아교종증 897
복강내 항암화학요법 867
복강임신 167
복막 가성점액종 852
복막 가점액종 406
복막암 851
복부접근법 1116
복부진찰 7
복부팽만 892
복수의 유/무 857
복압성 요실금 109, 1071, 1073
복통 892
복합경구피임약 187
복합경화병소 956
복합항암화학요법 859
볼거리 458
볼프관 1037
부가지지요법 351
부갑상샘호르몬 646
부고환 정관문합술 573
부교감신경 1065, 1066
부대동맥 림프절절제술 858
부분적 남성호르몬 불감증후군 1051
부분질절제술 820
부분포상기태 917, 919
부신겉질자극호르몬분비호르몬 51
부신사춘기 1002, 1003
부신사춘기 조숙증 1003
부인과학 3
부인종양학 4
부정출혈 892
분만공포 241
분비기 59
분자표적치료 743
분자표적치료제 870
분화된 유형 428
불완전 배뇨 1072
불임 515
불임증 335
불확실한 악성을 지닌 평활근육종양 834
브레너종양 850
브로모크립틴 463
비뇨부인과학 4
비뇨생식가로막 1060
비뇨생식굴 1038
비뇨 생식기의 위축 650
비디오 요역동학검사 1079
비만 411, 460, 669
비스포스포네이트 645
비알코올지방간질환 675
비임신성 융모막암종 900
비장절제술 861
비전이성 임신영양막종양 925
비정배수체 35
비정상 생식기 출혈 83
비정상적인 자궁출혈 414
비정형 관상피증식증 956
비정형 선세포 383
비정형성 412
비정형성이 없는 자궁내막증식증 413
비정형 소엽증식증 957
비정형 자궁내막증식증 91, 413
비정형 혈관 373, 374
비주기성 유방통 946

ㅅ

사람유두종바이러스 700
사람융모생식샘자극호르몬 893
사마귀모양암종 774, 817
사이토카인 677
사정 후 소변검사 565
사종체 846, 847
사춘기 997
사춘기 조발증 84
사춘기 지연발달 1015
상승기 249
상피모양 자궁 평활근육종 836
상피성 난소암 839
샅막 1101
샘의 밀집 414
생검 422
생리과다 892
생리식염수주입 초음파자궁조영술 87

생리적 지연 447
생명윤리 1131, 1138, 1145, 1146
생물학적인 성 247
생식기골반통증/삽입장애 250
생식기기형 1037
생식내분비학 4
생식능선 1037
생식력 보존 860
생식샘 35
생식샘능선 1037
생식샘모세포종 893
생식샘무형성 446
생식샘발생장애 444, 899
생식샘자극호르몬 487, 537, 593
생식샘자극호르몬방출호르몬길항제 596
생식샘자극호르몬방출호르몬작용제 594
생식샘자극호르몬분비호르몬 47
생식샘자극호르몬분비호르몬길항제 353
생식샘자극호르몬분비호르몬작용제 739, 741
생식샘자극호르몬억제호르몬 54
생식세포종양 891
생식자 33
생식학적 인자 841
생식학적/환경적 예방 852
서혜대퇴림프절절제술 810
서혜부림프절절제술 809
서혜인대 15
선암 819
선천부신과다형성 1047
선천부신과다형성증 489
선천성 자궁기형 529
선천성 자궁내막결손증 461
선천적 자궁기형 623
선천지질부신과다형성 448
선택적 골반 858
선택적 세로토닌 재흡수 억제제 642
선택적 에스트로겐 수용체 조절제 646, 650, 975
선택적 프로게스테론 수용체 조절제 352
선택적 혈관조형술 929
선행 항암화학요법 869, 972
선행 화학요법 793
설사 271
섬유선종 956
섬유육종 903
섬유종 903
성 247
성결정 33
성교 요실금 1072
성기능장애 656
성매개질환 257
성별정체성 247
성별표현 248
성분화 33
성사춘기 1002, 1003
성사춘기 조숙증 1003
성선형성부전증 422
성 염색체 모자이시즘 622
성욕구/흥분장애 250
성의 이상발육 1046, 1047
성장호르몬 55
성장호르몬분비호르몬 51
성적절정기 249
성적 지향 248
성조숙증 900, 997, 1007
성폭력 250, 427
성행동 248
성호르몬결합글로불린 188, 468
세로질중격 1044
세로토닌 50
세르톨리세포 34, 1038
세르톨리라이디히종양 903, 906
세염색체 35
세절술 115, 312
세침흡인 세포검사 952
세포고사 692
세포괴사 693
세포내 암유전자 696
세포노화 693
세포막 암유전자 695
세포 분화도 879
세포 비정형성이 없는 자궁내막증식증 91
세포사멸 692
세포자멸사(아폽토시스) 842
세포증식 691
소아형 과립막세포종 906
소엽상피내암 967
소음순 28
소음순비대 1045
소음순유착 1045
소장폐색 270
소파조직검사 92
속발무월경 437
속발성 진성 성조숙증 1008
송과체 56
쇠퇴성출혈 437
수동면역치료 734
수면무호흡증 677
수술 자궁경 318
수술적 병기 906
수술적 병기 결정 859
수술적 치료 859
수술 전 평가 263, 856
수술 중 동결전편검사 861
수술 후 관리 263
수술 후 보조방사선치료 791
수술 후 보조요법 828
수술 후 일차 항암화학요법 863
수유기 유방염 957
수정 69, 71
수정능획득 70
수정 부모 중간신장 예측법 1000
수질암종 965

순생식샘발생장애 446
순수 배아암종 900
숫자 통증 등급 756
스와이어증후군 446
스클레로스틴 646
스트레스 460
스파이로노락톤 475
스피로노락톤 189
슬관절염 677
승마 659
시드니 선언 1150
시상하부 45
시조효과 842
시즈오카 코호트 연구 854
시토카인 678
식물성 에스트로겐 659
식사장애 459
신경병증성 통증 755
신경보존적 근치적 자궁절제술 784
신경성 식욕부진증 1016
신경외과적 치료 761
신경차단법 761
신경펩티드 50
신 독성 732
신직장의 모양 1118
신체검사 7
신체활동지수 857, 872
심근 독성 732
심리사회적 통증 762
심부 침윤성 자궁내막증 343
심신부인과학 5
심신의학 225
심인성 통증 755
쌍각자궁 1039, 1043

ㅇ

아데노신인산 라이보스 중합효소 억제제 746
아동성폭력 260
아로마타아제 길항제 740, 741
아로마타제 억제제 975, 976
아셔만증후군 452
아슈케나지 844
악성기형종 896
악성 브레너종양 850
악성생식세포종양 891
악성 선종 774
악성종양을 암시하는 소견 855
안드로겐무감응 453
안드로겐 분비 종양 489
안드로스텐디온 468
안면홍조 642
알츠하이머병 653
알트마이어 술식 1117
알파태아단백 893, 901
암성 통증의 진통 보조제 760
암성 통증 치료 원칙 756
암스테르담 기준 II 707
암유전자 695
암육종 832, 836, 851
압력-요류검사 1084
액와 림프절 곽청술 971
액티빈 53
야간뇨 1072
야간발한 642
야뇨증 1072
양성 브레너종양 407
양성 전이성 평활근종 835
양손 촉진 9
양잠재성생식샘 1037
양전자 방출 단층촬영 776
양쪽뿔자궁 623
양측 난소난관절제술 858
양측 부속기절제술 907
양측 서혜부 808
양측 자궁부속기절제술 898
얕은샅가로근 1061
엉덩꼬리지지술 1109
엉치가시인대고정술 1109
엉치질고정술 1109
에스결장절제 후 직장고정술 1116
에스트라디올 188
에스트로겐 53
여성불임증의 원인 522
여성 성기능장애 239
역연령 1004
역행성 사정 570
연명의료 1152
염색체 역위 622
염전 95, 125
염증성 유방암 966
엽상종양 957
영구적 요로전환술 721
영양 공급 762
예방적 항생제 266
예방적 화학요법 924
예후 영양 지표 763
예후인자 857, 879, 899, 906, 923
오르가즘장애 250
옥시토신 55
올라파립 872
올림근판 1060
완전 남성호르몬 불감증후군 1042, 1050
완전 또는 부분적 성선발육이상 1051
완전포상기태 917, 919
완화요법 751
완화 항암화학요법 974
외부방사선조사 831
외부방사선치료 727, 789
외상 426
외음 27
외음부 궤양 424

외음부상피내종양 428
외음부 안뜰염 426
외음부염 422
외음부재건술 725
외음부종양 423
외음부통증증후군 426
외음암 805
외음암의 FIGO 및 TNM 병기 807
외음육종 817
외음파제트병 816
요관 25, 1063
요관협착 783, 792
요도 25, 1104
요도기능검사 1082
요도내압검사 1082
요도방광접합부 1073
요도언덕 426
요도의 과운동성 1076
요도 점막의 탈출 426
요도탈 84
요도폐쇄압 1082
요도하열 1046
요로계감염 268
요로방광이음술 721, 725
요로전환술 725
요로조영술 12
요류검사 1083
요생식격막 17
요실금 1071
요역동학검사 1078
요저장 1067
요절박 1072
요정체 1072
요줄기의 분열 1072
우성화 62
우측 상복부종양감축술 862
원격전이 795
원발무월경 437
원발성난소기능부족증 457
원뿔생검 380
원뿔절제술 389
원시난포 37, 63
원시성삭 35
원위부질폐쇄 1044
원인 621
원인불명 불임증 534
월경 60
월경불순 892
월경전증후군 237
월경주기 56
월경통 335
웰스 술식(이발론 스펀지 술식) 1116
위암 908
위양성 hCG 929
위장관계 독성 732
위축성 질염 428
위축성 출혈 416
위험감소 난관-난소절제술 844
위험감소 난관절제술 853
위험감소 전략 844
위험인자 841
윌름씨종양 93
유관확장증 957
유두분비 946
유두상 편평세포암종 774
유두선종 956
유두-유륜 복합체 보존 유방절제술 971
유리양 세포암 775
유리질소체 900
유방 관상암종 965
유방보존술 970
유방암 653, 908, 958
유방영상보고 자료체계 950
유방 자가 검진 953
유방자기공명영상 951
유방 조기발육증 1010
유방초음파 951
유방촬영술 950
유선낭종 958
유암 909
유약엑스증후군 457
유전성 난소암 842
유전성 비용종대장암 706
유전성 암 감수성 694
유전성 암증후군 694
유전성 혈전성향증 626
유전적 인자 841
유전학적 검사 844
유전학적 상담 843
유즙분비호르몬 54
유피낭종 95
육종 819
융모막암종 893, 917
융모생식샘자극호르몬 901
융합영양막세포 893
음모 조기발생증 1011
음문혈종 85
음순유착 421
음핵 28
응급피임 217, 256
의료과실 1157, 1158
의료소송 1158, 1159, 1160
의료윤리 1131, 1143
의미미결정 비정형 편평세포 381
의사윤리 1132, 1133, 1134
이상지질혈증 484
이성 성조숙증 1007, 1010
이중 에너지 방사선 흡수법 644
이중피판법 117
이차 감축술 874
이차악성종양 902
이차 종양감축술 875

이차 추시 개복술 873, 874, 898
이차 추시 개복술의 상태 879
이차 추시 복강경수술 874
이차 추시 수술 874
이학적 검사 873
이행암종 774
이형성 생식샘 893
이형성 자궁내막증식증 826
인간부고환단백 408
인슐린 유사 성장인자-1 1005
인슐린 저항성 477
인유두종바이러스 367, 771
인유두종바이러스검사 376
인유두종바이러스 예방 백신 395
인트라리피드 633
인히빈 53, 65
일차난모세포 37
일차종양감축수술 859
일차종양감축술 859
일측 난소난관절제술 858, 907
일측 난소절제술 858, 898
일측성 난소난관절제술 860
일측성 자궁부속기절제술 900
일측질폐쇄 1043
임상병기에 따른 자궁경부암의 치료원칙 779
임상적 남성화 907
임신과다구토 921
임신영양막종양 925
임신영양막종양 치료 전 검사 928
임질 157

ㅈ

자가포식 693
자간전증 921
자궁 23
자궁각임신 167
자궁각절제술 177
자궁 걸기 139
자궁경관내소파술 374, 379, 825
자궁경관요인 533
자궁경부 24
자궁경부 미세침윤암 772
자궁경부 상피내선암종 773
자궁경부 상피내종양 365, 772
자궁경부 상피내종양 1 391
자궁경부 상피내종양 2/3 392
자궁경부 선상피내암 393
자궁경부액상세포검사 372
자궁경부임신 166
자궁경부질세포진검사 370
자궁경부 침윤성 편평상피암 772
자궁경하 소파검사 415
자궁경하 직접생검 92
자궁관 23
자궁관불임법 212
자궁근종 100
자궁근종절제술 300
자궁난관조영술 13, 526
자궁난관조영 초음파검사 527
자궁내막 58
자궁내막 간질육종 832
자궁내막검사 92
자궁내막모양샘암종 825
자궁내막모양종양 406
자궁내막상피내암 413
자궁내막 상피내종양 824
자궁내막샘모양암종 413
자궁내막생검 825
자궁내막소파술 905
자궁내막양 난소암 849
자궁내막양종양 848
자궁내막종 343
자궁내막증 93, 95, 327, 580, 841, 849, 850, 851
자궁내막증식증 411, 824
자궁내막증의 병인론 329
자궁내막증의 병합 치료 356
자궁내유착 531, 580
자궁내장치 186, 199
자궁동맥색전술 112, 115
자궁벽 쐐기절제술 117
자궁소파술 175
자궁엉치인대 1102
자궁엉치인대지지술 1109
자궁외임신 124
자궁요인 528
자궁유두장액암종 826
자궁육종 832
자궁적출술 418
자궁절제술 280, 301, 841, 898
자궁절제술의 합병증 290
자궁중격 623
자궁천골인대 소작술 139
자궁체부 24
자궁초음파조영술 13
자궁 평활근육종 832, 834
자궁확장매체 316
자기공명영상 13, 340, 775
자연개구부 내시경수술 314
자연살해세포 625
자율신경 22
자율신경계 1065
잔류난소증후군 133
잔류 병변 879
잔류전이종양 861
잔류종양 857
잔존 종양 906
잘열감 425
잠복 복압성 요실금 1092
잠재 요실금 1106
장골미골근 1059
장문합 방법 1118

장액성 난소암 847
장액성 복막암 851
장액성 사종체암 847
장액성종양 404, 846
장액-점액성종양 850
장우회로조성술 725
장폐색 270
장협착 792
재발성 자궁경부암 795
재발성 질환 830
재배뇨 욕구 1072
저등급 자궁내막 간질육종 833
저등급 편평상피내병변 384
저반응군 598
저생식샘자극호르몬생식샘저하증 447, 1016
저위전방절제술증후군 1118
저장기 1071
저장장애 1071
적색변성 102
적색병변 342
적절한 861
전기자극치료와 체외자기 신경감응치료 1085
전기지짐술 387, 389
전동난포 63
전동식 세절기 312, 313
전비경구적 영양요법 765
전유방절제술 970
전자궁절제술 858, 907
전질벽봉합술 1111
전질벽협축술 1088
전층피부피판 809
전통적 치골질걸이술 1088
절개생검 952
절단값 856
절박성 요실금 1072, 1073, 1092
절제생검 952
점액류 유사종양 956
점액성 난소암 848
점액성 선암 908
점액성종양 405, 848
점액성 평활근육종 835
점액암종 966
점적반 373, 376
접합자 33
정계정맥류절제술 572
정관정관문합술 573
정량적전산화단층촬영 644
정맥내 평활근종증 835
정맥염 268
정상 생식샘자극호르몬 정상생식샘호르몬 1018
정액검사 563
정자 69, 556
젖산탈수효소 893
제Ⅲ형 자궁절제술 781
제Ⅱ형 자궁절제술 780
제Ⅳ형 자궁절제술 781
제Ⅰ형 자궁절제술 780
제Ⅴ형 자궁절제술 781
제네바 선언 1132
제왕절개반흔임신 168
조기난소부전 457
조기선별검사 853
조직검사 858
조직 선택적 에스트로겐 복합체 650
조직학적 등급 897
조직학적 분류/등급 857
종양감축술 860
종양감축술 후의 잔류병변 857
종양면역요법 733
종양면역치료 799
종양억제유전 697
종양억제유전자 697
종양 표지자 775
좌골해면체근 1061
좌측 상복부종양감축술 861
주간 빈뇨 1072
주기성 유방통 945
주머니형성술 424
중간콩팥곁관 1037
중간콩팥관 1037
중격자궁 1039, 1043
중등도 및 개화성 관상피증식증 956
중복자궁 1039, 1043
중성지방 678
중심회음인대 1061
중앙부 침생검 952
중요도걸이술 1089
중추성 또는 진성 성조숙증 1007
중추성 성조숙증 1008
중추형 신경병증성 통증 755
증식기 59
지방괴사 957
지방종 957
지속성 요실금 1072
지속성 임신영양막질환 진단 기준 924
지연사춘기 997
직장자궁오목절개술 313
직장질루 792
직장탈출증 1113
직접전이 856
진단 855
진단 자궁경 317
진단적 복강경술 298
진성 1008
질 23, 24, 41
질건조증 641
질 근접 방사선치료 829
질상피내종양 430
질식메쉬수술 1111
질식초음파검사 855
질암 817
질염 422

질재건술 725
질절개술 313
질절제술 431
질주위봉합술 1111
질첨부지지술 1109
질출혈 824, 892, 900, 921
질판 1038
질폐쇄술 1111
질확대경검사 373
질확대경생검 380
질확장법 1042
징모양세포 849

ㅊ

착상 69, 72
착상전유전검사 600, 607
창상감염 269
처녀막막힘증 452, 1045
처녀막절개술 1045
천골전신경 절제술 130
첨단체반응 70
첨형 콘딜로마 424
체성악성변화 898
체성 통증 755
체외수정시술 600, 601
체위성 배뇨 1072
체질량지수 671
체질성 지연 1016
초경 조기발생증 1011
초고령 사회 639
초산 메드록시프로게스테론 352
초산사이프로테론 475
초음파 881
초음파검사 339, 855, 873
초음파자궁조영법 416
초음파자궁조영술 111, 527
초자양 변성 102
총정맥영양 공급 765
총 콜레스테롤 678
최대요도폐쇄압 1082
충수돌기 908
충수절제술 289
충전제 주입술 1091
치골미골근 1059
치골요도근 1059
치골직장근 1059
치골질근 1059
치료적 복강경술 298
침윤기태 917
침윤성 관암종 964
침윤성 소엽암종 965
침윤성 자궁경부선암종 773
침윤성 자궁경부암 771
침해수용통증 755

ㅋ

카베르골린 463
칼로리 요구량 767
칼만증후군 448
컴퓨터단층촬영 13
켄터키 대학 연구 853
콘딜로마 368
쿠싱증후군 488
쿠퍼씨인대 15
크루켄버그종양 909
클라미디아 158
클라인펠터증후군 35
클로미펜 485, 543
키스펩틴 48

ㅌ

타목시펜 740, 875
타이로신 인산화효소억제제 746
태반부착부위 영양막종양 917
태반부착부위 융모성종양 933
태반형성 72
태선경화증 84
태아 33
터너증후군 444, 1017
터키안 442
테스토스테론 188, 468
통증 754
통합 701
통합의학 221
투명대반응 72
투명세포암 826, 849
투명세포종 406
트리코모나스 감염증 162
특발성 성조숙증 1008
특발혈소판감소자색반병 1027
티르쉬 술식 1117
티볼론 645

ㅍ

파크랜드법 213
패드검사 1078
펀치생검 379
페사리 1108
펨브롤리주맙 832
편평상피세포암 898
편평세포암종 805
편평태선 425
폐감염 268
폐경이행기 640
폐독성 896
폐섬유화 896
포괄적 생활습관교정 680
포메로이법 212

포상기태 917
포상기태 조직의 전이 922
폴리스타틴 53
표적치료 798
표피봉입낭 424
프로게스테론 53
프로게스테론 길항제 352
프로게스테론부하검사 442
프로게스틴 188, 417
프로게스틴 제제 프로게스틴 제제 737, 740
프로게스틴 함유 자궁내장치 417
플루타마이드 475
피나스테라이드 475
피부경유 전기신경자극 130
피부 독성 733
피부보존 유방절제술 971
피부조직판 270
피임 185
피층반응 71

ㅎ

하복부 종괴 촉지 892
하부요로장애 1071
한쪽뿔자궁 623
합병증 599
항문거근 17
항문미골인대 1059
항문올림근 1059, 1060, 1099
항문올림근건궁 1059, 1060
항뮐러관호르몬 34, 519, 640, 1038
항암화학요법 729, 798, 832, 905
항에스트로겐 제제 739
항응고치료 633
항정자항체 570
해소기 249
핵내 암유전자 696
핵내 종양억제유전자 697
핵외 종양억제유전자 698
행동요법 1093
헤르페스 160
헬싱키 선언 1143
현미경적 자궁내막증 343
현미경적 잔류종양 861
혈관내피성장인자 700
혈관 운동 증상 642
혈관종 421
혈액학적 독성 732
혈전색전증 271
혈청 CA-125 855, 857, 873, 881
혈청 β-hCG 923
혈행전이 857
호르몬요법 879, 906, 980
호스피스 완화의료 753
호흡곤란증후군 921
호흡기계 독성 733
혼합생식세포종 892
혼합생식세포종양 893, 900, 901
혼합성 요실금 1072, 1074
혼합형 상피성 난소암 851
홑배수체 33
홑염색체 35
화학적 예방 852
확대 골반 방사선치료 829
환경적 인자 841
환경호르몬 1005
환자 나이 857
환자의 권리 1140
황산데하이드로에피안드로스테론 468
황체기 56, 67
황체기결함 524
황체낭종 12, 403
황체형성호르몬/난포자극호르몬 52
회결장연결술 725
회음근 1061
회음막 1060
회음부 콘딜로마 422
회음체 29, 1061
후성적 변화 695
후질벽교정술 1111
후천적 유전 손상 695
흑색가시세포증 473, 1028
흑색 색소침착 343
흑색종 812, 909
흡입소파술 923
흥분기 249
히포크라테스 선서 1132, 1133